S0-BKA-048

METHODEN DER
ORGANISCHEN CHEMIE

METHODEN DER ORGANISCHEN CHEMIE

(HOUBEN-WEYL)

VIERTE, VÖLLIG NEU GESTALTETE AUFLAGE

HERAUSGEGEBEN VON

EUGEN MÜLLER
TÜBINGEN

UNTER BESONDERER MITWIRKUNG VON

O. BAYER
LEVERKUSEN

H. MEERWEIN † · K. ZIEGLER †

BAND XV/1

SYNTHESE VON PEPTIDEN TEIL I

19 74

GEORG THIEME VERLAG STUTTGART

SYNTHESE VON PEPTIDEN

HERAUSGEGEBEN VON

E. WÜNSCH

BEARBEITET VON DEM AUTOREN-KONSORTIUM

M. DEFFNER K.-H. DEIMER E. JAEGER

P. STELZEL P. THAMM G. WENDLBERGER

E. WÜNSCH

ALLE ABTEILUNG FÜR PEPTIDCHEMIE, MAX-PLANCK-INSTITUT FÜR BIOCHEMIE
(VORMALS MAX-PLANCK-INSTITUT FÜR EIWEISS- UND LEDERFORSCHUNG),
MÜNCHEN

TEIL I

MIT 86 TABELLEN
UND 3 ABBILDUNGEN

19  74

GEORG THIEME VERLAG STUTTGART

In diesem Handbuch sind zahlreiche Gebrauchs- und Handelsnamen, Warenzeichen u. dgl. (auch ohne besondere Kennzeichnung), BIOS- und FIAT-Reports, Patente, Herstellungs- und Anwendungsverfahren aufgeführt. Herausgeber und Verlag machen ausdrücklich darauf aufmerksam, daß vor deren gewerblicher Nutzung in jedem Falle die Rechtslage sorgfältig geprüft werden muß. Industriell hergestellte Apparaturen und Geräte sind nur in Auswahl angeführt. Ein Werturteil über Fabrikate, die in diesem Band nicht erwähnt sind, ist damit nicht verbunden.

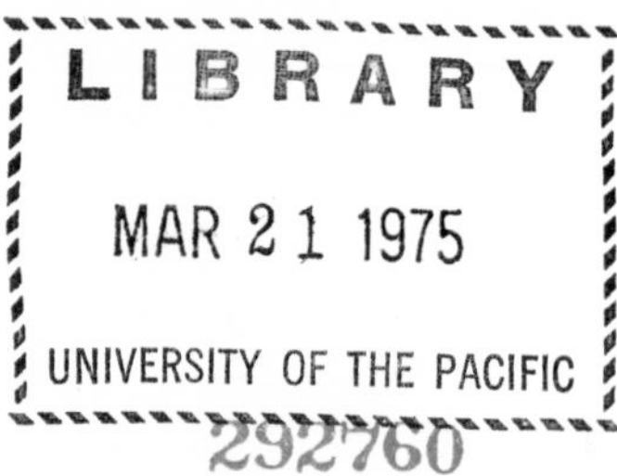

Erscheinungstermin 3. 12. 1974

Satz und Druck: Sellier GmbH Freising

ISBN 3 13 216204 3

Vorwort

Die von TH. WEYL begründeten und von J. HOUBEN fortgeführten Methoden der organischen Chemie sind zu einem wichtigen Standardwerk von internationaler Bedeutung für das gesamte chemische Schrifttum geworden. Seit dem Erscheinen der letzten vierbändigen dritten Auflage sind zum Teil schon über 20 Jahre vergangen, so daß eine Neubearbeitung bereits seit Jahren dringend geboten schien. Verständlicherweise hat sich die Verwirklichung dieser Absicht, durch die Kriegs- und Nachkriegsverhältnisse bedingt, lange hinausgezögert.

Vor allem der Initiative von Herrn Prof. Dr. Dres. h. c. Dres. E. h. OTTO BAYER, Leverkusen, ist es zu verdanken, daß das Werk heute in einer völlig neuen und weitaus umfassenderen Form wieder erscheint.

Diese neue Form wird in einer großen Gemeinschaftsarbeit von Hochschul- und Industrieforschern gestaltet. Ursprünglich planten wir, das neue Werk mit etwa 16 Bänden im Laufe von 4 Jahren abzuschließen. Inzwischen hat sich gezeigt, daß infolge der stark anwachsenden Literatur die einzelnen Bände z. T. mehrfach unterteilt werden mußten. Durch die Mitwirkung von Fachkollegen aus der chemischen Industrie wird es zum ersten Male möglich sein, die große Fülle von Erfahrungen, die in der Patentliteratur und in den Archiven der Fabriken niedergelegt ist, nunmehr kritisch gewürdigt der internationalen Chemieforschung bekanntzugeben.

Der Unterzeichnete hat es als eine besondere Auszeichnung und Ehre empfunden, von maßgebenden Persönlichkeiten der deutschen Chemie und dem Georg Thieme Verlag mit der Herausgabe des Gesamtwerkes betraut worden zu sein.

Mein Dank gilt dem engeren Herausgeber-Kollegium, den Herren

Prof. Dr. Dres. h. c. Dres. E. h. OTTO BAYER, Leverkusen,

Prof. Dr. Dres. h. c. Dr. E. h. HANS MEERWEIN, Marburg,

Prof. Dr. Dres. h. c. Dr. E. h. KARL ZIEGLER, Mülheim-Ruhr,

die durch ihre intensive Mitarbeit und ihre reichen Erfahrungen die Gewähr bieten, daß für das neue Werk ein möglichst hohes Niveau erreicht wird.

Ganz besonderer Dank aber gebührt unseren Autoren, die in unermüdlicher Arbeit neben ihren beruflichen Belastungen der Fachwelt ihre großen Erfahrungen bekanntgeben. Im Namen der Herren Mitherausgeber und in meinem eigenen darf ich unserer besonderen Freude Ausdruck geben, daß gerade die Herren, die als hervorragende Sachkenner ihres Faches bekannt sind, uns ihre Mitarbeit zugesagt haben.

Das Erscheinen der Neuauflage wurde nur dadurch ermöglicht, daß der Inhaber des Georg Thieme Verlags, Stuttgart, Herr Dr. med. h. c. Dr. med. h. c. BRUNO HAUFF, durchdrungen von der Bedeutung der organischen Chemie, das neue Projekt bewußt in den Vordergrund seines Unternehmens stellte und seine Tatkraft und seine großen Erfahrungen diesem Werk widmete. Es stellt ein verlegerisches Wagnis dar, das Werk in dieser Ausstattung mit der großen Zahl von übersichtlichen Formeln, Abbildungen und Tabellen zu einem verhältnismäßig niedrigen Preis dem Chemiker in die Hand zu geben.

In den nun zur Herausgabe gelangenden „Methoden der organischen Chemie" wird ebensowenig eine Vollständigkeit angestrebt wie in den älteren Auflagen. Die Autoren sind vielmehr bemüht, auf Grund ihrer eigenen Erfahrungen die wirklich brauchbaren Methoden in den Vordergrund der Behandlung zu stellen und überholte Arbeitsvorschriften oder sogenannte Bildungsweisen nur knapp abzuhandeln.

Es ist unmöglich, eine Gewähr für jede der angegebenen Vorschriften zu übernehmen. Wir glauben aber, dadurch das Möglichste getan zu haben, daß alle Manuskripte von mehreren Fachkollegen überprüft wurden und die Literatur bis zum Stande von etwa einem bis einem halben Jahr vor Erscheinen jedes Bandes berücksichtigt ist.

An dieser Stelle sei noch einiges zur Anlage des Gesamtwerkes gesagt. Wir haben uns bemüht, beim Aufbau des Werkes und bei der Darstellung des Stoffes noch strenger nach methodischen Gesichtspunkten vorzugehen, als dies in den früheren Auflagen der Fall war.

Der erste Band wird allgemeine Hinweise zur Laboratoriumspraxis enthalten und die gebräuchlichen Arbeitsmethoden in einem organisch-chemischen Laboratorium, wie beispieslweise Anreichern, Trennen, Reinigen, Arbeiten unter Überdruck und Unterdruck, beschreiben.

In Band II fassen wir die Analytik der organischen Chemie zusammen, die früher verstreut in den einzelnen Kapiteln behandelt wurde. Wir hoffen, dadurch eine wesentliche Erleichterung für den Benutzer des Handbuchs geschaffen zu haben.

Hieran schließt sich die Darstellung der physikalischen Forschungsmethoden in der organischen Chemie. Dort sollen die Grundlagen der Methodik, das erforderliche apparative Rüstzeug, der Anwendungsbereich auf dem Gebiet der organischen Chemie und die Grenzen der betreffenden Methoden kurz wiedergegeben werden. In vielen Fällen wird es hier nicht möglich sein, eine ausführliche Darstellung zu geben, die das Nachschlagen der Originalliteratur unnötig macht, wie bei den Bänden präparativen Inhalts. Unser Ziel ist es, dem präparativ arbeitenden Organiker die Anwendbarkeit der betreffenden physikalischen Methode auf Probleme der organischen Chemie und ihre Grenzen zu zeigen.

Der Hauptteil des Werkes befaßt sich mit den chemisch-präparativen Methoden. In einem gesonderten Band werden allgemeine Methoden behandelt, die Geltung haben für die in den weiteren Bänden behandelten speziellen Methoden, wie etwa Oxidation, Reduktion, Katalyse, photochemische Reaktionen, Herstellung isotopenhaltiger Verbindungen und ähnliches mehr.

Der spezielle Teil befaßt sich mit den Methoden zur Herstellung und Umwandlung organischer Stoffklassen. Auf die Methoden zur Herstellung und Umwandlung von Kohlenwasserstoffen folgen – in der Anordnung des langen Periodensystems von rechts nach links betrachtet – die entsprechenden Verbindungen des Kohlenstoffs mit den Halogenen, den Chalkogenen, den Elementen der Stickstoffgruppe, mit Silicium, Bor, und mit den Metallen. Abschließend behandeln wir die Methoden zur Herstellung und Umwandlung hochmolekularer Stoffe sowie die besonderen organisch-präparativen und analytischen Methoden der Chemie der Naturstoffe.

Im Vordergrund der Darstellung der speziellen chemischen Methoden, die den Hauptteil des Handbuches bilden, wird nicht die Beschreibung der einzelnen Stoffe selbst stehen – dies ist Aufgabe des „Beilstein" –, sondern die Methoden zur Herstellung und Umwandlung bestimmter Verbindungsklassen, erläutert an ausgewählten Beispielen. Dabei wird besonderer Wert auf die Vollständigkeit und kritische Darstellung der Methoden zur Herstellung bestimmter Verbindungsklassen gelegt, die als Schwerpunkt des betreffenden Kapitels angesehen werden können. Die darauf folgende Umwandlung ist so kurz wie möglich behandelt, da sie mit ihren Umwandlungsstoffen in die Kapitel übergreift, die sich mit der Herstellung eben dieser Verbindungstypen befassen. Die Besprechung der Umwandlung der verschiedenen Stoffklassen ist daher nur unter dem Gesichtspunkt aufgenommen worden, jeweils selbständige Kapitel inhaltlich abzurunden und Hinweise zu geben auf die Stellen des Handbuches, an denen der Benutzer die durch Umwandlung entstehenden neuen Stofftypen in ihrer Herstellung auffinden kann.

Es ist selbstverständlich, daß kein Werk der chemischen Sammelliteratur so dem Wandel unterworfen ist wie gerade die „Methoden der organischen Chemie"; beruht doch der Fortschritt der chemischen Wissenschaft darin, stets neue synthetische Wege zu erschließen. Ich darf daher alle Fachkollegen um rege und stete Mitarbeit bitten, sei es in Form von sachlichen Kritiken oder wertvollen Hinweisen.

Nicht zuletzt danke ich der deutschen chemischen Industrie, die unter beträchtlichen Opfern ihre besten Fachkollegen für die Mitarbeit an diesem Werk freigestellt hat und mit Literaturbeschaffung und Auskünften in reichem Maße stets behilflich war.

Auch der Druckerei möchte ich meine Anerkennung für die rasche und gewissenhafte Ausführung der oft schwierigen Arbeit aussprechen.

Eugen Müller

Vorwort zum Band XV/1 u. 2

Bei der Planung der vierten Auflage des Houben-Weyl war ein Band vorgesehen, der Methoden zur Synthese von Naturstoffen (Peptiden, Zucker etc.) beinhalten sollte. Die ehrenvolle Beauftragung des Unterzeichneten durch die Herausgeber des Gesamtwerkes, die Herren Prof. Dr. E. MÜLLER und Prof. Dr. Dres. h. c. Dres. E. h. O. BAYER, zu Anfang der 60er Jahre, das Teilgebiet „Synthese von Peptiden" zu bearbeiten, erfolgte in der Zeit einer explosiven Ausweitung dieses Sektors der wissenschaftlichen Forschung. Nach Zusammentragen der Literatur war alsbald ersichtlich, daß die „Synthese von Peptiden" einen eigenen Band beanspruchen würde.

Die 1964/65 begonnene Manuskriptarbeit führte 1968 zur Erkenntnis, daß die Darstellung des Gesamtgebietes der „Synthese von Peptiden" von einem Autor alleine nicht mehr zu bewerkstelligen war. Es gelang, die wissenschaftlichen Mitarbeiter am Max-Planck-Institut für Biochemie, die Herren Dr. K.-H. DEIMER, Dr. E. JAEGER, Dr. P. STELZEL, Dr. P. THAMM, Dr. G. WENDLBERGER und Frau Dipl.-Chem. M. DEFFNER für die Mitarbeit in einem Autoren-Konsortium zu gewinnen, das die Bearbeitung auf dem von mir erstellten Generalkonzept ab 1969/70 fortführte.

Die Absicht, das Gesamtgebiet „Synthese von Peptiden" umfassend zu beschreiben, ließ sich nur verwirklichen, wenn zunächst eine nach den Gesichtspunkten der organischen Chemie bearbeitete Nomenklatur erstellt und eine vollständige Abkürzungssymbolik geschaffen wurde. Dies erfolgte nach langwieriger Arbeit mit Abfassung des Abschnittes 10; er bedeutete die Bearbeitungsgrundlage für die „methodischen" Abschnitte: den Abschnitt 20 mit einem kurzen Überblick über die auftretenden Probleme in der Peptidsynthese, den Abschnitt 30 mit den „methodischen Voraussetzungen" beinhaltend Schutzgruppentechnik an Amino-, Carboxy- und „drittfunktionellen" Gruppen der Aminosäuren und Pseudo-Aminosäuren, den Abschnitt 40 mit den Methoden der Verknüpfung und letztlich den Abschnitt 50 mit den heutzutage für eine korrekte Peptidsynthese unerläßlichen Methoden der Reinheitstestung und Reindarstellung.

In ca. 5jähriger harter Arbeit war es dem Autoren-Konsortium auf Grund der Vorarbeiten und des Grundkonzeptes des Unterzeichneten möglich, das lawinenartig anfallende Literaturmaterial (inklusive des Jahres 1973, Anfang 1974) kritisch zu sichten, eine weitestgehende, für die Laboratoriumspraxis wohl einmalige Darstellung dieses Gebietes zu geben und diese mit ausgesuchten experimentellen Beispielen und Tabellen der Startprodukte in einer Weise zu schmücken, die sicherlich eine Fundgrube für alle auf diesem Gebiet wissenschaftlich Arbeitenden sein dürfte. Der erarbeitete Umfang machte es letztlich erforderlich, den Band XV zwecks besserer Handhabung in zwei Teilbänden herauszugeben (Band XV/1 und XV/2).

Das Autoren-Konsortium dankt Herrn Prof. Dr. J. RUDINGER und den Kollegen der peptidchemischen Forschungs-Gruppen der Ciba/Geigy AG und der Hoffmann La Roche

AG, Basel, für eine bereitwillig übernommene Überprüfung von Teilen des Manuskriptes sowie Frau Dr. H. Mittelbach für die Erfassung der gesamten Dokumentationsdaten.

Das Autoren-Konsortium ist vor allen Dingen der Max-Planck-Gesellschaft zur Förderung der Wissenschaften ganz besonders verpflichtet, die die Tätigkeit des Direktors und der wissenschaftlichen Mitarbeiter der selbständigen Abteilung für Peptidchemie am Max-Planck-Institut für Biochemie als Teil der wissenschaftlichen Leistung des Instituts anerkannt und damit sehr wesentlich ermöglicht hat.

Unser Dank gilt letztlich Frau Dr. Ilse Müller-Rodloff für die Erstellung des Sachregisters und den Inhabern des Georg Thieme Verlags, Stuttgart, den Herren Dr. med. h. c. Günther Hauff und Dr. Albrecht Greuner für deren bereitwilliges Eingehen auf unsere Wünsche bei diesem Werk.

München, Oktober 1974 Erich Wünsch

Synthese von Peptiden

Teil I

Methodische Voraussetzungen

Teil II

Herstellung der Peptidbindung; Reinheitstestung und Reindarstellung

Zeitschriftenliste

A.	LIEBIGS Annalen der Chemie, Weinheim/Bergstr.
Abh. Kenntnis Kohle	Gesammelte Abhandlungen zur Kenntnis der Kohle (bis 1937), Berlin
Abstr. Kagaku-Kenkyū-Jo Hōkoku	Abstracts from Kagaku-Kenkyū-Jo Hokoku (Peports of the Scientific Research Institute, seit 1950), Tokyo
A. ch.	Annales de Chimie, Paris
Acta Acad Åbo	Acta Academiae Aboensis, Finnland Turku
Acta. chem. scand.	Acta Chemica Scandinavica, Copenhagen (Dänemark)
Acta chim. Acad. Sci. hung.	Acta Chimica Academiae Scientiarum Hungaricae, Budapest
Acta Chim. Sinica	Acta Chimica (Ha Hsüeh Hsüeh Pao; seit 1957), Peking
Acta crystallogr.	Acta Crystallographica [Copenhagen] (bis 1951): [London]
Acta latviens. Chem.	Acta Universitatis Latviensis, Chemiecorum Ordinis Series. Riga
Acta pharmac. int. [Copenhagen]	Acta Pharmaceutica Internationalia [Copenhagen]
Acta pharmacol. toxicol.	Acta Pharmacologica et Toxicologica. Kopenhagen
Acta physicoch. URSS	Acta Physicochimica URSS, Moskau
Acta physiol. scand.	Acta Physiologica Scandinavica, Stockholm
Acta phytoch.	Acta Phytochimica. Tokyo
Acta polon. pharmac.	Acta Poloniae Pharmaceutica (bis 1939 und seit 1947), Warschau
Adv. Carbohydrate Chem.	Advances in Carbohydrate Chemistry, New York
Adv. Enzymol.	Advances in Enzymology and Related Subjects of Biochemistry, New York
Adv. Fluorine Chem.	Advances in Fluorine Chemistry, London
Adv. Free Radical Chem.	Advances in Free Radical Chemistry, London
Adv. Heterocyclic Chem.	Advances in Heterocyclic Chemistry, New York
Adv. Org. Chem.	Advances in Organic Chemistry: Methods and Results, New York, London
Adv. Organometallic Chem.	Advances in Organometallic Chemistry, New York
Adv. Photochem.	Advances in Photochemistry, New York, London
Adv. Protein Chem.	Advances in Protein Chemistry, New York
Adv. Ser.	Advances in Chemistry Series, Washington
Afinidad	Afinidad [Barcelona]
Agr. Chem.	Agricultural Chemicals, Baltimore
Am.	American Chemical Journal, Washington
A. M. A. Arch. Ind. Health	A. M. A. Archives of Industrial Health (seit 1955), Chicago
Am. Dyest. Rep.	American Dyestuff Reporter, New York
Amer. ind. Hyg. Assoc. Quart.	American Industrial Hygiene Association Quarterly, Chicago
Amer. J. Physics	American Journal of Physics, New York
Amer. Petroleum Inst. Quart.	American Petroleum Institute Quarterly, New York
Amer. Soc. Testing Mater.	American Society for Testing Materials, Philadelphia, Pa.
Amino-acid Pept. Prot. Abstr.	Amino-acid Peptide Protein Abstracts, London
Am. Inst. Chem. Engrs.	American Institute of Chemical Engineers, New York
Am. J. Pharm.	American Journal of Pharmacy (bis 1936), Philadelphia, Pa.
Am. J. Physiol.	American Journal of Physiology, Washington
Am. J. Sci.	American Journal of Science, New Haven, Conn.
Am. Perfumer	Americ. Perfumer and Essential Oil Reviews (1936–1939: American Perfumer, Cosmetics, Toilet Preparations), New York
Am. Soc.	Journal of the American Chemical Society, Washington
Anal. Chem.	Analytical Chemistry (seit 1947), Washington
Anal. chim. Acta	Analytica Chimica Acta, Amsterdam
Analyst	The Analyst, Cambridge
An. Asoc. quím. arg.	Anales de la Asociación Química Argentina, Buenos Aires
An. Farm. Bioquím, Buenos Aires	Anales de Farmacia y Bioquímica. Buenos Aires
Ang. Ch.	Angewandte Chemie (bis 1931: Zeitschrift für angewandte Chemie), Weinheim/Bergst.
Ang. Makromol. Chem.	Angewandte Makromolekulare Chemie

Anilinfarben-Ind.	Анилинокрасочная Промышленность (Anilinfarben-Industrie), Moskau
Ann. Acad. Sci. fenn.	Annales Academiae Scientiarum Fennicae, Helsinki
Ann. Chim. anal.	Annales de Chimie Analytique (1942–1946), Paris
Ann. Chim. anal. appl.	Annales de Chimie Analytique et de Chimie Appliquée (bis 1941), Paris
Ann. Chim. applic.	Annali di Chimica Applicata (bis 1950), Rom
Ann. chim. et phys.	Annales de chimie et de physique (bis 1914), Paris
Ann. Chimica	Annali di Chimica (seit 1950), Rom
Ann. chim. farm.	Annali di chimica farmaceutica (1938–1940), Rom
Ann. Fermentat.	Annales des Fermentations, Paris
Ann. Inst. Pasteur	Annales de l'Institut Pasteur, Paris
Ann. N.Y. Acad. Sci.	Annals of the New York Academy of Sciences, New York
Ann. pharm. Franç.	Annales Pharmaceutiques Françaises (seit 1943), Paris
Ann. Physik	Annalen der Physik (bis 1943 und seit 1947), Leipzig
Ann. Physique	Annales de Physique, Paris
Ann. Rep. Progr. Chem.	Annual Reports on the Progress of Chemistry, London
Ann. Rev. Biochem.	Annual Review of Biochemistry, Stanford, Calif.
Ann. Rev. phys. Chem.	Annual Review of Physical Chemistry, Palo Alto, Calif.
Ann. Soc. scient. Bruxelles	Annales de la Société Scientifique de Bruxelles, Brüssel
Annu. Rep. Progr. Rubber Technol.	Annual Report on the Progress of Rubber Technology, London
Annu. Rep. Shionogi Res. Lab. [Osaka]	Annual Reports of Shionogi Research Laboratory [Osaka]
An. Soc. españ. [A] bzw. [B]	Anales de la Real Sociedad Española de Fisica y Química (1940–1947 Anales de Física y Química). Seit 1948 geteilt in: Serie A – Física. Serie B – Química, Madrid
An. Soc. cient. arg.	Anales de la Sociedad Científica Argentina, Santa Fé (Argentinien)
Appl. scient. Res.	Applied Scientific Research, Den Haag
Ar.	Archiv der Pharmazie (und Berichte der Deutschen Pharmazeutischen Gesellschaft), Weinheim/Bergstr.
Arch. Biochem.	Archives of Biochemistry, and Biophysics (bis 1951: Archives of Biochemistry,) New York
Arch. des Sci.	Archives des Sciences (seit 1948), Genf
Arch. Math. Naturvid.	Archiv for Mathematik og Naturvidenskab, Oslo
Arch. Mikrobiol.	Archiv für Mikrobiologie (bis 1943 und seit 1948), Berlin
Arch. Pharm. Chemi	Archiv for Pharmaci og Chemi. Kopenhagen
Arch. Sci. phys. nat.	Archives des Sciences Physiques et Naturelles. Genf (bis 1947)
Arch. techn. Messen	Archiv für Technisches Messen (bis 1943 und seit 1947), München
Arh. Kemiju	Arhiv za Kemiju, Zagreb (Archives de Chimie) (seit 1946)
Ark. Kemi	Arkiv för Kemi, Mineralogie och Geologi, seit 1949 Arkiv för Kemi (Stockholm)
Ar. Pth.	(NÜUNYN-SCHMIEDEBERGS) Archiv für Experimentelle Pathologie und Pharmakologie, Berlin-W
Arzneimittel-Forsch.	Arzneimittel-Forschung, Aulendorf/Württ.
ASTM Bull.	ASTM (American Society for Testing Materials) Bulletin, Philadelphia
Atompraxis	Atompraxis, Internationale Monatsschrift, Karlsruhe
Atti Accad. naz. Lincei, Mem., Cl. Sci. fisiche, mat. natur., Sez. I, II bzw. III	Atti della Accademia Nazionale dei Lincei. Memorie. Classe di Scienze Fisiche, Matematiche e Naturali. Sezione I (Matematica, Meccanica, Astronomia, Geodesia e Geofisica). Sezione II (Fisica, Chimica, Geologia, Palaeontologia e Mineralogia). Sezione III (Scienze Biologiche) (seit 1946), Turin
Atti Accad. naz. Lincei, Rend., Cl. Sci. fisiche, mat. natur	Atti della Accademia Nazionale dei Lincei. Rendiconti. Classe di Scienze Fisiche, Matematiche e Naturali (seit 1946), Rom
Austral. J. Chem.	Australian Journal of Chemistry (seit 1952), Melbourne
Austral. J. Sci.	Australian Journal of Science, Sydney
Austral. J. scient. Res., [A] bzw. [B]	Australian Journal of Scientific Research. Series A. Physical Sciences. Series B. Biological Sciences, Melbourne
Austral. P.	Australisches Patent, Canberra
B.	Berichte der Deutschen Chemischen Gesellschaft; seit 1947 Chemische Berichte, Weinheim/Bergstr.
Belg. P.	Belgisches Patent, Brüssel

Ber. chem. Ges. Belgrad	Berichte der Chemischen Gesellschaft Belgrad (Glassnik Chemisskog Druschtwa Beograd, seit 1940), Belgrad
Biochem. Biophys. Research Commun.	Biochemical and Biophysical Research Communications, New York
Biochemistry	Biochemistry, Washington
Biochem. J.	The Biochemical Journal, London
Biochem. Prepar.	Biochemical Preparations, New York
Biochem. biophys. Acta	Biochimica et biophysica Acta, Amsterdam
Biochimiya	Биохимия (Biochimia), Moskau, Leningrad
Biopolymers	Biopolymers, New York
BIOS Final Rep.	British Intellegence Objectives Subcommittee. Final Report, London
Bio. Z.	Biochemische Zeitschrift (1944 und seit 1947), Berlin
Bitumen, Teere, Asphalte, Peche,	Bitumen, Teere, Asphalte, Peche und verwandte Stoffe, Heidelberg
Bl.	Bulletin de la Société Chimique de France, Paris
Bl. Acad. Belgique	Académie Royale de Belgique: Bulletins de la Classe des Sciences, Brüssel
Bl. Acad. polon.	Bulletin International de l'Académie Polonaise des Sciences et des Lettres, Classe des Sciences Mathématiques et Naturelles, Krakau
Bl. agric. chem. Soc. Japan	Bulletin of the Agricultural Chemical Society of Japan, Tokio
Bl. am. phys. Soc.	Bulletin of the American Physical Society, Lancaster, Pa.
Bl. chem. Soc. Japan	Bulletin of the Chemical Society of Japan, Tokio
Bl. Soc. chim. Belg.	Bulletin de la Société Chimique de Belgique (bis 1944), Brüssel
Bl. Soc. Chim. biol.	Bulletin de la Société de Chimie Biologique, Paris
Bl. Soc. Chim. ind.	Bulletin de la Sociéte de Chimie Industrielle (bis 1934), Paris
Bol. inst. quím univ. nal. auton. Mé	Boletin del instituto de química de la universidad nacional autonoma de México, Mexiko
Boll. chim. farm.	Bolletino chimico farmaceutico, Mailand
Bol. Soc. quím. Perú	Boletin de la Sociedad Química del Perú, Lima (Peru)
Botyu Kagaku	Bulletin of the Institute of Insect Control (Kyotto), Scientific Insect Control)
Brennstoffch.	Brennstoff-Chemie (bis 1943) und seit 1949), Essen
Brit. Chem. Eng.	British Chemical Engineering, London
Brit. J. appl. Physics.	British Journal of Applied Physics, London
Brit. P.	Britisches Patent, London
Brit. Plastics	British Plastics (seit 1945), London
Bul. inst. politeh. Jasi	Buletinul institutuluí politehnic din Jasi (ab 1955 mit Zusatz [NF], Jasi)
Bul. Laboratoarelor	Buletinul Laboratoarelor, Bukarest
Bul. Acad. Polon. Sci., Ser. Sci. Chim. Geol. Geograph. bzw. Ser. Sci. Chim.	Bulletin de l'Academie Polonaise des Sciences, Serie des Sciences, Chimiques, Geologiques et Géographiques (seit 1960 geteilt in ... Serie des Sciences Chimiques und ... Serie des Sciences Geologiques et Geographiques), Warschau
Bull. Inst. Chem. Research, Kyoto Univ.	Bulletin of the Institute for Chemical Research, Kyoto University (Kyoto Daigakŭ Kagaku Kenkyûsho Hôkoku), Takatsoki, Osaka
Bull. Research Council Israel	Bulletin of the Research Council of Israel, Jerusalem
Bull. Research Inst. Food Sci., Kyoto Univ.	Bulletin of the Research Institute for Food Science, Kyoto University (Kyoto Daigaku Shokuryô-Kagaku Kenkyujo Hôkoku), Fukuoka, Japan
Bull. Soc. chim. belges	Bulletin des Sociétés Chimiques Belges (seit 1945), Brüssel
Bull. Soc. Chim. biol.	Bulletin de la Société de Chimie Biologique, Paris
Bull. Soc. roy. Sci. Liège	Bulletin de la Société Royale des Sciences de Liège, Brüssel
C.	Chemisches Zentralblatt, Weinheim/Bergstr.
C. A.	Chemical Abstracts, Washington
Canad. chem. Processing	Canadian Chemical Processing, Toronto, Canada
Canad. J. Chem.	Canadian Journal of Chemistry, Ottawa, Canada
Canad. J. Physics	Canadian Journal of Physics, Ottawa, Canada
Canad. J. Res.	Canadian Journal of Research (bis 1950), Ottawa
Canad. J. Technol.	Canadian Journal of Technology, Ottawa
Canad. P.	Canadisches Patent
Cereal Chem.	Cereal Chemistry, St. Paul, Minnesota
Ch. Apparatur	Chemische Apparatur (bis 1943), Berlin
Chem. Age India	Chemical Age of India

Chem. Age London	Chemical Age, London
Chem. Age N.Y.	Chemical Age, New York
Chem. Anal.	Organ Komisjii Analitycznej Komitetu Nauk Chemicznych PAN, Warschau
Chem. & Ind.	Chemistry & Industry, London
Chem. Commun.	Chemical Communications, London
Chem. Eng.	Chemical Engineering with Chemical and Metallurgical Engineering (seit 1946), New York
Chem. eng. News	Chemical and Engineering News (seit 1943), Washington
Chem. Eng. Progr.	Chemical Engineering Progress, Philadelphia, Pa.
Chem. Eng. Progr., Monograph Ser.	Chemical Engineering Progress. Monograph Series, New York
Chem. Eng. Progr., Symposium Ser.	Chemical Engineering Progress. Symposium Series, New York
Chem. eng. Sci.	Chemical Engineering Science, London
Chem. High Polymers (Tokyo)	Chemistry of High Polymers (Tokyo) (Kobunshi Kagaku), Tokio
Chemical Ind. (China)	Chemical Industry [China], Peking
Chemie-Ing.-Techn.	Chemie-Ingenieur-Technik (seit 1949), Weinheim/Bergstr.
Chemie Lab. Betr.	Chemie für Labor und Betrieb, Frankfurt
Chem. Industrie	Chemische Industrie, Düsseldorf
Chem. Industries	Chemical Industries, New York
Chemist-Analyst	Chemist-Analyst, Philipsburg, New York, Jersey
Chem. Letters	Chemistry Letters, Tokio
Chem. Listy	Chemické Listy pro Vědu a Průmysl. Prag (Chemische Blätter für Wissenschaft und Industrie); seit 1951 Chemické Listy, Prag
Chem. met. Eng.	Chemical and Metallurgical Engineering (bis 1946), New York
Chem N.	Chemical News and Journal of Industrial Science (1921–1932), London
Chem. pharmac. Techniek	Chemische en Pharmaceutische Techniek, Dordrecht
Chem. Pharm. Bull. (Tokyo)	Chemical & Pharmaceutical Bulletin (Tokyo)
Chem. Process Engng.	Chemical and Process Engineering, London
Chem. Processing	Chemical Processing, London
Chem. Products chem. News	Chemical Products and the Chemical News, London
Chem. Průmysl	Chemický Průmysl, Prag (Chemische Industrie, seit 1951), Prag
Chem. Rdsch. [Solothurn]	Chemische Rundschau [Solothurn]
Chem. Reviews	Chemical Reviews, Baltimore
Chem. Techn.	Chemische Technik, Berlin
Chem. Trade J.	Chemical Trade Journal and Chemical Engineer, London
Chem. Week	Chemical Week, New York
Chem. Weekb.	Chemisch Weekblad, Amsterdam
Chem. Zvesti	Chemické Zvesti (tschech.). Chemische Nachrichten, Bratislawa
Chim. anal.	Chimie analytique (seit 1947), Paris
Chim. Chronika	Chimika Chronika, Athen
Chim. et Ind.	Chimie et Industrie, Paris
Chim. geterocikl. Soed.	Химия гетеродиклиьнских соединий (Die Chemie der hetero-cyclischen Verbindungen)
Chimia	Chimia, Zürich
Chimicae Ind.	Chimica e L'Industria, Mailand (seit 1935)
Ch. Z.	Chemiker-Zeitung, Heidelberg
Collect. czech. chem. Commun.	Collection of Czechoslovak Chemical Communications (seit 1951), Prag
Collect. Pap. Fac. Sci., Osaka Univ. [C]	Collect Papers from the Faculty of Science, Osaka University, Osaka, Series C, Chemistry (seit 1943)
Collect. pharmac. suecica	Collectanea Pharmaceutica, Suecica, Stockholm
Collect. Trav. chim. Tchécosl.	Collection des Travaux Chimiques de Tchécoslovaquie (bis 1939 und 1947–1951; 1939: ... Tschèques), Prag
Colloid Chem.	Colloid Chemistry, New York
C. r. Acad. Bulg. Sci.	Доклады Болгарской Академии Наук (Comptes rendus de l'academie bulgare des sciences), Sofia
C. r.	Comptes Rendus Hebdomadaires des Séances de l'Académie des Sciences, Paris
Croat. Chem. Acta	Croatica Chemica Acta, Zagreb
Curr. Sci.	Current Science, Bangalore

Dän. P., Kopenhagen	Dänisches Patent
Dansk Tidsskr. Farm.	Dansk Tidsskrift for Farmaci, Kopenhagen
DAS.	Deutsche Auslegeschrift = noch nicht erteiltes DBP. (seit 1. 1. 1947). Die Nummern der DAS. und des später darauf erteilten DBP. sind identisch
DBP.	Deutsches Bundespatent (München, nach 1945, ab Nr. 800000)
DDRP., Ostberlin	Patent der Deutschen Demokratischen Republik (vom Ostberliner Patentamt erteilt)
Dechema Monogr.	Dechema Monographien, Weinheim/Bergstr.
Die Nahrung	Die Nahrung (Chemie, Physiologie, Technologie), Berlin
Discuss. Faraday Soc.	Discussions of the Faraday Society, London
Dissertation Abstr.	Dissertation Abstracts, Ann Arbor (Michigan)
Doklady Akad. SSSR	Доклады Академии Наук СССР (Comptes Rendus de l'Académie des Sciences de l'URSS), Moskau
DOS.	Deutsche Offenlegungsschrift ungeprüft
DRP., Berlin	Deutsches Reichspatent (bis 1945)
Drug Cosmet. Ind.	Drug and Cosmetic Industry, New York
Dtsch. Apoth. Ztg.	Deutsche Apotheker-Zeitung (1934–1945), seit 1950: vereinigt mit Süddeutsche Apotheker-Zeitung, Stuttgart
Dtsch. Farben-Z.	Deutsche Farben-Zeitschrift (seit 1951), Stuttgart
Dtsch. Lebensmittel-Rdsch.	Deutsche Lebensmittel-Rundschau, Stuttgart
Dyer Textile Printer	Dyer, Textile Printer, Bleacher and Finisher (seit 1934: bis 1934: Dyer and Calico Printer, Bleacher, Finisher and Textile Review), London
Endeavour	Endeavour, London
Endocrinology	Endocrinology, Philadelphia
Enzymol.	Enzymologia [Holland] Den Haag
Erdöl Kohle	Erdöl und Kohle (seit 1948), Hamburg
Ergebn. Enzymf.	Ergebnisse der Enzymforschung, Leipzig
Ergebn. exakt. Naturwiss.	Ergebnisse der exakten Naturwissenschaften, Berlin
Ergebn. Physiol.	Ergebnisse der Physiologie, Biologischen Chemie und Experimetellen Pharmakologie, Berlin
Europ. J. Biochem.	European Journal of Biochemistry, Berlin, New York
Experientia	Experienta [Basel]
Farbe Lack	Farbe und Lack (bis 1943 und seit 1947), Hannover
Farmac. Glasnik	Farmaceutski Glasnik, Zagreb (Pharmazeutische Berichte)
Farmaco (Pavia), Ed. sci.	Il Farmaco (Pavia), Edizione scientifica
Farmac. Revy	Farmacevtisk Revy, Stockholm
Farm. sci. tec. (Pavia)	Il Farmaco. scienza e tecnica (bis 1952), Pavia
Faserforsch. u. Textiltechn.	Faserforschung und Textiltechnik, Berlin
Federation Proc.	Federation Proceedings, Washington, D.C.
Fette, Seifen, Anstrichmittel	Fette, Seifen, Anstrichmittel (verbunden mit „Die Ernährungsindustrie") (früher häufige Änderung des Titels), Hamburg
FIAT Final Rep.	Field Information Agency, Technical, United States Group Control Council for Germany. Final Report
Finn. P.	Finnisches Patent
Finska Kemistsamf. Medd.	Finska Kemistsamfundets Meddelanden (Suomen Kemistiseuran Tiedonantojya), Helsingfors
Food	Food, London
Food Engng.	Food Engineering (seit 1951), New York
Food Manuf.	Food Manufacture (seit 1939 Food Manufacture, Incorporating Food Industries Weekly), London
Food Packer	Food Packer (seit 1944), Chicago
Food Res.	Food Research, Champaign. Ill.
Formosan Sci.	Formosan Scienec, Taipeh
Fortschr. chem. Forsch.	Fortschritte der Chemischen Forschung, New York, Berlin
Fortschr. Ch. org. Naturst.	Fortschritte der Chemie Organischer Naturstoffe, Wien
Fortschr. Hochpolmeren-Forsch.	Fortschritte der Hochpolymeren-Forschung, Berlin
Fr.P.	Französisches Patent
Fr.	Zeitschrift für Analytische Chemie (von C.R. FRESENIUS), Berlin

Frdl.	Fortschritte der Teerfarbenfabrikation und verwandter Industriezweige. Begonnen von P. FRIEDLÄNDER, fortgeführt von H. E. FIERZ-DAVID, Berlin
Fuel	Fuel in Science and Practice; ab 1948: Fuel, London
G.	Gazzetta Chimica Italiana, Rom
Génie chim.	Génie chimique, Paris
Helv.	Helvetica Chimica Acta, Basel
Helv. phys. Acta	Helvetica Physica Acta, Basel
Helv. physiol. pharmacol. Acta	Helvetica Physiologica et Pharmocologica Acta, Basel
Holl. P.	Holländisches Patent
Hoppe-Seyler	HOPPE-SEYLERS Zeitschrift für Physiologische Chemie, Berlin
Hung. P.	Ungarisches Patent
Ind. Chemist	Industrial Chemist and ChemiERl Manufacturer, London
Ind. chim. belge	Industrie Chimique Belge, Brüssel
Ind. chimique	L'Industrie Chimique, Paris
Ind. Corps gras	Industries des Corps Gras, Paris
Ind. eng. Chem.	Industrial and Engineering Chemistry. Industrial Edition, seit 1948 Industrial and Engineering Chemistry, Washington
Ind. eng. Chem. Anal.	Industrial and Engineering Chemistry. Analytical Edition (bis 1946), Washington
Ind. eng. Chem. News	Industrial and Engineering Chemistry. News Edition (bis 1939), Washington
Indian Forest Rec., Chem.	Indian Forest Records. Chemistry, Dehli
Indian J. Appl. Chem.	Indian Journal of Applied Chemistry (seit 1958), Calcutta
Indian J. Chem.	Indian Journal of Chemistry
Indian J. Physics	Indian Journal of Physics and Proceedings of the Indian Association for the Cultivation of Science, Calcutta
Ind. P.	Indisches Patent
Ind. Plast. mod.	Industrie des Plastiques Modernes (seit 1949; bis 1848: Industrie des Plastiques), Paris
Inorg. Chem.	Inorganic Chemistry
Inorg. Synth.	Inorganic Syntheses, New York
Interchem. Rev.	Interchemical Review, New York
Intern. J. Appl. Radiation Isotopes	International Journal of Applied Radiation and Isotopes, New York
Int. J. Pept. Prot. Res.	International Journal of Peptide and Protein Research, Kopenhagen
Int. Sugar J.	International Sugar Journal, London
Ion	Ion [Madrid]
Iowa Coll. J.	Iowa State College Journal of Science, Ames, Iowa
Israel J. Chem.	Israel Journal of Chemistry, Tel Aviv
Ital. P.	Italienisches Patent
Ivz. Akad. SSR	Известия Академии Наук Армянской ССР, Химические Науки (Bulletin of the Academy of Science of the Amenian SSR). Erevan
Ivz. Akad. SSSR	Известия Академии Наук СССР, Серия Химическая (Bulletin de l'Académie des Sciences de l'URSS, Classe des Sciences Chimiques, Moskau, Leningrad
Ivz. Sibirsk. Otd. Akad. Nauk. SSSR	Известия Сибирского Отделения Академии Наук СССР, Серия химических Наук (Bulletin of the Sibirian Branch of the Academy of Sciences of the USSR), Nowosibirks
Izc. Vyss. Uch. Zav., Chim. i chim. Techn.	Известия высших Учебных заведений [Иваново], Химия и химическая технология (Bulletin of the Institution of Higher Education, Chemistry and Chemical Technology), Swerdlowsk
J. Agr. Food Chem.	Journal of Agricultural and Food Chemistry, Washington
J. agric. chem. Soc. Japan	Journal of the Agricultural Chemical Society of Japan. Abstracts seit (1935) (Nippon Nogeikagaku Kaishi), Tokio
J. agric. Sci.	Journal of Agricultural Science, Cambridge
J. Am. Leather Chemist's Assoc.	Journal of the American Leather Chemist's Association, Cincinnati (Ohio)

J. Am. Oil Chemist's Soc.	Journal of the American Oil Chemist's Society, Chicago
J. Am. Pharm. Assoc.	Journal of the American Pharmaceutical Association, seit 1940 Practical Edition und Scientific Edition; Practical Edition seit 1961 J. Am. Pharm. Assoc.: Scientific Edition seit 1961 J. Pharm. Sci., Easton (Pa.)
J. Antibiotics (Japan)	Journal of Antibiotics (Japan), Tokio
Japan Analyst	Japan Analyst (Bunseki Kagaku)
Jap. A. S.	Japanische Patent-Auslegeschrift
Jap. P.	Japanisches Patent
J. appl. Chem.	Journal of Applied Chemistry, London
J. appl. Physics	Journal of Applied Physics, New York
J. Appl. Polymer Sci.	Journal of Applied Polymer Science, New York
J. Assoc. Agric. Chemists	Journal of the Association of Official Agricultural Chemists Washington
J. Biochem. [Tokyo]	Journal of Biochemistry, Japan, Tokio
J. Biol. Chem.	Journal of Biological Chemistry, Baltimore
J. Catalysis	Journal of Catalysis, London, New York
J. cellular compar. Physiol.	Journal of Cellular and Comparative Physiology, Philadelphia., Pa.
J. Chem. Educ.	Journal of Chemical Education, Easton, Pa.
J. chem. Eng. China	Journal Engineering Chemical , China, Omei/Szechuan
J. Chem. Eng. Data	Journal of Chemical and Engineering Data, Washington
J. Chem. Physics	Journal of Chemical Physics, New York
J. chem. Soc. Japan	Journal of the Chemical Society of Japan (bis 1948; Nippon Kwagaku Kwaishi). Tokio
J. chem. Soc. Japan, ind. Chem. Sect.	Journal of the Chemical Society of Japan, Industrial Chemistry Section (seit 1948; Kōgyō Kagaku Zasshi), Tokio
J. chem. Soc. Japan, pure Chem. Sect.	Journal of the Chemical Society of Japan, Pure Chemistry Section Section (seit 1948: Nippon Kagaku Zasshi), Tokio
J. Chem. U.A.R.	Journal of Chemistry of the U.A.R., Kairo
J. Chim. physique Physico-Chim. biol.	Journal de Chimie Physique et de Physico-Chimie Biologique (seit 139), Paris
J. chin. chem. Soc.	Journal of the Chinese Chemical Society, Peking
J. Chromatog.	Journal of Chromatograph, Amsterdam
J. Colloid Sci.	Journal of Colloid Science, New York
J. electroch. Assoc. Japan	Journal of the Electrochemical Association of Japan (Denkikwagaku Kyookwai-shi), Tokio
J. Electrochem. Soc.	Journal of the Electrochemical Society (seit 1948), New York
J. Fac. Sci. Univ. Tokyo	Journal of the Faculty of Science, Imperial University of Tokyo, Tokio
J. Heterocyclic Chem.	Journal of Heterocyclic Chemistry, New Mexico
J. Imp. Coll. Chem. Eng. Soc.	Journal of the Imperial College, Chemical Engineering Society
J. Ind. Hyg.	Journal of Industrial Hygiene and Toxicology (bis 1936 1949), Baltimore
J. indian chem. Soc.	Journal of the Indian Chemical Society (seit 1928), Calcutta
J. indian chem. Soc. News	Journal of the Indian Chemical Society; Industrial and News Edition (1940–1947), Calcutta
J. indian Inst. Sci.	Journal of the Indian Institute of Science, bis 1951 Section A und Section B, Bangalore
J. Inorg. & Nuclear Chem.	Journal of Inorganic & Nuclear Chemistry. Oxford
J. Inst. Petr.	Journal of the Institute of Petroleum, London
J. Inst. Polytech. Osaka City Univ.	Journal of the Institute of Polytechnics, Osaka City University
J. Med. Chem.	Journal of Medicinal Chemistry, Washington
J. Med. Pharm. Chem.	Journal of Medicinal and Pharmaceutical Chemistry, New York
J. Mol. Spektry	Journal of Molecular Spektroskopy, New York
J. New Zealand Inst. Chem.	Journal of the New Zealand Institute of Chemistry, Wellington
J. Nippon Oil Technologists Soc.	Journal of the Nippon Oil Technologists Society (Nippon Yushi Gijitsu Kyo Laishi) Tokio
J. Oil Colour Chemist's Assoc.	Journal of the Oil and Colour Chemists' Association, London
J. Org. Chem.	Journal of Organic Chemistry. Baltimore
J. Organometal. Chem.	Journal of Organometallic Chemistry, Amsterdam
J. Petr. Technol.	Journal of Petroleum Technology (seit 1949), New York

J. Pharmacol. exp. Therap.	Journal of Pharmacology and Experimental Therapeutics, Baltimore
J. Pharm. Belg.	Journal de Pharmacie de Belgique, Brüssel
J. Pharm. Pharmacol.	Journal of Pharmacy and Pharmacology, London
J. Pharm. Sci.	Journal of Pharmaceutical Sciences (Washington)
J. pharm. Soc. Japan	Journal of the Pharmaceutical Society of Japan (Yakugakuzasshi), Tokio
J. phys. Chem.	Journal of Physical Chemistry, Baltimore
J. phys. Soc. Japan	Journal of the Physical Society of Japan, Tokio
J. Polymer Sci.	Journal of Polymer Science, New York
J. pr.	Journal für Praktische Chemie, Leipzig
J. Pr. Inst. Chemists India	Journal and Proceedings of the Institution of Chemists, India, Calcutta
J. Pr. Soc. N. S. Wales	Journal and Proceedings of the Royal Society of New South Wales, Sidney
J. Rech. Centre nat. Rech. sci.	Journal des Recherches du Centre National de la Recherche Scientifique, Paris
J. Res. Bur. Stand.	Journal of Research of the National Bureau of Standards, Washington
J. S. African Chem. Inst.	Journal of the South African Chemical Institute, Johannesburg
J. Scient. Instruments	Journal of Scientific Instruments (bis 1947 und seit 1950), London
J. scient. Res. Inst. Tokyo	Journal of the Scientific Research Institute, Tokyo
J. Sci. Food Agric.	Journal of the Science of Food and Agriculture, London
J. sci. Ind. Research (India)	Journal of Scientific and Industrial Research (India), New Delhi
J. Soc. chem. Ind.	Journal of the Society of Chemical Industry (bis 1922 und seit 1947), London
J. Soc. chem. Ind., Chem. and Ind.	Journal of the Society of Chemical Industry. Chemistry and Industry (1923–1936), London
J. Soc. chem. Ind. Japan Spl.	Journal of the Society of Chemical Industry, Japan. Supplemental Binding (Kōgyō Kwagaku Zasshi, bis 1943) Tokio
J. Soc. Cosmetics Chemists	Journal of the Society of Cormetic Chemists, London
J. Soc. Dyers Col.	Journal of the Society of Dyers and Colourists, Bradford/Yorkshire
J. Soc. Gastroenterology (GUT)	The Journal of the British Society of Gastroenterology-GUT, London
J. Soc. Leather Trades' Chemists	Journal of the Society of Leather Trades' Chemists, Croydon, Surray, England
J. Soc. West. Australia	Journal of the Royal Society of Western Australia, Perth
J. Taiwan Pharm. Assoc.	Journal of the Taiwan Pharmaceutical Association, Taiwan
J. Univ. Bombay	Journal of the University of Bombay, Bombay
J. Vitaminol.	Journal of Vitaminology [Kyoto]
J. Washington Acad.	Journal of the Washington Academy of Sciences, Washington
Kautschuk u. Gummi	Kautschuk und Gummi, Berlin (Zusatz WT für den Teil: Wissenschaft und Technik)
Kgl. norske Vidensk Selsk., Skr.	Kgl. Norske Videnskabers Selskab. Skrifter
Khim. Nauka i Prom.	Химическая Наука и Промъіщленность (Chemical Science and Industry)
Kinetika i Kataliz	Кинетика и Катализ (Kinetik und Katalyse), Moskau
Koll. Beih.	Kolloid-Beihefte (Ergänzungshefte zur Kolloid-Zeitschrift, 1931–1943), Dresden, Leipzig
Kolloidchem. Beih.	Kolloidchemische Beihefte (bis 1931), Dresden u. Leipzig
Kolloid-Z.	Kolloid-Zeitschrift, seit 1943 vereinigt mit Kolloid-Beiheften
Koll. Žurnal	Коллоидный Журнал (Colloid-Journal), Moskau
Kungl. svenska Vetenskapsakad. Handl.	Kungliga Svenska Vetenskasakademiens Handlingar, Stockholm
Labor. Delo	Лабораторное Дело (Laboratoriumswesen), Moskau
Lab. Practice	Laboratory Practice
Lack- u. Farben-Chem.	Lack- und Farben-Chemie [Däniken]/Schweiz
Lancet	Lancet, London
M.	Monatshefte für Chemie (Wien)
Magyar chem. Folyóirat	Magyar Chemiai Folyóirat, seit 1949: Magyar Kemiai Folyóirat (Ungarische Zeitschrift für Chemie), Budapest

Magyar kem. Lapja	Magyar kemikusok Lapja (Zeitschrift des Vereins Ungarischer Chemiker), Budapest
Makromol. Ch.	Makromolekulare Chemie, Heidelberg
Manuf. Chemist	Manufacturing Chemist and Pharmaceutical and Fine Chemical Trade Journal, London
Materie plast.	Materi Plastiche, Milano
Mat. grasses	Les Matières Grasse. – Le Pétrole et es Dérivés, Paris
Med. Ch. I. G.	Medizin und Chemie. Abhandlungen aus den Medizinisch-chemischen Forschungsstätten der I. G. Farbenindustrie AG (bis 1942), Leverkusen
Meded. vlaamse chem. Veren.	Mededelingen van de Vlaamse Chemische Vereniging, Antwerpen
Mém. Acad. Inst. France	Mémoires de l'Académie des Sciences de l'Institut de France, Paris
Mem. Coll. Sci. Kyoto	Memoirs of the College of Science, Kyoto Imperial University, Tokio
Mem. Inst. Sci. and Ind. Research, Osaka Univ.	Memoirs of the Institute of Scientific and Industrial Research, Osaka University, Osaka
Mém. Poudres	Mémoirial des Poudres (bis 1939 und seit 1948), Paris
Mém. Services chim.	Mémoirial des Services Chimiques de l'État, Paris
Mercks Jber.	E. MERCKS Jahresbericht über Neuerungen auf den Gebieten der Pharmakaotherapie und Pharmazie, Weinheim
Microchem. J.	Microchemical Journal, New York
Microfilm Abst.	Microfilm Abstrats, Ann Arbor (Michigan)
Mikrochem. verein. Mikrochim. Acta	Mikrochemie vereinigt mit Mikrochimica Acta (seit 1938), Wien
Mod. Plastics	Modern Plastics (seit 1934), New York
Mol. Phys.	Molecular Physics, London
Nat. Bur. Standards (U.S.), Ann. Rept. Circ.	National Bureau of Standards (U.S.), Annual Report, Circular, Washington
Nat. Bur. Standards (U.S.), Techn. News Bull.	National Bureau of Standards (U.S.), Technical News Bulletin, Washington
Nation. Petr. News	National Petroleum News, Cleveland/Ohio
Natl. Nuclear Energy Ser., Div. I–IX	National Nuclear Energy Series, Division I–IX, New York
Nature	Nature, London
Naturf. Med. Dtschl. 1939–1946	Naturforschung und Medizin in Deutschland 1939/–1946 (für Deutschland bestimmte Ausgabe des FIAT Review of German Science), Wiesbaden
Naturwiss.	Naturwissenschaften, Berlin, Göttingen
Natuurw. Tijdschr.	Natuurwetenschappelijk Tijdschrift, Vennoofschap
Neftechimiya	НеФтехимия (Petroleum Chemistry)
Niederl. P.	Niederländisches Patent
Nitrocell.	Nitrocellulose (bis 1943 und seit 1952), Berlin
Norske Vid. Selsk. Forh.	Kongelige Norske Videnskabers Selskab. Forhandlinger, Trondheim
Norw. P.	Norwegisches Patent
Nuclear Sci. Abstr. Oak Ridge	U.S. Atomic Energy Commission, Nuclear Science Abstracts
Nuovo Cimento	Nuovo Cimento, Bologna
Öl, Kohle	Öl und Kohle (bis 1934 und 1941–1945): in Gemeinschaft mit Brennstoff-Chemie von 1943–1945, Hamburg
Öst. Chemiker-Ztg.	Österreichische Chemiker-Zeitung (bis 1942 und seit 1947), Wien
Österr. P., Wien	Österreichisches Patent
Offic. Gaz., U.S. Pat. Office	Official Gazette, United States Patent Office
Ohio J. Sci.	Ohio Journal of Science, Columbus/Ohio
Oil Gas J.	Oil and Gas Journal, Tulsa/Oklahoma
Org. Chem. Bull.	Organic Chemical Bulletin (Eastman Kodak), Rochester
Org. Reactions	Organic Reactions, New York
Org. Mass Spectrom.	Organic Mass Spectrometry, London
Org. Synth.	Organic Syntheses, New York
Org. Synth., Coll. Vol.	Organic Syntheses, Collective Volume, New York
Paint Manuf.	Paint incorporating Paint Manufacture (seit 1939), London
Paint Oil chem. Rev.	Paint, Oil and Chemical Review, Chicago

Paint, Oil Colour J.	Paint, Oil and Colour Journal (seit 1950), London
Paint Varnish Product.	Paint and Varnish Production (seit 1949; bis 1949: Paint and Varnish Production Manager), Washington
Paper Ind.	Paper Industry (1938–1949: ... and Paper World) Chicago
P. C. H.	Pharmazeutische Zentralhalle für Deutschland, Dresden
Perfum. essent. Oil Rec.	Perfumery and Essential Oil Record, London
Periodica Polytechn.	Periodica Polytechnica, Budapest
Petr. Eng.	Petroleum Engineer Dallas/Texas
Petr. Processing	Petroleum Processing, New York
Petr. Refiner	Petroleum Refiner, Houston/Texas
Pharmacol. Rev.	Pharmacological Reviews, Baltimore
Pharm. Acta Helv.	Pharmaceutica Acta Helvetica, Zürich
Pharmaz. Ztg. – Nachr.	Pharmazeutische Zeitung – Nachrichten, Hamburg
Pharm. Bull. (Tokyo)	Pharmacuetical Bulletin (Tokyo) (bis 1958)
Pharm. Ind.	Die Pharmazeutische Industrie, Berlin
Pharm. J.	Pharmaceutical Journal, London
Pharm. Weekb.	Pharmaceutisch Weekblad, Amsterdam
Phillips Res. Rep.	Philips Research Reports, Eindhoven/Holland
Phil. Trans.	Philosophical Transactions of the Royal Society of London
Photochem. and Photobiol.	Photochemistry and Photobiology, New York
Physica	Physica. Nederlandsch Tijdschrift voor Natuurkunde, Utrecht
Physik. Bl.	Physikalische Blätter, Mosbach/Baden
Phys. Rev.	Physical Review, New York
Phys. Z.	Physikalische Zeitschrift [Leipzig]
Plant Physiol.	Plant Physiology, Lancaster, Pa.
Plaste u. Kautschuk	Plaste und Kautschuk (seit 1957), Leipzig
Plasticheskie Massy	Пластические Массы (Soviet Plastics), Moskau
Plastics	Plastics [London]
Plastics Inst., Trans. and J.	The (London) Plastics Institute, Transactions Journal
Plastics Technol.	Plastics Technology
Poln. P.	Polnisches Patent
Polytechn. Tijdschr. [A]	Polytechnisch Tijdschrift, Uitgave A (seit 1946), Haarlem
Pr. Acad. Tokyo	Proceedings of the Imperial Academy. Tokyo
Pr. Akad. Amsterdam	Proceedings, Koninklijke Nederlandsche Akademie van Wetenschappen (1938–1940 und seit 1943), Amsterdam
Pr. chem. Soc.	Proceedings of the Chemical Society, London
Pr. Indiana Acad.	Proceedings of the Indiana Academy of Science, Indianapolis/Indiana
Pr. indian Acad.	Proceedings of the Indian Academy of Sciences, Bangalore/Indien
Pr. Iowa Acad.	Proceedings of the Iowa Academy of Sciences, Des Moines/Iowa (USA)
Pr. isrih Acad.	Proceedings of the Royal Irish Academy, Dublin
Pr. Nation. Acad. India	Proceedings of the National Academy of Sciences, India (seit 1936), Allahabad/Indien
Pr. Nation. Acad. USA	Proceedings of the National Academy of Sciences of the United States of America, Washington
Proc. Amer. Soc. Testing Mater.	Proceedings of the American Society für Testing Materials Philadelphiy, Pa.
Proc. Egypt. Acad. Sci.	Proceedings of the Egyptian Academy of Sciences, Kairo
Proc. Japan Acad.	Proceedings of the Japan Academy (seit 1945), Tokio
Proc. Roy. Austral. chem. Inst.	Proceedings of the Royal Australian Chemical Institute, Melbourne
Produits pharmac.	Produits Pharmaceutiques, Paris
Progr. Physical. Org. Chem.	Progress in Physical Organic Chemistry, New York, London
Promyšl. org. Chim.	Промышленность Органической Химии (bis 1941: Журнал Химичесыой Промышленности) (Industrie der Organischen Chemie, Organic Chemical Industry, bis 1940), Moskau
Pr. phys. Soc. London	Proceedings of the Physical Society, London
Pr. roy, Soc.	Proceedings of the Royal Society, London
Pr. roy. Soc. Edinburgh	Proceedings of the Royal Society of Edinburgh, Edinburgh
Przem. chem.	Przemýsl Chemiczny (Chemische Industrie), Warschau
Publ. Am. Assoc. Advan. Sci.	Publication of the American Association for the Advancement of Science, Washington
Pure Appl. Chem.	Pure and Applied Chemistry (The Official Journal of the International Union of Pure and Applied Chemistry), London

Quart. J. indian Inst. Sci.	Quaterly Journal of the Indian Instutite of Science, Bangalore
Quart. J. Pharm. Pharmacol.	Quaterly Journal of Pharmacy and Pharmacology (bis 1948), London
Quart. Rev.	Quaterly Reviews, London
Quím. e Ind.	Química e Industria. São Paulo (bis 1938 Chimica e Industria)
R.	Recueil des Travaux Chimiques des Pays-Bas, Amsterdam
R. A. L.	Atti della Reale Academia Nazionale dei Lincei, Classe die Scienze Fisiche, Mathematiche e Naturali: Rendiconti (bis 1940), Rom
Rasayanam	Journal for the Progress of Chemical Science, Poona, India
Rend. Ist. lomb.	Rendiconti dell'Instituto Lombardo di Scienze e Lettre. Classe di Scienze Matematiche e Naturali (seit 1944), Mailand
Rep. Government chem. ind. Res. Inst., Tokyo	Reports of the Government Chemical Industrial Research Institute, Tokyo
Rep. Progr. appl. Chem.	Reports on the Progress of Applied Chemistry (seit 1949), London
Rep. sci. Res. Inst.	Reports of Scientific Research Institute (japan). Kagaku-Kenkyujo-Kokoku, Tokio
Research	Research, London
Rev. Asoc. bioquím. arg.	Revista de la Asociación Bioquímica Argentina, Buenos Aires
Rev. Fac. Cienc. quím.	Revista de la Facultad de Ciencias Químicas, Universidad Nacional de La Plata, La Plata
Rev. Fac. Sci. Instanbul	Revue de la Faculté des Sciences de l'Université d'Instanbul, Instanbul
Rev. gén. Matières plast.	Revue Générale des Matières Plastiques, Paris
Rev. gén. Sci.	Revue Générale des Sciences pures et appliquées, Paris
Rev. Inst. franç. Pétr.	Revue de l'Institut Français du Pétrole et Annales des Combustibles Liquides, Paris
Rev. Prod. chim.	Revue des Produits Chimiques, Paris
Rev. Pure Appl. Chem.	Reviews of Pure and Applied Chemistry, Melbourne
Rev. Quím. Farm.	Revista de Química e Farmácia, Rio de Janeiro
Rev. Roumaine Chim.	Revue Roumaine de Chimie (bis 1963: Revue de Chimie, Académie de la République Populaire Roumaine), Bukarest
Rev. sci.	Revue Scientifique, Paris
Rev. scient. Instruments	Review of Scientific Instruments, New York
Ricerca sci., Parte I	Ricerca Scientifica, Parte I: Rivista, Rom
Ricerca sci., Parte II	Ricerca Scientifica, Parte II: Rendiconti, Rom
Roczniki Chem.	Roczniki Chemii (Annales Societatis Chimicae Polonorum), Warschau
Rubber Age N. Y.	The Rubber Age, New York
Rubber Chem. Technol.	Rubber Chemistry and Technology, Easton, Pa.
Rubber J.	Rubber Journal (seit 1955), London
Rubber & Plastics Age	The Rubber & Plastics Age, London
Rubber World	Rubber World (seit 1945) New York
Sbornik Stateı Obshecheı Khim.	Сборникъ Статей по Общей Химии (Sammlung von Aufsätzen über die allgemeine Chemie), Moskau u. Leningrad
Schwed. P.	Schwedisches Patent
Schweiz. P.	Schweizerisches Patent
Sci.	Science, New York, seit 1951, Washington
Sci. American	Scientific American, New York
Sci. Culture	Scinece and Culture, Calcutta
Scient. Pap. Bur. Stand.	Scientific Papers of the Bureau of Standards [Washington]
Scient. Pr. roy. Dublin Soc.	Scientific Proceedings of the Royal Dublin Society, Dublin
Sci. Ind. phot.	Science et Industries photographiques, Paris
Sci. Progr.	Science Progress, London
Sci. Rep. Tôhoku Univ.	Science Reports of the Tôhoku Imperial University, Tokio
Sci.Repts.Research.Insts.Tohoku Univ., [A], [B], [C] bzw. [D]	The Science Reports of the Research Institutes, Tohoku University, Series A, B, C bzw. D, Sendai/Japan
Seifen-Oele-Fette-Wachse	Seifen-Oele-Fette-Wachse. Neue Folge der Seifensieder-Zeitung, Augsburg
Soc.	Journal of the Chemical Society, London
Soil Sci.	Soil Science, Baltimore
South African Ind. Chemist	South African Industrial Chemist, Johannesburg
Spectrochim. Acta	Spectrochimica Acta, Berlin ab 1947 Rom

Steroids	Steroids an International Journal, San Francisco
Studii Ceretări Chim.	Studii si Cerectari de Chimie [Bucuresti]
Suomen Kem.	Suomen Kemistilehti (Acta Chemica Fennica), Helsinki
Suppl. nuovo Cimento	Supplemento del Nuovo Cimento (seit 1949), Bologna
Svensk farm. Tidskr.	Svensk Farmaccutisk Tidskrift, Stockholm
Svensk kem. Tidskr.	Svensk Kemisk Tidskrift, Stockholm
Synthesis	Synthesis, International Journal of Methods in Synthetik Organic Chemistry, Stuttgart · New York
Talanta	Talanta, International Journal of Analytical Chemistry, London
Tetrahedron	Tetrahedron, Oxford
Tetrahedron Letters	Tetrahedron Letters, Oxford
Textile Res. J.	Textile Research Journal (seit 1945), New York
Tiba	Revue Générale de Teinture, Impression, Blanchiment, Apprêt et de Chimie Textile et Tinctoriale (bis 1940 und seit 1948) Paris
Tidsskr. Kjemi, Bergv. Met.	Tidsskrift för Kjemi, Bergvesen og Metallurgi (seit 1941), Oslo
Trans. electroch. Soc.	Transactions of the Electrochemical Society, New York (bis 1949)
Trans. Faraday Soc.	Transactions of the Faraday Society, Aberdeen
Trans. Inst. chem. Eng.	Transactions of the Institution of Chemical Engineers, London
Trans. Inst. Rubber Ind.	Transactions of the Institution of the Rubber Industry, London
Trans. Kirov's Inst. chem. Technol. Kazan	Труды Казанского Химико-Технологического Института им. Кирова (Transactions of the Kirov's Institute for Chemical Technology of Kazan), Moskau
Trans. Pr. roy. Soc. New Zealand	Transactions and Proceedings of the Royal Society of New Zealand (seit 1952 Transactions of the Royal Society of New Zealand), Wellington
Trans. roy. Soc. Canada	Transactions of the Royal Society of Canada, Ottawa
Trans. Roy. Soc. Edinburgh	Transactions of the Royal Society of Edinburgh, Edinburgh
Trudy Mosk. Chim. Techn. Inst.	Трулы Московского Химико-Текнологического Института им. Д-И. Менделеева (Transactions of the Moscow Chemical-Technological Institut named für Dr. I. Mendeleev), Moskau
Tschechosl. P.	Tschechoslowakisches Patent
Uchenye Zapiski Kazan.	Ученьie Записки Казанского Госуларственного Университета Wissenschaftliche Berichte der Kasaner staatlichen Universität), Kasan
Ukr. chim. Z.	Украинский Химическнй Журнал (bis 1938: Украiнсъкнй, Charkau bis 1938, Хемiчний Журнал) Ukrainisches Chemisches Journal), Kiew
Umschau Wiss. Techn.	Umschau in Wissenschaft und Technik, Frankfurt
U.S. Govt. Res. Rept.	U.S. Government Research Reports
US. P.	Patent der USA
Uspechi Chim.	Успехи Химии (Fortschritte der Chemie), Moskau, Leningrad
USSR. P.	Sowjetisches Patent
Vakuum-Techn.	Vakuum-Technik (seit 1954), Berlin
Vestn. Akad. Nauk SSSR	Вестник Академии Наук СССР (Mitteilungen der Akademie der Wissenschaften der UdSSR), Moskau
Vestn. Mosk. Univ., Ser II Chim.	Вестник Московского Университета, Серня II Химия (Nachrichten der Moskauer Universität, Serie II Chemie), Moskau
Vysokomolek. Soed.	Въiсокомолекуярнъiе Соединония (High Molecular Weight Compounds)
Werkstoffe u. Korrosion	Werkstoffe und Korrosion (seit 1950), Weinheim/Bergstr.
Yuki Gosei Kagaku Kyokai Shi	Journal of the Society of Organic Synthetic Chemistry, Japan, Tokio
Z.	Zeitschrift für Chemie, Leipzig
Z. anal. Chemie	Zeitschrift für analytische Chemie (von C. R. Fresenius), Berlin, Göttingen

Ž. anal. Chim.	Журнал Аналитической Химии (Journal of Analytical Chemistry), Moskau
Z. ang. Physik	Zeitschrift für angewandte Physik
Z. anorg. Ch.	Zeitschrift für Anorganische und Allgemeine Chemie (1943–1950 Zeitschrift für Anorganische Chemie), Berlin
Zavod. Labor.	Заводская Лаборатория (Industrial Laboratory), Moskau
Zbl. Arbeitsmed. Arbeitsschutz	Zentralblatt für Arbeitsmedizin und Arbeitsschutz (seit 1951), Darmstadt
Ž. éksp. teor. Fiz.	Журнал зкспериментальной и теоретkической физики ([Physikalisches Journal, Serie A] Journal für experimentelle und theoretische Physik), Moskau, Leningrad
Z. El. Ch.	Zeitschrift für Elektrochemie und Angewandte Physikalische Chemie (seit 1952 Zeitschrift für Elektrochemie. Berichte der Bunsengesellschaft für Physikalische Chemie). Weinheim/Bergstr.
Ž. fiz. Chim.	Журнал физической Химии (Journal of Physical Chemistry), Moskau/Leningrad
Z. Lebensm.-Unters.	Zeitschrift für Lebensmittel-Untersuchung und -Forschung (seit 1943), München, Berlin
Z. Naturf.	Zeitschrift für Naturforschung, Tübingen
Ž. neorg. Chim.	Журнал Неорганической Химии (Journal of Inorganic Chemistry)
Ž. obšč. Chim.	Журнал Общей Химии (Journal of General Chemistry), London
Ž. Org. Chim.	Журнал Ороанической Химии (Journal of Organic Chemistry), Baltimore
Z. Pflanzenernähr., Düng., Bodenkunde	Zeitschrift für Pflanzenernährung, Düngung, Bodenkunde (bis 1936 und seit 1946), Weinheim/Bergstr., Berlin
Z. Phys.	Zeitschrift für Physik, Berlin, Göttingen
Z. physik. Chem.	Zeitschrift für Physikalische Chemie, Frankfurt (seit 1945 mit Zusatz N.F.)
Z. physik. Chem. (Leipzig)	Zeitschrift für Physikalische Chemie (Leipzig)
Ž. prikl. Chim.	Журнал Прикладной Химии (Journal of Applied Chemistry),
Ž. prikl. Fiz.	Журиал Прикладной Спектроскопии (Journal of Applied Spectroskopy), Moskau, Leningrad
Ž. strukt. Chim.	Журнал Структурной Химии (Journal of Structural Chemistry), Moskau
Ž. tech. Fiz.	Журнал Технической Физики ([Physikalisches Journal Serie B] Journal für technische Physik), Moskau-Leningrad
Z. Vitamin-, Hormon- u. Fermentforsch. [Wien]	Zeitschrift für Vitamin-, Hormon- und Fermentforschung [Wien] (seit 1947)
Ž. vses. Chim. obšč.	Журнал Всесоюзного Химического Общества им. Д. И. Мендеева (Journal of the All-Union-Chemical Society neamd for D. I. Mendeleev), Moskau
Z. wiss. Phot.	Zeitschrift für Wissenschaftliche Photographie, Photophysik und Photochemie, Leipzig
Ж.	Журнал Русского Физикого-Химического Общества (Journal der Russischen Physikalisch-Chemischen Gesellschaft. Chemischer Teil; bis 1930)

Abkürzungen
für den Text der präparativen Vorschriften und der Fußnoten[1]

Abb.	Abbildung
absol.	absolut
Amp.	Ampere
Anm.	Anmerkung
Anm.	Anmeldung (nur in Verbindung mit der Patentzugehörigkeit)
API	American Petroleum Institute
ASTM	American Society for Testing Materials
asymm.	asymmetrisch
at	technische Atmosphäre
At.-Gew.	Atomgewicht
atm	physikalische Atmosphäre
BASF	Badische Anilin- & Sodafabrik AG, Ludwigshafen/Rhein (bis 1925 und wieder ab 1953)
Bataafsche (Shell)	N. V. Bataafsche Petroleum Mij., s'Gravenhage (Holland)
Shell Develop.	Shell Development Co., San Francisco, Corporation of Delaware
ber.	berechnet
bez.	bezogen
bzw.	beziehungsweise
cal	Calorien
CIBA	Chemische Industrie Basel, AG
cm^3	Kubikzentimeter
cycl.	cyclisch
C, bzw. D^{20}	Dichte, bzw. Dichte bei 20° bezogen auf Wasser von 4°
DAB	Deutsches Arznei-Buch
Degussa	Deutsche Gold- und Silberscheideanstalt, Frankfurt a. M.
d.h.	das heißt
DK	Dielektrizitäts-Konstante
d.Th.	der Theorie
DuPont	E. I. DuPont de Nemours & Co., Wilmington 98 (USA)
E	Erstarrungspunkt
EMK	Elektromotorische Kraft
F	Schmelzpunkt
Farbf. Bayer	Farbenfabriken Bayer AG, vormals Friedrich Bayer & Co., Leverkusen-Elberfeld (bis 1925), Farbenfabriken Bayer AG, Leverkusen, Elberfeld, Domagen und Uerdingen (ab 1953)
Farbw. Hoechst	Farbwerke Hoechst AG, vormals Meister Lucius & Brüning, Frankfurt/M.-Höchst (bis 1925 und wieder ab 1953)
g	Gramm
gem.	geminal
ges.	gesättigt
Gew., Gew.-%, Gew.-Tl.	Gewicht, Gewichtsprozent, Gewichtsteil
I.C.I.	Imperial Chemicals Industries Ltd., Manchester
I.G. Farb.	I. G. Farbenindustrie AG, Frankfurt a.M. (1925–1945)
IUPAC	International Union of Pure and Applied Chemistry
i.Vak.	im Vakuum
k (k_s, k_b)	elektrolytische Dissoziationskonstanten, bei Ampholyten, Dissoziationskonstanten nach der klassischen Theorie
K (K_s, K_b)	elektrolytische Dissoziationskonstanten von Ampholyten nach der Zwitterionentheorie

[1] Alle Temperaturangaben beziehen sich auf Grad Celsius, falls nicht anders vermerkt.

kcal .... Kilokalorie
kg.......................... Kilogramm
konz. .... konzentriert
korr. .... korrigiert
Kp, bzw. Kp_{750} .... Siedepunkt, bzw. Siedepunkt unter 750 Torr Druck
kW, kWh .... Kilowatt, Kilowattstunde
l .... Liter
m (als Konzentrationsangabe) .. molar
M .... Metall (in Formeln
$\overline{M}$ .... mittleres Molekulargewicht
$[M]_\lambda^t$ .... molekulares Drehungsvermögen oder Molekularrotation
mg .... Milligramm
Min. .... Minute
mm .... Millimeter
ml .... Milliliter
Mol.-Gew., Mol.-%, Mol.-Refr. .. Molekulargewicht, Molprozent, Molekularrefraktion
n_λ^t .... Brechungsindex
n (als Konzentrationsangabe) ... normal
$\overline{n}$ .... mittlerer Polymerisationsgrad
nm .... Nanometer
p_H .... negativer, dekadischer Logarithmus der Wasserstoffionen-Aktivität
prim. .... primär
quart. .... quartär
racem. .... racemisch
s. .... siehe
S. .... Seite
s.a. .... siehe auch
sek. .... sekundär
Sek. .... Sekunde
s.o. .... siehe oben
spez. .... spezifisch
Stde., Stdn., stdg. .... Stunde, Stunden, stündig
s.u. .... siehe unten
Subl. p. .... Sublimationspunkt
symm. .... symmetrisch
Tab. .... Tabelle
techn. .... technisch
Temp. .... Temperatur
tert. .... tertiär
theor. .... theoretisch
Tl., Tle., Tln. .... Teil, Teile, Teilen
u.a. .... und andere
usw. .... und so weiter
u.U. .... unter Umständen
V .... Volt
VDE .... Verein Deutscher Elektroingenieure
VDI .... Verein Deutscher Ingenieure
verd. .... verdünnt
vgl. .... vergleiche
vic. .... vicinal
Vol., Vol.-%, Vol.-Tl. .... Volumen, Volumenprozent, Volumenanteil
W .... Watt
Zers. .... Zersetzung
∇ .... Erhitzung
$[\alpha]_\lambda^t$ .... spezifische Drehung
⌀ .... Durchmesser
~ .... etwa, ungefähr
μ .... Mikron

Synthese von Peptiden

bearbeitet von

Dipl.-Chem. MECHTILDE DEFFNER Dr. KARL-HEINZ DEIMER Dr. ERNST JAEGER

Dr. PETER STELZEL Dr. PAUL THAMM Dr. GERHARD WENDLBERGER

Prof. Dr. ERICH WÜNSCH

Max Planck Institut für Biochemie, Abteilung Peptidchemie, München

Mit 89 Abbildungen
und 153 Tabellen

Literatur berücksichtigt bis Ende 1973, teilweise 1974.

DEM „VATER“ DER MODERNEN PEPTIDSYNTHESE

PROF. DR. MAX BERGMANN

1866–1944

DIREKTOR DES
KAISER-WILHELM-INSTITUTS FÜR LEDERFORSCHUNG,
DRESDEN 1922–1933

IN WÜRDIGUNG SEINER BAHNBRECHENDEN ARBEITEN
AUF DIESEM GEBIET

IN GEDENKEN

DAS AUTOREN-KONSORTIUM

Inhalt

10. Einteilung und Nomenklatur der Peptide und ihrer Derivate

bearbeitet von

Prof. Dr. ERICH WÜNSCH

Max-Planck-Institut für Biochemie, München

Die folgende Abhandlung trägt Rechnung der Entwicklung der Peptidforschung der letzten Jahre und den Vorschlägen nachstehend genannter Autoren bzw. internationaler Nomenklatur-Ausschüsse[1–13].

11. Einteilung und Abkürzungen der Aminosäuren

11.10. Monoaminosäuren

Für alle primären, sekundären und tertiären sowie „mehrfunktionellen" Aminosäuren gilt das Drei-Buchstaben-Symbol; es wird, wenn zur sicheren Charakterisierung gewisser mehrfunktioneller Aminosäuren erforderlich, zur Positions-Kennzeichnung dieser Seitenketten-Substituenten mit arabischen Zahlen ergänzt (vgl. S. 2). Die ω-Stellung bleibt jedoch immer unbezeichnet.

---

1 E. BRAND u. J. T. EDSALL, Ann. Rev. Biochem. **16**, 224 (1947).

2 E. BRICAS u. C. FROMAGEOT, Advan. Protein Chem. **8**, 1 (1953).

3 M. GOODMAN u. G. W. KENNER, Advan. Protein Chem. **12**, 465 (1957).

4 R. SCHWYZER, Chimia (Aarau) **12**, 53 (1958).

5 Committee on Abbreviations of the American Society of Biological Chemists, 1959.

6 IUPAC, Section of Biological Chemistry, Nomenclature Commisson 1960; cf. J. Biol. Chem. **237**, 1381 (**1962**).

7 J. P. GREENSTEIN u. M. WINITZ, *Chemistry of the Amino Acids*, J. Wiley & Sons, New York 1960.

8 R. SCHWYZER, J. RUDINGER, E. WÜNSCH u. G. T. YOUNG, *Peptides*, Proc. 5th Europ. Sympos. Oxford 1962, Pergamon Press **1963**, 261.

9 IUPAC Information Bulletin No. 20, July 1963, S. 16–18.

10 IUPAC Information Bulletin No. 25, Febr. 1966, S. 32–40.

11 IUPAC-IUB Commission on Biochemical Nomenclature, H. **348**, 256 (1967); **348**, 262 (1967).

12 IUPAC-IUB Commission on Biochemical Nomenclature, Biochem. J. **126**, 773 (1972).

13 E. SCHRÖDER u. K. LÜBKE, *The Peptides*, Vol. I und II, Academic Press, New York und London 1965.

11.11. In Eiweiß vorkommende, „natürliche" Aminosäuren

Alanin	*Ala*	*β-Hydroxy-prolin***)	*3Hyp*
α-Amino-buttersäure	*Abu*	*Isoleucin*	*Ile*
Arginin	*Arg*	*Leucin*	*Leu*
Asparagin	*Asn*[0])	*Lysin*	*Lys*
Asparaginsäure	*Asp*	*Methionin*	*Met*
Cystein	*Cys*	*Ornithin*	*Orn*
α,γ-Diamino-buttersäure	*Dab*	*Phenylalanin*	*Phe*
α,β-Diamino-propionsäure	*Dap*	*Prolin*	*Pro*
Glutamin	*Gln*[0])	*Serin*	*Ser*
Glutaminsäure	*Glu*	*Threonin*	*Thr*
Glycin	*Gly*	*Tryptophan*	*Trp*
Histidin	*His*	*Tyrosin*	*Tyr*
δ-Hydroxy-lysin	*Hyl*	*Valin*	*Val*
*γ-Hydroxy-prolin**)	*Hyp*		

11.12. Weitere α-Aminosäuren

Alliin	*All*	*Leucenin*	*Lcn*
C-Allyl-glycin	*Alg****)	*Mimosin*	*Mim*
α-Amino-adipinsäure	*Aad*	*Minalin*	*Min*
1-Amino-cyclohexancarbonsäure	*Ach*	*Norleucin (α-Amino-capronsäure)*	*Nle*
1-Amino-cyclopentancarbonsäure	*Acp*	*Norvalin*	*Nva*
1-Amino-cyclopropancarbonsäure	*Apr*	*Oxalysin*	*Oly*
α-Amino-isobuttersäure	*Aib****)	*Pantonin (β,β-Dimethyl-homoserin)*	*Pan*
Amino-malonsäure	*Ama*	*C-Phenyl-glycin*	*Phg****)
2-Amino-3-methyl-butyl-1,3-thiazolin-5-carbonsäure	*Amt*	*β-Phenyl-serin*	*Pse****)
		Picolinsäure	*Pic*
6-Amino-penicillansäure	*Ape*	*Pipecolinsäure*	*Pec*
α-Amino-pimelinsäure	*Apm*	*(Pyrazolyl-3)-alanin*	*Pza*
α-Amino-suberinsäure(-korksäure)	*Asu*	*(Pyridyl-2)-alanin*	*Pya*
Azetidin-carbonsäure	*Aze*	*Pyrrolidon-(5)-carbonsäure-(2)*	*Pyr*
Aziridin-carbonsäure	*Azi*	*Chinoxalin-2-carbonsäure*	*Qin*
Baikiain	*Bai*	*Sarkosin*	*Sar*
C-Benzyl-phenylalanin (C,C-Bis-benzyl-glycin)	*Bph*	*Seleno-cystein*	*Sec*
		Seleno-methionin	*Sem*
Canavanin	*Can*	*Tertiärleucin (Pseudoleucin)*	*Tle****)
Citrullin	*Cit*	*Thialysin*	*Tly*
3,4-Dihydroxy-phenylalanin	*Dpa*	*1,3-Thiazolin-2-carbonsäure*	*Tia*
2,2-Dimethyl-1,3-thiazolidin-carbonsäure	*Dtc*	*[1,3-Thiazolyl-(2)]-alanin*	*Thi*
Felinin	*Fel*	*Thyronin [3,5,3'-Trijod-O-(4-hydroxy-phenyl)-tyrosin]*	*Thy*
Isoserin	*Ise****)	*Thyroxin (3,5,3',5'-Tetrajod-thyronin)*	*Thx*
Isovalin	*Iva*		
Kynurenin	*Kyn*		

---

*) = *trans*-4-Hydroxy-L-prolin
**) = *trans*-3-Hydroxy-L-prolin
***) s. dazu S. 7.
[0]) s. dazu S. 9.

Das Abkürzungs-Symbol der Aminosäuren steht grundsätzlich für das „Skelett“ des Aminosäure-Restes im Peptidverband, wobei zusätzlich der Substitution aller CH—, CH_2—, CH_3—, NH—, COOH—, OH—, SH— etc. -Gruppen Rechnung getragen werden kann. Liegen keine Substitutionen vor, so bedeutet das Abkürzungs-Symbol c die freie unsubstituierte Aminosäure. Eine Substitution an der α-Amino- oder α-Carboxy-Gruppe (worunter auch die Peptidbindung einzuordnen ist) hat automatisch die Wiedergabe des Abkürzungs-Symbols b zur Folge (s. S. 5–7), sofern keine Substitution an der Seitenkette dabei vorliegt.

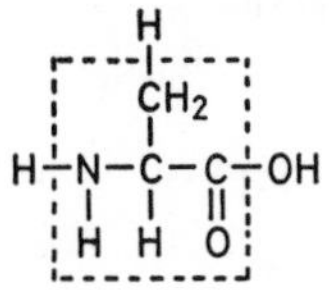

```
      H
  ┌---|---┐
  ¦  CH2  ¦
  ¦   |   ¦
H-┼N-C-C-┼OH
  ¦|  |  ||¦
  ¦H  H  O ¦
  └--------┘
```

Alanin: H—Ala—OH (mit H an Ala): H—Ala—OH bzw. Ala

(a) (b) (c)

```
      OH
  ┌---|---┐
  ¦  C=O  ¦
  ¦   |   ¦
  ¦  CH2  ¦
  ¦   |   ¦
H-┼N-C-C-┼OH
  ¦|  |  ||¦
  ¦H  H  O ¦
  └--------┘
```

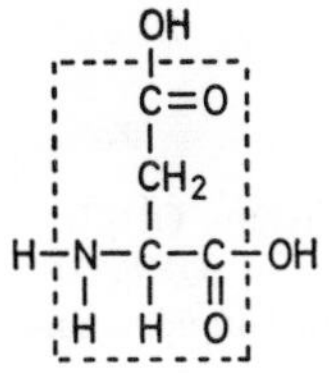

Asparaginsäure: H—Asp—OH (mit OH an Asp): H—Asp—OH bzw. Asp

(a) (b) (c)

11.20. Diamino-dicarbonsäuren

Diese werden zur Kenntlichmachung ihrer Sonderstellung mit einem Vier-Buchstaben-Symbol abgekürzt:

2-Amino-4,5-dimethyl-phenoxazon-(3)-1,8-dicarbonsäure (Actinocin)	Adpd
a,a'-Diamino-adipinsäure	Daad
a,a'-Diamino-pimelinsäure	Dapm
a,a'-Diamino-suberinsäure (-korksäure)	Dasu
2,5-Diamino-1,4-dithian-2,5-dicarbonsäure	Dadd
Djenkolsäure	Djen
Lanthionin	Lant
Tryptathionin	Trta
Cystathionin	Cyta

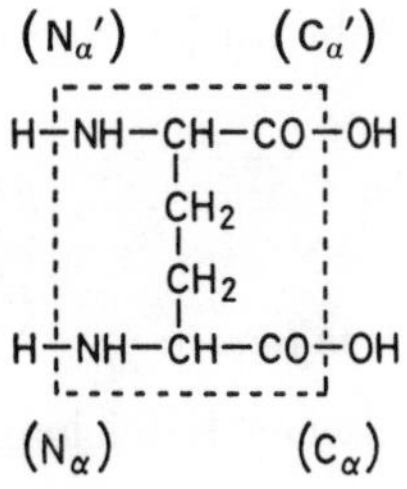

```
  (Nα')        (Cα')
   ┌-----------┐
 H-┼NH-CH-CO-┼OH
   ¦    |      ¦
   ¦   CH2     ¦
   ¦    |      ¦
   ¦   CH2     ¦
   ¦    |      ¦
 H-┼NH-CH-CO-┼OH
   └-----------┘
  (Nα)         (Cα)
```

H—Daad—OH, H—Daad—OH (a) oder $(H)_2 = Daad = (OH)_2$ (b) bzw. Daad (c)

Eine Ausnahme wurde bislang lediglich der Diamino-dicarbonsäure *Cystin* zugedacht; sie wird als „Doppel-Cystein“ wie folgt charakterisiert:

Cystin: (*Bis-hemi-cystin*) $= (Cys)_2 =$ bzw. —Cys— | —Cys—

Hemicystin: —Cys(—)— bzw. —Cys— (mit Seitenkettenbindung)

Eine Übertragung dieser Regelung auf andere Diamino-dicarbonsäuren, d. h. eine „Molekülauflösung“ in zwei Monoamino-monocarbonsäuren, scheint zur Darstellung der „Kurzform“-Strukturen vor allem für Cyclo-Peptide dieser Diamino-dicarbonsäuren sinnvoll zu sein (vgl. Tryptathionin in Phalloidin etc.)

„Zwei Hälften“-Abkürzung für:

a,a'-Diamino-adipinsäure:	= (Ala)$_2$ = bzw.	—Ala — │ —Ala —	*Lanthionin*:	= (Ala/Cys) =	—Cys — │ —Ala —
a,a'-Diamino-pimelinsäure:	= (Ala/Abu) =	—Abu— │ —Ala —	*Cystathionin*:	= (Cys/Abu) =	—Abu— │ —Cys —
a,a'-Diamino-suberinsäure:	= (Abu)$_2$ =	—Abu— │ —Abu—	*Tryptathionin*:	= (Cys/Trp) =	—Trp — │ —Cys —
			Djenkolsäure:	—	—Cys — │ CH_2 │ —Cys —

N_α-Benzyloxycarbonyl, N_α'-formyl-L/L-tryptathionin-C_α'-methylester, C_α-benzylester

(Z, FOR) = Trta = (OMe, OBZL)
oder
(Z, FOR) = (Cys/Trp) = (OMe, OBZL)
(Abkürzungsfolge im Uhrzeigersinn vgl. dazu S. 15)

11.30. Niedere und höhere Homologe bekannter Aminosäuren

Niedere oder höhere Homologe bekannter Aminosäuren (Differenz einer Methylen-Gruppe) werden als „Nor“- bzw. „Homo“-Aminosäuren durch Vorstellen eines *n* bzw. *h* vor die Aminosäure-Abkürzung gekennzeichnet:

Nor-Arginin:	*n*Arg	*Homo-Cystein*:	*h*Cys
		Homo-Serin:	*h*Ser

Die bekannten Aminosäuren *Norvalin* und *Norleucin* sind keine echten „Nor“-Verbindungen; ihrer Trivial-Bezeichnung wird durch ein eigenes Symbol Rechnung getragen (s. S. 2)[1].

11.40. Iso-Aminosäuren (ω-Aminosäuren)

Aminosäuren mit nicht α-ständiger Amino-Gruppe werden entweder durch Vorstellung des entsprechenden griechischen Buchstabens der bestehenden C-Substitution vor das Symbol der zugehörigen α-Aminosäure gekennzeichnet, z. B.

β-Alanin:	βAla	*β-[1,3-Thiazolyl-(2)]-alanin*:	βThi
β-Amino-isobuttersäure:	βAib	*γ-Amino-buttersäure*:	γAbu
β-Lysin:	βLys	*ε-Amino-capronsäure*:	εAca
4-Amino-benzoesäure:	ABz	*2-Amino-benzoesäure (Anthranilsäure)*:	2ABz

oder mit einer Abkürzung ihres Trivialnamens bzw. ggf. ihrer chemischen Bezeichnung, z. B.

2-Amino-3-hydroxy-4-methyl-benzoesäure:	Ahb
Roseonin{α-[2-Amino-4,5-dihydro-imidazol-yl-(4)]-α-hydroxy-β-alanin}:	Ros
Guvacin (3,4-Dehydro-piperidin-3-carbonsäure):	Guv
Lysergsäure:	Lsg

[1] Viele Nor- bzw. Homo-aminosäuren tragen Trivialnamen: vgl. *Ornithin* = *Nor-Lysin*; Diamino-buttersäure = *Nor-Ornithin* etc.

Die als *Isovalin* und *Isoserin* bekannten Aminosäuren sind keine Iso-Verbindungen der Aminosäuren Valin und Serin, sondern C_α-substituierte Derivate der Aminosäuren α-Amino-buttersäure bzw. β-Alanin. Ihr Abkürzungs-Symbol trägt daher dem Trivialnamen Rechnung (s. dazu a. S. 2, 7).

11.50. Konfigurationsbezeichnung der Aminosäuren

Die Konfigurationsbezeichnung der Aminosäuren erfolgt durch Voransetzen eines L- bzw. D-(verkleinerter Großbuchstabe mit Bindestrich) vor die Aminosäure-Abkürzung, im Falle des Racemats durch ein DL-. Zur Vereinfachung kann bei L-Aminosäuren eine Konfigurationsbezeichnung unterbleiben:

H—Leu—D-Phe—Pro-OH bzw. H—L-Leu—D-Phe—L-Pro—OH

H—Thr—?—Ile—Pro—Sar—OH bzw. H—L-Thr—?—Ile—L-Pro—Sar—OH

(? bedeutet ungeklärte Konfiguration der betreffenden Aminosäure).

Die Konfigurationsbezeichnung für Aminosäuren mit einem zweiten Asymmetrie-Zentrum wird durch vorgesetzte Silben *allo-*, *threo-*, *erythro-* bzw. *meso-* festgelegt; dem wird bei der Abkürzung durch Vorstellen eines Kursiv-Buchstaben vor das Aminosäure-Symbol Rechnung getragen:

allo-Threonin	*a*Thr	*meso-Cystin*:	*m*$(Cys)_2$
erythro-Phenylserin:	*e*Pse	*threo-Phenylserin*:	*t*Pse

11.60. Dehydro-aminosäuren

Dehydro-aminosäuren werden, sofern sie keine Trivialnamen tragen, durch Vorstellen des Zeichens Δ unmittelbar vor das Aminosäure-Symbol charakterisiert:

Dehydro-alanin: ΔAla	*Dehydro-lysin*: ΔLys
Dehydro-prolin: ΔPro	

11.70. Substitution am Aminosäuremolekül

11.71 Substitution an der α-Amino-Gruppe

Eine Mono-Substitution wird unter Ersatz des Wasserstoff- (s. Abkürzung der Aminosäuren, S. 3) durch das Substituenten-Symbol unter Vorsatz von N_α, N_β etc. zur Kennzeichnung der Position der Amino-Funktion[1] wiedergegeben:

N-Methyl-alanin: Me-Ala-OH *N-Acetyl-serin*: Ac-Ser-OH

N,N'-Bis-acetyl-diaminoadipinsäure:

```
Ac—┐     ┌—OH
Ac—┘Daad└—OH
```

oder $(Ac)_2 = Daad = (OH)_2$[2]

---

[1] N_α kann nur dann durch N (ohne Zusatz α) ersetzt werden, wenn Verwechslungen ausgeschlossen sind; sinngemäß gilt dies für $N\alpha'$: N' bei Diamino-dicarbonsäuren.

[2] Bei asymm. disubstituierten Diaminodicarbonsäuren entfällt diese Schreibweise! Vgl. ferner S. 7.

Eine Disubstitution wird wiedergegeben durch Charakterisierung der Mono-Substitution wie oben, der des 2. Aminowasserstoffs in runder Klammer vor dem Aminosäure-Symbol bzw. bei zweizeiliger Schreibweise wie folgt:

N-Acetyl-N-methyl-alanin:	Ac—(Me)Ala—OH bzw. Ac—(Me)Ala—OH (Me über Ala)
N-Leucyl-glycyl-(N-acetyl)-alanin:	H—Leu—Gly—(Ac)Ala—OH bzw. H—Leu—Gly—Ala—OH (Ac über Ala)
N-Glycyl-(N-glycyl)-glycin:	H—Gly—(H—Gly)Gly—OH bzw. H—Gly— / H—Gly—Gly—OH

Ausnahmen dieser Regel bestehen bei

① „Diacyl-Schutzgruppen" (z. B. dem Phthalyl-Rest). Hier wird das Symbol der N-Schutzgruppe mit einem „Doppelbindungszeichen" versehen:

Phthalyl-alanin: PHT=Ala—OH

② der Diacyl-amin-Bindung im Peptidverband (z. B. *Asparagin-* und *Glutaminsäure*). Die Diacyl-amin-Bindung kann durch ein Doppelbindungszeichen bzw. in zweizeiliger Schreibweise wie folgt veranschaulicht werden:

Glycyl-(anhydro)glutamyl-alanin: H—Gly—Glu=Ala—OH bzw. H—Gly—Glu—Ala

③ der „Lactam-Bildung". Eine Lactam-Bildung unter Einbeziehung des 2. Aminowasserstoffs einer N-acylierten α- oder ω-Amino-Gruppe wird gekennzeichnet entweder durch ein neues Symbol für die Aminosäure oder durch den Zusatz „-lactam", wobei die Ringbildung zusätzlich anzugeben ist:

N-Benzyloxycarbonyl-pyrrolidoncarbonyl-alanin: Z—Pyr—Ala—OH
N-Benzyloxycarbonyl-leucyl-N_γ-tosyl-diamino-buttersäure-N^γ-lactam:

Z—Leu—Dab(TOS)—lactam bzw. Z—Leu—Dab— (TOS über Dab)

④ carboxy-aktivierten Aminosäuren bzw. N-Acyl-(N-Alkyl)-aminosäuren vom Ringsystem-Typ, d. h. Aktivierungssysteme, die unter Einbeziehung des zweiten Aminowasserstoffs resultieren, werden abgekürzt dargestellt wie folgt:

N_ε-Benzyloxycarbonyl-lysin-N-Carbonsäure-Anhydrid:	H—[Lys(Z)—NCA]
N-Trityl-alanin-N-Carbonsäure-Anhydrid:	TRT—[Ala—NCA]
Phenyl-1,3-oxazolinon von *N-Trifluoracetyl-alanin*:	TFA—[Ala—POX]
Trichlormethyl-1,3-oxazolidinon von *N-(β-Trichlor-α-hydroxy-äthyl)-alanin*:	THE—[Ala—TCOI]

11.72. Substitution an der α-Carboxy-Gruppe

Die Substitution an der Carboxy-Gruppe ist mit Ersatz des Carboxy-Hydroxyls durch einen Rest X verbunden; somit ist das Symbol —OH zu ersetzen, z. B.:

Alanin-methylester:	H—Ala—OMe
Alanin-thiophenylester:	H—Ala—SPh
Alanin-N'-tert.-butyloxycarbonyl-hydrazid:	H—Ala—NHNH(BOC) bzw. H—Ala—NHNH (BOC über NH)
Isoasparagin (vgl. Asparagin = Asn):	H—Asp—NH_2

N-Benzyloxycarbonyl-alanin-azid:	Z—Ala—N_3
N-Benzyloxycarbonyl-glutaminsäureanhydrid:	Z—Glu—anhydrid bzw. Z—Glu—O (cyclisch)
Di-[N-benzyloxycarbonyl-alanin]-anhydrid:	$(Z—Ala)_2O$ bzw. Z—Ala—┐ / Z—Ala—O
N-Benzyloxycarbonyl-allo-hydroxy-prolin-lacton:	Z—*a*Hyp-lacton bzw. Z—*a*Hyp (cyclisch)
N-Benzyloxycarbonyl-ornithin-δ-lactam:	Z—Orn-δ-lactam bzw. Z—Orn (cyclisch)
N,N'-Bis-[benzyloxycarbonyl]-diamino-adipinsäure-dimethylester	Z┐ ┌OMe / Z—Daad—OMe oder $(Z)_2$ = Daad = $(OMe)_2$[1]

Bei asymmetrisch substituierten Diamino-dicarbonsäuren ist die α'-Position der Carboxy-Funktion mit (Cα') oder (C') zu kennzeichnen; z. B.:

Nα-(2-Nitro-phenylsulfenyl)-Nα'-tert.-butyloxycarbonyl-L-cystathionin-benzylester-(Cα')-phenyloxoäthylester:	BOC┐ ┌OPE / NSP—Cyta—OBZL

11.73. Substitution an der Kohlenstoff-Kette

Die Substitution an der Kohlenstoff-Kette wird gekennzeichnet durch Ortsangabe der C-Substitution und des Substituenten in Klammer hinter dem Aminosäure-Symbol[2], bzw. in zweizeiliger Schreibweise wie folgt (ω-Substitution kann, falls Verwechslungen ausgeschlossen, unbezeichnet bleiben):

β-Cyano-alanin: (*Asparaginsäure-β-nitril*)	H—Ala(βCN)—OH [od. H—Ala(CN)—OH]	bzw. CN über H—Ala—OH
β-Sulfo-alanin[3]: (*Cysteinsäure*)	H—Ala($βSO_3H$)—OH [od. H—Ala(SO_3H)—OH]	bzw. SO_3H über H—Ala—OH
β-Phenyl-α-aminobuttersäure	H—Abu(βPh)—OH	bzw. Ph (β) über H—Abu—OH

Mit dieser Schreibweise wird die Möglichkeit eröffnet, bekannten C-substituierten Aminosäuren neben ihrem Eigen-Symbol das der „Grund-Aminosäure" zuzuordnen, z. B.:

Isovalin: (*α-Methyl-aminobuttersäure*)	H—Iva—OH oder H—Abu(αMe)—OH
Tertiärleucin: (*β-Methyl-valin*)	H—Tle—OH oder H—Val(βMe)—OH
C-Phenyl-glycin:	H—Phg—OH oder H—Gly(αPh)—OH
α-Amino-isobuttersäure: (*α-Methyl-alanin*)	H—Aib—OH oder H—Ala(αMe)—OH
δ-Hydroxy-lysin:	H—Hyl—OH oder H—Lys(δOH)—OH
C-Allyl-glycin	H—Gly(αAl)—OH
Isoserin	H—βAla(αOH)—OH

Hydroxyaminosäuren, sofern hierfür kein Trivialname oder Spezialfall vorliegt, werden in diese Schreibweise einbezogen, die zweizeilige Darstellung ist jedoch nur zu vertreten, wenn diese Hydroxy-Funktion die einzige zusätzliche Funktion ist. Für Hydroxy-Derivate

[1] Bei asymm. disubstituierten Diamino-dicarbonsäuren entfällt diese Schreibweise!

[2] Sofern kein Trivialname oder wegen der Bedeutung als „mehrfunktionelle" Aminosäure kein „eigenes" Symbol besteht.

[3] Vgl. S. 9.

mehrfunktioneller Aminosäuren gilt ausschließlich die bekannte „einzeilige“ Kurzform. Als Alternativ-Lösung für Sonderfälle wird der Hydroxy-Substituent mit dem Symbol H der Aminosäure-Abkürzung (kleine Buchstaben) vorangestellt[1]:

α-Hydroxy-alanin:	H—Ala(αOH)—OH oder Hala
β-Hydroxy-asparaginsäure:	H—Asp(βOH)—OH oder Hasp
γ-Hydroxy-α-amino-adipinsäure:	H—Aad(γOH)—OH oder Haad
γ-Hydroxy-α-amino-pimelinsäure:	H—Api(γOH)—OH oder Hapi
γ-Hydroxy-glutaminsäure:	H—Glu(γOH)—OH oder Hglu
γ-Hydroxy-leucin:	H—Leu(γOH)—OH oder Hleu
α-Hydroxy-valin:	H—Val(αOH)—OH oder Hval
4-Hydroxy-pipecolinsäure:	H—Pec(4OH)—OH oder Hpec
5-Hydroxy-pipecolinsäure:	H—Pec(5OH)—OH oder Hpec
3-Hydroxy-picolinsäure:	H—Pic(3OH)—OH oder Hpic
δ-Hydroxy-leucenin:	H—Lcn(δOH)—OH oder Hlcn

Sinngemäß wird für folgende Seitenketten-substituierte Aminosäuren verfahren:

γ-Methyl-glutaminsäure:	H—Glu(γMe)—OH
γ-Methylen-glutaminsäure:	H—Glu(γMN)—OH
γ-Methylen-glutamin:	H—Gln(γMN)—OH
1-Methyl-histidin:	H—His(1Me)—OH
2-Methyl-histidin:	H—His(2Me)—OH
γ-Methyl-γ-hydroxy-glutaminsäure:	H—Glu(γMe, γOH)—OH oder Hglu(γMe)
γ,δ-Dihydroxy-leucin:	H—Leu(γOH, δOH)—OH oder Hleu(δOH)
4-Methyl-prolin:	H—Pro(4Me)—OH
4-Oxo-pipecolinsäure:	H—Pec(4O)—OH

11.74. Substitution und Addition bei mehrfunktionellen Aminosäuren

Substitution und Addition bei mehrfunktionellen Aminosäuren werden unter Ersatz des Wasserstoffs durch das Substituenten-Symbol bei Hydroxy-, Sulfhydryl-, Amino-, sek. Amino-, Imino-, Phenyl- etc. -Gruppen, unter Ersatz des Hydroxyls durch das Substituenten-Symbol bei Carboxy-Gruppen bei einer Substitution bzw. durch Zufügen des Addenten-Symbols bei einer Addition (incl. Ammonsalz-Bildung) charakterisiert, z. B.:

O-tert.-Butyl-serin:	H—Ser(tBu)—OH	bzw. H—Ser—OH (tBu über Ser)
S-Benzyl-cystein:	H—Cys(BZL)—OH	bzw. H—Cys—OH (BZL über Cys)
N_ε-tert.-Butyloxycarbonyl-lysin:	H—Lys(BOC)—OH	bzw. H—Lys—OH (BOC über Lys)
N_ω-Nitro-arginin:	H—Arg(NO_2)—OH	bzw. H—Arg—OH (NO_2 über Arg)
N_α,N_{im}-Dibenzyloxycarbonyl-histidin:	Z—His(Z)—OH	bzw. Z—His—OH (Z über His)
Arginin-(ω)-hydrobromid:	H—Arg(HBr)—OH	bzw. H—Arg—OH (HBr über Arg)

[1] Angabe der Position der Hydroxy-Funktion in Fußnote.

Asparaginsäure-β-tert.-butylester:	H—Asp(OtBu)—OH	OtBu bzw. H—Asp—OH
Glutamin[1]	H—Glu(NH_2)—OH	NH_2 bzw. H—Glu—OH
Glutaminsäure-C_γ-(4,4′-dimethoxy-dityl)-amid oder	H—Glu(NH{DOD})—OH oder	NH(DOD) bzw. H—Glu—OH
N_{am}-4,4′-Dimethoxy-dityl-glutamin	H—Gln(DOD)—OH	DOD bzw. H—Gln—OH
Cysteinsäure[2]:	H—Cys(O_3H)—OH	O_3H bzw. H—Cys—OH
S-Sulfo-cystein:	H—Cys(SO_3H)—OH	SO_3H bzw. H—Cys—OH
Cystein-S-Silbersalz:	H—Cys(Ag)—OH	Ag bzw. H—Cys—OH
Methionin-S-oxid[3]:	H—Met(O)—OH	O bzw. H—Met—OH
Methionin-S-dioxid[4]:	H—Met(O_2)—OH	O_2 bzw. H—Met—OH
O-Phosphoryl-threonin:	H—Thr(*P*)—OH	*P* bzw. H—Thr—OH
O-Di-stearoyl-glyceryl-phosphoryl-serin:	H—Ser(DSG*P*)—OH	DSG*P* bzw. H—Ser—OH
O-Sulfo-tyrosin:	H—Tyr(SO_3H)—OH	SO_3H bzw. H—Tyr—OH
O-β-Glucosido-serin:	H—Ser(βGlc)—OH	βGlc bzw. H—Ser—OH

Eine Substitution am Phenyl-Ring (oder anderen aromatischen Systemen) wird analog dargestellt unter Angabe der Substitutions-Stellung („4-Stellung" auch unbezeichnet), jedoch nur, wenn Verwechslungen ausgeschlossen sind. Ist dies nicht garantiert oder gar unmöglich, sind Substitutionen am „Ring-Substituenten" der Aminosäure mit der Positionszahl + Apostroph, d. h. 2′, 3′, 4′, etc. zu kennzeichnen:

(4-Fluor-phenyl)-alanin:	H—Phe(F)—OH	F bzw. H—Phe—OH
(2-Fluor-phenyl)-alanin:	H—Phe(2F)—OH	2F bzw. H—Phe—OH
[vgl. *β-Fluor-phenylalanin:*	H—Phe(βF)—OH]	

[1] vgl. dazu S. 2.

[2] vgl. dazu S. 7.

[3] fälschlich als Methionin-sulfoxid bezeichnet.

[4] fälschlich als Methionin-sulfon bezeichnet.

(2-Hydroxy-phenyl)-alanin: [vgl. *β-Hydroxy-phenylalanin:*	H—Phe(2OH)—OH = β-Phenyl-serin; Abk.: Pse]	bzw.	2 OH H—Phe—OH
2-Hydroxy-tryptophan [(β-Hydroxy-indolyl)-alanin]:	H—Trp(2OH)—OH	bzw.	2 OH H—Trp—OH
5-Hydroxy-tryptophan:	H—Trp(5OH)—OH	bzw.	5 OH H—Trp—OH
{4-(Bis-[2-chlor-äthyl]-amino)-phenyl}-alanin (Melphalan)[1]:	H—Phe(M)—OH	bzw.	M H—Phe—OH
3,5,3'-Trijod-thyronin:	H—Thy(3,5,3'-J_3)—OH		

Sind mehrere substituierbare funktionelle Gruppen bzw. eine „komplexe" Funktion an einer Aminosäure mit „Eigensymbol" vorhanden, so werden in der einzeiligen Schreibweise die Substituenten beginnend mit der ω-Substitution $\rightarrow$ α-Substitution in die Klammer hinter dem Aminosäure-Symbol gesetzt (die ω-Substitution muß n i c h t näher bezeichnet werden). In der mehrzeiligen Schreibweise tritt der ω-Substituent an die übliche Stelle über (oder unter), alle weiteren Substituenten in Klammer hinter dem Aminosäure-Symbol:

N_α,N_ω,N_δ-Tris-[benzyloxycarbonyl]-arginin[2]:

Z—Arg(ω,δZ_2)—OH bzw. Z—Arg(δZ)—OH (Z über Arg) bzw. Z—Arg—OH (Z_2 über Arg)

N_α,N_ε-Di-benzyloxycarbonyl-O-methyl-hydroxylysin:

Z—Hyl(εZ,γMe)—OH bzw. Z—Hyl(γMe)—OH (Z über Hyl)

oder bei Verlassen des „Eigensymbols":

Z—Lys(εZ,γOMe)—OH bzw. Z—Lys(γOMe)—OH (Z über Lys)

Vgl. hierzu die Formulierung des instabilen *N_α,N_ω,$N_{\omega'}$-Tris-[benzyloxycarbonyl]-arginin* oder von *N_α,N_ω,$N_{\omega'}$,N_δ-Tetra-trityl-arginin:*

Z—Arg(ω,ω'Z_2)—OH bzw. Z—Arg(ω'Z)—OH (Z über Arg)

TRT—Arg(ω,ω',δTRT_3)—OH bzw. TRT—Arg(ω',δTRT_2)—OH (TRT über Arg)

---

[1] Der Trivialname führte zum gebräuchlichen Symbol (M) für den Bis-[2-chlor-äthyl]-amin-Substituenten.

[2] Ausnahme-Regelung bei gleichen Substituenten.

11.75. Salzbildung an der α-Amino- oder α-Carboxy-Gruppe

Die Salzbildung an der α-Amino- bzw. α-Carboxy-Gruppe wird dadurch gekennzeichnet, daß das Symbol des Salzbildners an die Abkürzungs-Schreibweise der Aminosäure bzw. des Peptids (oder deren Carboxy-Derivate) angehangen und beide durch einen Punkt miteinander verbunden werden, z. B.:

Alaninmethylester-Hydrochlorid:	H—Ala—OMe · HCl
Arginyl(hydrobromid)-alanin-4-nitro-benzylester-Hydrobromid:	H—Arg(HBr)—Ala—ONB · HBr
Tyrosin-amid-Hydroacetat:	H—Tyr—NH_2 · Ac—OH
N-Benzyloxycarbonyl-leucin-Dicyclohexylamin-Salz:	Z—Leu—OH · DCHA

Ausnahme: Alkalisalze etc.

N-Benzyloxycarbonyl-leucin-Natriumsalz:	Z—Leu—ONa etc.

12. Einteilung und Abkürzung der Pseudo-aminosäuren

12.10. Hydroxysäuren

Als Abkürzung für die Hydroxysäuren wird ein Vier-Buchstaben-Symbol – analog den Diaminodicarbonsäuren – gewählt, wobei die ersten beiden Buchstaben Hy den Sonderstatus charakterisieren. Analog der Aminosäure-Symbolik bleibt die L-Konfiguration der Hydroxysäuren unbezeichnet; Vorsetzen eines D- für D-Konfiguration und eines β, γ, etc. bei isomeren Hydroxysäuren:

α-Hydroxy-essigsäure (Glycolsäure):	H—Hyac—OH
L-α-Hydroxy-propionsäure (Milchsäure):	H—Hypr—OH (Lact)
D-α-Hydroxy-isovaleriansäure:	H—D-Hyiv—OH
L-α-Hydroxy-isocapronsäure:	H—Hyic—OH
D-β-Hydroxy-decansäure:	H—D-βHyde—OH
D-β-Hydroxy-dodecansäure:	H—D-βHydd—OH
β-Hydroxy-tridecansäure:	H—βHytd—OH
D-β-Hydroxy-β-phenyl-propionsäure:	H—D-βHypp—OH
γ-Hydroxy-valeriansäure:	H—γHyva—OH
D-α-Hydroxy-γ-methyl-valeriansäure:	H—D-Hyva(γMe)—OH
L-β-Hydroxy-buttersäure	H—βHyba—OH
2-Hydroxy-benzoesäure (Salicylsäure)	H—2HyBz—OH

12.20 Aza-aminosäuren

Diese „Pseudo-aminosäuren" werden durch Vorsetzen eines A zur klein geschriebenen Abkürzung der zugehörigen Aminosäure charakterisiert, wobei die Position des CH/N-Austausches durch die entsprechende Zahl am Symbol A zu sichern ist. (Zahlenangabe 1 für „α-Position" kann auch wegbleiben.)

Bislang wurden drei Arten „Aza-aminosäuren" bekannt:

① $H_2N—N(R)—COOH$: *α-(Aza-1)-aminosäure*

② $H_2N—NH—CH(R)—COOH$: *β-(Aza-2)-aminosäure*

③ $H_2N—CH(R)—NH—COOH$: *β-(Aza-1)-homo-aminosäure*

Für $R = CH_3$ ergeben sich somit folgende Abkürzungen:

zu ① H—Aala—OH: *(Aza-1)-alanin*
zu ② H—βA²aib—OH: *β-(Aza-2)-amino-isobuttersäure*
zu ③ H—βAabu—OH: *β-(Aza-1)-aminobuttersäure* bzw. *β-(Aza-1)-homo-alanin*

12.30. Andere „Pseudo-aminosäuren"

Als „schwefelhaltiger Aminosäure-Ersatz" wären anzuführen:

① Thiol-carbonsäuren, wie *Thioglycolsäure* (*Thiolessigsäure*; Thac), *β-Thiol-propionsäure* (βThpr) etc.
② Amino-sulfonsäuren, von denen als natürlich vorkommende Verbindung *Taurin* (Taur) bzw. *β-Amino-äthansulfonsäure* (βAlas) bekannt ist.

Als „phosphorhaltiger Aminosäure-Ersatz" wären die Amino-phosphonsäuren zu nennen, wie *Amino-methanphosphonsäure* (Glyp), *β-Amino-äthanphosphonsäure* (βAlap) etc

Auch diesen Pseudo-aminosäuren wird als Abkürzung stets ein 4-Buchstaben-Symbol zugeordnet (s. o.).

13. Einteilung und Abkürzung der Peptide

Die „Kurzform-Schreibweise" für Peptide resultiert aus dem vorstehend für Aminosäuren und Pseudo-aminosäuren dargelegten Symbol-Gebrauch; als Substituent an Amino-Carboxy-, Hydroxy- und Sulfhydryl-Gruppen tritt ein Aminosäure- oder Pseudo-aminosäure-Rest ein.

Vollständig oder in hochprozentigem Anteil aus Amino- und Pseudoaminosäuren unter „peptidischer Verknüpfung" aufgebaute Verbindungen sind in drei Hauptgruppen aufzuteilen:

① in „homöomere Peptide", nur aus Aminosäuren bestehend,
② in „heteromere Peptide", aus Amino- und Pseudoaminosäuren so aufgebaut, daß letztere alle „Sequenzplätze" der ersteren einnehmen können,
③ in „Peptid-Derivate", d. h. amino- oder carboxy-substituierte Peptide.

13.10. Homöomere Peptide

13.11. Lineare Peptide

Diese sind zu unterteilen in

① einkettig mit reiner α-peptidischer Bindung,
② einkettig mit reiner ω-peptidischer Bindung,
③ einkettig mit α,ω-„misch-peptidischer" Bindung.

13.12. Nichtlineare Peptide

Nichtlineare Peptide gliedern sich wie folgt auf

① verzweigtkettig mit Diaminocarbonsäure- oder Aminodicarbonsäure-bedingter α,ω-„mischpeptidischer" Bindung,
② verzweigtkettig mit α-peptidischer und ω-pseudopeptidischer, Hydroxy- und Mercapto-aminosäure-bedingter Bindung,
③ verzweigtkettig mit peptidischer, Diamino-dicarbonsäure-bedingter Bindung,
④ verzweigtkettig nach ①—③ gemischt.

13.13. Monocyclische Peptide

Zu den monocyclischen Peptiden gehören cyclisierte lineare Peptide aus α- oder ω-Aminosäuren, wie z. B. *Gramicidine, Tyrocidine, Evolidin, Fungisporin, Mycobacillin, Ila-* und *Rufomycine,* etc.

13.14. Teil-cyclische oder linear-cyclische Peptide

13.14.1. von homodet-homöomerem Charakter

Zu dieser Klasse gehören cyclische Peptide mit mindestens einer freien α-Amino- oder α-Carboxy-Funktion, da zur Ringbildung mindestens eine ω-Amino- oder ω-Carboxy-Gruppe von Diaminocarbonsäuren bzw. Aminodicarbonsäuren herangezogen werden; typische Vertreter dieser Klasse sind die *Bacitracine,* die Peptidgrundkörper der Polymyxine, synthetische *Desamino-oxytocin-Dicarba*-Analoga etc.

13.14.2. von heterodet-homöomerem Charakter

Zu diesen Verbindungen gehören cyclische Peptide mit einer freien oder substitutierten α-Amino-Funktion und einer Lacton- bzw. Thiolacton-Bindung einerseits, mit freier oder substituierter α-Amino-und α-Carboxy-Funktion andererseits; man unterteilt daher in:

① ω-Hydroxy- oder ω-Mercapto-aminosäure- und
② Diaminodicarbonsäure- bedingte teilcyclische Peptide (von Cystin- etc. Typ)

13.15. Bi- und Polycyclische Peptide

13.15.1. Diaminodicarbonsäure-bedingter Typ

Die bekanntesten bi- und polycyclischen Peptide vom Diaminodicarbonsäure-Typ sind Peptide mit einem oder mehreren Cystin-Resten in der Sequenz, z. B. *Malformin, Insulin* und zahlreiche Proteine wie *Ribonuclease S* etc.

Typische Vertreter des bicyclischen Typs sind die *Amanita-Toxine* mit einem Tryptathionin-Rest in der Peptidsequenz; an die Stelle des Tryptathionins können theoretisch alle anderen Diaminodicarbonsäuren treten.

13.15.2. α-Hydroxy-α-aminosäure-bedingter Typ

Die Mutterkorn-Alkaloide *Ergotamin* (mit α-Hydroxy-alanin) und *Ergocristin* (mit α-Hydroxy-valin) beherbergen bicyclische Systeme; Grundlage ist eine zusätzliche transannulare Bindung im Ring eines linear-cyclischen Peptid-lactons („Cyclol-Struktur").

13.16. Anwendungsbeispiele

13.16.1. lineare Peptide und deren Derivate

13.16.1.1. L-*Alanyl*-L-*serin*

freies Dipeptid:

```
  H    H
  |    |
H—Ala—Ser—OH : H—Ala—Ser—OH bzw. Ala—Ser
     (a)             (b)             (c)
```

N-Benzyloxycarbonyl:	Z—Ala—Ser—OH
N-Benzyloxycarbonyl-/Natriumsalz:	Z—Ala—Ser—ONa
Methylester:	H—Ala—Ser—OMe
tert.-Butylester-Dibenzolsulfimid-Salz:	H—Ala—Ser OtBu · DBSI
N-tert.-Butyloxycarbonyl-/benzylester:	BOC—Ala—Ser—OBZL

N-Benzyloxycarbonyl-/O-benzyl: Z—Ala—Ser(BZL)—OH

```
        BZL
         |
Z—Ala—Ser—OH
```

O-Acetyl-/methylester-Hydrochlorid: H—Ala—Ser(Ac)—OMe · HCl

```
        Ac
         |
H—Ala—Ser—OMe · HCl
```

N-Phthalyl-/O-tert.-butyl-/N'-benzyloxycarbonyl-hydrazid: PHT=Ala—Ser(tBu)—NHNH(Z)

```
          tBu    Z
           |     |
PHT=Ala—Ser—NHNH
```

N-2-Nitro-phenylsulfenyl-/-N-methyl-/O-tert.-butyl-/4-nitro-benzylester: NPS—(Me)Ala—Ser(tBu)—ONB

```
     Me      tBu
      |       |
NPS—Ala—Ser—ONB
```

13.16.1.2. *β-Alanyl-β-alanyl-L-histidin*

freies Tripeptid: H—βAla—βAla—His—OH bzw. βAla—βAla—His

N-Benzyloxycarbonyl-/amid: Z—βAla—βAla—His—NH_2

13.16.2. Höhere lineare Peptide und ihre Derivate

Allseits-geschützte *Glucagon-Partialsequenz 9–23*:

Z—Asp(OtBu)—Tyr(tBu)—Ser(tBu)—Lys(BOC)—Tyr(tBu)—Leu—Asp(OtBu)—Ser(tBu)—Arg(HBr)—Arg(HBr)—Ala—Glu(NH_2)—Asp(OtBu)—Phe—Val—OtBu

bzw. mehrzeilig:

```
  OtBu  tBu  tBu BOC  tBu        OtBu tBu HBr HBr       NH2 OtBu
   |     |    |   |    |           |    |   |   |         |   |
Z—Asp——Tyr—Ser—Lys—Tyr—Leu—Asp—Ser—Arg—Arg—Ala—Glu—Asp—Phe—Val—OtBu
```

(Anm.: Wahlweise Gln: Glu(NH_2))

13.16.3. Differenzierung von Nα- und Nω-Diaminosäure-peptiden

N_α-Glycyl-lysin: H—Gly—Lys—OH bzw. Gly—Lys

N_ε-Glycyl-lysin: H—Lys(H—Gly)—OH oder

```
H—Gly—┐          Gly—┐
      |              |
H—Lys—OH    bzw.    Lys
```

13.16.4. Differenzierung von α- und ω-Aminodicarbonsäure-peptiden

Glutamyl-glycin[1]: H—Glu—Gly—OH bzw. Glu—Gly

Glutamyl-(C_γ)-glycin[1]: H—Glu(Gly—OH)—OH oder

```
  ┌—Gly—OH        ┌—Gly
  |               |
H—Glu—OH   bzw.  Glu
```

13.16.5. Differenzierung von α- und ω-Peptiden der Aminodicarbonsäuren und Diaminosäuren

N_α-Glutamyl-lysin: H—Glu—Lys—OH bzw. Glu—Lys

N_α-Glutamyl-(C_γ)-lysin: H—Glu(Lys—OH)—OH oder

```
  ┌—Lys—OH        ┌—Lys
  |               |
H—Glu—OH   bzw.  Glu
```

N_ε-Glutamyl-lysin: H—Lys(H—Glu)—OH oder

```
H—Glu—┐          Glu—┐
      |              |
H—Lys—OH    bzw.    Lys
```

---

[1] Die früher übliche Formulierung, z. B. α-Glutamyl-glycin und γ-Glutamyl-glycin, ist nicht folgerichtig!

```
                                                    H—Lys—OH      Lys
                                                        |          |
Nε-Glutamyl-(Cγ)-lysin:  H—Glu(H—Lys—OH)—OH oder H—Glu—OH bzw. Glu
```

13.16.6. Differenzierung von Nα- und O-(Hydroxy-aminosäure)-peptiden

```
N-Glycyl-serin:   H—Gly—Ser—OH bzw. Gly—Ser
                                H—Gly—┐       Gly—┐
O-Glycyl-serin:   H—Ser(H—Gly)—OH oder H—Ser—OH bzw. Ser
```

(Analoge Symbolisierung für Nα- und S-Peptide von Mercapto-aminosäuren).

13.16.7. Differenzierung von α- und ω- bzw. Nα- und O-Peptiden der Aminodicarbonsäuren und Hydroxy-aminosäuren

```
N-Glutamyl-serin:        H—Glu—Ser—OH bzw. Glu—Ser
                                          ┌—Ser—OH     ┌—Ser
N-Glutamyl-(Cγ)-serin:   H—Glu(Ser—OH)—OH oder H—Glu—OH bzw. Glu
                                     H—Glu—┐        Glu—┐
O-Glutamyl-serin:        H—Ser(H—Glu)—OH oder H—Ser—OH bzw. Ser
                                               H—Ser—OH      Ser
                                                   |          |
O-Glutamyl-(Cγ)-serin: H—Glu(H—Ser—OH)—OH oder H—Glu—OH bzw. Glu
```

(Analoge Symbolisierung für Mercapto- anstelle der Hydroxy-aminosäuren).

13.16.8. Peptide der Diaminodicarbonsäuren

Gemäß Abkürzungssymbol mehrzeilige Schreibweise (1) stets erforderlich; einzeilig (2) als Ausnahme bei „identischen" α,α'-Amino- und α,α'-Carboxy-Substitutionen:

N_α-(N_α-Benzyloxycarbonyl-glycyl), $N_{\alpha'}$-tert.-butyl-oxycarbonyl-L-lanthionyl($C_{\alpha'}$-methylester)-glycin-benzylester:

```
 BOC—┐    ┌—OMe
Z—Gly—┘Lant└—Gly—OBZL
```

Für Peptide des Cystins ist zusätzlich die Auflösung in Cystin-Hälften (Hemicystin) mit Angabe der Sequenz-Position(en), z. B. -Cys⟨$S_1 \rightarrow S_6$⟩, möglich (s. S. 16 Beispiel Oxytocin); auch doppelstrangige Peptide können in dieses System einbezogen werden, wobei die S'-Kette ($N_{\alpha'}$, $C_{\alpha'}$) zuerst genannt wird wie folgt:

N'-(N-Benzyloxycarbonyl-L-alanyl-glycyl)-L-cystinyl-L-leucyl-L-valin-tert.-butylester:

```
Z—Ala—Gly—Cys—OH
           |
         H—Cys—Leu—Val—OtBu
```

oder

N-Benzyloxycarbonyl-L-alanyl-glycyl-hemicystin ⟨$S_3' \rightarrow S_1$⟩: L-hemicystinyl⟨$S_1 \rightarrow S_3'$⟩-L-leucyl-L-valin-tert.-butylester

oder

Z—Ala—Gly—Cys⟨$S_3' \rightarrow S_1$⟩ —OH:H—Cys ⟨$S_1 \rightarrow S_3'$⟩-Leu—Val—OtBu

L-Valyl-($N_{\alpha'}$-benzyloxycarbonyl)-L-cystinyl(-$C_{\alpha'}$-L-valyl-L-alanyl-glycin)-C_α-glycin-benzylester

```
    Z—Cys—Val—Ala—Gly—OH
       |
H—Val—Cys—Gly—OBZL
```

oder

N_α-Benzyloxycarbonyl-L-hemicystinyl⟨$S_1' \rightarrow S_2$⟩-L-valyl-L-alanyl-glycin : L-valyl-L-hemicystinyl⟨$S_2 \rightarrow S_1'$⟩-glycin-benzylester

oder

Z—Cys⟨$S_1' \rightarrow S_2$⟩—Val—Ala—Gly—OH: H—Val—Cys⟨$S_2 \rightarrow S_1'$⟩—Gly—OBZL

oder

(H—Val, Z) = $(Cys)_2$ = (Val—Ala—Gly—OH, Gly—OBZL)

(Abkürzungsfolge im Uhrzeigersinn N_α,$N_{\alpha'}$, $C_{\alpha'}$,C_α bei Beibehaltung der einfachen Cystin-Abkürzungsweise.)

13.16.9. Differenzierung von „cyclischen" Peptiden:

monocyclisch, z.B. *Gramicidin S*

cyclo—(—Val—Orn—Leu—D-Phe—Pro—Val—Orn—Leu—D-Phe—Pro—)

oder ⌊Val— Orn—Leu—D-Phe—Pro—Val— Orn—Leu—D-Phe—Pro⌋ (Ring)

bzw. mehrzeilig mit Angabe der CO→NH-Bindungsrichtung

→Val→Orn→Leu→D-Phe→Pro—
—Pro←D-Phe←Leu←Orn←Val←

teilcyclisch (homodet-homöomerer Typ), z.B. *Bacitracin*

H—Amt—Leu—D-Glu—Ile—Lys—D-Orn—Ile—D-Phe—His—Asp—D-Asp—NH_2 (Ring Lys—Asp)

bzw.

H—Amt→Leu→D-Glu→Ile→Lys→D-Orn→Ile—
H_2N←D-Asp←Asp←His←D-Phe←

teilcyclisch (heterodet-homöomerer Typ), z.B. *Oxytocin* oder L-Hemicystinyl⟨S_1→S_6⟩-L-tyrosyl-L-isoleucyl-L-glutaminyl-L-asparaginyl-L-hemicystinyl⟨S_6→S_1⟩-L-prolyl-L-leucyl-glycin-amid

H—Cys—Tyr—Ile—Gln—Asn—Cys—Pro—Leu—Gly—NH_2 (Brücke Cys—Cys)

bzw.

→Gln→Asn→Cys—Pro—Leu—Gly—NH_2
—Ile←Tyr←Cys

oder H—Cys⟨S_1→S_6⟩—Tyr—Ile—Gln—Asn—Cys⟨S_6→S_1⟩—Pro—Leu—Gly—NH_2

bicyclisch, z.B. *Malformin* oder *Phalloidin*

→Ile→D-Cys→Val—
D-Leu←D-Cys←

→Ala→Trp→*e*Hleu(δOH)—
*a*Hyp←Cys←D-Thr←Ala←

poly-cyclisch, z. B. *Ribonuclease S*

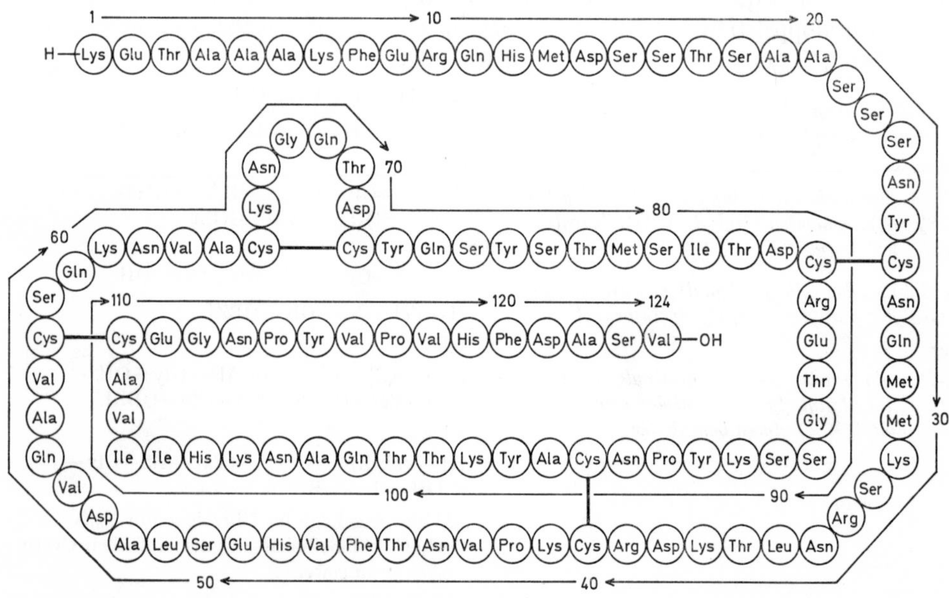

Als Alternativ-Lösung zum Formelbild können die S—S-Bindungen in eckiger Klammer unmittelbar hinter den Cystein-Symbolen der linear geschriebenen Sequenz gekennzeichnet werden wie folgt:

.... Tyr—Cys[S_{26}→S_{84}]—Asn—Gln .... Arg—Cys[S_{40}→S_{95}]—Lys—Pro ...
.... Val—Cys[S_{58}→S_{110}]—Ser—Gln .... Ala—Cys[S_{65}→S_{72}]—Lys—Asn ...
.... Asp—Cys[S_{72}→S_{65}]—Tyr—Gln .... Asp—Cys[S_{84}→S_{26}]—Arg—Glu ...
.... Asn—Cys[S_{95}→S_{40}]—Ala—Tyr .... Ala—Cys[S_{110}→S_{58}]—Glu—Gly ...

13.20. Heteromere Peptide

Für einen Austausch von Aminosäuren in jeder Position des Peptidverbandes (Sequenz) stehen bislang an: Hydroxy-säuren, Thiol-säuren, Aza-aminosäuren, Amino-sulfonsäuren und Amino-phosphonsäuren. Wir haben zu unterscheiden

① „Pseudo-Oxa^{N}-Peptide" oder Peptolide
② „Pseudo-Thia^{N}-Peptide" oder Thio-Peptolide
③ „Aza-Peptide"
④ „Pseudo-Thia^{C}-Peptide" oder Sulfonamid-Peptid-Analoga
⑤ „Pseudo-Phospha^{C}-Peptide" oder Phosphonamid-Peptid-Analoga.

Die Unterteilung der heteromeren Peptide kann vom synthetischen Standpunkt aus in Analogie zu den homöomeren erfolgen (vgl. S. 12).

13.21. Anwendungsbeispiele

lineare Peptolide

① *Sporidesmolsäure A* (= L-Hydroxy-isovaleroyl-D-valyl-D-leucin):
H—Hyiv—D-Val—D-Leu—OH

② Synthetische Peptolid-Derivate mit der Sporidesmolid-I-Sequenz
N-Benzyloxycarbonyl-D-valyl-D-leucyl-L-hydroxy-isovaleriansäure
Z—D-Val—D-Leu—Hyiv—OH
L-Valyl-(N-methyl)-L-leucyl-L-hydroxy-isovaleriansäure-tert.-butylester
H—Val—(Me)Leu—Hyiv—OtBu

linear-cyclische Peptolide und „Thio-peptolide"

① *Esperin:* └βHytd—Glu—Asp—Val—Leu—D-Leu—OH (βHytd bound to Asp)

┌—βHytd←┐
└——→Glu→Asp→Val→Leu→D-Leu—OH

② synthetisches *Desamino-oxytocin:*

└βThpr—Tyr—Ile—Gln—Asn—Cys—Pro—Leu—Gly—NH_2 (βThpr bound to Cys)

vollcyclische Peptolide

① *Enniatin B* (Verhältnis Aminosäuren: Hydroxysäuren 3:3)
cyclo—[—(Me)Val—D-Hyiv—(Me)Val—D-Hyiv—(Me)Val—D-Hyiv—]
oder

└(Me)Val—D-Hyiv—(Me)Val—D-Hyiv—(Me)Val—D-Hyiv┘ (ring closed)

bzw.

┌→(Me)Val→D-Hyiv→(Me)Val—┐
└—D-Hyiv←(Me)Val←D-Hyiv←—┘

② *Sporidesmolid I* (Verhältnis Aminosäuren: Hydroxysäuren 4: 2)
cyclo—[—D-Val—D-Leu—Hyiv—Val—(Me)Leu—Hyiv—]

oder

└D-Val—D-Leu—Hyiv—Val—(Me)Leu—Hyiv┘

bzw.

→D-Val→D-Leu→Hyiv—
—Hyiv←(Me)Leu←Val←

③ *Pithomycolid* (Verhältnis Aminosäuren: Hydroxysäuren 2:3)

└(Me)Ala—Ala—D-βHypp—D-βHypp—Hyiv┘

bzw.

→(Me)Ala→Ala→D-βHypp—
——Hyiv←D-βHypp←——

13.30. Peptid-Derivate

In dieser Klasse finden alle die Amino-, Carboxy-, Hydroxy-, Thiol- und anders substituierten Peptide ihren Platz, deren Substituenten keine Aminosäure- oder Pseudoaminosäure-Reste (bzw. deren Amide) sind. Verschiedene in der Natur vorkommende, „Heteromer-Bestandteile" enthaltende Peptide wurden bislang in die Klasse der „heteromeren" Peptide eingestuft, die in vorliegender Einteilung ausschließlich Peptiden mit Pseudoaminosäuren in der Sequenz vorbehalten ist (vgl. S. 17).

Darüber hinaus war diese vorgenommene Einordnung nicht immer folgerichtig: So sind z. B. die amino-endständigen „Sequenzbausteine" der Actinomycine, der Etamycin-, Staphylo- und Ostreogrycin-Gruppe, der Porphyrin-Peptide incl. des *Hämoglobins*, der Mutterkornalkaloide u. a. eindeutig Aminosäuren wie die *2-Amino-4,5-dimethyl-phenoxazon-(3)-1,8-dicarbonsäure* als Iso-diamino-dicarbonsäure, *3-Hydroxy-pyridin-2-carbonsäure* als drittfunktionelle α-tert.-Aminosäure, *Kopro-*, *Hämato-*, *Meso-* und *Protoporphyrin* sowie *Hämin* als Iso-tetra-amino-dicarbonsäuren und letztlich *Lysergsäure* als Iso-diamino-carbonsäure. Diese Peptid-Naturstoffe rangieren nunmehr unter den „homöomeren" Peptiden (s. S. 12).

Die Peptid-Derivate sind vom peptid-synthetischen Standpunkt aus einzuteilen in:

13.31. N-Acyl-(Sulfonyl-, Phosphoryl- etc.)-peptide

Zu diesem Typ gehören „Glyco- und Nucleo-Peptide" vom Nα-Gluconyl- und N-Glucuronyl-Typ sowie Nα-(Nucleosid)-phosphoryl-Typ, ferner alle synthetischen N-Acyl-(Sulfonyl-, Phosphoryl- etc.)-peptid-Derivate.

13.32. N-Alkyl-(Aryl- etc.)-peptide

Zu diesen Derivaten gehören die „Glyco-Peptide" vom Nα-Glucosyl-Typ und alle synthetischen N-Alkyl-(Aryl- etc.)-peptid-Derivate unter Ausschluß der N-Methyl-aminosäure-Verbindungen.

13.33. O(S)-Acyl-(Sulfonyl-, Phosphoryl- etc.)-peptide

O-Glycoside, O-Phosphoryl- und O-Phosphatidyl-Verbindungen sowie „O-Sulfate" (Schwefelsäure-Halbester) von Hydroxyaminosäure-haltigen Peptiden zählen zu dieser

Klasse; ferner gehören hierzu alle synthetischen O(S)-Acyl-(Sulfonyl-, Phosphoryl- etc.)-Derivate von Hydroxy- und Thiol-aminosäure-haltigen Peptiden.

13.34. O(S)-Alkyl-(Aryl- etc.)-peptide

13.35. Peptid-ester, -amide (substituiert) und -hydrazide

Hierzu gehören aus der Reihe der „Glyco- und Nucleo-Peptide"

① Peptidester vom (D-Glucose-6)-ester- und (Nucleotid- bzw. Nucleosid-2 oder -3)-ester-Typ

② Peptid-amide vom Glucosamid-, Glucopyranosylamid- und (Nucleosid)-amid-Typ. [Von den „Chromo-Peptiden" gehört der (Isocyanin)-amid-Typ hierzu.]

13.36. Anders substituierte Peptide

Hierzu gehören alle diejenigen Peptid-Derivate, die unter den vorstehenden Punkten nicht einzuordnen sind, wie z. B. substituierte Tryptophan-peptide (Thioindol-Bindung etc.) oder „C-substituierte" Tyrosin-peptide (Azo-Verbindungen etc.).

13.40. Nomenklatur synthetischer Analoga von Peptid-Naturstoffen

Umfangreiche synthetische Arbeiten haben „abgewandelte" Sequenzen von biologisch-aktiven Polypeptiden geschaffen. Es hat sich eingebürgert, Analoga (auch „natürliche") unter Heranziehung des Naturstoffpeptid-Trivialnamens und Angabe der geänderten Sequenz-Position zu charakterisieren:

① natürlich vorkommende Peptide: z.B.

Lys⁸-Vasopressin
Arg⁸-Vasopressin
Val⁵-Angiotensin II (Hypertensin II)
Ile⁵-Angiotensin
Ile⁸-Oxytocin (Mesotocin)
Ser⁴-Ile⁸-Oxytocin (Isotocin)

② synthetische Analoga: z.B.

Asn¹-Val⁵-Angiotensin II
Lys¹-Lys⁹-Bradykinin
(Me)Tyr²-Lys⁸-Vasopressin
Lys⁸-Vasotocin (Ile³-Lys⁸-Vasopressin)
D-*Cys¹-Oxytocin*
hCys¹-Oxytocin
Phe³-Oxytocin (Oxypressin)
Phe²-Phe³-Oxytocin (Desoxy-oxypressin)

③ synthetische „Heteromer-Analoga" (Desamino-Verbindungen): z.B.

β-Thiol-propionyl¹-Oxytocin (Desamino-oxytocin)
Desamino-Cys⁸-Vasopressin
Succinyl¹-Ile⁵-Angiotensin II (Desamino-Ile⁵-Angiotensin II)

④ synthetische „Nor-aminoacyl"- und „Homo-aminoacyl(peptidyl)"-Naturstoff-peptide:

ⓐ Die Eliminierung eines Aminosäure-Restes in aminoend-, mittel- oder carboxy-endständiger Position: z.B.

(Des-Asp¹)-Ile⁵-Angiotensin II oder Ile⁵-Angiotensin²⁻¹⁰ II
(Des-Phe⁸)-Asn¹-Val⁵-Angiotensin II
(Des-Pro⁷-Leu⁸-Gly⁹)-Oxytocin

α-ACTH$^{1-24}$
Val^{25}*-α-ACTH*$^{1-25}$*-Amid*
α-ACTH$^{2-23}$*-Amid* [(*Des-Ser*^{1})*-α-ACTH*$^{1-24}$*-Amid*]

ⓑ Einfügen eines Aminosäurerestes in mittelständiger Position: z.B.
(*Homo-Tyr*$^{4'}$)*-Val*^{5}*-Angiotensin II*
(*Homo-Tyr*$^{2'}$)*-Cys*^{8}*-Vasopressin*

ⓒ Anhängen von Aminosäure-(Peptid)-Resten in amino- oder carboxy-endständiger Position: z.B.
(*Poly-Ser*)*-Asp*^{1}*-Ile*^{5}*-Angiotensin II*
(*His-Ser*)*-Lys*^{8}*-Vasopressin*
(*Gly*)*-Oxytocin*
Angiotensin II-(*His-Leu*) (*Angiotensin I*)

14. Abkürzung der Schutzgruppen und sonstiger Substituenten

Um einen Unterschied zwischen den Symbolen der Aminosäuren, Diaminodicarbonsäuren und Hydroxysäuren einerseits und Schutzgruppen andererseits zu gewährleisten, bleiben die Abkürzungen 1 Groß- + 2 Klein- bzw. 1 Groß- + 3 Kleinbuchstaben ohne Ausnahme den erstgenannten vorbehalten; als Schutzgruppen-Abkürzung werden daher max. 4 Buchstaben in einer von den Aminosäure-Symbolen abweichenden Schreibweise (z. B. 3 Groß-, 2 Groß- + 1 Klein-, 4 Groß-, 3 Groß- + 1 Kleinbuchstaben, 1 Zahl + 2 Großbuchstaben etc.) gewählt.

Ist das „Vier-Zeichen-Symbol" nicht ausreichend für eine eindeutige Differenzierung der zu kennzeichnenden Substituenten, so wird, wie am Beispiel von Dichlor-substituierten Benzyl-Derivaten gezeigt, verfahren:

① DCB* für alle Dichlor-benzyl-Reste
DCZ* für alle Dichlor-benzyloxycarbonyl-Reste
ODCB* für alle Dichlor-benzylester-Reste
und in Fußnote die Abgabe einer Erklärung über die Positionen der Chlor-Substituenten (s. Sternchen)

② Falls mehrere „Chlor-Analoga" nebeneinander Anwendung finden, muß zwangsläufig das „Vier-Zeichen-Symbol" zugunsten eindeutiger Abkürzungen ergänzt werden, z. B.
24DCB oder BZL(2,4-Cl_2) für 2,4-Dichlor-benzyl-
26DCZ oder Z(2,6-Cl_2) für 2,6-Dichlor-benzyloxycarbonyl-
O24DCB oder OBZL(2,4-Cl_2) für 2,4-Dichlor-benzylester-Gruppierungen.

Eine zweizeilige Schreibweise von Peptid-Derivaten sollte bei Verlassen der „Vier-Zeichen-Symbole" vermieden werden.

Alle Schutzgruppen-Reste dieser „Sonderklasse", d. h. alle vorhandenen möglichen oder noch zu erwartenden Fälle einer „Doppel- bzw. Mehrfach-Bedeutung" von „Vier-Zeichen-Symbolen" sind in folgenden Tabellen mit Sternchen ausgezeichnet.

Zur Erleichterung des Symbol-Gebrauchs gibt jeweils der letzte Buchstabe (oder der vorletzte + letzte) der Abkürzung als „Leitbuchstabe" einen Hinweis auf die Substituenten-Klasse.

14.10. N-, O- und S-Acyl-Substituenten

14.11. Benzyloxycarbonyl-Schutzgruppen

Benzyloxycarbonyl-Schutzgruppen erhalten den „Leitbuchstaben" Z; Substituenten am Phenylring werden unmittelbar in Abkürzung vor dieses Symbol gesetzt, wobei eine Mono-Substitution in „Vier-Stellung" (*para*-Substitution) nicht näher bezeichnet werden muß. Substitutionen in 2-, 3- bzw. 2/4-, 3/4-, 3/5-Stellung werden mit arabischen Zahlen unmittelbar vor dem Abkürzungs-Symbol festgelegt:

Z	Benzyloxycarbonyl	MAZ	4-(4'-Methoxy-phenylazo)-benzyloxycarbonyl
DMZ	α,α-Dimethyl-benzyloxycarbonyl	MDOZ*	3,4-Methylendioxy-benzyloxycarbonyl
BZ	4-Brom-benzyloxycarbonyl		
CZ	4-Chlor-benzyloxycarbonyl	NZ	4-Nitro-benzyloxycarbonyl
3CZ	3-Chlor-benzyloxycarbonyl	2NZ	2-Nitro-benzyloxycarbonyl
2CZ	2-Chlor-benzyloxycarbonyl	NDZ*	2-Nitro-4,5-dimethoxy-benzyloxycarbonyl
CyZ	4-Cyan-benzyloxycarbonyl		
DeOZ	4-Decyloxy-benzyloxycarbonyl	PAZ	4-Phenylazo-benzyloxycarbonyl
DCZ*	Dichlor-benzyloxycarbonyl	ØZ	Polymer-benzyloxycarbonyl
34DZ	3,4-Dimethoxy-benzyloxycarbonyl	ØBOZ	Polymer-(4-benzyloxy)-benzyloxycarbonyl
35DZ	3,5-Dimethoxy-benzyloxycarbonyl	TMOZ*	3,4,5-Trimethoxy-benzyloxycarbonyl
24DZ	2,4-Dimethoxy-benzyloxycarbonyl	AcOZ	4-Acetoxy-benzyloxycarbonyl
		ECOZ	4-Äthoxycarbonyloxy-benzyloxycarbonyl
DDZ*	α,α-Dimethyl-3,5-dimethoxy-benzyloxycarbonyl	PCOZ	4-Propyl-(2)-oxycarbonyloxy-benzyloxycarbonyl
MOZ	4-Methoxy-benzyloxycarbonyl		

14.12. Alle anderen Oxycarbonyl-Schutzgruppen

Alle weiteren Oxycarbonyl-Schutzgruppen tragen als Charakteristikum die Buchstaben OC; die jeweiligen Aryl- oder Alkyl-Reste werden (in Abkürzung) vor das Symbol OC gesetzt:

AdOC	Adamantyloxycarbonyl	DOC	Dityloxycarbonyl (Diphenyl-methoxycarbonyl)
ECOC	1-Äthinyl-cyclopentyloxycarbonyl	DDOC*	2,2'-Dinitro-diphenyl-methoxycarbonyl
EPOC	2-Äthinyl-propyl-(2)-oxycarbonyl [3-Methyl-butin-(1)-yl-(3)-oxycarbonyl]	DAOC	Dimethylamino-oxycarbonyl
		FlOC	Fluorenyl-(9)-methoxycarbonyl
		FOC	Furyl-(2)-methoxycarbonyl
EOC	Äthoxycarbonyl	IbOC	Isobornyloxycarbonyl
BEOC	2-Brom-äthoxycarbonyl	MOC	Methoxycarbonyl
IEOC	2-Jod-äthoxycarbonyl	MEOC*	Methoxy-äthoxy-äthoxycarbonyl
AlOC	Allyloxycarbonyl		
AOC	tert.-Amyloxycarbonyl	MBOC*	(1-Methyl)-cyclobutyloxycarbonyl
ØAOC	Polymer-tert.-amyloxycarbonyl		
		MPOC	3-Methyl-pentyl-(3)-oxycarbonyl
BPOC	2-[Biphenylyl-(4)]-propyl-(2)-oxycarbonyl		
		NpOC*	Naphthyl-(1)-oxycarbonyl
BOC	tert.-Butyloxycarbonyl	NDOC*	2-Nitro-diphenylmethoxycarbonyl
BBOC	2-Brom-tert.-butyloxycarbonyl		
CBOC	2-Chlor-tert.-butyloxycarbonyl	DNOC*	2,4-Dinitro-phenoxycarbonyl
CyOC	2-Cyan-tert.-butyloxycarbonyl	3NOC	3-Nitro-phenoxycarbonyl
ChOC	Cholesteryloxycarbonyl	PhOC	Phenoxycarbonyl
cHOC	Cyclohexyloxycarbonyl	PiOC	(N-Piperidino)-oxycarbonyl
BHOC*	Brom-cyclohexyloxycarbonyl	PrOC*	Propyl-(2)-oxycarbonyl (Isopropyloxycarbonyl)
IHOC*	Jod-cyclohexyloxycarbonyl		
MHOC*	Methyl-cyclohexyloxycarbonyl	PyOC*	Pyridyl-(4)-methoxycarbonyl
cPOC	Cyclopentyloxycarbonyl	ThOC	Thienyl-(2)-methoxycarbonyl
PMOC	Cyclopropyl-methoxycarbonyl	TOC*	4-Tolyloxycarbonyl
PEOC	Cyclopropyl-äthoxycarbonyl	TSOC	2-(4-Tolyl-sulfonyl)-äthoxycarbonyl
DMOC*	Diisopropyl-methoxycarbonyl		
MDOC*	4,4'-Dimethyl-diphenyl-methoxycarbonyl	TEOC	2,2,2-Trichlor-äthoxycarbonyl
		SiOC	Trimethyl-silyloxycarbonyl

14.13. Schutzgruppen auf Thio-carbonyl- und Thiocarbonyl-Basis

Schutzgruppen auf der Thio-carbonyl- und Thiocarbonyl-Basis werden mit dem Symbol TC charakterisiert, die Alkyl-(Aryl-)-Substituenten bzw. Alkoxy-Substituenten wie üblich vorgesetzt:

ETC	Äthylthio-carbonyl	PTC	Phenylthio-carbonyl
BTC	Benzylthio-carbonyl	MOTC	Methoxy-thiocarbonyl
BuTC	n-Butylthio-carbonyl	EOTC	Äthoxy-thiocarbonyl
MTC	Methylthio-carbonyl		

14.14. Andere Schutzgruppen auf Carbonyl- und Carbenyl-Basis

Die weiteren Schutzgruppen auf der Carbonyl-Basis werden mit dem Symbol C charakterisiert, Alkyl(Aryl)-amino-carbonyl-Reste (Carbamoyl-Derivate) mit dem Symbol AC; zusätzliche Substituenten werden wie üblich den Leitbuchstaben vorgesetzt:

AC	Amino-carbonyl	AMAC	2-(1-Adamantyloxycarbonyl-N-methylamino)-äthylamino-carbonyl
EAC	Äthylamino-carbonyl		
iBAC	Isobutylamino-carbonyl		
PAC	Phenylamino-carbonyl	NPAC*	4-Nitro-phenylamino-carbonyl
MAC	Methylamino-carbonyl	DPAC*	Diphenylamino-carbonyl
PrAC	Propyl-(2)-amino-carbonyl	PiC	Piperidino-carbonyl
ZMAC	2-(N-Benzyloxycarbonyl-N-methylamino)-äthylamino-carbonyl	CrPC*	[Pentacarbonyl-chrom(0)]-phenylcarbenyl
BMAC	2-(N-tert.-Butyloxycarbonyl-N-methylamino)-äthylamino-carbonyl		

14.15. Acetyl- und Benzoyl-Reste

Für Acetyl- und Benzoyl-Reste sind die Abkürzungen Ac und Bz allgemein üblich. β-substituierte Acetyl-Reste bekommen den „Leitbuchstaben" A; substituierte Benzoyl-Reste behalten das Symbol Bz:

Ac	Acetyl	NPDA	2-(2-Nitro-phenoxy)-2,2-dimethyl-acetyl
ACA	Acetoacetyl		
MBA	Monobromacetyl	NPA	2-Nitro-phenoxyacetyl
AZA	Azidoacetyl	Bz	Benzoyl
MCA	Monochloracetyl	2ZBz	2-Benzyloxycarbonyl-benzoyl
DCA	Dichloracetyl	2CBz	2-Carboxy-benzoyl
TCA	Trichloracetyl	ITBz	2-Isopropoxycarbonyl-3,4,5,6-tetrachlor-benzoyl
TFA	Trifluoracetyl		
NAA	N-(2-Nitro-phenyl)-aminoacetyl [N-(2-Nitro-phenyl)-glycyl]	DMBz	2,6-Dimethoxy-benzoyl
		2NBz	2-Nitro-benzoyl
		2ABz	2-Amino-benzoyl (Anthranyl)
DPDA*	2-(4,5-Dimethyl-2-phenazo-phenoxy)-2,2-dimethyl-acetyl	NHBz*	2-Nitro-3-hydroxy-4-methyl-benzoyl
		NBBz*	2-Nitro-3-benzyloxy-4-methyl-benzoyl
MPDA*	2-(4-Methyl-2-phenazo-phenoxy)-2,2-dimethyl-acetyl	2HyBz	2-Hydroxy-benzoyl (Salicoyl)

14.16. Sulfenyl- und Sulfonyl-Schutzgruppen

Sulfenyl- und Sulfonyl-Schutzgruppen tragen den „Leitbuchstaben“ S:

NPS	2-Nitro-phenylsulfenyl
DNPS	2,4-Dinitro-phenylsulfenyl
NMPS*	2-Nitro-4-methoxy-phenyl-sulfenyl
PPS	2,3,4,5,6-Pentachlor-phenyl-sulfenyl
PFPS	Pentafluor-phenylsulfenyl
TPS*	2,4,5-Trichlor-phenylsulfenyl
TRS	Tritylsulfenyl
BES	Benzolsulfonyl
ØBES	Polymer-benzolsulfonyl
BYS	Benzylsulfonyl
PES	(2-Phenyl-2-oxo)-äthylsulfonyl (Phenacylsulfonyl)
TOS	Tosyl (4-Toluolsulfonyl)

14.17. Phosphoryl-Schutzgruppen und -Substituenten

Für die Phosphoryl-Schutzgruppen und -Substituenten dient als „Leitbuchstabe“ *P* (unterstrichen oder kursiv), in Anlehnung an die in der Nucleinsäure-Chemie bekannte Symbolisierung des Phosphorsäure-Restes:

P	Phosphoryl
DB*P*	Dibenzyl-phosphoryl
DBB*P**	Di-(4-brom-benzyl)-phosphoryl
DIB*P**	Di-(4-jod-benzyl)-phosphoryl
DNB*P**	Di-(4-nitro-benzyl)-phosphoryl
NB*P*	Nitrobenzyl-phosphoryl
DSG*P*	Di-stearoyl-glyceryl-phosphoryl
OSG*P*	Oleoyl-stearoyl-glyceryl-phosphoryl
POG*P*	Palmitoyl-oleoyl-glyceryl-phosphoryl

14.18. Andere Acyl-Schutzgruppen

Andere als die unter 14.11–14.17 genannten Acyl-Schutzgruppen werden wie folgt abgekürzt:

CBU	3-Chlor-butyroyl
FOR	Formyl
HIC	3-Hydroxy-isocaproyl
PR	Propionyl
IPR	Indolyl-(3)-propionyl
MIPR	[1-Methyl-indolyl-(3)]-propionyl
MaL =	Maleinoyl (Maleoyl)
MaL–	Maleyl (3-Carboxy-acryloyl)
PHL	Phloretyl
DPHL	3,5-Dibrom-phloretyl
PHT =	Phthalyl (Phthaloyl)

14.20. N-, O-, und S-Alkyl- und -Aryl-Substituenten

14.21. Methyl-, Äthyl-, Vinyl-, Phenyl-, Benzyl- und Dityl-(Diphenyl-methyl)-Gruppen

Methyl-, Äthyl-, Vinyl-, Phenyl-, Benzyl- und Dityl-Gruppen werden mit 1 Groß- + 1 Klein- oder 3 Großbuchstaben abgekürzt; sind diese Reste substituiert, wird als „Leitbuchstabe“ der erste Buchstabe ihres Symbols herangezogen:

Me	Methyl
Mn	C-Methylen
AAM	Acetaminomethyl
AnM	Anthryl-(9)-methyl
BTM	Benzylthio-methyl
iBOM	Isobutyloxy-methyl
CyM	Cyan-methyl
PIM	Phthalimido-methyl
PRAM	Propionyl-aminomethyl
iBAM	Isobutyroyl-aminomethyl
PAAM	Phenacetyl-aminomethyl
CAAM	Chloracetyl-aminomethyl
POAM	Phenoxyacetyl-aminomethyl
Et	Äthyl
AcTE	1-Acetylamino-2,2,2-trifluor-äthyl
DOCE	2,2-Di-äthoxycarbonyl-äthyl

BzTE	1-Benzoylamino-2,2,2-trifluor-äthyl
ZTE	1-Benzyloxycarbonylamino-2,2,2-trifluor-äthyl
BTE	1-tert.-Butyloxycarbonyl-amino-2,2,2-trifluor-äthyl
OXBn	N,N-(4-Oxo-1,2-diphenyl-3-oxa-butenylen)
TCTE	1-(2,2,2-Trichlor-äthoxycarbonylamino)-2,2,2-trifluor-äthyl
TFTE	1-Trifluoracetylamino-2,2,2-trifluor-äthyl
MTE	Methylthio-äthyl
PE	2-Phenyl-2-oxo-äthyl(Phenacyl)
BPE	2-(4-Brom-phenyl)-2-oxo-äthyl
CPE	2-(4-Chlor-phenyl)-2-oxo-äthyl
NPE	2-(4-Nitro-phenyl)-2-oxo-äthyl
TCE	2,2,2-Trichlor-äthyl
THE	2-Trichlor-1-hydroxy-äthyl
BZL	Benzyl
BB	4-Brom-benzyl
3BB	3-Brom-benzyl
CB	4-Chlor-benzyl
DCB*	Dichlor-benzyl
24DB	2,4-Dimethoxy-benzyl
DAB	4-(4-Dimethylamino-phenyl-azo)-benzyl
DMB*	3,4-Dimethyl-benzyl
DMOB*	α,α'-Dimethyl-4-methoxy-benzyl [2-(4-Methoxy-phenyl)-propyl-(2)]
MOB	4-Methoxy-benzyl
MDB	3,4-Methylen-dioxy-benzyl
PMB	2,3,4,5,6-Pentamethyl-benzyl
TMOB*	2,4,6-Trimethoxy-benzyl
TMB*	2,4,6-Trimethyl-benzyl
DPM	Diphenyl-methyl (Dityl)
DOD*	4,4′-Dimethoxy-dityl (Bis-[4-methoxy-phenyl]-methyl)
DMD*	4,4′-Dimethyl-dityl (Bis-[4-methyl-phenyl]-methyl)
DDOD*	2,2′-Dimethyl-4,4′-dimethoxy-dityl (Bis-[2-methyl-4-methoxy-phenyl]-methyl)
TOD*	3,3′4,4,′-Tetramethoxy-dityl (Bis-[3,4-dimethoxy-phenyl]-methyl)
TRT	Trityl (Triphenyl-methyl)
Ph	Phenyl
ASP	4-Aminosulfonyl-phenyl
CP	4-Chlor-phenyl
2CP	2-Chlor-phenyl
3CP	3-Chlor-phenyl
PCP	2,3,4,5,6-Pentachlor-phenyl
TCP*	2,4,5-Trichlor-phenyl
CyP	4-Cyan-phenyl
DAP	4-Dimethylamino-phenyl
HP	2-Hydroxy-phenyl
BOP	2-Benzyloxy-phenyl
POP*	2-Phenyl-2-oxo-äthyloxy-phenyl
MSP*	Methylsulfonyl-phenyl
MTP*	Methylthio-phenyl
NP	4-Nitro-phenyl
DNP*	2,4-Dinitro-phenyl
ØDNP	5-Polymer-(subst.)-2,4-dinitro-phenyl
FDNP	5-Fluor-2,4-dinitro-phenyl
TNP	2,4,6-Trinitro-phenyl (Pikryl)
MNP	2-Methoxy-4-nitro-phenyl
PAP	4-Phenylazo-phenyl
PFP	Pentafluor-phenyl
Vi	Vinyl
MAV	1-Methyl-2-acetyl-vinyl [4-Oxo-buten-(2)-yl-(2)]
MEV	1-Methyl-2-äthoxycarbonyl-vinyl [1-Äthoxycarbonyl-propen-(1)-yl-(2)]
MPV	1-Methyl-2-phenylaminocarbonyl-vinyl [1-Phenylamino-carbonyl-propen-(1)-yl-(2)]
M2MV	1-Methyl-2-(2-methoxy-phenyl-aminocarbonyl)-vinyl [1-(2-Methoxy-phenylamino-carbonyl)-propen-(1)-yl-(2)]
M4MV	1-Methyl-2-(4-methoxy-phenyl-aminocarbonyl)-vinyl [1-(4-Methoxy-phenylamino-carbonyl)-propen-(1)-yl-(2)]
MBV	1-Methyl-2-benzoyl-vinyl [1-Oxo-1-phenyl-buten-(2)-yl-(3)]
MDBV*	1-Methyl-2-(2,6-dimethoxy-benzoyl)-vinyl [1-Oxo-1-(2,6-dimethoxy-phenyl)-buten-(2)-yl-(3)]
MMBV	1-Methyl-2-(4-methoxy-benzoyl)-vinyl

14.22. Andere N-, O- und S-Alkyl- und -Aryl-Gruppen

Weitere N-, O- und S-Alkyl- und -Aryl-Reste werden wie folgt abgekürzt (Substituenten durch vorgestellte zusätzliche Buchstaben):

Al	Allyl
tAm	tert.-Amyl
nBu	n-Butyl
sBu	sek.-Butyl
tBu	tert.-Butyl
iBu	Isobutyl
cHe	Cyclohexen-(1)-yl
DcHe	5,5-Dimethyl-3-oxo-cyclohexen-(1)-yl
cPe	Cyclopenten-(1)-yl

EcPe	2-Äthoxycarbonyl-cyclopenten-(1)-yl	Pm	Pyrimidyl
		Py	Pyridyl
iPr	Isopropyl	SEt	Äthylthio
Pr	Propyl	StBu	tert.-Butylthio
1Np	Naphthyl-(1)	SMOC	Methoxycarbonylthio
2Np	Naphthyl-(2)	SPh	Phenylthio
Pa	Pyranyl	Q	Chinolyl
TPa	Tetrahydro-pyranyl-(2)	CQ	5-Chlor-chinolyl
PTPa	6-Phenyl-tetrahydro-pyranyl-(2)	Ti	1,3-Thiazolyl
		Th	Thienyl
DTPa	6,6-Dimethyl-tetrahydro-pyranyl-(2)	TSi	Trimethyl-silyl
		XANT	9-Xanthenyl (Xanthydryl)

14.23. N-Alkyliden-Gruppen

N-Alkyliden-Reste auf Aldehyd- und Keton-Basis werden mit den „Leitbuchstaben" AL oder N gekennzeichnet:

BAL	Benzal (Benzyliden)	PCAL	α-Phenyl-5-chlor-salicylal [Phenyl-(5-chlor-2-hydroxy-phenyl)-methylen]
CAL	Chloral (2,2,2-Trichlor-äthyliden)		
HNAL	2-Hydroxy-naphthal [2-Hydroxy-naphthyl-(1)-methylen]	PMAL	α-Phenyl-5-methyl-salicylal [Phenyl-(2-hydroxy-5-methyl-phenyl)-methylen]
SAL	Salicylal (2-Hydroxy-benzyliden)	MN	Methylen
CSAL	5-Chlor-salicylal (5-Chlor-2-hydroxy-benzyliden)	EN	Äthyliden
		iPrN	Isopropyliden

14.30. Weitere Substituenten

Folgende weitere Substituenten erhalten die Abkürzungen:

βGlc	β-Glucosido	DPz	3,5-Dimethyl-pyrazolyl-(1) (-pyrazolid)
Im	Imidazolyl-(1) (-imidazolid)		
OXD*	1,2,4-Oxadiazolinon-(5)-id-(4)	SAC	Saccharido (-saccharin)
PI	Phthalimido	SU	Succinimido
Pi	Piperidino (-piperidid)	TEz	Tetrazolyl
Pz	Pyrazolyl-(1) (-pyrazolid)	TRz	Triazolyl

Mit ihren chemischen Zeichen werden geschrieben die Gruppierungen:

NH_2	Amid	NO	Nitroso (nur als alleiniger Substituent)
$NHNH_2$	Hydrazid		
NO_2	Nitro (nur als alleiniger Substituent)	CN	Cyan [Nitril] (nur als alleiniger Substituent)

14.40. Abkürzungen für O- und S-Ester, sekundäre und tertiäre Amide sowie substituierte Hydrazide

Die Kurzform-Schreibweise für O-Ester, S-Ester sowie substituierte Amide und Hydrazide resultiert aus den oben niedergelegten Substituenten-Symbolen wie folgt:

OMe	Methylester	ODCM	Diäthoxycarbonyl-methylester
OACM	Aminocarbonyl-methylester	ODPM	Diphenyl-methylester
OAnM	Anthryl-(9)-methylester	ODØ	Polymer-diphenyl-methylester
OCM	Carboxy-methylester	OCyM	Cyan-methylester
OECM	Äthoxycarbonyl-methylester	OMOM	Methoxy-methylester
OPCM*	Phenylaminocarbonyl-methylester	ONZM*	4-Nitro-benzyloxycarbonyl-methylester
ONCM*	2-Nitro-phenylamino-carbonyl-methylester	OPIM	Phthalimido-methylester

OPyM	Pyridyl-(4)-methylester (4-Picolylester)
OEt	Äthylester
ODAE	2-Diäthylamino-äthylester
ODHE	2,2-Diphenyl-2-hydroxy-äthylester
OMTE	Methylthio-äthylester
ONTE*	2-(4-Nitro-phenylthio)-äthylester
ONSE*	2-(4-Nitro-phenylsulfonyl)-äthylester
OTCE	2,2,2-Trichlor-äthylester
OTSE	2-(Toluol-4-sulfonyl)-äthylester
OSEØ*	Polymer-2-(methylsulfonyl)-äthylester
OPE	2-Phenyl-2-oxo-äthylester (Phenacylester)
OPEØ	Polymer-(2-phenyl-2-oxo)-äthylester
OBPE*	2-(4-Brom-phenyl)-2-oxo-äthylester
OCPE*	2-(4-Chlor-phenyl)-2-oxo-äthylester
ONPE*	2-(4-Nitro-phenyl)-2-oxo-äthylester
OiPr	Isopropylester
OOPr	2-Oxo-propylester (Acetonylester)
OtBu	tert.-Butylester
OAmØ	Polymer-tert.-amylester
OVi	Vinylester
OMVi	1-Methyl-2-acetyl-vinylester [4-Oxo-penten-(2)-yl-(2)-ester]
ODVi	2,2-Diphenyl-vinylester
OBZL	Benzylester
OCB	4-Chlor-benzylester
OIB	4-Jod-benzylester
OCyB*	4-Cyan-benzylester
ODAB	4-(4-Dimethylamino-phenylazo)-benzylester
ODoB*	4-Dodecyl-benzylester
ODOB	4-Decyloxy-benzylester
OMOB*	4-Methoxy-benzylester
ONB	4-Nitro-benzylester
OPAB*	4-Phenylazo-benzylester (4-Benzolazo-benzylester)
OPMB	Pentamethyl-benzylester
OBØ	Polymer-benzylester
OBBØ	Polymer-4-benzyloxy-benzylester
OSBØ	Polymer-4-trimethyl-silyloxy-methylbenzylester
OTRT	Tritylester (Triphenyl-methylester)
OTPa	Tetrahydropyranyl-(2)-ester
OTSi	Trimethyl-silylester
ORib	Ribosylester
OPh	Phenylester
OPhØ	Polymer-phenylester
OAAP	4-(Acetyl-aminosulfonyl)-phenylester
OPRP	2-Propionyl-phenylester
OASP*	4-(Aminosulfonyl)-phenylester
OCP	4-Chlor-phenylester
O2CP	2-Chlor-phenylester
ODCP*	2,4-Dichlor-phenylester u.a.
OEDP	2-Äthylaminocarbonyl-4,6-dichlorphenylester
OTCP*	2,4,5-Trichlor-phenylester
OPCP	Pentachlor-phenylester
OCyP*	4-Cyan-phenylester
ODAP*	4-(Dimethylamino)-phenylester
OHEP	2-Hydroxy-3-äthylaminocarbonyl-phenylester
OEP	2-Äthylaminocarbonyl-phenylester
ODEP	4,6-Dichlor-2-äthylaminocarbonyl-phenylester
OHP	2-Hydroxy-phenylester
OBOP*	2-Benzyloxy-phenylester
OPOP*	2-(2-Phenyl-2-oxo-äthoxy)-phenylester (Phenacyloxy-phenylester)
OMNP*	2-Methoxy-4-nitro-phenylester (Nitroguajacyl-ester)
OMP	4-Methyl-phenylester (4-Kresylester)
OMSP*	4-Methylsulfonyl-phenylester
OMTP*	4-Methylthio-phenylester
OTPØ	Polymer-4-(methylthio)-phenylester
ONP	4-Nitro-phenylester
ODNP*	2,4-Dinitro-phenylester
OPFP	Pentafluor-phenylester
OPAP*	4-Phenylazo-phenylester (4-Benzolazo-phenylester)
ONPØ	Polymer-2-nitro-phenylester
OSPØ	Polymer-4-(methylsulfonyl)-phenylester
O2Py	Pyridyl-(2)-ester
O3Py	Pyridyl-(3)-ester
OcHe*	2-Methylamino-cyclohexen-(1)-yl-ester
OBT	(N-Hydroxy-benzotriazol)-ester
OOBT	(3-Hydroxy-4-oxo-3,4-dihydro-benzo-[d]-1,2,3-triazin)-ester
OPi	(N-Hydroxy-piperidin)-ester
OPv	(N-Hydroxy-pivaloamid)-ester
OPI	(N-Hydroxy-phthalimid)-ester
OSU	(N-Hydroxy-succinimid)-ester
OGU	(N-Hydroxy-glutarimid)-ester
ONBz	(N-Hydroxy-benzamid)-ester
ONDM	(N-Hydroxy-dimethylamin)-ester
ONDE	(N-Hydroxy-diäthylamin)-ester
ONDB	(N-Hydroxy-dibenzylamin)-ester
OSUØ	Polymer-(N-hydroxy-succinimid)-ester
OQ	(8-Hydroxy-chinolin)-ester
OCQ*	(5-Chlor-8-hydroxy-chinolin)-ester

OAo	(Aceton-oxim)-ester	NH(Ph)	Anilid (Anm.: diese und folgende Abkürzung nur für einzeilige Schreibweise!)
OcHo	(Cyclohexanon-oxim)-ester	NH(2Np)	2-Naphthylamid
OcPo	(Cyclopentanon-oxim)-ester	NH(24DB)	2,4-Dimethoxy-benzylamid
OPzo	(1-Phenyl-3-methyl-5-imino-pyrazolon-4-oxim)-ester	$N(BZL_2)$	Di-benzylamid
OPzo(Z-Gly-5)	(1-Phenyl-3-methyl-5-benzyl-oxycarbonyl-glycyl-imino-pyrazolon-4-oxim)-ester	$N(MOB_2)$	Di-(4-methoxy-benzyl)-amid
		NH(TMOB)	2,4,6-Trimethoxy-benzylamid
SPh	Phenyl-thioester	NH(DOD)	4,4'-Dimethoxy-ditylamid
SCP	4-Chlor-phenyl-thioester	NH(XANT)	Xanthydrylamid
SCM	Carboxymethyl-thioester	NHNH(Z)	N'-Benzyloxycarbonyl-hydrazid
SDAP	4-Dimethylamino-phenyl-thio-ester	NHNH(BOC)	N'-tert.-Butyloxycarbonyl-hydrazid
SEt	Äthyl-thioester	NHNH(TRT)	N'-Trityl-hydrazid
SMP	4-Methyl-phenyl-thioester	NHNH(ØBOZ)	N'-Polymer-(4-benzyloxy)-benz-yloxycarbonyl-hydrazid
SNP	4-Nitro-phenyl-thioester		
S2Py	Pyridyl-(2)-thioester	NHNH(TFA)	N'-Trifluoracetyl-hydrazid
SQ	Chinolyl-(8)-thioester	NHNH(Ph)	N'-Phenyl-hydrazid
SePh	Phenyl-selenoester	N(Ph)NH(Ph)	N,N'-Diphenyl-hydrazid
SeNp*	Naphthyl-(1)-selenoester		

14.50. Abkürzungen für Ringsysteme N-geschützter und zugleich carboxy-aktivierter Aminosäuren

Symbol-Schreibweise für Ringsysteme N-geschützter und zugleich carboxy-aktivierter Aminosäuren: Beispiel Alanin

H-[Ala-NCA]	Alanin-N-Carbonsäure-Anhydrid
H-[Ala-NDCA]	Alanin-N-Dithiocarbonsäure-Anhydrid
H-[Ala-NTCA]	Alanin-N-Thiocarbonsäure-Anhydrid
[Ala-OX]	1,3-Oxazolinon von Alanin
[Ala-MOX]	Methyl-1,3-oxazolinon von Alanin
[Ala-POX]	Phenyl-1,3-oxazolinon von Alanin
[Ala-OPOX]	2-Oxo-propyl-4-methyl-oxazolinon von Alanin
[Ala-TOX]	Trifluormethyl-1,3-oxazolinon von Alanin
H-[Ala-OI]	1,3-Oxazolidinon von Alanin
H-[Ala-POI]	Phenyl-1,3-oxazolidinon von Alanin
H-[Ala-MOI]	Methyl-1,3-oxazolidinon von Alanin
H-[Ala-TCOI]	Trichlormethyl-1,3-oxazolidinon von Alanin
H-[Ala-DTOI]	Di-trifluormethyl-1,3-oxazolidinon von Alanin
TRT-[Ala-NCA]	N-Trityl-alanin-N-Carbonsäure-Anhydrid
Z-[Ala-OI]	N-Benzyloxycarbonyl-1,3-oxazolidinon von Alanin
TFA-[Ala-POI]	N-Trifluoracetyl-phenyl-1,3-oxazolidinon von Alanin
TOS-[Ala-OI]	N-Tosyl-1,3-oxazolidinon von Alanin
H-[Ala-AZI]	Aziridinon-(2) von Alanin

20. Grundlagen der Peptidsynthese

bearbeitet von

Prof. Dr. E. Wünsch

Max-Planck-Institut für Biochemie, München

21. Herstellung der Säureamid-Bindung[1]

Die zur Synthese der Säureamid-Bindung aus Carbonsäure und Amin führenden Reaktionen sind bimolekulare nucleophile S_N2-Substitutionen vom Addition-Eliminierungs-Mechanismus; ihr entscheidender Teilvorgang ist die Anlagerung des Stickstoffs mittels seines freien Elektronenpaares an das positivierte Kohlenstoffatom einer „polarisierten" Carboxy-Gruppe[2]:

$$R'-C(=O)-X + H_2\bar{N}-R'' \longrightarrow \left[R'-C(-\overset{\ominus}{\bar{\underline{O}}}|)(-X)-\overset{\oplus}{N}H_2-R'' \right] \xrightarrow{-HX} R'-C(=O)-NH-R''$$

Die Amino-Komponente kann daher nur als freie Base oder in Form eines Derivats reagieren, das die Addition vermittels des freien Stickstoffelektronenpaares nicht beeinträchtigt bzw. in Frage stellt. Im ersteren Fall ist die Reaktion der freien Basen – abgesehen von sterischen Einflüssen des Restes R''[3,4] – erschwert, wenn das freie Elektronenpaar am Stickstoff durch Mesomerie beansprucht wird; dies ist z. B. bei aromatischen Aminen der Fall. Im allgemeinen darf man voraussetzen, daß die Bereitschaft der freien Base zur aminolytischen Substitution in etwa der Basenstärke parallel geht. Sie ist am größten beim Benzylamin, dann folgen Aminosäureester und primäre aliphatische Amine, während gewisse sekundäre Amine, wie z. B. Piperidin und schließlich das schwächer basische Anilin am Ende der Reihe stehen[5]:

$$H_2N{-}Ar < H_2N{-}Alk < H_2N{-}CH_2{-}Ar$$

Die Carboxy-Komponente ist zur Reaktion, d. h. zur Addition der Amino-Komponente nur in „polarisierter" Form der Carboxy-Funktion befähigt; ihr maximales Reaktionsvermögen wird sie daher im Grenzzustand eines Carboxy-Kations aufzuweisen haben. Die Annäherung an die maximale Polarisierung der Carboxy-Gruppe und damit an obigen Grenzzustand wird sehr weitgehend von der Natur der Reste R' und X (s. obiges Schema) abhängen: alle Änderungen dieser beiden Substituenten, welche die Positivierung des Carboxy-Kohlenstoffatoms fördern, werden die Neigung zur Aminolyse begünstigen.

---

[1] Vgl. hierzu W. Grassmann u. E. Wünsch, Synthese von Peptiden S. 447–455, in Zechmeister, *Fortschritte der Chemie organischer Naturstoffe*, Band XIII, Springer-Verlag, Wien 1956.

[2] R. Schwyzer, B. Iselin u. M. Feurer, Helv. **38**, 69 (1955).

[3] E. McC. Arnett, J. G. Miller u. A. R. Day, Am. Soc. **72**, 5635 (1950).

[4] S. H. Wetzel, J. G. Miller u. A. R. Day, Am. Soc. **75**, 1150 (1953).

[5] R. Schwyzer, Helv. **36**, 414 (1953).

Den Einfluß des Restes R' spiegelt die folgende Reihe – geordnet nach fallender Reaktionsfähigkeit – wider[1–3]:

α-Halogen-acyl > Formyl > subst. α-Amino-acyl > Acetyl > höheres bzw. verzweigtkettiges aliphatisches Acyl > aromatisches Acyl.

Die relativ hohe Reaktionsfähigkeit der α-halogen-substituierten Carbonsäuren ist auf den starken induktiven Effekt der elektronen-anziehenden Halogene, der Unterschied zwischen Formyl- und Acetyl-Verbindung dem Fehlen bzw. Vorhandensein eines Hyperkonjugationseffektes zuzuschreiben. Die geringe Reaktionsfähigkeit der höheren bzw. verzweigtkettigen aliphatischen Carbonsäuren basiert auf der „elektronen-abstoßenden" Wirkung dieser Alkyl-Gruppen, die der aromatischen Carbonsäuren auf Einbeziehung der Elektronen der Carboxy-Gruppe in die Resonanzstabilisierung des aromatischen Systems; in beiden Fällen wird damit der Positivierung des Carboxy-Kohlenstoffatoms entgegengewirkt.

Ein größerer Einfluß auf die gewünschte Polarisierung der Carboxy-Gruppierung geht jedoch vom Rest X aus. Im Falle der freien Carbonsäuren (X = OH) unterbleibt unter Normalbedingungen jeder Einfluß des Restes X; hier liefert allein die bestehende schwache Polarisierung der Carbonyl-Gruppierung einen äußerst bescheidenen, im allgemeinen nicht ausreichenden Beitrag für eine nucleophile Umsetzung. Eine Substitution des Carboxyl-Wasserstoffs, d. h. X = OR*, ändert jedoch diese Tatsache. Je größer die Bindung des Sauerstoffs an diesen Substituenten R* sein wird, um so stärker wird die Elektronendichte am Carboxy-Kohlenstoffatom vermindert werden (–I-Effekt). Analoge Bedingungen wird der Ersatz der Hydroxy-Funktion der Carboxy-Gruppe durch „sauerstoff-freie" Substituenten mit hoher Elektronen-Affinität mit sich bringen; geeignete Substituenten (= X) sind die „Anionen" von Schwefelwasserstoff, Thiolen, Thiophenolen, gewissen Stickstoff-Heterocyclen, der Stickstoffwasserstoffsäure, des Diimins und der Hydrohalide.

Tab. 1 gibt einen Überblick über die bislang bekanntgewordenen „Aktivierungssysteme".

Tab. 1. Aktivierungssysteme

Formel	Verbindungsklasse
a) „Carboxy-aktive" Verbindungen der Formel R'–CO–OR*	
R'–CO–O–Alk	Alkylester
R'–CO–O–CH_2–R	subst.-Alkylester
R'–CO–O–C(R)=C–	Alkenyl- oder Vinylester (Enolester)
R'–CO–O–Ar	Arylester
R'–CO–O–C≡C–	Alkinylester
R'–CO–O–CH(R)–O–	O-Acyl-halbacetale
R'–CO–O–CH(R)–N<	O-Acyl-halb-aminoacetale

[1] R. Schwyzer, Helv. **36**, 414 (1953).

[2] T. Wieland u. D. Stimming, A. **579**, 97 (1953).

[3] J. R. Vaughan u. R. L. Osato, Am. Soc. **73**, 5553 (1951).

Tab. 1. (1. Fortsetzung)

Formel	Verbindungsklasse
R'–CO–O–C(O–)=C<	O-Acyl-halbketale
R'–CO–O–C(N<)=C<	O-Acyl-halb-aminoketale
R'–CO–O–C(=N–)–R	O-Acyl-lactime
R'–CO–O–C(=O)–R	Carbonsäure-anhydride
R'–CO–O–C(=O)–N<	Carbonsäure-Carbaminsäure-Anhydride
R'–CO–O–C(=N–)–NH–	O-Acyl-iso-ureide
R'–CO–O–N(R)–H(R)	O-Acyl-N-alkyl- (od. N,N-Dialkyl)-hydroxylamine
R'–CO–O–N(CO–)–R	O-Acyl-hydroxamsäuren (O-Acyl-N-acyl-hydroxylamine)
R'–CO–O–N(CO–)–CO–	O-Acyl-N,N-diacyl-hydroxylamine
R'–CO–O–N=C<	O-Acyl-oxime
R'–CO–O–N(CO–)–N=N–	O-Acyl-N-azo-N-acyl-hydroxylamine
R'–CO–O–N(N=N–)–Ar	O-Acyl-N-azo-N-aryl-hydroxylamine
R'–CO–O–S–Ar	Carbonsäure-Sulfensäure-Anhydride
R'–CO–O–SO–	Carbonsäure-Schwefligsäure-Anhydride
R'–CO–O–SO_2–	Carbonsäure-Schwefelsäure(Sulfonsäure)-Anhydride
R'–CO–O–$P(Y)_2$ Y = OR oder NHR bzw. OR und NHR	Carbonsäure-Phorphorigsäure-Anhydride

Tab. 1. (2. Fortsetzung)

Formel	Verbindungsklasse
$R'-CO-O-PO(Y)_2$ Y = OR oder Cl	Carbonsäure-Phosphorsäure-Anhydride
$R'-CO-O-\overset{\oplus}{P}(Y)_3$ Y = NR_2, Ar, OR, R	Acyloxy-phosphonium-Verbindungen
$R'-CO-O-P(=N-)(Y',Y'')_2$ Y' = Cl; Y'' = $N(R)_2$	Carbonsäure-Phosphorsäureamide-Anhydride
$R'-CO-O-P(Y)_2 \cdot Y'^{\oplus} \cdot Y''^{\ominus}$ Y = OR; $Y'^{\oplus}$ = $Py^{\oplus}$; Y'' = $\bar{O}I^{\ominus}$	Carbonsäure-komplexe-Phosphorsäure-Anhydride
$R'-CO-O-As(Y)_2$ Y = z.B. OR	Carbonsäure-Arsenigsäure-Anhydride
$R'-CO-O-Si(Y)_3$ Y = z.B. OR	Carbonsäure-Orthokieselsäure-Anhydride
$R'-CO-O-B(Y)_2$ Y = z.B. OR	Carbonsäure-Borsäure-Anhydride

b) „Carboxy-aktive" Verbindungen der Formel $R'-CO-S(Se)R^*$

Formel	Verbindungsklasse
$R'-CO-SH$	Thiocarbonsäuren
$R'-CO-S-Alk$	Carbonsäure-alkylthioester
$R'-CO-S-Ar$	Carbonsäure-arylthioester
$R'-CO-Se-Alk$	Carbonsäure-alkylselenoester
$R'-CO-Se-Ar$	Carbonsäure-arylselenoester
$R'-CO-S-C(=O)-R$	Carbonsäure-thioanhydride
$R'-CO-S-C(=S)-R$	Carbonsäure-Thiocarbonsäure-Thioanhydride

c) „Carboxy-aktive" Verbindungen der Formel $R'-CO-N(R^*)_2$

Formel	Verbindungsklasse
$R'-CO-\bar{N}=\overset{\oplus}{N}=\underline{N}^{\ominus}$	N-Acyl-azoimine (Carbonsäure-azide) [Acyl-triazene]
$R'-CO-N=NH$	N-Acyl-diimine
$R'-CO-N$ (Azolring)	N-Acyl-azole

Tab. 1. (3. Fortsetzung)

Formel	Verbindungsklasse
$R'-CO-N(CO-)(R)$	N,N-Diacyl-amine (N-Acyl-lactame, -amide, -peptide)
$R'-CO-N(SO_2-)(R)$	N-Acyl-sulfonsäure-amide
$R'-CO-N(SO_2-)(CO-)$	N,N-Diacyl-sulfonsäure-amide
$R'-CO-N(CO-)(CO-)$	N,N,N-Triacyl-amine

d) „Carboxy-aktive" Verbindungen der Formel $R'-CO-X$

$R'-CO-Cl$	Carbonsäure-chloride
$R'-CO-Br$	Carbonsäure-bromide
$R'-CO-CN$	Carbonsäure-cyanide (α-Oxo-carbonsäure-nitrile)

22. Herstellung der Peptid-Bindung

Die Übertragung der Herstellung der Säureamid-Bindung auf α-Amino-α-carbonsäuren sowohl als Carboxy-(Kopf-) als auch Amino-Komponente, dies bedeutet

$$R' = H_2NCH(R^1)\text{- und } R'' = -CH(R^2)COOH$$

und damit die Herstellung der „echten" α-Peptid-Bindung, bringt eine Anzahl von Komplikationen mit sich.

22.10. Die „Doppelfunktion"

Ohne zunächst eine weitere Substitution am α-C-Atom in Betracht zu ziehen, d. h. am Modell der einfachsten aller Aminosäuren, dem Glycin (Amino-essigsäure), betrachtet, kann eine Verknüpfung zweier Glycine unter Amid-Bildung nur dann gelingen, wenn jeweils eine der beiden im Aminosäure-Molekül zugleich vorkommenden Amino- bzw. Carboxy-Gruppierungen ausgeschaltet wird. Damit wird die Möglichkeit zur Ausbildung der Zwitterionen-Struktur aufgehoben und in dem einen Falle (der Kopf- oder Carboxy-Komponente) aus dem Carboxylat-Anion eine Carboxy-Gruppe, im anderen Falle (Amino-Komponente) aus dem Ammonium-Kation eine freie Amino-Gruppe geschaffen, beides unerläßliche Voraussetzungen für den erfolgreichen Start zu der gewünschten bimolekularen nucleophilen S_N2-Substitution (vgl. dazu S. 38).

Drei Bedingungen hat die Ausschaltung je einer dieser beiden Funktionen der Aminosäure zu erfüllen:

ⓐ für die Kopf-Komponente ist die Blockierung der α-Amino-Funktion so zu gestalten, daß die Möglichkeit der „Aktivierung" der Carboxy-Gruppe gegeben ist (Überführung von —COOH in —CO—X; s. dazu S. 29).

Für die Amino-Komponente trifft diese Einschränkung im allgemeinen nicht zu, es sei denn für die wenigen Fälle der „Pseudo"-Aktivierung der Amino-Funktion. Als „Pseudo"-Aktivierung deshalb bezeichnet, weil der entscheidende Schritt der Synthese der Peptid-Bindung unter intermediärer Erstellung einer Aktivierung der Carboxy-Gruppe der Kopfkomponente erfolgt, wobei der „Aktivierungs-Substituent" X die Amino-Komponente in noch additionsbereiterer Form in seinem Molekülaufbau einschließt [vgl. Isocyanat- (vgl. S. II/183), Phosphitamid- (vgl. S. II/233), Phosphorazo-Verfahren (vgl. S. II/237) u. a.].

ⓑ Für beide Bereiche – Kopf- und Amino-Komponente – hat die Blockierung der jeweiligen zweiten Funktion die Aufgabe, deren vollständige Maskierung zu erfüllen, d.h. einen sicheren Schutz vor der „Mit-Reaktion" (vgl. jedoch S. 42f.). Ansonsten würde keine systematische Verknüpfung zweier Aminosäuren zum Dipeptid, sondern eine unkontrollierbare Mehrfach-Reaktion ablaufen, die schließlich Oligopeptide undefinierbarer Kettenlänge und Sequenz-Struktur ergäbe.

ⓒ Beide Maskierungen – die der Amino-Funktion der Kopf- wie der Carboxy-Gruppe der Amino-Komponente – müssen leicht reversibel gestaltbar sein, d.h. die letztlich vorzunehmende Wiederherstellung der freien Amino- bzw. Carboxy-Funktion muß ohne jegliche Veränderung, geschweige denn einer Aufspaltung in die Ausgangskomponenten, des synthetisierten Peptid-Moleküls verlaufen.

Vorstehend genannten Forderungen ⓐ bis ⓒ wird – mit Ausnahme der nur im beschränkten Umfange brauchbaren „Salz-Bildung" (vgl. dazu S. 305 u. S. 405) – durch Substitutionen jeweils an einer Amino- bzw. Carboxy-Funktion Rechnung getragen; geeignete Substituenten („Reste") werden als Schutzgruppen deklariert.

Man ist in der Lage, diesen drei Forderungen zu begegnen, indem zunächst eine Säureamid-Bindung aus „normalen" Carbonsäuren bzw. Aminen hergestellt und nachträglich in den α-Stellungen des Säureamids zusätzlich je eine Amino- bzw. Carboxy-Gruppe eingeführt werden. Dieser Peptid-Synthese-Technik wurde in früheren Jahren mangels anderer Möglichkeiten auch gehuldigt (s. dazu S. 306); der Erfolg war und blieb bescheiden, im Hinblick auf das Ziel der Synthese höherer natürlich vorkommender Oligopeptide, letztlich von Eiweißstoffen, ungenügend.

22.20. Der „induktive" Effekt

Trotz Ausschaltung einer der beiden α-Funktionen durch Maskierung (s. ⓐ bis ⓒ, s. o.) bleibt jeweils ein erheblicher induktiver Effekt der substituierten bzw. blockierten Amino- auf die Carboxy-Gruppe bzw. der substituierten bzw. blockierten Carboxy- auf die Amino-Gruppe bestehen. Er äußert sich im Vergleich zu den „normalen" Säureamiden und deren Ausgangskomponenten:

ⓐ In einer relativen Instabilität carboxy-aktivierter Systeme von N-geschützten Aminosäuren

ⓑ in einer Beeinflussung der nucleophilen Additions-Bereitschaft der α-Amino-Funktion der carboxy-maskierten Aminosäuren

ⓒ in einer relativ geringeren Stabilität der Peptid-Bindung gegenüber Hydrolyse, Alkoholyse etc.

22.30. Die „Seitenketten"-Funktion

Die Reste R^1 und R^2 – die „Seitenketten" der Aminosäuren – spielen eine zusätzliche, nicht unbedeutende Rolle; zusammengesetzt aus sterischen Hinderungs-, Induktions- und Abschirmungs-Effekten (meist kurz als sterischer Effekt bezeichnet) beeinflussen sie, teils bevorzugt auf die Amino-, teils bevorzugt auf die Carboxy-Funktion gerichtet, die nucleophile Substitution, hauptsächlich den „Additions-Schritt", aber auch schon die „Aktivierungs-Stufe" erheblich.

Erschwerend kommt hinzu, daß die meisten der etwa 20 natürlich* vorkommenden Aminosäuren zusätzlich „Dritt-Funktionen" (teilweise sogar komplexer Natur, wie im Falle der Guanido-Gruppierung des Arginins) im Seitenketten-Rest aufweisen, die

ⓐ mehr oder minder zu Mitreaktionen beim Verknüpfungsschritt neigen,

ⓑ Schwierigkeiten bei der Einführung bzw. Abspaltung von Schutzgruppen bereiten und

ⓒ im Endzustand, d.h. bei oder nach Erstellung des freien Peptids, erhebliche Labilitäts-Erhöhungen der Peptid-Bindung heraufbeschwören oder zu aufarbeitungs-bedingten Nebenreaktionen aufgrund einer besonderen „Empfindlichkeit" Anlaß geben.

Trotz aller bislang erprobten Maskierungs-Varianten für die Dritt-Funktion, selbstverständlich unter Rücksichtnahme auf die Blockierungs-Probleme für Amino- und Carboxy-Funktionen sowie deren Verknüpfungs-Verfahren einschließlich Reaktions-Bedingungen und -Medien, ist man noch weit davon entfernt, Herr dieses Phänomens zu sein, insbesondere bei der Herstellung höherer Oligopeptide mit einer mehr oder minder großen Anzahl von mehrfunktionellen Aminosäure-Resten in der Sequenz. Bei einer Maskierung der Dritt-Funktionen ist ferner die damit verbundene, räumliche Ausdehnung der Seitenketten zu bedenken; damit kann ein zusätzlicher „sterischer Hinderungseffekt" auf Amino- oder Carboxy-Funktion ausgelöst werden.

Bei der Synthese von Peptiden mit gewissen „unnatürlichen"* Aminosäuren, mit Diamino-dicarbonsäuren und letztlich „Pseudoaminosäuren" (s. S. 865ff.) werden zusätzliche Probleme aufgerollt.

22.40. Die α-Chiralität

Die Synthese von Peptiden wird heute ausschließlich mit „optisch-aktiven" Aminosäuren (Ausnahmen Glycin, gewisse Isoaminosäuren etc.) beschritten, womit eine weitere, mit Abstand sogar vorrangige Problemstellung eingeschleust wird**. Die Herstellung der Peptid-Bindung hat eindeutig unter dem Aspekt der absoluten oder zumindest weitestgehenden Erhaltung ($\gg 99\%$) der Konfiguration der Startmaterialien zu stehen. Hauptsächlich betrifft dies carboxy-aktivierte N-Acyl-aminosäuren, bei deren Herstellung sowohl als auch bei deren peptid-chemischen Umsetzungen optisch-aktive 1,3-Oxazolin-5-one (II; S. 35ff.) als „labile" Zwischenstufen eine wichtige Rolle spielen können. Aber auch der direkte Protonen-Austausch am chiralen C-Atom ist gegeben.

---

* Diese Ausdrücke sind nicht korrekt. Statt natürlich sollte gesetzt werden: „in Eiweiß vorkommend", statt unnatürlich: „in nicht verbreiteten Proteinen oder Oligopeptiden vorkommend".

** Die früher beschriebene Herstellung von Peptiden aus DL-Aminosäuren ist beim heutigen Forschungsstand und der leichten Zugänglichkeit der optisch-aktiven „natürlichen" Aminosäuren nur in Sonderfällen noch sinnvoll.

22.41. 4,5-Dihydro-1,3-oxazolon-(5)-Bildung (1,3-Oxazolin-5-on) und Racemisierung[1–4]

Das Ausmaß der 1,3-Oxazolin-5-on-Bildung wird von der Art des „aktivierenden" Substituenten X, vom Lösungsmittel, der Basizität des Reaktionsmediums, der Temperatur sowie vom N-Acyl-Rest und letztlich dem „Bau" der Aminosäure diktiert. Normale N-Acyl-Gruppen, z. B. Benzoyl-, Acetyl-, Aminoacyl-Reste etc. lassen einen relativ starken mesomeren Valenz-Ausgleich in der Carbonsäure-amid-Bindung zu (begünstigte Grenz-Struktur Ib), wobei der Carbonyl-Sauerstoff zur beherrschenden nucleophilen Größe wird (dies äußert sich in einer Erniedrigung der Carbonyl-Frequenz des IR-Spektrums auf 1680–1690cm^{-1} sowie eindeutigen N-H-Signalen beim Protonenresonanz-Spektrum in Trifluoressigsäure[5]). Entscheidender Schritt ist dann der Angriff dieses nucleophilen Carbonyl-Sauerstoffes auf das durch den Aktivierungs-Substituenten positivierte C-Atom der aktivierten Carboxy-Funktion. Die Reaktionsgeschwindigkeit des Ringschlusses wird durch den Nucleophilie-Grad des Carbonyl-Sauerstoffes und vom Polarisierungsgrad der „aktivierten" Carboxy-Gruppierung bestimmt[6].

Desweiteren vermag ein „Basen-Angriff" auf den Amid-Wasserstoff zur Ausbildung eines Amid-Anions (Ic) führen, das seinerseits vermittels seines nucleophilen Sauerstoffes die Cyclisierung zum 1,3-Oxazolin-5-on (II) einleitet[7–9]:

I a ⟷ I b $\underset{+\ HX}{\overset{-\ HX}{\rightleftharpoons}}$ II

II $\underset{+X^\ominus}{\overset{-X^\ominus}{\rightleftharpoons}}$ I c

I a $\underset{+\ BH^\oplus}{\overset{-\ BH^\oplus}{\rightleftharpoons}}$ I c

---

[1] Vgl. hierzu das Übersichtsreferat M. GOODMAN u. C. GLASER in *Peptides*, Proc. 1st Amer. Peptide Symposium, Yale Univ., 1968, M. DEKKER, New York **1970**, S. 267 (s. dort auch die vorhergehende Literatur).

[2] W. KÖNIG u. R. GEIGER, B. **103**, 2024 (1970).

[3] S. KEMP, *Peptides* 1971, Proceedings 11th Europ. Peptide Symposium Vienna, North-Holland Publ. Co., Amsterdam **1973**, S. 1.

[4] A. W. WILLIAMS u. G. T. YOUNG, Soc. [Perkin I] **1972**, 1194.

[5] H. DETERMANN et al., A. **694**, 190 (1966).

[6] H. DETERMANN u. T. WIELAND, A. **670**, 136 (1963).

[7] M. W. WILLIAMS u. G. T. YOUNG, Soc. **1964**, 3701.

[8] I. ANTONOVICS u. G. T. YOUNG, Soc. [C] **1967**, 595.

[9] D. S. KEMP u. S. W. CHIEN, Am. Soc. **89**, 2745 (1967).

Unter üblichen Reaktionsbedingungen der Peptid-Synthese, d. h. Gegenwart der nucleophilen, aber auch basischen Amino-Komponente (z. B. III), stellt sich bei den gebildeten 1,3-Oxazolin-5-onen sehr rasch ein basen-katalytisiertes Gleichgewicht der beiden enantiomeren Formen (IIa, L-Form bzw. IIb, D-Form) unter Durchlaufen eines anionischen, pseudoaromatischen Zustands IIc ein[1–3].

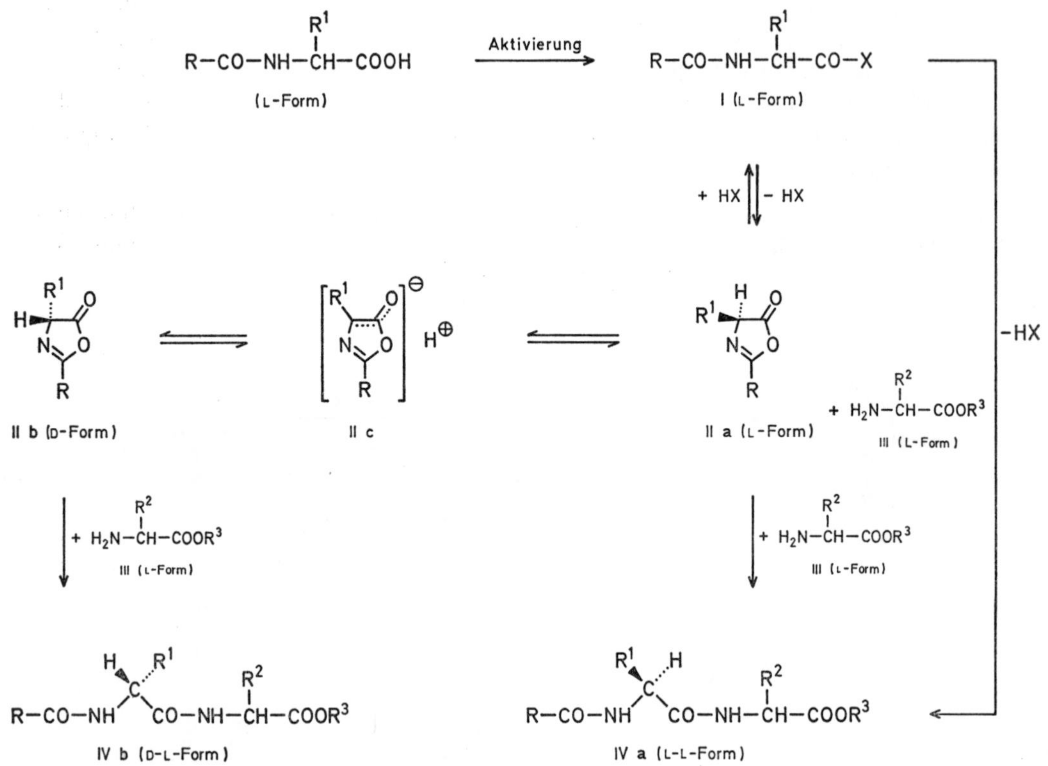

$R-CO-NH-CH(R^1)-COOH$ (L-Form) —Aktivierung→ $R-CO-NH-CH(R^1)-CO-X$ I (L-Form)

+ HX ⇅ − HX

II b (D-Form) ⇌ II c ($H^{\oplus}$) ⇌ II a (L-Form) + $H_2N-CH(R^2)-COOR^3$ III (L-Form)

−HX

II b + $H_2N-CH(R^2)-COOR^3$ III (L-Form) → $R-CO-NH-C(H)(R^1)-CO-NH-CH(R^2)-COOR^3$ IV b (D-L-Form)

II a + $H_2N-CH(R^2)-COOR^3$ III (L-Form) → $R-CO-NH-C(R^1)(H)-CO-NH-CH(R^2)-COOR^3$ IV a (L-L-Form)

Die 1,3-Oxazolin-5-one reagieren mit Aminosäureestern III bevorzugt unter Bildung der „negativen“ Diastereomeren, d. h. die im Gleichgewicht stehenden enantiomeren 1,3-Oxazolin-5-one (IIa bzw. IIb) werden von optisch aktiven Amino-Komponenten zeitlich verschieden rasch unter Erstellung einer (neuen) Peptid-Bindung geöffnet[3]. Mit L-Aminosäureestern entstehen daher bevorzugt D-L-Peptid-Derivate IVb, wobei das „Peptid-Diastereomeren-Verhältnis“ dem Curtin-Hammet-Prinzip folgt, d. h. in direkter Abhängigkeit der Unterschiede der freien Enthalpien der Übergangszustände steht, und

---

[1] M. GOODMAN u. S. LEVINE, Am. Soc. **86**, 2918 (1964); **87**, 3028 (1965).

[2] I. ANTONOVICS u. G. T. YOUNG, Chem. Commun. **1965**, 487.

[3] F. WEYGAND, W. STEGLICH u. X. BAROCIO DE LA LAMA, Tetrahedron Suppl. **8**, 9 (1966).

gem. der semiempirischen Gleichung für Korrespondierende Reaktionspaare

$$\log Q = \varkappa \cdot \delta_b \cdot \tau$$

berechnet werden kann[1].

$\varkappa$ = aus den Ligandenkonstanten λ ermittelter Chiralitäts-Parameter der Amino-Komponente

δ_b = Antisymmetrierungs-Faktor zur Berücksichtigung der Konfiguration des reagierenden Chiralitäts-Zentrums

τ = inversionssymmetrische Größe, die sich aus dem Chiralitäts-Parameter des betreffenden Chiralitäts-Zentrums und der Reaktionsgröße ϱ ableitet und für ein bestimmtes 1,3-Oxazolin-5-on einmal empirisch ermittelt werden muß[2].

Zusammenfassend kann festgestellt werden, daß der bei der Synthese einer Peptid-Bindung durch 1,3-Oxazolin-5-on-Bildung eintretende Racemisierungsgrad der Kopfkomponente sich sowohl aus dem Grad dieser Cyclisierungsreaktion als auch aus der unterschiedlichen Oxazolinon-Ringöffnung durch die optisch aktive Amino-Komponente additiv zusammensetzt. Beide Anteile wachsen mit zunehmender sterischer Hinderung an[2].

Erfolgt die 1,3-Oxazolin-5-on-Bildung an N-Acyl-peptiden, so kann über vorstehend Gesagtes hinaus die „vorletzte" Aminosäure (sofern optisch aktiv) teilweise Racemisierung erleiden[3–7]; Neuberger[4] denkt hierbei an folgenden Isomerisierungs-Mechanismus als „auslösende Ursache":

R—CO—NH—CH(R^1)—(Oxazolinon-Ring mit R^2) ⇌ R—CO—NH—C(R^1)=(Oxazolidinon-Ring mit NH, R^2)

Zur Vermeidung einer auf 1,3-Oxazolin-5-on-Bildung beruhenden Racemisierung sind vier Wege aufgeboten:

ⓐ der Einsatz von N-geschützten Aminosäuren, die im aktivierten Zustand zur Ausbildung eines 1,3-Oxazolin-5-ons nicht befähigt oder nicht mehr in der Lage sind. Hierzu zählen auch alle „Urethan-maskierten" N-Acyl-aminosäuren[8], da die jeweilige Alkoxy-Gruppe mit ihrem positivierenden induktiven Effekt den mesomeren Valenzausgleich bei der Carbonsäureamid-Gruppierung behindert und damit die Nucleophilie des Stickstoffs erhält. (Lage der Carboxy-Bande im IR-Spektrum bei N-Alkoxycarbonyl-aminosäure-aniliden: 1720–1725 cm^{-1}; bei N-Acyl-aminosäure-aniliden: 1680–1690 cm^{-1})[9].

ⓑ Umsatz von N-Acyl-aminosäuren und Amino-Komponenten vermittels „anhydridartiger" Aktivierungszustände (vornehmlich Carbodiimid-Verfahren, s. S. II/103) unter Zusatz von N-Hydroxy-Verbindungen, d.h. vicinalen bifunktionellen Nucleophilen („α-Nucleophilen oder 1,2-Di-nucleophilen").

---

1 I. Ugi, Z. Naturf. **20b**, 405 (1965).
2 F. Weygand, W. Steglich u. X. Barocio de la Lama, Tetrahedron Suppl. **8**, 9 (1966).
3 M. Bergmann u. L. Zervas, Biochem. Z. **203**, 291 (1928).
4 A. Neuberger, Adv. Protein Chem. **4**, 359 (1948).
5 A. Prox et al., *Peptides*, Proc. 6th Europ. Peptide Symposium Athen **1963**, Pergamon Press Ltd. Oxford **1966**, S. 139.
6 F. Weygand, A. Prox u. W. König, B. **99**, 1446 (1966).
7 M. Dzieduszycka, M. Smulkowski u. E. Taschner, *Peptides* 1972, Proc. 12th Europ. Peptide Symposium Reinhardsbrunn Castle, North-Holland Publ. Co., Amsterdam **1973**, S. 103.
8 G. T. Young, Collect. czech. chem. Commun. (Special Issue) **24**, 33 (1959). vgl. aber M. Bodanszky u. C. A. Birkhimer, Chimia **14**, 368 (1960).
9 H. Determann et al., A. **694**, 190 (1966).

Die Wirkung dieser vorzugsweise aciden ($p_K = \sim 5{,}0$) N-Hydroxy-Verbindungen scheint mindest zweifacher Art zu sein:

① Herabminderung der Basizität der Amino-Komponente sowie auch des Carbodiimids bzw. des O-Acyl-isoureids, wodurch sowohl deren katalytischer Einfluß auf die Isomerisierung ev. gebildeter 1,3-Oxazolin-5-one eliminiert als auch eine höhere Stabilität der Aktivstufe erreicht wird (Wegfall der N-Acyl-ureid-Bildung).

② Stabilisierung des aktiven Zustandes sowie zusätzlich der raschen racemisierungsfreien Öffnung ev. entstandener 1,3-Oxazolin-5-one zu O-Aminoacyl-hydroxylamin-Derivaten durch „biphilic reaction"[1].

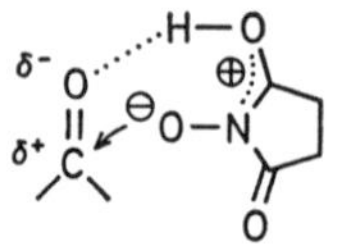

Als wirkungsvollste Hydroxylamin-Verbindungen sind erkannt worden: N-Hydroxy-succinimid[2-4], 1-Hydroxy-benzotriazol[5], 3-Hydroxy-4-oxo-3,4-dihydro-chinazolin[6], 3-Hydroxy-4-oxo-3,4-dihydro-benzotriazin[6] und 2-Hydroxyimino-2-cyano-acetat[7].

ⓒ Die Verwendung von aktivierten N-Acyl-aminosäuren, die unter Normalbedingungen (kein tert.-Basen-Überschuß, möglichst niedrige Temperaturen) und in „Lösungsmittel-Abhängigkeit" nicht oder nur in unbedeutendem Maße racemisieren und zwar

① N-Acyl-aminosäure-azide (V) und -[N-hydroxy-piperidin]-ester (VI; in der protonierten Form!), da die spezielle elektrostatische Natur ihrer Moleküle einen innermolekularen, zu 1,3-Oxazolin-5-on-Bildung führenden Amid-Sauerstoff-Angriff (s. S. 35) nicht zuläßt[1]:

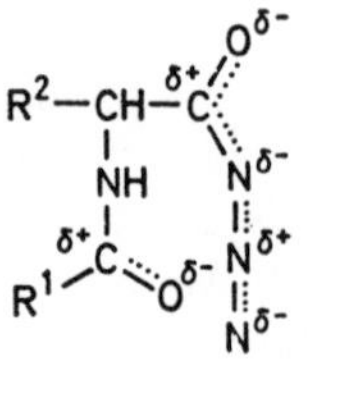

V

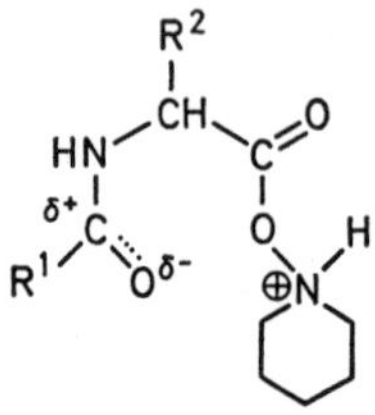

VI

② N-Acyl-aminosäure-[N-hydroxy-succinimid-(-phthalimid, -benzotriazol etc.)]-ester, -chinolyl-(8)-ester und -2-hydroxy-phenylester (auch in 3-Stellung substituiert), die im Zuge des „Additions-Schrittes" vom zweiten nucleophilen Zentrum des jeweiligen Carboxy-Substituenten eine Wasserstoff-Brücke zur Amino-Komponente schlagen

[1] M. Goodman u. C. Glaser, *Peptides*, Proc. 1st American Peptide Symposium, Yale University, Marcel Dekker Inc., New York **1970**, S. 267.
[2] E. Wünsch u. F. Drees, B. **99**, 110 (1966).
[3] F. Weygand, D. Hoffmann u. E. Wünsch, Z. Naturf. **21b**, 426 (1966).
[4] J. E. Zimmerman u. G. W. Anderson, Am. Soc. **89**, 7151 (1967).
[5] W. König u. R. Geiger, B. **103**, 788 (1970).
[6] W. König u. R. Geiger, B. **103**, 2024 (1970).
[7] M. Itoh, *Chemistry and Biology of Peptides*, Proc. 3rd American Peptide Symposium Boston, Ann Arbor Science Publ. **1972**, S. 365.

(„Hydrogen-Bonded Transition State")[1]; daraus resultiert gesteigerte Reaktionsgeschwindigkeit und in deren Folge Verminderung einer 1,3-Oxazolin-5-on-Bildung:

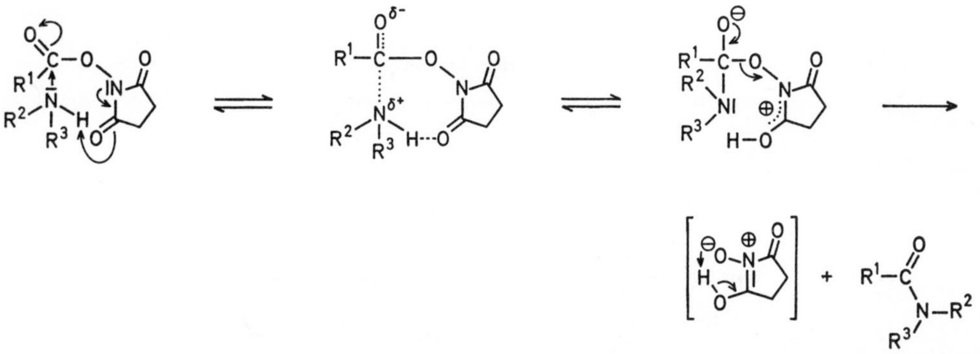

Ⓓ Erhöhung der Aminolyse-Geschwindigkeit insbesondere von „Aktiv-Estern" durch Zugabe von „bifunktionellen" Katalysatoren oder Essigsäure[2,3]. Während Pyrazol, 4-substituierte Pyrazole, 2-Hydroxy-pyridin und 1,2,4-Triazol ihre maximale Wirksamkeit in wenig polaren Lösungsmitteln (Tetrahydrofuran, 1,4-Dioxan, Acetonitril etc.) erreichen[4], sollen gewisse N-Hydroxy-Verbindungen [1-Hydroxy-pyridon-(2), 1-Hydroxybenzotriazole und vor allem 3-Hydroxy-4-oxo-3,4-dihydro-chinazolin] ihren höchsten Wirkungsgrad in polaren Solventien (Dimethylformamid etc.) entfalten[5,6]. Für beide Fälle werden cyclische Übergangszustände, teilweise unter Einbeziehung der Amino-Komponente postuliert[6,7].

22.42. „α-Proton-Abstraktion" und Racemisierung[1,8]

Die leicht eintretende Racemisierung von *N_α-Benzyloxycarbonyl-S-benzyl-cystein-Aktivestern*[9,10] wurde vielfach mit einer reversiblen β-Eliminierung begründet[10,11]. Liberek[12] postulierte dagegen für diesen Fall – wie auch für andere β-substituierte Alanin-Derivate

---

1 M. Goodman u. C. Glaser, *Peptides*, Proc. 1st American Peptide Symposium, Yale University, Marcel Dekker Inc., New York **1970**, S. 267.

2 R. Schwyzer, M. Feurer u. B. Iselin, Helv. **38**, 83 (1955).

3 F. Muzalewski, *Peptides* 1971, Proc. 11th Europ. Peptide Symposium Vienna, North-Holland Publ. Co., Amsterdam **1973**, S. 39.

4 H. C. Beyerman et al., R. **84**, 213 (1965).

5 H. Wissmann, W. König u. R. Geiger, *Peptides* 1972, Proc. 12th Europ. Peptide Symposium Reinhardsbrunn Castle, North-Holland Publ. Co., Amsterdam **1973**, S. 158.

6 W. König u. R. Geiger, *Chemistry and Biology of Peptides*, Proc. 3rd American Peptide Symposium Boston, Ann Arbor Publ. **1972**, S. 343.

7 M. L. Bender, Chem. Reviews **60**, 53 (1960).

8 J. Kovacs et al., *Peptides*, Proc. 1st American Peptide Symposium, Yale University, Marcel Dekker Inc., New York **1970**, S. 337; s. dort auch weitere Literatur.

9 B. Iselin, M. Feurer u. R. Schwyzer, Helv. **38**, 1508 (1955).

10 J. A. MacLaren, W. E. Savige u. J. M. Swan, Austral. J. Chem. **11**, 3345 (1958).

11 M. Bodanszky u. A. Bodanszky, Chem. Commun. **1967**, 591.

12 B. Liberek, Tetrahedron Letters **1963**, 925.

sowie Z-Phe-ONP – den „direkten α-Proton-Entzug", gefolgt von Resonanz-Stabilisierung des Carbanions (VII-IXa und b) durch Konjugation mit dem π-Elektron des jeweiligen β-Substituenten.

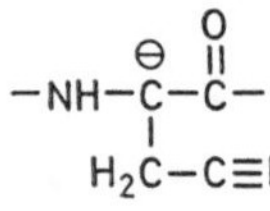

VII a 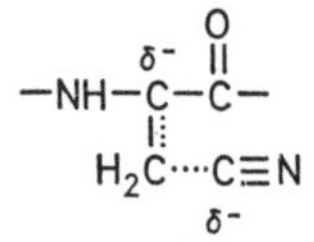 VII b 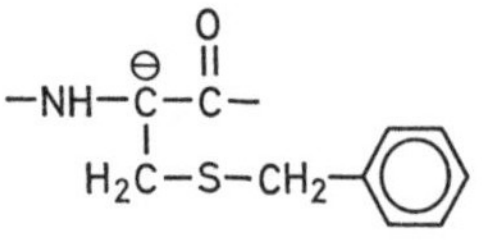 VIII a 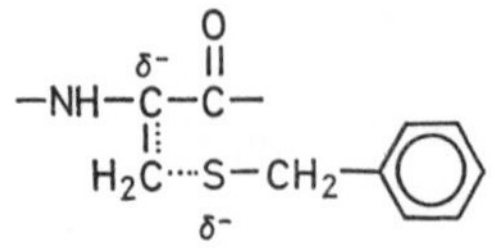 VIII b

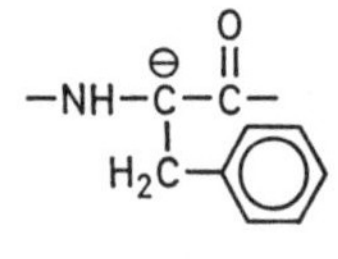

IX a 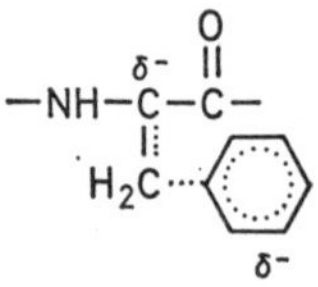 IX b

Kovacs et al.[1] konnten in vergleichenden Studien aufzeigen, daß ein „β-Eliminierungs-Readditions-Mechanismus" ausgeschlossen werden kann: N_α-Benzyloxycarbonyl-S-benzyl-cystein-Aktivester racemisieren unter Einwirkung von Triäthylamin und Benzyl-[^{35}S]-mercaptan ohne Einbau radioaktiven Schwefels in der Seitenkette; sie setzen sich höchstens zu racemisierten *Z-Cys(BZL)*-^{35}*SBZL* um. Auf Grund neuerer Ergebnisse wird eine „Iso-Racemisierung"[2] diskutiert[3].

Die relativ leicht eintretende „basen-katalysierte" Racemisierung von N-Phthalyl-aminosäure-estern wird von Liberek[4] ebenfalls auf „α-Proton-Abstraktion" zurückgeführt; ein starker induktiver elektronen-abziehender Effekt des Phthalyl-Restes ermöglicht eine hohe Resonanz-Stabilisierung des Carbanions (Xa-c):

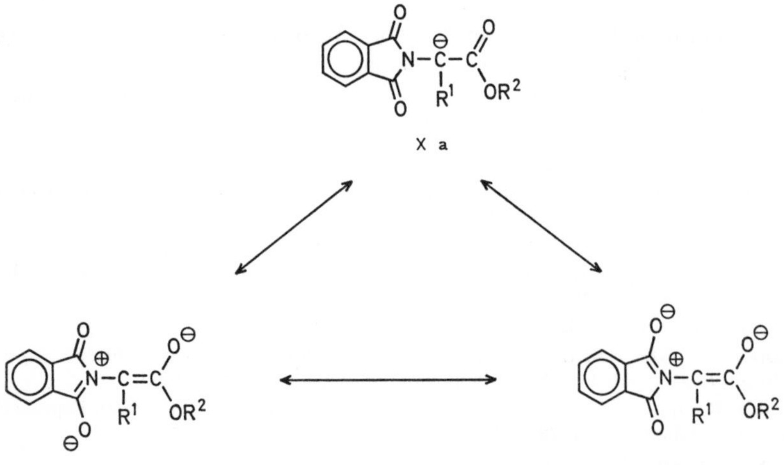

X a

X b X c

[1] J. Kovacs et al., Chem. Commun. **1968**, 1066; **1970**, 53; J. Org. Chem. **35**, 1810 (1970).
[2] J. Almy u. D. J. Cram, Am. Soc. **91**, 4459 (1969).
[3] J. Kovacs et al., Am. Soc. **93**, 1541 (1971).
[4] B. Liberek, Tetrahedron Letters **1963**, 1103.

Mit größter Wahrscheinlichkeit liegt der beobachteten Racemisierung von N-Acyl-peptid-aziden bzw. N-Benzoyl-aminosäure-aziden unter Einwirkung tert.-Basen ein analoger Vorgang zu Grunde. Beeinflußt von der, mesomeren Grenzzuständen zugänglichen, Peptid- bzw. Carbonsäure-amid-Bindung wird der direkte α-Proton-Entzug erleichtert[1], worauf sich eine „Enolisierung“ (s. o.) zum konjugierten System anschließen kann[2]:

$$R{-}C(=O){-}NH{-}CH(R^1){-}C(=O){-}N_3 \longleftrightarrow R{-}C(O^{\ominus}){=}\overset{\oplus}{N}H{-}CH(R^1){-}C(=O){-}N_3 \quad (B|^{-})$$

$$\downarrow -HB$$

$$R{-}C(O^{\ominus}){=}\overset{\oplus}{N}H{-}C(R^1){=}C(O^{\ominus}){-}N_3 \longleftrightarrow R{-}C(O^{\ominus}){=}\overset{\oplus}{N}H{-}\overset{\ominus}{C}(R^1){-}C(=O){-}N_3$$

22.43. Mehrfach-Chiralität

Asymmetrie-Zentren in C_ω-Position werden bei üblichen peptidchemischen Umsetzungen nicht in Mitleidenschaft gezogen; lediglich Eingriffe an der Drittfunktion von Hydroxy-aminosäuren (mit entsprechender ω-Chiralität) mit dann bestehenden Tendenzen zu „Eliminierung-Readdition-Reaktionen“ vermögen dies zu ändern. Zu beachten ist aus diesem Grunde, daß Racemisierung am C_α-Atom eine Konfigurationsänderung am Gesamtmolekül z. B. von *threo*- nach *allo-threo*-Form mit sich zieht: Aus L-Isoleucin wird so D-*allo*-Isoleucin aus D-*allo*-Hydroxy-prolin L-Hydroxy-prolin gebildet usw.

Eine besondere Auswirkung eines Racemisierungseintritts sowohl durch 1,3-Oxazolin-5-on-Bildung als auch durch Proton-Abstraktion ist bei Diaminodicarbonsäuren mit α,α'-Bis-Chiralität einzukalkulieren: Bei meist einseitigem Verlauf entstehen deren „Meso-Formen“, d. h. das C_α-Asymmetrie-Zentrum weist L-Konfiguration, das $C_{\alpha'}$-Asymmetrie-Zentrum dagegen D-Konfiguration vor oder auch umgekehrt.

22.50. ω-Aminosäuren (Isoaminosäuren)

Die Heranziehung von ω-Aminosäuren (hierzu rechnen auch die Diaminocarbonsäuren und Aminodicarbonsäuren bei einem Einsatz als Isoaminosäuren) als Amino- oder Carboxy-Komponente ist in den Umsetzungs-Reaktionen geprägt von der gegenseitigen induktiven Beeinflussung der „Doppel-Funktion“; diese nimmt mit zunehmendem Abstand zwischen Amino- und Carboxy-Gruppe relativ rasch ab. Während Peptide aus α- und β-Aminosäuren (N_α: C_β und N_β: C_α-Struktur) hinsichtlich Eigenschaften und Stabilität „echten α-Peptiden“ noch sehr ähnlich sind, gehorchen die N_ω: C_ω-Peptidbindungen, z. B. zweier Moleküle ω-Amino-capronsäure, mehr den Gesetzen einer „normalen“ Amid-Bindung. Benachbarte funktionelle Gruppen können diese Zustände allerdings ändern (C_ω-Peptide von Glu-

---

[1] M. Goodman u. C. Glaser, *Peptides*, Proc. 1st American Peptide Symposium, Yale University, Marcel Dekker Inc., New York **1970**, S. 267.

[2] Vgl. dazu D. S. Kemp u. J. Rebek, Am. Soc. **92**, 5792 (1970).

taminsäure, N_ω-Peptide von Diaminobuttersäure!). Nachstehende Tatsachen erleichtern – generell gesehen – den peptid-synthetischen Einsatz von ω-Aminosäuren:

① Bedingt durch den abnehmenden induktiven Effekt der Amino-Funktion wird die Stabilität des „Aktiv-Zustandes" der Carboxy-Gruppe entsprechend erhöht; dies geht so weit, daß N-Acyl-ε-amino-capronsäuren mit Pyrokohlensäureestern in wäßriger Lösung zu hydrolysebeständigen Misch-Anhydriden umgesetzt werden können (s. S. II/180).

② Die Gefahr einer Racemisierung bei Aktivierung und Umsetzung von Isoaminosäure-Peptiden (mit C_α-Asymmetrie-Zentren der carboxy-endständigen Isoamino-Reihe) dürfte relativ selten sein, da einerseits Bildungstendenzen von oxazolinon-homologen Ringschlüssen (zu 2-Aza-3,4-dihydro-α-pyran-Derivaten bei β-Aminosäuren) entweder gering und nicht mit der bekannten Folgereaktion verbunden oder nicht gegeben sind, andererseits auch eine direkte α-Proton-Abstraktion wegen der abgeschwächten induktiven Effekte seitens der Amid-(Peptid)-Gruppierung nur in verminderter Größenordnung ablaufen sollte (für C_ω-Asymmetrie-Zentren gelten sinngemäß ähnliche Stabilitäts-Verhältnisse).

22.60. Pseudoaminosäuren

Der Austausch einer Aminosäure (als Kopf- oder Carboxy-Komponente) durch Hydroxy- oder Thiol-carbonsäuren, Azaaminosäuren, Aminosulfon- oder Amino-phosphonsäuren birgt eine Menge Probleme in sich; mit Ausnahme der Oxa^N-Peptide (Peptolide) steht die Bearbeitung dieser „Pseudo-Peptide" noch in den Anfängen.

Mit dem natürlichen Vorkommen schon angedeutet bestehen die relativ größten Ähnlichkeiten in Umsetzung, Herstellung und Verhalten zwischen Hydroxy-carbonsäuren und Aminosäuren bzw. Peptiden und Peptoliden. So gelten z. B. weitgehend aminosäure-analoge Richtlinien für den Einsatz von optisch-aktiven α-Hydroxy-carbonsäuren als Kopfkomponenten; lediglich die Gefahr der Racemisierung durch Oxazolinon-Bildung ist gebannt. Die Stabilität der Oxa^N-Peptidbindung (= Esterbindung) gegenüber hydrolytischen Einflüssen ist erheblich geschmälert.

23. Erstellung und Isolierung der „freien" Peptide

Die Abspaltung aller Schutzgruppen von synthetischen Peptid-Derivaten hat – und das war eine gestellte Voraussetzung (s. S. 33) – ohne jedwede Veränderung an den aufgebauten Bindungen und den daran beteiligten Aminosäure-Resten vor sich zu gehen; hierin sind die Vermeidung bzw. Ausschaltung von Sekundär-Reaktionen der bei der Demaskierung entstehenden, ev. reaktionsfreudigen Beiprodukte und die reversible Gestaltung reaktionsbedingter Umlagerungen, z. B. die protonenkatalysierte N $\rightarrow$ O-Acyl-Wanderung etc., eingeschlossen.

Einzukalkulieren in die Gewinnung reiner „freier" Peptide sind aber noch Stabilität sowie Reaktionsfähigkeit der erstellten Peptide unter den im Zuge von Reindarstellungs- bzw. Aufarbeitungs-Operationen sowie Umkristallisierungs-Prozeduren vorliegenden und (oder) entstehenden „Umweltverhältnissen" – gegebenenfalls unter Berücksichtigung der peptideigenen aciden, basischen oder sonstigen funktionellen Gruppen-; als deren Folgen können sein:

① hydrolytische Öffnung „schwacher" Peptid-Bindungen incl. C-terminale Dioxopiperazin-Abspaltung.

② $\alpha \rightarrow \omega$-Transpeptidierungen und Diacylamin-Ringschlüsse z.B. schon unter „bescheidenen" basischen Einflüssen.

③ Luftsauerstoff-Oxydationen von Thiol-, Thioäther- und Indol-Gruppierungen (letztere vor allem im sauren Milieu).

④ Kondensations-Reaktionen der Peptide entweder mit Aldehyden und Ketonen (Kristallisationssolventien oder Beiprodukte in Alkoholen etc.) zu Imidazolidon-Derivaten (s. S. 52) oder der eigenen funktionellen Gruppen miteinander (?),

⑤ Zerstörung der Peptide durch bakterielle Angriffe.

Schonendes Arbeiten in „neutralen Bereichen" unter Stickstoff- bzw. Argon-Atmosphäre und Verwendung höchstreiner, evtl. sauerstoff-freier Lösungsmittel, Pufferlösung etc., sowie unter Zusatz von das Bakterien-Wachstum hemmenden Stoffen ist dann – je nach Anforderung – oberstes Gebot.

23.10. Dipeptide

Die Synthese der Dipeptide aus den beiden Komponenten, den amino- bzw. carboxygeschützten und ev. Seitenkettenfunktion-maskierten Aminosäuren, bietet heute dank ausgefeilter Schutzgruppen- und Verknüpfungstechnik einerseits und entsprechend guter Löslichkeitseigenschaften aller „Stufen" andererseits nur in Ausnahmefällen noch Schwierigkeiten. Lediglich die Gewinnung der freien Peptide kann manchmal Sondermethoden erfordern, insbesondere immer dann, wenn die üblichen Methoden zur Kristallisation aus Wasser, Wasser/Alkohol, Alkoholen, Alkoholen/Äther oder Essigsäure-äthylester (meist unter Erwärmen oder Erhitzen) zur Bildung von Dioxo-piperazinen Anlaß geben. Prädestiniert für diese Ringschlüsse scheinen z. B. Peptide der Formel X-Pro; doch ist entgegen der üblichen Annahme diese unerfreuliche Nebenraktion anscheinend einer größeren Zahl von Dipeptiden der verschiedensten Zusammensetzung eigen.

23.20. Höhere Peptide

Die Synthese von Peptiden mit etwa bis zu 15 Aminosäure-Resten, sei es nach konventioneller Art, sei es unter „Arbeit am polymeren Träger", liegt heute dank der erzielten Fortschritte in Maskierungs-, Aufbau- und Reindarstellungs-Technik im „gängigen" Bereich – wohl selbstverständlich, daß hierbei die Zahl der bei der Erstellung von Dipeptiden angedeuteten Schwierigkeitsfälle mit wachsender Kettenlänge und in Abhängigkeit der einzubauenden Aminosäure-Reste enorm ansteigen wird. Bei einigen Verfahren der „Festkörpersynthese" kann dies sogar die Unmöglichkeit einer sauberen, fehlerfreien Herstellung gewisser Sequenzen bedeuten.

Ein aktuelles Problem stellt sich ev. schon im Durchlaufen der Dipeptid-Stufe ein: verschiedene Dipeptide, vor allem deren Ester (mit Ausnahme der tert.-Butylester) und Amide, tendieren zur Dioxo-piperazin-Bildung, manchmal in so hohen Raten, daß die Synthese als Fehlschlag zu kennzeichnen ist. Eine generell gültige Aussage über die Begünstigung des Ringschlusses durch die Aminosäure-Reste ist z. Zt. noch nicht möglich. Sicher scheinen gewisse Peptide des Prolins mit einer hohen Tendenz für diese Nebenreaktion behaftet zu sein (s. S. II/25). Diese Ringschlußreaktion findet auch bei der Aktivierung von N-Acyl-glycyl-prolin statt, wobei N-Acyl-Derivate von „Cyclo-glycyl-prolin" (N-Acyl-dioxo-piperazine) entstehen. Diese Cyclisierungstendenz Prolin-haltiger Peptide erstreckt sich auch auf Tripeptide bzw. Tripeptid-Derivate.

Zwei Fakten dirigieren beim heutigen Forschungsstand die Synthese höherer Peptide in fast ausschließlich vom Carboxy-Ende her anlaufenden Aufbau[1]:

① **Die Art des Aufbaus**

ⓐ in stufenweisem Anbau der einzelnen Aminosäure-Reste

ⓑ durch Fragmentkondensation – im (theoret.) Idealfall mit geringster Stufenzahl durch jeweilige Verdoppelung der Bausteinzahl.

---

[1] Vgl. dazu E. Wünsch, Ang. Ch. **83**, 773 (1971).

② **Wahl der „Schutzgruppen-Kombination"** mit möglichst einheitlicher, unter den Bedingungen einer laufenden Aufhebung der N_α-Blockierung absolut oder zumindest ausreichend stabiler Maskierung der Seitenketten-Funktionen, deren Umfang von der Verknüpfungstechnik incl. der Art des Aufbaus und von der Länge der zu synthetisierenden Peptidkette bestimmt wird.

Auf dieser vorgezeichneten Basis haben sich vier Strategien, unterteilbar in Verfahrensvarianten, zur Synthese von höheren Peptiden insbesondere von Peptidwirkstoffen (und Proteinen?) herausgebildet:

Strategie I, eine konventionelle Synthese unter „globaler Schutzgruppen-Technik", die die Erstellung der Gesamteinheit entweder durch den Aufbau von Peptid-Fragmenten und deren sukzessive Verknüpfung („Schwyzer-Wünsch-Strategie"[1]) oder durch den rein stufenweisen Anbau („Bodanszky-Strategie"[2]) unter weitestgehender Ausschaltung von Nebenprodukten zuläßt; dieses Verfahrensprinzip scheint für den Aufbau von Peptid-Sequenzen mit bis zu 30-Aminosäure-Resten das Urteil „sehr gut" zu verdienen. Von dieser Sequenzgröße an hat die Strategie I dennoch mit erheblichen Schwierigkeiten hinsichtlich der Löslichkeit der aufgebauten Peptid-Derivate zu kämpfen; ihr maximales Ziel dürfte daher im gegenwärtigen Stadium und in Abhängigkeit von der Eigenart der aufzubauenden Peptid-Sequenz im Bereich von 30–50 Aminosäure-Resten liegen.

Strategie II, eine konventionelle Synthese der geringstmöglichen Maskierung der Drittfunktionen, die nicht die Sicherheit des nebenproduktfreien Aufbaus der als erstes angestrebten Teilsequenzen so weitgehend besitzt, wie die Strategie I; so wird man bei einem stufenweisen Aufbau der Peptid-Fragmente mittels Aminosäure-N-Carbonsäure-Anhydriden („Hirschmann-Strategie"[3]) zum Zwecke der Reindarstellung einer Teilsequenz hin und wieder die Synthese zu unterbrechen haben. Dieses Problem stellt sich nicht beim Peptid-Fragment-Aufbau unter Verwendung verschiedener Knüpfungsmethoden ausgehend von Aminosäure-N'-acyl-hydraziden („Hofmann-Strategie"[4]). Für die sukzessive Verknüpfung dieser Fragmente ist die Überführung der nach beiden Verfahren aufgebauten Teilstücke – mit Ausnahme des C-terminalen Bruchstücks – in die N-Acyl-peptid-hydrazide erforderlich; ob im Falle der „Hirschmann-Strategie" die hierzu entwickelte Hydrazinolyse-Technik an den N-Acyl-peptidestern ohne Nebenreaktionen verläuft, ist bis heute noch unbeantwortet.

Die Erstellung der N-Acyl-peptid-hydrazide aus den entsprechenden N'-Acyl-hydraziden ist dagegen einwandfrei gelöst; es ist allerdings zu bedenken, daß im Gesamtverlauf der Synthese drei selektiv-spaltbare Schutzgruppen für Amino-, Seitenketten- und Hydrazid-Funktionen zur Verfügung stehen müssen. Die erhaltenen N-Acyl-peptid-hydrazide werden dann nach der Azid-Technik nacheinander auf das carboxy-endständige Bruchstück aufgeknüpft. Diese Einschränkung der Verknüpfungstechnik auf die Azid-Methode muß als eindeutiger Nachteil der Strategie II gewertet werden; schon seit langem ist bekannt, daß die Azid-Methode sowohl hinsichtlich der Ausbeute nicht die glücklichste Errungenschaft darstellt als auch zu Nebenreaktionen als Folge einer Azid-Isocyanat-Umlagerung Anlaß gibt; die letztlich hierbei auftretenden Harnstoff-Derivate (eine Art „Aza-Peptide") sind kaum von den richtig geknüpften Peptid-Sequenzen trennbar. Ins Gewicht fallender Vor-

---

[1] R. Schwyzer u. P. Sieber, Nature **199**, 172 (1963).
E. Wünsch, Z. Naturf. **22 b**, 1269 (1967).

[2] M. Bodanszky et al., Am. Soc. **89**, 6753 (1967).

[3] R. G. Denkewalter et al., Am. Soc. **88**, 3163 (1966).
R. Hirschmann et al., J. Org. Chem. **32**, 3415 (1967).

[4] K. Hofmann, M. I. Smithers u. F. H. Finn, Am. Soc. **88**, 4107 (1966).

teil der Strategie II sind die günstigeren Löslichkeitseigenschaften der nach diesem Prinzip hergestellten Fragmente, im Vergleich zu den nach Strategie I erhältlichen.

Strategie III, eine Synthese unter Verwendung polymerer Träger-Substanzen. Sie kann in stets „fester Phase" ("solid phase")[1], in „flüssiger Phase" ("liquid phase")[2] oder teils fester, teils flüssiger Phase[3] – in zeitlicher Sicht – ablaufen. Peptid-Synthesen an polymeren Trägern der verschiedensten Variationen überraschen zunächst von der scheinbaren Einfachheit und der Möglichkeit der automatisierten oder mechanisierten Anwendung her. Bei genauerer Betrachtung aber zeigt diese Strategie III – bei allen ihren Varianten – eine Menge „Geburtsfehler", die ihren Ursprung in den verwendeten Polymer-Harzen, in der benutzten und teilweise aufoktroyierten Aufbau-Technik, in einer – bis heute – ungenügenden analytischen Überprüfungsmethodik der vorgenommenen Schritte und letztlich in der Abspaltung der aufgebauten Peptidkette vom polymeren Träger haben. Sowohl die viel benutzte „Merrifield-Strategie"[4] als auch die in manchen Punkten fortschrittlichere „Bayer-Strategie"[2] (liquid phase-Synthese) unterliegen nach wie vor den Folgen dieser „Geburtsfehler". In der gegenwärtigen Form ist die Strategie III für den Aufbau höherer Peptide (vor allem Naturstoff-Peptide mit mehr als 15 Aminosäure-Resten) nicht geeignet. Das auch nach Reinigungsoperationen stets anfallende Peptidgemisch kann den Reinheitsforderungen einer geglückten Stoffsynthese nicht entsprechen. Die vielfach angestrebte Synthese von „biologischer Aktivität" nach dieser Strategie III ist letztlich eine sehr zweischneidige Sache, da das Verhalten der im Peptidgemisch vorhandenen „Fehlstellen-Sequenzen" (failure-sequences), „verstümmelten Sequenzen" (truncated sequences) usw. – so lange sie nicht einzeln in reiner Form zur Verfügung stehen – unbekannt und damit eine unsichere Größe sind. Der gleiche Vorbehalt gilt für die Verwendung eines solchen Peptidgemisches zu Konfigurations-Studien, Immunisierungs-Vorhaben mit Antikörpergewinnung und letztlich immunologischen Bestimmungsverfahren (radio-immuno-assays).

Strategie IV, eine Art konventionelle Synthese mittels „Polymer-Reagentien". Den bis heute bekannt gewordenen Varianten der „Katchalksi-Wieland-Strategie"[5] oder der „Frankel-Strategie"[6] ist gemeinsam die Umsetzung von N-Acyl-aminosäuren oder -peptiden zu polymer-aktivierten Carboxy-Derivaten und deren Verknüpfung mit Amino-Komponenten verschiedenster Art und Größe zu einem höheren N-Acyl-peptid-Derivat unter Austritt eines Polymer-Nebenproduktes. Bei relativ geringer Erfahrung mit Strategie IV muß aber darauf hingedeutet werden, daß die Verwendung von Polymer-Derivaten zur Aktivierung der Carboxy-Verbindung ihre Grenzen aufgrund sterischer Hinderung haben dürfte.

---

[1] R. B. Merrifield, Am. Soc. **85**, 2149 (1963).
R. L. Letsinger u. M. J. Kornet, Am. Soc. **85**, 3045 (1963).

[2] M. Mutter, H. Hagenmaier u. E. Bayer, Ang. Ch. **83**, 883 (1971).

[3] M. M. Shemyakin et al., Tetrahedron Letters **1965**, 2323.

[4] R. B. Merrifield, J. H. Stewart u. N. Jernberg, Anal. Chem. **38**, 1905 (1966).

[5] M. Fridkin, A. Patchornik u. E. Katchalski, Am. Soc. **87**, 4646 (1965); **88**, 3164 (1966).
T. Wieland u. C. Birr, Ang. Ch. **78**, 303 (1966).

[6] Y. Wolman, S. Kivity u. M. Frankel, Chem. Commun. **1967**, 629.

30. Methodische Voraussetzungen

31. Blockierung und Schutz der α-Amino-Funktion

bearbeitet von

Prof. Dr. E. Wünsch

Max-Planck-Institut für Biochemie, München

Bereits auf S. 32 ff. wurde darauf hingewiesen, daß die gelenkte „systematische" Peptidverknüpfung zweier Aminosäuren von einer vollständigen Ausschaltung der Amino-Funktion der Kopfkomponente durch Blockierung abhängig ist. Diese Blockierung hat drei Bedingungen zu erfüllen:

① die Aktivierung der Carboxy-Gruppe einwandfrei zu gewährleisten,

② die Amino-Gruppe der Kopfkomponente während der Verknüpfungsreaktion zu schützen

③ nach erfolgter Herstellung der Peptidbindung leicht und ohne Angriff auf die entstandene Peptidbindung entfernbar zu sein.

Für diesen „Schutz" der Amino-Gruppe stehen dem Peptidchemiker heute vier Möglichkeiten zur Verfügung:

① die Acylierung, die Mono- und Diacyl-, Monosulfenyl-, Monosulfonyl- und Monosulfonyl-Monoacyl-Verbindungen umfaßt,

② die Alkylierung, die sich in Monoalkyl-, Dialkyl- und Alkyliden-Derivate gliedert,

③ die Alkyl-Acylierung, d. h. Monoacyl(-sulfenyl/sulfonyl)-Monoalkyl-Aminosäuren

④ die Ammonsalz-Bildung.

31.100. Die Acylierung

31.110. N-Monoacyl-Derivate

31.111. Derivate der Carbamidsäure und Thiocarbamidsäure

Bereits 1903 hatte Fischer[1] mit Hilfe von N-Äthoxycarbonyl-aminosäuren versucht, Peptide durch systematischen Aufbau zu synthetisieren. Diese N-geschützten Aminosäuren entsprachen zunächst den oben genannten Bedingungen: Sie ließen sich mittels Thionylchlorid in N-Äthoxycarbonyl-aminosäure-chloride überführen, die mit Aminosäuren nach Schotten-Baumann oder mit zwei Äquivalenten Aminosäureester in Chloroform oder Äther verknüpft werden konnten. Beim Einsatz von Aminosäureestern war in der Folge eine Hydrolyse der Esterbindung erforderlich. Die erhaltenen N-Äthoxycarbonyl-peptide konnten oben genannter Operation (Aktivierung der Carboxy-Gruppe und Verknüpfung) erneut zugänglich gemacht werden, womit die Möglichkeit der Kettenverlängerung bestand. Die Herstellung der freien Peptide scheiterte an dem Fehlen einer geeigneten

---

[1] E. Fischer u. P. Bergell, B. **36**, 2592 (1903).
E. Fischer, B. **36**, 2094 (1903).

Abspaltungsreaktion der N_α-Äthoxycarbonyl-Gruppe unter gelinden Bedingungen. Bei Anwendung der für Äthylurethane üblichen Spaltungsmethodik durch alkalische Hydrolyse erhielt Fischer[1] ein Produkt, das er zunächst als N-Carbonsäure des gesuchten Peptids ansprach. Dessen Zersetzung zum freien Peptid (III) (unter Entwicklung von Kohlendioxid) gelang jedoch nicht. Es blieb 25 Jahre später Wessely[2] vorbehalten, das „Fischersche Verseifungsprodukt" als *Carbonyl-bis-glycin* (*Harnstoff-N,N'-diessigsäure*) zu identifizieren. Entgegen der Annahme Fischers führt die alkalische Hydrolyse der Urethan-Verbindung (I) nicht zu den gewünschten Carbamidsäuren (II), sondern zu Hydantoin-Derivaten (IV). Diese werden durch die überschüssigen Hydroxyl-Ionen zu disubstituierten Harnstoff-Derivaten (V) geöffnet. Nach der üblichen Aufarbeitungsmethodik eines solchen Verseifungsansatzes werden sowohl Harnstoff- wie Hydantoin-Derivate erhalten, da erstere unter Wasserabspaltung leicht in die energetisch stabileren Hydantoine übergehen.

$H_5C_2O-C(=O)-NH-CH_2-C(=O)-NH-CH_2-COOH$ (I, B) ⟶ Hydantoin: HN–CH₂ / O=C–N(CH₂–COOH)–C=O (IV) $\underset{H^\oplus}{\overset{OH^\ominus}{\rightleftharpoons}}$ $HOOC-CH_2-NH-C(=O)-NH-CH_2-COOH$ (V)

$^\ominus OOC-NH-CH_2-C(=O)-NH-CH_2-COOH$ (II) $\xrightarrow{-CO_2}$ $H_2N-CH_2-C(=O)-NH-CH_2-COOH$ (III)

Das Scheitern E. Fischers am N-Äthoxycarbonyl-Rest hatte schon frühzeitig deutlich gemacht, daß nur solche N-Carbonsäureester (Urethane) als Amino-Schutzgruppe Verwendung finden können, die auf anderem Wege als durch alkalische Hydrolyse wieder spaltbar sind.

31.111.10. *Carbamidsäureester primärer Alkohole*

31.111.11. N-Benzyloxycarbonyl-[Z]-Derivate

Die verhältnismäßig leichte Abspaltbarkeit von O- und N-Benzyl-Gruppen durch katalytische Hydrierung veranlaßte Bergmann und Zervas[3] nach ihren Mißerfolgen mit N-Acetyl-Derivaten, Benzylurethane als Schutzgruppe für die Amino-Funktion der „Kopfkomponente" einzusetzen.

Die Herstellung von Benzyloxycarbonyl-aminosäuren (VII) (früher vielfach als Carbobenzoxy-aminosäuren bezeichnet) gelingt leicht aus Chlorameisensäure-benzylester (VI) durch Schotten-Baumann-Reaktion mit Aminosäuren in Gegenwart von Natronlauge[3], Natriumhydrogencarbonat[4] bzw. Magnesiumoxid[3] oder Aminosäureestern und folgender alkalischer Hydrolyse der Benzyloxycarbonyl-aminosäureester (VIII):

---

[1] E. Fischer, B. **35**, 1095 (1902).

[2] F. Wessely u. E. Kemm, H. **174**, 306 (1928).
F. Wessely, E. Kemm u. J. Mayer, H. **180**, 64 (1929).

[3] M. Bergmann u. L. Zervas, B. **65**, 1192 (1932).

[4] J. P. Greenstein u. M. Winitz, *Chemistry of the Amino Acid* **2**, 991, J. Wiley & Sons, New York 1961.

$$H_5C_6{-}CH_2{-}OH \quad + \quad COCl_2$$

$$\downarrow -HCl$$

$$H_5C_6{-}CH_2{-}O{-}CO{-}Cl \quad \text{VI}$$

$+ H_2N{-}\overset{R}{\overset{|}{C}}H{-}COOH$ ($NaOH$, $NaHCO_3$, MgO u.a.) | $+ H_2N{-}\overset{R}{\overset{|}{C}}H{-}COOR^1$

$$H_5C_6{-}CH_2{-}O{-}CO{-}NH{-}\overset{R}{\overset{|}{C}}H{-}COOH \quad \text{VII} \quad \xleftarrow{NaOH} \quad H_5C_6{-}CH_2{-}O{-}CO{-}NH{-}\overset{R}{\overset{|}{C}}H{-}COOR^1 \quad \text{VIII}$$

$$\downarrow -H_2O \mid + H_2N{-}NH_2$$

$$H_5C_6{-}CH_2{-}O{-}CO{-}NH{-}\overset{R}{\overset{|}{C}}H{-}CO{-}NH{-}NH_2 \quad \text{IX}$$

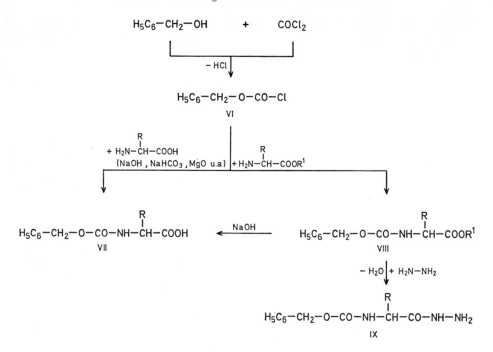

Das hierfür benötigte *Benzyloxycarbonylchlorid* (*Chlorameisensäure-benzylester*) gewinnt man leicht aus Phosgen und Benzylalkohol in Toluol[1,2] bzw. nach Farthing[3] in hohem Reinheitsgrad und bei 0° jahrelang haltbar direkt aus den Komponenten (Einleiten von Phosgen in Benzylalkohol bei etwa –10°). Ein sehr reines Produkt erhält man in Umkehrung der Farthing-Vorschrift durch Eintropfen von Benzylalkohol in flüssiges Phosgen bei –10 bis –20° (s. Herstellungsvorschrift).

Zur Gehaltsbestimmung der rohen Säurechlorid-Lösung kann mit Erfolg die Umsetzung mit wäßrigem Ammoniak und gravimetrische Bestimmung des gebildeten Benzylurethans benutzt werden. Absolut reiner Chlorameisensäure-benzylester wird durch fraktionierte Destillation im hohen Vakuum (mind. 10^{-2} Torr) erhalten. Für die übliche Herstellung der Benzyloxycarbonyl-aminosäuren ist diese Reinigungsoperation jedoch nicht erforderlich.

Chlorameisensäure-benzylester[3]: In einem 6-*l*-Vierhalskolben (mit KPG-Rührer, Eintauchthermometer, Gasein- und -abführungsrohr und Tropftrichter) werden bei –20° (Äthanol-Trockeneis) 2000 *ml* Phosgen kondensiert. Hierauf läßt man unter Rühren bei –10 bis –20° 2600 *ml* frisch destillierten Benzylalkohol innerhalb 4 Stdn. zutropfen, nach beendeter Zugabe 4 Stdn. unter Entfernung des Kühlbads nachrühren. (Sollte während dieser Zeit die Reaktion unter Ausstoß großer Mengen Chlorwasserstoff zu heftig werden, ist zeitweise der Ansatz zu kühlen!). Zur Verdrängung von überschüssigem Phosgen und restlichem Chlorwasserstoff leitet man danach 24 Stdn. einen kräftigen, getrockneten Luftstrom durch die Lösung; Ausbeute: ~ 4200 g.

Der so erhaltene rohe Chlorameisensäure-benzylester ist für alle Acylierungen genügend rein. Er wird in handliche Packungen abgefüllt und vor Feuchtigkeit geschützt (Flaschen mit NS-Stopfen verwachst) und bei 0° über Natriumsulfat aufbewahrt.

Gehaltsbestimmung: 10 *ml* des oben erhaltenen Chlorameisensäure-benzylesters werden unter kräftigem Rühren in 50 *ml* 25%-ige Ammoniaklösung bei 0° eingetropft. Der gebildete Niederschlag wird nach 30 Min. Stehenlassen abfiltriert, mit Wasser und Äther gewaschen und im. Vak.-Exsiccator über konz. Schwefelsäure bis zur Gewichtskonstanz getrocknet. 1 *ml* sollen ~ 1,18 g Chlorameisensäure-benzylester enthalten (1 g Benzylurethan = 1,129 g Chlorameisensäure-benzylester).

---

[1] M. Bergmann u. L. Zervas, B. **65**, 1192 (1932).
[2] H. E. Carter, R. L. Frank u. H. W. Johnston, Org. Synth. **23**, 13 (1943).
[3] A. C. Farthing, Soc. **1950**, 3213.

Wie bereits betont, gelingt die Kondensation von Benzyloxycarbonylchlorid mit Aminosäuren zu Benzyloxycarbonyl-aminosäuren leicht nach der üblichen Schotten-Baumann-Reaktion. Von den nachstehend beschriebenen allgemein anwendbaren drei Vorschriften wird Verfahren ② speziell für die *Benzyloxycarbonyl*-Derivate von *Glutamin*, *Glutaminsäure*, *Asparagin*, *Asparaginsäure*, *Serin* und *Threonin* benützt, Verfahren ③ für *Benzyloxycarbonyl-tyrosin* und Benzyloxycarbonyl-aminosäure-hydrazide (IX)[1].

Verfahren ①

N-Benzyloxycarbonyl-L-phenylalanin-[Z-Phe-OH][2]: 100 g Phenylalanin in 300 *ml* 2n Natronlauge werden unter Eiskühlung und kräftigem Rühren mit 90 *ml* Chlorameisensäure-benzylester und 310 *ml* 2n Natronlauge innerhalb von 30 Min. behandelt. (Evtl. ausfallendes kristallines Produkt wird durch Zugabe von Wasser wieder in Lösung gebracht.) Das nach Ansäuern der Mischung mit 320 *ml* 2n Salzsäure ausgefallene Produkt wird in Essigsäure-äthylester aufgenommen, die abgetrennte Essigsäure-äthylester-Phase mit verd. Salzsäure und Wasser gewaschen und schließlich erschöpfend mit Kaliumhydrogencarbonat-Lösung extrahiert. Die vereinigten wäßrigen Auszüge werden mit Salzsäure über Kongorot-Umschlag hinaus (mind. pH = 2) angesäuert, das ausgefallene ölige Produkt in Essigsäure-äthylester aufgenommen. Nach Waschen mit verd. Salzsäure und Wasser, Trocknen über Natriumsulfat, dampft man die Lösung i. Vak. zur Trockene ein; Ausbeute: 150 g (83% d.Th.); F: 88–89° (farblose Nadeln aus Essigsäure-äthylester/Petroläther); $[\alpha]_D^{22} = +5{,}1 \pm 0{,}2°$ (c = 5; in Eisessig).

Verfahren ②

N-Benzyloxycarbonyl-L-serin [Z-Ser-OH][3]: 10,5 g Serin in 400 *ml* nNatriumhydrogencarbonat-Lösung werden bei 20° unter kräftigem Rühren tropfenweise mit 24 g Chlorameisensäure-benzylester umgesetzt (4 Stdn.). Die Reaktionsmischung wird 2mal mit Äther extrahiert, auf 0° abgekühlt und unter Rühren vorsichtig mit konz. Salzsäure angesäuert. Der erhaltene Niederschlag wird abfiltriert, mit Wasser gewaschen und im Vak.-Exsiccator getrocknet.

1. Fraktion: 10,5 g. Das Filtrat wird erschöpfend mit Essigsäure-äthylester ausgezogen, die Extrakte mit wenig Wasser gewaschen und über Natriumsulfat getrocknet. Nach dem Eindampfen der Lösung und Behandeln des Rückstandes mit Äther erhält man weitere 11 g. (Fraktion 2): F: 119,5°; $[\alpha]_D^{22} = +5{,}9 \pm 0{,}5°$ (c = 2,7; in Eisessig);
Gesamtausbeute: 21,5 g (90% d.Th.).

Verfahren ③

N-Benzyloxycarbonyl-L-tyrosin [Z-Tyr-OH][4]:

N-Benzyloxycarbonyl-L-tyrosin-äthylester [Z-Tyr-OEt]: Eine Lösung von 131 g H-Tyr-OEt in 640 *ml* Chloroform wird unter Eiskühlung und Rühren mit 48,7 *ml* Chlorameisensäure-benzylester, anschließend mit 202 g Natriumcarbonat (Decahydrat) in 385 *ml* Wasser und daraufhin wiederum mit 48,7 *ml* Chlorameisensäure-benzylester versetzt. Das ausgefallene Produkt filtriert man ab und wäscht mit Wasser neutral (1. Fraktion); die abgetrennte und gewaschene Chloroform-Schicht dampft man i. Vak. ein (2. Fraktion). Die erhaltenen Fraktionen werden aus Essigsäure-äthylester/Petroläther umkristallisiert; Ausbeute: 205 g (95% d.Th.); F: 88–90° (Prismen); $[\alpha]_D^{20} = -4{,}5 \pm 0{,}5°$ (c = 2; in Äthanol).

N-Benzyloxycarbonyl-L-tyrosin [Z-Tyr-OH]: 80 g des erhaltenen Z-Tyr-OEt in 300 *ml* 1,4-Dioxan/Wasser (4 : 1) werden mit 233 *ml* 2n Natronlauge über 2 Stdn. bei Raumtemp. wie üblich verseift, beim Ansäuern mit 5n Schwefelsäure unter Kühlung und Entfernung des 1,4-Dioxans i. Vak. scheidet sich die freie Säure zunächst als Öl ab, das alsbald in Nadeln kristallisiert. Zur Reinigung wird in heißer verd. Natriumacetat- oder Kaliumhydrogencarbonat-Lösung aufgenommen, das gekühlte Filtrat mit 5n Schwefelsäure im Überschuß versetzt. Die erhaltene kristalline Fällung (Dihydrat) wird abfiltriert und i. Vak. über Phosphor(V)-oxid scharf getrocknet; Ausbeute: 67 g (91% d.Th.); F :101°; $[\alpha]_D^{20} = +11{,}1 \pm 0{,}5°$ (c = 2; in Eisessig).

---

[1] D. F. Erlanger u. E. Brand, Am. Soc. **73**, 3508 (1951).
[2] W. Grassmann u. E. Wünsch, B. **91**, 462 (1958).
[3] S. Guttmann u. R. A. Boissonnas, Helv. **41**, 1852 (1958).
[4] J. Jentsch, Dissertation, TU München, 1964.
M. Bergmann u. L. Zervas, B. **65**, 1192 (1932).

N-Benzyloxycarbonyl-L-tyrosin-hydrazid [Z-Tyr-NH-NH_2][1]: 8 g Z-Tyr-OEt werden in 12 *ml* Äthanol gelöst und mit 1,75 *ml* Hydrazin-Hydrat versetzt; die Reaktionsmischung wird 75 Min. unter Rückfluß erhitzt, wobei sich allmählich eine halbfeste Masse bildet. Nach Abkühlen wird mit wenig Äthanol verdünnt, der Niederschlag abfiltriert und aus Äthanol umkristallisiert; Ausbeute: 75% d. Th.; F: 220–221°.

Als Acylierungsreagenzien zur Einführung der Benzyloxycarbonyl-Schutzgruppe wurden ferner vorgeschlagen:

Benzyl-phenyl-carbonat[2]
Benzyloxycarbonyl-thiosulfat-Natriumsalz[3] als wasserlöslicher Acyl-Donator
Benzyl-1-piperidyl-carbonat[4]
Benzyl-2,4,6-trichlor-phenyl-carbonat
Benzyl-2,4,5-trichlor-phenyl-carbonat[5]
Benzyl-pentachlorphenyl-carbonat[5]
Benzyl-S-phenyl-thiocarbonat[5,6]
Benzyl-4-nitro-phenyl-carbonat[5]
Benzyl-succinimidyl-carbonat[7,8]
N-Benzyloxycarbonyl-N′-methylimidazoliumchlorid[9]

Alle diese Verbindungen dürften lediglich für Sonderfälle Bedeutung besitzen, z. B. zur Einführung der N_ω-Benzyloxycarbonyl-Maskierung oder (die beiden letzteren Reagenzien betreffend) zur Herstellung von Benzyloxycarbonyl-aminosäure-Aktivestern nach einer „Eintopf-Verfahrens-Technik".

Bei der Aufarbeitung der Acylierungsansätze ist zu beachten, daß Benzyloxycarbonyl-Derivate hydrophober Aminosäuren vielfach in organischen Lösungsmitteln (speziell Essigsäure-äthylester) lösliche Natriumsalze bzw. -komplexe bilden[10]. Bei zu schwachem Ansäuern können somit Mischungen der freien Säuren mit deren Natriumsalzen erhalten werden (vgl. dazu die von Bergmann et al.[11] beschriebenen *Benzyloxycarbonyl*-Verbindungen von *L-Phenylalanin* und N_ε-*Benzyloxycarbonyl-L-lysin* mit F: 125–126° bzw. 150°; die reinen freien Säuren haben jedoch einen F; 88–89°[10] bzw. 80°[12]). Aus diesem Grunde ist es zweckmäßig, beim Ansäuern etwas über den empfohlenen Kongorot-Umschlag hinauszugehen bzw. die abgetrennte organische Phase mit verdünnter Säure (0,5 n) nachzuwaschen. Im Hinblick auf einen möglichen protonensolvolytischen Angriff der üblich benutzten Salzsäure auf die Benzyloxycarbonyl-Gruppierung empfiehlt Ried[13], die Acylierungsansätze mit verdünnter Schwefelsäure anzusäuern. Abweichungen in der oben beschriebenen Verfahrenstechnik zur Einführung der N_α-Benzyloxycarbonyl-Schutzgruppe sind nur bei einigen mehrfunktionellen Aminosäuren erforderlich, z. B. bei der Herstellung reiner N_α-Derivate der Diaminosäuren (s. dazu unter Abschnitt „mehrfunktionelle Aminosäuren", S. 476).

---

1 C. R. Harington u. R. V. Pitt-Rivers, Biochem. J. **38**, 417 (1944).
2 H. Zahn u. H. R. Falkenburg, A. **636**, 117 (1960).
3 J. B. Caldwell, R. Ledger u. B. Milligan, Austral. J. Chem. **19**, 1297 (1966).
4 B. O. Handford et al., Soc. **1965**, 6814.
5 Y. Wolman, D. Ladkany u. M. Frankel, Soc. [C] **1967**, 689.
6 J. L. Kice et al., Am. Soc. **87**, 1734 (1965).
7 M. Frankel et al., Tetrahedron Letters **1966**, 4765.
8 G. Jäger, R. Geiger u. W. Siedel, B. **101**, 3537 (1968).
9 E. Guibé-Jampel, G. Bram u. M. Vilkas, Tetrahedron Letters **1969**, 3541.
10 W. Grassmann u. E. Wünsch, B. **91**, 462 (1958).
M. Goodman u. K. C. Stueben, J. Org. Chem. **24**, 112 (1959).
E. P. Grommers u. J. F. Arens, R. **78**, 558 (1959).
11 M. Bergmann, L. Zervas u. H. Schleich, H. **224**, 33 (1934).
M. Bergmann, L. Zervas u. W. F. Ross, J. Biol. Chem. **111**, 245 (1935).
12 R. A. Boissonnas et al., Helv. **41**, 1867 (1958).
13 W. Ried u. G. Franz, A. **644**, 141 (1961).

Über die Verwendung des Benzyloxycarbonyl-Restes als N_ω-, N-Guanido-, N_{im}-, Hydroxy- und Sulfhydryl-Schutzgruppe siehe die Kapitel der mehrfunktionellen Aminosäuren.

Die von Bergmann und Zervas[1] erwartete Reversibilität der N-Benzyloxycarbonyl-Maskierung mittels katalytischer Hydrogenolyse gelang in wäßrig-organischen oder rein organischen Lösungsmitteln (Alkoholen, Essigsäure, Dimethylformamid etc.) bzw. -gemischen in Gegenwart von Edelmetallkatalysatoren wie Palladiumschwarz, Palladiumkohle, Palladium/Bariumsulfat etc. Aus den Benzyloxycarbonyl-peptiden X werden die aminofreien Peptide XI in ausgezeichneter Reinheit und Ausbeute erhalten. Als nicht störende Hydrierungsnebenprodukte fallen lediglich Toluol (XII), das beim Aufarbeiten der Reaktionsansätze mit abdestilliert wird, und Kohlendioxid (XIII) an; letzteres bedingt zusätzlich die Möglichkeit einer Kontrolle des Hydrierungsablaufes: ein Ende der Kohlendioxid-Entwicklung bedeutet gleichzeitig Ende der Benzylurethanspaltung, sofern keinerlei Katalysatorvergiftung vorliegt.

$$\underset{\mathbf{X}}{H_5C_6{-}CH_2{-}O{-}CO{-}NH{-}\overset{R}{\overset{|}{C}}H{-}CO{-}NH{-}\overset{R}{\overset{|}{C}}H{-}COOH} \xrightarrow{H_2(Pd)} \underset{\mathbf{XI}}{H_2N{-}\overset{R}{\overset{|}{C}}H{-}CO{-}NH{-}\overset{R}{\overset{|}{C}}H{-}COOH}$$

$$+ \underset{\mathbf{XII}}{H_5C_6{-}CH_3} + \underset{\mathbf{XIII}}{CO_2}$$

Abspaltung der N-Benzyloxycarbonyl-Schutzgruppe durch Hydrogenolyse: Die experimentelle Ausführung gestaltet sich verhältnismäßig einfach. Die Lösung der Benzyloxycarbonyl-Verbindung wird in Gegenwart des Katalysators bei Temp. zwischen 25–40° (unter 20° verläuft die Hydrierung merklich langsamer) in einem entsprechenden Reaktionskolben unter Schütteln, Rühren oder „Vibro-Mischung" mit dosierten Mengen bzw. durchströmendem Wasserstoff behandelt, nachdem man zuvor zweckmäßig den Luftsauerstoff durch Reinst-Stickstoff verdrängt hat. Der oft beschriebene Zusatz von etwas Essigsäure ist nicht unbedingt erforderlich.

Nach beendeter Kohlendioxid-Abspaltung wird der Wasserstoff- durch einen kurzzeitigen Stickstoffstrom ersetzt, das Filtrat vom Katalysator i. Vak. eingedampft und der erhaltene Rückstand schließlich aus entsprechenden Lösungsmitteln bzw. -gemischen (z. B. Wasser/Äthanol) umkristallisiert.

L-Alanyl-glycin [H-Ala-Gly-OH][2]: 2 g Z-Ala-Gly-OH in wäßrigem Methanol werden in einer Schüttelbirne in Gegenwart von 0,1 g Palladiumschwarz und 0,2 *ml* Eisessig mit Wasserstoff behandelt. Nach Verbrauch von maximal 1,05 Mol Wasserstoff (bei geschlossenem System: Kohlendioxid-Absorption an Natronkalk) bzw. Ende der Kohlendioxid-Entwicklung (bei durchströmendem Wasserstoff: Ausbleiben der „Bariumcarbonat-Reaktion") wird vom Katalysator abfiltriert, das Filtrat i. Vak. bis zur Trockene eingeengt. Der verbleibende Rückstand kristallisiert nach Aufnehmen in wenig Wasser auf Zugabe von absolutem Äthanol in farblosen, zu Sternchen vereinigten Kristallen; Ausbeute: 0,98 g (96% d.Th.); $[\alpha]_D^{17} = +51{,}4°$ (c = 2, in Wasser).

Sind zur Lösung der Benzyloxycarbonyl-peptide hochprozentige oder absol. Alkohole erforderlich, besteht die Gefahr einer teilweisen Veresterung der freien Carboxy-Gruppe. In solchen Fällen empfiehlt sich der Gebrauch von Isopropanol, da die Bildungstendenz der Isopropylester unter den herrschenden Bedingungen relativ gering ist, oder von tert.-Butanol[3] als Lösungsmittel.

Bei Verwendung von primären und sekundären Alkoholen als Lösungsmittel ist eine mögliche Dehydratisierung dieser Alkohole zu Aldehyden bzw. Ketonen durch den Palladium-Katalysator (sofern dieser teilweise in $Pd^{2\oplus}$-Form vorliegt oder durch Sauerstoff-Zutritt hierzu oxidiert wurde) ins Auge zu fassen.

---

[1] M. BERGMANN u. L. ZERVAS, B. **65**, 1192 (1932).

[2] W. GRASSMANN u. E. WÜNSCH, B. **91**, 449 (1958).

[3] P. C. CROFTS, J. H. H. MARKES u. H. N. RYDON, Soc. **1959**, 3610.

Aldehyde (die auch durch einen Pd/O_2-Angriff auf tert.-Basen entstehen können; man beachte dies bei der Medzihradszky-Technik s. S. 53) und Ketone XXXII aber kondensieren mit den beiden „Backbone-Stickstoff-Atomen" eines N-terminalen-Dipeptid-Restes einer beliebigen Peptid-Kette XXXIII zu (N,N'-Alkyliden-dipeptidoyl)-Verbindungen XXXIV[1]; so konnten recht stabile 4-Imidazolidon-Derivate aus

H-Pro-Leu-Glu(OtBu)-Phe-OtBu
H-Val-His-Pro-Phe-OMe oder
H-Val-Tyr-Val-His-Pro-Phe-OMe

und Acetaldehyd, Formaldehyd oder Aceton von Brenner u. Cardinaux[1] gefaßt und in ihrer Struktur eindeutig bestimmt werden.

$$H_2N-CH(R^1)-CO-NH-CH(R^2)-CO-\cdots \xrightarrow{R(R^1)C{=}O \text{ (XXXII)}} \text{XXXIV}$$

XXXIII → XXXIV

Die hydrogenolytische Entfernung der Schutzgruppe von Benzyloxycarbonyl-peptid-Derivaten (Estern, Amiden, etc.) wird analog oben genannter Vorschrift ausgeführt. Eine Ausnahme bedingen lediglich diejenigen Reaktionsprodukte, die im Verlauf der Hydrierung bzw. der Aufarbeitung Nebenreaktionen eingehen können: spezielle Aminosäure-α-methylester (die nur über die Benzyloxycarbonyl-Verbindungen zugänglich sind), Dipeptid-methylester und Dipeptid-amide cyclisieren leicht (teilweise vollständig) zu Dioxopiperazinen, Glutaminyl-Peptide zu Pyrrolidonyl-Derivaten[2]. In einigen Fällen genügt der Zusatz von 1 Äquiv. Essigsäure (oder Essigsäure als Lösungsmittel) um genannte Cyclisierungstendenz durch Acetatbildung zu verhindern. Vorteilhafter und für die Herstellung von Glutaminyl-peptidestern (s. S. 711) einzig gangbar, ist jedoch die Hydrogenolyse der Benzyloxycarbonyl-Verbindung in Gegenwart von 1 Äquiv. Mineralsäure[2]. In Anwesenheit anderer „säurelabiler" Schutzgruppen gelingt das Abfangen der freiwerdenden N_α-Amino-Gruppe durch Titration mit Chlorwasserstoff (in Alkoholen) während der Hydrierung unter p_H-Kontrolle (p_H = 4,5–5,5)[3,4]. Diese Verfahrenstechnik hat sich auch bei der Entacylierung höherer Benzyloxycarbonyl-peptide bewährt; die Hydrierungsdauer wird dabei erheblich verkürzt.

Glycyl-L-tyrosin-amid-Hydroacetat [H-Gly-Tyr-NH_2 · Ac-OH][5]: 1,85 g Z-Gly-Tyr-NH_2 werden in methanolischer Lösung in Gegenwart von Palladiumschwarz und 0,3 *ml* Eisessig wie üblich hydriert, das Filtrat i. Vak. bei möglichst tiefer Badtemp. eingedampft. Den Rückstand nimmt man in wenig Methanol unter gelindem Erwärmen (30–35°) auf; aus der erhaltenen Lösung kristallisiert das Dipeptidamid-Hydroacetat auf Zusatz von absol. Essigsäure-äthylester; Ausbeute: 1,4 g; $[\alpha]_D^{22} = +28 \pm 0,5°$ (c = 10, in Wasser).

L-Asparaginsäure-β-tert.-butylester-α-methylester-Hydrochlorid [H-Asp(OtBu)-OMe · HCl][3]: 337,4 g Z-Asp (OtBu)-OMe in 1500 *ml* Methanol werden in Gegenwart von 10 *ml* Eisessig und Palladiumschwarz hydriert (Vibromischer). Durch Zutropfen von n methanolischer Salzsäure wird für die Dauer der Kohlendioxid-Entwicklung p_H 4,5 eingehalten (Titrierautomat E 326 Metrohm AG.). Das erhaltene Filtrat ergibt nach Eindampfen i. Vak. einen kristallinen Rückstand; Ausbeute: 223 g (93% d. Th.); farblose Nadeln aus Methanol/Äther: F: 176° (Zers.); $[\alpha]_D^{20} = +25,8 \pm 0,5°$ bzw. $[\alpha]_{546}^{20} = +30,4°$ (c = 1,8, in Äthanol).

---

[1] F. Cardinaux u. M. Brenner, Helv. **56**, 339 (1973); s. dort auch weitere Literatur.
[2] E. Wünsch u. F. Drees, B. **99**, 110 (1966).
[3] E. Wünsch u. A. Zwick, H. **333**, 108 (1963).
[4] E. Wünsch u. G. Wendlberger, B. **100**, 160 (1967).
[5] J. S. Fruton u. M. Bergmann, J. Biol. Chem. **145**, 253 (1942).

L-Glutaminyl-L-asparagyl-(β-tert.-butylester)-L-phenylalanyl-L-valin-tert.-butylester-Hydrochlorid [H-Gln-Asp(OtBu)-Phe-Val-OtBu · HCl][1]: 29,7 g (39,4 mMol) Benzyloxycarbonyl-tetrapeptidester, in 500 *ml* Methanol suspendiert, werden in Gegenwart von Palladiumschwarz hydriert; der pH-Wert der Mischung wird mittels 0,5 n methanolischer Salzsäure zwischen 4,5–5,5 gehalten. Nach beendeter Kohlendioxid-Entwicklung (inzwischen ist vollständige Lösung erfolgt) wird auf p_H 3,8 eingestellt und das Filtrat vom Katalysator i. Vak. bis zur Trockene eingedampft. Der Rückstand wird mit Äther behandelt und i. Hochvak. getrocknet; Ausbeute: 25 g (97% d.Th.); amorphes Pulver, $[\alpha]_D^{20} = -13{,}1 \pm 0{,}5°$ bzw. $[\alpha]_{546}^{20} = -16{,}3°$ (c = 1,5, in Methanol).

Über die gleichzeitige hydrogenolytische Spaltung der Benzyloxycarbonyl-Reste und Carboxy- bzw. Hydroxy-Schutzgruppen auf „Benzyl-Basis" s. S. 353, 578f. u. 617.

Die katalytische Hydrogenolyse gelingt auch in Gegenwart von Methionin bei niederen Peptiden[2] (als Katalysator wird in diesen Fällen Palladium-Kohle verwendet); bei höheren Peptiden dagegen und generell in Anwesenheit zusätzlicher, hydrogenolytisch spaltbarer Schutzgruppen, wie Benzylester, -äther, der Nitroguanidomaskierung etc., wobei erhöhte Hydrierungsdauer bzw. „drastischere" Bedingungen (Palladiumschwarz, Temperaturerhöhung, Druckhydrierung, etc.) erforderlich werden, versagt die Methodik. Bemerkenswert ist in diesem Zusammenhang eine Beobachtung von K. und H. Medzihradszky[3], wonach Benzyloxycarbonyl-peptide mit nicht amino-endständigem Methionin in Gegenwart von 4 Äquiv. Cyclohexylamin oder tert. Base und der 0,1- bis 1-fachen Gewichtsmenge Katalysator hydrogenolytisch entacyliert werden können. Die Autoren konnten nach diesem Verfahren z. B. aus Z-Ser-Tyr-Ser-Met-OH in 95%-iger Ausbeute das freie Tetrapeptid erhalten. Die Hydrierungsdauer schwankt nach den angegebenen Versuchen zwischen 20 Minuten und 3 Stunden.

Unter wasserfreien Bedingungen gelingt die hydrogenolytische Abspaltung der N_α-Benzyloxycarbonyl-Gruppe von methionin-haltigen Peptiden ferner unter Zusatz von Bortrifluorid-ätherat[4], wobei es im Gegensatz zur Medzihradszky-Technik[3] gleichgültig ist, ob die schwefelhaltige Aminosäure mittel- oder amino-endständig in der Peptidsequenz auftritt. Als Lösungsmittel dienen vor allem absolutes Methanol und Äthanol. Tert.-Butanol oder Eisessig sind als Lösungsmittel weniger geeignet: Die ansonst bei 40° und über 7 Stunden quantitativ verlaufende Entacylierung ist unter Verwendung dieser beiden Lösungsmittel dann nicht beendet, erst nach erneuter Bortrifluorid-Äther-Zugabe und Verlängerung der Hydrierungsdauer auf insgesamt 21 Stunden wird eine quantitative Debenzyloxycarbonylierung erreicht.

Ein nicht zu übersehender Nachteil der „Yajima-Variante"[4] einer hydrogenolytischen Debenzyloxycarbonylierung ist die Gefahr der Veresterung freier Peptide zu den entsprechenden Methyl- oder Äthylestern; aus diesem Grunde scheint die Methodik ihre Stärke für die Herstellung freier Peptid-ester bzw. -amide aus deren Benzyloxycarbonyl-Derivaten zu besitzen.

Von besonderem Interesse scheint die hydrogenolytische Entfernung der N_α-Schutzgruppe gleichzeitig mit der Demaskierung der Guanido-Funktion des Arginins bei methionin- und N_ω-nitro-arginin-haltigen Peptid-Derivaten, wenn die Reaktionsdauer bei 40° auf 14 Stunden ausgedehnt wird[4] (s. S. 511).

Die hydrogenolytische Reversibilität der Benzyloxycarbonyl-Maskierung in Anwesenheit von Cystein-, Cystin- bzw. S-geschützten Cystein-Resten im Peptidverband erwies sich bislang als undurchführbar[5]; auch die „Medzihradszky-[3] und Yajima[4]-Verfahrensvarianten" vermochten daran nichts zu ändern.

---

[1] E. Wünsch u. G. Wendlberger, B. **100**, 160 (1967).
[2] C. A. Dekker, S. P. Taylor u. J. S. Fruton, J. Biol. Chem. **180**, 155 (1949).
[3] K. Medzihradszky u. H. Medzihradszky-Schweiger, Acta chim. Acad. Sci. hung. **44**, 15 (1965).
[4] H. Yajima et al., Chem. Pharm. Bull. (Tokyo) **16**, 1342 (1968).
Vgl. M. Okamoto et al., Chem. Pharm. Bull. (Tokyo) **15**, 1618 (1967).
[5] J. White, J. Biol. Chem. **106**, 141 (1934).

Eine neue hydrogenolytische Spaltungsvariante beschreiben Birkofer et al.[1]: Benzyloxycarbonyl-aminosäuren (VII) bzw. -peptide werden mit Triäthylsilan (XIV) in Gegenwart katalytischer Mengen Palladiumchlorid und Triäthylamin erhitzt, wobei zunächst Bildung der Benzyloxycarbonyl-aminosäure-(peptid)-triäthylsilylester (XV) und anschließend Austausch der N-Benzyloxycarbonyl- gegen die N-Triäthylsilyl-Gruppe zu XVI erfolgt (dabei werden Toluol und Kohlendioxid frei).

Die entstandenen N-Triäthylsilyl-aminosäure-(peptid)-triäthylsilylester (XVI) werden letztlich mit Methanol zu den amino- und carboxy-freien Verbindungen XVII und Methoxy-trimethyl-silan (XVIII) zersetzt:

$$\underset{}{Z-NH-\overset{R}{\overset{|}{C}}H-COOH} + \underset{XIV}{(H_5C_2)_3SiH} \xrightarrow[-H_2]{PdCl_2/(H_5C_2)_3N} \underset{XV}{Z-NH-\overset{R}{\overset{|}{C}}H-CO-O-Si(C_2H_5)_3}$$

$$\downarrow + (H_5C_2)_3SiH \ (XIV)$$

$$\underset{XVII}{H_2N-\overset{R}{\overset{|}{C}}H-COOH} + \underset{XVIII}{2(H_5C_2)_3Si-OCH_3} \xleftarrow{2\ CH_3OH} \underset{XVI}{(H_5C_2)_3Si-NH-\overset{R}{\overset{|}{C}}H-CO-O-Si(C_2H_5)_3} + H_5C_6-CH_3 + CO_2$$

Entacylierung von Benzyloxycarbonyl-aminosäuren bzw. -peptiden; allgemeine Arbeitsvorschrift[1]: 0,01 Mol Benzyloxycarbonyl-aminosäure bzw. -peptid und 0,04 Mol Triäthylsilan werden in Gegenwart von einigen Tropfen Triäthylamin und 50 mg Palladium(II)-chlorid ~ 3 Stdn. unter Rückfluß erhitzt. Das Filtrat (Katalysator!) wird mit Methanol versetzt; dabei fallen die freien Aminosäuren bzw. Peptide aus (Sind die Endprodukte methanollöslich, kann die Ausfällung nach erfolgter Methanolyse der Silyl-Derivate mit Aceton vorgenommen werden).

Unter gleichen Bedingungen werden Benzyloxycarbonyl-peptid-benzylester zu den freien Peptiden gespalten; S-Benzyl-Gruppen bleiben dagegen intakt[1].

Die reduktive Spaltung von Benzyloxycarbonyl-Verbindungen (XIX) mittels Natrium in flüssigem Ammoniak wurde von du Vigneaud[2] eingeführt. Neben der gewünschten Aminokomponente XX werden 1,2-Diphenyl-äthan (XXI) und etwas Toluol (XXII) gebildet, Kohlendioxid als Natriumcarbonat (XXIII) abgefangen:

$$\underset{XIX}{H_5C_6-CH_2-O-CO-NH-R} \xrightarrow{+2Na/NH_3} \underset{XXI}{H_5C_6-CH_2-CH_2-C_6H_5} + \underset{XXIII}{Na_2CO_3} + \underset{XX}{H_2N-R} + \underset{XXII}{(H_5C_6-CH_3)}$$

Gemäß obigen Schemas sind im Idealfall 2 Äquiv. Natrium zur Spaltung des Benzyloxycarbonyl-Restes erforderlich. Nach Medzihradszky[3] ist der Natriumverbrauch u. a. von der Zuführungsgeschwindigkeit abhängig; der Autor vermutet, daß nach erfolgter rascher Spaltung der Benzylurethan-Grup-

---

[1] L. Birkofer, E. Bierwirth u. A. Ritter, B. **94**, 821 (1961).

[2] R. H. Sifferd u. V. du Vigneaud, J. Biol. Chem. **108**, 753 (1935).
H. S. Loring u. V. du Vigneaud, J. Biol Chem. **111**, 385 (1935).

[3] S. Bajusz u. K. Medzihradszky, *Peptides*, Proc. 5th Europ. Peptide Sympos., Oxford 1962, Pergamon Press Ltd., Oxford **1963**, S. 49.

pierung noch eine allmähliche Reduktion der Spaltprodukte eintritt. Darauf deutet das stete Auftreten geringer Mengen Toluol hin. Selbstverständlich werden natrium-verbrauchende funktionelle Gruppen (z. B. der Hydroxyaminosäuren, des Cysteins, Histidins, etc.) bzw. „Kristallwasser", das vor allem in höheren Oligopeptiden anzutreffen ist, höhere Äquivalenzverhältnisse vortäuschen[1].

Eine vorteilhafte Ausführung der Reaktion wurde von Nesvadba[2] vorgeschlagen: Die zur Reduktion erforderlichen Natrium-Mengen bringt man im „Extraktionsverfahren" ein. Ein Einschleppen von Natriumhydroxid und Natriumcarbonat wird bei dieser Zugabetechnik weitgehend vermieden. (Zur Reduktionstechnik s. S. 235).

Gleichzeitig mit dem Benzyloxycarbonyl-Rest werden unter obigen Reduktionsbedingungen zahlreiche andere Maskierungsgruppen gespalten (z. B. N-Tosyl-, N-Trityl-, S-, N_{im}- und O-Benzyl-Verbindungen), Methyl- und Äthylester teilweise in die Amide übergeführt. Demgegenüber verhalten sich tert.-Butylester, tert.-Butyläther und tert.-Butyloxycarbonyl-Derivate stabil. Trotz letzterer Tatsache ist eine selektive Abspaltung des Benzyloxycarbonyl-Restes in Gegenwart obiger resistenter Schutzgruppen bislang nicht verwirklicht worden.

Die Methodik findet im übrigen nur in wenigen Sonderfällen Anwendung; ihren eigentlichen Zweck erfüllt sie in der Reversibilität der N-Tosyl-Maskierung von Amino- und Guanido-Gruppen bzw. Benzylmaskierung von Sulfhydryl- und NH-Imidazol-Funktionen, vorwiegend als letzte Synthesestufe, auch wenn hierbei zusätzlich Benzyloxycarbonyl-Reste mitentfernt werden sollten. Die klassische Oxytocin-Synthese von du Vigneaud[3] demonstriert eindeutig diesen Sachverhalt.

An Nebenreaktionen bei der Reduktion von Benzyloxycarbonyl-Resten mit Natrium in siedendem Ammoniak sind bislang beobachtet worden:

① Teilweise Entmethylierung von Methionin, die in Abwesenheit von Histidin, Cystein und Tyrosin (?) durch Zugabe von Methyljodid nach beendeter Reduktion reversibel ist[4] (vgl. dagegen die Ergebnisse von K. Hofmann[5], wonach bei genauer Dosierung und Zugabe der Natriummenge in sehr kleinen Portionen ein Angriff auf die Thioäther-Gruppierung ausbleiben soll). Nach K. Jošt[6] verläuft diese Reaktion viel langsamer als die Spaltung von Benzyloxycarbonyl- und Tosyl-amin- bzw. S-Benzyl-Gruppierungen, so daß sie bei Anwendung der „Extraktionstechnik" nach Nesvadba (s. S. 235) in Fortfall kommen dürfte.

② Teilweise Zerstörung von Threonin bei zu langer Reduktionsdauer[7].

③ Spaltung gewisser Peptidbindungen[8], z. B. -lysyl-prolyl-[9] und -cysteinyl-prolyl-[10] im Sequenzverband (z. B. ACTH, Oxytocin).

Die erfolgreiche Entacylierung von Benzyloxycarbonyl-Verbindungen mittels acidolytischer Verfahren hat schließlich zum Siegeszug der Bergmann-Zervas-Schutzgruppe in der Peptidsynthese entscheidend beigetragen.

---

[1] S. Bajusz u. K. Medzihradszky, *Peptides*, Proc. 5th Europ. Peptide Sympos., Oxford 1962, Pergamon Press Ltd., Oxford **1963**, S. 49.

[2] H. Nesvadba u. H. Roth M. **98**, 1432 (1967).

[3] V. du Vigneaud et al., Am. Soc. **76**, 3115 (1954).

[4] C. A. Dekker, S. P. Taylor u. J. S. Fruton, J. Biol. Chem. **180**, 155 (1949).
J. A. Stekol, J. Biol. Chem. **140**, 827 (1941).
M. Brenner u. R. W. Pfister, Helv. **34**, 2085 (1951).
K. Hofmann u. A. Jöhl, Am. Soc. **77**, 2914 (1955).

[5] K. Hofmann et al., Am. Soc. **79**, 1636 (1957).

[6] K. Jošt, Privatmitteilung.

[7] J. Meienhofer, Chimia **16**, 385 (1962).

[8] K. Hofmann u. H. Yajima, Am Soc. **83**, 2289 (1961).

[9] S. Guttmann, *Peptides*, Proc. 5th Europ. Symposium, Oxford 1962, Pergamon Press Ltd., Oxford **1963**, S. 41.

[10] K. Jošt u. J. Rudinger, Privatmitteilung.

Primärschritt der „säure-katalysierten" Spaltung der Benzylurethan-Gruppierung ist eine Protonierung am nucleophilen Zentrum des Bindungssystems[1–4]:

$$H_5C_6-CH_2-O-\underset{\underset{O}{\|}}{C}-N\langle$$

$$\downarrow H^{\oplus}$$

$$\left[H_5C_6-CH_2-O-\overset{\oplus}{\underset{\underset{OH}{|}}{C}}-N\langle\right]$$

S_N1 → $[H_5C_6-\overset{\oplus}{C}H_2] + CO_2 + HN\langle$

$S_N2\ [+X^{\ominus}]$ → $H_5C_6-CH_2-X + CO_2 + HN\langle$

Mittels Bromwasserstoff/Eisessig scheint der Spaltungsablauf bimolekular zu sein[3]. Die Spaltung wird von Elektronen-Donatoren im Benzyloxycarbonyl-Rest weitgehend in Richtung S_N1-, von Elektronen-Akzeptoren zum S_N2-Mechanismus hin gesteuert[4].

Die von Wieland[5] vertretene Vorstellung einer Protonierung des schwach basischen Amidstickstoffs [sie basiert auf der Stabilität des Benzyloxycarbonyl-Restes bei N-Acyl-N-benzyloxycarbonyl- bzw. N_{im}-Benzyloxycarbonyl-Derivaten, d. h. von Verbindungen, in denen das freie Elektronenpaar der Stickstoffs in der Struktur-Mesomerie verbraucht und die Basizität stark gesenkt wird] ist unwahrscheinlich. Bláha und Rudinger[1] nehmen an, daß ein zweites basisches Zentrum (der Carbonylsauerstoff eines Diacylimids bzw. der zweite Stickstoff des Imidazolringes) nach bevorzugter Protonierung zur relativen Stabilität der Benzyloxycarbonyl-Gruppierung beiträgt.

In Tab. 2 (S. 57) sollen die zahlreichen experimentellen Variationen der acidolytischen Spaltung der Benzyloxycarbonyl-Gruppierung zusammengefaßt demonstriert sein. Von den genannten acidolytischen Verfahren wird der Ausführung mit Bromwasserstoff in Eisessig weitgehend der Vorzug gegeben (s. jedoch unten).

Peptid (-ester oder -amide) durch Entacylierung von Benzyloxycarbonyl-peptiden; allgemeine Arbeitsvorschrift:

Bromwasserstoff/Eisessig-Lösungen:

Methode ⓐ: Man leitet wasserfreies Bromwasserstoff-Gas unter Kühlung in 100%-ige Essigsäure bis zur Sättigung ein (~ 40%-ige Lösung). Gasförmiger Bromwasserstoff[6] wird durch Vereinigung von Wasserstoff und Brom nach dem Kontaktverfahren[7] (vorwiegend bei „Großansätzen"), aus Brom, rotem

---

[1] K. Bláha u. J. Rudinger, Collect. czech. chem. Commun. **30**, 585 (1965).
[2] E. Wünsch, Collect czech. chem. Commun. **24**, 60 (1959).
[3] R. B. Homer, R. B. Moodie u. H. N. Rydon, Pr. chem. Soc. **1963**, 367; Soc. **1965**, 4403.
[4] G. Losse, D. Zeidler u. T. Grieshaber, A. **715**, 196 (1968).
[5] T. Wieland, Collect. czech. chem. Commun. **24**, Special Issue, 75 (1959).
T. Wieland u. B. Heinke, A. **599**, 70 (1956).
[6] S. dazu ds. Handb., Bd. V/4; Kap. Brom-Verbindungen, S. 17.
[7] J. R. Ruhoff, R. E. Burnett u. E. E. Reid, Am Soc. **56**, 2784 (1934); Org. Synth. Coll., Vol. II, 338 (1943).

Tab. 2. Experimentelle Variationen der acidolytischen Spaltung des Benzyloxycarbonyl-Restes

Spaltungsreagenz	Lösungsmittel		Temperatur [°C]	Literatur
Bromwasserstoff	Eisessig	(33–40%)	Raumtemp.	1,2
		(2n Lösung)	Raumtemp.	3
	1,4-Dioxan		Raumtemp.	1,4
	Nitromethan		Raumtemp.	5
	Tetrachlormethan		Raumtemp.	6
	Trifluoressigsäure		Raumtemp.	7,8
	(flüssig)		~ −70°	9,10
Chlorwasserstoff	Wasser		60°	11
			37°	12,13
	Äthanol	(2n Lösung)	77°	14
		(8n Lösung)	45°	14
		(10n Lösung)	Raumtemp.	15
		(ges.)	78°	16
	Eisessig	(ges.)	75°	1,17,18
		(0,4n Lösung)	100°	3
	Chloroform		Raumtemp.	19
	Tetrachlormethan		Raumtemp.	20
	Ameisensäure		Raumtemp.	16
Jodwasserstoff	Eisessig			3,21,22
		(Phosphoniumjodid)		3,23,24

[1] D. Ben-Ishai u. A. Berger, J. Org. Chem. **17**, 1564 (1952).
[2] D. Ben-Ishai, J. Org. Chem. **19**, 62 (1954).
[3] R. A. Boissonnas u. G. Preitner, Helv. **36**, 875 (1953).
[4] K. Okawa, Bl. chem. Soc. Japan **30**, 975 (1957).
[5] N. F. Albertson u. F. C. McKay, Am. Soc. **75**, 5323 (1953).
[6] A. Katchalski u. M. Paecht, Am. Soc. **76**, 6042 (1954).
[7] S. Guttmann u. R. A. Boissonnas, Helv. **41**, 1852 (1958); **42**, 1257 (1959); Experientia **17**, 265 (1961).
[8] E. Schröder u. H. Gibian, A. **673**, 176 (1964).
[9] M. Brenner u. H. C. Curtius, Helv. **46**, 2126 (1963).
[10] H. Zahn u. R. Fahnenstich, A. **663**, 184 (1963).
[11] J. White, J. Biol. Chem. **106**, 141 (1934).
[12] R. B. Merrifield u. D. W. Woolley, Am. Soc. **78**, 4646 (1956).
[13] K. Okawa, Bl. chem. Soc. Japan **31**, 88 (1958).
[14] O. Gawron u. F. Draus, J. Org. Chem. **23**, 1040 (1958).
[15] S. Goldschmidt u. C. Jutz, B. **86**, 1116 (1953).
[16] F. Bergel u. J. A. Stock, Soc. **1960**, 3658.
[17] G. W. Anderson, H. Blodinger u. A. D. Welcher, Am. Soc. **74**, 5309 (1952).
[18] Y. Levin, A. Berger u. E. Katchalski, Biochem. J. **63**, 308 (1956).
[19] G. D. Fasman, M. Idelson u. E. R. Blout, Am. Soc. **83**, 709 (1961).
[20] G. Harris u. I. C. McWilliam, Soc. **1963**, 5552.
[21] E. Waldschmidt-Leitz u. K. Kühn, B. **84**, 381 (1951).
[22] M. Zaoral, J. Rudinger u. F. Šorm, Collect. czech. chem. Commun. **18**, 530 (1953).
[23] E. Brand, B. F. Erlanger u. H. Sachs, Am. Soc. **74**, 1849 (1952).
[24] G. Losse, H. Jeschkeit u. D. Knopf, B. **97**, 1789 (1964).

Tab. 2. (Fortsetzung)

Spaltungsreagenz	Lösungsmittel	Temperatur [°C]	Literatur
Trifluoressigsäure	(wasserfrei)	73°	1
		38°	2
4-Toluolsulfonsäure	Eisessig	80°	3
	Benzol	80°	3
Fluorwasserstoff	(flüssig)	Raumtemp.	4
		bzw. 0°	5,6

Phosphor[7] und Wasser, aus konz. Bromwasserstoffsäure und konz. Schwefelsäure[8] oder aus Brom und Tetralin[9] hergestellt.

Methode ⓑ: Man tropft unter Eiskühlung und Rühren vorsichtig die auf Wasser ber. Menge Acetanhydrid in 48%-ige Bromwasserstoffsäure ein; es resultiert eine ~1,3n Bromwasserstoff/Eisessig-Lösung, die zwar entweder noch geringe Mengen Wasser oder überschüssiges Acetanhydrid enthält[10], für die Spaltung von Benzyloxycarbonyl-Verbindungen in vielen Fällen jedoch von ausreichender Qualität ist.

Peptide aus Benzyloxycarbonyl-peptiden:

Methode ⓐ: 0,1 Mol Benzyloxycarbonyl-peptid (freie Säure, Ester oder Amid) werden mit ~ 100 g eiskalter ges. Bromwasserstoff-Eisessig-Lösung (36%-ig) übergossen und unter Ausschluß von Luftfeuchtigkeit bei Raumtemp. stehengelassen; bei größeren Ansätzen ist wegen des stark exothermen Reaktionsverlaufes evtl. Kühlung erforderlich! Nach 15–60 Min. ist die Reaktion unter erfolgter Auflösung und Kohlendioxid-Entwicklung beendet. Danach fällt man das entstandene Peptid-Hydrobromid durch Zugabe von ~ 1 *l* absol. Diäthyläther aus. Nach mehrstündigem Stehenlassen im Kühlschrank filtriert man ab und wäscht sorgfältig mit absol. Diäthyläther nach. Nach Trocknen i. Vak. wird das Peptid-Hydrobromid in wäßrigen Alkoholen, absol. Alkoholen oder anderen Lösungsmitteln aufgenommen und durch Zugabe von 1 Äquiv. Base (Ammoniak-Lösung, Pyridin, tert. Basen, etc.) in das freie Peptid übergeführt; dieses kristallisiert dabei aus.

Peptidester- bzw. Peptidamid-Hydrobromide werden nach Trocknung i. Vak. meistens als solche aufbewahrt bzw. zu Umsetzungen herangezogen oder unter üblichen Bedingungen in die freien Derivate übergeführt (vgl. S. 127). Wegen der relativ guten Löslichkeit vieler Peptid- und Peptid-Derivat-Hydrobromide in Diäthyläther/Essigsäure-Gemischen (insbesondere in Gegenwart von überschüssigem Bromwasserstoff) ist es des öfteren erforderlich, die Reaktionsmischung i. Vak. weitgehend einzuengen und erst danach die Diäthyläther-Fällung vorzunehmen. (Vgl. dazu Methode ⓑ).

Methode ⓑ: 0,1 Mol Benzyloxycarbonyl-peptid (freie Säure, Ester oder Amid) werden in 200 *ml* Eisessig gelöst und mit 200 *ml* 4n Bromwasserstoff/Eisessig-Lösung versetzt. Nach beendeter Reaktion (1–3 Stdn., evtl. muß die quantitative Entacylierungszeit im Vorversuch chromatographisch ermittelt werden) entfernt man das Lösungsmittel i. Vak. (Badtemp. 25–30°) bzw. lyophilisiert die eingefrorene Mischung (Wasserstrahlpumpe) und behandelt den Rückstand mit absol. Diäthyläther, wobei das Peptid-Derivat kristallisiert bzw. als festes, amorphes Produkt anfällt (weiter Aufarbeitung wie unter Methode ⓐ).

---

[1] F. Weygand u. W. Steglich, Z. Naturf. **14b**, 472 (1959).
[2] M. C. Khosla u. N. Anand, Indian J. Chem. **1**, 49 (1963).
R. B. Homer, R. B. Moodie u. H. N. Rydon, Pr. chem. Soc. **1963**, 367.
[3] E. Taschner u. B. Liberek, Collect. czech. chem. Commun. **24**, Special Issue, 80 (1959).
[4] S. Sakakibara u. Y. Shimonishi, Bl. chem. Soc. Japan **38**, 1412 (1965).
[5] S. Sakakibara et al., *Peptides*, Proc. 8th Europ. Peptide Symposium Noordwijk 1966, North Holland Publ. Co., Amsterdam **1967**, S. 44.
[6] K. Inouye, A. Tanaka u. H. Otsuka, Bl. chem. Soc. Japan **43**, 1163 (1970).
[7] S. dazu ds. Handb., Bd. V/4; Kap. Brom-Verbindungen, S. 17.
[8] A. D. B. Sloan, Chem. & Ind. **1964**, 574.
[9] A. Müller, M. **49**, 29 (1928).
D. R. Duncan, Inorg. Synth. I, 151 (1939).
[10] R. A. Boissonnas, Privatmitteilung.

Eine Aufarbeitungs-Variante besteht nach Young[1] durch Schütteln des Reaktionsansatzes mit schwach-basischen Ionenaustauschern in der Acetat-Form, wodurch überschüssiger Bromwasserstoff gebunden und Peptid-Hydrobromide in die freien Peptide bzw. Peptidester(amid)-Hydrobromide in die entsprechenden Hydroacetate übergeführt werden (s. a. S. 61).

Die Reaktionszeiten sind erheblich abhängig von der Bromwasserstoff-Konzentration, der Reaktionstemperatur und auch von der Konfiguration der den Benzyloxycarbonyl-Rest tragenden Aminosäure. Nach Bláha und Rudinger[2] zeigt die Konstante der Spaltungsgeschwindigkeit folgende abfallende Tendenz:

$$\text{Phe} > \text{Gly} \ldots > \text{Val} \ldots > \text{Pro}/\alpha\text{-Arg}/\alpha\text{-Lys} \ldots > \text{Leu} \ldots > \varepsilon\text{-Lys}$$

Ein zusätzlich spaltungshemmender Effekt dürfte auch mit der Länge der Peptidkette eintreten.

Keine der bekannten acidolytischen Spaltungsmethoden ist universell brauchbar; ihre Anwendung wird zusätzlich von den im Peptidverband auftretenden Aminosäuren diktiert, d. h. der Auflage, Nebenreaktionen jeder Art auszuschalten. Tab. 3 soll einen Überblick über bekanntgewordene Nebenreaktionen an Aminosäuren bzw. anderen Schutzgruppen und deren weitestgehende Umgehung geben.

Tab. 3. Nebenreaktionen bei der acidolytischen Spaltung der N-Benzyloxycarbonyl-Gruppierung und ihre Umgehung

Aminosäure bzw. Peptid	Nebenreaktion	Umgehung	
Bromwasserstoff in Eisessig (auch Chlorwasserstoff und Jodwasserstoff):			
Serin	O-Acetylierung	HBr in 1,4-Dioxan Trifluoressigsäure	3 4,5
Threonin	O-Acetylierung	HBr in 1,4-Dioxan Trifluoressigsäure ges. HBr/Eisessig und kurze Reaktionszeit	3 4,5 6
Methionin	S-Umätherung (S-Benzyl-homocystein)	Zusatz von Methyläthylsulfid*	4,7
Tryptophan	Zerstörung	Zusatz von Diäthylphosphit	4,8
Nitro-arginin	Zerstörung	HBr (flüssig)	9

* Nach Iselin[10] wird die S-Benzylierung jedoch nicht vollständig verhindert.

---

1 G. T. Young, *Peptides*, Proc. 5th Europ. Peptide Sympos., Oxford 1962, Pergamon Press Ltd., Oxford **1963**, S. 56.
2 K. Bláha u. J. Rudinger, Collect. czech. chem. Commun. **30**, 585 (1965).
3 K. Okawa, Bl. chem. Soc. Japan **30**, 975 (1957).
4 S. Guttmann u. R. A. Boissonnas, Helv. **42**, 1257 (1959).
5 E. Schröder u. H. Gibian, A. **673**, 176 (1964).
6 E. Wünsch, Collect. czech. chem. Commun. **24**, 61 (1959).
E. Hacker, Dissertation, Universität München, 1958.
7 S. Guttmann u. R. A. Boissonnas, Helv. **41**, 1852 (1958).
8 R. A. Boissonnas et al., Helv. **41**, 1867 (1958).
9 H. Zahn u. R. Fahnenstich, A. **663**, 184 (1963).
10 B. Iselin, Helv. **44**, 61 (1961).

Tab. 3. (Fortsetzung)

Aminosäure bzw. Peptid	Nebenreaktion	Umgehung	
Methyl-, Äthylester	Umesterung	ges. HBr/Eisessig, kurze Reaktionszeit u. max. Raumtemp. oder Nachveresterung	1
Benzylester	Spaltung (u. Umesterung)		2
Carbonamide	Spaltung	Vermeidung von Wassergegenwart (Kristallwasser etc).	3
Chlorwasserstoff in Wasser			
Tyrosin	C-Benzylierung	– – – – –	4
Ester	Spaltung	– – – – –	4
Trifluoressigsäure siedend			
– – – – –	Peptidspaltung	Spaltung bei 38°	5
Tyrosin	C-Benzylierung	Zusatz von Resorcin od. Anisol	6
Benzyl-Gruppen	C-Benzylierung		6
Nitro-arginin	Zerstörung	Spaltung bei 38°	7
4-Toluolsulfonsäure in Benzol			
Nitro-arginin	Zerstörung	– – – – –	7
Chlorwasserstoff in Alkoholen			
– – – – –	Peptidspaltung (Alkoholyse)	– – – – –	
Methionin	S-Umätherung	– – – – –	8
Carbonamide	Amidspaltung	– – – – –	
freie ω-Carboxyle	Veresterung	– – – – –	
Fluorwasserstoff (flüssig)			
„aromat." Aminosäuren	C-Benzylierung	Anisol	9
Methionin	Sulfonium-Salzbildung (S-Umätherung)	Anisol	9
Schutzgruppen (allgemein)	weitgehende Abspaltung	– – – – –	9

[1] G. W. Anderson, J. Blodinger u. A. D. Welcher, Am. Soc. **74**, 5309 (1952).
[2] D. Ben-Ishai u. A. Berger, J. Org. Chem. **17**, 1564 (1952).
E. Sondheimer u. R. J. Semeraro, J. Org. Chem. **26**, 1847 (1961).
[3] R. A. Boissonnas, Adv. Org. Chem. **3**, 159 (1963).
[4] B. Iselin, Collect. czech. chem. Commun. **27**, 2251 (1962); Helv. **45**, 1510 (1962).
[5] M. C. Khosla u. N. Anand, Indian J. Chem, **1**, 49 (1963).
F. Weygand u. W. Steglich, Z. Naturf. **14b**, 472 (1959).
[6] F. Weygand u. K. Hunger, B. **95**, 1 (1962).
[7] E. Wünsch, unveröffentlichte Ergebnisse.
[8] O. Gawron u. F. Draus, J. Org. Chem. **23**, 1040 (1958).
[9] S. Sakakibara et al., *Peptides*, Proc. 8th Europ. Peptide Symposium, Noordwijk 1966, North Holland Publ. Co., Amsterdam **1967**, S. 44.

Unter den vorstehend genannten Bedingungen der acidolytischen Abspaltung (Ausnahme flüssiger Fluorwasserstoff) der Benzyloxycarbonyl-Schutzgruppe verhalten sich zahlreiche andere Maskierungen von Amino-, Carboxy-, Sulfhydryl- u. a. Funktionen stabil, z. B. Phthalyl-, Tosyl-, Alkyl- und Aryl-thiocarbonyl-, S-Benzyl-, N_{im}-Benzyl-Schutzgruppen, sowie Nitrobenzyl- und viele „aktive" Ester. Demgegenüber werden tert.-Butyloxycarbonyl-, tert.-Butyläther- und -ester-, 2-Nitro-phenylsulfenyl-, Benzyläther- und -ester- (teilweise), N-, O- und S-Trityl-Gruppierungen gespalten (s. dazu die einzelnen Kap. der Schutzgruppen).

Die von Sakakibara et al.[1] erstmals gestaltete Abspaltung der Benzyloxycarbonyl-Schutzgruppe durch wasserfreie, flüssige Fluorwasserstoffsäure ist mit einem speziellen apparativen Aufwand verbunden; alle Reaktionsgefäße und Zuleitungen sind aus Poly-[trifluor-chlor-äthylen]-Kunststoff („Daiflon") gefertigt. Eine Modellskizze der von Sakakibara bevorzugten Apparatur für die Fluorwasserstoff-Spaltungen ist in Abb. 1 (S. 62) wiedergegeben.

Peptide durch Entacylierung mit Fluorwasserstoff; allgemeine Arbeitsvorschrift[2,3]: 100 mg eines zur Entacylierung vorgesehenen N-geschützten Peptids werden zusammen mit einem Äquivalent Anisol in das Reaktionsgefäß eingebracht, in dem sich ein teflonüberzogener Magnetrührstab befindet. Unter entsprechend vermindertem Druck wird zunächst in einem Vorgefäß flüssiger Fluorwasserstoff kondensiert; dies dient sowohl der Reinigung als auch der Volumenkontrolle. Von diesem Vorratsgefäß werden jeweils ~ 5 *ml* flüssiger Fluorwasserstoff in ein Reaktionsgefäß eindestilliert; dies erfolgt unter Vakuum und Verwendung eines Methanol-Trockeneisbads für den „Kondensationsraum". Danach wird die Reaktionsmischung (wasserfreie flüssige Fluorwasserstoffsäure ist ein ausgezeichnetes Lösungsmittel für Aminosäuren, Peptide und auch Proteine[4]) auf 0° oder 20° gebracht und für die festgelegte Reaktionszeit (meist 1 Stde.) „magnetisch" gerührt.

Eine rötliche Verfärbung der Lösung ist üblich, sie verschwindet jedoch nach Entfernung des Fluorwasserstoffs wiederum. Nach beendeter Reaktion wird überschüssiger Fluorwasserstoff i. Vak. abdestilliert, dies so rasch wie möglich, um gewisse Nebenreaktionen so gering wie möglich zu halten. Der verbleibende Rückstand wird zur Entfernung des restlichen Fluorwasserstoffs einige Zeit i. Vak. über Natriumhydroxid aufbewahrt und danach in möglichst wenig Wasser aufgenommen.

Die erhaltene Lösung wird sorgfältig mit Essigsäure-äthylester gewaschen und anschließend durch eine Amberlite-CG-400 oder IR 45[5] (Acetat-Form) geschickt. Das erhaltene freie Peptid wird entweder durch die hierfür bekannte Fällungsreaktion oder durch Gefriertrocknung in fester Form isoliert.

Bei schwerlöslichen Peptiden gelingt die Isolierung relativ einfach durch Einstellen der wäßrigen Lösung auf den „isoelektrischen Punkt" des Peptids mittels verd. Ammoniak. Letztere Technik wird auch bei der Herstellung der „offenkettigen Vorstufen" von Oxytocin oder Vasopressin benutzt, wonach ohne weitere Isolierung der oxidative Disulfid-Ringschluß eingeleitet wird[1].

Die meisten der bekannten anderen Schutzgruppen, vor allem die für die Seitenkettenfunktionen, werden bei dieser Debenzyloxycarbonylierungs-Technik gleichzeitig mitentfernt; bei 20° und über 2 Stunden sind lediglich N-Tosyl-, N-Formyl-, N-Phthalyl-, N-Benzyl-, N-(4-Methoxy-benzyl)- sowie Methylester- und Äthylester-Gruppierungen beständig[2]. Von besonderem Interesse ist die gleichzeitige Aufhebung der ω-Nitromaskierung der Guanido-Funktion einerseits[3] und die relativ gute Beständigkeit der Methioninthioäther-Gruppierung wie des Tryptophan-Indol-Systems andererseits[2]. N—O- oder N—S-Acyl-Wanderungen bei Peptiden der Hydroxy-aminosäuren bzw. des Cysteins sind ge-

---

[1] S. Sakakibara und Y. Shimonishi, Bl. chem. Soc. Japan, **38**, 1412 (1965).

[2] S. Sakakibara et al., *Peptides*, Proc. 8th Europ. Peptide Symposium, Noordwijk 1966, North Holland Publ. Co., Amsterdam **1967**, S. 44.

[3] K. Inouye, A. Tanaka u. H. Otsuka, Bl. chem. Soc. Japan **43**, 1163 (1970).

[4] J. J. Katz, Arch. Biochem. **51**, 293 (1954).

[5] S. Sakakibara et al., Bl. chem. Soc. Japan **41**, 1477 (1968).

geben; die Möglichkeit einer weitgehend reversiblen Gestaltung dieser Acyl-Wanderungen macht diese Nebenreaktionen jedoch erträglich (zum Einsatz dieser Fluorwasserstoff-Demaskierungs-Technik bei Festkörpersynthesen[1] s. S. 382).

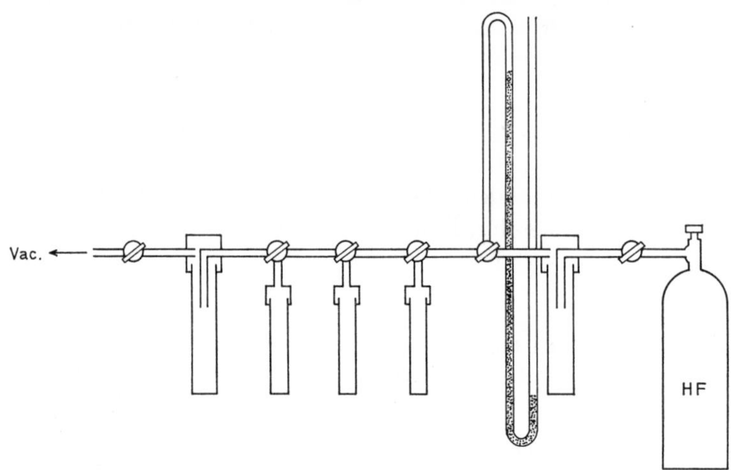

Abb. 1. „Sakakibara-Apparatur".

Eine der Sakakibara-Demaskierung in der Wirkung vergleichbare Methode ist die von Pless u. Bauer[2] erstmals eingeführte Abspaltung des Benzyloxycarbonyl-Restes mittels Bortribromid oder Bortrijodid in Dichlormethan bzw., am vorteilhaftesten, mittels mindestens 3 Äquivalenten Borsäure-Trifluoressigsäure-Tris-anhydrid in Trifluoressigsäure. Unter diesen Reaktionsbedingungen werden auch tert.-Butyloxycarbonyl-, 2-Nitro-phenylsulfenyl- und andere säurelabile Schutzgruppen entfernt; ferner werden Benzylester- und Benzyläther-Gruppierungen gespalten, Nitro- und Tosyl-Blockierungen der Guanido-Funktion des Arginins sowie ein S-(4-Methoxy-benzyl)-Schutz aufgehoben.

Peptide durch Entacylierung mit Borsäure-Trifluoressigsäure-Tris-anhydrid; allgemeine Arbeitsvorschrift[2]: Äquivalente Mengen Bortribromid und Trifluoressigsäure werden bei 0° in Dichlormethan zusammengegeben, wobei sich ein Niederschlag bildet; danach wird das Reaktionsgemisch bei 20° i. Vak. eingedampft, der Rückstand in Trifluoressigsäure gelöst.

Ein Äquiv. geschütztes Peptid in Trifluoressigsäure wird bei 0° mit oben erhaltener Reagenzlösung (mindestens 3 Äquiv.) vermischt, nach 1 Stde. Stehenlassen der Spaltungsansatz bei Raumtemp. eingedampft – zur weitestgehenden Entfernung der Borverbindungen zweckmäßig durch mehrfache Wiederholung dieser Operation unter Methanol-Zusatz. Der verbleibende Rückstand (Peptid-Hydro-trifluoracetat) kann z.B. analog der für die Fluorwasserstoff-Spaltung angegebenen Technik (s. S. 61) aufgearbeitet werden.

Mit steigender Kettenlänge ist der Reagenzüberschuß zu erhöhen; die gleichzeitige Aufhebung des Nitro- oder Tosyl-Schutzes der Guanido-Funktion oder der 4-Methoxy-benzyl-Maskierung der Thiol-Gruppe (des Cysteins) benötigt zusätzlich 5–8 Äquiv. des Anhydrids.

Ein weiteres Spaltungsverfahren ist von Birkofer et al.[3] aufgefunden worden. Benzyloxycarbonyl-aminosäuren (VII) erwärmt man in Pyridin mit 2 Äquiv. Trimethylchlorsilan (XXIV); aus dem Reaktionsansatz werden N-Carbonyl-aminosäure-trimethylsilylester (XXVII) und Benzyloxy-trimethyl-silan (XXVIII) isoliert.

---

[1] J. Lenard u. A. B. Robinson, Am. Soc. **89**, 181 (1967).

[2] J. Pless u. W. Bauer, Ang. Ch. **85**, 142 (1973).

[3] L. Birkofer, W. Knipprath u. A. Ritter, Ang. Ch. **70**, 404 (1958).

In der 1. Stufe erfolgt Silylierung der Carboxy-Gruppe schon bei Raumtemp. zum Ester XXV, anschließend beim Erwärmen Spaltung der Urethan-Bindung. Neben seiner Eigenschaft als Lösungsmittel und Chlorwasserstoff-bindendes Agens kommt dem Pyridin eine „katalytische" Wirkung zu. Trimethylchlorsilan addiert sich an Pyridin zum tert. Immoniumsalz XXVI, dem eigentlichen die Urethan-Gruppierung attackierenden Agens:

$$\underset{\text{VII}}{H_5C_6-CH_2-O-CO-NH-\overset{R}{\overset{|}{C}}H-COOH} + \underset{\text{XXIV}}{Cl-Si(CH_3)_3} \xrightarrow{-HCl} \underset{\text{XXV}}{H_5C_6-CH_2-O-CO-NH-\overset{R}{\overset{|}{C}}H-CO-O-Si(CH_3)_3}$$

$$\text{Pyridin} + \underset{\text{XXIV}}{Cl-Si(CH_3)_3} \longrightarrow \underset{\text{XXVI}}{[C_5H_5\overset{\oplus}{N}-Si(CH_3)_3]\ Cl^{\ominus}}$$

$$\text{XXV} + \text{XXVI} \longrightarrow \underset{\text{XXVII}}{O{=}C{=}N-\overset{R}{\overset{|}{C}}H-CO-O-Si(CH_3)_3} + \underset{\text{XXVIII}}{(H_3C)_3Si-O-CH_2-C_6H_5} + [C_5H_5\overset{\oplus}{N}-H]\ Cl^{\ominus}$$

Die nicht zur amino-freien Verbindung, sondern zum Isocyanat führende Spaltung der Urethan-Gruppierung schließt im Hinblick auf die bekannte Folgereaktion (Hydantoin-Bildung mit der nächststehenden Peptidbindung) die Verwendung des Verfahrens bei Benzyloxycarbonyl-peptiden aus.

Zusammenfassend muß betont werden, daß die leicht und mit besten Ergebnissen zu handhabende Einführung wie Abspaltung der N-Benzyloxycarbonyl-Schutzgruppe zur Spitzenstellung in der modernen Peptidsynthese verholfen hat. Ihr Wert wird zusätzlich gesteigert durch die Tatsache, daß sie eine hervorragende Schutzwirkung gegen Racemisierung der sie tragenden Aminosäure ausübt: Alle Umsetzungsreaktionen, selbst unter stärkster Aktivierung der Carboxy-Funktion, verlaufen unter vollem Erhalt der optischen Aktivität[1,2] (s. a. S. 37).

Lediglich bei einigen aktiven Estern (z.B. Nitrophenylestern) von Benzyloxycarbonyl-aminosäuren konnte ein „Drehwert-Abfall" der Lösungen in Dimethylformamid etc. in Gegenwart von tert.-Basen festgestellt werden. Insbesondere trifft dies für *Z-Cys*(*BZL*)-*ONP* zu[2]. Bei Vermeidung eines Basen-Überschusses und vor allem in Gegenwart geringer Mengen Essigsäure bleibt bei der Peptid-Verknüpfung die Racemisierung aus. Interessanterweise verlaufen die Umsetzungen von Benzyloxycarbonyl-aminosäure-thiophenylestern mit Aminosäuren in Eisessig, insbesondere bei Komponenten mit sterisch gehinderten

---

[1] G. C. Stelakatos, Am. Soc. **83**, 4222 (1961).

[2] M. Bodanszky u. C. A. Birkhimer, Chimia **14**, 368 (1960).

Amino- bzw. Carboxy-Gruppen (Musterbeispiel Valyl-valin), nicht unter vollem Erhalt der optischen Aktivität der „Kopfkomponente“[1].

Der wichtigste bislang zutage getretene Nachteil des Benzyloxycarbonyl-Restes liegt in seiner nicht vollkommenen Beständigkeit gegenüber stark alkalischen Reaktionsbedingungen, die z.B. im Zuge der Esterverseifung zur Anwendung gelangen. Erhöhte Gefahr eines hydrolytischen Angriffs der Urethan-Ester-Gruppierung besteht bei alkalisch schwer verseifbaren höheren *Benzyloxycarbonyl-peptidestern*[2] (*Äthylestern*, carboxy-endständigen *N_ε-Benzyloxycarbonyl-lysin-*, *Valin-*, *Isoleucin-methylestern* etc.) und interessanterweise bei *Benzyloxycarbonyl-leucyl-peptidestern*[3] (vgl. dazu Bergmann u. Fruton[4], die bereits früher abnormale Amidierungsreaktionen bei *Benzyloxycarbonyl-leucyl-* bzw. *-phenylalanyl-glycinestern* beobachtet haben).

Unter Austritt von Benzylalkohol geht die Benzyloxycarbonyl-Verbindung XXIX in das cyclische Hydantoin-Derivat XXX über: durch überschüssige Hydroxyl-Ionen wird XXX zur Harnstoff-Verbindung XXXI geöffnet. Letztere Reaktion ist durch Protonen reversibel; bedingt durch die übliche Aufarbeitungsmethodik werden daher stets beide Nebenprodukte (XXX und XXXI) erhalten:

$$H_7C_7{-}O{-}CO{-}NH{-}\underset{\displaystyle R}{CH}{-}CO{-}NH{-}\underset{\displaystyle R^1}{CH}{-}COOR^2$$

XXIX

$$\xrightarrow[-\ H_5C_6-CH_2OH]{+\ OH^\ominus}$$ HN–CH(R)–CO–N(CH(R^1)–COOH)–CO (cyclisch) $$\underset{H^\oplus}{\overset{OH^\ominus}{\rightleftharpoons}}$$ $$HOOC{-}\underset{\displaystyle R}{CH}{-}NH{-}CO{-}NH{-}\underset{\displaystyle R^1}{CH}{-}COOH$$

XXX XXXI

Man umgeht diese Nebenreaktion

① bei höheren Peptiden durch zeitliche Änderung der Schutzgruppen-Abspaltung
 ⓐ Entfernung des Benzyloxycarbonyl-Restes
 ⓑ alkalische[5] bzw. saure[6] Hydrolyse der Ester-Verbindung

② durch enzymatische Esterspaltung[7] (Chymotrypsin oder Trypsin) bei carboxy-endständigen Phenylalanin-, Tyrosin-, Tryptophan-, Arginin-, Lysin (N_ε-frei)-, Histidin- u. a. -peptidestern

③ durch Verwendung auf anderen Wegen spaltbarer Carboxy-Schutzgruppen (s. dazu S. 315f.).

Methodik ③ wird vor allen Dingen im Zuge der modernen Peptidnaturstoff-Synthese generell der Vorzug gegeben, insbesondere wenn zusätzliche alkali-empfindliche Aminosäure-Sequenzen (z.B. Asparagin-, Asparaginsäure-Reste etc.) vorliegen. Unter diesen Voraussetzungen verliert oben dargelegter, die Benzyloxycarbonyl-Gruppierung betreffender Nachteil, an Bedeutung.

---

1 F. Weygand et al., B. **97**, 1024 (1964).
2 K. Schlögl u. H. Fabitschowitz, M. **84**, 937 (1953).
S. G. Waley u. J. Watson, Soc. **1953**, 475.
E. Wünsch, Dissertation, Universität München 1956.
F. Wessely, K. Schlögl u. E. Wawersich, M. **83**, 1486 (1952).
3 J. A. MacLaren, Austral. J. Chem. **11**, 360 (1958).
4 J. S. Fruton u. M. Bergmann, J. Biol. Chem. **145**, 253 (1942).
C. A. Dekker, S. P. Taylor u. J. S. Fruton, J. Biol. Chem. **180**, 155 (1949).
5 W. Rittel et al., Helv. **40**, 614 (1957).
6 K. Okawa, Bl. chem. Soc. Japan **31**, 88 (1958).
J. R. Vaughan u. J. A. Eichler, Am. Soc. **75**, 5556 (1953).
7 E. Walton et al., J. Org. Chem. **27**, 2295 (1962).
G. Kloss u. E. Schröder, H. **336**, 248 (1964).

Tab. 4. N_α-Benzyloxycarbonyl-[Z]-L-aminosäuren*

Aminosäure	F [°C]	$[\alpha]_D$	t	c	Lösungsmittel	Literatur	Lit. D
Abu	78–79	–32	16	2,8	Äthanol	1	
Ala	85–86	–14,3	22	2	Eisessig	2–6	4,5,7–10
a	180–181,5	+5,0	20–26	2,11	Äthanol	11	11
Ala(CN)	133–134	–44,2	25	0,93	Dimethylformamid	12–14	
Arg	175	–9,2	20	5,5	0,2 n Salzsäure	3,15,16	
Asn	164–165	–6,5	22	1	1 n Natriumhydrogencarbonat	12,3,17–21	22
Asp	114,5–116	+9,5	20	2	Eisessig	23,3,24	
a	175–176	+25,1	20–26	1	Äthanol	11	

[a] DCHA-Salz

* N_α-Z-Derivate ω-geschützter mehrfunktioneller Aminosäuren siehe Abschnitt „Mehrfunktionelle Aminosäuren", Tab.

---

[1] S. G. Waley, Biochem. J. **67**, 172 (1957); **68**, 189 (1958).
[2] C. S. Pande, J. Rudick u. R. Walter, J. Org. Chem. **35**, 1440 (1970).
[3] M. Bergmann u. L. Zervas, B. **65**, 1192 (1932).
[4] M. Hunt u. V. du Vigneaud, J. Biol. Chem. **124**, 699 (1938).
[5] L. R. Overby u. A. W. Ingersoll, Am. Soc. **82**, 2067 (1960).
[6] R. Rocchi, F. Marchiori u. E. Scoffone, G. **93**, 823 (1963).
[7] M. Bergmann et al., J. Biol. Chem. **109**, 325 (1935).
[8] W. J. Polglase u. E. L. Smith, Am. Soc. **71**, 3081 (1949).
[9] C. S. Smith u. A. E. Brown, Am. Soc. **63**, 2605 (1941).
[10] S. C. J. Fu, S. M. Birnbaum u. J. P. Greenstein, Am. Soc. **76**, 6054 (1954).
[11] E. Klieger, E. Schröder u. H. Gibian, A. **640**, 157 (1961).
[12] C. Ressler u. H. Ratzkin, J. Org. Chem. **26**, 3356 (1961).
[13] B. Liberek, Chem. & Ind. **1961**, 987.
[14] M. Zaoral u. J. Rudinger, Collect. czech. chem. Commun. **24**, 1993 (1959).
[15] L. Zervas, M. Winitz u. J. P. Greenstein, J. Org. Chem. **22**, 1515 (1957).
[16] T. Goldstein, R. E. Plapinger u. M. M. Nachlas, J. Med. Pharm. Chem. **5**, 852 (1962).
[17] A. Berger u. E. Katchalski, Am. Soc. **73**, 4084 (1951).
[18] R. A. Boissonnas, S. Guttmann u. P. A. Jaquenoud, Helv. **38**, 1491 (1955).
[19] E. Schröder, A. **692**, 241 (1966).
[20] M. Bodanszky, G. S. Denning u. V. du Vigneaud, Biochem. Prepar. **10**, 122 (1963).
[21] R. Ledger u. F. H. C. Stewart, Austral. J. Chem. **20**, 787 (1967).
[22] K. Vogler, R. O. Studer u. W. Lergier et al., Helv. **48**, 1407 (1965).
[23] E. Wünsch u. A. Zwick, H. **328**, 235 (1962).
[24] Y. Yamamoto, C. Ressler u. H. Ratzkin et al., Biochem. Prepar. **10**, 10 (1963).

Tab. 4. (1. Fortsetzung)

Aminosäure	F [°C]	$[\alpha]_D$	t	c	Lösungsmittel	Literatur	Lit. D
Cit	115–117	+6,4	22	1	95% Essigsäure	1,2	
a	126–127	+10,7	22	1,4	Dimethylformamid	1	
Cys	82					3	
$(Cys)_2$	123	—91,7	20	6,7	Eisessig	4–7	
b,c	190–191	—51,8	20–26	1	Dimethylformamid	8	
Gln	138–139,5	—7,1	20	2	Äthanol	9,4,10–17	
a	176–177	+12,5	20–26	1	Äthanol	8	
Glu	120–121	—7,9	20	10	Eisessig	18,4,19,20	21
c	149–151	+5,4	20–26	1,39	Methanol	8	
Gly	120					4,22,23	
a	144–145					8	
His	166–167 (Zers.)	—25,0	22	6	6n Salzsäure	24,4	4,24

[a] DCHA-Salz [b] N,N'-Bis-Z [c] Bis-DCHA-Salz

[1] R. L. Huguenin, Privatmitteilung.
[2] M. Bodanszky u. C. L. Birkhimer, Am. Soc. **84**, 4943 (1962); Nature **194**, 985 (1962).
[3] C. R. Harington u. T. H. Mead, Biochem. J. **30**, 1598 (1936).
[4] M. Bergmann u. L. Zervas, B. **65**, 1192 (1932).
[5] Biochem. Prepar. **2**, 75 (1952), J. Wiley and Sons, London.
[6] L. C. King u. F. H. Suydam, Am. Soc. **74**, 5499 (1962).
[7] F. Weygand u. R. Geiger, B. **90**, 634 (1957).
[8] E. Klieger, E. Schröder u. H. Gibian, A. **640**, 157 (1961).
[9] E. Wünsch u. A. Zwick, B. **97**, 2497 (1964).
[10] R. A. Boissonnas, S. Guttmann u. P. A. Jaquenoud, Helv. **38**, 1491 (1955).
[11] C. Ressler u. H. Ratzkin, J. Org. Chem. **26**, 3356 (1961).
[12] L. Levintow, J. P. Greenstein u. R. B. Kingsley, Arch. Biochem. **31**, 77 (1951).
[13] H. K. Miller u. H. Waelsch, Arch. Biochem. **35**, 176 (1952).
[14] T. Wieland u. H. L. Weidenmüller, A. **597**, 111 (1955).
[15] P. G. Katsoyannis, D. T. Gish, G. P. Hess et al., Am Soc. **80**, 2558 (1958).
[16] H. Gibian u. E. Klieger, A. **640**, 145 (1961).
[17] B. O. Handford, T. A. Hylton u. K.-T. Wang et al., J. Org. Chem. **33**, 4251 (1968).
[18] S. Goldschmidt u. C. Jutz, B. **86**, 1116 (1953).
[19] Biochem. Prepar. **2**, 80 (1952), J. Wiley and Sons, London.
[20] R. B. Kelly, J. Org. Chem. **28**, 453 (1963).
[21] E. Klieger u. H. Gibian, A. **649**, 183 (1961).
[22] G. Losse u. E. Demuth, B. **94**, 1762 (1961).
[23] R. A. Boissonnas u. G. Preitner, Helv. **36**, 875 (1953).
[24] A. Patchornik, A. Berger u. E. Katchalski, Am Soc. **79**, 6416 (1957).

Tab. 4. (2. Fortsetzung)

Aminosäure	F [°C]	$[\alpha]_D$	t	c	Lösungsmittel	Literatur	Lit. D
Hyp	106	–53,8	20	2	Äthanol	1,2	
[a]	201–203	–31,4	20–26	1,66	Äthanol	3	
aHyp	110–111	–23,7	20	1	Aceton	2	
Ile	44–46	+6,5	26	6	Äthanol	4–6	6
[a]	153–154	+4,1	20–26	1	Äthanol	3	
aIle	65	+16,0	27	2	Aceton	5	5
[a]	143–145	+6,4	25	0,5	Äthanol	7	3
Leu	Öl	–16,4	22	1,83	Äthanol	8,6,9	6
[a]	151,5–152	–7,86	20–26	3,05	Methanol	3	
Lys		–13,7	20	2	0,2n Salzsäure	10,11	12
Met	68–69	–31,6	21	1	Methanol	13,6,14	6,12
[a]	157–158	+13,0	20–26	1	Äthanol	3	3
Nle	Öl					15	
[a]	150–152	+3,4	25	0,5	Äthanol	7	
Nva	86	–4,2	12	2	Aceton	15	
[a]	143–145	+6,4	25	0,5	Äthanol	7	

[a] DCHA-Salz

[1] W. Grassmann u. E. Wünsch, B. **91**, 462 (1958).
[2] A. A. Patchett u. B. Witkop, Am Soc. **79**, 185 (1957).
[3] E. Klieger, E. Schröder u. H. Gibian, A. **640**, 157 (1961).
[4] S. Sakakibara u. M. Fujino, Bl. chem. Soc. Japan **39**, 947 (1966).
[5] M. Winitz, L. Bloch-Frankenthal u. N. Izumiya et al., Am. Soc. **78**, 2423 (1956).
[6] K. Oki, K. Suzuki u. S. Tuchida et al., Bl. chem. Soc. Japan **43**, 2554 (1970).
[7] H. Nesvadba, Privatmitteilung.
[8] G. Losse u. E. Demuth, B. **94**, 1762 (1961).
[9] M. Bergmann, L. Zervas u. J. S. Fruton, J. Biol. Chem. **115**, 593 (1936).
[10] E. Wünsch u. A. Zwick, B. **97**, 3305 (1964).
[11] B. Bezas u. L. Zervas, Am. Soc. **83**, 719 (1961).
[12] C. A. Dekker u. J. S. Fruton, J. Biol. Chem. **173**, 471 (1948).
[13] M. Brenner u. R. W. Pfister, Helv. **34**, 2085 (1951).
[14] K. Hofmann, A. Jöhl u. A. E. Furlenmeier et al., Am. Soc. **79**, 1636 (1957).
[15] N. Izumiya, H. Uchio u. T. Yamashita, J. chem. Soc. Japan **79**, 420 (1958).

Tab. 4. (3. Fortsetzung)

Aminosäure	F [°C]	$[\alpha]_D$	t	c	Lösungsmittel	Literatur	Lit. D
Orn	209–210	−8,4	25	1	5n Salzsäure	1	
Phe	88–89	+5,1	20	2	Eisessig	2–9	3,4,8,10, 11
a	155–156	−34,2	20–26	1	Äthanol	12	12
Pro	77	−60,5	20	2	Eisessig	2,13–17	18
a	179–180	−25,5	20–26	2	Methanol	12	
Pyr	134–135	−29,1	25	1,01	Methanol	19	20
a	199–200	−17,4	25	3,11	Chloroform	19,12	20
Sar	53–54					21	
Ser	119	+5,9	20	6	Eisessig	22–27	27–29
a	172–174	+13,5	20–26	1	Äthanol	12	

[a] DCHA-Salz

[1] E. Schröder, H. S. Petras u. E. Klieger, A. **679**, 221 (1964).
[2] W. Grassmann u. E. Wünsch, B. **91**, 462 (1958).
[3] L. R. Overby u. A. W. Ingersoll, Am. Soc. **82**, 2067 (1960).
[4] G. Losse u. H. Schmidt, B. **91**, 1068 (1958).
[5] G. Losse u. E. Demuth, B. **94**, 1762 (1961).
[6] M. Bergmann, M. Zervas u. H. Rinke et al., H. **224**, 33 (1934).
[7] D. W. Clayton, J. A. Farrington u. G. W. Kenner et al., Soc. **1957**, 1398.
[8] K. Oki, K. Suzuki u. S. Tuchida et al., Bl. chem. Soc. Japan **43**, 2554 (1970).
[9] J. R. Vaughan jr., Am. Soc. **74**, 6137 (1952).
[10] H. Yajima u. K. Kubo, Am. Soc. **87**, 2039 (1965).
[11] C. S. Smith u. A. E. Brown, Am. Soc. **63**, 2605 (1941).
[12] E. Klieger, E. Schröder u. H. Gibian, A. **640**, 157 (1961).
[13] A. Berger, J. Kurtz u. E. Katchalski, Am. Soc. **76**, 5552 (1954).
[14] R. Roeske, F. H. C. Stewart u. R. J. Stedman et al., Am Soc. **78**, 5883 (1956).
[15] M. Zaoral, Chem. Listy **48**, 1583 (1954).
[16] E. Schröder, A. **692**, 241 (1966).
[17] E. Abderhalden u. H. Hanson, Fermentforschung **15**, 382 (1937).
[18] K. Vogler, R. O. Studer u. W. Lergier et al., Helv. **48**, 1407 (1965).
[19] H. Gibian u. E. Klieger, A. **640**, 145 (1961).
[20] E. Klieger u. H. Gibian, A. **649**, 183 (1961).
[21] D. Ben-Ishai u. E. Katchalski, Am. Soc. **74**, 3688 (1952).
[22] E. Wünsch u. J. Jentsch, B. **97**, 2490 (1964).
[23] L. Levintow, J. P. Greenstein u. R. B. Kingsley, Arch. Biochem. **31**, 77 (1951).
[24] S. Guttmann u. R. A. Boissonnas, Helv. **41**, 1852 (1958).
[25] J. S. Fruton, J. Biol. Chem. **146**, 463 (1942).
[26] J. A. Moore, J. R. Dice, u. E. D. Nicolaides et al., Am. Soc. **76**, 2884 (1954).
[27] E. Baer u. J. Maurukas, J. Biol. Chem. **212**, 25 (1955).
[28] M. Bergmann u. L. Zervas, B. **65**, 1192 (1932).
[29] E. D. Nicolaides, R. D. Westland u. E. L. Wittle, Am. Soc. **76**, 2887 (1954).

Tab. 4. (4. Fortsetzung)

Aminosäure	F [°C]	$[\alpha]_D$	t	c	Lösungsmittel	Literatur	Lit. D
Thr	101–102	–5,8	20	2	Eisessig	1–7	
αThr	Öl	–2,4	18	4	Methanol	8,9	
Trp	126					10	12–14
[a]	162–163	+20,2	20–26	1	Äthanol	11	
Tyr	101	+11,1	20	3	Eisessig	15,1,16,17	
[a]	114–115	+40,2	20–26	0,5	Äthanol	11	
Val	66–67	+0,1	20	10	Äthanol	18–23	22
[a]	166–168	+3,0	20–26	2,04	Äthanol	11	11

[a] DCHA-Salz

31.111.12. Substituierte Benzyloxycarbonyl-[XZ]-Derivate

4-Brom-, 4-Nitro- und 4-Chlor-benzyloxycarbonyl-aminosäuren wurden von Young et al.[24], Carpenter u. Gish[25], Boissonnas u. Preitner[26] bzw. Kisfaludy[27] erstmals hergestellt

[1] E. Wünsch u. J. Jentsch, B. **97**, 2490 (1964).
[2] R. B. Merrifield, J. Biol. Chem. **232**, 43 (1958).
[3] D. Theodoropoulos u. J. Tsangaris, J. Org. Chem. **29**, 2272 (1964).
[4] E. Schröder u. H. Gibian, A. **656**, 190 (1962).
[5] H. Zahn u. H. Schüssler, A. **641**, 176 (1961).
[6] R. Rocchi, F. Marchiori u. E. Scoffone, G. **93**, 823 (1963).
[7] E. Baer u. F. Eckstein, J. Biol. Chem. **237**, 1449 (1962).
[8] H. Arold u. J. Dornberger, J. pr. **21**, 53 (1963).
[9] M. Winitz, L. Bloch-Frankenthal u. N. Izumiya et al., Am . Soc. **78**, 2423 (1956).
[10] E. L. Smith, J. Biol. Chem. **175**, 39 (1948).
[11] E. Klieger, E. Schröder u. H. Gibian, A. **640**, 157 (1961).
[12] C. S. Smith u. A. E. Brown, Am. Soc. **63**, 2605 (1941).
[13] L. R. Overby u. A. W. Ingersoll, Am. Soc. **82**, 2067 (1960).
[14] H. Yajima u. K. Kubo, Am. Soc. **87**, 2039 (1965).
[15] M. Bergmann u. L. Zervas, B. **65**, 1192 (1932).
[16] H. Determann, O. Zipp u. T. Wieland, A. **651**, 172 (1962).
[17] H. C. Beyerman u. J. S. Bontekoe, R. **79**, 1165 (1960).
[18] W. Grassmann u. E. Wünsch, B. **91**, 462 (1958).
[19] R. L. M. Synge, Biochem. J. **42**, 99 (1948).
[20] J. R. Vaughan jr. u. J. A. Eicheler, Am. Soc. **75**, 5556 (1953).
[21] H. Schwarz, F. M. Bumpus u. J. H. Page, Am. Soc. **79**, 5697 (1957).
[22] K. Oki, K. Suzuki u. S. Tuchida et al., Bl. chem. Soc. Japan **43**, 2554 (1970).
[23] E. Schröder, A. **692**, 241 (1966).
[24] D. M. Channing, P. B. Turner u. G. T. Young, Nature **167**, 487 (1951).
[25] F. H. Carpenter u. D. T. Gish, Am. Soc. **74**, 3818 (1952).
D. T. Gish u. F. H. Carpenter, Am. Soc. **75**, 950 (1953).
[26] R. A. Boissonnas u. G. Preitner, Helv. **36**, 875 (1953).
[27] L. Kisfaludy u. S. Dualszky, Acta chim. Acad. Sci. hung. **24**, 301 (1960); **24**, 309 (1960).

bzw. zur Peptidsynthese herangezogen in der erfolggekrönten Absicht, die Kristallisationsfreudigkeit der Ausgangs- und Zwischenprodukte zu verbessern. Ein weiterer Vorteil lag in der genauen und einfachen Dosierungsmöglichkeit der Chlorameisensäureester, sofern sie in kristallisierter Form zugänglich sind.

Die große Bedeutung einer „Kern-Substitution" des Benzyloxycarbonyl-Restes wurde erstmals von Rudinger et al.[1] erkannt; die Autoren fanden eine erheblich verzögerte Reaktionsgeschwindigkeit bei der protonensolvolytischen Spaltung von 4-Nitro-benzyloxycarbonyl-Verbindungen. Demgegenüber zeigten Berse et al.[2] eine erleichterte Entacylierung durch katalytische Hydrogenolyse auf.

In systematischer Arbeit wurden in den letzten Jahren zahlreiche substituierte Benzyloxycarbonyl-Reste näher studiert und teilweise sehr entscheidende Abstufungen ihrer Reaktivität festgestellt: Positivierende Substituenten (vorwiegend in 4-Stellung) vermindern die Elektronendichte am Benzylkohlenstoff und erschweren damit einen protonensolvolytischen Angriff; negativierende bedingen gegensätzliche Effekte. Bláha u. Rudinger[3] haben mittels manometrischer Messung des freiwerdenden Kohlendioxids die Reaktionsgeschwindigkeitskonstanten für die Bromwasserstoff/Eisessig-Solvolyse zahlreicher substituierter Benzyloxycarbonyl-Verbindungen im Vergleich mit den unsubstituierten Derivaten ermitteln können (s. Tab. 5). Die Ergebnisse der Autoren decken sich weitgehend mit denen von Rydon et al.[4] bzw. Meienhofer[5].

Tab. 5. Ermittelte Reaktionskonstanten und Halbwertszeiten der Bromwasserstoff/Eisessig-Spaltung (0,85 mol. bei 25°[3]) von unsubstituierten und substituierten Benzyloxycarbonyl-glycinen der Formel

X-C₆H₄–CH₂–O–CO–NH–CH₂–COOH [(X)Z–Gly–OH]

Verbindung	Abkürzung	$k \cdot 10^5 \cdot s^{-1}$	t/2 [Min.]
X = 4-CH_3O—	MOZ	1500	0,8
= 4-CH_3—	MeZ	160	7
= 4-C_2H_5—	EtZ	160	7
= H—	Z	18	66
= 4-F—	FZ	14	83
= 4-Cl—	CZ	9,7	120
= 3-Cl—	3CZ	5,5	210
= 4-C_6N_5—N=N—	PAZ	2,9	400
= 4-NO_2—	NZ	2,6	430
= 3-NO_2—	3NZ	2,1	550

---

[1] J. Rudinger, J. Honzl u. M. Zaoral, Collect. czech. chem. Commun. **21**, 202 (1956). Vgl. dazu J. Rudinger, Collect. czech. chem. Commun. **24**, (Spec. Issue), 76 (1959).

[2] C. Berse, R. Boucher u. L. Piche, J. Org. Chem. **22**, 805 (1957).

[3] K. Bláha u. J. Rudinger, Collect. czech. chem. Commun. **30**, 585 (1965).

[4] R. B. Homer, R. B. Moodie u. H. N. Rydon, Pr. chem. Soc. **1963**, 367.

[5] J. Meienhofer, *Peptides*, Proc. 6th Europ. Symposium, Athen 1963, Pergamon Press Ltd., Oxford **1966**, S. 55.

31.111.12.1. Der 4-Methoxy-benzyloxycarbonyl-[MOZ]-Rest

Der 4-Methoxy-benzyloxycarbonyl-[MOZ]-Rest ist wie aus der Tab. 5 (S. 70) ersichtlich, unter extrem günstigen Bedingungen acidolytisch spaltbar. Die durch Arbeiten von Albertson[1] bekanntgewordene Aminoschutzgruppe, die nach Weygand u. Hunger[2] zweckmäßiger mittels der kristallisierten Donatoren 4-Methoxy-benzyloxycarbonyl-azid oder -nitrophenol eingeführt wird, nahm zunächst eine Sonderstellung unter den substituierten Benzyloxycarbonyl-Schutzgruppen ein. Als Einführungsreagenzien haben sich ferner (4-Methoxy-benzyl)-(2,4,5-trichlor-phenyl)-carbonat[3] und Chlorameisensäure-4-methoxy-benzylester[4] bewährt; auch (4-Methoxy-benzyl)-piperidyl-(1)-carbonat[5] und 4-Methoxy-benzyloxycarbonyl-fluorid[6] wurden zur Herstellung der 4-Methoxy-benzyloxycarbonyl-aminosäuren herangezogen.

Neuerdings werden 4-Methoxy-benzyloxycarbonyl-cyanid[7] – als nichtdestillierbares Öl aus 4-Methoxy-benzylalkohol und Mesoxalsäure-dinitril zugänglich – und 4-Methoxy-benzyl-S-[4,6-dimethyl-pyrimidyl-(2)-thio]-carbonat[8] als Acyl-Donatoren vorgeschlagen. Vor allem dem „gemischten“ Carbonat sollte Beachtung geschenkt werden (vgl. dazu S. 123).

(4-Methoxy-benzyloxycarbonyl)-azid[2,9]:

(4-Methoxy-benzyl)-phenyl-carbonat: 260 g 4-Methoxy-benzylalkohol und 226 g N,N-Dimethyl-anilin in 280 *ml* Dichlormethan werden bei 30° mit 290 g Chlorameisensäure-phenylester tropfenweise und unter Rühren versetzt. Die Reaktionsmischung wird über Nacht stehengelassen, danach mit Wasser, verd. Salzsäure, Kaliumhydrogencarbonat-Lösung und Natriumchlorid ges. Wasser gewaschen, schließlich i. Vak. eingedampft und der Rückstand aus Äthanol umkristallisiert; Ausbeute: 390 g (80% d.Th.); F: 28–29° [nach Trocknen i. Vak. über Phosphor(V)-oxid; hellgrüne Kristalle.

(4-Methoxy-benzyloxycarbonyl)-hydrazin: 261 g (4-Methoxy-benzyl)-phenyl-carbonat und 360 g 65%iges Hydrazin werden unter Kühlung gemischt, 2 Stdn. bei Raumtemp. stehengelassen und anschließend i. Vak. eingedampft. Der Rückstand kristallisiert aus Essigsäure-äthylester/Petroläther; die farblosen Plättchen werden mit Äther verrieben und abfiltriert; Ausbeute: 168g (85% d.Th.) F: 74,5–76°.

Zur Herstellung aus dem Chlorameisensäure-4-methoxy-benzylester s. Lit.[4].

(4-Methoxy-benzyloxycarbonyl)-azid: 188 g (4-Methoxy-benzyloxycarbonyl)-hydrazin werden unter Kühlung mit Eis/Kochsalz in 413 *ml* Eisessig und 510 *ml* Wasser gelöst und unter kräftigem Rühren innerhalb von 45–60 Min. mit 71 g Natriumnitrit in 205 *ml* Wasser tropfenweise versetzt. Unter Ansteigen auf eine Temp. von 10° läßt man 3 Stdn. nachrühren; darauf fügt man viel Wasser zum Reaktionsgemisch und extrahiert dreimal mit Diäthyläther. Die vereinigten Ätherphasen werden mit Wasser und 1 Mol Natriumhydrogencarbonat-Lösung üblich gewaschen, über Natriumsulfat getrocknet und i. Vak. eingedampft; Ausbeute: 160 g (75,6% d.Th.); F: 32° (aus Petroläther).

Chlorameisensäure-4-methoxy-benzylester[4]: Zu einer Lösung von 12,4 *ml* 4-Methoxy-benzylalkohol in 100 *ml* absol. Diäthyläther werden in Portionen eine Mischung von 21 *ml* Phosgen in 100 *ml* absol. Diäthyläther innerhalb 10 Min. zugegeben. Anschließend wird eine Lösung von 12,7 *ml* N,N-Dimethyl-anilin in 100 *ml* Diäthyläther über eine Periode von 1 Stde. hinzugetropft, die Reaktionsmischung über 2 Stdn. zwischen —5 und —10° gerührt. Man filtriert vom N,N-Dimethyl-anilin-Hydrochlorid ab und dampft das Filtrat i. Vak. bei Temp. unter 0° ein; diese Operation wird nach jeweiliger Zugabe von 100 *ml* absol. Diäthyläther zur restlosen Entfernung des Phosgens 2mal wiederholt: öliger Rückstand (dieses Material wird umgehend, gelöst in einem entsprechenden Lösungsmittel für die Acylierungsreaktion, eingesetzt).

---

[1] S. C. McKay u. N. F. Albertson, Am. Soc. **79**, 4686 (1957).
[2] F. Weygand u. K. Hunger, B. **95**, 1 (1962).
[3] E. Klieger, A. **724**, 204 (1969).
[4] S. Sofuku, M. Mizumura u. A. Hagitani, Bl. chem. Soc. Japan **43**, 177 (1970).
[5] J. H. Jones u. G. T. Young, Chem. & Ind. **1966**, 1722; Soc. [C] **1968**, 53.
[6] E. Schnabel et al., A. **716**, 175 (1968).
[7] M. T. Leplawy u. J. Zabrocki, *Peptides* 1972, Proc. 12th Europ. Peptide Symposium Reinhardtsbrunn Castle, North-Holland Publ. Co., Amsterdam-London **1973**, S. 112.
[8] T. Nagasawa et al., Bl. chem. Soc. Japan **46**, 1269 (1973).
[9] Ergänzte Vorschrift lt. Privatmitt. F. Weygand.

N_α-(4-Methoxy-benzyloxycarbonyl)-L-arginin [MOZ-Arg-OH][1]: 5,27 g Arginin-Monohydrochlorid in 30 *ml* Natriumhydrogencarbonat-Lösung (1 Mol) und 7,5 *ml* 4n Natronlauge (p_H = 9–9,5) werden unter Eiskühlung mit 5,7 g (4-Methoxy-benzyloxycarbonyl)-azid in 35 *ml* 1,4-Dioxan unter Rühren versetzt. Innerhalb 24 Stdn. gibt man weitere 12,5 *ml* 4n Natronlauge in mehreren Portionen zu und rührt hierauf nochmals 24 Stdn. nach. Das Filtrat von etwas ungelöstem wird 2mal mit Diäthyläther extrahiert, mit konz. Salzsäure auf p_H = 3 gestellt und 2mal mit Essigsäure-äthylester ausgezogen. Die verbleibende wäßrige Lösung wird nach Neutralisation mit verd. Ammoniak i. Vak. zur Trockene gebracht, der Rückstand unter Zugabe von etwas Ammoniak (p_H = 8) in 85° heißem Wasser aufgenommen. Bei mehrstdgm. Stehen bei Raumtemp. kristallisieren farblose Nadeln; Ausbeute: 6,28 g (74,3% d.Th.); F: 181–182°; $[\alpha]_{546}^{24} = +4,1$ (c = 1,5, in Essigsäure).

N-(4-Methoxy-benzyloxycarbonyl)-glycin [MOZ-Gly-OH][2]: Zu 3,75 g (0,05 Mol) Glycin in 240 *ml* n Natronlauge/Tetrahydrofuran (5: 1) werden unter kräftigem Rühren bei 0 bis 5° 0,1 Mol Chlorameisensäure-4-methoxy-benzylester in 70 *ml* Tetrahydrofuran in mehreren Portionen innerhalb 10 Min. zugegeben. Unter ständigem Rühren der Reaktionsmischung wird diese mit 100 *ml* Diäthyläther extrahiert, die abgetrennte wäßrige Phase mit 21 g Citronensäure unter Eiskühlung angesäuert; das abgeschiedene Produkt nimmt man in 500 *ml* Essigsäure-äthylester auf. Die organische Phase wird mit Wasser gewaschen, über Natriumsulfat getrocknet und schließlich i. Vak. eingedampft; Ausbeute: 9,57 g (80% d.Th.); F: 95–98° (feine Plättchen aus Essigsäure-äthylester/Petroläther).

Peptid-synthetische Umsetzungen von (4-Methoxy-benzyloxycarbonyl)-aminosäuren sind bislang vorwiegend unter Verwendung der Carbodiimid- (s. dazu S. 527)[1,3], von Aktivester-[4,5] und der N-Äthoxycarbonyl-2-äthoxy-1,2-dihydro-chinolin-Methoden[6] vollzogen worden.

N-(4-Methoxy-benzyloxycarbonyl)-L-seryl-S-benzyl-L-cystein [MOZ-Ser-Cys(BZL)-OH]:

N-(4-Methoxy-benzyloxycarbonyl)-L-serin-pentachlor-phenylester [MOZ-Ser-OPCP][4]: 10 mMol MOZ-Ser-OH und 11 mMol Pentachlorphenol in 20 *ml* Essigsäure-äthylester werden bei 0° mit 2,5 g (12 mMol) Dicyclohexylcarbodiimid, gelöst in wenig Essigsäure-äthylester, versetzt; die mehrere Stdn. bei 0° und anschließend 12 Stdn. bei 5° gerührte Reaktionsmischung wird nach erneutem Abkühlen auf 0° vom ausgefallenen Dicyclohexylharnstoff befreit, das Filtrat i. Vak. eingedampft und der Rückstand aus Acetonitril umkristallisiert; Ausbeute: 62% d.Th.; F: 170–171°; $[\alpha]_D^{25} = -18,2°$ (c = 1, in Dimethylformamid).

N-(4-Methoxy-benzyloxycarbonyl)-L-seryl-S-benzyl-L-cystein [MOZ-Ser-Cys(BZL)-OH][4]: Man vereinigt die Lösungen von 10,55 g S-Benzyl-cystein und 13,9 *ml* Triäthylamin in 50 *ml* Wasser und 39,0 g MOZ-Ser-OPCP in 110 *ml* Dimethylformamid/1,4-Dioxan (7: 4) und rührt die erhaltene Mischung bei Raumtemp. über 72 Stdn. Nach Entfernen aller Lösungsmittel i. Vak. wird der erhaltene Rückstand mit Essigsäure-äthylester und 15%-iger Citronensäure-Lösung behandelt; das verbleibende feste Material wird abfiltriert und letztlich aus Methanol umkristallisiert; Ausbeute: 11,45 g (64% d.Th.); F: 149–150°; $[\alpha]_D^{25} = -15,9°$ (c = 1, in Dimethylformamid).

Die 4-Methoxy-benzyloxycarbonyl-Maskierung der Amino-Funktion ist nach Weygand[3] schon mit wasserfreier Trifluoressigsäure unter 0° oder 4n Chlorwasserstoffsäure in 1,4-Dioxan[7] reversibel; gegenüber diesen Spaltungsbedingungen soll sich der unsubstituierte Benzyloxycarbonyl-Rest resistent verhalten[8] (vgl. dazu jedoch S. 80). Die Schutzgruppe ist damit etwa dem tert.-Butyloxycarbonyl-Rest vergleichbar. Zu beachten ist jedoch das intermediäre Auftreten von 4-Methoxy-benzyl-Kationen bei der acidolytischen Spaltung, die zu Nebenreaktionen (C-Benzylierungen) an aromatischen Systemen Anlaß geben; zur Unterbindung dieser Nebenreaktionen ist der Zusatz von Anisol oder Resorcin als „Scavenger" unbedingt erforderlich[1,9].

---

[1] F. WEYGAND u. E. NINTZ, Z. Naturf. **20b**, 429 (1965).
[2] S. SOFUKU, M. MIZUMURA u. A. HAGITANI, Bl. chem. Soc. Japan **43**, 177 (1970).
[3] F. WEYGAND u. K. HUNGER, B. **95**, 1 (1962).
[4] H. YAJIMA, N. SHIRAI u. Y. KISO, Chem. Pharm. Bull (Tokyo) **19**, 1900 (1971).
[5] E. SCHNABEL, H. KLOSTERMEYER u. H. BERNDT, A. **749**, 90 (1971).
[6] H. YAJIMA u. H. KAWATANI, Chem. Pharm. Bull. (Tokyo) **19**, 1905 (1971).
[7] H. AOYAGI u. N. IZUMIYA, Bl. chem. Soc. Japan **39**, 1747 (1966).
[8] F. WEYGAND u. W. STEGLICH, Z. Naturf. **14b**, 472 (1959).
[9] M. OKU et al., Bl. chem. Soc. Japan **39**, 1738 (1966).

N$_\omega$,N$_\delta$-Di-benzyloxycarbonyl-L-arginyl-L-alanin-benzylester-Hydrochlorid [H-Arg(ω,δ-Z_2)-Ala-OBZL·HCl][1]: 10,2 g MOZ-Arg(ω,δ-Z_2)-Ala-OBZL (s. S. 527) werden in Gegenwart von 4,4 *ml* Anisol mit 17,5 *ml* Trifluoressigsäure 15 Min. bei –10° behandelt; die Reaktionslösung 1 Stde. bei Raumtemp. stehengelassen und anschließend i. Vak. eingedampft. Aus der ätherischen Lösung des erhaltenen Öls fällt man durch Einleiten von trockenem Chlorwasserstoff das Dipeptidester-Hydrochlorid aus. Es wird abfiltriert und über Kaliumhydroxid getrocknet; Ausbeute: 8,7 g (95,5% d.Th.).

L-Seryl-S-benzyl-L-cystein [H-Ser-Cys(BZL)-OH][2]: 18,22 g MOZ-Ser-Cys(BZL)-OH und 11 *ml* Anisol werden mit 30 *ml* Trifluoressigsäure versetzt; die Mischung wird 1 Stde. bei Raumtemp. stehengelassen und anschließend mit 300 *ml* absol. Diäthyläther versetzt. Das ausgefallene Material wird abfiltriert, getrocknet und aus Methanol, dem, berechnet auf das Dipeptid-Trifluoracetat, 1 Äquivalent Diäthylamin zugesetzt wird, umkristallisiert; Ausbeute: 13,35 g (88% d.Th.); F: 140° (Zers.); $[\alpha]_D^{23} = -43,2°$ (c = 1, in Essigsäure).

Die 4-Methoxy-benzyloxycarbonyl-Schutzgruppe ist auch durch katalytische Hydrierung entfernbar; dieses gegenüber der tert.-Butyloxycarbonyl-Maskierung unterschiedliche Verhalten muß bei der „selektiven" Anwendung dieser Schutzgruppe berücksichtigt werden.

31.111.12.2. Andere Alkyloxy-benzyloxycarbonyl-Schutzgruppen[3]

31.111.12.21. 3,4-Dimethoxy-[34DZ]-, 3,4-Methylen-dihydroxy-[MDOZ]- und 3,4,5-Trimethoxy-[TMOZ]-benzyloxycarbonyl-Reste

3,4-Dimethoxy-[34DZ]-, 3,4-Methylen-dihydroxy-[MDOZ]-und 3,4,5-Trimethoxy-[TMOZ]-benzyloxycarbonyl-Schutzgruppen, die der im peptid-chemischen Gebrauch vorstehend genannten 4-Methoxy-benzyloxycarbonyl-N-Maskierung ähnlich sein dürften, wurden von Guttmann[4] vorgeschlagen bzw. von Schnabel[5] erstmals in Aminosäuren eingeführt, jedoch bislang nicht zu Synthesen verwendet.

31.111.12.22. Der 4-Decyloxy-benzyloxycarbonyl-[DeOZ]-Rest

Der 4-Decyloxy-benzyloxycarbonyl-[DeOZ]-Rest als stark hydrophobe und acidolytisch leicht spaltbare Amino-Maskierung wurde erstmals von Eschenmoser et al.[6,7] beschrieben.

Zur Einführung der N-Schutzgruppe in Aminosäuren oder Peptide erwies sich das entsprechende Azido-formiat, dessen Herstellung in weitgehender Analogie der Synthese von (4-Methoxy-benzyloxycarbonyl)-azid (s. S. 71) aus 4-Decyloxy-benzylalkohol gelang, als geeignetes Reagenz. Zweckmäßig wird die Acylierung in homogener Phase (in 1,4-Dioxan: Wasser in den Grenzen 3:1 bis 12:1 oder in Dimethylformamid) unter Zusatz von mindestens 2 Äquiv. Triäthylamin bei 35 ± 5° und Reaktionszeiten von 40–50 Stdn. vorgenommen.

N-(4-Decyloxy-benzyloxycarbonyl)-glycin [DeOZ-Gly-OH][6,7]: 1,155 g (15,4 mMol) Glycin in 23 *ml* Wasser werden mit 3,11 g (30,8 mMol) Triäthylamin, 190 *ml* 1,4-Dioxan und 5,12 g (15,4 mMol) (4-Decyloxy-benzyloxycarbonyl)-azid in 40 *ml* 1,4-Dioxan versetzt, das entstandene trübe Gemisch im Dunkeln 48 Stdn. bei 45° gerührt. Die klar gewordene Lösung befreit man i. Vak. von der Hauptmenge des 1,4-Dioxans, unterschichtet mit Dichlormethan, stellt unter Eiskühlung mit 2n Phosphorsäure

---

[1] F. Weygand u. E. Nintz, Z. Naturf. **20b**, 429 (1965).
[2] H. Yajima, N. Shirai u. Y. Kiso, Chem. Pharm. Bull. (Tokyo) **19**, 1900 (1971).
[3] vgl. auch S. 81.
[4] S. Guttmann, Diskussionsbemerkung, 6th Europ. Peptide Symposium, Athen 1963.
[5] E. Schnabel et al., A. **716**, 175 (1968).
[6] H. Brechbühler, H. Büchi, E. Hatz, I. Schreiber u. A. Eschenmoser, Helv. **48**, 1746 (1965).
[7] H. Büchi, Dissertation, ETH Zürich, 1965.

auf ~ $p_H = 4$ und extrahiert nach Trennen der Phasen die wäßrige 3mal mit je 500 *ml* Dichlormethan. Die vereinigten Dichlormethan-Lösungen werden mit Eiswasser und ges. Natriumchlorid-Lösung gewaschen, über Natriumsulfat getrocknet (bei der Filtration vom Trocknungsmittel wird eine kleine Menge eines sowohl in Wasser als auch in Dichlormethan schwer löslichen Nebenproduktes abgetrennt) und schließlich i. Vak. eingedampft. Das erhaltene Rohprodukt wird 2mal aus Diäthyläther/Dichlormethan/Hexan umkristallisiert; Ausbeute: 3,89 g (69% d.Th.); F: 110–111.

Ob diese Schutzgruppe eine willkommene Bereicherung für die Peptidsynthese darstellen wird, muß weiteren Untersuchungen vorbehalten bleiben, da N-(4-Decyloxy-benzyloxycarbonyl)-peptide leicht zu lästiger Gallertbildung in den gebräuchlichen Lösungsmitteln neigen[1]. Die Reindarstellung kann dann nur mit relativ komplizierten Reinigungs-Verfahren erzielt werden.

Beachtung verdient die von Eschenmoser et al.[1] erstmals vorgeschlagene Verknüpfung von N-(4-Decyloxy-benzyloxycarbonyl)-aminosäuren (-peptiden) mit Aminosäure-(Peptid)-4-dodecyl-benzylestern. Äquimolekulare Mengen der beiden Reaktionspartner sollten in Form des Ammonium-Carboxylat-Ionenpaares und aufgrund des stark lipophilen Charakters der Amino- bzw. Carboxy-Maskierungen die Ausbildung von Micellstrukturen in wäßrigen Lösungen zulassen; in Anwesenheit geeigneter Peptidierungsreagenzien, z.B. wasserlöslicher Carbodiimide, Woodward-Reagenz u.a., ließe sich schließlich die Verknüpfung der beiden Komponenten durch einen intramicellaren Reaktionsablauf erreichen.

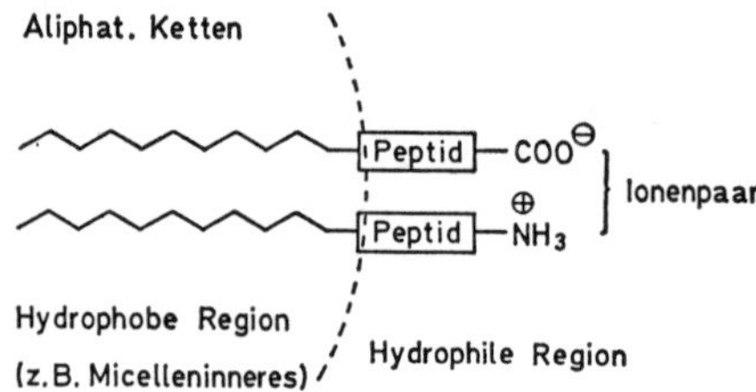

Eine „intramicellare" Peptidsynthese wäre ein weiterer Ausweg aus den Schwierigkeiten, denen sich die heutige, konventionelle Darstellungsmethodik für höhere Peptidsequenzen aufgrund der relativen Schwerlöslichkeit der Reaktionspartner (= „Verdünnung" der reaktiven Zentren von Kopf- und Aminokomponente) gegenübersieht. (Vgl. dazu die „Merrifield-Technik" S. 371f.).

Die Abspaltung der 4-Decyloxy-benzyloxycarbonyl-Schutzgruppe kann, analog dem 4-Methoxy-benzyloxycarbonyl-Rest, mittels wasserfreier Trifluoressigsäure bei Raumtemperatur innerhalb kurzer Zeit (5–10 Min.) vollzogen werden; Benzyl- bzw. 4-Dodecyl-benzylester bleiben unangegriffen[1,2].

L-Phenylalanyl-L-alanin-(4-dodecyl-benzyl-ester)-Hydrochlorid [H-Phe-Ala-ODoB · HCl][1]: 350 mg DeOZ-Phe-Ala-ODoB werden in wenig absol. Dichlormethan gelöst, durch rasches Absaugen des Lösungsmittels mikrokristallin wieder ausgefällt und schließlich mit 5 *ml* wasserfreier Trifluoressigsäure übergossen. Die Mischung wird bei Raumtemp. 15 Min. lang magnetisch gerührt. Die tiefrote Reaktionslösung wird im Eisbad nach Zugabe von Eis mit 40 *ml* kalt-ges. Natriumcarbonat-Lösung alkalisch gemacht, mit 20 *ml* Essigsäure-äthylester versetzt und nach 10 Min. langem kräftigem Rühren rasch 4mal mit 150 *ml* eiskaltem Essigsäure-äthylester extrahiert. Die vereinigten Auszüge werden 4mal mit ges. Natriumchlorid-Lösung gewaschen, mit Natriumsulfat kurz getrocknet und mit neuem Trocknungs-

---

[1] Vgl. H. Büchi, Dissertation, ETH Zürich, 1965.

[2] H. Brechbühler, H. Büchi, E. Hatz, J. Schreiber u. A. Eschenmoser, Helv. **48**, 1746 (1965).

mittel 1 Stde. in der Tiefkühltruhe stehengelassen. Das Filtrat wird bei 30° Badtemp. i. Vak. eingedampft, die Lösung des öligen Rückstandes in wenig absol. Diäthyläther mit 0,11 *ml* (0,47 mMol) 4,25n Salzsäure in absol. Diäthyläther versetzt. Nach vollständiger Entfernung des Lösungsmittels i. Vak. wurden 578 mg eines braunen Öles erhalten, das durch Anspritzen mit Essigsäure-methylester alsbald kristallisierte. Das erhaltene Rohprodukt wurde 3mal aus 20 *ml* siedendem Essigsäure-methylester umkristallisiert; Ausbeute: 179 mg (76% d.Th.); F: 113,7–114,7° (Büschel feiner nadeliger Kristalle); $[\alpha]_D^{20} = -10{,}2°$ bzw. $[\alpha]_{546}^{20} = -12{,}3°$ (c = 1,91, in Äthanol).

Beim Umkristallisieren ist zu beachten, daß die Lösungen nur kurzfristig erhitzt werden; ansonst tritt Verfärbung des Materials ein.

31.111.12.3. 4-Acetoxy-[AcOZ]-, 4-Äthoxycarbonyloxy-[ECOZ]- und 4-[Propyl-(2)-oxycarbonyloxy]-benzyloxycarbonyl-[PCOZ]-Schutzgruppen

Wakselman u. Guibé-Jampel[1] haben neuerdings die Reihe der via β-Eliminierung alkalisch-spaltbaren Amino-Maskierungen auf „Urethan-Basis" mit einigen 4-Acyloxy-benzyloxycarbonyl-Schutzgruppen erweitert. 4-Acetoxy-[AcOZ]-, 4-Äthoxycarbonyl-oxy-[ECOZ]- und 4-[Propyl-(2)-oxycarbonyloxy]-benzyloxycarbonyl-[PCOZ]-Reste lassen sich vermittels der N-subst.-Benzyloxycarbonyl-N'-methyl-imidazolium-chloride (IV a–c) in Aminosäuren einführen (vgl. dazu S. 121); diese Acyldonatoren IV a–c sind gemäß nachstehendem Schema aus 4-Hydroxy-benzylakohol (I) über die Alkyl (Alkoxy)-carbonyloxy-benzylalkohole II a–c und die Chlorameisensäure-ester III a–c zugänglich:

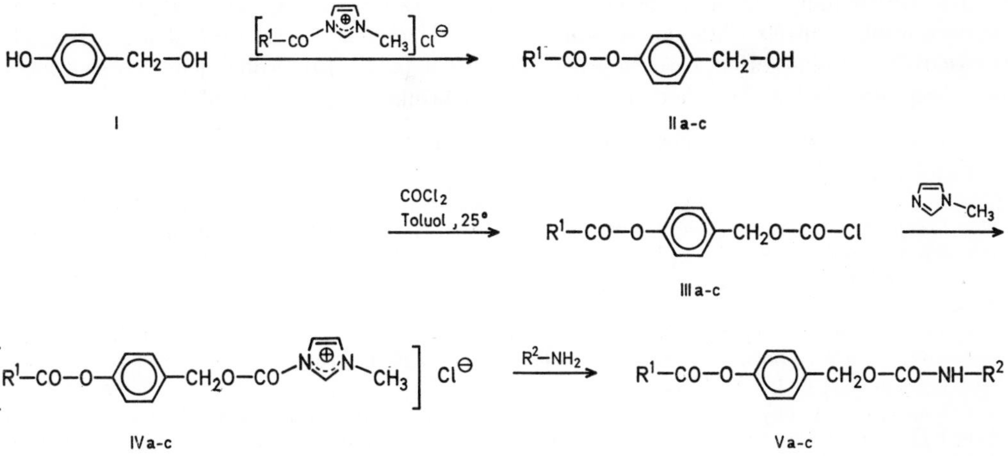

HO–C₆H₄–CH₂–OH (I) —[R¹–CO–N-methyl-imidazolium] Cl⊖→ R¹–CO–O–C₆H₄–CH₂–OH (II a-c)

—$COCl_2$, Toluol, 25°→ R¹–CO–O–C₆H₄–CH₂O–CO–Cl (III a-c) —N-Methylimidazol→

[R¹–CO–O–C₆H₄–CH₂O–CO–N-methyl-imidazolium] Cl⊖ (IV a-c) —R²–NH₂→ R¹–CO–O–C₆H₄–CH₂O–CO–NH–R² (V a-c)

Die drei 4-Acyloxy-benzyl-urethan-Gruppierungen werden mittels katalytisch erregtem Wasserstoff oder auch acidolytisch mit 40%-iger Bromwasserstoff/Essigsäure in Richtung freies Amin gespalten, zeigen aber eine relativ hohe Stabilität gegenüber Trifluoressigsäure/Dichlormethan (1:1; 22°; 1 Stde.), vor allem das 4-[Propyl-(2)-oxycarbonyl]-benzyloxycarbonyl-amin-Derivat; so wird PCOZ-Gly-OH unter diesen Bedingungen nur in Spuren (unter 0,5%) gespalten[1].

Im Zusammenhang mit letzterem Verhalten und der Möglichkeit, die Demaskierung dieser N-Acyloxy-benzyloxycarbonyl-aminosäuren z.B. mittels 0,1 n Natronlauge innerhalb von 10 Minuten in einer Zweistufen-Reaktion (Hydrolyse der Phenylester-Bindung von V a–c gefolgt von 1,6-Eliminierung des Phenolat-Zwischenprodukts VI unter Regene-

---

[1] M. Wakselman u. E. Guibé-Jampel, Chem. Commun. **1973**, 593.

rierung des Amins und Bildung von Chinon-Methid VII) zu erzielen[1], scheint eine peptidsynthetische Verwendung dieser „Urethan-Schutzgruppen" durchaus von Interesse:

R^1–C(=O)–O–C_6H_4–CH_2–O–C(=O)–NH–R^2 (Va-c) $\xrightarrow{OH^\ominus}$ $^\ominus$O–C_6H_4–CH_2–O–C(=O)–NH–R^2 (VI)

$\longrightarrow$ O=C_6H_4=CH_2 (VII) + CO_2 + H_2N–R^2

31.111.12.4. Farbige 4-substituierte Benzyloxycarbonyl-Schutzgruppen

Die farbigen 4-substituierten Benzyloxycarbonyl-Schutzgruppen, von Schwyzer et al.[2] eingeführt, nehmen eine Sonderstellung ein. Da man bei der Reindarstellung höherer Peptide mangels Kristallisationsfreudigkeit und entsprechend differenzierter Löslichkeitseigenschaften der Zwischen- und End- gegenüber Nebenprodukten auf Verteilungschromatographie, multiplikative Verteilung, Elektrophorese etc. angewiesen ist, sollte eine Auftrennung farbiger Verbindungen relativ leicht verfolgt werden können.

Die Herstellung der orangefarbenen 4-Phenylazo-benzyloxycarbonyl-[PAZ]-aminosäuren erfolgt mittels Chlorameisensäure-(4-phenylazo-benzylester) nach den für Benzyloxycarbonyl-aminosäuren beschriebenen Verfahren (s. S. 49), wobei jedoch das Chlorameisensäure-Derivat in Äther- oder 1,4-Dioxan-Lösung eingesetzt wird.

N-4-Phenylazo-benzyloxycarbonyl-L-prolin [PAZ-Pro-OH][2]:

Chlorameisensäure-(4-phenylazo-benzylester)[2]:

4-Phenylazo-benzylalkohol: 77 g 4-Amino-benzylalkohol trägt man unter Rühren und Eiskühlung in eine Lösung von 74 g Nitrosobenzol in 400 *ml* Eisessig ein. Nach ~ 10 Min. beginnt eine kristalline Abscheidung, die nach ~ 3 Stdn. vollständig wird; sie wird abfiltriert, mit Essigsäure/Wasser gewaschen und getrocknet (1. Fraktion). Das Filtrat wird mit viel Wasser versetzt, das ausgeschiedene braune Produkt abfiltriert, mit Wasser gewaschen und mit Tetrachlormethan ausgekocht. Nach Entfernen des Lösungsmittels i. Vak. erhält man einen orangeroten Rückstand (2. Fraktion). Die erhaltenen Fraktionen werden aus Tetrachlormethan umkristallisiert und bei 90°/0,1 Torr 5 Stdn. getrocknet; Ausbeute: 95 g (70% d.Th.); F: 142,5–143°.

Chlorameisensäure-(4-phenylazo-benzylester): 50 g 4-Phenylazo-benzylalkohol werden portionenweise in eine Lösung von 109 g Phosgen in 400 *ml* 1,4-Dioxan eingetragen. Die resultierende Mischung wird 15 Min. bei 0° gerührt und dann 3 Stdn. bei Raumtemp. stehengelassen. Die evtl. von geringen Mengen dunkler Flocken abfiltrierte Lösung wird i. Vak. zur Trockene verdampft, der kristalline Rückstand aus absol. Petroläther umkristallisiert und bei 50°/0,01 Torr 6 Stdn. getrocknet; Ausbeute: 57,3 g (88% d.Th.); F: 82–83°.

N-4-Phenylazo-benzyloxycarbonyl-L-prolin [PAZ-Pro-OH][2]: 47,3 g Prolin in 410 *ml* n Natronlauge werden bei 20° mit 115 g 4-Phenylazo-benzyloxycarbonyl-chlorid in 1 *l* Äther und 415 *ml* n Natronlauge in mehreren Portionen versetzt. Die Reaktionsmischung wird 1 Stde. bei Raumtemp. nachgerührt, daraufhin mit Äther erschöpfend ausgezogen, bis die ätherische Phase annähernd farblos ist, und schließlich mit Salzsäure angesäuert. Das ausgeschiedene Produkt wird in Essigsäureäthylester aufgenommen, die erhaltene Lösung üblich neutral gewaschen und i. Vak. nach Trocknen über Natriumsulfat eingeengt; Ausbeute: 128 g (87,5% d.Th.); F: 129–135° [orangerote Kristalle aus Petroläther oder Äthanol/Wasser].

---

[1] M. Wakselman u. E. Guibé-Jampel, Chem. Commun. **1973**, 593.

[2] R. Schwyzer, P. Sieber u. K. Zatsko, Helv. **41**, 491 (1958).
Vgl. a. R. Schwyzer, Ang. Ch. **71**, 742 (1959).

Auf analoge Weise wurden von Schwyzer[1] N-4-(4-Methoxy-phenylazo)-benzyloxycarbonyl-[MAZ]-aminosäuren hergestellt und für die Peptidsynthese herangezogen. Der aus 4-(4-Methoxy-phenylazo)-benzylalkohol und Phosgen wie üblich zugängliche Chlorameisensäureester ist jedoch nur kurze Zeit haltbar. Diese beiden farbigen Schutzgruppen lassen sich nach den für den „normalen" Benzyloxycarbonyl-Rest gültigen Verfahren wieder entfernen. Im Falle der acidolytischen Entacylierung jedoch teilweise [PAZ] erheblich langsamer, im neutralen Medium erheblich rascher[2], wobei ein Auftreten von zusätzlich zwei Aminokomponenten berücksichtigt werden muß:

$R-C_6H_4-N{=}N-C_6H_4-CH_2-O-CO-NH-R^1$

$-CO_2$ HBr / Eisessig, 1 Stde, 40° → $R-C_6H_4-N{=}N-C_6H_4-CH_2-Br + H_2N-R^1$

$-CO_2$ H_2/Pd → $R-C_6H_4-NH_2 + H_3C-C_6H_4-NH_2 + H_2N-R^1$

Phenylazo-benzyloxycarbonyl-aminosäuren wurden von Schwyzer bei Synthesen auf dem ACTH-[3–6] und Tyrocidin-Gebiet[7], von Wünsch et al. zur Herstellung von „Chromophor-Peptidsubstraten"[8–10] benützt.

N-(4-Phenylazo-benzyloxycarbonyl)-L-prolyl-L-leucyl-glycyl-L-prolyl-D-arginin [PAZ-Pro-Leu-Gly-Pro-D-Arg-OH]:

N-(4-Phenylazo-benzyloxycarbonyl)-L-prolin-4-nitro-phenylester [PAZ-Pro-ONP][9]: 98 g PAZ-Pro-OH (s. S. 76) in 1,15 *l* Essigsäure-äthylester/Dimethylformamid (3 : 2) werden bei −10° unter Rühren mit 45,3 g 4-Nitrophenol und 58,3 g Dicyclohexylcarbodiimid versetzt; die Reaktionsmischung wird 12 Stdn. bei 0° und weitere 12 Stdn. bei Raumtemp. gerührt und nach Filtration vom ausgefallenen N,N'-Dicyclohexyl-harnstoff i. Vak. zur Trockene eingedampft. Das erhaltene Rohprodukt wird aus Äthanol umkristallisiert; Ausbeute: 113,2 g (86% d.Th.); orange glänzende Nadeln vom F: 107–108,5°.

N-(4'-Phenylazo-benzyloxycarbonyl)-L-prolyl-L-leucyl-glycyl-L-prolin [PAZ-Pro-Leu-Gly-Pro-OH][9]: Zu einer auf 0° gekühlten Lösung von 10,72 g (37,54 mMol) H-Leu-Gly-Pro-OH und 5,18 *ml* Triäthylamin in 100 *ml* Dimethylformamid gibt man 17,8 g (37,54 mMol) PAZ-Pro-ONP. Das Reaktionsgemisch wird 24 Stdn. bei 0° gerührt. Nach Abziehen des Lösungsmittels i. Vak. verteilt man den erhaltenen Rückstand zwischen Essigsäure-äthylester und verd. Schwefelsäure. Die abgetrennte Essigsäure-äthylester-Phase wird mit Wasser gewaschen, über Natriumsulfat getrocknet und anschließend i. Vak. zur Trockene gebracht. Aus der Essigsäure-äthylester-Lösung des erhaltenen glasigen Produktes tritt auf Zugabe von Diäthyläther Kristallisation ein, die durch Stehenlassen im Kühlschrank vervollständigt wird, anschließend wird i. Vak. bei 80° über Phosphor(V)-oxid getrocknet; Ausbeute: 21,19 g (91% d.Th.); F: 201–203° (orangefarbenes Pulver): $[\alpha]_D^{20} = -93{,}6 \pm 1°$ bzw. $[\alpha]_{546}^{20} = -112{,}1°$ (c = 1, in Methanol).

---

[1] R. Schwyzer, P. Sieber u. K. Zatsko, Helv. **41**, 491 (1958).
[2] R. Schwyzer, Ang. Ch. **71**, 742 (1959).
[3] R. Schwyzer et al., Ang. Ch. **72**, 915 (1960).
[4] H. Kappeler u. R. Schwyzer, Helv. **44**, 1136 (1961).
[5] R. Schwyzer u. W. Rittel, Helv. **44**, 159 (1961).
[6] R. Schwyzer u. H. Kappeler, Helv. **46**, 1550 (1963).
[7] R. Schwyzer, E. Surbeck-Wegmann u. H. Dietrich, Chimia **14**, 366 (1960).
[8] E. Wünsch u. H. G. Heidrich, H. **332**, 300 (1963).
[9] E. Wünsch, G. Schönsteiner-Altmann u. E. Jaeger, H. **352**, 1424 (1971).
[10] E. Wünsch, A. Högel-Betz u. E. Jaeger, H. **352**, 1553 (1971).

N-(4-Phenylazo-benzyloxycarbonyl)-L-prolyl-L-leucyl-glycyl-L-prolin-(N-hydroxy-succinimid)-ester [PAZ-Pro-Leu-Gly-Pro-OSU][1]: 27,4 g (44,1 mMol) PAZ-Pro-Leu-Gly-Pro-OH in 1000 *ml* 1,4-Dioxan/Dichlormethan (1:1) werden bei 0° mit 5,58 g (48,4 mMol) N-Hydroxy-succinimid und anschließend mit 10,01 g (48,4 mMol) Dicyclohexylcarbodiimid versetzt. Die Mischung wird 4 Stdn. bei 0° und 24 Stdn. bei Raumtemp. gerührt und letztlich nach Filtration von N,N'-Dicyclohexylharnstoff i. Vak. eingedampft. Das verbleibende Material wird in möglichst wenig Essigsäure-äthylester aufgenommen. Aus dieser Lösung scheidet sich nach Stehenlassen im Kühlschrank noch eine weitere Menge N,N'-Dicyclohexylharnstoff aus; er wird abfiltriert. Aus der auf die Hälfte ihres Vol. eingeengten Lösung fällt bei Zugabe von viel Diäthyläther der Acyltetrapeptid-(N-hydroxy-succinimid)-ester als feiner Niederschlag an; nach Trocknen bei 40° i. Vak. über Phosphor(V)-oxid; Ausbeute: 28,5 g (90,3% d.Th.); $[\alpha]_D^{20} = -97,38 \pm 1°$ bzw. $[\alpha]_{546}^{20} = -114,9°$ (c = 1, in Methanol).

N-(4-Phenylazo-benzyloxycarbonyl)-L-prolyl-L-leucyl-glycyl-L-prolyl-D-arginin [PAZ-Pro-Leu-Gly-Pro-D-Arg-OH][1]: 7,69 g (36,4 mMol) D-Arginin-Hydrochlorid und 36,4 *ml* 1n Natronlauge in 200 *ml* 1,4-Dioxan/Wasser (1 : 1) werden unter Kühlung mit 25 g (34,8 mMol) PAZ-Pro-Leu-Gly-Pro-OSU versetzt. Nach 2stdgm. Rühren bei Raumtemp. wird die Reaktionsmischung i. Vak. eingedampft, der feste Rückstand in Butanol aufgenommen. Die erhaltene Lösung wird mehrmals mit Wasser gewaschen, anschließend i. Vak. zur Trockene eingedampft und der Rückstand aus tert.-Butanol/1,4-Dioxan/Diäthyläther umkristallisiert; Ausbeute: 25,4 g (92% d.Th.); F: 158–159° (orangefarbenes Pulver); $[\alpha]_D^{20} = -89,8 \pm 1°$ bzw. $[\alpha]_{546}^{20} = -106,0°$ (c = 1, in Methanol).

31.111.12.5. 4-Nitro-benzyloxycarbonyl-[NZ]-Schutzgruppe

Der 4-Nitro-benzylcarbonyl-[NZ]-Rest bewährte sich zunächst bei der Synthese einfacher Arginyl-X-Peptide[2] mit Hilfe des Säurechlorid-Verfahrens.

Die von Berse et al.[3] aufgezeigte Verwendung für Cystin-Cystein-Peptide, die gemäß folgendem Schema eine selektive Hydrogenolyse mit dosierten Wasserstoffmengen erlauben sollte, hat sich jedoch nicht reproduzieren lassen:

$$2\ H_2N{-}CH(COOH){-}CH_2{-}SH \; + \; 2\ H_3C{-}C_6H_4{-}NH{-}OH$$

$$\uparrow + 7\ H_2 \ (\text{Na-Salz in } H_2O)$$

$$[O_2N{-}C_6H_4{-}CH_2{-}O{-}CO{-}NH{-}CH(COOH){-}CH_2{-}S{-}]_2 \xrightarrow[C_2H_5OH]{4\ H_2/} [H_2N{-}CH(COOH){-}CH_2{-}S{-}]_2 \; + \; 2\ O_2N{-}C_6H_4{-}CH_3$$

$$\downarrow + 6\ H_2 \ (\text{Na-Salz in } H_2O)$$

$$[H_2N{-}CH(COOH){-}CH_2{-}S{-}]_2 \; + \; 2\ H_3C{-}C_6H_4{-}NH{-}OH$$

Die Einführung der N-Schutzgruppe ist mittels Chlorameisensäure-4-nitro-benzylester[4] oder mittels (4-Nitro-benzyl)-piperidino-carbonat[5] möglich.

---

[1] E. Wünsch, G. Schönsteiner-Altmann u. E. Jaeger, H. **352**, 1424 (1971).
[2] D. T. Gish u. F. H. Carpenter, Am. Soc. **75**, 5872 (1953).
[3] C. Berse, R. Boucher u. L. Piche, J. Org. Chem. **22**, 805 (1957).
[4] F. H. Carpenter u. D. T. Gish, Am. Soc. **74**, 3818 (1952).
[5] B. O. Handford et al., Soc. **1965**, 6814.

N_α-(4-Nitro-benzyloxycarbonyl)-L-arginin [NZ-Arg-OH]:

Chlorameisensäure-4-nitro-benzylester[1]: in 180 *ml* 1,4-Dioxan leitet man unter Kühlung einen Strom Phosgen ein, bis 174 g absorbiert sind. Die erhaltene Lösung vereinigt man mit 60 g 4-Nitro-benzylalkohol in 75 *ml* 1,4-Dioxan; die erhaltene Reaktionslösung wird in einem verschlossenen Kolben über Nacht bei Raumtemp. stehengelassen. Überschüssiges Phosgen, gebildeter Chlorwasserstoff und das Lösungsmittel werden i. Vak. bei einer Badtemp. unter 50° entfernt; diese Operation wird zur Entfernung der letzten Phosgen-Reste nach Zugabe frischen 1,4-Dioxans mehrfach wiederholt. Das erhaltene Öl wird in 120 *ml* Toluol aufgenommen, die Lösung auf 0° gekühlt und mit Petroläther (~ 150 *ml*) bis zur beginnenden Trübung versetzt. Nach Anreiben, schneller nach Animpfen, tritt alsbald Kristallisation ein; auf Zugabe weiterer 400 *ml* Petroläther wird die Mischung auf –50° abgekühlt, die erhaltene Fällung abfiltriert, mit Toluol/Petroläther und Petroläther gewaschen und i. Vak. über Phosphor(V)-oxid getrocknet; Ausbeute: 80 g (95% d.Th.); F: 33,5–34°.

N_α-(4-Nitro-benzyloxycarbonyl)-L-arginin [NZ-Arg-OH][2]: 10,5 g Arginin-Monohydrochlorid in 15 *ml* 4n Natronlauge und 40 *ml* n Natriumhydrogencarbonat-Lösung (p_H = 10,0) werden wie üblich mit 10,8 g Chlorameisensäure-4-nitro-benzylester in 30 *ml* 1,4-Dioxan und mit 12,5 *ml* 4n Natronlauge in 5 Portionen umgesetzt.

Nach beendeter Reaktion (~ 50 Min.) wird der p_H der Reaktionsmischung mit konz. Salzsäure auf 5,5 gestellt, von einem geringen Betrag ausgefallenen Produkts (disubstituiertes Arginin) abfiltriert, die erhaltene Lösung 3mal mit je 50 *ml* Essigsäure-äthylester extrahiert. Die verbleibende wäßrige Phase wird mit wenig Natronlauge auf p_H = 7,5 gestellt; die resultierende klare Lösung i. Vak. auf 65 *ml* konzentriert, wobei alsbald Kristallisation eintritt. Der erhaltene Niederschlag wird abfiltriert, mit kaltem Wasser und Äthanol gewaschen und aus Wasser umkristallisiert; Ausbeute: 15,5 g (88% d.Th. für ein Hemi-Hydrat); F: 193–193,5° [beim Trocknen i. Vak. über Phosphor(V)-oxid bei 100° wird das wasserfreie Produkt erhalten].

Wie auf S. 70 erwähnt, ist die katalytische Hydrogenolyse des 4-Nitro-benzyloxycarbonyl- gegenüber der des unsubstituierten Benzyloxycarbonyl-Restes erheblich erleichtert; man hat jedoch eine zusätzliche Amino-Komponente in 4-Toluidin (nach vollständiger Hydrierung der Nitro-Gruppe) bei der anschließenden Aufarbeitung einzukalkulieren. Die dagegen verzögerte, bei N_ω-Arginin-[3] (s. dazu S. 316) N_ε-Lysin-[4] und N_α-Isoleucin-Derivaten[5] sogar stark bis vollständig gehinderte acidolytische Demaskierung gestattet in einigen Fällen die selektive Spaltung von Benzyloxycarbonyl- und 4-Nitro-benzyloxycarbonyl-Gruppen, wie Carpenter et al.[6] mit der geglückten Herstellung von H-Pro-Lys(NZ)-OH aus der N_α-Benzyloxycarbonyl-Verbindung demonstrieren konnten.

31.111.12.6. 4-Chlor-[CZ]-, 3-Chlor-[3CZ]-, 2-Chlor-[2CZ]-, 4-Brom-[BZ]-, 2-Brom[2BZ]-, 3-Nitro-[3NZ]- und 4-Cyano-[CyZ]-benzyloxycarbonyl-Schutzgruppen

4-Chlor-[CZ]-[7,8], 3-Chlor-[3CZ]-[9,10], 2-Chlor-[2CZ]-[11], 4-Brom-[BZ]-[12,13], 2-Brom-[2BZ]-[14], 3-Nitro-[3NZ]-[11] und 4-Cyano-[CyZ]-[10,11] benzyloxycarbonyl-

[1] F. H. Carpenter u. D. T. Gish, Am. Soc. **74**, 3818 (1952).
[2] D. T. Gish u. F. H. Carpenter, Am. Soc. **75**, 5872 (1953).
[3] S. Guttmann u. J. Pless, Acta chim. Acad. Sci. hung. **44**, 23 (1965).
[4] S. Sakakibara u. Y. Shimonishi, Bl. chem. Soc. Japan **38**, 412 (1965).
K. Noda, S. Terada u. N. Izumiya, Bl. chem. Soc. Japan **43**, 1883 (1970).
E. Schnabel, H. Klostermeyer u. H. Berndt, A. **749**, 90 (1971).
[5] J. Rudinger, J. Honzl u. M. Zaoral, Collect. czech. chem. Commun. **21**, 202 (1956).
[6] J. E. Shields u. F. H. Carpenter, Am. Soc. **83**, 3066 (1961).
[7] R. A. Boissonnas u. G. Preitner, Helv. **36**, 875 (1955).
[8] L. Kisfaludy u. S. Dualszky, Acta chim. Acad. Sci. hung. **24**, 301, 309 (1960).
[9] K. Bláha u. J. Rudinger, Collect. czech. chem. Commun. **30**, 985 (1965).
[10] K. Noda, S. Terada u. N. Izumiya, Bl. chem. Soc. Japan **43**, 1883 (1970).
[11] J. Meienhofer, *Peptides*, Proc. 6th Europ. Peptide Symposium, Athen 1963, Pergamon Press Ltd., Oxford **1966**, S. 55.
[12] D. M. Channing, P. B. Turner u. G. T. Young, Nature **167**, 487 (1951).
[13] D. Yamashiro u. C. H. Li, Int. J. Peptide Protein Res. **4**, 181 (1972).
[14] D. Yamashiro u. C. H. Li, Am. Soc. **95**, 1310 (1973).

Schutzgruppen wurden teilweise zunächst in Erwartung besonders erhöhter Kristallisationsfreudigkeit ihrer Aminosäure- und Peptid-Derivate erarbeitet. Die verzögerten Reaktionsgeschwindigkeiten bei der hydrogenolytischen und acidolytischen Entacylierung[1–5] dieser „kernsubstituierten" Benzyloxycarbonyl-aminosäure-Verbindungen interessierten aber letztlich mehr; bei der zweitgenannten Demaskierungsart zeigen diese eine über eine „Zehnerpotenz" fallende Tendenz in folgender Reihe[2,3]:

$$Z > CZ(BZ) > 2CZ > 3CZ > 3NZ > CyZ > NZ$$

Kisfaludy et al.[6] gelang zwar mit Hilfe von 4-Chlor-benzyloxycarbonyl-aminosäuren ein erfolgreicher Aufbau von ACTH-Sequenzen, doch im allgemeinen gesehen, haben diese substituierten Benzyloxycarbonyl-Reste erst neuerdings für die Blockierung der N_ε-Funktion des Lysins Bedeutung erlangt, (insbesondere 4CZ, 2CZ, 4BZ und 2BZ-Maskierungen, s. a. folgendes Kap. u. S. 489). Letztere Versuche sind mit dem Ziel einer Behebung der mangelnden Selektivität bei der Säurespaltung von tert.- Butyloxycarbonyl- in Gegenwart von Benzyloxycarbonyl-Schutzgruppen gestartet worden[2,4,5].

31.111.12.7. Dichlor-benzyloxycarbonyl-[DCZ*]-Schutzgruppen

Die immer wieder aufgezeigte zu geringe Stabilität der N_ω-Benzyloxycarbonyl-Gruppierung im Zuge der acidolytischen N_α-tert.-Butyloxycarbonyl-Demaskierung, speziell bei der Festkörper-Synthese nach Merrifield (s. S. 374f.), hat zu Variationen des N_ω-Acylrestes u. a. durch Einführung von Substituenten im Phenylring geführt (s. vorsteh. Kap.). Nunmehr benutzen Merrifield et al.[7] 2,4-Dichlor-[24DCZ]- und 3,4-Dichlor-[34DCZ]-benzyloxycarbonyl-Reste mit Erfolg bei der Synthese von *Deca-lysyl-valin*; „verzweigte"

Tab. 6. Acidolytische Deblockierung von N_ε-Lysin-Derivaten mittels Trifluoressigsäure/Dichlormethan (1:1) bei 20° im Vergleich mit O-Benzyl-threonin

N_ε-subst. Lysin	$K_1(10^{-4}/\text{Stde.}^{-1})$	Relative Spaltrate
Lys(Z)	142	57
Lys(CZ)	50	20
[Thr(BZL)	2,5	1,0]
Lys(2CZ)	2,3	0,9
Lys(24DCZ)	1,8	0,7
Lys(34DCZ)	0,86	0,3
Lys(3CZ)	0,18	0,07
Lys(26DCZ)	0,14	0,06

* Die Positionen der Chlor-Substituenten sind zu bezeichnen: s. S. 20.

1 R. A. Boissonnas u. G. Preitner, Helv. **36**, 875 (1955).

2 K. Noda, S. Terada u. N. Izumiya, Bl. chem. Soc. Japan **43**, 1883 (1970).

3 J. Meienhofer, *Peptides*, Proc. 6th Europ. Peptide Symposium, Athen 1963, Pergamon Press Ltd., Oxford **1966**, S. 55.

4 E. Schnabel, H. Klostermeyer u. H. Berndt, A. **749**, 90 (1971).

5 S. Sakakibara et al., Bl. chem. Soc. Japan **43**, 3322 (1970).

6 L. Kisfaludy, S. Dualszky, K. Medzihradszky, S. Bajusz u. V. Bruckner, Acta chim. Acad. Sci. hung. **30**, 473 (1962).

7 B. W. Erickson u. R. B. Merrifield, *Chemistry and Biology of Peptides*, Proc. 3rd Amer. Peptide Symposium Boston 1972; Ann Arbor Science Publ. **1972**, S. 191.

Ketten, wie sie ansonst beim Gebrauch von N_ε-Benzyloxycarbonyl-lysin auftreten, wurden von den Autoren nicht mehr beobachtet.

Die Abspaltungen der 2,4- und 3,4-Dichlor- wie auch der 2-Chlor-benzyloxycarbonyl-[2CZ]-Gruppen gelingt vollständig mit Trifluoressigsäure/Dichlormethan (1 : 1) bei 20° – die Reaktionen liegen etwa in der gleichen Zeitgrößenordnung wie die Deblockierung von O-Benzyl-threonin – und mit Fluorwasserstoff bei 0° innerhalb einer Stunde. Die 2,6-Dichlor-[26DCZ]-Verbindung, wie auch das 3-Chlor-[3CZ]-Derivat, zeigten sich erheblich stabiler gegenüber genannten acidolytischen Bedingungen (Spaltrate etwa 15-fach erniedrigt im Vergleich zu der von O-Benzyl-threonin), so daß beide für „Merrifield-Synthesen“ nicht in Frage kommen.

31.111.12.8. Photosensitive substituierte Benzyloxycarbonyl-Schutzgruppen

(3,5-Dimethoxy-[35DZ]-, 2-Nitro-4,5-dimethoxy-[NDZ]- und 2-Nitro-[NZ]-benzyloxycarbonyl-Schutzgruppen)

Im 3,5-Dimethoxy-benzyloxycarbonyl-[35DZ]-Rest fand Chamberlin[1] die erste auch im Peptidverband mittels Photolyse reversible Amino-Maskierung vom Urethan-Typ auf (vgl. dazu S. 150). Die Einführung der N-Schutzgruppe in Aminosäuren zu IV gelingt leicht mit Hilfe von 4-Nitro-phenyl-(3,5-dimethoxy-benzyl)-carbonat (III)[1] oder Chlorameisensäure-3,5-dimethoxy-benzylester[2] nach üblicher Verfahrenstechnik (s. S. 49); die Acylierungsreagenzien sind auf bekannte Weise durch Umsetzung von 3,5-Dimethoxy-benzylalkohol (I) – erhalten durch Lithiumalanat-Reduktion von 3,5-Dimethoxy-benzoesäure – mit Chlorameisensäure-4-nitro-phenylester (II) bzw. Phosgen zugänglich, z.B.:

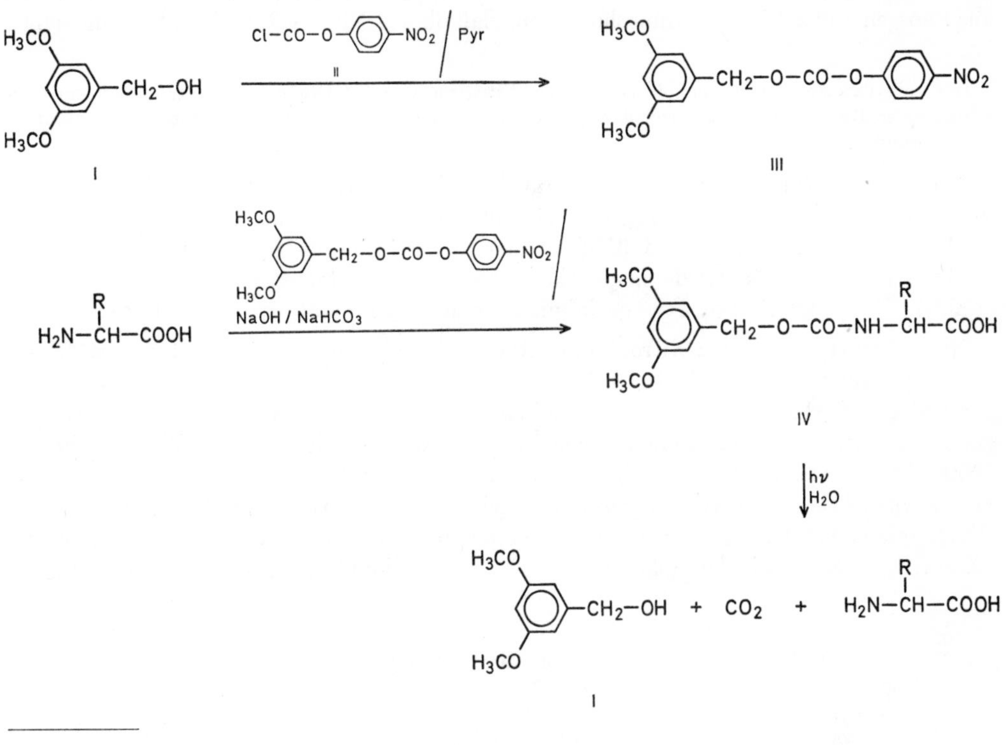

3,5-$(H_3CO)_2C_6H_3$–CH_2–OH (I) $\xrightarrow{\text{Cl–CO–O–}C_6H_4\text{–}NO_2\ \text{(II) / Pyr}}$ 3,5-$(H_3CO)_2C_6H_3$–CH_2–O–CO–O–C_6H_4–NO_2 (III)

H_2N–CH(R)–COOH $\xrightarrow{\text{III / NaOH / NaHCO}_3}$ 3,5-$(H_3CO)_2C_6H_3$–CH_2–O–CO–NH–CH(R)–COOH (IV)

IV $\xrightarrow{h\nu,\ H_2O}$ 3,5-$(H_3CO)_2C_6H_3$–CH_2–OH (I) + CO_2 + H_2N–CH(R)–COOH

---

[1] J. W. Chamberlin, J. Org. Chem. **31**, 1658 (1966).

[2] T. Wieland u. C. Birr, *Peptides*, Proc. 8th Europ. Peptide Symposium, Noordwijk 1966, North Holland Publ. Co., Amsterdam **1967**, S. 103.

Die Abspaltung der Schutzgruppe läßt sich in wäßr. 1,4-Dioxan unter Stickstoff-Atmosphäre photolytisch (Hg-Lampe) glatt bewerkstelligen. 3,5-Dimethoxy-benzyloxycarbonyl-aminosäuren (IV) bzw. -peptide (letztere aus 3,5-Dimethoxy-benzyloxycarbonyl-aminosäuren und Aminosäure-Salzen nach der Methode der gem. Anhydride zugänglich[1]) werden innerhalb ~ 90 Min. in die freien Aminosäuren bzw. Peptide und 3,5-Dimethoxy-benzylalkohol (I) unter gleichzeitigem Freiwerden von Kohlendioxid gespalten.

Aminosäuren bzw. Peptide durch photolytische Entacylierung; allgemeine Arbeitsvorschrift[2]: 0,0035–0,005 Mol 3,5-Dimethoxy-benzyloxycarbonyl-aminosäure bzw. -peptid in 1000 *ml* 1,4-Dioxan/Wasser (1:1) werden mit einer Hochdruck-Quecksilber-Lampe (Hanovia 654 A-36, Vycorglas-Filter) bestrahlt, währenddessen Stickstoff durch die Reaktionslösung geleitet wird. Der Fortschritt der Reaktion wird papierchromatographisch verfolgt; die quantitative Spaltung ist meistens nach 90 Min. beendet. Danach dampft man die Lösung zur Trockene i. Vak. ein und behandelt den erhaltenen Rückstand mit Aceton. Das verbleibende Material kann aus den für die Aminosäure (bzw. Peptid) geeigneten Lösungsmittelsystemen umkristallisiert werden; Ausbeuten: 60–85% der Theorie.

Die Entacylierung ist in Gegenwart von Thioäther- und Hydroxy-Gruppierungen durchführbar; sie soll weitgehend selektiv auch neben N_ε-Benzyloxycarbonyl-Maskierungen gelingen, obgleich N_α-Benzyloxycarbonyl-aminosäuren unter den Bedingungen der Photolyse zu ~ 10% gespalten werden[2].

Der 2-Nitro-4,5-dimethoxy-benzyloxycarbonyl-[NDZ]-Rest soll nach Patchornik et al.[3,4] noch günstigere Voraussetzungen für eine photolytische Entacylierung mit sich bringen: die photolytische Entacylierung ist bei einer Wellenlänge von > 3200 Å zu erreichen; unter diesen Bedingungen bleibt auch das Tryptophan-Indol-System unangegriffen (Zerstörung bei einer Wellenlänge von 3150 Å).

Die Einführung des 2-Nitro-4,5-dimethoxy-benzyloxycarbonyl-Restes gelingt mit Hilfe des Chlorameisensäure-2-nitro-4,5-dimethoxy-benzylesters, der auf übliche Weise aus Phosgen und 2-Nitro-4,5-dimethoxy-benzylalkohol (6-Nitro-veratrylalkohol) zugänglich ist.

Der substituierte Benzylalkohol wird durch Nitrieren von 3,4-Dimethoxy-benzaldehyd und anschließender Reduktion des intermediären 2-Nitro-4,5-dimethoxy-benzaldehyds mittels Natriumboranat gewonnen[4].

Chlorameisensäure-2-nitro-4,5-dimethoxy-benzylester reagiert mit Aminosäuren in wäßr. 1,4-Dioxan unter Zusatz von Natriumhydrogencarbonat bei Raumtemperatur in Ausbeuten zwischen 60 und 95% zu den 2-Nitro-4,5-dimethoxy-benzyloxycarbonyl-[NDZ]-aminosäuren (VII); deren peptidsynthetische Umsetzung kann nach Patchornik et al.[4] in Form der N-Hydroxy-succinimidester mit „Aminosäuresalzen" erfolgen.

Die Abspaltung der 2-Nitro-4,5-dimethoxy-benzyloxycarbonyl-Schutzgruppe gelingt neben den für die unsubstituierte Benzyloxycarbonyl-Maskierung bekannten Methoden, wie Bromwasserstoff in Eisessig, Natrium in flüssigem Ammoniak oder katalytische Hydrogenolyse, auch auf photolytischem Wege; eine Bestrahlung mit Licht von Wellenlängen ab 3050 Å ist dafür ausreichend. Nach Patchornik et al.[4] setzt die photolytische Demaskierung von 2-Nitro-4,5-dimethoxy-benzyloxycarbonyl-[NDZ]-aminosäuren (VII) oder -peptiden (VIII) mit einem Umlagerungsschritt zu einem intermediären Nitroso-O-acyl-halbacetal IX ein; dieses zerfällt in Aminokomponente X, Kohlendioxid und 2-Nitroso-4,5-dimethoxy-

---

[1] T. Wieland u. C. Birr, *Peptides*, Proc. 8th Europ. Peptide Symposium, Noordwijk 1966, North Holland Publ. Co., Amsterdam **1967**, S. 103.

[2] J. W. Chamberlin, J. Org. Chem. **31**, 1658 (1966).

[3] A. Patchornik, Diskussionsbemerkung, 8th Europ. Peptide Symposium, Noordwijk 1966.

[4] A. Patchornik, B. Amit u. R. B. Woodward, Am. Soc. **92**, 6333 (1970).
A Patchornik, B. Amit u. R. B. Woodward, *Peptides*, Proc. 10th Europ. Peptide Symposium, Abano Terme 1969, North Holland Publ. Co., Amsterdam **1971**, S. 12.

benzaldehyd (XI). Unter dem Einfluß der Strahlung wird letzteres in einer „Umlagerungs-Kondensation“ zum 4,4′,5,5′-Tetramethoxy-2,2′-dicarboxy-azobenzol (XII) umfunktioniert. Der Reaktionsablauf ist jedoch nicht einhellig, da das reaktive Intermediärprodukt XI zu konkurrierender Umsetzung mit der freigewordenen Aminokomponente befähigt ist:

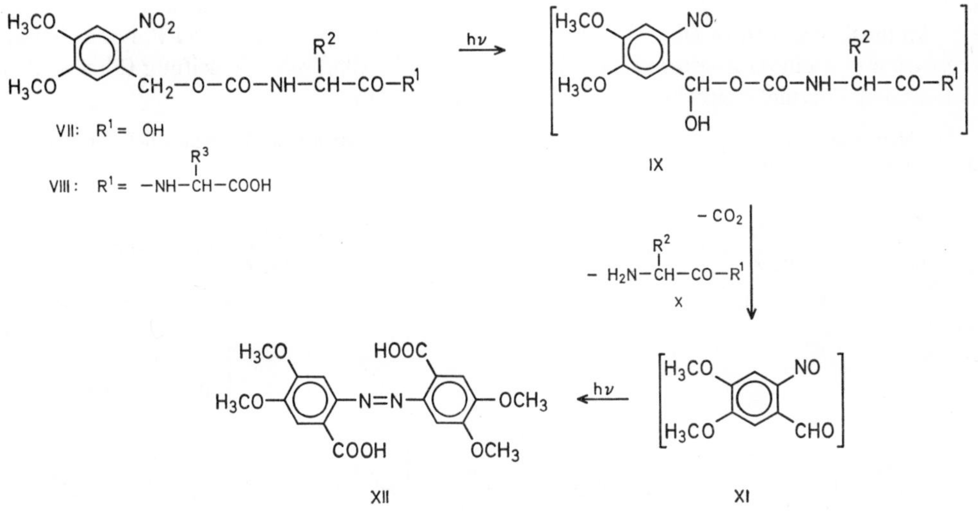

VII: R^1 = OH

VIII: R^1 = $-NH-CH(R^3)-COOH$

IX

$-CO_2$

$-H_2N-CH(R^2)-CO-R^1$

X

XII

XI

Eine erfolgreiche photolytische Demaskierung im Hinblick auf eine quantitative Isolierung an Aminokomponente wird erst dann möglich, wenn der Reaktionsmischung Reagenzien zugesetzt werden, die o. g. Kondensationsreaktion verhindern; starke Säuren als Salzbildner mit der Amino-Funktion (Schwefelsäure, Salzsäure, Dowex 50 in der $H^{\oplus}$-Form, etc.) oder „Aldehyd-Fänger“ wie Hydrazin, Hydroxylamin- und Semicarbazid-Hydrochlorid sind hierfür ausreichend[1].

Aminosäuren bzw. Peptide durch photolytische Entacylierung; allgemeine Arbeitsvorschrift[1]: 2-Nitro-4,5-dimethoxy-benzyloxycarbonyl-aminosäuren bzw. -peptide werden in Chloroform, 1,4-Dioxan, Dimethoxy-äthan, Äthanol, Methanol, Isopropanol oder Mischungen der fünf letztgenannten mit Wasser (Konzentration 10^{-2} bis 10^{-3} molar) der Bestrahlung mit einer RPR-3500 Å Lampe ausgesetzt (RPR-100 Apparat; Rayonet the Southern Co. Middletown Conn.). Bei Vorliegen photosensitiver Aminosäuren wie z. B. Tryptophan werden Strahlungsanteile mit Wellenlängen unter 3200 Å ausgefiltert. Bei 10–40° beträgt die Bestrahlungszeit 60 Min. bis 24 Stdn. Unter Zusatz von „Aldehyd-Fängern“, z. B. 10 Äquivalenten Semicarbazid-hydrochlorid, oder von starken Säuren, z. B. 5 Äquivalenten Schwefelsäure, soll die Ausbeute an isolierter Aminokomponente quantitativ sein[1].

Die photolytische Abspaltung der 2-Nitro-4,5-dimethoxy-benzyloxycarbonyl-Schutzgruppe soll ohne Einfluß auf das Chiralitätszentrum optisch aktiver Aminosäuren bleiben[1]. Unter den Reaktionsbedingungen der Demaskierung verhalten sich Benzyloxycarbonyl-, tert.-Butyloxycarbonyl-, Trifluoracetyl-, Toluolsulfonyl- und Benzyl-Schutzgruppen stabil, nicht jedoch 2-Nitro-phenylsulfenyl- und Trityl-Reste.

Auch der 2-Nitro-benzyloxycarbonyl-[2NZ]-Rest soll nach Patchornik et al.[1] unter den für die 2-Nitro-4,5-dimethoxy-benzyloxycarbonyl-Schutzgruppe beschriebenen photolytischen Entacylierungsbedingungen abspaltbar sein, unter Zusatz starker Säuren oder Aldehydreagenzien mit quantitativer Ausbeute an Aminokomponente.

---

[1] A. Patchornik, B. Amit u. R. B. Woodward, *Peptides*, Proc. 10th Europ. Peptide Symposium, Abano Terme 1969, North Holland Publ. Co., Amsterdam **1971**, S. 12.
A. Patchornik, B. Amit u. R. B. Woodward, Am. Soc. **92**, 6333 (1970).

31.111.12.9. Polymer-benzyloxycarbonyl-[-ØZ]-Schutzgruppe

Eine „Festkörper-Synthese“ mit Hilfe von N-Polymer-benzyloxycarbonyl-aminosäuren wurde erstmals von Letsinger et al.[1,2] beschrieben; sie stellt eine Umkehrung des Merrifield-Verfahrens (s. S. 371f.) dar.

Das auf mehreren Wegen zugängliche „Benzylalkohol-Polymer“ I läßt sich mit Phosgen in bekannter Weise zum Chlorameisensäure-(polymer)-benzylester II umsetzen. II reagiert mit Aminosäureestern in Dimethylformamid bei Raumtemperatur zu den Polymer-benzyloxycarbonyl-aminosäureestern (III); die anschließende alkalische Verseifung führt schließlich zu den Polymer-benzyloxycarbonyl-aminosäuren (IV).

Die Menge „gebundener“ Aminosäure wird durch Carboxyl-Titration ermittelt; sie beträgt etwa 0,22 M. Äquiv. pro Gramm Polymerprodukt.

$$\text{Polymer}-C_6H_4-CH_2-OH \ (\text{I}) \xrightarrow{+\ COCl_2} \text{Polymer}-C_6H_4-CH_2-O-CO-Cl \ (\text{II})$$

$$\text{II} \xrightarrow{+\ H_2N-CH(R)-COOR^1} \text{Polymer}-C_6H_4-CH_2-O-CO-NH-CH(R)-COOR^1 \ (\text{III})$$

$$\text{III} \xrightarrow{+\ NaOH} \text{Polymer}-C_6H_4-CH_2-O-CO-NH-CH(R)-COOH \ (\text{IV})$$

Die ersten Versuche von Letsinger et al.[2], Polymer-benzyloxycarbonyl-aminosäuren mit Aminosäurebenzylestern mit Hilfe der Alkylkohlensäure-anhydrid-Methode zu verknüpfen und anschließend die erhaltenen Polymer-benzyloxycarbonyl-peptid-benzylester mittels Bromwasserstoff/Eisessig-Solvolyse „beidseitig“ zu deblockieren, sind in ihrem Erfolg recht bescheiden ausgefallen.

Erst geraume Zeit später haben Felix und Merrifield[3] die peptidsynthetische Verwendung dieser polymeren Amino-Schutzgruppe erneut studiert. Die Autoren setzten nunmehr „polymeren“ Chlorameisensäure-benzylester (II) mit Aminosäure-N′-tert.-butyloxycarbonyl-hydraziden (V) zu N-Polymer-benzyloxycarbonyl-aminosäure-N′-tert.-butyloxycarbonyl-hydraziden (VI) um*; diese N,N′-Diacyl-hydrazine werden mittels 4m Chlorwasserstoff/1,4-Dioxan halbseitig entacyliert, die erhaltenen „N-polymer-geschützten“ Aminosäure-hydrazid-Hydrochloride (VII) vermittels der Rudinger-Honzl-Technik[4] (s. S. II/310) in die -Azide (VIII) übergeführt und diese mit einem Aminosäure-(peptid)-N′-tert.-butyloxycarbonyl-hydrazid (V oder Va) zum N-Polymer-benzyloxy-carbonyl-peptid-N′-tert.-butyloxycarbonyl-hydrazid (IX) verknüpft. Der jeweilige Endpunkt der Festkörper-Peptidsynthese wird eröffnet durch Anknüpfung eines Aminosäure-(peptid)-tert.-butylesters (X), der erhaltene N-Polymer-benzyloxycarbonyl-peptid-tert.-butylester (XI) durch Behandeln mit Bromwasserstoff/Trifluoressigsäure[5] zum freien Peptid (XII) demaskiert. Für eine erforderliche Blockierung von Seitenkettenfunktionen wird man sinnvoll solche Schutzgruppen einsetzen, die letztlich gleichfalls mit Bromwasserstoff/Trifluoressigsäure (oder flüssigem Fluorwasserstoff?) spaltbar sind.

---

* Nicht umgesetzte Chlorameisensäureester-Gruppierungen werden durch Zugabe von wasserfreiem Diäthyl- oder Dimethylamin unter Urethan-Bildung unschädlich gemacht.

1 R. L. Letsinger u. M. J. Kornet, Am. Soc. **85**, 3045 (1963).

2 R. L. Letsinger et al., Am. Soc. **86**, 5163 (1964).

3 A. M. Felix u. R. B. Merrifield, Am. Soc. **92**, 1385 (1970).

4 J. Honzl u. J. Rudinger, Collect. czech. chem. Commun. **26**, 2333 (1961).

5 R. B. Merrifield, Am. Soc. **86**, 304 (1964).

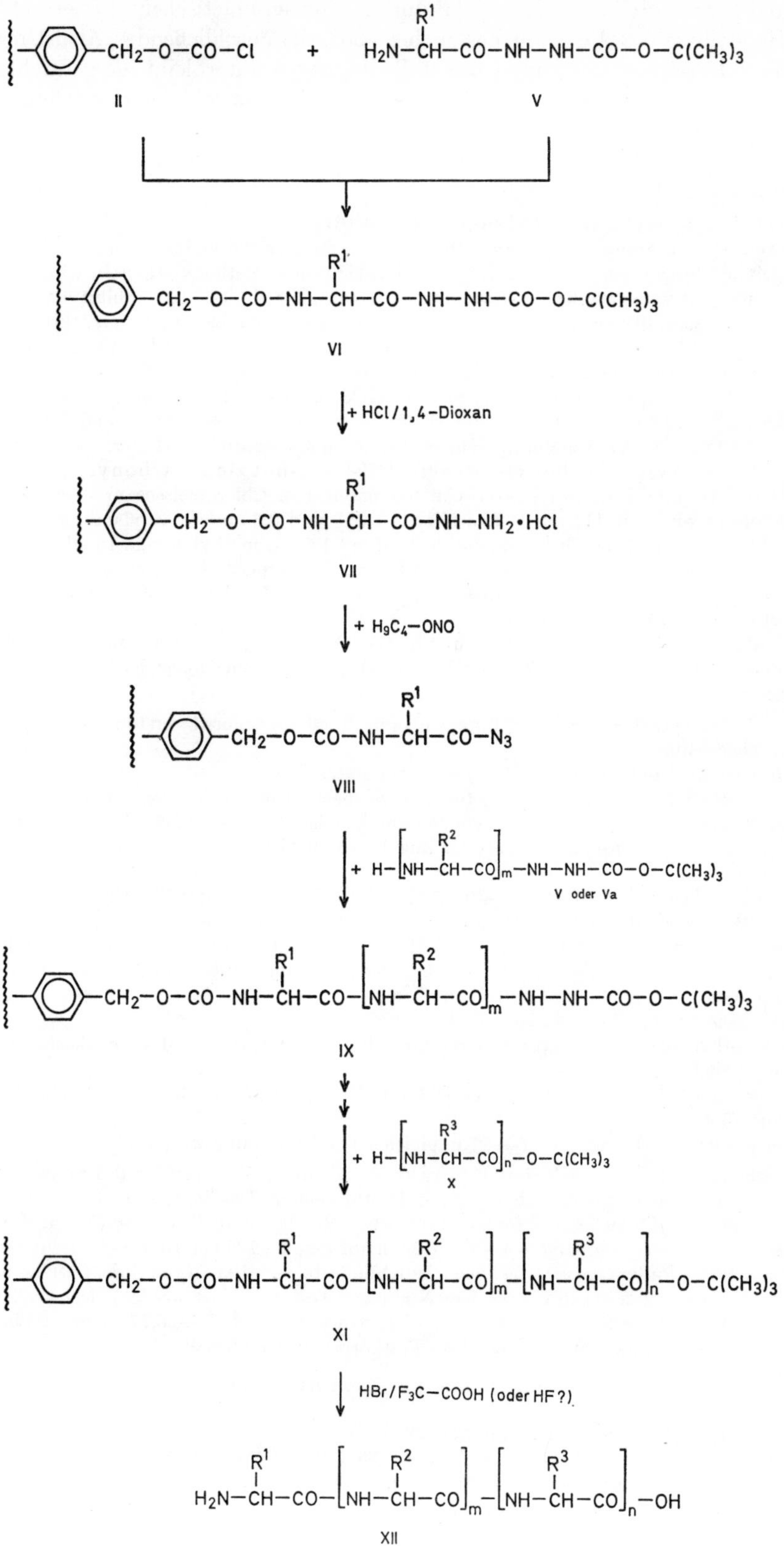

$$\text{(Polymer)}-C_6H_4-CH_2-O-CO-Cl \quad + \quad H_2N-CH(R^1)-CO-NH-NH-CO-O-C(CH_3)_3$$

II + V

↓

$$\text{(Polymer)}-C_6H_4-CH_2-O-CO-NH-CH(R^1)-CO-NH-NH-CO-O-C(CH_3)_3$$

VI

↓ + HCl/1,4-Dioxan

$$\text{(Polymer)}-C_6H_4-CH_2-O-CO-NH-CH(R^1)-CO-NH-NH_2 \cdot HCl$$

VII

↓ + H_9C_4-ONO

$$\text{(Polymer)}-C_6H_4-CH_2-O-CO-NH-CH(R^1)-CO-N_3$$

VIII

↓ + $H-[NH-CH(R^2)-CO]_m-NH-NH-CO-O-C(CH_3)_3$ (V oder Va)

$$\text{(Polymer)}-C_6H_4-CH_2-O-CO-NH-CH(R^1)-CO-[NH-CH(R^2)-CO]_m-NH-NH-CO-O-C(CH_3)_3$$

IX

↓
↓
↓ + $H-[NH-CH(R^3)-CO]_n-O-C(CH_3)_3$ (X)

$$\text{(Polymer)}-C_6H_4-CH_2-O-CO-NH-CH(R^1)-CO-[NH-CH(R^2)-CO]_m-[NH-CH(R^3)-CO]_n-O-C(CH_3)_3$$

XI

↓ HBr/$F_3C-COOH$ (oder HF?)

$$H_2N-CH(R^1)-CO-[NH-CH(R^2)-CO]_m-[NH-CH(R^3)-CO]_n-OH$$

XII

Aufgrund der von Felix und Merrifield[1] durchgeführten kinetischen Studien geht hervor, daß die Herstellung des Azids am besten bei −30°, die anschließende „Azid-Umsetzung" bei −10 bis +4° erfolgen soll; unter diesen Bedingungen unterbleibt die gefürchtete Azid-Isocyanat-Umlagerung. Als zweckmäßiges Lösungsmittel sowohl für Herstellung als auch für Verknüpfung des am Festkörper gebundenen Azids wird Tetrahydrofuran angegeben. (Zur Blockierung der ε-Amino-Funktion des Lysins durch die Polymer-benzyloxycarbonyl-Schutzgruppe s. S. 490).

L-Leucyl-L-alanyl-glycyl-L-valin [H-Leu-Ala-Gly-Val-OH][1]:

Polymer-chlorameisensäure-benzylester (II)[1,2]: 25 g (26 mMol) chlormethyliertes Copolystyrol/2%Divinyl-benzol, suspendiert in 200 *ml* Methylglycol (2-Methoxy-äthanol), wird mit 7 g (71,3 mMol) Kaliumacetat versetzt; die Reaktionsmischung wird 64 Stdn. auf 130° erhitzt und anschließend filtriert. Der nach sorgfältigem Waschen mit Wasser und Methanol erhaltene Filterrückstand wird über 47 Stdn. bei 23° mit 150 *ml* 0,5 n Natronlauge (75 mMol) verseift; der abfiltrierte, mit Wasser und Methanol sorgfältig gewaschene und letztlich i. Vak. getrocknete „Hydroxymethyl-Festkörper" wird letztlich mit 200 *ml* 1,27 m Phosgen in Benzol (254 mMol) bei 23° umgesetzt; nach 4stdgr. Reaktionszeit wird der „Festkörper" abfiltriert, mit Benzol und Diäthyläther sorgfältig gewaschen und getrocknet; Ausbeute: je g „Festkörper" 0,718 mMol „polymerer" Chlorameisensäure-benzylester.

N-Polymer-benzyloxycarbonyl-L-leucin-(N′-tert.-butyloxycarbonyl)-hydrazid [ØZ-Leu-NHNH(BOC)][1]: Eine Suspension von 5 g polymerem Chlorameisensäure-benzylester (II) in 75 *ml* Chloroform wird mit 442 mg H-Leu-NHNH(BOC) und 0,25 *ml* Triäthylamin versetzt, die Mischung wird 2 Stdn. bei 23° gerührt und anschließend mit 1,6 g Dimethylamin in 15 *ml* Chloroform versetzt. Nach weiterem 3stdg. Rühren bei 23° wird der „Festkörper" abfiltriert, mit Chloroform sorgfältig gewaschen und letztlich i. Vak. getrocknet; Ausbeute: je g „Festkörper" 0,297 mMol N-geschütztes Leucin-(tert.-butyloxycarbonyl)-hydrazid.

Leucyl-alanyl-glycyl-valin [H-Leu-Ala-Gly-Val-OH][1]: In ein „Merrifield-Reaktionsgefäß"[3] werden 1,5 g (0,446 mMol) ØZ-Leu-NHNH-(BOC) eingebracht; folgender Reaktionszyklus wird ausgeführt:

① die tert.-Butyloxycarbonyl-Schutzgruppe wird mit 50 *ml* 4m Chlorwasserstoff/1,4-Dioxan innerhalb 30 Min. abgespalten.
② danach wird 3mal mit je 50 *ml* Tetrahydrofuran gewaschen
③ es werden 50 *ml* Tetrahydrofuran zugefügt, die Suspension im Reaktionsgefäß auf −30° gekühlt
④ die Herstellung des Azids wird vorgenommen durch Behandlung mit 0,56 *ml* (2,23 mMol) 4m Chlorwasserstoff/1,4-Dioxan und anschließender Zugabe von 0,28 *ml* (2,23 mMol) Butylnitrit (Reaktionszeit 1 Stde.)
⑤ 3maliges Waschen mit je 50 *ml* auf −30° vorgekühlte Tetrahydrofuran/Triäthylamin (9:1)
⑥ 3maliges Waschen mit je 50 *ml* auf −30° vorgekühlte Tetrahydrofuran
⑦ Zufügen von 453 mg (2,23 mMol) H-Ala-NHNH(BOC) in 50 *ml* auf −30° vorgekühlte Tetrahydrofuran
⑧ Schütteln der Reaktionsmischung 4 Stdn. bei −30°, 12 Stdn. bei 0° und 2 Stdn. bei 23°
⑨ 3maliges Waschen mit je 50 *ml* Tetrahydrofuran
⑩ 3maliges Waschen mit je 50 *ml* Methanol
⑪ mit dem erhaltenen „Festkörper-Material" werden die Operationen 1–6 in gleicher Größenordnung wiederholt
⑫ danach werden 514 mg (2,23 mMol) H-Gly-Val-OtBu in 50 *ml* auf −30° vorgekühlte Tetrahydrofuran zugefügt
⑬ danach werden die Operationen ⑧–⑩ in gleicher Größenordnung wiederholt

Das so erhaltene „Festkörper-Material" wird nach bekannter Vorschrift[4] mit Bromwasserstoff/Trifluoressigsäure behandelt und das abgespaltene Peptid isoliert. Das in gefriergetrockneter Form gewonnene „Rohmaterial" wird der chromatographischen Reinigung an Dowex-50-X4 zugeführt.

Die Lösung des Materials in 1 *ml* Wasser gibt man auf eine 2 · 120 cm Dowex-Säule und eluiert mit 0,5 m Pyridinacetat-Puffer ($p_H = 4$) bei einer Durchflußrate von 103 *ml* pro Stde. (insgesamt 16 Stdn. zu 5,5 *ml* Fraktionen, von denen 0,2 *ml* dem Ninhydrin-Test zugeführt werden). Die Fraktionen zwischen 870 und 1060 *ml* werden vereinigt und gefriergetrocknet: $[\alpha]_D^{20} = +26{,}77°$ (c = 0,96 in Äthanol); Ausbeute: 102 mg (60% ber. auf eingesetztes „Festkörper-Startmaterial").

Aminosäureanalyse:
Leu 0,97 Ala 1,0 Gly 0,95 Val 1,01

[1] A. M. Felix u. R. B. Merrifield, Am. Soc. **92**, 1385 (1970).
[2] Vgl. R. L. Letsinger u. M. J. Kornet, Am. Soc. **85**, 3045 (1963).
R. L. Letsinger et al., Am. Soc. **86**, 5163 (1964).
[3] R. B. Merrifield, Am. Soc. **85**, 2149 (1963).
[4] R. B. Merrifield, Am. Soc. **86**, 304 (1964).

Tab. 7. N_α-subst. Benzyloxycarbonyl-[XZ]-aminosäuren*

1) 4-Methoxy-benzyloxycarbonyl = MOZ
2) 4-Nitro-benzyloxycarbonyl = NZ
3) 4-Chlor-benzyloxycarbonyl = CZ
4) 4-Phenylazo-benzyloxycarbonyl = PAZ
5) 4-(4-Methoxy-phenylazo)-benzyloxycarbonyl = MAZ

Aminosäure	XZ	F [°C]	$[\alpha]_D$	t	c	Lösungsmittel	Literatur	Literatur der D-Verbindung
Ala	MOZ	74–75	−11,9	23	3,11	Essigsäure	1–4	
	c	151–153	+2,0	20	1	Methanol	5	
	NZ							6
	CZ	114–115	−8,4	22	2	Äthanol	7	8
	PAZ	158–159					9	
	MAZ	162–164					9	
Arg	MOZ	181–182	+4,1[e]	24	1,5	Essigsäure	10	
	NZ [a]	193–194	+11,8	25	0,5	1,4-Dioxan: Wasser 1:1	6	11
	CZ	196–198	−9,6		2	Äthanol	12	
	MAZ	225					9	
Asp	MOZ	122,5–124	+7,1	25	2,82	Essigsäure	1,2,13,4	
	NZ							14
	CZ	130–132	+7,25		2	Äthanol	7	
Asn	MOZ	158–159	−5,3	25	1	Methanol	15,13,3,4	
	NZ							16
	CZ	169–170	+16,0	25	0,46	Essigsäure	7	

[a] Hemihydrat [e] $[\alpha]_{546}$ [c] mono-DCHA-Salz

* N_α-XZ-Derivate ω-geschützter mehrfunktioneller Aminosäuren siehe Abschnitt „Mehrfunktionelle Aminosäuren", Tab.

[1] F. Weygand u. K. Hunger, B. **95**, 1 (1962).
[2] S. Sofuku, M. Mizumura u. A. Hagitani, Bl. chem. Soc. Japan **43**, 177 (1970).
[3] S. Sakakibara, I. Honda u. M. Naruse, Experientia **25**, 576 (1969).
[4] E. Klieger; A. **724**, 204 (1969).
[5] J. H. Jones u. G. T. Young, Soc. [C] **1968**, 53.
[6] D. T. Gish u. F. H. Carpenter, Am. Soc. **75**, 5872 (1953).
[7] L. Kisfaludy u. S. Dualszky, Acta chim. Acad. Sci. hung. **24**, 301 (1960).
[8] R. A. Boissonnas u. G. Preitner, Helv. **36**, 875 (1953).
[9] R. Schwyzer, P. Sieber u. K. Zatsko, Helv. **41**, 491 (1958).
[10] F. Weygand u. E. Nintz, Z. Naturf. **20b**, 429 (1965).
[11] H. Yajima u. K. Kubo, Am. Soc. **87**, 2039 (1965).
[12] L. Kisfaludy, Privatmitteilung.
[13] E. Schnabel, H. Herzog, P. Hoffmann et al., A. **716**, 175 (1968).
[14] D. T. Gish u. F. H. Carpenter, Am. Soc. **75**, 950 (1953).
[15] E. Schröder u. E. Klieger, A. **673**, 208 (1964).
[16] R. W. Chambers u. F. H. Carpenter, Am. Soc. **77**, 1522 (1955).

Tab. 7. (1. Fortsetzung)

Aminosäure	XZ	F [°C]	$[\alpha]_D$	t	c	Lösungsmittel	Literatur	Literatur der D-Verbindung
$(Cys)_2$	MOZ [b]	Öl					1	
	[b,c]	190–191	-49,7	26	1,5	Essigsäure	1	
	NZ	203,5–204,5	-125,2	24	1	1n NaOH	2	
	[b]	99–115	-129,8	24	1	95% Äthanol	2	
	CZ [b]	136–137	-120		2	Äthanol	3	
Glu	MOZ	109–111	-7,44	22	2,02	Essigsäure	1,4,5	
	NZ	159–161	-8,2	25	2	95% Äthanol	2	
	CZ	125–126	-7,45	24	2	Äthanol	6	
Gln	MOZ	143–144	-10,8	25	1	Methanol	7,5,8	
	[c]	175–177	+6,9	25	1	Methanol	7	
	CZ	160–161	+7,5	25	2	Äthanol	9	
Gly	MOZ	94–96					1,4,10, 11,5,8	
	NZ	122,5–124					12	
	[c]	171–172					13	
	CZ	130					1	
	PAZ	179–182					14	
	MAZ	176–177					14	
Hyp	MOZ	Öl					15	
	[c]	165 (Zers.)					15	
	NZ	136–139	-41,6	26	1	1n NaOH	12	

[b] N,N′-Di-XZ [c] mono-DCHA-Salz

[1] F. Weygand u. K. Hunger, B. **95**, 1 (1962).
[2] D. T. Gish u. F. H. Carpenter, Am. Soc. **75**, 950 (1953).
[3] L. Kisfaludy, Privatmitteilung.
[4] S. Sofuku, M. Mizumura u. A. Hagitani, Bl. chem. Soc. Japan **43**, 177 (1970).
[5] S. Sakakibara, I. Honda u. M. Naruse, Experientia **25**, 576 (1969).
[6] L. Kisfaludy, Acta chim. Acad. Sci. hung. **24**, 309 (1960).
[7] E. Schröder u. E. Klieger, A. **673**, 196 (1964).
[8] E. Klieger; A. **724**, 204 (1969).
[9] L. Kisfaludy u. S. Dualszky, Acta chim. Acad. Sci. hung. **24**, 301 (1960).
[10] J. H. Jones u. G. T. Young, Chem. & Ind. **1966**, 1722.
[11] E. Schnabel, H. Herzog u. P. Hoffmann et al. A. **716**, 175 (1968).
[12] F. H. Carpenter u. D. T. Gish, Am. Soc. **74**, 3818 (1952).
[13] M. Ohno, K. Kuromizu, H. Ogawa et al., Am. Soc. **93**, 5251 (1971).
[14] R. Schwyzer, P. Sieber u. K. Zatsko, Helv. **41**, 491 (1958).
[15] D. L. Turner, M. J. Silver, R. R. Halburn et al., Lipids **3**, 228 (1968) C. **1969**, 41, E, 1370.

Tab. 7. (2. Fortsetzung)

Aminosäure	XZ	F [°C]	$[\alpha]_D$	t	c	Lösungsmittel	Literatur	Literatur der D-Verbindung
Ile	MOZ	64–66	+12,4[e]	24	2	Essigsäure	1,2	
	c	145–146	+3,5	28	2	Methanol	3	
	NZ	77,5–80	–12,6	23	1	1n NaOH	4	4
	CZ	73–74	+10,4	22	2	Äthanol	5	
Leu	MOZ	Öl					6,7	
	c	162	–6,67	24	2	Methanol	6,8,3, 2,7	
	NZ c	192–193,5	±0		1	Chloroform	9	
	d	60–61	–15,8	27	1	1n NaOH	4	
	CZ	90–91	–12,0	22	2	Äthanol	5	10
	PAZ	109–113					11	
Met	MOZ	Öl	–23,5	25	0,9	Methanol	2,6	12
	c	152–153	+3,35	21	2,69	Methanol	6,8,13,3	
	NZ							14
	CZ	118–119	–15,2	15	2	Äthanol	5	
	MAZ	130–132					11	
Phe	MOZ	83–85	+5,3	24	2,37	Essigsäure	6,3,2	15
	c	158–162	+22,7	21	2	Methanol	8,6,3	
	NZ							14
	CZ	120–121	+3,8		2	Äthanol	16	10

[c] mono-DCHA-Salz [d] Monohydrat [e] $[\alpha]_{546}$

1 F. Weygand u. E. Nintz, Z. Naturf. **20b**, 429 (1965).
2 E. Klieger; A. **724**, 204 (1969).
3 S. Sakakibara, I. Honda u. M. Naruse, Experientia **25**, 576 (1969).
4 F. H. Carpenter u. D. T. Gish, Am. Soc. **74**, 3818 (1952).
5 L. Kisfaludy u. S. Dualszky, Acta chim. Acad. Sci. hung. **24**, 301 (1960).
6 F. Weygand u. K. Hunger, B. **95**, 1 (1962).
7 M. Kondo u. N. Izumiya, Bl. chem. Soc. Japan **43**, 1850 (1970).
8 S. Sofuku, M. Mizumura u. A. Hagitani, Bl. chem. Soc. Japan **43**, 177 (1970).
9 E. Klieger, E. Schröder u. H. Gibian, A. **640**, 157 (1961).
10 R. A. Boissonnas u. G. Preitner, Helv. **36**, 875 (1953).
11 R. Schwyzer, P. Sieber u. K. Zatsko, Helv. **41**, 491 (1958).
12 F. C. McKay u. N. F. Albertson, Am. Soc. **79**, 4686 (1957).
13 E. Schnabel, H. Herzog u. P. Hoffmann et. al., A. **716**, 175 (1968).
14 D. T. Gish u. F. H. Carpenter, Am. Soc. **75**, 5872 (1953).
15 T. Kato u. N. Izumiya, Bl. chem. Soc. Japan **39**, 2242 (1966).
16 L. Kisfaludy, Privatmitteilung.

Tab 7. (3. Fortsetzung)

Amino-säure	XZ	F [°C]	$[\alpha]_D$	t	c	Lösungsmittel	Literatur	Literatur der D-Verbindung
	PAZ	164–167					1	
	MAZ	157–158					1	
Pro	MOZ	Öl					2	
	c	147–149	–25,1	28	2	Methanol	2–5	
	NZ d	50–56	–38,9	25	1	1n NaOH	6	
	PAZ	129–132					1	
	MAZ	165–167					1	
Pyr	MOZ	Öl					7	
	c	170–171	–24,9	25	0,5	95% Essigsäure	7	
	NZ	167–168	–45,8	25	0,5	95% Essigsäure	7	
	c	202–203	–28,8	25	1,8	95% Essigsäure	7	
Ser	MOZ	97–98	+6,0	25	2,24	Essigsäure	2,8,3,5	
	NZ							9
	CZ							10
	PAZ	177–179					1	
	MAZ	166–168					1	
Thr	MOZ	83–84	–3,4 e	25	1	Methanol	11	
	c	186–188 (Zers.)	+7,1	28	2	Methanol	4	
Trp	MOZ	151–152	+11,5	20	1	Methanol	12	
	NZ							9
	CZ	170–171	–7,3		2	Äthanol	10	

c mono-DCHA-Salz d Monohydrat e $[\alpha]_{546}$

[1] R. Schwyzer, P. Sieber u. K. Zatsko, Helv. **41**, 491 (1958).
[2] F. Weygand u. K. Hunger, B. **95**, 1 (1962).
[3] S. Sofuku, M. Mizumura u. A. Hagitani, Bl. chem. Soc. Japan **43**, 177 (1970).
[4] S. Sakakibara, I. Honda u. M. Naruse, Experientia **25**, 576 (1969).
[5] E. Klieger; A. **724**, 204 (1969).
[6] F. H. Carpenter u. D. T. Gish, Am. Soc, **74**, 3818 (1952).
[7] E. Schröder u. E. Klieger, A. **673**, 196 (1964).
[8] E. Schnabel, H. Herzog, P. Hoffmann et al., A. **716**, 175 (1968).
[9] D. T. Gish u. F. H. Carpenter, Am. Soc. **75**, 950 (1953).
[10] L. Kisfaludy, Privatmitteilung.
[11] F. Weygand, W. Steglich, F. Fraunberger et al., Bl. **101**, 923 (1968).
[12] K. Kuromizu u. N. Izumiya, Bl. chem. Soc. Japan **43**, 2199 (1970).

Tab. 7. (4. Fortsetzung)

Amino-säure	XZ	F [°C]	$[\alpha]_D$	t	c	Lösungsmittel	Litera-tur	Litera-tur der D-Ver-bin-dung
Trp	PAZ	157–159					1	
	MAZ	137–139					1	
Tyr	CZ	162–163	+5,1		2	Äthanol	2	
Val	MOZ	62–63	-1,8[e]	24	2	Essigsäure	3,4,5	
	[c]	162–165	+3,3	20	2	Methanol	6,7	
	NZ							8
	CZ	104–106	+3,0	25	2	Äthanol	9	
	PAZ	124–127					1	
	MAZ	134–136					1	

[c] mono-DCHA-Salz [e] $[\alpha]_{546}$

31.111.13. Andere Aralkoxy-Derivate

31.111.13.1. Furyl-(2)-methoxycarbonyl-[FOC]-Schutzgruppe

Mit der Furyl-(2)-methoxycarbonyl-[FOC]-Maskierung* der Amino-Funktion wurde von Losse et al.[10,11] eine neue brauchbare Urethan-Gruppierung aufgefunden. Die Herstellung von Furyl-(2)-methoxycarbonyl-aminosäuren (I) gelingt durch Umsetzung von N-Carbonylaminosäureestern mit Furfurylalkohol (II) und alkalischer Verseifung der erhaltenen Furyl-(2)-methoxycarbonyl-aminosäureester (IV). Der relativ instabile Chlorameisensäure-furfurylester (III), dessen Toluol-Lösung aus Furfurylalkohol, Phosgen und Triäthylamin (in äquiv. Mengen), nur bei −60° erhalten werden kann, eignet sich nicht als „Acyldonator"[11]. Nach Schnabel et al.[12] ist jedoch das aus Furfurylalkohol, Carbonylchlorid-fluorid (V) und einem tert.-Amin zugängliche Furfuryloxycarbonyl-fluorid (VI)

---

* Auch als Furfuryloxycarbonyl bezeichnet.

1 R. Schwyzer, P. Sieber u. K. Zatsko, Helv. **41**, 491 (1958).
2 L. Kisfaludy, Privatmitteilung.
3 F. Weygand u. E. Nintz, Z. Naturf. **20b**, 429 (1965).
4 S. Sakakibara, I. Honda u. M. Naruse, Experientia **25**, 576 (1969).
5 E. Klieger, A. **724**, 204 (1969).
6 S. Sofuku, M. Mizumura u. A. Hagitani, Bl. chem. Soc. Japan **43**, 177 (1970).
7 J. H. Jones u. G. T. Young, Soc. [C] **1968**, 53.
8 D. T. Gish u. F. H. Carpenter, Am. Soc. **75**, 950 (1953).
9 L. Kisfaludy u. S. Dualszky, Acta chim. Acad. Sci. hung. **24**, 301 (1960).
10 G. Losse, H. Jeschkeit u. E. Willenberg, Ang. Ch. **76**, 271 (1964).
11 H. Jeschkeit, G. Losse u. K. Neubert, B. **99**, 2803 (1966).
12 E. Schnabel et al., A. **716**, 175 (1968).

in Lösung (Dichlormethan oder 1,4-Dioxan) bei −30° beständig; es kann zwischen 0 und −5° in 1,4-Dioxan/Wasser (1:1) und unter p_H-Stat-Bedingungen (p_H = 8,3–8,8) zur direkten Acylierung von Aminosäuren angewandt werden:

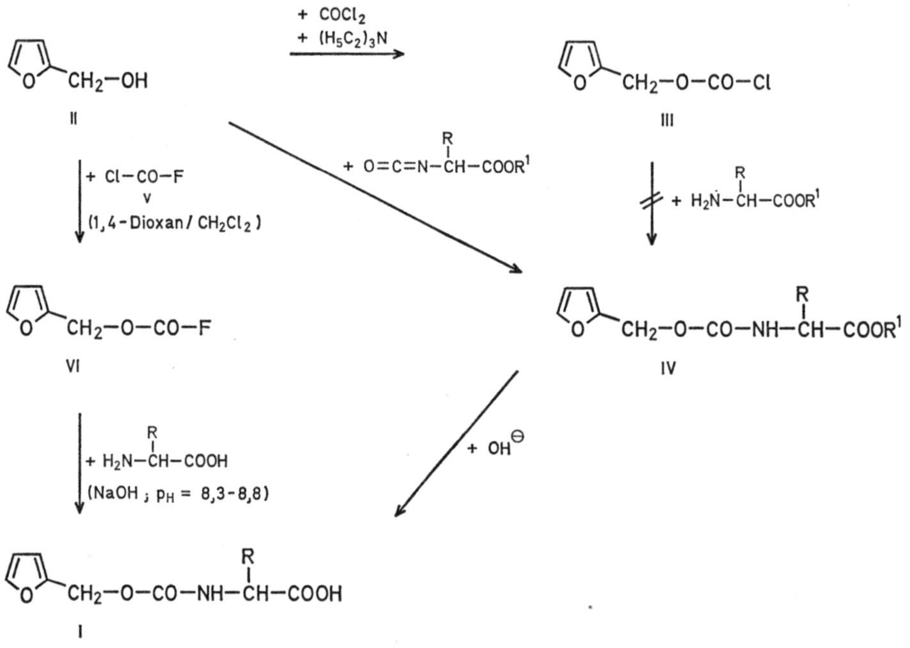

Furyl-(2)-CH_2–OH (II) $\xrightarrow{+\ COCl_2,\ +\ (H_5C_2)_3N}$ Furyl-(2)-CH_2–O–CO–Cl (III)

II + O=C=N–CH(R)–$COOR^1$ → IV

III ⇸ + H_2N–CH(R)–$COOR^1$ → IV

II + Cl–CO–F (V) (1,4-Dioxan/CH_2Cl_2) → Furyl-(2)-CH_2–O–CO–F (VI)

Furyl-(2)-CH_2–O–CO–NH–CH(R)–$COOR^1$ (IV)

VI + H_2N–CH(R)–COOH ($NaOH$; p_H = 8,3–8,8) → I

IV + $OH^{\ominus}$ → I

Furyl-(2)-CH_2–O–CO–NH–CH(R)–COOH (I)

Die Furyl-(2)-methoxycarbonyl-aminosäuren (I), mit Ausnahme der Asparagin-, Glycin- und Alanin-Derivate nur in Form der Dicyclohexylammoniumsalze kristallisiert erhalten, lassen sich nach dem Azid-, dem Misch-Anhydrid- (Alkylkohlensäure- bzw. Dichlorphosphorsäure-Anhydride), dem Carbodiimid- und letztlich verschiedenen Aktivester-Verfahren mit Aminosäureestern zu Furyl-(2)-methoxycarbonyl-peptidestern oder, nach letzterer Verknüpfungstechnik, auch direkt mit Aminosäuren zu N-Furfuryloxycarbonyl-peptiden umsetzen[1,2].

N-[Furyl-(2)-methoxycarbonyl]-aminosäuren; allgemeine Herstellungsvorschrift[2]:

N-[Furyl-(2)-methoxycarbonyl]-aminosäureester: 0,1 Mol N-Carbonyl-aminosäureester wird mit 9,8 g (0,1 Mol) frisch destilliertem Furfurylalkohol versetzt. Nach Zugabe von 0,3 *ml* Triäthylamin beginnt die Reaktion unter Selbsterwärmung. Die Temp. wird durch Außenkühlung auf ∼ 40° gehalten, nach 1–3 Stdn. wird das Reaktionsgemisch mit Essigsäure-äthylester verdünnt, die erhaltene Lösung zur Entfernung des Triäthylamins mit wenig n Salzsäure durchgeschüttelt, mit Wasser gewaschen und über Natriumsulfat getrocknet. Beim Einengen i. Vak. erhält man die Ester kristallin oder in Form gelblicher Öle, die in einigen Fällen durch Behandeln mit Petroläther in der Kälte zur Kristallisation gebracht werden können.

N-[Furyl-(2)-methoxycarbonyl]-aminosäure: Zur Lösung von 0,02 Mol der erhaltenen N-[Furyl-(2)-methoxycarbonyl]-aminosäureester in 40 *ml* 1,4-Dioxan gibt man 12 *ml* 2n Natronlauge (20% Überschuß) und läßt 2–5 Stdn. bei Raumtemp. stehen. Nach Neutralisation des Reaktionsansatzes mit einigen Tropfen Essigsäure destilliert man das Lösungsmittel i. Vak. bei Raumtemp. weitgehend ab, nimmt den Rückstand in wenig Wasser auf und säuert anschließend mit 2n Salzsäure an (Kongo).

---

[1] G. Losse, H. Jeschkeit u. E. Willenberg, Ang. Ch. **76**, 271 (1964).
[2] H. Jeschkeit, G. Losse u. K. Neubert, B. **99**, 2803 (1966).

Falls die Furfuryloxycarbonyl-aminosäure nicht sofort kristallin anfällt, wird das abgeschiedene Öl in Essigsäure-äthylester aufgenommen und die abgetrennte organische Phase über Natriumsulfat getrocknet. Nach Zusatz von 0,02 Mol Dicyclohexylamin zu dieser Lösung erfolgt alsbald Abscheidung der kristallisierten Dicyclohexylammoniumsalze; Ausbeute: ~70–90% der Theorie.

N-[Furyl-(2)-methoxycarbonyl]-peptidester; allgemeine Herstellungsvorschrift[1]: 0,02 Mol N-[Furyl-(2)-methoxycarbonyl]-aminosäure und 0,02 Mol Aminosäureester in 60 *ml* Acetonitril werden bei –15° mit 4,5 g Dicyclohexylcarbodiimid (in Acetonitril) versetzt. Man rührt die Reaktionsmischung 3 Stdn. bei –15° und läßt über Nacht bei Raumtemp. stehen. Nach Abtrennen des ausgefallenen N,N'-Dicyclohexylharnstoffes wird das Lösungsmittel nach Zusatz von 2 *ml* Eisessig i. Vak. abdestilliert, der Rückstand in Essigsäure-äthylester aufgenommen und wie üblich aufgearbeitet. Es wird aus Essigsäure-äthylester/Petroläther umkristallisiert; Ausbeute: 70–90% der Theorie.

Die N-[Furyl-(2)-methoxycarbonyl]-Schutzgruppe kann als heterocyclisches Benzyloxycarbonyl-Analogon durch katalytische Hydrogenolyse wie durch Protonensolvolyse wieder entfernt werden[1]; im letzteren Falle wegen der extremen Säurelabilität unter besonders milden Bedingungen, die nach Rudinger und Bláha[2] denen des 4-Methoxybenzyloxycarbonyl-Restes entsprechen. Mittels 2 Äquiv. Bromwasserstoff in Eisessig (~ 6%-ige Lösung), Chlorwasserstoff/Eisessig oder Trifluoressigsäure wird die Maskierung innerhalb weniger Minuten schon bei 0° aufgehoben; Benzyloxycarbonyl- und Benzylester-Gruppen sollen dabei unangegriffen bleiben[3].

Glycyl-glycin-benzylester-Hydro-trifluoracetat [H-Gly-Gly-OBZl · TFA-OH][3]: 1,75 g FOC-Gly-Gly-OBZl werden bei Raumtemp. mit 6 *ml* wasserfreier Trifluoressigsäure versetzt. Die Reaktionsmischung färbt sich augenblicklich unter Kohlendioxid-Entwicklung schwarz. Nach 8–10 Min. wird flüssige Trifluoressigsäure i. Vak. abgezogen, der Rückstand in 50 *ml* absol. Methanol aufgenommen, die erhaltene Lösung mit Aktivkohle behandelt, anschließend das Ester-trifluoracetat durch Zusatz von absol. Diäthyläther ausgefällt; Ausbeute: 1,36 g (81% d.Th.); F: 131–132°.

Die hohe Reaktionsgeschwindigkeit der acidolytischen Spaltung führt Losse[1] auf die begünstigte Bildung eines mesomeriestabilisierten Furfuryl-Kations zurück:

$$\text{Furyl-}CH_2-O-\underset{\overset{\|}{O}}{C}-NH-R \xrightarrow{+H^\oplus} \text{Furyl-}CH_2-O-\underset{\overset{|}{OH}}{\overset{\oplus}{C}}-NH-R$$

$$\xrightarrow[-H_2O]{+H^\oplus} \left[\text{Furyl-}\overset{\oplus}{C}H_2 \longleftrightarrow \text{Furyl}^{\oplus}{=}CH_2\right] + H_3\overset{\oplus}{N}-R + CO_2$$

31.111.13.2. Thienyl-(2)-methoxycarbonyl-[ThOC]-Schutzgruppe

Bláha und Rudinger[2] haben im Thienyl-(2)-methoxycarbonyl-[ThOC]-Rest eine weitere Aralkoxycarbonyl-Gruppe entdeckt, die in ihrem protonensolvolytischen Verhalten dem des Furyl-(2)-methoxycarbonyl-Restes entspricht.

---

[1] G. Losse, H. Jeschkeit u. E. Willenberg, Ang. Ch. **76**, 271 (1964).

[2] K. Bláha u. J. Rudinger, Collect. czech. chem. Commun. **30**, 585 (1965).

[3] H. Jeschkeit, G. Losse u. K. Neubert, B. **99**, 2803 (1966).

Tab. 8. N_α-Furyl-(2)-oxycarbonyl-[FOC]-aminosäuren

Aminosäure		F [°C]	$[\alpha]_D$	t	c	Lösungsmittel	Literatur
Ala		69					1
	a	172–174	+5,3[b]	20	1,5	Äthanol	2,1
Asn		160–162	-10,8[b]			Dimethylformamid	2
Gly		80					1
	a	130					2
Gln	a	138–140	+11,0[b]			Äthanol	2
Leu		64–66	-30,0	22	1	Essigsäure	3
	a	142–143	-4,37	23	1,83	Äthanol	1,2
Phe	a	174–176	+38,0	25	1,92	Äthanol	1
Pro	a	156–158	-37,5	22	2	Äthanol	3
Ser	a	167–169	+8,7[b]			Äthanol	2
Val		62–63	-3,6	22	3	Essigsäure	3
	a	156–159	+6,0	22	1,92	Äthanol	1,2

[a] DCHA-Salz [b] $[\alpha]_{578}$

31.111.13.3. Fluorenyl-(9)-methoxycarbonyl-[FlOC]-Schutzgruppe

Auf der Suche nach neuen, nicht auf acidolytischem oder hydrogenolytischem Wege spaltbaren Amino-Schutzgruppen, stießen Carpino und Han[4] auf den Fluorenyl-(9)-methoxycarbonyl-Rest.

Die Herstellung der Amino-Maskierung erfolgt mit Hilfe von Chlorameisensäure-fluorenyl-(9)-methylester in wäßrigem 1,4-Dioxan unter Zusatz von Natriumcarbonat oder -hydrogencarbonat.

Das Einführungsreagens wird auf üblichem Wege aus Fluorenyl-(9)-methanol[5] und Phosgen in Dichlormethan — ohne Zusatz von Base — gewonnen[6].

Auch Fluorenyl-(9)-methoxycarbonyl-azid, aus dem Chlorameisensäureester durch Behandeln mit Natriumazid in wäßrigem Aceton in 82%-iger Ausbeute zugänglich[6], eignet sich als Acyl-Donator.

N-[Fluorenyl-(9)-methoxycarbonyl]-L-trytophan [FlOC-Trp-OH][6]:

Chlorameisensäure-fluorenyl-(9)-methylester[6]: 12,8 g Fluorenyl-(9)-methanol werden langsam zu 7,12 g Phosgen in 75 *ml* Dichlormethan unter Eiskühlung und Rühren zugefügt. Die Reaktionsmischung wird noch 1 Stde. lang unter Eiskühlung nachgerührt und dann für 4 Stdn. bei Eisbadtemp.

---

[1] H. Jeschkeit, G. Losse u. K. Neubert, B. **99**, 2803 (1966).
[2] E. Schnabel, H. Herzog u. P. Hoffmann et al., A. **716**, 175 (1968).
[3] G. Losse u. K. Neubert, Tetrahedron Letters **1970**, 1267.
[4] L. A. Carpino u. G. Y. Han, Am. Soc. **92**, 5748 (1970).
[5] W. G. Brown u. B. A. Bluestein, Am. Soc. **65**, 1082 (1943).
[6] L. A. Carpino u. G. Y. Han, J. Org. Chem. **37**, 3404 (1972).

aufbewahrt. Lösungsmittel und überschüssiges Phosgen werden i. Vak. entfernt; der verbleibende ölige Rückstand kristallisiert nach mehreren Stdn.; 2maliges Umkristallisieren aus Diäthyläther erbringt farblose Kristalle; Ausbeute: 14,5 g (86% d.Th.); F: 61,5–63°.

N-[Fluorenyl-(9)-methoxycarbonyl]-L-tryptophan[FlOC-Trp-OH][1]: 1,58 g Tryptophan in 10 *ml* 1,4-Dioxan und 20,5 *ml* 10%-iger Natriumcarbonat-Lösung werden langsam unter Rühren und Eiskühlung mit 2 g Chlorameisensäure-fluorenyl-(9)-methylester in 20 *ml* 1,4-Dioxan versetzt. Nach 4stdgm. Stehenlassen im Eisbad und 8stdgm. Stehenlassen bei Raumtemp. wird die Reaktionsmischung in 450 *ml* Wasser eingegossen, die Lösung mit Diäthyläther extrahiert. Die abgetrennte wäßrige Phase wird unter Eiskühlung mit konz. Salzsäure angesäuert (Kongorot) und anschließend über Nacht im Kühlschrank aufbewahrt. Das abgeschiedene Material wird abfiltriert und aus Nitromethan sowie anschließend aus Chloroform/Hexan umkristallisiert; Ausbeute 3,0 g (91% d.Th.); F: 185–187°; $[\alpha]_D^{23} = +6,4°$ (c = 1 in Essigsäure-äthylester).

Die peptid-synthetische Verwendung von N-[Fluorenyl-(9)-methoxycarbonyl]-aminosäuren wurde bislang mit Hilfe der „Aktivester-Technik“ vollzogen; vor allem deren (N-Hydroxy-piperidin)-ester scheinen sowohl in Herstellung (86–99% d.Th.) als auch im Umsatz mit Aminosäureestern in 1,4-Dioxan- oder Aminosäuresalzen in wäßrigem 1,4-Dioxan die geeignetste Wahl zu sein[1].

Die Spaltung der Fluorenyl-(9)-methoxycarbonyl-amin-Bindung läßt sich unter extrem milden Bedingungen vollziehen. Schon das Auflösen der N-geschützten Verbindung I in flüssigem Ammoniak, 2-Amino-äthanol, Morpholin oder einem ähnlichen Amin und mehrstündiges Stehenlassen der Reaktionsmischung führt die gewünschte Entacylierung herbei. Der Reaktion liegt ein β-Eliminierungsprozeß gemäß folgendem Schema zugrunde[2]:

CH_2–O–CO–NH–R
I
z.B. HN◯X
–R–NH_2
–CO_2
CH_2
N
X
III
NH_3
–R–NH_2
–CO_2
CH_2
II
Polymere
X = CH_2 oder O

Die bei dieser Demaskierung auftretenden Nebenprodukte, Dibenzofulven (II) (Monomer oder Polymer) bzw. das vorwiegend bei der „Amin-Spaltung“ entstehende Amin-dibenzofulven-Addukt (III), sollen relativ leicht abzutrennen sein[2].

L-Tryptophyl-glycin-tert.-butylester[H-Trp-Gly-OtBu][1]: 1,0 g FlOC-Trp-Gly-OtBu in 150 *ml* flüssigem Ammoniak werden 10 Stdn. gerührt; die Reaktionsmischung wird anschließend zur Trockene gebracht, der verbleibende gelbe Rückstand 6mal mit 50 *ml* Portionen Ligroin zwecks Entfernung von Dibenzolfulven extrahiert. Das unlösliche Material wird in 50 *ml* warmem Essigsäure-äthylester aufgenommen, die Lösung filtriert zwecks Entfernung von Spuren Dibenzofulven-polymer und anschließend i. Vak. eingedampft. Der verbleibende Rückstand wird aus Essigsäure-äthylester/Ligroin umkristallisiert; Ausbeute: 0,476 g (81% d.Th.); F: 95–97,5°.

Glycyl-glycin[H-Gly-Gly-OH][1]: 1,3 g FlOC-Gly-Gly-OH in 10 *ml* Pyridin werden bei Raumtemp. 30 Min. lang gerührt, die Reaktionsmischung anschließend in 200 *ml* kaltes Wasser eingegossen. Das Filtrat vom Piperidin-Dibenzofulven-Addukt (0,96 g = 100% d.Th.) wird zur Trockene gebracht, der Rückstand anschließend aus Äthanol/Wasser (10:1) umkristallisiert; Ausbeute: 0,4 g (83% d.Th.); F: 200°.

---

[1] L. A. Carpino u. G. Y. Han, J. Org. Chem. **37**, 3404 (1972).

[2] L. A. Carpino u. G. Y. Han, Am. Soc. **92**, 5748 (1970).

Demgegenüber weist die Fluorenyl-(9)-methoxycarbonyl-amin-Gruppierung eine relativ hohe Stabilität gegenüber acidolytischen Reagentien vor: Trifluoressigsäure oder Bromwasserstoff/Essigsäure (Nitromethan) über 1 bis 2 Tage bei Raumtemp. zeigen keine Wirkung. Auch katalytisch erregter Wasserstoff (Palladium-Katalysator) vermag keine Spaltung der Urethan-Bindung herbeizuführen[1]. Bemerkenswert scheint auch die Widerstandsfähigkeit z.B. von FlOC-NHC_6H_5 in alkoholischem Hydrazin bei Raumtemp. (oder bis 50°) über mehrere Stunden; erst Erwärmen der Lösung auf 65° führt zur Freisetzung von Anilin[1].

31.111.13.4. Pyridyl-(4)-methoxycarbonyl-[PyOC]-Schutzgruppe*

Wiederum der alten Forderung entsprechend nach einer unter acidolytischen Spaltungsbedingungen selektiveren Schutzgruppenkombination (als es N_α-tert.-Butyloxycarbonyl: N_ε-Benzyloxycarbonyl darstellt) glauben Hirschmann et al.[2] im Pyridyl-(4)-methoxycarbonyl-Rest eine geeignete N_ε-Acyl-Maskierung des Lysins gefunden zu haben; sie soll gegenüber Fluorwasserstoff- und Trifluoressigsäure-Einwirkung 100%-ig stabil sein und von Bromwasserstoff/Eisessig nur langsam angegriffen werden.

Mit [Pyridyl-(4)-methyl]-(succinimidyl)- bzw. -(4-nitro-phenyl)-carbonat als Acyl-Donatoren wurde von den Autoren[2] eine Blockierung der N_ε-Lysin-Funktion bislang am Lysin-Kupfer-Komplex oder am Z-Lys-OH vorgenommen. Die N_ω-Pyridyl-(4)-methoxycarbonyl-Maskierung ist durch Zinkstaub in 50%-iger wäßriger Essigsäure oder auch durch katalytische Hydrogenolyse glatt reversibel.

Als weitere Vorteile streichen die Autoren[2] sowohl die durch diese Substituenten bedingten gesteigerten Löslichkeitseigenschaften von Lysinpeptiden in wäßrigen und rein organischen Lösungsmitteln bzw. -systemen als auch deren dadurch möglich gewordene Reindarstellung durch Ionen-Austausch-Chromatographie heraus [vgl. hierzu den Gebrauch von Pyridyl-(4)-methylester S. 327].

31.111.14. Andere Alkoxy-Derivate

31.111.14.1. Allyloxycarbonyl-[AlOC]-Schutzgruppe

Auf der Suche nach „reversiblen" Urethan-Maskierungen hatten Stevens und Watanabe[3] zunächst mit Allyloxycarbonyl-aminosäuren Erfolg. Die Schutzgruppe ließ sich mit Bromwasserstoff bzw. Phosphoniumjodid in Eisessig entfernen; mittels katalytischer Hydrogenolyse bzw. Reduktion mit Natrium in flüssigem Ammoniak gelang diese jedoch nur teilweise (70–80%), da ein Teil des Allyloxycarbonyl-Restes zur unangreifbaren Propyl-oxycarbonyl-Gruppierung aufhydriert wird.

Mit der Auffindung weiterer unter günstigeren Bedingungen spaltbarer Urethan-Schutzgruppen (Cyclopentyloxy-, tert.-Butyloxy- u.a.) hat der Allyloxycarbonyl-Rest seine Bedeutung verloren.

Mit der Feststellung von Bláha und Rudinger[4], daß Butyloxycarbonyl-[nBOC]-glycin protonensolvolytisch kaum nennenswert gespalten wird, dürften mit größter Wahrscheinlichkeit Urethan-Schutzgruppen auf der Basis unsubstituierter primärer aliphatischer Alkohole uninteressant sein.

Stirling et al.[5] konnten dagegen erstmals zeigen, daß eine reversible „Aminomaskierung" durch gewisse β-substituierte Alkoxycarbonyl-Reste möglich ist.

---

* Von den Autoren uukorrekt als Isonicotinyloxycarbonyl bezeichnet.

1 L. A. Carpino u G. Y. Han, J. Org. Chem. **37**, **3404** (1972).

2 D. F. Veber, S. F. Brady u. R. Hirschmann, 3rd. Amer. Peptide Sympos. Boston 1972, Ann Arbor Science **1972**, S. 315.

3 C. M. Stevens u. R. Watanabe, Am. Soc. **72**, 725 (1950).

4 K. Bláha u. J. Rudinger, Collect. czech. chem. Commun. **30**, 599 (1965).

5 A. T. Kader u. C. J. M. Stirling, Pr. chem. Soc. **1962**, **363**.

31.111.14.2. 2-(p-Tolyl-sulfonyl)-äthoxycarbonyl-[TSOC]-Schutzgruppe

2-(p-Tolyl-sulfonyl)-äthoxycarbonyl-aminosäuren (I), unter üblichen Bedingungen aus Chlorameisensäure-2-(p-tolyl-sulfonyl)-äthylester (II) und Aminosäuren in 1,4-Dioxan/Wasser und Magnesiumoxid-Gegenwart bzw. Aminosäureestern und folgender saurer Hydrolyse (bei Benzylestern auch Hydrogenolyse) der erhaltenen 2-(p-Tolyl-sulfonyl)-äthoxycarbonyl-aminosäureester (III) zugänglich, lassen sich nach den Säurechlorid-, 4-Nitro-phenylester- oder Carbodiimid-Methoden zu N-2-(p-Tolyl-sulfonyl)-äthoxycarbonyl-peptidestern (IV) verknüpfen; die Synthese von IV ist auch nach dem Azidverfahren möglich, da eine Überführung von III in das Hydrazid V bzw. Azid VI glatt gelingt[1]:

$$H_3C-C_6H_4-SO_2Na + Cl-CH_2-CH_2-OH \xrightarrow{-NaCl} H_3C-C_6H_4-SO_2-CH_2-CH_2-OH$$

$$\xrightarrow[-HCl]{+COCl_2} H_3C-C_6H_4-SO_2-CH_2-CH_2-O-CO-Cl \quad \text{II}$$

$$\text{II} \xrightarrow[(H_5C_2)_3N]{+H_2N-CH(R)-COOR^1} H_3C-C_6H_4-SO_2-CH_2-CH_2-O-CO-NH-CH(R)-COOR^1 \quad \text{III}$$

$$\text{II} \xrightarrow[(MgO)]{+H_2N-CH(R)-COOH} \text{I}$$

$$\text{III} \xrightarrow{HCl/Eisessig\ (R^1 = CH_3;\ C_2H_5)\ \ Pd/H_2\ (R^1 = BZL)} H_3C-C_6H_4-SO_2-CH_2-CH_2-O-CO-NH-CH(R)-COOH \quad \text{I}$$

$$\text{III} \xrightarrow{+H_2N-NH_2 \cdot H_2O} H_3C-C_6H_4-SO_2-CH_2-CH_2-O-CO-NH-CH(R)-CO-NH-NH_2 \quad \text{V}$$

$$\text{V} \xrightarrow{+HNO_2} H_3C-C_6H_4-SO_2-CH_2-CH_2-O-CO-NH-CH(R)-CO-N_3 \quad \text{VI}$$

$$\text{I} \xrightarrow{+H_2N-R^2\ (DCCD\ od.\ ONP\text{-}Verfahren)\ (Säure\text{-}chlorid)} \text{IV}$$

$$\text{VI} \xrightarrow{+H_2N-R^2} H_3C-C_6H_4-SO_2-CH_2-CH_2-O-CO-NH-CH(R)-CO-NH-R^2 \quad \text{IV}$$

---

[1] A. T. Kader u. C. J. M. Stirling, Soc. **1964**, 258.

Chlorameisensäure-2-(p-tolyl-sulfonyl)-äthylester[1]: 60 g (2-Hydroxy-äthyl)-p-tolyl-sulfon (hergestellt durch Erhitzen von 1 Mol p-Toluol-sulfinsäure-Natriumsalz und 3 Mol 2-Chlor-äthanol in Dimethylformamid über 3 Stdn.) in 250 *ml* Benzol werden 2 Stdn. bei 0° mit einem Überschuß Phosgen behandelt. Die Mischung wird danach auf 25° erwärmt und für 12 Stdn. stehengelassen. Nach Entfernung des überschüssigen Phosgens und des Lösungsmittels i. Vak. erhält man einen Rückstand, der auf Zugabe von absol. Äther kristallisiert; Ausbeute: 64,2 g (82% d.Th.) F: 48° (aus Äther).

N-[2-(p-Tolyl-sulfonyl)-äthoxycarbonyl]-glycin [TSOC-Gly-OH][1]:

Methode ⓐ: Zu einer auf 5° gekühlten Suspension von 0,86 g Glycin und 0,7 g Magnesiumoxid in 50 *ml* Wasser werden unter Rühren tropfenweise 3 g Chlorameisensäure-2-(p-tolyl-sulfonyl)-äthylester in 20 *ml* 1,4-Dioxan innerhalb 30 Min. zugegeben. Das Reaktionsgemisch wird weitere 10 Min. bei 20° gerührt, danach angesäuert und mit Chloroform extrahiert. Der i. Vak. eingedampfte Chloroformauszug hinterläßt einen festen Rückstand, der aus Essigsäure-äthylester/Petroläther umkristallisiert wird; Ausbeute: 3,1 g (90% d.Th.); F: 156–157°.

Methode ⓑ: N-[2-(p-Tolyl-sulfonyl)-äthoxycarbonyl]-glycin-äthylester: 159g H-Gly-OEt · HCl, 2,32 g Triäthylamin und 3 g Chlorameisensäure-2-(p-tolyl-sulfonyl)-äthylester in 25 *ml* Chloroform werden bei 20° 1 Stde. gerührt, anschließend mit 100 *ml* Äther versetzt. Das Filtrat vom ausgefallenen Triäthylamin-Hydrochlorid wird i. Vak. eingedampft, der Rückstand in Chloroform aufgenommen. Die erhaltene Lösung wird mit verd. Salzsäure und Wasser wie üblich gewaschen und i. Vak. eingedampft. Der erhaltene Rückstand wird aus Äther umkristallisiert; Ausbeute: 3,2 g (89% d.Th.); F: 54–55°.

N-[2-(p-Tolyl-sulfonyl)-äthoxycarbonyl]-glycin: 21,3 g des oben erhaltenen TSOC-Gly-OEt in 75 *ml* Essigsäure und 11 *ml* konz. Salzsäure werden 10 Min. unter Rückfluß gekocht. Das Reaktionsgemisch läßt man in Wasser einlaufen, die freie Säure wird mit Essigsäure-äthylester extrahiert; Ausbeute: 18,5 g (92% d.Th.); F: 156–157° (nach üblicher Aufarbeitung).

N-[2-(Tolyl-sulfonyl)-äthoxycarbonyl]-glycyl-glycin-äthylester [TSOC-Gly-Gly-OEt][1]: 2 g TSOC-Gly-ONP aus der freien Säure und 4-Nitrophenol in Tetrahydrofuran nach dem Dicyclohexylcarbodiimid-Verfahren in üblicher Weise zugänglich, in 20 *ml* Chloroform wird mit 0,67 g H-Gly-OEt in 10 *ml* Chloroform vereinigt; die Mischung 16 Stdn. bei 20° belassen. Nach Entfernung des Lösungsmittels i. Vak. wird der erhaltene Rückstand zwischen 100 *ml* Essigsäure-äthylester und 50 *ml* Wasser verteilt, die abgetrennte organische Phase mit verd. Ammoniak-Lösung, Wasser und verd. Salzsäure üblich gewaschen und aufgearbeitet. Der erhaltene Rückstand wird aus Petroläther umkristallisiert; Ausbeute: 1,32 g (77% d.Th.); F: 93–94°.

Die 2-(p-Tolyl-sulfonyl)-äthoxycarbonyl-Maskierung der Amino-Funktion ist unter relativ milden alkalischen Bedingungen reversibel. Die Entfernung der Schutzgruppe gelingt mittels Natriumhydroxid in Äthanol/Wasser (1 normal) bzw. Natriumäthanolat in Äthanol bei Raumtemp. innerhalb kurzer Zeit (5–15 Min.). Bei Anwendung letzterer Methodik bleiben Peptidester-Gruppen unangegriffen; mittels 3 Mol Natriumhydroxid in wäßrig-äthanolischem Medium können gleichzeitig Urethan- (rasch) und Esterbindungen (langsam) gespalten werden.

Nach Kader und Stirling[1] erfolgt der Angriff des basischen Agens auf die 2-(p-Tolyl-sulfonyl)-äthoxycarbonyl-Aminoverbindung VII an der der Sulfon- benachbarten Methylen-Gruppe durch Protonen-Eliminierung, wonach Spaltung zum N-Carbonsäure-Salz VIII und p-Tolyl-vinyl-sulfon (IX) eintritt; unter den herrschenden Bedingungen addiert sich Äthanol an IX zum (2-Äthoxy-äthyl)-p-tolyl-sulfon (X):

$$\underset{\text{VII}}{H_3C\text{-}C_6H_4\text{-}SO_2\text{-}CH(H\leftarrow B{:})\text{-}CH_2\text{-}O\text{-}\overset{\displaystyle O}{\overset{\|}{C}}\text{-}NH\text{-}R} \xrightarrow[-\ominus OOC-NH-R\ (\text{VIII})]{} \underset{\text{IX}}{H_3C\text{-}C_6H_4\text{-}SO_2\text{-}CH{=}CH_2}$$

$$\xrightarrow{+\ C_2H_5OH} \underset{\text{X}}{H_3C\text{-}C_6H_4\text{-}SO_2\text{-}CH_2\text{-}CH_2\text{-}O\text{-}C_2H_5}$$

$$\underset{\text{VIII}}{R\text{-}NH\text{-}COO^{\ominus}} + H^{\oplus} \xrightarrow[-\ CO_2]{} \underset{\text{XI}}{R\text{-}NH_2}\ \ (\text{bzw. } H_2N\text{-}R\cdot HX)$$

---

[1] A. T. Kader u. C. J. M. Stirling, Soc. **1964**, 258.

Nach Entfernung des Sulfons X aus der Reaktionslösung mittels Ätherextraktion wird durch Neutralisation (z. B. mittels schwach sauren Ionen-Austauschern) Decarboxylierung von VIII zur „freien" Amino-Komponente XI erzwungen. Im Falle der Herstellung von Peptidestern aus ihren 2-(p-Tolyl-sulfonyl)-äthoxycarbonyl-Verbindungen wird die Neutralisation (bzw. Decarboxylierung) durch Einleiten von Chlorwasserstoff (im Überschuß) in die Reaktionslösung vorgenommen; die Peptidester werden als Hydrochloride isoliert.

Glycyl-glycin[1]: 1,93 g TSOC-Gly-Gly-OEt in 10 *ml* Äthanol werden mit 0,6 g Natriumhydroxid in 5 *ml* Wasser versetzt, die Mischung 1 Stde. bei 20° aufbewahrt, danach mit Äther extrahiert. Die verbleibende wäßrige Phase läßt man eine Säule von IRC-50 ($H^{\oplus}$-Form) passieren. Nach Eindampfen der Eluate i. Vak. und Zugabe von heißem Äthanol erhält man das kristallisierte Dipeptid; Ausbeute: 0,6 g (91% d. Th.); F: 233–234°.

Glycyl-glycin-äthylester-Hydrochlorid [H-Gly-Gly-OEt · HCl][1]: TSOC-Gly-Gly-OEt in 10 *ml* Äthanol werden mit 0,523 g Natrium-äthanolat in 6 *ml* Äthanol behandelt. Man läßt die resultierende Reaktionsmischung 5 Min. bei 20° stehen und leitet daraufhin einen Strom trockenen Chlorwasserstoffgases in die Lösung bis diese sauer reagiert. Nach Entfernen des Lösungsmittels i. Vak. wird der erhaltene Rückstand in heißem Äthanol aufgenommen; nach erneutem Eindampfen i. Vak. erhält man das Dipeptidester-Hydrochlorid als kristallisierten Rückstand; Ausbeute: 1,49 g (98% d. Th.); F: 181–182°.

Die 2-(p-Tolyl-sulfonyl)-äthoxycarbonyl-Schutzgruppe verhält sich gegenüber katalytischer Hydrogenolyse und den üblich acidolytischen Spaltungsmethoden resistent, d. h. sie sollte somit eine s e l e k t i v e Verwendung neben N-, O- und S-Maskierungen durch Benzyloxycarbonyl-, Benzyl-, tert.-Butyloxycarbonyl- und tert.-Butyl-Reste gestatten.

Ob der alkalisch spaltbaren 2-(p-Tolyl-sulfonyl)-äthoxycarbonyl-Gruppierung (vgl. dazu S. 177: Trifluoracetyl-Rest) eine Anwendungschance zukommt, muß offengelassen werden, da bislang keinerlei Peptid-Synthesen von Bedeutung ausgeführt worden sind.

Spaltungsgeschwindigkeit im Hinblick auf Art der Amino-Komponente, Einbeziehung alkaliempfindlicher Aminosäure-Reste, z. B. Asparagin etc., in Peptidsequenzen werden den Ausschlag hierfür geben.

Tab. 9. N_{α}-2-(4-Tolyl-sulfonyl)-äthoxycarbonyl-[TSOC]-L-aminosäuren*

Aminosäure	F [°C]	$[\alpha]_D$	t	c	Lösungsmittel	Literatur
Ala	120–121	–16,2	18–20°			1
Gly	156–157					1
Leu ᵃ	147–148	–16,5	18–20°			1
Pro	89–90	+65,6	18–20°			1

* N_{α}-TSOC-Derivate ω-geschützter mehrfunktioneller Aminosäuren s. Abschnitt „Mehrfunktionelle Aminosäuren", Tab.

a = DCHA-Salz

31.111.14.3. 2-Brom-äthoxycarbonyl-[BEOC]-Schutzgruppe

Da Aminosäuren, deren Amino-Gruppe in Form eines Urethan-Systems geschützt ist, gegenüber „reinen" N-Acyl-aminosäuren unter den üblichen Reaktionsbedingungen der Peptidverknüpfung erheblich racemisierungsstabiler sind, haben Eschenmoser et al.[2]

---

[1] A. T. Kader u. C. J. M. Stirling, Soc. **1964**, 258.

[2] M. Brugger, Dissertation, ETH Zürich, 1965.
H. Büchi, Dissertation, ETH Zürich, 1965.
B. Kühnis, Diplomarbeit, ETH Zürich, 1962.

versucht, ihre mit dem N-3-Chlor-butyroyl-Rest gemachten Erfahrungen (s. S. 192) auf eine Aminomaskierung vom 2-Halogen-äthoxycarbonyl-Typ zu übertragen. Den geforderten Bedingungen, insbesondere der Entacylierung durch „Imino-carbonat-Cyclisierung" (s. unten) in neutralen wäßr. Medien, entsprach u.a. der 2-Brom-äthoxycarbonyl-[BEOC]-Rest (vgl. dazu auch S. 102, 110).

Die Einführung der Schutzgruppe erfolgt durch Umsetzung von Aminosäure-Salzen mit Chlorameisensäure-(2-brom-äthylester) (I) bzw. auch -azid nach Schotten-Baumann; die bislang hergestellten N-2-Brom-äthoxycarbonyl-aminosäuren (II) konnten jedoch nur in öliger Form isoliert werden:

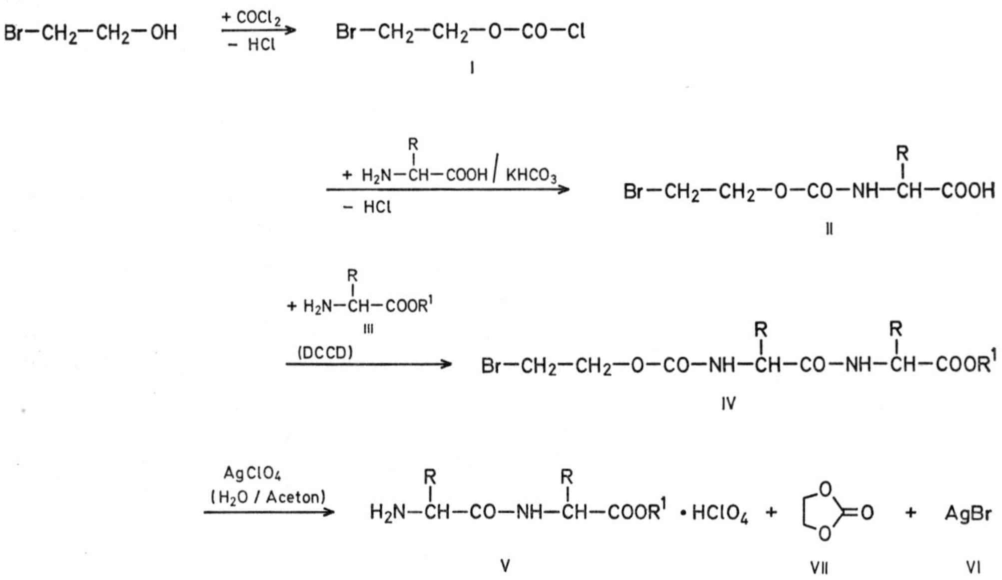

$$Br-CH_2-CH_2-OH \xrightarrow[-\ HCl]{+\ COCl_2} \underset{I}{Br-CH_2-CH_2-O-CO-Cl}$$

$$\xrightarrow[-\ HCl]{+\ H_2N-CH(R)-COOH\ /\ KHCO_3} \underset{II}{Br-CH_2-CH_2-O-CO-NH-CH(R)-COOH}$$

$$\xrightarrow[(DCCD)]{+\ \underset{III}{H_2N-CH(R)-COOR^1}} \underset{IV}{Br-CH_2-CH_2-O-CO-NH-CH(R)-CO-NH-CH(R)-COOR^1}$$

$$\xrightarrow[(H_2O\ /\ Aceton)]{AgClO_4} \underset{V}{H_2N-CH(R)-CO-NH-CH(R)-COOR^1 \cdot HClO_4} + \underset{VII}{\text{(Äthylencarbonat)}} + \underset{VI}{AgBr}$$

N-(2-Brom-äthoxycarbonyl)-L-phenylalanin [BEOC-Phe-OH]:

Chlorameisensäure-(2-brom-äthylester)[1]: In 80 g 2-Brom-äthanol wird unter Kühlung mit Eis/Kochsalz-Mischung unter Rühren ein kräftiger Phosgen-Strom eingeleitet. Nach beendeter Reaktion, die sich unter Temperaturanstieg bemerkbar macht (10–15°), läßt man noch eine weitere Stde. einen schwachen Phosgen-Strom durchperlen; anschließend wird das leicht gelbgefärbte Reaktionsgemisch mittels Durchblasen von Stickstoff von überschüssigem Phosgen befreit. Man nimmt den Rückstand in Diäthyläther auf, trocknet über Natriumsulfat und fraktioniert über eine Vigreux-Kolonne: bei 82–84,5°/38 Torr geht der Chlorameisensäureester als farblose Flüssigkeit über, die nochmals destilliert wird; Ausbeute: 92,1 g (77% d.Th.); $n_D^{20} = 1{,}477$.

N-(2-Brom-äthoxycarbonyl)-L-phenylalanin [BEOC-Phe-OH][2]: 18,48 g (112 mMol) Phenylalanin in 150 *ml* 2n Kaliumhydrogencarbonat-Lösung und 60 *ml* 1,4-Dioxan (unter leichtem Erwärmen gelöst) werden bei –20° und unter Vibro-Mischung mit 52,6 g (280 mMol) Chlorameisensäure-(2-brom-äthylester) in 5 Portionen auf 3 Tage verteilt umgesetzt. Die Vibro-Mischung wird danach 2 Tage fortgesetzt unter gleichzeitiger Erwärmung auf Raumtemp. Das Reaktionsgemisch wird bei möglichst tiefer Temp. i. Vak. auf ein kleines Vol. eingeengt, der Rückstand in drei 500 *ml*-Portionen Essigsäure-äthylester/Dichlormethan (4:1) aufgenommen. Man extrahiert die Lösung 4mal mit 2n Natriumcarbonat-Lösung unter Eiszusatz. Die vereinigten Auszüge werden mit 5n Phosphorsäure unter Eiskühlung auf $p_H = 2$ gebracht und erschöpfend mit 1,5 *l* Essigsäure-äthylester extrahiert. Die Essig-

---

[1] M. Brugger, Dissertation, ETH Zürich, 1965.

[2] H. Büchi, Dissertation, ETH Zürich, 1965.

säure-äthylester-Lösung wird mit ges. Natriumchlorid-Lösung neutral gewaschen, über Natriumsulfat getrocknet und schließlich i. Vak. eingedampft; Ausbeute: 23,3–26,5 g (66–75% d. Th.); nach Entfernen der letzten Lösungsmittel-Reste i. Hochvak.: leicht gelbliches Öl von $[\alpha]_D^{20} = -3{,}0°$ bzw. $[\alpha]_{546}^{20} = -3{,}4°$ (c = 2,3, in absol. Methanol).

Die Verknüpfung von N-2-Brom-äthoxycarbonyl-aminosäuren (II) mit Aminosäure-estern (III) zu N-2-Brom-äthoxycarbonyl-peptidestern (IV), z. B. nach dem Sheehan-Verfahren, wirft keinerlei Probleme auf; auch die Säurechlorid-Methode ist durchführbar[1].

N-(2-Brom-äthoxycarbonyl)-L-phenylalanyl-L-alanin-(4-decyloxy)-benzylester [BEOC-Phe-Ala-ODOB][1]: 6,69 g BEOC-Phe-OH und 6,83 g H-Ala-ODOB · HCl in 130 *ml* Dichlormethan werden bei 0° und unter Magnetrührung mit 1,96 g Triäthylamin in 20 *ml* Dichlormethan und anschließend innerhalb 30 Min. mit 3,98 g Dicyclohexylcarbodiimid in 40 *ml* Dichlormethan versetzt. Man rührt das Reaktionsgemisch über Nacht auf Raumtemp. und fügt schließlich 2 *ml* Eisessig zur Zers. nicht umgesetzten Carbodiimids zu. Nach Filtration vom ausgefallenen Dicyclohexylharnstoff wird die erhaltene, mit Dichlormethan verd. Lösung unter Eiskühlung mit 2n Salzsäure, 2n Natriumhydrogencarbonat- und ges. Natriumchlorid-Lösung gewaschen, über Natriumsulfat getrocknet und schließlich i. Vak. eingedampft. Das kristalline Rohprodukt wird in 180 *ml* Essigsäure-methylester aufgenommen, die Lösung nach Filtration auf ~ 100 *ml* eingeengt und nach Animpfen der Kristallisation überlassen; Ausbeute: 9,74 g (83% d. Th.); F: 109,5–110° (nach nochmaliger Kristallisation aus Essigsäure-methylester).

Längeres Erhitzen der Lösungen beim Umkristallisieren ist im Hinblick auf eine Cyclisierung zum Imino-bromid zu vermeiden.

Die Abspaltung der 2-Brom-äthoxycarbonyl-Schutzgruppe läßt sich leicht mit Silberperchlorat in wäßr. 1,4-Dioxan oder Aceton, d. h. nahezu neutralem Milieu, bei Raumtemp. vollziehen. Neben den leicht abtrennbaren Nebenprodukten Silberbromid (VI) und Glykolcarbonat (VII) fällt die „freie" Amino-Komponente V in Form des Perchlorats an[1].

Der Reaktion liegt die Ausbildung eines elektrophilen Zentrums in γ-Stellung zur Carboxy-Gruppierung durch Solvolyse des Halogenatoms zu Grunde; unter der reaktionsfördernden Beteiligung des Elektronenpaares am Amid-Stickstoff erfolgt Ringschluß (intramolekulare Alkylierung des Amid-Sauerstoffs) durch genanntes Zentrum zum Imino-carbonat-Salz (vgl. S. 191).

Letztlich wird unter den herrschenden Reaktionsbedingungen (wäßr. Milieu) das Immonium- (VIII) zum Ammonium-Salz (V) und Glykolcarbonat (VII) hydrolysiert[1]:

NH–R / O–C(=O...)–O–CH₂CH₂Br → (+ $AgClO_4$, H_2O/Aceton, − AgBr) → $[\text{cycl. } \overset{\oplus}{N}H{-}R]\ ClO_4^{\ominus}$ (VIII) → (H_2O) → Glykolcarbonat (VII) + $[H_3\overset{\oplus}{N}{-}R]\ ClO_4^{\ominus}$ (V)

Die Beweisführung vorstehenden Reaktionsablaufes konnten Eschenmoser et al.[2] mit der Isolierung des zunächst hypothetischen Imino-carbonat-Salzes VIII erfüllen. Aus dem Reaktionsansatz von Kohlensäure-(2-brom-äthylester)-cyclohexylamid und Silber-tetrafluoroborat in Dichlormethan/Benzol konnte in 60%-iger Ausbeute das stabile 2-Cyclohexylimino-1,3-dioxolan-Hydrotetrafluoroborat isoliert werden. Durch den Einfluß der beiden O-Atome im Fünfring verstärkte hohe IR-Absorption bei 1706 cm^{-1}, charakteristisch für die C=N-Bindung.

Die unter sehr schonenden Bedingungen ausführbare Entacylierung erlaubt die Anwesenheit säure-, basen- und hydrogenolyse-empfindlicher Gruppierungen im Peptid-Molekül. Eschenmoser et al.[1] gelang auf diesem Wege u. a. die Herstellung der sehr säure-labilen 4-Decyloxy-benzylester von Aminosäuren und Peptiden:

---

[1] H. Büchi, Dissertation, ETH Zürich, 1965.

[2] M. Brugger, Dissertation, ETH Zürich, 1965.

L-Phenylalanyl-L-alanin-(4-decyloxy-benzylester)-Hydrochlorid [H-Phe-Ala-ODOB · HCl][1]: 2,78 g (4,4 mMol) BEOC-Phe-Ala-ODOB in 180 *ml* Aceton werden mit 4,95 g (22,0 mMol) Silber-perchlorat-monohydrat in 36 *ml* dest. Wasser versetzt; die Reaktionsmischung wird bei Raumtemp. unter Ausschluß von Licht 66 Stdn. gerührt, wobei nach 24 Stdn. 30 *ml*, nach 48 Stdn. weitere 30 *ml* Wasser zugesetzt werden. Danach wird nicht umgesetztes Silber-perchlorat mit 1,28 g Natriumchlorid in 10 *ml* Wasser ausgefällt, der gebildete Niederschlag nach 2stdgm. Weiterrühren auf einer Celit-Lage abfiltriert und mit 20 *ml* Wasser und 2mal mit 20 *ml* Aceton gewaschen. Filtrat und Waschwässer werden gemeinsam bei einer Badtemp. von 30° vorsichtig i. Vak. auf ~ 70 g eingeengt. Man spült das an den Wänden ausgeflockte, amorphe Perchlorat mit wenig ges. Natriumchlorid-Lösung auf den Grund des Gefäßes, kühlt die Mischung auf 0° ab und versetzt sie unter Rühren mit 50 *ml* eiskalt ges. Natriumcarbonat-Lösung. Nach 10 Min. langem Weiterrühren bei dieser Temp. wird der Ansatz unter Zusatz von Eis 3mal mit je 600 *ml* eiskaltem Essigsäure-äthylester ausgezogen. Die vereinigten Essigsäure-äthylester-Extrakte werden sorgfältig mit eiskalter, ges. Natriumchlorid-Lösung gewaschen, über 2 Stdn. bei –15° und unter Rühren mit Natriumsulfat getrocknet und schließlich bei einer Badtemp. von 25° im Dünnschichtverdampfer eingedampft. Die Lösung des öligen Rückstandes in 50 *ml* absol. Diäthyläther wird mit 10 *ml* 0,45n Salzsäure in Diäthyläther versetzt; nach Abziehen des Lösungsmittels wird das verbleibende zähe Öl über Nacht i. Hochvak. aufbewahrt und anschließend mit Essigsäure-äthylester angespritzt. Dabei trat Kristallisation ein. Nach 3maligem Umkristallisieren aus 100 *ml* warmem Essigsäure-äthylester unter Zugabe von wenig Hexan Ausbeute: 1,92 g (85% d. Th.)[1]; F: 97,8–99° (farblose Nadeln); $[\alpha]_D^{20} = -15{,}2°$ bzw. $[\alpha]_{546}^{20} = -17{,}9°$ (c = 1,71, in absol. Methanol).

Über Urethan-Gruppierungen auf sek. und tert.-Alkohol-Basis, die unter Imino-Carbonat-Bildung spaltbar sind. s. S. 110, 133, 153.

31.111.14.4. 2-Jod-äthoxycarbonyl-[IEOC]-Schutzgruppe

Gegenüber der 2-Brom-äthoxycarbonyl-Schutzgruppe bietet die von Grimshaw[2] erstmals studierte N-Maskierung den Vorteil einer günstigen Regenerierung der freien Amino-Verbindungen I aus den N-(2-Jod-äthoxycarbonyl)-Derivaten II durch Einwirkung von Zinkstaub in methanolischer Lösung:

$$\underset{\text{II}}{J{-}CH_2{-}CH_2{-}O{-}CO{-}NH{-}R} \xrightarrow{Zn/CH_3OH} \underset{\text{I}}{H_2N{-}R} + CO_2 + H_2C{=}CH_2 + J^{\ominus}$$

II $\xrightarrow{KOH}$ III (Oxazolidin-2-on, N–R)

Nach Kasafirek[3] ist auch eine elektrolytische Abspaltung (Quecksilber-Elektrode) der Schutzgruppe durchführbar; als Elektrolyt dient Lithiumchlorid (ev. auch Natriumjodid) in Methanol/Essigsäure.

Andererseits muß jedoch die gesteigerte Alkali- und tert.-Basen-Empfindlichkeit der N-(2-Jod-äthoxycarbonyl)- gegenüber den N-(2-Brom-äthoxycarbonyl)-aminosäuren bzw. peptiden betont werden (Cyclo-Urethan-Bildung III). Ausreichende Erfahrungen mit dieser N-Maskierung stehen noch aus.

---

[1] H. Büchi, Dissertation, ETH Zürich, 1965.
[2] J. Grimshaw, Soc. **1965**, 7136.
[3] E. Kasafirek, Tetrahedron Letters **1972**, 2021.

31.111.14.5. 2,2,2-Trichlor-äthoxycarbonyl-[TEOC]-Schutzgruppe

Zur Totalsynthese des *Cephalosporins C* hat Woodward[1] als Ausgangsmaterial u.a. N-(2,2,2-Trichlor-äthoxycarbonyl)-D-2-amino-adipinsäure (I) benützt. Die N-geschützte Aminosäure I ließ sich mit dem Aminosäureester-aldehyd II zu III verknüpfen; der nach mehreren weiteren Reaktionsschritten schließlich erhaltene *N_a-(2,2,2-Trichlor-äthoxycarbonyl)-cephalosporin C-bis-[2,2,2-trichlor-äthylester]* (IV) konnte mittels Zinkstaub in 90%-iger Essigsäure bei 0° innerhalb 2,5 Stdn. zum synthet. Antibiotikum V reduziert werden:

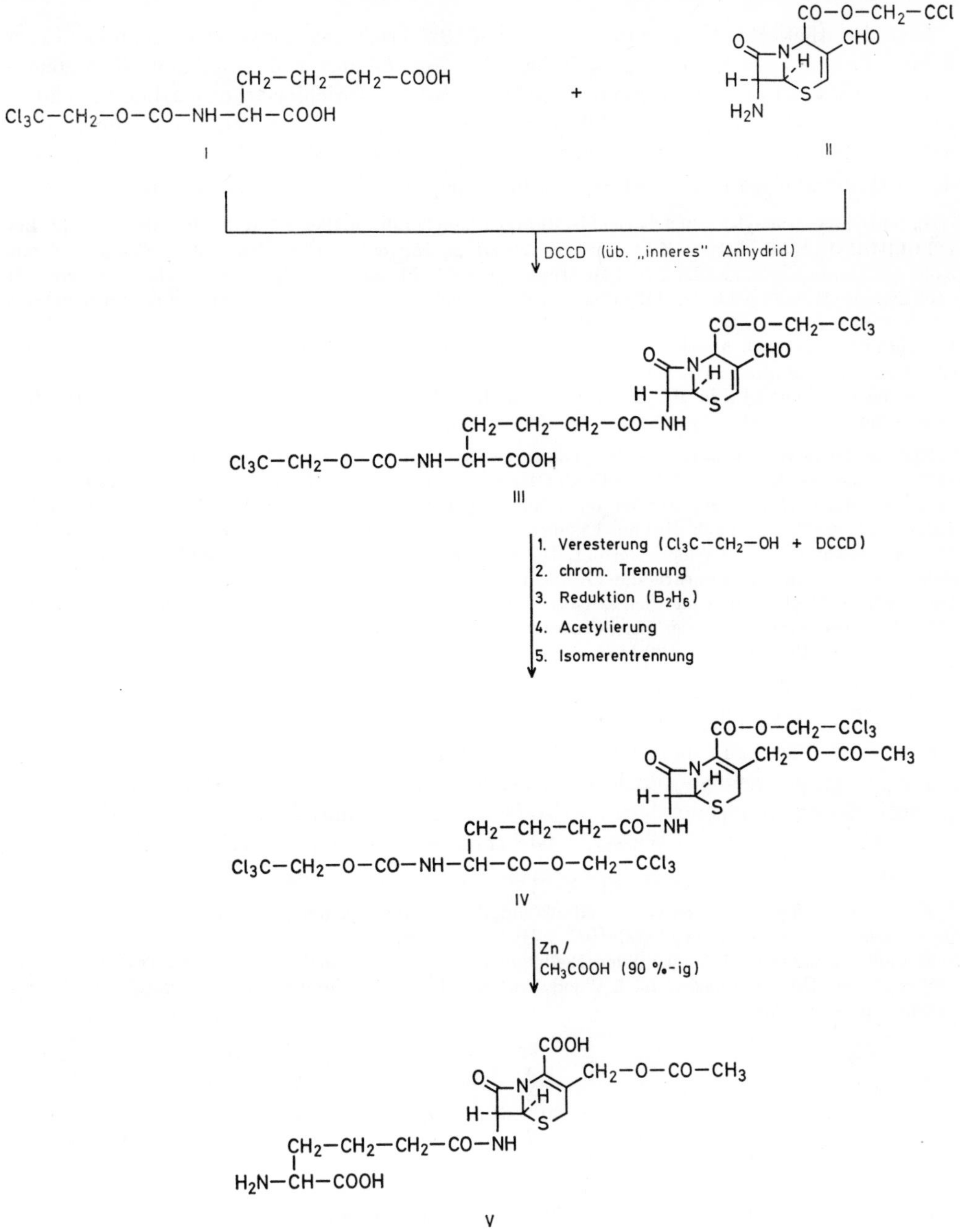

$$Cl_3C{-}CH_2{-}O{-}CO{-}NH{-}CH(COOH){-}CH_2{-}CH_2{-}CH_2{-}COOH$$

I

\+

CO–O–CH₂–CCl₃ / CHO / O / N / H / H– / S / H₂N

II

DCCD (üb. „inneres" Anhydrid)

CO–O–CH₂–CCl₃ / CHO / O / N / H / H– / S

$$Cl_3C{-}CH_2{-}O{-}CO{-}NH{-}CH(COOH){-}CH_2{-}CH_2{-}CH_2{-}CO{-}NH$$

III

1. Veresterung ($Cl_3C{-}CH_2{-}OH$ + DCCD)
2. chrom. Trennung
3. Reduktion (B_2H_6)
4. Acetylierung
5. Isomerentrennung

CO–O–CH₂–CCl₃ / CH₂–O–CO–CH₃ / O / N / H / H– / S

$$Cl_3C{-}CH_2{-}O{-}CO{-}NH{-}CH(CO{-}O{-}CH_2{-}CCl_3){-}CH_2{-}CH_2{-}CH_2{-}CO{-}NH$$

IV

Zn / CH_3COOH (90 %-ig)

COOH / CH₂–O–CO–CH₃ / O / N / H / H– / S

$$H_2N{-}CH(COOH){-}CH_2{-}CH_2{-}CH_2{-}CO{-}NH$$

V

---

[1] R. B. Woodward, Ang. Ch. **78**, 557 (1966).
R. B. Woodward et al., Am. Soc. **88**, 852 (1966).

Die Einführung der N-Schutzgruppe erfolgt mittels des Chlorameisensäure-2,2,2-trichlor-äthylesters in Pyridin bei Raumtemperatur oder unter üblichen Schotten-Baumann-Bedingungen bei Verwendung von Natriumcarbonat[1,2]; wegen der hohen Bildungstendenz von Kohlensäure-bis-[2,2,2-trichlor-äthylester] ist der Gebrauch von Natronlauge ausgeschlossen[2].

Das stabile und destillierbare (Kp_{60}: 75–76°) „Einführungsreagens" ist durch Einleiten von Phosgen in die benzolische Lösung von 2,2,2-Trichlor-äthanol unter Zusatz von N,N-Diäthyl-anilin in üblicher Aufarbeitungsmethodik bequem zugänglich[1].

Peptidsynthetische Umsetzungen von N-(2,2,2-Trichlor-äthoxycarbonyl)-aminosäuren wurden bislang nach der Carbodiimid-Methode vorgenommen, wobei als Amino-Komponenten Aminosäure- bzw. Peptidester dienten[2,3]. Die N-(2,2,2-Trichlor-äthoxycarbonyl)-Schutzgruppe zeigte sich genügend stabil gegenüber verschiedenen basischen Bedingungen, so daß es möglich war, die gewonnenen Acyl-peptidester durch alkalische Verseifung oder durch Hydrazinolyse in N-Acyl-peptide bzw. -peptidhydrazide überzuführen[2].

N_α-Benzyloxycarbonyl-N_ε-(2,2,2-trichlor-äthoxycarbonyl)-L-lysin-Dicyclohexylamin-Salz [Z-Lys(TEOC)-OH · DCHA][2]: 3,19 g Z-Lys-OH in 5,6 *ml* 2n Natronlauge werden unter Eiskühlung mit 3,59 g Chlorameisensäure-2,2,2-trichlor-äthylester und 20 *ml* n Natriumcarbonat-Lösung versetzt; nach 2stdgm. Rühren bei 0° wird die Reaktionslösung mit Diäthyläther extrahiert und anschließend mit n Salzsäure angesäuert. Die gebildete Fällung wird in Essigsäure-äthylester aufgenommen. Die erhaltene Lösung hinterläßt nach üblichem Waschen mit Natriumchlorid ges. Wasser, Trocknen über Natriumsulfat und Eindampfen i. Vak. einen öligen Rückstand; Ausbeute: 4,7 g (89% d.Th.).

Das ölige Produkt wird in üblicher Weise in das Dicyclohexylamin-Salz übergeführt; nach Umkristallisieren aus Methanol/Diäthyläther: F: 162–165°; $[\alpha]_D^{16} = +2{,}9°$ (c = 1,1, in Methanol).

N_α-Benzyloxycarbonyl-N_ε-(2,2,2-trichlor-äthoxycarbonyl)-L-lysyl-L-alanyl-glycin-methylester [Z-Lys(TEOC)-Ala-Gly-OMe][2]: 4,7 g Z-Lys(TEOC)-OH, 2,15 g H-Ala-Gly-OMe · HCl und 1,4 *ml* Triäthylamin in 20 *ml* Dimethylformamid werden nach Zusatz von 2,26 g Dicyclohexylcarbodiimid 18 Stdn. bei Raumtemp. gerührt. Danach wird das Lösungsmittel i. Vak. entfernt, der erhaltene Rückstand zwischen Essigsäure-äthylester und Wasser verteilt. Die abgetrennte organische Phase wird wie üblich mit 2n Salzsäure, 10%-iger Natriumcarbonat-Lösung und Wasser (Natriumchlorid ges.) gewaschen, über Natriumsulfat getrocknet und letztlich i. Vak. eingedampft. Der Rückstand wird bei Behandeln mit Diäthyläther fest und aus Essigsäure-äthylester/Diäthyläther umkristallisiert; Ausbeute: 3,82 g (64% d.Th,); F: 105–107°; $[\alpha]_D^{22} = -23{,}1°$ (c = 0,7, in Methanol).

Die N-(2,2,2-Trichlor-äthoxycarbonyl)-Maskierung zeichnet sich aus durch eine außerordentlich hohe Stabilität gegenüber acidolytischen Spaltungsreagenzien selbst stärkster Art, wie z.B. flüssigem Fluorwasserstoff oder Bromwasserstoff/Eisessig[2]. Die Abspaltung der Schutzgruppe gelingt jedoch durch 1–3 stdgs. Rühren bei Raumtemperatur mit Zinkpulver in Essigsäure oder durch kurzes Erhitzen unter Rückfluß mit Zinkstaub in Methanol[1,2,4].

„Co-Lösungsmittel" wie Wasser, 1,4-Dioxan, etc. können, falls erforderlich, eingesetzt werden[1].

Entgegen den Feststellungen von Windholz und Johnston[1] bestreiten Yajima et al.[2] die Beständigkeit dieser Schutzgruppe gegenüber katalytischer Hydrogenolyse.

Die unter genannten, äußerst milden Bedingungen ausführbare Spaltung der (2,2,2-Trichlor-äthoxycarbonyl)-amin-Bindung basiert nach Woodward[4] auf einer Eliminierungs-Reaktion durch das elektronen-liefernde Zink-Atom:

Zn
↓
Cl–C(Cl)(Cl)–CH₂–O–C(=O)–R

¹ T. B. Windholz u. D. B. R. Johnston, Tetrahedron Letters **1967**, 2555.
² H. Yajima, H. Watanabe u. M. Okamoto, Chem. Pharm. Bull. (Tokyo) **19**, 2185 (1971).
³ R. B. Woodward et al., Am. Soc. **88**, 852 (1966).
⁴ R. B. Woodward, Ang. Ch. **78**, 557 (1966).

L-Lysyl-L-alanyl-glycin [H-Lys-Ala-Gly-OH][1]:

N_ε-(2,2,2-Trichlor-äthoxycarbonyl)-L-lysyl-L-alanyl-glycin [H-Lys(TEOC)-Ala-Gly-OH][1]: 1 g Z-Lys(TEOC)-Ala-Gly-OH und 1,0 *ml* Anisol werden mit 10 *ml* flüssigem Fluorwasserstoff übergossen; die Reaktionsmischung wird 30 Min. im Eisbad aufbewahrt. Nach Entfernen des überschüssigen Fluorwasserstoffs i. Vak. wird der Rückstand in 20 *ml* Wasser aufgenommen, die erhaltene Lösung nach Waschen mit Äther mit Amberlite CG-4B (5 g in der Acetat-Form) über 30 Min. behandelt. Das Filtrat vom Austauscher wird i. Vak. eingedampft, der verbleibende Rückstand wird beim Behandeln mit Äthanol fest und aus Wasser/Äthanol umkristallisiert; Ausbeute: 0,71 g (92% d.Th.); F: 202–203°; $[\alpha]_D^{20} = +7,0°$ (c = 0,6, in 10%-iger Essigsäure).

Die Abspaltung der Benzyloxycarbonyl-Reste kann auch mit 25%-iger Bromwasserstoff/Essigsäure erfolgen[1].

L-Lysyl-L-alanyl-glycin [H-Lys-Ala-Gly-OH][1]: 0,9 g H-Lys(TEOC)-Ala-Gly-OH in 14 *ml* 70%-igem Methanol werden nach Zusatz von 2 g Zinkpulver 3 Stdn. unter Rückfluß erhitzt. Das eingedampfte Filtrat hinterläßt einen Rückstand, dessen Lösung in 200 *ml* Wasser auf eine Säule aus Carboxymethyl-Cellulose (3 · 27 cm) aufgegeben wird. Nach Waschen mit 1100 *ml* Wasser folgt Gradientenelution mittels 300 *ml* Wasser und 1500 *ml* 0,05 m Pyridinacetatpuffer (p_H = 6,0). Das Eluat wird in 10-*ml*-Fraktionen gesammelt; die ninhydrin-positiven Fraktionen (51–121-Fraktionen) werden gesammelt i. Vak. eingedampft; nach Behandeln des Rückstandes mit Äthanol erhält man ein Pulver; Ausbeute: 0,34 g (63% d.Th.); F: 217–220°; $[\alpha]_D^{19} = -7,7°$ (c = 0,3, in 10%-iger Essigsäure).

Nach Kasafirek[2] ist auch eine elektrolytische Entfernung (Quecksilber-Elektrode) der 2,2,2-Trichlor-äthoxycarbonyl-Maskierung möglich; Elektrolyt ist Lithiumchlorid in Methanol/Essigsäure. 2,2,2-Tribrom-äthoxycarbonyl-[TBOC]-amin-Gruppierungen werden auf gleiche Weise gespalten, während N-(2,2,2-Trifluor-äthoxycarbonyl)-Verbindungen unangegriffen bleiben.

Der N-(2,2,2-Trichlor-äthoxycarbonyl)-Rest gibt eine charakteristische 2-Protonen-Singulett-Resonanz bei 5,25 ν in der NMR-Spektroskopie, wodurch eine Aussage über eine quantitative Abspaltung dieser Schutzgruppe rasch und zuverlässig herbeigeführt werden könnte[3].

Über die Verwendung des 2,2,2-Trichlor-äthoxycarbonyl-Restes als „Hydrazid-Schutzgruppe"[4] s. S. 440.

31.111.14.6. 2-(2-Methoxy-äthoxy)-äthoxycarbonyl-[MEOC]-Schutzgruppe

Nach Ergebnissen von T. Wieland[5] zeichnen sich Urethan-Schutzgruppen auf Glykoläther-Basis durch hohe Wasserlöslichkeit der so markierten Aminosäuren und Peptide aus; sie würden den Anforderungen der äußerst erwünschten Peptidsynthesen in Wasser gerecht werden.

N-2-(2-Methoxy-äthoxy)-äthoxycarbonyl-aminosäuren sind wie üblich aus dem Chlorameisensäure-2-(2-methoxy-äthoxy)-äthylester und Aminosäuren leicht zugänglich; ihre Umsetzung mit Amino-Komponenten gelingt z. B. nach der Methode der Misch-Anhydride. Leider blieb eine Reversibilität der Amino-Blockierung unter „schonender" Bedingung bislang unerfüllbar. Wieland et al.[5] hoffen, diesen Engpaß mit Glykol-Derivaten, die eine tert. Hydroxy-Funktion tragen, zu überwinden.

31.111.14.7. 2-Nitro-äthoxycarbonyl-[NEOC]-Schutzgruppe

Chlorameisensäure-2-nitro-äthylester konnte von Wieland et al.[6] aus 2-Nitro-äthanol und Phosgen als destillierbares Produkt erhalten werden; dieser war „zur Urethanbildung" mit verschiedenen Aminen geeignet. Die Herstellung von N-(2-Nitro-äthoxycarbonyl)-aminosäuren mißlang jedoch:

---

[1] H. Yajima, H. Watanabe u. M. Okamoto, Chem. Pharm. Bull. (Tokyo) **19**, 2185 (1971).
[2] E. Kasafirek, Tetrahedron Letters **1972**, 2021.
[3] T. B. Windholz u. D. B. R. Johnston, Tetrahedron Letters **1967**, 2555.
[4] H. Yajima u. Y. Kiso, Chem. Pharm. Bull. (Tokyo) **19**, 420 (1971).
[5] T. Wieland, Acta chim. Acad. Sci. hung. **44**, 5 (1965).
[6] T. Wieland, G. J. Schmitt u. P. Pfaender, A. **694**, 38 (1966).

① Eine Reaktion mit Aminosäuren in wäßriger Lösung scheiterte an der extremen Hydrolyseempfindlichkeit des Acyldonators.

② Eine Umsetzung mit Aminosäureestern in wasserfreien Medien führte gleichfalls nicht zum Erfolg, da deren Basizität für einen raschen Eintritt einer β-Eliminierung an der 2-Nitro-äthoxycarbonyl-Gruppierung sorgte.

Auch die Spaltung der (2-Nitro-äthoxycarbonyl)-amin-Bindung ist nach wie vor ungelöst, da der erwartete basen-katalysierte Zerfall zu Nitro-äthylen und einer Carbamidsäure nicht eintrat.

31.111.20. *Carbamidsäureester sekundärer Alkohole*

Cyclopentyloxycarbonyl- und Cyclohexyloxycarbonyl-Reste zur Maskierung der Amino-Gruppe wurden erstmals von Albertson und McKay[1] vorgeschlagen. Beide Urethan-Schutzgruppen sind durch Acidolyse (Bromwasserstoff in Eisessig oder Nitromethan) bzw. Reduktion mit Natrium in flüssigem Ammoniak spaltbar, nicht jedoch durch Hydrogenolyse. Damit wird eine selektive Verwendung in Verbindung mit der Benzyloxycarbonyl-Gruppe ermöglicht. Bláha und Rudinger[2] haben die Bromwasserstoff/Eisessig-Spaltung oben genannter Cyclopentyloxycarbonyl- (I), Cyclohexyloxycarbonyl- (II), 2- bzw. 4-alkyl-substituierter Cyclohexyloxycarbonyl- (III u. IV) und sek. Butyloxycarbonyl-Reste (V) am Beispiel der Glycin-Derivate studiert und interessante Ergebnisse erhalten.

Tab. 10. Ermittelte Reaktionskonstanten (bei 25°) der Bromwasserstoff/Eisessig-Spaltung (1,65 m Lösung) vom N-Alkoxycarbonyl-glycin der Formel

$$R{-}O{-}CO{-}NH{-}CH_2{-}COOH$$

	R	Abkürzung	$K \cdot 10^7 \cdot s^{-1}$
I	Cyclopentyl-	cPOC	460
II	Cyclohexyl-	cHOC	25
III	cis-2-Methyl-cyclohexyl- (H, CH_3; H)	cHOC(*cis*-2-Me)	350
III	trans-2-Methyl-cyclohexyl- (H_3C, H; H)	cHOC(*trans*-2-Me)	5,9
IV	cis-4-tert-Butyl-cyclohexyl- ($(H_3C)_3C$, H; H)	cHOC(*cis*-4-tBu)	58
IV	trans-4-tert-Butyl-cyclohexyl- (H, $(H_3C)_3C$; H)	cHOC(*trans*-4-tBu)	15
V	$H_3C{-}CH_2{-}CH(CH_3){-}$	sBOC	0

Wie aus Tab. 10 ersichtlich, erhöht ein in *cis*-Stellung stehender Alkyl-Substituent bei Cyclohexyloxycarbonyl-Derivaten die Spaltungsgeschwindigkeit. Der Effekt ist bei 2- größer als bei 4-Substituenten (in beiden Versionen). Am raschesten werden die Cyclopentyloxycarbonyl-Derivate gespalten (etwas langsamer als die Benzyloxycarbonyl-Verbindungen); kaum nennenswert N-sek.-Butyloxycarbonyl-glycin.

[1] F. C. McKay u. N. F. Albertson, Am. Soc. **79**, 4686 (1957).
[2] K. Bláha u. J. Rudinger, Collect. czech. chem. Commun. **30**, 599 (1965).

31.111.21. Cyclopentyloxycarbonyl-[cPOC]-Schutzgruppe

Dem Cyclopentyloxycarbonyl-[cPOC]-Rest sollte aus nachstehenden Gründen eine gewisse peptidsynthetische Bedeutung zugeschrieben werden[1]:

① Die Herstellung der Amino-Blockierung gelingt leicht mittels des gut zugänglichen und stabilen Chlorameisensäure-cyclopentylesters unter üblichen Schotten-Baumann-Bedingungen.

② Die N-Cyclopentyloxycarbonyl-aminosäuren sind (soweit bekannt) meistens gut kristallisiert.

③ Die acidolytische Spaltung kann noch unter relativ milden Bedingungen erzielt werden (s. Tab. 10, S. 106).

④ Das als Nebenprodukt entstehende Brom-cyclopentan ist (im Gegensatz zu den Benzylbromiden) nicht tränenreizend und zeigt keine Tendenz der Sulfoniumsalzbildung bei Gegenwart von Thioäthern (Methionin).

Zweckmäßig erscheint vor allem der Einsatz der Cyclopentyloxycarbonyl-Schutzgruppe zur Blockierung der N_ω-Funktion von Diaminosäuren[2,3].

N_α-Benzyloxycarbonyl-N_ε-cyclopentyloxycarbonyl-L-lysin [Z-Lys(cPOC)-OH]:

Chlorameisensäure-cyclopentylester[1]: Zu 1,5 Mol kondensiertem Phosgen läßt man bei 0° unter Rühren 1 Mol Cyclopentanol langsam zutropfen. Die Reaktionsmischung wird 4 Stdn. bei Raumtemp. stehengelassen, überschüssiges Phosgen anschließend durch einen trockenen Luftstrom oder i. Vak. bei Raumtemp. entfernt (Öl); Ausbeute: fast quantitativ.

N_α-Benzyloxycarbonyl-N_ε-cyclopentyloxycarbonyl-L-lysin[Z-Lys(cPOC)-OH][3]: 10 g Z-Lys-OH in 36 *ml* n-Natronlauge und 100 *ml* Wasser werden unter kräftigem Rühren bei 0° wie üblich mit 4,7 *ml* Chlorameisensäure-cyclopentylester und 36 *ml* n Natronlauge umgesetzt. Die 90 Min. bei 0° nachgerührte Reaktionslösung extrahiert man 3mal mit Äther und stellt darauf mit n Salzsäure auf $p_H = 2$. Das abgeschiedene Öl wird in Dichlormethan aufgenommen, die abgetrennte, organische Phase mit 30%-iger Natriumchlorid-Lösung gewaschen, über Natriumsulfat getrocknet und schließlich eingedampft. Aus der äther. Lösung des Rückstands (Öl) scheidet sich auf Zugabe von Petroläther bei −20° ein Öl ab; man dekantiert ab und behandelt mehrmals mit Petroläther (halbfeste Masse); Ausbeute: 11,7 g (86% d.Th.); $[\alpha]_D^{22} = -5,5 \pm 1°$ (c = 2, in Methanol).

Poduška und Rudinger[4] haben neuerdings bei Synthese-Versuchen auf dem Circulin A-Gebiet („Linear-Sequenzen") die N_α-Cyclopentyloxycarbonyl-Blockierung neben N_ω-Benzyloxycarbonyl- und N_ω-Tosyl-Schutzgruppen in „selektiver Kombination" benützt; vor allem die geglückte Bromwasserstoff/Eisessig-Spaltung des Benzyloxycarbonyl-Restes bei Raumtemp. neben der Cyclopentyloxycarbonyl-urethan-Gruppierung dürfte von Interesse sein (vgl. nachfolgende experimentelle Beispiele!).

L-Isoleucyl-N_γ-tosyl-L-diaminobutyryl-N_γ-pelargonyl-L-diaminobuttersäure-methylester [H-Ile-Dab(TOS)-Dab(PEL)-OMe][4]:

N-Cyclopentyloxycarbonyl-L-isoleucyl-N_γ-tosyl-L-diaminobuttersäure-γ-lactam [cPOC-Ile-Dab(TOS)-γ-lactam]: 11,6 g cPOC-Ile-OH und 10,02 g H–Dab(TOS)-γ-lactam (3-Amino-1-tosyl-2-pyrrolidon) in 80 *ml* Phosphorigsäure-diäthylester werden mit 24 *ml* Pyrophosphorsäure-tetraäthylester versetzt; die Reaktionsmischung wird bei Raumtemp. geschüttelt bis völlige Lösung eingetreten ist, anschließend 75 Min. auf 100° erhitzt, gekühlt und schließlich in 1000 *ml* 0,1 n Salzsäure eingegossen. Das ausgefallene Produkt wird abfiltriert, mit n Salzsäure, heißem Wasser, 5%-iger Natriumhydrogencarbonat-Lösung und wieder heißem Wasser gewaschen und schließlich aus 1,4-Dioxan/Methanol/Wasser umkristallisiert; Ausbeute: 15,13 g (79% d.Th.); F: 231–234°; $[\alpha]_D^{25} = -9,7°$ (c = 0,22, in 98%-iger Essigsäure).

N_α-Cyclopentyloxycarbonyl-L-isoleucyl-N_γ-tosyl-L-diaminobuttersäure-hydrazid [cPOC-Ile-Dab(TOS)-$NHNH_2$]: 16,75 g des oben erhaltenen Cyclopentyloxycarbonyl-dipeptid-γ-lactams in 160 *ml* 1,4-Dioxan/Methanol (1:1) werden nach Zugabe von 4 *ml* 90%-igem Hydrazin

---

[1] F. C. McKay u. N. F. Albertson, Am. Soc. **79**, 4686 (1957).

[2] R. Schwyzer, E. Surbeck-Wegmann u. H. Dietrich, Chimia **14**, 366 (1960).

[3] E. Sandrin u. R. A. Boissonnas, Helv. **46**, 1637 (1963).

[4] K. Poduška u. J. Rudinger, Collect. czech. chem. Commun. **31**, 2938 (1966).

150 Min. bei Raumtemp. stehengelassen; nach Entfernen der Lösungsmittel i. Vak. bei 45° erhält man einen Rückstand, der mit siedendem Essigsäure-äthylester behandelt wird. Das kristalline Material wird abfiltriert und aus Äthanol umkristallisiert; Ausbeute: 16,4 g (92% d. Th.); F: 183–185° (Zers.); $[\alpha]_D^{20} = -30{,}5°$ (c = 3,2, in nur 98%-iger Essigsäure).

N-Cyclopentyloxycarbonyl-L-isoleucyl-N_γ-tosyl-L-diaminobuttersäure-azid [cPOC-Ile-Dab(TOS)-N_3]: 4,2 g des vorstehend erhaltenen Acyl-dipeptid-hydrazids in 40 *ml* Dimethylformamid werden nach Zugabe von 5,1 *ml* 4,9 n Chlorwasserstoff in Tetrahydrofuran unter Rühren bei −15° mit 1,13 *ml* Butylnitrit tropfenweise im Verlauf von 2 Minuten versetzt. Die Reaktionsmischung wird 15 Min. bei −15° gerührt und anschließend in 250 *ml* 5%-ige wäßrige Essigsäure bei 0° unter Rühren eingegossen. Das abgeschiedene kristalline Material wird abfiltriert, mit eiskaltem Wasser gewaschen und i. Vak. über Phosphor(V)-oxid getrocknet; Ausbeute: 4,1 g (95% d. Th.); F: ~110° (Zers.).

N-Cyclopentyloxycarbonyl-L-isoleucyl-N_γ-tosyl-L-diaminobutyryl-N_γ-benzyloxycarbonyl-L-diaminobuttersäure-γ-lactam [cPOC-Ile-Dab(TOS)-Dab(Z)-γ-lactam]: 119 g obig hergestellten Acyl-dipeptid-azids in 5 *ml* 1,4-Dioxan werden mit einer Lösung von H-Dab(Z)-γ-lactam (3-Amino-1-benzyloxycarbonyl-2-pyrrolidon) in 3 *ml* 1,4-Dioxan, erhalten aus 0,81 g des Hydrochlorids nach der Hillmann-Methode, und anschließend mit 0,4 *ml* Eisessig versetzt. Die mit 40 *ml* Diäthyläther verd. Reaktionsmischung wird bei 3° über Nacht stehengelassen. Das abgeschiedene kristalline Produkt wird abfiltriert, üblich mit verd. Salzsäure, 5%-iger Natriumhydrogencarbonat-Lösung und Wasser gewaschen und schließlich aus 1,4-Dioxan/Diäthyläther umkristallisiert; Ausbeute: 1,38 g (85% d. Th.); F: 185–189° (130°).

Die Synthese des Tripeptid-Derivats kann mit guter Ausbeute auch ohne Isolierung des Acyl-dipeptid-azids erfolgen.

N-Cyclopentyloxycarbonyl-L-isoleucyl-N_γ-tosyl-L-diaminobutyryl-N_γ-benzyloxycarbonyl-L-diaminobuttersäure [cPOC-Ile-Dab(TOS)-Dab(Z)-OH]: 12,1 g obig erhaltenen Acyl-tripeptid-lactams in 180 *ml* 1,4-Dioxan/Dimethylformamid (1:1) werden mit 20 *ml* 2n Natronlauge versetzt; nach 75 Min. Stehen der Reaktionsmischung bei Raumtemp. verdünnt man mit 200 *ml* Wasser, filtriert (Kohle) und säuert mit Salzsäure auf $p_H = 2$ an. Das erhaltene Öl wird durch Dekantieren mit Wasser gewaschen, die letzten Reste Wasser durch Behandeln mit Äthanol entfernt; nach 3tägigem Aufbewahren bei 3° hat sich eine kristalline Masse gebildet, die nach Verreiben mit Wasser abfiltriert und mit verd. Salzsäure und Wasser gewaschen wird; Ausbeute: 11 g (90% d. Th.); F: 125–135°; $[\alpha]_D^{20} = -31{,}2°$ (c = 3,7, in 98%-iger Essigsäure).

N-Cyclopentyloxycarbonyl-L-isoleucyl-N_γ-tosyl-L-diaminobutyryl-L-diaminobuttersäure [cPOC-Ile-Dab(TOS)-Dab-OH]: 13,8 g des vorstehend hergestellten Tripeptid-Derivats in 550 *ml* Eisessig werden mit 138 *ml* einer 35%-igen Lösung von Bromwasserstoff in Eisessig versetzt. Nach 14 Stdn. Stehenlassen bei Raumtemp. wird die Reaktionsmischung in 2000 *ml* absol. Diäthyläther eingegossen; das ausgefallene hygroskopische Tripeptid-Derivat-Hydrobromid wird durch mehrfaches Dekantieren mit Diäthyläther gewaschen und schließlich i. Vak. über Natriumhydroxid getrocknet. Die Lösung des erhaltenen Produkts in wenig Wasser wird mit Ammoniak-Lösung auf $p_H = 7$ gestellt und für mehrere Stdn. bei 0° stehengelassen. Das abgeschiedene Öl wird nach Abdekantieren der überstehenden wäßrigen Phase in Äthanol aufgenommen, die Lösung i. Vak. eingedampft. Der Rückstand kristallisiert beim Stehenlassen mit Diäthyläther; er wird zur Reinigung mit Wasser behandelt; Ausbeute: 5,58 g (49% d. Th.); F: 185–195° (Zers.); $[\alpha]_D^{20} = -18\ 8°$ (c = 4,3, in 98%-iger Essigsäure).

N-Cyclopentyloxycarbonyl-L-isoleucyl-N_γ-tosyl-L-diaminobutyryl-N_γ-pelargonyl-L-diaminobuttersäure [cPOC-Ile-Dab(TOS)-Dab(PEL)-OH]: 3,86 g des vorstehenden Tripeptid-Derivats in 31 *ml* 0,5 n Natronlauge werden mit 15 *ml* Diäthyläther überschichtet und unter Rühren bei 0° tropfenweise mit 1,45 *ml* Pelargonylchlorid während 30 Min. versetzt. Die Reaktionsmischung wird 1 Stde. bei 0° und 30 Min. bei Raumtemp. gerührt, danach mit verd. Salzsäure angesäuert. Die erhaltene Suspension wird nach 30 Min. Rühren filtriert, das erhaltene Produkt mit verd. Salzsäure behandelt, erneut filtriert und schließlich mit Wasser gewaschen; Ausbeute: 4,74 g (99% d. Th.); F: 125–135°; $[\alpha]_D^{20} = -27{,}3°$ (c = 3,7, in 98%-iger Essigsäure).

N-Cyclopentyloxycarbonyl-L-isoleucyl-N_γ-tosyl-L-diaminobutyryl-N_γ-pelargonyl-L-diaminobuttersäure-methylester [cPOC-Ile-Dab(TOS)-Dab(PEL)-OMe]: 1,15 g des Pelargonyl-tripeptid-Derivats in 8 *ml* absol. Methanol werden bei −40° unter Rühren bis zur bleibenden Gelbfärbung der Reaktionsmischung mit äther. Diazomethan-Lösung versetzt. Der nach Entfernung der Lösungsmittel i. Vak. erhaltene halbfeste Rückstand wird mit Essigsäure-äthylester unter mehrfachem Erwärmen und Abkühlen behandelt, wobei die Kristallisation vollständig ist; Ausbeute: 0,91 g (78% d. Th.); F: 174–176°; $[\alpha]_D^{20} = -29{,}9°$ (c = 3,8; in 98%-iger Essigsäure).

L-Isoleucyl-Nγ-tosyl-L-diaminobutyryl-Nγ-pelargonyl-L-diaminobuttersäure-methylester [H-Ile-Dab(TOS)-Dab(PEL)-OMe]: 2,8 g des Cyclopentyloxycarbonyl-tripeptid-methylesters werden mit 50 *ml* einer 35%-igen Lösung von Bromwasserstoff in Eisessig übergossen und bis zur Lösung geschüttelt. Der Reaktionsansatz wird 135 Min. bei Raumtemp. stehengelassen und anschließend in 300 *ml* absol. Diäthyläther eingegossen. Das ausgefallene hygroskopische Material wird mehrfach mit absol. Diäthyläther durch Dekantieren gewaschen und schließlich i. Vak. über Natriumhydroxid getrocknet. Das erhaltene Tripeptid-Derivat-Hydrobromid wird wie üblich mittels Ammoniak in Chloroform in den freien Tripeptid-methylester übergeführt und aus Methanol/Diäthyläther und wäßr. Methanol umkristallisiert; Ausbeute: 1,53 g (64% d. Th.); F: 150–152°; $[\alpha]_D^{25}$ = 10,3° (c = 0,46; in 98%-iger Essigsäure).

Tab. 11. Nα-Cyclopentyl-[cPOC]- und Nα-Cyclohexyloxycarbonyl-[cHOC]-L-aminosäuren*

Aminosäure	cXOC	F[°C]	$[\alpha]_D$	t	c	Lösungsmittel	Literatur
Ala	cPOC	100–101	–21		2	Methanol	1
Asn	cPOC	177–179					2
Gly	cPOC	77–80					2
Gly [a]	cPOC	160–162					3
	cHOC	97–99					2
Ile	cPOC						2
Leu	cPOC	Öl					2
	cHOC						2
Phe	cPOC	123–127	–14	22	2	95% Essigsäure	1,2
			–28,5		2	Dimethylformamid	
Pro	cPOC	70–72	–54,5	25	0,5	Äthanol	4
Pro [a]	cPOC	164–166					4
Val	cPOC	Öl					2

* Nα-cXOC-Derivate ω-geschützter mehrfunktioneller Aminosäuren s. Abschnitt „Mehrfunktionelle Aminosäuren" Tab.

[a] DCHA-Salz

31.111.22. Cyclohexyloxycarbonyl-Schutzgruppen

Über die Anwendung des Cyclohexyloxycarbonyl-[cHOC]-Restes zu Peptidsynthesen haben ferner Lautsch[5] sowie Debabov[6] berichtet (vgl. a. S. 106).

Die acidolytische Abspaltung der Schutzgruppe verläuft nicht immer glatt. Vielfach sind erhöhte Temperatur (0°) und sehr lange Reaktionszeiten erforderlich, d. h. Bedingungen, die bei höheren Peptiden zur teilweisen Spaltung von Peptidbindungen führen.

---

1 E. Sandrin u. R. A. Boissonnas, Helv. **46**, 1637 (1963).
2 F. C. McKay u. N. F. Albertson, Am. Soc. **79**, 4686 (1957).
3 E. Klieger, E. Schröder u. H. Gibian, A. **640**, 157 (1961).
4 K. Eisler, Diplomarbeit, TH Prag, 1965.
5 W. Lautsch u. G. Schulz, Naturwiss. **45**, 1 (1958).
6 W. G. Debabov u. V. A. Shibnev, Izv. Akad. SSSR **5**, 870 (1963); C. A. **59**, 7644[e] (1963).

Durch Einführung von Alkyl-Substituenten in *cis*-2- oder *cis*-4-Stellung kann Erhöhung der Reaktionsgeschwindigkeit erreicht werden, die im ersten Falle fast an die bei der Cyclopentyloxycarbonyl-Demaskierung herankommt[1] (vgl. Tab. 10, S. 106).

Nach Brugger[2] gehen *trans*-2-Brom-[BHOC]-und-2-Jod-cyclohexyloxycarbonyl-[JHOC]-amide beim Behandeln mit Silber-tetrafluoroborat relativ rasch „Imino-carbonat-cyclisierung" ein (vgl. S. 101). Eine Verwendung dieser Reste als N-Schutzgruppen für die Peptidsynthese bietet sich an.

31.111.23. Diisopropyl-methoxycarbonyl-[DMOC]-Schutzgruppe

Wohl ausschließlich für die Blockierung der N_ω-Funktionen der Diaminocarbonsäuren wurde von Sakakibara et al.[3] diese von McKay und Albertson[4] entwickelte Schutzgruppe benützt. Vor allem bei der Synthese höherer Peptide mit carboxyend- oder -mittelständigen Lysin-Resten nach konventioneller oder „Festkörper"-Technik unter „laufender" N_α-tert.-Butyloxycarbonyl-Maskierung und „Drittfunktions-Schutz auf Benzyl-Basis" war es wegen der ungenügenden acidolytischen Stabilität der N_ε-Benzyloxycarbonyl-Gruppierungen zu Komplikationen gekommen[5] (s. auch S. 80).

In Tetrahydrofuran-Lösung reagieren 2,4-Dimethyl-pentanol-(3) und Phosgen bei –20° glatt zum entsprechenden Chlorameisensäureester nach üblicher Entfernung überschüssigen Phosgens kann die erhaltene Lösung des Reagens für die Einführung der Schutzgruppe Verwendung finden. Auch Diisopropyl-methoxycarbonyl-hydrazin, das durch Hydrazinolyse aus dem Chlorameisensäureester leicht erhältlich ist, eignet sich unter Anwendung der Azid-Technik als Acyl-Donator. Sakakibara et al.[3] konnten mit beiden Reagenzien H-Lys(DMOC)-OH in Anwendung der Kupfer-Komplex-Methode jeweils in gleich guter Ausbeute gewinnen.

Die N_ε-(Diisopropyl-methoxycarbonyl)-Schutzgruppe läßt sich einerseits durch Behandeln mit flüssigem Fluorwasserstoff in Gegenwart von Anisol bei 20° innerhalb von 60 Minuten quantitativ wieder entfernen, andererseits aber zeigt sie vollständige Stabilität gegenüber acidolytischen Spaltungsbedingungen wie z. B. mittels n Chlorwasserstoff/-Essigsäure bei 20°.

31.111.24. Isobornyloxycarbonyl-[IbOC]-Schutzgruppe

Den Isobornyloxycarbonyl-Rest zur Maskierung der Amino-Funktion empfehlen Jäger u. Geiger[6] und glauben mit nachstehenden Punkten, die von Fujino et al.[7] in anscheinend unabhängiger Arbeit bestätigt werden, eine positive Eignung dieser neuen N-Schutzgruppe herleiten zu können:

① Der als Einführungsreagenz benötigte Chlorameisensäure-isobornylester[7] – in der racemischen oder optisch-aktiven Form – ist ausreichend stabil.

② Die Einführung des Acyl-Restes gelingt in einer der Benzyloxycarbonyl-Schutzgruppe weitgehend analogen Weise (Verfahren ① und ②, S. 49) in hoher Ausbeute; die Löslichkeit der DL-Isobornyl-

---

[1] K. Bláha u. J. Rudinger, Collect. czech. chem. Commun. **30**, 599 (1965).

[2] M. Brugger, Dissertation, ETH Zürich, 1965.

[3] S. Sakakibara et al., Bl. chem. Soc. Japan **43**, 3322 (1970).

[4] F. C. McKay u. N. F. Albertson, Am. Soc. **79**, 4686 (1957).

[5] A. Yaron u. S. F. Schlossman, Biochemistry **7**, 2673 (1968).

[6] G. Jäger u. R. Geiger, *Peptides* 1971, Proc. 11th Europ. Peptide Symposium, Wien, North Holland Publ. Co., Amsterdam **1973**, S. 78.

[7] M. Fujino et al., Chem. Pharm. Bull. (Tokyo) **20**, 1017 (1972).

oxycarbonyl-aminosäuren bzw. -peptide in organischen Lösungsmitteln fand man im Durchschnitt höher als die anderer N-geschützter Verbindungen. Es bleibt allerdings zu berücksichtigen, daß das Vorliegen diastereomerer Gemische einerseits zwar zu diesem günstigen Phänomen enorm beiträgt, andererseits aber die Reinigung der hergestellten Aminosäure- und Peptid-Derivate relativ erschwert. Bei der Synthese höherer Peptide ist aber jedwede Erhöhung der Löslichkeit von unübertroffenem Vorteil.

③ Der N-Isobornyloxycarbonyl-Rest wird acidolytisch ebenso rasch abgespalten wie die tert.-Butyloxycarbonyl-Schutzgruppe; dies ist auf die anzutreffenden stereochemischen Bedingungen zurückzuführen.

④ Die N-Isobornyloxycarbonyl-Schutzgruppe ist gegenüber katalytischer Hydrierung und gegenüber alkalischen und hydrazinolytischen Operationsbedingungen, so wie sie in der Peptidchemie Verwendung finden, relativ beständig.

⑤ Das bei der acidolytischen Spaltung der Isobornyloxycarbonylamin-Bindung als Intermediärprodukt auftretende Kation des Camphans scheint nur eine relativ geringe Tendenz zur elektrophilen Substitution an Tryptophan-, Tyrosin-, Methionin- oder Cystein-Molekülen zu haben; es verbindet sich letztlich mit dem Säure-Anion zu stets racem. Isobornyl-chlorid (-bromid etc.) bzw. Trifluoressigsäure-isobornylester:

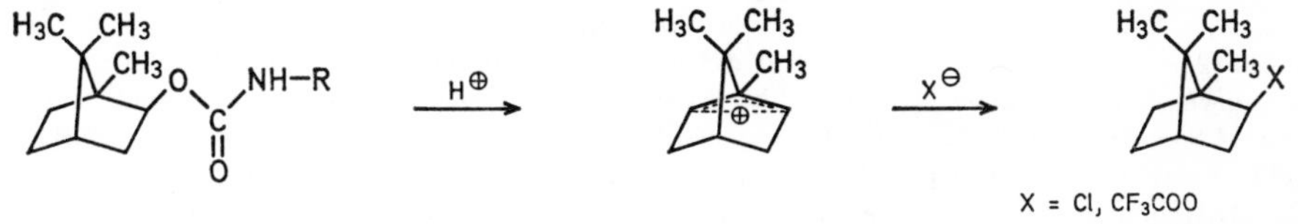

$X = Cl, CF_3COO$

Chlorameisensäure-isobornylester[1]: Zur Lösung von 100 g Phosgen in 350 *ml* absol. Benzol wird unter Rühren bei $-5°$ bis $+5°$ eine Mischung von 28 g DL-, D- oder L-Isoborneol und 25 *ml* Pyridin in 400 *ml* absol. Benzol zugetropft. Nach weiterem 1stdgm. Rühren bei 20° wird abfiltriert, das Filtrat (einschließlich der Waschlösungen des Filterrückstandes) 2mal mit eiskaltem Wasser gewaschen, über Natriumsulfat getrocknet und letztlich i. Vak. eingedampft. Der ölige Rückstand wird nach Versetzen mit etwas Petroläther erneut i. Vak. eingedampft und anschließend i. Hochvak. getrocknet; Ausbeute: 39,4 g (100% d.Th); $Kp_{0,4-0,45}$: 77–78°; für die D-Verbindung $[\alpha]_D^{20} = -56,6°$, für die L-Verbindung $[\alpha]_D^{20} = +54,3°$ (c = 1 in Chloroform).

Zahlreiche N-DL-Isobornyloxycarbonyl-aminosäuren und einige D- bzw. L-Analoga wurden von Jäger u. Geiger[1] erstellt und nach Mischanhydrid-, Aktivester- und Carbodiimid-Kombinations-Verfahren nach Wünsch-Weygand (s. S. II/111) oder nach Geiger-König (s. S. II/114) auf Peptide, Peptidester, bzw. -amide aufgeknüpft. Zur Entacylierung wird bevorzugt Trifluoressigsäure vorgeschlagen; mit Chlorwasserstoff/Essigsäure (1n Lösung) verläuft die Demaskierung etwas langsamer.

Der Isobornyloxycarbonyl-Rest soll sich auch zur Blockierung der komplexen Guanido-Funktion des Arginins eignen; nähere Angaben fehlen[2].

Fujino et al. haben eine ganze Anzahl N-D-Isobornyloxycarbonyl-[D-IbOC]-aminosäuren hergestellt[3] und deren erfolgreiche Verwendung in Synthesen des *Bradykinins*[4] und des *Gonadotropin-Releasing-Hormons*[5] aufgezeigt. Die Umsetzung der N-Isobornyloxycarbonyl-

---

[1] G. Jäger u. R. Geiger, A. **1973**, 1535.

[2] G. Jäger u. R. Geiger, *Peptides*, 11th Europ. Peptide Symposium, Wien 1971, North-Holland Publ. Co., Amsterdam **1973**, S. 78.

[3] M. Fujino et al., Chem. Pharm. Bull. (Tokyo) **20**, 1017 (1972).

[4] M. Fujino u. S. Shinagawa, Chem. Pharm. Bull. (Tokyo) **20**, 1021 (1972).

[5] M. Fujino et al., Chem. Pharm. Bull. (Tokyo) **21**, 87 (1973).

aminosäuren bzw. -peptide erfolgte nach Carbodiimid-, Aktivester- und Azid-Methoden, Abspaltung des D-Isobornyloxycarbonyl-Restes mittels Trifluoressigsäure über 20–30 Min. bei Raumtemp. – oftmals in Gegenwart von Anisol – oder „in letzter Instanz zusammen mit anderen Schutzgruppen" mittels flüssigem Fluorwasserstoff (Sakakibara-Methode s. S. 61), so wie dies folgende experimentelle Beispiele demonstrieren.

N-D-Isobornyloxycarbonyl-L-tryptophyl-L-seryl-L-tyrosyl-glycin [D-IbOC-Trp-Ser-Tyr-Gly-OH][1]:

N-D-Isobornyloxycarbonyl-L-seryl-L-tyrosin-hydrazid [D-IbOC-Ser-Tyr-$NHNH_2$][1]: 29,2 g D-IbOC-Ser-OH · DCHA und 16,7 g H-Tyr-OEt · HCl in 400 *ml* Tetrahydrofuran/Dichlormethan (3:1) werden mit 14,1 g Dicyclohexylcarbodiimid versetzt; die Reaktionsmischung wird 12 Stdn. bei Raumtemp. gerührt, von ausgeschiedenem N,N'-Dicyclohexyl-harnstoff durch Filtration befreit und anschließend i. Vak. zur Trockene gedampft. Die Lösung des Rückstands in 300 *ml* Essigsäure-äthylester wird mit n Schwefelsäure und 5%-iger Natriumhydrogencarbonat-Lösung wie üblich gewaschen, über Natriumsulfat getrocknet und erneut i. Vak. eingedampft. Das erhaltene Öl wird in 300 *ml* Äthanol aufgenommen, die Lösung mit 10 *ml* Hydrazin-Hydrat versetzt. Nach 50 stdgm. Stehen bei Raumtemp. haben sich aus der Reaktionslösung Kristalle abgeschieden, die abfiltriert und aus Methanol/Diäthyläther umkristallisiert werden; Ausbeute: 25,2 g (27,7% d.Th.); F: 158–160°; $[\alpha]_D^{23} = -29,0°$ (c = 0,53 in Äthanol).

N-D-Isobornyloxycarbonyl-L-seryl-L-tyrosyl-glycin-benzylester [D-IbOC-Ser-Tyr-Gly-OBZL][1]: 16,7 g D-IbOC-Ser-Tyr-$NHNH_2$ in 100 *ml* Dimethylformamid und 120 *ml* n Salzsäure werden mit 22 *ml* 2n Natriumnitrit-Lösung bei −5° üblich umgesetzt. Die Reaktionsmischung wird 10 Min. bei −5° gerührt, dann mit 30 *ml* ges. Natriumchlorid-Lösung verdünnt und mit Essigsäure-äthylester (2 mal mit je 100 *ml*) erschöpfend extrahiert. Die vereinigten Auszüge werden mit eiskaltem Wasser gewaschen und über Natriumsulfat 20 Min. lang getrocknet. Die so erhaltene Azid-Lösung wird zu 14,85 g H-Gly-OBZL · TOS-OH und 6,72 *ml* Triäthylamin in 70 *ml* Essigsäure-äthylester/Dimethylformamid (5:2) gegeben; die Mischung wird 50 Min. lang bei 0° gerührt, anschließend mit 5%-iger Natriumhydrogencarbonat-Lösung und n Salzsäure wie üblich gewaschen, über Natriumsulfat getrocknet und letztlich i. Vak. eingedampft. Der verbleibende Rückstand wird mit Petroläther verrieben und auf den Filter gebracht; Ausbeute: 14 g (59,4% d.Th.); F: 66–67°; $[\alpha]_D^{23} = -28,5°$ (c = 0,54 in Äthanol).

N-D-Isobornyloxycarbonyl-L-tryptophyl-L-seryl-L-tyrosyl-glycin-benzylester [D-IbOC-Trp-Ser-Tyr-Gly-OBZL][1]: 5,9 g D-IbOC-Ser-Tyr-Gly-OBZL wird mit 15 *ml* Trifluoressigsäure übergossen, die erhaltene Lösung 20 Min. bei Raumtemp. stehengelassen und anschließend mit 100 *ml* absol. Diäthyläther versetzt. Der gebildete feine Niederschlag wird durch Dekantieren mit Diäthyläther gewaschen und letztlich über Natriumhydroxid i. Vak. getrocknet. Das erhaltene Produkt (H-Ser-Tyr-Gly-OBZL · TFA-OH) wird in 40 *ml* Dimethylformamid mit 1,28 *ml* N-Äthyl-morpholin und anschließend mit D-IbOC-Trp-OSU versetzt, der aus 4,2 g D-IbOC-Trp-OH mittels üblicher Carbodiimid-Methode erstellt worden war. Die Reaktionsmischung wird 50 Stdn. bei 5° gerührt und dann mit 100 *ml* Wasser verdünnt; die ölige Fällung wird erschöpfend mit Essigsäure-äthylester (3mal 80 *ml*) extrahiert, die vereinigten Extrakte mit 5%-iger Natriumhydrogencarbonat-Lösung und n Salzsäure üblich gewaschen, über Natriumsulfat getrocknet und letztlich i. Vak. eingedampft. Der erhaltene Rückstand wird beim Verreiben mit Petroläther fest; er wird aus Essigsäure-äthylester/Petroläther umgefällt; Ausbeute: 6,9 g (89% d.Th.); F: 122°; $[\alpha]_D^{23} = -27,9°$ (c = 0,5 in Äthanol).

N-D-Isobornyloxycarbonyl-L-tryptophyl-L-seryl-L-tyrosyl-glycin [D-IbOC-Trp-Ser-Tyr-Gly-OH][1]: 5,0 g D-IbOC-Trp-Ser-Tyr-Gly-OBZL in 70 *ml* Methanol wird in üblicher Manier unter Zusatz von Palladiumschwarz als Katalysator 5 Stdn. lang hydrogenolytisch entacyliert. Das Filtrat vom Katalysator wird i. Vak. zur Trockene gedampft, der erhaltene Rückstand mit Diäthyläther dekantiert und letztlich aufs Filter gebracht; Ausbeute: 4,46 g (98,3% d.Th.); F: 161–163°; $[\alpha]_D^{23} = -25,1°$ (c = 0,5 in Äthanol).

---

[1] M. Fujino et al., Chem. Pharm. Bull. (Tokyo) **21**, 87 (1973).

Tab. 12. N_α-D-Isobornyloxycarbonyl-L-aminosäuren*

Aminosäure		F [° C]	$[\alpha]_D$	t	c	Lösungsmittel	Literatur
Ala		108–110	—57,9	25	1	Äthanol	[1]
Ala**		114–117	—30,3	22	1	Methanol	[2]
βAla		Öl					[1]
	a	120–121	—23,9	25	1	Äthanol	[1,2]
βAla**	a	103–105					[2]
γAbu**	a	110–110,5					[2]
Arg	b	200–204 (Zers.)	—14,8	25	1	Äthanol	[1]
Asn		169–170 (Zers.)	—37,5	25	1	Äthanol	[1]
Gln		60–62	—39,4	25	1	Äthanol	[1]
Gln**		~ 83	+14,5	22	1	Chloroform	[2]
Glu**			+12,3	22	1	Chloroform	[2]
Gly		176–177	—42,7	25	1	Äthanol	[1]
Gly**		170					[2]
Ile		97–98	—39,0	25	1	Äthanol	[1]
Ile**	a	146–147	+ 9,4	22	1	Chloroform	[2]
Leu	b	75–76	—53,2	25	1	Äthanol	[1]
Met			—22,6	22	1	Chloroform	[2,1]
	a	130–131	—10,3	25	1	Äthanol	[1]
Phe		110–117	—30,3	25	1	Äthanol	[1]
	a	168,5–169,5	+ 7,7	25	1	Äthanol	[1]
Phe**		78–80	+45,4	22	1	Chloroform	[2]
Pro		135,5–136	—95,6	25	1	Äthanol	[1]
Pro**		141—142	—65,7	22	1	Chloroform	[2]

* N_α-IbOC-Derivate ω-geschützter mehrfunktioneller Aminosäuren siehe Abschnitt „Mehrfunktionelle Aminosäuren," Tab.

** DL-Isobornyloxycarbonyl-Rest

[a] DCHA-Salz [b] Monohydrat

[1] M. Fujino et al., Chem. Pharm. Bull. (Tokyo) **20,** 1017 (1972).

[2] G. Jäger u. R. Geiger, A. **1973,** 1535.

Tab. 12. (Fortsetzung)

Aminosäure		F[°C]	$[\alpha]_D$	t	c	Lösungsmittel	Literatur
Ser		Öl					1
	a	153–154	—14,0	25	1	Äthanol	1
Ser*			+12,5	22	1	Chloroform	2
	a	142–144	+10,2	22	1	Chloroform	2
Thr		Öl					1
	a	128–130	—16,0	25	1	Äthanol	1
Trp		180–181 (Zers.)	—36,4	25	1	Äthanol	1,2
Val		137,5–138	—49,3	25	1	Äthanol	1,2

* DL-Isobornyloxycarbonyl-Rest
[a] DCHA-Salz

31.111.25. Cholesteryloxycarbonyl-[ChOC]-Schutzgruppe

N-Cholesteryloxycarbonyl-[ChOC]-aminosäuren, die u. a. aus Aminosäureestern und Cholesterin mittels des Staabschen N,N'-Carbonyl-diimidazol-Verfahrens[3] (N-Carbonyl-aminosäureester als Intermediär-Produkte) und anschließender Verseifung der N-Acyl-aminosäureester zugänglich sind, können nach verschiedenen Methoden mit Aminosäureestern zu N-Cholesteryloxycarbonyl-peptidestern verknüpft werden.

Die N-Maskierung läßt sich, wie erwartet, mit Bromwasserstoff/Eisessig rückgängig machen. Der Vorzug der Cholesteryloxycarbonyl-Schutzgruppe liegt nach Schellenberg und Schühle[4] in dem ausgeprägten hydrophoben Charakter, wodurch eine erhebliche Steigerung der Löslichkeit von Peptid-Derivaten in organischen Solventien erzielt wird.

31.111.26. Diphenyl-methoxycarbonyl-[DOC]-Schutzgruppe

Die N-Diphenyl-methoxycarbonyl-[DOC]-Maskierung soll nach Guttmann und Pless[5] unter sehr milden acidolytischen Bedingungen (etwa in gleicher Größenordnung wie bei der tert.-Butyl- bzw. 4-Methoxy-benzyloxycarbonyl-Gruppierung) reversibel sein[3]

---

[1] M. Fujino et al., Chem. Pharm. Bull. (Tokyo) **20**, 1017 (1972).
[2] G. Jäger u. R. Geiger, A. **1973**, 1535.
[3] H. A. Staab u. W. Benz, Ang. Ch. **73**, 66 (1961).
[4] D. Schellenberg u. H. Schühle, Ang. Ch. **73**, 770 (1961).
[5] S. Guttmann, Diskussionsbemerkung, 6th Europ. Peptide Sympos., Athen 1963.

(vgl. dazu auch Sieber u. Iselin[1]). Im Gegensatz zu den anderen, oben genannten Schutzgruppen auf sek. Alkohol-Urethan-Basis ist der Diphenyl-methoxycarbonyl-Rest nicht stabil gegenüber katalyt. Hydrogenolyse[1].

Hiskey et al.[2] haben erstmals N_{α}-(Diphenyl-methoxycarbonyl)-aminosäuren unter Verwendung des stabilen, kristallisierten Diphenyl-methoxycarbonyl-azids als Acyl-Donator hergestellt (in Analogie zur tert.-Butyloxycarbonyl-Acylierungs-Technik nach Schwyzer) und diese zu Peptidsynthesen benutzt.

N-(Diphenyl-methoxycarbonyl)-L-valin-Dicyclohexylamin-Salz [DOC-Val-OH · DCHA][3]: 4,75 g Valin, 15,21 g Diphenylmethoxy-carbonyl-azid, 5,04 g Natriumhydrogencarbonat, 40 *ml* n Natronlauge, 60 *ml* Wasser und 200 *ml* 1,4-Dioxan werden bei Raumtemp. 18 Stdn. gerührt. Das Reaktionsgemisch wird filtriert, das Filtrat mit 800 *ml* kaltem Wasser, das 0,2 Äquivalente Schwefelsäure enthält, versetzt. Man extrahiert die gebildete N-Acyl-aminosäure erschöpfend mit 200-*ml*-Portionen Essigsäure-äthylester; die vereinigten Extrakte werden mehrfach mit Wasser gewaschen, getrocknet und schließlich auf 150 *ml* konzentriert. Auf Zugabe von 7,2 g Dicyclohexylamin, Verdünnen mit 150 *ml* Diäthyläther und vorsichtigen Zusatz von Hexan bis zum Trübungspunkt tritt Kristallisation ein; Ausbeute: 12,4 g (61% d.Th.); F: 157–158° (aus Essigsäure-äthylester/Hexan); $[\alpha]_D^{25} = 7,7°$ (c = 0,415; in Chloroform).

N-(Diphenyl-methoxycarbonyl)-L-valyl-L-alanyl-glycin-diphenylmethylester [DOC-Val-Ala-Gly-ODPM][4]:

N-(Diphenyl-methoxycarbonyl)-L-valyl-L-alanyl-glycin [DOC-Val-Ala-Gly-OH]: 5,08 g DOC-Val-OH · DCHA und 2,42 g H-Ala-Gly-OMe · HBr in 20 *ml* Dichlormethan werden einige Zeit gerührt; das Reaktionsgemisch wird anschließend auf −10° abgekühlt und mit 2,1 g Dicyclohexylcarbodiimid versetzt. Nach 12 stdgm. Rühren wird die Reaktionsmischung filtriert, der Filterrückstand mit Chloroform gewaschen, die vereinigten organischen Lösungen nach Verdünnen mit 100 *ml* Essigsäure-äthylester wie üblich mit 2n Schwefelsäure, n Natriumhydrogencarbonat-Lösung und Wasser gewaschen, über Natriumsulfat getrocknet und letztlich i.Vak. eingedampft. Der erhaltene weiße Rückstand wird in 15 *ml* kaltem 1,4-Dioxan suspendiert und mit 10 *ml* n Natronlauge versetzt. Die Mischung wird 20 Min. gerührt (nach 10 Min. erfolgt vollständige Lösung). Die Hydrolysemischung wird angesäuert, mit Chloroform R-14 extrahiert, die abgetrennten Chloroformphasen mit Wasser gewaschen, über Natriumsulfat getrocknet, letztlich i.Vak. eingedampft und der Rückstand aus Essigsäure-äthylester/Chloroform/Hexan umkristallisiert; Ausbeute: 3,45 g (76% d.Th.); F: 180–182°.

N-(Diphenyl-methoxycarbonyl)-L-valyl-L-alanyl-glycin-diphenylmethylester: 2,28 g des oben erhaltenen N-Acyl-tripeptids in 100 *ml* Aceton werden mit 1,2 Äquivalenten Diphenyldiazomethan behandelt, das Reaktionsgemisch nach Abkühlen tropfenweise mit konz. Salzsäure zur Zerstörung des überschüssigen Diphenyl-diazomethans versetzt. Nach Eindampfen i.Vak. wird der Rückstand umkristallisiert; Ausbeute: 2,8 g (91% d.Th.); F: 188–189°; $[\alpha]_D^{27} = -28,5°$ (c = 0,62; in Chloroform).

Die Abspaltung der Diphenyl-methoxycarbonyl-Schutzgruppe[2] gelingt mittels

Trifluoressigsäure bei 0° (1 Min.)
4n Chlorwasserstoff/Methanol (Äthanol) bei 25° (4 Min.)
1,7n Chlorwasserstoff/Tetrahydrofuran bei 25° (5–60 Min.)
2n Chlorwasserstoff/Diäthyläther/Tetrahydrofuran bei 50° (60 Min.).

Von Interesse ist die Feststellung der Autoren[2], daß unter den drei letztgenannten Spaltungsbedingungen Aminosäure- bzw. Peptid-diphenylmethylester-Bindungen nicht angegriffen werden.

L-Valyl-L-alanyl-glycin-diphenylmethylester[H-Val-Ala-Gly-ODPM][4]: Eine Mischung von 0,31 g DOC-Val-Ala-Gly-ODPM (s. o.) und 0,5 Mol wasserfreier Oxalsäure in 10 *ml* 2n Chlorwasser-

---

[1] P. Sieber u. B. Iselin, Helv. **51**, 614 (1968).
[2] R. G. Hiskey u. J. B. Adams, Am. Soc. **87**, 3969 (1965).
[3] R. G. Hiskey, T. Mizoguchi u. E. L. Smithwick, J. Org. Chem. **32**, 97 (1967).
[4] R. G. Hiskey u. E. L. Smithwick, Am. Soc. **89**, 437 (1967).

stoff in Diäthyläther/Tetrahydrofuran werden bei 50° 1 Stde. aufbewahrt, die Lösung anschließend mit 200 *ml* Hexan versetzt. Nach mehrstündigem Stehenlassen bei 0° wird der gebildete Niederschlag abfiltriert und zwischen Essigsäure-äthylester und 5%-iger Natronlauge verteilt. Die abgetrennte Essigsäure-äthylester-Phase wird wie üblich getrocknet und anschließend auf 25 *ml* i. Vak. konzentriert. Auf vorsichtigen Zusatz von Hexan tritt Kristallisation ein; Ausbeute: 0,123 g (60% d. Th.); F: 112–114°; $[\alpha]_D^{27} = -73{,}2°$ (c = 0,25; in Chloroform).

N-(Diphenyl-methoxycarbonyl)-Maskierungen als auch Diphenylmethylester-Gruppierungen sind gleichzeitig durch Einwirkung von Bortrifluorid-Ätherat in Eisessig reversibel spaltbar[1]; da unter diesen Bedingungen N-Benzyloxycarbonyl- und Benzylester-Schutzgruppen, aber auch S-Trityl-Maskierungen und Disulfid-Bindungen asymmetrischer Cystin-Peptide unverändert erhalten bleiben, resultierte für Hiskey et al.[1] ein neuer Weg zu Synthese ringförmiger Cystin-Peptide (s. S. 815).

31.111.27. Substituierte Diphenyl-methoxycarbonyl-Schutzgruppen

Substituierte Diphenyl-methoxycarbonyl-Schutzgruppen wurden von Sieber und Iselin[2] in Studien geprüft. Die Autoren konnten zeigen, daß mittels 80%-iger Essigsäure die 4,4′-Dimethyl-diphenyl-methoxycarbonyl-[MDOC]-Gruppe bereits zweihundertmal rascher eliminiert werden kann als die unsubstituierte Diphenyl-methoxycarbonyl- bzw. die tert.-Butyloxycarbonyl-Maskierungen der 4,4′-Dimethoxy-diphenyl-methoxycarbonyl-Rest sogar 66000mal schneller, d. h. noch dreimal schneller als die N-Trityl-Schutzgruppe.

Eine praktische Verwendung der 4,4′-Dimethoxy-diphenyl-methoxycarbonyl-Schutzgruppe dürfte an der hohen Zersetzlichkeit der entsprechenden Aminosäure-Derivate jedoch scheitern. Aus obigen Ergebnissen ziehen Sieber und Iselin ferner den Schluß, daß N-Trityloxycarbonyl-aminosäuren, gelänge überhaupt ihre Herstellung, so labil sein müssen, daß alsbald mit spontaner Zersetzung zu rechnen wäre.

31.111.28. Photosensitive substituierte Diphenyl-methoxycarbonyl-Schutzgruppen

Basierend auf der bekannten photochemischen „Sauerstoff-Transfer-Reaktion" bei aromatischen Nitro-Verbindungen, die eine CH-Gruppierung in 2-Stellung aufweisen, haben Barltrop, Plant und Schofield[3] eine neue photolytisch spaltbare Urethan-Schutzgruppe entwickelt.

N-2-Nitro-diphenylmethoxycarbonyl-[NDOC]-aminosäuren bzw. -peptide (I) werden durch UV-Bestrahlung unter Regenerierung der freien Aminosäuren bzw. Peptide (II) in hohen Ausbeuten (70–94% d. Th.) gespalten.

NO_2; CH–O–C(=O)–NH–R (I) $\xrightarrow{h\nu}$ [NO; C(OH)–O–C(=O)–NH–R] ⟶ NO; C=O + CO_2 + $H_2N{-}R$ (II)

Von Patchornik et al.[4] wurden ähnliche Befunde für die 2,2′-Dinitro-diphenyl-methoxycarbonyl-[DDOC] Schutzgruppe dargelegt. Experimentelle Angaben fehlen bislang für beide Maskierungen.

---

[1] R. G. Hiskey u. E. L. Smithwick, Am. Soc. **89**, 437 (1967).
[2] P. Sieber u. B. Iselin, Helv. **51**, 614 (1968).
[3] J. A. Barltrop, P. J. Plant u. P. Schofield, Chem. Commun. **1966**, 822.
[4] A. Patchornik, B. Amit u. R. B. Woodward, Am. Soc. **92**, 6335 (1970).

31.111.30. *Carbamidsäureester tertiärer Alkohole*

31.111.31. tert.-Butyloxycarbonyl-[BOC]-Schutzgruppe

Die tert.-Butyloxycarbonyl-Maskierung der Amino-Funktion von Aminosäuren wurde 1957 erstmals von Albertson et al.[1] beschrieben. Nachdem es gelungen war, eine zweckmäßige Herstellungstechnik für N-tert.-Butyloxycarbonyl-aminosäuren auszuarbeiten, hat diese Aminoschutzgruppe aufgrund ihrer Eigenschaften (Resistenz gegenüber katalytischer Hydrierung, Natrium/Ammoniak-Reduktion und selbst starken alkalischen Hydrolysebedingungen, acidolytische Spaltung unter mildesten Voraussetzungen) einen Siegeszug ohnegleichen angetreten; sie ist neben der Benzyloxycarbonyl-Blockierung zum beherrschenden Faktor in der modernen Peptidsynthese geworden.

Aufgrund der hohen Labilität von Chlorameisensäure-tert.-butylester[2,3,4,5] (I) war es Albertson[1] nur auf einem Umweg gelungen, einige N-tert.-Butyloxycarbonyl-aminosäuren in lohnender Ausbeute herzustellen: N-Carbonyl-aminosäureester (II) reagieren mit tert.-Butanol zu den N-Acyl-aminosäureestern (III), die üblich zu den freien tert.-Butyloxycarbonyl-aminosäuren (IV) verseift werden. Wenig später konnte Anderson[6] zeigen, daß Aminosäuren unter Schotten-Baumann-Bedingungen mit tert.-Butyl-(4-nitro-phenyl)-carbonat (V) leicht zu IV acylierbar sind. Noch bessere Ausbeuten konnten durch Umsatz von V mit Aminosäureestern und folgende Verseifung von III erzielt werden (s. Schema S. 118).

N-tert.-Butyloxycarbonyl-L-phenylalanin [BOC-Phe-OH]:

tert.-Butyl-(4-nitro-phenyl)-carbonat[6]:

Chlorameisensäure-4-nitro-phenylester: 223 *ml* kondensiertes flüssiges Phosgen wird mit 1400 *ml* Benzol vermischt; in diese Lösung wird in mehreren Portionen und unter Kühlung 453 g Natrium-4-nitrophenolat (wasserfrei) eingetragen und die Mischung 1 Stde. stehengelassen. Der Überschuß an Phosgen wird durch anschließendes Erwärmen im Wasserbad (50–60°; 30 Min.) entfernt. Das ausgefallene Natriumchlorid wird abfiltriert, mit Benzol gewaschen, die Filtrate i.Vak. auf ~ 400 *ml* eingedampft und der Rückstand fraktioniert destilliert. Das bei $Kp_{0,8-2,5}$: 115–128° destillierende Produkt kristallisiert alsbald; es wird aus Tetrachlormethan umkristallisiert; Ausbeute: 384 g (68% d.Th.); F: 81–82°.

tert.-Butyl-(4-nitro-phenyl)-carbonat: 103,5 g Chlorameisensäure-4-nitro-phenylester (s.o.) werden zwischen 0 und 5° in mehreren Portionen in eine Mischung von 38 g tert.-Butylalkohol und 206 *ml* Pyridin eingetragen. Die erhaltene Reaktionsmischung wird 3 Stdn. bei Raumtemp. gerührt; nach Filtration vom ausgefallenen Pyridin-Hydrochlorid und Zugabe von 25 *ml* Wasser wird die Reaktionsmischung 3mal mit 200 *ml* Äther extrahiert. Die Extrakte werden 3mal mit je 200 *ml* n Salzsäure, ges. Natriumcarbonat- und ges. Natriumchlorid-Lösung gewaschen, über Natriumsulfat getrocknet und i.Vak. zur Trockene eingedampft. Aus der Lösung des erhaltenen Rückstands in 350 *ml* Äthanol fällt das Produkt auf Zugabe von 400 *ml* Wasser aus; Ausbeute: 88 g (72% d.Th.); F: 78,5–79,5°.

N-tert.-Butyloxycarbonyl-L-phenylalanin[6]: Eine Mischung von 1,65 g L-Phenylalanin, 3,59 g tert.-Butyl-(4-nitro-phenyl)-carbonat, 2,65 g Natriumcarbonat, 15 *ml* tert.-Butanol und 10 *ml* Wasser werden auf dem Wasserbad 30 Min. über Rückfluß erhitzt, (unter Auflösung bilden sich hierbei 2 flüssige Phasen). Anschließend entfernt man das tert.-Butanol durch einen Luftstrom unter gleichzeitigem Erhitzen. Das danach auskristallisierte Natrium-4-nitro-phenolat (Dihydrat) wird abfiltriert, das Filtrat mit verd. Salzsäure auf $p_H = 5–6$ gestellt und mit 2mal 20 *ml* Äther zur Entfernung von tert.-Butyl-(4-nitro-phenyl)-carbonat und 4-Nitro-phenol extrahiert. Die verbleibende wäßrige Phase wird nunmehr

---

[1] F. C. McKay u. N. F. Albertson, Am. Soc. **79**, 4686 (1957).
Vgl. hierzu, L. A. Carpino, Am. Soc. **79**, 98 (1957).

[2] A. R. Choppin u. J. W. Rogers, Am. Soc. **70**, 2967 (1948).

[3] S. Sakakibara et al., Bl. chem. Soc. Japan **38**, 1522 (1965).

[4] R. B. Woodward et al., Am. Soc. **88**, 852 (1966).

[5] L. A. Carpino et al., J. Org. Chem. **35**, 3291 (1970).

[6] G. W. Anderson u. A. C. McGregor, Am. Soc. **79**, 6180 (1957).

auf $p_H = 1$ gestellt, das abgeschiedene Produkt in Äther aufgenommen. Nach üblicher Aufarbeitung erhält man einen Rückstand, der beim Behandeln mit 60 *ml* Petroläther und 4 *ml* Essigsäure-äthylester kristallisiert; Ausbeute: 1,94 g (73% d.Th.); F: 79–80°.

Gleich gute Ausbeuten werden erhalten, wenn anstatt 50% nur ein 25%-iger Überschuß an tert.-Butyl-(4-nitro-phenyl)-carbonat eingesetzt wird. Beim Arbeiten mit gleichen Äquivalentenverhältnissen sinkt die Ausbeute merklich ab.

Von besonderem Interesse ist, daß N_α- und N_ε-Gruppen im Peptidverband nach dieser Methodik fast quantitativ acyliert werden können[1].

Der größte Fortschritt in der „Einführungstechnik" gelang schließlich Schwyzer et al.[2] mit Hilfe von tert.-Butyloxycarbonyl-azid* (VI):

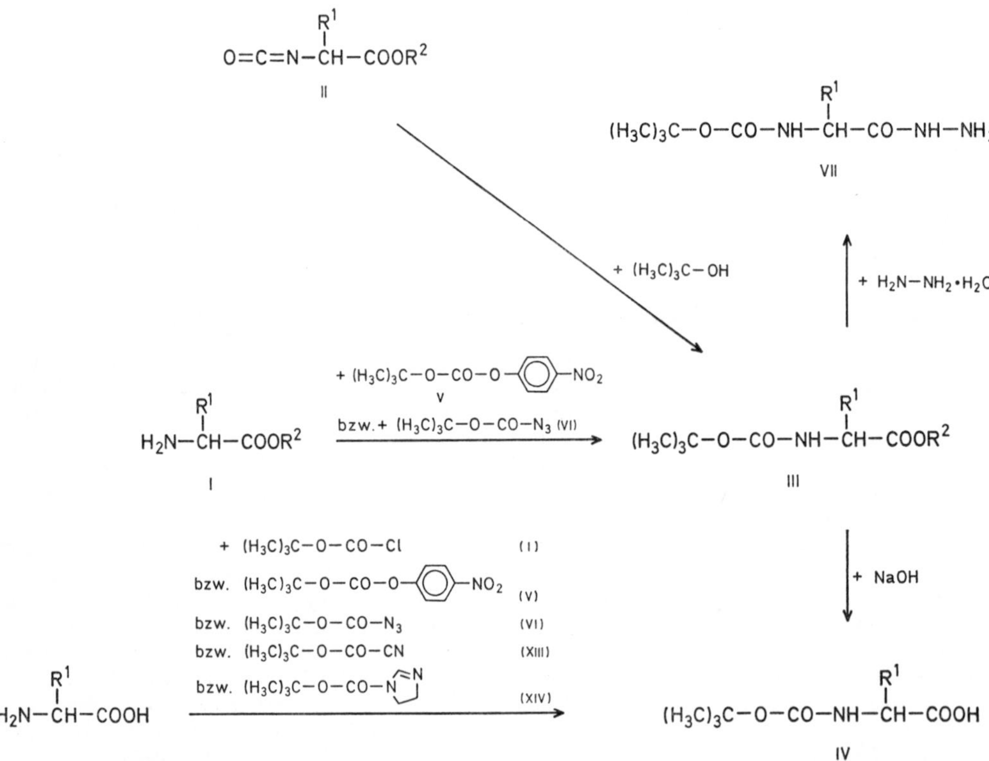

Das stabile, destillierbare Reagenz reagiert glatt mit Aminosäuresalzen (zweckmäßig in Wasser/1,4-Dioxan-Gemischen in Gegenwart von Magnesiumoxid[2], Triäthylamin[3,4] oder 2n bis 4n Natronlauge unter „p_H-Stat-Reaktion"[3] (evtl. unter mechanisierter Ausführung[5]) zu IV oder mit Aminosäureestern in Pyridin zu III. Aus den tert.-Butyloxycarbonyl-aminosäure-estern (III) sind durch Hydrazinolyse auch die N-tert.-Butyloxycarbonyl-amino-säure-hydrazide (VII) als Ausgangsmaterial für die Peptidsynthese zugänglich.

---

* Exakter: tert-Butyloxycarbonyl-triazen oder -azoimin.

1 R. A. Boissonnas u. E. Sandrin, Experientia **18**, 59 (1962).

2 R. Schwyzer, P. Sieber u. H. Kappeler, Helv. **42**, 2622 (1959).

3 E. Schnabel, A. **707**, 188 (1967).

4 R. Geiger, Privatmitteilung an Autor.

5 C. Birr u. R. Frodl, Synthesis **1970**, 474.

tert.-Butyloxycarbonyl-azid (VI) ist nach Carpino[1–3] sowie Muraki u. Mizoguchi[4] auf mehreren Wegen zugänglich. Die Hydrazinolyse von tert.-Butyl-phenyl-carbonat (VIIIa), -S-phenyl- (VIIIb), -S-methyl-thiocarbonat (VIIIc) und -äthyl-carbonat (VIIId)[4] hergestellt aus Chlorameisensäureestern und tert.-Butanol, ergibt in glatter Reaktion tert.-Butyl-carbazat (IX), das in üblicher Weise mit Nitrit in schwach saurer Lösung zum Azid VI umgesetzt wird (vgl. Schema S. 120). Das aus VIIIa gewonnene Reagens enthält geringe Mengen Phenol, die einerseits für die Acylierungsreaktionen ohne Bedeutung sind, andererseits aber sehr wahrscheinlich einen Beitrag zur Stabilisierungserhöhung leisten.

Obgleich sich nach den bisherigen Erfahrungen das auf diese Weise erhaltene tert.-Butyloxycarbonyl-azid destillieren läßt, verzichtet man dennoch, vor allem bei größeren Ansätzen, auf eine Isolierung.

tert.-Butyloxycarbonyl-azid[2]:

tert.-Butyl-phenyl-carbonat: 248 g tert.-Butanol, 430 g Chinolin und 500 *ml* Dichlormethan werden unter Rühren mit 520 g Chlorameisensäure-phenylester tropfenweise so versetzt, daß die Reaktionstemp. bei 35° gehalten wird. Nach Stehenlassen der Reaktionsmischung über Nacht fügt man (zur Lösung von ausgefallenem Salz) Wasser hinzu. Die abgetrennte organische Phase wird 2mal mit je 200 *ml* Wasser und 3- bis 4mal mit je 200 *ml* 5%-iger Salzsäure gewaschen, über Magnesiumsulfat getrocknet und schließlich i. Vak. eingedampft. Der resultierende Rückstand wird fraktioniert; Ausbeute: 476 g (63,6% d. Th.); $Kp_{0,5}$: 74–78°.

tert.-Butyl-carbazat: Eine Mischung von 476 g tert.-Butyl-phenyl-carbonat und 252 g Hydrazin-Hydrat (100%-ig) werden vorsichtig auf 75° erwärmt; unter spontaner Reaktion steigt die Temp. auf 103°. Nach 12stdgm. Stehen wird die Lösung mit Äther auf 1 *l* verdünnt und nach Zusatz von konz. Natronlauge (150 g Natriumhydroxid) gut geschüttelt. Die Mischung wird in einen Extraktor eingefüllt und mit Äther erschöpfend kontinuierlich extrahiert; die erhaltenen Extrakte werden vom Äther befreit und der Rückstand i. Vak. destilliert: Öl $Kp_{0,5}$: 60–61°, das beim Aufbewahren im Kühlschrank kristallisiert; Ausbeute: 290–304 g (89% d. Th.); F: 41–42° (aus Petroläther).

tert.-Butyloxycarbonyl-azid: Eine Lösung von 50 g tert.-Butyl-carbazat in 150 *ml* Eisessig und 300 *ml* Wasser wird unter Eiskühlung mit 29 g Natriumnitrit (in wenig Wasser) innerhalb einiger Min. versetzt. Nach Verdünnen der Reaktionsmischung mit 300 *ml* Wasser extrahiert man das abgeschiedene Öl mit zwei 300 *ml*-Portionen Äther. Die Ätherauszüge werden mit 1n Natriumhydrogencarbonat-Lösung gewaschen, über Magnesiumsulfat getrocknet und bei 40–45° Badtemp. eingeengt; nach fraktionierter Destillation des Rückstands (Badtemp. ~ 90°) erhält man das Azid als wasserhelle Flüssigkeit. Ausbeute: 43,5 g (80% d. Th.); Kp_{70}: 73–74°.

Zur Herstellung einer tert.-Butylcarbonyl-azid-Lösung s. S. 124.

Ein präparativ einfacheres Herstellungsverfahren gelang Carpino[5] durch Umsatz von tert.-Butanolaten mit Kohlenoxysulfid (X) zu Thiokohlensäure-halbester-Salzen XI, Alkylierung von XI zum tert.-Butyl-S-alkyl-thiocarbonat XII, Hydrazinolyse von XII zum Carbazat IX und dessen übliche Überführung zu tert.-Butyloxycarbonyl-azid (VI) (vgl. S. 120). Das auf diesem Wege hergestellte Reagenz neigt bei Vakuumdestillationen zu ***explosiver*** Zersetzung (Destillationsgut wie auch Destillat!). Es ist denkbar, daß Spuren schwefelhaltiger Produkte eine Zersetzung von tert.-Butyloxycarbonyl-azid katalysieren.

Eine direkte Gewinnung des Azids VI aus dem relativ instabilen Chlorameisensäure-tert.-butylester (I)[6,7] durch dessen Umsetzung mit Natriumazid war nicht erfolgreich[8]; dagegen soll nach Sakaji und Anselme[9] die Reaktion von I mit Tetramethyl-guanidinium-azid (XXI) in Chloroform bei 0° gelingen.

Bemühungen von Carpino[5], tert.-Butyloxycarbonyl-azid durch andere „aktive" tert.-Butyloxycarbonyl-Verbindungen zu ersetzen, haben nennenswerte Erfolge nicht gebracht. Lediglich dem tert.-Butyloxycarbonyl-nitril (XIII) kommt als Acylierungsmittel

---

[1] L. A. Carpino, Am. Soc. **79**, 98 (1957).
[2] L. A. Carpino, Am. Soc. **79**, 4427 (1957).
[3] L. A. Carpino, J. Org. Chem. **28**, 1909 (1963).
[4] M. Muraki u. T. Mizoguchi, Chem. Pharm. Bull. (Tokyo) **18**, 217 (1970).
[5] L. A. Carpino, Am. Soc. **82**, 2725 (1960).
[6] S. Sakakibara et al., Bl. chem. Soc. Japan **38**, 1522 (1965); **40**, 2415 (1967).
[7] R. B. Woodward et al., Am. Soc. **88**, 852 (1966).
[8] H. Yajima, H. Kawatani u. Y. Kiso, Chem. Pharm. Bull. (Tokyo) **18**, 1856 (1970).
[9] K. Sakaji u. Y.-P. Anselme, J. Org. Chem. **36**, 2387 (1971).

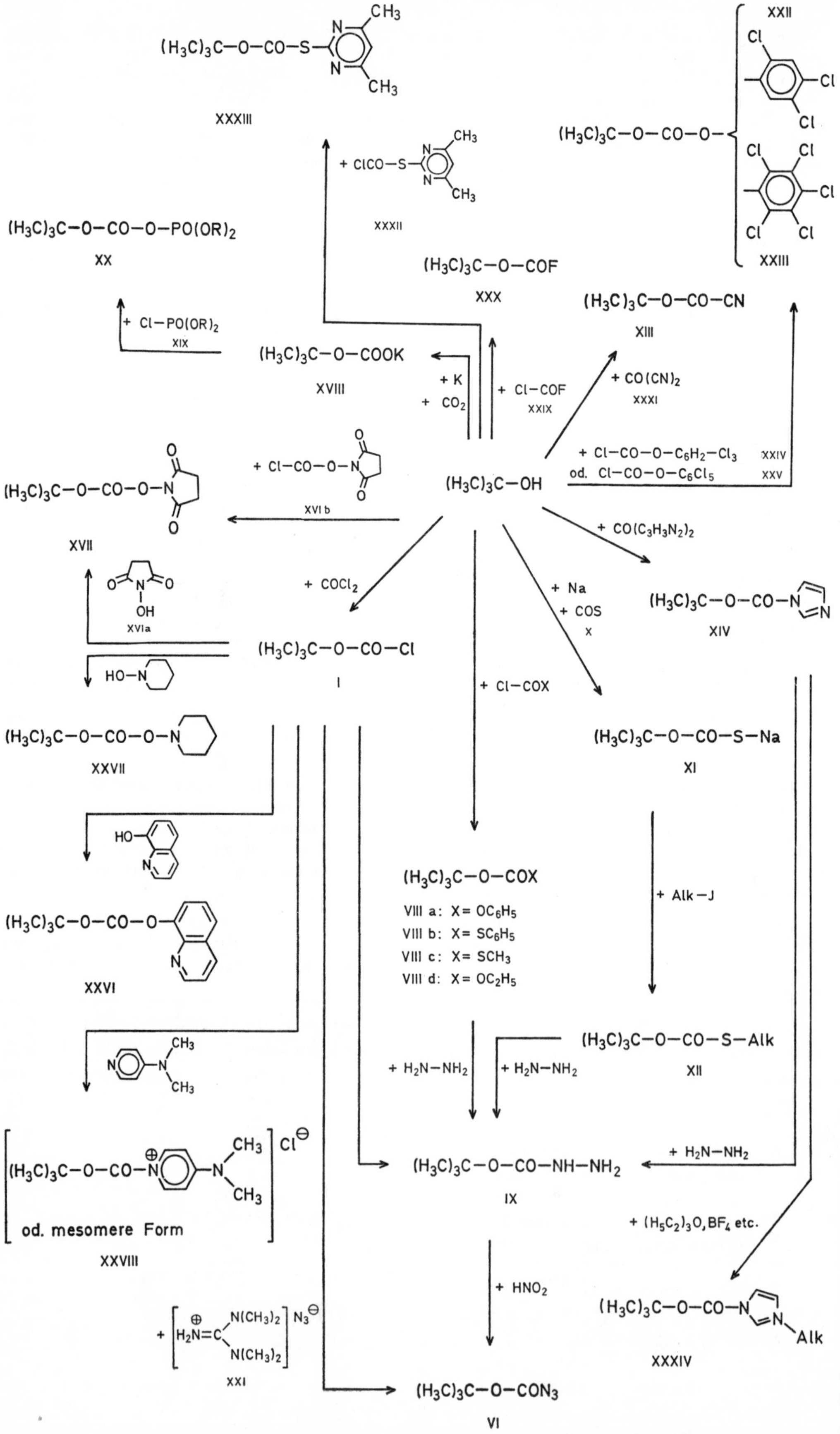

(H3C)3C–O–CO–S–(4,6-Dimethylpyrimidin-2-yl) XXXIII

+ ClCO–S–(4,6-Dimethylpyrimidin-2-yl) XXXII

(H3C)3C–O–CO–O–PO(OR)2 XX

+ Cl–PO(OR)2 XIX

(H3C)3C–O–CO–O–(2,4,5-Trichlorphenyl) XXII / (Pentachlorphenyl) XXIII

(H3C)3C–O–COF XXX

(H3C)3C–O–CO–CN XIII

(H3C)3C–O–COOK XVIII

+ K + CO2

+ Cl–COF XXIX

+ CO(CN)2 XXXI

+ Cl–CO–O–C6H2–Cl3 XXIV od. Cl–CO–O–C6Cl5 XXV

(H3C)3C–O–CO–O–N(Succinimid) XVII

+ Cl–CO–O–N(Succinimid) XVI b

(H3C)3C–OH

+ CO(C3H3N2)2

(H3C)3C–O–CO–N(Imidazol) XIV

+ N-Hydroxysuccinimid XVIa

+ COCl2

+ Na + COS X

(H3C)3C–O–CO–Cl I

HO–N(Piperidin)

+ Cl–COX

(H3C)3C–O–CO–O–N(Piperidin) XXVII

(H3C)3C–O–CO–S–Na XI

+ 8-Hydroxychinolin

(H3C)3C–O–COX

VIII a: X= OC6H5
VIII b: X= SC6H5
VIII c: X= SCH3
VIII d: X= OC2H5

+ Alk–J

(H3C)3C–O–CO–O–(8-Chinolyl) XXVI

+ 4-Dimethylaminopyridin

(H3C)3C–O–CO–S–Alk XII

+ H2N–NH2 + H2N–NH2

[(H3C)3C–O–CO–N⊕(Pyridin)–N(CH3)2 od. mesomere Form] Cl⊖ XXVIII

(H3C)3C–O–CO–NH–NH2 IX

+ H2N–NH2

+ (H5C2)3O,BF4 etc.

+ HNO2

+ [H2N⊕=C(N(CH3)2)2] N3⊖ XXI

(H3C)3C–O–CO–N(Imidazolium)–Alk XXXIV

(H3C)3C–O–CON3 VI

einige Bedeutung zu, eine Tatsache, die neuerdings Leplawy u. Zabrocki[1] bestätigen. Das stabile und lagerbeständige Reagenz (XIII; Kp_{20}: 43–45°; $n_D^{21} = 1{,}3961$), am besten aus äquimolekularen Mengen tert.-Butanol und Mesoxalsäure-dinitril (XXXI)[2] in Hexan bei Raumtemperatur zugänglich[3,4] (s. Schema S. 120), vermag die Benzyl-trimethyl-ammonium-Salze von Aminosäuren in Dimethylformamid bei 20° glatt zu acylieren (Reaktionsdauer ~4 Stdn.); genannt werden Acylierungsausbeuten um 90%.

Auch das von Brenner und Klee[5] hergestellte tert.-Butyloxycarbonyl-imidazol (XIV), das aus Carbonyl-diimidazol (XV) und tert.-Butanol zugänglich ist, wurde den Anforderungen nicht gerecht. Seine Reaktionsträgheit erlaubt nur mehr eine Acylierung von Glycin-Natrium im Einschmelzrohr; L-Phenylalanin läßt sich nur in geringer Ausbeute (~ 25%) umsetzen, wobei gleichzeitig Racemisierung erfolgt[5,6]. Aminosäureester reagieren nicht mit tert.-Butyloxycarbonyl-imidazol (XIV). Demgegenüber verläuft die Hydrazinolyse von XIV mit bestem Ergebnis, womit eine weitere günstige Herstellungsmethode für tert.-Butyl-carbazat (IX) aufgezeigt ist.

Durch Überführung von 1-tert.-Butyloxycarbonyl-imidazol (XIV) in 1-tert.-Butyloxycarbonyl-3-alkyl-imidazolium-Salze (XXXIV) kann diese Reaktionsträgheit überwunden werden. Am günstigsten zugänglich ist das 3-Äthyl-imidazolium-tetrafluoroborat (XXXIV; alk = C_2H_5) durch Umsetzen von XIV mit Triäthyloxonium-tetrafluoroborat in Dichlormethan; mit Aminosäure-Natriumsalzen in wäßriger Lösung reagiert XXXIV in hoher Ausbeute zu N-tert.-Butyloxycarbonyl-aminosäuren[7].

Zur Herstellung des Carbazats IX aus dem Chlorameisensäureester I siehe Literatur[8].

Frankel et al. haben im tert.-Butyl-(N-hydroxy)-succinimido-carbonat (XVII) ein interessantes Reagenz zur Einführung der tert.-Butyloxycarbonyl-Schutzgruppe aufgefunden. XVII ist durch Umsetzung von in situ hergestelltem Chlorameisensäure-tert.-butylester (I) mit N-Hydroxy-succinimid (XVIa)[9] oder auch Chlorameisensäure-(N-hydroxy-succinimid)-ester (XVIb) und tert.-Butanol[10] in Gegenwart von Pyridin in kristallisierter Form zugänglich. XVII reagiert mit Aminosäure-natriumsalzen in 70–85%-igen Ausbeuten zu N-tert.-Butyloxycarbonyl-aminosäuren.

Zur Herstellung von N-tert.-Butyloxycarbonyl-aminosäure-(N-hydroxy-succinimid)-estern im „Eintopf-Verfahren" mit Hilfe dieses Reagenzes s. S. II/150.

Tarbell und Insalaco[11] benutzen das gemischte Anhydrid XX (tert.-Butyloxycarbonyloxy-phosphorigsäure-dialkylester) aus Kohlensäure-tert.-butylester und Phosphorsäure-diäthylester als Acyldonator. Das Acylierungs-Reagenz wird durch Umsetzung von Kalium-tert.-butanolat in Tetrahydrofuran mit Kohlendioxid und anschließender Reaktion des Kohlensäure-halbester-kaliumsalzes (XVIII) mit Chlorphosphorsäure-diäthylester (XIX) gewonnen. Das gemischte Anhydrid XX überträgt den tert.-Butyloxycarbonyl-Rest auf

---

1 M. T. Leplawy u. J. Zabrocki, *Peptides* 1972, Proc. 12th Europ. Peptide Symposium Reinhardtsbrunn Castle, North-Holland Publ. Co., Amsterdam-London **1973**. S. 112.
2 O. Achmatowicz u. M. T. Leplawy, Roczniki Chem. **32**, 1375 (1958).
US.P. 3115517 (1963), du Pont de Nemours & Co, Erf.: W. J. Linn; C. A. **60**, 7919a (1964).
3 M. T. Leplawy u. W. Stec, Bull. Acad. Pol. Sci., Ser. Sci. Chim. **12**, 21 (1964).
4 O. Achmatowicz et al., Roczniki Chem. **39**, 1443 (1965).
5 W. Klee u. M. Brenner, Helv. **44**, 2151 (1961).
6 E. Wünsch, unveröffentlichte Ergebnisse.
7 E. Guibé-Jampel et al., Synthetic Commun. **3**, 111 (1973).
8 Y. A. Ovchinnikov, A. A. Kiryuschkin u. A. I. Miroschnikov, Experientia **21**, 418 (1965).
9 M. Frankel, D. Ladkany, C. Gilon u. Y. Wolman, Tetrahedron Letters **1966**, 4765.
10 H. Gross u. L. Bilk, Ang. Ch. **79**, 532 (1967).
11 D. S. Tarbell u. M. A. Insalaco, Pr. Nation. Acad. USA **57**, 233 (1967).

Aminosäureester (in Chloroform-Lösung) in Gegenwart von tert.-Basen; die erhaltenen tert.-Butyloxycarbonyl-aminosäureester müssen anschließend zu den freien Acylaminosäuren verseift werden. Die Ausbeuten sind befriedigend.

In allerletzter Zeit wurden weitere Reagenzien zur Einführung der tert.-Butyloxycarbonyl-Gruppe bekannt. So konnten Morley et al.[1] zeigen, daß tert.-Butyl-(2,4,5-trichlor-phenyl)-carbonat (XXII) auf alle Fälle dem entsprechenden 4-Nitro-phenyl-Derivat (s. S. 117) als tert.-Butyloxycarbonyl-Donator überlegen ist; ähnlich günstig scheint die Einführung der N-Schutzgruppe mittels tert.-Butyl-(2,3,4,5,6-pentachlor-phenyl)-carbonat (XXIII) zu verlaufen[2]; beide Verbindungen sind aus den Chlorameisensäure-subst.-phenylestern (XXIV oder XXV) und tert.-Butanol zugänglich (s. S. 120).

Weniger erfolgversprechend scheinen die gemischten Carbonate von 8-Hydroxy-chinolin[3] (XXVI) und 1-Hydroxy-piperidin[4] (XXVII) sowie 4-Dimethylamino-1-tert.-butyloxycarbonyl-pyridiniumchlorid[5] (XXVIII), vor allem deshalb, weil die Herstellung dieser tert.-Butyloxycarbonyl-Donatoren bislang nur über Chlorameisensäure-tert.-butylester (s. S. 117) gelingt.

Ein entscheidender Fortschritt in der Herstellung von tert.-Butyloxycarbonyl-aminosäuren dürfte Schnabel, Ugi et al.[6,8] gelungen sein. Das aus nunmehr käuflichem Carbonyl-chlorid-fluorid (Fluor-ameisensäure-chlorid)[7] (XXIX) und tert.-Butanol bei ~ –25° zugängliche und bei 0–20° je nach Reinheit längere Zeit haltbare, rohe tert.-Butyloxycarbonyl-fluorid (XXX) ist infolge seiner hohen Reaktionsfähigkeit zur Einführung der N-Schutzgruppe nach üblicher Schotten-Baumann-Reaktion bei Reaktionstemperaturen unter 0° befähigt; unter „p_H-Stat-Kontrolle" verläuft die Umsetzung rasch und in hohen Ausbeuten (meist über 90%).

Fluor-ameisensäure-tert.-butylester[8,9]: Zu 370 g tert.-Butanol werden 595 g Carbonyl-chlorid-fluorid bei –70° (Badtemp.) aufkondensiert. Dabei geht ein Teil des tert.-Butanols in Lösung. Unter gelindem Aufwärmen des Reaktionsgemisches auf –40° (Innentemp.) setzt deutlicher Rückfluß und schwache Chlorwasserstoff-Entwicklung ein (Kühler unter –45°). Nach 90 Min. läßt man die Reaktionstemp. innerhalb 3 Stdn. auf –10° ansteigen; dabei wird das überschüssige Carbonyl-chlorid-fluorid über einen angeschlossenen absteigenden Tieftemperaturkühler abgeführt (Dabei ist zu beachten: ab ~ –30° wird die Chlorwasserstoff-Entwicklung deutlich stärker; bei –20° entsteht eine völlig klare, wasserhelle Lösung; bei –10° wird bis zur Beendigung der Chlorwasserstoff-Entwicklung ~ 5–6 Stdn. nachgerührt.) Die erhaltene Reaktionslösung wird nach kurzem Entgasen bei ~ 200 Torr direkt zu den Umsetzungen verwendet; ihr Gehalt an tert.-Butyloxycarbonyl-fluorid, der zweckmäßig durch Versatz mit überschüssigem Leucin ermittelt wird[10], beträgt ~ 60% (Rest überwiegend tert.-Butanol). Reines tert.-Butyloxycarbonyl-fluorid kann aus der Rohlösung durch Destillation erhalten werden; Kp_{15}: 4°; $n_D^{19} = 1{,}3591$.

Mit Hilfe dieses neuen Reagenzes gelingt es auch leicht und in hohen Ausbeuten die ω-Benzylester der Aminodicarbonsäuren zu acylieren[8]; mit tert.-Butyloxycarbonyl-azid bereitete diese Operation bislang Schwierigkeiten. Von besonderem Interesse ist, daß mit dem neuen Reagenz unter entsprechenden Reaktionsbedingungen N_α,N_{im}-, N,O- und N,S-Diacylierungen von Histidin (s. S. 553) bzw. von Serin, Threonin (s. S. 576) und Tyrosin (s. S. 610), letztlich von Cystein (s. S. 785) gelingen[10]. Ferner erlaubt der Einsatz von Fluor-ameisensäure-tert.-butylester eine ω-Acylierung des Lysin-Kupfer-Komplexes.

---

1 W. Broadbent, J. S. Morley u. B. E. Stone, Soc. [C] **1967**, 2632.
2 M. Fujino u. C. Hatanaka, Chem. Pharm. Bull. (Tokyo) **15**, (12), 2015 (1967).
3 B. Rzeszotarska u. S. Wiejak, Ang. Ch. **80**, 364 (1968).
4 J. H. Jones u. G. T. Young, Soc. [C] **1968**, 53.
5 E. Guibé u. M. Wakselman, Chem. Commun. **1971**, 267.
6 E. Schnabel et al., *Peptides* 1968, Proc. 9th Europ. Peptide Symposium, Orsay; North Holland Publ. Co., Amsterdam **1968**, S. 91.
7 H. J. Emeleus u. F. H. Wood, Soc. **1948**, 2183.
8 E. Schnabel et al., A. **716**, 175 (1968).
9 Vgl. a. L. A. Carpino et al., J. Org. Chem. **35**, 3295 (1970).
10 E. Schnabel et al., A. **743**, 57 (1971).

Ein weiterer, dringend erwünschter Ersatz für tert.-Butyloxycarbonyl-azid* wurde von Nagasawa et al.[1] aufgefunden: tert.-Butyl-S-[4,6-dimethyl-pyrimidyl-(2)-thio]-carbonat (XXXIII) reagiert in hohen Ausbeuten mit Aminosäuren am besten unter Zusatz von 1,5 g Äquivalenten tert.-Base in 50%-igem 1,4-Dioxan oder Dimethylformamid bei 30–35° oder auch bei Raumtemp. zu den N-tert.-Butyloxycarbonyl-Derivaten (s. S. 125). Das als Nebenprodukt entstehende 2-Mercapto-4,6-dimethyl-pyrimidin ist säurelöslich und somit leicht abtrennbar. Die Herstellung des „gemischten" Carbonats XXXIII gelingt auf folgendem Wege (s. auch Schema S. 120).

tert.-Butyl-S-[4,6-dimethyl-pyrimidyl-(2)-thio]-carbonat[1]:

2-Mercapto-4,6-dimethyl-pyrimidin-Natriumsalz[4]: 420 g 2-Mercapto-4,6-dimethyl-pyrimidin[2] werden mit Natronlauge (hergestellt aus 128 g Natriumhydroxid und 600 *ml* Wasser) erhitzt bis komplette Lösung erfolgt ist; nach Abkühlen wird die Mischung in 15 *l* Aceton eingegossen, wobei das Natriumsalz des Mercaptans ausfällt. Es wird abfiltriert und bei 120° über 24 Stdn. getrocknet; Ausbeute: 462 g (95% d.Th.).

Chlorameisensäure-[4,6-dimethyl-pyrimidyl-(2)-thioester][1]: Eine Suspension von 324 g 2-Mercapto-4,6-dimethyl-pyrimidin-Natriumsalz in 1185 g Petroläther wird vorsichtig zu 297 g Phosgen bei –15 bis –10° zugefügt; die Mischung läßt man unter Rühren bei Raumtemp. über 4 Stdn. reagieren. Nach beendeter Umsetzung wird überschüssiges Phosgen bei 40–50° abgezogen, während gleichzeitig Stickstoff in das Reaktionsgemisch eingeleitet wird. Eine auftretende Fällung wird abfiltriert, das Filtrat anschließend i. Vak. zur Trockene eingedampft; Ausbeute: 365 g (90% d.Th.).

tert.-Butyl-S-[4,6-dimethyl-pyrimidyl-(2)-thio]-carbonat[1]: Zu 267 g tert.-Butanol in 752 g Pyridin wird unter Rühren bei –5 bis 0° 364 g roher Chlorameisensäure-[4,6-dimethyl-pyrimidyl-(2)-thioester] zugetropft; die Mischung läßt man bei 20–25° anschließend 3 Stdn. lang reagieren. Nach beendeter Umsetzung filtriert man vom ausgeschiedenen Pyridin-Hydrochlorid ab, verdünnt das Filtrat mit 2000 *ml* Wasser und extrahiert die erhaltene Lösung 3 mal mit 800 *ml* Petroläther. Die Petroläther-Auszüge werden sorgfältig mit kalter n Salzsäure und ges. Natriumchlorid-Lösung gewaschen, über Natriumsulfat getrocknet und letztlich unter vermindertem Druck eingedampft. Der erhaltene kristalline Rückstand wird mit wenig kaltem Heptan gewaschen und getrocknet; Ausbeute: 274–319 g (60–70% d. Th.); F: 50–51°.

N-tert.-Butyloxycarbonyl-L-methionin [BOC-Met-OH][3]: 60 g Methionin und 32 g Magnesiumoxid (beide gut pulverisiert), in 600 *ml* 1,4-Dioxan/Wasser (1:1) suspendiert, werden nach 1 stdgm. Rühren mit 116 g tert.-Butyloxycarbonyl-azid versetzt. Nach 20 stdgm. Rühren bei 45–50° kühlt man die Reaktionsmischung im Eisbad ab, verdünnt mit 2000 *ml* Wasser und extrahiert 3mal mit je 500 *ml* Essigsäure-äthylester (Die Essigsäure-äthylester-Auszüge werden anschließend mit 1n Natriumhydrogencarbonat-Lösung und Wasser gewaschen). Die vereinigten wäßrigen Phasen werden unter Eiskühlung mit eiskalter 10%-iger Citronensäure-Lösung auf $p_H = 5$ gestellt, mit Natriumchlorid gesättigt und erschöpfend mit Essigsäure-äthylester extrahiert. Die Essigsäure-äthylester-Extrakte werden mit Wasser und ges. Natriumchlorid-Lösung neutral gewaschen, über Natriumsulfat getrocknet und i. Vak. bei 40° eingedampft; Ausbeute: 90 g (90% d.Th.); nach Trocknen i. Hochvak. bei 60°: Öl von $[\alpha]_D^{32} = -21{,}6 \pm 1{,}0°$ (c = 0,92; in Methanol).

N-tert.-Butyloxycarbonyl-L-methionin-Dicyclohexylaminsalz [BOC-Met-OH · DCHA]: Das oben erhaltene Öl wird in Äther aufgenommen, mit Petroläther versetzt und daraufhin die berechnete Menge Dicyclohexylamin zugefügt. Nach mehrstdgm. Stehen im Kühlschrank wird das ausgefallene kristalline Material abgesaugt; Ausbeute: ~ 100% d.Th.; F: 139,5–140° (farblose Nadeln); $[\alpha]_D^{20} = -11{,}3 \pm 0{,}5°$ (c = 2; in Methanol).

N-tert.-Butyloxycarbonyl-L-methionin: Das erhaltene Dicyclohexylammoniumsalz wird in Wasser suspendiert und wie üblich mit wäßriger Citronensäure zersetzt. Das freigesetzte BOC-Met-OH wird in Äther aufgenommen, die ätherische Phase säurefrei gewaschen, über Natriumsulfat getrocknet

---

* Als Nebenprodukt der Acylierung entsteht Stickstoffwasserstoffsäure, ein äußerst gefährliches Fischgift.

[1] T. Nagasawa et al., Bl. chem. Soc. Japan **46**, 1269 (1973).

[2] R. R. Hunt, J. F. W. McOmie u. E. R. Sayer, Soc. **1959**, 525.

[3] R. Schwyzer, P. Sieber u. H. Kappeler, Helv. **42**, 2622 (1959).
E. Wünsch, unveröffentlichte Ergebnisse.
K. Hofmann et al., Am. Soc. **87**, 631 (1965).

und i. Vak. zum Schluß unter azeotroper Destillation mit Toluol eingedampft. Der erhaltene Rückstand kristallisiert nach mehrwöchigem Aufbewahren im Kühlschrank oder aus Petrolbenzin nach Animpfen: Ausbeute: ~ 80% d.Th,; F: 47–49°; $[\alpha]_D^{20} = -21{,}0 \pm 1°$ (c = 1,0; in Methanol).

N-tert.-Butyloxycarbonyl-L-phenylalanin [BOC-Phe-OH][1]:

N-tert.-Butyloxycarbonyl-L-phenylalanin-äthylester[BOC-Phe-OEt]: H-Phe-OEt (aus 150 g H-Phe-OEt · HCl nach dem Ammoniak/Chloroform-Verfahren wie üblich erhalten) werden mit 280 g tert.-Butyloxycarbonyl-azid übergossen und 20 Stdn. bei 45° Badtemp. gerührt. Überschüssiges tert.-Butyloxycarbonyl-azid wird in Vak. abdestilliert, der Rückstand in Essigsäure-äthylester aufgenommen, mit Citronensäure-Lösung, Wasser und Natriumchlorid-Lösung wie üblich gewaschen, über Natriumsulfat getrocknet und schließlich i. Vak. eingedampft.

N-tert.-Butyloxycarbonyl-L-phenylalanin: Der erhaltene BOC-Phe-OEt in wäßrigem 1,4-Dioxan wird portionenweise mit 285 *ml* 2n Natronlauge verseift (Thymolphthalein als Indikator). Unter Eiskühlung und Rühren neutralisiert man vorsichtig mit 285 *ml* 2n Salzsäure, destilliert das 1,4-Dioxan weitgehend i. Vak. ab, sättigt die Restlösung mit Natriumchlorid und extrahiert mit Äther. Aus den über Natriumsulfat getrockneten Ätherphasen fällt man nach Zusatz von Petroläther tert.-Butyloxycarbonyl-phenylalanin als Dicyclohexylammoniumsalz aus; es wird aus Methanol/Äther umkristallisiert; Ausbeute: 209 g (72% d.Th.).

Das erhaltene Salz wird, suspendiert in Essigsäure-äthylester, mit überschüssiger wäßriger Citronensäure-Lösung bis zur Lösung geschüttelt. Die wäßrige Phase wird 2mal mit Essigsäure-äthylester extrahiert, die vereinigten Essigsäure-äthylester-Lösungen wie üblich gewaschen und aufgearbeitet; der erhaltene ölige Rückstand in Äther aufgenommen, kristallisiert auf vorsichtige Zugabe von Petroläther (rasch nach Animpfen); Ausbeute: 112 g (65% d.Th.); F: 85–87°; $[\alpha]_D^{20} = 24{,}7 \pm 0{,}5°$ bzw. $[\alpha]_{546}^{20} = 29{,}85°$ (c = 1,5; in Äthanol).

Zur Herstellung aus H-Phe-OMe s. Lit.[2].

N-tert.-Butyloxycarbonyl-L-serin-hydrazid [BOC-Ser-$NHNH_2$][3]:

N-tert.-Butyloxycarbonyl-L-serin-methylester [BOC-Ser-OMe]: 19 g H-Ser-OMe (frisch hergestellt aus 25 g Ester-Hydrochlorid) in 75 *ml* trockenem Pyridin werden mit 43 g tert.-Butyloxycarbonyl-azid versetzt und 24 Stdn. bei Raumtemp. stehengelassen. Die Reaktionslösung wird darauf i. Vak. bei 30° weitgehend eingeengt, mit Essigsäure-äthylester verdünnt und die erhaltene Lösung unter Eiskühlung mit n Salzsäure, n Natriumhydrogencarbonat-Lösung und Wasser wie üblich gewaschen, getrocknet und i. Vak. eingedampft. Nach mehrmaliger Extraktion des verbleibenden Rückstands mit Petroläther wird ein Öl erhalten; Ausbeute: 27 g (77% d.Th.).

N-tert.-Butyloxycarbonyl-L-serin-hydrazid: Das erhaltene Öl (s. oben) in 200 *ml* Methanol wird mit 20 *ml* Hydrazin-Hydrat versetzt, die Reaktionslösung 24 Stdn. bei Raumtemp. stehengelassen und schließlich i. Vak. eingedampft. Den erhaltenen Sirup läßt man zur Entfernung von überschüssigem Hydrazin über Nacht i. Vak. (0,1 Torr) über konz. Schwefelsäure stehen. Der festgewordene Rückstand wird mit Essigsäure-äthylester verrieben, das abfiltrierte kristalline Material bei 0,01 Torr über konz. Schwefelsäure getrocknet und schließlich aus Essigsäure-äthylester umkristallisiert; Ausbeute: 23,3 g (86% d.Th.); F: 112–114°; $[\alpha]_D^{27} = -9{,}4 \pm 1°$ (c = 4,1; in Methanol).

N-tert.-Butyloxycarbonyl-S-benzyl-cystein [BOC-Cys(BZL)-OH][4]:

tert.-Butyloxycarbonyl-azid-Lösung: Zu 159 g tert.-Butyl-carbazat in 800 *ml* 1,4-Dioxan und 300 *ml* Wasser läßt man bei 0° unter Rühren 240 *ml* 5n Salzsäure und anschließend bei 5° innerhalb von 10 Min. eine Lösung von 85 g Natriumnitrit in 250 *ml* Wasser zulaufen. Nach 15 Min. Rühren bei Raumtemp. ist die Azid-Lösung für die Acylierungsreaktion gebrauchsfähig.

N-tert.-Butyloxycarbonyl-S-benzyl-cystein:

Methode ⓐ: Eine Suspension von 211 g H-Cys(BZL)-OH in 600 *ml* 1,4-Dioxan, 400 *ml* Wasser und 280 *ml* Triäthylamin wird mit der vorab erhaltenen Azid-Lösung vereinigt, das Gemisch 24 Stdn. bei 50° gerührt. Im Verlauf einiger Stdn. tritt völlige Lösung ein. Die i. Vak. auf ~ 1000 *ml* eingeengte Lösung wird mit 500 *ml* Äther extrahiert, die wäßrige Phase bei 0° mit konz. Citronensäure-Lösung angesäuert. Das abgeschiedene Produkt wird in 3000 *ml* Essigsäure-äthylester aufgenommen, die abgetrennte

---

[1] E. Wünsch u. G. Wendlberger, B. **97**, 2504 (1964).

[2] E. Wünsch, H. G. Heidrich u. W. Grassmann, B. **97**, 1818 (1964).

[3] B. Iselin u. R. Schwyzer, Helv. **44**, 169 (1961).

[4] R. Geiger, Privatmitteilung.

Essigsäure-äthylester-Phase 3mal mit je 200 *ml* Wasser gewaschen und über Natriumsulfat getrocknet. Nach Entfernen des Lösungsmittels i. Vak. bleibt ein Harz zurück, das beim Stehen kristallisiert. Nach Verreiben mit Petroläther werden die Kristalle abfiltriert und i. Vak. getrocknet; Ausbeute: 255 g (82% d.Th.); F: 86–87°.

Methode ⓑ: 10,56 g (50 mMol) H-Cys (BZL)-OH werden in 20 *ml* 1,4-Dioxan/Wasser (1:1) suspendiert und nach Zugabe von 7,8 g (55 mMol) tert.-Butyloxycarbonyl-azid unter Rühren im Autotitrator bei $p_H = 9,6$ mit 4n Natronlauge titriert (Verbrauch ~ 22 *ml*). Die Reaktion war nach 14 Stdn. beendet. Nun wird mit 50 *ml* Diäthyläther extrahiert, die wäßrige Phase mit Citronensäure angesäuert und anschließend 2mal mit je 50 *ml* Diäthyläther und 25 *ml* Essigsäure-äthylester extrahiert. Die vereinigten Auszüge werden 5mal mit je 5 *ml* Wasser gewaschen und danach i. Vak. eingedampft. Der erhaltene Rückstand kristallisiert aus Diäthyläther/Petroläther; Ausbeute: 15,25 g (98% d.Th.)[1]; F: 63–65°; $[\alpha]_{578}^{18-25} = -45,3°$ (c = 1; in Essigsäure).

N-tert.-Butyloxycarbonyl-L-asparaginsäure-β-benzylester [BOC-Asp(OBZL)-OH][2]: Zu einer Suspension von 4,5 g H-Asp(OBZL)-OH in 10 *ml* 1,4-Dioxan/Wasser (1:1) setzt man bei −4° unter kräftigem Rühren in 3 Portionen insgesamt 6 *ml* rohes tert.-Butyloxycarbonyl-fluorid (~ 60%) zu und hält dabei den p_H-Wert der Mischung mit 4n Natronlauge bei 8,8 ± 0,2. Die Reaktion war nach ~ 1 Stde. beendet; nach weiterem 1 stdgm. Rühren der Mischung wird filtriert, das Filtrat mit fester Citronensäure angesäuert und 3mal mit je 30 *ml* Essigsäure-äthylester extrahiert. Die erhaltenen vereinigten Essigsäure-äthylester-Auszüge werden mehrfach mit je 10 *ml* Wasser gewaschen und anschließend i. Vak. eingedampft. Der verbleibende Rückstand wird aus Essigsäure-äthylester/Petroläther umkristallisiert; Ausbeute: 5,55 g (86% d.Th.); F: 95 – 97°; $[\alpha]_{578}^{20} = +7,1°$ (c = 1, in Essigsäure).

N-tert.-Butyloxycarbonyl-aminosäuren; allgemeine Herstellungsvorschrift mittels tert.Butyl-S-[4,6-dimethyl-pyrimidyl-(2)-thio]-carbonat[3]: 0,1 Mol Aminosäure und 0,15 Mol Triäthylamin in 55 *ml* Wasser werden mit 0,11 Mol tert.-Butyl-S-[-4,6-dimethyl-pyrimidyl-(2)-thio]-carbonat (s. S. 123) in 55 *ml* 1,4-Dioxan oder Dimethylformamid versetzt; die Reaktionsmischung wird bei Raumtemp. bis zur vollständigen Umsetzung mehrere Stdn. (2–24 Stdn.) gerührt, anschließend mit 150 *ml* Wasser versetzt und letztlich zur Entfernung unumgesetzten Carbonats 2 mal mit je 200 *ml* Essigsäure-äthylester extrahiert. Die verbleibende wäßrige Phase wird auf 0° abgekühlt und dann mit vorgekühlter 5 n Salzsäure auf $p_H = 2$ gestellt, anschließend 1 mal mit 150 *ml* und 2 mal mit 80 *ml* Essigsäure-äthylester ausgezogen. Die vereinigten Essigsäure-äthylester-Extrakte werden 3 mal mit je 100 *ml* eiskalter 5%-iger Salzsäure sowie 2 mal mit je 100 *ml* ges. Natriumchlorid-Lösung gewaschen und anschließend über Natriumsulfat getrocknet. Die erhaltene Lösung (sie wird, wenn erforderlich mit Aktivkohle entfärbt) hinterläßt nach Eindampfen i. Vak. einen Rückstand, der aus Essigsäure-äthylester/Petroläther, Äther/Petroläther, Methanol/Petroläther etc. umkristallisiert wird; Ausbeuten: 80–100% der Theorie.

Die Vorschriften zur Herstellung von *BOC-Asn-OH*, *BOC-His(BZL)-OH*, *BOC-Ser-OH* und *BOC-Thr-OH* weichen geringfügig von der „General-Methode" ab.

Zur experimentellen Herstellung von N_α-tert.-Butyloxycarbonyl-aminosäure-hydraziden s. auch S. II/298ff. und von N_ω-tert.-Butyloxycarbonyl-Derivaten der Diaminosäuren s. S. 474.

Analog der Benzyloxycarbonyl- gewährt auch die tert.-Butyloxycarbonyl-Schutzgruppe eine hervorragende Schutzwirkung gegen Racemisierung der sie tragenden Aminosäure; sie ermöglicht ferner den Einsatz aller bekannten Verknüpfungsmethoden (mit Ausnahme des Säurechlorid-Verfahrens), da trotz der Säurelabilität auch die Azid-Methode bei Temperaturen um ± 0° durchführbar ist (s. S. II/304 u. 311).

N-tert.-Butyloxycarbonyl-L-methionyl-L-methionin [BOC-Met-Met-OH]:

N-tert.-Butyloxycarbonyl-L-methionyl-L-methionin-methylester [BOC-Met-Met-OMe][4]: 43,1 g BOC-Met-OH · DCHA und 20 g H-Met-OMe · HCl in 500 *ml* Acetonitril/Dimethylformamid (2:1) werden 90 Min. bei Raumtemp. gerührt. Danach nutscht man vom gebildeten, unlöslichen Dicyclohexylammoniumchlorid ab; die erhaltene, auf −10° abgekühlte Lösung wird mit 20,6 g Dicyclohexylcarbodiimid versetzt. Man rührt 2 Stdn. bei −10° und 4 Stdn. bei Raumtemp., filtriert

---

[1] E. Schnabel, A. **707**, 188 (1967).

[2] E. Schnabel et al., A. **716**, 175 (1968).

[3] T. Nagasawa et al., Bl. chem. Soc. Japan, **46**, 1269 (1973).

[4] E. Wünsch, unveröffentlichte Ergebnisse.

von N,N'-Dicyclohexyl-harnstoff ab und dampft i. Vak. ein. Die Essigsäure-äthylester-Lösung des erhaltenen Rückstands wird wie üblich mit Citronensäure-, Kaliumhydrogencarbonat-Lösung und Wasser gewaschen über Natriumsulfat getrocknet und erneut i. Vak. eingeengt. Das verbleibende Material wird mit Äther/Petroläther bis zur völligen Auflösung erwärmt; beim Abkühlen und längeren Aufbewahren im Kühlschrank tritt Kristallisation ein; Ausbeute: 34,7 g (88% d.Th.); F: 65–67°.

N-tert.-Butyloxycarbonyl-L-methionyl-L-methionin[1]: 27,6 g BOC-Met-Met-OMe in 150 *ml* 1,4-Dioxan/Wasser (2:1) werden unter Stickstoffatmosphäre mit 70 *ml* n Natronlauge, wie üblich unter p_H-Kontrolle mit Thymolphthalein verseift. Daraufhin dampft man den größten Teil des 1,4-Dioxans i. Vak. ab und neutralisiert anschließend mit 70 *ml* n Salzsäure; das abgeschiedene Öl wird in Essigsäure-äthylester aufgenommen. Das Acyl-dipeptid wird aus der Essigsäure-äthylester-Phase erschöpfend mit Kaliumhydrogencarbonat-Lösung ausgezogen, nach Ansäuern der wäßrigen Extrakte mit Citronensäure erneut in Essigsäure-äthylester übergeführt. Die Lösung hinterläßt nach Eindampfen ein fast farbloses Öl; Ausbeute: 26,5 g (fast quantitativ).

Die Aufhebung der N-tert.-Butyloxycarbonyl-Maskierung gelingt mittels acidolytischer Verfahren schon unter „milden" Bedingungen. Der Reaktionsablauf gehorcht infolge der raschen Stabilisierung des intermediären tert.-Butyl-Kations zu Isobuten bevorzugt einem S_N1-Mechanismus[2]:

$$(H_3C)_3C{-}O{-}CO{-}NH{-}\underset{}{\overset{R^1}{CH}}{-}CO{-}NH{-}R^2 \xrightarrow{H^\oplus} (H_3C)_3C{-}O{-}\underset{OH}{\overset{\oplus}{C}}{-}NH{-}\overset{R^1}{CH}{-}CO{-}NH{-}R^2$$

$$\longrightarrow (H_3C)_2\overset{\oplus}{C}{-}CH_3 \; + \; CO_2 \; + \; H_2N{-}\overset{R^1}{CH}{-}CO{-}NH{-}R^2$$

$$\downarrow -H^\oplus$$

$$(H_3C)_2C{=}CH_2$$

Die Abspaltung der Schutzgruppe mit ~ 2 n Bromwasserstoff/Eisessig[3,4] verläuft unter Austritt zweier gasförmiger Reaktionsprodukte (Isobuten und Kohlendioxid) so rasch, daß nach Rudinger[5] die Reaktionsgeschwindigkeit kaum mehr meßbar wird.

Mittels Chlorwasserstoff in Eisessig[3,4], Diäthyläther[6], 1,4-Dioxan[7], Essigsäure-äthylester[8], Nitromethan[9] u. a. bei Raumtemp. oder vor allem mittels wasserfreier Trifluoressigsäure[10] (noch unter 0°) oder auch Trifluoressigsäure/Dichlormethan (1:1)[11] wird der tert.-

---

1 E. Wünsch, unveröffentlichte Ergebnisse.
2 G. Losse, D. Zeidler u. T. Grieshaber, A. **715**, 196 (1968).
3 G. W. Anderson u. A. C. McGregor, Am. Soc. **79**, 6180 (1957).
4 F. C. McKay u. N. F. Albertson, Am. Soc. **79**, 4686 (1957).
5 K. Bláha u. J. Rudinger, Collect. czech. chem. Commun. **30**, 599 (1965).
6 S. Guttmann u. R. A. Boissonnas, Helv. **41**, 1852 (1958).
7 S. Guttmann, Helv. **44**, 721 (1961).
8 R. Schwyzer et al., Helv. **42**, 1702 (1959).
9 R. Schwyzer u. P. Sieber, Helv. **43**, 1910 (1960).
10 R. Schwyzer et al., Ang. Ch. **72**, 915 (1960).
H. Kappeler u. R. Schwyzer, Helv. **44**, 1136 (1961).
11 U. Ragnarsson, S. Karlsson u. G. Lindeberg, Acta chem. scand. **24**, 2821 (1970).

Butyloxycarbonyl-Rest gleichfalls rasch und quantitativ entfernt, d. h. Bedingungen unter denen sich Benzyloxycarbonyl-Gruppen, Benzylester und Benzyläther resistent verhalten sollten. Schon Erhitzen von N-BOC-Derivaten mit Essigsäure führt langsam zur Entacylierung[1] (vgl. dazu S. 139), die schließlich mittels Chlorwasserstoff in tert.-Butanol[2] oder mittels Zeo-Carb 225 ($H^{\oplus}$-Form) in wäßrigem Methanol[3] selektiv in Anwesenheit von tert.-Butylester-Gruppen möglich sein soll.

L-Methionyl-L-methionin [H-Met-Met-OH][4]:

Methode ⓐ: 19 g öliges BOC-Met-Met-OH (s. S. 126) wird mit 100 *ml* eiskalter Trifluoressigsäure übergossen und zur Lösung geschüttelt. Nach 1 stdgm. Aufbewahren bei Raumtemp. wird i. Vak. eingedampft, der Rückstand in wenig Wasser aufgenommen, die erhaltene Lösung mit konz. Ammoniak-Lösung neutralisiert und mit viel siedendem Äthanol versetzt. Das nach mehrstdgm. Stehen im Kühlschrank ausgefallene Material wird abfiltriert und aus Äthanol/Wasser unter Zugabe einiger Tropfen Thioglykol umkristallisiert; Ausbeute: 13 g (93% d. Th.); $[\alpha]_D^{20} = +26,1 \pm 0,5°$; $[\alpha]_{546}^{20} = +31,3°$ (c = 1,9; in Wasser).

Methode ⓑ: 19 g BOC-Met-Met-OH werden, wie unter Methode ⓐ beschrieben, mit Trifluoressigsäure behandelt. Die wäßrige Lösung läßt man eine mit Dowex-3-Acetat beschickte Säule, die vorher mit thioglykol-haltigem Wasser gespült wurde, passieren. Man wäscht mit Wasser nach, bis die aufgefangene Flüssigkeit keine positive Ninhydrin-Reaktion mehr aufzeigt. Der nach Eindampfen der Lösung i. Vak. erhaltene Rückstand wird, wie unter Methode ⓐ beschrieben, umkristallisiert; Ausbeute: 13,45 g (96% d. Th).

L-Methionyl-L-methionin-methylester-Hydrochlorid [H-Met-Met-OMe · HCl][4]: 60 g BOC-Met-Met-OMe werden mit 250 *ml* 3n Chlorwasserstoff/Essigsäure-äthylester-Lösung übergossen; der raschen Auflösung schließt sich alsbald Fällung eines Niederschlags an; diese wird durch Zugabe von absol. Äther und kurzem Aufbewahren im Kühlschrank vervollständigt. Das abfiltrierte Material wird i. Vak. über Kaliumhydroxid und Phosphor(V)-oxid scharf getrocknet; Ausbeute: 49,3 g (fast quantitativ).

Vor allem die milde Entacylierung mittels Trifluoressigsäure verspricht erhebliche Vorteile:

① Ausführbar zu sein in Gegenwart aller wichtigen Aminosäuren ohne schwerwiegende Nebenreaktionen (im besonderen ohne Angriff des Tryptophan-Ringsystems, ohne Anlagerung des primär gebildeten tert.-Butyl-Kations an die Methionin-Thioäther-Gruppierung zum Sulfoniumsalz, ohne Spaltung der Nitro-Guanido-Maskierung, ohne Peptid-Ester-Spaltung (Umesterung), ohne Abspaltung von Benzyloxycarbonyl-, Benzyläther-, Benzylester-, Tosyl-, Phthalyl- u. a. -Gruppen, ohne Veresterung der Hydroxy-Funktion von Hydroxyaminosäuren) oder Spaltung der Peptidbindung.

② Ermöglichen einer einwandfreien Entacylierung auch höherer N-tert.-Butyloxycarbonyl-peptide, u. a. dank der ausgezeichneten Löslichkeitseigenschaften der Trifluoressigsäure (vgl. dazu die Synthesen auf dem ACTH-Gebiet, S. II/541).

L-Phenylalanyl-L-threonyl-O-benzyl-L-serin-benzyloxycarbonyl-hydrazid [H-Phe-Thr-Ser(BZL)-NHNH(Z)][5]: 89,7 g BOC-Phe-Thr-Ser(BZL)-NHNH(Z) werden mit 200 *ml* eiskalter Trifluoressigsäure übergossen und unter Kühlung bis zur völligen Lösung geschüttelt. Nach 2stdgm. Stehenlassen bei Raumtemp. wird überschüssige Trifluoressigsäure i. Vak. abgezogen und der ölige Rückstand in Essigsäure-äthylester aufgenommen. Die stark abgekühlte Lösung schüttelt man mit eiskalter, überschüssiger Natriumhydrogencarbonat-Lösung und wäscht rasch mit Wasser alkalifrei; dabei beginnt das Produkt auszufallen. Die Fällung läßt man in der Kälte vollständig werden. Nach Digerieren mit Wasser wird abfiltriert und der Filterrückstand über Phosphor(V)-oxid i. Hochvak. bei 40° getrocknet; Ausbeute: 70,8 g (92,5% d. Th.); F: 168–174°; $[\alpha]_D^{20} = -23,8 \pm 1°$ bzw. $[\alpha]_{546}^{20} = -29,0°$ (c = 0,8; in Methanol).

---

[1] F. C. McKay u. N. F. Albertson, Am. Soc. **79**, 4686 (1957).

[2] H. Kappeler, *Peptides*, Proc. 5th Europ. Sympos., Oxford 1962, Pergamon Press Ltd., Oxford **1963**, S. 3.

[3] C. J. Gray u. A. M. Khoujah, Tetrahedron Letters **1969**, 2647.

[4] E. Wünsch, unveröffentlichte Ergebnisse.

[5] E. Wünsch u. G. Wendlberger, B. **97**, 2504 (1964).

Neuerdings mußten jedoch zahlreiche Autoren[1–8] mangelnde Selektivität bei der „Säurespaltung" von tert.-Butyloxycarbonyl- in Gegenwart von Benzyloxycarbonyl-Gruppierungen (speziell von N_ω-Funktionen) feststellen. Zu dessen Begegnung wurden folgende Variationen des Acidolyse-Mediums vorgeschlagen:

① 98%-ige Ameisensäure[1], wodurch jedoch im „höheren" Peptidbereich[9,10] und unter Bedingungen der Festkörpersynthese[11] kaum vollständige Spaltung zu erreichen ist; als Nebenreaktion konnte N-Formylierung nachgewiesen werden[9].

② wäßrige Trifluoressigsäure[9,12] (Wassergehalt 20 Vol. % und mehr), wodurch eine weitgehende Spaltungs-Selektivität gegenüber Benzyloxycarbonyl-Gruppen erzielt werden konnte. Als nachteilig ist eine „schwache" Hydrolyse von Benzylester-Bindungen anzusehen[9].

③ Bortrifluorid-ätherat in Eisessig[3,9,13] oder auch in anderen ungetrockneten organischen Lösungsmitteln[9] – von Hiskey und Adams[14] zur Spaltung von tert.-Butylestern eingeführt; beim Einsatz von mindestens 1 Äquivalent Reagens verläuft die Spaltung der tert.-Butylurethan-Bindung relativ rasch und selektiv gegenüber dem Benzylanalogon. Trotz gewisser Vorteile – kaum nennenswerte Hydrolyse (bzw. Umesterung) von Benzylestern, guter Beständigkeit zahlreicher Sulfhydryl-Maskierungen incl. der asymmetrischen Disulfid-Brückenbindung – ist der Anwendungsbereich dieses Verfahrens doch beschränkt, da vor allem die O-Acetylierung aliphatischer Hydroxylaminosäuren nicht völlig ausgeschlossen werden kann[9].

④ 2-Mercapto-äthansulfonsäure in Eisessig[15] (50%-ige Lösung), wodurch eine sehr rasche „tert.-Butyloxycarbonyl-Demaskierung" herbeigeführt wird, bei gleichzeitiger 100%-iger Stabilität anwesender N_ε-Benzyloxycarbonyl- und γ-Benzylester-Gruppierungen.

S-Diphenylmethyl-L-cysteinyl-glycin-benzylester-4-Toluolsulfonsäure-Salz [H-Cys(DPM)-Gly-OBZL · TOS-OH][13]: 102 g BOC-Cys(DPM)-Gly-OBZL in 360 *ml* Chloroform/Essigsäure (5:1) werden bei 25° mit 80 *ml* Bortrifluorid-ätherat versetzt; nach 20 Min. fügt man zur Reaktionsmischung 75 *ml* 34%-ige Ammoniak Lösung in 300 *ml* Wasser und anschließend festes Kaliumhydrogencarbonat um einen p_H-Wert von 10 zu erreichen. Die abgetrennte organische Phase wird über Magnesiumsulfat getrocknet und i. Vak. eingedampft. Das erhaltene Öl wird in 1000 *ml* Diäthyläther aufgenommen und sofort mit einer ätherischen Lösung von Toluolsulfonsäure vermischt; beim Stehen unter Eiskühlung kristallisieren farblose Nadeln; Ausbeute: 83,1 g (68% d. Th.); F: 181–183°; $[\alpha]_D^{25} = +25{,}6°$ (c = 1; in Methanol).

S-Triphenylmethyl-L-cysteinyl-glycin [H-Cys(TRT)-Gly-OH][13]: 7,02 g BOC-Cys (TRT)-Gly-OH · DCHA in 50 *ml* Essigsäure werden mit 4 *ml* Bortrifluorid-ätherat versetzt. Nach 30 Min. gießt man die Reaktionsmischung in eine Lösung von 18 g Natriumacetat in 100 *ml* Eiswasser. Die gelatinöse Fällung wird aufs Filter gebracht, sorgfältig 6mal mit Wasser und 5mal mit Diäthyläther gewaschen und letztlich über Phosphor(V)-oxid i. Vak. getrocknet; Ausbeute: 4,05 g (96% d. Th.); F: 114–116°; $[\alpha]_D^{25} = -6{,}03°$ (c = 1,028; in Phosphorsäure-tris-[dimethylamid]).

Nebenreaktionen bei der acidolytischen Abspaltung der tert.-Butyloxycarbonyl-Schutzgruppe in Gestalt elektrophiler Substitutionen wurden erst in letzter Zeit ein-

---

[1] B. Halpern u. D. E. Nitecki, Tetrahedron Letters **1967**, 3031.
[2] R. Hirschmann, *Peptides* 1969, Proc. 10th Europ. Peptide Sympos., Abano Terme, 1969, North Holland Publ. Co., Amsterdam **1971**, S. 138.
[3] J. Meienhofer, Am. Soc. **92**, 3771 (1970).
[4] S. Sakakibara et al., Bl. chem. Soc. Japan **43**, 3322 (1970).
[5] A. Yaron u. F. Schlossman, Biochemistry **7**, 2673 (1967).
[6] O. Grahl-Nielsen u. G. L. Fritsch, Biochemistry **8**, 187 (1968).
[7] U. Ragnarsson, S. Karlsson u. F. Lindeberg, Acta chem. scand. **24**, 2821 (1970).
[8] D. A. Ontjes u. C. B. Anfinsen, *Peptides*, Proc. 11th Am. Peptide Symposium 1968, M. Dekker, Inc. New York **1970**, S. 79.
[9] E. Schnabel, H. Klostermeyer u. H. Berndt, A. **749**, 90 (1971).
[10] D. E. Nitecki u. B. Halpern, Austral. J. Chem. **22**, 871 (1969).
[11] S. Karlsson et al., Acta chem. scand. **24**, 1010 (1970).
[12] J. C. Anderson et al., Tetrahedron **8**, 39 (1966).
[13] R. G. Hiskey et al., J. Org. Chem. **36**, 488 (1971).
[14] R. G. Hiskey u. J. B. Adams, J. Org. Chem. **31**, 2178 (1966).
[15] A. Loffet u. C. Dremier, Experientia **27**, 1003 (1971).

deutig nachgewiesen: Insbesondere unter der katalytischen Einwirkung von Trifluoressigsäure oder konzentrierter Salzsäure laufen tert.-Butylierungen am Indolring des Tryptophans[1] (s. S. 566) bzw. an der Thioäther-Gruppe des Methionins[2] (s. S. 729) ab. Nach Schnabel et al.[3] soll die „Kern-tert.-Butylierung" des Tryptophans bei Verwendung von Bortrifluorid-Diäthylätherat/Essigsäure als Entacylierungsreagens unterbleiben – zugunsten einer Verfärbung der Reaktionsansätze und letztlich einer Zerstörung dieser Aminosäure. C- und N-Alkylierung am Tyrosin bzw. Asparagin sollen ebenfalls verneint werden können[3].

Gegenüber katalytischer Hydrierung[4,5] und Reduktion mittels Natrium[5] in flüssigem Ammoniak verhält sich der tert.-Butyloxycarbonyl-Rest resistent. Diese Stabilität einerseits und die leichte acidolytische Entacylierung andererseits stehen im Gegensatz zum Verhalten der Benzyloxycarbonyl-Schutzgruppe unter diesen Bedingungen. Die Kombination beider Reste zum Schutze von α- bzw. ω-Amino-Gruppen ermöglicht somit eine zeitlich verschiedene, selektive Maskierungs-Reversibilität; sie ist in letzter Zeit mit großem Erfolg auf allen Gebieten der Peptidsynthese zur Anwendung gelangt (s. Tab. 56 S. 486ff.).

Der tert.-Butyloxycarbonyl-Rest ist gegenüber alkalischen Bedingungen (z. B. Esterverseifung etc.) resistenter als die Benzyloxycarbonyl-Gruppe[6]; hydrolytische Angriffe auf die tert.-Butyloxycarbonyl-Gruppierung wurden bislang nicht beobachtet (vgl. demgegenüber das Verhalten der Benzyloxycarbonyl-amin-Bindung, S. 64). Ferner verhält sich der tert.-Butyloxycarbonyl-Rest stabil gegenüber den üblichen Spaltungsbedingungen für N-Trityl-, N-[2-Biphenylyl-(4)]-propyl-(2)-oxycarbonyl-, N-(2-Nitro-phenylsulfenyl)-, N-Phthalyl-, N-Trifluoracetyl- und N-subst. Vinyl-Schutzgruppen etc.; damit ist die selektive Verwendung dieser Amino-Maskierungen nebeneinander gegeben. (s. S. 487f. bzw. die Kap. der genannten N-Schutzgruppen).

---

[1] Y. B. Alakhov et al., Chem. Commun. **1970**, 406.
[2] P. Sieber et al., Helv. **53**, 2135 (1970).
[3] E. Schnabel, H. Klostermeyer u. H. Berndt, A. **749**, 90 (1971).
[4] R. A. Boissonnas, S. Guttmann u. P.-A. Jaquenoud, Helv. **43**, 1349 (1960).
S. Guttmann, Helv. **44**, 721 (1961).
H. Kappeler u. R. Schwyzer, Helv. **44**, 1136 (1961).
R. Schwyzer u. W. Rittel, Helv. **44**, 159 (1961).
[5] G. W. Anderson u. A. C. McGregor, Am. Soc. **79**, 6180 (1957).
[6] G. W. Anderson, Ann. N. Y. Acad. Sci. **88**, 676 (1960).

Tab. 13. Nα-tert.-Butyloxycarbonyl-[BOC]-L-aminosäuren *

Aminosäure		F [°C]	$[\alpha]_D$	t	c	Lösungsmittel	Literatur	Literatur der D-Verbindung
Ala		83–84	–22,4	25	2,1	Essigsäure	1,2,3,4,5	
	a	144–145					3	
Arg		117–119 (Zers.)	–8,8	24	2	Wasser	6,4	
Asn		181–182	–7,8	25	1	Dimethylformamid	7,8,9,2,3,4,10	
Asp		118–119	–6,2	25	1	Methanol	7,2,4	
	a	176–177	+10,9	25	1	Methanol	7	
Cys		Öl					11	
$(Cys)_2$	d	144–146	–116,0	20	2	Essigsäure	12,2,3,4	
Gln		114–118 (Zers.)	–3,0	28	1,93	Äthanol	13,9,2,3,4, 10,14	
	a	158–160	+8,5[e]	18–25	1	Dimethylformamid	4,15	
Glu		110–112	–16,1	25	1	Methanol	16,17,2,4,14	
	a	171–172	+9,1	25	1	Methanol	16	
Gly		88,5–89					1,18,2,3,4, 19,20,21	
	a	168–169					10,22	
His		199–200	+13,5[e]	23	1	Wasser	9,23,24	
Hyp	a	194–195	–25,3[e]	18–25	1	Dimethylformamid	4	

[a] DCHA-Salz [d] N,N′-Bis-BOC- [e] $[\alpha]_{578}$

* Nα-BOC-Derivate ω-geschützter mehrfunktioneller Aminosäuren s. Abschnitt „Mehrfunktionelle Aminosäuren“, Tab.

[1] G. W. Anderson u. A. C. McGregor, Am. Soc. **79**, 6180 (1957).
[2] E. Schnabel, H. Herzog, P. Hoffmann et al., A. **716**, 175 (1968).
[3] W. Broadbent, J. S. Morley u. B. E. Stone, Soc. [C] **1967**, 2632.
[4] E. Schnabel, A. **702**, 188 (1967).
[5] M. Fujino u. C. Hatanaka, Chem. Pharm. Bull. (Tokyo) **15**, 2015 (1967).
[6] D. Yamashiro, J. Blake u. C. H. Li, Am. Soc. **94**, 2855 (1972).
[7] E. Schröder u. E. Klieger, A. **673**, 208 (1964).
[8] E. Sandrin u. R. A. Boissonnas, Helv. **46**, 1637 (1963).
[9] E. Schnabel et al., A. **743**, 57 (1971).
[10] H. C. Beyerman, C. A. M. Boers-Boonekamp et al., R. **87**, 257 (1968).
[11] T. Wieland u. R. Sarges, A. **658**, 181 (1962).
[12] E. Wünsch, unveröffentlichte Ergebnisse.
I. Photaki, Am. Soc. **88**, 2292 (1968).
[13] K. Hofmann, W. Haas, M. J. Smithers et al., Am. Soc. **87**, 620 (1965).
[14] P. Rivaille u. G. Milhaud, Helv. **54**, 355 (1971).
[15] F. Marchiori, R. Rocchi, G. Vidali et al., Soc. [C] **1967**, 81.
[16] E. Schröder u. E. Klieger, A. **673**, 196 (1964).
[17] F. Chillemi, L. Bernardi u. E. G. Bosisio, G. **94**, 891 (1964).
[18] F. C. McKay u. N. F. Albertson, Am. Soc. **79**, 4686 (1957).
[19] D. S. Tarbell u. M. A. Insalaco, Pr. Nation. Acad. USA **57**, 233 (1967).
[20] G. R. Pettit u. S. K. Gupta, Canad. J. Chem. **45**, 1561 (1967).
[21] S. Sakakibara, Bl. chem. Soc. Japan **42**, 800 (1969).
[22] J. H. Jones u. G. T. Young, Soc. [C] **1968**, 53.
[23] B. O. Handford et al., J. Org. Chem. **33**, 4251 (1968).
[24] G. Losse u. U. Krychowski, J. pr. **312**, 1097 (1970).

Tab. 13. (1. Fortsetzung)

Aminosäure		F [°C]	$[\alpha]_D$	t	c	Lösungsmittel	Literatur	Literatur der D-Verbindung
Ile		66–68	+2,5[e]			Essigsäure	1,2,3,4	
	a	127–128	+6,0		1,5	Dimethylformamid	4,2	
	b	49–57	+3,0	25	2	Essigsäure	5,6	
Leu		Öl					7	
	c	80–82	−25,0	20	2	Essigsäure	8,5,9,1,10, 2,11,3,6,4,12	25
Lys		200–201					13	
	a	136–138	+5,6[e]	18–25	1	Essigsäure	3	
Met		47–49	−20,0	29	1,3	Methanol	14,5,1,10,2,7	2
	a	138–139	+19,0	18–25	1	Methanol	3,15	
Nle		Öl	−11,5	22	1	Essigsäure	16	
	a	130–132	+8,4	20	1	Methanol	17	
Orn		210	+14,3	20	2	Methanol	18	
Phe		85–87	+24,7	20	1,5	Äthanol	19,5,1,20,10, 2,3,22,7	2,21
Pro		136–137	−60,2	25	2	Essigsäure	5,1,2,23,3, 6,4,24,7	

[a] DCHA-Salz [c] Monohydrat [e] $[\alpha]_{578}$
[b] Hemihydrat

1 E. Schnabel, H. Herzog, P. Hoffmann et al., A. **716**, 175 (1969).
2 W. Broadbent, J. S. Morley u. B. E. Stone, Soc. [C] **1967**, 2632.
3 E. Schnabel, A. **702**, 188 (1967).
4 H. C. Beyerman, C. A. M. Boers-Boonekamp et al., R. **87**, 257 (1968).
5 G. W. Anderson u. A. C. McGregor, Am. Soc. **79**, 6180 (1957).
6 M. Fujino u. C. Hatanaka, Chem. Pharm. Bull. (Tokyo) **15**, 2015 (1967).
7 A. Ali, F. Fahrenholz u. B. Weinstein, Ang. Ch. **84**, 259 (1972).
8 E. Wünsch, unveröffentlichte Ergebnisse.
9 F. C. McKay u. N. F. Albertson, Am. Soc. **79**, 4686 (1957).
10 R. Schwyzer, P. Sieber u. H. Kappeler, Helv. **42**, 2622 (1959).
11 R. Geiger, Privatmitteilung.
12 S. Sakakibara, Bl. chem. Soc. Japan **42**, 800 (1969).
13 R. Schwyzer, A. Costopanagiotis u. P. Sieber, Helv. **46**, 870 (1963).
14 K. Hofmann, W. Haas u. M. J. Smithers, Am. Soc. **87**, 631 (1965).
15 K. Inouye u. K. Watanabe et al., Bl. chem. Soc. Japan **43**, 3873 (1970).
16 K. Lübke u. E. Schröder, A. **692**, 237 (1966).
17 R. Rocchi, A. Scatturin, L. Moroder et al., Am. Soc. **91**, 492 (1969).
18 H. Arold u. K. Haller, J. pr. **311**, 3 (1969).
19 E. Wünsch u. G. Wendlberger, B. **97**, 2504 (1964).
20 E. Wünsch, H. G. Heidrich u. W. Grassmann, B. **97**, 1818 (1964).
21 H. Klostermeyer, J. Halstrøm, P. Kusch et al., *Peptides*, Proceedings of the 8th Europ. Peptide Symposium Noordwijk, North-Holland Publ. Co. **1967**, S. 113.
22 G. R. Pettit u. S. K. Gupta, Canad. J. Chem. **45**, 1561 (1967).
23 P. H. Bentley, H. Gregory, A. H. Laird u. J. S. Morley, Soc. **1964**, 6130.
24 P. Rivaille u. G. Milhaud, Helv. **54**, 355 (1971).
25 T. Kato u. N. Izumiya, Bl. chem. Soc. Japan **39**, 2242 (1966).

Tab. 13. (2. Fortsetzung)

Aminosäure		F[°C]	[α]D	t	c	Lösungsmittel	Literatur	Literatur der D-Verbindung
Pyr		115–116	–35,3	25	1	Essigsäure	1	
	a	183–184	–16,6	25	1	Essigsäure	1,2	
Sar		84–86					3,4	
Ser		76–78	–4,6 e	18–25	1	Essigsäure	4,5,6	
	a	142–144	+13,3	25,5	3	Methanol	7,4	
	c	45–47	–7,6	25	2,6	Wasser	4,5,6,7,8	
Thr		76–80	–2,52	26	1	Methanol	9,5,6,10,11,12	
	a	153,5–154,5	+14,1	20	2	Äthanol	10,9,13	
Trp		136,5–140,5	–18,2	25	2	Essigsäure	14,15,11,4,16,17	11
Tyr		136–138	+3,9	25	2	Essigsäure	14,4	
	a	215–217 (Zers.)					18,11	
Val		77–79	–5,8	25	1,2	Essigsäure	14,19,6,20,11,4	
	a	139–141	+4,8	25	1	Äthanol	13,11	21

[a] DCHA-Salz [c] Monohydrat [e] $[\alpha]_{578}$

[1] E. Schröder u. E. Klieger, A. **673,** 196 (1964).
[2] F. Chillemi, L. Bernardi u. E. G. Bosisio, G. **94,** 891 (1964).
[3] F. W. Lichtenthaler, G. Trummlitz u. P. Emig, Tetrahedron Letters **1970,** 2061.
[4] E. Schnabel, A. **702,** 188 (1967).
[5] E. Schnabel et al., A. **743,** 57 (1971).
[6] E. Schnabel, H. Herzog, P. Hoffmann et al., A. **716,** 175 (1968).
[7] H. Otsuka, K. Inouye, M. Kanayama u. F. Shinozaki, Bl. chem. Soc. Japan **38,** 679 (1965).
[8] R. Geiger, Privatmitteilung.
[9] K. Hofmann, R. Schmiechen, R. D. Wells et al., Am. Soc. **87,** 611 (1965).
[10] E. Wünsch u. G. Wendlberger, B. **97,** 2504 (1964).
[11] W. Broadbent, J. S. Morley u. B. E. Stone, Soc. [C], **1967,** 2632.
[12] H. Klostermeyer, J. Halstrøm, P. Kusch et al., *Peptides,* Proceedings of the 8th Europ. Peptide Symposium Noordwijk, North-Holland Publ. Co. **1967,** S. 113.
[13] E. Schnabel, A. **688,** 238 (1965).
[14] G. W. Anderson u. A. C. McGregor, Am. Soc. **79,** 6180 (1957).
[15] P. H. Bentley, H. Gregory, A. H. Laird u. J. S. Morley, Soc. **1964,** 6130.
[16] M. Fujino u. C. Hatanaka, Chem. Pharm. Bull. (Tokyo) **15,** 2015 (1967).
[17] G. R. Pettit u. S. K. Gupta, Canad. J. Chem. **45,** 1561 (1967).
[18] J. C. Anderson, G. W. Kenner, J. K. MacLeod et al., Tetrahedron Suppl. **8,** 39 (1966).
[19] R. Schwyzer, P. Sieber u. H. Kappeler, Helv. **42,** 2622 (1959).
[20] R. Paul, J. Org. Chem. **28,** 236 (1963).
[21] E. Klieger, E. Schröder u. H. Gibian, A. **640,** 157 (1961).

31.111.32. Substituierte tert.-Butyloxycarbonyl-Schutzgruppen

Die hohe Bildungstendenz des tert.-Butyl-Kations ist einerseits die Basis für die rasche säure-katalysierte Spaltung der tert.-Butyloxycarbonyl-amin-Gruppierung, andererseits aber auch der Grund für die relativ hohe Instabilität der meisten tert.-Butyloxycarbonyl-Donatoren, insbesondere des entsprechenden Chlorameisensäureesters. Die Einführung eines elektronen-anziehenden Substituenten nahe dem Kation-Zentrum sollte diese Voraussetzungen drastisch verändern und u. a. die Möglichkeit eröffnen, stabile Chlorameisensäureester als Acylierungsreagenzien zu gewinnen. Die ersten Versuche in dieser Richtung wurden von Carpino et al.[1] bzw. Wünsch und Spangenberg[2] begonnen.

31.111.32.1. Halogen-substituierte tert.-Butyloxycarbonyl-Schutzgruppen

Wie erwartet, sind aus halogen-substituierten tert.-Butanolen, z. B. aus den 2-Chlor-, 2-Brom- und 2,2′-Dibrom-Verbindungen, durch übliche Umsetzung mit Phosgen in Dichlormethan unter Zusatz von Pyridin die stabilen und destillierbaren Chlorameisensäure-(halogensubstituierten)-tert.-butylester leicht zugänglich; letztere lassen sich mit „einfachen“ Aminen zu den entsprechenden Urethanen I umsetzen, die Einführung eines halogen-substituierten tert.-Butyloxycarbonyl-Restes in Aminosäuren oder -Derivate scheiterte jedoch bislang[1].

Während die 2-halogen-substituierten tert.-Butyloxycarbonyl-amine I, insbesondere das 2-Brom-Derivat, in Benzol oder Dichlormethan relativ stabil sind, verändern sie sich relativ rasch unter dem Einfluß „polarer“ Lösungsmittel. Schon der Versuch eines Umkristallisierens solcher Urethane I aus Äthanol führt zur Zerstörung der Verbindung unter Bildung des Amin-hydrobromids II und eines Glykolcarbonats III. Dieser Reaktion, von Carpino et al.[1] als „self-cleavage“ bezeichnet, soll nach den Autoren[1] folgender Nachbargruppenprozeß zugrunde liegen:

$R{-}\ddot{N}H{-}C(=O){-}O{-}C(CH_3)_2{-}CH_2{-}Br$ (I) $\xrightarrow{H_5C_2-OH}$ $\left[R{-}\overset{\oplus}{N}H{=}C\langle O{-}CH_2{-}C(CH_3)_2{-}O\rangle\right] Br^{\ominus}$ $\xrightarrow[\text{oder } H_2O]{H_5C_2-OH}$ $[R{-}\overset{\oplus}{N}H_3]Br^{\ominus}$ (II) + $O{=}C\langle O{-}CH_2{-}C(CH_3)_2{-}O\rangle$ (III)

Von Bedeutung scheint, daß die Reaktionsgeschwindigkeiten einer acidolytischen Spaltung der halogen-substituierten tert.-Butyloxycarbonyl-amin-Gruppierungen in Abhängigkeit der Halogenart teilweise drastisch gesenkt werden; sie differieren in den 2-Chlor- und 2-Brom-Derivaten gegenüber dem unsubstituierten Urethan um mehr als zwei Zehnerpotenzen[1].

Zu vermerken ist ferner, daß allen Versuchen, durch Reduktion der 2-halogen-substituierten Verbindungen zu tert.-Butyloxycarbonyl-Derivaten zu gelangen, wenig Erfolg beschieden war; z. B. konnte durch katalytische Hydrogenolyse (Palladium/Kohle-Katalysator) in Methanol unter Zusatz von Ammoniumacetat ein Brom/Wasserstoff-Austausch mit maximal 40% herbeigeführt werden[1].

---

[1] L. A. Carpino et al., J. Org. Chem. **35**, 3291 (1970).
[2] E. Wünsch u. R. Spangenberg, B. **104**, 2427 (1971).

31.111.32.2. Die 2-Cyan-tert.-butyloxycarbonyl-[CyOC]-Schutzgruppe

Bei ihren Untersuchungen über modifizierte tert.-Butyloxycarbonyl-Schutzgruppen fanden Wünsch und Spangenberg[1], daß die 2-cyan-substituierten Verbindungen ähnliche Eigenschaften wie die von Carpino und Han[2] beschriebene Fluorenyl-(9)-methoxycarbonyl-amin-Gruppierung aufweist (s. S. 94).

Cyan-tert.-butanol (3-Hydroxy-3-methyl-butansäure-nitril)[3] läßt sich in Dichlormethan mit Phosgen unter Zusatz von Pyridin zum Chlorameisensäure-2-cyan-tert.-butylester umsetzen[4]; ohne weitere Charakterisierung kann letzterer mit Aminosäuren in wäßriger Lösung unter Zusatz von einem Äquivalent Natronlauge aminolysiert werden[1].

N-Cyan-tert.-butyloxycarbonyl-aminosäuren lassen sich nach dem Hydroxy-succinimidester-Verfahren mit Aminosäuren in Dimethylformamid unter Zusatz von zwei Äquivalenten tert.-Base, insbesondere von N-Methyl-morpholin, zu N-Cyan-tert.-butyloxycarbonyl-peptiden vereinigen. Die Abspaltung der N-Schutzgruppe aus den N-Acyl-dipeptiden gelingt mit wäßriger Kaliumcarbonat- oder Triäthylamin-Lösung bei $p_H = 10$, wie Wünsch und Spangenberg[1] mit der Herstellung von *H-Gly-Trp-OH* demonstrieren konnten.

Die Stabilität der Cyan-tert.-butyloxycarbonyl-Schutzgruppe gegenüber wasserfreier Trifluoressigsäure ist relativ hoch; nach 2stdgm. Stehenlassen von CyOC-Gly-OH in Trifluoressigsäure bei Raumtemperatur war chromatographisch kein freies Glycin nachweisbar; erst nach 24stdgr. Reaktion wird etwa die Hälfte der N-Maskierung entfernt[1].

Glycyl-L-tryptophan [H-Gly-Trp-OH]:

Chlorameisensäure-cyan-tert.-butylester[1]: 10 g (100 mMol) Cyan-tert.-butanol und 10 g (125 mMol) Pyridin werden in ~ 150 *ml* Dichlormethan bei ~ –40° mit 40 *ml* (600 mMol) Phosgen von ~ –70° versetzt. Nach Rühren über Nacht bei Raumtemp. wird mit eiskalter 1n Salzsäure extrahiert, 2mal mit Eiswasser gewaschen, sofort durch mehrmaliges Schütteln mit frischem Natriumsulfat getrocknet (sämtliche wäßrige Phasen und das Natriumsulfat werden je 2mal mit wenig Dichlormethan nachgewaschen) und i. Vak. bei 20° Badtemp. eingedampft; Rohausbeute: 17 g (~ 100% d.Th.).

N-Cyan-tert.-butyloxycarbonyl-glycin [CyOC-Gly-OH][1]: Der rohe Ester wird mit ~ 100 *ml* Tetrahydrofuran aufgenommen und unter Außenkühlung mit Eiswasser in ~ 15 Min. zu einer Lösung von 15 g (200 mMol) Glycin in 200 *ml* 1n Natronlauge getropft. Nach einer weiteren Stde. Rühren bei Raumtemp. zeigt das Reaktionsgemisch einen p_H-Wert von ~ 8. Es wird mit 2n Schwefelsäure auf $p_H = 4–5$ gebracht, i. Vak. eingedampft, der Rückstand mit Essigsäure-äthylester/Wasser ausgeschüttelt, bis alles gelöst ist, die wäßrige Phase abgetrennt, weiter bis auf $p_H = 1,5–2$ angesäuert und noch 2mal mit Essigsäure-äthylester extrahiert. Die vereinigten Auszüge werden mit Wasser sulfatfrei gewaschen, über Natriumsulfat getrocknet und i. Vak. eingedampft. Der Rückstand kristallisiert aus Äther/Petroläther; Ausbeute: 16,5 g (82% d.Th.); nach Trocknen i. Vak. F: 147–148,5°.

N-Cyan-tert.-butyloxycarbonyl-glycyl-L-tryptophan [CyOC-Gly-Trp-OH][1]: 1 g (5 mMol) CyOC-Gly-OH in 30 *ml* Tetrahydrofuran werden mit 1,1 g (5 mMol) Dicyclohexylcarbodiimid und 600 mg (5 mMol) N-Hydroxy-succinimid über Nacht bei 0° gerührt. Man saugt vom N,N'-Dicyclohexylharnstoff ab und dampft ein. Der kristalline Rückstand, CyOC-Gly-OSU, wird ohne weitere Reinigung und Charakterisierung mit 1,02 g (5 mMol) Tryptophan und 1 g (10 mMol) N-Methyl-morpholin in ~ 50 *ml* Dimethylformamid bei 0° gerührt, bis das Tryptophan gelöst ist (3–4 Stdn.). Nach Stehenlassen über Nacht in der Kühltruhe wird mit 1,4 g (10 mMol) Kaliumhydrogensulfat in ~ 20 *ml* Wasser

---

[1] E. Wünsch u. R. Spangenberg, B. **104**, 2427 (1971).
[2] L. A. Carpino u. G. Y. Han, Am. Soc. **92**, 5748 (1970).
[3] A. Kjaer u. R. B. Jensen, Acta chem. scand. **12**, 1746 (1958).
[4] Vgl. L. A. Carpino et al., J. Org. Chem. **35**, 3291 (1970).

versetzt und i. Vak. eingedampft. Der Rückstand wird wie üblich aufgearbeitet (Verteilen zwischen Essigsäure-äthylester und Wasser, Waschen und Trocknen der Essigsäure-äthylester-Phase). Nach Eindampfen der Essigsäure-äthylester-Phase verbleiben ~ 2,5 g (quantitativ) eines zähen Öles, das mit 900 mg (5 mMol) Dicyclohexylamin aus Essigsäure-äthylester/Äther als amorphes Pulver gefällt wurde; Ausbeute an *Dicyclohexylamin-Salz*: 2,5 g (85% d. Th.); Erweichungsintervall 104–110°; $[\alpha]_{546}^{20} = +22,5°$; $[\alpha]_{578}^{20} = +18,9°$ (c = 1,1; in Äthanol).

Glycyl-L-tryptophan [H-Gly-Trp-OH][1]:

Methode ⓐ: 200 mg (0,35 mMol) CyOC-Gly-Trp-OH · DCHA werden wie üblich zerlegt und mit einer Lösung von 150 mg Kaliumcarbonat in 3 *ml* Wasser 6 Stdn. bei Raumtemp. stehengelassen. Danach war dünnschichtchromatographisch kein N-geschütztes Dipeptid mehr nachzuweisen (Butanol/Eisessig/Wasser 3:1:1). Die leicht hellbraune Lösung wird mit Dowex 50 ($H^{\oplus}$-Form) auf p_H 5 gebracht, vom Ionenaustauscher abfiltriert und i. Vak. eingedampft. Der Rückstand wird mit wenig Methanol/Äther digeriert und abgesaugt; Ausbeute: 85 mg (90% d. Th.); $[\alpha]_D^{20} = +29,7 \pm 1°$ (c = 1; in 5n Chlorwasserstoff).

Methode ⓑ: 3,1 g (10 mMol) Z-Gly-OSU und 2,0 g (10 mMol) L-Tryptophan werden in 50 *ml* Dimethylformamid in Gegenwart von 2 g (20 mMol) N-Methyl-morpholin ~ 16 Stdn. bei 0° gerührt. Neutralisation mit wäßriger Kaliumhydrogensulfat-Lösung, Entfernen des Dimethylformamids bei 10^{-2} Torr, Verteilen des Rückstands zwischen Essigsäure-äthylester und Wasser, Waschen, Trocknen und Eindampfen der Essigsäure-äthylester-Phase ergab 3,1 g (78%) öliges Z-Gly-Trp-OH, das dünnschichtchromatographisch rein war und wie üblich in ~ 100 *ml* 80%-igem Methanol an Palladiumschwarz hydriert wurde; Ausbeute: 2,15 g (95% d. Th.); nach Trocknen bei 10 Torr: $[\alpha]_D^{20} = +29,7 \pm 1°$ (c = 1; in 5n Chlorwasserstoffsäure).

31.111.33. Alkyl-homologe tert.-Butyloxycarbonyl-Schutzgruppen

31.111.33.1. tert.-Amyloxycarbonyl-[AOC]-Schutzgruppe

Über die Eignung der N-tert.-Amyloxycarbonyl-[AOC]-Schutzgruppe haben erstmals Guttmann und Pless[2] berichtet; nach den Beobachtungen der Autoren ist die für eine Maskierungs-Reversibilität maßgebende Säurelabilität der Urethan-Gruppierung gegenüber der des tert.-Butyloxycarbonyl-Restes erhöht: schon mit Ameisensäure bei 20° oder 80%-iger Essigsäure bei 100° wird rasch komplette Spaltung herbeigeführt.

Der einzig zu beachtende Vorteil gegenüber dem „Nor-Analogon" wurde zunächst mit der Herstellungsmöglichkeit der N-tert.-Amyloxycarbonyl-aminosäuren (I) mittels Chlorameisensäure-tert.-amylester (II) angegeben[3]. Das Acylierungsreagenz, aus 2-Methyl-butanol-(2) (tert.-Amylalkohol) und Phosgen üblich zugänglich und als Rohprodukt bei –20° längere Zeit beständig, setzt sich in hoher Ausbeute mit Aminosäureestern unter Zusatz von Triäthylamin oder N,N-Diäthyl-glycinester (durch letzteres wird eine Ureid-Bildung völlig unterdrückt[4]) zu den N-acylierten Aminosäureestern (III) um; diese können anschließend, wie üblich, durch alkalische Verseifung (im Falle von Benzylestern auch katalytischer Hydrierung) in die N-tert.-Amyloxycarbonyl-aminosäuren (I) bzw. durch Hydrazinolyse mittels Hydrazin-Hydrat in die -aminosäure-hydrazide (IV) übergeführt werden. Eine direkte N-Acylierung von Aminosäuren unter „Schotten-Baumann-Bedingungen" war wegen der Wasser-Instabilität des Chlorameisensäure-esters zunächst nicht möglich[3] (s. jedoch Sakakibara et al.[5]):

---

[1] E. Wünsch u. R. Spangenberg, B. **104**, 2427 (1971).
[2] S. Guttmann u. J. Pless, Diskussionsbemerkung 6th Europ. Sympos. on Peptides, Athen **1963**.
[3] S. Sakakibara et al., Bl. chem. Soc. Japan **38**, 1522 (1965).
[4] S. Sakakibara u. M. Itoh, Bl. chem. Soc. Japan **40**, 646 (1967).
[5] S. Sakakibara et al., Bl. chem. Soc. Japan **42**, 809 (1969).

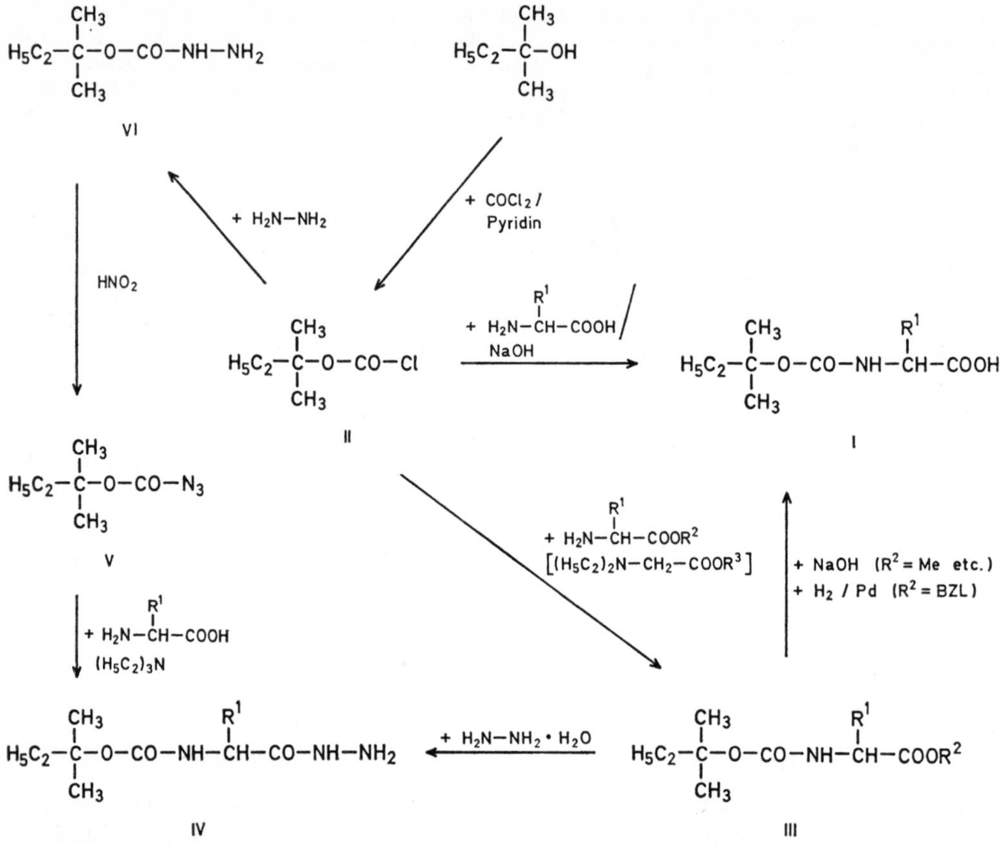

$$H_5C_2-C(CH_3)_2-O-CO-NH-NH_2$$ VI

$$H_5C_2-C(CH_3)_2-OH$$

$+ COCl_2$ / Pyridin

$+ H_2N-NH_2$

HNO_2

$$H_5C_2-C(CH_3)_2-O-CO-Cl$$ II

$+ H_2N-CH(R^1)-COOH$ / NaOH

$$H_5C_2-C(CH_3)_2-O-CO-NH-CH(R^1)-COOH$$ I

$$H_5C_2-C(CH_3)_2-O-CO-N_3$$ V

$+ H_2N-CH(R^1)-COOR^2$ $[(H_5C_2)_2N-CH_2-COOR^3]$

$+ NaOH$ (R^2 = Me etc.)
$+ H_2$ / Pd (R^2 = BZL)

$+ H_2N-CH(R^1)-COOH$ $(H_5C_2)_3N$

$$H_5C_2-C(CH_3)_2-O-CO-NH-CH(R^1)-CO-NH-NH_2$$ IV

$+ H_2N-NH_2 \cdot H_2O$

$$H_5C_2-C(CH_3)_2-O-CO-NH-CH(R^1)-COOR^2$$ III

Daraus folgte, daß gewisse *ω-Ester* von *tert.-Amyloxycarbonyl-glutaminsäure* bzw. *-asparaginsäure* nicht gewonnen werden können; hinzu kam, daß vorstehend genanntes Herstellungsverfahren auch für die Glutamin-, Asparagin-, Serin-, Threonin- und Nitroarginin-Derivate wenig geeignet war. Als „besseren" Acyl-Donator empfehlen Sakakibara et al.[1] deshalb tert.-Amyloxycarbonyl-azid (V), das aus dem Chlorameisensäureester (I) über tert.-Amyloxycarbonyl-hydrazin (VI) auf bekanntem Wege als stabiles und destillierbares Öl erhalten werden kann.

tert.-Amyloxycarbonyl-azid:

Chlorameisensäure-tert.-amylester[1,2]: Die Lösungen von 176 g tert.-Amylalkohol in 1500 *ml* absol. Diäthyläther und 396 g Phosgen in 1200 *ml* Toluol werden vereinigt. Anschließend kühlt man die Mischung auf −50 bis −60° ab und tropft unter kräftigem Rühren eine Lösung von 182 g Pyridin in 800 *ml* absol. Diäthyläther zu. Nach Stehenlassen in einer Kühltruhe bei −20° über Nacht wird ausgefallenes Pyridin-Hydrochlorid abgetrennt, das Filtrat bei 0° (Eisbad) i. Vak. auf 1200 *ml* konzentriert. Das erhaltene, bei −20° aufbewahrte Rohprodukt wird ohne weitere Reinigung für die Acylierungsreaktionen herangezogen.

Zur Gehaltsbestimmung wird Phenylalanin-methylester gem. nachfolgender Vorschrift zugesetzt.

tert.-Amyloxycarbonyl-hydrazin (VI)[1]: 1200 *ml* Chlorameisensäure-tert.-amylester-Lösung (s. o.) werden in eine Suspension von 192 g wasserfreiem Hydrazin in 500 *ml* absol. Diäthyläther bei 0 bis −2° unter kräftigem Rühren eingetropft. Nach 1stdgm. Rühren bei Raumtemp. und anschließendem Zusatz von 500 *ml* Wasser wird das Reaktionsgemisch in eine Extraktionsapparatur übergeführt und darin der erschöpfenden Extraktion mit Diäthyläther über ~ 10 Stdn. unterworfen. Der ätherische Extrakt wird nach Trocknen über wasserfreiem Natriumsulfat der fraktionierten Destillation unterworfen; Ausbeute: 190 g (65% d.Th.); Kp_{4-5}: 85–86°.

---

[1] I. Honda, Y. Shimonishi u. S. Sakakibara, Bl. chem. Soc. Japan **40**, 2415 (1967).
[2] S. Sakakibara et al., Bl. chem. Soc. Japan **38**, 1522 (1965).

tert.-Amyloxycarbonyl-azid*(V)[1]: In 43,8 g tert.-Amyloxycarbonyl-hydrazin in 250 *ml* 60%-iger wäßriger Essigsäure werden bei 0° eine Lösung von 22,8 g Natriumnitrit in wenig Wasser unter Rühren langsam zugetropft. Nach zusätzlichem weiterem 30 Min. langem Rühren bei Raumtemp. wird die Reaktionsmischung mit Diäthyläther überschichtet und vorsichtig mit ~ 240 g Natriumhydrogencarbonat versetzt. Gebildetes unlösliches Material wird abfiltriert und mit Äther gewaschen; die abgetrennte wäßrige Phase wird 2mal mit Äther extrahiert. Die vereinigten ätherischen Lösungen werden nach Trocknen über wasserfreiem Natriumsulfat zunächst auf ein kleines Vol. i. Vak. konzentriert und anschließend i. Vak. fraktioniert destilliert; Ausbeute: 42,4 g (90% d.Th.); Kp_{45-60}: 75–78°.

Bei der nochmaligen Fraktionierung erhöht sich der Siedepunkt auf Kp_{51-53}: 81,5–82°.

Ein sehr interessantes Reagenz zur Einführung der Schutzgruppe scheint das von Rzeszotarska und Wiejak[2] angebotene tert.-Amyl-chinolyl-(8)-carbonat zu sein, wenngleich die Herstellung über den Chlorameisensäure-tert.-amylester erfolgen muß (s. a. S. 122); auch tert.-Amyloxycarbonyl-cyanid[3], aus tert.-Amylalkohol und Mesoxalsäuredinitril in 60%-iger Ausbeute (Kp_{22}: 52°; $n_D^{21} = 1,4044$) erhältlich, scheint erfolgversprechend (vgl. dazu S. 121).

tert.-Amyl-chinolyl-(8)-carbonat[2]: Zu je 0,1 Mol 8-Hydroxy-chinolin und Triäthylamin in Tetrahydrofuran wird bei −60° eine auf dieselbe Temp. vorgekühlte Lösung von 0,1 Mol Chlorameisensäure-tert.-amylester getropft. Die Mischung wird 24 Stdn. bei −25° und 24 Stdn. bei 20° stehengelassen, anschließend i. Vak. eingedampft. Der Rückstand wird zwischen Essigsäure-äthylester und Wasser verteilt, die abgetrennte organische Phase mit eiskalter 0,1n Salzsäure und Wasser gewaschen, über Natriumsulfat getrocknet und i. Vak. zur Trockene gebracht; Ausbeute: ~ 70% d. Th.; F: 46–46,5° (aus Äthanol/Wasser).

N-tert.-Amyloxycarbonyl-[AOC]-aminosäuren; allgemeine Herstellungsvorschrift:

Methode ⓐ[4]: Zu einer Lösung von 0,1 Mol Aminosäureester-Hydrochlorid bzw. -toluolsulfonsäure-Salz in 200 *ml* Chloroform werden bei −5° bis −10° unter Rühren 40 *ml* Chlorameisensäure-tert.-amylester (Rohprodukt) und 0,2 Mol Triäthylamin (oder besser N,N-Diäthyl-glycinester)[5] in mehreren äquiv. Portionen gegeben (Im Falle der Gehaltsbestimmung des rohen Chlorameisensäureesters wird die Zugabe des Acylierungsmittels so lange fortgesetzt, bis eine Probe der Reaktionsmischung im chromatographischen Test kein ninhydrin-positives Material mehr aufweist). Die erhaltene Lösung wird wie üblich mit 0,5n Salzsäure (rasch und unter Eiskühlung) mit 5%-iger Natriumhydrogencarbonat-Lösung und Wasser gewaschen, über Natriumsulfat getrocknet und i. Vak. eingedampft. Die erhaltenen N-Acylaminosäureester (Ausbeute fast quantitativ) werden ohne weitere Charakterisierung mit n Natronlauge verseift bzw. im Falle der Benzylester der katalytischen Hydrogenolyse unterworfen. Nach üblicher Aufarbeitung werden die N-Acyl-aminosäuren in 67–100%-iger Ausbeute erhalten (falls als Öle anfallend, werden zur Isolierung die kristallisierten Dicyclohexylamin-Salze bevorzugt).

Methode ⓑ[1]: 0,01 Mol Aminosäure, 0,025 Mol Triäthylamin in 40 *ml* 1,4-Dioxan/Wasser (1 : 1) werden nach Zusatz von 0,015 Mol tert.-Amyloxycarbonyl-azid 24 Stdn. bei 35° gerührt. Danach wird die Reaktionsmischung mit n Salzsäure auf $p_H = 7$ eingestellt und anschließend i. Vak. vom 1,4-Dioxan befreit. Die verbleibende Lösung wird mit n Salzsäure auf $p_H = 2$ gebracht, das abgeschiedene Produkt in Essigsäure-äthylester aufgenommen. Die erhaltene Lösung wird mit Wasser gewaschen, über Natriumsulfat getrocknet und letztlich i. Vak. eingedampft. Festes Material wird anschließend aus Essigsäure-äthylester/Petroläther umkristallisiert; öliges Rohprodukt wird in Diäthyläther aufgenommen und durch Versetzen mit der entsprechenden Menge Dicyclohexylamin als Dicyclohexylamin-Salz gefällt. Umkristallisation der Salze aus Diäthyläther, Essigsäure-äthylester oder Äthanol erfolgt jeweils mit Petroläther; Ausbeute: 72–95% d. Th.

Methode ⓒ[2]: 0,5 mMol Aminosäure in 0,55 *ml* n Natronlauge werden mit 0,75 mMol tert.-Amyl-chinolyl-(8)-carbonat in 0,9 *ml* Dimethylformamid versetzt; nach 1,5 stdgm. Verweilen bei 70° (Wasserbadtemp.) wird die Reaktionsmischung i. Vak. eingedampft. Der erhaltene Rückstand wird zwischen

---

* Exakter: tert.-Amyloxycarbonyl-triazen od. -azoimin.

1 I. Honda, Y. Shimonishi u. S. Sakakibara, Bl. chem. Soc. Japan **40**, 2415 (1967).

2 B. Rzeszotarska u. S. Wiejak, Ang. Ch. **80**, 364 (1968).

3 M. T. Leplawy u. J. Zabrocki, *Peptides* 1972, Proc. 12th Europ. Peptide Symposium Reinhardtsbrunn Castle, North-Holland Publ. Co., Amsterdam-London **1973**, S. 112.

4 S. Sakakibara et al., Bl. chem. Soc. Japan **38**, 1522 (1965).

5 S. Sakakibara u. M. Itoh, Bl. chem. Soc. Japan **40**, 646 (1967).

Wasser und Essigsäure-äthylester verteilt, die wäßrige Phase mit 4n Salzsäure angesäuert. Das abgeschiedene Produkt wird in Essigsäure-äthylester aufgenommen; nach üblicher Aufarbeitung (s. Methode ⓐ oder ⓑ) werden die tert.-Amyloxycarbonyl-aminosäuren (ausgeführt für Glycin, Tryptophan und Serin) kristallin oder als Öl erhalten; Ausbeute: 86–98% d. Th.

Die peptidsynthetische Umsetzung von tert.-Amyloxycarbonyl-aminosäuren erfolgt vorwiegend nach der Carbodiimid- oder der „Misch-Anhydrid"-Methode[1,2]; die anschließende Abspaltung der N-Schutzgruppe geschieht auf acidolytischem Wege mit Trifluoressigsäure unter Zusatz von Anisol bei Raumtemp. über 30 Minuten, mit Trifluoressigsäure/Dichlormethan (1 : 1) etc. (s. S. 512)[1,2].

31.111.33.2. 3-Methyl-pentyl-(3)-oxycarbonyl-[MPOC]-Schutzgruppe

Die 3-Methyl-pentyl-(3)-oxycarbonyl-[MPOC]-Schutzgruppe als dimethyl-homologe tert.-Butyloxycarbonyl-Schutzgruppe wurde erstmals von Sakakibara et al.[3] beschrieben. Allein schon der schweren Zugänglichkeit von 3-Methyl-pentanol-(3) wegen dürfte einer Verwendung dieser „Urethan-Maskierung" eine Grenze gesetzt sein; des weiteren verläuft die Herstellung des Chlorameisensäureesters aus dem tert.-Alkohol und Phosgen (vgl. den Analogiefall S. 117) nicht befriedigend (30% d. Th.).

Tab. 14. N_α-tert.-Amyloxycarbonyl-[AOC]- und N_α-3-Methyl-pentyl-(3)-oxycarbonyl-[MPOC]-L-aminosäuren*

Aminosäure	XOC	F [°C]	$[\alpha]_D$	t	c	Lösungsmittel	Literatur
Ala	AOC [a]	126–129	+3,7	24	4,4	Äthanol	4,3
Asn	AOC	151,5–152,5	–8,2	28	3,4	Dimethylformamid	4
Gln	AOC	115,5–116,5	–19,4	20	4,8	Dimethylformamid	4
Gly	AOC	84–85,5					4,3,5,6
	MPOC	71,5–73					3
Ile	AOC [a]	111–112	+2,4	24	1,6	Äthanol	4,3
Leu	AOC [b]	67–67,5	–17,0	27	2	Äthanol	4,3
	MPOC [a]	114–116	–4,0	24	2	Äthanol	3
Met	AOC [a]	112–112,5	+17,0	22	3,1	Äthanol	4,3
Phe	AOC [a]	208,5–210,5	+40,3	24	0,67	Äthanol	4,3
Pro	AOC	99–99,5	–47,6	20	1,0	Äthanol	4,3
	MPOC [a]	127,5–128,5	–29,5	24	2,0	Äthanol	3
Ser	AOC [a]	98–100	+13,5	21	2,1	Äthanol	4
Thr	AOC [a]	110–112	+12,0	21	2,8	Äthanol	4
Trp	AOC	126–127	+7,1	21	1,2	Äthanol	4,3,5,6
Tyr	AOC [a]	203–204	+44,3	22	1	Äthanol	3
Val	AOC [a]	123–124	+0,9	22	4,1	Äthanol	4,3

[a] DCHA-Salz [b] Monohydrat

* N_α-subst. Derivate ω-geschützter mehrfunktioneller Aminosäuren s. Abschnitt „Mehrfunktionelle Aminosäuren" Tab.

---

[1] S. Sakakibara u. T. Fujii, Bl. chem. Soc. Japan **42**, 1466 (1969).
[2] T. Fujii u. S. Sakakibara, Bl. chem. Soc. Japan **43**, 3954 (1970).
[3] S. Sakakibara et al., Bl. chem. Soc. Japan **38**, 1522 (1965).
[4] I. Honda, Y. Shimonishi u. S. Sakakibara, Bl. chem Soc. Japan **40**, 2415 (1967).
[5] B. Rzeszotarska u. M. S. Wiejak, Ang. Ch. **80**, 364 (1968).
[6] M. Fujino u. C. Hatanaka, Chem. Pharm. Bull. (Tokyo) **15**, 2015 (1967).

31.111.34. 1-Methyl-cyclobutyloxycarbonyl-[MBOC*]- und 1-Methyl-cyclohexyl-oxycarbonyl-[MHOC*]-Schutzgruppen

Auf der Suche nach acidolytisch leicht spaltbaren, jedoch gegenüber 50%-iger wäßriger Essigsäure anhaltend stabilen N-Schutzgruppen auf „Urethan-Basis" haben Hirschmann et al.[1] u. a. diese beiden tert.-Alkyloxycarbonyl-Reste getestet; beide lassen sich – erfreulich – mittels der Chlorameisensäure-ester (Rohform, nur überschüssiges Phosgen wurde i. Vak. entfernt) in Aminosäuren einführen.

Die N-1-Methyl-cyclobutyloxycarbonyl-[MBOC]-aminosäuren erfüllten die geforderten Bedingungen: bei Beständigkeit gegenüber 50%-iger wäßriger Essigsäure über 48 Stdn. – demgegenüber spaltete BOC-Phe-OH seine N-Schutzgruppe zu 10 bis 15% ab – ließ sich diese Amino-Maskierung mittels Trifluoressigsäure bei 20° in weniger als 30 Min. quantitativ wieder entfernen.

Die Autoren erhoffen sich bei Verwendung der neuen N_α-Schutzgruppe günstig zu bewerkstelligende Reinigungsoperationen von längerkettigen N-Acylpeptiden in sauren Lösungsmittel-Systemen, wie z. B. in oft gebräuchlicher 50%-iger wäßriger Essigsäure.

Die N-1-Methyl-cyclohexyloxycarbonyl-[MHOC]-aminosäuren entsprachen in ihren Verhaltensweisen lediglich denen der tert.-Butyloxycarbonyl-Analoga; sie sind daher weniger interessant.

31.111.35. Der Adamantyl-(1)-oxycarbonyl-[AdOC]-Rest

Diese neue Aminoschutzgruppe vom „tert.-Alkohol-Urethan"-Typ, wurde von Haas et al.[2] beschrieben. 1-Hydroxy-adamantan (I)[3] läßt sich leicht mit Phosgen in Gegenwart von Pyridin zum kristallisierten Chlorameisensäureester II umsetzen.

Chlorameisensäure-adamantyl-(1)-ester[2]: Zu 30 g Phosgen in 100 *ml* absol. Benzol läßt man unter Rühren und Einhalten einer Reaktionstemp. von 4° eine Lösung von 8 g 1-Hydroxy-adamantan und 7 g Pyridin in 200 *ml* Benzol innerhalb 1 Stde. langsam zutropfen (falls sich ein weißer Niederschlag abscheidet, werden weitere 100 *ml* Benzol zur Mischung gegeben). Nach 1stdgm. Stehen bei Raumtemp. wird die filtrierte Reaktionsmischung in Eiswasser gegossen, die abgetrennte Phase über Natriumsulfat getrocknet und i. Vak. auf 1/5 ihres Vol. konzentriert. Die erhaltene Benzol-Lösung des Chlorameisensäureesters (Ausbeute nahezu quantitativ) wird für spätere Umsetzungen im Kühlschrank aufbewahrt.

Wird die erhaltene Lösung i. Vak. bei Raumtemp. eingedampft, so resultiert ein fester Rückstand. Die Lösung in absol. Petroläther scheidet bei –20° alsbald farblose Kristalle ab; F: 46–47°.

Mittels Chlorameisensäure-adamantyl-(1)-ester (II) sind die N-Adamantyl-(1)-oxycarbonyl-aminosäuren (III) nach üblicher Schotten-Baumann-Reaktion zugänglich; sie werden meist in gut kristallisierter Form erhalten[2]:

Ad–OH (I) $\xrightarrow{+ COCl_2 / \text{Pyridin}}$ Ad–O–COCl (II) $\xrightarrow{+ H_2N\text{–}CH(R)\text{–}COOH / (NaOH / Na_2CO_3)}$ Ad–O–CO–NH–CH(R)–COOH (III)

* Zur Abkürzung s. Kap. 14.

[1] D. F. VEBER, S. F. BRADY u. R. HIRSCHMANN, 3rd Amer. Peptide Symposium, Boston 1972, Ann Arbor Science Publ. **1972**, S. 315.

[2] W. L. HAAS, E. V. KRUMKALNS u. K. GERZON, Abstracts 150. Meeting Amer. Chem. Soc. **1965**, 44c; Am. Soc. **88**, 1988 (1966).

[3] H. STETTER, M. SCHWARZ u. A. HIRSCHHORN, B. **92**, 1629 (1959).

N-Adamantyl-(1)-oxycarbonyl-[AdOC]-aminosäuren; allgemeine Herstellungsvorschrift[1]: Die rohe Benzol-Lösung von Chlorameisensäure-adamantyl-(1)-ester wird i. Vak. bei 30° Badtemp. zur Trockene eingedampft, zum Schluß unter mehrmaliger Zugabe von absol. Petroläther. 1,4 g erhaltenen Rückstands (~ 6,5 mMol) werden in 5 *ml* absol. 1,4-Dioxan gelöst. 5 mMol Aminosäure in 25 *ml* n Natronlauge/Wasser (1 : 4) werden mit 7,5 mMol Natriumcarbonat und schließlich bei 0° in mehreren Portionen und unter Rühren innerhalb 1 Stde. mit der 1,4-Dioxan-Lösung des Chlorameisensäureesters umgesetzt (falls hierbei ein Niederschlag auftritt, wird er durch Zugabe von 5 *ml* Äther wieder in Lösung gebracht). Nach 2stdgm. Rühren bei 0° wird die Lösung 3mal mit Äther extrahiert, die wäßrige Phase mit Äther bzw. Essigsäure-äthylester überschichtet und unter Rühren und Eiskühlung mit 85%-iger Phosphorsäure oder 10%-iger Schwefelsäure auf $p_H = 2$ angesäuert (~ 2,5 *ml* Phosphorsäure werden benötigt). Die abgetrennte organische Phase (incl. der „Nachextrakte") wird mit Wasser gewaschen, über Natriumsulfat getrocknet und schließlich i. Vak. eingedampft. Der erhaltene Rückstand wird aus Äther/Petroläther, Essigsäure-äthylester oder Essigsäure-äthylester/Petroläther umkristallisiert; Ausbeute: 50–80% d. Th. (s. Tab. 15, S. 141).

Lediglich im Falle von Asparagin- und Glutamin-Derivaten werden niedrigere Ausbeuten erzielt.

Zur Herstellung von Adamantyl-(1)-(4-nitro-phenyl)-carbonat und Adamantyl-(1)-oxycarbonyl-hydrazin, die beide als Acylierungsmittel dienen könnten, siehe Haas et al.[1].

Von Jäger und Geiger[2] wurde mit sehr gutem Erfolg als Reagens zur Einführung der Schutzgruppe Adamantyl-(1)-succinimidyl-(1)-carbonat eingesetzt: Mit dessen Hilfe gelang eine quantitative N_α-Acylierung von H-Arg(ω,δ-AdOC$_2$)-OH.

N_α,N_δ,N_ω-Tris-adamantyl-(1)-oxycarbonyl-L-arginin [AdOC-Arg(ω,δ-AdOC$_2$)-OH][3]:

Adamantyl-(1)-succinimidyl-(1)-carbonat: Zu 21,5 g Chlorameisensäure-adamantyl-(1)-ester und 15 g N-Hydroxy-succinimid in 100 *ml* 1,4-Dioxan werden unter Rühren bei 0° 8,2 *ml* Pyridin in 65 *ml* 1,4-Dioxan getropft. Nach 20stdgm. Rühren bei Raumtemp. dampft man das Filtrat i. Vak. ein. Der erhaltene Rückstand wird aus Methanol umkristallisiert. Die Mutterlauge liefert nach Eindampfen i. Vak ein Öl, das mit Methanol/Wasser zum Kristallisieren gebracht werden kann. Die Kristallfraktionen werden mit absol. Diäthyläther ausgekocht; Ausbeute: 19,59 g (67% d. Th.); F: 140–141°.

N_α,N_δ,N_ω-Tris-adamantyloxycarbonyl-L-arginin [AdOC-Arg(ω,δ-AdOC$_2$)-OH]: 1,47 g Adamantyl-(1)-succinimidyl-(1)-carbonat und 2,75 g H-Arg(ω,δ-AdOC$_2$)-OH (Monohydrat), suspendiert in 50 *ml* Tetrahydrofuran, werden mit 0,7 *ml* Triäthylamin bei 0° versetzt. Nach 17stdgm. Rühren bei Raumtemp. wird die erhaltene Lösung i. Vak. eingedampft, der verbleibende Rückstand in Methanol aufgenommen. Durch Zugabe von verd. Citronensäure-Lösung wird das Triacyl-arginin ausgefällt, abfiltriert, mit Wasser sorgfältig gewaschen und getrocknet; Ausbeute: 3,54 g (~ 100% d. Th.); F: 158–160° (Zers.); $[\alpha]_D^{22} = +15{,}7°$ (c = 1; in Chloroform).

Peptidsynthetische Umsetzungen von N-Adamantyl-(1)-oxycarbonyl-aminosäuren sind wie die der Benzyloxycarbonyl- oder tert.-Butyloxycarbonyl-Verbindungen nach den verschiedensten Verknüpfungsverfahren durchführbar; in den bisherigen Arbeiten wurde vor allem auf die Aktivester-Methode zurückgegriffen[2,3] (s. dazu S. 554).

Die N-Adamantyloxycarbonyl-Maskierung kann unter acidolytischen Bedingungen, z. B. Behandeln mit Trifluoressigsäure bei Raumtemp., reversibel gestaltet werden[1–3]; im chromatographischen Test läßt sich zeigen, daß die Schutzgruppe nach 15 Minuten (oder auch geringerer Zeit) quantitativ abgespalten wird[1]. Da das hierbei intermediär entstehende Adamantyl-Kation relativ stabil ist, dürften Nebenreaktionen, wie eine Sulfoniumion-Bildung am Methionin, mit großer Wahrscheinlichkeit ausbleiben.

Über die Verwendung des Adamantyl-(1)-oxycarbonyl-Rests zur Maskierung der NH-Imidazol-Funktion des Histidins (s. S. 553) und der Guanido-Funktion des Arginins (s. S. 527).

---

[1] W. L. Haas, E. V. Krumkalns u. K. Gerzon, Am. Soc. **88**, 1988 (1966).
[2] G. Jäger u. R. Geiger, B. **103**, 1727 (1970).
[3] E. Wünsch, G. Wendlberger u. R. Spangenberg, B. **104**, 3854 (1971).

Tab. 15. N_α-Adamantyl-(1)-oxycarbonyl-[AdOC]-L-aminosäuren[1,*]

Aminosäure	F [°C]	$[\alpha]_D$	t	c	Lösungsmittel
Ala	140–142	–20,6	25	2	Methanol
Asn	181–183	–1,5	25	2	Methanol
Gln	152–154	–3,9	25	1	Methanol
Gly	141–143				
Leu	71–74	–16,2	25	2	Methanol
a	133–135				
Met	Öl				
a	133–135	+12,2	25	2	Methanol
Phe	60–65				
a	160–164	+27,3	25	2	Methanol
Pro	154–156	–43,4	25	2	Methanol
Ser	66–71				
Thr	89–93	–2,6	25	2	Methanol
Trp	150–153	–0,2	25	2	Methanol

* N_α-AdOC-Derivate ω-geschützter mehrfunktioneller Aminosäuren s. Abschnitt „Mehrfunktionelle Aminosäuren", Tab.

[a] DCHA-Salz

31.111.36. Carbamidsäureester α,α-disubstituierter Benzylalkohole

Bekanntlich verläuft die Solvolyse von tert.-Alkyl-halogeniden um so rascher, je stabiler das entsprechende Carbonium-Ion ist; dies wird z.B. durch Ersatz einer oder mehrerer Methyl- durch Phenyl-Reste einer tert.-Butyl-Gruppe erzielt[2]. Die Übertragung von tert.-Carbamidsäureestern wurde neuerdings von Sieber und Iselin[3] studiert.

Die Autoren konnten eine so weitgehende Erhöhung der protonen-solvolytischen Spaltungs-Geschwindigkeit N-„Phenyl-analoger" tert.-Butyloxycarbonyl-Schutzgruppen neben der „altbekannten" und „bewährten" N-tert.-Butyloxycarbonyl-Maskierung aufzeigen, daß in einigen Fällen eine sichere, selektive Entacylierung bei gleichzeitigem Auftreten dieser beiden Reste (z. B. N_α- bzw. N_ω-Maskierungen) möglich wird (s. Tab. 17, S. 147).

Theoretisch sollte (im gleichen Zeitintervall) ein Reaktionsgeschwindigkeits-Verhältnis von 7000:1 eine selektive Spaltung von 99,9:0,1%, desgleichen von 3100:1 noch 99,8:0,2% garantieren[3].

Von den neuen „Phenyl-substituierten" tert.-Butyloxycarbonyl-Schutzgruppen erwies sich vornehmlich die 2-Biphenylyl-(4)-propyl-(2)-oxycarbonyl-Gruppe (s. Tab. 16, S. 142) geeignet; die Verwendung der im Hinblick zum Reaktionsgeschwindigkeits-Verhältnis noch günstigeren N-2-(4-Methyl-phenyl)-propyl-(2)-oxycarbonyl-Maskierung scheiterte an der hohen Zersetzlichkeit der zur Einführung der Schutzgruppe benötigten Donatoren (gemischte Carbonate, Carbonylchlorid bzw. -azid).

31.111.36.1. 2-[Biphenylyl-(4)]-propyl-(2)-oxycarbonyl-[BPOC]-Schutzgruppe

Nach Sieber und Iselin[4] läßt sich 2-Biphenylyl-(4)-propanol-(2) (I), bequem zugänglich durch Grignard-Synthese aus 4-Acetyl-biphenyl, in ~ 80%-iger Ausbeute mit Chlorameі-

[1] W. L. Haas, V. Krumkalns u. K. Gerzon, 150. Meeting of Amer. Chem. Soc. (1965); Am. Soc. **88**, 1988 (1966).
[2] P. B. D. de la Mare u. C. A. Vernon, Soc. **1954**, 2504.
[3] P. Sieber u. B. Iselin, Helv. **51**, 614 (1968).
[4] P. Sieber u. B. Iselin, Helv. **51**, 622 (1968).

Tab. 16. Spaltungsgeschwindigkeiten Aryl-substituierter tert. Alkyloxycarbonyl-aminosäureester[1] mit 80%-iger Essigsäure bei 22–25°

R—O—CO-Gruppe	Abkürzung	50% Spaltung	relative Spaltungsgeschwindigkeit
$H_3C-C(CH_3)_2-$ *tert.-Butyloxycarbonyl-*	BOC	58 Tg.	1
$C_6H_5-C(CH_3)_2-$ *α,α-Dimethyl-benzyloxycarbonyl-* *[2-Phenyl-propyl-(2)-oxycarbonyl]-*	DMZ [PPOC]	2 Stdn.	700
$C_6H_5-C_6H_4-C(CH_3)_2-$ *2-Biphenylyl-(4)-propyl-(2)-oxycarbonyl-*	BPOC	30 Min.	3000
$H_3C-C_6H_4-C(CH_3)_2-$ *2-(4-Tolyl)-propyl-(2)-oxycarbonyl-*	TPOC	7 Min.	11000
$(C_6H_5)_2C(CH_3)-$ *1,1-Diphenyl-äthoxycarbonyl*	DEOC	28 Min.	3000
$(C_6H_5)_2C(CH_2-CH_3)-$ *1,1-Diphenyl-propyl-oxycarbonyl-*	[DPOC]	52 Min.	1600

sensäure-phenylester zum [2-Biphenyl-(4)-propyl-(2)]-phenyl-carbonat (II) umsetzen, dieses auf üblichem Wege schließlich zu 65% in das 2-[Biphenylyl-(4)]-propyl-(2)-oxycarbonyl-azid* (III).

II und III sind kristallisierte Verbindungen und als Acyl-Donatoren zur Einführung der Schutzgruppe unter bestimmten Reaktionsbedingungen – wegen der relativ raschen Zersetzbarkeit von II und III im wäßrigen Medium muß die Acylierung in wasserfreien Lösungsmitteln vorgenommen werden – gemäß nachstehender Schemata geeignet.

* Exakt: 2-[Biphenylyl-(4)]-propyl-(2)-oxycarbonyl-triazen od. -azoimin.

[1] P. Sieber u. B. Iselin, Helv. **51**, 614 (1968).

Die N-2-[Biphenylyl-(4)]-propyl-(2)-oxycarbonyl-aminosäuren (IX) werden vorzugsweise als kristallisierte Dicyclohexylamin- bzw. Cyclohexylamin-Salze mit durchschnittlich 60 bis 80%-iger Ausbeute isoliert:

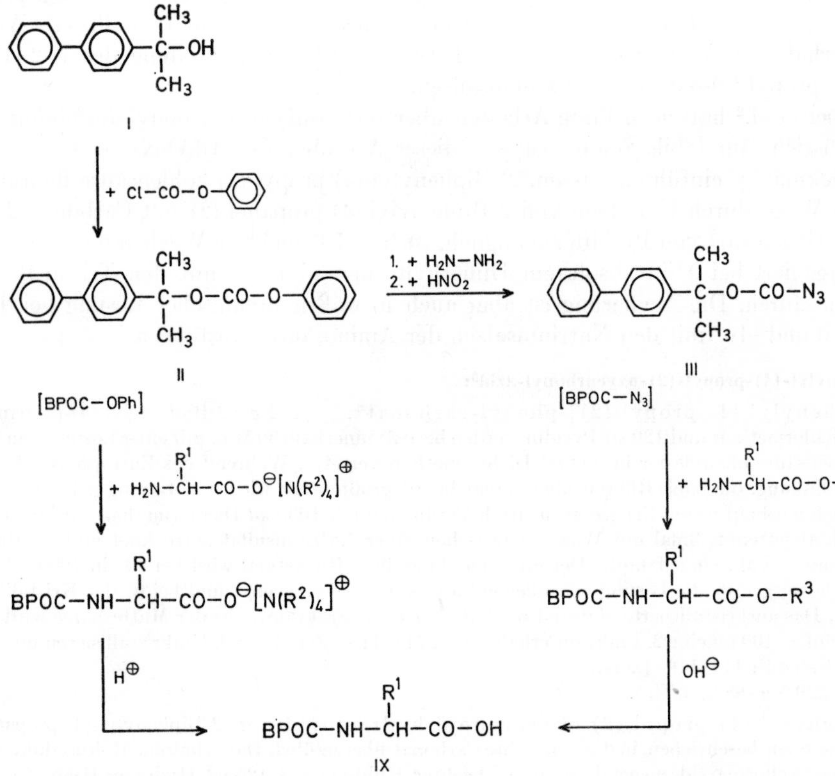

Neben der hohen Hydrolyse-Empfindlichkeit von II und III ist ersteres auch thermisch wenig stabil und zersetzt sich innerhalb weniger Tage bei Raumtemp. jedoch auch bei 0° zu 2-Phenoxy-2-biphenylyl-(4)-propan (IV) bzw. 2-[Biphenylyl-(4)]-propen-(2) (V) und Phenol[1]:

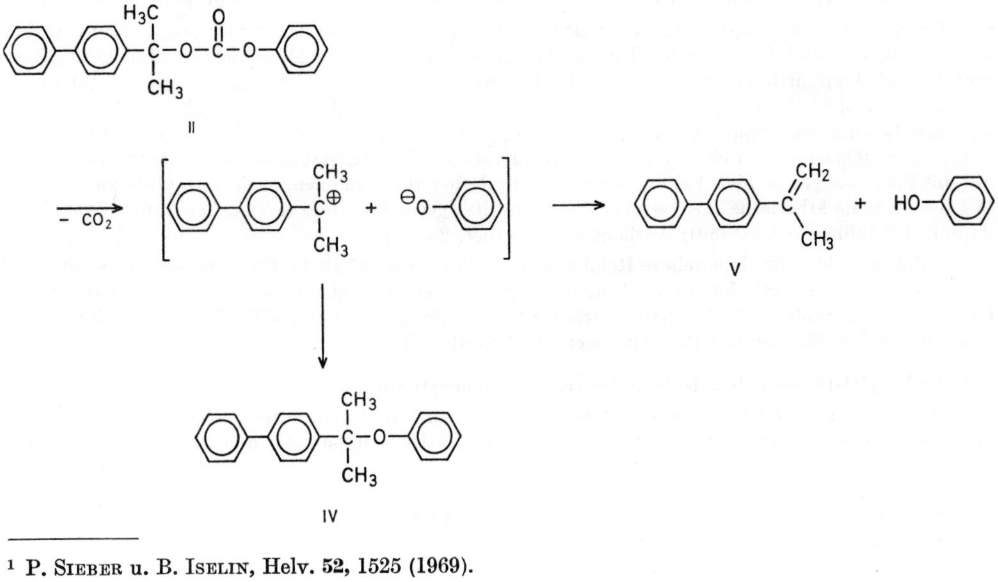

[1] P. Sieber u. B. Iselin, Helv. 52, 1525 (1969).

Schnabel et al.[1] fanden, daß im Phenyl-Teil substituierte asymmetrische Carbonate bei Raumtemp. praktisch mehrere Monate unzersetzt haltbar und darüber hinaus durch die elektronen-ziehende Wirkung des 4-Substituenten stärker aktiviert sind; die von diesen Autoren synthetisierten *[2-Biphenylyl-(4)-propyl-(2)]-(4-methoxycarbonyl-phenyl)-biphenylyl-(4)-* und *-(4-acetyl-phenyl)-carbonate*, konnten als sehr gut kristallisierte Verbindungen erhalten werden. Sie eignen sich hervorragend zur Herstellung der N-2-[Biphenylyl-(4)]-propyl-(2)-oxycarbonyl-aminosäuren.

Schnabel et al.[2] hatten in ihren Arbeiten über tert.-Butyloxycarbonyl-aminosäuren gezeigt, daß sich säurelabile Schutzgruppen dieser Art über die Alkyloxycarbonyl-fluoride sehr zweckmäßig einführen lassen. 2-Biphenylyl-(4)-propyl-(2)-kohlensäure-fluorid, auf üblichem Wege durch Umsetzen von 2-Biphenylyl-(4)-propanol-(2) mit Carbonyl-chlorid-fluorid in Gegenwart von Pyridin zugänglich, ist bei –70° mehrere Wochen unzersetzt haltbar und reagiert bei 0° in absolutem Dimethylformamid rasch mit den Triton-B-Salzen der Aminosäuren. Die Acylierung ist aber auch in wäßrig-organischer Lösung bei Temp. zwischen 0 und –10° mit den Natriumsalzen der Aminosäuren ausführbar[1].

2-Biphenylyl-(4)-propyl-(2)-oxycarbonyl-azid[3]:

[2-Biphenylyl-(4)-propyl-(2)]-phenyl-carbonat[3]: 212 g 2-Biphenylyl-(4)-propanol-(2), 1000 *ml* Dichlormethan und 120 *ml* Pyridin werden bei –5° innerhalb 30 Min. mit einer Lösung von 152 *ml* Chlorameisensäure-phenylester in 500 *ml* Dichlormethan versetzt. Während des Zutropfens bildet sich eine dicke Fällung, die nach Rühren über Nacht bei 0° größtenteils wieder in Lösung geht. Das Reaktionsgemisch wird auf wenig Eis gegossen; nach Verdünnen mit 1000 *ml* Dichlormethan wird die organische Phase abgetrennt, 3mal mit Wasser gewaschen, über Natriumsulfat getrocknet und letztlich bei 30° Badtemp. i. Vak. eingedampft. Der erhaltene kristalline Rückstand wird bei 60° in 1000 *ml* Essigsäure-äthylester gelöst, die Lösung anschließend auf ~ 600 *ml* eingeengt und bei 0° der Kristallisation überlassen. Das auskristallisierte Material wird abfiltriert (1. Fraktion); aus der Mutterlauge wird durch Einengen auf ~ 100 ml eine 2. Fraktion erhalten: F: 114–115° (Zers.); nach Umkristallisieren aus Essigsäure-äthylester F: 115–116° (Zers.).
Ausbeute: 229,5 g (88% d.Th.).

2-Biphenylyl-(4)-propyl-(2)-oxycarbonyl-hydrazin: 106 g 2-Biphenylyl-(4)-propanol-(2) werden, wie oben beschrieben, in das gemischte Carbonat übergeführt. Das erhaltene Rohprodukt wird in 200 *ml* Dimethylformamid suspendiert, unter leichter Kühlung mit 125 *ml* Hydrazin-Hydrat versetzt und 6 Stdn. bei Raumtemp. gerührt. Hierauf wird die Reaktionsmischung mit Eis gekühlt und vorsichtig mit insgesamt 1000 *ml* Wasser versetzt. Nach Stehenlassen bei 0° über Nacht wird vom abgeschiedenen Material abfiltriert, dieses einmal mit eiskalter n Natronlauge und sorgfältig mit Wasser gewaschen. Das erhaltene Rohprodukt wird aus 200 *ml* Tetrachlormethan/40 *ml* Petroläther umkristallisiert; Ausbeute: 103 g (76% d.Th.); F: 106–108° (nach Umkristallisieren aus Isopropanol F: 109–110°).

2-Biphenylyl-(4)-propyl-(2)-oxycarbonyl-azid: 27 g 2-Biphenylyl-(4)-propyl-(2)-oxycarbonyl-hydrazin in 270 *ml* Acetonitril werden bei –25° mit einer vorgekühlten Mischung von 50 *ml* 6n Salzsäure und 100 *ml* Acetonitril versetzt. Anschließend werden bei –15 bis –20° 22 *ml* 5m Natriumnitrit-Lösung zugetropft. Nach 10 Min. langer Reaktion bei –15° wird auf –25° abgekühlt und 2 n Natriumcarbonat-Lösung zugetropft bis zu einem p_H-Wert von 6–8. Die Mischung wird unter Eis/Kochsalz-Kühlung in 1000 *ml* Wasser eingegossen und bis zur vollständigen Kristallisation gerührt. Die abfiltrierte, gut mit Eiswasser gewaschene Fällung wird in Diäthyläther aufgenommen, nach Abtrennen einer kleinen Wasserphase die ätherische Lösung über Natriumsulfat getrocknet und i. Vak. bei Raumtemp. eingedampft (kristalliner Rückstand); Ausbeute: 28,3 g (ber. 28,1 g).

Das Rohprodukt wird ohne weitere Reinigung verwendet; zur Gehaltsbestimmung werden ~ 40 mMol (genau gewogen) in 3 *ml* Methanol gelöst, mit 1 *ml* Wasser versetzt und sofort mit 0,1n Natronlauge titriert. Der gefundene Azid-Gehalt beträgt 84,5%. Ein analysenreines Produkt kann durch vorsichtige Umkristallisation aus Petroläther erhalten werden; F: 55–57°.

[2-Biphenylyl-(4)-propyl-(2)]-(4-methoxycarbonyl-phenyl)-carbonat (VI)[1]:

Methode ⓐ: Zu 59 g Phosgen in 290 *ml* absol. Benzol fügt man unter Rühren 76 g 4-Hydroxybenzoesäure-methylester und tropft anschließend 61 g N,N-Dimethyl-anilin zu. Die Zulaufgeschwindig-

---

[1] E. Schnabel, G. Schmidt u. E. Klauke, A. **743**, 69 (1971).
[2] E. Schnabel et al., A. **716**, 175 (1968).
[3] P. Sieber u. B. Iselin, Helv. **51**, 622 (1968).

keit der Base wird so reguliert, daß die Temp. während der Umsetzung nicht über 20° ansteigt. Nach beendeter Zugabe wird 3 Stdn. bei Raumtemp. nachgerührt. Das benzolische Filtrat wird sorgfältig mit n Salzsäure und Wasser gewaschen und über Calciumchlorid getrocknet. Nach Entfernen des Lösungsmittels wird der sirupöse Rückstand i. Vak. fraktioniert destilliert (Kp_{12}: 150°). Die erhaltene farblose Flüssigkeit kristallisiert alsbald; Ausbeute: 71,5 g (67% d.Th.); F: 51–52°.

Methode ⓑ: 31,8 g 2-Biphenylyl-(4)-propanol-(2) in 150 *ml* Dichlormethan und 15 *ml* absol. Pyridin werden unter gutem Rühren bei 0–4° mit 32,3 g Chlorameisensäure-4-methoxycarbonyl-phenylester in 150 *ml* Dichlormethan tropfenweise versetzt; die Reaktionsmischung wird nach beendeter Zugabe noch 5 Stdn. bei 4° gerührt und anschließend mit Eis/Wasser versetzt. Die abgetrennte Dichlormethan-Phase wird sorgfältig mit n Salzsäure und Wasser gewaschen, über Natriumsulfat getrocknet und letztlich i. Vak. eingedampft. Der kristalline Rückstand wird aus Essigsäure-äthylester/Diäthyläther sowie Dichlormethan/Diäthyläther umkristallisiert; Ausbeute: 45,5 g (77% d.Th.); feine seidenglänzende Nädelchen, F: (Koflerbank): 124–126° (Zers.), bei langsamem Aufheizen 100° (Zers.).

Analog erhält man

Chlorameisensäure-biphenylyl-(4)-ester[1]	
Chlorameisensäure-4-acetyl-phenylester[1]	
[2-Biphenylyl-(4)-propyl-(2)]-biphenylyl-(4)-carbonat[1]	F: 128–130°
[2-Biphenylyl-(4)-propyl-(2)]-(2-acetyl-phenyl)-carbonat[1]	F: 132°

Fluorameisensäure-2-biphenylyl-(4)-propyl-(2)-ester[1]: Zu einer auf –70 bis –60° gekühlten Lösung von 24 g Carbonyl-chlorid-fluorid in 100 *ml* 1,4-Dioxan gibt man über 30 Min. eine Lösung von 20 g Pyridin und 51,5 g 2-Biphenylyl-(4)-propanol-(2) in 100 *ml* Dichlormethan; danach läßt man die Temp. der Reaktionsmischung bis –20° ansteigen, fügt 250 *ml* Diäthyläther hinzu und dampft letztlich das Filtrat vom ausgefallenen Pyridin-Hydrochlorid ein; Ausbeute: 45 g (72% d.Th.); F: 25°.

N-2-[Biphenylyl-(4)]-propyl-(2)-oxycarbonyl-aminosäuren:

Methode ⓐ[2] N-2-[Biphenylyl-(4)]-propyl-(2)-oxycarbonyl-L-prolin-Dicyclohexylamin-Salz [BPOC-Pro-OH · DCHA]: 2,85 g H-Pro-OMe · HCl in 9,8 *ml* Dimethylformamid werden bei 0° mit 2,4 *ml* Triäthylamin und nach 2 Min. mit 6,3 g 2-Biphenylyl-(4)-propyl-(2)-oxycarbonyl-azid (84%-iges Rohprodukt) in 4,9 *ml* Dimethylformamid versetzt. Nach 4 Min. bzw. 30 Min. werden zum Reaktionsgemisch erneut 2,4 *ml* bzw. 1,2 *ml* Triäthylamin zugefügt; anschließend wird über Nacht bei Raumtemp. gerührt. Nach üblicher Aufarbeitung werden 7,5 g eines teilweise kristallisierenden Öls erhalten, das in 60 *ml* Isopropanol aufgenommen wird. Diese Lösung wird mit 11 *ml* 1,9n Natronlauge versetzt, die Reaktionsmischung 2 Stdn. bei 40° gerührt, i.Vak. eingeengt, mit 100 *ml* Wasser versetzt, 2mal mit Diäthyläther gewaschen, bei 0° mit 1m Citronensäure-Lösung auf $p_H = 3$ angesäuert und letztlich 2mal mit Diäthyläther extrahiert. Die ätherischen Auszüge werden neutral gewaschen, über Natriumsulfat getrocknet und letztlich mit 3,5 *ml* Dicyclohexylamin versetzt. Das abgeschiedene Dicyclohexylamin-Salz wird abfiltriert und i.Vak. getrocknet; Ausbeute: 7,35 g (80% d.Th.); F: 173–175° (Zers., Sintern bei 123°); $[\alpha]_D^{20} = -12°$ (c = 1, in Methanol).

Methode ⓑ[2] N-2-[Biphenylyl-(4)]-propyl-(2)-oxycarbonyl-L-valin-Dicyclohexylamin-Salz [BPOC-Val-OH · DCHA]: 1,17 g Valin werden in 4,55 *ml* einer 2,2 n Lösung von Trimethyl-benzyl-ammoniumhydroxid (Triton B) in Methanol gelöst. Nach Verdampfen des Lösungsmittels i.Vak. wird der Rückstand zur Entfernung von Wasser 2mal mit je 10 *ml* Dimethylformamid azeotrop destilliert. Der so erhaltene Rückstand wird in 5 *ml* Dimethylformamid bei 40° mit 3,35 g 2-Biphenylyl-(4)-propyl-(2)-oxycarbonyl-azid (Rohprodukt) und 2,75 *ml* Triäthylamin versetzt und 1 Stde. lang bei 40° gerührt. Die Lösung wird mit Diäthyläther und Wasser verdünnt, die abgetrennte wäßrige Phase nochmals mit Diäthyläther und Wasser gewaschen, darauf bei 0° mit 1m Citronensäure-Lösung auf $p_H = 2–3$ angesäuert und letztlich mit Diäthyläther extrahiert. Die neutral gewaschene und getrocknete ätherische Lösung wird mit 1,2 *ml* Dicyclohexylamin versetzt, worauf Kristallisation eintritt. Zur Vervollständigung der Kristallisation wird die ätherische Lösung etwas eingeengt, mit gleichviel Petroläther versetzt und einige Zeit bei 0° stehengelassen; Ausbeute: 3,08 g (68% d.Th.); F: 176–178° (Zers.); nach Umkristallisieren aus Isopropanol F: 178–180° (Zers.); $[\alpha]_D^{20} = -8°$ (c = 1, in Methanol).

Methode ⓒ[2] N-2-[Biphenylyl-(4)]-propyl-(2)-oxycarbonyl-L-leucin [BPOC-Leu-OH]: 26,2 g Leucin werden in 93 *ml* 2,15 n methanolischer Lösung von Triton B bei 50° gelöst. Nach Verdampfen des Lösungsmittels wird der Rückstand durch 2malige azeotrope Destillation mit je 60 *ml* Dimethyl-

---

[1] E. Schnabel, G. Schmidt u. E. Klauke, A. **743**, 69 (1971).

[2] P. Sieber u. B. Iselin, Helv. **51**, 622 (1968).

formamid von Wasser befreit. Der erhaltene Rückstand in 80 *ml* Dimethylformamid wird bei 50° mit 66,6 g [2-Biphenylyl-(4)-propyl-(2)]-phenyl-carbonat versetzt, die Reaktionsmischung 3 Stdn. bei 50° gerührt. Zur Aufarbeitung wird zwischen Wasser und Diäthyläther verteilt, die abgetrennte wäßrige Lösung bei 0° mit 1 n Citronensäure-Lösung angesäuert (p_H = 2–3) und mit Diäthyläther erschöpfend extrahiert. Die wie üblich gewaschenen und getrockneten Ätherauszüge werden i. Vak. bei 30° zur Trockene gedampft. Das verbleibende kristalline Material wird mit 30 *ml* Diäthyläther und 100 *ml* Petroläther verrieben, der Rückstand abfiltriert; Ausbeute: 52,1 g (70% d.Th.); F: 227–230° (Zers.); $[\alpha]_D^{20} = -12°$ (c = 1, in Methanol).

Unter weitgehend analogen Bedingungen erfolgt die Herstellung mit

[2-Biphenylyl-(4)-propyl-(2)]-(4-methoxycarbonyl-phenyl)-carbonat (91% d.Th.)
[2-Biphenylyl-(4)-propyl-(2)]-biphenylyl-(4)-carbonat (84% d.Th.)
[2-Biphenylyl-(4)-propyl-(2)]-(4-acetyl-phenyl)-carbonat (92% d.Th.)

und einem optischen Reinheits-Kriterium von $[\alpha]_{578}^{22} = -11{,}9$ bis $-12{,}2°$ (c = 1, in Methanol)[1].

N-2-[Biphenylyl-(4)]-propyl-(2)-oxycarbonyl-aminosäuren können als solche direkt nach der Misch-Anhydrid-Methode (z. B. Pivaloyl-chlorid oder Chlorameisensäure-isobutylester) oder nach dem Carbodiimid-Verfahren[2–4] zum peptidsynthetischen Einsatz gelangen[2,5]. Trotz der hohen Säurelabilität der Schutzgruppe gelingt ferner die Herstellung von N-2-[Biphenylyl-(4)]-propyl-(2)-oxycarbonyl-peptid-aziden aus den entsprechenden Hydraziden und somit eine Peptidsynthese unter Verwendung dieser Schutzgruppe nach der Azid-Methode[2,6], die Verknüpfung von N-2-[Biphenylyl-(4)]-propyl-(2)-oxycarbonyl-peptiden nach dem Wünsch-Weygand-Verfahren[2,6] und letztlich die Herstellung von N-2-[Biphenylyl-(4)]-propyl-(2)-oxycarbonyl-aminosäure-4-nitro- bzw. -pentachlor-phenylestern – auf üblichem Wege oder unter „Umesterung" mit Trichloressigsäureestern[7] – und deren Umsetzungen.

N-2-[Biphenylyl-(4)]-propyl-(2)-oxycarbonyl-glycin-4-nitro-phenylester [BPOC-Gly-ONP][8]: 3,13 g BPOC-Gly-OH und 1,67 g 4-Nitro-phenol in 40 *ml* Essigsäure-äthylester werden bei 0° mit 2,16 g Dicyclohexylcarbodiimid versetzt; die über Nacht bei 0° gerührte Reaktionsmischung wird nach Filtration vom ausgefallenen N,N'-Dicyclohexyl-harnstoff i. Vak. eingedampft. Die Lösung des Rückstands in Dichlormethan wird bei 0° 2mal mit verd. Kaliumcarbonat-Lösung ausgeschüttelt. Nach Verdampfen des Lösungsmittels wird der Rückstand in 10 *ml* Essigsäure-äthylester aufgenommen, die Kristallisation durch Zugabe von 40 *ml* Hexan eingeleitet; Ausbeute: 3,8 g (88% d.Th.); F: 116–117° (Zers.).

N-2-[Biphenylyl-(4)]-propyl-(2)-oxycarbonyl-L-phenylalanin-pentachlor-phenylester [BPOC-Phe-OPCP][8]: 585 mg BPOC-Phe-OH · DCHA in 4 *ml* Dimethylformamid werden bei 0° mit 412 mg Trichloressigsäure-pentachlorphenylester versetzt; nach 30 Min. langem Rühren bei 0° fällt man aus dem Ansatz durch Zugabe von Wasser das Reaktionsprodukt aus. Beim Verreiben des abgetrennten Rohprodukts mit Äthanol tritt Kristallisation ein; Ausbeute: 410 mg (63% d.Th.); F: 124–125° (Zers.). $[\alpha]_D^{20} = -77°$ (c = 1, in Chloroform) für ein aus Äthanol umkristallisiertes Produkt.

N-2-[Biphenylyl-(4)]-propyl-(2)-oxycarbonyl-L-prolyl-L-leucyl-L-glutamyl(γ-tert.-butylester)-L-phenylalanin-tert.-butylester [BPOC-Pro-Leu-Glu(OtBu)-Phe-OtBu][5]: 1 mMol BPOC-Pro-OH · DCHA in 4 *ml* Dimethylformamid werden bei –15° mit 0,125 *ml* Pivaloyl-chlorid versetzt. Nach 15 Min. langem Rühren bei –10° wird eine Lösung von 1mMol H-Leu-Glu(OtBu)-Phe-OtBu · Ac-OH in 3 *ml* Dimethylformamid zugefügt, die Reaktionsmischung 2 Stdn. bei 0° gerührt. Nach üblicher Aufarbeitung erhält man einen festen Rückstand, der aus 85%-igem Methanol umkristallisiert wird; Ausbeute: 0,675 g (79% d.Th.); F: 188° (Zers.); $[\alpha]_D^{20} = -40 \pm 1°$ (c = 1, in Chloroform).

Die Abspaltung der N-2-[Biphenylyl-(4)]-propyl-(2)-oxycarbonyl-Schutzgruppe läßt sich unter sehr milden acidolytischen Bedingungen innerhalb 10 Min. – 7 Stdn. vollziehen. Insbesondere in den sauren Reaktions-Medien: 80%-ige Essigsäure, Essigsäure/

1 E. Schnabel, G. Schmidt u. E. Klauke, A. **743**, 69 (1971).
2 B. Riniker et al., Helv. **52**, 1058 (1969).
3 S. Wang u. R. B. Merrifield, Am. Soc. **91**, 6488 (1969).
4 D. Yamashiro, J. Blake u. C. H. Li, Am. Soc. **94**, 2855 (1972).
5 P. Sieber u. B. Iselin, Helv. **51**, 622 (1968).
6 W. Rittel et al., Helv. **51**, 924 (1968).
7 M. Fujino u. C. Hatanaka, Chem. Pharm. Bull. (Tokyo) **16**, 929 (1968).
8 P. Sieber u. B. Iselin, Helv. **52**, 1525 (1969).

83%-ige Ameisensäure/Wasser (7 : 1 : 2), Dichlormethan/75%-ige Chloressigsäure (50 : 37) bzw. Essigsäure/Dichloressigsäure (6 : 1) soll eine weitgehende Demaskierungs-Selektivität gegenüber der N-tert.-Butyloxycarbonyl-Schutzgruppe erreicht werden; die Verhältniszahlen der Spaltungsgeschwindigkeiten liegen so günstig (s. Tab. 17), daß einer 99,8–99,9%-igen Abspaltung des N-2-[Biphenylyl-(4)]-propyl-(2)-oxycarbonyl-Restes nur eine 0,1–0,2%-ige Entacylierung der N-tert.-Butyloxycarbonyl-Gruppierung gegenübersteht[1]. Tert.-Butyläther- und tert.-Butylester-Gruppierungen bleiben unter diesen Spaltungsbedingungen unangegriffen[1–4], selbstverständlich auch N-Benzyloxycarbonyl- und O-Benzyl-äther- sowie -ester-Maskierungen.

Die von Li et al.[5] im Verlauf einer „Festkörper-Synthese“ benutzte Deblockierung mit 0,05–0,1 n Chlorwasserstoff in Chloroform führte z. B. bei Anwesenheit von N_{im}-tert.-Butyloxycarbonyl-blockiertem Histidin in der Sequenz zur partiellen N_{im}-Entacylierung.

Tab. 17. Relative Spaltungsgeschwindigkeit von N-BPOC- zu N-BOC-Aminosäure-Derivaten bei 22–25°[1]

Reagenz	Zeit	N_α-BPOC : N_α-BOC	N_α-BPOC : N_ε-BOC
1. Ac-OH/H_2O (8 : 2)	3,5–7 Stdn.	2000–4000 : 1	4300–8700 : 1
2. Ac-OH/83%-ige HCOOH/H_2O (7 : 1 : 2)	100 Min.	1800–2700 : 1	4900–6800 : 1
3. CH_2Cl_2/75%-ige $ClCH_2COOH$ (50 : 37)	10 Min.	6200–9000 : 1	

Die Abspaltung der 2-[Biphenylyl-(4)]-propyl-(2)-oxycarbonyl-Schutzgruppe mit starken Säuren, wie z. B. Trifluoressigsäure, sollte nach Sieber und Iselin[6] tunlichst vermieden werden; das bei dieser Spaltung auftretende 2-Biphenylyl-(4)-propyl-(2)-Kation kann leicht zu Alkylierungsreaktionen, z. B. an Tryptophan- und Tyrosin-Resten, Anlaß geben.

L-Prolyl-L-leucyl-L-glutamyl(γ-tert.-butylester)-L-phenylalanin-tert.-butylester [H-Pro-Leu-Glu(OtBu)-Phe-OtBu][1]: 164 mg BPOC-Pro-Leu-Glu(OtBu)-Phe · OtBu (s.o.) werden in 2 *ml* Essigsäure/83%-iger Ameisensäure/Wasser (7 : 1 : 2) 1,5 Stdn. bei Raumtemp. gerührt. Danach wird unter Eiskühlung die Reaktionsmischung mit ges. Kaliumcarbonat-Lösung schwach alkalisch gestellt, mit Essigsäure-äthylester extrahiert, die abgetrennten Essigsäure-äthylester-Phasen mit Wasser gewaschen, über Natriumsulfat getrocknet und letztlich i. Vak. zur Trockene eingedampft. Der erhaltene Rückstand wird mit Petroläther verrieben und anschließend aus 75%-igem Methanol umkristallisiert; Ausbeute: 98 mg (83% d.Th.); **F**: 188–190° (Lit.[7] F: 188–190°).

L-Methionyl-glycyl-L-phenylalanyl-glycyl-L-prolyl-L-glutamyl(γ-tert.-butylester)-O-tert.-butyl-L-threonyl-L-prolin-amid [H-Met-Gly-Phe-Gly-Pro-Glu(OtBu)-Thr(tBu)-Pro-NH_2][3]: 3 g BPOC-Met-Gly-Phe-Gly-Pro-Glu(OtBu)-Thr(tBu)-Pro-NH_2 in 35 *ml* Dichlormethan werden mit 28 *ml* 75%-iger Chloressigsäure versetzt. Nach 10 Min. wird zur Reaktionsmischung 170 *ml* eiskalte 2n Natriumcarbonat-Lösung

[1] P. Sieber u. B. Iselin, Helv. **51**, 622 (1968).
[2] W. Rittel et al., Helv. **51**, 924 (1968).
[3] B. Riniker et al., Helv. **52**, 1058 (1969).
[4] R. D. Cowell u. J. H. Jones, Soc. [Perkin I] **1972**, 1814.
[5] D. Yamashiro, J. Blake u. C. H. Li, Am. Soc. **94**, 2855 (1972).
[6] P. Sieber u. B. Iselin, Helv. **52**, 1525 (1969).
[7] R. Schwyzer u. P. Sieber, Helv. **49**, 134 (1966).

Tab. 18. N_α-2-[Biphenylyl-(4)]-propyl-(2)-oxycarbonyl-[BPOC]-L-aminosäuren*

Aminosäure		F [°C]	$[\alpha]_D$	t	c	Lösungsmittel	Literatur
Ala	a	139–140 (Zers.)					1,2
	b	178–180	—39,4[e]		1	Methanol	3,1,4
Asn	a	218–220	—13,8[e]	22	1	Dimethylformamid	3,5
Gln	a	140–142	+ 3,9	20	1	Methanol	2
	b	107–110 (Zers.)	+ 7,0	20	1	Methanol	1
	c	172–173	+11,2[e]		1	Methanol	3
Glu	a	195–198	— 8,8	20	1	Dimethylformamid	2
Gly	a	142–143 (Zers.)					1
	b	192–193 (Zers.)					5,4
His	a	189–190					4
	c	146–149	—13,0	24	1	Dimethylformamid	6
Ile	a	225–240 (Zers.)	— 2,0	20	1	Methanol	1
	c	230–232					4
Leu	a	227–230 (Zers.)	—12,0	20	1	Methanol	5,3
	b	115–116	— 4,4	20	2	Methanol	7
	c	148–150					4
Met	b	143–145	+14,0	20	1	Methanol	5,4
Phe	b	116–119 (Zers.)	+33,0	20	1	Methanol	5,3,4
Phg**	c	176–178	—48,1[e]		1	Methanol	3
Pro	b	173–175 (Zers.)	—12,0	20	1	Methanol	5

* N_α-BPOC-Derivate ω-geschützter mehrfunktioneller Aminosäuren siehe Abschnitt „Mehrfunktionelle Aminosäuren", Tab.

[a] freie Säure [b] DCHA-Salz [e] $[\alpha]_{578}$
[c] CHA-Salz [d] Monohydrat ** Werte für die D-Verbindung

[1] P. SIEBER u. B. ISELIN, Helv. **52,** 1525 (1969).
[2] S. S. WANG u. R. B. MERRIFIELD, Int. J. Pept. Prot. Res. **1,** 235 (1969).
[3] E. SCHNABEL, G. SCHMIDT u. E. KLAUKE, A. **743,** 69 (1963).
[4] R. S. FEINBERG u. R. B. MERRIFIELD, Tetrahedron **28,** 5865 (1971).
[5] P. SIEBER u. B. ISELIN, Helv. **51,** 622 (1968).
[6] D. YAMASHIRO, J. BLAKE u. C. H. LI, Am. Soc. **94,** 2855 (1972).
[7] E. WÜNSCH, unveröffentlichte Ergebnisse.

Tab. 18. (Fortsetzung)

Aminosäure		F [°C]	$[\alpha]_D$	t	c	Lösungsmittel	Literatur
Pro	c	154–158					1
Ser	b	154–156	+ 2,5[d]		1	Methanol	2
	c	152–152,5 (Zers.)	+ 5,0	20	1	Methanol	3
Thr	c	168–170 (Zers.)	+ 1,0	20	1	Methanol	2,3
Trp	a	142–145	+36,8	20	1	Methanol	4
	b	amorph					1
Tyr	c	248–252 (Zers.)	+39,0	20	1	Methanol	5
Val	a	223–225	—14,9				4
	b	179–180	— 6,9[d]		1	Methanol	2
	c	178–180 (Zers.)	— 8,0	20	1	Methanol	1,5

[a] freie Säure [b] DCHA-Salz [c] CHA-Salz
[d] $[a]_{578}$

zugegeben, das ausgeschiedene Produkt mit Butanol/Essigsäure-äthylester (1 : 1) extrahiert. Der organische Extrakt wird mit Wasser neutral gewaschen und letztlich i. Vak. zur Trockene gebracht. Nach 2maligem Umfällen aus Essigsäure-äthylester/Hexan: chromatographisch einheitliches amorphes Pulver; Ausbeute: 1,93 g.

Bei der hohen Spaltungs-Selektivität gegenüber ω-Amino-, Hydroxy- und Carboxy-Maskierungen auf tert.-Butyl-Basis bildet die N_α-[2-Biphenylyl-(4)]-propyl-(2)-oxycarbonyl-Schutzgruppe eine willkommene Bereicherung für die Synthese höherer Peptide[6–9]; sie könnte zur echten Konkurrenz für den 2-Nitro-phenylsulfenyl-Rest reifen. (Über die Bedeutung des Schutzes der α-Amino-Funktion mittels dieser Schutzgruppe bei Festkörper-Synthesen[10,11] s. S. 375.)

Auf eine Abspaltungs-Möglichkeit der N_α-[2-Biphenylyl-(4)]-propyl-(2)-oxycarbonyl-Gruppe durch katalytische Hydrogenolyse sei hingeweisen; sie wurde bislang jedoch nicht studiert[5].

---

[1] R. S. Feinberg u. R. B. Merrifield, Tetrahedron **28**, 5865 (1971).
[2] E. Schnabel, G. Schmidt u. E. Klauke, A. **743**, 69 (1963).
[3] P. Sieber u. B. Iselin, Helv. **52**, 1525 (1969).
[4] S. S. Wang u. R. B. Merrifield, Int. J. Pept. Prot. Res. **1**, 235 (1969).
[5] P. Sieber u. B. Iselin, Helv. **51**, 622 (1968).
[6] W. Rittel et al., Helv. **51**, 924 (1968).
[7] B. Riniker et al., Helv. **52**, 1058 (1969).
[8] B. Kamber u. W. Rittel, Helv. **52**, 1074 (1969).
[9] P. Sieber et al., Helv. **51**, 2057 (1968).
[10] S. Wang u. R. B. Merrifield, Am. Soc. **91**, 6488 (1969).
[11] D. Yamashiro, J. Blake u. C. H. Li, Am. Soc. **94**, 2855 (1972).

31.111.36.2. α,α-Dimethyl-3,5-dimethoxy-benzyloxycarbonyl-[DDZ]-Schutzgruppe

Diese neue N-Schutzgruppe, von Birr et al.[1] erstmals beschrieben, stellt eine Kombination der photosensitiven und säurelabilen 3,5-Dimethoxy-benzyloxycarbonyl-[35DZ]- (s. S. 81) und thermo- und säurelabilen α,α-Dimethyl-benzyloxycarbonyl-[DMZ]-Reste (vgl. Tab. 16, S. 142) dar.

Die Einführung der α,α-Dimethyl-3,5-dimethoxy-benzyloxycarbonyl-Schutzgruppe* wird von den Autoren[1] mit Hilfe von α,α-Dimethyl-3,5-dimethoxy-benzyloxycarbonyl-azid (I) vorgenommen. Das Azid ist auf folgendem Wege zugänglich: 3,5-Dimethoxy-benzoesäure-methylester oder -äthylester (II) läßt sich nach Grignard mit Methyl-magnesiumjodid in das kristalline 2-(3,5-Dimethoxy-phenyl)-propanol-(2) (III) überführen. Dessen Umsetzungen mit Chlorkohlensäureestern des Phenols, des Trichlorphenols und des Pentachlorphenols führen zu den relativ leicht zersetzlichen, gemischten Carbonaten IVa, b, c. Hydrazinolyse dieser rohen Carbonate erbringt in guter Ausbeute (α,α-Dimethyl-3,5-dimethoxy-benzyloxycarbonyl)-hydrazin (V), das in 1,4-Dioxan/Eisessig mit wäßriger Natriumnitrit-Lösung zu 94% in das kristallisierte, weder in rohem noch in reinem Zustand auf Schlag oder Reibung explosive Azid I überführbar ist. Die Acylierung von Aminosäuren mit dem Azid I erfolgt in wäßriger Lösung nach Schnabel[2] oder besser über deren Trimethylbenzylammonium-Salze[3] in wasserfreiem Pyridin, da die Umsetzung in wäßriger Lösung wesentlich langsamer abläuft als mit tert.-Butyloxycarbonyl-azid und daher während der zu langen Reaktionsdauer eine partielle Hydrolyse des Acyl-Donators I nicht ausgeschlossen werden kann.

$3,5-(H_3CO)_2C_6H_3-COOC_2H_5$ (II) $\xrightarrow{H_3C-MgJ}$ $3,5-(H_3CO)_2C_6H_3-C(CH_3)_2-OH$ (III)

$\xrightarrow{Ar-OCOCl}$ $3,5-(H_3CO)_2C_6H_3-C(CH_3)_2-O-CO-O-Ar$ (IVa-c) $\xrightarrow{N_2H_4}$ $3,5-(H_3CO)_2C_6H_3-C(CH_3)_2-O-CO-NH-NH_2$ (V)

$\xrightarrow{HNO_2}$ $3,5-(H_3CO)_2C_6H_3-C(CH_3)_2-O-CO-N_3$ (I)

Ar = C_6H_5; $Cl_3C_6H_2$; Cl_5C_6

* Auch als 2-[(3,5-Dimethoxy-phenyl)-propyl-(2)-oxycarbonyl]-Rest zu bezeichnen.

1 C. Birr et al., A. **763**, 162 (1972).

2 E. Schnabel, A. **702**, 188 (1967).

3 Vgl. P. Sieber u. B. Iselin, Helv. **51**, 622 (1968).

α,α-Dimethyl-3,5-dimethoxy-benzyloxycarbonyl-azid (I):

3,5-Dimethoxy-benzoesäure-äthylester (II)[1]: 470 *ml* absol. Äthanol werden unter Eis/Kochsalz-Kühlung und kräftigem Rühren mit 48 *ml* Thionylchlorid tropfenweise versetzt; die Mischung wird ohne Kühlung weitergerührt und nach Erreichen von 20° mit 110 g 3,5-Dimethoxy-benzoesäure versetzt. Man rührt 4–5 Stdn. bei 40–50° und 12–14 Stdn. bei 20°. Die entstandene klare Lösung wird i. Vak. bei 40° eingedampft, das zurückbleibende Öl in Diäthyläther aufgenommen, die erhaltene Lösung 4mal mit eiskalter 10%-iger Kaliumhydrogencarbonat-Lösung und Wasser gewaschen, über Natriumsulfat getrocknet, i. Vak. eingedampft und der Rückstand i. Hochvak. fraktioniert destilliert; Ausbeute: 115 g (92% d.Th.); $Kp_{0,001}$: 125°.

2-(3,5-Dimethoxy-phenyl)-propanol-(2) (III)[1]: Zu einer, in bekannter Manier, aus 7,4 g Magnesiumspänen und 18,5 *ml* Methyljodid in 100 *ml* absol. Diäthyläther gewonnenen Grignard-Lösung werden bei 0° 17,5 g 3,5-Dimethoxy-benzoesäure-äthylester in 80 *ml* absol. Diäthyläther zugetropft. Nach 12stdgm. Rühren bei 20° wird der Reaktionsansatz auf ~ 500 g Eis gegossen, die Mischung unter Umrühren mit fester Citronensäure auf $p_H = 4$ gestellt und anschließend 3mal mit je 100 *ml* Diäthyläther extrahiert. Die abgetrennte organische Phase wäscht man mit 10%-iger Kaliumhydrogencarbonat-Lösung und Wasser, trocknet sie über Natriumsulfat und dampft sie schließlich i. Vak. ein. Das zurückbleibende, rasch kristallisierende braune Öl wird erschöpfend mit Petroläther (Kp: 60–95°) extrahiert; aus diesen Auszügen kristallisieren lange farblose Nadeln; Ausbeute: 17 g (87% d.Th.); F: 55°.

[2-(3,5-Dimethoxy-phenyl)-propyl-(2)]-phenyl-carbonat (IVa)[1]: 19,8 g 2-(3,5-Dimethoxy-phenyl)-propanol-(2) in 100 *ml* absol. Dichlormethan und 12 *ml* absol. Pyridin werden bei –5° innerhalb 30 Min. mit 16,5 g Chlorameisensäure-phenylester in 50 *ml* absol. Dichlormethan versetzt. Das über Nacht bei 0° gerührte Reaktionsgemisch wird anschließend auf ~ 300 g Eis gegossen, die Mischung nach Zugabe von weiteren 100 *ml* Dichlormethan kräftig durchgerührt. Die abgetrennte organische Phase wird 5mal mit Wasser gewaschen, über Natriumsulfat getrocknet und letztlich bei 30° i. Vak. eingedampft; Rohausbeute: 32 g (100% d.Th.); gelbes, nicht destillierbares Öl.

Die mit Chlorameisensäure-2,4,5-trichlor-phenylester und -pentachlor-phenylester auf analoge Weise zugänglichen gemischten Carbonate (IVb und c) können in 72- bzw. 54%-iger Ausbeute aus Petroläther kristallin erhalten werden.

α,α-Dimethyl-3,5-dimethoxy-benzyloxycarbonyl-hydrazin (V)[1]: Zu 32 g [2-(3,5-Dimethoxy-phenyl)-propyl-(2)]-phenyl-carbonat (IVa) in 40 *ml* Dimethylformamid werden bei 0° 25 *ml* 99%-iges Hydrazin-Hydrat unter Rühren zugetropft. Nach 30 Min. langem Rühren bei 0° und 6stdgm. Stehenlassen bei 20° wird die Reaktionsmischung nach erneuter Abkühlung auf 0° vorsichtig mit 200 *ml* Eiswasser versetzt; hierauf tritt kristalline Abscheidung ein, die zur Vervollständigung über Nacht bei 0° gerührt wird. Der schwach hellgelbe Kristallbrei wird abfiltriert, mit Eiswasser gewaschen und letztlich aus Methanol umkristallisiert; Ausbeute: 20 g (80% d.Th.); F: 108°.

α,α-Dimethyl-3,5-dimethoxy-benzyloxycarbonyl-azid (I)[1]: 25,4 g *α,α*-Dimethyl-3,5-dimethoxy-benzyloxycarbonyl-hydrazin (V) in 150 *ml* 1,4-Dioxan werden bei 0° mit 17 *ml* Eisessig versetzt und danach unter kräftigem Rühren und sorgfältiger Temperaturkontrolle (0–2°) mit 26 *ml* einer 5 m wäßrigen Natriumnitrit-Lösung tropfenweise versetzt. Die Reaktionslösung wird 3 Stdn. bei 0° gerührt, anschließend in das doppelte Vol. Eis/Wasser eingegossen. Nach 2stdgm. Stehenlassen des Ansatzes bei 5° wird der farblose Kristallbrei abfiltriert, mit Eiswasser sorgfältig säurefrei gewaschen und anschließend im Exsikkator über Calciumchlorid getrocknet; Ausbeute: 25 g (94% d.Th.); F: 70° [aus Petroläther (Kp: 60–95°), lange Nadeln].

Wegen der Empfindlichkeit der Verbindung ist Arbeiten in Braunglasgeräten oder im Dunkeln empfehlenswert.

N-(α,α-Dimethyl-3,5-dimethoxy-benzyloxycarbonyl)-[DDZ]-aminosäuren; allgemeine Herstellungsvorschrift[1]: 2,30 mMol Aminosäure werden in 100 *ml* (~ 240 mMol) Trimethylbenzyl-ammoniumhydroxid-Lösung (Triton B; 40%-ige methanolische Lösung) und 200 *ml* Methanol bei 40–60° gelöst (nur bei besonderem Bedarf unter Zusatz von wenig Wasser). Die erhaltene Lösung wird i. Vak. eingedampft, das meist sirupöse Produkt zweimal mit 500 *ml* Benzol behandelt und erneut i. Vak. eingedampft. Der wasserfreie Rückstand wird unter Rühren und Feuchtigkeitsausschluß in 400 *ml* absol. Pyridin bei 40° gelöst, evtl. unter Zusatz von wenig Dimethylformamid; zu dieser Lösung werden innerhalb 30 Min. 81 g *α,α*-Dimethyl-3,5-dimethoxy-benzyloxycarbonyl-azid in 200 *ml* absol. Pyridin zugetropft. Das Reaktionsgemisch wird 48 Stdn. bei 40° gerührt und anschließend i. Vak. eingedampft. Die Lösung des Rückstands in 500 *ml* n Natronlauge wird 4mal mit ~ 300 *ml* Diäthyläther extrahiert (s. u.), nach

---

[1] C. Birr et al., A. **763**, 162 (1972).

Zugabe von ~ 200 g Eis mit 50%-iger Citronensäure-Lösung auf $p_H = 4$ angesäuert und letztlich 4mal mit je 300 *ml* Dichlormethan ausgeschüttelt. Die vereinigten organischen Phasen werden wie üblich mit Wasser gewaschen, mit Natriumsulfat getrocknet und i. Vak. eingedampft. Der feste Rückstand wird in wasserfreiem Diäthyläther aufgenommen; auf Zusatz von 1,1 Äquiv. Dicyclohexylamin zu dieser Lösung tritt Kristallisation ein; Ausbeute: 80–98% d. Th. an *Dicyclohexylamin-Salz.*

Die N-Acyl-Derivate von Phenylalanin (aus Methanol/Wasser), Prolin (aus Essigsäure-äthylester/Petroläther), Cystin und Tryptophan können auch in freier Form kristallin erhalten werden.

Anmerkung: Die o. g. Diäthyläther-Extrakte werden gesammelt, 3mal mit Wasser gewaschen, mit Natriumsulfat getrocknet und letztlich i. Vak. eingedampft. Aus der Lösung des erhaltenen Rückstands in siedendem Petroläther (Kp: 60–95°) kristallisiert zunächst *α,α*-Dimethyl-3,5-dimethoxy-benzyloxy-carbonyl-azid; aus der Mutterlauge läßt sich nach dem Einengen 2-(3,5-Dimethoxy-phenyl)-propanol-(2) kristallisieren.

Der peptidsynthetische Einsatz von N-(*α,α*-Dimethyl-3,5-dimethoxy-benzyloxycarbonyl)-aminosäuren kann analog den tert.-Butyloxycarbonyl-Verbindungen erfolgen: Birr et al.[1] bevorzugen die Misch-Anhydrid- und Carbodiimid-Methode.

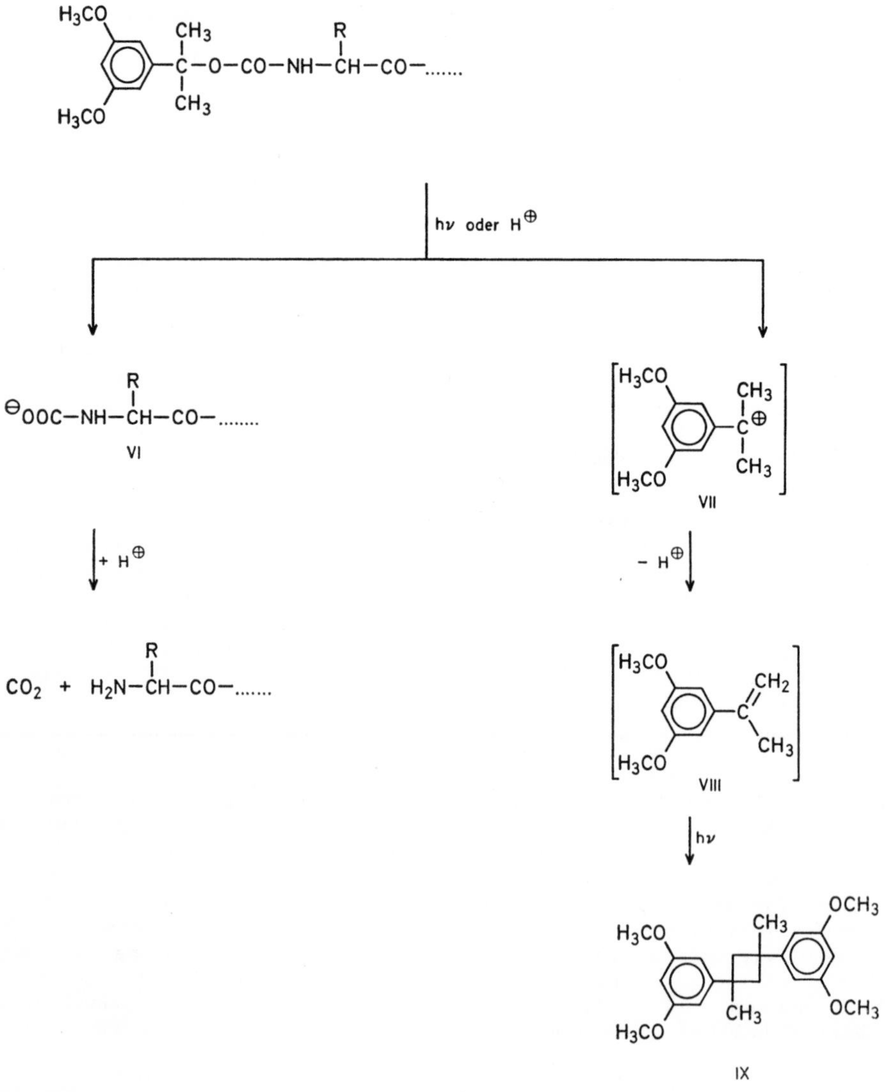

H3CO, H3CO, CH3, CH3, R, —C—O—CO—NH—CH—CO—.......

hν oder H⊕

R, ⊖OOC—NH—CH—CO—.......

VI

H3CO, H3CO, CH3, C⊕, CH3

VII

+ H⊕

− H⊕

R, CO_2 + H_2N—CH—CO—.......

H3CO, H3CO, CH2, C, CH3

VIII

hν

H3CO, H3CO, CH3, CH3, OCH3, OCH3

IX

[1] C. Birr et al., A. **763**, 162 (1972).

Der entscheidende Vorteil dieser neuen N-Maskierung soll, nach den Autoren[1], in den relativ günstigen Deblockierungsmöglichkeiten liegen. Die Spaltung der neuen Urethan-Gruppierung unter acidolytischen Bedingungen verläuft einerseits etwa halb so rasch wie die der 2-Biphenylyl-(4)-propyl-(2)-oxycarbonyl-[BPOC]-amin-Bindung {was gleichbedeutend ist mit einer erhöhten Stabilität der N-(α,α-Dimethyl-3,5-dimethoxy-benzyloxycarbonyl)- gegenüber den N-[2-Biphenylyl-(4)]-propyl-(2)-oxycarbonyl-aminosäuren}, andererseits aber um den Faktor 10^3 rascher als die der tert.-Butyloxycarbonyl-amin-Bindung. So gelingt eine vollständige Abspaltung der Schutzgruppe mit 50%-iger Essigsäure bei 50° innerhalb von 20 Min. oder mit 80%-iger Essigsäure bei 20° in ~ 3 Stdn.; mit 5%-iger Trifluoressigsäure in Dichlormethan ist die Entacylierung bei 20° nach 8 Min. bereits beendet, mit 10%-igem oder gar wasserfreiem Reagenz in wenigen Sekunden[1].

Des weiteren gelingt die Abspaltung der Schutzgruppe auf photolytischem Wege[1]; vollständige Desacylierung der N-(α,α-Dimethyl-3,5-dimethoxy-benzyloxycarbonyl)-aminosäuren erfolgt in wasserfreiem Tetrahydrofuran (6 m Lösungen) bei einer Strömungsgeschwindigkeit von 1 *ml*/Min. und bei 11° durch Bestrahlung mit einer 1KW-Quecksilber-Hochdrucklampe (Quarzlampengesellschaft Hanau).

Beide Reaktionen, die acidolytische wie die photolytische, führen zunächst zur Aufspaltung der Urethan-Bindung in ein Carbaminat-Anion der Aminosäure VI und ein Carbonium-Ion VII; letzteres eliminiert ein Proton und bildet 2-(3,5-Dimethoxy-phenyl)-propen (VIII), das unter photolytischen Bedingungen zum 1,3-Dimethyl-1,3-bis-[3,5-dimethoxy-phenyl]-cyclobutan (IX) dimerisiert[1] (s. Formelschema S. 152).

Über die Verwendung von N-(α,α-Dimethyl-3,5-dimethoxy-benzyloxycarbonyl)-aminosäuren für Festkörpersynthesen nach Merrifield s. S. 375.

31.111.37. 2-Äthinyl-propyl-(2)-oxycarbonyl-[EPOC]-Schutzgruppe

Carbamidsäure-tert.-ester vom Typ der 1,1-Dialkyl-propin-(3)-oxycarbonyl-amine (I) bzw. 2-Äthinyl-propyl-(2)-oxycarbonyl-[EPOC]-amine sind nach Cassady und Easton[2] unter „Iminocarbonat-Cyclisierung" in Richtung freies Amin spaltbar. Die für den Ringschluß (intramolekulare Carbonyl-O-Alkylierung) entscheidende elektrophile Reaktivität eines C-Atoms wird durch Protonierung der Propin-Bindung mittels Chlorwasserstoff in inerten Lösungsmitteln ausgelöst.

Die in ~ 80%-iger Ausbeute, in Form der Hydrochloride isolierbaren 2-subst.-Imino-4,4-dialkyl-5-methylen-1,3-dioxolane (II) sind leicht zu den entsprechenden cycl. Glykol-carbonaten III und Amin-Hydrochloriden IV hydrolysierbar (vgl. dazu S. 100, 102, 110).

I $\xrightarrow{+\ HCl}$ II $\xrightarrow{+\ H_2O}$ III + $H_2N{-}R{\cdot}HCl$ (IV)

z. B. $R^1 = R^2 = CH_3$

[1] C. Birr et al., A. **763**, 162 (1972).

[2] D. R. Cassady u. N. R. Easton, J. Org. Chem. **29**, 2032 (1964).

Über eine Verwendung dieses Carbamidsäure-ester-Typs als N-Schutzgruppe zu Peptidsynthesen haben neuerdings Southard et al.[1] berichtet.

N-[2-Äthinyl-propyl-(2)-oxycarbonyl]-[EPOC]-aminosäuren sind nach den Autoren[1] vermittels des Chlorameisensäureesters (zur Herstellung s. Carpino et al.[2]) oder des gemischten [2-Äthinyl-propyl-(2)]-(2,4,5-trichlor-phenyl)-carbonats zugänglich; sie können in Form der Dicyclohexylamin-Salze in kristallisierter Form erhalten werden. Die Umsetzung der N-[2-Äthinyl-propyl-(2)-oxycarbonyl]-aminosäuren bzw. -peptide mit Aminosäure- oder Peptid-estern wird nach dem Carbodiimid- oder N-Äthoxycarbonyl-2-äthoxy-1,2-dihydro-chinolin-[EEDQ]-Verfahren vollzogen.

Im Gegensatz zu Cassady und Easton[3] bevorzugen Southard et al.[1] eine Abspaltung der Schutzgruppe durch katalytische Hydrogenolyse (Palladium-Kohle) in methanolischer Lösung. Diese Deblockierung soll auch bei Methionin- und S-Benzyl-cystein-haltigen Peptiden einwandfrei möglich sein, wie die Autoren[1] an Hand der Synthese von EPOC-Phe-Phe-Met-Gly-OEt bzw. H-Cys(BZL)-Gly-Phe-OMe · HCl schildern.

31.111.40. *Carbamidsäure-phenylester*

31.111.41. Phenyloxycarbonyl-[PhOC]- und Tolyloxycarbonyl-[TOC]-Schutzgruppen

Phenyloxycarbonyl- und Tolyloxycarbonyl-Maskierungen der Amino-Gruppe wurden von Young et al.[4] sowie Boissonnas[5] studiert; ihrer schweren Abspaltbarkeit[5] wegen sind sie für eine peptidsynthetische Verwendung jedoch uninteressant.

31.111.42. 3-Nitro-phenoxycarbonyl-[NOC]-Schutzgruppe

Dem N-(3-Nitro-phenoxycarbonyl)-[NOC]-Rest hat man gewisse Beachtung zu zollen, da dessen Abspaltung durch UV-Bestrahlung (Hg-Lampe) bzw. tert. Basen in Wasser möglich ist[6]. Die photolytische wie tert.-Basen-Entacylierung von 3-Nitro-phenoxycarbonyl-peptiden(-estern) (I) führte unter der bisher geübten Methodik jedoch nicht zu den freien Peptiden (Estern), sondern unter Freisetzen von 3-Nitro-phenol (II) zu Hydantoin-Derivaten IV, möglicherweise über die N-Carbonyl-Verbindungen III als Intermediärprodukt:

I: O_2N-C$_6$H$_4$-O-CO-NH-CH(R)-CO-NH-CH(R)-CO-OR^1 $\xrightarrow{+ h\nu \text{ bzw. } (H_5C_2)_3N}$ II: O_2N-C$_6$H$_4$-OH + III: O=C=N-CH(R)-CO-NH-CH(R)-CO-OR^1

+ IV (Hydantoin: R-substituiertes Imidazolidin-2,4-dion, N-3 substituiert mit CH(R)-CO-OR^1)

---

[1] G. L. Southard, B. R. Zaborowsky u. J. M. Pettee, Am. Soc. **93**, 3302 (1971).
[2] L. A. Carpino et al., J. Org. Chem. **35**, 3291 (1970).
[3] D. R. Cassady u. N. R. Easton, J. Org. Chem. **29**, 2032 (1964).
[4] D. M. Channing, P. B. Turner u. G. T. Young, Nature **167**, 197 (1951).
[5] R. A. Boissonnas u. G. Preitner, Helv. **36**, 875 (1953).
[6] T. Wieland, Acta chim. Acad. Sci. hung. **44**, 5 (1965).

31.111.43. 2,4-Dinitro-phenoxycarbonyl-[DNOC]-Schutzgruppe

Bei N-(2,4-Dinitro-phenoxycarbonyl)-aminosäure-estern ist die Tendenz der Abspaltung von 2,4-Dinitro-phenol und Bildung der N-Carbonyl-Derivate bereits so groß (z. B. beim Erwärmen ihrer Lösung bzw. Aufbewahren in Pyridin bei Raumtemp.), daß Gante[1] unter diesen Bedingungen N-(2,4-Dinitro-phenoxycarbonyl)-aminosäureester mit N-Acyl-aminosäuren zu N-Acyl-peptidestern verknüpfen konnte. Seine Annahme, daß hierbei eine neuartige Peptidsynthese unter „Aminoaktivierung" vorliegt, dürfte aus genannten Gründen irrig sein (s. auch S. II/186).

31.111.50. *„Carbamidsäureester" von N,N-Dialkyl-hydroxylaminen*

31.111.51. Piperidino-oxycarbonyl-[PiOC]-Schutzgruppe

N-(Piperidino-oxycarbonyl)-[PiOC]-aminosäuren (I) wurden von Young et al.[2,3] durch Umsetzung von α-Isocyanat-fettsäureestern (II) mit 1-Hydroxy-piperidin (III) in Petroläther oder Aminosäureestern mit (2,4,5-Trichlor-phenyl)-[piperidyl-(1)]-carbonat (IV) (aus Chlorameisensäure-2,4,5-trichlor-phenylester und 1-Hydroxy-piperidin in Äther erhältlich) in 1,4-Dioxan und anschließende Verseifung der N-Acyl-aminosäureester V synthetisiert:

N–O–CO–OSU (VI) ← + Cl–CO–OSU — N–OH (III) — + Cl–CO–TCP → N–O–CO–OTCP (IV)

VI → + H_2N–CH(R)–COOH, + $(H_3C)_2N$–C(=NH)–$N(CH_3)_2$ → I

III → + ONC–CH(R)–CO–OR^1 (II) → V

IV → + H_2N–CH(R)–CO–OR^1 → V

N–O–CO–NH–CH(R)–COOH (I) ← NaOH — N–O–CO–NH–CH(R)–CO–OR^1 (V)

Die Anwendung von (2,3,4,5,6-Pentachlor-phenyl)-, (4-Nitro-phenyl)- und (2,4-Dinitro-phenyl)-[piperidyl-(1)]-carbonat als „Einführungs-Reagenzien" verlief weniger erfolgreich; für die schlechten Ausbeuten an Piperidino-oxycarbonyl-Derivaten soll vor allem die schlechte Abtrennbarkeit der „Phenol-Beiprodukte" verantwortlich sein[3].

Schließlich gelang mit Hilfe von [Succinimidyl-(1)]-piperidyl-(1)-carbonat (VI) die Acylierung von Aminosäure-1,1,3,3-tetramethyl-guanidinium-Salzen in Dimethylformamid, was bedeutet, daß die N-(Piperidino-oxycarbonyl)-aminosäuren (I) sofort nach üblicher Aufarbeitung erhalten werden können[3].

(2,4,5-Trichlor-phenyl)-piperidyl-(1)-carbonat[3]: 27 g Chlorameisensäure-2,4,5-trichlor-phenylester in 100 *ml* Dichlormethan werden bei –5° zunächst mit 12 g N-Hydroxy-piperidin in 20–30 *ml* Dichlormethan und anschließend mit 12 g N,N-Dimethyl-anilin tropfenweise versetzt. Die Reaktionsmischung wird sofort mit verd. Salzsäure, ges. Natriumhydrogencarbonat-Lösung und Natriumchlorid-haltigem Wasser wie üblich gewaschen und getrocknet. Nach Entfernen des Lösungsmittels i. Vak. verbleibt ein fester Rückstand, der aus Essigsäure-äthylester/Petroläther umkristallisiert wird; Ausbeute: 20 g (60% d.Th.); F: 97–98° (Nadeln).

---

1 J. Gante, Ang. Ch. **77**, 813 (1965).
2 D. Stevenson u. G. T. Young, Chem. Commun. **1967**, 900.
3 D. Stevenson u. G. T. Young, Soc. [C] **1969**, 2389.

Auf ähnliche Weise erhält man

(4-Nitro-phenyl)-piperidyl-(1)-carbonat	82% d. Th.	F: 79–80°
(2,4-Dinitro-phenyl)-piperidyl-(1)-carbonat	85% d. Th.	F: 122–123°
(Pentachlor-phenyl)-piperidyl-(1)-carbonat	85% d. Th.	F: 110°

[Succinimidyl-(1)]-piperidyl-(1)-carbonat[1]:

Chlorameisensäure-(N-hydroxy-succinimid)-ester: 36 g N-Hydroxy-succinimid in 200 *ml* Äthanol werden mit 18 g Kaliumhydroxid in 700 *ml* Äthanol versetzt. Das erhaltene N-Hydroxy-succinimid-Kaliumsalz wird mit Äther gewaschen und letztlich bei 100° getrocknet.

48 g trockenes N-Hydroxy-succinimid-Kaliumsalz wird in Portionen zu einer Lösung von 70 g Phosgen in 350 *ml* Dichlormethan unter Rühren bei –5° zugesetzt. Nach 2stdgm. Rühren der Reaktionsmischung wird vom Kaliumchlorid abfiltriert und das Filtrat i. Vak. eingedampft. Das verbleibende Material wird in 300 *ml* Äther aufgenommen. Ein verbleibender weißer Rückstand wird abfiltriert [Disuccinimidyl-(1)-carbonat; F: 85–90°]. Das nach Entfernen des Lösungsmittels i. Vak. erhaltene Material kristallisiert beim Aufbewahren über Nacht bei –40°; Ausbeute: 32,0 g (54% d. Th.); F: 34–35°.

[Succinimidyl-(1)]-[piperidyl-(1)]-carbonat: 10 g des erhaltenen Chlorameisensäure-(N-hydroxy-succinimid)-esters in 50 *ml* Dichlormethan werden bei 0° nacheinander tropfenweise mit 5 g N-Hydroxy-piperidin in 25 *ml* Dichlormethan und 5 g N-Methyl-morpholin versetzt. Die Reaktionsmischung wird sofort mit verd. Salzsäure, ges. Natriumhydrogencarbonat-Lösung und Wasser wie üblich gewaschen und getrocknet. Nach Entfernen des Lösungsmittels i. Vak. erhält man ein zähes Öl, das beim Behandeln mit absol. Diäthyläther kristallisiert; Ausbeute: 10 g (74% d. Th.); F: 88–89° (aus Dichlormethan/Diäthyläther).

N-(Piperidino-oxycarbonyl)-aminosäureester; allgemeine Herstellungsvorschrift:

Methode ⓐ[1]: N-(Piperidino-oxycarbonyl)-glycin-methylester [PiOC-Gly-OEt]: 1,1 g N-Hydroxy-piperidin in 5 *ml* Petroläther (Kp: 40–60°) werden tropfenweise mit einer eiskalten Lösung von 1,29 g Isocyanat-essigsäure-äthylester in 5 *ml* Petroläther versetzt. Nach kurzer Zeit beginnt sich ein öliges Produkt abzuscheiden, das beim Verreiben fest wird; es wird abfiltriert und 2mal aus Petroläther, das einige Tropfen Benzol enthält, umkristallisiert; Ausbeute: 1,9 g (83% d. Th.); F: 53–54° (Nadeln).

Methode ⓑ[1]: N-(Piperidino-oxycarbonyl)-L-phenylalanin-methylester [PiOC-Phe-OMe]: Zu 0,431 g H-Phe-OMe · HCl und 0,202 g Triäthylamin in 10 *ml* 1,4-Dioxan werden 0,71 g (2,4,5-Trichlor-phenyl)-[piperidyl-(1)]-carbonat zugesetzt; die Reaktionsmischung wird anschließend über Nacht gerührt (nach dieser Zeit zeigt ein Dünnschichtchromatogramm keine freie Aminokomponente mehr auf). Nach Entfernen des Lösungsmittels i. Vak. wird der verbleibende Rückstand zwischen Diäthyläther und verd. Salzsäure verteilt; die abgetrennte organische Phase wird mit n Natronlauge und Natriumchlorid-haltigem Wasser wie üblich gewaschen und getrocknet. Nach Eindampfen i. Vak. erhält man einen festen Rückstand, der aus wenig Diäthyläther enthaltendem Petroläther umkristallisiert wird; Ausbeute: 0,44 g (74% d. Th.); F: 78–79°; $[\alpha]_D^{20} = -27{,}5°$ (c = 1, in Dimethylformamid).

Beim analogen Einsatz von [Succinimidyl-(1)]- oder (Pentachlorphenyl)-[piperidyl-(1)]-carbonat werden 86% bzw. nur 55% an N-Acyl-aminosäureester erhalten.

N-(Piperidino-oxycarbonyl)-aminosäuren; allgemeine Herstellungsvorschrift:

Methode ⓐ: Verseifung der N-Acyl-ester[1]:

N-(Piperidino-oxycarbonyl)-glycin [*PiOC-Gly-OH*]: 2,3 g PiOC-Gly-OEt werden nach Versetzen mit 10 *ml* n Natronlauge und 5 *ml* Tetrahydrofuran bei Raumtemp. bis zum Erreichen einer homogenen Lösung (~ 2 Min.) geschüttelt. Nach weiteren 15 Min. werden zur Reaktionsmischung 10 *ml* n Salzsäure zugegeben, das Gemisch i. Vak. bei 40° auf ~ 10 *ml* konzentriert. Das abgeschiedene Öl wird in Essigsäure-äthylester aufgenommen; die abgetrennte organische Phase nach üblichem Trocknen i. Vak. eingedampft; Ausbeute: 1,6 g (80% d. Th.); F: 119–120°.

N-(Piperidino-oxycarbonyl)-glycin-Dicyclohexylamin-Salz [*PiOC-Gly-OH · DCHA*]: 0,5 g des erhaltenen Glycin-Derivats in 3 *ml* Essigsäure-äthylester werden mit 0,9 g Dicyclohexylamin in 3 *ml* Diäthyläther versetzt; nach Zugabe von weiteren 10 *ml* Diäthyläther tritt Fällung ein; sie wird abfiltriert, aus Äthanol/Diäthyläther umkristallisiert; Ausbeute: 1,2 g (86% d. Th.); F: 145–150° (Zers.).

Methode ⓑ: Direkte Acylierung von Aminosäuren[1]: *N-(Piperidino-oxycarbonyl)-L-phenylalanin* [*PiOC-Phe-OH*]: 1,36 g Phenylalanin, suspendiert in 25 *ml* Dimethylformamid, werden mit 1,3 g 1,1,3,3-Tetramethyl-guanidin versetzt; zur erhaltenen klaren Lösung setzt man 3,6 g [Succinimidyl-(1)]-piperidyl-(1)-carbonat in kleinen Portionen zu, so daß die Temp. des Reaktionsgemisches 55° nicht übersteigt. Die Mischung wird 14 Stdn. lang bei 45–55° gehalten und anschließend i. Vak. vom Di-

[1] D. Stevenson u. G. T. Young, Soc. [C] **1969**, 2389.

methylformamid befreit. Der erhaltene Rückstand wird zwischen Dichlormethan und 2n Salzsäure verteilt, die abgetrennte organische Phase wie üblich mit Wasser gewaschen, getrocknet und i. Vak. eingedampft. Der verbleibende gummiartige Rückstand wird mit 20 *ml* n Natronlauge behandelt; unlösliches Material wird in Dichlormethan extrahiert. Das nach Ansäuern der alkalischen Phase mit verdünnter Salzsäure abgeschiedene Material wird in Essigsäure-äthylester aufgenommen; die erhaltene Lösung wird wie üblich getrocknet und wiederum i. Vak. eingedampft. Der verbleibende ölige Rückstand kristallisiert rasch nach Animpfen und wird aus Essigsäure-äthylester/Petroläther umkristallisiert; Ausbeute: 2,4 g (90% d. Th.); F: 79–80°; $[\alpha]_D^{20} = -16{,}5°$ (c = 1, in Dimethylformamid).

Das zugehörige *Dicyclohexylamin-Salz* wird nach Methode ⓐ erhalten; F: 140–141°; $[\alpha]_D^{20} = +67{,}7°$ (c = 1, in Dimethylformamid).

Der peptidsynthetische Einsatz von N-(Piperidino-oxycarbonyl)-aminosäuren kann nach Mischanhydrid-, Carbodiimid- oder Aktivesterverfahren erfolgen[1]. Für eine spätere selektive Entfernung der Schutzgruppen dürfte vor allem der Einsatz von Amino-Komponenten in Form von Aminosäure(peptid)-tert.-butylester bzw. -pyridyl-(4)-methylestern (= Picolylester) sinnvoll sein.

N-(Piperidino-oxycarbonyl)-L-methionyl-L-phenylalanin-tert.-butylester [PiOC-Met-Phe-OtBu][1]:

N-(Piperidino-oxycarbonyl)-L-methionin-(N-hydroxy-succinimid)-ester [PiOC-Met-OSU][1]: Zu 0,552 g PiOC-Met-OH und 0,202 g N-Methyl-morpholin in 10 *ml* Tetrahydrofuran werden bei –15° 0,217 g Chlorameisensäure-äthylester, nach 30 Sek. 0,34 g N-Hydroxy-succinimid und weitere 0,303 g N-Methyl-morpholin zugegeben. Die Reaktionsmischung wird 5 Min. bei 0°, 5 Min. bei Raumtemp. und letztlich 2 Min. bei 40° geschüttelt; nach üblicher Aufarbeitung und letztlich Umkristallisieren aus Chloroform/Essigsäure-äthylester/Petroläther werden farblose Nadeln erhalten; Ausbeute: 0,62 g (83% d. Th.); F: 120–122°; $[\alpha]_D^{20} = -26{,}5°$ (c = 1, in Dimethylformamid).

N-(Piperidino-oxycarbonyl)-L-methionyl-L-phenylalanin-tert.-butylester[1]: 1,0 g H-Phe-OtBu · H_3PO_3 in 20 *ml* Tetrahydrofuran werden nach Zugabe von 1 *ml* Triäthylamin 20 Min. gerührt; die zur Entfernung überschüssiger tert.-Base auf 5 *ml* konz. Mischung wird nun mehr mit 1,0 g PiOC-Met-OSU über 14 Stdn. umgesetzt. Der nach Entfernen des Lösungsmittels erhaltene Rückstand wird zwischen Essigsäure-äthylester und 20%-iger wäßriger Citronensäure verteilt; die abgetrennte organische Phase wird wie üblich mit Citronensäure-, Natriumhydrogencarbonat-Lösung und Wasser gewaschen und getrocknet. Der nach Eindampfen i. Vak. erhaltene Rückstand wird bei Behandeln mit Diäthyläther fest. Das erhaltene rohe Material in Diäthyläther läßt man eine Säule aus Silicagel (Chromedia SG 31; 25 g) passieren. Das i. Vak. eingedampfte Eluat (75 *ml*) hinterläßt einen chromatographisch reinen, festen Rückstand, der aus Diäthyläther/Petroläther umkristallisiert wird; Ausbeute: 0,7 g (56% d. Th.); F: 93–95°; $[\alpha]_D^{20} = +28{,}8°$ (c = 1, in Chloroform).

Der Vorteil dieser neuen „Urethan-Maskierung" der α-Amino-Funktion dürfte eindeutig in der Abspaltungstechnik für diese neue Schutzgruppe liegen. Durch katalytische Hydrogenolyse in verdünnter Essigsäure etc. (Palladiumkohle als Katalysator) oder durch elektrolytische Reduktion in einer Mischung von n Schwefelsäure/Tetrahydrofuran (1:1) oder n Schwefelsäure/Tetrahydrofuran/Triäthylamin/Essigsäure (4:3:0,56:2) – ähnlich der Nitro-Demaskierung der Guanido-Funktion des Arginins (s. S. 511) – läßt sich die N-Maskierung in Ausbeuten von 90% und mehr reversibel gestalten. Darüber hinaus gelingt die Entacylierung aber auch schon durch kurzzeitiges Erhitzen (auf 100°) mit 50%-iger Essigsäure oder besser mit Zink bzw. Natriumdithionit jeweils in wäßriger Essigsäure[1,2].

Allgemein anwendbare Abspaltung der Piperidino-oxycarbonyl-Schutzgruppe:

Methode ⓐ: Hydrogenolyse[1]: L-Methionyl-L-phenylalanin-tert.-butylester [H-Met-Phe-OtBu]: 0,2 g PiOC-Met-Phe-OtBu in 2,5 *ml* 1,4-Dioxan und 2,5 *ml* Essigsäure werden unter Zusatz von 0,1 g Palladium-Kohle (10%-ig) wie üblich mit Wasserstoff behandelt. Die Hydrogenolyse ist nach ~ 30 Min. beendet (Dünnschichtchromatogramm); das Filtrat vom Katalysator wird i. Vak. eingedampft. Die Lösung des Rückstands in Diäthyläther wird mit Kohle entfärbt; beim Abkühlen scheiden sich Nadeln ab; Ausbeute: 0,15 g (88% d. Th.); F: 93–97°; $[\alpha]_D^{20} = +29{,}9°$ (c = 1,0; in Chloroform).

---

[1] D. STEVENSON u. G. T. YOUNG, Soc. [C] **1969**, **2389**.

[2] D. STEVENSON u. G. T. YOUNG, Chem. Commun. **1967**, **900**.

Methode ⓑ: Elektrolytische Reduktion[1]: L-Methionyl-L-phenylalanin-tert.-butylester [H-Met-Phe-OtBu]: 0,2 g PiOC-Met-Phe-OtBu werden in einer Mischung von 4 *ml* n Schwefelsäure, 3 *ml* Tetrahydrofuran, 0,56 *ml* (4 mMol) Triäthylamin und 2 *ml* Essigsäure gelöst. Die Lösung wird in die Kathodenzelle einer Reduktionsapparatur (vgl. S. 511) eingebracht, ein Strom von 200 mA hindurchgeleitet. Nach 2 stdgr. Reduktionszeit ist die Reaktion beendet; der Stromfluß fällt auf 80 mA. Die Sulfat-Ionen werden wie üblich durch Rühren mit Dowex-4-Austauscher (Acetat-Form) entfernt, das Filtrat vom Katalysator i. Vak. zur Trockene eingedampft. Aus der Lösung des erhaltenen Rückstands in heißem Diäthyläther kristallisieren, rasch nach Animpfen, farblose Nadeln; Ausbeute: 0,15 g (88% d.Th.); F: 93–96°; $[\alpha]_D^{20} = +29,6°$ (c = 1,0; in Chloroform).

Methode ⓒ: Zink in Essigsäure[1]: L-Phenylalanin-methylester-Hydrochlorid [H-Phe-OMe·HCl]: 0,92 g PiOC-Phe-OMe in 5 *ml* 80%-iger Essigsäure werden nach Zusatz von 1,0 g Zinkstaub bei Raumtemp. 10 Min. gerührt. Anschließend wird das Reaktionsgemisch mit Wasser auf 30 *ml* verdünnt, mit Diäthyläther ausgezogen und letztlich mit Natriumhydrogencarbonat schwach alkalisch gemacht. Freier Aminosäureester wird mit Diäthyläther extrahiert; die abgetrennte organische Phase wird mit Natriumsulfat wie üblich getrocknet und anschließend mit Chlorwasserstoff in Diäthyläther tropfenweise versetzt, bis keine weitere Niederschlagsbildung mehr erfolgt; Ausbeute: 0,61 g (94% d. Th.); F: 162–163° (feine Kriställchen); $[\alpha]_D^{20} = +36,9°$ (c = 1, in Äthanol).

Methode ⓓ: Natrium-dithionit in Essigsäure[1]: L-Phenylalanin-methylester-Hydrochlorid [H-Phe-OMe · HCl]: 0,92 g PiOC-Phe-OMe und 0,6 g Natrium-dithionit (Monohydrat), suspendiert in 2,5 *ml* Wasser, werden mit 3 *ml* Essigsäure versetzt. Unter tiefer Orange-Verfärbung und Freisetzung von Schwefeldioxid wird die Reaktionsmischung homogen. Die nach 2 Min. langem Stehen wieder farblos gewordene Lösung versetzt man nach weiteren 2 Min. mit überschüssigem Natriumhydrogencarbonat und extrahiert anschließend mit Diäthyläther; die abgetrennte organische Phase wird über Natriumsulfat getrocknet und letztlich mit Chlorwasserstoff in Diäthyläther tropfenweise versetzt, bis jedwede Niederschlagsbildung ausbleibt; Ausbeute: 0,6 g (93% d.Th.); F: 162–164° (feine Kristallnädelchen); $[\alpha]_D^{20} = +37,4°$ (c = 1, in Äthanol).

Tab. 19. N_α-[Piperidino-oxycarbonyl]-[PiOC]-aminosäuren[1]

PiOC-Aminosäure	F [°C]	$[\alpha]_D^{20}$*
Ala	108–109	+22,0
Ala · DCHA	138–140 (Zers.)	+44,9
Asp · $(DCHA)_2$	141–144 (Zers.)	+56,7
Glu · $(DCHA)_2$	135–138 (Zers.)	+22,0
Gly	119–120	
Gly · DCHA	145–150 (Zers.)	
Ile · DCHA	116–117	+43,5
Leu · DCHA	141–143 (Zers.)	+ 5,4
Met · DCHA	120–122	+28,7
Phe	79–81	−16,9
Phe · DCHA	140–141	+67,7
Trp	118–121 (Zers.)	−31,8
Val	92–94	+25,5
Val · DCHA	139–141 (Zers.)	+40,7

* c = 1 in Dimethylformamid für freie Säuren
c = 1 in Äthanol für Dicyclohexylamin-Salze

N_α-PiOC-Derivate ω-geschützter mehrfunktioneller Aminosäuren siehe Abschnitt „Mehrfunktionelle Aminosäuren“, Tab.

[1] D. Stevenson u. G. T. Young, Soc. [C] **1969, 2389**.

Die elektrolytische Reduktion der (Piperidino-oxycarbonyl)-amin-Bindung ist auch in Gegenwart von schwefelhaltigen Aminosäuren (Methionin, S-Benzyl-cystein etc.) anwendbar. Die katalytische Hydrogenolyse scheint im Falle der Methionin-Anwesenheit generell zum Erfolg zu führen; bei S-Benzyl-cystein-Derivaten dürfte dies auf die N-Piperidino-oxycarbonyl-Verbindung beschränkt sein[1].

Die N-Piperidino-oxycarbonyl-Maskierung ist gegenüber den Einwirkungen von Bromwasserstoff/Eisessig (30%) über 3 Stdn., von 7n Chlorwasserstoff/1,4-Dioxan oder Chloroform und wasserfreier Trifluoressigsäure (beide jeweils über 24 Stdn.) bei Raumtemperatur stabil[1,2]. Diese Stabilität fordert geradezu eine gemeinsame selektive Verwendung der Piperidino-oxycarbonyl- und der Benzyloxycarbonyl-Maskierung für α- und ω-Amino-Funktionen heraus; so beschreiben denn auch Stevenson und Young[1] erfolgreich die Herstellung von Lysinpeptiden unter Verwendung von Z-Lys(PiOC)-OH als Ausgangsmaterial.

31.111.52. Dimethylamino-oxycarbonyl-[DAOC]-Schutzgruppe

N-(Dimethylamino-oxycarbonyl)-aminosäuren konnten Young et al.[1] in Analogie zu den Piperidyl-(1)-oxycarbonyl-Verbindungen aus N-Carbonyl-aminosäureestern und N,N-Dimethyl-hydroxylamin[3] via Acylester herstellen und der peptidsynthetischen Verwendung zuführen.

Die Dimethylamino-oxycarbonyl-Maskierung läßt sich – wie zu erwarten war – sowohl durch elektrolytische Reduktion wie durch katalytische Hydrogenolyse reversibel gestalten. Letztere Entacylierungs-Technik war auch bei S-Benzyl-cysteinyl-peptiden mit Erfolg gekrönt[1].

S-Benzyl-L-cysteinyl-L-phenylalanin-tert.-butylester [H-Cys(BZL)-Phe-OtBu][1]:

N-Dimethylamino-oxycarbonyl-S-benzyl-L-cysteinyl-L-phenylalanin-tert.-butylester [DAOC-Cys(BZL)-Phe-OtBu]: 1 g DAOC-Cys(BZL)-OSU wird zu einer Lösung von H-Phe-OtBu gegeben, die man aus 1,0 g des Aminosäureester-Phosphorigsäure-Salzes plus 1 *ml* Triäthylamin in 20 *ml* Tetrahydrofuran durch 20 Min. Rühren und anschließendes Konzentrieren der Reaktionsmischung i. Vak. auf 5 *ml* erhalten hat.

Nach 14stdgr. Reaktionszeit wird i. Vak. eingedampft, der erhaltene Rückstand zwischen Essigsäureäthylester und 20%-iger wäßriger Citronensäure verteilt. Die abgetrennte organische Phase wäscht man wie üblich mit Citronensäure und Natriumhydrogencarbonat-Lösung und Wasser. Die über Natriumsulfat getrocknete Lösung wird letztlich i. Vak. eingedampft; beim Behandeln des Rückstands mit Diäthyläther wird dieser fest; Ausbeute: 1,0 g (80% d. Th.); F: 89–91° (aus Essigsäure-äthylester/Petroläther); $[\alpha]_D^{20} = -21{,}4°$ (c = 1, in Dimethylformamid).

S-Benzyl-L-cysteinyl-L-phenylalanin-tert.-butylester [H-Cys(BZL)-Phe-OtBu][1]: 0,5 g DAOC-Cys(BZL)-Phe-OtBu in 5 *ml* 1,4-Dioxan und 5 *ml* Essigsäure werden unter Zusatz von 0,25 g 10%-iger Palladium-Kohle wie üblich mit Wasserstoff behandelt. Nach 40 Min. langer Hydrierungsdauer wird das Filtrat vom Katalysator i.Vak. eingedampft, der Rückstand in Chloroform aufgenommen. Die erhaltene Lösung wird mit Natriumhydrogencarbonat und Wasser gewaschen, über Natriumsulfat getrocknet und letztlich i. Vak. eingedampft: Öl (chromatographisch einheitlich und identisch mit einem nach anderem Verfahren gewonnenem Peptid-Derivat); Ausbeute: 0,35 g (80% d.Th.).

Ein gleich gutes Material wurde durch elektrolytische Reduktion – vgl. S. 158 – gewonnen.

---

[1] D. Stevenson u. G. T. Young, Soc. [C] **1969**, 2389.
[2] D. Stevenson u. G. T. Young, Chem. Commun. **1967**, 900.
[3] H. Hepworth, Soc. **119**, 251 (1921).

31.111.60 *Carbamidsäure-thioester* (*Thiourethane*)

31.111.61. Phenylthio-carbonyl-[PTC]-Schutzgruppe

Die von Ehrensvärd[1] mit dem Phenylthio-carbonyl-[PTC]-Rest erstmals eingeführte Thiourethan-Blockierung der Amino-Gruppe hatte lange Zeit der erfolgreichen peptidsynthetischen Verwendung getrotzt, da die vom Autor vorgeschlagene Spaltung von N-Phenylthio-carbonyl-peptiden(-estern) (I) mit schwach alkalischen Reagentien [Blei(II)-hydroxid, basisches Bleiacetat u.a.] nicht zum freien Peptid oder Peptid-Derivat führt. Unter dem Einfluß von Blei(II)-Ionen wird Blei(II)-thiophenolat (II) gebildet; statt der freien Peptide (-ester) werden jedoch Hydantoin-essigsäure-Derivate V isoliert, die möglicherweise durch innermolekularen Ringschluß eines intermediären Isocyanats IV entstehen[2]:

$$\underset{\text{I}}{H_5C_6-S-\overset{O}{\overset{\|}{C}}-NH-\overset{R^1}{\overset{|}{C}H}-C(=O)-NH-\overset{R^1}{\overset{|}{C}H}-COOR^2} \xrightarrow[-\ Pb(S-C_6H_5)_2\ (\text{II})]{Pb^{2\oplus}} \underset{\text{III}}{H_2N-\overset{R^1}{\overset{|}{C}H}-C(=O)-NH-\overset{R^1}{\overset{|}{C}H}-COOR^2}$$

$$\text{I} \xrightarrow[-\ Pb(S-C_6H_5)_2\ (\text{II})]{Pb^{2\oplus}} \underset{\text{IV}}{\left[O=C=N-\overset{R^1}{\overset{|}{C}H}-C(=O)-NH-\overset{R^1}{\overset{|}{C}H}-COOR^2\right]} \longrightarrow \underset{\text{V}}{\text{Hydantoin (N-H, }R^1\text{; 2,4-Dioxo) }-N-\overset{R^1}{\overset{|}{C}H}-COOR^2}$$

Schon die Einführung des Phenylthio-carbonyl-Restes hatte zunächst Schwierigkeiten bereitet, da die gewünschte Umsetzung von Phenylthio-carbonylchlorid[3] (VI) mit Aminosäuren unter Schotten-Baumann-Bedingungen nicht gelang; als Reaktionsprodukte wurden hierbei N,N'-Carbonyl-bis-aminosäuren VII und Dithiokohlensäure-S,S-diphenylester (VIII) isoliert. Lediglich die Umsetzung von Phenylthio-carbonylchlorid (VI) mit Aminosäureestern in Chloroform-Lösung in Gegenwart eines zweiten Äquivalents Aminosäureester oder eines Äquivalents tert.-Base verlief erfolgreich zu N-Phenylthio-carbonyl-aminosäureestern (IX); anschließende Hydrolyse mit Salzsäure/Essigsäure ergab die sehr alkalilabilen Phenylthio-carbonyl-aminosäuren (X)[1,2,4]:

---

[1] G. C. H. Ehrensvärd, Nature **159**, 500 (1947).

[2] A. Lindenmann, N. H. Khan u. K. Hofmann, Am. Soc. **74**, 476 (1952).

[3] H. Rivier, Bl. [4], **1**, 733 (1907).

[4] J. Kollonitsch, A. Hajós u. V. Gábor, B. **89**, 2288 (1956).

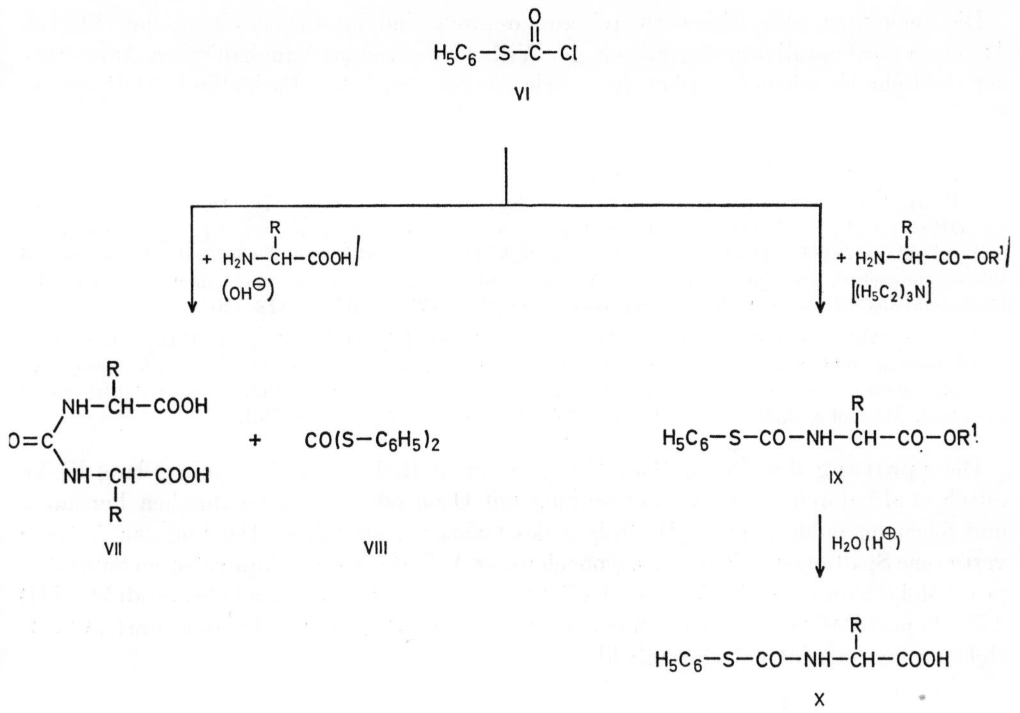

$$H_5C_6-S-\overset{O}{\overset{\|}{C}}-Cl$$

VI

$+ H_2N-\overset{R}{\overset{|}{C}H}-COOH$ / $(OH^{\ominus})$ →

$$O=C\begin{matrix}/NH-\overset{R}{\overset{|}{C}H}-COOH\\ \backslash NH-\underset{R}{\underset{|}{C}H}-COOH\end{matrix} \quad + \quad CO(S-C_6H_5)_2$$

VII VIII

$+ H_2N-\overset{R}{\overset{|}{C}H}-CO-OR^1$ / $[(H_5C_2)_3N]$ →

$$H_5C_6-S-CO-NH-\overset{R}{\overset{|}{C}H}-CO-OR^1$$

IX

↓ $H_2O(H^{\oplus})$

$$H_5C_6-S-CO-NH-\overset{R}{\overset{|}{C}H}-COOH$$

X

31.111.62. Methylthio-[MTC]-, Äthylthio-[ETC]-, Butylthio-[BuTC]- und Benzylthio-[BTC]-carbonyl-Schutzgruppen

Die sehr störende Alkaliempfindlichkeit der Phenylthio-carbonyl-Verbindungen konnten Kollonitsch et al.[1–3] schließlich mit Alkylthio-carbonyl-Gruppierungen bannen; Methylthio-[MTC]-, Äthylthio-[ETC]-[4], Butylthio-[BuTC]- und Benzylthio-carbonyl-[BTC]-aminosäuren ließen sich nach den Autoren aus den entsprechenden Chlorameisensäureestern und Aminosäuren in Gegenwart von Natriumhydrogencarbonat, Natriumcarbonat oder Magnesiumoxid unter üblichen Schotten-Baumann-Bedingungen darstellen. Die Chlorameisensäure-thioester wiederum sind aus Methyl-, Äthyl-, Benzylthiol und Phosgen in Gegenwart katalytischer Mengen Aluminiumchlorid leicht zugänglich[1].

N-(Benzylthio-carbonyl)-glycin [BTC-Gly-OH][3]:

Chlorameisensäure-thiobenzylthioester: Bei –20° werden 40,8 g Benzylthiol und 0,3 g Aluminiumchlorid in 30 *ml* flüssiges Phosgen eingetragen. Man läßt die Mischung langsam auf +5° erwärmen, wobei die Reaktion unter Chlorwasserstoffentwicklung einsetzt. Nach Stehenlassen bei 5° über Nacht wird das erhaltene Gemisch fraktioniert destilliert (Badtemp. 80°); Ausbeute: 27 g; $Kp_{0,001}$: 65–70°; F: +12°.

N-(Benzylthio-carbonyl)-glycin [BTC-Gly-OH]: Zu einer Lösung von 6 g Glycin und 16,8 g Natriumhydrogencarbonat in 120 *ml* Wasser tropft man unter Rühren und Eiskühlung innerhalb 1 Stde. 11 *ml* Chlorameisensäure-thiobenzylthioester in 80 *ml* 1,4-Dioxan zu; die Reaktionsmischung wird danach 30 Min. bei Raumtemp. gerührt und mit 40 *ml* 5n Salzsäure angesäuert. Das abgeschiedene Öl kristallisiert nach längerem Stehenlassen. Aus der eingeengten Mutterlauge wird eine 2. Fraktion erhalten; Ausbeute: 12,7 g (70,5% d.Th.); F: 153–153,5°.

---

[1] J. Kollonitsch, V. Gábor u. A. Hajós, Nature **177**, 841 (1956).
[2] J. Kollonitsch, A. Hajós u. V. Gábor, B. **89**, 2288 (1956).
[3] J. Kollonitsch, V. Gábor u. A. Hajós, B. **89**, 2293 (1956).
[4] A. Hajós, B. **94**, 2350 (1961).

Die genannten (Alkylthio-carbonyl)-aminosäuren sind im Gegensatz zu den Phenyl-Analogen der Peptidknüpfung mittels der Wieland-Boissonnas-Vaughan'schen Anhydrid-, der Goldschmidt'schen Phosphorazo-, sowie der Sheehan'schen Carbodiimid-Methode zugänglich[1].

N-(Benzylthio-carbonyl)-glycyl-glycin[2]:

N-Benzylthio-carbonyl-glycyl-glycin-äthylester [BTC-Gly-Gly-OEt]: 1,13 g BTC-Gly-OH und 0,52 g H-Gly-OEt in 30 *ml* Chloroform werden bei 0° unter Rühren mit 1,13 g Dicyclohexyl-carbodiimid wie üblich angesetzt. Das Filtrat von N,N'-Dicyclohexyl-harnstoff wird mit n Salzsäure und Wasser gewaschen, über Natriumsulfat getrocknet und i. Vak. zur Trockene eingedampft (1,52 g), der Rückstand aus Äthanol umkristallisiert; Ausbeute: 0,82 g (53% d.Th.); F: 118–120°.

N-Benzylthio-carbonyl-glycyl-glycin [BTC-Gly-Gly-OH]: 5 g BTC-Gly-Gly-OEt in 10 *ml* Eisessig und 8 *ml* konz. Salzsäure werden 20 Min. auf 100–110° erwärmt; die Reaktionsmischung gießt man nach Abkühlen in 30 *ml* Wasser ein. Das ausgeschiedene Produkt wird abfiltriert und aus absol. Äthanol umkristallisiert; F: 175–176°; Ausbeute: 3,27 g (72% d.Th.).

Die Spaltung der Thiourethan-Gruppierung in Richtung freies Amin gelang Kollonitsch et al.[3] durch oxidative Behandlung mit Ozon oder besser organischen Persäuren und folgender milder, saurer Hydrolyse des Oxidationsproduktes. Der von den Autoren vertretene Spaltungsmechanismus, wonach unter Aufnahme von 5 Äquivalenten Sauerstoff pro 2 Mol Thiourethan-Verbindung (XI) über ein nicht gefaßtes Zwischenprodukt (XII) 2 Mol Peptid-Derivat (XIII) neben je 1 Äquiv. Sulfonsäure (XIV) und Sulfinsäure (XV) entstehen sollen, scheint jedoch fraglich[4].

$$2\ R^2{-}S{-}CO{-}NH{-}\underset{\text{XI}}{\overset{R^1}{\overset{|}{C}}H}{-}CO{-}NH{-}R^3 \xrightarrow{+5\,O} \begin{array}{l} R^2{-}\overset{O}{\overset{\uparrow}{S}}{-}O{-}CO{-}NH{-}\overset{R^1}{\overset{|}{C}}H{-}CO{-}NH{-}R^3 \\ \quad | \\ \quad O \\ \quad | \\ R^2{-}\underset{O}{\underset{\downarrow}{S}}{-}O{-}CO{-}NH{-}\underset{R^1}{\underset{|}{C}}H{-}CO{-}NH{-}R^3 \end{array} \quad \text{XII}$$

$$\xrightarrow[-\,CO_2]{p_H=4-5} 2\ \underset{\text{XIII}}{H_2N{-}\overset{R^1}{\overset{|}{C}}H{-}CO{-}NH{-}R^3} + \underset{\text{XIV}}{R^2{-}SO_3H} + \underset{\text{XV}}{R^2{-}SO_2H}$$

Glycyl-glycin-Benzolsulfonsäure-Salz [H-Gly-Gly-OH · BES-OH][2]: 1,41 g BTC-Gly-Gly-OH suspendiert in 20 *ml* absol. Tetrahydrofuran und 5 *ml* Eisessig, werden unter Eiskühlung mit 2,75 g Benzoepersäure in 40 *ml* Benzol versetzt, die Reaktionsmischung 2 Tage bei 0° stehengelassen. Nach 1stdgm. Stehen bei −15° filtriert man den Niederschlag ab, wäscht mit absol. Benzol und kristallisiert aus absol. Äthanol um; Ausbeute: 1,15 g (76% d.Th.); F: 192–193°.

Für die peptidsynthetische Verwendung dieser Schutzgruppen ist ihre Beständigkeit gegenüber acidolytischen Verfahren (z.B. Bromwasserstoff/Eisessig) von Bedeutung[2].

---

[1] G. Harris u. I. C. McWilliam, Soc. **1961**, 2053.

[2] J. Kollonitsch, V. Gábor u. A. Hajós, B. **89**, 2293 (1956).

[3] J. Kollonitsch, A. Hajós u. V. Gábor, B. **89**, 2288 (1956).
s. auch A. Hajós, B. **94**, 2350 (1961).

[4] E. Wünsch, Collect. czech. chem. Commun. **24**, 64 (1959).

Tab. 20. Nα-Benzylthio-[BTC]-, -Phenylthio-[PTC]- und -Methylthio-carbonyl-[MTC]-L-aminosäuren*

Aminosäure	XTC	F [°C]	$[\alpha]_D$	t	c	Lösungsmittel	Literatur
Ala	BTC	128–129					1
Glu	BTC	118–120					1
	PTC	111–113	–22	26	1	Methanol	2,3
Gly	BTC	151–152					1,4
	PTC	153–154					2,5
	MTC	118–119					1,3
Val	MTC	114					3

* Nα-XTC-Derivate ω-geschützter mehrfunktioneller Aminosäuren s. Abschnitt „Mehrfunktionelle Aminosäuren" Tab.

31.111.70. *Salze der Carbamid-, Thio- und Dithiocarbamidsäure*

Die bei der systematischen Synthese von Peptiden mit Hilfe von 2,5-Dioxo-1,3-oxazolidinen I bzw. deren Thio- und Dithio-Analoga nach Bailey[6] bzw. Cook und Levy[7] als erste Reaktionsprodukte auftretenden, unter den Reaktionsbedingungen beständigen Salze der Peptidester-N-Carbonsäuren II (Thio- bzw. Dithio-Analoga), bewirken den vorübergehenden Schutz der α-Amino-Gruppe der Kopfkomponente und verhindern die Polykondensation (s. dazu S. II/194f.). In der Folge wird diese Aminoblockierung durch gelindes Erwärmen oder Behandeln mit alkoholischer Salzsäure aufgehoben, wobei die gewünschten Peptidester III entstehen:

$$\text{I} \xrightarrow{+\ H_2N-CH(R^1)-CO-OR^2\ /\ (R^3)_3N} \left[\begin{array}{l} R \\ CH-CO-NH-CH(R^1)-CO-OR^2 \\ NH-COO^{\ominus} \end{array}\right]\left[(R^3)_3\overset{\oplus}{N}H\right] \quad \text{II}$$

$$\xrightarrow{\text{Erwärmen od. HCl / }R^2-OH} H_2N-CH(R)-CO-NH-CH(R^1)-CO-OR^2 \quad \text{III}$$

[1] J. Kollonitsch, V. Gábor u. A. Hajós, Nature **177**, 841 (1956).
[2] A. Lindenmann, N. Khan u. K. Hofmann, Am. Soc. **74**, 476 (1952).
[3] J. Greenstein u. M. Winitz, Chemistry of the Amino Acids **2**, 920.
[4] G. Harris u. I. C. MacWilliam, Soc. **1961**, 2053.
[5] G. C. H. Ehrensvärd, Nature **159**, 500 (1947).
[6] J. L. Bailey, Soc. **1950**, 3461.
Vgl. a. F. Wessely, H. **146**, 72 (1925).
F. Sigmund u. F. Wessely, H. **147**, 91 (1926).
[7] A. H. Cook u. A. L. Levy, Soc. **1950**, 646.

Das 1957 von Bartlett et al.[1] wieder aufgenommene Studium der Umsetzung von N-Carbonsäure-Anhydriden mit Aminosäuren in wäßriger Lösung konnte letztlich 1966 von Hirschmann et al.[2] mit Erfolg abgeschlossen werden. Bei 0–2° wird das N-Carbonsäure-Anhydrid, in geringem Überschuß, in die wäßrige Lösung der Aminosäure (des Peptids) bei einem kontrollierten p_H-Wert von 10,2 (z.B. Natriumborat-Puffer) unter kräftigem Durchmischen eingetragen; nach kurzer Reaktionszeit (einige Min.) wird die Mischung angesäuert und dadurch der Zerfall der Carbamidsäure herbeigeführt.

Ähnliche Verhältnisse wurden von Hirschmann et al.[3] bei Synthesen mit N-Thiocarbonsäure-Anhydriden vorgefunden. (Zur Methode s. S. II/196f., II/285ff.).

31.112. Formyl-[FOR]-Schutzgruppe

N-Formyl-aminosäuren (I) sind schon frühzeitig durch Erhitzen von Aminosäuren mit wasserfreier Ameisensäure hergestellt worden. Ihre Bedeutung bestand lange Zeit lediglich darin, Formyl-DL-aminosäuren mittels opt.-akt. Basen (Brucin, Chinin etc.) in ihre opt. Antipoden aufzuspalten und nach Entfernen des Formyl-Restes durch Kochen mit Säuren reine L- und D-Aminosäuren auf synthetischem Wege zu erhalten.

Erst 1951 konnten Hillmann et al.[4] und wenig später Waley[5] den Beweis für die peptidsynthetische Verwendungsmöglichkeit von N-Formyl-aminosäuren erbringen, als den Autoren sowohl deren Verknüpfung mit Aminosäuren bzw. Aminosäureestern als auch die nachträgliche Abspaltung der Formyl-Schutzgruppe ohne Angriff auf die Peptidbindung gelang.

Inzwischen hatten du Vigneaud et al.[6] sowie Fruton[7] aufgezeigt, daß die Formylierung zweckmäßigerweise mit einem Gemisch von wasserfreier Ameisensäure und Essigsäureanhydrid bei 50–60° erfolgt; als Acylierungsreagenz fungiert das intermediär gebildete Ameisensäure-Essigsäure-Anhydrid (II). Stoll und Petrzilka[8] fanden schließlich auf, daß diese Reaktion schon bei Temperaturen zwischen 0–20° mit besten Ergebnissen verläuft; bei opt.-akt. Aminosäuren unterbleibt hierbei jegliche Racemisierung (Vgl. dazu Sheehan und Yang[9]).

N-Formyl-aminosäuren; allgemeine Herstellungsvorschrift[9]: 0,1 Mol Aminosäure in 200 *ml* 98–100%-iger Ameisensäure werden unter Rühren mit 70 *ml* Essigsäureanhydrid versetzt; durch Kühlen mit Eiswasser wird die Reaktionstemp. der Mischung zwischen 5 und 15° gehalten. Nach beendeter Zugabe rührt man noch 1–2 Stdn. bis zum Erreichen von Raumtemp. weiter, fügt 80 *ml* Eiswasser hinzu und dampft die Lösung i. Vak. zur Trockene ein. Der resultierende Rückstand wird aus Wasser, wäßrigem Äthanol oder einem anderen zweckmäßigen Lösungsmittel bzw. Lösungsmittelgemisch umkristallisiert; Ausbeute: 80–95% d. Th.

Dieses Verfahren ist nur für diejenigen Aminosäuren anwendbar, die unter den Bedingungen keinerlei Veränderungen erleiden bzw. Nebenreaktionen eingehen!

---

[1] P. D. Bartlett u. R. H. Jones, Am. Soc. **79**, 2153 (1957).
P. D. Bartlett u. C. D. Dittmer, Am. Soc. **79**, 2159 (1957).

[2] R. G. Denkewalter et al., Am. Soc. **88**, 3163 (1966).
R. Hirschmann et al., J. Org. Chem. **32**, 3415 (1967).

[3] R. S. Dewey et al., Am. Soc. **90**, 3254 (1968); J. Org. Chem. **36**, 49 (1971).

[4] A. Hillmann u. G. Hillmann, Z. Naturf. **6b**, 340 (1951).

[5] S. G. Waley, Chem. & Ind. **1953**, 107.

[6] V. du Vigneaud, R. Dorfmann u. H. Loring, J. Biol. Chem. **98**, 577 (1932).

[7] J. S. Fruton u. H. T. Clarke, J. Biol. Chem. **106**, 667 (1934).

[8] A. Stoll u. T. Petrzilka, Helv. **35**, 589 (1952).

[9] J. C. Sheehan u. D.-D. H. Yang, Am. Soc. **80**, 1154 (1958).

Wie aus obiger Herstellungsvorschrift ersichtlich, wird die Formylierung der Aminosäuren mit einem sehr großen Überschuß an Formylierungsreagenz durchgeführt. Aus diesem Grunde haben neuerdings Muramatsu et al.[1,2] die Einführung der Formyl-Schutzgruppe mit Ameisensäureanhydrid (III) (in ätherischer Lösung aus 2 Mol Ameisensäure und 1 Mol Dicyclohexylcarbodiimid unter −5° zugänglich) und mit isoliertem Ameisensäure-Essigsäure-Anhydrid (II) ausgeführt:

HCOOH + C_6H_{11}–N=C=N–C_6H_{11} → OHC–O–CHO (III); + H_2N–CH(R)–COOH → OHC–NH–CH(R)–COOH (I)

III + O_2N–C_6H_4–OH → OHC–O–C_6H_4–NO_2 (IV)

HCOOH + C_6H_{11}–N=C=N–C_6H_{11} + O_2N–C_6H_4–OH → OHC–O–C_6H_4–NO_2 (IV); + H_2N–CH[$(CH_2)_x$–NH_2]–COOH → H_2N–CH[$(CH_2)_x$–NH–CHO]–COOH (V)

HCOOH + $(H_3CCO)_2O$/ od. $H_2C{=}C{=}O$ od. H_3CCOCl → OHC–O–CO–CH_3 (II); + H_2N–CH(R)–COOH → OHC–NH–CH(R)–COOH (I)

Das gemischte Anhydrid ist durch Umsetzung von Acetylchlorid mit dem Natriumsalz der Ameisensäure bzw. von Ameisensäure mit Keten zugänglich und wird als beständige destillierbare Flüssigkeit erhalten.

N-Formyl-L-tyrosin [FOR-Tyr-OH][2]:

Ameisensäure-Essigsäure-Anhydrid:

Methode ⓐ: In eine Lösung von 445 *ml* Acetylchlorid in 250 *ml* absol. Äther wird unter Rühren oder Schütteln und weitgehendem Ausschluß von Luftfeuchtigkeit 500 g Ameisensäure-Natriumsalz in mehreren Portionen so eingetragen, daß die Reaktionstemp. 27° nicht übersteigt. Nach beendeter Zugabe wird die Mischung bei 25–27° für 5–6 Stdn. weitergerührt, danach vom ausgefallenen Salz abfiltriert und die erhaltene Lösung i. Vak. (Wasserstrahlpumpe) bei 20° Badtemp. eingedampft (nahezu farbloses Öl); Ausbeute: 502 g (91% d.Th.).

Methode ⓑ: Die Lösung von 92 g 100%-iger Ameisensäure in 300 *ml* Äther wird unter Eiskühlung mit Keten gesättigt. Nach Entfernen des Lösungsmittels wird der resultierende Rückstand i. Vak fraktioniert destilliert; Ausbeute: 163 g (93% d.Th.); Kp_{24}: 30°; Kp_9: 24°; $[n]_D^{20}$ = 1,386–1,388.

N-Formyl-L-tyrosin: Eine Suspension von 7,25 g L-Tyrosin in 10 *ml* Ameisensäure wird mit 10,5 g Ameisensäure-Essigsäure-Anhydrid versetzt, die Mischung für 2 Stdn. stehengelassen. Nach Zugabe von Wasser wird die erhaltene Lösung i. Vak zur Trockene eingedampft. Der erhaltene Rückstand wird

---

[1] J. Muramatsu et al., Bl. chem. Soc. Japan **37,** 756 (1964).

[2] J. Muramatsu et al., Bl. chem. Soc. Japan **38,** 244 (1965).

mit n Salzsäure zur Entfernung von nicht umgesetztem L-Tyrosin behandelt, das kristallisierte Material abfiltriert, mit Wasser gewaschen und aus Äthanol umkristallisiert; Ausbeute: 7,05 g (84% d. Th.); F: 167°; $[\alpha]_D^{20} = +89,7 \pm 0,5°$ (c = 1,78; in Äthanol).

Ameisensäure-4-nitro-phenylester (IV), aus Ameisensäure und 4-Nitro-phenol nach dem Carbodiimid-Verfahren zugänglich (vgl. auch Muramatsu[1]), wurde von Okawa und Hase[2] als Formylierungsreagenz beschrieben. Mit Hilfe des Ameisensäure-Derivats war es den Autoren möglich, freies *Ornithin* bzw. *Lysin* direkt in die N_ω-*Formyl*-Verbindung (V) überzuführen. (Vgl. die N_ε-Formylierung von Lysin-Kupfer-Komplex mittels Ameisensäure-äthylester[3]).

N^δ-Formyl-L-ornithin [H-Orn(FOR)-OH][2]:

Ameisensäure-4-nitro-phenylester[2]: Zu einer Lösung von 6,95 g 4-Nitro-phenol und 2,76 g Ameisensäure in 60 *ml* Tetrahydrofuran werden unter Eiskühlung und Rühren 10,3 g Dicyclohexylcarbodiimid in 30 *ml* Tetrahydrofuran langsam zugetropft. Nach beendeter Zugabe wird die Reaktionsmischung 1 Stde. bei Raumtemp. stehengelassen, von ausgefallenem Harnstoff-Derivat abfiltriert und das Filtrat i. Vak. weitgehend eingedampft. Dabei tritt Kristallisation ein; Ausbeute: 4,3 g (51,4% d. Th.); F: 72–74° (aus Tetrahydrofuran/Äther).

N^δ-Formyl-L-ornithin[2]: Zu einer wäßrigen Lösung von L-Ornithin (erhalten aus 10,1 g L-Ornithin-Monohydrochlorid durch Zugabe eines Äquiv. n Natronlauge) tropft man unter Eiskühlung und Rühren 15 g Ameisensäure-4-nitro-phenylester in Tetrahydrofuran ein. Die Reaktionsmischung wird 6 Stdn. bei Raumtemp. gerührt, zur Entfernung von 4-Nitro-phenol mit Äther extrahiert und anschließend i. Vak. konzentriert. Die erhaltene Lösung läßt man zur Entfernung nicht umgesetzten freien L-Ornithins eine Säule mit Amberlite IRC-50 passieren und engt anschließend i. Vak. weiter ein. Nach Zugabe von Methanol bis zur beginnenden Trübung überläßt man die Lösung der Kristallisation im Kühlschrank. Das erhaltene Material wird aus Wasser/Methanol umkristallisiert; Ausbeute: 5 g (52% d. Th.); F: 217° (Zers.); $[\alpha]_D^{15} = +17,1 \pm 0,5°$ (c = 2,17; in ges. Natriumhydrogencarbonat-Lösung).

Die peptidsynthetische Umsetzung von N-Formyl-aminosäuren wurde bislang von mehreren Autoren nach der Alkylkohlensäure-anhydrid-Methode vorgenommen[4–7]; sie verläuft jedoch mit Aminosäuren (als Natriumsalze) unbefriedigend, mit Aminosäureestern nicht immer frei von Nebenreaktionen.

In ihren Studien konnten King et al.[8] zeigen, daß das gemischte Anhydrid aus N-Formyl-glycin und Chlorameisensäure-äthylester mit 4-Amino-benzoesäure-Natriumsalz in wäßriger Lösung knapp 50% des gesuchten Peptid-Derivats liefert, mit 4-Amino-benzoesäureester in anomaler Reaktion jedoch zu 4-Äthoxycarbonylamino-benzoesäureester führt. Die Autoren begründen diesen Reaktionsverlauf mit einer Bildung des Kations $C_2H_5O—CO^\oplus$ anstelle von $OHC—NH—CH_2—CO^\oplus$ (vgl. dazu auch Hillmann[9]).

Mit besserem Erfolg konnte die Darstellung „opt.-akt." N-Formyl-peptidester nach dem Carbodiimid-Verfahren gestaltet werden[7,10]; doch muß man auch bei dieser Methode wie bei der der gemischten Anhydride mit partieller Racemisierung der Kopfkomponente rechnen, wenn tert.-Basen-Salze im Reaktionsansatz zugegen sind.

---

1 J. Muramatsu et al., Bl. chem. Soc. Japan **37**, 756 (1964).
2 K. Okawa u. S. Hase, Bl. chem. Soc. Japan **36**, 754 (1963).
3 K. Hofmann et al., Am. Soc. **82**, 3727 (1960).
4 S. G. Waley, Chem. & Ind. **1953**, 107.
S. G. Waley u. J. Watson, Biochem. J. **57**, 529 (1954).
5 K. Vogler u. P. Lanz, Helv. **43**, 270 (1960).
6 K. Inouye u. H. Otsuka, Bl. chem. Soc. Japan **34**, 1 (1961).
7 J. C. Sheehan u. D.-D. H. Yang, Am. Soc. **80**, 1154 (1958); **80**, 1158 (1958).
8 F. E. King et al., Soc. **1954**, 1039.
9 A. Hillmann u. G. Hillmann, Z. Naturf. **6b**, 340 (1951).
10 G. Losse u. W. Zönnchen, A. **636**, 140 (1960).
G. Losse u. D. Nadolski, J. pr. **24**, 119 (1964).
G. Losse u. W. Grunow, Z. **5**, 225 (1965).

Die Aufhebung der N-Formyl-Maskierung kann bei niedermolekularen Peptiden mittels relativ milder acidolytischer Verfahren, z.B. mit 0,5 n wäßriger methanolischer Salzsäure vollzogen werden. Bei der Herstellung von Peptidestern aus ihren Formyl-Verbindungen wird zur Vermeidung einer nebenher laufenden Esterspaltung der protonenkatalysierten Alkoholyse der Vorzug gegeben[1]; es ist selbstverständlich, daß man hierzu Chlorwasserstoff in den Alkoholen wählt, die die Estergruppierung stellen, z.B. 0,5 n Chlorwasserstoff in Benzylalkohol bei der Entformylierung von Formyl-peptid-benzylestern[2]. Die Abspaltung der Schutzgruppe bei höheren Peptiden erfordert jedoch meist drastischere solvolytische Bedingungen, wodurch sich ein Angriff auf die Peptidbindung (Hydrolyse bzw. Alkoholyse) nicht immer ausschalten läßt (vgl. dazu die gescheiterten Bemühungen von Hofmann[3] bei der α-MSH-Synthese, die N_ε-Formyl-Maskierung am Lysin im Peptidverband ohne Nebenreaktionen rückgängig zu machen; Öffnung von Peptidbindungen, Desamidierung von Glutamin und Spaltung der N-terminalen Acetyl-seryl-Bindung wurden festgestellt).

L-Valyl-L-phenylalanin-methylester-Hydrochlorid [H-Val-Phe-OMe · HCl][1]: 0,2 g FOR-Val-Phe-OMe in 0,5 *ml* Methanol suspendiert, werden mit 0,8 *ml* 5%-iger methanolischer Salzsäure versetzt, die Mischung 48 Stdn. bei Raumtemp. geschüttelt (nach ~ 10 Stdn. ist alles Material in Lösung gegangen). Auf Zugabe von 1,5 *ml* absol. Äther tritt Kristallisation ein; Ausbeute: 0,165 g (80% d.Th.); F: 196–196,5° (aus Methanol/Äther farblose lange Nadeln); $[\alpha]_D^{28} = +26{,}6°$ (c = 2,8; in Wasser).

Eine oxidative Spaltung der Formamid-Gruppierung wird von Losse und Zönnchen[4] vorgeschlagen; unter Einwirkung von 15%-igem wäßr. Wasserstoffperoxid wird die Formylverbindung, wahrscheinlich über die Carbamidsäure als Zwischenstufe, in relativ hoher Ausbeute in Richtung freies Amin gespalten. Es ist selbstverständlich, daß diese Entacylierungstechnik nur dann zur Anwendung gelangen kann, wenn im Peptidverband keinerlei Aminosäuren vorliegen, die unter den herrschenden Bedingungen einer oxidativen Veränderung erliegen.

Peptide durch oxidative Entformylierung; allgemeine Arbeitsvorschrift[4]: 0,1 Mol N-Formyl-peptid werden mit 0,3 Mol 15%-igem wäßr. Wasserstoffperoxid 2 Stdn. auf 60° erwärmt. Das Reaktionsgemisch wird zur Abtrennung von nicht umgesetztem N-Formyl-peptid $2^1/_2$ Stdn. mit Essigsäure-äthylester und anschließend zur Beseitigung des Wasserstoffperoxid-Überschusses mit Äther bis zum negativen Ausfall der Kaliumjodid-Reaktion im Kutscher-Steudel-Apparat extrahiert. Die erhaltene wäßrige Phase wird schließlich i. Vak. zur Trockene eingedampft; Ausbeute: ~80% d. Th.

Säuert man die Reaktionsmischung vor der Essigsäure-äthylester-Extraktion mit Salzsäure bis $p_H = 2$–3 an, so erhält man in weiterer Befolgung obiger Aufarbeitungsvorschrift das Dipeptid-Hydrochlorid in annähernd gleicher Ausbeute.

Die oxidative Abspaltung der Formyl-Schutzgruppe läßt sich nach Losse[5] auch auf N-Formyl-aminosäure- bzw. -peptid-trichlor-phenylester übertragen. In diesem Falle wird die Entformylierung durch mehrstdg. Einwirkung von 7%-igem absol. Wasserstoffperoxid in Tetrahydrofuran bei 60° erzielt; die freigesetzte Amino-Gruppe wird sofort durch Salzbildung (Zusatz von 1 Äquiv. 4-Toluolsulfonsäure) abgefangen. Die Trichlor-phenylester-4-Toluolsulfonsäure-Salze werden in 60–70%-iger Ausbeute erhalten. Bei Anwesenheit von Wasser im Reaktionsgemisch erfolgt neben der Entformylierung gleichzeitig hydrolytische Spaltung der aktiven Ester-Gruppierung.

---

[1] J. C. Sheehan u. D.-D. H. Yang, Am. Soc. **80**, 1154 (1958); **80**, 1158 (1958).

[2] S. G. Waley, Chem. & Ind. **1953**, 107.
S. G. Waley u. J. Watson, Biochem. J. **57**, 529 (1954).

[3] K. Hofmann u. J. Yajima, Am. Soc. **83**, 2289 (1961).

[4] G. Losse u. W. Zönnchen, Ang. Ch. **72**, 385 (1960); A. **636**, 140 (1960).

[5] G. Losse u. W. Grunow, Z. **5**, 225 (1965).

Auch durch katalytische Hydrierung ist die Abspaltung der Formyl-Schutzgruppe zu erreichen, wenn der Zerfall der primär gebildeten N-Hydroxymethyl-Verbindung in Formaldehyd und Amino-Komponente beschleunigt und somit eine Weiterhydrierung zum N-Methyl-peptid verhindert bzw. störende Kondensationsreaktionen des Formaldehyds unterbunden werden. Losse und Nadolski[1] konnten zeigen, daß die hydrierende Abspaltung des N-Formyl-Rests aus Peptid-Derivaten in Tetrahydrofuran bei Gegenwart von Chlorwasserstoff dann gelingt, wenn die Carboxy-Seite durch eine hydrogenolysebeständige Maskierung geschützt ist. Unter diesen Bedingungen können N-Formyl-peptidester in hoher Ausbeute in Peptidester-Hydrochloride übergeführt werden.

Peptidester-Hydrochloride durch hydrogenolytische Entformylierung; allgemeine Arbeitsvorschrift[1]: 0,01 Mol N-Formyl-dipeptid-ester in 100 *ml* absol. n Lösung von Chlorwasserstoff in Tetrahydrofuran werden in Gegenwart von 2 g Palladiumkohle bei Raumtemp. wie üblich hydriert. Nach 3–4 Stdn. (max. 7 Stdn.) ist die theor. Menge Wasserstoff aufgenommen. Das Filtrat vom Katalysator wird i. Vak. weitgehend eingeengt, der Rückstand mit viel absol. Äther versetzt. Dabei kristallisiert das Peptidester-Hydrochlorid aus; Ausbeute: ~ 90% d. Th.

Letztlich konnte gezeigt werden, daß eine Entformylierung mittels Hydrazin bzw. Hydrazin-Derivaten VI herbeigeführt werden kann[2]. Diese ,,Umamidierung'' ist gem. nachstehendem Schema eine Gleichgewichtsreaktion, die – nach längerer Reaktionszeit, da Schritt ⓐ anscheinend relativ langsam abläuft – weitgehend zugunsten des Formylhydrazin-Derivats VII und der Aminosäure VIII verschoben ist:

$$\underset{\text{VI}}{R{-}NH{-}NH_2} + \underset{\text{I}}{OHC{-}NH{-}CH(R){-}COOH} \overset{a}{\rightleftharpoons} \left[R{-}NH{-}NH{-}CH(OH){-}NH{-}CH(R){-}COOH\right]$$

$$\overset{b}{\rightleftharpoons} \underset{\text{VII}}{R{-}NH{-}NH{-}CHO} + \underset{\text{VIII}}{H_2N{-}CH(R){-}COOH}$$

Die Einstellung des Gleichgewichts-Zustands wird durch saure, vorzugsweise essigsaure, Katalyse beschleunigt[3].

Geiger und Siedel[3] bzw. Yajima et al.[4] haben basierend auf genannter Reaktion eine brauchbare Spaltung der Formamid-Gruppierung hergeleitet. N-Formyl-aminosäuren (-peptide) lassen sich in alkoholischer oder wäßrig-alkoholischer Lösung (auch andere inerte Lösungsmittel wie Dimethylacetamid, 1,4-Dioxan etc. sind brauchbar) durch Erhitzen mit überschüssigem Hydrazin-Hydroacetat (z.B. 4 Stdn. auf 60–65° oder 15–20 Stdn. auf 50°) mit guten Ausbeuten in Richtung freie Aminosäuren (freies Peptid) entacylieren. (Vgl. dazu die Dephthalylierungs-Technik nach Schwyzer et al., S. 259.)

L-Leucyl-glycin [H-Leu-Gly-OH][3]: 432 mg FOR-Leu-Gly-OH werden in 10 *ml* 2n methanolischer Hydrazin-Hydroacetat-Lösung 20 Stdn. auf 50° erwärmt. Nach anschließendem Verdünnen mit 20 *ml* 50%-igem Methanol rührt man die Reaktionslösung 30 Min. gleichzeitig mit 4 *ml* Ionenaustauscher Amberlite IRC-50 und 10 *ml* Amberlite IR-45. Man filtriert anschließend von den Ionenaustauschern ab, wäscht mit 50%-igem Methanol nach und bringt das Filtrat incl. Waschflüssigkeit i. Vak. zur Trockene. Nach Verreiben des Rückstands mit etwas Aceton erhält man 248 mg Dipeptid (66% d.Th.).

---

[1] G. Losse u. D. Nadolski, J. pr. **24**, 118 (1964).
[2] M. Miyamoto et al., J. pharm. Soc. Japan **81**, 439 (1961).
[3] R. Geiger u. W. Siedel, B. **101**, 3386 (1968).
[4] H. Yajima et al., Am. Soc. **90**, 527 (1968).

Auch eine Entformylierung von N_ε-Formyl-lysin-peptiden (z. B. bei einer Synthese von α-MSH) gelingt nach dem Verfahren einwandfrei[1,2].

Anstelle von Hydrazin können mit gleich gutem Erfolg auch mono-subst. Hydrazin-Derivate, z. B. Phenylhydrazin und Alkyloxycarbonyl-hydrazine, aber auch Hydroxylamin bzw. dessen O-Alkyl-Verbindungen als „Formyl-Gruppen-Acceptoren" Verwendung finden[1]. Über die Spaltung der Formamid-Bindung mittels Anilin etc. siehe Geiger und Siedel[3].

Aminoschutzgruppen vom Urethan-Typ wie Benzyloxycarbonyl-, tert.-Butyloxycarbonyl- u. a. tert.-Butyl-äther- und -ester, aber anscheinend auch ω-Säureamid-Gruppierungen werden unter den genannten Spaltungsbedingungen nicht angegriffen; Racemisierung bei Serin-peptiden wird nicht beobachtet. Demgegenüber werden n-Alkylester bis zu 50% in Hydrazide übergeführt[1].

Die N-Formyl-Gruppierung verhält sich unter den Bedingungen der üblichen alkalischen Verseifung von N-Formyl-peptidestern zu -peptiden weitgehend stabil[4]; nur bei sehr langen Reaktionszeiten oder „drastischeren" Verseifungsbedingungen wird die Formamid-Gruppierung teilweise aufgespalten[5]. Auch die Hydrazinolyse von N-Formyl-peptidestern mit Hydrazin-Hydrat soll sich nach den üblichen Verfahren bewerkstelligen lassen[6] (vgl. dazu S. 168). Von bemerkenswertem Interesse ist ferner die verhältnismäßig hohe Resistenz der Formamid-Gruppierung gegenüber Halogenwasserstoff-Solvolyse in Eisessig[7]. Die absol. Beständigkeit der Schutzgruppe gegenüber katalytischer Hydrierung sollte trotz der Ergebnisse von Boissonnas[7] bzw. Hofmann[8] aufgrund der Befunde von Losse[9] (s. o.) verneint werden.

Zur Bildung von N-Formyl-peptidestern bei der Umsetzung von (2,2,2-Trichlor-1-hydroxy-äthyl)-(trichlormethyl)-1,3-oxazolidinonen mit Aminosäure-(peptid)-estern, s. S. 294 u. II/95.

---

1 R. Geiger u. W. Siedel, B. **101**, 3386 (1968).
2 H. Yajima et al., Am. Soc. **90**, 527 (1968).
3 R. Geiger u. W. Siedel, B. **102**, 2487 (1969).
4 J. C. Sheehan u. D.-D. H. Yang, Am. Soc. **80**, 1154 (1958).
5 F. Leitner, Dissertation, Universität Genf, 1955.
6 K. Hofmann et al., Am. Soc. **83**, 2294 (1961).
K. Vogler u. P. Lanz, Helv. **43**, 270 (1960).
7 R. A. Boissonnas u. G. Preitner, Helv. **36**, 875 (1953).
8 K. Hofmann et al., Am. Soc. **84**, 4470 (1962); **82**, 3727 (1960); **83**, 2294 (1961).
9 G. Losse u. D. Nadolski, J. pr. **24**, 118 (1964).

Tab. 21. Nα-Formyl-[FOR]-L-aminosäuren*

Aminosäure		F [°C]	$[\alpha]_D$	t	c	Lösungsmittel	Literatur	Literatur entspr. D-Verbdg.
Ala	a	182–184	–4,6	21–25	1	Äthanol	1	1
Arg		269–270					2	
Asn	b	168–169 (Zers.)					3	
Cys		87–89					4	
$(Cys)_2$	c	187–188	–162,1	25	1	1n Natronlauge	4	
Gln		118–120 (Zers.)	–2,5	28	2	2n Salzsäure	5	
Glu		110–111	–8,0	28	2	1n Salzsäure	5,6	
Gly		154					7–9	
His		202 (Zers.)	+56,7	20	2,2	Wasser	10,11	10
Ile		157	+27,0	25	3	Äthanol	12,13	13
*a*Ile		123	+27,9	25	3	Äthanol	12	
Leu		144–146	–18,6	22	1	Äthanol	8,9,14–17	9
Lys		187–188	–2,2	25	1,1	$NaHCO_3$	18,19	
Met		99–100	–10,0	25	0,8	Wasser	20	20
Phe		167	–75,4	20	4	Äthanol	21	14,21
Pro		122–123	–20,3	20		Äthanol	8	
Pyr	a	180	–1,1	25	1,12	Äthanol	22,1	
Tyr		170–171	+89,4	10	1,7	Äthanol	23,24	
Val		156	–13,0	20	9	Äthanol	25,8,14	26,25
	a	208–209	–5,4	21–25	1	Äthanol	1	1

[a] DCHA-Salz [b] Monohydrat [c] N,N′-Bis-FOR-

* Nα-FOR-Derivate ω-geschützter mehrfunktioneller Aminosäuren s. Abschnitt „Mehrfunktionelle Aminosäuren“ Tab.

[1] E. Klieger, E. Schröder u. H. Gibian, A. **640,** 157 (1961).
[2] F. Micheel, Z. Krzeminski u. W. Himmelmann, A. **575,** 90 (1952).
[3] E. Cherbuliez u. J. F. Chambers, Helv. **8,** 385 (1925).
[4] J. S. Fruton u. H. T. Clarke, J. Biol. Chem. **106,** 667 (1934).
V. du Vigneaud, R. Dorfmann u. H. S. Loring, J. Biol. Chem. **98,** 577 (1932).
[5] B. A. Borek u. H. Waelsch, J. Biol. Chem. **205,** 459 (1953).
[6] H. Tabor u. H. A. Mehler, J. Biol. Chem. **210,** 559 (1954).
[7] R. A. Boissonnas u. G. Preitner, Helv. **36,** 875 (1953).
[8] G. Losse u. D. Nadolski, J. pr. **24,** 118 (1964).
[9] E. Fischer u. O. Warburg, B. **38,** 3997 (1905).
[10] E. Abderhalden u. A. Weil, H. **77,** 435 (1912).
[11] E. Fischer u. L. H. Cone, A. **363,** 107 (1908).
[12] J. P. Greenstein et al., J. Biol. Chem. **188,** 647 (1951).
[13] R. Loquin, Bl. Soc. Chem. (4) **1,** 598 (1907).
[14] R. L. M. Synge, Biochem. J. **42,** 99 (1948).
[15] K. Vogler u. P. Lanz, Helv. **43,** 270 (1960).
[16] I. Muramatsu, H. Itoi u. M. Tsuji et al., Bl. chem. Soc. Japan **37,** 756 (1964).
[17] J. O. Thomas, Tetrahedron Letters **1967,** 335.
[18] K. Hofmann, E. Stutz u. G. Spühler et al., Am. Soc. **82,** 3727 (1960).
[19] D. E. Wolf, J. Valiant u. R. L. Peck et al., Am. Soc. **74,** 2002 (1952).
[20] W. Windus u. C. S. Marvel, Am. Soc. **53,** 3490 (1931).
[21] E. Fischer u. W. Schöller, A. **357,** 1 (1907).
[22] H. Gibian u. E. Klieger, A. **640,** 145 (1961).
[23] N. Izumiya u. A. Nagamatsu, Bl. chem. Soc. Japan **25,** 265 (1952).
[24] S. G. Waley u. J. Watson, J. Biochem. (Tokyo) **57,** 529 (1954).
[25] E. Fischer, B. **39,** 2320 (1906).
[26] M. A. Nyman u. R. M. Herbst, J. Org. Chem. **15,** 108 (1950).

31.113. 2-substituierte Acetyl-Schutzgruppen

Den Versuchen von Bergmann et al.[1] N-Acetyl-maskierte Aminosäuren als Kopfkomponenten zur Peptidsynthese zu benutzen, war im Hinblick auf die Knüpfung der Peptidbindung durchaus Erfolg beschieden. Da sowohl die Herstellung opt.-akt. N-Acetyl-aminosäuren, allerdings nur durch N-Acetylierung von Aminosäureestern, z.B. mittels Essigsäureanhydrid[2], Thioessigsäure[3] bzw. Essigsäure-4-nitro-phenylester[4] und anschließende Verseifung der N-Acetyl-aminosäure-ester zugänglich, als auch deren racemisierungsfreie Umsetzung mit Aminosäure- oder Peptidester nach den Säurechlorid- bzw. Azid-Verfahren möglich ist und N-Acetyl-peptide in verschiedenen Fällen zweckmäßige Lösungseigenschaften aufweisen, wäre eine Maskierung von α-Amino-Gruppen durch den Acetyl-Rest nicht uninteressant.

Leider ist es bis heute nicht gelungen, eine brauchbare Abspaltungs-Methodik aufzufinden; unter den von Bergmann et al.[1] beschriebenen Bedingungen (1 stdg. Erhitzen mit n Salzsäure auf 130°) wird bereits bei „einfachen" Dipeptiden eine teilweise Lösung der Peptidbindung festgestellt.

Aus diesem Grunde haben N-Acetyl-aminosäuren nur für die Synthese von „Enzymsubstraten" bzw. speziellen Peptid-Naturstoffen, z.B. α-MSH, Bedeutung erlangt. Es war naheliegend, daß eine für die Synthese von Peptiden brauchbare „reversible" N-Acetyl-Maskierung dann vorliegen würde, wenn eine relative Instabilität der Acetylamid-Gruppierung geschaffen werden kann. Man erreicht dies, wie die folgenden Kapitel (S. 171–182) beweisen, durch Substitution des Acetyl-Rests in 2-Stellung.

31.113.10. *Trifluoracetyl-[TFA]-Schutzgruppe*

Die N-Trifluoracetyl-Schutzgruppe wurde 1952 von Weygand et al.[5] in die Peptidsynthese eingeführt. Die Herstellung von N-Trifluoracetyl-aminosäuren (I) gelingt am zweckmäßigsten und ohne Racemisierung bei opt.-akt. Ausgangsmaterial mit $\sim$ 1,2 Äquiv. Trifluoressigsäure-anhydrid in wasserfreier Trifluoressigsäure bei Reaktionstemperaturen zwischen -10 und $+10°$[6]. Unter diesen Bedingungen können auch die N_α-Trifluoracetyl-Derivate einiger mehrfunktioneller Aminosäuren erhalten werden: Im Falle der Diaminosäuren und von Arginin wird hierbei die ω-Amino- bzw. Guanido-Gruppe durch Salzbildung mit Trifluoressigsäure blockiert (s. S. 476), im Falle der aliphatischen Hydroxy-aminosäuren und von Tyrosin jedoch der größte Teil des Ausgangsmaterials zurückerhalten.

---

1 M. Bergmann, F. Stern u. C. Witte, A. **449**, 277 (1926).
M. Bergmann u. H. Köster, H. **167**, 91 (1927).
M. Bergmann u. L. Zervas, H. **175**, 154 (1928).
M. Bergmann, L. Zervas u. V. du Vigneaud, B. **62**, 1905 (1929).

2 M. Bergmann u. L. Zervas, Biochem. J. **203**, 280 (1928).
W. D. Cash, J. Org. Chem. **27**, 3329 (1962).

3 S. Guttmann u. R. A. Boissonnas, Helv. **41**, 1852 (1958).

4 R. Schwyzer, A. Costopanagiotis u. P. Sieber, Chimia **16**, 295 (1962).

5 F. Weygand u. E. Czendes, Ang. Ch. **64**, 136 (1952).

6 F. Weygand u. R. Geiger, B. **89**, 647 (1956).

Eine erfolgreiche Trifluoracetylierung letzterer Aminosäure gelang Weygand und Geiger[1] unter geringfügiger Abänderung des Verfahrens. In dem konstant siedenden Gemisch Trifluoressigsäure/Diäthyläther (3 : 2) ist Tyrosin gut löslich und gleichzeitig eine genügend hohe Konzentration an acylierbaren Amino-Gruppen aufgrund der Oxonium-Salzbildung in obigem Lösungsmittel-Addukt gewährleistet. Diese Methodik erlaubte ferner die Trifluoracetylierung von Tryptophan, die wegen der Instabilität des Indolsystems unter erstgenannten Bedingungen fehlgeschlagen war.

Serin und Threonin können nach Weygand und Rinno[2] mittels 2,2 Äquiv. Trifluoressigsäure-anhydrid in Trifluoressigsäure leicht zu den N,O-Diacyl-Verbindungen umgesetzt werden; die Verwendung dieser Derivate zu Peptidsynthesen bewährte sich aber nicht, da der O-Trifluoracetyl-Rest zu rasch auf die Amino-Komponente übertragen wird. So entstand bei der Dicyclohexyl-carbodiimid-Verknüpfung von TFA-Ser(TFA)-OH mit H-Tyr-OMe neben dem gewünschten Peptid-Derivat auch TFA-Tyr-OMe. Zwar lassen sich die N,O-Diacetyl-Verbindungen durch vorsichtige wäßr. Hydrolyse in peptidsynthetisch verwendbares TFA-Ser-OH bzw. TFA-Thr-OH überführen, doch ist das im Hinblick auf einfachere Trifluoressigsäure-thioester-Verfahren (s. u.) nicht mehr von Bedeutung.

N-Trifluoracetyl-aminosäuren; allgemeine Herstellungsvorschrift[1]: Die trockene Aminosäure wird in der 10–15fachen Gewichtsmenge wasserfreier Trifluoressigsäure, evtl. unter Erwärmen, gelöst. Man kühlt dann in einer Eis-Kochsalzmischung auf $-10°$ ab und läßt unter magnetischem Rühren 1,2 Mol Trifluoressigsäure-anhydrid innerhalb weniger Min. zutropfen. Das Kühlbad wird entfernt oder durch ein $+10°$ warmes Wasserbad ersetzt. Nach 30 Min. Stehen werden überschüssiges Anhydrid und Trifluoressigsäure i. Vak. bei höchstens 30° Badtemp. in eine Kohlendioxid/Aceton gekühlte Vorlage abdestilliert. Zur Entfernung nicht umgesetzter Aminosäuren löst man den Rückstand in der 20fachen Menge absol. Äther, engt die Lösung nach Filtration ein und kristallisiert das erhaltene Produkt aus Benzol oder Toluol evtl. unter Zusatz von Petroläther um; Ausbeute: 70–95% d. Th.

Die Einwirkung von Trifluoressigsäure-anhydrid im Überschuß[3] auf Aminosäuren führt zur Bildung der gemischten Anhydride II aus N-Trifluoracetyl-aminosäure und Trifluoressigsäure, die rasch in die symm. Anhydride der N-Trifluoracetyl-aminosäuren III bzw. Trifluoressigsäure-anhydride disproportionieren oder unter Austritt von Trifluoressigsäure in die stabilen 4-substituierten 5-Oxo-2-trifluormethyl-2,5-dihydro-1,3-oxazole (IV) übergehen[4]; letztere bilden sich auch aus den symm. N-Trifluoracetyl-aminosäure-anhydride beim Umkristallisieren bzw. längerem Aufbewahren. Ausnahmen bereiten Glycin und Prolin[5], deren symm. Anhydride beständig sind, sowie L-Glutaminsäure[3] und L-Asparaginsäure[5], die die opt.-akt. innermolekularen Anhydride ergeben (s. dazu S. II/217f.).

Die peptidsynthetische Bedeutung der 5-Oxo-2-trifluormethyl-2,5-dihydro-1,3-oxazole (IV) ist gering, da die Verknüpfung mit Aminosäureestern nur zu racemischen Trifluoracetyl-peptidestern führt. Mit Alkylthiolen lassen die 2,5-Dihydro-1,3-oxazole IV sich, in Gegenwart von Bromwasserstoff/Eisessig, in die Mercaptale von α-Oxo-carbonsäuren und 2-Trifluoralkylthio-äthylamine aufspalten. Weiter erfreuen sie sich nach N-Acylierung und Oxidation zum Sulfon einer überraschend hohen Reaktivität gegenüber nucleophilen Reagentien[6] (s. dazu S. 289).

---

[1] F. Weygand u. R. Geiger, B. **89**, 647 (1956).
[2] F. Weygand u. H. Rinno, B. **92**, 517 (1959).
[3] F. Weygand u. E. Leising, B. **87**, 248 (1954).
[4] F. Weygand u. U. Glöckler, B. **89**, 653 (1956).
[5] F. Weygand, P. Klinke u. I. Eigen, B. **90**, 1896 (1957).
[6] F. Weygand, W. Steglich u. I. Lengyel, Acta chim. Acad. Sci. hung. **44**, 19 (1965).

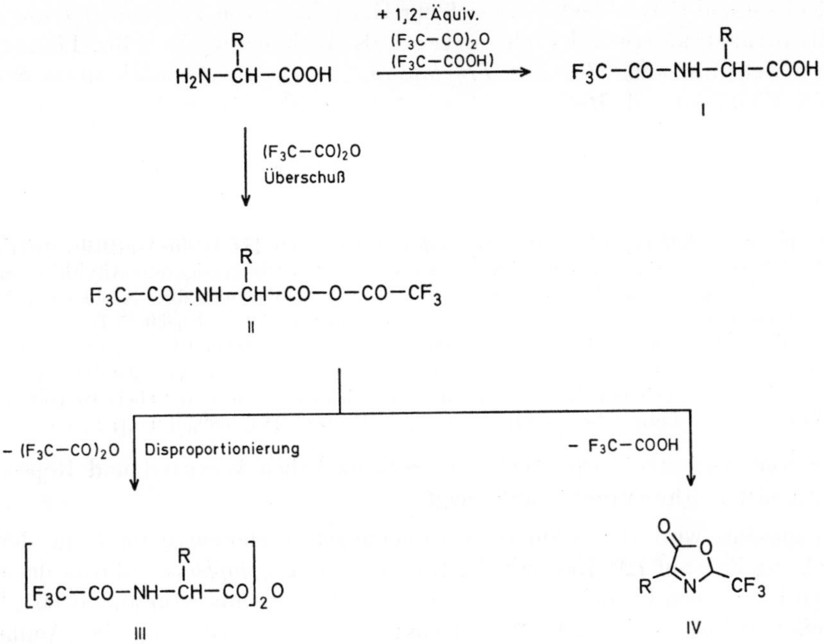

$$H_2N-\underset{}{\overset{R}{\overset{|}{C}}}H-COOH \xrightarrow[(F_3C-COOH)]{+\ 1{,}2\text{-Äquiv.}\ (F_3C-CO)_2O} F_3C-CO-NH-\overset{R}{\overset{|}{C}}H-COOH \quad \text{I}$$

$$\downarrow (F_3C-CO)_2O \text{ Überschuß}$$

$$F_3C-CO-NH-\overset{R}{\overset{|}{C}}H-CO-O-CO-CF_3 \quad \text{II}$$

$-(F_3C-CO)_2O$ Disproportionierung → III; $-F_3C-COOH$ → IV

$$\left[F_3C-CO-NH-\overset{R}{\overset{|}{C}}H-CO\right]_2O \quad \text{III}$$

IV (Oxazolon: 2-CF_3, 4-R)

Die Trifluoracylierungs-Methodik mittels Trifluoressigsäure-anhydrid ist für Peptide (V) kaum brauchbar, da unter diesen Bedingungen nicht nur die α-Amino-Gruppe sondern zum Teil auch die Peptidbindung trifluoracetyliert wird (Eine Ausnahme bilden lediglich Prolin-peptide, die keinen acylierbaren Amid-Stickstoff mehr aufweisen). Daneben findet selbstverständlich Bildung asymm. und symm. Anhydride statt. Zwar lassen sich z.B. die erhaltenen Poly-N-trifluoracetyl-peptid-(Trifluoressigsäure)-Anhydride (VI) mit Wasser weitgehend in Richtung N-Trifluoracetyl-peptid (VII) und Trifluoressigsäure (VIII) hydrolysieren (über die hohe Unbeständigkeit der N,N-Diacyl-amid-Gruppierung gegenüber Wasser vgl. auch Birkofer[1], Bergmann[2] und Wieland[3]), gleichzeitig erfolgt jedoch Spaltung der Peptid-Bindung, wodurch zusätzlich Gemische der N-Trifluoracetyl-aminosäuren (IX) entstehen[4]:

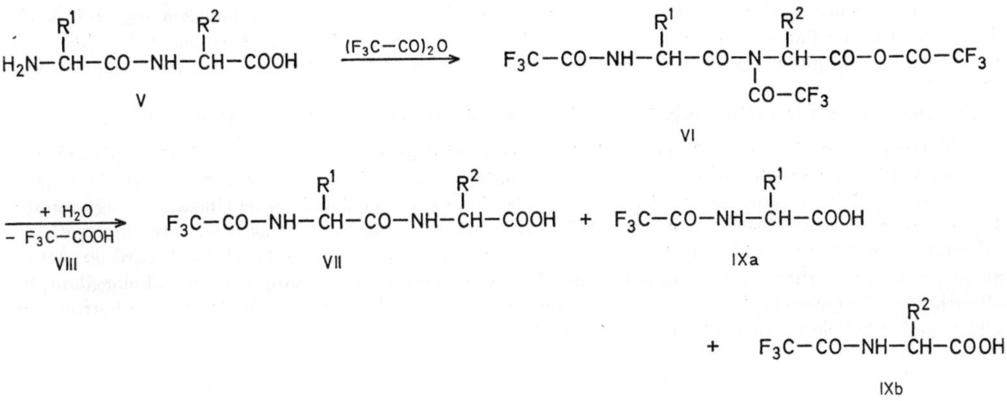

$$H_2N-\overset{R^1}{\overset{|}{C}}H-CO-NH-\overset{R^2}{\overset{|}{C}}H-COOH \ (\text{V}) \xrightarrow{(F_3C-CO)_2O} F_3C-CO-NH-\overset{R^1}{\overset{|}{C}}H-CO-\underset{CO-CF_3}{\underset{|}{N}}-\overset{R^2}{\overset{|}{C}}H-CO-O-CO-CF_3 \ (\text{VI})$$

$$\xrightarrow[-\ F_3C-COOH\ (\text{VIII})]{+\ H_2O} F_3C-CO-NH-\overset{R^1}{\overset{|}{C}}H-CO-NH-\overset{R^2}{\overset{|}{C}}H-COOH \ (\text{VII}) + F_3C-CO-NH-\overset{R^1}{\overset{|}{C}}H-COOH \ (\text{IXa})$$

$$+ \ F_3C-CO-NH-\overset{R^2}{\overset{|}{C}}H-COOH \ (\text{IXb})$$

Eine erfolgreiche Reindarstellung der gewünschten N-Trifluoracetyl-peptide gem. obigen Schema wird sicher nur in wenigen Fällen gelingen.

---

1 L. Birkofer, B. **76**, 769 (1943).
2 M. Bergmann, V. du Vigneaud u. L. Zervas, B. **62**, 1909 (1928).
3 T. Wieland et al., A. **583**, 129 (1953).
4 F. Weygand, R. Geiger u. U. Glöckler, B. **89**, 1543 (1956).

Schallenberg und Calvin[1] bedienten sich zur Herstellung von *Trifluoracetyl*-aminosäuren des Trifluoressigsäure-äthylthioesters[2] als Acyldonator; in wäßr. Lösung bei p_H 8–9 lassen sich u.a. auch *Tyrosin, Tryptophan, Asparagin, Arginin*[1], sowie *Serin* und *Threonin*[3], *Glutamin* und *Methionin*[4] bzw. *Asparaginsäure-β-tert.-butylester*[5] einwandfrei in ihre N_α-Trifluoracetyl-Verbindungen überführen, freies *Lysin* und *Ornithin* glatt in ω-Stellung trifluoracetylieren[1]. Die Methodik ist ohne weiteres auch auf Peptide übertragbar[6].

N-Trifluoracetyl-L-glutaminyl-L-asparaginsäure-β-tert.-butylester [TFA-Gln-Asp(OtBu)-OH][6]: 8,5 g H-Gln-Asp(OtBu)-OH in 27 *ml* n Natronlauge werden mit 6,8 g Trifluoressigsäure-äthylthioester 7 Stdn. geschüttelt. Nach Zugabe von 13,5 *ml* 2n Salzsäure läßt man die Mischung über Nacht im Kühlschrank stehen. Das entstandene Kristallisat wird abfiltriert, über Phosphor(V)-oxid bei 0,05 Torr getrocknet und schließlich mit 80 *ml* siedendem absol. Äthanol behandelt, wobei weitgehend Lösung erfolgt. Das Filtrat wird i.Vak. auf ~ 20 *ml* konzentriert und mit 240 *ml* Petroläther versetzt. Nach 3 stdgm. Aufbewahren im Kühlschrank wird das gebildete Kristallisat abfiltriert, über Phosphor(V)-oxid bei 0,01 Torr getrocknet und aus absol. Äthanol/Petroläther umkristallisiert; Ausbeute: 7,18 g (68% d.Th.); F: 170° (Zers.).

Als ein weiteres brauchbares Acylierungsreagenz haben Weygand und Röpsch[7] Trifluoressigsäure-phenylester aufgezeigt.

Die Aminosäure wird, in geschmolzenem Phenol gelöst oder suspendiert, mit dem Acyl-Donator kurze Zeit auf 120–150° erhitzt. Im Falle des *Tryptophans* gestattet dessen hohe Löslichkeit im warmen Phenol eine Senkung der Reaktionstemperatur auf 70–80°; bei *Alanin, Leucin* und *Isoleucin* kann der Phenol-Zusatz ganz unterbleiben, da diese Aminosäuren schon beim Erhitzen mit Trifluoressigsäure-phenylester auf 135–140° innerhalb weniger Minuten in Lösung gehen.

Diese Trifluoracetylierungs-Methodik, die lediglich bei Cystin versagt[7], verläuft mit besten Ausbeuten racemisierungsfrei; bei der Herstellung von TFA-His-OH ist zur Erhaltung der opt. Aktivität ein Triäthylamin-Zusatz erforderlich[7]. Das Verfahren kann mit gleich gutem Erfolg zur Trifluoracetylierung von Peptiden angewandt werden, wobei man zweckmäßigerweise mit einem größeren Überschuß an Acylierungsmittel arbeitet[7].

N-Trifluoracetyl-aminosäuren; allgemeine Arbeitsvorschrift:

Trifluoressigsäure-phenylester[7]: 110 g (77 *ml*) Trifluoressigsäure-anhydrid und 47 g Phenol werden in einem mit Rückflußkühler und Calciumchloridrohr versehenen Kolben langsam erwärmt. Nach dem Schmelzen des Phenols setzt stürmische Reaktion ein, die nach wenigen Min. beendet ist. Anschließend wird noch 30 Min. im Ölbad auf 100° erhitzt und 2mal fraktioniert; Ausbeute: 75,6 g (80% d.Th.); Kp: 148–149°.

Zur Herstellung aus Trifluoressigsäure und Phosphorigsäure-triphenylester s. Rydon et al.[8].

N-Trifluoracetyl-aminosäuren[7]: Die Aminosäure wird mit 1,2–2 Mol Trifluoressigsäure-phenylester und der 1–4fachen Gewichtsmenge Phenol unter Schütteln oder Rühren auf 120–150° erhitzt; innerhalb 2–20 Min. tritt dabei Lösung ein. Nach beendeter Reaktion wird Phenol und der im Überschuß angewandte Trifluoressigsäure-phenylester i.Vak. abdestilliert oder beide mit viel Petroläther bzw. Tetrachlormethan/Petroläther in Lösung gebracht. Der verbleibende Rückstand bzw. das Kristallisat wird in Äther aufgenommen, die erhaltene Lösung evtl. von nicht umgesetzter Aminosäure filtriert und eingedampft. Die erhaltene Trifluoracetyl-aminosäure wird aus Benzol oder Toluol evtl. unter Zusatz von Petroläther üblich umkristallisiert; Ausbeute: über 80% d.Th.

---

[1] E. E. Schallenberg u. M. Calvin, Am. Soc. **77**, 2779 (1953).
[2] M. Hauptschein, C. S. Stokes u. E. A. Nodiff, Am. Soc. **74**, 4005 (1952).
[3] F. Weygand u. H. Rinno, B. **92**, 517 (1958).
[4] E. Wünsch, F. Drees u. J. Jentsch, B. **98**, 803 (1965).
[5] E. Wünsch u. A. Zwick, H. **333**, 108 (1963).
[6] E. Wünsch, B. **98**, 797 (1965).
[7] F. Weygand u. A. Röpsch, B. **92**, 2095 (1959).
[8] L. Benoiton, H. N. Rydon u. J. E. Willet, Chem. & Ind. **1960**, 1060.

Die Trifluoracetylierung an freien Amino-Gruppen von Aminosäure- bzw. Peptid-estern läßt sich erfolgreich auch mit Trifluoressigsäure-methylester ausführen[1] (über die Bedeutung dieser Reaktion s. ferner S. II/438 u. 440). Wegen der möglichen späteren Umsetzung werden zweckmäßigerweise die Benzylester oder tert.-Butylester mit dem Acylierungsmittel im großen Überschuß (dieses fungiert dann gleichzeitig als Lösungsmittel) behandelt, wonach die N_{α}-Trifluoracetyl-Derivate in hoher Ausbeute gewonnen werden.

N-Trifluoracetyl-L-asparaginsäure-β-tert.-butylester [TFA-Asp(OtBu)-OH][2,3]:

N-Trifluoracetyl-L-asparaginsäure-(β-tert.-butylester)-benzylester [TFA-Asp(OtBu)-OBZL]: Zu einer Mischung von 3,61 g H-Asp-(OtBu)-OBZL · TOS-OH, 1,53 g Trifluoressigsäuremethylester und tert.-Butanol gibt man unter Rühren 0,97 g Triäthylamin. Nach 16 Stdn. engt man am Rotationsverdampfer i. Vak. ein. Man erhält ein farbloses zähes Öl, dessen Essigsäure-äthylester/Benzol-Lösung nach Zusatz von wenig Äther und Anreiben Triäthylamin-4-Toluol-sulfonsäure-Salz abscheidet. Es wird abfiltriert und mit Äther gewaschen. Das Filtrat hinterläßt nach Eindampfen i. Vak. ein farbloses Öl, das erschöpfend mit Petroläther extrahiert wird. Aus dieser Lösung scheiden sich beim Aufbewahren in der Kühltruhe bei $-10°$ lange farblose, verfilzte Nadeln ab; Ausbeute: 2,7 g (90% d. Th.); F: 53–54°; $[\alpha]_D^{20} = -34,0 \pm 1°$ bzw. $[\alpha]_{546}^{20} = -40,48°$ (c = 1,1; in Äthanol).

N-Trifluoracetyl-L-asparaginsäure-β-tert.-butylester: 17,2 g des oben erhaltenen Diesters in 150 *ml* Methanol werden in Gegenwart von Palladiumschwarz 12 Stdn. hydriert. Das Filtrat engt man i. Vak. ein, nimmt den öligen Rückstand in Äther auf und extrahiert erschöpfend mit eiskalter Natriumhydrogencarbonat-Lösung. Die wäßr. Extrakte scheiden beim Ansäuern mit Citronensäure ein Öl ab, das in Äther aufgenommen wird. Aus der erhaltenen, über Natriumsulfat getrockneten Lösung fällt man den Trifluoracetyl-monoester als *Dicyclohexylamin-Salz* aus, das aus Äthanol/Petroläther umkristallisiert wird; Ausbeute: 18,6 g (89% d. Th.); F: 143,5–145°; $[\alpha]_D^{20} = 17,8 \pm 0,5°$ bzw. $[\alpha]_{546}^{20} = +20,8°$ (c = 1,7; in Äthanol).

Als weitere Acylierungsreagentien wurden Trifluoressigsäure-imidazolid[4] bzw. -pyrazolid[5] vorgeschlagen; ihre Bedeutung ist jedoch gering.

N-Trifluoracetyl-aminosäuren lassen sich nach Säurechlorid-[6], Phosphorazo-[7], Carbodiimid-[8,9], Woodward-Reagenz[10], Carbonyldiimidazol-[10], Phosphoroxidchlorid-[11] und Azid-Methoden[7,9] (s. dazu weiter u.) mit Aminosäureestern zu Peptid-Derivaten vereinigen; auch führen einige „Aktivester-Verfahren" (insbesondere Cyanmethylester[12], Vinylester[10] und N-Hydroxy-succinimidester[13]) zum Ziel.

Dabei ist jedoch zu bedenken, daß der peptidsynthetische Einsatz von Trifluoracetyl-aminosäuren als Kopfkomponente dem von Acylpeptiden ähnelt. Bei opt.-akt. Material ist daher stets mit teilweiser, oft erheblicher Racemisierung zu rechnen[13,14]. Nach umfangreichen Untersuchungen von Weygand et al.[10] an TFA-Val-Val-OMe-Synthesen bürgen nur Azid- und Vinylester-Methoden bzw. die „Wünsch-Weygandsche Verfahrenstechnik"[15] für vollen Erhalt der opt. Aktivität (Racemisierungsgrad unter 2%); Carbodiimid-Verknüpfungen verlaufen nur in Dichlormethan unter $-10°$ befriedigend.

---

1 F. Weygand u. R. Geiger, B. **92**, 2099 (1959).
2 E. Wünsch, G. Wendlberger u. J. Jentsch, B. **97**, 3298 (1964).
3 E. Wünsch u. A. Zwick, H. **333**, 108 (1963).
4 H. A. Staab u. G. Walther, B. **95**, 2070 (1962).
5 W. Ried u. G. Franz, A. **644**, 141 (1961).
6 F. Weygand u. E. Leising, B. **87**, 248 (1954).
7 F. Weygand, P. Klinke u. I. Eigen, B. **90**, 1896 (1957).
F. Weygand u. M. Reiher, B. **88**, 26 (1955).
8 E. Wünsch, G. Wendlberger u. J. Jentsch, B. **97**, 3298 (1964).
9 E. Wünsch, F. Drees u. J. Jentsch, B. **98**, 803 (1965).
10 F. Weygand et al., Proc. 5th Symposium on Peptides, Oxford 1962, Pergamon Press Ltd., Oxford **1963**, S. 97.
11 F. Weygand u. H. Rinno, B. **92**, 517 (1959).
12 F. Weygand u. W. Swodenk, B. **90**, 639 (1957).
13 F. Weygand u. E. Frauendorfer, B. **103**, 2437 (1970).
14 Vgl. dazu F. Weygand et al., B. **97**, 1024 (1964).
15 E. Wünsch u. F. Drees, B. **99**, 110 (1966).
F. Weygand, D. Hoffmann u. E. Wünsch, Z. Naturf. **21b**, 246 (1966).

Demgegenüber gingen alle Versuche der Umsetzung von Trifluoracetyl-aminosäuren über ihre „Misch-Anhydride" mehr oder minder unerfreulich aus:

① Misch-Anhydride nach Wieland-Boissonnas-Vaughan werden aminolytisch nach beiden Richtungen geöffnet bzw. gehen leicht in die Trifluormethyl-pseudooxazolone über[1,2].

② „Trifluoressigsäure-anhydride" disproportionieren rasch zu den symm. Anhydriden, wonach 2 Anhydridpartner für die nucleophile Umsetzung auftreten (die symm. N-Trifluoracetyl-aminosäureanhydride gehen des weiteren Umlagerungsreaktionen ein; s. dazu S. II/216), oder cyclisieren unter Trifluoressigsäure-Austritt zu Trifluormethyl-pseudooxazolonen, die mit Aminosäureestern nur zu vollständig racemisierten (1. Aminosäure) N-Trifluoracetyl-peptidestern umgesetzt werden können[3].

So wurde festgestellt[4], daß N-Trifluoracetyl-aminosäure-(Trifluoressigsäure)-Anhydride mit Aminosäure-benzylestern aufgrund der Disproportionierung zu symm. Trifluoracetyl-aminosäure-Anhydriden bzw. Spaltung der Aminokomponente zur freien Aminosäure und Bildung von Trifluoressigsäure-benzylester als Folge einer Umesterung reagieren. Lediglich dem asymm. TFA-Pro-*anhydrid* dürfte eine gewisse peptidsynthetische Bedeutung zukommen, da in diesem Falle wegen des Fehlens des zweiten Aminowasserstoffes eine gewisse Stabilität (incl. in Richtung opt. Aktivität) gegeben und somit die erwünschte nucleophile Umsetzung möglich ist[1].

Trifluoracetyl-aminosäure-azide waren zunächst auf nur umständlichem Wege durch Umsetzung der Säurechloride mit Dicyclohexylamin-Hydroazid zu erhalten[2,5]. Weygand und Swodenk[6] konnten später zeigen, daß die Herstellung der als Ausgangsmaterial für die Azidmethode benötigten Trifluoracetyl-aminosäure-hydrazide trotz der Alkalilabilität dieser Acylamin-Gruppierung aus den entsprechenden, leicht zugänglichen Methylestern[7] durch Hydrazinolyse möglich ist. Mit wasserfreiem Hydrazin allein oder in Gegenwart von wenig Methanol und 48 stdgm. Aufbewahren bei Raumtemperatur werden die Trifluoracetyl-aminosäure-hydrazide in 50- bis 70%-iger Ausbeute gebildet; die als Nebenprodukte entstehenden freien Aminosäure-hydrazide lassen sich leicht mittels eines schwach sauren Ionenaustauschers (z.B. Amberlite XE 64 etc.) abtrennen.

N-Trifluoracetyl-L-leucin-hydrazid-Hydrochlorid [TFA-Leu-NHNH$_2$·HCl][6]: 27,5 g TFA-Leu-OMe werden mit 4,38 g wasserfreiem Hydrazin 48 Stdn. bei Raumtemp. stehengelassen. Nach Abdestillieren des überschüssigen Hydrazins (bei 14 Torr) wird der ölige Rückstand in 400 *ml* Äthanol/Wasser (1:1) gelöst und bis zum Erreichen neutraler Reaktion mit Amberlite XE 64 versetzt. Das i. Vak. eingedampfte Filtrat wird mit äthanolischer Salzsäure versetzt und der Niederschlag aus absol. Essigsäure-äthylester umkristallisiert; Ausbeute: 16,16 g (51% d.Th.); F: 121–125°; $[\alpha]_D^{20} = -28{,}9°$ (c = 1,73; in Wasser).

Das bei vorstehendem Versuch auf dem Austauscher haftende Leucin-hydrazid wird mit verd. Ammoniak eluiert. Nach Eindampfen des Eluats i. Vak. wird der Rückstand im Hochvak. doppelt sublimiert; F: 47–48°; $[\alpha]_D^{20} = +21{,}9°$ (c = 0,8; in Wasser).

Die Übertragung der Methodik auf Trifluoracetyl-dipeptidester scheiterte jedoch; es wurden stets die entsprechenden Dioxopiperazine isoliert. Lediglich im Falle einiger Trifluoracetyl-valyl-aminosäure-methylester ging die Hydrazinolyse der Ester-Gruppierung in Folge sterischer Effekte schneller vor sich als die der Trifluoracetyl-amin-Bindung. Aufgrund obiger Tatsachen kommen Weygand und Swodenk[6] zu dem Schluß, daß das

---

[1] F. Weygand, P. Klinke u. I. Eigen, B. **90**, 1896 (1957).
[2] F. Weygand u. M. Reiher, B. **88**, 26 (1955).
[3] F. Weygand u. U. Glöckler, B. **89**, 653 (1956).
[4] F. Weygand u. E. Leising, B. **87**, 248 (1954).
[5] F. Weygand u. R. Geiger, B. **90**, 639 (1957).
[6] F. Weygand u. W. Swodenk, B. **93**, 1693 (1960).
[7] F. Weygand u. R. Geiger, B. **92**, 2089 (1959).

Gelingen der Trifluoracetyl-aminosäure-methylester-hydrazinolyse auf einer Aktivierung der Ester- durch einen induktiven Effekt der Trifluormethyl-Gruppe beruht. Letzterer fällt jedoch bei N-Trifluoracetyl-peptidestern nicht mehr ins Gewicht.

Man umgeht diesen vakanten Reaktionsschritt durch Herstellung von N-Trifluoracetyl-aminosäure-N'-trityl-[1], -benzyloxycarbonyl-[1] oder -tert.-butyloxycarbonyl-hydraziden[2] aus den N-Trifluoracetyl-aminosäuren und den substituierten Hydraziden mittels Carbodiimid-, Phosphit- oder Cyan-methylester-Verfahren bzw. Trifluoracetyl-peptid-N'-subst.-hydraziden aus N-Trifluoracetyl-aminosäuren und Aminosäure-N'-subst.-hydraziden[1-3]; anschließende jeweils übliche Abspaltung der Hydrazin-Schutzgruppe führt zu den N-Trifluoracetyl-aminosäure- bzw. -peptid-hydraziden.

Die Kombination N_α-Trifluoracetyl-Rest: N'-subst.-Hydrazide stellt weiter einen Analogiefall zur Hofmannschen Phthalyl-: Benzyloxycarbonyl-hydrazid-Technik[4] dar und erlaubt somit eine wahlweise selektive Entfernung der Schutzgruppen, wodurch in der Folge die Fortführung der Peptidsynthese sowohl am Amino- als auch Carboxyende ermöglicht wird (s. S. II/444 u. 178).

Die Spaltung der Trifluoracetyl-amid-Bindung erfolgt bei opt.-akt. Verbindungen ohne Racemisierung leicht im basischen Medium mit verd. Natronlauge[5], Bariumhydroxid-[6] oder Ammoniak-Lösung[5,7]. Die Reaktionsgeschwindigkeit ist aber, vor allem bei Trifluoracetyl-peptiden, stark von der Art der diese Schutzgruppe tragenden Aminosäure abhängig (vgl. hierzu auch die oben gemachten Ausführungen zur Hydrazinolyse von N-Trifluoracetyl-peptidestern), wodurch eine generell gültige Spaltungstechnik (z.B. mit 0,2 n Natronlauge) nicht gegeben ist. So ist in einigen Fällen die Demaskierung mit Ammoniak nicht mehr, in anderen Fällen mit 2 n Natronlauge durchführbar[2].

Bei N-Trifluoracetyl-peptidestern (Methyl-, Äthyl- und dgl. -estern) wird mittels verd. Natronlauge bzw. Bariumhydroxid-Lösung zwar die Trifluoracetylamid- schneller als die Ester-Gruppierung gespalten, doch läßt sich die Reaktion nicht selektiv gestalten. Mit einem entsprechenden Alkali-Überschuß entfernt man beide Schutzgruppen in einem Zuge, wobei die freien Peptide erhalten werden[6,8]. N-Trifluoracetyl-aminosäure- bzw. -peptid-amide können in wäßr. oder wäßr.-methanolischer Lösung durch Behandeln mit Dowex-2-Ionenaustauscher (Basenform) in die entsprechenden freien Amide übergeführt werden[5].

Glycyl-L-alanin [H-Gly-Ala-OH][7]: 2,4 g TFA-Gly-Ala-OH werden mit 15 *ml* konz. Ammoniak übergossen und 1 Stde. bei Raumtemp. stehengelassen. Nach Einengen der Lösung i. Vak. wird der erhaltene Rückstand in Wasser aufgenommen; in die erhaltene Lösung Amberlite IR-4B eingeführt. Nach Absaugen und Waschen des Ionenaustauschers mit Wasser engt man die vereinigten Filtrate i. Vak. ein und fällt das freie Peptid mit Äthanol; Ausbeute: 1,3 g (89% d. Th.); $[\alpha]_D^{20} = -47,8°$ (c = 1,6; in Wasser).

Glycyl-glycyl-glycin [H-Gly-Gly-Gly-OH][6]: 1,565 g TFA-Gly-Gly-Gly-OEt werden in 40 *ml* 0,5 n wäßr.-methanolischer Bariumhydroxyd-Lösung 2 Stdn. bei Raumtemp. stehengelassen. Nach Zugabe der äquiv. Menge Schwefelsäure wird vom Bariumsulfat abzentrifugiert und mit Amberlite IR-4B entsäuert (bis Erreichen $p_H = 6$). Nach Eindampfen i. Vak. wird das Tripeptid mit Äthanol gefällt; Ausbeute: 0,75 g (79% d. Th.).

---

1 F. Weygand u. W. Steglich, B. **92**, 313 (1959).
2 E. Wünsch, G. Wendlberger u. J. Jentsch, B. **97**, 3298 (1964).
3 E. Wünsch, F. Drees u. J. Jentsch, B. **98**, 803 (1965).
4 K. Hofmann et al., Am. Soc. **74**, 470 (1952).
5 F. Weygand u. M. Reiher, B. **88**, 26 (1955).
6 F. Weygand u. W. Swodenk, B. **90**, 639 (1957).
7 F. Weygand et al., B. **97**, 1024 (1964).
8 F. Weygand u. R. Geiger, B. **90**, 634 (1957).

Nebenreaktionen bei der alkalischen Abspaltung von N-Trifluoracetyl-Schutzgruppen wurden von Wünsch et al.[1] sowie von König[2] beobachtet:

① Die Behandlung von TFA-Asp(OtBu)-Tyr(BZL)-Ser(BZL)-NHNH(Z) mit 1 Äquiv. n Natronlauge führte zur Eliminierung von tert.-Butanol und Bildung des N-Trifluoracetyl-asparagyl-peptid-Derivats (sicherlich unter α,β-Transpeptidierung). Erst mit 2n Natronlauge im Überschuß konnte auch der Trifluoracetyl-Rest entfernt und H-Asp-Tyr(BZL)-Ser(BZL)-NHNH(Z) und H-Asp[Tyr-(BZL)-Ser(BZL)-NHNH(Z)]-OH rein isoliert werden.

② Bei Glutaminyl-peptiden tritt u.a. Cyclisierung zur Pyrrolidonyl-Verbindung auf.

③ Bei Anwesenheit von Asparagin in der Peptidsequenz stellt sich (auch bei Spaltungsversuchen mit Ammoniak) die bekannte Diacylimid-Bildung incl. folgender α,β-Transpeptidierung ein.

④ Die Entacylierung von N-Trifluoracetyl-valyl- bzw. -isoleucyl-peptid-Derivaten ist nur unter so drastischen alkalischen Bedingungen möglich, daß eine teilweise Racemisierung oder bei gleichzeitigem Vorliegen einer tert.-Butylester-Bindung eine Verseifung dieser beobachtet werden[2].

Weygand und Frauendorfer[3] glauben, daß die bisher bekannten Schwierigkeiten der Abspaltung des Trifluoracetyl-Restes vermieden werden können, wenn man diese Schutzgruppe mit Natriumborhydrid in Äthanol entfernt. Die Reduktion ist selbst bei großer sterischer Hinderung nach 1 Stde. bei Raumtemperatur beendet. Dabei reagieren Peptidbindungen nicht. Zum Schutz der Carboxy-Funktion ist die tert.-Butyl-Gruppe erforderlich, da sie im Gegensatz zu anderen Estern nur geringfügig von dem Reduktionsreagenz angegriffen wird.

Peptid-tert.-butylester aus dem entsprechenden N-Trifluoracetyl-Derivat durch Reduktion[3]: Zur Lösung oder Suspension von 1 mMol N-Trifluoracetyl-peptid-tert.-butylester in 5 *ml* absol. Äthanol gibt man 4 mMol fein gepulvertes Natriumborhydrid (bei N-Trifluoracetyl-prolyl-Verbindungen 2 mMol). Das Reaktionsgefäß wird mit einem U-Rohr verschlossen, das als Sperrflüssigkeit Paraffinöl enthält, um die Wasserstoffentwicklung verfolgen zu können. Die anfangs auftretende Reaktionswärme führt man durch Kühlen ab. Dann rührt man 1 Stde. bei Raumtemp. (bei N-Trifluoracetyl-prolyl-Verbindungen 6 Min.). Suspendierte Substanzen lösen sich dabei allmählich. Zur Beseitigung des Borhydrid-Überschusses wird die Lösung unter Kühlung mit derselben Menge Aceton versetzt und dann noch 15 Min. lang gerührt. Man dampft die Reaktionsmischung i. Vak. ein, den verbleibenden Rückstand versetzt man zur Zers. der Borkomplexe mit Wasser. Die wäßrige Lösung schüttelt man mehrmals mit Essigsäure-äthylester aus; die organischen Extrakte werden nach Trocknen über Natriumsulfat i. Vak. eingedampft (bei gut wasserlöslichen Verbindungen verwendet man eine ges. Kaliumcarbonat-Lösung zur Zers. der Borkomplexe und Dichlormethan zum Extrahieren); Ausbeute: 90–98%.

Die Vollständigkeit der Reaktion wird dünnschichtchromatographisch überprüft; von besonderer Wichtigkeit ist die Verwendung eines einwandfreien Natriumborhydrids: in 5 *ml* absol. Äthanol müssen 4 mMol Natriumborhydrid eine klare Lösung ergeben!

Unter den genannten Bedingungen gelang Weygand und Frauendorfer[3] eine einwandfreie, selektive Entfernung des Trifluoracetyl-Restes aus *TFA-Asp(OtBu)-Tyr(BZL)-Ser(BZL)-NHNH(Z)* (vgl. dazu oben). Mit diesem Beispiel konnten die Autoren gleichzeitig beweisen, daß unter oben genannten Standardbedingungen der Trifluoracetyl-Spaltung Benzyloxycarbonyl- und tert.-Butyloxycarbonyl-Schutzgruppen sowie Benzyl-äther-Gruppierungen unangegriffen bleiben[3].

Eine Abspaltung des N-Trifluoracetyl-Restes kann ferner durch Erhitzen mit Chlorwasserstoff/Methanol erzielt werden[4]; doch dürfte diese drastische Methodik in vielen Fällen, vor allem bei höheren Peptiden, leicht zur Methanolyse von Peptidbindungen füh-

---

[1] E. Wünsch, G. Wendlberger u. J. Jentsch, B. **97**, 3298 (1964).
E. Wünsch u. F. Drees, B. **99**, 110 (1966).

[2] W. König, Dissertation, TU München, 1964.

[3] F. Weygand u. E. Frauendorfer, B. **103**, 2437 (1970).

[4] F. Weygand u. M. Reiher, B. **88**, 26 (1955).

ren. Unter viel milderen Bedingungen glückt das Verfahren jedoch bei N-Trifluoracetyl-seryl-(threonyl)-peptiden bzw. -estern (X)[1]: Voraussetzung hierfür dürfte primär eine N-O-Acylwanderung der Trifluoracetyl-Gruppe sein. Diese ist nicht reversibel, da

① Trifluoressigsäure-ester vom Typ XI in alkoholischer Lösung rasch Umesterung (zu XII)

② im Zuge der Aufarbeitung in wäßr. Lösung schnell Hydrolyse zur Alkohol-Komponente XIII und Trifluoressigsäure (XIV) erleiden:

$$\underset{\text{X}}{F_3C-CO-NH-\underset{\displaystyle |}{\overset{CH_2-OH}{CH}}-CO-NH-R} \xrightarrow[\text{O}]{+\,H^{\oplus}} \underset{\text{XI}}{H_2N-\overset{CH_2-O-CO-CF_3}{CH}-NH-R}$$

$$\text{XI} \xrightarrow[-\,F_3C-COOH\ (\text{XIV})]{H_2O} \underset{\text{XIII}}{H_2N-\overset{CH_2-OH}{CH}-CO-NH-R}$$

$$\text{XI} \xrightarrow[-\,F_3C-CO-OCH_3\ (\text{XII})]{CH_3OH\ \text{Überschuß}} \underset{\text{XIII}}{H_2N-\overset{CH_2-OH}{CH}-CO-NH-R}$$

Trotz der relativ günstigen Einführungsmöglichkeit wie der Abspaltbarkeit unter alkalischen Bedingungen, die fast in Gegenwart aller anderen N-Schutzgruppen ausführbar ist (Ausnahmen Phthalyl- und Tolylsulfonyl-äthoxycarbonyl-), scheint die Stärke des Trifluoracetyl-Restes weniger in seiner peptidsynthetischen, sondern seiner analytischen Verwendung zu liegen: Diese ist in der hohen Flüchtigkeit von N-Trifluoracetyl-aminosäure- bzw. -peptidestern begründet, die sich zu einer gaschromatographischen Trennung der Verbindungen ausbauen ließ (s. S. II/435 ff.). Über die Verwendung von Trifluoracetyl-oxazolidin-on-Derivaten zur Peptidsynthese s. S. 303 u. II/95.

---

[1] F. Weygand u. H. Rinno, B. **92**, 517 (1959).

Tab. 22. Nα-Trifluoracetyl-[TFA]-L-aminosäuren*

Aminosäure		F [°C]	$[\alpha]_D$	t	c	Lösungsmittel	Literatur	Literatur entsprechender D-Verbindung
Abu		55–57	− 42,1	25	2	Wasser	1	1
Ala		65–67	− 60,3	22	2	Wasser	2–5	5
Arg	a	130–132	− 3,5	18	2	Wasser	4	
		140–142					6	
Asn		164–165					6	
Asp		151–152	− 35,4[d]	20	2,3	abs. Methanol	7	
Cys							8	
$(Cys)_2$	b	165–166	− 247,5	14	1,3	99% Äthanol	4,8	
Gln		152,5					9	
Glu		192	− 23,8	20	2,5	Wasser	3	
Gly		120–121					3,2,1,6,10	
His		207–208	+ 21,7	24	2	Wasser	2,5	
Ile		65–67	+ 3,3	20	4	Äthanol	2	
Leu		71–73	− 39,4	20	1,95	Wasser	4,1	1
Met		69–71	− 22,7	25	2	Wasser	1,9	1
Nle		71–73	− 13,0	25	2	Äthanol	1	1
Nva		64–67	− 31,5	25	2	Wasser	1	1
Orn		232–233	− 9,5	20	0,7	Wasser + 5% Äthanol	4	
Phe		120–121	+ 17,2	24	2	Äthanol	2,1,6	1
Pro		46–48	− 60,3	14	1	abs. Benzol	11	
Pyr	c	169–172	− 30,3	25	1,17	Chloroform	12	
Ser			− 4,0	22	3	Äthanol	13	
Trp		160	+ 1,8	24	2	Äthanol	2,4,6	
Tyr		192,5–193,5	+ 45,0	25	2	Wasser + 1 äquiv. Natronlauge	14,4	
Val		86–87	− 16,0	24		Wasser	2,4,1,15	1

* Nα-TFA-Derivate ω-geschützter mehrfunktioneller Aminosäuren s. Abschnitt „Mehrfunktionelle Aminosäuren“ Tab.

[a] Dihydrat [b] N,N′-Bis-TFA- [c] DCHA-Salz [d] $[\alpha]_{546}$

[1] W. S. Fones u. M. Lee, J. Biol. Chem. **210**, 227 (1954).
[2] F. Weygand u. A. Röpsch, B. **92**, 2095 (1959).
[3] F. Weygand u. E. Leising, B. **87**, 248 (1954).
[4] F. Weygand u. R. Geiger, B. **89**, 647 (1956).
[5] W. S. Fones, J. Org. Chem. **17**, 1661 (1952).
[6] E. E. Schallenberg u. M. Calvin, Am. Soc. **77**, 2779 (1955).
[7] F. Weygand u. H. Fritz, B. **98**, 72 (1965).
[8] T. Wieland u. R. Sarges, A. **658**, 181 (1962).
[9] E. Wünsch, F. Drees u. J. Jentsch, B. **98**, 803 (1965).
[10] F. Weygand u. E. Csendes, Ang. Ch. **64**, 136 (1952).
[11] F. Weygand, P. Klinke u. I. Eigen, B. **90**, 1896 (1957).
[12] E. Klieger, E. Schröder u. H. Gibian, A. **640**, 157 (1961).
[13] F. Weygand u. H. Rinno, B. **92**, 517 (1959).
[14] H. J. Shine u. C. Niemann, Am. Soc. **74**, 97 (1952).
[15] F. Weygand u. M. Reiher, B. **88**, 26 (1955).

31.113.20. *Acetoacetyl-[ACA]-Schutzgruppe*

N-Acetoacetyl-aminosäuren IV sind nach Scoffone et al.[1] durch Umsetzung von freien Aminosäure-estern I in äthanolischer Lösung mit Diketen II und anschließende alkalische Verseifung der erhaltenen, meist kristallinen und leicht zu reinigenden N-Acyl-aminosäure-ester III oder direkt aus Aminosäuren V und Diketen II in Gegenwart von 1 Äquivalent Natronlauge[2] (bei leicht wasserlöslichen Aminosäuren auch ohne Natronlauge!) zugänglich. Falls die N-Acetoacetyl-aminosäuren IV als Öle anfallen, werden sie wie üblich als kristalline Dicyclohexylamin-Salze isoliert.

N-Acetoacetyl-aminosäuren; allgemeine Herstellungsvorschrift[2]: 10 mMol Aminosäure in 5 *ml* 2 n Natronlauge werden bei 0° mit 10 mMol Diketen versetzt, das Gemisch bei Raumtemp. gerührt bis eine Probe negative Ninhydrin-Reaktion zeigt. Danach wird die Lösung mit 6 n Salzsäure auf p_H 2 angesäuert; die *N-Acetoacetyl*-Derivate von L- und D-*Leucin* sowie von L-*Tryptophan* kristallisieren hierbei aus. In allen anderen Fällen wird die Lösung i. Vak. eingedampft, der erhaltene Rückstand mit Äthanol extrahiert. Die alkoholischen Auszüge ergeben nach Eindampfen i. Vak. die N-Acetoacetyl-aminosäuren teils in kristalliner teils öliger Form; die öligen Verbindungen werden schließlich als kristallisierte *Dicyclohexyl-amin-Salze* isoliert.

Die N-Acetoacetylierung ist auch im Peptidverband möglich, wie am Beispiel des *ACA-Leu-Gly-OEt* gezeigt werden konnte[1]:

$$\underset{\text{I}}{H_2N-\overset{R^1}{CH}-CO-OR^2} \xrightarrow{\text{Diketen (II)}} \underset{\text{III}}{H_3C-CO-CH_2-CO-NH-\overset{R^1}{CH}-CO-OR^2}$$

$$\underset{\text{V}}{H_2N-\overset{R^1}{CH}-COOH} \xrightarrow[\text{NaOH}]{\text{Diketen (II)}} \underset{\text{IV}}{H_3C-CO-CH_2-CO-NH-\overset{R^1}{CH}-COOH}$$

$$\xrightarrow{H_2N-\overset{R^1}{CH}-CO-OR^2} \underset{\text{VI}}{H_3C-CO-CH_2-CO-NH-\overset{R^1}{CH}-CO-NH-\overset{R^1}{CH}-CO-OR^2}$$

N-Acetoacetyl-aminosäuren IV lassen sich mit Aminosäure-estern erfolgreich und ohne Racemisierung nach der Carbodiimid-Methode, besser nach dem „Wünsch-Weygand-Verfahren" oder über (N-Hydroxy-succinimid)-ester zu N-Acetoacetyl-peptidestern VI verknüpfen[1–3].

Mit Dicyclohexylcarbodiimid allein reagieren N-Acetoacetyl-aminosäuren zu 2-(2-Oxo-propyliden)-1,3-oxazolidin-5-onen[4]; deren nucleophile Öffnung, z. B. mit Aminosäureestern, führt ebenfalls zu N-Acetoacetyl-peptidestern VI bei völligem Erhalt der Ausgangs-Konfiguration der Kopfkomponente[4].

---

[1] F. D'Angeli, F. Filira u. E. Scoffone, Tetrahedron Letters **1965**, 605.
F. D'Angeli et al., Chem. & Ind. **47**, 901 (1965).

[2] F. D'Angeli et al., Ricerca sci. **36**, 11 (1966).

[3] C. di Bello et al., Soc. [C] **1969**, 350.

[4] C. di Bello, F. Filira u. F. D'Angeli, J. Org. Chem. **36**, 1818 (1971).

N-Acetoacetyl-L-leucyl-glycin-äthylester [ACA-Leu-Gly-OEt][1]: Zu einer Lösung von H-Gly-OEt in 60 *ml* Essigsäure-äthylester (erhalten aus 3 g des Hydrochlorids nach Hillmann[2]) fügt man 4,6 g ACA-Leu-OH und darauf 4,4 g Dicyclohexylcarbodiimid zu. Das Reaktionsgemisch wird über Nacht bei Raumtemp. gerührt, nach Filtration vom ausgefallenen N,N'-Dicyclohexyl-harnstoff i. Vak. eingedampft. Der erhaltene feste Rückstand wird aus Essigsäure-äthylester/Petroläther umkristallisiert; Ausbeute: 6,05 g (94% d. Th.); F: 87–89° (farblose Prismen); $[\alpha]_D^{20} = -47°$ (c = 2, in Äthanol).

Die Amino-Maskierung ist in Anwendung der Knorrschen Pyrazol-Synthese-Methodik[3] mittels Aryl-hydraziden oder Hydroxylamin bzw. deren Hydrochloriden, z. B. in essigsaurer Lösung reversibel; N-Acetoacetyl-peptide (-peptidester) VII werden dabei in die freien Peptide (Peptidester) bzw. deren Hydrochloride VIII und N-Aryl-pyrazolone IX oder 3-Methyl-1,2-oxazolin-5-on X gespalten[1,4,5]:

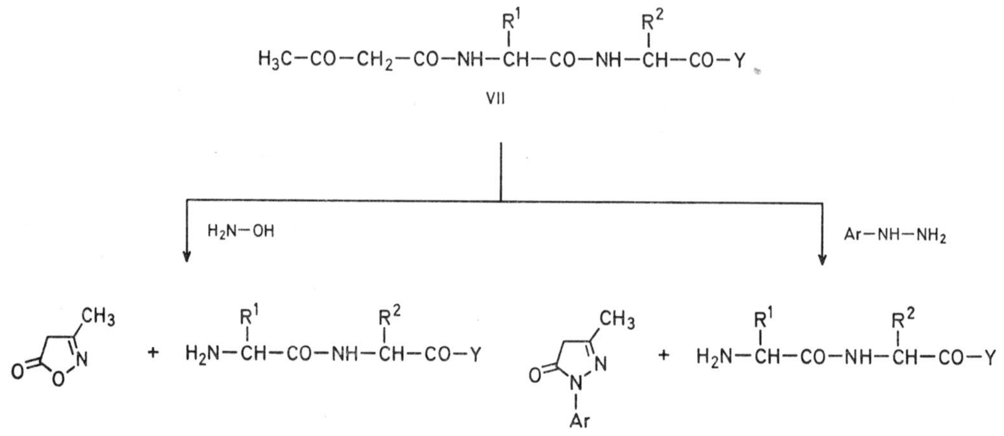

$H_3C{-}CO{-}CH_2{-}CO{-}NH{-}CH(R^1){-}CO{-}NH{-}CH(R^2){-}CO{-}Y$

VII

$\xrightarrow{H_2N-OH}$ X (3-Methyl-1,2-oxazolin-5-on) + $H_2N{-}CH(R^1){-}CO{-}NH{-}CH(R^2){-}CO{-}Y$ (VIII)

$\xrightarrow{Ar-NH-NH_2}$ IX (N-Aryl-3-methyl-pyrazolon) + $H_2N{-}CH(R^1){-}CO{-}NH{-}CH(R^2){-}CO{-}Y$ (VIII)

Y = OH; OR^3

L-Leucyl-glycin-äthylester-Hydrochlorid [H-Leu-Gly-OEt · HCl]: 0,9 g (3 mMol) ACA-Leu-Gly-OEt in Eisessig/Wasser (1:1) werden nach Zusatz von 0,44 g (3 mMol) Phenylhydrazin-Hydrochlorid 20 Min. bei 70° (90 Min. bei 40° oder 6 Stdn. bei Raumtemp.) stehengelassen. Die Reaktionslösung wird hierauf i. Vak. auf ein Drittel ihres Vol. eingeengt und erschöpfend mit Diäthyläther extrahiert. Die verbleibende wäßrige Phase wird i. Vak. zur Trockne gebracht, der erhaltene Rückstand nach Trocknen über Phosphor-(V)-oxid bei $5 \cdot 10^{-3}$ Torr (0,7 g = 93% d. Th.) in absol. Äthanol aufgenommen. Aus dieser Lösung scheidet sich auf Diäthyläther-Zusatz ein Öl ab, das nach Abdekantieren und Trocknen i. Vak. kristallisiert; F: 44–45°; $[\alpha]_D^{20} = +13,87°$ (c = 2,3; in Äthanol).

Die Acetoacetyl-Schutzgruppe soll sich gegenüber der Einwirkung von Trifluoressigsäure bei Raumtemperatur und Bromwasserstoff/Eisessig (2,5 mol) bei 50° resistent verhalten[1,4], d. h. den gebräuchlichsten Spaltungsbedingungen für N-Benzyloxycarbonyl-, N-tert.-Butyloxycarbonyl-, N-Trityl- und O-tert.-Butyl-Maskierungen. Andererseits verhalten sich N-Benzyloxycarbonyl- und N-tert.-Butyloxycarbonyl-Blockierungen stabil gegenüber der Des-Acetoacetylierung[1].

---

[1] F. D'Angeli et al., Ricerca sci. **36**, 11 (1966).
[2] G. Hillmann, Z. Naturf. **1**, 682 (1946).
[3] L. Knorr, A. **238**, 137 (1887).
[4] F. D'Angeli, F. Filira u. E. Scoffone, Tetrahedron Letters **1965**, 605.
F. D'Angeli et al., Chem. & Ind. **47**, 901 (1965).
[5] C. di Bello et al., Soc. [C] **1969**, 350.

Tab. 23. N_α-Acetoacetyl-[ACA]-L-aminosäuren*

Aminosäure	F [°C]	$[\alpha]_D$	t	c	Lösungsmittel	Literatur
Ala	92–93	– 4,6	25	2	1,4-Dioxan	1
a	153–155 (Zers.)					2
Gln	132–134					3
Gly	108–110					2
Leu	124–125	– 28,4		1,3	Äthanol	2,1
Met	68–70	– 1,05		2	Äthanol	2
Phe	109–110	+ 68,2	25	2	1,4-Dioxan	1
Pro	121–122	– 71,14		2,01	Äthanol	4,3
Thr	134–135					2
a	152–156 (Zers.)					2
Trp	164–165	+ 31,5		2	Äthanol	2
Tyr	187–188	+ 52,47		1,93	Äthanol	4,3
Val	124–125	+ 7,4	25	2	1,4-Dioxan	1,5

[a] DCHA-Salz

* N_α-ACA-Derivate ω-geschützter mehrfunktioneller Aminosäuren s. Abschnitt „Mehrfunktionelle Aminosäuren", Tab.

[1] C. DI BELLO et al., J. Org. Chem. **36**, 1818 (1971).
[2] F. D'ANGELI et al., Ricerca sci. **36**, 11 (1966).
[3] V. GIORMANI et al., Ricerca sci. **37**, 84 (1967).
[4] F. D'ANGELI et al., Privatmitteilung.
[5] C. DI BELLO et al., Soc. [C] **1969**, 350.

31.113.30. „*Lactam*"-*Schutzgruppen*

Die schon frühzeitig bekannt gewordene rasche Lactam-Cyclisierung von (2-Amino-phenyl)-glycin[1] bzw. (2-Amino-phenoxy)-essigsäure[2] haben Holley et al.[3] zu „reversiblen" Amino-Maskierungen ausgebaut; die benutzten Acyl-Reste sind unter dem Begriff „Lactam-Schutzgruppen" in die Peptidsynthese eingeführt worden.

Neuerdings hat Cuiban[4] die Cyclisierungs-Tendenz der katalytisch aufhydrierten 2-Nitro-phenyl-substituierten Verbindungen I unter „Standardbedingungen" getestet und gefunden, daß die Reduktion von I in Abhängigkeit des „aliphatischen Teils des Acyl-Restes" und der Substituenten der Amin-Komponente V zu 2-Amino-phenyl-Derivaten II (Stehenbleiben der Reaktion), zu cyclischen Hydroxamsäuren III[5] oder zu den gewünschten Lactamen IV – in beiden letzteren Fällen unter Eliminierung von V – abläuft:

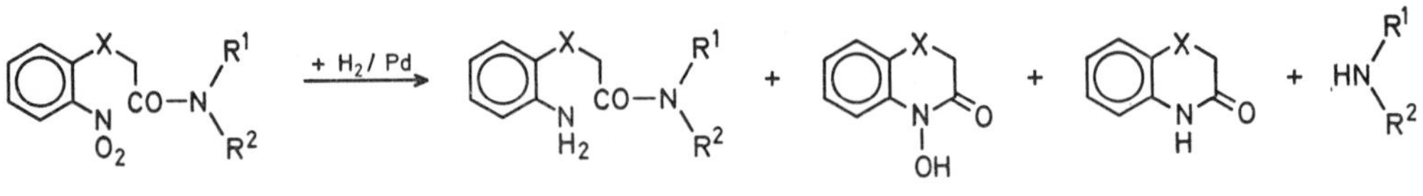

I → (+ H_2/Pd) II + III + IV + V

R^1 = Alkyl X = CH_2, O, S, NH oder —
R^2 = H oder Alkyl

31.113.31. 2-Nitro-phenoxyacetyl-[NPA]-Schutzgruppe

N-(2-Nitro-phenoxyacetyl)-aminosäuren II bzw. -peptide sind unter üblichen Schotten-Baumann-Bedingungen aus (2-Nitro-phenoxy)-acetylchlorid I und Aminosäuren bzw. Peptiden leicht zugänglich[3]. Im Hinblick auf die folgende racemisierungsfreie Verknüpfung ist es jedoch zweckmäßiger, Aminosäureester mit Chlorid I in Gegenwart von 2 Äquiv. tert.-Base zu N-(2-Nitro-phenoxyacetyl)-aminosäureestern III umzusetzen und diese nach bekannter Methodik in die entsprechenden Hydrazide IV, als Ausgangsmaterial für eine Azidmethode, überzuführen[3]:

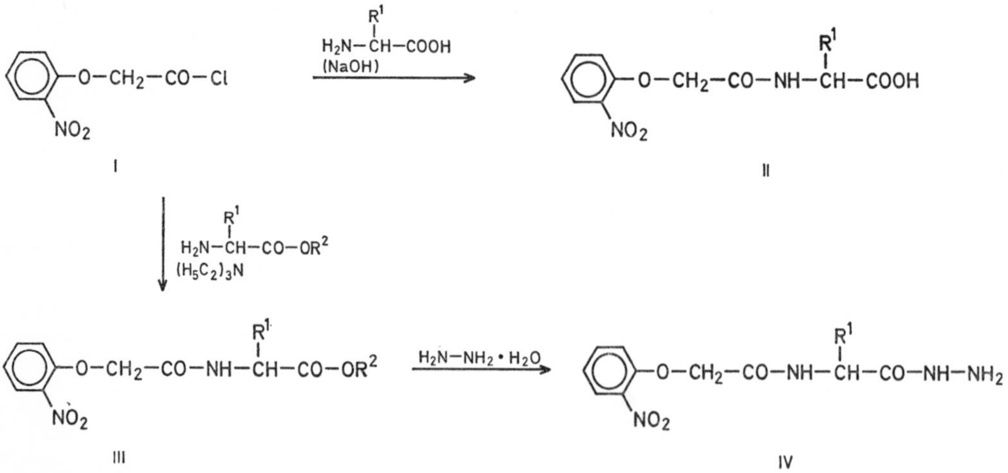

I: $2\text{-}NO_2\text{-}C_6H_4\text{-}O\text{-}CH_2\text{-}CO\text{-}Cl$ → ($H_2N\text{-}CH(R^1)\text{-}COOH$, (NaOH)) II: $2\text{-}NO_2\text{-}C_6H_4\text{-}O\text{-}CH_2\text{-}CO\text{-}NH\text{-}CH(R^1)\text{-}COOH$

I → ($H_2N\text{-}CH(R^1)\text{-}CO\text{-}OR^2$, $(H_5C_2)_3N$) III: $2\text{-}NO_2\text{-}C_6H_4\text{-}O\text{-}CH_2\text{-}CO\text{-}NH\text{-}CH(R^1)\text{-}CO\text{-}OR^2$

III → ($H_2N\text{-}NH_2 \cdot H_2O$) IV: $2\text{-}NO_2\text{-}C_6H_4\text{-}O\text{-}CH_2\text{-}CO\text{-}NH\text{-}CH(R^1)\text{-}CO\text{-}NH\text{-}NH_2$

---

1 J. Plöckl, B. **19**, 6 (1886).
2 A. Thate, J. pr. **29**, 145 (1884).
W. A. Jacobs u. H. Heidelberger, Am. Soc. **39**, 2418 (1917).
3 R. W. Holley u. A. D. Holley, Am. Soc. **74**, 3069 (1952).
4 F. Cuiban, Tetrahedron Letters **1971**, 2471.
5 Vgl. a. C. A. Panetta, J. Org. Chem. **34**, 2773 (1969).

1. Azid-Bildung
2. $H_2N-CH(R^2)-CO-OR^3$
3. NaOH

$\longrightarrow$ $2-O_2N-C_6H_4-O-CH_2-CO-NH-CH(R^1)-CO-NH-CH(R^2)-COOH$

V

$\xrightarrow{H_2/PtO_2}$ $2-H_2N-C_6H_4-O-CH_2-CO-NH-CH(R^1)-CO-NH-CH(R^2)-COOH$

VI

$\xrightarrow{100°/H_2O}$ VIII + $H_2N-CH(R^1)-CO-NH-CH(R^2)-COOH$

VIII VII

N-(2-Nitro-phenoxyacetyl)-L-phenylalanin-hydrazid [NPA-Phe-$NHNH_2$][1]**:**

(2-Nitro-phenoxy)-acetylchlorid[1]: 5 g (2-Nitro-phenoxy)-essigsäure werden mit 25 *ml* Thionylchlorid übergossen und unter Rückfluß 30 Min. erhitzt. Die erhaltene Lösung wird abgekühlt und anschließend i.Vak. zur Trockene gedampft. Der Rückstand wird mit Ligroin gewaschen, filtriert und i.Vak. getrocknet; Ausbeute: fast quantitativ.

N-(2-Nitro-phenoxyacetyl)-L-phenylalanin-äthylester [NPA-Phe-OEt]: Zu einem Gemisch aus 23 g H-Phe-OEt · HCl in 75 *ml* Wasser und 180 *ml* Chloroform werden unter kräftigem Rühren 5,2 g Magnesiumoxid und 28 g (2-Nitro-phenoxy)-acetyl-chlorid in mehreren Portionen innerhalb 30 Min. zugegeben. Man rührt 30 Min. weiter, gibt 5 *ml* Pyridin zur Reaktionsmischung und säuert 5 Min. später mit 5 n Salzsäure an (Kongorot). Die abgetrennte Chloroform-Phase wird wie üblich mit 0,5 n Salzsäure, 5%-iger Natriumhydrogencarbonat-Lösung und Wasser gewaschen, über Natriumsulfat getrocknet und i.Vak. eingedampft, zum Schluß unter 3maliger Zugabe von 50 *ml* Äthanol, um die restlichen Spuren von Chloroform zu entfernen. Der erhaltene Rückstand (F: 85–90°) wird ohne weitere Reinigung umgesetzt; Ausbeute: 43,8 g (93,5% d.Th.).

N-(2-Nitro-phenoxyacetyl)-L-phenylalanin-hydrazid: 34,8 g NPA-Phe-OEt (oben erhaltenes Rohprodukt) in 500 *ml* absol. Äthanol werden mit 12 *ml* 100%-igem Hydrazin-Hydrat versetzt und 90 Stdn. auf 45° erwärmt. Nach mehrstdgm. Stehen im Kühlschrank wird das auskristallisierte Material abfiltriert, mit absol. Äthanol gewaschen und i.Vak. getrocknet; Ausbeute: 28,5 g (80,5% d.Th.).

Wie schon oben erwähnt, erfolgte der peptidsynthetische Einsatz von N-(2-Nitro-phenoxyacetyl)-aminosäuren als Kopfkomponente bislang nach dem Azid-Verfahren, da Säurechlorid-, gem. Anhydrid- u.a. -Methoden im Hinblick auf die besonders leicht erfolgende 1,2-Oxazolon-Bildung zu teilweise erheblicher Racemisierung führen[1]. Die Anwendung „racemisierungsfreier" Verfahren wurde noch nicht studiert.

Zur Entfernung der Schutzgruppe muß zunächst das erhaltene N-(2-Nitro-phenoxyacetyl)-peptid V hydrogenolytisch reduziert werden; beim Erhitzen mit Wasser auf 100° wird schließlich das N-(2-Amino-phenoxyacetyl)-peptid VI in das freie Peptid VII und das Lactam der (2-Amino-phenoxy)-essigsäure (VIII) gespalten[1].

Peptide aus N-(2-Nitro-phenoxyacetyl)-peptiden; allgemeine Arbeitsvorschrift[1]**:** 0,5 mMol N-(2-Nitro-phenoxyacetyl)-peptid und 45 g Natriumhydrogencarbonat in 3 *ml* Wasser werden in Gegenwart von 20 mg Platin(IV)-oxid in der geschlossenen Apparatur üblich mit Wasserstoff behandelt. Nach Aufnahme der theor. ber. Menge Wasserstoff wird filtriert, die erhaltene Lösung durch Zugabe von 0,53 *ml* n Salzsäure neutralisiert. Nach kurzem Stehenlassen im Kühlschrank wird vom ausgefallenen N-(2-Amino-phenoxyacetyl)-peptid abfiltriert, dieses mit wenig Wasser gewaschen und i.Vak. getrocknet.

[1] R. W. Holley u. A. D. Holley, Am. Soc. **74**, 3069 (1952).

Das erhaltene Material wird in 3 *ml* Wasser 1 Stde. auf 100° erhitzt. Beim Abkühlen der Lösung fällt das Lactam der 2-Amino-phenoxy-essigsäure aus; es wird abfiltriert. Das Filtrat wird i. Vak. zur Trockene eingedampft, das rohe Peptid unter üblichen Bedingungen umkristallisiert.

In einigen Fällen ist es angebracht, die Spaltung in einer Mischung von 3 *ml* Wasser und 1,2 *ml* Äthanol über 2 Stdn. vorzunehmen. Nach Abkühlen der Lösung kristallisiert das Lactam und auch ein Teil des Peptids aus; aus dieser Mischung kann das freie Peptid durch Extraktion des Lactams mit Äther leicht isoliert werden. Ausbeute: ~ 70% d. Th.

Die Reversibilität der Nitro-phenoxyacetyl-Schutzgruppe unter oben genannten Bedingungen läßt sich mit Sicherheit auch in Gegenwart anderer, hydrolytisch unempfindlicher Schutzgruppen, ausführen. Es muß jedoch offen gelassen werden, ob unter den herrschenden Reaktionsbedingungen der Spaltung nicht auch Peptidbindungen in Mitleidenschaft gezogen werden; bei Peptiden mit mittelständigen oder amino-endständigen Asparagin- oder Asparaginsäure-Resten wird dies auf alle Fälle zutreffen.

31.113.32. 2-(2-Nitro-phenoxy)-2,2-dimethyl-acetyl-[NPDA]-Schutzgruppe

„Amino-Maskierung" mit Hilfe der 2,2-dimethyl-homologen Verbindung der „Holley-Schutzgruppe" hat erstmals Panetta[1] aufgezeigt: 2-(2-Nitro-phenoxy)-2,2-dimethyl-essigsäure (I) – aus 2-Nitro-phenol und 2-Chlor-2,2-dimethyl-essigsäure zugänglich – kann nach der Säurechlorid- oder Carbodiimid-Methode mit Aminosäureestern vereinigt werden; die erhaltenen N-Acyl-aminosäure-Derivate II besitzen ein IR-Spektrum mit einer charakteristischen Bande bei 1600 cm^{-1}. Reduktion der Nitro-Gruppe in II mittels Zinkstaub/Ammonchlorid oder Aluminium-Amalgam in wäßrigem Tetrahydrofuran führt zu 2-Hydroxylamin III und 2-Amino-Verbindungen IV, wobei mit erstem Reagens vor-

I $\xrightarrow{+\ H_2N-CH(R^1)-CO-OR^2}$ II

II $\xrightarrow{Zn\ /\ NH_4Cl\ \text{bzw.}\ Al\ /\ Hg}$ III + IV

III $\xrightarrow{HCl\ /\ R^2-OH}$ V $-\ [H_3N-CH(R^1)-CO-OR^2]^{\oplus}\ Cl^{\ominus}$ (VII)

IV $\xrightarrow{HCl\ /\ R^2-OH}$ VI $-\ [H_3N-CH(R^1)-CO-OR^2]^{\oplus}\ Cl^{\ominus}$ (VII)

[1] C. A. Panetta, J. Org. Chem. **34**, 2773 (1969).

wiegend III mit letzterem mehr an Produkt IV gebildet werden. Die anschließende Cyclisierung/Eliminierung läßt aus III die cyclische Hydroxamsäure V, aus IV 3-Oxo-2,2-dimethyl-3,4-dihydro-2H-⟨benzo-1,4-oxazin⟩ (VI) entstehen; in beiden Fällen jeweils neben dem Aminosäureester, der bedingt durch die „Aufarbeitungsoperation“ (Behandeln mit Chlorwasserstoff/Alkohol bei Raumtemperatur) in Form des Hydrochlorids VII isoliert wird.

Cuiban[1] hat später beobachtet, daß sich die 2-(2-Nitro-phenoxy)-2,2-dimethyl-acetyl-amin-Gruppierung auch nach katalytischer Reduktion leicht öffnet unter Bildung des cyclischen Lactams VI.

Der peptidsynthetische Einsatz der N-[2-(2-Nitro-phenoxy)-2,2-dimethyl-acetyl]-aminosäuren soll unter Erhalt der optischen Aktivität mittels der Misch-Anhydrid- und Carbodiimid- nicht aber der Säurechlorid-Methode möglich sein[1]. Cuiban[1] hebt die hohe Stabilität der Schutzgruppe gegenüber Säuren (z.B. konzentrierter Ameisensäure) hervor.

31.113.33. 2-(2-Phenylazo-phenoxy)-acetyl-Schutzgruppen

Der 2-(4,5-Dimethyl-2-phenylazo-phenoxy)-2,2-dimethyl-acetyl-[DPDA]- und der 2-(4-Methyl-2-phenylazo-phenoxy)-2,2-dimethyl-acetyl-[MPDA]-Rest* werden von Panetta et al.[2] zur reversiblen Blockierung der Amino-Funktion empfohlen. Die jeweilige Einführung der beiden Schutzgruppen wird von den Autoren wie folgt demonstriert:

Mit Hilfe von 2-Äthoxy-1-äthoxycarbonyl-1,2-dihydro-chinolin-[EEDQ] lassen sich Aminosäureester und die substituierten 2-(2-Phenylazo-phenoxy)-essigsäuren (Ia und Ib) zu den N-Acyl-aminosäureestern IIa und IIb vereinigen; Ia und Ib sind aus 2-Hydroxy-4,5-dimethyl- bzw. 2-Hydroxy-4-methyl-azobenzol, Aceton und Chloroform bequem zugänglich[3].

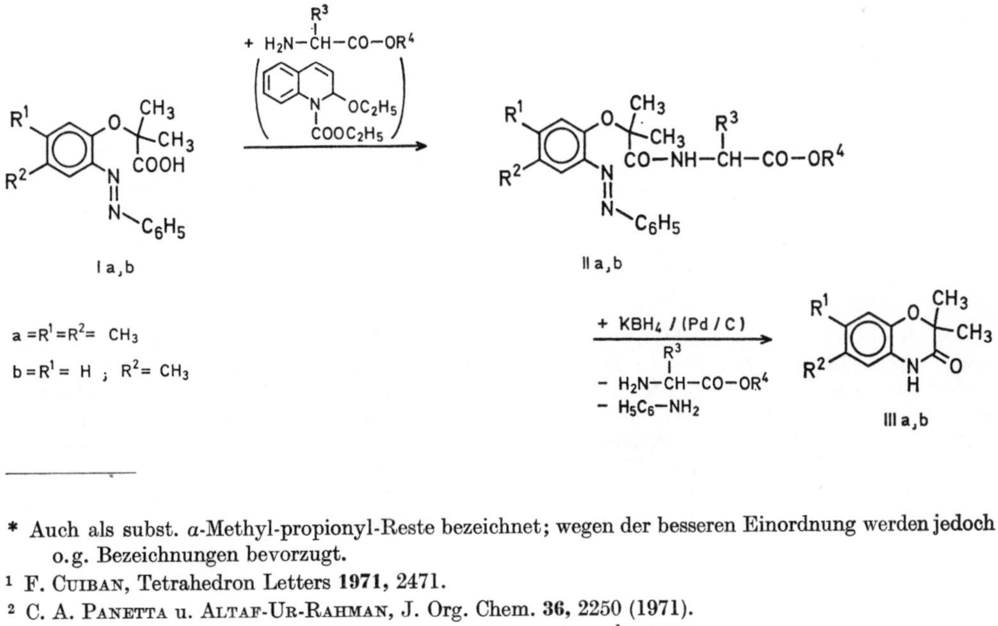

I a,b → (+ $H_2N-CH(R^3)-CO-OR^4$ / EEDQ) → II a,b

+ KBH_4 / (Pd / C); − $H_2N-CH(R^3)-CO-OR^4$; − $H_5C_6-NH_2$ → III a,b

a = $R^1 = R^2 = CH_3$

b = $R^1 = H$; $R^2 = CH_3$

* Auch als subst. α-Methyl-propionyl-Reste bezeichnet; wegen der besseren Einordnung werden jedoch o.g. Bezeichnungen bevorzugt.

1 F. Cuiban, Tetrahedron Letters **1971**, 2471.

2 C. A. Panetta u. Altaf-Ur-Rahman, J. Org. Chem. **36**, 2250 (1971).

3 W. G. Jones, J. M. Thorp u. W. S. Waring, C. A. **55**, 24680^b (1961).

Die Spaltung der subst. 2-(2-Phenylazo-phenoxy)-2,2-dimethyl-acetylamin-Bindung basiert auf der Reduktion der Phenylazo- (via Phenylhydrazo-) zur Amino-Funktion und der dann möglichen „Lactam-Eliminierung"; am Ende der Reaktion stehen 3-Oxo-2,2-dimethyl-3,4-dihydro-2H-⟨benzo-1,4-oxazin⟩-Derivat IIIa und b und die jeweilige Amino-Komponente.

Die Reduktion kann mit Zinkstaub/Ammoniak/Methanol oder Aluminium-Amalgam im wäßrigen Tetrahydrofuran, besser aber mit Kaliumborhydrid/Palladium-Kohle in wäßrigem Methyl-isobutylketon (4-Oxo-2-methyl-pentan) erfolgen; die günstigsten Entacylierungs-Ergebnisse werden unter Benutzung letzterer Technik für N-[2-(4-Methyl-2-phenylazo-phenoxy)-2,2-dimethyl-acetyl]-aminosäure-äthylester (IIb) mit 80–90%-iger Ausbeute an isolierten Aminosäure-äthylester-Hydrochloriden angegeben[1].

Die peptidsynthetische Anwendung der beiden Schutzgruppen steht noch aus.

31.113.34. Monochloracetyl-[MCA]-Schutzgruppe

N-Monochloracetyl-peptide I, nach dem Fischerschen Verfahren zugänglich (s. S. 306f.), lassen sich in die freien Peptide überführen, d.h. von der Chloracetyl-Schutzgruppe befreien, indem man sie mit 1,2-Diamino-benzol II zu 2-Amino-phenyl-glycyl-peptiden III umsetzt und diese durch Erhitzen mit Wasser in die freien Peptide IV und 2-Amino-phenyl-glycin-lactam V spaltet. Damit reiht sich der Monochloracetyl-[MCA]-Rest – indirekt – in die Gruppe der „Lactam-Schutzgruppen" ein:

$$Cl-CH_2-CO-NH-\overset{R^1}{CH}-CO-NH-\overset{R^2}{CH}-COOH \quad (I) \xrightarrow[(LiOH)]{+\ C_6H_4(NH_2)_2} C_6H_4(NH_2)-NH-CH_2-CO-NH-\overset{R^1}{CH}-CO-NH-\overset{R^2}{CH}-COOH \quad (III)$$

$$\xrightarrow{100°/H_2O} \text{V} + H_2N-\overset{R}{CH}-CO-NH-\overset{R}{CH}-COOH \quad (IV)$$

Peptide aus N-Chloracetyl-peptiden; allgemeine Arbeitsvorschrift[2]: Das Gemisch von 0,5 mMol N-Chloracetyl-peptid, 181 mg (1,0 mMol) 1,2-Diaminobenzol-Dihydrochlorid und 60 mg (2,5 mMol) Lithiumhydroxid in 2,5 *ml* Wasser wird 1 Stde. auf 100° erhitzt. Beim Abkühlen der erhaltenen Lösung kristallisiert das Lactam von 2-Amino-phenyl-glycin aus; es wird durch Filtration entfernt. Die wäßr. Mutterlauge wird i. Vak. zur Trockene gedampft, zum Schluß unter Zugabe von absol. Äthanol. Der erhaltene Rückstand (ein Gemisch von Peptid, 1,2-Diamino-benzol und Lithiumchlorid) wird mit 5 *ml* warmem, absol. Äthanol behandelt; das unlösliche Material wird abfiltriert und mit absol. Äthanol gewaschen. Nach Umkristallisieren aus Wasser/Äthanol wird das freie Peptid rein erhalten.

---

[1] C. A. PANETTA u. ALTAF-UR-RAHMAN, J. Org. Chem. **36**, 2250 (1971).
[2] R. W. HOLLEY u. A. D. HOLLEY, Am. Soc. **74**, 3069 (1952).

Abwandlungen der Entacylierungs-Technik können im Hinblick auf die Löslichkeit des N-Chloracetyl- bzw. des freien Peptids notwendig werden (Vgl. die Entacylierungs-Technik für den 2-Nitro-phenoxy-acetyl-Rest, s. S. 185).

Von Masaki et al.[1] sowie von Fontana und Scoffone[2] wurde gezeigt, daß der N-Monochloracetyl-Rest mit T h i o h a r n s t o f f schonend entfernt werden kann; Steglich und Batz[3] fanden aber, daß diese Entacylierungs-Technik meist nur unbefriedigende Ausbeuten erbringt. Schuld daran ist eine Folgereaktion, die die Autoren am Beispiel des *MCA-Val-OMe* (VI) studieren konnten. Die übliche Umsetzung dieser Verbindung mit Thioharnstoff (VII) führt nicht nur zu Valinester VIII und 2-Amino-1,3-thiazolin-4-on bzw. dessen Isomeren IX, sondern in einer Folgereaktion zu 2 „isomeren" N-substituierten 1,3-Thiazolin-4-on-Derivaten X und XI, die auch beim Kochen von H-Val-OMe·HCl mit 2-Amino-1,3-thiazolin-4-on in Wasser erhalten werden können[4]:

$Cl{-}CH_2{-}CO{-}NH{-}CH(R^1){-}CO{-}OR^2$ (VI)

+ $H_2N{-}CS{-}N$(Piperidino) (XII) → XIII + $H_2N{-}CH(R^1){-}CO{-}OR^2$ (VIII)

+ $H_2N{-}CS{-}NH_2$ (VII) → IX + $H_2N{-}CH(R^1){-}CO{-}OR^2$ (VIII)

→ X + XI

Diese Folgereaktion wird nach Steglich und Batz[3] vermieden, wenn man statt Thioharnstoff einen N,N-disubstituierten Thioharnstoff (XII) – P i p e r i d i n - 1 - t h i o c a r b o n s ä u r e - a m i d[5] (N,N-Pentamethylen-thioharnstoff) – verwendet. Durch mehrstündiges Kochen der Komponenten XII und VI in Äthanol wird der N-Monochloracetyl-Rest quantitativ abgespalten; das entstehende 2-Piperidino-4-oxo-1,3-thiazolidin (XIII) und die freigewordene Amino-Komponente VIII reagieren nicht miteinander.

Peptid-ester aus N-Monochloracetyl-peptid-ester; allgemeine Arbeitsvorschrift[3]: 10 mMol N-Monochlor-acetyl-peptid-ester, 12 mMol Piperidin-(1)-thiocarbonsäure-amid und 0,5 *ml* Eisessig werden in wasserfreiem Äthanol 2–5 Stdn. unter Rückfluß erhitzt. Nach Zusatz von 2,5 mMol Chloressigsäure-äthylester (zur restlosen Umwandlung des überschüssigen Spaltungs-Reagenzes) wird noch eine weitere Stde. gekocht, anschließend das Lösungsmittel i. Vak. entfernt und der Rückstand zwischen ges. Kaliumcarbonat-Lösung und Essigsäure-äthylester verteilt. Die organische Phase wird 3mal mit Wasser gewaschen, über Natriumsulfat getrocknet und letztlich erneut i. Vak. eingedampft. Der erhaltene Peptidester, mit

---

1 M. Masaki et al., Am. Soc. **90**, 4508 (1968).

2 A. Fontana u. E. Scoffone, G. **98**, 1261 (1968).

3 W. Steglich u. H.-G. Batz, Ang. Ch. **83**, 83 (1971).

4 A. M. Comrie, Soc. **1964**, 3478.

5 G. V. Nair, Indian J. Chem. **4**, 516 (1966); C. A. **67**, 11290 (1967).

dem „nicht störenden" 2-Piperidino-4-oxo-1,3-thiazolidin verunreinigt, wird der nächsten peptid-chemischen Umsetzung sofort zugeführt.

Das mitgeschleppte 2-Piperidino-4-oxo-1,3-thiazolidin läßt sich nach erfolgter Umsetzung vom gebildeten höheren Acyl-peptidester durch „saure Extraktion" entfernen.

Da Steglich und Batz[1] mit Erfolg eine racemisierungsfreie Verknüpfung von N-Monochloracetyl-aminosäuren nach der „Wünsch-Weygand-Methode" erzielen konnten, sollte diese Schutzgruppe nunmehr zu einer recht brauchbaren Maskierung der Amino-Funktion werden. Hinzu kommt, daß sich der Monochloracetyl-Rest auch gut zum Schutz der ω-Amino-Funktion des Ornithins und Lysins eignet: So läßt sich *TFA-Orn(MCA)-Leu-OtBu* mittels Natriumborhydrid/Äthanol selektiv und in fast quantitativer Ausbeute zu *H-Orn(MCA)-Leu-OtBu* ent-trifluoracetylieren; das erhaltene Peptid-Derivat ist der weiteren peptidsynthetischen Umsetzung mittels N-Trifluoracetyl-aminosäuren oder -peptiden zugänglich[1].

Die Reihe der „Chloracetyl-Demaskierungen" unter Lactam-Cyclisierung haben neuerdings Undheim u. Fjelstad[2] erweitert: 3-Nitro-pyridin-2-thion (3-Nitro-2-mercapto-pyridin; XII) setzt sich mit N-Chloracetyl-peptiden bzw. deren Estern (XIII a u. b) in wäßriger, hydrogen-carbonat- oder carbonat-alkalischer Lösung zu gut isolierbaren *N-{[3-Nitro-pyridyl-(2)-thio]-acetyl}-peptiden* bzw. *-peptid-estern* (XIV a u. b) um. Die Entacylierung von XIV a u. b zu den freien Peptiden bzw. Peptidestern (XV a u. b) gelingt mittels Trifluoressigsäure; als mit Chloroform leicht entfernbares Reaktionsnebenprodukt entsteht 8-Nitro-⟨thiazol[3,2-a]pyridinium⟩-3-olat (XVI):

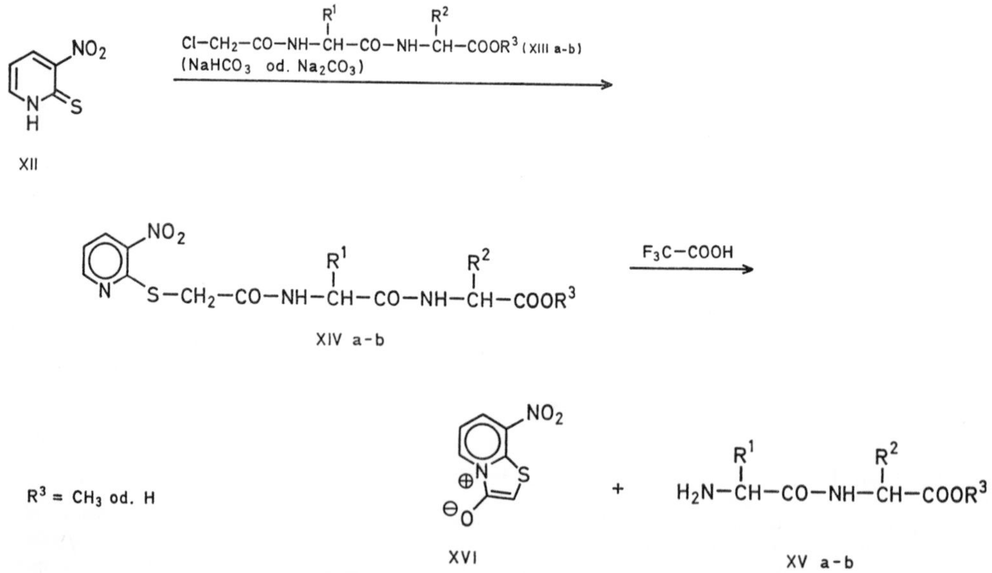

XII $\xrightarrow[(NaHCO_3\ od.\ Na_2CO_3)]{Cl-CH_2-CO-NH-CH(R^1)-CO-NH-CH(R^2)-COOR^3\ (XIII\ a-b)}$

NO_2-Pyridyl-$S-CH_2-CO-NH-CH(R^1)-CO-NH-CH(R^2)-COOR^3$ (XIV a-b) $\xrightarrow{F_3C-COOH}$

XVI + $H_2N-CH(R^1)-CO-NH-CH(R^2)-COOR^3$ (XV a-b)

$R^3 = CH_3$ od. H

Die Umwandlung der Chloracetamide zu S-substituierten Thioacetamiden läßt sich u.a. auch mit Pyridin-2-thion, 2-Mercapto-pyrimidin oder 2-Mercapto-⟨benzo-1,3-oxazol⟩ bewerkstelligen; die Lactam-Cyclisierung und damit Entacylierung zur freien Aminoverbindung führt jedoch zu einem Spaltungsgleichgewicht bzw. mißlingt überhaupt. Brauchbare Resultate werden nur noch mit 3-Methyl- und 3-Hydroxy-pyridin-2-thion erzielt[2].

---

[1] W. Steglich u. H.-G. Batz, Ang. Ch. **83**, 83 (1971).
[2] K. Undheim u. E. Fjelstad, Soc. [Perkin I] **1973**, 829.

31.114. „Lacton-Schutzgruppen“

Das bekannte Phänomen der „Imino-Lactonisierung“ von Carbonsäure-amiden basiert auf zwei Voraussetzungen

① Ausbildung eines Imidolat-Anions[1]

② Entstehen einer positiven Ladung in γ- oder δ-Stellung am Carbonsäure-Rest[2].

Letztere Bedingung wird durch einen stark elektro-negativen Substituenten, eine Doppelbindung bzw. Ausbildung eines Carbonium-Ions in der entsprechenden Stellung erfüllt.

So führt Erhitzen von γ-Brom-buttersäure-amid (I) auf 100° oder Äthanolyse zu 2-Imino-tetrahydrofuran-Hydrobromid (II)[3], Behandlung von Glutamin (III) mit salpetriger Säure zum 5-Imino-2-carboxy-tetrahydrofuran (IV)[4] und Einwirkung von Chlorwasserstoff auf 2,2-Diphenylpenten-(4)-säure-amide (V) zu Salzen von 2-Imino-5-methyl-3,3-diphenyl-tetrahydro-furanen (VI)[5]; alle diese cyclischen Iminoäther lassen sich mehr oder minder rasch zu Lactonen VIIa–c und Ammoniak (Aminen) hydrolysieren[3–5].

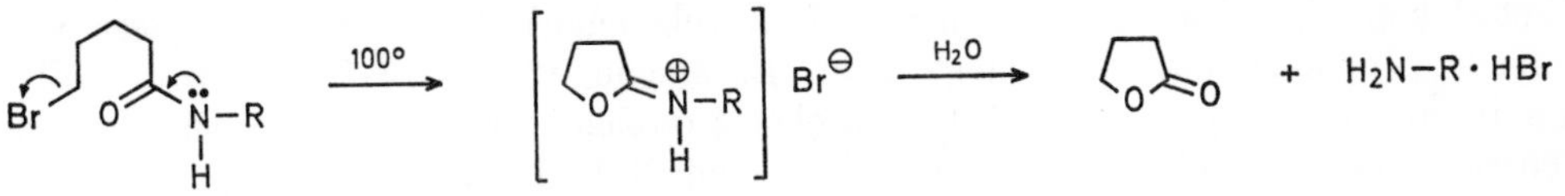

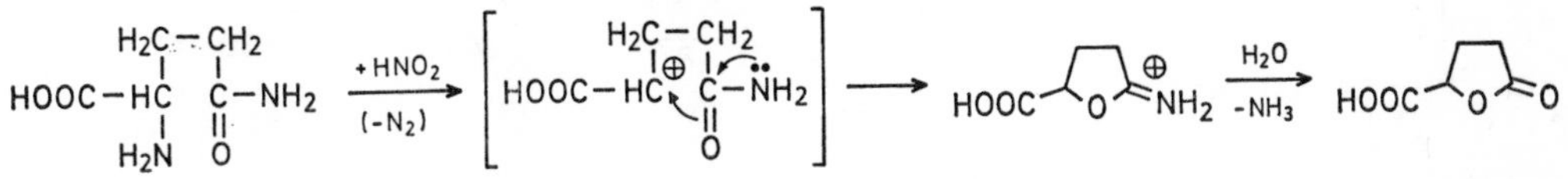

Diese „Imino-Lactonisierung“ ist auch der Grund für die besonders leicht verlaufende Hydrolyse von Peptidbindungen bei den Amanita-Toxinen[6] und δ-Hydroxy-lysin-peptiden. Im ersteren Fall dürfte am γ-Hydroxy-leucin-Rest eine Protonen-bedingte Eliminierung der tert. Hydroxy-Gruppe erfolgen, worauf das entstandene γ-Carbonium-

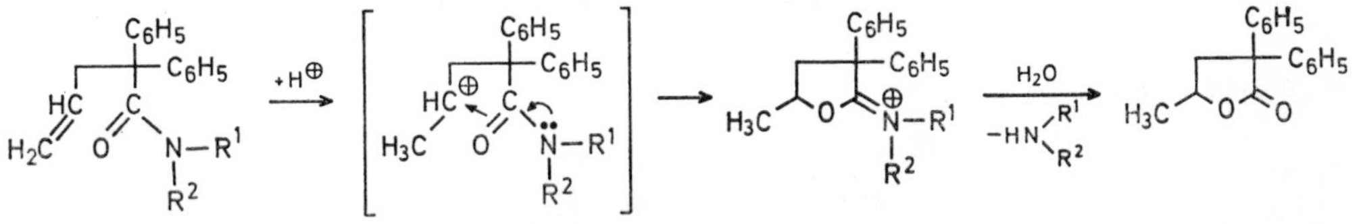

---

[1] S. Winstein u. R. Boschan, Am. Soc. **72**, 4669 (1950).
[2] C. A. Cohen u. B. Witkop, Ang. Ch. **73**, 253 (1961).
[3] C. J. M. Stirling, Soc. **1960**, 255.
[4] A. T. Austin u. J. Howard, Chem. & Ind. **1959**, 1413.
[5] P. N. Graig, Am. Soc. **74**, 129 (1952).
[6] T. Wieland, Acta chim. Acad. Sci. hung. **44**, 5 (1965).
T. Wieland. Helv. **44**, 919 (1961).

Ion intermolekular mit der benachbarten Carbonsäure-amid-Gruppe in Reaktion tritt unter Bildung eines leicht hydrolysierbaren Iminoäthers:

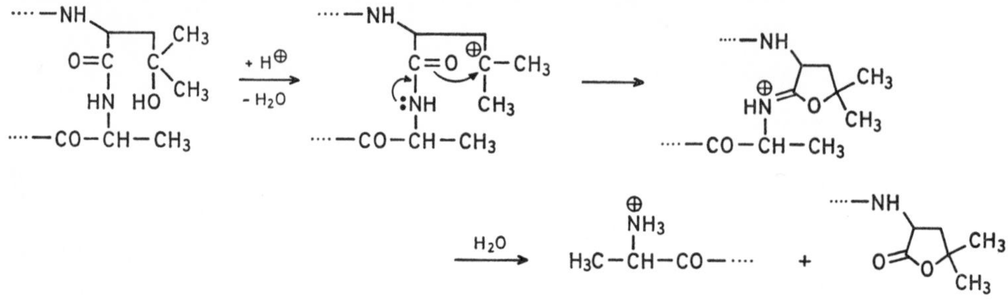

Die ersten Schritte einer Ausnützung der „Imino-Lactonisierung" als reversible Amino-Maskierung für die Peptidsynthese sind neuerdings von verschiedenen Autoren gemacht worden.

31.114.10. *3-Chlor-butyroyl-[CBU]-Schutzgruppe*

Peter[1] konnte zeigen, daß eine unter relativ schonenden Reaktionsbedingungen verlaufende „Imino-lacton-Cyclisierung" beim Behandeln von N-(3-Chlor-butyroyl)-peptidestern (VIII) mit Silber-tetrafluoroborat erreicht wird; die erhaltenen N-subst. cyclischen Iminoäther IX lassen sich anschließend mit N-Acyl-aminosäure-chloriden X unter Abspaltung des Lactons XI zu höheren N-Acyl-peptid-Derivaten (XII) verknüpfen:

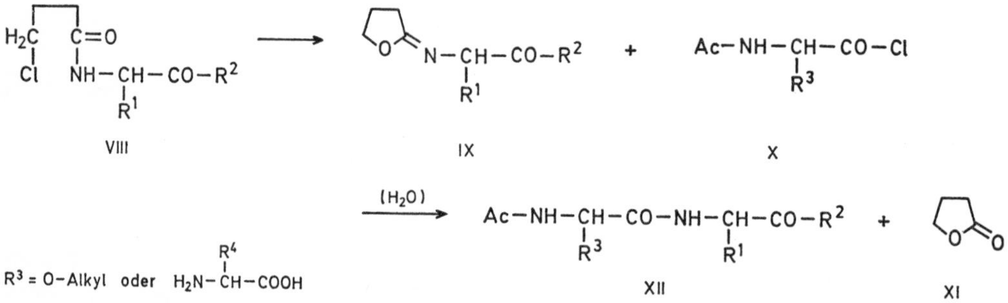

VIII IX X

XII XI

R^3 = O-Alkyl oder $H_2N-CH(R^4)-COOH$

31.114.20. *3-Hydroxy-isocaproyl-[HIC]*-Schutzgruppe*

Aufbauend auf den Erfahrungen mit dem γ-Hydroxy-leucin-Rest in der Amanitin-Sequenz haben Wieland und Lamperstorfer[2] die unter Lacton-Cyclisierung spaltbare Schutzgruppe entwickelt.

γ-Isocapronsäure-lacton (4-Methyl-pentan-4-olid; XIII), auf bekanntem Wege aus Methallylchlorid und Natrium-malonsäure-diester zugänglich[3], wird in Gegenwart von Imidazol von Aminosäure-Salzen (XIV) leicht aminolytisch unter Bildung von N-(3-Hydroxy-isocaproyl)-aminosäuren XV geöffnet, die sich nach bekannten Methoden mit Aminosäureestern XVI zu den N-Acyl-peptidestern XVII vereinigen[2] lassen:

---

* -(4-Hydroxy-4-methyl-pentanoyl)-

1 H. Peter, Dissertation, ETH Zürich (1961).

2 T. Wieland, Acta chim. Acad. Sci. hung. **44**, 5 (1965).
T. Wieland, C. Lamperstorfer u. C. Birr, Makromol. Ch. **92**, 277 (1966).

3 C. M. Stevens u. D. S. Tarbell, J. Org. Chem. **19**, 2000 (1954).

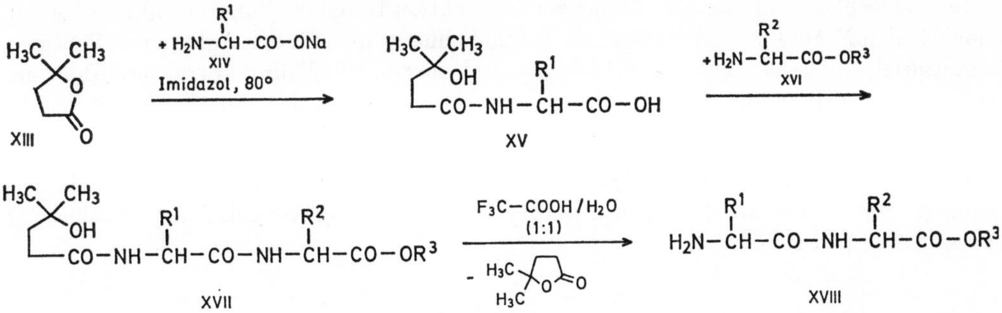

XIII $\xrightarrow[\text{Imidazol, 80°}]{+\,H_2N-CH(R^1)-CO-ONa\ (XIV)}$ XV $\xrightarrow{+\,H_2N-CH(R^2)-CO-OR^3\ (XVI)}$

XVII $\xrightarrow[-\ \text{XIII}]{F_3C-COOH/H_2O\ (1:1)}$ $H_2N-CH(R^1)-CO-NH-CH(R^2)-CO-OR^3$ XVIII

Unter relativ schonenden acidolytischen Bedingungen, z. B. 20 Min. Erhitzen mit 0,1n Salzsäure auf 100° oder besser 2stdgm. Behandeln mit 50%-iger Trifluoressigsäure bei 20°, ist die N-Maskierung reversibel; neben dem freien Peptid (-ester) resultiert 4-Methyl-pentan-4-olid (γ-Isocapronsäure-lacton; XIII). Wieland et al.[1] gelang auf diesem Wege eine befriedigende Darstellung von H-Gly-Leu-OBZL.

31.114.30. *Andere unter „Imino-Lactonisierung“ spaltbare Acyl-Reste*

Wie einleitend betont, wird die Voraussetzung für eine „Imino-Lactonisierung“ durch Ausbildung eines γ-Carbonium-Ion-Zustands am N-Acyl-Rest geschaffen. Dies trifft auch für Aminoacyl-Reste einiger „mehrfunktioneller“ Aminosäuren bzw. für deren Desamino-Analoga zu, wenn diese der Reaktion mit elektrophilen Verbindungen unterworfen werden.

31.114.31. Methionin und dessen Desamino-Analogon

Es ist allgemein bekannt, daß Methionin-sulfonium-Derivate unter Eliminierung eines Thioäthers leicht in Homoserin-lacton übergehen[2]. Witkop et al.[3] haben diese Reaktion zur Spaltung von Methionyl-peptid-Bindungen ausgefeilt: N-Acyl-methionyl-peptide XIX lassen sich z. B. mit Bromcyan (XX) in hoher Ausbeute zu den entsprechenden Cyan-sulfonium-Salzen XXI umsetzen, die bei Raumtemp. in neutraler, wäßriger Lösung rasch in Methyl-thiocyanat (XXII), N-Acyl-homoserin-lacton (XXIV) und Hydrobromid der Aminokomponente (XXV) gespalten werden, letztere durch Hydrolyse des intermediär cyclischen Imino-äthers XXIII:

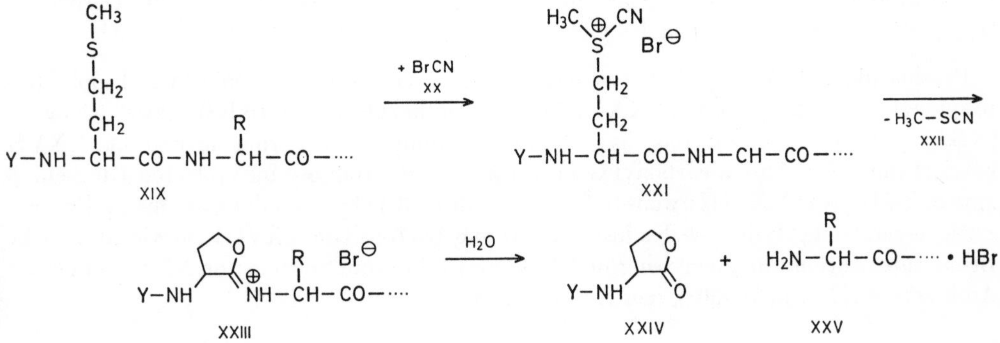

$Y-NH-CH(CH_2-CH_2-S-CH_3)-CO-NH-CH(R)-CO-\cdots$ (XIX) $\xrightarrow{+\,BrCN\ (XX)}$ $Y-NH-CH(CH_2-CH_2-\overset{\oplus}{S}(CH_3)CN)-CO-NH-CH(R)-CO-\cdots\ Br^{\ominus}$ (XXI) $\xrightarrow{-\,H_3C-SCN\ (XXII)}$

XXIII $\xrightarrow{H_2O}$ XXIV + $H_2N-CH(R)-CO-\cdots\cdot HBr$ (XXV)

Y = Acyl

1 T. Wieland, C. Lamperstorfer u. C. Birr, Makromol. Ch. **92**, 277 (1966).
2 G. Toennies u. J. J. Kolb, Am. Soc. **67**, 1141 (1945).
R. A. McRorie et al., Am. Soc. **76**, 115 (1954).
H. G. Gundlach, W. H. Stein u. S. Moore, J. Biol. Chem. **234**, 1761 (1959).
3 W. B. Lawson, E. Gross, C. M. Folk u. B. Witkop, Am. Soc. **84**, 1715 (1962).
E. Gross u. B. Witkop, J. Biol. Chem. **237**, 1856 (1962).
B. Witkop, *Peptides*, Proc. 6th Europ. Peptide Symposium Athen 1963 Pergamon Press Ltd., Oxford **1966**, S. 165.

In Abwesenheit weiterer mit Bromcyan in Reaktion tretender Funktionen[1] ist es somit möglich, den N-Acyl-methionyl-Rest als Amino-Schutzgruppe für den Aufbau von Peptiden heranzuziehen. Die Methode wurde bislang jedoch ausschließlich für die Strukturaufklärung von Naturstoff-Peptiden bzw. Proteinen verwendet (Aufspaltung der Gesamtsequenz in kleinere Bruchstücke: s. dazu auch die folgenden Kap. S. 194–198).

Unter dem Aspekt obiger Ausführungen wäre ferner zu prüfen, ob unter genannten Bedingungen nicht auch γ-alkylthio-subst. Butyryl-Reste für eine reversible Amino-Maskierung Verwendung finden könnten.

31.114.32. Aromatische Aminosäuren und deren Desamino-Analoga

Die Voraussetzung für das Eintreten einer „Imino-Lactonisierung" ist auch durch eine γ,δ-Doppelbindung am N-Acyl-Rest gegeben (s. S. 191 u. 197); diese liegt bei β-aryl-subst. Acyl-Resten, wie sie z. B. die Aminoacyl-Reste der aromatischen Aminosäuren Tryptophan, Tyrosin, Histidin und Phenylalanin verkörpern, „verborgen" vor. Mit bromierenden Reagentien, wie N-Brom-succinimid, N-Brom-acetamid bzw. Brom, wird (bei Phenylalanin erst nach partieller Hydrierung des Benzolringes[2]) nach bekanntem Mechanismus ein kationoider Zustand am γ-C-Atom geschaffen, dessen Absättigung in Sekundärreaktion durch das nachbarständige Imidolat-Anion unter „Spiro-Iminolacton-Bildung" erfolgt[3]:

R–CO–NH NH–R¹ O H R³ R² + Br⊕ → R–CO–NH NH–R¹ O H R³ ⊕ R² Br → R–CO–NH ⊕NH–R¹ O R³ CH–Br R²

31.114.32.1. Tryptophan und dessen Desamino-Analogon

Behandelt man N-Acyl-tryptophyl-glycin in 8–10 m Lithiumacetat-Puffer ($p_H = 4$) mit N-Brom-succinimid, so zeigt das UV-Spektrum eine Abnahme der ursprünglichen „Indol-Extinktion" (λ_{max} 280 mμ) zu Gunsten der eines „Spiro-oxindol-Derivates" (λ_{1max} 261 bzw. λ_{2max} 309 mμ). Im gleichen Maße wird *Glycin* in Freiheit gesetzt[4].

Patchornik und Witkop[4] konnten ferner zeigen, daß Umsetzungen von N-Indolyl-(3)-propionyl-[IPR]-aminosäuren (XXVI) mit N-Brom-succinimid (NBS) bzw. -acetamid (NBA) ebenso verlaufen: das hypothetische Bromonium-Intermediärprodukt XXVII reagiert mit der Amino-carbonyl-Gruppierung unter Imino-γ-butyrolacton-Ringschluß zum Spiro-Derivat XXVIII; weitere Oxidation des 2,3-Dihydro-indol-Systems und gleichzeitig verlaufende Hydrolyse des instabilen Imino-Lactons von XXVIII (so wie zusätzliche Brom-Substitution am Phenylring in 5-Stellung) führt zum Spiro-lacton XXIX und freier Aminosäure XXX in 70–90%-iger Ausbeute:

---

[1] s. dazu J. Schreiber u. B. Witkop, Am. Soc. **86**, 2441 (1964).

[2] M. Wilchek u. A. Patchornik, Am. Soc. **84**, 1613 (1962).

[3] A. Patchornik, W. B. Lawson u. B. Witkop, Am. Soc. **80**, 4747, 4748 (1958).
E. J. Corey u. L. F. Haefele, Am. Soc. **81**, 2225 (1959).
G. L. Schmir, L. A. Cohen u. B. Witkop, Am. Soc. **81**, 2228 (1959).
S. Shaltiel u. A. Patchornik, Bull. Research Council Israel **10A**, 48 u. 79 (1961).
B. Witkop, Adv. Protein Chem. **16**, 221 (1962).

[4] A. Patchornik, W. B. Lawson, E. Gross u. B. Witkop, Am. Soc. **82**, 5923 (1960).

Patchornik und Witkop[1] fanden desweiteren, daß die Bildung des fünfgliedrigen cyclischen Lacton-Systems sehr begünstigt ist; Spaltungen von N-[ω-Indolyl-(3)-butyroyl- bzw. -acetyl]-aminosäuren verliefen unbefriedigend.

Eine N-Alkylierung des Indol-Stickstoffes erhöht anscheinend die Spiro-Lacton-Bildungstendenz: N-{3-[1-Methyl-indolyl-(3)]-propionyl}-glycin [MIPR-Gly-OH] liefert beim Behandeln mit N-Brom-acetamid in 10 m Lithiumacetat-Puffer ($p_H = 4$) *Glycin*, als eines der beiden Spaltprodukte, in fast quantitativer Ausbeute[1].

Eine peptid-synthetische Verwendung von N-Acyl-tryptophyl- bzw. 3-Indolyl-(3)-propionyl-Resten zur reversiblen Amino-Maskierung läßt sich nur dann verwirklichen, wenn keine weiteren durch N-Brom-amide angreifbaren Aminosäuren bzw. Schutzgruppen im Peptidverband vorliegen. Im einzelnen sei verwiesen auf die Bildung von verschiedenen Reaktionsprodukten bei Cystin und Cystein[2], die Oxidation von Methionin[3] zu dessen Sulfoxid bei Reagenz-Überschuß (doch würde dies eine Verwendung nicht ausschließen; s. S. 730 ff.), und schließlich Analogiereaktionen trotz dominierender Abspaltung des Tryptophyl-Restes[1,3] bei Histidyl- und Tyrosyl-Bindungen. Letztere können jedoch durch Maskierung der Sauerstoff-Funktion des Phenols (O-Acylierung) unterbunden werden[4] (s. dazu auch folgende Kapitel, S. 196–197).

---

[1] A. Patchornik, W. B. Lawson, E. Gross u. B. Witkop, Am. Soc. **82**, 5923 (1960).

[2] L. K. Ramachandran, Biochem. biophys. Acta **41**, 524 (1960).
L. K. Ramachandran, J. sci. Ind. Research (India) **21c**, 111 (1962).

[3] G. L. Schmir u. L. A. Cohen, Am. Soc. **83**, 723 (1961).

[4] S. Shaltiel u. A. Patchornik, Am. Soc. **85**, 2799 (1963).

31.114.32.2. Tyrosin und dessen Desamino- bzw. Desamino-3,5-dibrom-Analoga

N-acylierte Tyrosyl-(XXXIa) bzw. N-Phloretyl-[PHL]-aminosäuren (XXXIb) reagieren in 20%-igem Acetonitril-Acetat-Puffer ($p_H = 4,6$) z. B. mit 3 Äquiv. N-Brom-succinimid zu instabilen „Dibrom-spirodienon-imino-lactonen" XXXIIa und b, die hydrolytisch leicht in die Spiro-Lactone XXXIIIa und b und Aminosäuren XXXIV aufspalten[1]. Überträgt man die Reaktion auf die 3,5-Dibrom-Analoga von XXXIa und b (XXXVa und b), so wird nur mehr 1 Äquiv. des Reagenzes benötigt, um die Imino-Lacton-Bildung zu erzielen[1].

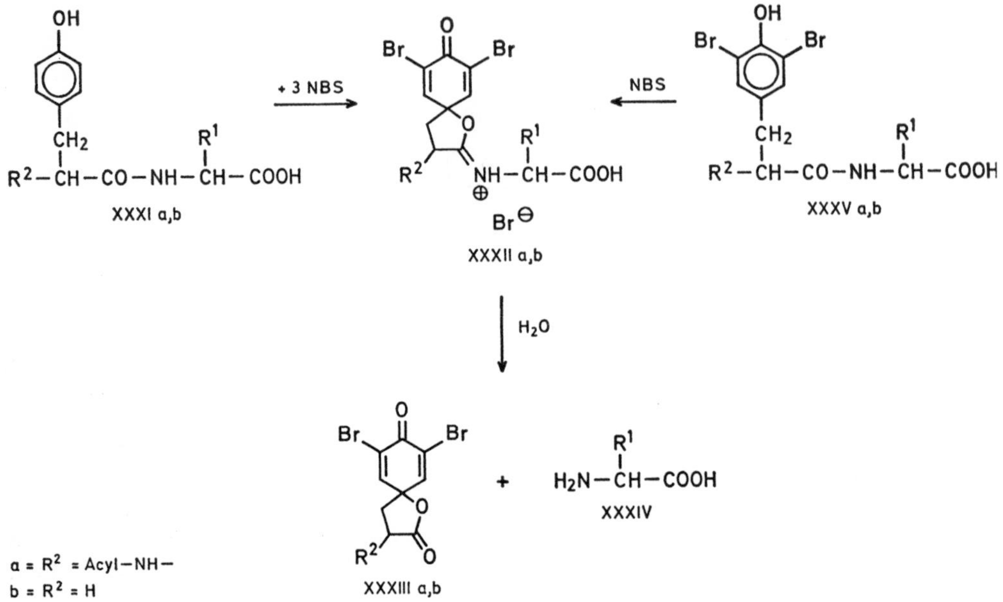

XXXI a,b + 3 NBS → XXXII a,b ← NBS XXXV a,b

XXXII a,b —H_2O→ XXXIII a,b + $H_2N-CH(R^1)-COOH$ XXXIV

a = R^2 = Acyl−NH−
b = R^2 = H

Glycin aus N-3,5-Dibrom-phloretyl-[DPHL]-glycin {N-[3-(3,5-Dibrom-4-hydroxy-phenyl)-propanoyl]-glycin}[1]: 200 mg DPHL-Gly-OH in 30 *ml* 20%-igem Acetonitril-Acetat-Puffer (0,16 m; $p_H = 4,6$) versetzt man mit 93 mg N-Brom-succinimid im selben Lösungsmittelgemisch; 5 Min. danach beginnt die Abscheidung farbloser Kristallnadeln. Nach 2½ stdgm. Stehenlassen wird abgekühlt und vom ausgefallenen Spirodienon-Lacton abfiltriert; Ausbeute: 84 mg (19% d.Th.); *3-[3,5-Dibrom-1-hydroxy-4-oxo-cyclohexa-dien-(2,5)-yl]-propansäure-lacton* (XXXIIIa; F: 173–175°).

Die Mutterlauge enthält *Glycin* als zweites Spaltstück; der Gehalt wurde mittels quantitativer Ninhydrinreaktion bestimmt: 76% d.Th.

Für eine peptid-synthetische Verwendung der genannten Acyl-Reste als Amino-Schutzgruppen müssen jedoch, auch bei Abwesenheit von Tryptophan, Histidin, Cystein, etc. im Peptidsequenzverband, einige Vorbehalte angemeldet werden: Die intermediär auftretenden Spiro-imino-lactone XXXIIa und b sind so instabil unter den herrschenden Reaktionsbedingungen, daß sie während der N-Brom-succinimid-Zugabe laufend in die Spirolactone XXXIIIa und b und Peptide zerfallen. Da ferner die Reaktionsgeschwindigkeiten der 4-Hydroxy-phenyl-Verbindungen mit N-Brom-succinimid doch erheblich geringer als die der entsprechenden Indolyl-(3)-Analoga (s. S. 194) sind, besteht die Gefahr eines Angriffs des N-Brom-amids auf die Amino-Gruppe der freigesetzten Peptide[2], wodurch die Ausbeuten an diesen Spaltstücken erhebliche Minderung erfahren.

---

1 G. L. Schmir, L. A. Cohen u. B. Witkop, Am. Soc. **81**, 2228 (1959).
2 E. W. Chappelle u. J. M. Luck, J. Biol. Chem. **229**, 171 (1957).
S. Shaltiel u. A. Patchornik, Am. Soc. **85**, 2799 (1963).

Nach Witkop et al.[1] kann die Spaltung von N-Phloretyl-aminosäuren (sowie N-Benzoyl-3-nitro-tyrosyl-aminosäuren) ferner mittels elektrolytischer Oxidation (50 V; $p_H = 2{,}2$ bei 25°[1] bzw. in 10%-iger Essigsäure bei 0°[2]) erzielt werden. Unter diesen Bedingungen wird ein Angriff auf das Indol-System und damit Spaltung von Tryptophyl-Bindungen vermieden[1].

Über die Entacylierung mittels Persäuren haben Davis et al.[2] berichtet.

31.114.32.3. Histidin und dessen Desamino-Analogon

N-Acyl-histidyl- bzw. [3-Imidazolyl-(4-; bzw. -5)]-aminosäuren reagieren gleichfalls mit N-Brom-amiden bei Raumtemp. unter Spaltung der Säureamid-Bindung. Die Ausbeuten an Aminosäure (quantitative Ninhydrin-Bestimmung) sind jedoch bei einem Maximal-Verbrauch von 3 Mol N-Brom-succinimid zunächst gering; erst nach Tagen betragen sie ~ 50%. Erhitzen der Reaktionsmischung auf 100° verkürzt zwar diese Zeit auf ~ 1 Stde., die „Spaltungsergebnisse“ werden aber nicht wesentlich besser[3].

Nähere Angaben über den Spaltungsmechanismus s. Witkop und Ramachandran[4] bzw. Patchornik und Shaltiel[5].

Insgesamt gesehen dürften 3-Imidazolyl-(4; bzw. -5)-propanoyl-Reste als reversible N-Maskierungen ungeeignet sein. Ihr Auftreten im Peptid-Sequenzverband (in Gestalt von Histidin) steht jedoch einer Verwendung von „Lacton-Schutzgruppen“, die durch N-Brom-amide spaltbar sind, entgegen.

31.114.33. C-Allyl-glycin und homologe Verbindungen

1 bis 2 Äquiv. N-Brom-succinimid setzen aus N-Acyl-(Z,Bz,TOS)-C-allyl-glycyl- und -C-methallyl-glycyl-glycin (XXXVIa und b) bzw. -glycinamid (XXXVIIa und b), in geringer Abhängigkeit des p_H-Wertes der Reaktionslösung, *Glycin* (XXXVIIIa) bzw. *Glycinamid* (XXXVIIIb) in Freiheit (60–80%); als zweite Spaltprodukte werden α-Acylamino-γ-brommethyl-γ-butyrolactone (IXLa und b) isoliert[6]:

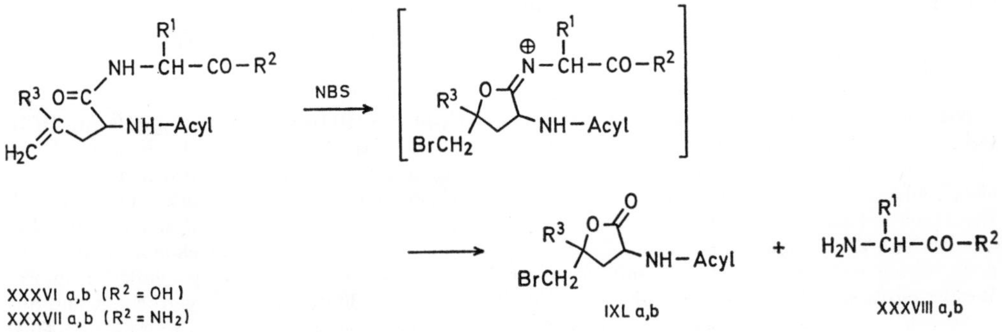

R¹ | NH–CH–CO–R² ; R³ O=C ; C ; NH–Acyl ; H₂C —NBS→ [R³, O, ⊕ N–CH–CO–R², R¹, NH–Acyl, BrCH₂] → R³, O, O, NH–Acyl, BrCH₂ + H₂N–CH(R¹)–CO–R²

XXXVI a,b (R^2 = OH)
XXXVII a,b (R^2 = NH_2)

IXL a,b

XXXVIII a,b

---

[1] H. Iwasaki, L. A. Cohen u. B. Witkop, Am. Soc. **85**, 3701 (1963).
[2] J. S. Davis, C. H. Hassall u. J. A. Schofield, Chem. & Ind. **1964**, 1804.
[3] S. Shaltiel u. A. Patchornik, Am. Soc. **85**, 2799 (1963).
[4] B. Witkop u. L. K. Ramachandran, *Peptides*, Proc. 6th Europ. Sympos., Athen 1963, Pergamon Press Ltd., Oxford **1966**, S. 165.
[5] A. Patchornik u. S. Shaltiel, *Peptides*, Proc. 6th Europ. Sympos., Athen 1963, Pergamon Press Ltd., Oxford **1966**, S. 165, 177.
[6] N. Izumiya, J. E. Francis, A. V. Robertson u. B. Witkop, Am. Soc. **84**, 1702 (1962).

N-acylierte 2-Cyclohexen-(2)-yl-alanyl-aminosäuren (als cyclische Homologe von XXXVIb), die aus den entsprechenden Phenylalanyl-Verbindungen durch Reduktion mittels Lithium in Methylamin bei —70° bis 80° zugänglich sind, werden gleichfalls mittels N-Brom-succinimid in freie Aminosäuren und ein Cyclohexyl-Spiridolacton gespalten[1].

Demgegenüber widersteht *N-Acyl-4,5-dehydro-pipecoloyl-glycin* (*N-Acyl-baikiayl-glycin*), ein cyclisches Homologes von XXXVIa, den Spaltungsbedingungen[2].

31.115. Benzoyl-Schutzgruppen

31.115.10. Der Benzoyl-[Bz]-Rest

Obgleich die ersten Schritte zu einer „gelenkten" systematischen Peptidsynthese mit N-Benzoyl-blockierten Kopfkomponenten getan werden konnten[3], ist es – eine Ironie des Schicksals – bislang vergebliche Mühe gewesen, ein geeignetes und allgemein gültiges Abspaltungsverfahren für diese N-Maskierung aufzufinden. Auch neueren Versuchen, die N-Benzoyl- analog der N-Tosyl-Schutzgruppe durch elektrolytische Reduktion zu entfernen[4] (s. dazu S. 237), scheint nur wenig Erfolg beschieden zu sein; unter den Reduktionsbedingungen wird die N-Benzoyl-amid- teilweise zur N-Benzyl-amin-Gruppierung reduziert[5].

Trotzdem besitzen N-Benzoyl-aminosäuren auch heute noch Bedeutung als Ausgangsmaterial für die Synthese von „Enzymsubstraten". Benzoyl-aminosäure-ester bzw. -amide sind aufgrund ihrer, der „echten" Peptidbindung sehr ähnlichen Bindungsverhältnisse einem Angriff proteolytischer Enzyme auf Aminosäure-ester bzw. -amid-Gruppierung „voll" zugänglich, so daß mit Hilfe dieser einfachen Modellsubstanzen Rückschlüsse auf den Enzymmechanismus gezogen bzw. Methoden der qualitativen und quantitativen Enzym-Bestimmung erarbeitet werden konnten.

Sowohl bei der Herstellung von optisch-aktiven N-Benzoyl-aminosäuren wie deren Umsetzung zu speziellen Amiden oder Peptiden ist auf teilweise erhebliche Racemisierung zu achten; sie hat ihren Ursprung in der hohen Bildungstendenz der optisch sehr labilen Oxazolone (vgl. dazu S. 35).

N-Benzoyl-DL-arginin-β-naphthylamid-Hydrochlorid [Bz-DL-Arg(HCl)-NH(2Np)][6]: 31,5 g Bz-Arg(HCl)-OH und 14,3 g 2-Amino-naphthalin werden in 300 *ml* Dimethylformamid gelöst und nach Zugabe von 20,9 g Dicyclohexylcarbodiimid $6^1/_2$ Stdn. bei Raumtemp. stehengelassen. Die vom ausgeschiedenen N,N'-Dicyclohexyl-harnstoff abfiltrierte Lösung wird i. Vak. weitgehend eingedampft. Der Rückstand wird nach Digerieren mit Diäthyläther in Äthanol gelöst. Nach Zugabe von Essigsäure-äthylester/Diäthyläther scheidet sich die Verbindung als Öl ab, das nach Abtrennen in heißem Wasser aufgenommen wird. Die noch warme wäßrige Lösung wird mit Essigsäure-äthylester überschichtet und geschüttelt; an der Berührungsfläche scheiden sich alsbald Kristalle ab. Sie werden abfiltriert, i. Vak. getrocknet und aus Methanol/Wasser und Methanol/Essigsäure-äthylester umkristallisiert; Ausbeute: 13,8 g (32% d. Th.); F: 193–194°; $[\alpha]_D^{20} = 0 \pm 1°$ (c = 1; in Äthanol).

---

[1] M. Wilchek u. A. Patchornik, Am. Soc. **84**, 4613 (1962).
[2] N. Izumiya, J. E. Francis, A. V. Robertson u. B. Witkop, Am. Soc. **84**, 1702 (1962).
[3] T. Curtius, J. pr. **70**, 57 (1904).
[4] L. Horner, Privatmitteilung (H. Neumann, Dissertation, Universität Mainz, 1964).
[5] R. Geiger, Privatmitteilung.
[6] A. Riedel, E. Wünsch u. A. Hartl, H. **316**, 61 (1959).

Tab. 24. N_α-Benzoyl-[Bz]-L-aminosäuren*

Aminosäure		F [°C]	$[\alpha]_D$	t	c	Lösungsmittel	Literatur	Literatur D-Verbindung
Ala		150–151	+37,1	20	9,3	Wasser + 1 Äquiv. Kaliumhydroxid	1	1
Arg		298 (Zers.)	–8,1	20	1,2	Wasser + 1 Äquiv. Salzsäure	2	
Asp		184–185	+ 37,4	20	9	Wasser + 2 Äquiv. Kaliumhydroxid	1,3	1
$(Cys)_2$	a	195,5–196,5	–222,0	20		Äthanol	4–6	
Dab		214–216	–25,5	22	2,7	5n Salzsäure	7	
Glu		137–139	+ 17,2	20	10	Wasser + 2 Äquiv. Kaliumhydroxid	1	1
Gly		187,5					8–11	
His	b	249	–46,6	20	6,03	Wasser + 2 Äquiv. Salzsäure	12–14	
Ile		116–117	+ 26,4	20	7,43	0,5n Natrium-hydroxid	15	
Leu		104–106	+ 6,6	20	9,5	0,5n Kalium-hydroxid	15,16	16
Lys		250 (Zers.)	+ 21,6	25		Wasser + 1 Äquiv. Natriumhydroxid	17	

[a] N,N'-Bis-Bz- [b] Monohydrat

* N_α-Bz-Derivate ω-geschützter mehrfunktioneller Aminosäuren siehe Abschnitt „Mehrfunktionelle Aminosäuren", Tab.

---

1 E. Fischer, B. **32**, 2451 (1899).
2 K. Felix, H. Müller u. K. Dirr, H. **178**, 192 (1928).
3 S. Goldschmidt u. G. Freyss, B. **66**, 784 (1933).
4 W. Voss, R. Guttmann u. L. Klemm, Bio. Z. **220**, 327 (1930).
5 A. Schöberl, B. **76**, 964 (1943).
6 E. M. Fry, J. Org. Chem. **15**, 438 (1950).
7 J. Rudinger, K. Poduška u. M. Zaoral, Collect. czech. chem. Commun. **25**, 2022 (1960).
8 W. Conrad, J. pr. **15**, 246 (1877).
9 A. Reissert, B. **23**, 2239 (1890).
10 K. Hofmann u. M. Bergmann, J. Biol. Chem. **134**, 225 (1940).
11 D. L. Marshall, J. Org. Chem. **35**, 867 (1970).
12 M. Bergmann u. L. Zervas, Bio. Z. **203**, 280 (1928).
13 H. Pauly, B. **43**, 2243 (1910).
14 O. Gerngross, H. **108**, 50 (1919).
15 F. Ehrlich, B. **37**, 1809 (1904).
16 E. Fischer, B. **33**, 2370 (1900).
17 W. F. Ross u. L. S. Green, J. Biol. Chem. **137**, 105 (1941).

Tab. 24. (Fortsetzung)

Aminosäure	F [°C]	$[\alpha]_D$	t	c	Lösungsmittel	Literatur	Literatur D-Verbindung
Orn	239	+ 4,8	19	0,9	Wasser	1,2	
Phe [c]	145–146	–17,1	20	6,5	1n Kaliumhydroxid		3
Pro	158–159	–100,5	25	0,21	95%-iges Äthanol	4,5	
Ser	147–149	+43,6	22	1	95%-iges Äthanol	6	6
Thr	143–144	+26,8	22	0,7	Wasser	7,8	8
Trp	104–105					9	
Tyr	165–166	+19,3	20	8	Wasser + 1 Äquiv. Kaliumhydroxid	10	10
Val	131–132	+21,8	25	4,9	95%-iges Äthanol	11,12	

[c] Werte für die D-Verbindung

31.115.20. Der 2-Nitro-benzoyl-[2NBz]-Rest

N-(2-Nitro-benzoyl)-aminosäuren (III), zugänglich durch „Carbonyldiimidazol-Kondensation" von 2-Nitro-benzoesäure (I) und Aminosäure-estern und anschließender saurer Hydrolyse der intermediären N-(2-Nitro-benzoyl)-aminosäure-ester (II), können nicht nur Zwischenprodukte für den Aufbau von Peptiden der 2-Amino-benzoesäure (Anthranilsäure) sein (s. S. 314), sondern auch N-geschützte Kopfkomponenten für die Peptidsynthese[13]. Entscheidender Faktor für letzteres Vorhaben ist die in Gegenwart von Metall-Ionen leicht eintretende hydrolytische Spaltung der 2-Amino-benzamid-Gruppierung z.B. bei VI (erhalten gemäß Schema) in den Kupfer-Komplex der Anthranilsäure und die freie Amino-Komponente:

---

[1] B. C. BALDWIN, D. ROBINSON u. R. T. WILLIAMS, Biochem. J. **76**, 595 (1960).
[2] F. D. MARSHALL u. O. J. KOEPPE, Biochemistry **3**, 1692 (1964).
[3] E. FISCHER u. A. MOUNEYRAT, B. **33**, 2383 (1900).
[4] K. F. ITSCHNER, E. R. DRECHSLER u. C. WARNER et al., Arch. Biochem. **53**, 294 (1954).
[5] E. ABDERHALDEN u. K. HEYNS B. **67**, 530 (1934).
[6] E. M. FRY, J. Org. Chem. **15**, 438 (1950).
[7] D. F. ELLIOT, Biochem. J. **45**, 429 (1949).
[8] H. D. WEST u. H. E. CARTER, J. Biol. Chem. **119**, 109 (1937).
[9] C. P. BERG, W. C. ROSE u. C. S. MARVEL, J. Biol. Chem. **85**, 207 (1929).
[10] E. FISCHER, B. **32**, 3638 (1900).
[11] S. W. FOX, C. W. PETTINGA u. J. S. HALVERSON et al., Arch. Biochem. **25**, 21 (1950).
[12] P. KARRER u. F. C. VAN DER SLUYS VEER, Helv. **15**, 746 (1932).
[13] A. K. KOUL et al., Tetrahedron **29**, 625 (1973).

I (2-Nitrobenzoesäure) + $H_2N-CH(R^1)-COOC_2H_5$ + (Imidazolyl)$_2$CO → II: $2NBz-NH-CH(R^1)-COOC_2H_5$

II + $H^{\oplus}$ (n HCl, 60–70°) → III: $2NBz-NH-CH(R^1)-COOH$

III + $H_2N-CH(R^2)-COOC_2H_5$ + $(C_6H_{11}N=)_2C$ → IV: $2NBz-NH-CH(R^1)-CO-NH-CH(R^2)-COOC_2H_5$

IV + $H^{\oplus}$ (n HCl, 60–70°) → V: $2NBz-NH-CH(R^1)-CO-NH-CH(R^2)-COOH$

V + Pt / H_2 → VI: $2ABz-NH-CH(R^1)-CO-NH-CH(R^2)-COOH$

VI + $Cu^{2\oplus}/H^{\oplus}$ → VII (Anthranilsäure-Cu/2-Komplex) + $H_2N-CH(R^1)-CO-NH-CH(R^2)-COOH$

Glycyl-L-alanin [H-Gly-Ala-OH][1]:

N-(2-Nitro-benzoyl)-glycin [2NBz-Gly-OH]: Zu 1,67 g 2-Nitro-benzoesäure in 10 *ml* absol. Tetrahydrofuran werden 1,62 g N,N'-Carbonyldiimidazol zugegeben; die Reaktionsmischung wird ~ 1 Stde. lang bei Raumtemp. gerührt, bis die Kohlendioxid-Entwicklung beendet ist. Dann wird 1,03 g H-Gly-OEt · HCl hinzugefügt. Nach 3stdgm. Stehen wird das ausgefallene Imidazol-Hydrochlorid abfiltriert, das Filtrat i. Vak. eingedampft. Der erhaltene Rückstand, der aus Äthanol kristallisiert, wird sofort mit n Salzsäure bei 60–70° über 1 Stde. lang hydrolysiert; Ausbeute: 3,95 g (90% d. Th.); F: 185–188°.

N-(2-Nitro-benzoyl)-glycyl-L-alanin (2NBz-Gly-Ala-OH]: Zu einer Lösung von 2,24 g 2NBz-Gly-OH in Essigsäure-äthylester werden 1,17 g H-Ala-OEt und 2,06 g Dicyclohexylcarbodiimid jeweils in 20 *ml* Essigsäure-äthylester hinzugesetzt; die Reaktionsmischung wird 30 Min. lang bei 0° gerührt und anschließend 1 Stde. lang bei Raumtemp. stehengelassen. Das Filtrat vom N,N'-Dicyclohexylharnstoff wird i. Vak. zur Trockene eingedampft, der verbleibende Rückstand (2NBz-Gly-Ala-OEt) sofort der üblichen Hydrolyse mit n Salzsäure über 1 Stde. bei 70–80° unterworfen; Ausbeute: 2,5 g (85% d. Th.); F: 238° (Zers.).

N-(2-Amino-benzoyl)-glycyl-L-alanin [2ABz-Gly-Ala-OH]: 147 mg 2NBz-Gly-Ala-OH und 45 mg Natriumhydrogencarbonat in 3 *ml* Wasser werden nach Zugabe von 29 mg Platinoxid in einer Mikrohydrierapparatur mit Wasserstoff behandelt; nach Aufnahme der theor. Menge Wasserstoff wird die Hydrierung beendet (30–40 Min.), das Filtrat vom Katalysator durch Zufügen von 0,53 *ml* n Salzsäure neutralisiert. Das aus der abgekühlten Lösung ausgefallene Material wird abfiltriert, mit wenig kaltem Wasser gewaschen und i. Vak. getrocknet; Ausbeute: 102 mg (85% d. Th.); F: 250–255° (Zers.).

Glycyl-L-alanin [H-Gly-Ala-OH]: 1,325 g 2ABz-Gly-Ala-OH in 25 *ml* Wasser werden mit 0,6725 g Kupfer(II)-acetat und 2 *ml* verd. Salzsäure versetzt, die Reaktionsmischung anschließend bei Raumtemp. unter Schütteln 30 Min. lang belassen. Der Ansatz wird i. Vak. auf die Hälfte seines Vol. konzentriert und dann filtriert. Die erhaltene Lösung wird zur Entfernung überschüssiger Kupfer-Ionen mit

---

[1] A. K. Koul et al., Tetrahedron **29**, 625 (1973).

Schwefelwasserstoff behandelt; nach Filtration vom Kupfersulfid wird i. Vak. eingedampft; Ausbeute: 0,585 g (80% d. Th.); F: 245° (Zers.).

Sowohl die Anwendung einer „sauren" Esterverseifung wie das Fehlen exakter Angaben zur optischen Reinheit der hergestellten Verbindungen lassen die Synthesetechnik unausgereift erscheinen.

31.116. Amino-Blockierung durch intramolekularen Lactam-Ringschluß

Glutaminsäure geht leicht unter Wasser-Abspaltung einen Lactam-Ringschluß zwischen α-Amino- und γ-Carboxy-Gruppen ein[1]; die erhaltene Pyrrolidon-(5)-carbonsäure-(2) (weitere Herstellungsmöglichkeiten s. Beecham[2], Coleman[3] und Gibian[4]) läßt sich mittels Säureazid-[5] und aktiv. Ester-Methoden[6–8] mit Aminosäure(Peptid)-estern bzw. -amiden zu Pyrrolidonoyl-aminosäure- bzw. -peptid-estern (-amiden) vereinigen.

Über Verknüpfungen von Pyrrolidonoyl-peptiden mit Amino-Komponenten unter Verwendung von Carbonyldiimidazol-, Carbodiimid-, Azid- u.a. Methoden s. Literatur [9,10].

Durch Erwärmen mit alkoholischer Salzsäure gelingt es, die Pyrrolidonoyl-Verbindungen unter Ringöffnung in Glutamyl-peptidester überzuführen, wobei allerdings gleichzeitig Veresterung der γ-Carboxy-Gruppe erfolgt. Angier et al.[5] gelang auf diesem Wege die Herstellung von H-Glu(OEt)-Glu(OEt)-OEt · HCl und H-Glu(OEt)-Glu(OEt)-Glu(OEt)-OEt · HCl. Eine allgemein gültige Anwendbarkeit dieser Ringöffnungsmethodik ist mit Sicherheit aber von der darzustellenden Peptidsequenz abhängig; in vielen Fällen dürfte mit gleichzeitiger Spaltung von Peptidbindungen (Alkoholyse) zu rechnen sein.

Dem Einsatz von Pyrrolidon-(5)-carbonsäure-(2) als Kopfkomponente kommt aus anderem Grunde größere Bedeutung[6–11] zu: Bekannte Peptid-Naturstoffe, wie die Gastrine und Eledoisin tragen aminoendständig einen Pyrrolidonoyl-Rest.

L-Pyrrolidonoyl-glycyl-L-prolyl-L-tryptophyl-L-methionin-methylester [H-Pyr-Gly-Pro-Trp-Met-OMe]:

L-Pyrrolidon-carbonsäure-2,4,5-trichlor-phenylester [H-Pyr-OTCP][7]: Zu einer Lösung von 0,387 g 2-Pyrrolidon-5-carbonsäure und 0,654 g 2,4,5-Trichlor-phenol in 6 *ml* Dimethylformamid wird unter Rühren bei 0° eine Lösung von 0,619 g Dicyclohexylcarbodiimid in 4 *ml* Dimethylformamid zugegeben. Die Reaktionsmischung wird über Nacht bei 0° und anschließend 30 Min. bei Raumtemp. gerührt. Das i. Vak. eingedampfte Filtrat vom ausgefallenen N,N'-Dicyclohexyl-harnstoff hinterläßt einen festen Rückstand, der aus Methanol/Petroläther umkristallisiert wird; Ausbeute: 0,57 g (62% d. Th.); F: 158–159°; $[\alpha]_D^{20} = +18,4°$ (c = 1,6; in Dimethylformamid).

L-Pyrrolidonoyl-glycyl-L-prolyl-L-tryptophyl-L-methionin-methylester[7]: Die Lösungen von 0,291 g H-Gly-Pro-Trp-Met-OMe · TFA-OH und 0,046 g Triäthylamin in 2 *ml* Dimethylformamid bzw. 0,158 g H-Pyr-OTCP in 1 *ml* Dimethylformamid werden vereinigt. Die Reaktionsmischung läßt man 60 Stdn. lang bei Raumtemp. stehen. Der nach Entfernung des Lösungsmittels i. Vak. verbleibende Rückstand wird in Dichlormethan aufgenommen, die erhaltene Lösung wie üblich mit Citronensäure-,

---

1 N. Lichtenstein, Am. Soc. **64**, 1021 (1942).
2 A. F. Beecham, Am. Soc. **76**, 4613 (1954).
3 D. Coleman, Soc. **1951**, 2294.
4 H. Gibian u. E. Klieger, A. **640**, 145 (1961).
5 R. B. Angier et al., Am. Soc. **72**, 74 (1950).
6 J. C. Anderson, Acta chim. Acad. Sci. hung. **44**, 187 (1965).
7 J. C. Anderson et al., Soc. [C] **1967**, 108.
8 J. Beecham, Nature **209**, 583 (1966).
9 K. Lübke, E. Schröder, R. Schmiechen u. H. Gibian, A. **679**, 195 (1964).
10 J. C. Anderson, G. W. Kenner, J. K. MacLeod u. R. C. Sheppard, Tetrahedron **8**, 39 (1966).

Natriumhydrogencarbonat-Lösung und Wasser gewaschen, über Magnesiumsulfat getrocknet und schließlich i. Vak. eingedampft. Die Lösung des öligen Rückstands in 2 *ml* Methanol wird mit 90 *ml* Diäthyläther versetzt und über Nacht bei 0° aufbewahrt. Der ausgeschiedene Pentapeptid-methylester wird abfiltriert und getrocknet; Ausbeute: 0,196 g (72% d. Th.); F: 98–100° (Zers.); $[\alpha]_D^{20} = -64{,}0°$ (c = 0,77; in Dimethylformamid).

Über die Verwendung N-Acyl- bzw. N-Alkyl-blockierter L-2-Pyrrolidon-5-carbonsäuren zur Synthese von Glutaminyl-peptiden s. S. 721 ff. u. 305 bzw. C_γ-Peptiden der Glutaminsäure s. S. 665.

31.117. Sulfenyl-Schutzgruppen

31.117.10. *2-Nitro-phenylsulfenyl-[NPS]-Schutzgruppe*

Aminosäuren lassen sich, wie Goerdeler und Holst[1] zeigen konnten, als Natriumsalze in wäßr.-organischem Medium mit 2-Nitro-phenylsulfenyl-chlorid (I)[2] in glatter Reaktion zu N-(2-Nitro-phenylsulfenyl)-aminosäuren (II) umsetzen, sofern die zum Abfangen des frei werdenden Chlorwasserstoffs erforderliche Menge Natronlauge vorsichtig zugesetzt wird, d. h. unter Einhalten eines p_H-Bereichs nahe dem Neutralpunkt. Anderenfalls wird die Bildung von Bis-[2-nitro-phenyl]-disulfid (III), 2-Nitro-phenyl-thiosulfonsäure-S-2-nitro-phenylester (IV), 2-Nitro-phenyl-sulfinsäure (V) und -sulfonsäure (VI) [über 2-Nitro-phenyl-sulfensäure (VII) als Intermediärprodukt] zur beherrschenden Reaktion[3]:

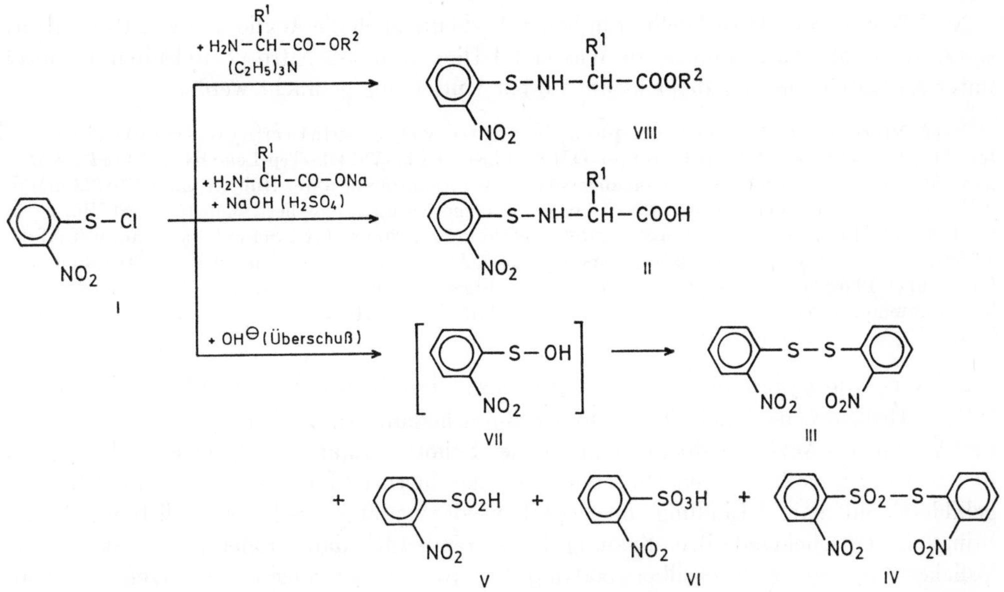

I (2-O_2N-C_6H_4-S-Cl) + H_2N-CH(R^1)-CO-OR^2 / $(C_2H_5)_3N$ → VIII (2-O_2N-C_6H_4-S-NH-CH(R^1)-$COOR^2$)

I + H_2N-CH(R^1)-CO-ONa + NaOH (H_2SO_4) → II (2-O_2N-C_6H_4-S-NH-CH(R^1)-COOH)

I + $OH^\ominus$ (Überschuß) → [VII (2-O_2N-C_6H_4-S-OH)] → III (2-O_2N-C_6H_4-S-S-C_6H_4-2-NO_2) + V (2-O_2N-C_6H_4-SO_2H) + VI (2-O_2N-C_6H_4-SO_3H) + IV (2-O_2N-C_6H_4-SO_2-S-C_6H_4-2-NO_2)

In sehr guten Ausbeuten werden ferner N-(2-Nitro-phenylsulfenyl)-aminosäure-ester (VIII) durch Umsetzung von Aminosäureestern mit 2-Nitro-phenylsulfenylchlorid in Gegenwart eines Äquiv. Triäthylamin erhalten; diese lassen sich jedoch (mit Ausnahme des Glycin-Derivats) nur schwer, zugleich unter Auftreten von Nebenprodukten, zu N-(2-Nitrophenylsulfenyl)-aminosäuren (II) verseifen[4] (vgl. dazu S. 221).

---

[1] J. Goerdeler u. A. Holst, Ang. Ch. **71**, 775 (1959).
[2] T. Zincke, B. **44**, 769 (1911).
[3] Mechanismus s. f. E. Vinkler u. F. Klivengyi, Magyar chem. Folyóirat **65**, 451 (1959).
[4] L. Zervas, D. Borovas u. E. Gazis, Am. Soc. **85**, 3660 (1963).

Die Einführung der Schutzgruppe wurde von Zervas et al.[1] näher studiert; die Autoren fanden, daß die N-(2-Nitro-phenylsulfenyl)-aminosäuren rein und in stabiler Form am besten als *Dicyclohexylamin-Salze* zu erhalten sind. Frei erleiden sie schon beim Aufbewahren allmählich Zersetzung[1,2].

N-(2-Nitro-phenylsulfenyl)-aminosäure-Dicyclohexylamin-Salze; allgemeine Herstellungsvorschrift:

2-Nitro-phenylsulfenyl-chlorid [NPS-Cl][3]: In eine Lösung von 154 g Bis-[2-nitro-phenyl]-sulfid in 600 *ml* Tetrachlormethan in Gegenwart von 0,25 g Jod wird ein über Schwefelsäure getrockneter Chlorstrom (16–17 g/Stde.) eingeleitet; die Temp. der Reaktionsmischung sollte währenddessen bei 50–60° gehalten werden. Nach 120–150 Min. ist fast völlige Lösung erfolgt. Die noch warme Lösung wird durch eine vorgewärmte Nutsche von etwas Ungelöstem filtriert, der Rückstand mit 30 *ml* warmem Tetrachlormethan gewaschen. Der nach Eindampfen des Filtrats i. Vak. erhaltene Rückstand wird aus Petroläther (Kp: 50–60°) umkristallisiert; Ausbeute: 183–184 g (96–97% d. Th.); F: 74–75°.

N-(2-Nitro-phenylsulfenyl)-aminosäuren-Dicyclohexylamin-Salze[1]: 0,02 Mol Aminosäure in 10 *ml* 2 n Natronlauge und 25 *ml* 1,4-Dioxan werden innerhalb 15 Min. unter Rühren mit 0,022 Mol 2-Nitro-phenylsulfenyl-chlorid in 10 Portionen und gleichzeitig mit 12 *ml* 2 n Natronlauge tropfenweise versetzt. Die erhaltene Lösung wird daraufhin mit 200 *ml* Wasser verdünnt, filtriert und mit 1n Schwefelsäure angesäuert. Das abgeschiedene Öl wird in Essigsäure-äthylester, Äther oder Essigsäure-äthylester/Äther (1:1) aufgenommen, die erhaltene Lösung mit Wasser sulfatfrei gewaschen und über Natriumsulfat getrocknet; auf Zugabe von 4 *ml* Dicyclohexylamin tritt alsbald Fällung ein. Das gebildete Kristallisat wird abfiltriert, mit Äther/Petroläther gewaschen und i. Vak. getrocknet.

Die erhaltenen N-(2-Nitro-phenylsulfenyl)-aminosäure-Dicyclohexylamin-Salze lassen sich aus Methanol, Äthanol, Tetrahydrofuran, Essigsäure-äthylester oder Aceton bzw. aus diesen Lösungsmitteln auf Zugabe von Äther umkristallisieren; Ausbeute: 50–90% d. Th.

Nach Wünsch und Drees[4] gelingt in hoher Ausbeute auch die Acylierung von Peptiden, wenn diese als Natriumsalze in Wasser/1,4-Dioxan mit 2-Nitro-phenylsulfenyl-chlorid unter Einhalten eines p_H-Bereichs um 7,5 zur Umsetzung gebracht werden.

N-(2-Nitro-phenylsulfenyl)-L-phenylalanyl-L-valyl-L-glutaminyl-L-tryptophyl-L-leucin [NPS-Phe-Val-Gln-Trp-Leu-OH][4]: 13,8 g H-Phe-Val-Gln-Trp-Leu-OH in 200 *ml* 1,4-Dioxan, 50 *ml* Wasser und 20 *ml* n Natronlauge werden bei Raumtemp. unter Rühren mit 4,17 g (22 mMol) 2-Nitro-phenylsulfenyl-chlorid und 22 *ml* 1n Natronlauge bei p_H 7,5 acyliert. Man rührt 30 Min. nach, verdünnt mit 100 *ml* Wasser und säuert unter Eiskühlung mit 200 *ml* 0,1 n Schwefelsäure an, worauf die Lösung alsbald zu einer gallertigen Masse erstarrt. Nach Absaugen und Waschen mit Wasser trocknet man i. Vak. über Phosphor(V)-oxid. Gelbes Pulver aus Dimethylformamid/Äther, das i. Hochvak. 48 Stdn. bei Raumtemp. getrocknet wird; Ausbeute: 14,5 g (86% d. Th.); F: 216–218° (Zers.); $[\alpha]_D^{20} = +22,95 \pm 0,5°$ bzw. $[\alpha]_{546}^{20} = +42,25°$ (c = 1,35; in Dimethylformamid).

2-Nitro-phenylsulfenyl-rhodanid bzw. -isothiocyanat (XVIII) – in quantitativer Ausbeute aus dem Chlorid I und Kaliumrhodanid zugänglich[5] – empfehlen Šavrda und Veyrat[6] als Acyl-Donator; eine „normale" Schotten-Baumann-Operation führt jedoch nur zu einer unvollständigen Umsetzung, da das hierbei freiwerdende Rhodanid-Ion die gebildete Sulfenamid-Bindung nucleophil wieder sprengt. Schwermetall-Ionen-Zusatz bringt eine entscheidende Beeinflussung: Die störenden Rhodanid-Ionen werden als schwerlösliches Silber- oder Quecksilber-rhodanid dem Reaktionsgleichgewicht entzogen und somit der Acylierung der Amino-Funktion freier Lauf gegeben.

N-(2-Nitro-phenylsulfenyl)-aminosäuren; allgemeine Herstellungsvorschrift[6]: n Natronlauge wird zu 0,001 Mol Aminosäure in 2 *ml* Wasser gegeben, um den p_H-Wert der Lösung auf 8–9 zu stellen (im Falle von sehr schwerlöslichen Aminosäuren wird bis zu 1 Äquivalent Base zugesetzt). Innerhalb 15 Min. werden nun-

---

[1] L. Zervas, D. Borovas u. E. Gazis, Am. Soc. **85**, 3660 (1963).
[2] K. Poduška et al., Acta. chim. Acad. Sci. hung. **44**, 165 (1965).
[3] M. H. Hubacher, Org. Synth. Vol. II, 455 (1943).
[4] E. Wünsch u. F. Drees, B. **100**, 816 (1967).
[5] H. Lecher u. K. Simon, B. **54**, 623 (1921).
[6] J. Šavrda u. D. H. Veyrat, Soc. [C] **1970**, 2180.

mehr zu dieser Lösung 0,001 Mol 2-Nitro-phenylsulfenyl-rhodanid in Portionen und 0,5 *ml* (0,5 Äquivalent) n Silbernitrat-Lösung tropfenweise und unter Rühren zugefügt; der p_H-Wert der Reaktionsmischung wird mit n Natronlauge gleichzeitig auf 8–9 gehalten. Nach beendeter Zugabe des Rhodanids tropft man weitere 0,5 *ml* (0,5 Äquivalent) n Silbernitrat-Lösung innerhalb 15 Min. bei $p_H = 8–9$ zu.

Das ausgefallene Silberrhodanid wird abfiltriert und mit Wasser gewaschen; Filtrat und Waschwässer werden auf 0° abgekühlt und mit n Schwefelsäure angesäuert. Die abgeschiedenen N-(2-Nitro-phenylsulfenyl)-aminosäuren extrahiert man mit Essigsäure-äthylester oder Diäthyläther; die abgetrennten organischen Phasen werden mit Wasser gewaschen, über Natriumsulfat getrocknet und anschließend mit 0,22 *ml* Dicyclohexylamin versetzt, worauf es zur Ausfällung der Salze kommt (zu deren weiteren Behandlung s. S. 204); Ausbeute: 75–90% d.Th.

Quecksilber(II)-chlorid anstelle von Silbernitrat war wegen der schwierigen Aufarbeitung der Acylierungs-Ansätze weniger günstig[1].

Von Interesse ist anzuführen: Einerseits mißlingt die Herstellung von NPS-Pro-OH nach diesem Verfahren, andererseits ist es möglich, freies Lysin bei $p_H = 9$ zu NPS-Lys-OH und NPS-Lys(NPS)-OH mit 29 bzw. 21% an Ausbeute umzusetzen. Eine zu erwartende N_ε-acylierte Verbindung tritt hierbei nur in Spuren auf[1].

Als drittes Reagens wurde von Šavrda und Veyrat[1] der 2-Nitro-phenylsulfensäure-4-nitro-phenylester vorgeschlagen; den Vorteil dieses Reagenses sehen die Autoren vor allem in der direkten Herstellung von N-(2-Nitro-phenylsulfenyl)-aminosäure-2-nitro-phenylestern im „Eintopfverfahren" nach Frankel et al.[2].

Zervas et al.[3,4] konnten schließlich zeigen, daß die Verknüpfung von N-(2-Nitro-phenylsulfenyl)-aminosäuren mit Aminosäure- bzw. Peptidestern racemisierungsfrei und mit besten Ausbeuten nach Carbodiimid-, Alkylkohlensäure- und Diphenyl-phosphorsäure-anhydrid-Verfahren gelingt; in beiden letzteren Fällen ist die Anhydridbildung direkt aus den N-(2-Nitro-phenylsulfenyl)-aminosäure-Dicyclohexylamin-Salzen und den Säurechloriden möglich.

N-(2-Nitro-phenylsulfenyl)-L-valyl-L-phenylalanin-methylester [NPS-Val-Phe-OMe][3]:

Methode ⓐ 2,15 g H-Phe-OMe · HCl und 4,5 g NPS-Val-OH · DCHA in 60 *ml* Chloroform werden einige Stdn. bei Raumtemp. gerührt, bis eine klare Lösung resultiert. Nach Zugabe von 2,2 g Dicyclohexylcarbodiimid wird die Reaktionsmischung über einige Stdn. bei Raumtemp. stehengelassen. Das Filtrat vom N,N'-Dicyclohexyl-harnstoff (das auch etwas Dicyclohexylammoniumchlorid eingeschlossen enthält) wird mit Wasser, verd. Schwefelsäure und Kaliumhydrogencarbonat-Lösung wie üblich gewaschen, über Natriumsulfat getrocknet und i.Vak. eingedampft. Der erhaltene Rückstand wird in Essigsäure-äthylester aufgenommen, die vom unlöslichen Material filtrierte Lösung i.Vak. erneut eingedampft. Der verbleibende Rückstand wird mit wenig Methanol behandelt und im Kühlschrank aufbewahrt, dabei tritt alsbald Kristallisation ein. Danach wird aus Methanol oder Essigsäure-äthylester/Petroläther umkristallisiert; Ausbeute: 3,2 g (75% d.Th.); F: 123–124°; $[\alpha]_D^{15} = -6{,}8°$ (c = 5, in Dimethylformamid).

Methode ⓑ Die Suspension von 2,25 g NPS-Val-OH · DCHA in 30 *ml* Tetrahydrofuran wird bei 0° mit 1,32 g Phosphorsäure-diphenylester-chlorid versetzt und 15–20 Min. bei 0° gerührt. Danach fügt man eine Lösung von 1,05 g H-Phe-OMe · HCl und 1,4 *ml* Triäthylamin in 15 *ml* Chloroform zu und läßt 15 Min. bei Raumtemp. stehen. Nach Entfernen der Lösungsmittel i.Vak. wird der erhaltene Rückstand mit Essigsäure-äthylester behandelt; das Filtrat von ungelöstem Material wird, wie unter ⓐ beschrieben, üblich gewaschen und i.Vak. eingedampft. Der Rückstand wird aus Methanol umkristallisiert; Ausbeute: 1,3 g (60% d.Th.); F: 121–122°.

N-(2-Nitro-phenylsulfenyl)-L-alanyl-glycin-4-nitro-phenylester [NPS-Ala-Gly-ONP][5]: Zu einer Suspension von 846 mg NPS-Ala-OH · DCHA in 16 *ml* Dimethylformamid läßt man bei −15° und kräftigem Rühren 0,28 *ml* Chlorameisensäure-isobutylester zutropfen. Nach 20 Min. Nachrühren werden zum Reak-

---

1 J. Šavrda u. D. H. Veyrat, Soc. [C] **1970**, 2180.
2 Y. Wolman, D. Ladkany u. M. Frankel, Soc. [C] **1967**, 689.
3 L. Zervas, D. Borovas u. E. Gazis, Am. Soc. **85**, 3660 (1963).
4 E. Gazis et al., *Peptides*, Proc. 6th Europ. Peptide Sympos. Athen 1963, Pergamon Press Ltd., Oxford **1966**, S. 107.
L. Zervas u. C. Hamalidis, Am. Soc. **87**, 99 (1965).
5 F. H. C. Stewart, Austral. J. Chem. **19**, 489 (1966).

tionsansatz 554 mg H-Gly-ONP · HBr in einer Portion und anschließend 0,28 *ml* Triäthylamin in 2 *ml* Dimethylformamid tropfenweise hinzugesetzt. Nach 2 stdgm. Stehenlassen bei Raumtemp. wird der Reaktionsansatz mit Wasser verdünnt, das ausgeschiedene Produkt mit Essigsäure-äthylester extrahiert. Die abgetrennte Essigsäure-äthylester-Phase wird üblich mit Wasser, 0,2 n Schwefelsäure und n Natrium-hydrogencarbonat-Lösung gewaschen, über Natriumsulfat getrocknet und schließlich i. Vak. eingedampft. Das erhaltene Produkt wird auf das Filter gebracht, mit Diäthyläther gewaschen und schließlich aus Dimethylformamid/Äthanol umkristallisiert; Ausbeute: 569 mg (68% d. Th.); F: 179,5–180°; $[\alpha]_D^{23,5} = -64,8°$ (c = 1, in Dimethylformamid).

N-(2-Nitro-phenylsulfenyl)-aminosäure-4-nitro-phenylester, die aus den N-(2-Nitro-phenylsulfenyl)-aminosäuren nach üblichen Carbodiimid-Verfahren[1,2] oder aus Aminosäure-4-nitro-phenylester und 2-Nitro-phenylsulfenyl-chlorid zugänglich sind[1], lassen sich gleichfalls, wie auch die N-(2-Nitro-phenylsulfenyl)-aminosäure-succinimidyl-(1)-ester[2–4], -2,4-dinitro-phenylester[2], -pentachlor-phenylester[2] und -chinolyl-(8)-ester[5] zur peptidsynthetischen Umsetzung heranziehen.

N-(2-Nitro-phenylsulfenyl)-O-tert.-butyl-L-serin-(N-hydroxy-succinimid)-ester [NPS-Ser(tBu)-OSU][2,4]: 3,14 g NPS-Ser(tBu)-OH[2] und 1,3 g N-Hydroxy-succinimid in 80 *ml* Acetonitril werden bei −7° mit 2,3 g Dicyclohexylcarbodiimid versetzt. Die Reaktionsmischung wird bis zur vollständigen Lösung geschüttelt bzw. gerührt, über Nacht bei −7° und weitere 3 Stdn. bei Raumtemp. stehengelassen. Auskristallisierter N,N′-Dicyclohexyl-harnstoff wird abfiltriert und mit Essigsäure-äthylester gewaschen. Filtrat incl. Waschflüssigkeit ergeben nach Eindampfen i. Vak. einen festen Rückstand, der mit Petroläther, Diäthyläther, 5%-iger Natriumhydrogencarbonat-Lösung und Wasser gewaschen und schließlich aus wäßr. Tetrahydrofuran umkristallisiert wird; Ausbeute: 4,11 g (~ 100% d. Th.); F: 152–154°.

N-(2-Nitro-phenylsulfenyl)-O-tert.-butyl-L-serin-4-nitro-phenylester [NPS-Ser(tBu)-ONP][2]: Zu einer Lösung von 8,23 g O-tert.-Butyl-serin in 25 *ml* 1,4-Dioxan und 17 *ml* 2 n Natronlauge tropft man unter Rühren innerhalb von 30 Min. 10,41 g 2-Nitro-phenylsulfenyl-chlorid in 25 *ml* 1,4-Dioxan sowie 2 n Natronlauge unter Einhaltung eines p_H-Wertes = 8 zu (Verbrauch ~ 38 *ml* 2 n Natronlauge). Die Reaktionsmischung wird 1 Stde. weitergerührt, nach Verdünnen mit 600 *ml* Wasser filtriert und mit n Schwefelsäure bei 0° vorsichtig auf $p_H = 2$ angesäuert. Das abgeschiedene Öl wird in 400 *ml* Essigsäure-äthylester aufgenommen, die erhaltene Lösung mit wenig Wasser 2mal gewaschen, über Natriumsulfat getrocknet und schließlich i. Vak. auf 200 *ml* eingeengt. Die Essigsäure-äthylester-Lösung wird nach Abkühlen auf −10° mit 7 g 4-Nitro-phenol und 10,3 g Dicyclohexylcarbodiimid versetzt und über Nacht bei 0° gerührt. Das Filtrat vom N,N′-Dicyclohexyl-harnstoff wird mit ges. Natriumhydrogencarbonat-Lösung und Wasser gewaschen, über Natriumsulfat getrocknet und schließlich i. Vak. eingedampft. Das verbleibende Öl wird mit 300 *ml* Äthanol behandelt, wobei zunächst Lösung und anschließend Kristallisation erfolgt, die durch kurzes Stehenlassen im Kühlschrank vervollständigt wird (1. Fraktion). Nach Konzentrieren der Mutterlauge i. Vak. kristallisiert eine 2. Fraktion. Die erhaltenen Produkte werden aus möglichst wenig Äthanol umkristallisiert; Ausbeute: 14,7 g (67,5% d. Th.); F: 82,5–83,5° (nach Trocknen über Phosphor-(V)-oxid; feine gelbe Nadeln).

N-(2-Nitro-phenylsulfenyl)-O-tert.-butyl-L-seryl-L-arginyl(hydrobromid)-L-arginyl-L-alanyl-L-glutaminyl-L-asparaginsäure-β-tert.-butylester [NPS-Ser(tBu)-Arg(HBr)-Arg-Ala-Gln-Asp(OtBu)-OH][6]: 15,8 g H-Arg(HBr)-Arg(Ac-OH)-Ala-Gln-Asp(OtBu)-OH in 200 *ml* Dimethylformamid werden bei −10° mit 10 g NPS-Ser(tBu)-ONP versetzt. Die Reaktionslösung wird 24 Stdn. bei 0° und 40 Stdn. bei Raumtemp. gerührt, anschließend in viel absol. Diäthyläther eingerührt, das ausgefallene Material abfiltriert, in wenig Dimethylformamid gelöst und erneut in Diäthyläther eingerührt; die Prozedur wird wiederholt, das abgeschiedene Material auf das Filter gebracht und mit Essigsäure-äthylester und Diäthyläther sorgfältig gewaschen und 2mal aus Methanol/Äthanol umkristallisiert; Ausbeute: 18,4 g (93% d. Th.); Zers.-P. ab 170°; $[\alpha]_{578}^{20} = -31,5 \pm 1°$ (c = 1, in Dimethylformamid).

---

1 L. Zervas, D. Borovas u. E. Gazis, Am. Soc. **85**, 3660 (1963).
E. Gazis et al., *Peptides*, Proc. 6th Europ. Peptide Sympos., Athen 1963, Pergamon Press Ltd., Oxford **1966**, S. 107.
L. Zervas u. C. Hamalidis, Am. Soc. **87**, 99 (1965).

2 E. Wünsch u. A. Fontana, B. **101**, 323 (1968).

3 J. Meienhofer, Nature **205**, 73 (1965).

4 J. Rudinger, Privatmitteilung.

5 H. D. Jakubke u. A. Voigt, B. **99**, 2419 (1966).

6 E. Wünsch u. G. Wendlberger, B. **101**, 341 (1968).

Die Spaltung der 2-Nitro-phenylsulfenyl-amid-Gruppierung (Schema: Produkt IX) kann unter mildesten Bedingungen erzielt werden: bereits mit etwas mehr als 2 Äquiv. Chlorwasserstoff in Diäthyläther, Essigsäure-äthylester etc. ist die Amino-Maskierung bei Raumtemp. innerhalb weniger Min. unter Bildung des Hydrochlorids der Amino-Komponente X und 2-Nitro-phenylsulfenyl-chlorid (I) reversibel[1]; in Gegenwart von Alkoholen (Methanol u. a.) genügen bereits jeweils 1—1,1 Äquiv. Chlorwasserstoff, Toluolsulfonsäure-Monohydrat oder Perchlorsäure bzw. eine entsprechende Menge Dowex 50 ($H^{\oplus}$-Form) zur quantitativen Spaltung. Neben X entsteht 2-Nitro-phenyl-sulfensäureester (XI), der bei weiteren Umsetzungen nach dem „Eintopf-Verfahren" nicht stören soll[2]. Selbst durch Erwärmen mit verd. Essigsäure läßt sich die Abspaltung der Schutzgruppe erzielen, die als Nebenprodukte über „intermediäre" 2-Nitro-phenyl-sulfensäure (VII) entstehenden 2-Nitro-phenyl-Derivate III-VI (s. S. 203) jedoch nur schwer vom Peptid-Derivat XII trennen[3].

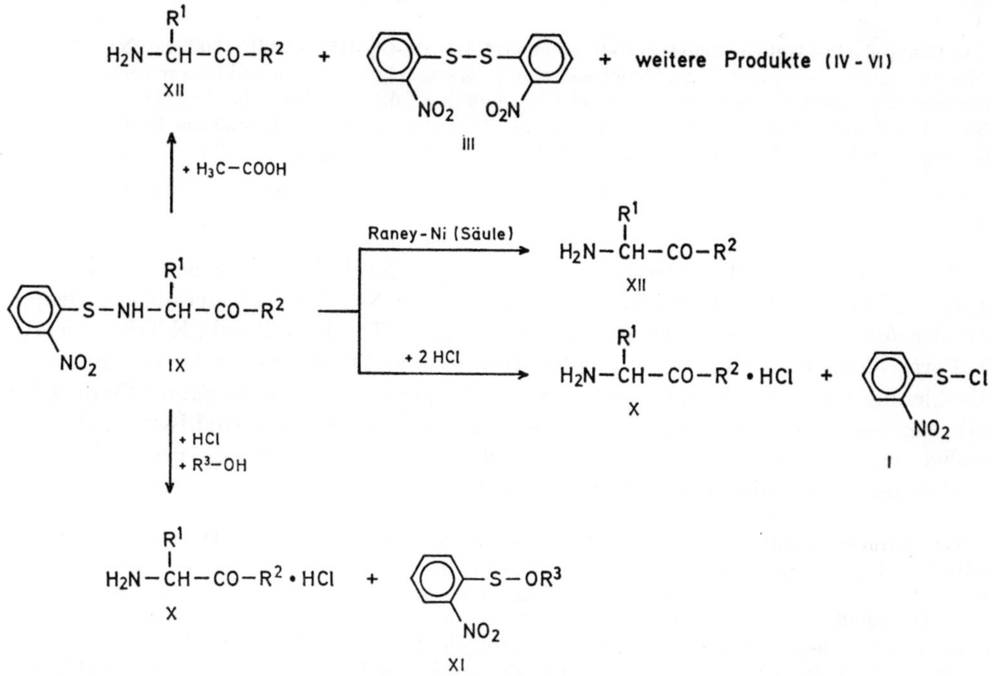

$H_2N-CH(R^1)-CO-R^2$ (XII) + 2-$O_2N-C_6H_4-S-S-C_6H_4-NO_2$-2 (III) + weitere Produkte (IV - VI)

↑ + $H_3C-COOH$

2-$O_2N-C_6H_4-S-NH-CH(R^1)-CO-R^2$ (IX)

Raney-Ni (Säule) → $H_2N-CH(R^1)-CO-R^2$ (XII)

+ 2 HCl → $H_2N-CH(R^1)-CO-R^2 \cdot HCl$ (X) + 2-$O_2N-C_6H_4-S-Cl$ (I)

↓ + HCl, + R^3-OH

$H_2N-CH(R^1)-CO-R^2 \cdot HCl$ (X) + 2-$O_2N-C_6H_4-S-OR^3$ (XI)

Gegenüber oben genannten Spaltungsbedingungen verhalten sich die meisten N-, O-, S- und Carboxy-Schutzgruppen resistent[4], so daß die selektiv peptid-synthetische Verwendung des 2-Nitro-phenylsulfenyl-Restes u. a. neben N-Benzyloxycarbonyl-, N-tert.-Butyloxycarbonyl-(?)[5], S-Acyl-, Benzyl- und tert.-Butyläther- bzw. -thioäther-, Benzylester-, tert.-Butylester- und 4-Nitro-phenylester-, ja selbst S- und N-Trityl-Gruppen sich anbietet (s. dazu auch die folgenden zusätzlichen Möglichkeiten der Entacylierung).

---

1 J. Goerdeler u. A. Holst, Ang. Ch. **71**, 775 (1959).
L. Zervas, D. Borovas u. E. Gazis, Am. Soc. **85**, 3660 (1963).

2 K. Poduška, Collect. czech. chem. Commun. **33**, 3779 (1968).

3 L. Zervas, Diskussionsbeitrag, Proc. 6th Europ. Peptide Sympos., Athen 1963.

4 L. Zervas u. C. Hamalidis, Am. Soc. **87**, 99 (1965).
K. Poduška et al., Acta chim. Acad. Sci. hung. **44**, 165 (1965).
J. C. Anderson et al., Acta chim. Acad. Sci. hung. **44**, 187 (1965).
F. H. C. Stewart, Austral. J. Chem. **19**, 489 (1966).

5 s. dazu W. Kessler u. B. Iselin, Helv. **49**, 1330 (1966).

Peptide aus N-(2-Nitro-phenylsulfenyl)-peptiden; allgemeine Arbeitsvorschrift[1]: 0,1 Mol N-(2-Nitro-phenylsulfenyl)-peptid in Diäthyläther, Essigsäure-äthylester, Methanol etc. (je nach Löslichkeit) werden mit 0,25–0,3 Mol Chlorwasserstoff in Diäthyläther bei Raumtemp. versetzt, worauf alsbald Fällung eintritt. Nach ein- bis mehrstdgm. Stehen im Kühlschrank wird kristallines Material abfiltriert, dieses mit Diäthyläther gewaschen und getrocknet. Die Überführung der erhaltenen Hydrochloride in die freien Peptide kann nach üblichen Methoden (z. B. Behandeln mit tert.-Basen, schwach basischen Ionenaustauschern, etc.) ausgeführt werden.

Fallen die Peptid-Hydrochloride in öliger Form an bzw. bleiben sie in Lösung, so wird die überstehende Phase abdekantiert bzw. die Reaktionsmischung i. Vak. schonend eingedampft (nach J. Rudinger[2] ist im letzteren Falle jedoch mit Nebenreaktionen zu rechnen). Die verbleibenden Rückstände werden in Wasser gelöst und zwischen Wasser und Essigsäure-äthylester verteilt, die wäßr. Phasen wie üblich zu den freien Peptiden (s. o.) aufgearbeitet; Ausbeute: 70–95% d. Th.

In experimentell weitgehend analoger Weise sind Carboxy-Derivate von Peptiden (Ester auch 4-Nitro-phenylester, -amide, N′-Acyl-hydrazide etc.) in Form der Hydrochloride aus den entsprechenden N-(2-Nitro-phenylsulfenyl)-Verbindungen zugänglich[1].

L-Alanyl-glycin-(4-nitro-phenylester)-Hydrochlorid [H-Ala-Gly-ONP · HCl][3]: 300 mg NPS-Ala-Gly-ONP (s. S. 205) werden in 3 *ml* 2 n Chlorwasserstoff in Methanol eingetragen und bis zur völligen Lösung geschüttelt (~ 30 Sek.). Auf Zugabe von viel Diäthyläther fällt ein Öl aus, das langsam kristallisiert. Nach Umkristallisieren aus Methanol/Essigsäure-äthylester wird das Peptidester-Hydrochlorid als *Hemihydrat* erhalten; Ausbeute: 220 mg (94% d. Th.); F: 170–171,5°; $[\alpha]_D^{22} = +3{,}7°$ (c = 1, in Wasser).

Über die Abspaltung der N-(2-Nitro-phenylsulfenyl)-Schutzgruppe bei Tryptophan-Gegenwart s. S. 216).

Basierend auf einer Desulfurierung mit Raney-Nickel beruht eine von Meienhofer[4] aufgefundene, quantitativ verlaufende Entfernung der N-(2-Nitro-phenylsulfenyl-)Gruppe, die sich selektiv neben N-tert.-Butyloxycarbonyl-, N-Tosyl-, N-Trityl-, N-Trifluoracetyl-, N-Formyl-, N-subst. Vinyl- und vor allem Hydroxy- und Carboxy-tert.-butyl- bzw. -alkyl-Maskierungen gestalten läßt. Besonders zweckmäßig erweist sich das Verfahren für die Überführung von N-(2-Nitro-phenylsulfenyl)-peptidester in die freien Peptidester, die ohne Isolierung sofort mit N-(2-Nitro-phenylsulfenyl)-aminosäure-(N-hydroxy-succinimid)-estern zu den um einen Aminoacyl-Rest höheren N-Acyl-peptidestern verknüpft werden können.

N-(2-Nitro-phenylsulfenyl)-glycyl-L-prolyl-L-alanyl-L-threonin-methylester [NPS-Gly-Pro-Ala-Thr-OMe][4]: 1,14 g NPS-Pro-Ala-Thr-OMe in 5 *ml* Dimethylformamid werden auf einer Raney-Nickel-W5-Säule (2 · 5 cm) adsorbiert. Man eluiert anschließend mit ~ 100 *ml* Dimethylformamid unter Einhalten einer Durchflußrate von 30 *ml*/Stde. bis das Eluat keine ninhydrin-positive Reaktion mehr aufzeigt (zum Erreichen dieser Durchflußgeschwindigkeit muß die Raney-Nickel-Füllung evtl. unter Zusatz von 10–30% „Hyflo-Super-Cell“ vollzogen werden. Zur erhaltenen Lösung von H-Pro-Ala-Thr-OMe setzt man 0,82 g NPS-Gly-OSU hinzu; nach 4stdgm. Stehen bei 20° wird i. Vak. eingedampft, der Rückstand aus Äthanol/Wasser (5 : 100 *ml*) umgefällt. Das abfiltrierte, mit 1n Citronensäure und 1n Natriumhydrogencarbonat-Lösung bzw. Wasser gewaschene und i. Vak. getrocknete Produkt (1,25 g = 98% d. Th.) wird schließlich aus Äthanol/Wasser umkristallisiert; Ausbeute: 1,09 g (85% d. Th.); F: 193–195°; $[\alpha]_D^{23} = -100{,}0°$ (c = 1, in Äthanol).

Die Abspaltung der N-(2-Nitro-phenylsulfenyl)-Gruppe nach oben geschildertem Verfahren ist selbstverständlich nur in Abwesenheit schwefelhaltiger Aminosäuren durchführbar[4]. Unter den herrschenden Bedingungen ist der Benzyloxycarbonyl-Rest instabil; er wird reduktiv entfernt[4].

---

[1] L. Zervas, D. Borovas u. E. Gazis, Am. Soc. **85**, 3660 (1963).
[2] J. Rudinger, Privatmitteilung.
[3] F. H. C. Stewart, Austral. J. Chem. **19**, 488 (1966).
[4] J. Meienhofer, Nature **205**, 73 (1965).

Die Übertragung der von O. Foss[1] aufgefundenen Spaltungsmethodik zur analytischen Bestimmung der Sulfenamid-Gruppierung auf den präparativen Sektor ist geglückt[2–4]. Die Abspaltung der Schutzgruppe mittels Natriumthiosulfat verläuft in schwach saurem bis schwach alkalischem Medium befriedigend unter gleichzeitiger Bildung von S-(2-Nitrophenylthio)-thiosulfat (XIII) {als Nebenprodukt fällt etwas Bis-[2-nitro-phenyl]-disulfid (III) an}. Entgegen den Angaben von Ekström und Sjöberg[2] ist nach Zimmermannová[5] und Fontana[6] die Spaltungsgeschwindigkeit stark p_H-abhängig.

Daß der Spaltungsreaktion ein nucleophiler Angriff auf das S-Atom der Sulfenamid-Gruppierung zugrunde liegt, konnten Ekström und Sjöberg[2] mit einer erfolgreichen Reversibilität der N-(2-Nitro-phenylsulfenyl)-Maskierung mittels anderer nucleophiler Agenzien demonstrieren, z. B. Natriumhydrogensulfit (die Spaltung von Acylsulfenamiden unter Bildung von „Bunte-Salzen" war schon vorher von Lecher und Hardy[7] entdeckt worden), Natrium-dithionit, Kaliumthiocyanat und Natriumjodid. So wird bei Zugabe von wenig Jodid-Ionen zur Lösung von 2-Nitro-phenylsulfenyl-amid -Derivaten in 1,4-Dioxan/Wasser unmittelbar Jod in Freiheit gesetzt, während zugleich Bis-[2-nitro-phenyl]-disulfid (III) als gelber Niederschlag ausfällt [Intermediärprodukt: 2-Nitro-phenylsulfenyl-jodid (XIV)][8]. Durch titrimetrische Reduktion des Jods mittels Thiosulfat wird diese Reaktion zur fast quantitativen Spaltung der Sulfenamid-Gruppierung in Richtung freie Amino-Verbindung XII gestaltet.

Zahlreiche Autoren haben neuerdings das Studium der „nucleophilen" Spaltung der Sulfenamid-Bindung mit verschiedensten Agenzien fortgesetzt und beachtenswerte Ergebnisse erzielt (s. Schema S. 210).

Nach Kessler und Iselin[8] arbeitet man in 0,03–0,1 Mol methanolischer oder äthanolischer Lösung (unter Berücksichtigung der Löslichkeitseigenschaften des „Spaltungsreagens" evtl. unter Wasserzusatz) bei Raumtemp. und Essigsäure-Gegenwart, der in allen geprüften Fällen eine katalytische Wirkung zukommt. Bei Abwesenheit von Essigsäure konnten die Autoren nur mit den Agenzien eine Spaltung erzielen, die an sich schon stark saure Eigenschaften besitzen (schwefelige Säure, Thiophenol u. a.; s. auch S. 212).

Demgegenüber erreichten Fontana et al.[9] die Aufhebung der N-Sulfenyl-Maskierung mittels Mercaptanen (Thioglykolsäure, Thiophenol, Isopropylmercaptan u. a.) im geringen Überschuß (1,5–2 Mol) u. a. auch in Pyridin.

Eine Verfahrensvariante wurde unabhängig von obigen Autoren von Wünsch[10] aufgefunden. N-(2-Nitro-phenylsulfenyl)-peptidester werden in möglichst wenig Thioglykolsäure, die ein hervorragendes Lösungsvermögen insbesondere höheren Peptiden gegenüber besitzt, aufgelöst. Nach 2stdgm. Rühren der Reaktionsmischung bei Raumtemp. fällt auf Zusatz von Diäthyläther das Thioglykolsäure-Salz des „freien" Peptid-Derivats aus.

Brandenburg[11] hat wenig später obige Ergebnisse bestätigt und als zusätzliches Spaltungsreagens 2-Nitro-thiophenol genannt. Als besonders „wirkungsvoll" wird vom gleichen

---

1 O. Foss, Acta chem. scand. **1**, 307 (1947).
2 B. Ekström u. B. Sjöberg, Acta chem. scand. **19**, 1245 (1965).
3 Vgl. a. B. Sjöberg u. B. Ekström, Schwed. P. Appl. 545/64 u. 2880/64.
4 J. König, L. Novák u. J. Rudinger, Naturwiss. **52**, 453 (1965).
5 H. Zimmermannová, Dissertation, Universität Prag, **1966**.
6 A. Fontana, Privatmitteilung.
7 H. Z. Lecher u. E. M. Hardy, J. Org. Chem. **20**, 475 (1955).
8 W. Kessler u. B. Iselin, Helv. **49**, 1330 (1966).
9 A. Fontana, F. Marchiori, L. Moroder u. E. Scoffone, Tetrahedron Letters **1966**, 2985.
A. Fontana, F. Marchiori, L. Moroder u. E. Scoffone, G. **96**, 1313 (1966).
10 E. Wünsch, Vortrag 1. Houben-Weyl-Sympos., München Mai 1966.
s. f. E. Wünsch, A. Zwick u. A. Fontana, B. **101**, 326 (1968).
11 D. Brandenburg, Tetrahedron Letters **1966**, 6201.

XVI, III, III, XV, XIV, XVII, XXXII, XXXI, XIII, IX, XVIII, XVII, XIX, XXII a-c, III, III, XXIII, XXIV a-c

Ac–OK; Disprop. (2 Mol); Zerfall; u. a. III

$+ SO_3^{2\ominus}$; $+ J^{\ominus}$; $+ N_3^{\ominus}$; $+ S_2O_3^{2\ominus}$; $+ SCN^{\ominus}$ / $- SCN^{\ominus}$; $+ CN^{\ominus}$; $+ R^3–CS–NH_2$ XX a-c; $+ R^4–SH$ XXI a-c; $-R^4–SH$

$XII = H_2N–CH(R^1)–CO–R^2$

$R^3 = –CH_3$ (a), $–NH_2$ (b) bzw. $–OC_2H_5$ (c)

$R^4 = –C_6H_5$ (a), $–CH_2–COOH$ (b), $–CH_2–CH_2–OH$ (c) u.a.

Autor eine „Kombinationsspaltung" empfohlen: 1 mMol N-(2-Nitro-phenylsulfenyl)-Verbindung in 10 *ml* Chloroform wird nacheinander mit 5 mMol 2-Mercapto-äthanol und nur 1 mMol äther. Chlorwasserstoff versetzt; nach 5 Min. Reaktionszeit konnten 85–95% an Hydrochloriden der Amino-Derivate isoliert werden:

$$\text{2-}NO_2\text{-}C_6H_4\text{-S-NH-R}^1 \xrightarrow[-\ H_2N-R^1]{+\ HCl} \text{2-}NO_2\text{-}C_6H_4\text{-S-Cl} \xrightarrow[-\ HCl]{+\ R^2-SH} \text{2-}NO_2\text{-}C_6H_4\text{-S-S-R}^2$$

D. h., daß für einen quantitativen Reaktionsablauf gem. obigen Schemas nur mehr 1 Äquiv. Chlorwasserstoff notwendig ist bzw. für das Abfangen der freiwerdenden Amino-Funktionen (als Hydrochloride) verbraucht wird (vgl. hierzu S. 207).

Kessler und Iselin[1] haben, am NPS-Lys(BOC)-OMe als Beispiel, die Spaltung der Sulfenamid-Bindung mit zahlreichen „nucleophilen" Agenzien untersucht, dünnschichtchromatographisch die Reaktionsgeschwindigkeit bestimmt und teilweise den Reaktionsverlauf aufgeklärt.

Wie aus Tab. 25 (S. 212) ersichtlich, eignen sich Thiosulfat-, Sulfit- und Jodid-Ionen in methanolisch-essigsaurer Lösung zur relativ raschen Abspaltung der 2-Nitro-phenylsulfenyl-Schutzgruppe; den Anforderungen einer leichten Abtrennung der Umwandlungsprodukte des 2-Nitro-phenylsulfenyl-Restes – von großer Bedeutung für Isolierung und Reindarstellung der freigesetzten Amino-Komponente – werden jedoch am besten schweflige Säure, Thioacetamid und vor allem Blausäure gerecht.

Die Autoren[1] konnten ferner in allen Fällen die Beständigkeit der N_ε-tert.-Butyloxycarbonyl-Schutzgruppe feststellen; lediglich bei längerem Aufbewahren Schwefeldioxid-haltiger Lösungen zeigte sich auch eine Ablösung dieser Maskierung.

N_ε-tert.-Butyloxycarbonyl-L-lysin-methylester-Hydroacetat [H-Lys(BOC)-OMe · Ac-OH[1]]: Eine Lösung von 4,13 g NPS-Lys(BOC)-OMe in 100 *ml* Methanol wird mit 50 *ml* Wasser versetzt, die entstehende gelbe Emulsion anschließend mit Schwefeldioxid gesättigt (~ 30 Min.). Die klare, hellgelbe Lösung wird nach 2 stdgm. Stehenlassen i. Vak. eingedampft, der Rückstand in 50 *ml* Methanol aufgenommen und mit 0,98 g Kaliumacetat und 2 *ml* Eisessig versetzt. Der gebildete kristalline Niederschlag wird nach 2 stdgm. Stehen bei + 2° abfiltriert und mit wenig kaltem Methanol gewaschen [2,2 g Kalium-S-(2-nitro-phenyl)-thiosulfat].

Filtrat und Waschflüssigkeit werden i. Vak. eingedampft, zum Schluß zur Entfernung noch vorhandener Essigsäure unter mehrmaligem Zusatz von Essigsäure-äthylester. Die Lösung des Rückstands in 30 *ml* Essigsäureäthyl-ester wird auf 0° gestellt, von auskristallisiertem Material (Rest des Bunte-Salzes) abfiltriert, auf wenige *ml* eingeengt und bis zur beginnenden Trübung mit Diäthyläther versetzt. Man dekantiert von geringen Mengen abgeschiedenen Öls ab und leitet durch Zugabe von mehr Diäthyläther und Animpfen die Kristallisation des Aminosäureester-Hydroacetats ein: 1,9 g (F: 72–74°). Aus der Mutterlauge werden weitere 0,9 g (F: 74–77°) isoliert; Gesamtausbeute: 2,8 g (88% d. Th.).

L-Valyl-L-phenylalanyl-methylester-Hydrochlorid [H-Val-Phe-OMe · HCl][1]: 0,4 g NPS-Val-Phe-OMe werden in 20 *ml* einer 2 n Lösung von Blausäure in Methanol gelöst und nach Zugabe von 5 *ml* Eisessig im verschlossenen Gefäß 16 Stdn. bei Raumtemp. aufbewahrt. Das Reaktionsgemisch wird daraufhin i. Vak. eingedampft, der Rückstand mit 20 *ml* absol. Diäthyläther aufgenommen und mit 2 *ml* einer 2 n Lösung von Chlorwasserstoff in Essigsäure-äthylester versetzt. Die entstandene ölige Fällung kristallisiert beim Anreiben; das abgetrennte Material wird mit wenig absol. Diäthyläther erneut verrieben, filtriert und i. Vak. getrocknet; Ausbeute: 0,23 g (79% d. Th.); F: 197–199°.

Aus der ätherischen Mutterlauge werden nach Eindampfen 0,16 g S-(2-Nitro-phenyl)-thiocyanat isoliert, das noch geringe Mengen Dipeptid-methylester-Hydrochlorid enthält.

---

[1] W. Kessler u. B. Iselin, Helv. 49, 1330 (1966).

Tab. 25[1]. Abspaltung der 2-Nitro-phenylsulfenyl-Schutzgruppe am Beispiel: N_α-(2-Nitro-phenylsulfenyl)-N_ε-tert.-butyloxycarbonyl-L-lysin-methylester (IX) (vgl. Schema S. 210)

Agens		Reaktionsbedingungen je 0,1 mMol IX	Reaktionszeit für ≥ 95% Spaltung*	Nebenprodukt (Zerfall →)
$H_2S_2O_3$		1,6 *ml* Methanol 0,2 *ml* Essigsäure 0,2 *ml* n $Na_2S_2O_3$-Lösung	< 5 Min.	XIII → III u. a.
H_2SO_3	a	3 *ml* Methanol 0,5 *ml* Essigsäure 120 mg Na_2SO_3 in 2 *ml* H_2O (1,1 mMol)	< 1 Stde.	XVI (aus XV)
	b	2 *ml* Methanol 0,5 *ml* Essigs. + 2 *ml* H_2O 113 mg $K_2S_2O_5$ in 1 *ml* H_2O (0,5 mMol)	30 Min.	XVI
	c	2 *ml* Methanol 1 *ml* H_2O gesätt. mit SO_2	30 Min.	XVI (aus XV)
HCN		2 *ml* 2 n HCNin Methanol 0,5 *ml* Essigsäure	8–12 Stdn.	XVII
HJ		1,8 *ml* Methanol 0,2 *ml* Essigsäure 61 mg KJ (0,4 mMol)	< 5 Min.	XIV → III + J_2
HN_3		1,8 *ml* Methanol 0,2 *ml* Essigsäure 26 mg NaN_3 (0,4 mMol)	4 Stdn.	XVII → III + N_2
HSCN		1,8 *ml* Methanol 0,2 *ml* Essigsäure 32 mg NH_4SCN (0,4 mMol)	**	XVIII ⇌ IX
$H_3C-CS-NH_2$ XXa		1,5 *ml* Methanol 0,5 *ml* Essigsäure 100 mg Agens (1,3 mMol)	< 5 Min.	XIX + III + (?)
$H_2N-CS-NH_2$ XXb		1,5 *ml* Methanol 0,5 *ml* Essigsäure 100 mg Agens (1,3 mMol)	< 5 Min.	XIX + III + (?)
$C_2H_5O-CS-NH_2$ XXc		1,5 *ml* Methanol 0,5 *ml* Essigsäure 40 mg Agens	10 Min.	?

* Ermittelt nach chromatographischem Test

** Gleichgewichtsreaktion (70% nach 4 Stdn.); s. dazu jedoch S. 213.

[1] W. Kessler u. B. Iselin, Helv. **49**, 1330 (1966).

Tab. 25. (Fortsetzung)

Agens	Reaktionsbedingungen je 0,1 mMol IX	Reaktionszeit für ≥ 95% Spaltung*	Nebenprodukt (Zerfall →)
H_5C_6—SH XXIa	1,5 *ml* Methanol 0,5 *ml* Essigsäure 0,1 *ml* Agens (1 mMol)	4 Stdn.	XXIIa → III + XXIa XXIIa + XXIa ⇌XXIII+XXIVa
HS—CH_2—COOH XXIb; 75%	1,5 *ml* Methanol 0,5 *ml* Essigsäure 0,05 *ml* Agens (0,5 mMol)	8 Stdn.	XXIIb → III + XXIb XXIIb+XXIb ⇌ XXIII + XXIVb
HS—C_2H_4—OH XXIc	1,5 *ml* Methanol 0,5 *ml* Essigsäure 0,05 *ml* Agens (0,6 mMol)	24 Stdn.	XXIIc → III + XXIc XXIIc+XXIc ⇌ XXIII + XXIVc

* Ermittelt nach chromatographischem Test

N_ε-tert.-Butyloxycarbonyl-L-lysyl-L-valyl-L-tyrosyl-L-prolin-tert.-butylester [H-Lys(BOC)-Val-Tyr-Pro-OtBu][1]: 2,40 g NPS-Lys(BOC)-Val-Tyr-Pro-OtBu in 20 *ml* Methanol werden mit 0,46 g Thioacetamid und 5 *ml* Eisessig versetzt. Nach 15 Min. Stehen bei Raumtemp. werden die ausgeschiedenen gelben Kristalle abfiltriert und mit Methanol gewaschen. Das Filtrat und die Waschflüssigkeit dampft man nach Zugabe von etwa dem gleichen Volumen Wasser i. Vak. ein; der Rückstand wird in 10 *ml* Essigsäure-äthylester aufgenommen, die erhaltene Lösung filtriert und das Filtrat mit Wasser und 2 n Essigsäure erschöpfend extrahiert. Die vereinigten wäßr. Auszüge werden, nach Einengen i. Vak. auf ~ 10 *ml*, mit 20 *ml* ges. Natriumhydrogencarbonat-Lösung behandelt, worauf sich ein farbloses Harz abscheidet. Dieses wird abfiltriert, mit wenig kaltem Wasser gewaschen, in Dichlormethan aufgenommen, die erhaltene Lösung mit Natriumsulfat getrocknet und i. Vak. eingedampft (schaumig-amorphes Material); Ausbeute: 0,87 g (44% d.Th.).

Aus dem Natriumhydrogencarbonat-haltigen Filtrat werden nach Einengen, Sättigen mit Natriumchlorid und Extrahieren mit Dichlormethan weitere 0,16 g (8%) Tetrapeptid-Derivat als Öl erhalten; dieses ist jedoch mit geringen Mengen an Nebenprodukten verunreinigt.

L-Alanyl-glycin [H-Ala-Gly-OH][2]: 6 g NPS-Ala-Gly-OH in 40 *ml* Pyridin werden bei Raumtemp. mit 5 *ml* Thioglykolsäure versetzt. Nach 2 Stdn. tritt Kristallisation ein, die durch Zugabe von 200 *ml* Diäthyläther vervollständigt wird. Das abfiltrierte, mit Diäthyläther und Aceton gewaschene Produkt wird i. Vak. über Phosphor(V)-oxid getrocknet und aus Wasser/Aceton umkristallisiert; Ausbeute: 2,15 g (73% d.Th.); $[\alpha]_D^{23} = +51{,}2 \pm 0{,}2°$ (c = 2,5; in Wasser).

Fußend auf den Feststellungen von Wünsch bzw. Scoffone, nach denen 2-Nitro-phenylsulfenyl-Donatoren bevorzugt Indol-Derivate in 2- oder 3-Stellung substituieren (s. S. 216), gelang es, die besonders milde, aber nur zu einem Gleichgewichts-Zustand führende Aufspaltung der Sulfenamid-Bindung mit R h o d a n i d-Ionen (vgl. dazu Tab. 25, S. 212) auszunutzen[3]. In methanolisch-essigsaurer Lösung werden N-(2-Nitro-phenylsulfenyl)-peptide (IX) mit überschüssigem Ammoniumrhodanid rasch und vollständig gespalten, wenn durch Zusatz von mindestens 1 Äquiv. 2-Methyl-indol (XXXI) bzw. anderer brauchbarer Indol-Abkömmlinge das entstehende 2-Nitro-phenylsulfenyl-rhodanid (XVIII) abgefangen und damit dem Gleichgewichtsprozeß entzogen wird (s. Schema S. 210). Das gebildete 3-(2-Nitro-phenylthio)-2-methyl-indol (XXXII) ist in organischen Lösungsmitteln, u. a. Diäthyläther, gut löslich und kann daher leicht vom Peptid (XII) abgetrennt werden. Dieses Peptid zeichnet sich durch hohe Reinheit aus. Gelbliche Verfärbungen, wie sie insbesondere bei

[1] W. KESSLER u. B. ISELIN, Helv. **49**, 1330 (1966).
[2] A. FONTANA, F. MARCHIORI, L. MORODER u. E. SCOFFONE, G. **96**, 1313 (1966).
[3] E. WÜNSCH u. R. SPANGENBERG, B. **105**, 740 (1972).

höheren Oligopeptiden nach Abspaltungen des (2-Nitro-phenylsulfenyl)-Rests mit Chlorwasserstoff, Bromwasserstoff etc. auftreten, werden nicht mehr beobachtet.

Die De-sulfenylierung von Tryptophan-haltigen Peptid-Derivaten ist gleichfalls möglich, sofern der 2-Methyl-indol-Zusatz auf 10 oder mehr Äquivalente erhöht wird[1] (s. dazu S. 216).

Neben Methanol/Essigsäure als Lösungsmittel sind auch Gemische von Tetrahydrofuran, Dimethylformamid, Essigsäure-äthylester etc. mit Methanol/Essigsäure brauchbar. Von besonderem Interesse dürfte das System Dichlormethan/10%-ige Essigsäure sein; von N-(2-Nitro-phenylsulfenyl)-peptiden, die in diesem Gemisch aufquellen, wird die Schutzgruppe ebenfalls glatt und selektiv entfernt.

N_ε-tert.-Butyloxycarbonyl-L-lysyl-L-leucyl-L-phenylalanyl-N_ε-tert.-butyloxycarbonyl-L-lysyl-N_ε-tert.-butyloxycarbonyl-L-lysyl-L-phenylalanyl-O-tert.-butyl-L-threonyl-O-tert.-butyl-L-seryl-N_ε-tert.-butyloxycarbonyl-L-lysyl-L-alanyl-O-tert.-butyl-L-serin-tert.-butylester [H-Lys(BOC)-Leu-Phe-Lys(BOC)-Lys(BOC)-Phe-Thr(tBu)-Ser(tBu)-Lys(BOC)-Ala-Ser(tBu)-OtBu][1]: 8,65 g des N-(2-Nitro-phenylsulfenyl)-undecapeptids werden in ~ 400 *ml* Dichlormethan unter Rühren gequollen, bis die Masse homogen aussieht. Dann werden 2,5 g Ammoniumrhodanid und 1,1 g 2-Methyl-indol in 100 *ml* Methanol/Essigsäure (1 : 1) zugesetzt und die Reaktionsmischung 3 Stdn. bei Raumtemp. gerührt. Man entfernt die Lösungsmittel weitestgehend durch Vakuumdestillation. Der Rückstand wird unter Erwärmen mit Methanol digeriert und anschließend mit Diäthyläther bis zur völligen Entfärbung behandelt. Nach Digerieren mit verd. Ammoniak-Lösung und Wasser und Trocknen des erhaltenen Produkts bei 10^{-2} Torr über Kaliumhydroxid und Phosphor(V)-oxid; Ausbeute: 7,7 g (97% d. Th.); farbloses Pulver mit $[\alpha]_D^{20} = +3,2 \pm 0,5°$ bzw. $[\alpha]_{546}^{20} = +3,8°$ (c = 1, in Essigsäure).

Aus obigem experimentellen Beispiel geht ferner hervor, daß die Abspaltung des 2-Nitro-phenylsulfenyl-Restes ohne Angriff auf die N_ε-tert.-Butyloxycarbonyl- sowie auf tert.-Butyläther- und tert.-Butylester-Gruppierungen verläuft.

Eine weitere elegante Methode der „nucleophilen" Entfernung des 2-Nitro-phenylsulfenyl-Restes wurde von Poduška[2] aufgefunden. Die N-(2-Nitro-phenylsulfenyl)-peptid-Derivate IX (Ester, Amide etc.) werden beim Erwärmen mit Dibenzolsulfimiden (XXV) in äther. oder alkoholischer Lösung zu den Dibenzolsulfimid-Salzen der Peptid-Derivate XXVI und N-(2-Nitro-phenylsulfenyl)-dibenzolsulfimiden (XXVII) gespalten; XXVII reagiert mit Alkoholen (Lösungsmittel!) teilweise bis ausschließlich zu 2-Nitro-phenyl-sulfensäureestern (XI) und Dibenzolsulfimiden (XXV). Die Reaktion, die über 75% Ausbeute an Peptid-Salzen XXVI erbringt, gelingt auch in Gegenwart von N-tert.-Butyloxycarbonyl-, tert.-Butyläther- und tert.-Butylester- bzw. 4-Nitro-phenylester-Gruppen; N-Trityl-Reste werden mit entfernt, N-Formyl-Gruppen etwas angegriffen.

IX (2-O_2N-C_6H_4-S-NH-CH(R^1)-CO-R^2) + $[R^3$-C_6H_4-$SO_2]_2NH$ (XXV) ⟶ XXVII (2-O_2N-C_6H_4-S-N$[-SO_2$-C_6H_4-$R^3]_2$) + XXVI (H_2N-CH(R^1)-CO-R^2 · HN$[-SO_2$-C_6H_4-$R^3]_2$)

XXVII + R^4—OH ⟶ XI (2-O_2N-C_6H_4-S-OR^4) + XXV (HN$[-SO_2$-C_6H_4-$R^3]_2$)

[1] E. Wünsch u. R. Spangenberg, B. **105**, 740 (1972).

[2] K. Poduška u. H. Maassen van den Brink-Zimmermannová, Collect. czech. chem. Commun. **33**, 3769 (1968).

L-Alanin-N′-tert.-butyloxycarbonyl-hydrazid-Dibenzolsulfimidsalz [H-Ala-NHNH(BOC) · DBSI][1]: 0,178 g (0,5 mMol) NPS-Ala-NHNH(BOC) in 5 *ml* Propanol-(2) werden mit 0,3 g (1 mMol) Dibenzolsulfimid versetzt, die Reaktionsmischung über Nacht stehengelassen und anschließend filtriert. Das i.Vak. eingedampfte Filtrat hinterläßt ein Öl, das beim Behandeln mit Diäthyläther fest wird und aus Methanol/Diäthyläther/Petroläther umkristallisiert wird; Ausbeute: 0,192 g (77% d.Th.); F: 163–168° (Zers.); $[\alpha]_D^{20} = +9{,}2°$ (c = 0,45; in Dimethylformamid).

Zusammenfassend ist festzustellen, daß die Sulfenamid-Spaltungsreaktionen einem nucleophilen Angriff auf das S-Atom entspringen, der auch im Falle der Bildung von Sulfensäureestern unter Einwirkung von Chlorwasserstoff, Schwefelsäure und Sulfonsäure in Alkohol-Gegenwart[2] ablaufen und von einer anschließenden Alkoholyse des Primärprodukts (= NPS-X) gefolgt sein dürfte.

Die gleichzeitig zu Sulfonsäureestern führende Spaltung der S-N-Bindung mittels Perchlorsäure/Alkoholen[2] deutet allerdings auch die Möglichkeit einer „direkt protonen-katalysierten“ Alkoholyse an; evtl. können bei Anwendung starker „nucleophiler“ Säuren (s. oben) beide Reaktionen nebeneinander verlaufen.

Eine Abspaltung der 2-Nitro-phenylsulfenyl-Schutzgruppe in situ im Zuge einer Peptidsynthese — mit dem Ziel des Aufbaus höherer Peptidsequenzen — wird in zwei Varianten angeboten:

① Šavrda und Veyrat[3] sowie Faulstich[4,5] lassen N-Acyl-aminosäure-phenylthioester mit N-(2-Nitro-phenylsulfenyl)-aminosäure- bzw. -peptid-methylestern reagieren, dies vorteilhaft in Tetrahydrofuran oder Dimethylformamid unter Zusatz von Imidazol (4 Äquivalente) und evtl. kleinen Mengen Thiophenol bei 45–50° über 30 Minuten. Faulstich[4] postuliert in seinem mehrstufigen Reaktionsmechanismus (s. dazu S. II/276) die Spaltung der Sulfenamid-Bindung durch primär freigesetztes Thiophenol.

② Mukaiyama[6] und Mitin[7] kondensieren N-Benzyloxycarbonyl-aminosäuren (als Kupfersalze[6] oder frei[7]) und N-(2-Nitro-phenylsulfenyl)-aminosäureester unter Zusatz von Triphenylphosphin[6] bzw. Triäthylphosphit[7] in Dichlormethan[6] oder Essigsäure-äthylester[7] zu N-Benzyloxycarbonyl-peptidestern (s. dazu S. II/250); der Sulfenamid-Verbindung muß in beiden – in ihren Mechanismen wohl sehr ähnlichen – Fällen eine Mitwirkung am komplexen Verknüpfungsreaktions-Ablauf zugeschrieben werden.

Über Nebenreaktionen bei der Abspaltung des 2-Nitro-phenylsulfenyl-Restes wurde erstmals von Anderson, Kenner, Morley et al.[8] berichtet. Bei der üblichen Behandlung von NPS-Trp-Met-OMe mit Chlorwasserstoff wurde in guter Ausbeute zwar ein ninhydrin-positives Peptidester-*Hydrochlorid* erhalten, an dem jedoch der 2-Nitro-phenylsulfenyl-Chromophor chemisch gebunden war. Die Autoren[8] nehmen an, daß sich das intermediär gebildete protonierte Sulfenamid XXVIII in intramolekularer, elektrophiler Substitution zu einem 2-(2-Nitro-phenylthio)-tryptophan-Derivat XXIX umlagert (s. dazu S. 216):

---

[1] K. Poduška u. H. Maassen van den Brink-Zimmermannová, Collect. czech. chem. Commun. **33,** 3769 (1968).
[2] K. Poduška, Collect. czech. chem. Commun. **33,** 3779 (1968).
[3] J. Šavrda u. D. H. Veyrat, Tetrahedron Letters **1968,** 7253.
[4] H. Faulstich, Chimia **23,** 150 (1969).
[5] H. Faulstich, H. Trischman u. T. Wieland, Tetrahedron Letters **1969,** 2131.
[6] T. Mukaiyama et al., Am. Soc. **90,** 4490 (1968).
[7] Y. V. Mitin u. G. P. Vlasov, Ž. obšč. Chim. **41,** 427 (1971); C. A. **75,** 36641 (1971).
[8] J. C. Anderson et al., Acta chim. Acad. Sci. hung. **44,** 187 (1965).

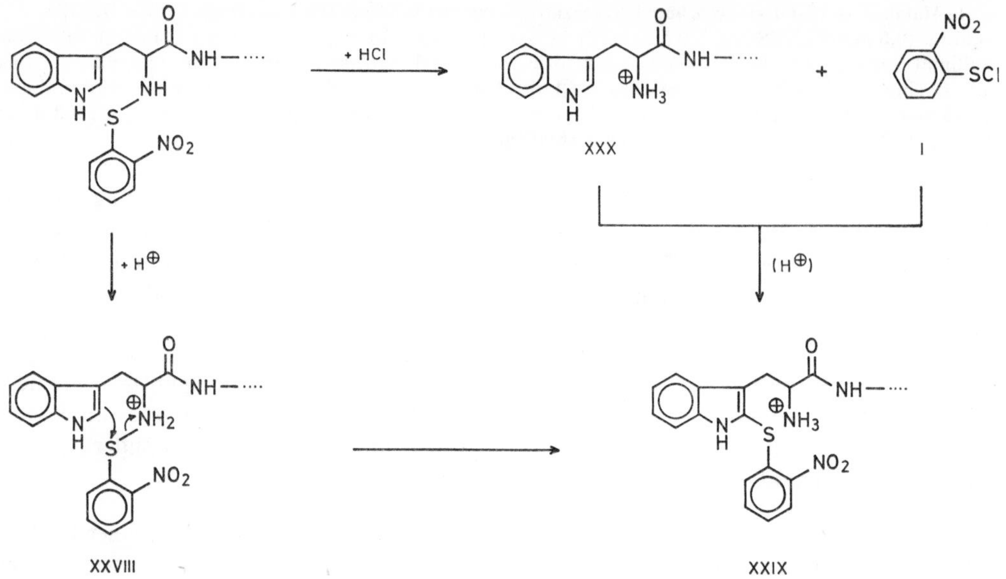

Scoffone et al.[1] sowie Wünsch und Drees[2] konnten jedoch zeigen, daß auch bei N_α-(2-Nitro-phenylsulfenyl)-peptiden mit „mittel- oder carboxy-endständigem" Tryptophan eine N_α-Desulfenylierung zur fast quantitativen Bildung von 2-(2-Nitro-phenylthio)-indol-Derivaten führt[3]. Da nach Fontana et al.[3] ferner eine direkte Sulfenylierung des Indolringes in 2- bzw. 3-Stellung mittels Sulfenyl-chloriden in saurer Lösung (z. B. in Ameisensäure) in hohem Maße möglich ist, dürfte der Reaktionsablauf (s. oben) nicht über protonierte Sulfenamide XXVIII, sondern über Sulfenylchloride I und Tryptophan(-yl)-peptide XXX als Intermediärprodukte ablaufen.

Dies steht im Einklang mit Ergebnissen von Wieland und Sarges[4], die diese bei synthetischen Arbeiten auf dem Gebiet der Amanita-Toxine erzielten.

L-Alanyl-2-(2-nitro-phenylthio)-L-tryptophan-methylester-Hydrochlorid [H-Ala-Trp(NPS)-OMe · HCl][3]: 1,5 g NPS-Ala-Trp-OMe werden in 20 *ml* n Chlorwasserstoff in Methanol gelöst. Nach 10 Min. Stehen bei Raumtemp. wird i. Vak. eingedampft, der Rückstand aus Äthanol/Diäthyläther/Petroläther umgefällt. Das abfiltrierte und i. Vak. getrocknete gelbe Produkt (1,2 g = 72% d. Th.) ist chromatographisch rein und zeigt eine positive Ninhydrin-, aber negative Ehrlich-Reaktion; F: 180° (Zers.); $[\alpha]_D^{23} = -21{,}6°$ (c = 1, in Dimethylformamid).

Eine weitgehende Ausschaltung dieser unerwünschten Nebenreaktionen kann nach Wünsch et al.[2,5] erreicht werden, wenn dem „Spaltungsansatz" 10 und mehr Äquiv. Indol (bzw. in 1-, 2- oder 3-Stellung subst. Indole) zugesetzt werden (s. a. S. 213).

L-Phenylalanyl-L-valyl-L-glutaminyl-L-tryptophyl-L-leucyl-L-methionyl-L-asparaginyl-O-tert.-butyl-L-threonin-tert.-butylester [H-Phe-Val-Gln-Trp-Leu-Met-Asn-Thr(tBu)-OtBu][3]:

N-(2-Nitro-phenylsulfenyl)-L-phenylalanyl-L-valyl-L-glutaminyl-L-tryptophyl-L-leucyl-L-methionyl-L-asparaginyl-O-tert.-butyl-L-threonin-tert.-butylester [NPS-Phe-Val-Gln-Trp-Leu-Met-Asn-Thr(tBu)-OtBu][2]: 10,1 g NPS-Phe-Val-Gln-Trp-

[1] A. Fontana, F. Marchiori, L. Moroder u. E. Scoffone, Tetrahedron Letters **1966**, 2985.

[2] E. Wünsch u. F. Drees, B. **100**, 816 (1967).

[3] A. Fontana, F. Marchiori, R. Rocchi u. P. Pajetta, G. **96**, 1301 (1966).

[4] T. Wieland u. R. Sarges, A. **658**, 181 (1962).

[5] E. Wünsch, A. Fontana u. F. Drees, Z. Naturf. **22b**, 607 (1967).

Leu-OH (12 mMol), 7,3 g H-Met-Asn-Thr(tBu)-OtBu (15,3 mMol) und 1,5 g N-Hydroxy-succinimid (13 mMol) in 100 *ml* Dimethylformamid werden bei —10° mit 2,7 g (13 mMol) Dicyclohexylcarbodiimid versetzt. Die Reaktionsmischung wird 3 Stdn. bei —5° und weitere 20 Stdn. bei Raumtemp. stehengelassen. Das Filtrat vom ausgefallenen N,N'-Dicyclohexyl-harnstoff hinterläßt nach Eindampfen i.Vak. einen Rückstand, der nach sorgfältigem Verreiben mit Wasser und Trocknen i.Vak. über Phosphor(V)-oxid aus Dimethylformamid umgefällt wird; Ausbeute: 13,5 g (87% d.Th.); F: 231–233° (Zers.; schwach gelbliches Pulver); UV-Max. 380 mμ (NPS) und 280 mμ (Trp).

L-Phenylalanyl-L-valyl-L-glutaminyl-L-tryptophyl-L-leucyl-L-methionyl-L-asparaginyl-O-tert.-butyl-L-threonin-tert.-butylester [H-Phe-Val-Gln-Trp-Leu-Met-Asn-Thr(tBu)-OtBu][1]:

Octapeptidester-Hydrochlorid: 3,9 g (3 mMol) des oben erhaltenen N-(2-Nitro-phenylsulfenyl)-octapeptidesters und 7,0 g (60 mMol) Indol werden unter gelindem Erwärmen in 20 *ml* Dimethylformamid gelöst. Zu der auf 0° abgekühlten Lösung gibt man unter Rühren 5,65 *ml* einer 1,1 n Lösung von Chlorwasserstoff in 1,4-Dioxan. Nach 30 Min. bei Raumtemp. filtriert man in 400 *ml* eiskalten absol. Diäthyläther ein. Der blaßgelbe Niederschlag wird abfiltriert und mehrmals mit Diäthyläther gewaschen; Ausbeute: 3,55 g (quantitativ).

Octapeptidester: Die Lösung des erhaltenen Octapeptidester-Hydrochlorids in 20 *ml* Dimethylformamid läßt man unter Rühren und Eiskühlung in eine Lösung von 1 g Natriumhydrogencarbonat in 300 *ml* Wasser eintropfen. Nach 30 Min. Nachrühren wird das ausgefallene Produkt abfiltriert, mit Wasser gewaschen und über Phosphor(V)-oxid bei 10^{-2} Torr getrocknet; Ausbeute: 2,7 g (78% d.Th.); F: 243–245° (Zers.; schwach gelbliches Pulver); UV-Max. 280 mμ (Trp).

Komplikationen bei der Entacylierung von N-(2-Nitro-phenylsulfenyl)-aminosäure-N'-alkyl-hydraziden – in vorliegendem Falle 2-[N-(2-Nitro-phenylsulfenyl)-alanyl]-hydrazinoessigsäure – haben Bentley und Morley[2] festgestellt; nach Poduška[3] tritt hierbei eine 2-Nitro-phenylsulfenylierung an der Hydrazin-Gruppierung ein.

Die Einbeziehung von N-(2-Nitro-phenylsulfenyl)-aminosäuren in die „Feststoffträgersynthese" nach Merrifield ist nach Kessler und Iselin[4] durchaus gegeben[5], obgleich einige Schwierigkeiten bestehen, die in einer relativ hohen Affinität der Umwandlungsprodukte des 2-Nitro-phenylsulfenyl-Restes bei der Spaltung mit nucleophilen Reagenzien dem „Merrifield-Polymer" gegenüber begründet sind (s. dazu S. 375). Es wird dann möglich, tert.-Butyloxycarbonyl- und O-tert.-Butyl-(ester- und -äther)-Maskierungen für den selektiven Schutz von ω-Amino-, ω-Carboxy- und Hydroxy-Gruppen einzusetzen.

Aus vorstehenden Ergebnissen kann abgeleitet werden, daß der 2-Nitro-phenylsulfenyl-Rest auf dem besten Wege ist, zu der die moderne Peptidsynthese beherrschenden dritten „Amino-Maskierung" neben den Benzyloxycarbonyl- und tert.-Butyloxycarbonyl-Schutzgruppen heranzuwachsen[6].

---

1 A. Fontana, F. Marchiori, R. Rocchi u. P. Pajetta, G. **96**, 1301 (1967).
2 P. H. Bentley u. J. S. Morley, Soc. [C] **1966**, 60.
3 K. Poduška, Privatmitteilung.
4 W. Kessler u. B. Iselin, Helv. **49**, 1330 (1966).
5 Vgl. V. A. Najjar u. R. B. Merrifield, Biochemistry **5**, 37 (1966).
6 E. Wünsch, Z. Naturf. **22b**, 1269 (1967).
E. Wünsch, Naturwiss. **59**, 239 (1972).
J. S. Morley, Soc. [C] **1967**, 2410.
Y. A. Ovchinnikov, A. A. Kiryushkin u. M. M. Shemyakin, Ž. obšč. Chim. **36**, 620 (1966).

Tab. 26. N_α-(2-Nitro-phenylsulfenyl)-[NPS]-L-aminosäuren*

Aminosäure		F [°C]	$[\alpha]_D$	t	c	Lösungsmittel	Literatur
Ala		128–130	– 101,8		2	Dimethylformamid	1
	a	176–178	– 56,5		2	Methanol	1,2
Arg		164	– 10,8		2,5	Dimethylformamid	3
Asp	a	180–181	– 19,0		2	Methanol	3
Asn		165–166	– 119,3		4	Dimethylformamid	1
	a	185–186	– 86,7		2	Dimethylformamid	1
$(Cys)_2$	a, b	150					4
Glu		132–133	– 84,5				3
	a	178–179	– 13,8		3	Methanol	3
Gln		165	– 74,3		2	Dimethylformamid	1
Gly		147					5
	a	190–191					1,2
His		185–188	– 6,9		1	Dimethylformamid	3
Hyp	a	169–171	– 39,0		1	Äthanol	1
Ile		90–93	– 102,2		2	Dimethylformamid	1
	a	188–189	– 53,8		2	Methanol	1,2
Leu		102–106	– 99,7		2	Dimethylformamid	1
	a	182–183	– 76,1		0,7	Dimethylformamid	1,2
Lys		186–188	– 19,2	23	2	0,1n Kaliumhydroxid	2
Met	a	196–197	– 34,4		0,7	Methanol	1
Phe		134–135	– 47,6		4	Dimethylformamid	1,2,6
Pro		118–121	– 34,3		1	Äthanol	6,7
	a	151–154	– 43,2		0,7	Dimethylformamid	1,2

[a] DCHA-Salz [b] N,N′-Bis-NPS

* N_α-NPS-Derivate ω-geschützter mehrfunktioneller Aminosäuren s. Abschnitt „Mehrfunktionelle Aminosäuren“, Tab.

[1] L. Zervas, D. Borovas u. E. Gazis, Am. Soc. **85**, 3660 (1963).
[2] J. Šavrda u. D. H. Veyrat, Soc. [C] **1970**, 2180.
[3] I. Phocas, C. Yovanidis u. I. Photaki et al., Soc. [C] **1967**, 1506.
[4] L. Zervas, u. C. Hamalidis, Am. Soc. **87**, 99 (1965).
[5] J. Goerdeler u. A. Holst, Ang. Ch. **71**, 775 (1959).
[6] J. König, L. Novák u. J. Rudinger, Naturwiss. **52**, 453 (1965).
[7] K. Poduška u. H. Maassen van den Brink-Zimmermannová, Collect. czech. chem. Commun. **33**, 3769 (1968).

Tab. 26. (Fortsetzung)

Aminosäure		F [°C]	[a]D	t	c	Lösungsmittel	Literatur
Ser	a	171–173	− 89,0		1	Dimethylformamid	1,2
Thr		138–141	− 111,6		2	Dimethylformamid	3,4
	a	181–182	− 103,0		0,7	Dimethylformamid	3
Trp	a	168–169	− 20,4		2	Dimethylformamid	3
Tyr	a	173–175	+ 41,8		2	Methanol	3
Val		105	− 127,8		2	Dimethylformamid	3
	a	191–193					3

[a] DCHA-Salz

31.117.20. *2,4-Dinitro-phenylsulfenyl-[DNPS]-Schutzgruppe*

Der 2,4-Dinitro-phenylsulfenyl-Rest wurde als N-Schutzgruppe von Fontana et al.[5] erprobt. 2,4-Dinitro-phenylsulfenyl-chlorid[6] reagiert analog der 2-Nitro-phenyl-Verbindung mit Aminosäuren in schwach basischen, wäßr.-organischen Medien zu N-(2,4-Dinitro-phenylsulfenyl)-aminosäuren bzw. mit Aminosäure- oder Peptid-estern in organischen Medien in Gegenwart von tert.-Aminen zu den entsprechenden Derivaten. Der peptid-synthetische Einsatz der N-(2,4-Dinitro-phenylsulfenyl)-aminosäuren gelingt mittels Carbodiimid-, gem. Anhydrid- und aktiv. Ester-Verfahren[5]. Die Abspaltung der Schutzgruppe ist unter den für den 2-Nitro-phenylsulfenyl-Rest erarbeiteten Bedingungen möglich[5] (s. dazu S. 207 f.), nach Kessler und Iselin[7] jedoch mit teilweise erheblich längeren Reaktionszeiten.

31.117.30. *2-Nitro-4-methoxy-phenylsulfenyl-[NMPS]-Schutzgruppe*

Eine Erhöhung der Säurelabilität der 2-Nitro-phenylsulfensäure-amid-Bindung erzielte Wolman[8] durch eine „4-Methoxy-Substitution"; im wäßrigen Medium bei $p_H = 2,4$ – z. B. durch n Essigsäure oder entsprechendem Citrat-Puffer — kann die neue N-(2-Nitro-4-methoxy-phenylsulfenyl)-Maskierung reversibel gestaltet werden.

Das zur Einführung der Schutzgruppe benötigte Sulfenylchlorid wird auf üblichem Wege aus 4-Chlor-3-nitro-1-methoxy-benzol bereitet; die mit Hilfe des ersteren zugänglichen N-(2-Nitro-4-methoxy-phenylsulfenyl)-aminosäuren bringt Wolman[8] in Form der „aktiven" N-Hydroxysuccinimid-ester in die Peptidsynthese ein:

DL-α-Amino-benzyl-penicillin:

N-(2-Nitro-4-methoxy-phenylsulfenyl)-DL-α-amino-benzylpenicillin[8]: 0,86 g NMPS-DL-Phe-OSU in 10 *ml* 1,2-Dimethoxy-äthan werden mit 0,43 g 6-Amino-penicillansäure und 0,164 g Natriumhydrogencarbonat in 10 *ml* Wasser vereinigt. Nach Stehen der Reaktionsmischung über Nacht entfernt

---

1 L. Zervas u. C. Hamalidis, Am. Soc. **87**, 99 (1965).
2 J. Šavrda u. D. H. Veyrat, Soc. [C] **1970**, 2180.
3 L. Zervas, D. Borovas u. E. Gazis, Am. Soc. **85**, 3660 (1963).
4 I. Phocas, C. Yovanidis u. I. Photaki et al., Soc. [C] **1967**, 1506.
5 A. Fontana, F. Marchiori u. L. Moroder, Ricerca sci. **36**, 261 (1966).
6 N. Kharasch, G. I. Gleason u. C. M. Buess, Am. Soc. **72**, 1796 (1950).
7 W. Kessler u. B. Iselin, Helv. **49**, 1330 (1966).
8 Y. Wolman, Israel J. Chem. **5**, 231 (1967).

man das organische Lösungsmittel durch Vakuum-Destillation; nach Verdünnen mit Wasser säuert man die Lösung unter Eiskühlung mit Citronensäure an und nimmt das abgeschiedene Produkt sofort in Essigsäure-äthylester auf (3 × 30 *ml*). Die abgetrennte organische Phase wird 2mal mit je 25 *ml* Wasser gewaschen, üblich getrocknet und letztlich i. Vak. eingedampft (fester Rückstand); Ausbeute: 0,87 g (82% d. Th.); F: 113–114°.

DL-α-Amino-benzylpenicillin[1]: 50 mg N-(2-Nitro-4-methoxy-phenylsulfenyl)-DL-α-amino-benzylpenicillin in 10 *ml* 1,4-Dioxan werden mit 10 *ml* n Essigsäure versetzt; nach 30 Min. wird die Reaktionsmischung mit 80 *ml* Wasser verdünnt und anschließend 3mal mit je 15 *ml* Diäthyläther extrahiert. Die verbleibende wäßrige Lösung wird gefriergetrocknet; Ausbeute: 44 mg (quantitativ) (Penicillin-Gehalt 95%, bestimmt nach Boxer und Everett[2]).

Tab. 27. N_α-(2,4-Dinitro-phenylsulfenyl)-[DNPS]- und N_α-(2-Nitro-4-methoxy-phenylsulfenyl)-[NMPS]-aminosäuren*

Aminosäure		F [°C]	$[\alpha]_D$	t	c	Lösungsmittel	Literatur
Ala	NMPS	88–90					1
	a	152					1
Gly	DNPS	146-147					3
	NMPS	111–113					1
	a	171–172					1
Leu	DNPS	156–158	– 76,6	22	0,5	Methanol	3
	a	178–179	– 59,8	22	0,5	Methanol	3
Met	DNPS a	153–155	– 39,8	22	0,5	Methanol	3
	NMPS	121–126					1
	a	185					1
Phe	DNPS	170–171	– 25,1	22	2	Methanol	3
	NMPS	121–123					1
	a	177					1
Pro	DNPS	172–173	– 87,6	22	2	Methanol	3
Thr	DNPS	182–183	– 135,5	22	1	Dimethylformamid	3
Trp	DNPS	182–183	– 104,2	22	0,5	Methanol	3
Val	DNPS	140–141	– 106,6	22	0,5	Methanol	3
	NMPS	107–110					1
	a	178					1

a DCHA-Salz

* N_α-DNPS- und N_α-NMPS-Derivate ω-geschützter mehrfunktioneller Aminosäuren s. Abschnitt „Mehrfunktionelle Aminosäuren“, Tab.

1 Y. Wolman, Israel J. Chem. **5**, 231 (1967).
2 G. E. Boxer u. P. M. Everett, Anal. Chem. **21**, 670 (1949).
3 A. Fontana, F. Marchiori u. L. Moroder, Ricerca sci. **36**, 261 (1966).

31.117.40. *2,4,5-Trichlor-phenylsulfenyl-[TPS]-Schutzgruppe*

Der 2,4,5-Trichlor-phenylsulfenyl-Rest wurde von Guttmann und Pless[1] in Analogie zur 2-Nitro-phenylsulfenyl-Schutzgruppe für eine Aminomaskierung der Aminosäuren erprobt. N-(2,4,5-Trichlor-phenylsulfenyl)-aminosäuren konnten durch Umsetzung des entsprechenden Sulfenylchlorids mit Aminosäureestern und anschließender Verseifung der erhaltenen N-(2,4,5-Trichlor-phenylsulfenyl)-aminosäureester erhalten werden [vgl. dazu das Verhalten der N-(2-Nitro-phenylsulfenyl)-Derivate S. 203], aus N-(2,4,5-Trichlor-phenylsulfenyl)-aminosäuren unter üblichen Bedingungen „aktive" 2,4,5-Trichlor- bzw. 4-Nitro-phenylester. Beachtung verdient die Feststellung der Autoren[1], daß N-(2,4,5-Trichlor-phenylsulfenyl)-aminosäure-4-nitro-phenylester in Gegenwart von tert.-Basen nicht zur Racemisierung neigen. Die Abspaltung der Schutzgruppe soll in siedender Essigsäure innerhalb von 5–10 Min. gelingen; als Nebenprodukt fällt sehr schwer lösliches Bis-[2,4,5-trichlor-phenyl]-disulfid an[1]. (Experimentelle Beispiele wurden noch nicht veröffentlicht.)

31.117.50. *2,3,4,5,6-Pentachlor-phenylsulfenyl-[PPS]-Schutzgruppe*

Der Pentachlor-phenylsulfenyl-Rest als Aminoschutzgruppe wurde neuerdings von Kessler und Iselin[2] beschrieben. Am Beispiel von PPS-Lys(BOC)-OMe (I) – hergestellt aus dem N-geschützten Lysinester mittels Pentachlor-phenylsulfenyl-chlorid[3] – konnten die Autoren[2] eine weitgehende Analogie zur 2-Nitro-phenylsulfenyl-Bindung in bezug auf die Spaltungsgeschwindigkeit mittels „nucleophiler" Agenzien aufzeigen (s. dazu S. 207 f.).

Interessant ist die durchgeführte Spaltung von I mittels Schwefeldioxid in wäßr.-methanolischer Lösung, wobei das „Bunte-Salz" aus S-(Pentachlor-phenyl)-thioschwefelsäure und H-Lys(BOC)-OMe krist. isoliert werden konnte.

N_ε-tert.-Butyloxycarbonyl-L-lysin-methylester-(S-pentachlor-phenyl)-thioschwefelsäure-Salz [H-Lys(BOC)-OMe · PPS-SO_3H][2]: Eine Lösung von 5,40 g PPS-Lys(BOC)-OMe in 200 *ml* Methanol wird mit 100 *ml* Wasser versetzt, die entstandene Emulsion mit Schwefeldioxid ges. (~ 30 Min.). Nach 90 Min. Stehenlassen dampft man die inzwischen klar gewordene Lösung ein; der Rückstand wird aus Methanol/Essigsäureäthylester umkristallisiert; Ausbeute: 4,5 g (72% d.Th.); F: 142–144°.

31.117.60. *Trityl-sulfenyl-[TRS]-Schutzgruppe*

Als weitere Amino-Schutzgruppe auf Sulfenamid-Basis wurde der Tritylsulfenyl-Rest von Zervas et al.[4] in ihre umfangreichen Untersuchungen einbezogen.

Tritylsulfenyl-chlorid (I)[5] reagiert, analog der 2-Nitro-phenyl-Verbindung, rasch mit Aminosäure-alkylestern II a zu den N-Tritylsulfenyl-aminosäure-alkylestern IIIa, die sich wie ihre N-(2-Nitro-phenylsulfenyl)-Verwandten nur schwer und nicht ohne Nebenreaktionen zu den N-acylierten Aminosäuren IV verseifen lassen (Ausnahme Glycin)[6]. Im Gegensatz zu den N-(2-Nitro-phenylsulfenyl)-aminosäuren waren die Tritylsulfenyl-Analoga durch direkte Schotten-Baumann-Verknüpfung von Tritylsulfenyl-chlorid (I) mit Aminosäuren im „präparativen Maßstab" nicht zugänglich[6].

---

[1] S. Guttmann, *Peptides*, Proc. 6th Europ. Peptide Sympos., Athen 1963, Pergamon Press Ltd., Oxford **1966**, S. 116.

[2] W. Kessler u. B. Iselin, Helv. **49**, 1330 (1966).

[3] R. E. Putnam u. W. H. Sharkey, Am. Soc. **79**, 6526 (1957).

[4] E. Gazis et al., *Peptides*, Proc. 5th Europ. Peptide Sympos. Oxford 1962, Pergamon Press Ltd., Oxford **1963**, S. 17.

[5] D. Vorländer u. E. Mittag, B. **52**, 413 (1919).

[6] L. Zervas, D. Borovas u. E. Gazis, Am. Soc. **85**, 3660 (1963).

Für einen peptid-synthetischen Einsatz blieben daher Zervas et al.[1] auf die 4-Nitrophenylester der N-Tritylsulfenyl-aminosäuren IIIb angewiesen, die aus den Aminosäure-4-nitro-phenylestern IIb gut zugänglich waren (s. o.). Im Gegensatz zu den N-Trityl-Analoga zeigen die N-Tritylsulfenyl-aminosäure-4-nitro-phenylester III keinerlei sterische Hinderung bei ihrer Umsetzung mit Amino-Komponenten zu den entsprechenden N-acylierten Peptidestern V, die sich in glatter Reaktion zu den N-Tritylsulfenyl-peptiden VI verseifen lassen:

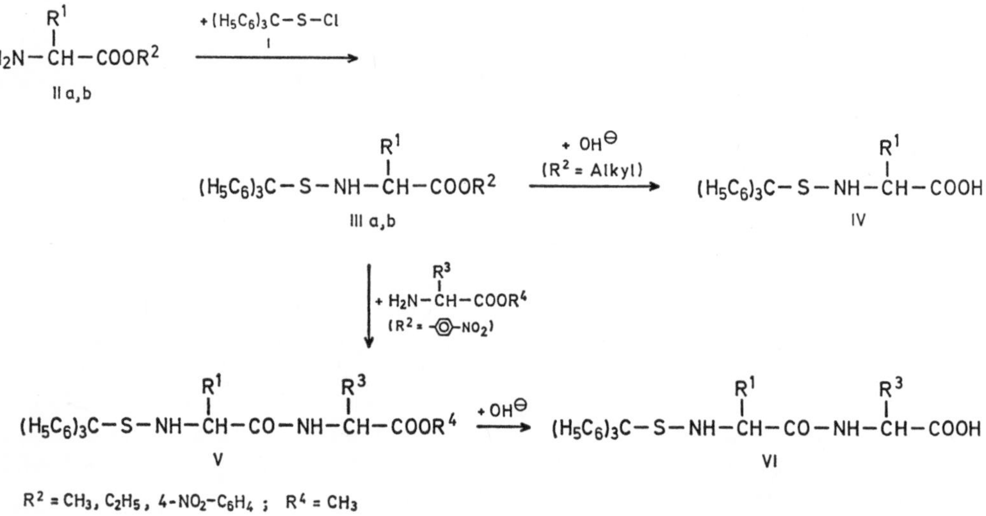

$$\underset{\text{II a,b}}{H_2N-\overset{R^1}{\overset{|}{C}H}-COOR^2} \xrightarrow[\text{I}]{+(H_5C_6)_3C-S-Cl}$$

$$\underset{\text{III a,b}}{(H_5C_6)_3C-S-NH-\overset{R^1}{\overset{|}{C}H}-COOR^2} \xrightarrow[(R^2 = \text{Alkyl})]{+OH^{\ominus}} \underset{\text{IV}}{(H_5C_6)_3C-S-NH-\overset{R^1}{\overset{|}{C}H}-COOH}$$

$$\downarrow + H_2N-\overset{R^3}{\overset{|}{C}H}-COOR^4 \quad (R^2 = -C_6H_4-NO_2)$$

$$\underset{\text{V}}{(H_5C_6)_3C-S-NH-\overset{R^1}{\overset{|}{C}H}-CO-NH-\overset{R^3}{\overset{|}{C}H}-COOR^4} \xrightarrow{+OH^{\ominus}} \underset{\text{VI}}{(H_5C_6)_3C-S-NH-\overset{R^1}{\overset{|}{C}H}-CO-NH-\overset{R^3}{\overset{|}{C}H}-COOH}$$

$R^2 = CH_3, C_2H_5, 4\text{-}NO_2\text{-}C_6H_4$; $R^4 = CH_3$

Die Abspaltung der Schutzgruppe glückt, in völliger Analogie zu dem 2-Nitro-phenylsulfenyl-Rest, mittels Chlorwasserstoff in inerten Lösungsmitteln in fast quantitativer Ausbeute[1] (s. S. 207).

Von den anderen bekannten nucleophilen Agenzien wird die N-Tritylsulfenyl-Maskierung relativ langsam oder gar nicht eliminiert[2] (s. dazu Tab. 28).

Tab. 28. Abspaltung von Sulfenyl-Schutzgruppen mit nucleophilen Agenzien

Beispiel: RS-Lys(BOC)-OMe

Agens	Reaktionsdauer für 95% Spaltung			
	RS = NPS	PPS	DNPS	TRS
HCN	8–12 Stdn.	8–12 Stdn.	— (5%/24 Stdn.)	— (1%/24 Stdn.)
H_2SO_3	30 Min.	30 Min.	— (80%/24 Stdn.)	— (1%/24 Stdn.)
CH_3CSNH_2	5 Min.	5 Min.	10 Min.	24 Stdn.

---

1 L. Zervas, D. Borovas u. E. Gazis, Am. Soc. **85**, 3660 (1963).
2 W. Kessler u. B. Iselin, Helv. **49**, 1330 (1966).

31.118. Sulfonyl-Schutzgruppen

31.118.10. *4-Toluolsulfonyl-(Tosyl)-[TOS]-Schutzgruppe*

Die Entdeckung von E. Fischer[1], daß N-Tosyl-aminosäuren nach Behandeln mit Jodwasserstoff und Phosphoniumjodid die Ausgangsaminosäuren unverändert zurückgeben, hatte Schönheimer[2] schon 1926 die erste für die Synthese „freier" Peptide brauchbare, reversible Aminomaskierung in die Hand gespielt: N-Tosyl-aminosäuren ließen sich via Aminosäure-chlorid oder -azid mit Aminosäureestern verknüpfen, die erhaltenen N-Tosyl-peptidester nach hydrolytischer Entfernung der Carboxy-Schutzgruppe und anschließender Jodwasserstoff/Phosphoniumjodid-Reduktion der Tosyl-amid-Gruppierung in die freien Peptide überführen, ohne daß hierbei die Peptidbindung in Mitleidenschaft gezogen wurde (s. dazu jedoch S. 238).

Doch erst die reduktive Abspaltung des Tosyl-Restes mittels Natrium in Ammoniak[3] hat der Verwendung dieser Schutzgruppe lange Zeit den erforderlichen Rückhalt trotz der relativ drastischen und auch heute noch nicht restlos geklärten Reaktionsbedingungen gebracht.

Die Einführung des Tosyl-Restes erfolgt durch Umsetzung von Tosyl-chlorid und Aminosäure-Salzen entweder in Wasser allein (zweckmäßig wird unter Zuhilfenahme eines Schnellmischers, z. B. Ultra-Turrax, bzw. Emulgators oder bei Reaktionstemp. von $\sim 75°$ oberhalb des Tosylchlorid-Schmelzpunktes, gearbeitet) oder in Gegenwart organischer Lösungsmittel (wie Diäthyläther, Tetrahydrofuran etc.), wobei zum Abfangen des gebildeten Chlorwasserstoffs verd. Natronlauge bzw. Triäthylamin zugegeben wird[4,5]. Als sehr günstig erwies sich ein Einhalten eines konstanten p_H-Wertes ($p_H = 9$) während der Acylierungs-Reaktion[6]. Unter genannten Bedingungen werden die N-Tosyl-aminosäuren in guter Ausbeute und kristallisierter Form erhalten, im Falle der Diaminosäuren bzw. von Tyrosin die N_α,N_ω-[7] und N_α,O-Bis-[tosyl]-Derivate[1]. *TOS-Tyr-OH* ist nur auf dem Umweg einer Tosylierung von Tyrosinester und anschließender Verseifung des erhaltenen Acylesters zugänglich[4].

N-Tosyl-L-isoleucin [TOS-Ile-OH][8]: Zu 6 g Isoleucin in 40 *ml* n Natronlauge und 20 *ml* Wasser gibt man 12 g Tosylchlorid; die Mischung rührt man kräftig (z.B. mit einem Ultra-Turrax-Schnellmischer) bei Raumtemp. für 3 Stdn., währenddessen der p_H des Reaktionsansatzes durch Zusatz von n Natronlauge auf ~ 9 gehalten wird. Unumgesetztes Tosylchlorid wird abfiltriert, die erhaltene Lösung unter kräftigem Rühren mit verd. Salzsäure angesäuert (Kongorot). Das abgeschiedene kristalline Produkt wird abfiltriert, mit Wasser gewaschen, getrocknet und aus Essigsäure-äthylester/Petroläther umkristallisiert; Ausbeute: 10,5–11 g (80–85% d.Th.); F: 135–136°; $[\alpha]_D^{21} = -12{,}3 \pm 0{,}5°$ (c = 2; in 0,5 n Kaliumhydrogencarbonat-Lösung).

N-Tosyl-S-benzyl-L-cystein [TOS-Cys(BZL)-OH][8]: Zu 20 g S-Benzyl-L-cystein in 120 *ml* 3n Natronlauge und 450 *ml* Wasser setzt man 32 g Tosylchlorid in 100 *ml* Äther zu; die erhaltene Reaktionsmischung wird bei Raumtemp. gerührt und durch Zugabe von Natronlauge stets schwach alkalisch gehalten. Da-

---

1 E. Fischer, B. **48**, 93 (1915).
2 R. Schönheimer, H. **154**, 203 (1926).
3 V. du Vigneaud u. O. K. Behrens, J. Biol. Chem. **117**, 27 (1937).
4 E. Fischer u. E. Lipschitz, B. **48**, 360 (1915).
5 W. McChesney u. W. Kirk Swann, Am. Soc. **59**, 1116 (1937).
C. R. Harington u. R. C. G. Moggridge, Soc. **1940**, 706.
J. Rudinger, Collect. czech. chem. Commun. **19**, 365 (1954); **24**, 2013 (1965).
D. Theodoropoulos u. L. C. Craig, J. Org. Chem. **21**, 1376 (1956).
6 P. G. Katsoyannis u. V. du Vigneaud, Am. Soc. **76**, 3113 (1954).
7 H. N. Christensen u. T. R. Riggs, J. Biol. Chem. **220**, 265 (1956).
K. Poduška u. J. Rudinger, Collect. czech. chem. Commun. **24**, 3449 (1959).
8 V. du Vigneaud, M. F. Bartlett u. D. Jöhl, Am. Soc. **79**, 5572 (1957).

nach wird die wäßr. Phase abgetrennt, mit Äther gewaschen und schließlich mit 50%-iger Salzsäure vorsichtig angesäuert. Das abgeschiedene kristalline Produkt wird abfiltriert, mit Wasser gewaschen, i.Vak. getrocknet und aus Äthanol/Wasser oder Aceton/Wasser umkristallisiert; Ausbeute: 27 g (78% d.Th.); F: 125–126°; $[\alpha]_D^{21} = +11,3 \pm 0,5°$ (c = 2; in 95%-igem Äthanol).

Nebenreaktionen unter oben beschriebenen Acylierungsbedingungen wurden bei der Herstellung von TOS-Glu-OH[1] und Bz-Orn(TOS)-OH[2] festgestellt; TOS-Pyr-OH bzw. Bz-Orn(TOS)-δ-lactam (3-Benzoylamino-1-tosyl-2-oxo-piperidin) waren die Begleitprodukte. Durch kurzzeitiges Erhitzen der alkalischen Reaktionslösung auf 80–90° gelingt jedoch die Aufspaltung der gebildeten Lactam-Verbindung, so daß schließlich die gewünschten, reinen N-Tosyl-aminosäuren nach Ansäuern isoliert werden.

N-Tosyl-L-glutaminsäure [TOS-Glu-OH][1]: 147 g Glutaminsäure in 600 *ml* 4 n Natronlauge werden zu einer Lösung von 205 g Tosylchlorid in 650 *ml* Diäthyläther gegeben, das Gemisch mit einem Schnellmischer (Vibro-Mischer, Ultra-Turrax etc.) kräftig gerührt.

Nach einer „Induktionsperiode" (die bei Verwendung von sehr reinem Tosylchlorid bis zu 30 Min. lang sein kann) setzt die Acylierungsreaktion unter Temperaturanstieg und Abfall des p_H-Wertes ein; man hält die Temp. der Reaktionsmischung durch Kühlen bei ~ 28° bzw. den p_H-Wert bei 9 durch laufende Zugabe von 4 n Natronlauge. Nach beendeter Reaktion (p_H-Konstanz bei 9) rührt man noch 1 Stde. lang weiter, trennt die beiden Phasen und wäscht die ätherische 2mal mit wenig Wasser. Die vereinigten wäßr. Lösungen werden kurzzeitig auf 80–90° erhitzt (Vorsicht! Ätherdämpfe!), über Aktivkohle filtriert noch warm (55–65°) mit konz. Salzsäure auf p_H = 1–2 angesäuert und letztlich nach Zusatz von Impfkristallen (1 g) unter Schütteln bzw. Reiben mit einem Glasstab abgekühlt. Nach Stehenlassen über Nacht bei 0° wird das auskristallisierte Material abfiltriert, 4mal mit je 100 *ml* eiskaltem Wasser gewaschen und zur Gewichtskonstanz luftgetrocknet; Ausbeute 230–250 g (76–83% d.Th.); F: 143–145°.

Mutterlauge und Waschwasser werden mit 250 *ml* Diäthyläther im Extraktor extrahiert (8 Stdn.); die Auszüge hinterlassen nach Eindampfen einen Rückstand, dessen Lösung in 150 *ml* 2 n Natronlauge nach Filtration über Aktivkohle mit konz. Salzsäure auf p_H = 1–2 gestellt wird. Nach weiterer Aufarbeitung (s. oben) erhält man 15–25 g 2. Fraktion (F: 142–143°); Gesamtausbeute 245–275 g (80–88% d.Th.).

Anm.: Extraktion mit oder Umkristallisieren aus Essigsäure-äthylester ist zu vermeiden, da hierbei anscheinend Umesterungen ablaufen. Rudinger[3] konnte unter diesen Bedingungen u.a. eine „Neutralsubstanz" isolieren, deren Schmelzpunkt (F: 76–78°) mit dem von TOS-Glu(OEt)-OEt übereinstimmt.

Die verhältnismäßig hohe Stabilität der Tosyl-amid-Gruppierung insbesondere gegenüber den Abspaltungsverfahren für die meistgebrauchten N-Maskierungen vom Urethan-Typ (katalytische Hydrogenolyse, Protonensolvolyse verschiedenster Art incl. Anwendung von Bromwasserstoff/Eisessig bei Raumtemp.) bildet den Hauptgrund für den Einsatz des Tosyl-Restes zur Blockierung der N_ω-Diaminosäure- bzw. der komplexen Guanido-Arginin-Funktion. *N_ω-Tosyl*-Derivate des *Lysins*[4,5], *Ornithins*[6], *Arginins*[7] und der *2,4-Diaminobuttersäure*[8] wurden mit Erfolg bei zahlreichen Totalsynthesen von biologisch-akt. Peptid-Naturstoffen (Vasopressine, Polymyxine, Gramicidin S, Bradykinin-Kallidin, α-MSH, ACTH, Insulin etc.) ins Treffen geführt (s. dazu Tab. 56, S. 486).

N_ε-Tosyl-lysin [H-Lys(TOS)-OH][4]: Eine Lösung von 24 g Lysin-Monohydrochlorid in 1500 *ml* Wasser wird mit 40 g Kupfer(II)-carbonat für 2 Stdn. zum Sieden erhitzt. (Über Variationen der Kupfer-Komplex-Bildung s. S. 472). Die Reaktionsmischung wird noch heiß filtriert, der verbleibende Rückstand mit 150 *ml* heißem Wasser gewaschen; zu dem abgekühlten Filtrat setzt man 42 g Natriumhydrogencarbonat

---

[1] J. RUDINGER et al., Collect. czech. chem. Commun. **24**, 2013 (1959).
[2] K. THOMAS, J. KAPFHAMMER u. B. FLASCHENTRÄGER, H. **124**, 75 (1922).
[3] J. RUDINGER, Collect. czech. chem. Commun. **19**, 365 (1954).
[4] R. ROESKE, F. H. C. STEWART, R. C. STEDMAN u. V. DU VIGNEAUD, Am. Soc. **78**, 5883 (1956).
[5] B. F. ERLANGER, W. V. CURRAN u. N. KOKOWSKY, Am. Soc. **81**, 3051 (1959).
[6] B. F. ERLANGER, H. SACHS u. E. BRAND, Am. Soc. **76**, 1806 (1954).
[7] R. SCHWYZER u. C. H. LI, Nature **182**, 1669 (1958).
E. SCHNABEL u. C. H. LI, Am. Soc. **82**, 4576 (1960).
[8] K. PODUŠKA u. J. RUDINGER, Collect. czech. chem. Commun. **24**, 3449 (1959).

und 37,8 g Tosylchlorid in 1500 *ml* Aceton und rührt die Mischung 10 Stdn. Der abgeschiedene Kupfer-Komplex wird abfiltriert, sorgfältig mit Wasser, Aceton und Äther gewaschen und an der Luft getrocknet (Ausbeute: 30–33 g). In die Suspension von 30 g pulverisiertem Kupfer-Komplex in 500 *ml* siedendem Wasser leitet man unter kräftigem Rühren einen Strom Schwefelwasserstoff (weitere Möglichkeiten der Kupfer-Komplex-Zersetzung s. S. 471) ein, bis der Komplex vollständig zersetzt ist (~ 30 Min.). Daraufhin wird der Überschuß Schwefelwasserstoff verkocht, die Reaktionsmischung nach Zugabe von 5 g Aktivkohle und 15 *ml* 6n Salzsäure heiß filtriert. Beim Neutralisieren des Filtrats mit 4 n Natronlauge (besser mit konz. Ammoniak) auf $p_H = 6$ tritt Kristallisation ein; nach kurzzeitigem Stehen im Kühlschrank filtriert man das kristalline Material ab, wäscht es mit Wasser und Äther und trocknet i.Vak.; Ausbeute: 21,2 g (78% d.Th.); F: 223–234° (Zers.); $[\alpha]_D^{21} = 13,6 \pm 0,5°$ (c = 3; in 2n Salzsäure).

(Zur Herstellung von *N*$_\omega$*-Tosyl-L-arginin* s. S. 516).

Der peptid-synthetische Einsatz von N-Tosyl-aminosäuren geschieht weitgehend nach Säurechlorid-, -azid-, Carbodiimid- und Pyrophosphit-Verfahren[1]; mit Aminosäure-(Peptid)-estern als „Amino-Komponente" ergeben sich bei der Verknüpfung keinerlei „tosylamid"-bedingte Schwierigkeiten. Eine Racemisierung wurde bislang nicht festgestellt. Über die Racemisierung von TOS-Cys(BZL)-$NHNH_2$ unter relativ drastischen Bedingungen haben Maclaren et al.[2] berichtet.

Wird die Herstellung der Peptidbindung nach den zwei erstgenannten Methoden (s. oben) mit Salzen von Aminosäuren (Peptiden) in wäßr.-alkalischer Lösung vollzogen, so kann es nach Beobachtungen von Beecham[3] zu unerwünschten Nebenreaktionen kommen: Unter dem Einfluß freier Hydroxyl-Ionen spaltet die Sulfonamid-Gruppierung leicht ein Proton ab; das resultierende Anion I stabilisiert sich rasch unter Eliminierung des Anions $X^\ominus$ zum Zwitterion II und weiter von Kohlenstoffmonoxid zum N-tosylierten Imin III; dessen Hydrolyse läßt als Endprodukte Tosylamid (IV) und eine der Ausgangsaminosäure entsprechende Carbonyl-Verbindung V auftreten:

$$\text{TOS-NH-}\underset{}{\overset{R}{\underset{|}{C}}}\text{H-CO-X} \xrightarrow{+OH^\ominus} \underset{I}{\text{TOS-}\overset{\ominus}{\underline{N}}\text{-}\overset{R}{C}\text{H-CO-X}} \xrightarrow[-X^\ominus]{} \underset{II}{\text{TOS-}\overset{\ominus}{\underline{N}}\text{-}\overset{R}{C}\text{H-}\overset{\oplus}{C}\text{=O}}$$

$$\xrightarrow[-CO]{} \underset{III}{\text{TOS-N=CH-R}} \xrightarrow{H_2O} \underset{IV}{\text{TOS-NH}_2} + \underset{V}{\text{R-CHO}}$$

Der unerwünschte Reaktionsablauf tritt vor allem bei N-Tosyl-Derivaten von Aminosäuren mit großen und verzweigten Seitenketten, aufgrund deren elektronen-abstoßender Effekte, in den Vordergrund. Dieser kann jedoch unter Einhalten entsprechender Arbeitsbedingungen (p_H-Kontrolle, Magnesiumoxid als Chlorwasserstoff-bindendes Agens und Arbeiten im „Zwei-Phasen-System") weitestgehend unterdrückt werden. N-Tosyl-aminosäuren, die keinen Amidwasserstoff aufweisen, z. B. TOS-Pro-OH, TOS-Pyr-OH etc., sind verständlicherweise vom „Beecham-Zerfall" nicht betroffen.

---

[1] R. Schönheimer, H. **154**, 203 (1926).
J. Honzl u. J. Rudinger, Collect. czech. chem. Commun. **20**, 1190 (1955).
P. G. Katsoyannis u. V. du Vigneaud, Am. Soc. **76**, 3113 (1954).
E. B. Popense u. V. du Vigneaud, Am. Soc. **76**, 6202 (1954).
D. W. Sooley, J. Biol. Chem. **172**, 71 (1948).
V. du Vigneaud et al., Am. Soc. **76**, 3115 (1954).
J. Rudinger, J. Honzl u. M. Zaoral, Collect. czech. chem. Commun. **21**, 202 (1956).

[2] J. A. Maclaren, W. E. Savige u. J. M. Swan, Austral. J. Chem. **11**, 345 (1958).

[3] A. F. Beecham, Chem. & Ind. **1955**, 1120; Am. Soc. **79**, 3257, 3262 (1957); Austral. J. Chem. **16**, 160, 889 (1963).

Auf der Einflußnahme des relativ aciden Wasserstoffs der Sulfonamid-Gruppierung auf die Bildung bzw. Umsetzung asymm. Anhydride der N-Tosyl-aminosäuren beruht auch die Nichtverwendbarkeit der Wieland-Boissonnas-Vaughan-Verknüpfungs-Methoden[1] (mit Ausnahme des Pivaloylchlorid/Pyridin-Verfahrens[2,3]).

Zaoral und Rudinger[2] haben den Reaktionsverlauf anhand der Umsetzung von TOS-Gly-OH (VI) mit Chlorameisensäureester zum Tosyl-glycin-alkylkohlensäure-anhydrid (VII) und dessen Aminolyse mittels Anilin (VIII) verfolgt und eine Anzahl von Reaktionsprodukten (IX-XV) isoliert, von denen die Verbindungen XIII-XV z. B. unter Annahme nicht faßbarer Anhydride der Formel XV bzw. XVI, XIII und XIV, aber auch durch nachträgliche N-Acylierung der Tosylamid-Gruppierung des (eigentlich gewünschten) TOS-Gly-NH(Ph) (IX) resultieren können (s. Formelschema S. 227).

Die gleichen Gründe dürften für ein Mißlingen der Herstellung von N-Tosyl-aminosäure-4-nitro-phenylestern[4] anzunehmen sein. Gem. Anhydrid- und aktive Ester-Verfahren sind jedoch bei N-Tosyl-peptiden[5] oder bei seitenketten-tosylierten Aminosäuren (*N*$_\varepsilon$-*Tosyl-lysin* etc.)[6] ohne genannte Störungen durchführbar.

N-Tosyl-L-isoleucyl-L-glutaminyl-L-asparagin [TOS-Ile-Glu(NH_2)-Asp(NH_2)-OH][7]: 4,2 g TOS-Ile-OH in 20 *ml* absol. Äther werden mit 3,2 g Phosphor(V)-chlorid versetzt und bis zu dessen Auflösung geschüttelt. Das Filtrat wird i. Vak. eingedampft: Öl (4,3 g).

Zu einer Suspension von 3,6 g H-Gln-Asn-OH (s. S. 369) und 1,25 g Magnesiumoxid in 35 *ml* Wasser setzt man unter kräftigem Rühren und Eiskühlung innerhalb 1 Stde. die Lösung obigen Öls in 22 *ml* absol. 1,4-Dioxan portionsweise zu (falls der p_H-Wert unter 8 absinkt, fügt man eine weitere Menge Magnesiumoxid zum Reaktionsgemisch zu). Nach beendeter Zugabe des Säurechlorids erstarrt die Reaktionsmischung alsbald durch Auskristallisieren von Tosyl-tri-peptid-Magnesiumsalz; es wird nach Zugabe von 20 *ml* Wasser abfiltriert. Die Suspension des erhaltenen Salzes in 500 *ml* kaltem Wasser wird mit 5%-iger Salzsäure behandelt, bis $p_H = 3$ der Mischung erreicht wird. Das kristalline Material wird dann abfiltriert und mit Wasser gewaschen. Aus dem Filtrat wird nach weiterem Ansäuern mit Eindampfen i. Vak. auf die Hälfte des Vol. eine weitere Fraktion erhalten. Zur Reinigung wird das erhaltene Rohprodukt in verd. Kaliumhydrogencarbonat-Lösung gelöst und mit verd. Salzsäure wieder ausgefällt; Ausbeute: 4,2-4,5 g; F: 223° (Nadeln); $[\alpha]_D^{21} = -30,7 \pm 0,5°$ (c = 1,8; in 0,5n Kaliumhydrogencarbonat-Lösung).

N-Tosyl-S-benzyl-L-cysteinyl-L-tyrosin [TOS-Cys(BZL)-Tyr-OH][5,8]:

N-Tosyl-S-benzyl-L-cysteinyl-L-tyrosin-äthylester [TOS-Cys(BZL)-Tyr-OEt]: 11 g TOS-Cys(BZL)-OH in 50 *ml* absol. Tetrahydrofuran werden mit H-Tyr-OEt, hergestellt aus 7,5 g des Hydrochlorids und 4,1 *ml* Triäthylamin in 50 *ml* Tetrahydrofuran, und anschließend mit 6,9 g Dicyclohexylcarbodiimid unter Rühren und Eiskühlung versetzt. Nach 4 stdgm. Rühren des Reaktionsgemisches bei 0° wird vom gebildeten N,N'-Dicyclohexyl-harnstoff abfiltriert, das Filtrat i. Vak. eingedampft und der Rückstand zwischen Essigsäure-äthylester und Wasser verteilt. Die abgetrennte Essigsäure-äthylester-Phase wird wie üblich mit n Salzsäure, 5%-iger Natriumhydrogencarbonat-Lösung und Wasser gewaschen, über Natriumsulfat getrocknet und i. Vak. auf ein kleines Vol. eingedampft; auf vorsichtige Zugabe von Hexan im Verlauf von 2 Stdn. kristallisiert der Ester in feinen Nadeln aus und wird aus Essigsäure-äthylester/Hexan umkristallisiert; Ausbeute: 14,5 g (86% d. Th.); F: 109–110°; $[\alpha]_D^{19} = +3,71 \pm 0,5°$ (c = 2,39; in 95%-igem Äthanol).

N-Tosyl-S-benzyl-L-cysteinyl-L-tyrosin: 2 g des nach oben erhaltenen Esters in 6 *ml* Aceton werden unter Eiskühlung mit 6 *ml* (~ 3,3 Äquiv.) 2 n Natronlauge in mehreren Portionen innerhalb 20 Min. versetzt. Die Reaktionsmischung läßt man unter Rühren bei Raumtemp. 40 Min. stehen,

---

[1] A. Hillmann u. G. Hillmann, Z. Naturf. **6b**, 340 (1951).
[2] M. Zaoral u. J. Rudinger, Collect. czech. chem. Commun. **26**, 2316 (1961).
[3] M. Zaoral, Collect. czech. chem. Commun. **24**, 33 (1959); **27**, 1273 (1962).
[4] C. Berse, T. Massiah u. L. Piché, J. Org. Chem. **26**, 4514 (1961).
[5] V. du Vigneaud, M. F. Bartlett u. A. Jöhl, Am. Soc. **79**, 5572 (1957).
[6] R. Roeske, F. H. C. Stewart, R. J. Stedman u. V. du Vigneaud, Am. Soc. **78**, 5883 (1956).
R. Schwyzer u. P. Sieber, Helv. **41**, 1582 (1958); **40**, 624 (1957).
M. Bodanszky, J. Meienhofer u. V. du Vigneaud, Am. Soc. **82**, 3195 (1960).
C. H. Li et al., Am. Soc. **83**, 4449 (1961).
[7] P. G. Katsoyannis u. V. du Vigneaud, Am. Soc. **76**, 3113 (1954).
[8] s. f. J. Honzl u. J. Rudinger, Collect. czech. chem. Commun. **20**, 1190 (1955).

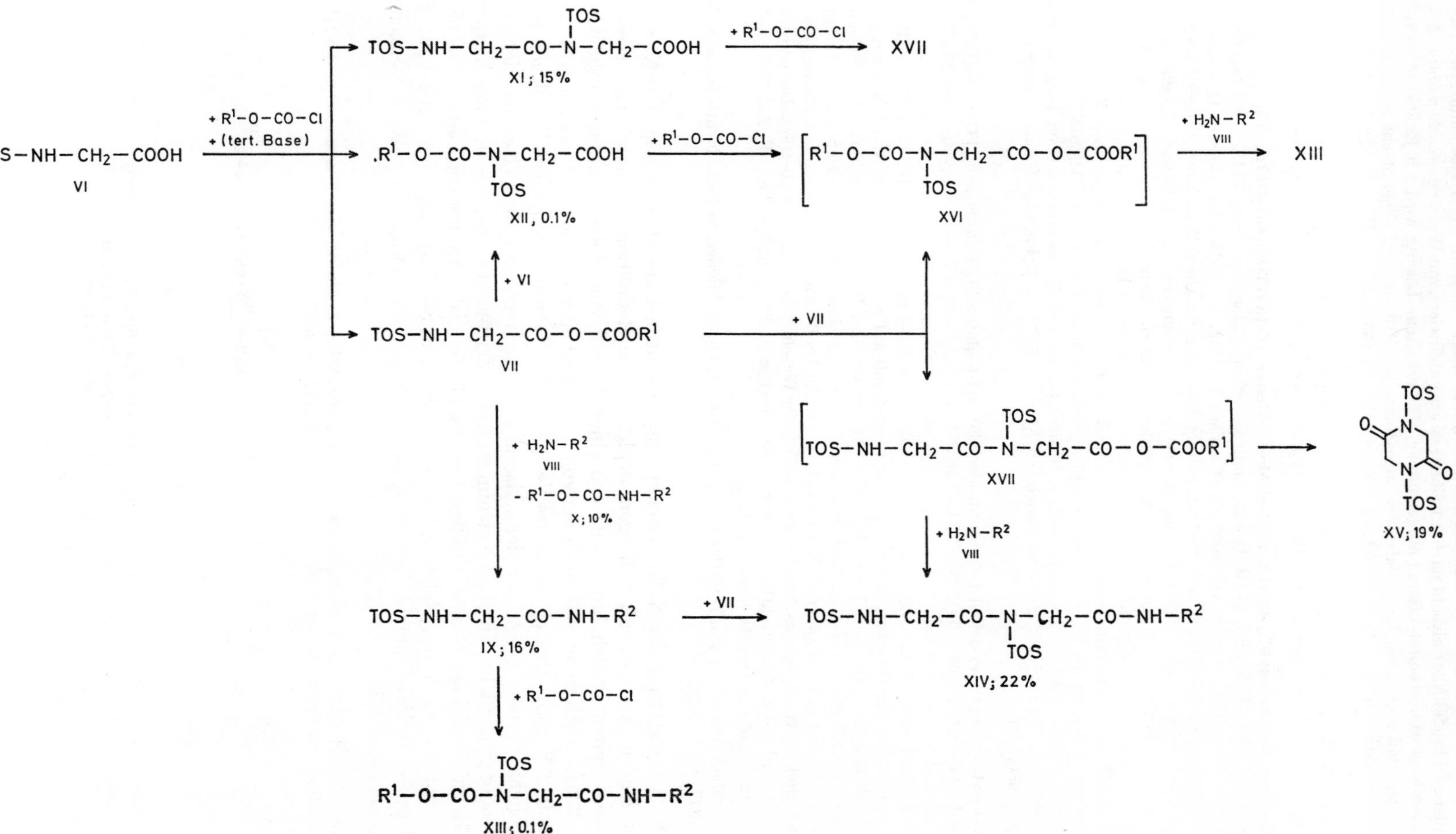
TOS—NH—CH2—COOH
VI
+ R1—O—CO—Cl
+ (tert. Base)
TOS—NH—CH2—CO—N(TOS)—CH2—COOH
XI; 15%
+ R1—O—CO—Cl
XVII
R1—O—CO—N(TOS)—CH2—COOH
XII, 0.1%
+ R1—O—CO—Cl
R1—O—CO—N(TOS)—CH2—CO—O—COOR1
XVI
+ H2N—R2
VIII
XIII
+ VI
TOS—NH—CH2—CO—O—COOR1
VII
+ VII
+ H2N—R2
VIII
- R1—O—CO—NH—R2
X; 10%
TOS—NH—CH2—CO—N(TOS)—CH2—CO—O—COOR1
XVII
TOS
O
N
XV; 19%
+ H2N—R2
VIII
TOS—NH—CH2—CO—NH—R2
IX; 16%
+ VII
TOS—NH—CH2—CO—N(TOS)—CH2—CO—NH—R2
XIV; 22%
+ R1—O—CO—Cl
R1—O—CO—N(TOS)—CH2—CO—NH—R2
XIII; 0.1%

verdünnt mit 10 *ml* Wasser und säuert schließlich mit konz. Salzsäure unter Eiskühlung an. Das ausgefallene Öl kristallisiert alsbald nach Anreiben; es wird abfiltriert, mit Wasser gewaschen und in 5%-iger Natriumhydrogencarbonat-Lösung aufgenommen. Die erhaltene Lösung wird mit Essigsäure-äthylester extrahiert und erneut mit konz. Salzsäure angesäuert. Die Fällung wird abgenutscht und aus Äthanol/Wasser umkristallisiert; Ausbeute: 1,8 g (95% d.Th.); F: 155–156°; $[\alpha]_D^{18} = +28{,}2 \pm 0{,}5°$ (c = 2,11; in absol. Äthanol).

Anm.: Der hohe Überschuß an Natronlauge wird durch die erforderliche Neutralisation einer Tosylamid-Gruppierung und im vorliegenden Falle zusätzlich einer Phenol-Gruppierung bedingt.

N_α-Benzyloxycarbonyl-N_ε-tosyl-L-lysyl-glycin-äthylester [Z-Lys(TOS)-Gly-OEt][1]: Die Lösungen von 31 g H-Gly-OEt · HCl und 40 *ml* Triäthylamin in 300 *ml* Chloroform bzw. 111,2 g Z-Lys(TOS)-ONP in 300 *ml* Chloroform werden vereinigt, das Gemisch 28 Stdn. bei 35° stehengelassen. Das auskristallisierte Material wird abfiltriert und 3mal mit kaltem Äthanol gewaschen. Beim Konzentrieren der Mutterlauge i. Vak. tritt alsbald erneute Fällung ein; sie wird wie oben beschrieben isoliert, der gleiche Prozeß mit der restlichen Mutterlauge wiederholt. (Ausbeute: 98,6 g). Die noch verbleibende Mutterlauge wird i. Vak. restlos vom Lösungsmittel befreit. Die Lösung des öligen Rückstands in Essigsäure-äthylester wird üblich mit 0,5 n Ammoniak-Lösung, n Salzsäure und Wasser gewaschen, über Magnesiumsulfat getrocknet und schließlich i.Vak. eingedampft. Nach Umkristallisieren aus Äthanol/Wasser werden weitere 3 g Dipeptid-Derivat vom gleichen Schmelzpunkt und Drehwert wie oben isolierter Fraktionen erhalten; F: 154–156° (farblose Nadeln); $[\alpha]_D^{20} = -4{,}75°$ (c = 2; in Chloroform); Gesamtausbeute: 101,6 g (98% d. Th.).

N-Tosyl-S-benzyl-L-cysteinyl-L-tyrosyl-L-phenylalanyl-L-glutaminyl-L-asparagin [TOS-Cys(BZL)-Tyr-Phe-Gln-Asn-OH][2]: 2,64 g TOS-Cys(BZL)-Tyr-OH (s. oben) und 0,7 *ml* Triäthylamin in 25 *ml* absol. Tetrahydrofuran werden bei −10° mit 0,65 *ml* Chlorameisensäure-isobutylester wie üblich umgesetzt. Nach 7 Min. langem Rühren bei −15° werden zu der Lösung des gem. Anhydrids 2,04 g H-Phe-Gln-Asn-OH und 0,75 *ml* Triäthylamin in 10 *ml* Wasser (vorgekühlt auf ∼ 0°) im Verlauf von 1 Min. zugetropft. Die Reaktionsmischung wird 5 Min. bei −10° und 30 Min. bei Raumtemp. gerührt, anschließend mit Wasser bis zur Trübung versetzt. Nach Ansäuern der Reaktionslösung mit 50%-iger Salzsäure auf $p_H = 2$ wird mit Wasser auf 100 *ml* verd. Nach 4 stdgm. Stehen bei 0° wird der entstandene Niederschlag abfiltriert und mit Wasser gewaschen, bis der p_H-Wert der Waschwässer ungefähr 4 beträgt. Das getrocknete Produkt wird mit Essigsäure-äthylester behandelt; Ausbeute: 2,84 g (62% d. Th.); F: 203–205°; $[\alpha]_D^{21} = +4{,}4°$ (c = 2,08; in Dimethylformamid).

Über die Verwendung von TOS-Pyr-OH und N-Tosyl-1,3-oxazolidonen zu Peptidsynthesen s. S. **263** f. u. II/**347** f. bzw. **303** f.

Die Abspaltung der N-Tosyl-Schutzgruppe wird fast ausschließlich mittels Natrium in siedendem Ammoniak vollzogen, obgleich diese Reduktionsmethode[3] teils erhebliche Schwierigkeiten in sich birgt, teils von einer Anzahl von Nebenreaktionen begleitet ist (s. S. 233f.), auch wenn man nach der von Nesvadba[4] eingeführten Extraktionstechnik (s. Abb. 2, S. 235) arbeitet. Letzteres Verfahren der Natrium/Ammoniak-Reduktion bietet erhebliche Vorteile gegenüber der „klassischen" du Vigneaud-Methodik[2], da hierbei ein störender großer Überschuß an Natrium zu jedem Zeitpunkt vermieden und der Endpunkt der Reduktion (einige Min. beständige, tiefe Blaufärbung der Ammoniak-Lösung) viel besser bestimmt werden kann. Nebenreaktionen, bedingt durch Natrium-Überschuß bzw. Einschleppen von Natriumoxid, -hydroxid und -carbonat, dürften auf diese Weise weitgehend ausgeschlossen sein.

Ursprünglich hatte man angenommen, daß die reduktive Spaltung von Tosyl-amiden XVIII als schwefelhaltiges Spaltprodukt 4-Methyl-thiophenol (XIX) liefert[5]:

$$H_3C\!-\!C_6H_4\!-\!SO_2\!-\!NH\!-\!R \xrightarrow{+\,Na\,/\,NH_3} H_3C\!-\!C_6H_4\!-\!SH \;+\; H_2N\!-\!R$$

XVIII XIX

[1] M. Bodanszky, J. Meienhofer u. V. du Vigneaud, Am. Soc. **82**, 3195 (1960).
[2] V. du Vigneaud, H. F. Bartlett u. A. Jöhl, Am. Soc. **79**, 5572 (1957).
[3] V. du Vigneaud u. O. K. Behrens, J. Biol. Chem. **117**, 27 (1937).
[4] H. Nesvadba u. H. Roth, M. **98**, 1432 (1967).
[5] A. J. Birch u. H. Smith, Quart. Rev. **12**, 17 (1958).

Aus den Reaktionsansätzen konnte jedoch XIX stets nur in geringer Menge (max. 20%) isoliert werden; als schwefelhaltige Produkte fand man ferner Sulfite (Sulfate) und 4-Toluolsulfinsäure in wechselnden Mengen auf[1]. Trotz eines von Kovacs und Ghatak[2] vorgeschlagenen Mechanismus blieben die stöchiometrischen Verhältnisse des Reaktionsablaufs zunächst unklar (s. dazu S. 232).

Rudinger et al.[3] haben das Studium des Natrium/Ammoniak-Reduktionsverlaufs weitergeführt. Anhand zahlreicher experimenteller Beispiele, wobei sich die Autoren der Extraktionstechnik von Nesvadba[4] bedienten, wurde gefunden, daß N-Tosyl-Derivate von Aminosäuren, Aminosäure-amiden und einfachen Peptiden, die keinerlei zusätzliche Gruppen mit „Säure-Funktion" enthalten, vollständig durch 2 Grammatome Natrium in Aminosäuren (Aminosäure-amide, Peptide) und Toluol-sulfinsäure gespalten werden. Beide Produkte konnten jeweils in hoher Ausbeute isoliert werden (s. Tab. 29, S. 230).

Da aufgrund der klaren stöchiometrischen Verhältnisse, der Isolierung opt.-akt. Aminosäuren, dem „normalen" Verhalten von N-Tosyl-α-aminoisobuttersäure (unter den Bedingungen der „Extraktionstechnik") und der festgestellten Stabilität von TOS-Leu-OH gegenüber Natriumamid ein von Patterson und Proctor[5] vorgeschlagener „basen-katalysierter Eliminierungsmechanismus" (B) weitgehend ausgeschlossen werden kann, postulieren Rudinger et al.[3] eine Spaltung der S—N-Bindung durch 2 Elektronen unter Bildung von Sulfinsäure- und Aminosäure-Anionen als fundamentalen Reaktionsablauf (A)[3]:

$$H_3C-C_6H_4-SO_2-N(R^2)-C(R^3)(R^1)-COOH \xrightarrow{2\,e^{\ominus}} H_3C-C_6H_4-SO_2^{\ominus} + HN(R^2)-C(R^3)(R^1)-COO^{\ominus} \quad (A)$$

$$H_3C-C_6H_4-SO_2-N(R^2)-C(H)(R^1)-CO-X \xrightarrow{NH_2^{\ominus}} H_3C-C_6H_4-SO_2H + R^2N{=}C(R^1)-CO-X \xrightarrow{2H} HN(R^2)-C(H)(R^1)-CO-X \quad (B)$$

Die Reduktion von 4-Toluolsulfonsäure-amid bzw. -N-methyl-amid (als einfache Modellverbindungen) kommt bereits nach Verbrauch von 1 g-Atom Natrium zum Stillstand, wonach die Sulfonsäure-amid-Bindung zu 50% gespalten, zu 50% unverändert geblieben ist. Rudinger et al.[3] nehmen an, daß für jedes reduzierte Mol ein zweites Mol Sulfonsäure-amid das zweite Elektron unter Ausbildung eines Sulfonsäure-amid-Anions aufnimmt; dieses Sulfonsäure-amid-Anion widersteht aber der weiteren Re-

---

[1] J. Rudinger, Collect. czech. chem. Commun. **19**, 375 (1954).
K. Jošt u. J. Rudinger, Collect. czech. chem. Commun. **26**, 2345 (1961).

[2] J. Kovacs u. U. R. Ghatak, Chem. & Ind. **1963**, 913.

[3] H. Zimmermannová, G. S. Katrukha, K. Poduška u. J. Rudinger, *Peptides*, Proc. 6th Europ. Peptide Sympos., Athen 1963, Pergamon Press Ltd., Oxford **1966**, S. 21.
J. Rudinger, Privatmitteilung.

[4] H. Nesvadba, Diskussionsbemerkung 5th Europ. Peptide Sympos., Oxford 1962.
H. Nesvadba u. H. Roth, M. **98**, 1432 (1967).

[5] W. Patterson u. G. R. Proctor, Pr. chem. Soc. **1961**, 248.
W. Patterson u. G. R. Proctor, Soc. **1965**, 485.

Tab. 29. Reduktion von N-Tosyl-aminosäuren (-peptiden) und Modellsubstanzen mit Metallen in siedendem Ammoniak

Start-Material	Metall-Verbrauch [g-Äquiv./Mol]	Ausbeute [% d.Th.]		Andere Produkte (außer Sulfit)
		Sulfin-säure[a]	Amino-Komponente	
TOS—Gly—OH	2 Na	87	99	—
TOS—Gly—OH	1 Li	80	80	—
TOS—Gly—OH	4 Ca	0	80	4-Methyl-thio-phenol
TOS—Leu—OH	2 Na	74	74	—
TOS—Leu—OH	4 Ca	0	66	4-Methyl-thio-phenol
TOS—Pro—OH	2 Na	72	66	—
TOS—Sar—OH	2 Na	70	81	—
TOS—Aib—OH	2 Na	81	87	—
TOS—Gly—NH_2	2 Na	84	—[c]	Glycin
TOS—Gly—$N(CH_2)_5$	2[b] Na	32	—[c]	Glycin + 2-Amino-äthanol + 4-Methyl-thio-phenol
TOS—Ser—OH	3,5 Na	49	66	Glycin (Spuren)
TOS—Glu—OH	3,5 Na	33	70	4-Methyl-thio-phenol
TOS—Glu—ONa	2 Na	42	40	—
TOS—Gly—Gly—OH	2 Na	70	98	—
TOS—Dab(TOS)—OH	3 Na	59	40[d]	H–Dab(TOS)–OH (+TOS–Dab–OH)
TOS—NH_2	1 Na	38	—	TOS—NH_2 (22%)
TOS—NH_2 (+ 2 Acetamid)	2 Na	16	—	4-Methyl-thio-phenol
TOS—$NHCH_3$	1 Na	47	—	TOS—NH—CH_3 (35%)
TOS-$N(CH_2)_5$	2 Na	68	—	TOS—$N(CH_2)_5$ (Spuren)
$C_7H_7SO_2H$	2 Na	32	—	4-Methyl-thio-phenol
$C_7H_7SO_2Na$	0 Na	64	—	—
$C_7H_7SO_2Ca_{0,5}$	5 Ca	0	—	4-Methyl-thio-phenol (50%)

[a] Isoliert als Eisen(III)-Salz
[b] Reaktion nach Zugabe von 2 g-Atomen Natrium gestoppt
[c] Nicht isoliert
[d] Isoliert als Pikrinsäure-Salz

duktion (Gleichung ①). Diese Vermutung scheint bestätigt durch die Beobachtungen, nach denen die Reduktionen mittels 2 g-Atom Natrium

① von Tosylamid in Gegenwart von Acetamid (mehr als 1 Äquiv.),

② von N-Tosyl-piperidin, das zur Ausbildung eines Sulfonsäure-amid-Anions nicht mehr befähigt ist, jeweils unter vollständiger Spaltung der S-N-Bindung verlaufen.

Im ersteren Falle erweist sich Acetamid als genügend starke Säure, um einen Gleichgewichtszustand

Tosylamid-Anion + Acetamid ⇌ Tosylamid + Acetamid-Anion

auszubilden, der durch die Reduktion des Tosylamids unter Verschwinden des Tosylamid-Anions ausläuft (nach Gleichung ②). Im zweiten Falle dürfte offensichtlich 1 Mol Ammoniak das zweite Elektron unter Amid-Anion-Bildung aufnehmen (nach Gleichung ③):

$$2\ H_3C{-}C_6H_4{-}SO_2{-}NH{-}R + 2e^{\ominus} \longrightarrow H_3C{-}C_6H_4{-}SO_2^{\ominus} + H_3C{-}C_6H_4{-}SO_2{-}\overset{\ominus}{\underline{N}}{-}R + H_2N{-}R \quad ①$$

$$H_3C{-}C_6H_4{-}SO_2{-}NH{-}R + H_3C{-}CO{-}NH_2 + 2e^{\ominus} \longrightarrow H_3C{-}C_6H_4{-}SO_2^{\ominus} + H_3C{-}CO{-}\overset{\ominus}{\underline{N}}H + H_2N{-}R \quad ②$$

$$H_3C{-}C_6H_4{-}SO_2{-}N(CH_2)_5 + 2e^{\ominus} + NH_3 \longrightarrow H_3C{-}C_6H_4{-}SO_2^{\ominus} + NH_2^{\ominus} + HN(CH_2)_5 \quad ③$$

Anhand dieser Erkenntnisse wird das Verhalten von TOS-Dab(TOS)-OH bzw. von TOS-Cys(BZL)-OH bei der Natrium/Ammoniak-Reduktion verständlich: beide Verbindungen enthalten zwei reduzierbare Gruppen (die vier Elektronen verbrauchen sollten), jedoch nur eine Säure-Funktion, so daß der Reaktionsablauf den Bedingungen nach Gleichung ① gehorchen sollte.

In Übereinstimmung hiermit werden trotz Erreichen eines klaren Endpunktes (= beständige Blaufärbung) stets weniger als 4 g-Atome Natrium verbraucht [nur 3 bei TOS-Dab(TOS)-OH] und neben Diamino-buttersäure bzw. Cystein/Cystin noch H-Dab(TOS)-OH (in Spuren auch TOS-Dab-OH)[1] bzw. TOS-Cys-OH und dessen Oxidationsprodukt[2] isoliert.

Besondere Beachtung verdient das Verhalten von TOS-Gly-Pi als weitere einfache Modellsubstanz ohne „Säure-Funktion", aber mit einer tert.-Amid-Bindung. Wider Erwarten ist die Reduktion auch nach Zugabe von 2 g-Atom Natrium noch nicht beendet: aus dem Reaktionsansatz werden mehrere ninhydrin-positive Verbindungen, darunter Glycin und 2-Amino-äthanol, isoliert, auch wenn die Umsetzung nach Zugabe von 2 g-Atom Natrium gestoppt wurde.

Aus diesem Reaktionsablauf muß die Schlußfolgerung gezogen werden, daß bei Anwesenheit von tert.-Amid-Bindungen ein reduktiver Angriff auf diese Gruppierung parallel zur Sulfonsäure-amid-Spaltung einhergeht. Dies ist im Hinblick auf Natrium/Ammoniak-Reduktionen von Peptid-Derivaten, in deren Sequenzverband sek. Aminosäuren (Prolin, N-Methyl-aminosäuren) auftreten, sehr bedeutsam (s. S. 233).

Bei der Natrium/Ammoniak-Reduktion von N-Tosyl-aminosäuren mit einer zusätzlichen sauren Funktion, z. B. TOS-Glu-OH, TOS-Ser-OH etc., wird nach Zugabe von 2 g-Atom Natrium zwar eine verlangsamte Reaktion (= Natrium-Verbrauch) beobachtet; ein Stillstand (= vollständige Spaltung der Sulfonsäure-amid-Gruppierung) tritt jedoch erst nach Verbrauch von ~ 3,5 g-Atom Natrium ein. Die Ausbeute an 4-Toluolsulfinsäure ist in diesen Fällen erheblich herabgesetzt zu Gunsten des Auftretens von 4-Methyl-thiophenol und Sulfit (Sulfat). Egalisiert man die zusätzliche zweite Säure-Funktion durch Salzbildung (z. B. Reduktion von TOS-Glu-ONa), so stellen sich die ursprünglichen stöchiometrischen

---

[1] H. Zimmermannová, G. S. Katrukha, K. Poduška u. J. Rudinger, *Peptides*, Proc. 6th Europ. Peptide Sympos., Athen 1963, Pergamon Press Ltd., Oxford **1966**, S. 21.
J. Rudinger, Privatmitteilung.

[2] H. Nesvadba, Privatmitteilung.

Verhältnisse wieder ein: Verbrauch von 2 g-Atom Natrium und hohe Ausbeute an 4-Toluolsulfinsäure[1].

In diesem Zusammenhang verdienen die Beobachtungen von Rudinger et al.[1] höchstes Interesse, nach denen 4-Toluolsulfinsäure-Natriumsalz mittels Natrium/Ammoniak nicht, freie Säure jedoch in erheblichem Maße verändert wird. Im letzteren Falle werden ~ 2 g-Atom Natrium verbraucht. Neben etwas unveränderter Sulfinsäure stellten die Autoren 4-Methyl-thiophenol und Sulfit (Sulfat) im Reaktionsansatz fest. Man ist daher bei der Natrium/Ammoniak-Reduktion von N-Tosyl-aminosäuren mit zusätzlich zweiter Säure-Funktion geneigt anzunehmen, daß nach erfolgter Tosylamid-Spaltung ein Gleichgewichtszustand Sulfinsäure: Sulfinsäure-Natriumsalz durch die „überzählige" Säure-Funktion herbeigeführt wird.

Da aufgrund der Befunde von Rudinger et al.[1] 4-Toluolsulfinsäure das alleinige S-haltige Primärprodukt einer Reduktion nach dem „Extraktionsverfahren" darstellt – somit eine reduktive Spaltung der C—S-Bindung im Arylsulfonsäureamid gem. dem von Kovacs und Ghatak[2] plädierten Mechanismus in diesem Falle ausgeschlossen werden kann – müssen sich alle S-haltigen Endprodukte zwangsläufig aus weiteren Umsetzungen der 4-Toluolsulfinsäure rekrutieren. Ob hierfür die bekannte Disproportionierungsreaktion der Sulfinsäure[3] und eine reduktive Spaltung der gebildeten Sulfonsäuren[4] bzw. Sulfonsäurethioester verantwortlich zeichnen (s. nachstehendes Schema), konnte bislang nicht bewiesen werden:

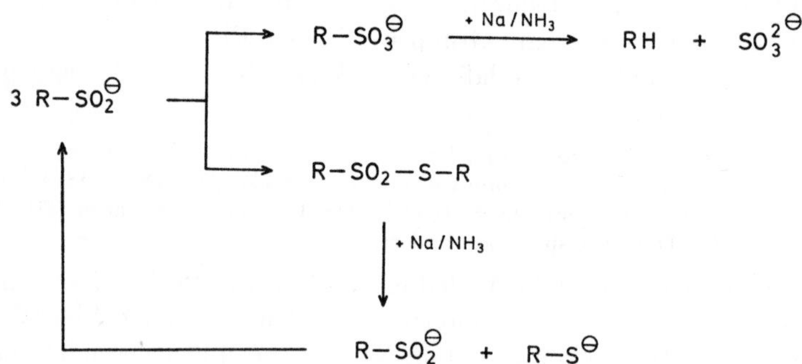

Unter den Bedingungen der konventionellen du Vigneaud-Reduktions-Methodik (s. S. 234) könnte jedoch der Kovacs-Ghatak-Reaktionsmechanismus durchaus möglich sein:

---

[1] H. Zimmermannová, G. S. Katrukha, K. Poduška u. J. Rudinger, *Peptides*, Proc. 6th Europ. Peptide Sympos., Athen 1963, Pergamon Press Ltd., Oxford. **1966**, S. 21.
J. Rudinger, Privatmitteilung.

[2] J. Kovacs u. U. R. Ghatak, Chem. & Ind. **1963**, 913.

[3] C. Pauly u. R. Otto, B. **9**, 1639 (1876).

[4] C. A. Kraus u. G. F. White, Am. Soc. **45**, 768 (1923).

Aufgrund ihrer Spaltungsergebnisse an N-Tosyl-aminosäuren und N-Tosyl-peptiden XVIII, die u. a. 6–15% 4-Methyl-thiophenol XIX, 40–75% Sulfit XX und bis 26% Toluol XXI als „Endprodukte" aufweisen, bzw. an 4-Toluolsulfinsäure, die 50% 4-Methyl-thiophenol und nur 26% Sulfit verzeichnen (umgekehrtes Verhältnis beider Produkte), halten die Autoren[1] eine Spaltung der C—S-Bindung (a) für die Hauptreaktion. Daneben läuft eine zu 4-Toluolsulfinsäure XXII führende Öffnung der S—N-Bindung (b) parallel; schließlich soll die Sulfinsäure XXII weiter zu 4-Methyl-thiophenol XIX reduziert bzw. in geringem Maßstab in Toluol XXI und Sulfit XX gespalten werden (c und d).

Aus all diesen genannten Ergebnissen muß zusammenfassend abgeleitet werden, daß der Reaktionsverlauf der Natrium/Ammoniak-Reduktion entscheidend von dem „Säure-Base-Äquivalent-Verhältnis" beeinflußt und gelenkt wird: während einem Mangel an Säuren (= unvollständige Reduktion, Begünstigung der Racemisierung) zuverlässig durch Zugabe einer relativ schwachen Säure (Acetamid) im Ammoniak-System begegnet werden kann, bedingt ein Überschuß an Säuren einen nur selten beeinflußbaren, komplexeren Spaltungsmechanismus. Unabhängig hiervon scheint ein reduktiver Angriff an der tert.-Amid-Bindung parallel zu laufen.

Müssen Derivate von Peptiden einer Natrium/Ammoniak-Reduktion unterworfen werden, so ist auch unter Anwendung des „Extraktionsverfahrens" vorwiegend ein komplexerer Reaktionsablauf zu erwarten, der bei Anwendung der konventionellen du Vigneaud-Methodik, bedingt durch Einschleppen von Verunreinigungen (Natriumcarbonat etc.), örtlich sehr unterschiedlicher Natrium-Konzentration usf., noch unübersichtlicher wird. Abgesehen von der Anwesenheit der bekannten zusätzlichen „Säure-Funktionen" (aliphatische und aromatische Hydroxy-, ω-Carboxy- und Carbonsäure-amid-, Mercapto-, Imidazolyl- und Imino-Gruppen) ist auch mit der Teilnahme von Peptidbindungen und evtl. von im Peptidmolekül gebundenem bzw. eingeschlossenem Wasser am Reduktionsprozeß (als Säuren) zu rechnen. Inwieweit die ersteren mitspielen, ist noch unbekannt; die Mitwirkung der Peptidbindung als „Säure-Funktion" dürfte sehr weitgehend von den an dieser beteiligten Aminosäuren und möglicherweise sogar von der Struktur der Gesamtsequenz abhängen.

Alle Verbindungen und Gruppen (zu denen schließlich sogar die Sulfonsäure-amid-Bindung selbst zu zählen ist), die im herrschenden Reduktionsmedium die Funktion einer Säure übernehmen können, erhöhen die Gefahr einer Spaltung der Peptidbindung (insbesondere auf tert.-Amid-Basis)[2–5], eine Reaktion, die wahrscheinlich eine Metall-Säure-Reduktion darstellt[4,6].

So konnte Guttmann[3] an Modellpeptiden eine erhebliche Spaltung der Lysyl-prolyl-Bindung nachweisen, sofern Wasser oder Tosylamid bei der Natrium/Ammoniak-Reduktion zugegen war. Patchornik et al.[4] gelang eine hochproz. bis quantitative Spaltung von X-Pro-Bindungen beim Behandeln von Prolin-peptiden mit Natrium/Ammoniak in Gegenwart von Methanol:

$$\text{Peptidyl}^1\text{—NH—}\underset{}{\overset{R}{\text{CH}}}\text{—CO—N}\langle\text{Pro}\rangle\text{—CO—peptid}^2 \xrightarrow[(CH_3OH)]{+Na/NH_3}$$

$$\left[\text{Peptidyl}^1\text{—NH—}\overset{R}{\text{CH}}\text{—CHO}\right] + \left[\text{Peptidyl}^1\text{—NH—}\overset{R}{\text{CH}}\text{—CH}_2\text{—OH}\right] + \text{HN}\langle\text{Pro}\rangle\text{—CO—peptid}^2$$

---

1 J. Kovacs u. U. R. Ghatak, Chem. & Ind. **1963**, 913.
2 K. Hofmann u. H. Yajima, Am. Soc. **83**, 2289 (1961).
3 S. Guttmann, *Peptides*, Proc. 5th Europ. Peptide Sympos., Oxford 1962, Pergamon Press Ltd., Oxford **1963**, S. 41.
4 M. Wilchek, S. Sarid u. A. Patchornik, Biochem. biophys. Acta **104**, 616 (1965).
5 K. Jošt, Privatmitteilung.
6 A. Patchornik, M. Wilchek u. S. Sarid, Am. Soc. **86**, 1457 (1964).

Als weitere Nebenreaktionen der Natrium/Ammoniak-Reduktion wurden bislang festgestellt:

① Eine zu Homocystein-Derivaten führende Entmethylierung von Methionin-peptiden[1] (s. dazu S. 55); die Reaktion verläuft jedoch relativ langsam und dürfte bei Anwendung der „Extraktionstechnik" in Fortfall kommen[2].

② Teilweise Zerstörung von Threonin bei zu langer Reaktionsdauer[3].

③ Geringfügiger Abbau von Serin zu Glycin[4].

④ Des-amidinierung bei Peptiden mit amino-endständigem, N_α-unsubstituiertem Arginin[5].

⑤ Spaltung einer C—N-Bindung im Prolin-Ring[6].

⑥ Teilweise Zerstörung des Tryptophan-indol-Systems[7].

⑦ $N_\alpha \rightleftharpoons N_\gamma$-Acylwanderungen und Aminolyse der Peptidbindung bei Peptiden der 2,4-Diaminobuttersäure[8].
(Letztere beiden Reaktionen scheinen jedoch weitgehend aufarbeitungsbedingt zu sein[8], s. dazu S. 484 u. 485).

Die technische Ausführung der Natrium/Ammoniak-Reduktion sollte aufgrund der gewonnenen Erkenntnisse, wenn möglich, nach der von Nesvadba[9] ausgearbeiteten „Extraktions-Methode" vollzogen werden. Mit Hilfe von Ionen-Austauschern kann ferner das für die Reindarstellung der erhaltenen freien Peptide sehr wichtige Problem der Entsalzung meist gelöst werden[10]. Dennoch bleibt es unumgänglich, die Isolierungstechnik den jeweiligen Eigenschaften der Peptide anzupassen. Im Folgenden seien einige richtungsweisende Ausführungen zu der Reduktions- und Isolierungsmethode dargelegt.

Aminosäuren bzw. Peptide aus N-Tosyl-Derivaten durch Behandlung mittels Natrium in siedendem Ammoniak; richtungsweisende Vorschriften:

a) Reduktion:

1. *Du Vigneaud-Methodik*[11]:

0,1 Mol N-Tosyl-Verbindung werden in flüssigem, über Natrium getrocknetem und dann eindestilliertem Ammoniak (Dreihalskolben mit Rührer und Natriumhydroxid-Trockenrohr) eingetragen und unter Rühren aufgelöst (Die Ammoniak-Menge variiert stark je nach Löslichkeit des zu reduzierenden Produktes; sie beträgt 100–200 *ml* bei niederen, bis 1500 *ml* bei höheren N-Tosyl-peptiden, z. B. geschütztem Vasopressin etc.). Unter kräftigem Rühren trägt man frisch geschnittenes Natrium in kleinen

---

[1] J. A. Stekol, J. Biol. Chem. **140**, 827 (1941).
C. A. Dekker, S. P. Taylor u. J. S. Fruton, J. Biol. Chem. **180**, 155 (1949).
M. Brenner u. R. W. Pfister, Helv. **34**, 2085 (1951).
S. Guttmann u. R. A. Boissonnas, Helv. **42**, 1257 (1959).
Vgl. D. B. Hope u. J. F. Humphries, Soc. **1964**, 869.

[2] K. Jošt, Privatmitteilung.

[3] M. Brenner, K. Rüfenacht u. E. Sailer, Helv. **34**, 2102 (1951).
J. Meienhofer, Chimia **16**, 385 (1962).

[4] H. Zimmermannová, G. S. Katrukha, K. Poduška u. J. Rudinger, *Peptides*, Proc. 6th Europ. Peptide Sympos., Athen 1963, Pergamon Press Ltd., Oxford **1966**, S. 21.

[5] S. Guttmann, *Peptides*, Proc. 5th Europ. Peptide Sympos. Oxford 1962, Pergamon Press Ltd., Oxford **1963**, S. 41.

[6] J. Ramachandran, Nature **206**, 927 (1965).

[7] S. Bajusz u. K. Medzihradszky, *Peptides*, Proc. 5th Europ. Peptide Sympos., Oxford 1962, Pergamon Press Ltd., Oxford **1963**, S. 49.

[8] K. Poduška, G. S. Katrukha, A. B. Silaev u. J. Rudinger, Collect. czech. chem. Commun. **30**, 2410 (1965).

[9] H. Nesvadba u. H. Roth, M. **98**, 1432 (1967).

[10] J. Rudinger, Collect. czech. chem. Commun. **19**, 375 (1954).
J. M. Swan u. V. du Vigneaud, Am. Soc. **76**, 3110 (1954).

[11] V. du Vigneaud u. O. K. Behrens, J. Biol. Chem. **117**, 27 (1937).
J. Rudinger, Collect. czech. chem. Commun. **19**, 375 (1954).
J. Meienhofer u. V. du Vigneaud, Am. Soc. **82**, 2279 (1960).

Portionen in die durch entsprechende Kühlung beim Siedepunkt des Ammoniaks gehaltene Reaktionslösung ein, bis die jeweils nach Metallzugabe aufgetretene tiefe Blaufärbung 2–3 Min. bestehen bleibt.

Eine zweckmäßige Variation bei „Kleinansätzen" ist die Einführung des Natriums in einer Glaskapillare[1]. Die Herauslösung des Metalls durch das siedende Ammoniak erfolgt langsamer als die Umsetzung, so daß erst nach beendeter Reduktion eine konstante Blaufärbung der Lösung eintritt. Danach wird die Kapillare, evtl. mit restlichem, überschüssigem Natrium, entfernt.

Durch Zugabe geringerer Mengen Ammoniumchlorid, Ammoniumacetat oder Essigsäure wird hierauf der Natrium-Überschuß (= Blaufärbung der Lösung) egalisiert. Nach Entfernen des Kühlbads läßt man unter Rühren Ammoniak bei Normaldruck bis auf ein kleines Vol. abdampfen; nach Einfrieren der Lösung wird der restliche Teil i. Vak. der Wasserstrahlpumpe entfernt (Kaliumhydroxid-Trockenrohr zwischen Kolben und Pumpe!). Der erhaltene Rückstand wird schließlich i. Vak. über Schwefelsäure oder Phosphor(V)-oxid von Ammoniakspuren befreit.

2. *Die Extraktions-Technik nach Nesvadba*[2] (s. Abb. 2):

In flüssigem Ammoniak (Kolben E), das über Natrium getrocknet eindestilliert worden ist (Kolben A), werden 0,1 Mol der scharfgetrockneten N-Tosyl-Verbindung eingetragen (Seitenarm F) und unter magnetischem Rühren aufgelöst. Die für die Reduktion berechnete Menge frisch-geschnittenen Natriums wird daraufhin in den Extraktor eingebracht (durch Seitenarm G). Unter fortgesetztem Rühren läßt man durch entsprechende Kühlung die Ammoniaklösung zu heftigem Rückfluß-Kochen gelangen, so daß Natrium genügend rasch eingeführt aber ebenso rasch verbraucht wird; unter diesen Bedingungen ist die Reaktionsmischung schwach blau gefärbt. Sobald die Reaktionslösung eine tiefblaue Farbe annimmt, die länger als 2 Min. bestehen bleibt, stoppt man den Siedefluß durch Herabsetzen der Kühltemp.; danach wird die Reaktionslösung durch Zugabe von genügend Ammoniumchlorid, Ammoniumacetat oder Essigsäure (durch G) entfärbt. Der Reaktionskolben (E) wird von der Apparatur (s. Abb. 2)

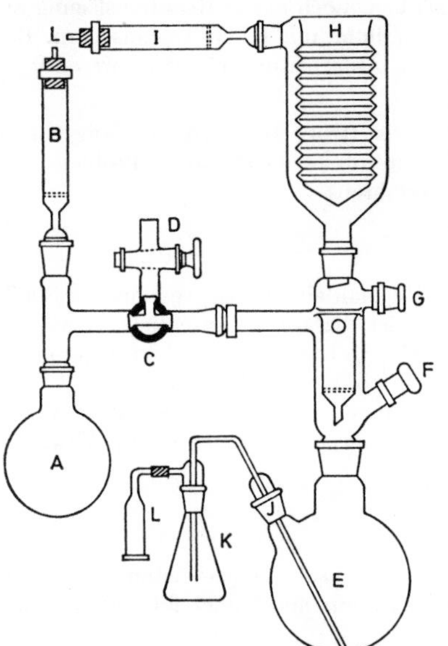

Abb. 2. Reduktions-Apparat nach Nesvadba

A = Kolben zur Vortrocknung von Ammoniak
B = Trockenrohr (nach Ammoniak-Kondensation in A ersetzt durch Stopfen)
C = Dreiwegehahn
D = Hahn mit Rohr für Anschluß der Ammoniak-Quelle
E = Reaktionskolben
F = Seitlicher (verschließbarer) Einfüllstutzen für Substanz etc.
G = Seitlicher (verschließbarer) Einfüllstutzen zur Natrium-Einbringung
H = Spezialkühler (Dewar-Prinzip)
I = Trockenrohr
J = Seitlicher Ansatz an Reaktionskolben E in Verbindung mit
K = (Vorratskolben) zur Probenentnahme
L = Trockenrohr mit Hahn.

unter Stickstoff-Atmosphäre auf eine entsprechende Destillationsanlage übertragen, die Reaktionsmischung eingefroren und unter vorsichtigem Anlegen von Vakuum lyophilisiert (Alle Operationen unter sorgfältigem Feuchtigkeitsausschluß!). Der erhaltene Rückstand wird schließlich wie unter ① beschrieben von Ammoniakresten befreit.

Anm.: Es dürfte sowohl für Verfahren ① als auch ② günstig sein, nach beendeter Reduktion die Gesamtmenge des verbrauchten Natriums zu neutralisieren, um „basenkatalysierte" Nebenreaktionen (u. a. Racemisierung[3]) möglichst auszuschalten. Dies kann durch Zugabe von Ammoniumchlorid[3,4],

---

[1] V. DU VIGNEAUD, M. F. BARTLETT u. J. JÖHL, Am. Soc. **79**, 5572 (1957).
[2] H. NESVADBA u. H. ROTH, M. **98**, 1432 (1967).
J. RUDINGER, Privatmitteilung.
[3] D. B. HOPE u. J. F. HUMPHRIES, Soc. **1964**, 869.
[4] M. BODANSZKY u. V. DU VIGNEAUD, Am. Soc. **81**, 2504, 6072 (1959).
E. KASAFIREK, K. JOŠT, J. RUDINGER u. F. ŠORM, Collect. czech. chem. Commun. **30**, 2600 (1965).

Essigsäure[1–3], Ammoniumbromid bzw. -jodid[1] oder Sulfonsäure-Austauschern[1] (z. B. Dowex 50, 200–400 mesh, gewaschen mit n Salzsäure, Wasser, n Ammoniak-Lösung und Wasser und schließlich bei 70° getrocknet) zum Reaktionsansatz nach Erreichen des Endpunktes geschehen.

b) Isolierung:

1. *Bei wasserunlöslichen Peptiden*[4]:

Der erhaltene Reduktions-Rückstand wird mit verd. Essigsäure oder verd. Salzsäure behandelt. Das abfiltrierte und mit Wasser gewaschene Produkt wird i. Vak. getrocknet.

2. *Bei wasserlöslichen Peptiden*:

α) „Neutrale" bzw. „saure" Peptide[5]:

Der Reduktions-Rückstand wird in Eiswasser aufgenommen, mit Amberlite IRC-50-Ammonsalz-Form (in der $H^{\oplus}$-Form verläuft die Austauschreaktion relativ langsam) versetzt und 30 Min. gerührt. Das Filtrat vom Harz incl. der Waschwässer wird i. Vak. auf ein kleines Vol. eingeengt und anschließend mit 1n Bariumacetat-Lösung versetzt, bis keine Fällung mehr entsteht. Das Filtrat vom Bariumsulfat incl. Waschwässer wird i. Vak. auf ~ die Hälfte des Vol. konzentriert; die erhaltene Lösung läßt man eine Ionen-Austauscher-Säule (Amberlite IRC-50-Ammoniumsalz-Form) passieren. Man wäscht die Säule mit dest. Wasser, bis das Eluat keine ninhydrin-positive Reaktion mehr zeigt; die Lösung dampft man i. Vak. zur Trockene ein oder lyophilisiert wie üblich. Das mit Ammoniumacetat verunreinigte Peptid wird aus geeigneten Lösungsmittelsystemen (z. B. Wasser/Äthanol u. a.) umkristallisiert bzw. umgefällt.

Anm.: Sofern die bei der Reduktion verbrauchte Natriummenge mittels Ammoniumbromid oder -jodid „neutralisiert" (und das Endprodukt alkohol-unlöslich ist) bzw. noch in der Reaktionslösung an Sulfonsäure-Austauscher gebunden wurde, entfällt die erste Behandlung mit Ionen-Austauschern. Bei Abwesenheit von Sulfit- und Sulfat-Ionen vereinfacht sich obige Aufarbeitung ebenfalls wesentlich. (Wegfall der Bariumacetat-Fällung incl. Folgereaktion).

Peptide mit zusätzlicher Säure-Funktion werden ganz oder teilweise (trotz Ansäuern mit Essigsäure!) als Ammonium-Salz isoliert. Trotz vielfältiger Bemühungen[5] konnte dieses unerfreuliche Problem bislang nicht beseitigt werden; es bleibt ein wunder Punkt des Verfahrens.

β) „Basische Peptide"[6]:

Die Lösung des Reduktions-Rückstandes in 0,5 n Essigsäure läßt man eine Ionen-Austauscher-Säule Amberlite XE-64, die mit 0,1 n Essigsäure vorbehandelt worden ist, passieren. Anschließend wäscht man mit genügend dest. Wasser nach. Das am Austauscher adsorbierte basische Peptid wird nunmehr mit 0,2 n Ammoniak-Lösung eluiert, bis das Eluat keine ninhydrin-positive Reaktion mehr zeigt. Bei Anwesenheit geeigneter Aminosäuren (wie *Tyrosin, Tryptophan* etc.) im Sequenzverband kann eine Fraktionierung nach Ultra-Violett-Absorption vorgenommen werden. Das erhaltene Eluat wird i. Vak. zur Trockene eingedampft bzw. nach Einfrieren lyophilisiert.

γ) „Sonderfälle":

Die Lösung des Reduktions-Rückstandes z. B. in verd. Essigsäure wird sofort einer weiteren Reaktion zugeführt, z. B. Herstellung eines Cystin-Peptides durch Luftoxidation mit (ohne) folgender multiplikativer Verteilung (evtl. nach vorangehender Entsalzung)[2,7].

---

[1] J. M. Swan u. V. du Vigneaud, Am. Soc. **76**, 3110 (1954).
[2] J. Meienhofer u. V. du Vigneaud, Am. Soc. **82**, 2279 (1960).
[3] M. Zaoral, E. Kasafirek, J. Rudinger u. F. Šorm, Collect. czech. chem. Commun. **30**, 1869 (1965).
[4] R. Schwyzer u. P. Sieber, Helv. **40**, 624 (1957); **41**, 1582 (1958).
[5] J. Rudinger, Collect. czech. chem. Commun. **19**, 375 (1954).
Vgl. dazu A. P. Fosker u. H. D. Law, Soc. **1965**, 7305.
[6] E. Schnabel u. C. H. Li, Am. Soc. **82**, 4576 (1960).
[7] V. du Vigneaud et al., Am. Soc. **76**, 3115 (1954).
J. Rudinger, J. Honzl u. M. Zaoral, Collect. czech. chem. Commun. **21**, 202 (1956).
V. du Vigneaud, M. F. Bartlett u. A. Jöhl, Am. Soc. **79**, 5572 (1957).
A. Chimiak u. J. Rudinger, Collect. czech. chem. Commun. **30**, 2592 (1965).
Vgl. a. M. Bodanszky u. V. du Vigneaud, Am. Soc. **81**, 2504 (1959); **81**, 6072 (1959).

Mit Lithium[1,2] anstelle von Natrium nehmen Reduktionen von N-Tosylaminosäuren (-peptiden) einen analogen Verlauf. Mit Calcium jedoch konnte ein „Endpunkt" erst nach Verbrauch von mindestens 2 g-Atomen (= 4 Äquiv.) erreicht werden[1,2]: 4-Toluolsulfinsäure, als eines der üblichen Reaktionsprodukte, war zu Gunsten eines erheblich gesteigerten Prozentsatzes an 4-Methyl-thiophenol nicht mehr nachweisbar.

Rudinger et al.[2] konnten zeigen, daß das intermediär entstehende 4-Toluolsulfinsäure-Calcium-Salz im Gegensatz zu der Natrium-Verbindung der weiteren Metall-Ammoniak-Reduktion zugänglich ist; nach Verbrauch von z. B. ~ 5 g-Äquiv. Calcium wurde aus dem Reaktionsansatz über 50% an 4-Methyl-thiophenol isoliert (s. Tab. 29, S. 230).

Bei der Aufarbeitung der Calcium-Reduktion-Ansätze wird nach Rudinger[1] zweckmäßig die Hauptmenge der Calcium-Ionen durch Oxalat-Fällung abgetrennt; noch günstiger sollte eine „Neutralisation" des zur Reduktion eingesetzten Calciums durch Zugabe von 1 Äquiv. feingepulvertem Ammonium-fluorid zum Reaktionsansatz nach Erreichen des Endpunktes sein.

Hierbei ist zu berücksichtigen, daß Ammoniumfluorid in flüssigem Ammoniak nur schwer löslich ist; die Neutralisation benötigt daher einige Zeit.

Eine weitere interessante, reduktive Spaltung der Sulfonsäure-amid-Gruppierung wurde neuerdings von Horner et al.[3] aufgefunden. Z. B. lassen sich *TOS-Tyr-OH*, *TOS-Gly-Gly-OH* oder *TOS-Gly-Phe-OH* unter sehr schonenden Bedingungen mittels des Tetramethylaminyl-Radikals (II), das aus dem Tetramethylammonium-Ion (I) durch Entladung an einer Quecksilber-Kathode gebildet wird, in *Tyrosin*, H-Gly-Gly-OH bzw. H-Gly-Phe-OH und 4-Toluolsulfinsäure spalten. Die Endprodukte der Reduktion wurden in hoher Ausbeute (teilweise sogar quantitativ) isoliert bzw. durch Titration nachgewiesen.

Der Reaktionsablauf dürfte wie folgt darzustellen sein[4]:

$$\underset{\text{I}}{2\,[N(CH_3)_4]^{\oplus}} + 2\,e^{\ominus} \xrightarrow{n\,Hg} \underset{\text{II}}{2\,\cdot N(CH_3)_4}$$

$$R^2{-}SO_2{-}NH{-}\overset{R^1}{\overset{|}{C}H}{-}COOH + 2\cdot N(CH_3)_4 \longrightarrow \underset{\text{III}}{R^2{-}SO_2^{\ominus}} + \underset{\text{IV}}{H_2N{-}\overset{R^1}{\overset{|}{C}H}{-}COO^{\ominus}} + 2\,[N(CH_3)_4]^{\oplus}$$

Danach würde das an der Quecksilber-Kathode entladene Tetramethylaminyl-Radikal (Pseudoalkali-Metall) als Elektronen-Donator fungieren; unter Spaltung der S—N-Bindung entstehen die Anionen von Sulfinsäure (III) und Aminosäure IV (vgl. dazu den von Rudinger et al. analog postulierten Reaktionsablauf der Natrium/Ammoniak-Reduktion, S. 229).

Aminosäuren bzw. Peptide durch reduktive Spaltung an der Quecksilber-Kathode; allgemeine Arbeitsvorschrift[3]: 10 mMol des zu spaltenden N-Tosyl-Derivates und 30 mMol (3,3 g) Tetramethylammoniumchlorid in 35 *ml* Methanol werden in das Elektrolysiergefäß (s. Abb. 3, S. 238) eingebracht. Nach Abkühlen der Reaktionsmischung auf +5° wird die Tonhülse mit Graphit-Anode und Kühlfinger so in das Elektrolysiergefäß eingesetzt, daß der Abstand zwischen Quecksilberoberfläche und Hülsenboden 0,5–1 cm beträgt. In den Anodenraum werden 1–2 *ml* Wasser gefüllt. Ein zweites Elektrolysegefäß

---

1 J. Rudinger, Collect. czech. chem. Commun. **19**, 375 (1954).

2 H. Zimmermannová, G. S. Katrukha, K. Poduška u. J. Rudinger, *Peptides*, Proc. 6th Europ. Peptide Sympos. Athens; Pergamon Press Ltd., Oxford **1966**, S. 21.

3 L. Horner, Privatmitteilung.
s. a. H. Neumann, Dissertation, Universität Mainz 1964.

4 Vgl. dazu L. Horner u. H. Neumann, B. **98**, 1715 (1965).

wird im „Blindversuch" in Reihe dazugeschaltet. Nach Schließen des Stromkreises (40 Volt) steigt die Stromstärke schnell an; sie wird mit Hilfe eines Multavi auf 1 Amp. konstant gehalten. Es wird bei einer Temp. von 5–10° und unter Schütteln des Reaktionsgefäßes so lange elektrolysiert, bis die Differenz der entwickelten Wasserstoffmengen 280–300 *ml* beträgt. Während dieser Zeit beginnt die Aminosäure bzw. das Peptid zunächst aus der Reaktionsmischung auszufallen, um gegen Ende der Elektrolyse meistens wegen der zunehmenden Alkalität wieder in Lösung zu gehen. Die Reaktionsmischung wird nunmehr mit 2 n Natronlauge in einen Scheidetrichter gespült, die Lösung vom Quecksilber abgetrennt, filtriert, i. Vak. auf ein kleineres Vol. eingeengt und schließlich mit 2 n Salzsäure unter Eiskühlung angesäuert.

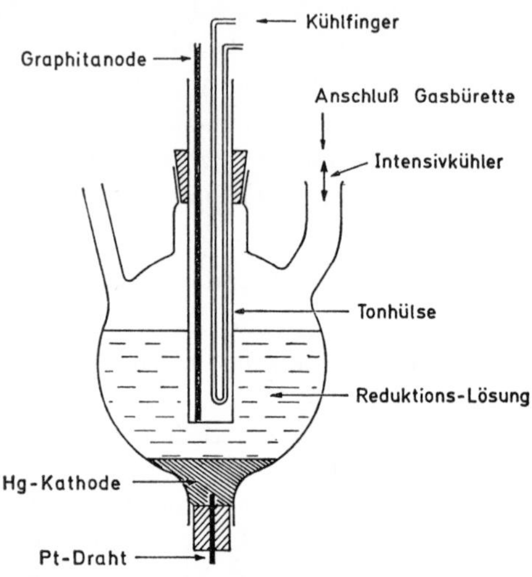

Abb. 3. Elektrolyse-Apparatur nach Horner und Neumann

Man filtriert von nicht umgesetztem N-Tosyl-Derivat bzw. der gebildeten 4-Toluolsulfinsäure ab; aus dem Filtrat wird die freie Aminosäure (Peptid) nach Neutralisation mit Natriumhydrogencarbonat bzw. Ammoniak evtl. unter Zusatz von Äthanol ausgefällt.

Bei in Wasser oder Wasser-Äthanol-Gemischen leicht löslichen Verbindungen dürfte eine Entsalzung des Filtrats mittels Ionen-Austauschern unumgänglich sein.

Ausbeuten: 80–100% d. Th.

Inwieweit sich diese Verfahrens-Technik insbesondere bei höheren N-Tosyl-peptiden bewähren wird, muß zunächst dahingestellt sein.

Ein schon 1915 von E. Fischer[1] aufgefundenes Enttosylierungs-Verfahren bedient sich der Reduktion der Tosylamid-Gruppierung mittels Jodwasserstoff/Phosphoniumjodid in Eisessig bei 60°:

$$H_3C-C_6H_4-SO_2-NH-R \xrightarrow{HJ(PH_4J)} H_3C-C_6H_4-SH \; + \; [H_3N-R]^{\oplus} J^{\ominus}$$

Diese Methodik hat erstmals Schönheimer[2] auf einfache N-Tosyl-peptide mit Erfolg übertragen können; bei kompliziert gebauten Peptiden muß jedoch mit erheblichen Nebenreaktionen gerechnet werden.

Die Abspaltung der N-Tosyl-Schutzgruppe ist ferner mittels Bromwasserstoff/Eisessig in Gegenwart von Phenol als Brom-Acceptor (16 Stdn. bei Raumtemp.) möglich[3,4]:

---

[1] E. Fischer, B. **48**, 93 (1915).

[2] R. Schönheimer, H. **154**, 203 (1926).

[3] D. I. Weisblat, B. J. Magerlein u. D. R. Myers, Am. Soc. **75**, 3630 (1953).
K. Poduška, J. Rudinger u. F. Šorm, Collect. czech. chem. Commun. **20**, 1174 (1955).
M. Zaoral u. J. Rudinger, Collect. czech. chem. Commun. **24**, 1993 (1959).

[4] J. Rudinger, Collect. czech. chem. Commun., Spec. Issue **24**, 81 (1959).
J. Rudinger et al., Collect. czech. chem. Commun. **24**, 2013 (1959).

Tab. 30. Nα-Tosyl-[TOS]-L-aminosäuren*

Aminosäure		F [°C]	[α]D	t	c	Lösungsmittel	Literatur	Literatur entsprechender D-Verbindung
Aib		149–150					1,2	
Ala		134–135	−6,8	20	3,1	C_2H_5—OH	3,4,5	
	a	200–201	+8,4	21–25	1,05	$CHCl_3$	6	
Ala(CN)		125–127					7	
Arg		256–257 (Zers.)					8,7,9	
	b	197–199 (Zers.)					8	
*n*Arg		230–234 (Zers.)					10	
Asn		186,5–187	−10,3	20		$HCON(CH_3)_2$	11,7,12	13
Asp		139–140					14,15,16	
*n*Cit		185–188 (Zers.)					10	
Cys							17	
$(Cys)_2$	c	204–205					15,5	
Dab		238–240	−64,9	22	4	ln NaOH	10,7,18,19,20	20
	d	205–206	+19,0	22	4	50% CH_3COOH	10,7	
Dap			+17,1	23	2,4	5n HCl	10	
	e	225–226					10	13

[a] DCHA-Salz [b] Hydrobromid [c] N,N'-Bis-TOS [d] Hydrochlorid [e] Hemihydrat
* Nα-TOS-Derivate ω-geschützter mehrfunktioneller Aminosäuren s. Abschnitt „Mehrfunktionelle Aminosäuren", Tab.

1 A. F. Beecham, Am. Soc. **79**, 3257 (1957).
2 F. Fichtner u. M. Schmid, Helv. **3**, 704 (1920).
3 E. Fischer u. W. Lipschitz, B. **48**, 360 (1915).
4 C. S. Gibson u. J. L. Simonsen, Soc. **107**, 798 (1915); Pr. chem. Soc. **30**, 424, 32 (1914).
5 E. W. McChesney u. W. K. Swann, Am. Soc. **59**, 1116 (1937).
6 E. Klieger, E. Schröder u. H. Gibian, A. **640**, 157 (1961).
7 M. Zaoral u. J. Rudinger, Collect. czech. chem. Commun. **24**, 1993 (1959).
8 B. C. Barrass u. D. T. Elmore, Soc. **1957**, 3134.
9 M. Bergmann, J. S. Fruton u. H. Pollok, J. Biol. Chem. **127**, 643 (1939).
10 J. Rudinger, K. Poduška u. M. Zaoral, Collect. czech. chem. Commun. **25**, 2022 (1960).
11 C. Ressler, Am. Soc. **82**, 1641 (1960).
12 S. Berlingozzi, G. **57**, 814 (1927).
13 A. Kjaer u. E. Vesterager, Acta chem. scand. **14**, 961 (1960).
14 K. Freudenberg u. A. Noe, B. **58**, 2399 (1925).
15 T. Oseki, J. chem. Soc. Japan **41**, 8 (1920).
16 M. Malodeczky, C. Ressler u. C. Monder, Biochem. Prepar. **10**, 76 (1963).
17 M. Dadic, D. Fles u. A. Markovac-Prpic, Croat. Chem. Acta **33**, 73 (1961).
18 K. Poduška u. J. Rudinger, Collect. czech. chem. Commun. **24**, 3449 (1959).
19 B. C. Barrass u. D. T. Elmore, Soc. **1957**, 4830.
20 M. Zaoral u. F. Šorm, Collect. czech. chem. Commun. **31**, 310 (1966).

Tab. 30. (1. Fortsetzung)

Aminosäure		F [°C]	$[\alpha]_D$	t	c	Lösungsmittel	Literatur	Literatur entsprechender D-Verbindung
Glu		131	+22,0		1	$CH_3COOC_2H_5$	1,2,3,4,5	6
	a	206–207	+69,0	21–25	1,4	$CHCl_3/HCON(CH_3)_2$ =1:1	7	
Gln		164–165	+8,7	21	2,4	0,5n $KHCO_3$	8,2,3	6
Pyr		130–131	–28,5	25	1,5	$CH_3COOC_2H_5$	9,1,2	6
	a	214–215	–24,4	21–25	1,05	$CHCl_3$	7,9	
	f	202–204					2	
	g	68–70					2,3	
Gly		149–150					10,11,12,13	
His	g	205–208	–32,2	22	3,58	ln HCl	14,11	
Hyp		153					11	
Ile		135–136	–12,3	21	2	0,5 n $KHCO_3$	15,11	
Leu		124	+4,5	20	9	C_2H_5OH	16,11,17,18	
	a	214–215	–5,9	21–25	1,05	$CHCl_3$	7	
Lys		262–265 (Zers.)	–50,9	22	2	0,5 n NaOH	19,20,21	
	d	187–188					20	
Orn	e	212–213 (Zers.)					20,22,23	
	d	213 (Zers.)	+12,6	20	5,1	50% CH_3COOH	22	

[a] DCHA-Salz [d] Hydrochlorid [e] Hemihydrat [f] Ammoniumsalz
[g] Monohydrat

[1] C. R. Harington u. R. C. G. Moggridge, Soc. **1940,** 706.
[2] J. Rudinger, Collect. czech. chem. Commun. **19,** 365 (1954).
[3] J. Rudinger, K. Poduška, M. Zaoral et al., Collect. czech. chem. Commun. **24,** 2013 (1959).
[4] P. Bergell, H. **104,** 182 (1919).
[5] F. Knoop u. H. Österlin, H. **170,** 186 (1927).
[6] J. Rudinger u. H. Czurbova, Collect. czech. chem. Commun. **19,** 386 (1954).
[7] E. Klieger, E. Schröder u. H. Gibian, A. **640,** 157 (1961).
[8] J. M. Swan u. V. du Vigneaud, Am. Soc. **76,** 3110 (1954).
[9] H. Gibian u. E. Klieger, A. **640,** 145 (1961).
[10] E. Fischer u. M. Bergmann, A. **398,** 96 (1913).
[11] E. W. McChesney u. W. K. Swann, Am. Soc. **59,** 1116 (1937).
[12] T. Oseki, J. chem. Soc. Japan **41,** 8 (1920).
[13] R. A. Boissonnas u. G. Preitner, Helv. **36,** 875 (1953).
[14] B. Helferich u. H. Böshagen, B. **92,** 2813 (1959).
[15] P. G. Katsoyannis u. V. du Vigneaud, Am. Soc. **76,** 3113 (1954).
[16] E. Fischer u. W. Lipschitz, B. **48,** 360 (1915).
[17] D. Theodoropoulos u. L. C. Craig, J. Org. Chem. **21,** 1376 (1956).
[18] P. Karrer u. W. Kehl, Helv. **13,** 57 (1930).
[19] A. Kjaer u. P. O. Larsen, Acta chem. scand. **15,** 750 (1961).
[20] B. C. Barrass u. D. T. Elmore, Soc. **1957,** 4830.
[21] D. L. Swallow, I. M. Lockhart u. E. P. Abraham, Biochem. J. **70,** 359 (1958).
[22] M. Zaoral u. J. Rudinger, Collect. czech. chem. Commun. **24,** 1993 (1959).
[23] M. Zaoral u. J. Rudinger, Pr. chem. Soc. **1957,** 176.

Tab. 30. (2. Fortsetzung)

Aminosäure		F [°C]	$[\alpha]_D$	t	c	Lösungsmittel	Literatur	Literatur entsprechender D-Verbindung
Phe		164–165	–2,1	20	7,5	Aceton	1,2	1,3
Pro		130–133					4,5,6,3	
	g	58–60	–152,8	24	3,3	H_2O + 2 Äquiv. NaOH	6,5	
Ser		235–236	–32,3	25	2,06	Pyridin	7	8
Thr		136–137	+14,8	18	2	CH_3OH	9	9
Trp		176					10	
Tyr		187–188	–8,6	20	6,7	0,5n NaOH	1,11	
Val		147	+25,0	20		C_2H_5OH	12,3,10,13	
	a	219–220	–3,2	21–25	1,58	$CHCl_3$	14	

[a] DCHA-Salz [g] Monohydrat

Unter diesen Bedingungen ist jedoch die Peptidbindung vielfach merklich instabil[15], so daß diese Entacylierungs-Technik vorwiegend zur Herstellung spezieller Aminosäure-Derivate aus den N-Tosyl-Verbindungen (z.B. *Glutamin*) herangezogen wurde[16].

In diesem Zusammenhang sei auf die Feststellung von G. und A. Hillmann[17] verwiesen, wonach N-Tosyl-glycyl-aminosäuren bzw. -peptide beim Erwärmen mit 4–5 n äthanolischer Salzsäure unter Abspaltung des Tosyl-glycyl-Restes in Aminosäure- bzw. Peptidester-Hydrochloride (60–80% d.Th.) übergehen.

Zusammenfassend muß festgestellt werden, daß die relativ komplizierte, nur unter drastischen Bedingungen und selten frei von Nebenreaktionen erzielbare Aufhebung der N-Tosyl-Maskierung mehr und mehr dazu führt, von der Verwendung dieser Schutzgruppe – auch für die Blockierung der ω-Amino- bzw. der Guanido-Funktion – zu Gunsten anderer Reste abzusehen.

---

1 E. Fischer u. W. Lipschitz, B. **48**, 360 (1915).
2 E. A. Popenoe u. V. du Vigneaud, Am. Soc. **76**, 6202 (1954).
3 E. W. McChesny u. W. K. Swann, Am. Soc. **59**, 1116 (1937).
4 J. Kapfhammer u. R. Eck, H. **170**, 294 (1927).
5 N. Izumiya, Bl. chem. Soc. Japan **26**, 53 (1953).
6 Z. Pravda u. J. Rudinger, Collect. czech. chem. Commun. **20**, 1 (1955).
7 K. Hofmann, A. Jöhl u. A. E. Furlenmeier et al., Am. Soc. **79**, 1636 (1957).
8 H. Haneke, Dissertation, Westfälische Wilhelms-Universität Münster, 1960.
9 M. Brenner, K. Rüfenacht u. E. Sailer, Helv. **34**, 2102 (1951).
10 T. Oseki, J. chem. Soc. Japan **41**, 8 (1920).
11 C. Berse, T. Massiah u. L. Piche, J. Org. Chem. **26**, 4514 (1961).
12 P. Karrer u. F. C. van der Sluys Veer, Helv. **15**, 746 (1932).
13 J. I. Harris u. T. S. Work, Biochem. J. **46**, 582 (1950).
14 E. Klieger, E. Schröder u. H. Gibian, A. **640**, 157 (1961).
15 R. A. Boissonnas u. G. Preitner, Helv. **36**, 875 (1953).
16 J. Rudinger, Collect. czech. chem. Commun., Spec. Issue **24**, 81 (1959).
J. Rudinger et al., Collect. czech. chem. Commun. **24**, 2013 (1959).
17 A. Hillmann u. G. Hillmann, Z. Naturf. **6 b**, 340 (1951).

31.118.20. *Benzylsulfonyl-[BYS]-Schutzgruppe*

Gewissermaßen eine Kombination der Benzyloxycarbonyl- und der Tosyl-Gruppierung erstrebten Milne und Peng[1,2] mit dem Benzylsulfonyl-Rest. Analog den Tosyl-Verbindungen sind die gut kristallisierten N-Benzylsulfonyl-aminosäuren aus Benzylsulfonylchlorid und Aminosäuren unter üblicher Schotten-Baumann-Acylierungstechnik zugänglich; ihr peptid-synthetischer Einsatz wird in den bislang bekanntgewordenen Beispielen nach dem Säurechlorid-Verfahren vollzogen.

N-Benzylsulfonyl-[BYS]-aminosäuren; allgemeine Herstellungsvorschrift[2]: 0,03 Mol Aminosäure in 30 *ml* n Natronlauge und 30 *ml* 1,4-Dioxan werden unter kräftigem Rühren und Eiskühlung innerhalb von 15–20 Min. mit 0,045 Mol Benzylsulfonylchlorid in 50 *ml* 1,4-Dioxan und 50 *ml* n Natronlauge in mehreren Portionen umgesetzt. Nach 1–2 stdgm. Nachrühren bei Raumtemp. wird die Reaktionslösung durch Zugabe von n Natronlauge schwach-basisch (Lakmus) gestellt und anschließend abfiltriert. Nach 2maliger Extraktion mit je 40 *ml* Äther wird die wäßr. Lösung mit konz. Salzsäure angesäuert (über den Kongorot-Umschlag hinaus), mit Natriumchlorid ges. und schließlich 3mal mit je 50 *ml* Essigsäure-äthylester extrahiert. Die vereinigten Essigsäure-äthylester-Extrakte werden nach Waschen mit wenig Wasser und Zugabe von 100 *ml* Petroläther erschöpfend mit n Natriumhydrogencarbonat-Lösung aus-

Tab. 31. N_α-Benzylsulfonyl-[BYS]-L-aminosäuren*

Aminosäure	F [°C]	$[\alpha]_D$	t	c	Lösungsmittel	Literatur	Literatur der entsprechenden D-Verbindung
Ala	127–128	–38,5	26	1	1n Natronlauge	2,3	2,3
Arg	84–86	–8,7	26	1	1n Natronlauge	2	
(Cys)$_2$ [a]	172–173	+72,2	26	1	1n Natronlauge	2,3	
Gly	151–152					2–5	
His	182–185	–22,2	25	1	1n Natronlauge	2,3	
Hyp	143–144	–40,6	24	1	1n Natronlauge	2,3	
Ile	146–147	–39,9	24	1	1n Natronlauge	2,3	
Leu	133–134	–23,1	26	1	1n Natronlauge	2,3	2,3
Lys	144–145	–9,9	26	1	1n Natronlauge	2	
Met	90–91	–13,5	26	1	1n Natronlauge	2,3	2,3
Phe	156–157	–12,6	25	1,5	1n Natronlauge	2,3	
Pro	107–108	–72,3	25	1	1n Natronlauge	2,3	
Tyr	191–192	–9,2	24	1	1n Natronlauge	2	

[a] N,N′-Bis-BYS-Derivate

* N_α-BYS-Derivate ω-geschützter mehrfunktioneller Aminosäuren s. Abschnitt „Mehrfunktionelle Aminosäuren", Tab.

[1] H. B. Milne u. C.-H. Peng, Am. Soc. **79**, 645 (1957).

[2] H. B. Milne u. C.-H. Peng, Am. Soc. **79**, 639 (1957).

[3] J. P. Greenstein u. M. Winitz, Chemistry of the Amino Acids **2**, 924 (1960).

[4] B. C. Saunders, G. J. Stacey u. I. G. E. Wilding, Biochem. J. **36**, 368 (1942).

[5] T. B. Johnson u. J. A. Ambler, Am. Soc. **36**, 372 (1914).

geschüttelt. Die erhaltenen wäßr. Auszüge werden i. Vak. von gelöstem Essigsäure-äthylester befreit und anschließend unter kräftigem Rühren mit konz. Salzsäure (wie oben beschrieben) angesäuert; die ausgefallenen N-Benzylsulfonyl-aminosäuren werden abfiltriert, getrocknet und aus einem geeigneten Lösungsmittel bzw. -gemisch [z. B. Wasser, Äthanol/Wasser, Essigsäure-äthylester bzw. Äther/ Petroläther] umkristallisiert; Ausbeute: 30–72% d. Th.

Die N-Benzylsulfonyl-Maskierung ist mittels Natrium in siedendem Ammoniak, unter den für N-Tosyl-Verbindungen beschriebenen Bedingungen (s. S. 234ff.), reversibel[1].

Die Abspaltung der Schutzgruppe läßt sich ferner durch katalytische Reduktion mit Raney-Nickel unter Normaldruck und bei Raumtemp. bewerkstelligen; nach Zerstörung der bei der Reaktion gebildeten Nickel-Salze mittels Schwefelwasserstoff können die freien Aminosäuren (Peptide) isoliert werden[1]. Katalytische Hydrogenolyse in Gegenwart von Edelmetall-Katalysatoren scheiterte jedoch[1].

31.118.30. *(2-Phenyl-2-oxo)-äthylsulfonyl-[PES]-Schutzgruppe*

Gut kristallisierende 2-Phenyl-2-oxo-äthansulfonsäure-amide (I) sind nach Hendrickson und Bergeron[2] durch Einwirkung von 2-Phenyl-2-oxo-äthylsulfonyl-chlorid (II)[3] auf Amine in Dichlormethan bei 0° unter Zusatz von Pyridin erhältlich; die Wieder-Abspaltung des Sulfonyl-Restes läßt sich mittels Zinkstaub in essigsaurer Lösung unter dem Einfluß katalytischer Mengen konzentrierter Salzsäure bewerkstelligen:

$$R^1{-}NH_2 \quad + \quad \underset{II}{Cl{-}SO_2{-}CH_2{-}CO{-}C_6H_5} \xrightarrow[0°]{+\,Pyridin} \underset{I}{R^1{-}NH{-}SO_2{-}CH_2{-}CO{-}C_6H_5}$$

$$\xrightarrow[(K_2CO_3)]{+\,2\,R^2{-}X} R^1{-}\underset{R^2}{N}{-}SO_2{-}\underset{R^2}{CH}{-}CO{-}C_6H_5 \xrightarrow[(H_3C{-}COOH/H^{\oplus})]{+\,Zn} R^1{-}NH{-}R^2 \quad + \quad \underset{III}{R^2{-}CH_2{-}CO{-}C_6H_5}$$

$R^2 = CH_3$; $H_5C_6{-}CH_2{-}$

Diese N-Maskierung wurde bislang nur benutzt, um primäre Amine durch Alkylierung der Sulfonsäureamide I einwandfrei in N-Methyl- oder N-Benzyl-amine III überzuführen.

31.119. Phosphoryl-Schutzgruppen

Goldschmidt et al.[4] konnten zeigen, daß sich subst. Phosphorsäure-amide nur unter sehr energischen Bedingungen, z.B. in der Schmelze über 150°, der Umsetzung mit Carbonsäuren zum Säureamid unterwerfen lassen (vgl. dazu S. II/231). Zervas[5] hat diese Reaktionsträgheit der subst. Dialkyl-phosphorsäure-amide für den Schutz der α-Amino-Funktion ausgenutzt.

---

1 H. B. Milne u. C.-H. Peng, Am. Soc. **79**, 639 u. 645 (1957).
2 J. B. Hendrickson u. R. Bergeron, Tetrahedron Letters **1970**, 345.
3 W. E. Truce u. T. W. Vriesen, Am. Soc. **75**, 2525 (1953).
4 S. Goldschmidt u. F. Obermeier, A. **588**, 24 (1954).
S. Goldschmidt u. H. L. Kraus, A. **595**, 193 (1955).
5 L. Zervas, G. Panayotis u. P. G. Katsoyannis, Am. Soc. **77**, 5351 (1955).

31.119.10. *Dibenzyl-[DBP]-, Di-[4-nitro-benzyl]-[DNBP]-, Di-[4-brom-benzyl]-[DBBP]-* und *Di-[4-jod-benzyl]-phosphoryl-[DIBP]-Schutzgruppen*

Die Einführung der disubst. Phosphoryl-Reste in Aminosäuren gelingt mit Hilfe der Säurechloride I. Diese wiederum sind zugänglich durch Einwirkung von Alkalimetall- bzw. Erdalkalimetall-jodiden auf die entsprechenden Triester der Phosphorsäure (II) und anschließende Behandlung der erhaltenen Phosphorsäure-diester (III) mit Phosphor(V)-chlorid[1–3,5]. Chlor-phosphorsäure-dibenzylester kann ferner aus Dibenzyl-phosphit und Sulfuryl-chlorid gewonnen werden[4]:

$$\underset{\text{II}}{(X\text{-}C_6H_4\text{-}CH_2\text{-}O)_3PO} \xrightarrow{+\,NaJ\,(HCl)} \underset{\text{III}}{(X\text{-}C_6H_4\text{-}CH_2\text{-}O)_2\overset{O}{\overset{\|}{P}}\text{-}OH} + X\text{-}C_6H_4\text{-}CH_2\text{-}J$$

$$\text{III} \xrightarrow{+\,PCl_5} \underset{\text{I}}{(X\text{-}C_6H_4\text{-}CH_2\text{-}O)_2\overset{O}{\overset{\|}{P}}\text{-}Cl} \xleftarrow{+\,SO_2Cl_2} \underset{\text{IV}}{(X\text{-}C_6H_4\text{-}CH_2\text{-}O)_2P\text{-}OH}$$

Ia–IVa: X = H
Ib–IVb: X = NO_2
Ic–IVc: X = Br
Id–IVd: X = J

Chlor-phosphorsäure-di-[4-nitro-benzylester] (Ib), -di-[4-brom-benzylester] (Ic) und -di-[4-jod-benzylester] (Id):

Phosphorsäure-tris-[4-nitro-benzylester] (IIb), -tris-[4-brom-benzylester] (IIc) und -tris-[4-jod-benzylester] (IId)[1]: Die Lösung von 0,3 Mol 4-Nitro-, 4-Brom- bzw. 4-Jod-benzylbromid in 200 *ml* Chloroform wird unter Zusatz von 46 g Silber(I)-phosphat (10% Überschuß) 5 Stdn. am Rückfluß gekocht. Die Silbersalze werden abfiltriert und wiederholt mit heißem Chloroform und zum Schluß mit Aceton gewaschen. Die vereinigten Filtrate werden i. Vak. zur Trockene gedampft und der Rückstand aus Äthanol umkristallisiert; Ausbeuten: 85–90% d. Th.; F: 130° bzw. 133° oder 164°.

Phosphorsäure-di-[4-nitro-benzylester] (IIIb), -di-[4-brom-benzylester] (IIIc) und -di-[4-jod-benzylester] (IIId)[5]: Die heiße Lösung von 0,1 Mol IIb bzw. IIc in 200 *ml* Aceton oder von 0,1 Mol IId in 200 *ml* Butanon wird mit 0,11 Mol Natriumjodid versetzt und ~ 15 Min. am Rückfluß gekocht. Die abgeschiedenen Natrium-Salze der Phosphorsäure-diester werden nach 6stdgm. Stehenlassen im Eisschrank abfiltriert und sorgfältig mit Aceton gewaschen; Ausbeuten: 90–96% d. Th.

Die erhaltenen Natrium-Salze von IIIb und IIIc werden in wenig kaltem, das schwer lösliche Natrium-Salz von IIId in der 30fachen Menge kochendem Wasser gelöst und mit überschüssiger Salzsäure versetzt. Die abgeschiedenen freien Phosphorsäure-diester werden nach Stehenlassen im Eisschrank abfiltriert und mit salzsäurehaltigem Wasser gewaschen und aus Äthanol umkristallisiert; Ausbeuten: ~ 95% d. Th.; F: 175° bzw. 161–162° oder 178°.

Chlor-phosphorsäure-di-[4-nitro-benzylester] (Ib), -di-[4-brom-benzylester] (Ic) und -di-[4-jod-benzylester] (Id)[5,2]: Die Suspension von 10 mMol Phosphorsäure-diester IIIb–d

---

1 L. Zervas u. L. Dilaris, Am. Soc. **77**, 5354 (1955).
2 A. Cosmatos, I. Photaki u. L. Zervas, B. **94**, 2644 (1961).
3 A. Cosmatos, Dissertation, Universität Athen, 1959.
4 F. R. Atherton, H. T. Howard u. A. R. Todd, Soc. **1948**, 1106.
S.-O. Li u. B. E. Eakin, Am. Soc. **77**, 1866 (1955).
5 L. Zervas u. I. Dilaris, B. **89**, 925 (1956).

$$(R)_2P(=O)-Cl \;\; (\text{I a-d}) \xrightarrow[(H_3C)_3N]{+\,H_2N-CH(R^1)-COOR^2} (R)_2P(=O)-NH-CH(R^1)-COOR^2 \;\; (\text{V a-d})$$

$$(\text{V a-d}) \xrightarrow[(R = H)]{+\,H_2N-NH_2 \cdot H_2O} (R)_2P(=O)-NH-CH(R^1)-CO-NH-NH_2 \;\; (\text{IX a-d})$$

$$(\text{V a-d}) \xrightarrow[(CH_3OH)]{+\,KOH} (R)_2P(=O)-NH-CH(R^1)-COOH \;\; (\text{VI a-d})$$

$$(\text{VI a-d}) \xrightarrow[+\,H_{11}C_6-N=C=N-C_6H_{11}\;[\text{bzw. } Cl-P(=O)(O-C_6H_5)_2\,/\,(H_3C)_3N]]{+\,H_2N-CH(R^3)-COOR^4 \;(\text{VII})} (R)_2P(=O)-NH-CH(R^1)-CO-NH-CH(R^3)-COOR^4 \;\; (\text{VIII a-d})$$

$$(\text{VIII a-d}) \xrightarrow{+\,H_2N-NH_2 \cdot H_2O} (R)_2P(=O)-NH-CH(R^1)-CO-NH-CH(R^3)-CO-NH-NH_2 \;\; (\text{X a-d})$$

$$(\text{VIII a-d}) \xrightarrow{NaOH} (R)_2P(=O)-NH-CH(R^1)-CO-NH-CH(R^3)-COOH \;\; (\text{XI a-d})$$

$$(\text{XI a-d}) \xrightarrow[-\,(H_5C_6-CH_3)]{H_2/Pd}; \quad (\text{VIII a-d}) \xrightarrow[-\,X-C_6H_4-CH_3 \;(\text{XV a-d})]{H_2/Pd \;(R^4 = H_5C_6-CH_2-)} (HO)_2P(=O)-NH-CH(R^1)-CO-NH-CH(R^3)-COOH \;\; (\text{XII})$$

$$(\text{XII}) \xrightarrow[-\,H_3PO_4 \;(\text{XIV})]{+\,H^{\oplus}\,(p_H = 4)} H_2N-CH(R^1)-CO-NH-CH(R^3)-COOH \;\; (\text{XIII})$$

$$(\text{VIII a-d}) \xrightarrow[-\,X-C_6H_4-CH_2-Br \;(\text{XVI a-d});\; -[H_5C_6-Br];\; -H_3PO_4 \;(\text{XIV})]{+\,HBr/CHCl_3 \;(R^4 = H_5C_6-CH_2-)} (\text{XIII})$$

$$R = X-C_6H_4-CH_2-O-$$

und 2,4 g Phosphor(V)-chlorid in 50 *ml* Chloroform wird unter mäßiger Kühlung bis zur Lösung geschüttelt (~ 15 Min.). Auf Zugabe von Petroläther scheiden sich die Chlor-phosphorsäure-diester als Öle ab, die nach Anreiben und Stehenlassen im Kühlschrank alsbald kristallisieren (im Falle des Jod-Derivates Id muß die Chloroform-Lösung zunächst i. Vak. bei 20–25° eingedampft werden!). Die abfiltrierten, mit Petroläther gewaschenen und schließlich i. Vak. über Phosphor(V)-oxid und Kaliumhydroxid getrockneten Produkte können aus wenig Chloroform/Petroläther umkristallisiert werden; Ausbeuten: 96% bzw. 95% oder 75% d. Th.; F: 107° bzw. 57° oder 89°.

N-(disubst. Phosphoryl)-aminosäuren VIa–d[1] sind durch Umsetzen der Säurechloride Ia–d mit freien Aminosäure-estern in indifferenten Lösungsmitteln und anschließende Verseifung der erhaltenen N-Acyl-aminosäure-ester Va–d[2] in guten Ausbeuten (60–80% über beide Stufen) zugänglich.

Die Verknüpfung der N-(disubst. Phosphoryl)-aminosäuren VIa–d mit Aminosäure-(Peptid)-estern VII zu den N-(disubst. Phosphoryl)-dipeptidestern VIIIa–d läßt sich mit Hilfe der Carbodiimid- oder gemischten Diphenyl-phosphorsäure-anhydrid-Methode racemisierungsfrei durchführen; im letzteren Falle werden jedoch in geringem Maße N-(Diphenyl-phosphoryl)-aminosäure-(peptid)-ester als Nebenprodukte (0,5–2%, bis 20% bei Glycinester als Amino-Komponente) gebildet (s. dazu auch S. II/226f.). Demgegenüber versagt das Alkyl-kohlensäure-Anhydrid-Verfahren; auch die Hydrazinolyse der N-(disubst. Phosphoryl)-aminosäure-ester Va–d zu den für eine Azid-Synthese erforderlichen -hydraziden IXa–d mißlingt. Eine Ausnahme machen lediglich die Glycin-Derivate.

N-Di-[4-nitro-benzyl]-phosphoryl-L-alanyl-L-leucin-methylester [DNB*P*-Ala-Leu-OMe]:

N-Di-[4-nitrobenzyl]-phosphoryl-L-alanin-methylester (DNB*P*-Ala-OMe)[1]: 1,4g H-Ala-OMe · HCl und 2,8 *ml* Triäthylamin in 30 *ml* Chloroform werden unter Eiskühlung mit 3,8 g Chlor-phosphorsäure-di-[4-nitro-benzylester] versetzt. Die Reaktionsmischung wird nach 12stdgm. Stehen bei Raumtemp. mit Wasser, verd. Salzsäure und Kaliumhydrogencarbonat-Lösung wie üblich gewaschen, über Natriumsulfat getrocknet und schließlich i. Vak. eingedampft. Der verbleibende Rückstand kristallisiert aus wenig Äthanol; Ausbeute 4,1 g (90% d. Th.); F: 88–89°.

N-Di-[4-nitro-benzyl]-phosphoryl-L-alanin [DNB*P*-Ala-OH][1]: 2,3 g DNB*P*-Ala-OMe in 15 *ml* Methanol/1,4-Dioxan (2:1) werden mit 7,5 *ml* n methanolischer Kalilauge verseift. Nach 1stdgm. Stehen bei Raumtemp. wird die Reaktionsmischung mit 200 *ml* destilliertem Wasser verdünnt und anschließend zur Entfernung von unverseiftem Ausgangsmaterial mit Diäthyläther extrahiert. Nach Ansäuern mit Salzsäure wird die wäßr. Phase wiederholt mit Diäthyläther ausgeschüttelt, die vereinigten Extrakte mit Wasser gewaschen, über Natriumsulfat getrocknet und i. Vak. weitgehend eingeengt; hierbei scheiden sich farblose Nadeln ab; Ausbeute 1,6 g (70% d. Th.); F: 60–62°.

N-Di-[4-nitro-benzyl]-phosphoryl-L-alanyl-L-leucin-methylester [DNB*P*-Ala-Leu-OMe][1]: 2,2 g DNB*P*-Ala-OH, 0,91 g H-Leu-OMe · HCl und 0,7 *ml* Triäthylamin in 30 *ml* Chloroform werden mit 1,1 g Dicyclohexylcarbodiimid versetzt; nach 6stdgm. Stehen der Reaktionsmischung bei Raumtemp. wird überschüssiges Dicyclohexylcarbodiimid durch Zusatz von wenig wäßr. Essigsäure (0,2 *ml*) zerstört und nach weiterem 1stdgm. Stehen der abgeschiedene N,N'-Dicyclohexyl-harnstoff abfiltriert. Das Filtrat wird mit verd. Salzsäure, Kaliumhydrogencarbonat-Lösung und Wasser wie üblich gewaschen, über Natriumsulfat getrocknet und schließlich i. Vak. zur Trockene gebracht und der Rückstand aus Äthanol umkristallisiert; Ausbeute 2,18 g (77% d. Th.); F: 134°.

N-Di-[4-nitro-benzyl]-phosphoryl-L-phenylalanyl-L-leucin-benzylester [DNB*P*-Phe-Leu-OBZL][1]: Einer auf 0° gekühlten Lösung von 2,6 g DNB*P*-Phe-OH und 0,7 *ml* Triäthylamin in 15 *ml* Tetrahydrofuran werden 1,35 g Chlor-phosphorsäure-diphenylester zugesetzt; nach 10 Min. langer Reaktionszeit bei 0° wird eine Lösung von 1,97 g H-Leu-OBZL · TOS-OH und 1,4 *ml* Triäthylamin in 15 *ml* Tetrahydrofuran zugefügt. Die Reaktionsmischung wird nach mehrstdgm. Stehenlassen bei Raumtemp. i. Vak. zur Trockene eingedampft. Der Rückstand wird zwischen 150 *ml* Essigsäure-äthylester und Wasser ver-

---

[1] A. Cosmatos, I. Photaki u. L. Zervas, B. **94**, 2644 (1961).

[2] Vgl. S.-O. Li, Am. Soc. **74**, 5959 (1952).
S.-O. Li u. R. E. Eakin, Am. Soc. **77**, 1866 (1955).
L. Zervas u. P. G. Katsoyannis, Am. Soc. **77**, 5351 (1955).

teilt, die abgetrennte Essigsäure-äthylester-Phase mit verd. Salzsäure, Kaliumhydrogencarbonat-Lösung und Wasser wie üblich gewaschen und nach Trocknen über Natriumsulfat i. Vak. eingedampft und der Rückstand aus Äthanol umkristallisiert; Ausbeute 5,4 g (75% d.Th.); F: 108°.

Im Gegensatz zu den N-(disubst. Phosphoryl)-aminosäure-estern Va–d sind die -peptidester VIIIa–d leicht in die Hydrazide Xa–d überführbar[1]; da auch die Bildung der Azide und deren Umsetzung mit Aminokomponenten ohne Schwierigkeiten gelingt[1], besteht somit die Möglichkeit einer racemisierungsfreien Verlängerung der Peptidkette.

N-Di-[4-nitro-benzyl]-phosphoryl-L-alanyl-L-leucyl-anilid [DNB*P*-Ala-Leu-NH(Ph)][1]:

N-Di-[4-nitro-benzyl]-phosphoryl-L-alanyl-L-leucin-hydrazid [DNB*P*-Ala-Leu-$NHNH_2$]: 0,57 g DNB*P*-Ala-Leu-OMe in 10 *ml* Methanol werden nach Zusatz von 0,5 *ml* Hydrazin-Hydrat 2 Min. auf ~ 40° erwärmt und anschließend einige Stdn. bei Raumtemp. stehengelassen; dabei scheidet sich das Hydrazid kristallin ab; Ausbeute: 0,55 g (97% d.Th.); F: 202°.

N-Di-[4-nitro-benzyl]-phosphoryl-L-alanyl-L-leucin-anilid: 1,1 g DNB*P*-Ala-Leu-$NHNH_2$ in 25 *ml* 60%-iger Essigsäure (gelöst unter Erwärmen auf 60°) werden bei 0° mit 0,18 g Natriumnitrit versetzt. Das gebildete Azid wird mit Diäthyläther extrahiert, der Ätherauszug 3mal mit viel eiskaltem Wasser gewaschen, über Natriumsulfat getrocknet und anschließend mit 5 *ml* Anilin versetzt. Im Verlaufe des mehrstdgn. Stehenlassens des Reaktionsansatzes tritt Kristallisation ein. Das abgeschiedene Produkt wird abfiltriert und aus Methanol umkristallisiert; Ausbeute: 1 g (79% d.Th.); F: 185°.

Die Spaltung der Phosphoryl-amid-Gruppierung wird durch katalytische Hydrogenolyse und folgende Säurebehandlung (zur Spaltung der P—N-Bindung genügt ein $p_H \geq 4$) herbeigeführt[1]. Gelangen die freien, durch alkalische Verseifung der Acyl-peptidester VIIIa–d zugänglichen N-(disubst.Phosphoryl)-peptide XI a–d oder deren Benzylester VIIIa–d ($R^4 = H_5C_6—CH_2—$) zur Hydrierung, so erhält man unmittelbar die freien Peptide XIII, da die intermediär sich bildenden N-Phosphoryl-peptide XII infolge des (durch diese selbst hervorgerufenen) sauren Reaktionsmediums sofort entphosphoryliert werden. Als Nebenprodukte entstehen Phosphorsäure (XIV) und Toluol (XVa) bzw. 4-Brom-(XVc), 4-Jod-(XVd) oder 4-Amino-toluol (XVb) – letzteres durch gleichzeitige Reduktion der Nitro-Gruppierung (s. Schema S. 245).

Die Entacylierung kann ferner durch Einwirkung von Bromwasserstoff in Chloroform herbeigeführt werden: neben dem Peptid XIII und Phosphorsäure (XIV) entstehen die Benzylbromide (XVIa–d)[1].

L-Phenylalanyl-L-leucin-Hydrat [H-Phe-Leu-OH][1]:

Methode ⓐ: 1,8 g DNB*P*-Phe-Leu-OBZL (s. S. 246) in 40 *ml* 80%-igem Äthanol werden in Gegenwart von Palladiumschwarz wie üblich hydriert. Nach Beendigung der Hydrierung (Ermittlung durch chromatographischen Test oder Messung des Wasserstoff-Verbrauchs) wird das Filtrat mit 0,5 *ml* konz. Salzsäure versetzt und anschließend i. Vak. zur Trockene verdampft. Die Lösung des Rückstandes in 10 *ml* Wasser wird mit 2n Natronlauge auf $p_H = 6{,}2$ gestellt; das ausgefallene Material wird abfiltriert, mit wenig kaltem Wasser, Äthanol und schließlich Äther (zur Entfernung des 4-Toluidins) gewaschen und i. Vak.-Exsikkator getrocknet; Ausbeute: 0,55 g (65% d.Th.); F: 258–260°; $[\alpha]_D^{22} = +4{,}8°$ (c = 9,3; in 3n Salzsäure).

Methode ⓑ: In die Lösung von 1,8 g DNB*P*-Phe-Leu-OBZL in 60 *ml* absol. Chloroform wird unter Eiskühlung 30 Min. lang Bromwasserstoff-Gas eingeleitet. Die Lösung, die in der Regel 1,5–2 g Bromwasserstoff enthält, wird zwecks Entfernung des größten Teiles von Bromwasserstoff auf die Hälfte konzentriert, und anschließend mit ~ 30 *ml* Wasser extrahiert. Aus den vereinigten wäßr. Auszügen fällt das Peptid-Monohydrat bei Einstellen eines $p_H = 6{,}2$ mittels 2n Natronlauge aus; Ausbeute: 0,6 g (75% d.Th.); F: 258–260°; $[\alpha]_D^{22} = +4{,}7°$ (c = 9,3; in 3n Salzsäure).

Bei wasserlöslichen Peptiden ist es üblich, die wäßr. Lösungen der Peptid-phosphate, -hydrochloride oder -hydrobromide mittels Ionen-Austauschern (schwach basisch oder stark basisch in der Acetat-Form) zu behandeln und somit die anorganischen Säuren zu entfernen.

---

1 A. Cosmatos, I. Photaki u. L. Zervas, B. **94**, 2644 (1961).

Tab. 32. N-(disubst. Phosphoryl)-L-aminosäuren
DBB*P* = Di-[4-brom-benzyl]-phosphoryl
DJB*P* = Di-[4-jod-benzyl]-phosphoryl
DNB*P* = Di-[4-nitro-benzyl]-phosphoryl

Aminosäure	Substituent	F [°C]	Literatur
Ala	DNB*P*	60–62	1
Gly	DJB*P*	(115) 175–178 (Zers.)	2
	DNB*P*	149	2
Leu	DBB*P*	81	1
	DNB*P*	Sirup	1
Phe	DNB*P*	127–128	1
Tyr	DJB*P*	80–85 (Zers.)	2

31.119.20. *Salze von Monophenyl-phosphoryl-aminosäuren*

Ein brauchbares Herstellungs-Verfahren für N-(Monophenyl-phosphoryl)-aminosäuren I haben erstmals Zervas und Katsoyannis[2] beschrieben. N-Diphenyl-phosphoryl-aminosäure-ester IV, durch Einwirkung von Chlor-phosphorsäure-diphenylester (II) auf Aminosäure-ester-Hydrochloride III in Pyridin zugänglich[3], lassen sich durch Behandeln mit Bariumhydroxid-Lösung partiell zu I verseifen und in 60–70%-iger Ausbeute als Bariumsalze isolieren.

Unter Einhaltung besonderer Reaktionsbedingungen können die N-(Monophenyl-phosphoryl)-aminosäuren I auch direkt aus Aminosäuren V und Dichlor-phosphorsäure-phenylester (VI) unter Zusatz äquimol. Mengen Bariumhydroxid erhalten werden[4]:

$H_2N-CH(R^1)-COOR^2$ (III) $\xrightarrow{+ (H_5C_6O)_2P(O)-Cl \ (II)}$ $(H_5C_6O)_2P(O)-NH-CH(R^1)-COOR^2$ (IV)

IV $\xrightarrow{H_2/Pd \ (R^2 = H_5C_6-CH_2-)}$ $(H_5C_6O)_2P(O)-NH-CH(R^1)-COOH$ (VIII) $\xrightarrow{- H_5C_6-OH}$ VII

IV $\xrightarrow{Ba(OH)_2}$ I: $H_5C_6O(O^\ominus)P(O)-NH-CH(R^1)-COO^\ominus \ Ba^{2\oplus}$

VII $\underset{+SO_3/POCl_3}{\overset{+Ba(OH)_2}{\rightleftharpoons}}$ I

$H_2N-CH(R^1)-COOH$ (V) $\xrightarrow{+H_5C_6-O-P(O)Cl_2 \ (VI) \ [Ba(OH)_2]}$ I

---

[1] A. Cosmatos, I. Photaki u. L. Zervas, B. **94**, 2644 (1961).
[2] L. Zervas u. P. G. Katsoyannis, Am. Soc. **77**, 5351 (1955).
[3] Vgl. L. J. Sciarini u. J. S. Fruton, Am. Soc. **71**, 2940 (1949).
[4] H. Keller, H. Netter u. B. Niemann, H. **313**, 244 (1958).

Keller et al.[1] haben die Möglichkeit eines peptid-synthetischen Einsatzes von I mit der Herstellung von Aminosäure-N-(Monophenyl-phosphorsäure)-Anhydriden (VII) aufgezeigt. Die Autoren konnten diese innermolekularen, äußerst feuchtigkeitsempfindlichen Anhydride VII durch Umsetzung von I (zweckmäßig in Form der Natrium-Salze) mit einem $SO_3/POCl_3$-Komplex in reiner und fester Form, allerdings in wenig befriedigender Ausbeute gewinnen. Wenig später haben auch Zervas et al.[2] über die Bildung der gemischten Anhydride VII berichtet. Bei Versuchen, N-(Diphenyl-phosphoryl)-aminosäuren VIII durch katalytische Hydrierung der entsprechenden Benzylester IV ($R^2 = H_5C_6—CH_2$) zu erhalten, trat unter gleichzeitiger Abspaltung von 1 Mol Phenol „Anhydrid-Bildung" zu VII ein.

Über Verknüpfungen der Anhydride VII mit Aminosäure-Derivaten zu N-(Monophenyl-phosphoryl)-peptiden wurde bislang noch nicht berichtet.

31.119.30. „*Bifunktionelle*" *Mono-(4-nitro-benzyl)-phosphoryl-[MNBP]- und Mono-(4-brom-benzyl)-phosphoryl-[MBBP]-Schutzgruppen*

Zervas et al.[3] haben vorgeschlagen, Monoalkyl-phosphoryl-Reste zum gleichzeitigen Schutz der Amino-Funktionen von zwei voneinander verschiedenen oder gleichen, aber verschieden carboxyl-substituierten Aminosäuren heranzuziehen.

Zur Herstellung solcher Monoalkyl-phosphoryl-bis-aminosäure-Derivate I wird folgender Weg beschritten. N-(Dialkyl-phosphoryl)-aminosäure-ester II (vgl. dazu S. 244) werden mittels Natriumjodid selektiv und partiell zu N-(Monoalkyl-phosphoryl)-aminosäure-estern III entalkyliert; die Anknüpfung eines zweiten Aminosäure-Derivats an III zu I kann anschließend z.B. über die Chlor-phosphorsäure-ester-amide IV erfolgen:

$$\underset{\text{II}}{R^1O-\overset{O}{\overset{\|}{P}}(OR^1)-NH-\overset{R^2}{\overset{|}{C}H}-COOR^3} \xrightarrow{NaJ} \underset{\text{III}}{R^1O-\overset{O}{\overset{\|}{P}}(OH)-NH-\overset{R^2}{\overset{|}{C}H}-COOR^3}$$

$$\underset{\text{IV}}{R^1O-\overset{O}{\overset{\|}{P}}(Cl)-NH-\overset{R^2}{\overset{|}{C}H}-COOR^3} \xrightarrow{+H_2N-\overset{R^4}{\overset{|}{C}H}-COOR^5} \underset{\text{I}}{R^1O-\overset{O}{\overset{\|}{P}}(NH-\underset{R^4}{\underset{|}{C}H}-COOR^5)-NH-\overset{R^2}{\overset{|}{C}H}-COOR^3}$$

$$R^1 = CH_2-C_6H_4-Br\ ;\quad CH_2-C_6H_4-NO_2$$

Über die Bedeutung dieser „bifunktionellen" Schutzgruppen zur Herstellung asymmetrischer Cystinpeptide s. S. 832.

---

[1] H. Keller, H. Netter u. B. Niemann, H. **313**, 244 (1958).
[2] A. Cosmatos, I. Photaki u. L. Zervas, B. **94**, 2644 (1961).
[3] L. Zervas, Collect. czech. chem. Commun. **27**, 2242 (1962).
L. Zervas u. I. Photaki, Am. Soc. **84**, 3887 (1962).

31.120. N-Diacyl-Derivate

31.121. Phthaloyl-[PHT]-Schutzgruppe

Sowohl die Herstellung von N-Phthaloyl-aminosäuren[1] als auch die Spaltung der Phthalimid-Gruppierung[2] mittels Hydrazin-Hydrat in Richtung freies Amin und Phthalhydrazid (2,3-Dihydro-phthalazin-1,4-dion) ist altbekannt. Erstmals jedoch 1948 berichten Kidd und King[3] über eine neue Methode zur Synthese von Glutamyl-peptiden unter Verwendung des Phthalyl-Restes; wenig später veröffentlichen Sheehan und Frank[4] einen allgemein gültigen Weg der Peptid-Herstellung mit Hilfe von Phthaloyl-aminosäurechloriden.

Die Einführung der Schutzgruppe erfolgte anfangs durch Zusammenschmelzen von Phthalsäure-anhydrid (I) und Aminosäuren II bei 180–185°[5]. Dabei bilden sich jedoch mehr oder minder racemisierte Phthaloyl-aminosäuren III[3,6]. Optisch-aktive Verbindungen III konnten isoliert werden, als die Reaktionstemperatur unter 150° gesenkt wurde[3,7]. Als erheblicher Nachteil dieser Acylierungs-Methodik sei ihre Anwendungs-Beschränkung auf „einfache" Mono-Aminosäuren betont.

Gute Ergebnisse brachte ferner die Kondensation von Phthalsäureanhydrid (I) mit Aminosäuren in siedenden Lösungsmitteln, wie Eisessig[8], 4-Methyl-1-isopropyl-benzol[9], Xylol[10], Dimethylformamid[11] und 1,4-Dioxan[12]. Vor allem letztere Verfahrens-Technik ließ sich mit Erfolg auch auf einige mehrfunktionelle Aminosäuren (z. B. Threonin, O-Acetylserin) anwenden.

Als sehr milde Phthalylierung zeichnete sich die Umsetzung von Phthalsäure-anhydrid (I) mit Aminosäure-estern IV zu N-(2-Carboxy-benzoyl)-aminosäure-estern V und deren anschließende Cyclisierung zu den entsprechenden Phthaloyl-Derivaten VI mittels Chlorwasserstoff/Methanol, Thionylchlorid, Dicyclohexylcarbodiimid etc. aus[13]. Folgende saure Hydrolyse (konz. Salzsäure/Essigsäure) erbrachte letztlich die gewünschten Phthaloyl-aminosäuren III, zwar auf umständlichem Wege aber in absolut racemfreier Form bei optisch-aktiven Ausgangsmaterialien.

Mit Hilfe zahlreicher Verfahrens-Änderungen, sei es durch Variation vorstehend aufgeführter Reaktionsbedingungen, sei es durch Einsatz „abgewandelter" Acyl-Donatoren, hat man sich jahrelang bemüht, die N-Phthaloyl-aminosäuren leichter und bequemer zugänglich zu machen. Erwähnt seien die Umsetzung von Aminosäuren (Aminosäure-estern) (vgl. Schema S. 251):

---

1 L. Reese, A. **242**, 1 (1887).
E. Drechsel, J. pr. **27**, 418 (1883).
2 R. Radenhausen, J. pr. **52**, 446 (1895).
H. R. Ing u. R. H. F. Manske, Soc. **1926**, 2348.
3 D.A.A. Kidd u. F. E. King, Nature **162**, 776 (1948).
4 J. C. Sheehan u. V. S. Frank, Am. Soc. **71**, 1856 (1949).
5 J. H. Billman u. W. F. Harting, Am. Soc. **70**, 1473 (1948).
6 J. C. Sheehan, D. W. Chapman u. R. W. Roth, Am. Soc. **74**, 3822 (1952).
7 M. Fling, F. N. Minard u. S. W. Fox, Am. Soc. **69**, 2466 (1947).
8 G. Wanag u. A. Veinbergs, B. **75**, 1558 (1942).
9 J. J. O'Neill, F. P. Veitch u. T. Wagner-Jauregg, J. Org. Chem. **21**, 363 (1956).
10 R. S. Tipson, J. Org. Chem. **21**, 1353 (1956).
11 A. K. Bose, F. Greer u. C. C. Price, J. Org. Chem. **23**, 1335 (1958).
12 J. C. Sheehan, M. Goodman u. G. P. Hess, Am. Soc. **78**, 1367 (1956).
13 F. E. King u. D. A. A. Kidd, Soc. **1949**, 3315.
M. Zaoral, Collect. czech. chem. Commun. (Spec. Issue) **24**, 76 (1959).
B. R. Baker et al., J. Org. Chem. **19**, 1786 (1954).

IX: $C_6H_4(CO{-}SR^3)_2$

V: $C_6H_4(COOH)(CO{-}NH{-}CH(R^1){-}COOR^2)$

I (Phthalsäureanhydrid) $\xrightarrow{H_2N{-}CH(R^1){-}COOR^2\ (IV)}$ V

I $\xrightarrow{H_2N{-}CH(R^1){-}COOH\ (II)}$ III: a) < 150°; b) siedendes 1,4-Dioxan etc.; c) + $(H_5C_2)_3N$ / Toluol etc.

IX $\xrightarrow{+\,H_2N{-}CH(R^1){-}COOR^2\ (IV)}$ VI

V $\xrightarrow{+\,HCl/CH_3OH\ (bzw.\ SOCl_2)\ bzw.\ H_{11}C_6{-}N{=}C{=}N{-}C_6H_{11}}$ VI

V $\xrightarrow{+\,HCl/H_3C{-}COOH}$ III

$C_6H_4(COOH)_2$ $\xrightarrow{+\,H_2N{-}CH(R^1){-}COOR^2,\ +\,HC{\equiv}C{-}OC_2H_5}$ VI: N-Phthaloyl-$CH(R^1){-}COOR^2$

VI $\xrightarrow{+\,HCl/H_3C{-}COOH}$ III: N-Phthaloyl-$CH(R^1){-}COOH$

X: $C_6H_4(CO{-}OC_6H_5)_2$ $\xrightarrow{+\,H_2N{-}CH(R^1){-}COOH\ (II)\ [(H_5C_2)_3N]}$ III

IX: $C_6H_4(CO{-}SR^3)_2$ $\xrightarrow{+\,H_2N{-}CH(R^1){-}COOH\ (II)/NaHCO_3}$ III

$C_6H_4(CO{-}NH{-}COOC_2H_5)(CO{-}NH{-}CH(R^1){-}COOH)$ $\xrightarrow{-\,H_2N{-}COOC_2H_5\ (XII)}$ III

XI: N-Phthaloyl-$COOC_2H_5$ $\xrightarrow{H_2N{-}CH(R^1){-}COOH\ (II)\ (Na_2CO_3)}$ $C_6H_4(CO{-}NH{-}COOC_2H_5)(CO{-}NH{-}CH(R^1){-}COOH)$

VII: $C_6H_4(COOC_2H_5)(CO{-}SH)$ $\xrightarrow{H_2N{-}CH(R^1){-}COOR^2\ (IV)}$ $C_6H_4(COOC_2H_5)(CO{-}NH{-}CH(R^1){-}COOR^2)$ $\xrightarrow{+\,HCl/C_2H_5OH}$ VI

VIII (Thiophthalsäureanhydrid) $\xrightarrow{+\,H_2N{-}CH(R^1){-}COOR^2\ (IV),\ +\,H_5C_2{-}N\text{(Piperidin)}}$ $C_6H_4(CO{-}S^{\ominus})(CO{-}NH{-}CH(R^1){-}COOR^2)$ $H_5C_2{-}N^{\oplus}H$(Piperidin) $\xrightarrow{\nabla,\ -\,H_2S,\ H_5C_2{-}N\text{(Piperidin)}}$ VI

VIII $\xrightarrow{H_2N{-}CH(R^1){-}COOH,\ NaHCO_3}$ $C_6H_4(CO{-}SNa)(CO{-}NH{-}CH(R^1){-}COOH)$ $\xrightarrow{-\,NaHS}$ III

① mit Phthalsäure-anhydrid (I) unter Zusatz von Triäthylamin in Benzol, Toluol oder 1,4-Dioxan[1]
② mit 2-Äthoxycarbonyl-thiobenzoesäure (VII)[2]
③ mit Thiophthalsäure-anhydrid (VIII)[3]
④ mit Dithiophthalsäure-S,S′-diester (IX)[4]
⑤ mit Phthalsäure-diphenylester (X)[5]
⑥ mit Phthalsäure und Äthoxy-acetylen[6]

Wesentliche Vorteile haften diesen Methoden nicht an.

Einen entscheidenden Fortschritt bedeutet jedoch das von Nefkens et al.[7,8] eingeführte Phthalylierungs-Verfahren mit N-Äthoxycarbonyl-phthalimid (XI) als Acylierungsmittel. Das Reagenz setzt sich mit Aminosäuren II in wäßrig/alkalischer Lösung (am günstigsten unter carbonat-alkalischen Bedingungen) bei Raumtemperatur relativ rasch unter Eliminierung von Äthylurethan (XII) zu N-Phthaloyl-aminosäuren von hoher analytischer wie optischer Reinheit um. (Zum Reaktionsverlauf s. Schema S. 251).

Hydroxy-aminosäuren[8], Hydroxy-aminosäure-benzyl-[9] bzw. -tert.- butyläther[10], Amino-dicarbonsäure-ω-amide[8,11–13], -ω-ester[11], und -α-ester[12,14], Cystin[8] u. a. lassen sich auf diesem Wege ohne Komplikationen in die N-Phthaloyl-Verbindungen überführen. Auch die ω-Acylierung von Lysin[8,15] und Ornithin[16] gelingt glatt; Versuche zur Herstellung von PHT = Trp-OH[8] schlugen bislang – wie auch bei allen anderen Verfahren – fehl.

N-Phthaloyl-L-phenylalanin [PHT = Phe-OH][17,18]:

Methode ⓐ: 9,90 g Phenylalanin und 8,95 g feingepulvertes Phthalsäureanhydrid werden, sorgfältig gemischt, 30 Min. lang unter Rühren auf 145–150° (Ölbad) erhitzt. Nach Abkühlen wird der erstarrte Rückstand in 40 *ml* heißem Methanol aufgenommen, die filtrierte Lösung nach Verdünnen mit 40 *ml* Wasser der Kristallisation überlassen. Die feinen farblosen Nadeln werden abfiltriert und i. Vak. über Phosphor(V)-oxid getrocknet; Ausbeute: 15,5 g (88% d.Th.); F: 183–185°; $[\alpha]_D^{25} = -212 \pm 1°$ (c = 1,9 in Äthanol).

Methode ⓑ: Eine Lösung von 33,0 g Phenylalanin und 23,0 g Natriumcarbonat in 200 *ml* Wasser wird mit 50,0 g N-Äthoxycarbonyl-phthalimid versetzt und bei Raumtemp. gerührt. Nach 2 Stdn. wird von wenig Ungelöstem abfiltriert, mit 20%-iger Salzsäure angesäuert, der gebildete Niederschlag nach 2 stdgm. Stehen bei 0° abgenutscht, mit wenig Eiswasser gewaschen und über Phosphor(V)-oxid bei 80°/0,03 Torr getrocknet; Ausbeute: 50,3 g (85% d.Th.); F: 185° (farblose Kristalle); $[\alpha]_D^{20} = -213 \pm 1°$ (c = 1,9, in Äthanol).

---

[1] A. K. Bose, F. Greer u. C. C. Price, J. Org. Chem. **23**, 1335 (1958); (s. a. Org. Synth. Vol. XL, 38).
E. Hoffmann u. H. Schiff-Shenhav, J. Org. Chem. **27**, 4686 (1962).
[2] K. Balenović, B. Gaspert u. N. Stimac, Croat. Chem. Acta **29**, 93 (1957).
K. Balenović u. B. Gaspert, Chem. & Ind. **1957**, 115.
[3] M. Zaoral, Collect. czech. chem. Commun. (Spec. Issue) **24**, 83 (1959).
[4] J. C. Sheehan u. G. F. Holland, Am. Soc. **78**, 5631 (1956).
[5] F. Weygand u. J. Kaelicke, B. **95**, 1031 (1962).
[6] G. R. Banks et al., Soc. [C], **1967**, 126.
[7] G. H. L. Nefkens, Nature **185**, 309 (1960).
[8] G. H. L. Nefkens, G. I. Tesser u. R. J. Nivard, R. **79**, 688 (1960).
[9] G. H. De Haas u. L. L. M. Van Deenen, R. **81**, 215 (1962).
E. Wünsch, G. Wendlberger u. J. Jentsch, B. **97**, 3298 (1964).
[10] J. Jentsch, Dissertation, TH. München, 1965.
E. Wünsch u. G. Wendlberger, B. **100**, 160 (1967); vgl. Fußnote S. 172.
[11] E. Schröder u. E. Klieger, A. **673**, 196 (1964).
[12] E. Schröder u. E. Klieger, A. **673**, 208 (1964).
[13] R. Wolfrum, Diplom-Arbeit, Universität München, 1965.
[14] E. Wünsch u. A. Zwick, H. **333**, 108 (1963).
[15] R. Schwyzer, A. Costopanagiotis u. P. Sieber, Helv. **46**, 870 (1963).
[16] M. Bodanszky et al., Am. Soc. **86**, 4452 (1964).
[17] J. C. Sheehan, D. W. Chapman u. R. W. Roth, Am. Soc. **74**, 3822 (1952).
[18] E. Wünsch u. F. Drees, B. **99**, 110 (1966).

N-Phthaloyl-O-benzyl-L-tyrosin [PHT = Tyr(BZL)-OH]:[1]

Methode ⓐ: 20,2 g O-Benzyl-L-tyrosin und 20,4 g Natriumcarbonat (Decahydrat) werden in 350 *ml* 1,4-Dioxan/Wasser (1 : 2,5) unter Erwärmen auf 70° gelöst. Unter Rühren gibt man bei 45° 24,2 g N-Äthoxycarbonyl-phthalimid zu, das sich unter p_H-Abfall von 9 auf 7,5 alsbald auflöst. Nach 12stdgm. Rühren bei 40° kühlt man bis Erreichen auf Raumtemp. ab und filtriert. Das Filtrat wird nach Ansäuern i. Vak. weitgehend vom 1,4-Dioxan befreit. Das ausgefallene Material wird abfiltriert und unter Zusatz von Aktivkohle aus 80%-igem Äthanol umkristallisiert; Ausbeute: 21,9 g (73% d. Th.); F: 212–214° (Nadeln); $[\alpha]_D^{20} = -226{,}4 \pm 1°$ bzw. $[\alpha]_{546}^{20} = -275{,}5°$ (c = 1; in Pyridin).

Methode ⓑ: Unter Rühren vereinigt man die Lösungen von 4,45 g Phthalsäureanhydrid in 130 *ml* 1,4-Dioxan und 8,15 g O-Benzyl-L-tyrosin, 4,17 *ml* Triäthylamin in 40 *ml* Wasser, fügt nach 1 Stde. 130 *ml* 1,4-Dioxan und 4,17 *ml* Triäthylamin hinzu und erhitzt so lange zum Sieden, bis das übergehende Destillat den Siedepunkt vom reinen 1,4-Dioxan besitzt. Insgesamt werden 270 *ml* abdestilliert (Gemisch Triäthylamin/Wasser/1,4-Dioxan). Nach Abkühlen und Filtrieren entfernt man das 1,4-Dioxan weitgehend i. Vak. und behandelt den Rückstand mit n Salzsäure im Überschuß; dabei tritt Kristallisation ein; Ausbeute: 5,6 g (46,5% d. Th.); F: 212–214° (aus 80%-igem Äthanol; Nadeln); $[\alpha]_D^{20} = -226{,}9 \pm 1°$ bzw. $[\alpha]_{546}^{20} = -276{,}1°$ (c = 1; in Pyridin).

N-Phthaloyl-L-threonin [PHT = Thr-OH][2,3]: 76,4 g (0,64 Mol) aus Wasser mit viel Äthanol rasch gefälltes und getrocknetes Threonin werden mit 114 g (0,77 Mol) Phthalsäureanhydrid in 500 *ml* 1,4-Dioxan während 5 Stdn. bei 105° unter Rühren umgesetzt. Nach Abkühlen dampft man i. Vak. ein, nimmt den Rückstand in heißem Wasser auf und überläßt im Kühlschrank der Kristallisation. Der gebildete Niederschlag wird abfiltriert, getrocknet und schließlich mit heißem Chloroform behandelt, wobei Phthalsäure ungelöst zurückbleibt. Die erhaltene Lösung engt man i. Vak. ein und kristallisiert den Rückstand aus wenig Essigsäure-äthylester/Petroläther (oder aus Wasser) um; Ausbeute: 81,0 g (51% d. Th.); F: 140–143°; $[\alpha]_D^{20} = -37{,}4 \pm 0{,}5°$ bzw. $[\alpha]_{546}^{20} = -44{,}86°$ (c = 2; in Äthanol).

Der peptid-synthetische Einsatz von N-Phthaloyl-aminosäuren III (als Kopfkomponente) geschah zunächst in Form der relativ beständigen Säurechloride[4–7] bzw. bei den Aminodicarbonsäure-Derivaten als innermolekulare Anhydride[8] (vgl. hierzu S. 638). In der Folgezeit wurde diese Verknüpfungstechnik mehr und mehr abgelöst durch Alkyl-Kohlensäure-Anhydrid-[7,9–13], Carbodiimid-[1–3,14,15] und aktivierte Ester-Methoden[13,16]. (Über die Verwendung symm. N-Phthaloyl-aminosäure-anhydride s. S. II/265).

Im Hinblick auf die hohe Alkali-Labilität des Phthaloyl-Restes werden die „aktivierten Kopfkomponenten" (XIII) fast ausschließlich mit carboxy-subst. Aminosäuren (Estern, Amiden usf.) zu N-Phthaloyl-peptid-Derivaten (z. B. XIV) vereinigt, da die Verknüpfung mit Aminosäuren in wäßr. alkalischem Medium lange Zeit mißlang[4–7]. Erst durch vorsichtiges Zutropfen von wäßr. Aminosäure-Lösungen zu N-Phthaloyl-aminosäure-

---

[1] E. Wünsch, C. Wendlberger u. J. Jentsch, B. **97**, 3298 (1964).
[2] E. Wünsch u. G. Wendlberger, B. **97**, 2504 (1964).
[3] J. C. Sheehan, M. Goodman u. C. P. Hess, Am. Soc. **78**, 1367 (1956).
[4] J. C. Sheehan u. V. S. Frank, Am. Soc. **71**, 1856 (1949).
[5] W. Grassmann u. E. Schulte-Uebbing, B. **83**, 244 (1950).
[6] R. A. Turner, Am. Soc. **75**, 2388 (1953).
[7] F. E. King et al., Soc. **1954**, 1039.
[8] F. E. King u. D. A. A. Kidd, Soc. **1949**, 3315; **1951**, 2976.
[9] F. A. Boissonnas, Helv. **34**, 874 (1951).
[10] F. E. King et al., **1957**, 873.
[11] F. E. King, J. W. Clark-Lewis u. G. R. Smith, Soc. **1954**, 1046.
[12] S. J. Leach u. H. Lindley, Austral. J. Chem. **7**, 173 (1954).
[13] E. Schröder, A. **688**, 250 (1965).
[14] B. Helferich u. H. Böshagen, B. **92**, 2813 (1959).
[15] E. Wünsch u. F. Drees, B. **99**, 110 (1966).
[16] H. C. Beyerman u. J. S. Bontekoe, R. **81**, 699 (1962).
M. Bodanszky, Acta chim. Acad. Sci. hung. **10**, 335 (1956).

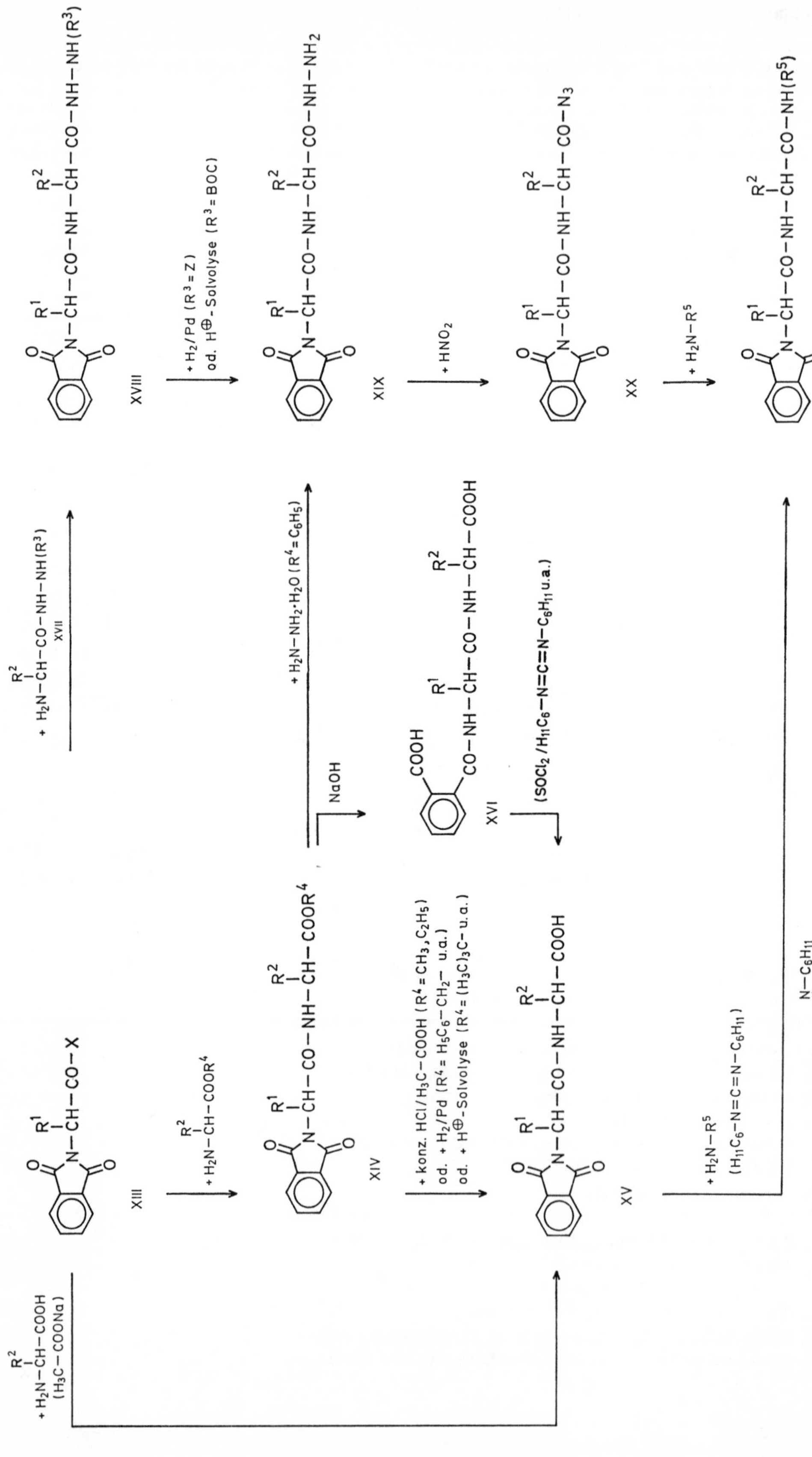

XIII: Phth=N–CH(R^1)–CO–X

XIII → XV: + H_2N–CH(R^2)–COOH (H_3C–COONa)

XIII → XVIII: + H_2N–CH(R^2)–CO–NH–NH(R^3) (XVII)

XVIII: Phth=N–CH(R^1)–CO–NH–CH(R^2)–CO–NH–NH(R^3)

XIII → XIV: + H_2N–CH(R^2)–$COOR^4$

XIV: Phth=N–CH(R^1)–CO–NH–CH(R^2)–$COOR^4$

XVIII → XIX: + H_2/Pd (R^3 = Z) od. $H^{\oplus}$-Solvolyse (R^3 = BOC)

XIV → XIX: + H_2N–NH_2·H_2O (R^4 = C_6H_5)

XIX: Phth=N–CH(R^1)–CO–NH–CH(R^2)–CO–NH–NH_2

XIV → XVI: NaOH

XVI: C_6H_4(COOH)–CO–NH–CH(R^1)–CO–NH–CH(R^2)–COOH

XVI → XV: ($SOCl_2$ / $H_{11}C_6$–N=C=N–C_6H_{11} u.a.)

XIV → XV: + konz. HCl/H_3C–COOH (R^4 = CH_3, C_2H_5) od. + H_2/Pd (R^4 = H_5C_6–CH_2– u.a.) od. + $H^{\oplus}$-Solvolyse (R^4 = $(H_3C)_3C$– u.a.)

XV: Phth=N–CH(R^1)–CO–NH–CH(R^2)–COOH

XIX → XX: + HNO_2

XX: Phth=N–CH(R^1)–CO–NH–CH(R^2)–CO–N_3

XX → Phth=N–CH(R^1)–CO–NH–CH(R^2)–CO–NH(R^5): + H_2N–R^5

XV → Phth=N–CH(R^1)–CO–NH–CH(R^2)–CO–NH(R^5): + H_2N–R^5 ($H_{11}C_6$–N=C=N–C_6H_{11})

X = –Cl, –O–$COOR^6$, –O–C(=N–C_6H_{11})–NH–C_6H_{11}, –ONP etc.

chloriden in 1,4-Dioxan und gleichzeitiger Zugabe von Natrium- bzw. Kaliumacetat gelang es Yamashita und Yashiro[1] reine N-Phthaloyl-peptide XV zu erhalten.

Von Interesse sind in diesem Zusammenhang die Umsetzungen von N-Phthaloyl-aminosäure-4-nitro-phenylestern mit Arginyl-peptiden, sofern letztere guanido-unmaskiert oder als (Guanido)-Hydroacetat zum Einsatz gelangen[2] sowie N-Phthaloyl-aminosäure-phenyl-thioestern mit Aminosäuren und siedender Essigsäure[3]:

Die erhaltenen N-Phthaloyl-peptid-ester XIV können durch alkalische Hydrolyse nicht zu den Phthaloyl-peptiden XV verseift werden[4-6]; unter den Reaktionsbedingungen erfolgt hierbei gleichzeitig bevorzugte Öffnung des Phthalimid-Ringes unter Bildung von N-(2-Carboxy-benzoyl)-Verbindungen XVI (s. dazu S. 260f.), die einer später vorzunehmenden hydrazinolytischen Dephthalylierung trotzen. Diese 2-Carboxy-benzoyl-Derivate XVI mittels Thionylchlorid, Phosphor(V)-oxid, Dicyclohexylcarbodiimid oder via gem. Anhydrid-Methoden wieder zu Phthaloyl-peptiden XV „ringzuschließen"[7], dürfte ein wenig geeignetes Unterfangen sein.

Außerdem ist einzukalkulieren, daß N-(2-Carboxy-benzoyl)-peptide XVI nur im alkalischen Bereich relativ beständig sind; schon im schwach wäßr.-saurem Medium (z.B. verd. Essigsäure) werden sie teilweise in Phthalsäure und freie Peptide gespalten[5,8].

In Sonderfällen allerdings scheint der Ringschluß zu XV im Zuge der Aufarbeitung der „Verseifungs-Ansätze" bevorzugt abzulaufen; dies dürfte mit größter Wahrscheinlichkeit die bislang einmalig Boissonnas et al.[9] geglückte Verseifung eines N-Phthaloyl-peptid-esters XIV zum Phthaloyl-peptid XV erklären.

Aus genannten Gründen war man lange Zeit auf eine saure Hydrolyse der Phthaloyl-peptid-ester (XIV) angewiesen; sie ist sicher nur bei niedermolekularen und „einfachen" Peptiden in Aceton, Aceton/Wasser oder Essigsäure mit konz. Salzsäure, 2 n Salzsäure bzw. 2 n Schwefelsäure unter kurzzeitigem Erhitzen zu verwirklichen[10] (unter diesen Bedingungen ist der Phthaloyl-Rest relativ stabil).

Sinnvoll allein ist die Herstellung von N-Phthaloyl-peptid-benzylestern bzw. -tert.-butylestern [XIV; $R^4 = H_5C_6—CH_2—$; $(CH_3)_3C—$], da bei diesen Derivaten die Carboxy-Maskierung durch Hydrogenolyse bzw. milde Protonen-Solvolyse entfernt werden kann[11,12] (s. Schema, S. 254).

N-Phthaloyl-L-threonyl-L-phenylalanyl-L-threonyl-O-benzyl-L-serin-N'-benzyloxycarbonyl-hydrazid [PHT=Thr-Phe-Thr-Ser(BZL)-NHNH(Z)][11]:

N-Phthaloyl-L-threonyl-L-phenylalanin-benzylester [PHT=Thr-Phe-OBZL]: 37,5 g PHT=Thr-OH, 45 g H-Phe-OBZL · HCl und 21 *ml* Triäthylamin werden in Acetonitril bis zur Lösung gerührt, nach Abkühlung auf −10° mit 31 g Dicyclohexylcarbodiimid versetzt und 5 Stdn. gerührt. Man läßt bei −10° über Nacht stehen, rührt dann 2 Stdn. bis zum Erreichen von Raumtemp. und arbeitet wie üblich auf (Eindampfen des Filtrats i.Vak., Verteilen des Rückstandes zwischen Essigsäure-äthylester und Wasser, Waschen der Essigsäure-äthylester-Phase mit Natriumhydrogencarbonat-Lösung,

---

1 K. Yamashita u. M. Yashiro, J. agric. chem. Soc. Japan **28**, 674 (1954).
2 E. Wünsch u. G. Wendlberger, B. **100**, 820 (1967).
3 F. Weygand u. J. Kaelicke, B. **95**, 1031 (1962).
4 J. C. Sheehan, D. W. Chapman u. R. W. Roth, Am. Soc. **74**, 3822 (1952).
5 H. Hanson u. R. Illhardt, H. **298**, 210 (1954).
6 J. Rudinger et al., Collect. czech. chem. Commun. **25**, 3338 (1960).
7 B. Helferich u. H. Böshagen, B. **92**, 2813 (1959).
F. E. King u. D. A. A. Kidd, Soc. **1949**, 3315.
M. Zaoral, Diskussionsbemerkung, 1. Europ. Peptidsymposium Prag 1958; Collect. czech. chem. Commun. (Spec. Issue) **24**, 76 (1959).
8 R. A. Boissonnas, Adv. Org. Chem. **3**, 159 (1963).
9 I. Schumann u. R. A. Boissonnas, Helv. **35**, 2237 (1952).
10 J. C. Sheehan u. V. S. Frank, Am. Soc. **71**, 1856 (1949).
J. C. Sheehan, M. Goodman u. G. P. Hess, Am. Soc. **78**, 1367 (1956).
11 E. Wünsch u. G. Wendlberger, B. **97**, 2504 (1964).
12 E. Schröder, A. **688**, 250 (1965).

verd. Säure und Wasser und Trocknen über Natriumsulfat). Beim Einengen der Essigsäure-äthylester-Lösung i. Vak. auf ein kleines Vol. tritt Kristallisation ein; Ausbeute: 66,9 g (91,6% d.Th.); F: 130–130,5° (feine Nadeln aus Essigsäure-äthylester).

N-Phthaloyl-L-threonyl-L-phenylalanin [PHT=Thr-Phe-OH]: 65 g PHT=Thr-Phe-OBZL werden in 600 *ml* Methanol so lange mit katalytisch erregtem Wasserstoff (Palladium-Schwarz) behandelt, bis der chromatographische Test das Verschwinden des „Benzylester-Fleckes" anzeigt. Das Filtrat vom Katalysator wird anschließend i. Vak. eingedampft, der Rückstand aus Essigsäure-äthylester/Petroläther oder Äthanol/Wasser umkristallisiert; Ausbeute: 50–51,8 g (95–99 % d.Th.); F: 206,5–208°; $[\alpha]_D^{20} = +23,38 \pm 0,5°$ bzw. $[\alpha]_{546}^{20} = +28,4°$ (c = 1,6; in Äthanol).

L-Threonyl-O-benzyl-L-serin-N′-benzyloxycarbonyl-hydrazid [H-Thr-Ser(BZL)-NHNH (Z)][1]: Man löst 57,5 g PHT=Thr-Ser (BZL)-NHNH (Z) (s. S. 434) in 600 ml Methanol unter Zugabe von 5 *ml* 100%-igem Hydrazin-Hydrat, beläßt 20 Stdn. bei Raumtemp. (Niederschlag) und dampft dann i. Vak. ein. Den Rückstand schüttelt man mit 100 *ml* n Salzsäure, 150 *ml* Wasser und 1 *ml* Essigsäure und erwärmt kurze Zeit (~ 10 Min.) auf 40° (45° Badtemp.). Nach Abkühlen wird abfiltriert und mit Wasser gewaschen [Rückstand 15 g Phthalhydrazid, F: > 320° (Zers.)]. Zum stark gekühlten Filtrat gibt man 100 *ml* eiskalte n Natronlauge und etwas Natriumhydrogencarbonat-Lösung bis zur alkalischen Reaktion und extrahiert unter Natriumchlorid-Sättigung mit Essigsäure-äthylester. Die vereinigten Essigsäure-äthylester-Phasen werden rasch mit Wasser gewaschen (beginnende Kristallisation). Nach Abkühlen wird der Niederschlag abfiltriert, das Filtrat i. Vak. eingeengt, wie üblich aufgearbeitet und der Rückstand aus siedendem Essigsäure-äthylester umkristallisiert; Ausbeute: 38,0 g (86% d.Th.); F: 114-115°.

N-Phthaloyl-L-threonyl-L-phenylalanyl-L-threonyl-O-benzyl-L-serin-N′-benzyloxycarbonyl-hydrazid [PHT=Thr-Phe-Thr(tBu)-Ser-NHNH(Z)]: 47,6 g PHT=Thr-Phe-OH und 53,5 g H-Thr-Ser(BZL)-NHNH(Z) (s. o.) in 400 *ml* Acetonitril/Dimethylformamid (1:1) werden bei −10° unter Rühren mit 24,8 g Dicyclohexylcarbodiimid in 100 *ml* Acetonitril umgesetzt. Man rührt 4 Stdn. bei −4°, läßt 2 Tage bei −10° stehen, rührt 3 Stdn. bei Raumtemp. und filtriert nach Abkühlen 26,8 g N,N′-Dicyclohexyl-harnstoff ab. Das Filtrat wird i. Vak. eingeengt und der Rückstand mit heißem Essigsäure-äthylester behandelt, wobei Lösung und anschließend rasch Kristallisation eintritt. Nach Abkühlen wird abfiltriert, der getrocknete Filterrückstand in möglichst wenig warmem Dimethylformamid gelöst. Nach Zugabe von 1 Vol. Wasser und Abkühlen der Lösung tritt Kristallisation ein. Das abfiltrierte Produkt wird i. Vak. über Phosphor-(V)-oxid und anschließend i. Hochvak. (10^{-3} Torr) bei 80° scharf getrocknet; Ausbeute: 87 g (85% d.Th.); F: 159–165°; $[\alpha]_D^{20} = -23,3 \pm 1°$ bzw. $[\alpha]_{546}^{20} = -28,5°$ (c = 1; in Methanol).

N-Phthaloyl-O-tert.-butyl-L-seryl-L-arginyl(hydrobromid)-L-arginyl-L-alanyl-L-glutaminyl-L-asparaginsäure-β-tert.-butylester [PHT=Ser(tBu)-Arg(HBr)-Arg-Ala-Gln-Asp(OtBu)-OH][2]:

N-Phthaloyl-O-tert.-butyl-L-serin-4-nitro-phenylester [PHT=Ser(tBu)-ONP][3]:

N-Phthaloyl-O-tert.-butyl-L-serin [PHT=Ser(tBu)-OH]: 19,8 g O-tert.-Butyl-serin und 34,4 g Natriumcarbonat (Decahydrat) in 400 *ml* Wasser werden mit 27,6 g N-Äthoxycarbonyl-phthalimid versetzt, die Reaktionsmischung 24 Stdn. bei Raumtemp. gerührt. Die filtrierte Lösung wird mit Essigsäure-äthylester ausgezogen, anschließend mit n Salzsäure auf $p_H = 2$ gestellt und danach erschöpfend mit Essigsäure-äthylester extrahiert. Die vereinigten Extrakte werden nach Chloridfreiwaschen mit Wasser und Trocknen über Natriumsulfat i. Vak. eingedampft. Das verbleibende Öl wird i. Vak. bei 50° von den restlichen Lösungsmittelspuren befreit.

N-Phthaloyl-O-tert.-butyl-L-serin-4-nitro-phenylester: Das erhaltene Rohprodukt und 16,7 g 4-Nitrophenol in 200 *ml* Eisessig werden bei −10° mit 24,7 g Dicyclohexylcarbodiimid versetzt. Nach 4 stdgm. Rühren bei 0° und weiteren 12 Stdn. bei Raumtemp. filtriert man vom ausgefallenen N,N′-Dicyclohexylharnstoff ab und dampft i. Vak. ein. Das erhaltene Öl wird in wenig heißem Äthanol aufgenommen; bei mehrstdgm. Stehen scheiden sich aus der Lösung schwach gelbliche Nadeln ab, die nochmals aus Äthanol umkristallisiert werden; Ausbeute: 35,3 g (71,5% d.Th.); F: 125–126°; $[\alpha]_D^{20} = -112,7 \pm 1°$ bzw. $[\alpha]_{546}^{20} = -123,6°$ (c = 1; in Eisessig).

N-Phthaloyl-O-tert.-butyl-L-seryl-L-arginyl(hydrobromid)-L-arginyl-L-alanyl-L-glutaminyl-L-asparaginsäure-β-tert.-butylester [PHT=Ser(tBu)-Arg(HBr)-Arg-Ala-Gln-Asp(OtBu)-OH]: 6,3 g H-Arg(HBr)-Arg(AcOH)-Ala-Gln-Asp(OtBu)-OH in 150 *ml* Dimethylformamid werden bei −15° mit 4,2 g PHT=Ser(tBu)-ONP versetzt, 24 Stdn. bei 0° und weitere 24 Stdn. bei Raumtemp. gerührt. Nach Entfernen des Lösungsmittels i. Vak. wird der Rückstand mehrere Male nacheinander mit Diäthyläther und Essigsäure-äthylester digeriert, auf das Filter gebracht und mit Essigsäure-äthylester gewaschen. Die Lösung des Rohproduktes in wenig Dimethylformamid wird

---

1 E. Wünsch u. G. Wendlberger, B. **97**, 2504 (1964).
2 E. Wünsch u. G. Wendlberger, B. **100**, 820 (1967).
3 E. Wünsch u. E. Jaeger, unveröffentlichte Ergebnisse.

in viel absol. Diäthyläther eingerührt, die gebildete Fällung abfiltriert und mit Diäthyläther gewaschen. Nach Umfällen aus absol. Äthanol (Zentrifugieren) erhält man ein amorphes Pulver; Ausbeute: 7,0 g (88% d.Th.); F: 175° (Zers.); $[\alpha]_D^{20} = -22,6 \pm 1°$ bzw. $[\alpha]_{546}^{20} = -26,6°$ (c = 1; in Methanol).

Auch die Azid-Methode erfreut sich einiger Beliebtheit, obgleich zur Herstellung der N-Phthaloyl-aminosäure-hydrazide (bzw. -peptid-hydrazide) ein von Hofmann et al.[1] erstmals erarbeiteter Umweg über N′-Benzyloxycarbonyl- oder N′-tert.-Butyloxycarbonyl-hydrazide (s. a. S. 431ff.) beschritten werden muß.

(Nach Vernengo et al.[2] soll die vorsichtige Hydrazinolyse von N-Phthaloyl-aminosäure-phenylestern zu den entsprechenden -hydraziden möglich sein).

Zweckmäßig werden „aktivierte" N-Phthaloyl-aminosäuren (XIII) mit Aminosäure-N′-substituierten-hydraziden XVII zu N-Phthaloyl-peptid-N′-substituierten-hydraziden XVIII vereinigt; nach entsprechender Abspaltung der N′-Hydrazid-Schutzgruppen (katalytische Hydrierung oder Protonen-Solvolyse) bietet die Überführung der N-Phthaloyl-peptid-hydrazide XIX in die -azide XX sowie die Umsetzung der letzteren mit Aminokomponenten keine Schwierigkeiten[3,4] (s. Schema S. 254).

N-Phthaloyl-L-threonyl-L-phenylalanyl-L-threonyl-O-benzyl-L-serin-N′-benzyloxycarbonyl-hydrazid [PHT = Thr-Phe-Thr-Ser(BZL)-NHNH(Z)][3]:

N-Phthaloyl-L-threonyl-L-phenylalanin-N′-tert.-butyloxycarbonyl-hydrazid [PHT=Thr-Phe-NHNH(BOC)]: 40 g PHT=Thr-OH und 44,8 g H-Phe-NHNH(BOC) in 500 *ml* Acetonitril versetzt man bei −5° mit 33,2 g Dicyclohexylcarbodiimid, rührt 2 Stdn. bei dieser Temp. und läßt über Nacht bei −5 bis −10° stehen. Unter Zusatz von Dimethylformamid wird 2 Stdn. bis Erreichen der Raumtemp. gerührt (dabei erfolgt teilweise Lösung), auf 0° abgekühlt und der N,N′-Dicyclohexyl-harnstoff abgesaugt. Das Filtrat wird i. Vak. eingedampft, der Rückstand in Essigsäure-äthylester aufgenommen, die erhaltene Lösung wie üblich mit Citronensäure-, eiskalter Natriumhydrogencarbonat-Lösung und Wasser gewaschen, über Natriumsulfat getrocknet und schließlich i. Vak. eingedampft. Das erhaltene Rohprodukt wird in wenig Essigsäure-äthylester heiß gelöst; auf Zusatz von Äther tritt alsbald Kristallisation ein. Die Kristalle werden aus Essigsäure-äthylester umkristallisiert; Ausbeute: 75,8 g (93,5% d.Th.); F: 188–189°; $[\alpha]_D^{20} = -32,1 \pm 0,5°$ bzw. $[\alpha]_{546}^{20} = -38,1°$ (c = 1,9; in Methanol).

N-Phthaloyl-L-threonyl-L-phenylalanin-hydrazid-Hydro-trifluoracetat [PHT=Thr-Phe-$NHNH_2$ · TFA-OH]: 25,8 g PHT = Thr-Phe-NHNH(BOC) werden mit 150 *ml* Trifluoressigsäure übergossen und bei Raumtemp. bis zur völligen Lösung stehengelassen. Nach 2 Stdn. destilliert man die überschüssige Trifluoressigsäure i. Vak. ab und verreibt den Rückstand mit Äther (Kristallisation). Das Rohprodukt wird abgesaugt, i. Vak. über Kaliumhydroxid/Phosphor(V)-oxid getrocknet und mit Äther unter Rückfluß behandelt; Ausbeute: 23,6–24,1 g (90–92% d.Th.); F: 159–161° (nach vorherigem Erweichen); $[\alpha]_D^{20} = -17,0 \pm 1°$ (c = 1; in Methanol) bzw. $[\alpha]_{546}^{20} = -10,94°$.

N-Phthaloyl-L-threonyl-L-phenylalanyl-L-threonyl-O-benzyl-L-serin-N′-benzyloxycarbonyl-hydrazid [PHT=Thr-Phe-Thr-Ser(BZL)-NHNH(Z)]: 26,25 g PHT=Thr-Phe-$NHNH_2$ · TFA-OH in Essigsäure und 50 *ml* n Salzsäure werden mit 3,45 g Natriumnitrit in wenig Wasser bei 0° umgesetzt. Das Azid kristallisiert nach kurzem Schütteln aus; es wird abfiltriert, in 250 *ml* kaltem Essigsäure-äthylester aufgenommen und mit eiskalter Natriumhydrogencarbonat-Lösung und Wasser gewaschen. Nach kurzem Trocknen über Natriumsulfat wird mit einer Lösung von 22,25 g H-Thr-Ser(BZL)-NHNH(Z) (s. S. 256) in 250 *ml* Dimethylformamid/Essigsäure-äthylester (1:1) vereinigt. Das Gemisch läßt man 72 Stdn. bei 0°, dann 48 Stdn. bei Raumtemp. stehen. Nach Abkühlen auf 0° wird der Niederschlag abgesaugt: 33,5 g (F: 160–165°, nach Trocknen). Das Filtrat (Essigsäure-äthylester-Lösung) wird wie üblich mit Natriumhydrogencarbonat-Lösung, verd. Salzsäure* und Wasser gewaschen, über Natriumsulfat getrocknet und i. Vak. eingedampft, der Rückstand aus Äthanol umkristallisiert: 0,5 g. Die 1. und 2. Fraktion werden zusammen aus Äthanol umkristallisiert; F: 150° (Erweichen bei 130°); $[\alpha]_D^{20} = -22,42 \pm 1°$ bzw. $[\alpha]_{546}^{20} = -27,1°$ (c = 1; in Methanol) (ber. für alkoholfreies Produkt $[\alpha]_{546}^{20} = -28,0°$; vgl. dazu S. 256).

---

* Aus der salzsauren Phase können 2,8 g H-Thr-Ser(BZL)-NHNH(Z) zurückgewonnen werden.

[1] K. Hofmann et al., Am. Soc. **74**, 470 (1952).

[2] M. J. Vernengo u. J. O. Deferrari, An. Asoc. quim. arg. **44**, 55 (1956).

[3] E. Wünsch u. G. Wendlberger, B. **97**, 2504 (1964).

[4] R. A. Boissonnas, S. Guttmann u. P.-A. Jaquenoud, Helv. **43**, 1349 (1960).
E. Schröder, A. **688**, 250 (1965).
E. Wünsch u. F. Drees, B. **99**, 110 (1966).

Gesamtausbeute: 31 g (84% d.Th., für ein Tetrapeptid-Derivat + ½ Mol Äthanol und ber. auf umgesetztes Dipeptid-hydrazid).

Die Abspaltung der Phthaloyl-Schutzgruppe geschieht fast ausschließlich durch Hydrazinolyse[1]; sie erfolgt z.B. durch ein- bis zweistdg. Kochen[2] oder Stehenlassen bei Raumtemp. über ein bis zwei Tage[3,4] der methanolischen oder äthanolischen Lösung von N-Phthaloyl-peptiden, -peptidestern bzw. -amiden etc. (XXI) mit 1–2 Äquiv. Hydrazin-Hydrat. Unter diesen Reaktionsbedingungen werden zunächst die Ammoniumsalze XXII aus Phthalhydrazid und Peptid (-ester, -amid u.a.) – bei Überschuß an Spaltungsreagenz teilweise auch die Ammoniumsalze des Hydrazins – erhalten. Die Ammoniumsalze XXII werden durch anschließendes Behandeln mit verd. Salzsäure (1 Äquiv. bez. auf Hydrazin) oder wäßr. Essigsäure, zweckmäßig unter gelindem Erwärmen, zersetzt. Während Phthalhydrazid (XXIII) ungelöst zurückbleibt (bzw. auskristallisiert), gehen die entacylierten Peptide (Peptidester, -amide etc.) als Hydrochloride bzw. Hydroacetate XXIV in Lösung.

Die Zerlegung des Ammoniumsalzes XXII ist auch mittels Natriumcarbonat-Lösung möglich[5]; dieses Verfahren eignet sich speziell bei in Wasser schwer- bzw. unlöslichen, carbonat-unempfindlichen Peptid-Derivaten XXVI, da hierbei Lösung des Phthalhydrazids als Natrium-Salz XXV erfolgt. Die Dephthalylierung mittels Hydrazin-Hydrat kann

XXI: N-Phthaloyl–CH(R^1)–CO–NH–R^2 $\xrightarrow{+\ H_2N-NH_2\cdot H_2O}$ XXII: [Phthalhydrazid-Anion] $H_3\overset{\oplus}{N}$–CH(R^1)–CO–NH–R^2

+ Na_2CO_3 → XXV (Phthalhydrazid-Natriumsalz, $^{\ominus}ONa^{\oplus}$) + XXVI: H_2N–CH(R^1)–CO–NH–R^2

+ HCl bzw. $H_3C-COOH$ → XXIII (Phthalhydrazid) + XXIV: H_2N–CH(R^1)–CO–NH–R^2 · HCl ($H_3C-COOH$)

ferner in tert.-Butanol[5], 1,4-Dioxan[6] oder wäßr. Natriumcarbonat-Lösung[3] durchgeführt werden.

---

[1] H. R. Ing u. R. H. F. Manske, Soc. **1926**, 2348.
[2] W. Grassmann u. E. Schulte-Uebbing, B. **83**, 244 (1950).
J. C. Sheehan u. V. S. Frank, Am. Soc. **71**, 1856 (1949).
J. C. Sheehan, D. W. Chapman u. R. W. Roth, Am. Soc. **74**, 3822 (1952).
[3] F. E. King u. D. A. A. Kidd, Soc. **1949**, 3315.
[4] S. Shankman u. Y. Schvo, Am. Soc. **80**, 1164 (1958).
[5] E. Taschner, C. Wasielewski u. J. F. Biernat, A. **646**, 119 (1961).
[6] H. C. Beyerman u. J. S. Bontekoe, R. **81**, 699 (1962).

Gegenüber genannten Spaltungs-Bedingungen verhalten sich eine große Anzahl Aminoschutzgruppen (z.B. Benzyloxycarbonyl-, subst. Benzyloxycarbonyl-, tert.-Butyloxycarbonyl-, Cyclopentyloxycarbonyl-, Tosyl-, Trityl- u.a. -Reste), zahlreiche Maskierungen der Hydroxy-, Sulfhydryl- und Carboxy-Funktionen (z.B. O-Benzyl-, O-tert.-Butyl-, S-Benzyl-, tert.-Butylester-, N'-Acyl-hydrazid-Gruppierungen etc.) sowie die meisten Peptidbindungen (s. jedoch weiter u.) stabil. Bei Vermeidung jeglichen Überschusses an Hydrazin-Hydrat, d.h. Spaltung mit exakt 1 Äquiv. je Phthaloyl-Gruppe, lassen sich auch N-Phthaloyl-peptid-methylester, -äthylester und -benzylester einwandfrei zu den „freien" Peptidestern entacylieren[1]; bei Dipeptid-Derivaten besteht jedoch stets die erhebliche Gefahr eines Dioxo-piperazin-Ringschlusses.

Nebenreaktionen wurden insbesondere bei der Dephthalylierung von N-Phthaloyl-glutaminyl-peptiden (teilweiser Ringschluß zu Pyrrolidon-Derivaten) beobachtet[2]; über die hydrazinolytische Spaltung von N-Phthaloyl-peptiden mit amino-endständigem Asparagin (voraussichtlich auch Asparaginsäure-β-estern) liegen widersprüchliche Angaben vor[2–4].

Im Hinblick auf die Alkali-Empfindlichkeit gewisser höherer Peptide (z.B. α-MSH- und Corticotropin-peptide) kommt der von Schwyzer et al.[5,6] erstmals aufgefundenen Dephthalylierung mit Hydrazin-Hydroacetat besondere Bedeutung zu. Diese „Schwyzer-Technik" erlaubt die Entfernung der N-Phthaloyl-Schutzgruppe in methanolischer Lösung unter äußerst milden Bedingungen (scheinbarer $p_H = 6{,}5$); selbst die Herstellung des *α-Melanotropins* aus seinem N_ε-Phthaloyl-Derivat (Lys^{11}) bietet keine besonderen Schwierigkeiten[6], und auch „basen-katalysierte" Diacylamin-Bildungen bei der Entacylierung von N-Phthaloyl-asparaginyl- bzw. -asparagyl(β-tert.-butylester)-peptiden dürften mit Sicherheit fortfallen[7].

Eine bei dieser Spaltungsmethodik durch Säure-Basen-Katalyse zunächst befürchtete Gefahr der partiellen Racemisierung des *Serins* – bei Anwesenheit dieser Aminosäure in der Peptid-Sequenz – dürfte auf Grund der Befunde von Schwyzer et al.[5] auszuschließen sein.

L-Methionin-N'-tert.-butyloxycarbonyl-hydrazid[H-Met-NHNH(BOC)][4]: 6,65g PHT=Met-NHNH(BOC) in 30 *ml* Äthanol werden 1 Stde. mit 0,85 *ml* Hydrazin-Hydrat (100%-ig) unter Rückfluß gekocht. Nach Abdestillieren des Lösungsmittels i.Vak. wird der verbleibende Rückstand bei 0° mit 25 *ml* 5n Essigsäure sorgfältig verrieben. Das Filtrat wird bei 0° mit verd. Natronlauge schwach alkalisch gestellt und anschließend 3mal mit Essigsäure-äthylester extrahiert. Die vereinigten Essigsäure-äthylester-Phasen werden mit 10%-iger Natriumchlorid-Lösung neutral gewaschen, über Natriumsulfat getrocknet und schließlich i.Vak. eingeengt; Ausbeute: 3,9 g (87% d.Th.); elektrophoretisch einheitliches Öl von $[\alpha]_D^{23} = -3{,}9 \pm 1°$ (c = 1; in Dimethylformamid).

L-Threonyl-L-phenylalanyl-L-threonyl-O-benzyl-L-serin-N'-benzyloxycarbonyl-hydrazid [H-Thr-Phe-Thr-Ser(BZL)-NHNH(Z)][8]:

Methode ⓐ: 8,46 g PHT=Thr-Phe-Thr-Ser(BZL)-NHNH(Z) (s. S. 256f.), in 100 *ml* Methanol suspendiert, werden mit 0,5 *ml* Hydrazin-Hydrat geschüttelt, wobei langsam Lösung erfolgt. Während 20 stdgn. Stehenlassens erfolgt gallertige Abscheidung. Man erwärmt unter Zusatz von 0,58 *ml* Essigsäure in 30 *ml* Methanol auf 50° (30 Min.), läßt abkühlen und erwärmt erneut mit 100 *ml* 0,1n Salzsäure auf dem Wasser-

---

1 J. C. Sheehan u. W. L. Richardson, Am. Soc. **76**, 6329 (1954).
S. Guttmann u. R. A. Boissonnas, Helv. **41**, 1852 (1958).
F. E. King, J. W. Clark-Lewis u. W. A. Swindin, Soc. **1959**, 2259.

2 E. Schröder u. E. Klieger, A. **673**, 208 (1964).

3 S. J. Leach u. H. Lindley, Austral. J. Chem. **7**, 173 (1954).

4 E. Schröder, A. **688**, 250 (1965).

5 R. Schwyzer, A. Costopanagiotis u. P. Sieber, Chimia **16**, 295 (1962).

6 R. Schwyzer, A. Costopanagiotis u. P. Sieber, Helv. **46**, 870 (1963).

7 E. Wünsch u. F. Drees, B. **99**, 110 (1966).

8 E. Wünsch u. G. Wendlberger, B. **97**, 2504 (1964).

bad zur Lösung. Nach Abkühlen auf Raumtemp. impft man mit Phthalhydrazid an. Im Kühlschrank wird die beginnende Fällung vervollständigt. Das Filtrat wird i. Vak. weitgehend vom Methanol befreit und die Restlösung mit 20 *ml* n Natronlauge sowie Wasser behandelt. Der gebildete Niederschlag wird kräftig abgenutscht, mit Wasser verrieben und erneut auf das Filter gebracht. Nach Trocknen über Phosphor(V)-oxid i. Vak. kristallisiert man aus Methanol um; Ausbeute: 5,25 g (76% d. Th.); F: 164–167° (135°) nach Trocknen i. Hochvak. bei 45° über Phosphor(V)-oxid; $[\alpha]_D^{20} = -14,3 \pm 1,5°$ bzw. $[\alpha]_{546}^{20} = -18,2°$ (c = 0,65; in Methanol).

Methode ⓑ: 78 g PHT=Thr-Phe-Thr-Ser(BZL)-NHNH(Z) in 2 *l* Methanol suspendiert, werden mit einer Lösung von 9,5 g Hydrazin-Hydrat (100%-ig) und 11,11 g Essigsäure in 100 *ml* Methanol (2 Äquiv. Hydrazin-Hydroacetat) versetzt und diese Mischung unter Rühren 2 Stdn. auf 50° erwärmt. Man konzentriert i. Vak. auf ~ 800 *ml* und filtriert nach Abkühlen auf 0° vom ausgefallenen Phthalhydrazid ab. Das Filtrat wird mit Natriumhydrogencarbonat auf $p_H = 8$ gestellt und das abgeschiedene Tetrapeptid-Derivat kräftig abgenutscht. Es wird sorgfältig mit Wasser verrieben und erneut auf das Filter gebracht. Das über Phosphor(V)-oxid i. Vak. getrocknete Produkt wird aus 4 *l* Methanol umkristallisiert und über Phosphor(V)-oxid bei 45° i. Hochvak. getrocknet; Ausbeute: 49,5 g (75% d. Th.); F: 163–166° (135°); $[\alpha]_D^{20} = -14,86 \pm 1,5°$ bzw. $[\alpha]_{546}^{20} = -18,49°$ (c = 0,66; in Methanol).

L-Methionyl-L-methionin-tert.-butylester-Hydrochlorid [H-Met-Met-OtBu · HCl][1]: 70 g PHT=Met-Met-OtBu in 600 *ml* Methanol werden mit 18 *ml* Essigsäure und 15 g Hydrazin-Hydrat (100%-ig) versetzt. Die Reaktionsmischung wird unter Rühren 5 Stdn. auf 45° erwärmt, nach Stehenlassen über Nacht bei Raumtemp. filtriert, das Filtrat schließlich i. Vak. eingedampft. Der erhaltene Rückstand wird zwischen Diäthyläther und überschüssiger Kaliumcarbonat-Lösung verteilt, nach erfolgter Lösung die ätherische Phase abgetrennt, über Natriumsulfat getrocknet und letztlich i. Vak. eingeengt. Die Lösung des erhaltenen Rückstandes in absol. Diäthyläther wird vorsichtig mit 6n äthanolischer Salzsäure versetzt, bis keine Fällung mehr entsteht. Nach mehrstdg. Stehenlassen im Kühlschrank wird der kristalline Niederschlag abfiltriert und i. Vak. über Kaliumhydroxid und Phosphor(V)-oxid getrocknet; Ausbeute: 48,6 g (87% d. Th.); F: 69–73°; $[\alpha]_D^{20} = -3,4 \pm 0,5°$ bzw. $[\alpha]_{546}^{20} = -3,9°$ (c = 2,5; in 80%-iger Essigsäure).

α-Melanotropin[2]: 440 mg Ac-Ser-Tyr-Ser-Met-Glu-His-Phe-Arg-Trp-Gly-Lys(PHT)-Pro-Val-NH_2 werden in 20 *ml* 2 m Hydrazin-Hydroacetat/Methanol-Lösung eingetragen, die erhaltene Lösung 15 Stdn. bei 50° aufbewahrt. Darauf wird der Ansatz i. Vak. stark eingeengt, mit 20 *ml* Aceton versetzt und kurz auf 50° erwärmt. Das Peptid wird anschließend mit absol. Diäthyläther ausgefällt, abfiltriert und bei 40° gründlich mit absol. Aceton gewaschen. Nach Trocknen bei 50° und 10^{-2} Torr erhält man 382 g (93% d. Th.) rohes α-Melanotropin.

Das erhaltene Rohprodukt wird in 8 *ml* 0,5 n Essigsäure gelöst, durch ein Hartfilter von 25 mg Unlöslichem abgetrennt, nach Waschen des Filters mit 2 *ml* 0,5n Essigsäure auf die präparative Papierelektrophorese-Apparatur („Elphor“, Bender u. Hobein) gegeben und in 24 Fraktionen aufgetrennt (0,5n Essigsäure, 1400 V); die Fraktionen werden getrennt i. Vak. zur Trockene eingedampft. Die Fraktionen 11, 12 und 13 ergeben reines α-Melanotropin (α-MSH); Ausbeute: 95,8 mg (24% d. Th.).

Alternativ-Wege zur Abspaltung des Phthaloyl-Restes wurden von Boissonnas et al.[3] sowie Rosenthal[4] beschrieben; die Autoren benutzen anstelle von Hydrazin 1,5–2 Äquiv. N-Phenyl- bzw. N-Methyl-hydrazin in Gegenwart von 1 Äquiv. Tributylamin als Spaltungsreagens. Vor allem die Boissonnas'sche Methodik[3] wäre es wert, näher untersucht zu werden: N-Phenyl-phthalhydrazid (1,4-Dioxo-2-phenyl-1,2,3,4-tetrahydro-phthalazin) als eines der Spaltprodukte ist leicht löslich in diversen organischen Lösungsmitteln (z. B. Butanon, Äthanol, Benzol, Diäthyläther); diese Eigenschaft würde eine oftmals sehr erwünschte Änderung der Aufarbeitungstechnik von Dephthalylierungs-Ansätzen zulassen.

Als mögliche „zweistufige“ Entacylierung ist ferner die unter milden alkalischen Bedingungen ablaufende Ringöffnung zu N-(2-Carboxy-benzoyl)-peptiden und deren Spaltung

---

1 E. Wünsch, unveröffentlichte Ergebnisse.
2 R. Schwyzer, A. Costopanagiotis u. P. Sieber, Helv. **46**, 870 (1963).
3 I. Schumann u. R. A. Boissonnas, Nature **169**, 154 (1952).
I. Schumann u. R. A. Boissonnas, Helv. **35**, 2235 (1952).
4 A. F. Rosenthal, J. Org. Chem. **22**, 89 (1957).

mit verd. Säuren (Essigsäure, 0,1n Salzsäure) zu Phthalsäure und freier Amino-Komponente studiert worden[1]. Sequenzabhängig verlaufen jedoch die genannte Spaltung der 2-Carboxy-benzoyl-Derivate als auch die Recyclisierung zu Phthaloyl-Verbindungen, mehr oder minder nach einer der beiden Richtungen, nebeneinander (vgl. S. 255).

Obgleich die Phthaloyl-Schutzgruppe einige, teilweise sogar erhebliche Vorzüge aufzuweisen hat

① Beständigkeit gegenüber den meisten Abspaltungs-Verfahren[2] für bekannte und viel benutzte Amino-, Hydroxy-, Sulfhydryl- und Carboxy-Maskierungen, z. B. Hydrogenolyse, Natrium/Ammoniak-Reduktion (sofern alkalische Reaktionsbedingungen ausgeschlossen sind), Protonen-Solvolyse mittels Bromwasserstoff/Eisessig, Trifluoressigsäure etc., Protonen-katalysierte Alkoholyse bzw. Wasserstoffperoxid-Oxidation

② weitgehend störungsfreie hydrazinolytische Entacylierung bei Anwesenheit S-haltiger Aminosäuren (Methionin, Cystein-Derivate u.a.) und Tryptophan im Peptidverband und

③ hohe Resistenz der Phthaloylaminosäuren gegenüber Racemisierung unter „normalen" Verknüpfungsbedingungen (bezüglich basen-katalysierter Racemisierung s. Liberek[3]),

hat sie sich lange Zeit nicht durchsetzen können.

Erst in neuerer Zeit haben sich insbesondere Beyerman[4], Schröder[5] sowie Wünsch[6] bei Synthesen auf dem Glucagon-Gebiet mit einigem Erfolg dieser Amino-Maskierung wiederum bedient. Mit der Auffindung der N-Sulfenyl-Schutzgruppen scheint der Verwendung des Phthaloyl-Restes jedoch der Boden entzogen zu werden, dies um so mehr, als neben der stets störenden Alkali-Labilität die Abtrennung des Phthalhydrazids vom Peptid-Derivat – nach eindeutig geglückter hydrazinolytischer Spaltung der Phthalimid-Gruppierung – manchmal teils erhebliche Schwierigkeiten bereitet, teils gänzlich mißlingt[7].

---

[1] F. Leitner, Dissertation, Universität Geneve, 1955.
H. Hanson u. R. Illhardt, H. **298**, 210 (1954).

[2] Vgl. dazu R. A. Boissonnas u. G. Preitner, Helv. **36**, 875 (1953).

[3] B. Liberek, Tetrahedron Letters **1963**, 1103.

[4] H. C. Beyerman u. J. S. Bontekoe, R. **81**, 699 (1962).

[5] E. Schröder, A. **688**, 250 (1965).

[6] E. Wünsch u. G. Wendlberger, B. **97**, 2504 (1964); **100**, 160 (1967).
E. Wünsch u. F. Drees, B. **99**, 110 (1966).

[7] E. Wünsch u. F. Drees, B. **100**, 816 (1967).

Tab. 33. N_α-Phthaloyl-[PHT]-L-aminosäuren*

Amino-säure	F [°C]	$[\alpha]_D$	t	c	Lösungsmittel	Literatur	Literatur entsprechender D-Verbindung
Aib	152–153					1,2	
Ala	143–144	– 25,0	28	1	Äthanol	3,4,5	6
βAla	151,5					7,3,8,9,10	
Asn	183–184	– 78,8	25	1	Äthanol	11,7,12	
Asp	193	– 59,5	20		Äthanol	12,13	
$(Cys)_2$ [a]	120	– 289,7	22,5	1	Dimethylformamid	7	
Gln	167–168	– 34,4	25	0,5	Äthanol	14,15	
Glu	160	– 48,3	22	3	1,4-Dioxan	7,1,3,15–20	
Gly	191–192					1,3,6,7,8,19,21, 22,23,5,24	
[b]	210–211					25	
His	280–283 (Zers.)	– 111,8	22	5,22	1n Salzsäure	26,27	
Leu	120,5–121	– 23,3	20	5	Äthanol	29,1,3,7,19,22, 28,30,5,23	28

* Nα-PHT-Derivate ω-geschützter mehrfunktioneller Aminosäuren s. Abschnitt „Mehrfunktionelle Aminosäuren", Tab.

[a] N,N'-Bis-PHT [b] DCHA-Salz

1 J. H. Billman u. W. F. Harting, Am. Soc. **70**, 1473 (1948).
2 S. Gabriel, B. **44**, 57 (1911).
3 F. Weygand u. J. Kaelicke, B. **95**, 1031 (1962).
4 E. Fischer, B. **40**, 489 (1907).
5 A. K. Bose, F. Greer u. C. C. Price, J. Org. Chem. **23**, 1335 (1958).
6 E. Hoffmann u. H. Schiff-Shenhav, J. Org. Chem. **27**, 4686 (1962).
7 G. H. L. Nefkens, G. I. Tesser u. R. J. F. Nivard, R. **79**, 688 (1960).
8 G. Losse u. G. Müller, B. **94**, 2768 (1961).
9 S. Gabriel, B. **38**, 630 (1905).
10 R. A. Turner, Am. Soc. **75**, 2388 (1953).
11 E. Schröder u. E. Klieger, A. **673**, 208 (1964).
12 F. E. King u. D. A. A. Kidd, Soc. **1951**, 2976.
13 K. Balenovic, B. Gaspert u. N. Stimac, Croat. Chem. Acta **29**, 93 (1957).
14 E. Schröder u. E. Klieger, A. **673**, 196 (1964).
15 F. E. King u. D. A. A. Kidd, Soc. **1949**, 3315.
16 D. A. A. Kidd u. F. E. King, Nature **162**, 776 (1948).
17 R. S. Tipson, J. Org. Chem. **21**, 1353 (1956).
18 F. E. King, J. W. Clark-Lewis u. R. Wade, Soc. **1957**, 886.
19 H. Hanson u. R. Illhardt, H. **298**, 210 (1954).
20 J. W. Clark-Lewis u. J. S. Fruton, J. Biol. Chem. **207**, 477 (1954).
21 J. J. O'Neill, F. P. Veitch u. T. Wagner-Jauregg, J. Org. Chem. **21**, 363 (1956).
22 F. E. King, J. W. Clark-Lewis, R. Wade et al., Soc. **1957**, 873.
23 L. Reese, A. **242**, 1 (1887).
24 R. A. Boissonnas u. G. Preitner, Helv. **36**, 875 (1953).
25 E. Klieger, E. Schröder u. H. Gibian, A. **640**, 157 (1961).
26 B. Helferich u. H. Böshagen, B. **92**, 2813 (1959).
27 R. F. Fischer u. R. R. Whetstone, Am. Soc. **76**, 5076 (1954).
28 M. Fling, F. N. Minard u. S. W. Fox, Am. Soc. **69**, 2466 (1947).
29 E. Wünsch, F. Drees u. J. Jentsch, B. **98**, 803 (1965).
30 J. C. Sheehan, D. W. Chapman u. R. W. Roth, Am. Soc. **74**, 3822 (1952).

Tab. 33. (Fortsetzung)

Amino-säure	F [°C]	[a]D	t	c	Lösungsmittel	Literatur	Literatur entsprechender D-Verbindung
Met	124	− 75,5	23	4,7	Dimethylformamid	1,2,3	
Phe	185	−213	20	1,9	Äthanol	4,2,5,6,7	6,8
Thr	140–143	− 37,4	20	2	Äthanol	9,10	
Val	113–114	− 68,0	26	1	Äthanol	2,5,11,12,13,14	12,13
b,c	210–211	+ 22,6	21–25	1,09	Chloroform		15

[b] DCHA-Salz [c] Werte für die D-Verbindung

31.122. Andere N,N-Diacyl-Verbindungen

31.122.10. *Die Maleoyl-[MaL]-Schutzgruppe*

Diese aliphatischen Analoga der Phthaloyl-Derivate aus Maleinsäureanhydrid und Aminosäuren zu gewinnen, ist lange Zeit fehlgeschlagen: die leicht zugänglichen Maleinsäure-monoamide (N-[β-Carboxyacryloyl]-aminosäuren) trotzten der innermolekularen Cyclisierung[16]. Erst 1967 gelang Helferich und Wesemann[17] durch Einwirkung von Chloracetonitril auf N-(β-Carboxy-acryloyl)-aminosäuren (in Gegenwart tert.-Basen) die Verwirklichung des Ringschlusses. MaL = Gly-OCyM und MaL = Ala-OEt konnten von den Autoren in ~ 50%-iger Ausbeute gewonnen werden. Peptidsynthetische Umsetzungen mit diesen N-geschützten Aminosäure-Derivaten wurden jedoch nicht beschrieben.

31.122.20. *N-Acyl- und N-Sulfonyl-pyrrolidon-carbonsäuren*

N-Acyl-und N-Sulfonyl-5-pyrrolidon-2-carbonsäuren werden seit 1954 zur Synthese von Glutamyl- bzw. Glutaminyl-peptiden herangezogen (s. S. 660f. und S. 721ff.). Rein äußerlich entsprechen diese Verbindungen dem Typ der durch N,N-Diacylierung geschützten Aminosäuren. In letzter Zeit werden N-Acyl-5-pyrrolidon-2-carbonsäuren (insbesondere Benzyloxycarbonyl- und tert.-Butyloxycarbonyl-Derivate) zur Synthese von

---

1 S. Guttmann u. R. A. Boissonnas, Helv. **41**, 1852 (1958).
2 F. Weygand u. J. Kaelicke, B. **95**, 1031 (1962).
3 R. Sifferd u. V. du Vigneaud, J. Biol. Chem. **108**, 753 (1935).
4 E. Wünsch u. F. Drees, B. **99**, 110 (1966).
5 E. Hoffman u. H. Schiff-Shenhav, J. Org. Chem. **27**, 4686 (1962).
6 J. C. Sheehan, D. W. Chapman u. R. W. Roth, Am. Soc. **74**, 3822 (1952).
7 A. K. Bose, Org. Synth. **40**, 82 (1960).
8 A. K. Bose, F. Greer u. C. C. Price, J. Org. Chem. **23**, 1335 (1958).
9 E. Wünsch u. G. Wendlberger, B. **97**, 2504 (1964).
10 J. C. Sheehan, M. Goodman u. G. P. Hess, Am. Soc. **78**, 1367 (1956).
11 G. Losse u. G. Müller, B. **94**, 2768 (1961).
12 M. Fling, F. N. Minard u. S. W. Fox, Am. Soc. **69**, 2466 (1947).
13 S. Shankman u. Y. Schvo, Am. Soc. **80**, 1164 (1958).
14 I. Schumann u. R. A. Boissonnas, Helv. **35**, 2237 (1952).
15 E. Klieger, E. Schröder u. H. Gibian, A. **640**, 157 (1961).
16 F. E. King et al., Soc. **1957**, 873.
17 B. Helferich u. W. Wesemann, B. **100**, 421 (1967).

Pyrrolidonoyl-peptiden benutzt. Nach vollzogener Verknüpfung der N-Acyl-5-pyrrolidon-2-carbonsäuren mittels Carbodiimid-, Säurechlorid- oder Aktiv-Ester-Verfahren werden die N-Lactam-Schutzgruppen auf üblicher Basis (Hydrogenolyse, Protonensolvolyse) entfernt[1–3].

Zur Herstellung „opt.-reiner" N-Acyl-5-pyrrolidon-2-carbonsäuren sind in Abhängigkeit der Acyl-Reste vorwiegend die zwei nachstehenden Wege gangbar:

① „Anhydratisierung" von N-Sulfonyl-glutaminsäuren mittels Acetanhydrid, Acetylchlorid, Thionylchlorid (s. S. II/347), Phosphor(III)-chlorid, Tosylchlorid/Pyridin bzw. Phosgen/tert. Basen[4] oder Dicyclohexylcarbodiimid[5].

② Innermolekulare Umlagerung von N-Acyl-glutaminsäure-anhydriden mittels Basen (insbesondere Dicyclohexylamin); für diese Reaktion sind vor allem N-Benzyloxycarbonyl-, subst. Benzyloxycarbonyl- und tert.-Butyloxycarbonyl-Derivate geeignet[2,5] (vgl. S. II/219); Trifluoracetyl-glutaminsäure-anhydrid wird unter Lactam-Ringschluß gleichzeitig enttrifluoracetyliert[5,6].

N-Benzyloxycarbonyl-L-5-pyrrolidon-2-carbonsäure [Z-Pyr-OH][5]:

N-Benzyloxycarbonyl-L-5-pyrrolidon-2-carbonsäure-Dicyclohexylamin-Salz [Z-Pyr-OH · DCHA]: Zu einer Lösung von 131,5 g (0,5 Mol) $(Z\text{-}Glu)_2O$ (zur Herstellung s. S. II/218) in 200 *ml* absol. Tetrahydrofuran und 400 *ml* absol. Diäthyläther läßt man unter Rühren 98 *ml* (0,5 Mol) Dicyclohexylamin in 150 *ml* absol. Diäthyläther tropfen. Nach mehrstdgm. Rühren und anschließendem Stehen der Reaktionsmischung über Nacht wird das ausgefallene Material abfiltriert, mit Diäthyläther sorgfältig gewaschen und i.Vak. getrocknet; Ausbeute: 221,6 g (nahezu quantitativ); F: 199–200° (nach Umkristallisieren aus Chloroform/Diäthyläther oder Methanol); $[\alpha]_D^{25} = -17,4°$ (c = 3,11; in Chloroform).

N-Benzyloxycarbonyl-L-5-pyrrolidon-2-carbonsäure [Z-Pyr-OH]: 44,4 g des nach oben erhaltenen Dicyclohexylamin-Salzes werden unter ~ 1 stdgm. Rühren mit 300 *ml* n Salzsäure und 350*ml* Essigsäure-äthylester behandelt. Man filtriert anschließend durch einen Faltenfilter direkt in einen Scheidetrichter, trennt die Essigsäure-äthylester-Phase ab, wäscht diese mit Wasser und trocknet sie anschließend über Natriumsulfat. Nach Entfernen des Lösungsmittels i.Vak. verbleibt ein fester Rückstand, der aus Essigsäure-äthylester/Petroläther umkristallisiert wird; Ausbeute: 23,1 g (88% d.Th.); F: 134–135°; $[\alpha]_D^{25} = -29,1°$ (c = 1,01; in Methanol).

L-Pyrrolidonoyl-L-prolyl-L-seryl-N$_\varepsilon$-tert.-butyloxycarbonyl-L-lysin-methylester [H-Pyr-Pro-Ser-Lys(BOC)-OMe]:

N-Benzyloxycarbonyl-L-pyrrolidonoyl-L-prolyl-L-seryl-N$_\varepsilon$-tert.-butyloxycarbonyl-L-lysin-methylester [Z-Pyr-Pro-Ser-Lys(BOC)-OMe][3]: 5,9 g (22,5 mMol) Z-Pyr-OH und 12,1 g (27 mMol) H-Pro-Ser-Lys(BOC)-OMe in 150 *ml* Tetrahydrofuran werden bei −15° mit 5,2 g (25 mMol) Dicyclohexylcarbodiimid in Tetrahydrofuran versetzt. Nach 24 Stdn. bei 0° und 24 Stdn. bei Raumtemp. wird vom N,N'-Dicyclohexyl-harnstoff abfiltriert; das Filtrat wird i.Vak. eingedampft. Die Lösung des erhaltenen Rückstandes in Essigsäure-äthylester wird in üblicher Weise mit Kaliumhydrogencarbonat-, verd. Citronensäure-Lösung und Wasser gewaschen, über Natriumsulfat getrocknet und schließlich i.Vak. eingedampft. Das erhaltene Rohprodukt wird durch Umfällen aus Benzol/Petroläther gereinigt; Ausbeute: 12,5 g (81% d.Th.); F: 115–127°; $[\alpha]_D^{22} = 67,8°$ (c = 1; in Methanol).

Das allseits geschützte Tetrapeptid-Derivat wird mit einem halben Mol Kristall-Benzol erhalten.

L-Pyrrolidonoyl-L-prolyl-L-seryl-N$_\varepsilon$-tert.-butyloxycarbonyl-L-lysin-methylester [H-Pyr-Pro-Ser-Lys(BOC)-OMe][3]: Die nach oben erhaltene Benzyloxycarbonyl-Verbindung in Methanol wird in Gegenwart von Palladium-Mohr als Katalysator wie üblich hydriert und aufgearbeitet. Nach Umkristallisieren des erhaltenen Rückstandes aus Essigsäure-äthylester/Diisopropyläther; Ausbeute: 70%d.Th.; $[\alpha]_D^{22} = -65,8°$ (c = 1; in Methanol).

---

[1] E. Sandrin u. R. A. Boissonnas, Experientia **18**, 59 (1962).
E. Schröder, A. **691**, 232 (1966).

[2] E. Schröder u. E. Klieger, A. **673**, 196 (1964).

[3] K. Lübke, E. Schröder, R. Schmiechen u. H. Gibian, A. **679**, 195 (1964).

[4] C. R. Harington u. R. C. G. Moggridge, Soc. **1940**, 706.
J. Rudinger, Chem. Listy **48**, 235 (1954); Collect. czech. chem. Commun. **19**, 365 (1954).
J. Rudinger et al., Collect. czech. chem. Commun. **24**, 2013 (1959).

[5] H. Gibian u. E. Klieger, A. **640**, 145 (1961).

[6] F. Weygand u. M. Reiher, B. **88**, 26 (1955).

31.200. Die Alkylierung

31.210. N-Mono-alkyl-Derivate

31.211. Mono-benzyl-[BZL]-Schutzgruppe

N-Benzyl-Derivate primärer Aminosäuren gewinnt man

① durch katalytische Hydrierung der Kondensationsprodukte (Schiff'sche Basen) von Benzaldehyd und Aminosäureestern und anschließende alkalische Verseifung der erhaltenen N-Benzyl-aminosäureester[1]

② durch katalytische Debenzylierung von N,N-Dibenzyl-aminosäuren[1,2] (s. S. 292)

③ durch Umsetzung von α-Halogen-fettsäuren mit Benzylamin[3]

④ Im Sonderfall der BZL-DL-Asp-OH durch Anlagerung von Benzylamin an Maleinsäure[4].

N-Benzyl-Derivate sek. Aminosäuren z.B. des Prolins, der N-Methyl-aminosäuren u.a. sind durch direkte Benzylierung mittels Benzylchlorid analog der Herstellung für N,N-Dibenzyl-aminosäuren zugänglich; in ihrem Reaktionsverhalten sind sie der Klasse der N,N-Dialkyl-aminosäuren zuzurechnen.

Der peptidsynthetische Einsatz von N-Benzyl-aminosäuren läßt sich im Hinblick auf das reaktionsfähige Wasserstoff-Atom der sek. Amino-Gruppierung fast ausschließlich nur in Form der Säurechlorid-Hydrochloride, die aus den N-Benzyl-aminosäuren durch Behandeln mit Phosphor(V)-chlorid erhalten werden, vollziehen[1].

Die Blockierung der Amino-Funktion während der Umsetzung mit Aminosäureestern z.B. in wäßr. 1,4-Dioxan wird somit durch „Protonierung" wahrgenommen (s. dazu S. 305); der zusätzliche N-Benzyl-Rest erhöht lediglich die Stabilität der Aminosäure-chlorid-Hydrochloride.

Nur im Falle der *BZL-Asp-OH* führten auch andere Verknüpfungsverfahren zum Ziel[1]:

① Über ein asymm. Chlorameisensäure-anhydrid (der α-Carboxyl-Gruppe) gelingt die Herstellung von Asparagyl-Cα-peptiden

② über das innermolekulare BZL-Asp-anhydrid, aus oben genanntem asymm. Anhydrid oder durch Behandeln von BZL-Asp-OH mit Acetanhydrid zugänglich, die Synthese der β-Isomeren.

Die alkalische Verseifung der N-Benzyl-peptidester – sie erfordert meist etwas drastische Bedingungen, z.B. Erhitzen mit 20%-iger methanolischer Kalilauge – führt zu N-Benzyl-peptiden, die in essigsaurer Lösung durch „energische" katalytische Hydrierung bei 70–80° in Gegenwart von Palladium-Katalysatoren zu den freien Peptiden debenzyliert werden können[1,5].

Praktische Bedeutung dürfte den N-Benzyl-aminosäuren nur in Sonderfällen noch zukommen.

Über den peptidsynthetischen Einsatz von N-Benzyl-aminosäure als Amino-Komponente bzw. daraus folgernd die Verwendung des Benzyl-Restes zur N-Maskierung der Peptid-Bindung s. S. 464.

---

[1] L. Velluz, G. Amiard u. R. Heymès, Bl. **1954**, 1012.
Vgl. H. Scheibler u. P. Baumgarten, B. **55**, 1358 (1922).

[2] H. J. Haas, B. **94**, 2442 (1961).

[3] E. Fischer u. L. v. Mechel, B. **49**, 1355 (1916).

[4] M. Frankel, Y. Liwschitz u. Y. Amiel, Am. Soc. **75**, 330 (1953).

[5] Y. Liwschitz u. A. Zilkha, Am. Soc. **76**, 3698 (1954).
Y. Liwschitz, A. Zilkha u. Y. Amiel, Am. Soc. **78**, 3067 (1956).

Tab. 34. N_α-Benzyl-[BZL]-L-aminosäuren*

Aminosäure	F [°C]	$[\alpha]_D$	t	c	Lösungsmittel	Literatur	Literatur entsprechender D-Verbindung
Ala	255 (Zers.)	+ 3,9	24	1	6n Salzsäure	1	
Gly	198–200					2–5	
Leu	255 (Zers.)	+ 13,0	23	1	6n Salzsäure	1,2	
Phe	255 (Zers.)	+ 26,9	22	1	6n Salzsäure/ Essigsäure 1:1	1,6	6
Pyr	93–94	+ 55,0	22	2	Methanol	7	
Ser	240 (Zers.)	+ 5,1	21	1	6n Salzsäure	1	
Tyr	244					6	
Val	275 (Zers.)	+ 20,2	21	1	6n Salzsäure	1	

* N_α-BZL-Derivate ω-geschützter mehrfunktioneller Aminosäuren siehe Abschnitt „Mehrfunktionelle Aminosäuren“, Tab.

31.212. Diphenylmethyl-(Dityl)-[DPM]-Schutzgruppen

N-(4,4'-Dimethoxy-dityl)-[DOD]-, N-(2,2'-Dimethyl-4,4'-dimethoxy-dityl)-[DDOD]- und N-(3,3',4,4'-Tetramethoxy-dityl)-[TOD]-aminosäuren haben Hanson und Law[8] durch Umsetzung der entsprechenden Arylalkyl-chloride mit Aminosäureestern und folgende Verseifung der erhaltenen N-subst. Aminosäureester bzw. mit Aminosäure-dimethyl-amin-Salzen hergestellt.

Die substituierte Dityl-Maskierung der Amino-Gruppe läßt sich in 50%-iger Essigsäure durch 5 Min. langes Erwärmen auf dem Wasserbad leicht aufheben; der Zwitterionen-Charakter der N-substituierten Dityl-aminosäuren sowie die starken sterischen und zusätzlichen wahrscheinlich Elektronen-Interferenzen der substituierten Dityl- mit der Carboxy-Gruppe lassen jedoch den Einsatz als Kopfkomponenten für peptid-synthetische Umsetzungen unattraktiv werden[8].

Zum Schutze der Thiol-Funktion durch Dityl-Reste s. S. 744ff.

31.213. Trityl-[TRT]-Schutzgruppe

Mit der Herstellung bzw. dem Einsatz von N-Trityl-aminosäuren als „Kopfkomponente“ war von Helferich[9] sowie Hillmann[10] eine Amino-Blockierung durch „Mono-alkylierung“ aufgefunden worden, die auf Grund ihres sterischen Effektes (zusätzlich sicher auch durch Abschirmungs- und induktive Effekte) einen ausreichenden Schutz der Amino-Funktion

---

1 P. Quitt, J. Hellerbach u. K. Vogler, Helv. **46**, 327 (1963).
2 L. Velluz, G. Amiard u. R. Heymès, Bl. **1954**, 1012.
3 C. Mannich u. R. Kuphal, B. **45**, 314 (1912).
4 N. Gavrilov, A. W. Koperina u. M. Klutcharova, Bl. **1945**, 773.
5 E. Fischer u. L. von Mechel, B. **49**, 1355 (1916).
6 S. Kanao, J. pharm. Soc. Japan **66**, 6 (1946); C. A. **45**, 7956 (1951).
7 E. Sandrin u. R. A. Boissonnas, Helv. **46**, 1637 (1963).
8 R. W. Hanson u. H. D. Law, Soc. **1965**, 7285.
Vgl. dazu L. Zervas u. D. M. Theodoropoulos, Am. Soc. **78**, 1359 (1956).
9 B. Helferich, L. Moog u. A. Jünger, B. **58**, 872 (1925).
10 A. Hillmann-Elies, G. Hillmann u. J. Jatzkewitz, Z. Naturf. **8b**, 445 (1953).

bewirkt: eine Substitution des sek. Amino-Wasserstoffs z. B. durch Acylierung ist unter üblichen Bedingungen nicht mehr gegeben. Damit ist der Weg frei zur „uneingeschränkten" Aktivierung der N-Trityl-aminosäure-α-carboxy-Gruppe.

Leider erstreckt sich der Hinderungs-Effekt des Trityl-Restes aber auch auf die α-Carboxy-Gruppe; dies äußert sich u.a. sowohl in erschwerter alkalischer Hydrolyse bzw. Hydrazinolyse von N-Trityl-aminosäureestern als auch in der Aminolyse verschiedener „aktivierter" N-Trityl-aminosäuren.

Die Einführung der Trityl-Schutzgruppe erfolgt ausschließlich mittels Trityl-chlorid; in indifferenten Lösungsmitteln (Chloroform) und in Gegenwart eines Äquiv. Base (z.B. Triäthylamin) können N-Trityl-aminosäure-methylester, -äthylester, -benzylester und -4-nitro-phenylester in hoher Ausbeute erhalten werden[1–10].

N-Trityl-aminosäure-ester; allgemeine Herstellungsvorschrift[4]: 0,01 Mol Aminosäureester-Hydrochlorid in ~ 15 *ml* absol. Chloroform (Suspension oder Lösung) werden mit 2,2 g (1,022 Mol) Triäthylamin versetzt und anschließend mit 2,8 g (0,01 Mol) Triphenyl-chlor-methan (Tritylchlorid). Die Reaktionsmischung wird 6 Stdn. bei Raumtemp. stehengelassen, anschließend mit Wasser gewaschen und über Natriumsulfat getrocknet. Man entfernt das Lösungsmittel i.Vak., fügt einige *ml* absol. Äthanol hinzu und dampft erneut i.Vak. ein (zur Entfernung von Chloroform-Spuren). Die N-Trityl-aminosäureester werden teils als Öle, teils als feste Substanzen erhalten; im letzteren Falle können sie aus Methanol, Äthanol, Diäthyläther etc. umkristallisiert werden; Ausbeuten: 70–90% d.Th.

N-Trityl-aminosäure-4-nitro-phenylester; allgemeine Herstellungsvorschrift[7]: 0,01 Mol Aminosäure-(4-nitro-phenylester)-Hydrobromid und 2,8 g (0,01 Mol) Tritylchlorid werden in 15 *ml* absol. Dimethylformamid gelöst bzw. suspendiert; nach Abkühlen auf 0–5° werden langsam und unter gutem Rühren 1,4 *ml* Triäthylamin zugetropft, wobei sich Triäthylammoniumchlorid abscheidet. Nach 30 Min. bei 0° und 3 Stdn. bei Raumtemp. wird mit einem Gemisch von 50 *ml* Essigsäure-äthylester und 20 *ml* eiskalter 10%-iger Citronensäure-Lösung versetzt, die abgetrennte Essigsäure-äthylester-Phase wiederholt mit ges. Natriumhydrogencarbonat-Lösung und Wasser gewaschen, über Natriumsulfat getrocknet und schließlich i.Vak. eingeengt. Beim Übergießen des meist sirupösen Rückstands mit heißem Äthanol erfolgt alsbald Kristallisation. Die N-Trityl-aminosäure-4-nitro-phenylester können aus Methanol, Äthanol oder Essigsäure-äthylester umkristallisiert werden; Ausbeuten: ~ 60 bis 80% d.Th.

Die N-Trityl-aminosäuren lassen sich nach 3 Methoden gewinnen:

① aus den Methylestern bzw. Äthylestern durch alkalische Hydrolyse

② aus den Benzylestern durch katalytische Hydrogenolyse

③ durch direkte Tritylierung der freien Aminosäuren

Die alkalische Hydrolyse von N-Trityl-aminosäure-methylestern bzw. -äthylestern zu den entsprechenden N-Trityl-aminosäuren gelingt in guten Ausbeuten nur im Falle der N-Trityl-glycin- und -alanin-Verbindungen unter „üblichen" Bedingungen (Methode ①) z.B. mit n alkoholischer Kalilauge; in allen anderen Fällen wird die Ester-Bindung nur in geringem Prozentsatz gespalten[4]. Daher wird die Verseifung der N-Trityl-aminosäureester (insbesondere derjenigen mit „sperrigen" Seitenketten) vorwiegend durch kurzzeitiges Erhitzen mit 20%-iger Kaliumhydroxid-Lösung [in Methanol oder Propan-

---

1 B. Helferich, L. Moog u. A. Jünger, B. **58**, 872 (1925).

2 A. Hillmann-Elies, G. Hillmann u. J. Jatzkewitz, Z. Naturf. **8b**, 445 (1953).

3 G. Amiard, R. Heymès u. L. Velluz, Bl. **1955**, 191.

4 L. Zervas u. D. M. Theodoropoulos, Am. Soc. **78**, 1359 (1956).

5 G. C. Stelakatos, D. M. Theodoropoulos u. L. Zervas, Am. Soc. **81**, 2884 (1959).

6 R. A. Boissonnas et al., Helv. **41**, 1867 (1958).

7 E. Schnabel, A. **673**, 171 (1964).

8 R. Schwyzer et al., Helv. **46**, 1975 (1963).

9 S. Guttmann, Helv. **45**, 2622 (1962).

10 B. Bezas u. L. Zervas, Am. Soc. **83**, 719 (1961).

diol-(1,2)] in großem Überschuß vorgenommen[1–3]. Racemisierungs-Eintritt konnte trotz dieser drastischen Bedingungen auch bei „empfindlichen" Aminosäure-Derivaten, z.B. N-Trityl-serin[4], N_α-Trityl-arginin[5], N_{im}-Trityl-histidin[3] usf., verhindert werden.

Die erschwerte alkalische Hydrolyse der α-Ester-Bindung kann aber auch von Vorteil sein: so lassen sich N-Trityl-glutaminsäure-diester mit 1 Äquivalent Lauge selektiv zu N-Trityl-glutaminsäure-α-ester verseifen[6].

N-Trityl-glycin [TRT-Gly-OH][1]: 3,45 g (0,01 Mol) TRT-Gly-OEt werden unter Erwärmen in 11 *ml* (10% Überschuß) n äthanolischer Kalilauge und 6 *ml* absol. Äthanol gelöst. Nach 1 stdgm. Stehen bei Raumtemp. wird die Reaktionsmischung mit dem 3fachen ihres Vol. Wasser verdünnt, abgekühlt und anschließend mit Essigsäure angesäuert. Das abgeschiedene TRT-Gly-OH wird abfiltriert, mehrfach mit kaltem Wasser gewaschen und schließlich aus Äthanol umkristallisiert; Ausbeute: 2,91 g (92% d.Th.); F: 178–179°.

N-Trityl-L-glutaminsäure-α-äthylester [TRT-Glu-OEt][6]: Das durch Tritylierung von 0,01 Mol H-Glu(OEt)-OEt erhaltene ölige N-Trityl-Derivat wird in 20 *ml* 0,5 n äthanolischer Kalilauge gelöst. Die Reaktionslösung wird 30 Min. lang bei Raumtemp. gerührt, mit 150 *ml* Wasser verd. und mit Essigsäure-äthylester extrahiert. Die abgetrennte Wasser-Phase wird mit Essigsäure angesäuert und anschließend kurze Zeit im Kühlschrank aufbewahrt. Der ausgefallene Niederschlag wird abfiltriert, in wäßr. Diäthylamin-Lösung aufgenommen und erneut mit Essigsäure gefällt; Ausbeute: 2,3 g (55% d.Th.) F: 65–66°.

Die Herstellung von N-Trityl-aminosäuren aus den entsprechenden Benzylester-Derivaten durch „kontrollierte" katalytische Hydrogenolyse[6–8] muß nach Aufnahme von 1 Mol Wasserstoff (oder nur wenig mehr) gestoppt werden, da anderenfalls auch der Trityl-Rest langsam abgespalten wird. Nach Schröder[9] soll die Reaktion in 1,4-Dioxan eindeutig nur zur Hydrogenolyse der Benzylester-Gruppierung führen.

N-Trityl-L-phenylalanin [TRT-Phe-OH][7]:

N-Trityl-L-phenylalanin-Diäthylamin-Salz [TRT-Phe-OH · DEA]: 5 g (0,01 Mol) TRT-Phe-OBZL in 50 *ml* Methanol oder Essigsäure-äthylester werden wie üblich in Gegenwart von 0,5 g Palladium-Schwarz hydriert; nach ~ 30–45 Min., wenn 275 *ml* (~ 1,1 Mol) Wasserstoff verbraucht worden sind, wird die Hydrierung unterbrochen. Man dampft das Filtrat vom Katalysator i. Vak. zur Trockene ein, nimmt den Rückstand in absol. Diäthyläther auf, filtriert von geringen Mengen Phenylalanin ab und versetzt mit der ber. Menge Diäthylamin. Das abgeschiedene TRT-Phe-OH · DEA wird abfiltriert und aus Aceton umkristallisiert; Ausbeute: 3,36 g (70% d.Th.); F: 150°; $[\alpha]_D^{24} = +12,5°$ (c = 5; in Methanol).

N-Trityl-L-phenylalamin [TRT-Phe-OH]: 4,8 g (0,01 Mol) des oben erhaltenen TRT-Phe-OH · DEA in 100 *ml* Wasser werden unter Kühlen und Rühren vorsichtig mit 10 *ml* n Salzsäure versetzt. Die Reaktionsmischung wird anschließend sofort mit Diäthyläther extrahiert, die abgetrennte Äther-Schicht mit Wasser gewaschen, über Natriumsulfat getrocknet und letztlich i. Vak. eingedampft. Der Rückstand kristallisiert nach längerem Trocknen i. Hochvak. bei Raumtemp.; Ausbeute: 3,8 g (95% d.Th.); F: 187–188° (nach Erweichen bei 100°); $[\alpha]_D^{25} = +32,8°$ (c = 10; in Chloroform).

Durch direkte Tritylierung der freien Aminosäuren in Wasser/Isopropanol oder Wasser/Tetrahydrofuran in Gegenwart von Diäthylamin und folgende Zerlegung der zunächst

---

1 L. Zervas u. D. M. Theodoropoulos, Am. Soc. **78**, 1359 (1956).

2 A. Hillmann-Elies, G. Hillmann u. H. Jatzkewitz, Z. Naturf. **8b**, 445 (1953).

3 G. Amiard, R. Heymès u. L. Velluz, Bl. **1955**, 191.
G. Losse u. G. Müller, B. **94**, 2768 (1961).

4 J. C. Sheehan, K. Hasspacher u. Y. L. Yeh, Am. Soc. **81**, 6086 (1959); (vgl. 3.).
S. Guttmann, Helv. **45**, 2622 (1962).

5 R. A. Boissonnas et al., Helv. **41**, 1867 (1958).

6 G. Amiard, R. Heymès u. L. Velluz, Bl. **1956**, 97.

7 G. C. Stelakatos, D. M. Theodoropoulos u. L. Zervas, Am. Soc. **81**, 2884 (1959).
H. C. Beyerman u. J. S. Bontekoe, R. **81**, 699 (1962).

8 R. Schwyzer et al., Helv. **46**, 1975 (1963).

9 R. Schröder u. K. Lübke, *The Peptides*, Vol. I, S. 45, Academic Press New York 1965.

resultierenden, meist gut kristallisierten N-Trityl-aminosäure-Diäthylamin-Salze[1,2] werden ebenfalls N-Trityl-aminosäuren gewonnen. Obgleich die Ausbeuten nur zwischen 20–50% d. Th. liegen (der größte Teil des Tritylchlorids wird zu Triphenylcarbinol hydrolysiert bzw. reagiert mit Diäthylamin zu Triphenylmethyl-diäthyl-amin; nicht umgesetzte Aminosäure kann aber leicht zurückgewonnen werden), besitzt diese Alkylierungstechnik den großen Vorteil eines raschen Einstufen-Verfahrens. Des weiteren sind auf diesem Wege *TRT-Asn-OH* und *TRT-Gln-OH* gut zugänglich.

N-Trityl-L-asparagin [TRT-Asn-OH][2]: 1,5 g (0,01 Mol) Asparagin-Monohydrat werden in einer Mischung aus 4 *ml* Wasser, 3 *ml* (0,03 Mol) Diäthylamin und 8 *ml* Isopropanol gelöst. Unter fortwährendem, kräftigem Schütteln werden nunmehr bei Raumtemp. 3,6 g (0,013 Mol) Tritylchlorid in 12 gleichen Portionen innerhalb 1 Stde. zugesetzt. Nach Ende der Reaktion wird mit Wasser verdünnt; der ausgefallene Niederschlag, der weitgehend aus Triphenylcarbinol besteht, wird abfiltriert und mit Wasser, das einige Tropfen Diäthylamin enthält, gewaschen. Die vereinigten wäßr. Filtrate werden anschließend mit 10 *ml* Essigsäure unter Eiskühlung angesäuert und sofort 2 mal mit je 30 ml Chloroform extrahiert. Die vereinigten Chloroform-Auszüge werden 2 mal mit Wasser gewaschen und kurze Zeit über Natriumsulfat getrocknet; beim Stehen des Filtrats in der Kälte kristallisiert alsbald das Trityl-Derivat aus; Ausbeute: 1,8 g (48% d. Th.); F: 175°; $[\alpha]_D^{25} = -6{,}3°$ (c = 4; in Methanol).

Unter Berücksichtigung des zurückgewonnenen Ausgangsmaterials beträgt die Ausbeute ~ 70% d. Th.

Bei der Umsetzung der mehrfunktionellen Aminosäuren Lysin, Ornithin, Cystein, Tyrosin, Histidin und Arginin mit Trityl-chlorid im Überschuß werden (evtl. unter besonderen Reaktionsbedingungen) gleichzeitig mit der α-Amino-Gruppe auch die ω-Amino-[3] (s. S. 470), die Thiol-[4] (s. S. 749f.), die phenolische Hydroxy-[2] (s. S. 619), die Imidazol-imino-[2,5] (s. S. 544) und die „komplexe" Guanido-Funktion[6] (s. S. 528f.) trityliert.

Die Umsetzung von N-Trityl-aminosäuren mit Aminosäureestern stößt auf Grund des „Hinderungs-Effektes" des sperrigen N-Alkyl-Restes (s. S. 266f.) auf einige Schwierigkeiten. So ist eine Verknüpfung mit Hilfe der Alkylkohlensäure-Anhydrid-Methode nur im Falle der Glycin- und Alanin-Verbindungen erfolgreich[4,5,7]; bei „höheren" Trityl-aminosäure-Alkylkohlensäure-Anhydriden (z. B. des Phenylalanins etc.) tritt wegen stark herabgesetzter Aminolyse-Geschwindigkeit die Zersetzung (Disproportionierung) der asymm. Anhydride in den Vordergrund bzw. verläuft die nucleophile Reaktion bevorzugt zu N-Alkoxycarbonyl-aminosäureestern. Demgegenüber soll nach Zervas et al.[6] das „gem. Anhydrid-Verfahren" mit Hilfe von Diphenyl-phosphorsäure als Anhydrid-Partner generell anwendbar sein (s. S. II/227).

Aufgrund der von zahlreichen Autoren[2–4,8,9] gemachten Erfahrungen muß als brauchbarste Verknüpfungs-Technik für N-Trityl-aminosäuren die Sheehan'sche Carbodiimid-

---

1 L. Zervas u. D. M. Theodoropoulos, Am. Soc. **78**, 1359 (1956).
2 G. C. Stelakatos, D. M. Theodoropoulos u. L. Zervas, Am. Soc. **81**, 2884 (1959).
3 G. Amiard u. B. Goffinet, Bl. **1957**, 1133.
B. Bezas u. L. Zervas, Am. Soc. **83**, 719 (1961).
4 G. Amiard, R. Heymès u. L. Velluz, Bl. **1956**, 698.
L. Zervas u. D. M. Theodoropoulos, Am. Soc. **78**, 1359 (1956).
5 G. Amiard, R. Heymès u. L. Velluz, Bl. **1955**, 191.
6 E. Gazis et al., *Peptides*, Proc. 5th Europ. Peptide Symposium Oxford 1962, Pergamon Press Ltd., Oxford **1963**, S. 17.
7 A. Hillmann-Elies, G. Hillmann u. H. Jatzkewitz, Z. Naturf. **8b**, 445 (1953).
8 G. Amiard, R. Heymès u. L. Velluz, Bl. **1955**, 1464; **1956**, 97.
G. Amiard u. L. Velluz, Bl. **1957**, 1373.
R. A. Boissonnas et al., Experientia **12**, 446 (1956); Helv. **44**, 123 (1961); Helv. **41**, 1867 (1958).
G. Losse u. G. Müller, B. **94**, 2768 (1961).
9 R. Schwyzer et al., Helv. **46**, 1975 (1963).
L. Zervas et al., Am. Soc. **87**, 4922 (1965).
L. Zervas u. I. Photaki, Am. Soc. **84**, 3887 (1962).

Methode empfohlen werden; sie führt mit mehr oder minder gutem Erfolg zu reinen racem-freien N-Trityl-peptidestern, wenngleich auch hier, basierend auf dem Einfluß der Amino-Maskierung, die bekannte Nebenreaktion der Aminoacyl-Harnstoff-Bildung stärker in Erscheinung treten kann als beim Umsatz der entsprechenden N-Acyl-aminosäuren vom Benzyloxycarbonyl-, tert.-Butyloxycarbonyl- etc. Typ[1].

Neben dem Carbodiimid- befriedigten zunächst nur noch die Phosphor-azo-[2] bzw. Cyanmethylester-Verfahren[3]; der Säurechlorid-Methode[4] – N-Trityl-aminosäure-chloride sind in Form der Hydrochloride aus den N-Trityl-aminosäuren mittels Phosphor (V)-chlorid zugänglich[5] – kann wohl keine nennenswerte Bedeutung beigemessen werden.

Die peptid-synthetische Umsetzung von N-Trityl-aminosäure-4-nitro-phenylestern (zweckmäßige Herstellung s. S. 267; zur Herstellung aus den N-Trityl-aminosäuren s. Schwyzer[6]) mißlang mit Ausnahme der Glycin- und Alanin-Derivate zunächst[7]; erst neuerdings konnte Schnabel[8] zeigen, daß sich in hoch-konzentrierter Lösung mit erhöhter Reaktionstemp. und -zeit die Reaktionsträgheit einiger N-Trityl-aminosäure-4-nitro-phenylester (z. B. des Prolins) überwinden läßt.

Die Verwendung der Azid-Methode zur Verknüpfung der N-Trityl-aminosäuren – [die Bildung der N-Trityl-aminosäure-azide aus den -hydraziden ist trotz der enormen Säurelabilität der Schutzgruppe unter Einhaltung spezieller Bedingungen möglich[9] (s. dazu experimentelles Beispiel S. 271)] – ist auf den „Modell-Fall" Glycin beschränkt, da allein im Falle dieser Aminosäure eine Hydrazinolyse des N-Trityl-aminosäureesters zum -hydrazid möglich ist [5,9,10]. Versuche, Aminosäure-hydrazide direkt zu tritylieren, sind fehlgeschlagen[9].

Letztlich hat Hiskey[11] TRT-Cys(TRT)-OH und TRT-Asn-OH nach dem (N-Hydroxy-succinimid)-ester-Verfahren mit Peptiden (-estern) in erstaunlichen guten Ausbeuten verknüpft (s. S. 710).

N-Trityl-L-prolyl-L-tyrosin-methylester [TRT-Pro-Tyr-OMe][1]: 90 g TRT-Pro-OH (Rohprodukt) und 49 g H-Tyr-OMe werden unter schwachem Erwärmen in 1,5 *l* Acetonitril gelöst, unter Rühren bei –5° mit 58 g Dicyclohexylcarbodiimid versetzt, 30 Min. bei 0° und 15 Stdn. bei 25° gerührt. Danach wird zur Zerstörung von überschüssigem Carbodiimid 2 *ml* Eisessig zugegeben. Das ausgeschiedene Gemisch von N,N'-Dicyclohexyl-harnstoff und Dipeptid-Derivat wird abfiltriert, mit Acetonitril gewaschen und mit 500 *ml* Dimethylformamid verrührt. Nach Filtration vom unlöslichen N,N'-Dicyclohexyl-harnstoff wird die erhaltene Lösung auf ~ 200 *ml* i.Vak. eingeengt und mit 1 *l* Methanol versetzt, worauf alsbald Kristallisation einsetzt. Der Ester wird aus Dimethylformamid/Methanol umkristallisiert; Ausbeute: 39 g (29% d.Th.); F: 226–228°; $[\alpha]_D^{25} = -85{,}2 \pm 0{,}5°$ (c = 2; in Dimethylformamid).

Aus den Mutterlaugen wurden bei verschiedenen Ansätzen bis zu 50% N-Trityl-L-prolyl-N,N'-Dicyclohexyl-harnstoff (F: 163–164°) isoliert.

---

1 R. Schwyzer et al., Helv. **46**, 1975 (1963).

2 G. C. Stelakatos, D. M. Theodoropoulos u. L. Zervas, Am. Soc. **81**, 2884 (1959).

3 R. Schwyzer et al., Helv. **39**, 872 (1956).
R. Schwyzer u. P. Sieber, Helv. **41**, 2190 (1958).

4 D. Chillemi, L. Scarso u. E. Scoffone, G. **87**, 1356 (1957).

5 L. Zervas u. D. M. Theodoropoulos, Am. Soc. **78**, 1359 (1956).

6 R. Schwyzer, B. Iselin u. W. Rittel, C. A. **54**, 20897 (1960).

7 E. Gazis et al., *Peptides*, Proc. 5th Europ. Peptide Symposium Oxford 1962, Pergamon Press Ltd., Oxford **1963**, S. 17.
L. Zervas, D. Borovas u. E. Gazis, Am. Soc. **85**, 3660 (1963).

8 E. Schnabel, A. **673**, 171 (1964).

9 B. Iselin, Arch. Biochem. **78**, 532 (1958).

10 A. Hillmann-Elies, G. Hillmann u. H. Jatzkewitz, Z. Naturf. **8b**, 445 (1953).

11 R. G. Hiskey et al., J. Org. Chem. **37**, 2472 (1972); **37**, 2478 (1972).

N-Trityl-L-prolyl-L-tyrosin-benzylester [TRT-Pro-Tyr-OBZL][1]: 3,3 mMol TRT-Pro-ONP und 3,3 mMol H-Tyr-OBZL in wenig Dimethylformamid werden 96 Stdn. auf 45° erhitzt; hierbei erfolgt vollständige Lösung. Anschließend wird die Reaktionsmischung mit 50 *ml* Essigsäure-äthylester versetzt, die erhaltene Lösung mit 1n Triäthylamin-, 5%-iger Citronensäure-Lösung und Wasser gewaschen, über Natriumsulfat getrocknet und schließlich i.Vak. eingeengt (hierbei tritt Kristallisation ein); danach wird aus Essigsäure-äthylester umkristallisiert; Ausbeute: 50% d.Th.; F: 203–205°.

Die erhaltenen N-Trityl-peptidester lassen sich nunmehr ohne Schwierigkeiten durch übliche milde alkalische Hydrolyse zu N-Trityl-peptiden verseifen[2] bzw. durch übliche Hydrazinolyse in N-Trityl-peptid-hydrazide überführen[3]. Da ferner die Verknüpfung der N-Trityl-peptide u. a. auch nach der Alkyl-kohlensäure-Anhydrid-Methode einwandfrei möglich ist[4,5], steht fest, daß ein merkbarer „sterischer" Einfluß der Tritylamin-Gruppierung auf die Peptid-Carboxy-Funktion nicht mehr besteht. Auf Grund dieser Tatsache zieht man es vielfach vor, Peptidester zunächst mit Hilfe anderer Amino-Schutzgruppen aufzubauen, diese zu tritylieren und nach anschließender Verseifung (bzw. Hydrazinolyse) als „Kopfkomponente" zur Synthese spezieller höherer Peptide einzusetzen[5,6]. Schwyzer et al.[7] haben bei ihren Synthesen auf dem β-MSH-Sektor eine treffliche Demonstration zur Verwendung der Trityl-Schutzgruppe gegeben (s. nachfolgende experimentelle Beispiele).

N-Trityl-L-prolyl-L-tyrosin [TRT-Pro-Tyr-OH][7]: 40 g TRT-Pro-Tyr-OMe in 400 *ml* Methanol suspendiert werden unter Rühren mit 120 *ml* 2n Natronlauge versetzt, wobei durch leichte Kühlung eine Temp. von 20° eingehalten wird. Das Ausgangsmaterial geht innerhalb 30 Min. in Lösung; nach weiteren 30 Min. wird der Ansatz mit 100 *ml* Wasser verdünnt, das Methanol bei 12 Torr verdampft und die wäßr. Lösung mit Essigsäure-äthylester und Citronensäure-Lösung in üblicher Weise aufgearbeitet. Der Essigsäure-äthylester-lösliche Anteil wird aus Methanol umkristallisiert; Ausbeute: 43,7 g (88% d.Th.); F: 169–171°; $[\alpha]_D^{25} = -76{,}7 \pm 0{,}5°$ (c = 2; in Dimethylformamid).

Beim Umkristallisieren aus Methanol wird durch die inhärente Acidität der Verbindung die Trityl-Schutzgruppe in kleinem Anteil abgespalten. Durch vorsichtiges Lösen des Rohproduktes in 120 *ml* Tetrahydrofuran und anschließende Zugabe des gleichen Vol. Diäthyläther oder Umkristallisieren aus Aceton bzw. aus Dimethylformamid/Diäthyläther läßt sich die Spaltung weitgehend vermeiden; doch wird in allen diesen Fällen stets ein N-Trityl-dipeptid erhalten, das „Kristall-Lösungsmittel" enthält.

N-Trityl-L-prolyl-L-tyrosin-hydrazid [TRT-Pro-Tyr-NHNH$_2$][7]: 0,8 g TRT-Pro-Tyr-OMe in 4 *ml* Dimethylformamid werden mit 0,75 *ml* Hydrazin-Hydrat versetzt, die Reaktionsmischung 24 Stdn. bei 25° aufbewahrt und anschließend bei 0° allmählich mit 10 *ml* Wasser versetzt. Das anfänglich ölig ausfallende Säurehydrazid kristallisiert beim Verreiben; es wird auf der Zentrifuge abgetrennt, mit Wasser gewaschen und aus viel heißem Methanol umkristallisiert (Einengen der heißen Lösung auf ein kleines Vol.); Ausbeute: 0,67 g (84% d.Th.); F: 217–219°; $[\alpha]_D^{25} = -77{,}0 \pm 0{,}5°$ (c = 2; in Dimethylformamid).

N-Trityl-L-prolyl-L-tyrosyl-N$_\varepsilon$-tert.-butyloxycarbonyl-L-lysin-methylester [TRT-Pro-Tyr-Lys(BOC)-OMe][7]:

Methode ⓐ: Eine Lösung von 535 mg TRT-Pro-Tyr-NHNH$_2$ in 7,5 *ml* Dimethylformamid wird unter Rühren bei −15° mit 2 *ml* 2n Salzsäure und anschließend mit 0,22 *ml* einer 5n wäßr. Lösung von Natriumnitrit versetzt. Nach weiterem Rühren während 5 Min. bei −10° wird überschüssiges Nitrit durch Zugabe einer Lösung von 60 mg Ammonium-sulfamat in 0,3 *ml* Wasser zerstört. Die Reaktionslösung wird anschließend in 30 *ml* Eiswasser eingetropft, wobei sich das Azid in fester Form abscheidet. Das abfiltrierte, mit Eiswasser gewaschene Material wird in 30 *ml* Dimethylformamid aufgenommen, die Lösung bei 0° einige Min. mit Magnesiumsulfat getrocknet, filtriert und schließlich mit 0,26 g N$_\varepsilon$-tert.-Butyloxycarbonyl-lysin-methylester in 2 *ml* Dimethylformamid vereinigt. Die Reaktionsmischung wird 24 Stdn. bei 0° aufbewahrt und danach i.Vak. (0,1 Torr) bei max. 35° eingedampft. Die Lösung des

---

1 E. Schnabel, A. **673**, 171 (1964).
2 L. Zervas u. D. M. Theodoropoulos, Am. Soc. **78**, 1359 (1956).
3 B. Iselin, Arch. Biochem. **78**, 532 (1958).
R. A. Boissonnas u. E. Sandrin, Experientia **18**, 59 (1962).
4 R. A. Boissonnas et al., Experientia **12**, 446 (1956); Helv. **41**, 1867 (1958).
5 R. A. Boissonnas et al., Helv. **44**, 123 (1961).
6 R. Schwyzer u. P. Sieber, Helv. **40**, 624 (1957); **41**, 1582, 2186 (1958).
7 R. Schwyzer et al., Helv. **46**, 1975 (1963).

öligen Rückstandes in Essigsäure-äthylester wird wie üblich bei 0° mit 1n Citronensäure-Lösung, 0,1n Natronlauge und Wasser gewaschen, getrocknet und schließlich i.Vak. eingedampft. Der Rückstand wird beim Verreiben mit Diäthyläther fest und aus Methanol umkristallisiert; Ausbeute: 360 mg (47% d.Th.); F: 204–206°; $[\alpha]_D^{25} = -66{,}8 \pm 0{,}5°$ (c = 1,9; in Dimethylformamid).

Methode ⓑ: 29,6 g TRT-Pro-Tyr-OH (s. S. 271) und 13 g H-Lys(BOC)-OMe werden unter Rühren in einem Gemisch von 100 *ml* Dimethylformamid und 250 *ml* Acetonitril gelöst und bei –5° mit 11,5 g Dicyclohexylcarbodiimid versetzt. Nach 1 Stde. bei –5° und 15 Stdn. bei 0° werden 0,5 *ml* Eisessig zugegeben. Danach wird das Filtrat vom N,N'-Dicyclohexyl-harnstoff bei 0,1 Torr eingedampft, der erhaltene Rückstand in Essigsäure-äthylester aufgenommen und wie vorab beschrieben aufgearbeitet; Ausbeute: 27,6 g (72% d.Th.); F: 203–205°; spezif. Rotation: gleich dem unter Methode ⓐ angegebenen Wert.

Methode ⓒ: 7,2 g H-Pro-Tyr-Lys(BOC)-OMe (hergestellt aus dem N-Benzyloxycarbonyl-Derivat durch übliche Hydrogenolyse) in 60 *ml* Chloroform werden nach Zugabe von 2 *ml* Triäthylamin unter Rühren bei 0° tropfenweise mit 4 g Triphenyl-chlor-methan in 60 *ml* Chloroform versetzt (30 Min). Nach 15 Stdn. wird die Reaktionslösung wie üblich bei 0° mit 1n Citronensäure-, 1n Natriumhydrogencarbonat-Lösung und Wasser gewaschen, getrocknet und schließlich i.Vak. eingedampft. Der durch Behandeln mit Diäthyläther kristallisierte Rückstand wird aus Methanol umkristallisiert; Ausbeute: 3,4 g (32% d.Th.); F: 204–206°; spezif. Rotation identisch mit dem nach Methode ⓐ bzw. ⓑ erhaltenen Material.

N-Trityl-L-prolyl-L-tyrosyl-N_ε-tert.-butyloxycarbonyl-L-lysin [TRT-Pro-Tyr-Lys(BOC)-OH][1]: 21,5 g TRT-Pro-Tyr-Lys(BOC)-OMe in 150 *ml* Methanol suspendiert werden unter Rühren bei ~ 15° mit 45 *ml* 2n Natronlauge versetzt; die Mischung wird 1 Stde. weitergerührt, wobei eine klare Lösung entsteht. Nach Entfernen des Methanols i.Vak. säuert man mit 1n Citronensäure-Lösung bei 0° an und extrahiert mit Essigsäure-äthylester. Die abgetrennte Essigsäure-äthylester-Phase wird wie üblich mit Wasser gewaschen, über Natriumsulfat getrocknet und schließlich i.Vak. eingedampft. Der erhaltene zähe Schaum ergibt nach Verreiben mit Diäthyläther (2mal) und Petroläther ein amorphes, farbloses Pulver; Ausbeute: 19,5 g (93% d.Th.).

Das erhaltene N-Trityl-tripeptid enthält ~ 5% freies Tripeptid; in trockenem Zustand ist die Verbindung stabil, in organischen Lösungsmitteln erfolgt allmähliche Abspaltung der Schutzgruppe.

N-Trityl-L-prolyl-L-tyrosyl-N_ε-tert.-butyloxycarbonyl-L-lysyl-L-methionin-methylester [TRT-Pro-Tyr-Lys(BOC)-Met-OMe][1]: 20 g rohes TRT-Pro-Tyr-Lys(BOC)-OH und 6 g frisch destillierter H-Met-OMe in 225 *ml* Acetonitril/Dimethylformamid (8:1) werden bei –5° mit 6,2 g Dicyclohexylcarbodiimid versetzt und während 1 Stde. bei der gleichen Temp. und 20 Stdn. bei 0° gerührt. Ausgefallenes Material wird abfiltriert und daraus mit 100 *ml* Dimethylformamid das Peptid-Derivat extrahiert. Das erhaltene Filtrat wird bei 0,1 Torr eingedampft und der Rückstand aus 100 *ml* warmem Essigsäure-äthylester umkristallisiert; Ausbeute: 9,6 g (41% d.Th.; 1. Fraktion); F: 169–171°.

Das 1. Filtrat der Reaktionslösung wird nach Zusatz von 0,2 *ml* Eisessig i.Vak. eingedampft, der Rückstand mit Essigsäure-äthylester wie üblich aufgearbeitet. Das so gewonnene Produkt wird nach gründlichem Waschen mit Diäthyläther aus wenig Methanol umkristallisiert; Ausbeute: 3,1 g (13% d.Th. 2. Fraktion); F: 170–172°.

Beide Kristallisate werden vereinigt und umkristallisiert; Ausbeute: 10,1 g (48% d.Th.); F: 172–174°; $[\alpha]_D^{25} = -60{,}1 \pm 0{,}5°$ (c = 2,0; in Dimethylformamid).

Gemäß dem chromatographischen Test ist die Verbindung einheitlich bis auf Spuren des entsprechenden Sulfoxid-Derivats.

Die Abspaltung des N-Trityl-Restes läßt sich unter äußerst milden Bedingungen vollziehen: N-Trityl-peptide (-peptidester, -amide) werden nach folgenden Methoden detrityliert:

① durch kurzzeitiges Erhitzen (einige Min. auf 100°) in Eisessig oder wäßr. Essigsäure (50–80%-ig)[2–4], ja teilweise schon beim Schütteln ihrer Suspensionen in 75–80%-iger Essigsäure bei 25–30° über 30 Min.[1,5] oder bei Raumtemp. über 6 Stdn.[6]

---

[1] R. Schwyzer et al., Helv. **46**, 1975 (1963).

[2] G. Amiard, R. Heymès u. L. Velluz, Bl. **1955**, 191, 1464.

[3] L. Zervas u. D. M. Theodoropoulos, Am. Soc. **78**, 1359 (1956).

[4] R. A. Boissonnas et al., Helv. **41**, 1867 (1958); **44**, 123 (1961).

[5] R. Schwyzer u. W. Rittel, Helv. **44**, 159 (1961).

[6] R. G. Hiskey et al., J. Org. Chem. **37**, 2478 (1972).

② durch Behandeln mit Chlorwasserstoff (oder Salzsäure) in Äthanol[1], Acetonitril[2], Aceton[3], Essigsäure-äthylester/Aceton[4] oder Chloroform[5]

③ mittels Trifluoressigsäure, insbesondere wäßr. Trifluoressigsäure bzw. Trifluoressigsäure in wäßr. Essigsäure bei 0° bis −10°[6]

④ durch katalytische Hydrogenolyse[1]; die Reaktion erfolgt allerdings viel langsamer als die von Benzyloxycarbonyl-, Benzyl-äther- und -ester-Gruppierungen.

Bei den acidolytischen Spaltungs-Verfahren ①–③ werden unter wasserfreien Bedingungen Trityl-äther I bzw. -ester II oder Tritylchlorid (-bromid) III, in Gegenwart von Wasser ausschließlich Triphenylcarbinol IV, bei der Hydrogenolyse Triphenylmethan V als Nebenprodukte erhalten:

$(H_5C_6)_3C-NH-CH(R^1)-CO\cdots$

$\xrightarrow{HCl}$ $(H_5C_6)_3C-Cl$ (III) + $H_2N-CH(R^1)-CO\cdots$

$\xrightarrow{HCl/H_2O}$ $(H_5C_6)_3C-OH$ (IV) + $H_2N-CH(R^1)-CO\cdots$

$\xrightarrow{HCl/R^2-OH}$ $(H_5C_6)_3C-OR^2$ (I) + $H_2N-CH(R^1)-CO\cdots$

$\xrightarrow{R^3-COOH}$ $(H_5C_6)_3C-OCOR^3$ (II) + $H_2N-CH(R^1)-CO\cdots$

$\xrightarrow{R^3-COOH/H_2O}$ $(H_5C_6)_3C-OH$ (IV) + $H_2N-CH(R^1)-CO\cdots$

$\xrightarrow{H_2/Pd}$ $(H_5C_6)_3C-H$ (V) + $H_2N-CH(R^1)-CO\cdots$

Möglichkeiten einer selektiven Detritylierung nach genannten Methoden ①–④ u. a. neben N-Benzyloxycarbonyl-[7] und N-tert.-Butyloxycarbonyl-Schutzgruppen[8], neben O-Benzyl- (Äther und Ester)[9], O-tert.-Butyl- (Äther und Ester)[10,11], S-Benzyl-[10], 4-Nitrophenyl-[6,12], Cyanmethyl-[6], 2,4,6-Trimethyl-benzylester-[11] und Thiophenylester-Gruppierungen[13] sind gegeben.

---

[1] L. Zervas u. D. M. Theodoropoulos, Am. Soc. **78**, 1359 (1956).
[2] R. Schwyzer u. P. Sieber, Helv. **41**, 2190 (1958).
[3] L. Velluz et al., Bl. **1956**, 1464.
[4] R. Schwyzer et al., Helv. **39**, 872 (1956).
[5] G. Amiard, R. Heymès u. L. Velluz, Bl. **1956**, 698.
[6] R. Schwyzer u. P. Sieber, Helv. **40**, 624 (1957); **41**, 1582, 2186 (1958).
[7] R. A. Boissonnas et al., Helv. **41**, 1867 (1958); **46**, 1637 (1963).
[8] R. Schwyzer et al., Helv. **46**, 1975 (1963).
[9] G. C. Stelakatos, D. M. Theodoropoulos u. L. Zervas, Am. Soc. **81**, 2884 (1959).
[10] M. Kinoshita u. H. Klostermeyer, A. **696**, 226 (1966).
[11] R. G. Hiskey et al., J. Org. Chem. **37**, 2478 (1972).
[12] L. Zervas u. I. Photaki, Am. Soc. **84**, 3887 (1962).
[13] A. Hillmann-Elies, G. Hillmann u. A. Jatzkewitz, Z. Naturf. **8 b**, 445 (1953).

L-Prolyl-L-tyrosyl-N_ε-tert.-butyloxycarbonyl-L-lysyl-L-methionin-methylester [H-Pro-Tyr-Lys(BOC)-Met-OMe][1]: 5,8 g TRT-Pro-Tyr-Lys(BOC)-Met-OMe in 40 *ml* 75%-iger Essigsäure werden bei 25° 1 Stde. geschüttelt; dabei geht das Ausgangsmaterial in Lösung und Triphenylcarbinol wird ausgeschieden. Nach Zugabe von 20 *ml* Wasser wird filtriert, das Filtrat i. Vak. eingedampft und der Rückstand bei 0,1 Torr getrocknet; nach mehrmaligem Verreiben mit Diäthyläther: 4,42 g farbloses Pulver (*Ester-Hydroacetat*).

Zur Bereitung des „freien Esters" wird das erhaltene Tetrapeptid-methylester-Hydroacetat in 25 *ml* Wasser gelöst, die Lösung mit viel Essigsäure-äthylester überschichtet und bei 0° unter Schütteln mit 2n Kaliumcarbonat alkalisch gesetzt. Die abgetrennte Essigsäure-äthylester-Phase wird wie üblich aufgearbeitet; beim Eindampfen beginnt die Abscheidung festen Materials, sie wird durch Zugabe von Diäthyläther vervollständigt; Ausbeute: 3,3 g (78% d. Th.); F: 181–183°; $[\alpha]_D^{25} = -19{,}2° \pm 0{,}5°$ (c = 1,5; in Dimethylformamid, nach Umkristallisieren aus Acetonitril).

L-Phenylalanyl-L-leucin-benzylester-Hydrochlorid [H-Phe-Leu-OBZL · HCl][2]: 4,1 g TRT-Phe-OH und 2,2 g H-Leu-OBZL in absol. Tetrahydrofuran werden mit 2,1 g Dicyclohexylcarbodiimid versetzt; die Mischung wird 24 Stdn. bei Raumtemp. stehengelassen. Das Filtrat vom ausgeschiedenen N,N'-Dicyclohexyl-harnstoff wird i. Vak. zur Trockene gebracht, die Lösung des erhaltenen Rückstandes in Essigsäure-äthylester/Diäthyläther (1 : 1) sorgfältig mit 5%-iger Essigsäure, 2%-iger Natronlauge und schließlich Wasser gewaschen, über Natriumsulfat getrocknet und letztlich i. Vak. eingedampft.

Das gewonnene ölige Material (TRT-Phe-Leu-OBZL) wird mit 10 *ml* n methanolischer Salzsäure übergossen, die Lösung anschließend 2 Min. unter Rückfluß erhitzt. Nach Entfernen des Lösungsmittels i. Vak., Zugabe von absol. Diäthyläther und kurzem Stehenlassen im Kühlschrank erhält man das Dipeptidester-Hydrochlorid, das aus Methanol/Diäthyläther umkristallisiert wird; Ausbeute: 1,7 g (43% d. Th.); F: 161°.

L-Valyl-N_ε-tosyl-L-lysyl-L-leucyl-D-phenylalanyl-L-prolin-(4-nitro-phenylester)-Hydro-trifluoracetat [H-Val-Lys(TOS)-Leu-D-Phe-Pro-ONP · TFA-OH][3]: Die Lösung von 2,33 g TRT-Val-Lys(TOS)-Leu-D-Phe-Pro-ONP in 46 *ml* Trifluoressigsäure wird bei –5 bis –10° langsam mit 46 *ml* Wasser versetzt; nach 15 Min. Stehenlassen der Mischung bei 0° wird ausgefallenes Triphenylcarbinol abfiltriert, die Lösung i. Hochvak. lyophilisiert. Der erhaltene Rückstand wird nach Verreiben mit Diäthyläther/Petroläther (zuerst im Verhältnis 1 : 2, dann 1 : 1) und letztlich mit Diäthyläther fest; Ausbeute: 2,03 g (98% d. Th.).

L-Glutaminyl-L-leucin [H-Gln-Leu-OH][2]: Das durch übliche Dicyclohexylcarbodiimid-Verknüpfung von 4,6 g TRT-Gln-OH · DEA und 2,2 g H-Leu-OBZL erhaltene sirupöse Produkt (TRT-Gln-Leu-OBZL) in Methanol/Wasser (5 : 1) wird in Gegenwart von Palladium-Schwarz als Katalysator bis zur Aufnahme von 2 Mol Wasserstoff wie üblich hydriert. Das Filtrat vom Katalysator und vom teilweise ausgefallenen Triphenylmethan dampft man i. Vak. zur Trockene. Der erhaltene Rückstand wird mit Aceton behandelt, wobei das freigesetzte Dipeptid ungelöst bleibt, während der restliche Anteil Triphenylmethan in Lösung geht. Das Dipeptid wird aus Wasser/Äthanol umkristallisiert; Ausbeute: 0,8 g (31% d. Th.); F: 204–205°; $[\alpha]_D^{20} = -34{,}4°$ (c = 2,6; in 0,1 n Salzsäure).

Von besonderem Interesse dürfte ferner das Verhalten von N_ω, $N_{(im)}$-, O- und S-Trityl-Derivaten (s. dazu S. 269) gegenüber den für den N_α-Trityl-Rest gebräuchlichen Spaltungsbedingungen sein. So läßt sich die N_α-Schutzgruppe entfernen

① mittels Chlorwasserstoff in Methanol unter Erhalt der N_ω-Trityl-[4], der $N_{(im)}$-Trityl[2]-, der (phenolischen) O-Trityl[2] bzw. S-Trityl[5]-Maskierung

② mittels Salzsäure/Aceton selektiv neben N_ω-Trityl-[6] und S-Trityl-Gruppen[7,8]

③ mittels Bromwasserstoff/Eisessig (Chloroform), d. h. üblicher Spaltungsbedingungen für den Benzyloxycarbonyl-Rest, unter Beständigkeit der N_ω-Trityl-Gruppierung[4]

④ durch Erhitzen mit wäßr. Essigsäure unter Erhalt der S-Trityl-Maskierung[8,9].

---

[1] R. Schwyzer et al., Helv. **46**, 1975 (1963).
[2] G. C. Stelakatos, D. M. Theodoropoulos u. L. Zervas, Am. Soc. **81**, 2884 (1959).
[3] R. Schwyzer u. P. Sieber, Helv. **41**, 2186 (1958).
[4] B. Bezas u. L. Zervas, Am. Soc. **83**, 719 (1961).
[5] L. Zervas et al., Am. Soc. **87**, 4922 (1965).
[6] G. Amiard u. B. Goffinet, Bl. **1957**, 1133.
[7] G. Amiard, R. Heymès u. L. Velluz, Bl. **1956**, 698.
L. Velluz et al., Bl. **1956**, 1464.
[8] L. Zervas u. I. Photaki, Am. Soc. **84**, 3887 (1962).
[9] R. G. Hiskey et al., J. Org. Chem. **37**, 2472 (1972).

N_ε-Trityl-L-lysin-methylester [H-Lys(TRT)-OMe]:

N_ε-Trityl-L-lysin-methylester-Hydrobromid [H-Lys(TRT)-OMe · HBr][1]: Man übergießt öligen Z-Lys(TRT)-OMe (erhalten durch übliche Veresterung von 2,8 g N_α-Benzyloxycarbonyllysin mit Thionylchlorid/Methanol und anschließender Tritylierung des erhaltenen Z-Lys-OMe mit Tritylchlorid) mit 80 *ml* 10%-igem Bromwasserstoff/Eisessig. Zur erhaltenen Mischung fügt man 125 *ml* absol. Diäthyläther und läßt 24 Stdn. bei Raumtemp. stehen. Das ausgeschiedene teils kristalline, teils ölige Material wird durch Dekantation der überstehenden Lösung abgetrennt, mit Diäthyläther behandelt, in einer Mischung aus Aceton/Methanol gelöst, die Lösung i. Vak. zur Trockene gedampft, der Rückstand letztlich erneut in Aceton aufgenommen. Beim Stehen der Lösung bei Raumtemp. über 3–4 Tage tritt Kristallisation ein. Das abfiltrierte Rohprodukt wird aus Methanol/Aceton umkristallisiert; Ausbeute: 2,8 g (50% d.Th.); F: 138–140°.

N_ε-Trityl-L-lysin-methylester-Hydrochlorid [H-Lys(TRT)-OMe · HCl][1]: 2,3 g H-Lys(HCl)-OMe · HCl und 6,2 *ml* Triäthylamin in 40 *ml* Chloroform werden mit 5,6 g Tritylchlorid wie üblich in N_α,N_ε-Stellung dialkyliert und aufgearbeitet. Das erhaltene sirupöse Material [TRT-Lys(TRT)-OMe] wird in 20 *ml* n Chlorwasserstoff in absol. Methanol aufgelöst; beim Stehen der Reaktionsmischung über 30–60 Min. bei Raumtemp. tritt Ausfällung von Methyl-trityl-äther (2,4 g = 90%; F: 83°) ein. Das Filtrat dampft man i. Vak. ein und behandelt den öligen Rückstand mit Diäthyläther. Das verbleibende Material wird in 50 *ml* heißem absol. Aceton gelöst; beim Stehen der Lösung im Kühlschrank über 3–4 Tage tritt Kristallisation ein. Das abfiltrierte Material (3 g = 65% d.Th.) wird durch Lösen in heißem Methanol und folgende Zugabe von absol. Aceton umkristallisiert; F: 155–157°; $[\alpha]_D^{20} = +12{,}3°$ (c = 3,8; in Methanol).

Aus dem vorab beschriebenen Ester-Hydrobromid kann auf übliche Weise das Ester-Hydrochlorid mit gleichen analytischen Werten erhalten werden.

L-Valyl-S-trityl-L-cysteinyl-L-serin-methylester-Hydrochlorid [H-Val-Cys(TRT)-Ser-OMe · HCl][2]: 2,4 g TRT-Val-Cys(TRT)-Ser-OMe werden mit 16,5 *ml* 0,2n methanolischer Salzsäure übergossen. Die erhaltene Lösung wird 5 Min. unter Rückfluß erhitzt und anschließend 30 Min. bei Raumtemp. stehengelassen. Das Filtrat vom ausgefallenen Methyl-trityl-äther wird mit absol. Diäthyläther versetzt; beim Anreiben der eisgekühlten Lösung tritt alsbald Kristallisation des Tripeptidester-Hydrochlorids ein; Ausbeute: 1,72 g (96% d.Th.); F: 100° (Zers.); $[\alpha]_D^{18} = +26{,}6°$; (c = 3; in Methanol).

S-Trityl-L-cysteinyl-glycin-(4-nitro-phenylester)-Hydrochlorid [H-Cys(TRT)-Gly-ONP · HCl][3]: Zu einer Suspension von 0,78 g TRT-Cys(TRT)-Gly-ONP in 5 *ml* Aceton werden 0,4 *ml* 5n Salzsäure gegeben; die Mischung wird 30 Min. geschüttelt, wobei eine klare Lösung entsteht, und anschließend i. Vak. zur Trockene eingedampft. Der erhaltene Rückstand wird mit absol. Diäthyläther behandelt, abfiltriert, in Essigsäure-äthylester gelöst und mit absol. Diäthyläther erneut gefällt; Ausbeute: 0,52 g (90% d.Th.); kristallines Pulver von $[\alpha]_D^{27} = +39{,}6°$ (c = 3; in Äthanol).

Trotz der milden und variablen Spaltungs-Bedingungen hat sich die N-Trityl-Maskierung auf Grund ihrer Nachteile bzw. des Auffindens neuerer „günstigerer" Amino-Schutzgruppen nicht behaupten können. Neben den schon eingehend dargelegten Folgen ihres sterischen Effektes (s. S. 266f.) ist ferner die relativ hohe Unbeständigkeit der Tritylamin-Gruppierung unerfreulich; selbst in inerten organischen Lösungsmitteln treten bei Trityl-aminosäuren (-peptiden) stets Verluste ein, da die inhärente Acidität dieser Verbindungen bereits ausreichend für eine langsame Abspaltung des Trityl-Restes ist[4].

---

[1] B. Bezas u. L. Zervas, Am. Soc. **83**, 719 (1961).
[2] L. Zervas et al., Am. Soc. **87**, 4922 (1965).
[3] L. Zervas u. I. Photaki, Am. Soc. **84**, 3887 (1962).
[4] Vgl. R. Schwyzer et al., Helv. **46**, 1975 (1963).

Tab. 35. N_α-Trityl-[TRT]-L-aminosäuren*

Aminosäure		F [°C]	$[\alpha]_D$	t	c	Lösungsmittel	Literatur
Ala		200–205 (Zers.)					1
	a	157	−18,7		5	Methanol	2,1
Arg		250					3
Asn		175	− 6,3	25	4	Methanol	2,1,4
	a	152–155	−29,0	20	1	Chloroform	4,1,2
$(Cys)_2$	c	150					5
Gln	a	142–144	+21,9		5	Methanol	2,4
Glu	b	100	−32,0	20	2	Chloroform	6
Gly		178–179					1,7,8
	a	132					1,2
His		202	+23,7	20	3,3	Pyridin	2
Ile	a	150–152	+13,0		5	Methanol	2
Leu		160–165 (Zers.)					1
	a	154	+ 3,0		5	Methanol	2,1
Met	a	152–153	+21,7		5	Methanol	2
Phe		187–188	+32,8	25	10	Chloroform	2,1
	a	150	+12,5		5	Methanol	2,1
Pro		165					9
	a	163–165	−57,5		5	Chloroform	2
Ser		160	+ 9,0	21	1	Methanol	10
	a	137–138	− 29,0	25	1	Methanol	11
Trp	a	150–151	+ 4,5		5	Methanol	2
Val	a	160	+ 6,7		5	Methanol	2

[a] Diäthylaminsalz
[b] Triäthylaminsalz
[c] N,N′-Bis-TRT-Derivat
* N_α-Derivate ω-geschützter Aminosäuren s. Abschnitt „Mehrfunktionelle Aminosäuren", Tab.

[1] L. Zervas u. D. M. Theodoropoulos, Am. Soc. **78**, 1359 (1956).
[2] G. C. Stelakatos, D. M. Theodoropoulos u. L. Zervas, Am. Soc. **81**, 2884 (1959).
[3] R. A. Boissonnas, S. Guttmann, R. L. Huguenin et al., Helv. **41**, 1867 (1958).
[4] G. Amiard u. R. Heymès, Bl. **1957**, 1373.
[5] A. Hillmann-Elies, G. Hillmann u. H. Jatzkewitz, Z. Naturf. **8b**, 445 (1953).
[6] G. Amiard, R. Heymès u. L. Velluz, Bl. **1956**, 698.
[7] G. Amiard, R. Heymès u. L. Velluz, Bl. **1955**, 191.
[8] B. Helferich, L. Moog u. A. Jünger, B. **58**, 872 (1925).
[9] R. Schwyzer, B. Iselin, H. Kappeler et al., Helv. **46**, 1975 (1963).
[10] S. Guttmann, Helv. **45**, 2622 (1962).
[11] J. C. Sheehan, K. Hasspacher u. Y. L. Yeh, Am. Soc. **81**, 6086 (1959).

31.214. Substituierte Vinyl-Schutzgruppen

1,3-Diketone, β-Keto-carbonsäure-ester und -amide setzen sich mit Aminen leicht zu vinylogen Amiden um, wie aufgrund der Molekularrefraktionen, der IR- und NMR-Spektren zu ersehen ist[1,2].

Nach Dane et al.[3–6] reagieren mit genannten β-Dicarbonyl-Verbindungen I auch Aminosäure(Peptid)-ester II und insbesondere auch Aminosäure-Salze zu Enaminen III; die substituierten Vinyl-aminosäure-Salze sind teilsweise so beständig, daß sie als N-geschützte Kopfkomponenten zu Peptidsynthesen benutzt werden können. Sie weisen in ihren IR-Spektren die Enamin-NH-Banden im Bereich 3430–3333 cm^{-1} und gleichzeitig „Chelat"-Carbonyl-Banden um 1600 cm^{-1} (für Enamine aus 1,3-Diketonen) bzw. 1660 cm^{-1} (für Enamine aus β-Keto-carbonsäureestern) auf. Daraus wird abgeleitet, daß die substituierten Vinyl-aminosäuren (Salze, Ester) mehr oder minder durch eine Wasserstoff-Brücken-Bindung stabilisiert sind.

I + $H_2N-CH(R^1)-COOR^3$ (II) ⟶ III

I II III

R^1 = Aminosäure-Seitenketten
R^2 = Alkyl-aryl, O-Alkyl-, NH-Alkyl etc.
R^3 = CH_3, C_2H_5, K

Erhärtet wird diese Tatsache mit der Feststellung, daß Enamin-Derivate von N-substituierten Aminosäuren, z. B. von N-Methyl-aminosäuren, nur in geringem Ausmaß gebildet werden oder wegen fehlender Chelat-Bildungs-Tendenz zu instabil sind und im Zuge der Aufarbeitung weitgehend wieder in die Ausgangskomponenten zerfallen.

Vgl. jedoch die aus 3,5-Dioxo-1,1-dimethyl-cyclohexan (Dimedon) und Aminosäure-estern zugänglichen Enamin-Verbindungen, die IR-Banden bei 3250 und 1610 cm^{-1} aufweisen, obgleich eine intramolekulare Chelatisierung ausgeschlossen ist.

31.214.10. *Enamine aus 1,3-Diketonen*

31.214.11. 1-Methyl-2-benzoyl-vinyl-[MBV]-, 1-Methyl-2-acetyl-vinyl-[MAV]-, 1-Methyl-2-(4-methoxy-benzoyl)-vinyl-[MMBV]- und 1-Methyl-2-(2,6-dimethoxy-benzoyl)-vinyl-[MDBV]-Schutzgruppen*

Nach Dane et al.[3,4,6,7] haben vor allem 1-Methyl-2-benzoyl-vinyl-[MBV]- und 1-Methyl-2-acetyl-vinyl-[MAV]-Reste als Aminoschutzgruppen Bedeutung. Die Her-

* Auch als 1-Benzoyl-isopropenyl-, 1-Acetyl-isopropenyl-, 1-(2,6-Dimethoxy-benzoyl)- isopropenyl-(oder -propen-2-yl) bezeichnet.

1 I. Schmutz, Helv. **38**, 1712 (1955).
K. v. Auwers u. S. Susemiehl, B. **63**, 1072 (1930).

2 B. Halpern u. L. B. James, Austral. J. Chem. **17**, 1282 (1964).
G. O. Dudek u. E. P. Dudek, Am. Soc. **86**, 4283 (1964).
G. O. Dudek u. R. H. Holm, Am. Soc. **84**, 2691 (1962).
G. L. Southard, G. S. Brooke u. J. M. Pettee, Tetrahedron **27**, 1359 (1971).

3 E. Dane et al., Ang. Ch. **74**, 873 (1962); Int. Ed. **1**, 658 (1962).

4 P. Konrad, Dissertation, Universität München, 1962.

5 T. Dockner, Diplom-Arbeit, Universität München, 1962.

6 F. Drees, Dissertation, Universität München, 1963.

7 E. Dane u. T. Dockner, B. **98**, 780 (1965).

stellung der vinylogen Amino-Gruppierung gelingt leicht durch Kondensation von Acetylaceton [Pentandion-(2,4)] bzw. Benzoylaceton (1,3-Dioxo-1-phenyl-butan) mit Aminosäure-Kaliumsalzen in wäßr.-methanolischer Lösung, zweckmäßig unter kurzzeitigem Erhitzen der Reaktionsmischung (Vorsicht Racemisierungsgefahr!): die gebildeten N-substituierten Vinyl-aminosäure-Salze kristallisieren beim Abkühlen aus oder werden nach Eindampfen der Lösung i. Vak. zunächst als ölige Rückstände erhalten, die beim Behandeln mit absol. Äthanol, Essigsäure-äthylester u. a. kristallisieren bzw. fest werden (Ausbeuten 65–95% d. Th.)[1–5]. In einigen Fällen lassen sich aus den Kaliumsalzen durch vorsichtige Neutralisation die freien N-substituierten Vinyl-aminosäuren herstellen (s. u.)[5].

N-(1-Methyl-2-benzoyl-vinyl)-L-methionin [MBV-Met-OH]:

N-(1-Methyl-2-benzoyl-vinyl)-L-methionin-Kaliumsalz [MBV-Met-OK][6]: In einer Lösung von 6,57 g (40,5 mMol) Benzoylaceton (1,3-Dioxo-1-phenyl-butan) in 100 *ml* absol. Äthanol und 20 *ml* 2,025 n methanolischer Kalilauge (40,5 mVal) werden 6,04 g Methionin (40,5 mMol) suspendiert. Das Reaktionsgemisch erhitzt man unter Rückfluß auf dem Wasserbad, bis die Aminosäure vollständig in Lösung gegangen ist. Beim Abkühlen der Lösung kristallisiert das N-geschützte Methionin-Kaliumsalz in feinen farblosen Nadeln aus. Das abfiltrierte Produkt wäscht man mit wenig kaltem absol. Äthanol und anschließend mit absol. Diäthyläther. Aus der Mutterlauge erhält man nach Einengen i. Vak. eine 2. Fraktion, die aus absol. Äthanol umkristallisiert wird; Ausbeute: 12,2 g (91% d. Th.); F: 225° (Zers.).

N-(1-Methyl-2-benzoyl-vinyl)-L-methionin[7]: Zu 16,6 g (50 mMol) MBV-Met-OK in 200 *ml* eiskaltem Wasser werden unter Rühren 48 *ml* eisgekühlte 1n Essigsäure getropft. Der zunächst halbfeste Niederschlag erstarrt beim Verreiben mit Wasser rasch zu einer kristallinen Masse; sie wird abfiltriert, 2mal mit wenig eiskaltem Wasser nachgewaschen, sofort über Phosphor(V)-oxid i. Vak. getrocknet und aus wenig warmem absol. Äthanol/Petroläther umkristallisiert; Ausbeute: 12,8 g (91% d. Th.); F: 136–137° (farblose Kristalle).

N-(1-Methyl-2-acetyl-vinyl)-D-phenylglycin-Kaliumsalz [MAV-D-Phg-OK][2]: 3,26 g (21,6 mMol) D-Phenylglycin in 20 *ml* 1,08 n methanolischer Kalilauge werden mit 2,4 g (23,7 mMol) Acetylaceton [Pentandion-(2,4)] in 25 *ml* Methanol versetzt. Der zunächst ausgefallene Niederschlag geht beim Erhitzen innerhalb von 80 Min. oder bei Raumtemp. (Rühren!) innerhalb von 26 Stdn. wieder in Lösung. Nach Einengen der Reaktionsmischung i. Vak. verbleibt ein blaßgelber fester Rückstand, der nach Verreiben mit Aceton feine farblose Nadeln gibt und aus feuchtem Aceton umkristallisiert wird; Ausbeute: 5,27 g (90% d. Th.); F: 232–233° (Zers.).

Balog et al.[5] halten es für besser, die meist hygroskopischen und instabilen, in Dichlormethan, Chloroform etc. weitgehend unlöslichen[8] Kalium-Salze durch die aus Essigsäure-äthylester, Essigsäure-äthylester/Petroläther oder Diäthyläther umkristallisierbaren Dicyclohexylamin-Salze (evtl. auch N-Methyl-piperidin- bzw. -morpholin-Salze) abzulösen.

N-(1-Methyl-2-acyl-vinyl)-aminosäure-Dicyclohexylamin-Salze; allgemeine Herstellungsvorschrift[5]: Zu einer Suspension von 20 mMol Aminosäure in 50 *ml* Methanol werden 22–25 mMol 1,3-Diketon (Acetylaceton, Benzoylaceton etc.) zugesetzt, die Mischung daraufhin unter Rückfluß erhitzt. 4 *ml* frisch destilliertes Dicyclohexylamin wird innerhalb 10–15 Min. unter Fortdauer der Erhitzungsoperation zugetropft; wenn erforderlich, wird so lange unter Rückfluß gekocht, bis eine nahezu klare Lösung resultiert. Das Filtrat dampft man i. Vak. ein, zum Schluß unter Zusatz von Hexan oder absol. Benzol. Die erhaltenen festen Rückstände werden letztlich aus Essigsäure-äthylester/Petroläther, Diäthyläther oder Essigsäure-äthylester umkristallisiert; Ausbeuten: 60–98% der Theorie.

---

[1] E. Dane et al., Ang. Ch. **74**, 873 (1962).
[2] E. Dane u. T. Dockner, B. **98**, 780 (1965).
[3] P. Konrad, Dissertation, Universität München, 1962.
F. Drees, Dissertation, Universität München, 1963.
[4] R. G. Hiskey u. G. L. Southard, J. Org. Chem. **31**, 3582 (1966).
[5] A. Balog et al., Rev. Roumaine Chim. **15**, 1375 (1970).
[6] E. Wünsch, F. Drees u. J. Jentsch, B. **98**, 803 (1965).
[7] E. Wünsch u. F. Drees, unveröffentlicht.
[8] G. L. Southard, G. S. Brooke u. J. M. Pettee, Tetrahedron **27**, 1359 (1971).

Zur Herstellung der N_ω-Nitro-arginin-Verbindung muß bei 50° in Dimethylformamid gearbeitet werden[1].

Von Interesse ist zu vermerken, daß Umsetzungen von Serin mit 1,3-Diketonen (bzw. β-Keto-carbonsäureestern) ebenfalls zu Enamin-Derivaten III, nicht zu 1,3-Oxazolidinen IV führen[2].

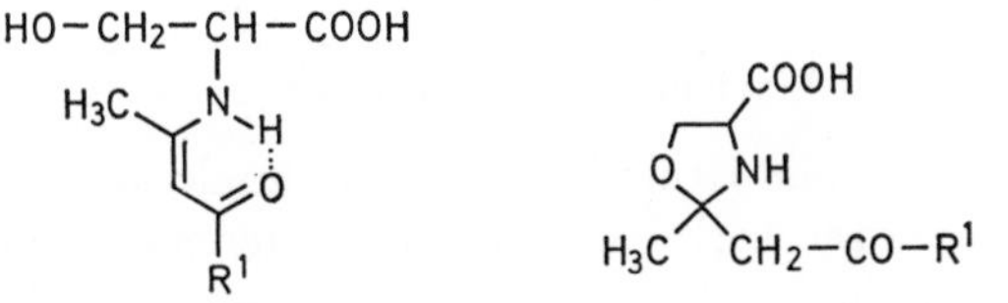

III

IV

Die N-substituierten Vinyl-aminosäuren lassen sich nach dem Cyanmethylester-[3,4] (s. S. II/6), dem Carbodiimid-[3,5,6] oder dem Misch-Anhydrid-Verfahren[2,5,7] mit Aminosäure(Peptid)-estern verknüpfen. Hierbei mußten jedoch in einigen Fällen Nebenreaktionen in Kauf genommen werden:

① teilweise bis vollständige Racemisierung bei der Cyanmethylester-Bildung mittels Chloracetonitril, nicht jedoch mittels O-Tosyl-glykolsäure-nitril[4]

② Umaminierung bei Carbodiimid-Synthesen, die jedoch durch Einhalten von tiefen Temp. (unter 0°) zurückgedrängt werden kann

③ Versagen der Anhydrid-Bildung aus N-substituierten Vinyl-aminosäure-Kaliumsalzen und Chlorameisensäureestern. Die Anhydrid-Bildung gelingt jedoch anscheinend mit Pivaloylchlorid[2,5], Benzoylchlorid oder 4-Nitro-benzoylchlorid[5] als Reaktionspartner immer; gute Erfolge soll auch die „Fosker-Modifizierung"[8] des Misch-Anhydrid-Verfahrens mit sich bringen.

N-(1-Methyl-2-benzoyl-vinyl)-L-methionyl-L-asparaginyl-O-tert.-butyl-L-threonin-tert.-butylester [MBV-Met-Asn-Thr(tBu)-OtBu][7]:

Methode ⓐ: Zu 9,95 g MBV-Met-OK in 100 *ml* Tetrahydrofuran und 10 *ml* Dimethylformamid werden bei −10° 2,86 g Chlorameisensäure-äthylester in 10 *ml* Tetrahydrofuran zugetropft. Nach 90 Min. Rühren gibt man langsam eine Lösung von 10 g H-Asn-Thr(tBu)-OtBu in 100 *ml* Tetrahydrofuran und 20 *ml* Dimethylformamid zu und rührt 5 Stdn. bei −10° sowie 24 Stdn. bei Raumtemp. Der nach Eindampfen i. Vak. erhaltene Rückstand wird zwischen Essigsäure-äthylester und Wasser verteilt, die abgetrennte organische Phase mit 20%-iger Natriumhydrogencarbonat-Lösung und Wasser gewaschen und über Natriumsulfat getrocknet. Nach Entfernung des Lösungsmittels erhält man ein blaßgelbes amorphes Pulver, das aus absol. Äthanol in farblosen Nadeln kristallisiert; Ausbeute: 14,5 g (80% d.Th.); F: 161,5–163°; $[\alpha]_D^{20} = +78{,}22 \pm 0{,}5°$ bzw. $[\alpha]_{546}^{20} = +103{,}59°$ (c = 2; in Äthanol).

Methode ⓑ: Zu 5,8 g (20 mMol) MBV-Met-OH und 2,8 *ml* (20 mMol) Triäthylamin in 100 *ml* Tetrahydrofuran werden bei −10° 1,9 *ml* (20 mMol) Chlorameisensäure-äthylester getropft. Nach 10 Min. Rühren gibt man eine Lösung von 7,3 g (21 mMol) H-Asn-Thr(tBu)-OtBu in 100 *ml* Tetrahydrofuran zu, arbeitet nach Stehenlassen der Reaktionsmischung für 12 Stdn. bei Raumtemp. wie oben beschrieben auf und kristallisiert letztlich aus Äthanol/Wasser um; Ausbeute: 10,2 g (82% d.Th.)[9]; F: 161–163° (farblose Nadeln); $[\alpha]_D^{20} = +78{,}67 \pm 0{,}5°$ bzw. $[\alpha]_{546}^{20} = +104{,}29°$ (c = 1,5; in Äthanol).

---

[1] G. L. Southard, G. S. Brooke u. J. M. Pettee, Tetrahedron **27**, 1359 (1971).

[2] A. Balog et al., Rev. Roumaine Chim. **16**, 1601 (1971).

[3] E. Dane et al., Ang. Ch. **74**, 873 (1962).
P. Konrad, Dissertation, Universität München, 1962.
F. Drees. Dissertation, Universität München, 1963.

[4] A. Balog et al., Rev. Roumaine Chim. **15**, 1391 (1970).

[5] A. Balog et al., Rev. Roumaine Chim. **15**, 1375 (1970).

[6] R. G. Hiskey u. G. L. Southard, J. Org. Chem. **31**, 3582 (1966).

[7] E. Wünsch, F. Drees u. J. Jentsch, B. **98**, 803 (1965).

[8] Brit. P. 991 586 (1965), Beecham Group Ltd., Erf.: G. R. Fosker, J. H. C. Nayler u. J. A. Wilcox; C. A. **63**, 8368 (1965).

[9] E. Wünsch u. F. Drees, unveröffentlichte Ergebnisse.

N-(1-Methyl-2-acetyl-vinyl)-D-phenylglycyl-glycin-äthylester [MAV-D-Phg-Gly-OEt][1]: Zu einer Suspension von 1,37 g (5 mMol) MAV-D-Phg-OK in 20 *ml* Tetrahydrofuran gibt man unter Rühren bei $-6°$ 0,6 g (5 mMol) Pivaloylchlorid (2,2-Dimethyl-propansäure-chlorid) in 10 *ml* Tetrahydrofuran. Nach 30 Min. tropft man bei $-6°$ unter Rühren eine Lösung von 0,51 g (5 mMol) H-Gly-OEt in 10 *ml* Tetrahydrofuran zu. Nachdem die Reaktionslösung 1 Stde. bei $-5°$ und 12 Stdn. bei Raumtemp. gestanden hat, wird filtriert und schließlich i. Vak. eingedampft. Der erhaltene Rückstand wird aus Äthanol/Wasser umkristallisiert; Ausbeute: 0,97 g (61% d.Th.); F: 162–164° (feine Nadeln).

Zur Herstellung von Aminosäure-cyanmethylestern, -4-nitro-benzylestern und -2-phenyl-2-oxo-äthylestern aus N-substituierten Vinyl-aminosäuren[2] s. S. 409 u. 345.

Die Spaltung der Enamin-Gruppierung wird durch kurze Einwirkung von verd. Salzsäure oder Essigsäure herbeigeführt[3]. Im letzteren Falle erweist sich insbesondere die (1-Methyl-2-benzoyl-vinyl)-Schutzgruppe als vorteilhaft, da Benzoylaceton, weitgehend unlöslich in z. B. 70%-iger Essigsäure, als Spaltprodukt aus der Reaktionslösung ausfällt und abfiltriert werden kann[4]. Dadurch wird die ansonst bestehende Möglichkeit einer erneuten Enamin-Bildung im Zuge der Aufarbeitung (Eindampfen der essigsauren Reaktionslösung i. Vak.) ausgeschlossen.

Unter entsprechender Variation der Spaltungsbedingungen verhalten sich Benzylester, 2-Phenyl-2-oxo-alkylester und tert.-Butylester sowie Benzyläther und tert.-Butyläther stabil; die peptid-synthetische Kombination der N-substituierten Vinyl- mit diesen Carboxy- bzw. Hydroxy-Schutzgruppen hat bereits Bedeutung erlangt (s. unten).

L-Methionyl-L-asparaginyl-O-tert.-butyl-L-threonin-tert.-butylester [H-Met-Asn-Thr(tBu)-OtBu][4]: 9,31 g MBV-Met-Asn-Thr(tBu)-OtBu (s. S. 279) werden in 30 *ml* 70%-iger Essigsäure bei einer Badtemp. von 40° gerührt. Nach 48 Stdn. wird das Filtrat vom Benzoylaceton mit Wasser verdünnt, wobei sich nochmals wenig Benzoylaceton sowie etwas Ausgangsmaterial abscheiden. Die filtrierte wäßr. Lösung wird i. Vak. eingedampft, der Rückstand in Wasser aufgenommen, mit Natriumcarbonat-Lösung auf $p_H = 8$ gestellt und das abgeschiedene Öl in Essigsäure-äthylester aufgenommen. Die organische Phase wäscht man mit wenig Natriumchlorid-ges. Wasser neutral, trocknet über Natriumsulfat und dampft i. Vak. ein. Man erhält 6,0 g eines festen farblosen Schaumes, der zur Reinigung in Äther aufgenommen und mit Petroläther wieder ausgefällt wird. Das erhaltene Öl geht beim Trocknen i. Hochvak. bei Raumtemp. in eine amorphe Masse über, die sich nur schwer von Lösungsmittelresten befreien läßt; Ausbeute: 5,9 g (82,5% d.Th.); $[\alpha]_D^{20} = -7,46 \pm 0,5°$ bzw. $[\alpha]_{546}^{20} = -9,36°$ (c= 2; in Äthanol).

31.214.12. 5,5-Dimethyl-3-oxo-cyclohexen-(1)-yl-[DcHe]*-Schutzgruppe

N-[5,5-Dimethyl-3-oxo-cyclohexen-(1)-yl]-L-aminosäuren, d. h. Enamin-Derivate eines cyclischen 1,3-Diketons, wurden erstmals von Halpern et al.[5] hergestellt und zu Peptidsynthesen verwendet.

Zu ihrer Herstellung kondensiert man Aminosäureester mit Dimedon (3,5-Dioxo-1,1-dimethyl-cyclohexan) V zu N-subst. Vinyl-aminosäureestern VI, die sich mit 5 n Natronlauge oder durch Kochen mit ges. Natriumhydrogencarbonat-Lösung zu den freien Aminosäuren VII verseifen lassen. Auch die Hydrazinolyse zu N-[5,5-Dimethyl-3-oxo-cyclohexen-(1)-yl]-aminosäure-hydraziden VIII ist möglich:

---

* Auch als 5,5-Dimethyl-cyclo-hex-2-en-1-on-3-yl bezeichnet.

1 E. Dane u. T. Dockner, B. **98**, 789 (1965).

2 A. Balog et al., Rev. Roumaine Chim. **15**, 1391 (1970); **16**, 1601 (1971).
C. Daicoviciu et al., Rev. Roumaine Chim. **16**, 751 (1971).

4 E. Dane et al., Ang. Ch. **74**, 873 (1962).

4 E. Wünsch, F. Drees u. J. Jentsch, B. **98**, 803 (1965).

5 B. Halpern u. L. B. James, Nature **202**, 592 (1964); Austral. J. Chem. **17**, 1282 (1964).
B. Halpern, Austral. J. Chem. **18**, 417 (1965).
B. Halpern u. A. D. Cross, Chem. & Ind. **1965**, 1183.

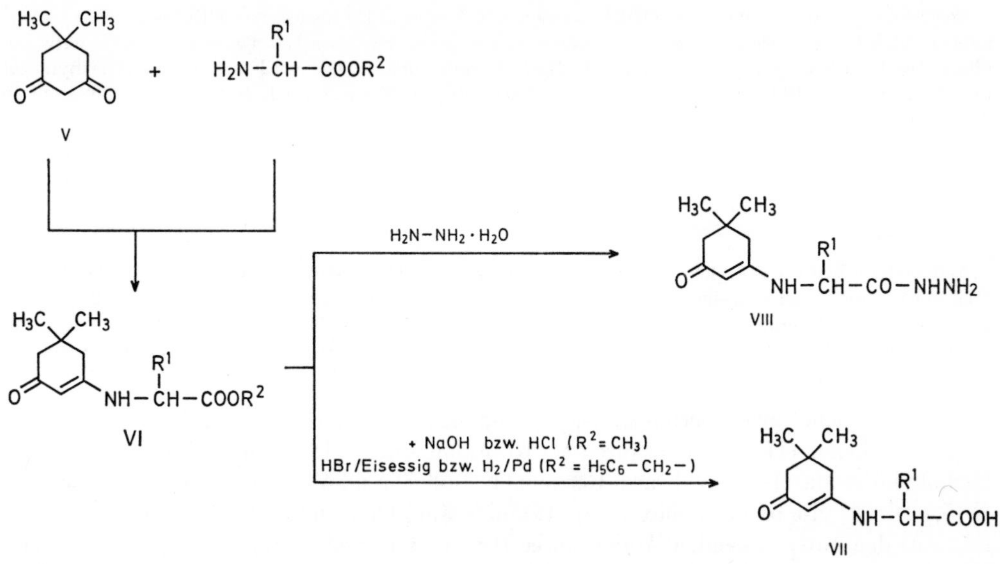

V + $H_2N-CH(R^1)-COOR^2$ → VI

VI $\xrightarrow{H_2N-NH_2 \cdot H_2O}$ VIII ($NH-CH(R^1)-CO-NHNH_2$)

VI $\xrightarrow[\text{HBr/Eisessig bzw. } H_2/Pd\ (R^2 = H_5C_6-CH_2-)]{+\ NaOH \text{ bzw. } HCl\ (R^2 = CH_3)}$ VII ($NH-CH(R^1)-COOH$)

Im schroffen Gegensatz zu den Enamin-Verbindungen offenkettiger 1,3-Diketone sind die der Dimedon-Reihe weitgehend resistent gegenüber Säuren, selbst 5n Salzsäure und Bromwasserstoff/Eisessig – im letzteren Falle unter Bildung von N-[5,5-Dimethyl-3-oxo-cyclohexen-(1)-yl]-aminosäure(peptid)-Hydrohalogeniden – sowie gegenüber katalytischer Hydrogenolyse[1,2]. Dieses Verhalten schafft zusätzliche Möglichkeiten der Herstellung von N-[5,5-Dimethyl-3-oxo-cyclohexen-(1)-yl]-aminosäuren (z. B. Kondensation von Dimedon und Aminosäure-benzylestern und anschließende Bromwasserstoff/Eisessig-Solvolyse oder Hydrogenolyse der N-maskierten Aminosäure-benzylester) bzw. deren peptid-synthetische Verknüpfung, z. B. Überführung der N-[5,5-Dimethyl-3-oxo-cyclohexen-(1)-yl]-aminosäure-hydrazide in die Azide.

N-[5,5-Dimethyl-3-oxo-cyclohexen-(1)-yl]-[DcHe]-aminosäureester; allgemeine Herstellungsvorschrift[1]: Zu einer Lösung von 5mMol (0,7 g) Dimedon (3,5-Dioxo-1,1-dimethyl-cyclohexan) in 15 *ml* Chloroform werden 5 mMol Aminosäureester-Hydrobromid bzw. -Hydrochlorid und 5 mMol Triäthylamin zugesetzt. Die erhaltene klare Lösung wird über Nacht bei Raumtemp. stehengelassen, anschließend i. Vak. zur Trockene gebracht, der erhaltene Rückstand mit heißem Benzol behandelt. Die filtrierte Benzol-Lösung läßt man eine Säule aus Aluminiumoxid passieren; nach Waschen mit Benzol wird die Säule mit Chloroform erschöpfend eluiert. Die i. Vak. eingedampfte Chloroform-Lösung hinterläßt ein leicht gelbes Öl, das aus geeigneten Lösungsmittelsystemen (Benzol, Essigester/Petroläther, Tetrahydrofuran/Petroläther, Benzol/Petroläther oder Diäthyläther) kristallisiert; Ausbeuten: ~ 70% der Theorie.

N-[5,5-Dimethyl-3-oxo-cyclohexen-(1)-yl]-glycin [DcHe-Gly-OH][1,2]:

Methode ⓐ: 0,3 g DcHe-Gly-OEt werden in 5 *ml* 5n Natronlauge gelöst; die Lösung läßt man über Nacht bei Raumtemp. stehen. Nach Ansäuern auf $p_H = 4$ läßt man die Lösung eine Säule von Dowex 50 W ($H^{\oplus}$-Form) passieren und eluiert anschließend mit 5%-igem Pyridin. Nach Eindampfen der Eluate i. Vak. erhält man einen festen Rückstand, der aus Wasser umkristallisiert wird; F: 224°.

Methode ⓑ: 2 g DcHe-Gly-OEt werden in 10 *ml* 5n Salzsäure gelöst, die erhaltene Lösung bei Raumtemp. über Nacht stehengelassen. Beim Abkühlen auf 0° kristallisiert das Hydrochlorid des N-geschützten Glycins aus; es wird aus Äthanol/Diäthyläther umkristallisiert; F: 192°.

Das erhaltene Hydrochlorid wird in Chloroform suspendiert und mit der ber. Menge Triäthylamin versetzt. Nach 20 Min. Rühren wird vom kristallinen Material abfiltriert, dieses getrocknet und aus Wasser umkristallisiert; F: 224°.

---

[1] B. HALPERN u. L. B. JAMES, Austral. J. Chem. **17**, 1282 (1964).

[2] B. HALPERN, Austral. J. Chem. **18**, 417 (1965).

Methode ⓒ: 0,5 g DcHe-Gly-OBZL werden mit 5 *ml* ges. Bromwasserstoff/Eisessig-Lösung übergossen; nach 1stdgm. Stehenlassen bei Raumtemp. resultiert eine klare Lösung, aus der auf Zusatz von absol. Diäthyläther das Glycin-Derivat als Hydrobromid ausfällt. Es wird aus Äthanol/Diäthyläther umkristallisiert (F: 189°) und wie vorstehend beschrieben in Chloroform-Lösung mit Triäthylamin in das freie N-subst. Glycin übergeführt.

Methode ⓓ: 0,3 g DcHe-Gly-OBZL in 20 *ml* Methanol werden in Gegenwart von 0,1 g 10%-iger Palladium-Kohle wie üblich bis zur Aufnahme von 1 Mol/Äquiv. Wasserstoff hydriert. Anschließend wird das Filtrat i. Vak. zur Trockene eingedampft, der erhaltene Rückstand aus Wasser umkristallisiert; F: 224–225° (farblose Nadeln).

N-[5,5-Dimethyl-3-oxo-cyclohexen-(1)-yl]-glycin-hydrazid [DcHe-Gly-$NHNH_2$][1]: 0,43 g DcHe-Gly-OEt werden mit 3,5 *ml* 80%-igem Hydrazin-Hydrat übergossen. Die Reaktionsmischung wird 2 Stdn. bei Raumtemp. gerührt und anschließend auf 0° abgekühlt. Das ausgefallene Produkt wird abfiltriert, mit wenig eiskaltem Wasser gewaschen, getrocknet und schließlich aus Äthanol umkristallisiert; Ausbeute: 0,35 g (88% d.Th.); F: 202°.

Der weitgehend racemisierungsfreie, peptid-synthetische Einsatz von N-[5,5-Dimethyl-3-oxo-cyclohexen-(1)-yl]-aminosäuren als Kopfkomponente ist nach Carbodiimid-[1,2], oder Carbonyl-diimidazol-[2], Woodward Reagenz K-[2] oder Azid-Verfahren möglich. Auch die N-[5,5-Dimethyl-3-oxo-cyclohexen-(1)-yl]-aminosäure-thio- und -4-nitro-phenylester, direkt aus den entsprechenden Aminosäureestern und Dimedon zugänglich, sind zur Verknüpfung mit Amino-Komponenten geeignet[1].

N-[5,5-Dimethyl-3-oxo-cyclohexen-(1)-yl]-L-valyl-L-alanyl-L-leucin-methylester [DcHe-Val-Ala-Leu-OMe]:

N-[5,5-Dimethyl-3-oxo-cyclohexen-(1)-yl]-L-valyl-L-alanin-methylester [DcHe-Val-Ala-OMe][2]: 1,8 g DcHe-Val-OH und H-Ala-OMe (erhalten aus 2,09 g des Hydrochlorids) in 15 *ml* absol. Chloroform werden bei −5° mit 1,53 g Dicyclohexylcarbodiimid in 10 *ml* kaltem Chloroform versetzt. Nach Rühren der Reaktionsmischung bei 0° über Nacht wird das Filtrat vom N,N'-Dicyclohexylharnstoff wie üblich mit n Salzsäure, 10%-iger Natriumhydrogencarbonat-Lösung und Wasser gewaschen, über Natriumsulfat getrocknet und letztlich i. Vak. eingedampft. Der feste Rückstand wird aus Chloroform/Diäthyläther umkristallisiert; Ausbeute: 1,1 g; F: 190–191°; $[\alpha]_D^{25} = -105°$ (c = 0,1 in Methanol).

N-[5,5-Dimethyl-3-oxo-cyclohexen-(1)-yl]-L-valyl-L-alanin [DcHe-Val-Ala-OH][2]: 1 g DcHe-Val-Ala-OMe wird mit 25 *ml* gesättigter Natriumhydrogencarbonat-Lösung unter Rückfluß gekocht, bis völlige Lösung erfolgt. Der beim Ansäuern der Reaktionsmischung auf $p_H = 4$ erhaltene Niederschlag wird in Essigsäure-äthylester aufgenommen; die abgetrennte organische Phase wird mit Wasser gewaschen, über Natriumsulfat getrocknet und letztlich i. Vak. konzentriert; hierbei tritt Kristallisation ein; Ausbeute: 0,8 g; F: 246°; $[\alpha]_D^{25} = -112°$ (c = 0,1 in Methanol).

N-[5,5-Dimethyl-3-oxo-cyclohexen-(1)-yl]-L-valyl-L-alanyl-L-leucin-methylester [DcHe-Val-Ala-Leu-OMe][2]: 0,2 g DcHe-Val-Ala-OH in 15 *ml* absol. Tetrahydrofuran werden nach Zusatz von 0,113 g Carbonyl-diimidazol 90 Min. lang bei 0° gerührt. Hierzu fügt man eine Lösung von 93,4 mg H-Leu-OMe in 1 *ml* Tetrahydrofuran (hergestellt aus dem Hydrochlorid); die Reaktionsmischung wird anschließend über Nacht bei Raumtemp. belassen. Nach Entfernen des Lösungsmittels i. Vak. wird der erhaltene Rückstand in Essigsäure-äthylester aufgenommen, die Lösung wie üblich mit n Salzsäure, Natriumhydrogencarbonat-Lösung und Wasser gewaschen und letztlich i. Vak. zur Trockene gedampft. Der Rückstand wird aus Chloroform/Petroläther umkristallisiert; Ausbeute: 120 mg; F: 199°; $[\alpha]_D^{25} = -93°$ (c = 0,1 in Methanol).

Die optische Reinheit der im Tripeptid eingesetzten Aminosäuren wurde mit Hilfe einer speziellen gaschromatographischen Methode bestimmt. Die Aminosäureanalyse lautet für das isolierte kristallisierte Material / für das Rohprodukt (in Prozent): Valin 100/98, Alanin 100/97, Leucin 99/99.

N-[5,5-Dimethyl-3-oxo-cyclohexen-(1)-yl]-glycyl-glycin-benzylester [DcHe-Gly-Gly-OBZL][1]: 0,7 g DcHe-Gly-$NHNH_2$ in 4 *ml* Wasser und 3,3 *ml* n Salzsäure werden bei 0° vorsichtig mit einer Lösung von 0,23 g Natriumnitrit in 5 *ml* Wasser versetzt. Das auskristallisierte Azid wird in Chloroform aufgenommen, die abgetrennte organische Phase mit Wasser gewaschen und über Natriumsulfat bei 0° getrocknet. Die erhaltene Azid-Lösung wird bei 0° mit 0,8 g H-Gly-OBZL in 15 *ml* Chloroform versetzt, die Reaktionslösung 1 Stde. bei 0° und anschließend 24 Stdn. bei Raumtemp. gerührt, letztlich wie üb-

---

[1] B. HALPERN u. L. B. JAMES, Austral. J. Chem. **17**, 1282 (1964).

[2] A. DEER, J. H. FRIED u. B. HALPERN, Austral. J. Chem. **20**, 797 (1967).

lich mit verd. Salzsäure, Natriumhydrogencarbonat-Lösung und Wasser gewaschen, über Natriumsulfat getrocknet und i. Vak. eingedampft. Der Rückstand wird aus Benzol umkristallisiert; Ausbeute: 0,8 g; F: 126° (farblose Nadeln).

Die Abspaltung der u. a. auch gegenüber Natrium/Ammoniak-Reduktion stabilen Schutzgruppe gelingt durch Einwirken von Bromwasser[1] in wäßr. Lösung bzw. Suspension oder mittels Natriumnitrit[2] in essigsaurer Lösung bzw. wäßr. Suspension (im letzteren Falle nur bei den N-maskierten Aminosäuren oder Peptiden, nicht aber deren Estern). Im Gegensatz zur „bromierenden" Entfernung der N-Maskierung soll die Spaltung mit salpetriger Säure ohne Nebenreaktionen bei Anwesenheit von Tyrosin ablaufen[2].

Unter dem Einfluß der beiden Spaltungsreagenzien entstehen primär 2,2-Dibrom-(IX)- bzw. 2-Nitroso-azomethine (X), die unter den herrschenden Reaktionsbedingungen (evtl. Ansäuern auf $p_H = 3$) rasch zu den Aminosäure-Derivaten XI und 4,4-Dibrom-3,5-dioxo-1,1-dimethyl-cyclohexan (XII) bzw. 3,5-Dioxo-4-oximino-1,1-dimethyl-cyclohexan (XIII) hydrolysieren:

H_3C CH_3 R[1] O NH–CH–CO–····

– 2 HBr | + 2 Br_2 — – H_2O | + HNO_2

H_3C CH_3 R[1] O N–CH–CO–···· Br Br — IX

H_3C CH_3 R[1] O N–CH–CO–···· N–OH — X

H_2O — H_2O

H_3C CH_3 O O Br Br — XII + R[1] H_2N–CH–CO–···· — XI

3C CH_3 O N–OH — XIII + R[1] H_2N–CH–CO–··· — XI

Glycyl-glycin-äthylester-Hydrobromid [H-Gly-Gly-OEt · HBr][1]: 0,5 g DcHe-Gly-Gly-OEt in 10 *ml* Wasser werden mit einer wäßr. Lösung von Brom behandelt, bis eine permanente gelbliche Färbung der Lösung entsteht. Nach Abkühlen auf 0° wird vom ausgeschiedenen 2,2-Dibrom-dimedon abfiltriert, das Filtrat i. Vak. eingedampft und der Rückstand aus absol. Äthanol umkristallisiert; Ausbeute: 0,2 g; F: 176°.

Das Spaltungsverfahren ist mit gleich gutem Erfolg auch auf das Benzylester-Derivat anwendbar.

---

[1] B. Halpern u. L. B. James, Austral. J. Chem. **17**, 1282 (1964).

[2] B. Halpern u. A. B. Cross, Chem. & Ind. **1965**, 1183.

31.214.20. *Enamine aus β-Keto-carbonsäure-estern und -amiden*

{1-Methyl-2-äthoxycarbonyl-vinyl-[MEV]-, 1-Methyl-2-phenylaminocarbonyl-vinyl-[MPV]-, 1-Methyl-2-(2-methoxy-phenylaminocarbonyl)-vinyl-[M2MV]-, 1-Methyl-2-(4-methoxy-phenylaminocarbonyl)-vinyl-[M4MV]- und 2-Äthoxycarbonyl-cyclopenten-(1)-yl-[EcPe]-Schutzgruppen}

Nach Dane et al.[1,2] (vgl. S. 277ff.) gehen auch β-Keto-carbonsäure-ester und -amide mit Aminosäure-Alkalimetall-Salzen in wäßrig-methanolischer oder Aminosäure-Dicyclohexylamin-Salzen in rein methanolischer Lösung „Enamin-Kondensationen" ein. Relativ stabile N-substituierte Vinyl-aminosäure-Salze werden vor allem mit Acetessigsäureester, -aniliden (insbesondere den 2- bzw. 4-Methoxy-substituierten Verbindungen) und 2-Oxo-cyclopentan-1-carbonsäure-äthylester erhalten[1–4]; sie eignen sich ausnahmslos als Kopfkomponenten für Peptidsynthesen, wie nachstehende Beispiele veranschaulichen.

L-Alanyl-glycin [H-Ala-Gly-OH]:

N-[2-Äthoxycarbonyl-cyclopenten-(1)-yl]-L-alanin-Kaliumsalz[EcPe-Ala-OK][2]: Zu einer schwach siedenden Lösung von 1,48 g Alanin in 10 *ml* 1,66n methanolischer Kalilauge werden 2,6 g 2-Oxo-cyclopentan-1-carbonsäure-äthylester gegeben. Es bildet sich alsbald ein farbloser Niederschlag, der unter Rühren bei einer Badtemp. von 70° nach 20 Min. wieder in Lösung geht (intensive Gelbfärbung der Lösung). Beim Abkühlen der Reaktionsmischung auf 0° tritt erneut Fällung ein; sie wird abfiltriert und aus absol. Äthanol umkristallisiert; Ausbeute: 2,65 g (60% d.Th.); F: 146–149° (feine Nädelchen).

N-[2-Äthoxycarbonyl-cyclopenten-(1)-yl]-L-alanin-cyanmethylester [EcPe-Ala-OCyM][2]: Eine Suspension von 2,65 g EcPe-Ala-OK in 10 *ml* Essigsäure-äthylester wird mit 9 *ml* Chloracetonitril versetzt; das Reaktionsgemisch wird 90 Min. bei einer Badtemp. von 80° magnetisch gerührt. Die filtrierte Reaktionsmischung wird i. Vak. eingedampft, der verbleibende ölige Rückstand in Essigsäure-äthylester aufgenommen, die Lösung 2mal mit wenig Wasser gewaschen und schließlich über Natriumsulfat getrocknet. Nach Entfernen des Lösungsmittels i. Vak. erhält man ein festes Produkt, das aus Äthanol/Wasser umkristallisiert wird; Ausbeute: 2,41 g (81% d.Th.); F: 61–62°.

N-[2-Äthoxycarbonyl-cyclopenten-(1)-yl]-L-alanyl-glycin-äthylester [EcPe-Ala-Gly-OEt][2]: 1,33 g EcPe-Ala-OCyM in 3 *ml* Essigsäure-äthylester werden mit 1 *ml* H-Gly-OEt versetzt. Nach 90 Min. Stehen der Reaktionsmischung wird das abgeschiedene Material abfiltriert und aus Äthanol/Wasser umkristallisiert; Ausbeute: 1,35 g (86% d.Th.); F: 138–140° (farblose Nadeln).

L-Alanyl-glycin [H-Ala-Gly-OH][2]: 1 g EcPe-Ala-Gly-OEt werden mit 4 *ml* 1,3 n äthanolischer Salzsäure übergossen; unter gelindem Erwärmen tritt alsbald Lösung ein. Anschließend dampft man i. Vak. ein und nimmt den öligen Rückstand in wenig Wasser auf. Die wäßr. Lösung wird zur Entfernung von 2-Oxo-cyclopentan-1-carbonsäure-äthylester mehrmals mit Dimethyläther extrahiert und anschließend mit 9 *ml* n Natronlauge versetzt. Nach 30 Min. Stehen des Verseifungsansatzes neutralisiert man mit Salzsäure, dampft schließlich die Lösung i. Vak. zur Trockene ein und kristallisiert den Rückstand 3mal aus Wasser/Äthanol (zur Abtrennung des Natriumchlorids) um; $[\alpha]_D^{27} = +49,8°$ (c = 2,59; in Wasser).

Eine interessante Anwendungsdemonstration dieser Enamin-Klasse geben ferner Dane und Dockner[5] mit der Synthese von *6-(D-Phenylglycyl)-amino-penicillansäure* (*Ampicillin*).

6-(D-Phenylglycyl)-amino-penicillansäure [H-Phg-Ape-OH]:

N-[1-Methyl-2-(2-methoxy-phenylaminocarbonyl)-vinyl]-D-phenylglycin-Kaliumsalz [M2MV-D-Phg-OK][5]: Zu einer heißen Lösung von 5,28 g D-Phenylglycin in 40 *ml* 0,88n methanolischer Kalilauge fügt man 8,0 g Acetessigsäure-(2-methoxy-anilid) in 20 *ml* Methanol hinzu

---

[1] E. Dane et al., Ang. Ch. **74**, 873 (1962).
E. Dane u. T. Dockner, Ang. Ch. **76**, 342 (1964).

[2] F. Drees, Dissertation, Universität München 1963.

[3] A. Balog et al., Rev. Roumaine Chim. **15**, 1375 (1970).

[4] A. Balog et al., Rev. Roumaine Chim. **16**, 1601 (1971).

[5] E. Dane u. T. Dockner, B. **98**, 789 (1965).

und erhitzt anschließend die Reaktionsmischung 10 Min. zum Sieden; nach Abkühlen auf Raumtemp. tritt Kristallisation ein; Ausbeute: 12,58 g (95% d. Th.); F: 201–204° (Zers.) (farblose Nadeln).

6-(D-Phenylglycyl)-amino-penicillansäure [H-Phg-Ape-OH][1]: Zu einer Suspension von 8,61 g M2MV-D-Phg-OK in 100 *ml* absol. Tetrahydrofuran tropft man bei −6° und unter Rühren 2,77 g Pivaloylchlorid in 50 *ml* absol. Tetrahydrofuran zu. Nach 30 Min. bei dieser Temp. kühlt man die Lösung des gemischten Anhydrids auf −12° ab und versetzt mit 5,04 g 6-Amino-penicillansäure und 3,03 g Triäthylamin in 50 *ml* Chloroform in mehreren Portionen. Nach 20 Min. langem Stehenlassen bei −12° und anschließend 12 Stdn. bei 4° wird die filtrierte Reaktionsmischung i. Vak. eingeengt. Das gelbe Öl wird in 112 *ml* 3%-igem wäßrigem Natriumhydrogencarbonat aufgenommen, die erhaltene Lösung mit dem gleichen Vol. Wasser und dem doppelten Vol. Chloroform versetzt und anschließend unter Rühren innerhalb 15 Min. mit n Salzsäure auf $p_H = 2$ angesäuert. Zunächst ausgefallenes Material geht beim Nachrühren innerhalb von 1 Stde. wieder in Lösung. Nach Trennen der Phasen wird die wäßr. Lösung auf $p_H = 5$ eingestellt und anschließend i. Vak. eingeengt (s. oben). Zur Reinigung des erhaltenen Produkts wird in Wasser/Salzsäure ($p_H = 2$) gelöst und durch Einstellen auf $p_H = 5$ wieder ausgefällt; Ausbeute: 8,0 g (60% d. Th.); F: 199–202° (Zers.); $[\alpha]_D^{23} = +287{,}9°$ (c = 1; in Wasser).

Das Dipeptid wird i. Hochvak. bei Raumtemp. getrocknet!

Weitere interessante Anwendungsbeispiele gibt die Balog-Schule[2] für die selektive Verwendbarkeit der Enamin-Schutzgruppen in Gegenwart von Benzyl- und 2-Phenyl-2-oxo-äthyl-Maskierungen.

N-(1-Methyl-2-äthoxycarbonyl-vinyl)-L-glutamyl(γ-benzylester)-L-glutaminsäure(γ-benzylester)-2-phenyl-2-oxo-äthylester [MEV-Glu(OBZL)-Glu(OBZL)-OPE]:

L-Glutaminsäure(γ-benzylester)-2-phenyl-2-oxo-äthylester-Hydrobromid[H-Glu (OBZL)-OPE · HBr][2]: 15,9 g MEV-Glu(OBZL)-OH · DCHA und 6 g 2-Brom-1-oxo-1-phenyl-äthan (Phenacylbromid) in 250 *ml* absol. Aceton werden bei Raumtemp. über Nacht stehengelassen, am folgenden Tag 3 Stdn. lang unter Rückfluß erhitzt. Die erkaltete Reaktionsmischung wird vom abgeschiedenen Dicyclohexylamin-Hydrobromid durch Filtration befreit und anschließend i. Vak. auf $^2/_3$ des Vol. eingedampft. Die restliche Lösung wird mit ~ 7,5 *ml* Bromwasserstoff/Eisessig (30%-ig) vorsichtig versetzt, bis ein p_H-Wert von 2,5–3 erreicht wird. Von dieser Reaktionsmischung scheiden sich alsbald farblose Nadeln ab; Ausbeute: 8,5 g (65% d. Th.); F: 124–125° (Zers.).

Nach Umkristallisieren aus Äthanol/Essigsäure-äthylester; F: 128–129°; $[\alpha]_D^{22} = +26{,}5°$ (c = 1 in Methanol).

N-(1-Methyl-2-äthoxycarbonyl-vinyl)-L-glutamyl(γ-benzylester)-L-glutaminsäure (γ-benzylester)-2-phenyl-2-oxo-äthylester [MEV-Glu(OBZL)-Glu(OBZL)-OPE][2]: 2,65 g MEV-Glu(OBZL)-OH · DCHA in 10 *ml* absol. Tetrahydrofuran werden nach Zugabe einer Spur N-Methyl-morpholin bei −10° und unter Rühren mit 0,5 *ml* Chlorameisensäure-äthylester umgesetzt; nach 15 Min. Reaktionszeit wird das abgeschiedene Dicyclohexylamin-Hydrochlorid abfiltriert und sorgfältig mit wenig Tetrahydrofuran gewaschen. Zu den vereinigten Tetrahydrofuran-Lösungen werden nunmehr 2,2 g H-Glu(OBZL)-OPE · HBr und 0,7 *ml* Triäthylamin in 25 *ml* Dichlormethan hinzugefügt; das Reaktionsgemisch wird 1 Stde. lang bei −10° und dann 3 Stdn. lang bei Raumtemp. gerührt. Danach entfernt man den größten Teil der Lösungsmittel i. Vak., behandelt das verbleibende mit ges. Natriumhydrogencarbonat-Lösung und setzt anschließend die Vakuumdestillation zur Entfernung restlichen organischen Lösungsmittels fort. Das erhaltene feste Material wird aus Äthanol umkristallisiert; Ausbeute: 1,7 g (50% d. Th.); F: 105–106°; $[\alpha]_D^{24} = +19°$ (c = 1, in Methanol).

---

[1] E. Dane u. T. Dockner, B. **98**, 789 (1965).

[2] C. Daicoviciu et al., Rev. Roumaine Chim. **16**, 751 (1971).

Tab. 36. N_α-subst.-Alkenyl-L-aminosäuren*

EcPe = 2-Äthoxycarbonyl-cyclopenten-(1)-yl
MBV = 1-Methyl-2-benzoyl-vinyl
MMBV = 1-Methyl-(4-methoxy-benzoyl)-vinyl
MAV = 1-Methyl-2-acetyl-vinyl
MEV = 1-Methyl-2-äthoxycarbonyl-vinyl
M2MV = 1-Methyl-2-(2-methoxy-phenylaminocarbonyl)-vinyl
DcHe = 5,5-Dimethyl-3-oxo-cyclohexen-(1)-yl

Aminosäure	Substituent	F [°C]	$[\alpha]_D$	c	t	Lösungsmittel	Literatur	Literatur entsprechender D-Verbindung
Ala	EcPe [a]	146–149 (Zers.)					1	
	DcHe	214–215	−128	0,15		Äthanol	2	
	MEV [c]	132–133	+69,1	1	20–24	Methanol	3	
	MBV [c]	163–165	+165,6	1	20–24	Methanol	3	
Arg	MBV	270–272 (Zers.)					4	
	MAV	100–180 (Zers.)					4	
Asp	EcPe [a]	145–150 (Zers.)					5	
Cys	MBV [a]	194–195 (Zers.)					6	
Glu	EcPe [a]	288–289 (Zers.)					1	
	MBV						7	
	MAV [a]	316–319 (Zers.)					6	
Gly	EcPe	146–148 (Zers.)					1	
	[a]	135 (Zers.)					1	
	MBV	171 (Zers.)					7	
	[a]	255 (Zers.)					7	
	[b]	250 (Zers.)					6	
	[c]	165–167					3	

[a] Kaliumsalz
[b] Bariumsalz
[c] Dicyclohexylamin-Salz
* N_α-Derivate ω-geschützter mehrfunktioneller Aminosäuren s. Abschnitt „Mehrfunktionelle Aminosäuren“, Tab.

[1] F. Drees, Dissertation, Universität München 1963.
[2] B. Halpern, Austral. J. Chem. **18**, 417 (1965).
[3] A. Balog, D. Breazu, E. Vargha et al., Rev. Roumaine Chim. **15**, 1375 (1970).
[4] F. Zumstein, Dissertation, Universität München 1965.
[5] S. Bäuerlein, Dissertation, Universität München 1967.
[6] T. Dockner, Dissertation, Universität München 1964.
[7] P. Konrad, Dissertation, Universität München 1962.

Tab. 36. (1. Fortsetzung)

Aminosäure	Substituent		F [°C]	$[\alpha]_D$	c	t	Lösungsmittel	Literatur	Literatur entsprechender D-Verbindung
Gly	MMBV		188–190 (Zers.)					1	
		a	275–280 (Zers.)					1	
	MAV	a	235–240 (Zers.)					2	
	MEV	a	175 (Zers.)					2	
		c	166–168					3	
	M2MV	a	209 (Zers.)					2	
	DcHe		224–225					4	
His	MAV	a	135 (Zers.)					5	
Ile	EcPe	a	200–205 Zers.)					1	
		c	119–121	+40,3	1	20–24	Methanol	3	
	MBV	c	151–152	+136,6	1	20–24	Methanol	3	
	MAV	c	122–124	+117,8	1	20–24	Methanol	3	
	MEV	c	124–125	+55	1	20–24	Methanol	3	
Leu	EcPe	a	187–190 (Zers.)					1	
	MBV	b	240–241 (Zers.)					6	
		c	158–160	+116,9	1	20–24	Methanol	3	
	MAV	c	134–135	+108,8	1	20–24	Methanol	3	
	DcHe	*	198–199	+132	1		Äthanol		4
Lys	EcPe	a	109–110 (Zers.)					7	
	MBV	a	92–106 (Zers.)					7	
		b	137–139 (Zers.)					7	
	MAV	b	230 (Zers.)					7	
	MEV	a						7	

[a] Kaliumsalz [b] Bariumsalz [c] Dicyclohexylamin-Salz
* Werte für die D-Verbindung

[1] F. DREES, Dissertation, Universität München 1963.
[2] P. KONRAD, Dissertation, Universität München 1962.
[3] A. BALOG, D. BREAZU, E. VARGHA et al., Rev. Roumaine Chim. **15**, 1375 (1970).
[4] B. HALPERN, Austral. J. Chem. **18**, 417 (1965).
[5] F. ZUMSTEIN, Dissertation, Universität München 1965.
[6] T. DOCKNER, Dissertation, Universität München 1964.
[7] G. KLAG, Dissertation, Universität München 1965.

Tab. 36 (2. Fortsetzung)

Amino-säure	Substituent	F [°C]	$[\alpha]_D$	c	t	Lösungs-mittel	Litera-tur	Literatur entsprechender D-Verbindung
Met	EcPe [a]	185–188 (Zers.)					1	
	MBV	136–137					2	
Met	MBV [a]	230–233 (Zers.)					3,4	
	MEV [a]	63–65 (Zers.)					3	
Phe	EcPe [a]						1	
	MBV [c]	158–160	−249	1	20–24	Methanol	5	
	MEV [c]	128–130	−134,8	1	20–24	Methanol	5	
Phg	EcPe *	153–154	+151,4	1	20–24	Methanol		5
	MBV [a]*	231–234 (Zers.)						6
	[c]*	140–141	+208,6	1	20–24	Methanol		5
	MAV [a]*	222–224 (Zers.)						6
	[c]*	124–125	+224,5	1	20–24	Methanol		5
	MEV [a]*	229–233 (Zers.)						6
	[c]*	120–124	+157	1	20–24	Methanol		5
Ser	EcPe [a]	168–171 (Zers.)					1	
Trp	EcPe [a]						7	
Val	MBV [a]	142–145 (Zers.)					8	8
	[c]	160–161	+139,5	1	20–24	Methanol	5	
	MEV [c]	123–124	+68,5	1	20–24	Methanol	5	
	DcHe	167–168	−147	0,75		Äthanol	9	

[a] Kaliumsalz
[c] Dicyclohexylamin-Salz
* Werte für die D-Verbindung

[1] S. Bäuerlein, Dissertation, Universität München 1967.
[2] E. Wünsch, Habilitationsschrift Techn. Hochschule München 1968.
[3] F. Zumstein, Dissertation, Universität München 1965.
[4] E. Wünsch, F. Drees u. J. Jentsch, B. **98**, 803 (1965).
[5] A. Balog, D. Breazu, E. Vargha et al., Rev. Roumaine Chim. **15**, 1375 (1970).
[6] E. Dane, u. T. Dockner, Ang. Ch. **76**, 342 (1964).
[7] G. Klag, Dissertation, Universität München 1965.
[8] F. Drees, Dissertation, Universität München 1963.
[9] B. Halpern, Austral. J. Chem. **18**, 417 (1965).

31.215. 1-Hydroxy-alkyl-Schutzgruppen

1,3-Oxazolidinone-(5) von Aminosäuren, die als innermolekulare O-Acyl-halb-(amino)-acetale der Aminolyse zugänglich sind (s. dazu S. II/95), tragen als „versteckte" Amino-Maskierung einen 1-Hydroxy-alkyl-Rest. Dieser kann nach vollzogener Umsetzung durch milde Säurehydrolyse entfernt werden. Bislang sind 2,2-Bis-[difluor-chlor-methyl]-[1] und 2,2-Di-trifluormethyl-oxazolidinone (I)[2] bekannt geworden, von denen nur die letzteren einige Bedeutung besitzen:

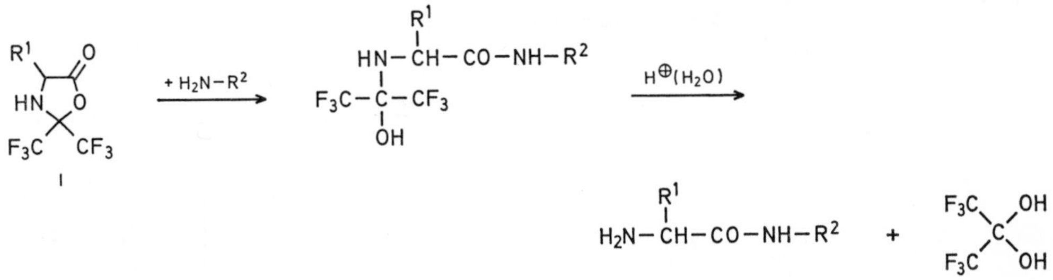

I (R¹-substituiertes 2,2-Bis-[CF_3]-oxazolidinon-(5)) $\xrightarrow{+\ H_2N-R^2}$ $(F_3C)_2C(OH)-NH-CH(R^1)-CO-NH-R^2$ $\xrightarrow{H^{\oplus}(H_2O)}$ $H_2N-CH(R^1)-CO-NH-R^2$ + $(F_3C)_2C(OH)_2$

31.216. 2,2,2-Trifluor(Trichlor)-1-acylamino-äthyl-Schutzgruppen

Weygand et al.[3] haben erstmals über eine N-Maskierung durch „Amino-Acetal-Bildung" berichtet.

2-Trifluormethyl-pseudo-oxazolinone [2-Trifluormethyl-2,5-dihydro-1,3-oxazolinone-(5)] von Aminosäuren (I)[4], die sich wie bekannt aus Aminosäuren und Trifluoressigsäure-anhydrid leicht gewinnen lassen, geben mit Äthylthiol in Bromwasserstoff/Eisessig neben Mercaptalen von α-Keto-carbonsäuren II kristallisiertes *2,2,2-Trifluor-1-äthylthio-äthyl-amin-Hydrobromid* (III) in hoher Ausbeute[5]. III läßt sich in Gegenwart von Pyridin u. a. mit Chlorameisensäure-benzylester, Tosylchlorid oder Trifluoressigsäureanhydrid in ~ 80–90%-iger Ausbeute N-acylieren (IVa–c). (Eine Acylierung mit tert.-Butyloxycarbonyl- oder 4-Methoxybenzyloxycarbonyl-azid gelingt jedoch aufgrund der geringen Nucleophilität der Amino-Funktion des „Amino-thio-acetals" nicht). Aus den 2,2,2-Trifluor-1-äthylthio-N-acyl-äthylaminen (IV) erhält man nach Oxidation mit Wasserstoffperoxid die entsprechenden Sulfone Va–c, die eine hohe Reaktivität gegenüber nucleophilen Reagenzien aufweisen. Mit Amino-Komponenten VI, z. B. Aminosäureestern oder Aminosäure-Salzen, bilden sich in glatter Reaktion N-(2,2,2-Trifluor-1-acylamino-äthyl)-Derivate VIIa–c und Sulfinat (VIII)[6].

Die 2,2,2-Trifluor-1-äthylthio-N-acyl-äthylamine (IVa und b) können ferner durch Erhitzen mit Brom in Tetrachlormethan in hohen Ausbeuten in 2,2,2-Trifluor-1-brom-N-acyl-äthylamine (IXa und b) verwandelt werden, die sich analog den Sulfon-Verbindungen (Va und b) als „Alkyldonatoren" eignen[7].

---

[1] H. E. Simmons u. D. W. Wiley, Am. Soc. **82**, 2288 (1960).
[2] F. Weygand, K. Burger u. K. Engelhardt, B. **99**, 1461 (1966).
[3] F. Weygand, W. Steglich u. I. Lengyel, Acta chim. Acad. Sci. hung. **44**, 19 (1965).
[4] F. Weygand u. W. Steglich, Ang. Ch. **73**, 433 (1961).
F. Weygand et al., B. **97**, 2023 (1964).
[5] F. Weygand, W. Steglich u. H. Tanner, A. **658**, 128 (1962).
[6] F. Weygand u. W. Steglich, B. **98**, 487 (1965).
[7] F. Weygand et al., B. **99**, 1944 (1966).

$$R^1\text{-Oxazolon (I, }CF_3) \xrightarrow[\text{- }R\text{-}C(SC_2H_5)_2\text{-}COOH\ (II)]{+H_5C_2\text{-}SH\ (HBr/Eisessig)} F_3C\text{-}CH(S\text{-}C_2H_5)\text{-}NH_2\cdot HBr\ (III)$$

$$\xrightarrow[\text{Pyridin}]{+R^2\text{-}CO\text{-}Cl\ (R^2\text{-}SO_3Cl\ etc.)} F_3C\text{-}CH(S\text{-}C_2H_5)\text{-}NH\text{-}CO\text{-}R^2\ (\text{-}SO_2\text{-}R^2)\ \ (IV\ a\text{-}c)$$

$$IV \xrightarrow{Br_2} F_3C\text{-}CH(Br)\text{-}NH\text{-}CO\text{-}R^2\ \ (IX\ a,b)$$

$$IV \xrightarrow{H_2O_2} F_3C\text{-}CH(SO_2\text{-}C_2H_5)\text{-}NH\text{-}CO\text{-}R^2(\text{-}SO_2\text{-}R^2)\ \ (V\ a\text{-}c)$$

$$V \xrightarrow[\text{- }H_5C_2\text{-}SO_2H\ (VIII)]{+H_2N\text{-}CH(R^3)\text{-}COOR^4\ (VI)} F_3C\text{-}CH(HN\text{-}CH(R^3)\text{-}COOR^4)\text{-}NH\text{-}CO\text{-}R^2\ (\text{-}SO_2\text{-}R^2)\ \ (VII\ a\text{-}c)$$

a) $R^2 = O\text{-}CH_2\text{-}C_6H_5$
b) $R^2 = CF_3$
c) $R^2 = \text{-}C_6H_4\text{-}CH_3$

Besonders einfach ist die Herstellung der IX-analogen 2,2,2-Trifluor-1-chlor-N-acyl-äthylamine (X); z. B. reagiert Benzylurethan mit Trifluoracetaldehyd (XI) bzw. dessen Hydrat zu 2,2,2-Trifluor-1-hydroxy-N-benzyloxycarbonyl-äthylamin (XIIa). Auf diesem Wege lassen sich auch zahlreiche andere Carbonsäure-amide bzw. substituierte Urethane z. B. tert.-Butyloxycarbonyl-amid[1] umsetzen (s. dazu S. 549). Das Äthylamin-Derivat XIIa wird durch Behandeln mit Phosphor(V)-chlorid in 81%-iger Ausbeute in 2,2,2-Trifluor-1-chlor-1-(benzyloxycarbonylamino)-äthan (Xa)[2] übergeführt:

$$R^2\text{-}CO\text{-}NH_2 \xrightarrow{+F_3C\text{-}CHO\ (XI)\ [Cl_3C\text{-}CHO]\ [XIII]} F_3C[Cl_3]\text{-}CH(OH)\text{-}NH\text{-}CO\text{-}R^2\ \ XII\ [XIV] \xrightarrow{PCl_5} F_3C[Cl_3]\text{-}CH(Cl)\text{-}NH\text{-}CO\text{-}R^2\ \ X\ [XV]$$

Diese letztere Methode eignet sich auch zur Herstellung von 2,2,2-Trichlor-1-chlor-N-acyl-äthylaminen (XV), ausgehend von Carbonsäure-amiden und Chloral (XIII)[2,3].

2,2,2-Trifluor-1-chlor-N-benzyloxycarbonyl-äthylamin[2]:

2,2,2-Trifluor-1-hydroxy-N-benzyloxycarbonyl-äthylamin:

Methode ⓐ: 0,01 Mol Benzylurethan wird in einem Bombenrohr mit 0,01 Mol Fluoral-Hydrat (Trifluoracetaldehyd-Hydrat) und 0,1 *ml* konz. Schwefelsäure 12 Stdn. auf 80° erhitzt. Das Reaktionsgemisch wird in Essigsäure-äthylester aufgenommen und zur Entfernung der Schwefelsäure mit festem Natriumhydrogencarbonat geschüttelt, sodann über Natriumsulfat getrocknet und schließlich i. Vak. eingeengt. Nach Zugabe von Petroläther kristallisiert die noch etwas Ausgangsmaterial enthaltende Hydroxy-Verbindung aus; Ausbeute: 69% d. Th.

Das Rohprodukt kann direkt zur Herstellung des 1-Chlor-Derivates verwendet werden.

---

[1] F. Weygand, Privatmitteilung.
[2] F. Weygand et al., B. **99**, 1944 (1966).
[3] A. N. Meldrum u. G. M. Vad, J. indian chem. Soc. **13**, 117 (1936); C. **1936**, II, 3090.

Methode ⓑ: In eine Lösung von 0,01 Mol Benzylurethan in 25 *ml* wasserfreiem 1,2-Dimethoxyäthan wird bei 30–40° Trifluoracetaldehyd bis zur Sättigung eingeleitet. Der Reaktionskolben trägt dabei einen mit Methanol/Trockeneis gekühlten Rückflußkühler. Nach Verdampfen des Lösungsmittels i. Vak. wird aus Essigsäure-äthylester/Petroläther umkristallisiert; Ausbeute: quantitativ; F: 138°.

2,2,2-Trifluor-1-chlor-N-benzyloxycarbonyl-äthylamin[1]: 0,01 Mol 2,2,2-Trifluor-1-hydroxy-N-benzyloxycarbonyl-äthylamin wird mit 2,3 g Phosphor(V)-chlorid verrieben, wobei Aufschäumen und starke Erwärmung eintritt. Nach kurzem Erhitzen auf dem Wasserbad wird das Reaktionsgemisch mit heißem Petroläther ausgezogen; beim Abkühlen kristallisiert die Chlor-Verbindung in langen Nadeln; Ausbeute: 81% d. Th.; F: 84°.

1,2,2,2-Tetrachlor-N-benzyloxycarbonyl-äthylamin:

2,2,2-Trichlor-1-hydroxy-N-benzyloxycarbonyl-äthylamin[1]: 30,2 g Benzylurethan und 29,4 g wasserfreies Chloral werden auf dem Wasserbad bis zur vollständigen Verflüssigung erwärmt. Nach Stehenlassen der Reaktionsmischung über Nacht bei 20° kristallisiert man das erhaltene feste Produkt aus Toluol/Benzol um; Ausbeute: 58 g (97% d. Th.); F: 113–114°.

1,2,2,2-Tetrachlor-N-benzyloxycarbonyl-äthylamin[1]: 58 g 2,2,2-Trichlor-1-hydroxy-N-benzyloxycarbonyl-äthylamin und 42 g Phosphor(V)-chlorid werden bis zur vollständigen Verflüssigung miteinander geschüttelt. Nach Beendigung der exothermen Reaktion erstarrt die Masse kristallin; sie wird mit Petroläther verrieben und anschließend auf das Filter gebracht; Ausbeute: 50 g (81% d. Th.); F: 78–79°.

Die Umsetzung der 2,2,2-Trihalogen-1-halogen- bzw. 2,2,2-Trihalogen-1-äthylsulfonyl-N-acyl-äthylamine mit Amino-Komponenten (u. a. Nucleophilen) verläuft nach Weygand et al.[2] über einen Eliminierungs-Additions-Mechanismus. Unter dem Einfluß von Basen (z. B. Triäthylamin) erfolgt aus den Aldehyd-Derivaten V, IX oder X Eliminierung von Äthansulfinsäure (VIII), Brom- bzw. Chlorwasserstoff unter gleichzeitiger Bildung von N-Acyl-2,2,2-trifluor-acetaldiminen XVI – im Falle der N-Benzyloxycarbonyl-Verbindung XVIa als Öl isolierbar[1]; an die Aldimine XVI lagern sich vorhandene Nucleophile der Formel H_2N—R (z. B. Aminosäureester) zu N-(2,2,2-Trifluor-1-acylamino-äthyl)-Derivaten VII an:

$$\underset{\text{V [IX, X]}}{F_3C-\overset{SO_2-C_2H_5\ [Cl; Br]}{CH}-\underset{H}{N}-CO-R^2} + B^{\ominus} \rightleftharpoons \underset{\text{XVI}}{F_3C-CH{=}N-CO-R^2} + HB + \underset{\text{VIII}}{H_5C_2-SO_2^{\ominus}}\left[Cl^{\ominus}; Br^{\ominus}\right]$$

$$\xrightarrow{+\ \underset{\text{VI}}{H_2N-R^1}} \underset{\text{VII}}{F_3C-\overset{NH-R^1}{CH}-NH-CO-R^2}$$

N-(2,2,2-Trichlor-1-benzyloxycarbonylamino-äthyl)-L-valin-Dicyclohexylamin-Salz [ZTCE-Val-OH · DCHA][1]:

N-(2,2,2-Trichlor-1-benzyloxycarbonylamino-äthyl)-L-valin-methylester [ZTCE-Val-OMe]: 0,65 g H-Val-OMe · HCl, 1,6 g 1,2,2,2-Tetrachlor-N-benzyloxycarbonyl-äthylamin und 1 *ml* Triäthylamin in 20 *ml* absol. Tetrahydrofuran werden 24 Stdn. bei Raumtemp. stehengelassen. Das Reaktionsgemisch wird anschließend i. Vak. eingedampft, der Rückstand zwischen Essigsäure-äthylester und Wasser verteilt, die abgetrennte Essigsäure-äthylester-Phase mit Wasser gewaschen, über Natriumsulfat getrocknet und schließlich i. Vak. eingedampft (Öl); Ausbeute: 2,0 g (97% d. Th.).

N-(2,2,2-Trichlor-1-benzyloxycarbonylamino-äthyl)-L-valin-Dicyclohexylamin-Salz [ZTCE-Val-OH · DCHA]: 2,06 g obigen Esters werden mit überschüssiger 2n Natronlauge und so viel Methanol versetzt, daß gerade klare Lösung erfolgt. Nach 4 Tage langem Stehenlassen wird

---

[1] F. Weygand et al., B. **99**, 1944 (1966).

[2] F. Weygand u. W. Steglich, B. **98**, 487 (1965).

das Reaktionsgemisch zwischen Diäthyläther und Wasser verteilt, die abgetrennte wäßr. Phase angesäuert, mit Essigsäure-äthylester extrahiert, der Auszug mit Wasser gewaschen und nach Trocknen über Natriumsulfat i. Vak. eingedampft. Aus der Essigsäure-äthylester/Petroläther-Lösung des Rückstandes tritt auf Zusatz von Dicyclohexylamin Kristallisation ein; Ausbeute: 1,0 g (34% d. Th.); F: 161°.

Die Abspaltung der N-(2,2,2-Trihalogen-1-acylamino-äthyl)-Schutzgruppen erfolgt in der für die jeweiligen N-Acylamino-Gruppierungen üblichen Weise; z. B. im Falle der N-Benzyloxycarbonyl-[ZTE]-Verbindung VIIa durch Hydrierung bzw. Protonen-Solvolyse[1]. Hierbei resultieren zunächst die „Aminoacetale" XVII in freier Form bzw. als Salze, die unter den herrschenden Reaktionsbedingungen oder im Zuge der Aufarbeitung hydrolytisch in Richtung freier Amino-Komponente XVIII zersetzt werden. Man hat daher von „Doppel-" oder „verlängerten" Schutzgruppen zu sprechen:

$$\underset{\text{VIIa}}{F_3C-\overset{\overset{\large NH-R^1}{|}}{C}H-NH-CO-O-CH_2-C_6H_5} \xrightarrow[\text{(bzw. } H^{\oplus})]{H_2/Pd} \underset{\text{XVII}}{F_3C-\overset{\overset{\large NH-R^1}{|}}{C}H-NH_2\ (-\overset{\oplus}{N}H_3)} \xrightarrow{H_2O(R-OH)} \underset{\text{XVIII}}{H_2N-R^1}$$

Für eine Maskierung der α-Amino-Funktion im Zuge einer Peptidsynthese dürfte sich diese „Aminoacetal-Blockierung" mangels jeglichen Vorteils kaum eignen; die Bedeutung der 2,2,2-Trihalogen-1-acylamino-äthyl-Reste für den Schutz der NH-Imidazol-(Histidin), der alkoholischen Hydroxy-(Serin, Threonin) und der Sulfhydryl-Funktionen muß demgegenüber unterstrichen werden (S. dazu S. 547 ff., 586 ff. u. 769).

31.220. N,N-Dialkyl-Derivate

31.221. N,N-Di-Benzyl-Schutzgruppe

Nach Velluz et al. lassen sich Aminosäuren mittels Benzylchlorid (im Überschuß) und äquiv. Mengen Lauge in siedenden wäßrigen Alkoholen zu N,N-Dibenzyl-aminosäure-benzylestern umsetzen, letztere durch anschließende alkalische Hydrolyse in N,N-Dibenzyl-aminosäuren überführen. Diese Dialkylierung verläuft bei optisch-aktiven Ausgangsmaterialien racemisierungsfrei[2]; alkoholische Hydroxy-Gruppen werden nicht, phenolische jedoch gleichzeitig veräthert[2].

Weitere Herstellungsmöglichkeiten für N,N-Dibenzyl-aminosäuren sind durch Umsetzung von Dibenzylamin mit 2-Halogen-carbonsäuren[2] bzw. 2-Hydroxy-carbonsäure-nitrilen[3] gegeben. Die Racematspaltung der nach diesen Verfahren erhaltenen DL-Aminosäure-Derivate gelingt mit Hilfe des Basen-Paares D(–)- und L(+)-*threo*-2-Amino-1-(4-nitro-phenyl)-propandiol-(1,3)[2].

Der Einsatz von N,N-Dibenzyl-aminosäuren als Kopfkomponente zu Peptidsynthesen kann nach der Säurechlorid-[2] oder besser nach der Wieland-Boissonnas-Vaughan'schen Anhydrid-Methode erfolgen[3,4].

Die Aufhebung der N,N-Dibenzyl-Blockierung gelingt durch katalytische Hydrogenolyse (Palladium-Schwarz) in wäßrigem Äthanol oder Essigsäure bei einer Reaktionstemperatur von 70–80°[2,3,5].

Der Verwendung von N,N-Dibenzyl-aminosäuren dürfte nur noch in Sonderfällen Bedeutung zukommen.

---

[1] F. Weygand, W. Steglich u. I. Lengyel, Acta chim. Acad. Sci. hung. **44**, 19 (1965). Vgl. F. Weygand et al., B. **99**, 1832 (1966).

[2] L. Velluz, G. Amiard u. R. Heymès, Bl. **1955**, 201.

[3] I. Anatol u. V. Torelli, Bl. **1954**, 1446.

[4] L. Velluz, G. Amiard u. R. Heymès, Bl. **1955**, 1283.

[5] L. Velluz, G. Amiard u. R. Heymès, Bl. **1954**, 1012.

Tab. 37. N,N-Dibenzyl-L-aminosäuren

Aminosäure	F [°C]	$[\alpha]_D$	c	Lösungsmittel	Literatur
Ala	64–65	– 45,0	2	Methanol	1
Gly	200				2,3
Leu	104–105	– 68,0	2	Methanol	1
Nva	118–119	– 71,5	1	Methanol	1
Ser	142–143	– 79,0	2	Methanol	1
Thr	94–96	– 111,0	2	Methanol	1
Val	75	– 119,5	2	Methanol	1

31.222. Amino-Maskierung durch Pyrrylierung

2,5-Diäthoxy-tetrahydrofuran (I) reagiert mit Aminosäureestern in Eisessig unter kurzzeitigem Erhitzen in guter Ausbeute zu α-Pyrrolino-fettsäure-estern II; diese lassen sich zu den freien α-Pyrrolino-fettsäuren III verseifen, welche mit Ausnahme der Glycin- und Tyrosin-Abkömmlinge nur als Dicyclohexylamin-Salze kristallin isoliert werden[4].

Aber auch die direkte Herstellung von α-Pyrrolino-carbonsäuren III ist durch Umsetzung der freien Aminosäuren mit 2,5-Diäthoxy-tetrahydrofuran (I) in siedendem Eisessig unter Zusatz von überschüssigem Natriumacetat möglich[4]:

$$\text{I} \xrightarrow[-2\,H_5C_2-OH,\ -H_2O]{+\,H_2N-CH(R^1)-COOR^2} \text{Pyrrolyl-}N-CH(R^1)-COOR^2\ (\text{II}) \xrightarrow{NaOH} \text{Pyrrolyl-}N-CH(R^1)-COOH\ (\text{III})$$

$$\text{I} \xrightarrow[-2\,H_5C_2-OH,\ -H_2O]{+\,H_2N-CH(R^1)-COOH} \text{Pyrrolyl-}N-CH(R^1)-COOH\ (\text{III})$$

(I: 2,5-Di-OC_2H_5-tetrahydrofuran)

Ob die Synthese der α-Pyrrolino-fettsäuren (III) aus L-Aminosäuren zu optisch-vollaktiven Verbindungen führt, ist noch nicht sicher[4]. Die α-Pyrrolino-fettsäuren, als N,N-dialkylierte Aminosäuren, können mittels Dicyclohexylcarbodiimid-, gem. Anhydrid- oder „Aktiv-Ester"-Methoden mit Aminosäureestern zu den N,N-diblockierten Peptid-Derivaten verknüpft werden[4].

Die Regenerierung der freien Amino-Komponenten (z. B. der Aminosäuren) aus den α-Pyrrolino-Verbindungen ist bislang ungelöst. Einwirkungen von Hydroxylamin, N-Brom-succinimid/30%-igem Wasserstoffperoxid, 5–30%-igem Wasserstoffperoxid oder Perbenzoesäure auf α-Pyrrolino-essigsäure ergaben bislang präparativ unbefriedigende Resultate; die Bildung von Glycin konnte lediglich im chromatographischen bzw. elektrophoretischen Test nachgewiesen werden[4].

---

[1] L. Velluz, G. Amiard u. R. Heymès, Bl. **1955**, 201.
[2] L. Velluz, G. Amiard u. R. Heymès, Bl. **1954**, 1012.
[3] L. Birkofer, B. **75**, 429 (1942).
[4] I. Gloede, K. Poduška, H. Gross u. J. Rudinger, Collect. czech. chem. Commun. **33**, 1307 (1968).

31.223. N,N-Bis-[1-hydroxy-alkyl]-Schutzgruppen

Nach Dane et al.[1] reagieren Aminosäuren mit überschüssigem Chloral (I) zu 4-substituierten N-(2,2,2-Trichlor-1-hydroxy-äthyl)-(trichlormethyl)-1,3-oxazolidinonen-(5) (II), die von den Autoren der leichteren Bezeichnung wegen N,N-Di-chloral-aminosäuren genannt werden. Trägt die Seitenkette der Aminosäure in geeigneter Stellung (β- oder γ-) eine Hydroxy-(Serin, Threonin) oder Thiol-Funktion (Cystein), so tritt zusätzlich unter Wasseraustritt O- bzw. S-Alkylierung zu 1,3-Oxazolidin- bzw. 1,3-Thiazolidin-Derivaten IIa ein.

Diese 4-substituierten 1,3-Oxazolidinone-(5) II lassen sich mit Aminosäureestern unter Zusatz von 1 Äquiv. Base zu N,N-Bis-[2,2,2-trichlor-1-hydroxy-äthyl]-peptidestern (IIIa, b) umsetzen (s. dazu S. II/95), die allerdings nur bei Umsetzungen in Gegenwart von Pyridin als Base in Form der Pyridin-Salze isolierbar sind. An dieser Stelle wird die Dialkyl-Blockierung der α-Amino-Funktion sichtbar.

Unter dem Einfluß stärkerer Basen, z. B. Triäthylamin, erfolgt sofortiger Zerfall der Verbindungen III zu Chloral (I), Chloroform (IV) und N-Formyl-peptid-estern V. Aus letzteren sind die freien Peptide bzw. Peptid-ester auf bekanntem Wege (s. dazu S. 167 ff.) zugänglich:

$$2\ Cl_3C{-}CHO\ (\mathrm{I}) \xrightarrow{+\ H_2N{-}CH(R^1){-}COOH} \mathrm{II}$$

$$\mathrm{II} \xrightarrow[\text{(Base)}]{+\ H_2N{-}CH(R^2){-}COOR^3} [\,\mathrm{IIIa} \rightleftharpoons Cl_3C{-}CH(OH){-}N(CH(OH){-}CCl_3){-}CH(R^1){-}CO{-}NH{-}CH(R^2){-}COOR^3\ (\mathrm{IIIb})\,]$$

$$\xrightarrow{\text{Base}} Cl_3C{-}CHO\ (\mathrm{I}) + CHCl_3\ (\mathrm{IV}) + OHC{-}NH{-}CH(R^1){-}CO{-}NH{-}CH(R^2){-}COOR^3\ (\mathrm{V})$$

Trotz der relativ leichten und billigen Zugänglichkeit der 1,3-Oxazolidinone-(5) II, die zugleich Amino-maskierte und Carboxy-aktivierte Aminosäuren darstellen, muß ihr Wert für die Peptid-Synthese als gering bewertet werden.

---

[1] E. Dane, R. Hein u. H. Schäfer, Ang. Ch. **71**, 339 (1959).
R. Hein, Dissertation, Universität München, 1957.
H. Schäfer, Dissertation, Universität München, 1962.
R. Riess, Diplom-Arbeit, Universität München, 1962.

31.230. N-Alkyliden-Derivate

31.231. N-Benzyliden-Derivate

Schiffsche Basen aus Benzaldehyd und Aminosäuren sind frühzeitig durch Arbeiten der Bergmann-Schule[1] bekannt geworden; sie wurden ausnahmslos in Form von Erdalkalimetall- oder Alkaloid-Salzen isoliert.

Wieland et al.[2] gelang die Herstellung von *N-Benzyliden-[BAL]-glycin-Kaliumsalz*, aus diesem mittels der gem. Anhydrid-Methode die Herstellung von BAL-Gly-SPh; letzterer wird spontan von Wasserstoff-Ionen zu Benzaldehyd und H-Gly-SPh (als Hydrochlorid isoliert) zersetzt.

N-Benzyliden-aminosäure-4-nitro-phenylester sind nach Zervas et al.[3] leicht und meist quantitativ aus Aminosäure-4-nitro-phenylestern und Benzaldehyd zugänglich. Jedoch nur im Falle der Glycin-Verbindung konnte eine „Peptid-Verknüpfung" herbeigeführt werden. Versuche z. B. mit dem Phenylalanin-Derivat schlugen fehl; es wurde keine Umsetzung erzielt.

Die N-Benzyliden-Maskierung ist für einen vorübergehenden Schutz der ω-Amino-Funktion der Diaminosäuren *Lysin* und *Ornithin* brauchbar. Die noch freie α-Amino-Gruppe kann dann üblichen Acylierungsreaktionen nach Schotten-Baumann unterzogen werden; trotz sorgfältig einzuhaltender Reaktions-Bedingungen (s. dazu Synthese von Z-Lys-OH; S. 476) läßt sich jedoch (im alkalischen Reaktionsmedium) eine N_ω/N_α-Umlagerung der Benzyliden-Verbindung nicht völlig ausschließen. Stets werden mehr oder minder große Mengen an N_ω-Acyl-N_α-benzyliden-, nach üblicher Zersetzung der Benzyliden-Gruppierung somit N_ω-Acyl-di-aminosäuren erhalten. Infolge der hohen Löslichkeitsunterschiede von N_α- und N_ω-Verbindungen im Wasser ist die Methode zur Herstellung von Z-Lys-OH bzw. Z-Orn-OH dennoch trefflich geeignet.

31.232. Aldimine von 2-Hydroxy-substituierten aromatischen Aldehyden

McIntire[4] konnte erstmals zeigen, daß 5-Chlor-salicylaldehyd (5-Chlor-2-hydroxy-benzaldehyd) und 2-Hydroxy-naphthaldehyd-(1) (2-Hydroxy-1-formyl-naphthalin) mit Aminosäuren stabile und gut kristallisierte Schiffsche Basen bilden. Ihre Stabilität kommt durch Ausbildung einer Wasserstoff-Brücke zwischen Imin-Stickstoff und Phenol-Hydroxyl zustande.

Sheehan und Grenda[5] haben später *N-(5-Chlor-salicylal)-[CSAL]**- und *N-(2-Hydroxy-1-naphthal)***-*[HNAL]*-L-*valin* als Kopfkomponenten mit Aminosäureestern mittels Dicyclohexylcarbodiimid racemisierungsfrei verknüpft, wobei im ersten Falle allerdings eine Um-Aminierungs-Reaktion von 10–18% (abgeleitet aus isoliertem freien Valin) festgestellt werden mußte. Diese Nebenreaktionen müssen grundsätzlich immer einkalkuliert werden, somit auch ein gleichzeitiges Auftreten von N-Alkyliden-Derivaten der Amino-Komponente.

---

* 5-Chlor-2-hydroxy-benzyliden

** 2-Hydroxy-naphthyl-(1)-methylen

[1] M. Bergmann, H. Ennslin u. L. Zervas, B. **58**, 1043 (1925).
M. Bergmann u. L. Zervas, H. **152**, 282 (1926).

[2] T. Wieland u. W. Schäfer, A. **576**, 104 (1952).

[3] E. Gazis, B. Bezas, G. C. Stelakatos u. L. Zervas, *Peptides*, Proc. 5th Europ. Peptide Symp., Oxford 1962, Pergamon Press Ltd., Oxford **1963**, S. 17.

[4] F. C. McIntire, Am. Soc. **69**, 1377 (1947).

[5] J. C. Sheehan u. V. J. Grenda, Am. Soc. **84**, 2417 (1962).

N-(2-Hydroxy-1-naphthal)-L-valyl-glycin-äthylester [HNAL-Val-Gly-OEt][1]:

N-(2-Hydroxy-1-naphthal)-L-valin [HNAL-Val-OH]: Zu einer Suspension von 2 g fein gepulvertem Valin in 480 *ml* Äthanol und 35 *ml* Methanol werden 4,41 g 2-Hydroxy-1-naphthaldehyd zugegeben. Nach 14 stdgm. Rühren der Reaktionsmischung, währenddessen die Aminosäure in Lösung gegangen ist, wird i. Vak. eingedampft. Das kristalline Material wird durch Zentrifugation und Waschen mit absol. Diäthyläther von überschüssigem Aldehyd befreit; Ausbeute: 4,27 g (92% d. Th.); F: 181,5–185° (Zers., nach Sintern bei 177°; feinkristallin); $[\alpha]_D^{25} = -92,4°$ (c = 1 in Äthanol).

N-(2-Hydroxy-1-naphthal)-L-valyl-glycin-äthylester [HNAL-Val-Gly-OEt]: Zu einer Suspension von 0,5 g N-(2-Hydroxy-1-naphthal)-L-valin in 15 *ml* Dichlormethan werden unter Rühren 0,38 g Dicyclohexylcarbodiimid und anschließend 0,19 g frisch destillierter Glycinäthylester zugegeben. Nach 16 stdgm. Rühren der Reaktionsmischung bei Raumtemp. wird das Filtrat vom N,N'-Dicyclohexyl-harnstoff i. Vak. eingedampft. Der erhaltene kristalline gelbe Rückstand wird mit Diäthyläther sorgfältig gewaschen und aus Dichlormethan/Diäthyläther umkristallisiert; Ausbeute: 0,44 g (70% d. Th.); F: 180–184° (nach erneutem Umkristallisieren aus Äthanol F: 183–184°); $[\alpha]_D^{25} = -38,9°$ (c = 1, in Äthanol).

Nach Khosla et al.[2] gelingt die Herstellung der Schiff'schen Basen aus je 1 Äquiv. 2-Hydroxy-naphthalin-1-aldehyd und Aminosäure besser in Dimethylformamid (10 *ml* pro g Aminosäure). Die resultierende homogene Reaktionslösung wird dann auf ein kleines Volumen eingeengt; hierauf tritt sofort oder nach Behandeln des Rückstandes mit Diäthyläther Kristallisation ein. Umkristallisation erfolgt zweckmäßig aus Dimethylformamid oder Dimethylformamid/Diäthyläther unter Zusatz von 1 Äquiv. Aldehyd. Die Anwendung von heißem Äthanol als Lösungsmittel führt zur teilweisen Zersetzung.

Für Synthesen mit N-(2-Hydroxy-1-naphthal)-aminosäuren empfehlen Khosla et al.[2] die Pentachlor-phenylester-Methode (s. S. II/48 ff.); die „Aktiv-Ester" lassen sich als gelbkristalline Verbindungen in hoher Ausbeute sowohl isolieren als auch mit Aminosäureestern umsetzen.

Beachtung ist der Mitteilung von Hiskey et al.[3] zu zollen, daß bei der Herstellung von *N-Salicylal*-S-trityl-L-cystein* [SAL-Cys(TRT)-OH] komplette, von HNAL-Cys(TRT)-OH partielle Racemisierung (im Gegensatz zu den Valin- und Leucin-Derivaten) erfolgt. Wird die Schiffsche Basen-Bildung unter Verwendung des Aminosäure-Dicyclohexylamin-Salzes in Tetrahydrofuran vollzogen, so wird optisch voll-aktives HNAL-Cys(TRT)-OH · DCHA erhalten. Die gleichen Autoren[3] stellen weiter fest, daß sich SAL-Gly-OH · DCHA, SAL-Ala-OH · DCHA, SAL-Leu-OH · DCHA und SAL-Tyr-OH · DCHA nach dem Dicyclohexylcarbodiimid-Verfahren mit H-Gly-OEt · HCl nicht umsetzen lassen, während dies mit dem Valin-Derivat gelingt.

Die Abspaltung der oben genannten N-Schutzgruppen gelingt mittels n Salzsäure (etwas mehr als 1 Äquiv.) bei Raumtemperatur (30 Min.) oder gelindem Erwärmen (50°; wenige Min.) in verdünnter äthanolischer Lösung[1,3].

S-Trityl-L-cysteinyl-glycin-äthylester-Hydrochlorid [H-Cys(TRT)-Gly-OEt · HCl][3]: Zu 10 g SAL-Cys(TRT)-OH · DCHA in 100 *ml* Dichlormethan werden 2,5 g Glycin-äthylester-Hydrochlorid und 3,75 g Dicyclohexylcarbodiimid gegeben. Die Reaktionsmischung wird 10 Stdn. lang beginnend von 0° auf Raumtemp. gerührt, nach Filtration vom ausgeschiedenen N,N'-Dicyclohexyl-harnstoff i. Vak. eingedampft. Die Lösung des erhaltenen Rückstands in Essigsäure-äthylester wird wie üblich mit 5%-iger Natriumhydrogencarbonat-Lösung, eiskalter n Salzsäure und Wasser gewaschen, über Natriumsulfat getrocknet und letztlich erneut i. Vak. eingedampft; F: 81–83° (gelbes Pulver).

Das erhaltene Produkt wird in 60 *ml* Äthanol gelöst und nach Verdünnen mit 40 *ml* Wasser mit 20 *ml* n Salzsäure versetzt. Die Mischung wird wenige Min. auf 50° erwärmt, die Lösungsmittel i. Vak., zum Schluß unter mehrfacher Zugabe von Isopropanol, entfernt. Der erhaltene Rückstand wird aus Benzol/Hexan umkristallisiert; Ausbeute: 4,08 g (54,8% d. Th.); $[\alpha]_D^{20} = 28,4°$ (c = 2 in Äthanol).

---

* 2-Hydroxy-benzyliden

[1] J. C. Sheehan u. V. J. Grenda, Am. Soc. **84**, 2417 (1962).

[2] M. C. Khosla, R. R. Smeby u. F. M. Bumpus, *Progress in Peptide Research* II, Proc. 2nd Amer. Peptide Symp., Cleveland 1970, Gordon and Breach, New York **1972**, S. 41.

[3] R. G. Hiskey u. G. L. Southard, J. Org. Chem. **31**, 3582 (1966).

31.233. Ketimine von Bis-[2-hydroxy-aryl]-ketonen

Hope und Halpern haben die McIntire-Sheehan-Aldimin-Maskierung (s. S. 295 f.) auf 2-Hydroxy-benzophenone als Bildner „Wasserstoffbrücken-stabilisierter" Schiffscher Basen von Aminosäuren ausgedehnt.

N_α-(α-Phenyl-5-chlor-salicylal)*-L-tryptophan [PCAL-Trp-OH][1]: 613 mg (3 mMol) Tryptophan in 7,5 *ml* Tetramethylammonium-hydroxid in Methanol (0,04 mMol/*ml*) werden auf Zusatz von 699 mg (3 mMol) 5-Chlor-2-hydroxy-benzophenon und einer Portion 3-A-Molekular-Sieb einen Tag lang bei 25° belassen. Die Reaktionsmischung wird i.Vak. vom Lösungsmittel befreit, der Rückstand mit 40 *ml* Wasser behandelt. Das Filtrat vom ungelösten Material (u.a. Keton) wird mit Citronensäure auf $p_H = 4$ gestellt, wobei sich die Schiffsche Base abscheidet. Nach Extraktion wird aus Essigester/Diäthyläther (1:1) umkristallisiert; Ausbeute: 978 mg (72% d.Th.); F: 160–162°; $[\alpha]_D^{22} = -364°$ (c = 0,5 in Methanol).

In analoger Verfahrenstechnik wurden eine Anzahl gleich substituierter Ketimin-Derivate von Aminosäuren hergestellt, ebenso N-(α-Phenyl-5-methyl-salicylal)**-[PMAL]-aminosäuren; einige der Kondensations-Produkte waren nur in öliger Form erhältlich[1].

N_α-(α-Phenyl-5-chlor-salicylal)*-L-tryptophyl-L-tryptophan-methylester [PCAL-Trp-Trp-OMe][1]: 419 mg PCAL-Trp-OH und 233 mg H-Trp-OMe in 5 *ml* Dichlormethan werden wie üblich mit 206 mg Dicyclohexylcarbodiimid umgesetzt. Nach Eindampfen der Lösung i.Vak. reinigt man den Rückstand im System Benzol-Chloroform über eine Silica-Gel-Säule; Ausbeute: 594 mg (91% d.Th.); F: 82–83°; $[\alpha]_D^{22} = -172°$ (c = 0,5 in Methanol).

Die Spaltung der Ketimin-Bindung in Richtung freie Amino-Komponente gelingt mit 80%-iger Essigsäure bei 80° in 20 Min. oder bei 25° in 10 Stdn., mit n Chlorwasserstoff/Alkohol in 15 Min. und mit 4-Toluolsulfonsäure-Monohydrat/Diäthyläther (1 Äquivalent) in 4 Stdn. jeweils bei 25°[1].

Racemisierung im Verlauf der Ketimin-Herstellung und -Umsetzung wurde kontrolliert und als „nicht eingetreten" befunden[1].

31.240. N-Carbenyl-Derivate

31.241. Der [Pentacarbonyl-chrom(0)]-phenyl-carbenyl-[CrPC]-Rest

Nach Fischer et al.[2-4] läßt sich Pentacarbonyl-[methoxy-(phenyl)carben]-chrom(0)[5,6] (I) leicht aminolytisch zum stabilen [Amino-(phenyl)carben]-pentacarbonyl-chrom(0)-Komplex (II) umsetzen; hierbei entstehen entsprechend dem Doppelbindungs-Anteil der C_{Carben}-N-Bindung isomere Gemische, die chromatographisch auftrennbar sind:

$(CO)_5Cr{=}C(C_6H_5)(OCH_3)$ — I

$(CO)_5Cr{=}C(C_6H_5)N(R^1)R$ — II („E-Form") + $(CO)_5Cr{=}C(C_6H_5)N(R)R^1$ — II („Z-Form")

* als α-Phenyl-5-chlor-2-hydroxy-benzyliden bezeichnet, exakt jedoch Phenyl-(5-chlor-2-hydroxy-phenyl)-methylen

** Phenyl-(2-hydroxy-5-methyl-phenyl)-methylen

1 A. Hope u. B. Halpern, Tetrahedron Letters **1972**, 2261.

2 B. Heckl, H. Werner u. E. O. Fischer, Ang. Ch. **80**, 847 (1968).

3 E. O. Fischer, B. Heckl u. H. Werner, J. Organometal. Chem. **28**, 353 (1971).

4 E. O. Fischer u. H. Leupold, B. **105**, 599 (1972).

5 E. O. Fischer et al., J. Organometal. Chem. **16**, P 29 (1969).

6 Die gem. den Richtlinien der Metall-Komplex-Chemie exakte Bezeichnung für I wurde für IV etc. zwecks Einpassung in die der Peptidchemie abgeändert.

Diese Reaktion ist auf Aminosäureester (III) übertragbar[1]: In ätherischer Lösung reagieren die Komponenten I und III zu N-{[Pentacarbonyl-chrom(0)]-phenyl-carbenyl}-aminosäureestern (IV; E- und Z-Isomeren-Gemisch), die zu den N-geschützten Aminosäuren (V; E- und Z-Isomeren-Gemisch) glatt verseift werden können.

N-{[Pentacarbonyl-chrom(0)]-phenyl-carbenyl}-L-alanin [CrPC-Ala-OH][1]:

N-{[Pentacarbonyl-chrom(0)]-phenyl-carbenyl}-L-alanin-methylester [CrPC-Ala-OMe]: Zu 1,5 g Pentacarbonyl-[methoxy-(phenyl)carben]-chrom(0) in 20 *ml* Diäthyläther werden 550 mg H-Ala-OMe in 20 *ml* Diäthyläther zugetropft. Nach 30 Min. wird das Lösungsmittel abgezogen, der ölige Rückstand in Diäthyläther gelöst und auf einer Kieselgel-Säule (2,5 × 20 *cm*) mit Diäthyläther/Hexan (1:1) chromatographiert. Die abgetrennte intensiv-gelbe Zone hinterläßt nach Entfernen des Lösungsmittels einen Rückstand; Ausbeute: 1,6 g (87% d.Th.; Isomeren-Gemisch).

Aus Diäthyläther/Hexan kristallisieren 450 mg (24%) reines Z-Isomeres in hellgelben Nadeln von F: 87–88° (Zers.); $[\alpha]_D^{20} = -13°$ (c = 2, in Äthanol). Die Mutterlauge enthält ein Isomeren-Gemisch, das nur teilweise kristallisiert.

N-{[Pentacarbonyl-chrom(0)]-phenyl-carbenyl}-L-alanin[CrPC-Ala-OH][1]: 1,15 g CrPC-Ala-OMe (Isomeren-Gemisch) in 35 *ml* 1,4-Dioxan werden mit 35 *ml* 0,1 n Natronlauge 2 Stdn. gerührt; anschließend wird mit 35 *ml* 0,1 n Salzsäure neutralisiert und das 1,4-Dioxan i. Vak. abgezogen. Aus der wäßrigen Phase wird die Substanz mit Diäthyläther extrahiert. Die ätherischen Auszüge werden wie üblich getrocknet und i. Vak. eingedampft. Der Rücktand kristallisiert beim Verreiben mit Hexan; Ausbeute 1,19 g (87% d.Th.); F: 77–82°; $[\alpha]_D^{20} = +16{,}3°$ (c = 2, in Äthanol).

Bei guter Löslichkeit in Diäthyläther, 1,4-Dioxan, Dichlormethan und Alkoholen sowie relativer Stabilität z.B. gegenüber verdünnten Lösungen schwacher Säuren und Basen gelingt die peptid-synthetische Umsetzung (eine Isomerentrennung ist nicht nötig hierfür) der N-{[Pentacarbonyl-chrom(0)]-phenyl-carbenyl}-aminosäuren (V) mit Aminosäure-

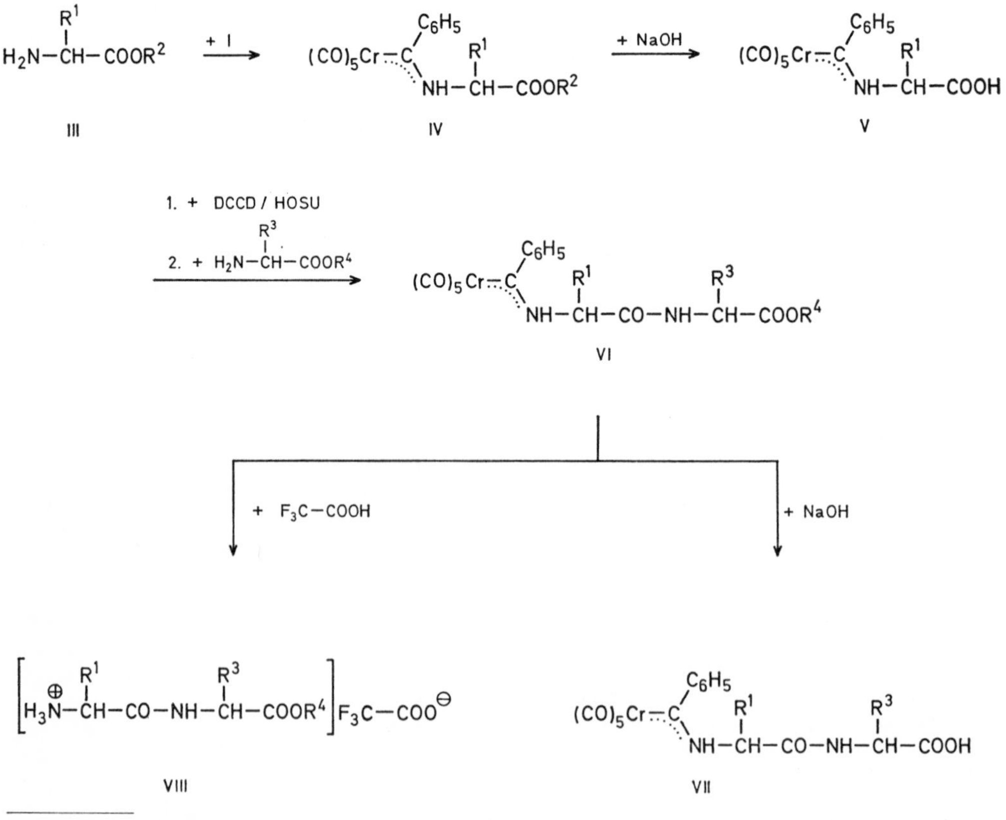

$$\underset{\text{III}}{H_2N-CH(R^1)-COOR^2} \xrightarrow{+\ I} \underset{\text{IV}}{(CO)_5Cr{=}C(C_6H_5)-NH-CH(R^1)-COOR^2} \xrightarrow{+\ NaOH} \underset{\text{V}}{(CO)_5Cr{=}C(C_6H_5)-NH-CH(R^1)-COOH}$$

$$\xrightarrow[2.\ +\ H_2N-CH(R^3)-COOR^4]{1.\ +\ DCCD\ /\ HOSU} \underset{\text{VI}}{(CO)_5Cr{=}C(C_6H_5)-NH-CH(R^1)-CO-NH-CH(R^3)-COOR^4}$$

$$\text{VI} \xrightarrow{+\ F_3C-COOH} \underset{\text{VIII}}{\left[\overset{\oplus}{H_3N}-CH(R^1)-CO-NH-CH(R^3)-COOR^4\right]F_3C-COO^{\ominus}}$$

$$\text{VI} \xrightarrow{+\ NaOH} \underset{\text{VII}}{(CO)_5Cr{=}C(C_6H_5)-NH-CH(R^1)-CO-NH-CH(R^3)-COOH}$$

---

[1] K. Weiss u. E. O. Fischer, B. **106**, 1277 (1973).

estern zu den gelb-kristallinen N-geschützten Dipeptid-Derivaten (VI) nach dem (N-Hydroxy-succinimid)-ester-Verfahren. Alkalische Hydrolyse von VI führt zu {[Pentacarbonyl-chrom(0)]-phenyl-carbenyl}-dipeptiden (VII). Behandlung mit Trifluoressigsäure bei Raumtemp. über 10 Min. oder mit 80% Essigsäure bei 80° über 30 Min. unter Abspaltung der N-Schutzgruppe zu Dipeptid-ester-Salzen (VIII); als Zersetzungprodukte der Schutzgruppe werden hierbei Benzaldehyd und Hexacarbonyl-chrom(0) nachgewiesen[1].

N-{[Pentacarbonyl-chrom(0)]-phenyl-carbenyl}-L-alanyl-L-alanin-methylester [CrPC-Ala-Ala-OMe][1]: Eine Lösung von 1,15 g CrPC-Ala-OH in 15 *ml* Dichlormethan wird mit 575 *mg* N-Hydroxy-succinimid versetzt und auf 0° abgekühlt. Dann werden 555 *mg* Dicyclohexylcarbodiimid zugegeben. Nach 1 Stde. wird vom N,N'-Dicyclohexyl-harnstoff abfiltriert und zum Filtrat eine Lösung von 280 *mg* H-Ala-OMe in 5 *ml* Dichlormethan getropft. Nach 4 Stdn. wird die Reaktionsmischung mit 5%-iger Citronensäure-Lösung, Wasser, ges. Natriumhydrogencarbonat-Lösung und Wasser ausgeschüttelt, über Natriumsulfat getrocknet, i. Vak. eingedampft und der erhaltene Rückstand letztlich aus Dichlormethan/Hexan umkristallisiert; Ausbeute: 840 mg (73% d. Th.); F: 93–104° (Zers.; hellgelbe Nadeln); $[\alpha]_D^{20} = -15°$ (c = 1, in Äthanol).

Anm.: Alle Arbeiten müssen mit Ausnahme der Demaskierung unter Stickstoffatmosphäre und mit stickstoff-ges. Lösungsmitteln ausgeführt werden.

L-Alanyl-L-alanyl-L-alanin-methylester-Hydro-trifluoracetat [H-Ala-Ala-Ala-OMe · TFA-OH][1]: 62 mg Cr-PC-Ala-Ala-Ala-OMe in 5 *ml* Trifluoressigsäure werden 10 Min. bei 20° unter Luftzutritt gerührt. Dabei tritt eine Farbänderung von hellgelb über grün nach hellviolett auf. Außerdem kristallisiert Hexacarbonyl-chrom(0) aus. Die Trifluoressigsäure wird i. Vak. abgezogen, der Rückstand in Wasser aufgenommen und die Lösung mit Diäthyläther ausgeschüttelt. Die wäßrige Phase wird schonend i. Vak. zur Trokkene gebracht; Ausbeute: 34 mg (80% d. Th.); F: 95–98° (farblose Kristalle).

Bei zwar „leichter" Einführung und chromatographisch günstiger Chromophor-Eigenschaft der Schutzgruppe sowie relativ schonenden Demaskierungs-Bedingungen muß der [Pentacarbonyl-chrom(0)]-phenyl-carbenyl-Rest wegen seiner Oxidations-Empfindlichkeit (erzwungenes Arbeiten unter Stickstoffatmosphäre und mit stickstoff-gesättigten Lösungsmitteln usw.) und wegen des jeweiligen Vorliegens von isomeren Gemischen seinen Qualitäts-Vorzug erst noch beweisen.

31.300. Die Alkyl-acylierung

Vorbilder dieses Typs der α-Amino-Blockierung sind die N-Acyl-Derivate sekundärer Aminosäuren (Prolin, N-Methyl-aminosäuren etc.). Wie die N,N-Diacyl-, so sollte auch die N-Acyl-N-alkyl-Blockierung, d. h. die Substitution beider Wasserstoffe der α-Amino-Funktion, jegliche Racemisierung der optisch-aktiven „Kopfkomponente" unterbinden, die ihren Ursprung in der 1,3-Oxazolon-(5)-Bildung bzw. -Ringöffnung hat.

Bestrebungen, „echte" Di-Blockierungen der Amino-Funktion durch gleichzeitige N-Alkyl- und N-Acylierung vorzunehmen, sind bis auf zwei Ausnahmen (s. S. 300f.) im Versuchsstadium steckengeblieben bzw. haben nicht zum Erfolg geführt.

Günstiger liegen die Verhältnisse bei einigen mehrfunktionellen Aminosäuren; dem Streben nach einer wirksamen und stabilen Maskierung der Seitenketten-Funktion wird durch Ausbildung eines Ringsystems Rechnung getragen, an dem die α-Amino-Funktion mitbeteiligt ist. Eine zusätzliche Substitution des zweiten Wasserstoff der α-Amino-Gruppe durch N-Acylierung bzw. N-Alkylierung täuscht dann ein System der N-Alkyl-, N-Acylierung vor (s. S. 304f.).

Letztlich gehören in dieses „Blockierungs-Kapitel" jene unter Ringbildung carboxy-aktivierten Aminosäure-Derivate, deren restliches Wasserstoff-Atom der α-Amino-Gruppe acyliert bzw. alkyliert wird (s. S. 303f.). Aber auch hier ist der Sinn dieser Verfahrenstechnik nicht in dem Streben nach einer N,N-Di-Maskierung zu suchen.

---

[1] K. WEISS u. E. O. FISCHER, B. **106**, 1277 (1973).

31.310. N-Monoacyl(sulfonyl)-N-monoalkyl-Derivate

31.311. Amino-Maskierung durch Sultam-Bildung

Zaoral[1] ist es erstmals gelungen, mittels 2-Chlormethyl-benzolsulfonsäure-chlorid das „Sultam" des *Glycins* (I) zu erhalten und dieses mittels Natrium (oder besser Lithium) in flüssigem Ammoniak unter Zusatz von Ammonsalzen (als Säure!) eindeutig zur freien Aminosäure wieder zu regenerieren:

$$\text{(Sultam)}\!-\!N-CH_2-COOH \xrightarrow[\text{(}NH_4Cl\text{ etc.)}]{Na/NH_3} H_2N-CH_2-COOH$$

Nähere Angaben bzw. experimentelle Daten fehlen bislang.

31.312. Amino-Maskierung durch 1,3-Oxazolinon-(5)-Bildung

Das cyclische Carbonat des α,β-Dihydroxy-stilbens (2-Oxo-4,5-diphenyl-1,3-dioxol, I) – durch Umsetzung von Benzoin (II) mit Phosgen unter N,N-Dimethyl-anilin-Zusatz und anschließendes Kochen des Reaktionsproduktes in Benzol erhältlich – reagiert mit Amino-säure-Tetrabutylammonium-Salzen in Dimethylformamid zu einer Mischung von „Desyl-urethanen" III und 4-Hydroxy-oxazolidin-2-on-Derivaten IV – oder, vor allem unter wasserfreien Bedingungen, nur zu letzteren; die Dehydratation von IV durch Einwirkung von Trifluoressigsäure führt letztlich zu 4,5-Diphenyl-Δ^4-oxazolin-2-on-Verbindungen (3-substituierte 2-Oxo-4,5-diphenyl-2,3-dihydro-1,3-oxazole, V)[2-4].

Diese „N,N-(4-Oxo-1,2-diphenyl-3-oxa-butenylen)-[OXBn]-aminosäuren" V zeigen u.a. ein typisches IR-Spektrum mit Banden bei 1750 cm^{-1} und 1370 cm^{-1} (charakteristisch für das Oxazolinon-Carbonyl) sowie eine intensive UV-Absorption bei 287 nm (ε $1,5 \cdot 10^4$ in Äthanol) und fluoreszieren extrem stark unter UV-Licht.

$$H_5C_6-CO-CH(OH)-C_6H_5 \text{ (II)} \xrightarrow[\text{2. } \nabla \text{ in Benzol}]{\text{1. } COCl_2/H_5C_6-N(CH_3)_2} \text{I} \xrightarrow{H_2N-R}$$

$$\longrightarrow \left[H_5C_6-CO-CH(C_6H_5)-O-CO-NH-R \right] \text{ (III)} \rightleftharpoons \text{IV} \xrightarrow{F_3C-COOH} \text{V}$$

$$R = -CH(R^1)-COOH$$

[1] Nach J. Rudinger, Diskussionsmitteilung, 1. Europ. Peptidsympos., Prag 1958; Collect. czech. chem. Commun. (Spez. Issue) **24**, 77 (1959).

[2] F. S. Guziec u. J. C. Sheehan, *Chemistry and Biology of Peptides*, Proc. 3rd Amer. Peptide Symposium Boston 1972; Ann Arbor Science Publ. Ann Arbor Michigan **1972**, S. 321.

[3] J. C. Sheehan u. F. S. Guziec, Am. Soc. **94**, 6561 (1972).

[4] J. C. Sheehan u. F. S. Guziec, J. Org. Chem. **38**, 3034 (1973).

N,N-(4-Oxo-1,2-diphenyl-3-oxa-butenylen)-L-phenylalanin[OXBn-Phe-OH][1]:

2-Oxo-4,5-diphenyl-1,3-dioxol[1]: In eine gutgerührte Suspension von 17 g Benzoin in 100 *ml* absol. Benzol (200 *ml* Dreihalskolben ausgestattet mit Trockeneis/Aceton-Aufsatzkühler, Gaseinleitungsrohr, druckausgleichendem Tropftrichter und magnetischer Rührung) wird bei 5° 6,4 *ml* flüssiges Phosgen eindestilliert. Zur erhaltenen Mischung wird über 30 Min. 10,2 *ml* destilliertes N,N-Dimethyl-anilin tropfenweise hinzugefügt. Man läßt langsam auf Raumtemp. kommen, verschließt das Reaktionsgefäß und rührt die Mischung bei Raumtemp. im Wasserbad über Nacht. Nach kurzfristiger Kühlung im Eisbad wird die Reaktionsmischung vom abgeschiedenen N,N-Dimethyl-anilin-Hydrochlorid abfiltriert, das Hydrochlorid mit 20 *ml* kaltem Benzol gewaschen. Die vereinigten Benzol-Lösungen werden 3 Stdn. unter Rückfluß gekocht, dann auf Raumtemp. abgekühlt, sorgfältig mit 60 *ml* 0,5 n Salzsäure und 60 *ml* Wasser gewaschen und getrocknet. Entfernen des Lösungsmittels i. Vak. hinterläßt ein schwach gelbliches Öl, das aus einem Minimum 95%-igem warmen Äthanol unter Anreiben kristallisiert. Es wird aus Äthanol umkristallisiert; Ausbeute: 12,5 g (66% d.Th.); F: 75–76°.

Das rohe Carbonat enthält eine kleine Menge Desyl-chlorid; dieses Beiprodukt wird zum Hauptprodukt, wenn das bei der Reaktion gebildete N,N-Dimethyl-anilin-Hydrochlorid nicht vor dem Erhitzen der Lösung entfernt wird.

N,N-(4-Oxo-1,2-diphenyl-3-oxa-butenylen)-L-phenylalanin[OXBn-Phe-OH][1]: Die Mischung von 3,3 g Phenylalanin und 6,52 g Tetramethylammonium-hydroxid-Lösung (durch Titration ermittelt: 27,9%-ig in Methanol) wird i. Vak. eingedampft; das erhaltene Öl wird 2mal mit absol. Äthanol aufgenommen, die erhaltene Lösung erneut i. Vak. eingedampft. Die Suspension des so erhaltenen farblosen festen Tetramethylammonium-Salzes des Phenylanins in 20 *ml* Dimethylformamid wird unter Rühren mit 4,76 g 2-Oxo-4,5-diphenyl-1,3-dioxol versetzt; es entsteht zunächst eine intensiv gelbe Färbung, die alsbald verschwindet. Nach 30 Min. wird die Reaktionsmischung mit 20 *ml* 2 n Salzsäure angesäuert, mit 100 *ml* Essigsäure-äthylester verdünnt, die resultierende Lösung 3mal mit je 75 *ml* Wasser gewaschen und anschließend üblich getrocknet. Nach Entfernen der Lösungsmittel i. Vak. wird ein schwach gelblicher Schaum erhalten, der sogleich in 20 *ml* Trifluoressigsäure aufgenommen wird. Nach 2 stdgm. Stehen der Reaktionslösung bei Raumtemp. wird überschüssige Trifluoressigsäure i. Vak. entfernt, der verbleibende Rückstand in 75 *ml* Dichlormethan aufgenommen, die erhaltene Lösung 3mal mit 30 *ml* Wasser gewaschen und wie üblich getrocknet. Nach Entfernen des Lösungsmittels i. Vak. erhält man einen farblosen fluoreszierenden Rückstand, der aus Essigsäure-äthylester/Pentan umkristallisiert wird; Ausbeute: 6,45 g (84% d.Th.); F.: 196–197° (unter Sublimieren); $[\alpha]_D^{25} = -176°$ (c = 1,02 in Methanol).

Peptid-Synthesen mit „N-Oxazolinon-maskierten" Aminosäuren wurden bislang unter Verwendung wasserlöslicher Carbodiimide ausgeführt; die erhaltenen N-geschützten Peptidester scheinen geringe Neigung zur Kristallisation zu haben (zumindest gilt dies für den Dipeptid-Bereich). Da die optische Aktivität durch den Verknüpfungsschritt nicht in Mitleidenschaft gezogen wird, liegt der Grund für diese fehlende Kristallisations-Tendenz sicher nicht in kristallisationhemmenden Racemat-Beimengungen[1].

N,N-(4-Oxo-1,2-diphenyl-3-oxa-butenylen)-L-alanyl-glycin-äthylester [OXBn-Ala-Gly-OEt][1]: Zu einer auf 0° gekühlten und gerührten Mischung von 2,78 g OXBn-Ala-OH, 1,40 g H-Gly-OEt · HCl und 1,40 g Triäthylamin in 30 *ml* Dichlormethan fügt man 1,92 g 1-Äthyl-3-(3-dimethylamino-propyl)-carbodiimid-Hydrochlorid hinzu; der Reaktionsansatz wird 1 Stde. lang bei 0° und anschließend 2 Stdn. bei Raumtemp. gerührt. Nach Entfernen des Lösungsmittels i. Vak. wird der erhaltene Rückstand zwischen 30 *ml* Essigsäure-äthylester und 30 *ml* Wasser verteilt, die abgetrennte organische Phase sorgfältig mit überschüssiger n Salzsäure, Wasser, 0,5 n Natriumhydrogencarbonat-Lösung wie üblich gewaschen und nach Trocknen i. Vak. eingedampft. Das erhaltene farblose Öl kristallisiert aus Essigsäure-äthylester/Pentan in farblosen Platten; Ausbeute: 3,17 g (81% d.Th.); F: 129,5–130°; $[\alpha]_D^{26} = +3{,}4°$ (c = 0,99 in Methanol).

Die N-Maskierung kann durch katalytische Hydrogenolyse unter Druck und Zusatz von einem Äquivalent Säure oder mittels Natrium/flüssigem Ammoniak wieder aufgehoben werden. Zu vermerken ist, daß die hydrogenolytische Spaltung in wasserfreien Medien langsam und unvollständig verläuft; als Beiprodukte werden dann N-(1,2-Diphenyl-äthyl)-Derivate vorgefunden. Ferner gelingt die Abspaltung der Schutzgruppe auch durch Oxi-

---

[1] J. C. Sheehan u. F. S. Guziec, J. Org. Chem. **38**, 3034 (1973).

dation mit 3-Chlor-perbenzoesäure (2 Äquivalenten) in Trifluoressigsäure und anschließender milder Hydrolyse – für den peptid-synthetischen Gebrauch allerdings eine kaum anwendbare Methode[1,2].

Gegenüber Trifluoressigsäure, Bromwasserstoff/Essigsäure und Fluorwasserstoff einerseits und gegenüber Hydrazin in siedendem Äthanol oder Alkalimetallauge andererseits ist die 1,3-Oxazolinon-(2)-Verbindung jedoch relativ gut beständig. Letztere Prozedur ist jedoch auf die „geschützte" Aminosäure beschränkt: Im Peptid-Verband führt Einwirkung von Natronlauge zu Hydantoin-Bildung[1,2]. Daraus folgt, daß vor einer alkalischen Verseifung von Esterbindungen die N,N-(4-Oxo-1,2-diphenyl-3-oxa-butenylen)-Schutzgruppe zu entfernen ist.

L-Alanyl-glycin [H-Ala-Gly-OH][2]: 4 mMol OXBn-Ala-Gly-OEt in 45 *ml* absol. Methanol werden nach Zusatz von 400 *mg* 10%-iger Palladium-Kohle und 2 *ml* 2 n Salzsäure unter Druck (0,20 Atm.) über Nacht hydriert; das unter Verwendung von Celite erhaltene Filtrat wird mit 10 *ml* n Natronlauge versetzt, die Reaktionsmischung 30 Min. bei Raumtemp. stehen gelassen. Nach Entfernen des Methanols i. Vak. extrahiert man 3 mal mit je 5 *ml* Diäthyläther und entsalzt die wäßrige Lösung durch Passieren von Austauscher-Säulen (IRC-50 in der Ammonium-Form und 50 W-X 8 in der $H^{\oplus}$-Form). Das i. Vak. eingedampfte Eluat hinterläßt einen Rückstand, der aus Wasser/Äthanol umkristallisiert farblose Kristalle liefert; Ausbeute: 86% d.Th.; F: 230–231° (Zers.); $[\alpha]_D^{24} = +50,7$ (c = 2,03 in Wasser).

31.313. N-Nitroso-N-alkyl-Maskierung

Nach Vogler et al.[3] verläuft die N-Nitrosierung von N-Alkyl(Benzyl)-aminosäuren I mittels Isoamylnitrit in Eisessig bei Raumtemperatur in guter Ausbeute zu optisch-reinen und unter Lichtausschaltung auch stabilen N-Nitroso-Derivaten II:

$$\underset{\text{I}}{R^1\text{—NH—}\overset{\overset{\displaystyle R^2}{|}}{\text{CH}}\text{—COOH}} \underset{+\ \text{HCl}}{\overset{+\ \text{Isoamylnitrit}}{\rightleftharpoons}} \underset{\text{II}}{R^1\text{—}\underset{\underset{\displaystyle \text{NO}}{|}}{\text{N}}\text{—}\overset{\overset{\displaystyle R^2}{|}}{\text{CH}}\text{—COOH}} \qquad R^1 = CH_3;\ \text{—}CH_2\text{—}C_6H_5$$

Die Autoren mußten jedoch feststellen, daß Peptid-Verknüpfungen mit N-Nitroso-N-alkyl-aminosäuren nach verschiedenen Methoden zu mehr oder minder starker Racemisierung der „Kopfkomponente" führten – ob dies unter den Bedingungen der „Wünsch-Weygand-Methode" (s. S. II/111) bzw. der Alkyl-kohlensäure-Anhydrid-Verfahren unter Verwendung von N-Methyl-morpholin ebenfalls so ist, benötigt noch der Prüfung –, überhaupt nicht gelingen (Sydnon-Bildung) oder häufig zu weitergehenden Nebenreaktionen Anlaß geben. Lediglich für Peptolid-Synthesen konnten Vogler et al.[3] N-Nitroso-N-alkyl-aminosäure-chloride einsetzen; doch selbst bei tiefster Reaktionstemperatur (–60°) ist eine Racemisierung nicht vollständig auszuschließen (s. S. II/375).

Die Abspaltung der N-Nitroso-Gruppe gelingt mittels Chlorwasserstoff in Benzol oder Eisessig bei 10°; Bromwasserstoff als Spaltungsreagenz ist wegen Auftreten von freiem Brom (als Nebenprodukt) weniger geeignet, andere Mineralsäuren sind zu wenig aktiv. Zu erwähnen ist die Stabilität der N-Nitroso-Gruppierung gegenüber katalytischer Hydrogenolyse unter den Bedingungen für De-Benzylierung bzw. De-Benzyloxycarbonylierung[3].

---

[1] F. S. Guziec u. J. C. Sheehan, *Chemistry and Biology of Peptides*, Proc. 3rd Amer. Peptide Symposium Boston 1972; Ann Arbor Science Publ. Ann Arbor Michigan **1972**, S. 321.
[2] J. C. Sheehan u. F. S. Guziec, J. Org. Chem. **38**, 3034 (1973).
[3] P. Quitt, R. O. Studer u. K. Vogler, Helv. **47**, 166 (1964).

31.314. N-Acyl-N-benzyl-Derivate

Die erstmals von Weygand et al.[1] hergestellten N-(2,4-Dimethoxy-benzyl)-[24 DB]-aminosäuren (s. dazu S. 464) können nach zusätzlicher N-Acylierung (Benzyloxycarbonylierung etc.) als N-Acyl-N-alkyl-geschützte Aminosäure-Kopfkomponenten zu Peptidsynthesen Verwendung finden (vgl. ferner den peptidchemischen Umsatz von N-Benzyloxycarbonyl-alanyl-N-benzyl-phenylalanin von Stelakatos et al.[2]).

Der Sinn dieser Verfahrenstechnik liegt jedoch ausschließlich im Aufbau von Peptiden mit N-benzyl-substituierten Peptid-Bindungen, wodurch die Löslichkeit der Peptid-Derivate in organischen Solventien erhöht – so ist z. B. MOZ-Gly-(24DB)Gly-(24DB)Gly-(24DB)Gly-(24DB)Gly-OH sehr gut löslich in Essigsäure-äthylester –, ferner jegliche Möglichkeit einer Diacyl-imid-Bindung, d. h. N-Amino-acylierung der Peptidbindung, trotz Überschuß aktivierter Kopfkomponenten (s. dazu S. 464), ausgeschlossen werden sollen. Eine Racemisierung der carboxy-endständigen optisch aktiven Aminosäuren bei Umsatz eines N-Acyl-peptids durch Oxazolinon-Bildung sollte zusätzlich vermieden werden.

31.315. N-Alkyl- bzw. N-Acyl-Verbindungen von carboxyl-aktivierten cyclischen Aminosäure-Derivaten

31.315.10. *N-Acyl(Sulfonyl)-1,3-oxazolidinone-(5)*

Weygand et al.[3], Ben Ishai[4], Micheel et al.[5], Rudinger und Farkasova[6] bzw. Hiskey und Jung[7] haben eine Anzahl von N-acylierten Aminosäuren mit Aldehyden oder N-Aryl-methylen-aminosäuren mit Säurechloriden zu 4-substituierten N-Acyl(Sulfonyl)-1,3-oxazolidinonen-(5) umgesetzt. Die erhaltenen (ev. 4-substituierten) (vgl. S. 304)

2-Phenyl-3-trifluoracetyl-1,3-oxazolidinone-(5); Ia
3-Benzyloxycarbonyl-1,3-oxazolidinone-(5); Ib
2-Alkyl-3-benzyloxycarbonyl-1,3-oxazolidinone-(5); Ib
2-Aryl-3-benzyloxycarbonyl-1,3-oxazolidinone-(5); Ib
3-Tosyl-2-methyl-1,3-oxazolidinone-(5); Ic
3-Tosyl-2-trichlormethyl-1,3-oxazolidinone-(5); Ic
3-Tosyl-2-phenyl-1,3-oxazolidinone-(5); Ic

lassen sich mit Aminosäureestern zu N-Acyl(Sulfonyl)-peptid-estern III öffnen, wobei als Intermediär-Stufen (in einzelnen Fällen faßbar) N-Acyl(Sulfonyl)-N-(1-hydroxy-alkyl)-peptid-Derivate II, d. h. N,N-di-blockierte Verbindungen, durchlaufen werden (s. dazu S. 304).

---

[1] F. Weygand et al., Tetrahedron Letters **1966**, 3438.
[2] G. C. Stelakatos u. N. Argyropoulos, Chem. Commun. **1966**, 271.
[3] F. Weygand u. E. Leising, B. **87**, 248 (1954).
F. Weygand u. M. Reiher, B. **88**, 26 (1955).
[4] D. Ben Ishai, Am. Soc. **79**, 5336 (1957).
[5] F. Micheel u. S. Thomas, B. **90**, 2906 (1957).
F. Micheel u. H. Hancke, B. **92**, 309 (1959) u. **95**, 1009 (1962).
F. Micheel u. W. Meckstroth, B. **92**, 1675 (1959).
[6] J. Rudinger u. H. Farkasova, Collect. czech. chem. Commun. **28**, 2941 (1963).
[7] R. A. Hiskey u. J. M. Jung, Am. Soc. **85**, 578 (1963).

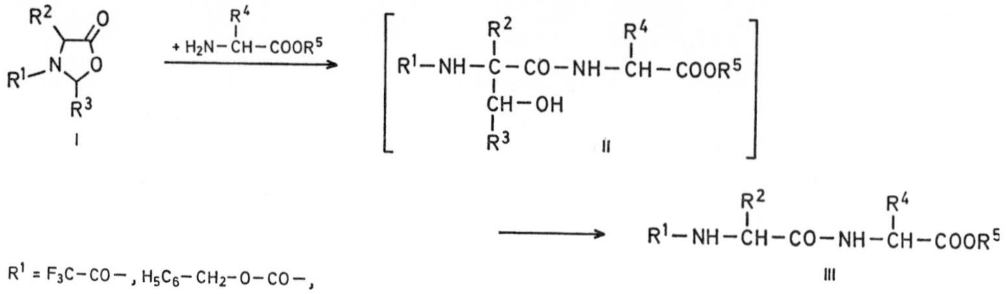

$$\text{I} \xrightarrow{+\ H_2N-CH(R^4)-COOR^5} \left[R^1-NH-C(R^2)(CH(OH)R^3)-CO-NH-CH(R^4)-COOR^5 \right]\ \text{II} \longrightarrow R^1-NH-CH(R^2)-CO-NH-CH(R^4)-COOR^5\ \text{III}$$

$R^1 = F_3C-CO-$, $H_5C_6-CH_2-O-CO-$, $CH_3-C_6H_4-SO_2-$ (Ia, Ib, Ic)

R^2, R^4 = AS-Seitenkette

$R^3 = H, CH_3, CCl_3, C_6H_5$

R^5 = Alkyl

31.315.20. *N-Alkyl-1,3-oxazolidindione-(2,5)*

Peptidchemische Umsetzungen von N-Trityl-N-Carbonsäure-Anhydriden des Glycins {TRT-[Gly-NCA]} bzw. des Alanins {TRT-[Ala-NCA]} (I) – in 1,4-Dioxan gelöst – und Aminosäure- oder Peptidestern in wäßriger Lösung demonstrieren Block und Cox[1] an Hand der Synthese einiger nur Glycin- und Alanin-Reste enthaltender N-Trityl-peptide III (vgl. S. II/203). Als „primäres" Reaktionsprodukt fallen die unter den herrschenden Bedingungen instabilen N-Trityl-N-carboxy-peptidester II an:

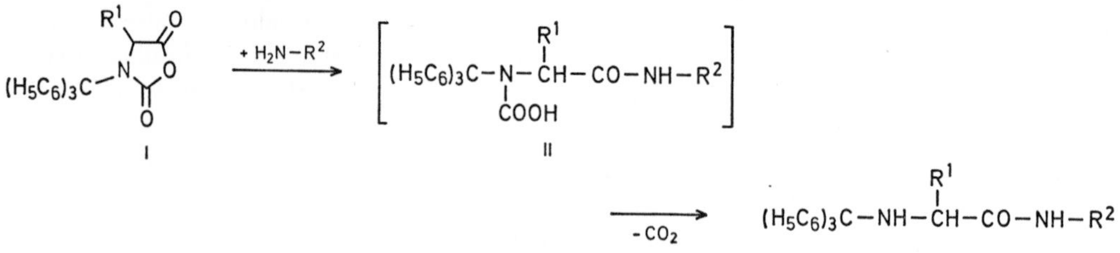

$$\text{I} \xrightarrow{+\ H_2N-R^2} \left[(H_5C_6)_3C-N(COOH)-CH(R^1)-CO-NH-R^2 \right]\ \text{II} \xrightarrow{-CO_2} (H_5C_6)_3C-NH-CH(R^1)-CO-NH-R^2$$

31.316. N-Acyl- bzw. N-Alkyl-Verbindungen spezieller Derivate mehrfunktioneller Aminosäuren

31.316.10. *N-Acyl-1,3-thiazolidin-4-carbonsäuren*

Erhitzen von Cystein-Hydrochlorid in Aceton führt zur *2,2-Dimethyl-1,3-thiazolidin-4-carbonsäure* (isoliert als Hydrochlorid)[2]. Die cyclische N-Formyl-2,2-dimethyl-1,3-thiazolidin-4-carbonsäure [FOR-Dtc-OH], ein N-Acyl-N-alkyl-cystein-Derivat, wurde von King[3] und Sheehan[4] als Kopfkomponente mittels der Misch-Anhydrid- und Carbodiimid-Verfahren zur Herstellung von Cysteinyl-peptiden mit Erfolg benützt (s. S. 774 f.). Über die Herstellung von 2-Phenyl-1,3-thiazolidin-4-carbonsäure (und sein 5,5-Dimethyl-Derivat) sowie über die Umsetzung deren N-Acyl-Derivate berichten Vargha et al.[5].

---

[1] M. Block u. M. E. Cox, *Peptides*, Proc. 5th Europ. Peptide Symposium, Oxford 1962, Pergamon Press Ltd., Oxford **1963**, S. 83.

[2] G. E. Woodward u. E. F. Schröder, Am. Soc. **59**, 1690 (1937).

[3] F. E. King, J. W. Clark-Lewis u. R. Wade, Soc. **1957**, 880.

[4] J. C. Sheehan u. D.-D. H. Yang, Am. Soc. **80**, 1158 (1958).

[5] E. Vargha et al., Studia Univ. Babes-Bolyai, Ser. Chem. **12** (2), 109 (1967); C. A. **68**, 78571[k] (1968).

31.316.20. *N-Benzyl-pyrrolidon-carbonsäure*

5-Oxo-1-benzyl-pyrrolidin-2-carbonsäure, (das N-alkylierte innermolekulare Lactam der Glutaminsäure) wurde erstmals von Boissonnas et al.[1] zu Peptidsynthesen auf dem Eledoisin-Sektor herangezogen. Die N,N-di-blockierte Kopfkomponente kann nach Carbodiimid-, 4-Nitro-phenylester-, oder 2,4,6-Trichlor-phenylester- oder Azid-Methoden mit Aminosäure-(Peptid)-Estern in hoher Ausbeute zu N-Benzyl-pyrrolidonoyl-peptidestern vereinigt werden. Alkalische Verseifung oder Hydrazinolyse der Ester-Gruppierung, wie katalytische Hydrogenolyse (Abspaltung der N_ε-Benzyloxycarbonyl-Schutzgruppe des Lysins) erwies sich ohne Einfluß auf die N-Benzyl-lactam-Gruppierung. Möglichkeiten der Abspaltung des N-Benzylrestes bzw. der Ringöffnung zum Glutaminsäure- bzw. Glutamin-Derivat sind jedoch bislang unbearbeitet geblieben.

31.400. Protonierung der α-Amino-Funktion (Ammoniumsalz-Bildung)

Als vierte grundsätzliche Möglichkeit sei der Vollständigkeit halber die „Ammonsalz-Blockierung" der Amino-Gruppe angeführt, die schon von E. Fischer für die Synthese von Peptiden benutzt wurde. Doch ist die Herstellung und Handhabung der Aminosäurechlorid-Hydrochloride trotz aller Verbesserungsvorschläge wenig erfreulich. Darüber hinaus ist ein Umsatz nur mit Aminosäure- bzw. Peptid-estern möglich. Einen erheblichen Fortschritt würde es bedeuten, wenn man in indifferenten Lösungsmitteln lösliche Ammoniumsalze von Aminosäuren oder Peptiden mit „N-aktivierten" Aminosäure- bzw. Peptid-estern (z. B. „Phosphorazo-Körpern") verknüpfen könnte. Versuche in dieser Richtung sind jedoch bislang fehlgeschlagen[2].

Zum Spezialfall des Einsatzes „innerer Anhydride" von Asparaginsäure-Hydrohalogeniden und -Alkylschwefelsäure-Salzen als Kopfkomponente s. S. II/220f.

Tab. 38. 1,3-Thiazolidin-4-carbonsäure-Derivate

R^1	R^2	R^3	R^4	X	F [°C]	$[\alpha]_D$	t	c	Lösungsmittel	Literatur
H	CH_3	CH_3	FOR	OH	225 (Zers.)	− 181	21	2,4	0,33 n Na_2CO_3	3,4
H	CH_3	CH_3	H	OCH_3 [a]	159–159,5					4
H	CH_3	CH_3	FOR	NH (Ph)	191,5–192,5	− 205	28	1	Eisessig	4
H	C_6H_5	H	FOR	OH	175–178					5
CH_3	C_6H_5	H	FOR	OH	212–214	− 96,3	21	1	Äthanol	5
CH_3	C_6H_5	H	Z	OH	150–155	− 67	20	1	Äthanol	5
H	CH_3	CH_3	BOC	OH	114–114,5	− 85	20	1,34	Chloroform	6

[a] Hydrochlorid

[1] E. Sandrin u. R. A. Boissonnas, Helv. **46**, 1637 (1963).
[2] E. Wünsch, unveröffentlichte Ergebnisse.
[3] F. E. King, J. W. Clark-Lewis u. R. Wade, Soc. **1957**, 880.
[4] J. C. Sheehan u. D.-D. H. Yang, Am. Soc. **80**, 1158 (1958).
[5] E. Vargha et al., Studia Univ. Babes-Bolyai, Ser. Chemia **12** (2), 109 (1967).
[6] R. B. Woodward et al., Am. Soc. **88**, 852 (1966).

32. Nachträgliche Einführung der $\alpha(\omega)$-Amino-Gruppe

bearbeitet von

Prof. Dr. E. Wünsch

Max-Planck-Institut für Biochemie, München

In Ermangelung leicht wieder abspaltbarer Amino-Schutzgruppen war man schon bald dazu übergegangen, „Vorläufer“ für die amino-endständige Aminosäure in Gestalt von Halogen-, Azido-, Oxo- und Dehydro-fettsäuren beim Aufbau von Peptiden zu benutzen. Diese Verfahrenstechnik ist beim heutigen Stand der Peptidsynthese überholt; für Spezialfälle könnte jedoch eine der Methoden Anwendung finden.

Eine Besonderheit ist der auch gegenwärtig noch aktuelle Einsatz von Nitrobenzoesäuren und deren spätere Überführung (im Peptidverband) in aromatische Isoaminosäuren.

32.100. Halogen-acyl-Verbindungen

Nicht nur in Ermangelung von leicht wieder abspaltbaren α-Amino-Schutzgruppen, sondern auch der unerfreulichen Verwendung der Aminosäure-chlorid-Hydrochloride wegen hatten Fischer und Otto[1] Halogenfettsäure-chloride (I) in die Peptidsynthese einbezogen und auf diesem Wege erstmals *Glycyl-glycyl-glycin* (*H-Gly-Gly-Gly-OH*) erstellt:

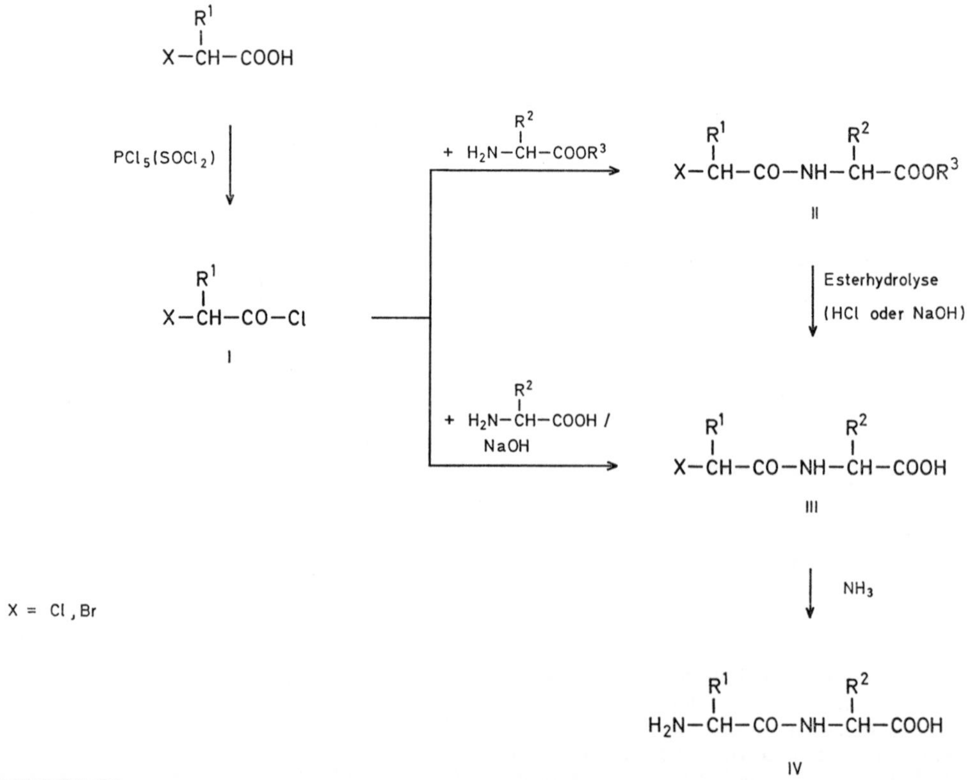

$$X{-}CH(R^1){-}COOH \xrightarrow{PCl_5(SOCl_2)} \underset{\text{I}}{X{-}CH(R^1){-}CO{-}Cl}$$

$$\text{I} \xrightarrow{+\ H_2N{-}CH(R^2){-}COOR^3} \underset{\text{II}}{X{-}CH(R^1){-}CO{-}NH{-}CH(R^2){-}COOR^3}$$

$$\text{II} \xrightarrow[\text{(HCl oder NaOH)}]{\text{Esterhydrolyse}} \text{III}$$

$$\text{I} \xrightarrow[\text{NaOH}]{+\ H_2N{-}CH(R^2){-}COOH\ /} \underset{\text{III}}{X{-}CH(R^1){-}CO{-}NH{-}CH(R^2){-}COOH}$$

$$\text{III} \xrightarrow{NH_3} \underset{\text{IV}}{H_2N{-}CH(R^1){-}CO{-}NH{-}CH(R^2){-}COOH}$$

X = Cl, Br

[1] E. Fischer u. E. Otto, B. **36**, 2106 (1903).

α-Halogen-fettsäure-chloride oder α-Halogen-fettsäure-anhydride reagieren leicht mit Aminosäure- bzw. Peptidestern in organischen Lösungsmitteln zu den entsprechenden α-Halogen-acyl-Derivaten (II), wobei der freiwerdende Chlorwasserstoff durch ein Äquivalent des Esters oder einer tertiären Base gebunden wird.

Die nach vorsichtiger Verseifung erhaltenen N-(α-Halogen-acyl)-aminosäuren (III) bzw. -peptide – beide können auch direkt unter üblicher Anwendung der Schotten-Baumann-Reaktionen aus α-Halogen-fettsäure-chloriden und Aminosäuren bzw. Peptiden gewonnen werden – liefern beim Behandeln mit konzentriertem Ammoniak (kurzfristig bei 100° oder über mehrere Tage bei 25°) oder mit flüssigem Ammoniak das jeweils höhere Peptid (IV) (s. Tab. 39).

Tab. 39. N-(α-Halogen-acyl)-aminosäuren bzw. -peptide

N-(α-Halogen-acyl)-aminosäure(-peptid)	„höheres" Peptid
Chlor-(Brom)-acetyl-	Glycyl-[1–9]
α-Brom-propionyl-	Alanyl-[5–7,10,11]
α-Brom-butyroyl-	α-Aminobutyroyl-
α-Brom-isovaleroyl-	Valyl-[12–14]
α-Brom-isocaproyl-	Leucyl-[10,15–18]
α-Brom-phenylacetyl-	Phenylglycyl-[10]
α-Brom-phenylpropionyl-	Phenylalanyl-[19–21]
α,δ-Dibrom-valeroyl-	Prolyl-[22,23]

Glycyl-Nε-benzyloxycarbonyl-L-lysin [H-Gly-Lys(Z)-OH][1]: 0,1 Mol H-Lys(Z)-OH in 25 *ml* eiskalter 4 n Natronlauge werden unter Eiskühlung und kräftigem Rühren mit 0,15 Mol Chloracetylchlorid und 38 *ml* 4 n Natronlauge – unter gleichmäßiger portionenweiser Zugabe beider Reagentien innerhalb 30–45 Min. – umgesetzt. Etwa 10 Min nach beendeter Zugabe wird die Reaktionsmischung sorgfältig mit konz. Salzsäure auf $p_H = 1{,}7$ angesäuert und anschließend mit Essigsäure-äthylester extrahiert. Die vereinigten

---

1 K. R. Rao et al., J. Biol. Chem. **198**, 507 (1952).
2 E. Fischer u. E. Otto, B. **36**, 2106 (1903).
3 E. Fischer u. E. Koenigs, B. **37**, 4585 (1904).
4 E. Fischer, B. **37**, 2486 (1904).
5 E. Fischer u. A. Schulze, B. **40**, 943 (1907).
6 E. Fischer, B. **41**, 850 (1908).
7 E. Abderhalden u. A. Hirszowski, B. **41**, 2840 (1908).
8 E. Fischer u. A. Fiedler, A. **375**, 181 (1910).
9 E. Fischer, W. Kropp u. A. Stahlschmidt, A. **365**, 181 (1909).
10 E. Fischer, A **340**, 126 (1905).
11 E. Fischer u. K. Raske, B. **39**, 3981 (1906).
12 E. Fischer u. H. Scheibler, A. **363**, 136 (1908).
13 E. Fischer u. J. Schenkel, A. **354**, 12 (1907).
14 E. Fischer u. H. Scheibler, B. **41**, 2891 (1908)
15 E. Fischer, B. **39**, 453 (1906).
16 R. Fischer, B. **39**, 2893 (1906).
17 E. Fischer, B. **40**, 1745 (1907).
18 E. Fischer u. A. H. Koelker, A. **354**, 39 (1907).
19 E. Fischer u. W. Schoeller, A. **357**, 1 (1907).
20 E. Fischer, B. **37**, 3062 (1904).
21 E. Fischer u. P. Blank, A. **354**, 1 (1907).
22 E. Fischer u. U. Suzuki, B. **37**, 2842 (1904).
23 E. Abderhalden u. H. Nienburg, Z. Fermentforsch. **13**, 573 (1933).

Auszüge werden mit verd. Salzsäure und Wasser gewaschen, über Natriumsulfat getrocknet und letztlich i. Vak. eingedampft. Der erhaltene Rückstand [MCA-Lys(Z)-OH] wird in der 20fachen Gewichtsmenge an 25%-igem Ammoniak aufgenommen. Nach 3tägigem Stehen bei 26° wird die gelbliche Reaktionsmischung von geringen Mengen ausgeflockten Materials abfiltriert und i. Vak. auf ein kleines Vol. eingedampft; hierbei tritt Kristallisation ein. Das ausgefallene Material wird abfiltriert, mit eiskaltem Wasser gewaschen und letztlich aus viel Wasser umkristallisiert; Ausbeute: 25% d. Th.; feine Nadeln.

Einen erweiterten Anwendungsbereich findet diese Methode durch:

① Überführung der gewonnenen N-(α-Halogen-acyl)-aminosäuren bzw. -peptide in die entsprechenden Carbonsäure-chloride und erneute „Fischer-Synthese"[1-4].
Die einwandfreie Herstellung dieser Carbonsäure-chloride wird aber von Pacsu und Wilson[5] bestritten; deshalb sollten beim Aufbau höherer Peptide mittels N-(α-Halogen-acyl)-aminosäuren bzw. -peptiden als Kopfkomponenten zweckmäßigerweise Aktivester-Methoden oder die „modernen" racemisierungsfreien Verknüpfungsverfahren Verwendung finden. Erst in der letzten Stufe werden dann die höheren Peptide durch aminolytischen Austausch des α-Halogen-Atoms erhalten.

② Verwendung optisch aktiver α-halogenierter Fettsäuren, die durch Racematspaltung der DL-Verbindungen oder aus optisch aktiven Aminosäuren durch Behandeln mit Nitrosylbromid erhalten werden können[6]. Einkalkuliert muß eine „Waldensche Umkehrung" bei der abschließenden Aminierung werden[7]. Fischer[3] sowie Abderhalden[8] glaubten mit der Synthese eines Oktadeca-peptides bzw. eines Nonadeca-peptides einen gewissen krönenden Abschluß dieses Verfahrens erreicht zu haben. Die mangels methodischer Voraussetzungen nicht geprüfte Reinheit dieser Peptide ist sehr fragwürdig; auch die optische Einheitlichkeit muß bezweifelt werden[9].

Der Halogen-amino-Austauschvorgang ist mehr oder weniger umfassend von Nebenreaktionen begleitet; neben den α-Amino- können sich disubstituierte Imino- und α,β-Dehydro-Derivate [z. B. wird N-(1-Brom-2-phenyl-propionyl)-glycin(V) in das Zimtsäure-Derivat(VI) übergeführt] bilden[10], die stets – und das ist das besonders Unerfreuliche – ninhydrin-negative Substanzen darstellen, so daß ihre Anwesenheit lange Zeit hindurch mit den üblichen chromatographischen Untersuchungsmethoden nicht festgestellt werden konnte.

$$\underset{\text{V}}{\text{Br-CH(CH}_2\text{C}_6\text{H}_5\text{)-CO-NH-CH}_2\text{-COOH}} \xrightarrow[(-\text{ HBr})]{\text{NH}_3} \underset{\text{VI}}{\text{C}_6\text{H}_5\text{-CH=CH-CO-NH-CH}_2\text{-COOH}}$$

Ferner berichtet bereits die Fischer-Schule über „Ausnahmefälle" bei der Aminierung von D-(α-Brom-isocaproyl)-L-prolin[11] (VII) und -N-phenyl-glycin[12], wobei N-(α-Hydroxy-acyl)-aminosäure-amide (z. B. VIII) erhalten werden.

Vermutlich erfolgt unter dem Einfluß von konzentriertem Ammoniak zunächst Ringschluß zu cyclischen „Peptoliden" (IX), deren Esterbindung anschließend aminolytisch geöffnet wird:

---

[1] E. Fischer, B. **37**, 3062 (1904).
[2] E. Fischer, B. **39**, 453 (1906).
[3] E. Fischer, B. **40**, 1754 (1907).
[4] E. Fischer, B. **41**, 850 (1908).
[5] E. Pacsu u. E. J. Wilson, J. Org. Chem. **7**, 117 (1942).
[6] E. Fischer u. O. Warburg, A. **340**, 168 (1905).
[7] A. Neuberger, Adv. Protein Chem. **4**, 297 (1948).
[8] E. Abderhalden u. A. Fodor, B. **49**, 561 (1916).
[9] H. F. Schott et al., J. Org. Chem. **12**, 490 (1947).
[10] E. Fischer u. P. Blank, A. **354**, 1 (1907).
[11] E. Fischer u. G. Reif, A. **363**, 118 (1908).
[12] E. Fischer u. W. Gluud, A. **369**, 247 (1909).

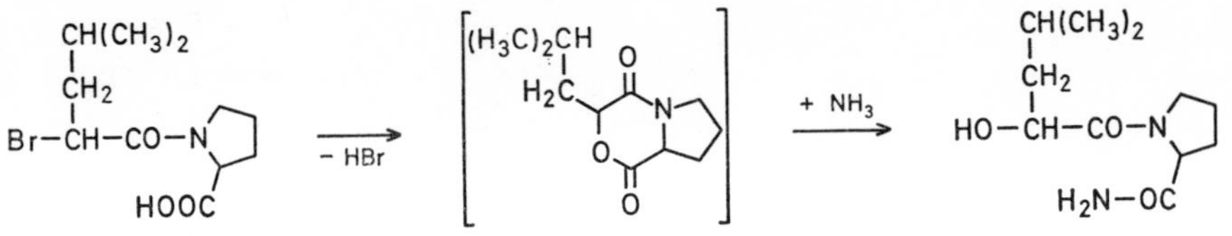

$\xrightarrow{-\,HBr}$ $\xrightarrow{+\,NH_3}$

VII IX VIII

Der Halogen-Amino-Austausch kann ferner auch auf Umwegen vonstatten gehen; Umsatz der α-Halogen-acyl-Derivate mit Benzylamin, Dibenzylamin oder Diphenylmethylamin (bzw. deren ring-substituierten Verbindungen) oder mit Phthalimid-Kalium führt zu N-substituierten Peptid-Derivaten, die in bekannter Manier in die freien Peptide überführt werden können. Auch eine intermediäre Erstellung von α-Azido-acyl- aus den α-Halogen-acyl-Verbindungen kann seine besonderen Vorzüge – insbes. bei der Synthese von Peptoliden („Pseudo-Oxa^{N}-Peptiden") – mit sich bringen (s. S. 311).

Für die Herstellung von Isoaminoacyl-peptiden eignen sich alle Verfahren weniger, da die für den Austauschvorgang erforderliche relative „Beweglichkeit" der dann in ω-Position stehenden Halogene mit zunehmender Entfernung von der Carboxy-Gruppierung stark abfällt.

32.200. Azido-acyl-Verbindungen

Die Verwendung von α-Azido- anstelle der α-Halogen-fettsäuren haben Bertho und Maier[1] sowie Freudenberg et al.[2] erprobt; für die Peptidsynthese eignet sich der Einsatz von α-Azido-fettsäuren[2-4] (Verknüpfung bislang nur mittels der Carbonsäurechloride I) oder die intermediäre Umwandlung von zunächst aufgebauten N-(α-Halogen-acyl)-aminosäuren oder – peptiden bzw. deren Ester II mittels Natriumazid[1,4,5] (Schema S. 310).

Die Herstellung der α-Azido-fettsäuren erfolgt am zweckmäßigsten durch Umsetzung von α-Halogen-fettsäuren oder deren Estern mit Natriumazid[1,2,6,7] – im letzteren Falle ist zusätzlich Verseifung der α-Azido-fettsäureester erforderlich – oder aus α-Hydrazino-fettsäureestern III durch Einwirkung von salpetriger Säure und anschließende alkalische Verseifung[8] – im ganzen gesehen doch auf recht umständliche Weise (vgl. dazu Houben-Weyl, Bd. XI/2, S. 353).

Die Umwandlung der N-(α-Azido-acyl)-aminosäuren IV bzw. -peptide oder deren Ester V in die höheren Peptide VI bzw. deren Ester VII kann durch katalytische Hydrogenolyse[1,2], Aluminium-amalgam-Reduktion[9], Einwirkung von Bromwasserstoff/Essigsäure[10] (dabei freiwerdendes Brom muß durch geeignete Akzeptoren wie Phenol, Äthen, Aceton usw., abgefangen werden) oder Reduktion mit Triphenylphosphin incl. hydrolytischer Zerset-

---

1 A. Bertho u. J. Maier, A. **498**, 50 (1932).
2 K. Freudenberg, H. Eichel u. F. Leutert, B. **65**, 1183 (1932).
3 W. F. Huber, Am. Soc. **77**, 112 (1955).
4 E. D. Nicolaides, R. D. Westland u. E. L. Wittle, Am. Soc. **76**, 2887 (1954).
5 H. A. DeWald, D. C. Behn u. A. M. Moore, Am. Soc. **81**, 4364 (1959).
6 M. O. Forster u. H. E. Fierz, Soc. **93**, 72 u. 669 (1908).
7 M. O. Forster u. R. Müller, Soc. **95**, 191 (1909).
8 A. Darapsky et al., J. pr. Chem. [2], **96**, 280 (1917); [2] **146**, 219 u. 250 (1936).
9 M. O. Forster u. H. E. Fierz, Soc. **93**, 1859 (1908).
10 s. ds. Handb., Bd. XI/2, Kap. Aminosäuren, S. 354.

$$H_2N-NH-CH(R^1)-COOR^3$$

↓ 4 Stufen

$$X-CH(R^1)-COOH \xrightarrow[2.\ +\ SOCl_2\ (od.\ COCl_2)]{1.\ +\ NaN_3} N_3-CH(R^1)-COCl$$

I

↓ 2 Stufen (from $X-CH(R^1)-COOH$)

↓ $+ H_2N-CH(R^2)-COOH$ (NaOH) (from I)

$$X-CH(R^1)-CO-NH-CH(R^2)-COOR^3 \xrightarrow[2.\ +\ NaN_3]{1.\ +\ NaOH} N_3-CH(R^1)-CO-NH-CH(R^2)-COOH$$

II IV

↓ (from II)

$$N_3-CH(R^1)-CO-NH-CH(R^2)-COOR^3$$

V

V → $(-Br_2 / -N_2)$ + HBr:

$$H_2N-CH(R^1)-CO-NH-CH(R^2)-COOR^3 \cdot HBr$$

VII

V → $+ P(C_6H_5)_3$:

$$(H_5C_6)_3P{=}N-CH(R^1)-CO-NH-CH(R^2)-COOR^3$$

VIII

IV → $+ H_2$ / Pd oder Al–Hg; VIII →:

$$H_2N-CH(R^1)-CO-NH-CH(R^2)-COOH$$

VI

X = Cl, Br

zung des intermediären Phosphinimins VIII[1] erfolgen. Diese Methode der nachträglichen Einführung der Amino-Funktion hat in den letzten beiden Jahrzehnten nur noch zur Herstellung von O-Glycyl-hydroxyaminosäuren[2,3] und von (α-Amino-acyl)- bzw. -peptidyl-(di-lauryl-, di-palmityl- und di-stearyl)-glycerin[4] sowie Amino-acyl-(phosphatidyl)-glycerin[5] gedient.

O-Glycyl-DL-serin-Hydrochlorid [H-DL-Ser(H-Gly)-OH · HCl][2]:

N-Benzyloxycarbonyl-DL-serin [Z-DL-Ser-OH]: 1,9 g Z-DL-Ser(MCA)-OH in 40 *ml* 1,4-Dioxan werden mit 0,78 g Natriumazid und anschließend mit ausreichend Wasser versetzt, um völlige Lösung zu erzielen. Das Reaktionsgemisch wird 6 Stdn. bei 40° und 18 Stdn. bei 25° gehalten und anschließend i. Vak. von 1,4-Dioxan und Wasser befreit. Die Lösung des Rückstandes in wenig Wasser wird sorgfältig mit konz. Salzsäure auf Kongorot angesäuert, das abgeschiedene Öl in Benzol aufgenommen. Die abgetrennte organische Phase wird wie üblich mit Wasser gewaschen, über Natriumsulfat getrocknet und letztlich auf ein kleines Vol. eingeengt; beim Abkühlen tritt Kristallisation ein. Nach Umkristallisieren aus Benzol; Ausbeute: 1,4 g (73% d.Th.); F: 89–90°.

N-Benzyloxycarbonyl-O-azidoacetyl-DL-serin [Z-DL-Ser(AZA)-OH]: 10 g Z-DL-Ser-OH in 70 *ml* Butanon werden unter Rühren bei 10° tropfenweise mit 10 g Azidoacetyl-chlorid (Rohprodukt) versetzt. Danach wird 3 *ml* absol. Pyridin hinzugefügt und die Reaktionsmischung bei gleicher Temp. 2 Tage lang gerührt. Nach Entfernen des Lösungsmittels i. Vak. wird das erhaltene ölige Produkt in 200 *ml* Essigsäure-äthylester aufgenommen; diese Lösung wird mit 54 *ml* Wasser gewaschen, über Natriumsulfat getrocknet und letztlich i. Vak. eingedampft; schwach gelbliches Öl (zur Weiterverarbeitung genügend rein); Ausbeute: 13 g (96% d.Th.).

O-Glycyl-DL-serin-Hydrochlorid [H-DL-Ser(H-Gly)-OH · HCl]: 1,5 g Z-DL-Ser(AZA)-OH in 150 *ml* 50%-igem Methanol und 4,7 *ml* n Salzsäure werden 210 Min. bei 3 Atm. unter Zusatz von 0,16 g Palladiumschwarz hydriert. Das Filtrat vom Katalysator wird i. Vak. eingedampft; das erhaltene Öl kristallisiert aus Wasser/Äthanol; Ausbeute: 0,75 g (82% d.Th.); F: 168–170° (Zers.).

32.300. Oxo-acyl-Verbindungen

Fußend auf bekannten Aminosäure-Herstellungen aus α-Oxo-carbonsäuren (vgl. Houben-Weyl, Bd. XI/2, S. 310) sind auch Synthesen von Peptiden aus N-(α-Oxo-acyl)-aminosäuren möglich geworden.

32.310. Über substituierte Imino-Derivate (Azomethine)

1965 veröffentlichten Hiskey und Northrop[6] eine stereospezifische Synthese eines Dipeptides durch katalytische Hydrierung und Hydrogenolyse der Schiffschen Base aus Benzylamin und N-Pyruvyl-L-alanin.

Harada et al.[7] haben diese Methode näher studiert und gefunden, daß

① das Verhältnis der nach dem Hiskey-Verfahren resultierenden diastereomeren Peptide H-D-Ala-L-Ala-OH: H-L-Ala-L-Ala-OH 2:1 ist, die katalytische Hydrogenolyse also nicht der zunächst angenommenen „Prelog-Regel" entspricht,

---

[1] L. Horner u. A. Gross, A. **591**, 117 (1955).

[2] E. D. Nicolaides, R. D. Westland u. E. L. Wittle, Am. Soc. **76**, 2887 (1954).

[3] H. A. deWald, D. C. Behn u. A. M. Moore, Am. Soc. **81**, 4363 (1959).

[4] W. F. Huber, Am. Soc. **77**, 112 (1955).

[5] E. Baer u. K. V. J. Rao, Canad. J. Biochem. **44**, 899 (1966).

[6] R. G. Hiskey u. R. C. Northrop, Am. Soc. **87**, 1753 (1965).

[7] K. Harada u. K. Matsumoto, *Peptides*, Proc. 1st Amer. Peptide Symposium, Yale University 1968, Marcel Dekker Inc., New York **1970**, S. 451.
K. Harada u. K. Matsumoto, Bl. chem. Soc. Japan **44**, 1068 (1971).

② die räumliche Gestaltung der „Amid-Substituenten" eine ausschlaggebende Rolle spielt (s. Tab. 40); sie postulieren eine „sterisch-kontrollierte" Synthese unter intermediärer Ausbildung eines Substrat-Katalysator-Komplexes mit einer 5-gliedrigen Chelat-Ringstruktur, z. B.:

$$H_5C_6{-}CH_2{-}N{=}C(R^1){-}CO{-}NH{-}CH(CH_3){-}COOR^2 \;(\text{N, O} \cdots Pd\text{ / Katalysator}) \xrightarrow{H_2} H_2N{-}CH(R^1){-}CO{-}NH{-}CH(CH_3){-}COOR^2$$

Tab. 40. Aminosäureester durch sterisch-kontrollierte „Alanyl"-Peptidsynthese[1]

$$H_5C_6{-}CH_2{-}N{=}C(CH_3){-}CO{-}NH{-}CH(R^1){-}COOR^2 \xrightarrow{H_2/Pd} H_2N{-}CH(CH_3){-}CO{-}NH{-}CH(R^1){-}COOR^2$$

R^1	R^2	Aminosäureester	Diastereomeren-Verhältnis D-L : L-L
$-CH_3$	$-CH_3$	*[H-Ala-OMe]*	76 : 24
$-CH_3$	$-CH_2-CH(CH_3)_2$	*[H-Ala-OiBu]*	82 : 18
$-C_2H_5$	$-CH_2-CH(CH_3)_2$	*[H-Abu-OiBu]*	29 : 71
$-CH(CH_3)_2$	$-CH_3$	*[H-Val-OMe]*	42 : 58
$-CH(CH_3)_2$	$-CH_2-CH(CH_3)_2$	*[H-Val-OiBu]*	34 : 66
$-CH_2-CH(CH_3)_2$	$-CH_3$	*[H-Leu-OMe]*	41 : 59
$-CH_2-CH(CH_3)_2$	$-CH_2-CH(CH_3)_2$	*[H-Leu-OiBu]*	32 : 68
$-CH_2-C_6H_5$	$-CH_2-CH(CH_3)_2$	*[H-Phe-OiBu]*	37 : 63
$-C_6H_5$	$-CH_2-CH(CH_3)_2$	*[H-D-Phg-OiBu]*	50 : 50

Da Hiskey und Northrop[2] ferner die asymmetrische Synthese von Aminosäuren aus α-Oxo-carbonsäuren und optisch aktivem α-Methyl-benzylamin durch kalalytische Hydrierung und Hydrogenolyse der Schiffschen Base gelang, erhebt sich die Frage, ob nicht durch eine sinnvolle Kombination von Amin- und Amid-Komponente eine sterisch-einheitliche Überführung der Azomethine von N-(α-Oxo-acyl)-L-(oder D)-aminosäuren in Dipeptide möglich sein sollte.

[1] K. Harada u. K. Matsumoto, Bl. chem. Soc. Japan **44**, 1068 (1971).

[2] R. G. Hiskey u. R. C. Northrop, Am. Soc. **83**, 4798 (1961).

32.320. Über Oximino- und O-substituierte Oximino-Derivate

Auf der Aminosäure-Synthese von Hartung[1] basierend haben Shemin und Herbst[2] N-(α-Oxo-acyl)-aminosäuren in Form ihrer Oxime durch katalytische Hydrierung in freie Peptide übergeführt. Hartung et al.[3,4] bevorzugen eine katalytische Hydrierung von α-(O-Benzyl-oximino)-acyl-Derivaten. Das gewünschte freie Peptid entsteht jedoch nur bei Ausführung der Operation im ammoniakalischen Medium[5]; in Gegenwart von Wasserstoffionen tritt vorwiegend Bildung von Dioxo-piperazinen ein. Eine stereospezifische „Aufhydrierung" ist bislang nur bei optisch-aktiven Estern[6] oder Amiden[7] von α-Oximino-carbonsäuren gelungen.

32.330. Durch Transaminierung

Werden N-Pyruvyl-DL-alanin und C-Phenyl-glycin zusammen erhitzt, so erfolgt nach Herbst und Shemin[8] Umaminierung zu *H-DL-Ala-DL-Ala-OH* und Phenyl-glyoxylsäure (2-Oxo-2-phenyl-essigsäure); letztere zerfällt unter den Reaktionsbedingungen zu Benzaldehyd und Kohlendioxid.

Eine stereospezifische Überführung von (α-Oxo-acyl)-aminosäuren in sterisch einheitliche Peptide könnte evtl. durch eine enzymatisch katalysierte Transaminierung möglich sein.

32.400. α,β-Dehydro-Verbindungen

Fischer und Koenigs[9] gelang die Synthese von α-/β-Peptiden der Asparaginsäure, als sie die aus Fumarsäure-dichlorid und einfachen Aminosäureestern erhaltenen Fumaryl-bis-aminosäureester nach Verseifung mit konz. Ammoniak bei 100° behandelten.

Eine durchsichtigere Synthese haben dann Liwschitz und Zilkha[10] gestaltet: Maleinsäure-anhydrid setzt sich mit Aminosäureestern zu Fumarsäure-halbamiden um; aus diesen kann nach Anlagerung von Benzylamin, anschließende Verseifung und Abhydrierung des N-Benzyl-Restes ein β-Peptid der DL-Asparaginsäure erhalten werden.

Eine „asymmetrische Synthese" konnte bei der Anlagerung von Benzylamin an Maleinsäure-mono-D-(α-methyl-benzylamid) beobachtet werden[11]; inwieweit optisch-aktive Aminosäuren als „Amid-Komponente" einen induktiven Effekt ausüben (vgl. S. 312), ist bislang unbekannt. Die Möglichkeit einer sterisch kontrollierten Synthese bedingt durch Anlagerung von optisch-aktiven α-Methyl-benzylaminen[12] wird jedoch bestritten[11].

---

[1] W. H. Hartung, Am. Soc. **53**, 2248 (1931).
[2] D. Shemin u. R. M. Herbst, Am. Soc. **60**, 1951 (1938).
[3] K. L. Waters u. W. H. Hartung, J. Org. Chem. **12**, 469 (1947).
[4] W. E. Weaver u. W. H. Hartung, J. Org. Chem. **15**, 741 (1950).
[5] W. H. Hartung, W. N. Kramer u. G. E. Hager, Am. Soc. **76**, 2261 (1954).
[6] K. Matsumoto u. K. Harada, J. Org. Chem. **31**, 1956 (1966).
[7] K. Harada u. K. Matsumoto, Bl. chem. Soc. Japan **44**, 1068 (1971).
[8] R. M. Herbst u. D. Shemin, J. Biol. Chem. **147**, 541 (1943).
[9] E. Fischer u. E. Koenigs, B. **37**, 4585 (1904).
[10] Y. Liwschitz u. A. Zilkha, Am. Soc. **76**, 3698 (1954).
[11] Y. Liwschitz u. A. Singermann, Soc. [C] **1966**, 1200.
[12] A. P. Terent'ev et al., Dokl. Akad. Nauk. SSSR, **154**, 1406 (1964); C. A. **60**, 12099[a] (1964).

32.500. Nitro-acyl-Verbindungen

α-Nitro-fettsäuren wurden bislang nicht als „Vorläufer" für Peptidsynthesen benutzt, obgleich ihre reduktive Überführung in Aminosäuren bekannt ist[1,2].

Für eine nachträgliche Erstellung amino-endständiger aromatischer Isoaminosäure-Peptide hat die Reduktion der entsprechenden Nitro-acyl-Verbindungen jedoch einige Bedeutung. So konnten neuerdings Koul et al.[3] N-(2-Nitro-benzoyl)-peptide durch katalytische Hydrierung in N-(2-Amino-benzoyl)-peptide umwandeln (s. auch S. 200f.).

Schon früher hatten Brockmann et al.[4] bei ihren Versuchen zur Synthese der Actinomycine die 2-Nitro-3-benzyloxy-4-methyl-benzoesäure als „Vorläufer" für die Erstellung (im Peptidverband) der Di-isoamino-dicarbonsäure „Actinocin", d.i. 2-Amino-4,5-dimethyl-phenoxazon-(3)-1,8-dicarbonsäure, aufgezeigt (s. S. 859ff.).

---

1 D. A. Lyttle u. D. J. Weisblat, Am. Soc. **69**, 2118 (1947).
2 D. J. Weisblat u. D. A. Lyttle, Am. Soc. **71**, 3079 (1948).
3 A. K. Koul et al., Tetrahedron **29**, 625 (1973).
4 H. Brockmann u. H. Lackner, Naturwiss. **47**, 230 (1960).

33. Blockierung und Schutz der α-Carboxy-Funktion

bearbeitet von

Dr. Karl-Heinz Deimer, Dr. Paul Thamm und Dr. Peter Stelzel

Max-Planck-Institut für Biochemie, München

Schon in der Einleitung (s. S. 32) und zu Beginn des Kapitels über Aminoschutzgruppen (s. S. 46) wurde darauf hingewiesen, daß eine gelenkte „systematische" Peptidverknüpfung zweier Aminosäuren nur möglich ist, wenn die zweite Funktion des Aminosäure-Moleküls, hier die Carboxy-Gruppe, blockiert wird. Diese Blockierung hat in diesem Fall zwei Bedingungen zu erfüllen,

① die Zwitterionenstruktur der Aminosäure aufzuheben und somit die freie nucleophile Amino-Gruppe für die Verknüpfungsreaktion zur Verfügung zu stellen,
② nach der Herstellung der Peptidbindung wieder leicht und ohne Angriff auf die entstandene Peptidbindung entfernbar zu sein oder eine weitere peptidsynthetische Reaktion am Carboxy-Kohlenstoffatom zu ermöglichen.

Von den α-carboxy-maskierten Derivaten von Aminosäuren bzw. Peptiden stehen zu diesem Zweck bisher zur Verfügung:

① Ester von primären, sekundären und tertiären Alkoholen, sowie von Phenolen und Thiophenolen,
② Amide,
③ O-Acyl-halb- und halbamino-acetale,
④ O-Aminoacyl-hydroxylamine,
⑤ Hydrazide, von denen die N'-Acyl- und N'-Alkyl-hydrazide Bedeutung erlangten und
⑥ Alkali- und Erdalkalimetallsalze von Aminosäuren und Peptiden (Blockierung der Carboxy-Funktion durch Carboxylatanion-Bildung).

Die bekannt gewordenen Maskierungen der α-Carboxy-Gruppe sind wiederum aufzuteilen in solche, die eine Wiederherstellung der freien Carboxy-Gruppe gewährleisten („*echte Schutzgruppen*") und solche, die nur eine Mitreaktion der Carboxy-Funktion verhindern sollen und später in eine Amid- oder Peptid-Funktion umgestaltet werden („*unechte Schutzgruppen*").

33.100. Echte Schutzgruppen

bearbeitet von

Dr. Karl-Heinz Deimer

33.110. Ester primärer Alkohole

33.111. Methylester

Aminosäure-methylester wurden schon von Emil Fischer[1] aus Aminosäure-Hydrochloriden und Methanol mit Chlorwasserstoff als Katalysator nach der Brutto-Gleichung:

$$H_2N-\underset{}{\overset{R}{\overset{|}{C}}}H-COOH\cdot HCl \quad + \quad CH_3OH \quad \overset{HCl}{\rightleftharpoons} \quad H_2N-\overset{R}{\overset{|}{C}}H-COOCH_3\cdot HCl \quad + \quad H_2O$$

hergestellt.

---

[1] E. Fischer, B. **39**, 2893 (1906).

Um die Lage des chemischen Gleichgewichts dieser reversiblen Reaktion in Richtung des gewünschten Esters zu verschieben, wird ein großer Überschuß an absolutem Methanol eingesetzt. Die Reaktion läuft in vielen Fällen schon bei Raumtemperatur mit ausreichender Geschwindigkeit ab[1]. Bei schwieriger zu veresternden Aminosäure-Hydrochloriden, wie dem Isoleucin-Hydrochlorid[2], führt Erhitzen unter Rückfluß bei gleichzeitigem Einleiten eines trockenen Chlorwasserstoffstromes zum Erfolg.

Ist wegen der ungünstigen Lage des Gleichgewichts keine quantitative Umsetzung zu erreichen, so empfiehlt es sich, das Methanol abzudampfen und das erhaltene Gemisch aus Aminosäure-Hydrochlorid und Aminosäureester-Hydrochlorid anschließend wieder der Veresterungsreaktion zuzuführen[2,3]. Die folgende Vorschrift kann allgemein angewendet werden.

Aminosäure-methylester (oder -äthylester); allgemeine Arbeitsvorschrift[4]: Durch eine Suspension von 10 g Aminosäure in 150 *ml* absol. Methanol (Äthanol) wird ohne Kühlung ein rascher Strom trockenen Chlorwasserstoffs geleitet. Nach der totalen Auflösung der Aminosäure wird die heiße Reaktionsmischung in einem Eisbad auf 0–5° abgekühlt, daraufhin wird weiter bis zur Sättigung Chlorwasserstoff in die Lösung eingeleitet. Diese läßt man 3–5 Stdn. unter Ausschluß von Luftfeuchtigkeit stehen.

Die Art der Aufarbeitung richtet sich nach der Löslichkeit der Aminosäureester-Hydrochloride:

ⓐ ist das Produkt unlöslich, so läßt man die Mischung in der Kälte 14 Stdn. stehen, filtriert vom abgeschiedenen Aminosäureester-Hydrochlorid ab, wäscht die Substanz mit kaltem Methanol (Äthanol im Falle des Äthylesters), anschließend mit Diäthyläther und trocknet sie schließlich i. Vak. über Kaliumhydroxid-Plätzchen, Umkristallisieren aus Methanol (Äthanol).

ⓑ bei löslichen Produkten wird das Methanol i. Vak. bei höchstens 50° weitgehend abgedampft. Zum Rückstand werden 50 *ml* Methanol (Äthanol) gegeben und dann wieder abgedampft. Das erhaltene ölige oder kristalline Material wird mit absol. Diäthyläther verrieben; die so gewonnene kristalline Substanz wird abfiltriert und sofort mit absol. Diäthyläther gewaschen. Nach dem Trocknen i. Vak. über Natriumhydroxid – zur Entfernung des überschüssigen Chlorwasserstoffs – wird das Produkt aus Methanol (Äthanol) durch Zugabe von absol. Diäthyläther umkristallisiert.

(Zur Feuchtigkeitsempfindlichkeit der Aminosäure- bzw. Peptid-ester-Hydrochloride s. S. 331).

Werden Aminodicarbonsäuren eingesetzt, so erhält man die entsprechenden Dimethylester[5] (Zur Herstellung von *Histidin-methylester-Dihydrochlorid* s. S. 538).

Auch eine Veresterung von freien Peptid-Hydrochloriden mit Methanol unter Einwirkung von Chlorwasserstoff ist möglich. Diese reagieren häufig rascher als Aminosäure-Hydrochloride[6]. Es ist nicht notwendig, die Lösung mit Chlorwasserstoff zu sättigen, wie von verschiedenen Autoren beschrieben[7]; es genügt vielmehr eine 0,1 m Konzentration[8].

Als Katalysatoren bzw. Aktivatoren wurden neben Chlorwasserstoff auch Acetylchlorid[9] oder Acetanhydrid[10] vorgeschlagen. Bei diesen Varianten bildet sich wahrscheinlich zuerst das Säurechlorid oder ein gemischtes Anhydrid (s. S. II/170ff.) der zu veresternden Aminosäure, welches dann mit Methanol weiter zum Ester reagiert; gleichzeitig werden freie Amino-Gruppen acetyliert.

---

[1] R. L. M. Synge, Biochem. J. **42**, 99 (1948).

[2] E. L. Smith, D. H. Spackman und W. J. Polglase, J. Biol. Chem. **199**, 801 (1952).

[3] R. Schwyzer u. P. Sieber, Helv. **42**, 972 (1959); **41**, 1582 (1958).
E. Wünsch, G. Fries u. A. Zwick, B. **91**, 542 (1958).

[4] J. P. Greenstein u. M. Winitz, *Chemistry of the Amino Acids*, Bd. II, S. 926, John Wiley and Sons, New York, N. Y. 1961.

[5] W. Grassmann u. E. Wünsch, B. **91**, 449 (1958).

[6] K. Hofmann et al., Am. Soc. **80**, 1486 (1958).

[7] K. Felix u. H. Rauch, H. **200**, 27 (1931).
K. Felix u. H. Reindl, H. **205**, 11 (1932).
A. Kiesel u. M. Znamenskaja, H. **213**, 89 (1932).

[8] H. Fraenkel-Conrat u. H. S. Olcott, J. Biol. Chem. **161**, 259 (1945).
W. F. H. M. Mommaerts u. H. Neurath, J. Biol. Chem. **185**, 909 (1950).

[9] K. Freudenberg u. W. Jakob, B. **74**, 1001 (1941).

[10] J. N. Ashley u. C. R. Harington, Biochem. J. **23**, 1178 (1929).

Auch Bortrifluorid-Diäthylätherat kann als Katalysator dienen. Ester sekundärer oder tertiärer Alkohole können auf diese Weise jedoch nicht hergestellt werden, da Dehydratisierung zu Olefinen eintritt[1].

N_ε-Benzyloxycarbonyl-L-lysin-methylester-Hydrochlorid [H-Lys(Z)-OMe · HCl][1]: 7,0 g (0,025 Mol) N_ε-Benzyloxycarbonyl-lysin und 15,2 *ml* (0,125 Mol) Bortrifluorid-Diäthylätherat werden in 100 *ml* Methanol im Ölbad 24 Stdn. auf 80° erhitzt. Die abgekühlte Mischung wird durch Kieselgur filtriert, das Lösungsmittel i.Vak. (Badtemp. 40°) abgedampft. Das erhaltene Öl wird in 50 *ml* Wasser gelöst, die Lösung 2 mal mit je 25 *ml* Diäthyläther extrahiert. Die wäßrige Phase wird unter Rühren mit 4 n Natronlauge auf $p_H =$ 9'0 gestellt, mit Kochsalz gesättigt, anschließend mit 100 *ml* Essigsäure-äthylester überschichtet und vom ausgefallenen N_ε-Benzyloxycarbonyl-lysin abfiltriert. Die organische Phase wird abgetrennt, die wäßr. noch 2 mal mit je 100 *ml* Essigsäure-äthylester geschüttelt. Die vereinigten Extrakte werden getrocknet (Magnesiumsulfat gefolgt von Calciumsulfat), das Lösungsmittel wird i.Vak. entfernt, der Rückstand mit 20 *ml* Methanol versetzt und daraufhin mit 3 *ml* 8 n methanol. Salzsäure. Dazu gibt man anschließend unter Kühlung 300 *ml* Diäthyläther. Das gewünschte Produkt scheidet sich in Form farbloser Kristalle ab; Ausbeute: 4,9 g (58% d.Th.); F: 117–118°; $[\alpha]_D^{25} = +15,5° \pm 0,1°$ (c = 2,0; in Wasser).

Der Benzyloxycarbonyl-Rest an der ε-Amino-Gruppe soll unter den angegebenen Bedingungen stabil sein. Die Umsetzung freier Aminosäuren nach dieser Methode liefert unbefriedigende Ausbeuten.

Wesentlich bessere Ergebnisse werden durch die Veresterung mit Thionylchlorid und Methanol nach Brenner et al.[2] erzielt. Die Summengleichung für diese Reaktion lautet:

$$\overset{\oplus}{H_3N}-\underset{}{\overset{R}{\overset{|}{C}H}}-COO^{\ominus} + CH_3OH + SOCl_2 \longrightarrow H_2N-\overset{R}{\overset{|}{C}H}-COOCH_3 \cdot HCl + SO_2 + HCl$$

Wahrscheinlich wirkt der intermediär gebildete Chlorsulfinsäure-methylester[3] als veresterndes Agens. Unter den angewandten Bedingungen erfolgt aber keine N-Methylierung der Aminosäure, wie sie bei der Umsetzung mit Dimethylsulfit auftritt[4]. Da bei der Reaktion kein Wasser gebildet wird, kann im Gegensatz zur Fischer'schen Methode[5] mit einem wesentlichen geringeren Überschuß an Methanol gearbeitet werden.

L-Serin-methylester-Hydrochlorid [H-Ser-OMe · HCl][6]: Zu 100 *ml* absol. Methanol gibt man im Laufe von 10 Min. bei −10° unter Rühren zunächst 26 *ml* destilliertes Thionylchlorid und anschließend 10,5 g (0,1 Mol) Serin. Man rührt bei Raumtemp. bis zur völligen Auflösung, läßt 24 Stdn. stehen, dampft zur Trockne ein, löst den Rückstand in 50 *ml* absol. Methanol, fügt 250 *ml* absol. Äther hinzu und filtriert die gebildeten Kristalle schließlich ab. Nach Trocknen i.Vak. erhält man 15,5 g (99% d.Th.); F: 168° $[\alpha]_D^{23} = -2,5° \pm 0,5°$ (c = 1,8; in Dimethylformamid); $+ 3,0° \pm 0,5°$ (c = 2,0; in Wasser); $+ 5,5° \pm 0,5°$ (c = 1,8; in Methanol). Löslich in Wasser, Alkoholen, Chloroform und Dimethylformamid. Wenig löslich in Essigsäure-äthylester. Unlöslich in Diäthyläther.

N_γ-Benzyloxycarbonyl-L-α,γ-diamino-buttersäure-methylester-Hydrochlorid [H-Dab(Z)-OMe · HCl][7]: 79 *ml* (2 Mol) Methanol und 7,3 *ml* (0,11 Mol) Thionylchlorid werden bei −10° gemischt und anschließend mit 25,2 g (0,10 Mol) H-Dab(Z)-OH versetzt. Diese Mischung wird 5 Stdn. am Rückflußkühler unter Calciumchlorid-Verschluß auf 50° erwärmt und dann noch 16 Stdn. bei 20° belassen. Darauf wird im Wasserstrahlvak. bei 45° zur Trockne eingedampft und noch 2 mal mit Methanol abgedampft. Den Rückstand nimmt man in wenig heißem Methanol auf und versetzt nach Animpfen portionsweise mit Diäthyläther. Nach 2 Stdn. wird der Kristallbrei abfiltriert, mit Aceton, Diäthyläther gewaschen und schließlich i.Vak. bei 80° getrocknet; Ausbeute: 24,2 g (80% d. Th.); F: 164–166°; $[\alpha]_D^{20} = +15,2°$ (c = 2,0; in Methanol).

---

[1] J. Coggins, R. Demayo u. N. L. Benoiton, Canad. J. Chem. **48**, 385 (1970).
[2] M. Brenner, H. R. Müller u. W. Pfister, Helv. **33**, 568 (1950).
M. Brenner u. W. Huber, Helv. **36**, 1109 (1953).
[3] W. E. Bissinger u. F. Kung, Am. Soc. **69**, 2158 (1947).
F. C. Whitmore u. H. S. Rothrock, Am. Soc. **54**, 4341 (1932).
P. D. Bartlett u. H. P. Herbrandson, Am. Soc. **74**, 5971 (1952).
[4] W. Voss u. H. Wulkan, B. **70**, 388 (1937).
[5] E. Fischer, B. **39**, 2893 (1906).
[6] S. Guttmann u. R. A. Boissonnas, Helv. **41**, 1852 (1958).
[7] K. Vogler u. P. Lanz, Helv. **43**, 270 (1960).

L-Leucin-methylester [H-Leu-OMe][1]: Man tropft unter Rühren 7,9 *ml* (0,11 Mol) Thionylchlorid zu 30 *ml* (0,78 Mol) Eis/Kochsalz-gekühltem Methanol und trägt hierauf portionsweise 13,1 g (0,1 Mol) Leucin ein. Die Temp. soll bei dieser Operation nicht über −5° steigen. Hierauf wird langsam auf 40° erwärmt und 2 Stdn. bei dieser Temp. weiter gerührt. Das Leucin geht während dieser Zeit langsam in Lösung. Man destilliert nun das Methanol i.Vak. ab und trocknet anschließend 30–40 Min. bei 12 Torr und 100° Badtemp. Der Rückstand wird in 6–8 *ml* Wasser gelöst, die Lösung mit 250 *ml* Diäthyläther überschichtet und hierauf unter Kühlung bis zur Rötung von Phenolphthalein mit konz. Ammoniak versetzt. Nach Abfiltrieren von ausgeschiedenem Ammoniumchlorid wird im Scheidetrichter getrennt, die Diäthylätherschicht 3–4 mal mit 8 *ml* Wasser gewaschen und über Natriumsulfat getrocknet. Die Destillation liefert unter Feuchtigkeits- und Kohlendioxid-Ausschluß neben einem geringen Vorlauf 12–12,5 g (83–86% d.Th.) Leucin-methylester; Kp_{12}: 69–70°.

Allgemein läßt sich zur Herstellung der Methylester nach der Thionylchlorid-Methode folgendes sagen[2]:

Mit äquivalenten Mengen Aminosäure, Thionylchlorid und absol. Methanol tritt noch keine Ester-Bildung ein; die gewünschte Reaktion erfolgt erst bei Zusatz von mehr Methanol. Als günstig erweist sich folgendes Verhältnis zwischen Aminosäure, Thionylchlorid und Methanol (ausgedrückt in Mol%): 10,4 : 11,5 : 78,1.

Dabei genügt es, einmal redestilliertes techn. Thionylchlorid und handelsübliches, nicht weiter getrocknetes Methanol zu verwenden. Selbst bei Zugabe von 1 Mol Wasser auf 1 Mol Thionylchlorid beträgt die Ester-Ausbeute noch 70% d.Th.

Die primäre Umsetzung zwischen Methanol und Thionylchlorid wird zur Vermeidung von Nebenreaktionen unter guter Kühlung durchgeführt. Es ist gleichgültig ob die Aminosäure, welche fein pulverisiert werden soll, schon anfangs oder erst nach der Primärreaktion zugesetzt wird. Die eigentliche Veresterung wird bei empfindlichen Substanzen wie z.B. Methionin[1] bei 0° durchgeführt (2 Tage stehenlassen). In allen anderen Fällen erwärmt man das Gemisch 2 bis 4 Stdn. auf ~ 40°.

Eine Wiederholung der Veresterung, die bei der Fischer'schen Methode (s. S. 315f.) oft angezeigt ist, ist nicht erforderlich. Racemisierung optisch aktiver Aminosäuren wurde bei keiner der beiden Arbeitstechniken beobachtet.

Aminosäure-methylester-4-Toluolsulfonsäure-Salze können unter Erhalt der optischen Aktivität aus Aminosäuren, wasserfreier 4-Toluolsulfonsäure und Dimethylsulfit hergestellt werden[3]. Andere Autoren haben dagegen, wie schon erwähnt, bei ihren Reaktionsbedingungen N-Methylierung, d.h. Betain-Derivate erhalten[4].

$$2\ H_3\overset{\oplus}{N}-\underset{}{\overset{R}{\overset{|}{C}}}H-COO^{\ominus} + 2\ H_3C-C_6H_4-SO_3H + O=S(OCH_3)_2 \longrightarrow$$

$$2\ H_2N-\overset{R}{\overset{|}{C}}H-COOCH_3\cdot H_3C-C_6H_4-SO_3H + SO_2 + H_2O$$

Aminosäure-methylester-4-Toluolsulfonsäure-Salze; allgemeine Veresterungsvorschrift[5]: 0,01 Mol Aminosäure, 0,011 Mol wasserfreie 4-Toluolsulfonsäure und Dimethylsulfit werden auf einem Dampfbad ~ 5 Stdn. erhitzt, dabei tritt Lösung ein. Die gekühlte Lösung wird langsam in absol. Diäthyläther eingegossen, wobei sich das Aminosäure-methylester-4-Toluolsulfonsäure-Salz kristallin abscheidet.

---

[1] M. Brenner, H. R. Müller u. W. Pfister, Helv. **33**, 568 (1950).
[2] M. Brenner u. W. Huber, Helv. **36**, 1109 (1953).
[3] J. M. Theobald, M. W. Williams u. G. T. Young, Chimia (Aarau) **14**, 371 (1960); Soc. **1963**, 1927.
[4] W. Voss u. H. Wulkan, B. **70**, 388 (1937).
[5] J. M. Theobald, M. W. Williams u. G. T. Young, Soc. **1963**, 1927.

Zur Überführung in das Hydrochlorid wird das erhaltene Salz mit Diäthyläther und Natriumcarbonat-Lösung geschüttelt, die organische Phase über Magnesiumsulfat getrocknet und das Aminosäure-methylester-Hydrochlorid durch Zusatz von Chlorwasserstoff in Diäthyläther gefällt.

Alanin, Valin, Lysin und Tyrosin (wahrscheinlich auch Methylierung der phenolischen Hydroxy-Gruppe!) können nach dieser Methode nicht in die Methylester übergeführt werden. Sie versagt auch, wenn N-Acyl-aminosäuren mittels Dialkylsulfiten verestert werden sollen (Zur Reaktion von N-Acyl-aminosäuren mit Diarylsulfiten s. S. II/16). Gegenüber der Thionylchlorid-Methode[1] sind keine Vorteile zu erkennen, lediglich die gewonnenen 4-Toluol-sulfonsäure-Salze der Aminosäure-methylester sind leichter kristallin zu erhalten und zu reinigen als die entsprechenden Hydrochloride.

Ein Verfahren zur Herstellung von Aminosäure-methylester-Hydrochloriden, das sich besonders für Ansätze in kleinem Maßstab eignen soll, verdient Erwähnung. Als Lösungsmittel und zugleich veresterndes Reagens dient dabei 2,2-Dimethoxy-propan (Aceton-dimethylketal)[2].

Aminosäure-methylester-Hydrochloride; allgemeine Arbeitsvorschrift[2]: 1 mMol der Aminosäure (das Hydrochlorid im Falle des Lysins) wird in 10–15 *ml* 2,2-Dimethoxy-propan (Kp: 79–81°) suspendiert und 1 *ml* 36%-ige wäßr. Salzsäure zugefügt. Die Mischung wird 18 Stdn. bei Raumtemp. stehengelassen (Bei der Veresterung des Lysins und der Glutaminsäure wird die Mischung mit 3–4 *ml* Methanol versetzt, anschließend 2 bzw. 5 Stdn. bei 20° stehengelassen, weil diese Aminosäuren schwer löslich sind). Alle Mischungen werden beim Stehen und besonders beim Erhitzen unter Rückfluß zusehends dunkler. Sie werden i.Vak. (Badtemp.: 50–60°) konzentriert und die Rückstände anschließend in möglichst wenig absol. Methanol aufgenommen. Nach Zugabe von ~ 25 *ml* absol. Diäthyläther kristallisieren die gewünschten Aminosäure-methylester-Hydrochloride. Sie sind analytisch und optisch rein.

Ein ideales Verfahren zur Veresterung von Aminosäuren und Peptiden ist in der Methodik der Umesterung gegeben, d.h. Ester-Bildung durch einen großen Überschuß eines leicht zugänglichen Esters unter der Einwirkung saurer Katalysatoren[3]. (Eine Veresterung freier Aminosäuren oder Peptide mit Alkohol in basischem Milieu ist grundsätzlich nicht möglich, da das hier vorliegende negativ geladene Carboxylat-Ion von Alkoholen oder deren konjugierten Basen nicht nucleophil angegriffen wird[4]).

Es wird dabei weder Wasser gebildet noch Alkohol benötigt. Eine hydrolytische oder alkoholytische Spaltung der Amid- (Glutamin, Asparagin[5]!) bzw. Peptid-Bindung[6], wie sie besonders bei der Fischer'schen Methode eintritt, ist hier nicht zu erwarten.

Versuche in dieser Richtung wurden mit den Methylestern der Ameisen- und Essigsäure unternommen[7]. Lediglich das schwefelsaure Salz des Phenylalanins konnte mit Essigsäure-methylester zum *Phenylalanin-methylester-Schwefelsäure-Salz* umgesetzt werden. (Über das Verhalten von Aminodicarbonsäuren unter diesen Bedingungen s. S. 643f.[8]).

Die Reaktion verläuft mit 96%-iger Schwefelsäure als Katalysator jedoch glatt und mit guten Ausbeuten, wenn, anstelle der freien, N-geschützte Aminosäuren eingesetzt werden. Es ist dabei vorteilhaft, gegenüber Säuren recht stabile Amino-Schutzgruppen wie den 4-Toluolsulfonyl-(Tosyl-) oder den Phthalyl-Rest zu verwenden. Werden N-Benzyloxycarbonyl-aminosäuren verestert, ist es günstiger, 4-Toluolsulfonsäure als Katalysator zu verwenden.

---

1 M. Brenner u. W. Huber, Helv. **36**, 1109 (1953).
2 J. R. Rachele, J. Org. Chem. **28**, 2898 (1963).
3 Bei Einsatz basischer Katalysatoren tritt Racemisierung ein; M. Brenner u. W. Huber, Helv. **36**, 1109 (1953).
4 J. N. E. Day u. C. K. Ingold, Trans. Faraday Soc. **37**, 686 (1941).
5 M. Zaoral u. J. Rudinger, Collect czech. chem. Commun. **24**, 1993 (1959).
J. Rudinger, Ang. Ch. **71**, 743 (1959).
6 H. Hörmann, W. Grassmann, E. Wünsch u. H. Preller, B. **89**, 933 (1956).
7 E. Taschner u. C. Wasielewski, A. **640**, 142 (1961).
8 J. F. Biernat, B. Rzeszotarska u. E. Taschner, A. **646**, 125 (1961).

N-Acyl-aminosäure-methylester; allgemeine Arbeitsvorschrift[1]: 1 mMol N-acylierte Aminosäure oder Peptid in 5 *ml* Ameisensäure- oder Essigsäure-methylester wird mit 2 mMol 96%-iger Schwefelsäure oder 4-Toluolsulfonsäure-Monohydrat versetzt und anschließend 4–5 Tage bei 20° stehengelassen. Danach wird das Lösungsmittel i.Vak. verdampft, der ölige Rückstand in Essigsäure-äthylester oder Diäthyläther aufgenommen, die Lösung mit ges. Natriumhydrogencarbonat-Lösung und dann mit Wasser gewaschen, getrocknet, i. Vak. weitgehend eingedampft und der Rückstand letztlich zur Kristallisation gebracht. Die Ausbeuten liegen zwischen 81 und 96% d. Th. Bei Ausbeuten unter 87% kann nach dem Ansäuern der Natriumhydrogencarbonat-Lösung unveränderte N-Acyl-aminosäure in reiner Form zurückgewonnen werden.

Natürlich lassen sich N-geschützte Aminosäuren und Peptide auch mit Methanol bei Anwesenheit von sauren Katalysatoren[2,3] leicht verestern. Eine große Anzahl von Brönsted- und Lewissäuren ist auf ihre Brauchbarkeit hin untersucht worden, d. h. es sollte diejenige Menge eines Katalysators ermittelt werden, die eine hinreichende Veresterung, jedoch eine minimale Acidolyse oder Alkoholyse zur Folge hat[4]. Der Einsatz von 0,01 mMol Sulfurylchlorid auf 1 mMol Säure hat in den meisten Fällen recht hohe Ausbeuten ergeben. *TOS-Asn-OMe* und *Z-Gly-Asn-OMe* sind analytisch und optisch rein erhalten worden.

N-Acyl-aminosäure-methylester; allgemeine Arbeitsvorschrift[4]: 1 mMol N-acylierte Aminosäure oder Peptid wird in 2 *ml* absol. Methanol gelöst, das 0,01–0,05 mMol Sulfurylchlorid enthält, und das Reaktionsgemisch 48 Stdn. bei 20° im Thermostaten belassen. Danach werden Methanol und Sulfurylchlorid i. Vak. abgedampft; der kristalline Rückstand wird mit 10 *ml* ges. Natriumhydrogencarbonat-Lösung versetzt, der Ester abfiltriert, zweimal mit Wasser gewaschen und schließlich umkristallisiert. Wenn das Reaktionsprodukt ölig ausfällt, wird es wie vorher mit Natriumhydrogencarbonat-Lösung versetzt und mit Hilfe von Diäthyläther oder Essigsäure-äthylester extrahiert.

Als saure Katalysatoren zur Veresterung von N-geschützten Aminosäuren können auch Kationenaustauscher wie Amberlite IR 120, Zeo-Karb 225 oder Dowex 50 $\times$ 1 in der $H^{\oplus}$-Form dienen[5].

N-Benzoyl-glycin-methylester [Bz-Gly-OMe][6]: 10 g Kationenaustauscher (Amberlite IR 120) werden mit dem 2–4 fachen Harzvol. 2n Salzsäure in die $H^{\oplus}$-Form übergeführt, durch Waschen mit destilliertem Wasser von überschüssiger Säure befreit und letztlich i. Vak. über Calciumchlorid getrocknet. Das so vorbereitete Harz wird mit 10 g Hippursäure und 300 *ml* absol. Methanol 3 Stdn. unter Rühren am Rückfluß zum Sieden erhitzt. Der Austauscher wird abfiltriert und anschließend mit Methanol gewaschen. Das Filtrat, vereinigt mit dem Waschmethanol, wird i. Vak. zu einem Sirup konzentriert, der Rückstand mit wäßr. Natriumcarbonat-Lösung gewaschen. Dieses Gemisch wird 3 mal mit 50 *ml* Diäthyläther geschüttelt, die organische Phase mit Wasser gewaschen, über Natriumsulfat getrocknet und schließlich i. Vak. eingedampft und der Ester aus Äthanol/Wasser (1:1) umkristallisiert; Ausbeute: ~ 7,5 g (~ 70% d. Th.); F: 75–77°.

Auch N-ungeschützte Aminosäuren lassen sich auf diese Weise verestern[7].

Die Verwendung eines Kationenaustauschers in Kombination mit einem Trockenmittel (meist Calciumsulfat) zur Veresterung von Carbonsäuren beschrieben Vesley und Stenberg[8].

Unter besonders schonenden Bedingungen[9] lassen sich N-geschützte Aminosäuren und Peptide (kommen freie Aminosäuren zum Einsatz, so werden neben den gewünschten

---

[1] E. Taschner u. C. Wasielewski, A. **640**, 142 (1961).
[2] R. L. M. Synge, Biochem. J. **42**, 99 (1948).
[3] G. Kupryszewski u. T. Sokolowska, Acta Biochim. Polon. **4**, 85 (1957).
[4] E. Taschner u. C. Wasielewski, A. **640**, 136 (1961).
[5] A. F. Olechnowitz u. G. Zimmermann, Ang. Ch. **67**, 209 (1955).
S. V. Rogozhin, V. V. Korshak u. Yu. A. Davidovich, Izv. Akad. SSSR, **1969**, 2086; C. A. **72**, 13036c (1970).
[6] P. J. Mill u. W. R. C. Crimmin, Biochem. biophys. Acta **23**, 432 (1957).
[7] D. Reiss u. F. Tayeau, Bull. Soc. Pharm. Bordeaux **102**, 259 (1963); C. A. **65**, 3954 (1966).
[8] G. F. Vesley u. V. J. Stenberg, J. Org. Chem. **36**, 2548 (1971).
[9] Bei ähnlichen Reaktionsbedingungen können Methylester auch durch Umsetzung von Carbonsäuren mit 1-Methyl-3-(4-tolyl)-triazen (kristallin u. lagerfähig) hergestellt werden; E. H. White, A. A. Baum u. D. E. Eitel, Org. Synth., Vol **48**, 102 (1968).

Estern auch Betain-Derivate erhalten[1]) mit Diazomethan[1,2] (über die ***Explosibilität*** und ***Giftigkeit***, insbesondere die ***cancerogene*** Wirkung dieser Verbindung s. ds. Handb. Bd. X/4, S. 487 bzw. 490) in die Methylester überführen[3–5]:

$$\text{Acyl-NH-}\underset{}{\overset{R^1}{\overset{|}{C}}}\text{H-COOH} + CH_2N_2 \longrightarrow \text{Acyl-NH-}\overset{R^1}{\overset{|}{C}}\text{H-COOCH}_3 + N_2$$

N-Benzyloxycarbonyl-L-glutamin-methylester [Z-Gln-OMe][3]: Zu 21,5 g (0,076 Mol) N-Benzyloxycarbonyl-glutamin in 120 *ml* absol. Äthanol gibt man unter Rühren und Eiskühlung eine ätherische Lösung von Diazomethan bis zur bleibenden Gelbfärbung. Die Mischung wird noch 30 Min. im Eisbad belassen und das überschüssige Diazomethan dann durch Zugabe einiger Tropfen Eisessig zerstört. Das Produkt kristallisiert vollständig nach 12 Stdn. bei 0°. Es wird abfiltriert, mit Diäthyläther gewaschen und schließlich getrocknet; F: 140–141° (unverändert nach Umkristallisieren aus Methanol!); $[\alpha]_D^{23} = -19{,}4°$ (c = 1,0; in Methanol); Ausbeute: 1. Fraktion: 14,0 g; 2. Fraktion: (F: 139–140): 2,3 g; Gesamtausbeute: 16,3 g (72% d.Th.).

Beim Arbeiten mit Diazomethan ist zu beachten, daß dieses Reagens meist beträchtliche Mengen Methylamin enthält. Letzteres kann nach Kuhn[1] bei tiefer Temp. (~ −20°) in einer Falle entfernt werden.

Alkyl-tert.-butyl-äther reagieren bei Anwesenheit katalytischer Mengen von Protonendonatoren, wie Schwefelsäure oder 4-Toluolsulfonsäure, bei erhöhter Temperatur mit Carbonsäuren nach dem Schema:

$$R^2\text{-O-}\underset{CH_3}{\underset{|}{\overset{CH_3}{\overset{|}{C}}}}\text{-CH}_3 + R^1\text{-COOH} \longrightarrow R^1\text{-CO-OR}^2 + H_2C{=}C(CH_3)_2 + H_2O$$

Die Umsetzung liefert schon nach 5 Min. Reaktionsdauer Ausbeuten von ~ 90% an Carbonsäureestern[6]. Diese Veresterungsvariante ist bisher in der Peptidchemie noch nicht angewandt worden.

Die Gewinnung von Aminosäure-methylestern durch R i n g ö f f n u n g von N-Carbonsäure-Anhydriden (s. S. II/187 ff.) mit absolutem Methanol und Chlorwasserstoff bei erhöhter Temperatur hat für spezielle Aminosäure-Derivate Bedeutung. *N_ε-Benzyloxycarbonyl-L-lysin-methylester-Hydrochlorid* kann auf diese Weise hergestellt werden (Auf die Synthese dieser Verbindung aus *N_ε-Benzyloxycarbonyl-L-lysin* und Methanol mit Hilfe von Bortrifluorid-Diäthylätherat sei hier hingewiesen; s. dazu S. 317).

Als geeignet zur Synthese der α-Methylester der Aminodicarbonsäuren (s. a. S. 637) erweisen sich die inneren Anhydride dieser Aminosäuren.

N-Benzyloxycarbonyl-L-asparaginsäure-α-methylester [Z-Asp-OMe]:

N - B e n z y l o x y c a r b o n y l - L - a s p a r a g i n s ä u r e [Z-Asp-OH][7]: 532,4 g (4 Mol) Asparaginsäure werden in 2000 *ml* Wasser mit 672 g (8 Mol) Natriumhydrogencarbonat gelöst und unter Eiskühlung mit 750 g Chlorameisensäure-benzylester und 2400 *ml* 2 n Natronlauge bei p_H 8–9 wie üblich umgesetzt (s. dazu S. 49) und aufgearbeitet; Ausbeute: 1005 g (95% d.Th.); F: 112–113°; $[\alpha]_D^{20} = +9{,}25 \pm 0{,}5°$ bzw. $[\alpha]_{546}^{20} = +10{,}3°$ (c = 2,0; in Eisessig).

---

[1] R. Kuhn u. W. H. Ruelius, B. **83**, 420 (1950).
[2] F. Arndt, Org. Synth., Coll. Vol **2**, 165 (1943).
S. a. ds. Handb., Bd. X/4, S. 537.
[3] E. Sondheimer u. R. W. Holley, Am. Soc. **76**, 2467 (1954).
[4] K. Hofmann et al., Am. Soc. **82**, 3715 (1960).
[5] W. Grassmann et al., B. **89**, 933 (1956).
[6] V. A. Derevitskaya, E. M. Klimov u. N. K. Kochetkov, Tetrahedron Letters **1970**, 4269.
[7] E. Wünsch u. A. Zwick, H. **333**, 108 (1963).

N-Benzyloxycarbonyl-L-asparaginsäure-α-methylester-Dicyclohexylaminsalz [Z-Asp-OMe · DCHA][1]: Die erhaltenen 1005 g Z-Asp-OH werden mit 700 *ml* frisch dest. Acetanhydrid übergossen und 4 Stdn. bei 45° geschüttelt; dabei erfolgt völlige Lösung. Nach Einengen i.Vak. erhitzt man den Rückstand mit 4000 *ml* absol. Methanol 4 Stdn. unter Rückfluß, engt das Reaktionsgemisch i.Vak. ein und nimmt das verbleibende Öl anschließend in Diäthyläther auf. Die ätherische Lösung wird nunmehr einer fraktionierten Natriumhydrogencarbonat-Extraktion unterworfen. Die Fraktionen, die nach Ansäuern und Stehenlassen in der Kälte krist. Niederschläge geben, werden vereinigt aufgearbeitet. Der getrocknete rohe Z-Asp-OMe wird in Diäthyläther gelöst und mit 1,05 Äquivalenten Dicyclohexylamin versetzt. Die krist. Fällung ergibt nach Umkristallisieren aus Äthanol/Petroläther (Kp: 40–50°) farblose Nädelchen; Ausbeute: 961 g (52% d.Th.); F: 159–160°; $[\alpha]_D^{20} = +4,9 \pm 0,5°$ bzw. $[\alpha]_{546}^{20} = +5,3°$ (c = 1,0; in Äthanol).

Die Fraktionen, aus denen sich nach Ansäuern Öle abscheiden, werden vereinigt mit Diäthyläther extrahiert. Nach Entfernen des Lösungsmittels i.Vak. hinterbleibt ein Öl (weitgehend *N-Benzyloxycarbonyl-asparaginsäure-β-methylester!*), das nach alkalischer Verseifung und üblicher Aufarbeitung (s. S. 334) kristalline optisch reine N-Benzyloxycarbonyl-asparaginsäure zurückliefert; Ausbeute: 365,4 g (36% d.Th.).

N-Benzyloxycarbonyl-L-asparaginsäure-α-methylester [Z-Asp-OMe][1]: 462,6 g des oben erhaltenen Dicyclohexylamin-Salzes werden in Wasser suspendiert und mit der ber. Menge 1n Schwefelsäure zersetzt. Das resultierende Öl nimmt man in Diäthyläther auf, wäscht die organische Phase sulfat-frei, trocknet sie über Natriumsulfat, engt sie i.Vak. auf ein kleineres Vol. ein und versetzt vorsichtig mit Petroläther (Kp: 40–60°). Die erhaltene Fällung wird aus Essigsäure-äthylester umkristallisiert; Ausbeute: 266 g (95% d.Th.); F: 88–89°; $[\alpha]_D^{20} = -16,1° \pm 0,5°$ bzw. $[\alpha]_{546}^{20} = -19,6°$ (c = 2,0; in Äthanol).

N-Benzyloxycarbonyl-L-glutaminsäure-α-methylester läßt sich in analoger Weise[2] aus N-Benzyloxycarbonyl-L-glutaminsäureanhydrid[3] und Methanol gewinnen. (Zur Herstellung dieser Substanz aus N-Benzyloxycarbonyl-L-glutaminsäure und Dimethylsulfat s. Lit.[4]).

Um Aminosäure- bzw. Peptidester als Amin-Komponenten zu Peptiden verknüpfen zu können, ist es – wie eingangs erwähnt (s. S. 32) – erforderlich, die Ester aus ihren Salzen freizusetzen. Fischer[5] setzte zu diesem Zweck die Aminosäureester-Hydrochloride mit wäßriger Alkalimetall-hydroxid- bzw. -carbonat-Lösung um und extrahierte anschließend mit Diäthyläther.

Die dabei erhaltenen Ausbeuten liegen durchschnittlich bei 50%, da die freien Aminosäureester meist gut wasserlöslich sind. Bei der Einwirkung von Bariumoxid bzw. Bariumhydroxid auf die Ester-Hydrochloride in Chloroform[6] wird ein Teil des Esters wieder verseift, was besonders für die sehr alkaliempfindlichen Aminodicarbonsäureester zutrifft[7]. Wenig geeignet scheint auch das Verfahren von Curtius zu sein, der Silberoxid bzw. Silberhydroxid als Basen verwendet hat[8].

Ohne Schwierigkeiten lassen sich dagegen die freien Ester aus den Ester-Hydrochloriden durch Umsetzung mit ammoniakalischem Chloroform gewinnen[6]. Um eine weitere Reaktion zu den Aminosäureamiden zu vermeiden, ist es angezeigt, bei 0° zu arbeiten. Genaue stöchiometrische Mengen Ammoniak müssen nicht unbedingt eingesetzt werden. Die Ausbeuten sind praktisch quantitativ.

Ein Beispiel ist für den Fall des Glycin-äthylesters auf S. 333 beschrieben. Über weitere Möglichkeiten zur Gewinnung freier Aminosäureester s. S. 334.

---

1 E. Wünsch u. A. Zwick, H. **333**, 108 (1963).
2 E. Klieger u. H. Gibian, A. **655**, 195 (1962).
3 W. J. Le Quesne u. G. T. Young, Soc. **1950**, (1954).
4 G. H. L. Nefkens u. R. J. F. Nivard, R. **83**, 199 (1964).
5 E. Fischer, B. **34**, 436 (1901).
6 P. A. Levene, J. Biol. Chem. **81**, 699, u. **86**, 419 (1929).
J. I. Harris z. J. S. Fruton. J. Biol. Chem. **191**, 143 (1951).
7 G. Hillmann, Z. Naturf. **1**, 682 (1946).
8 T. Curtius, J. pr. **37**, 159 (1888).

Die freien Aminosäure-methylester sind verhältnismäßig stark basische Substanzen, die sich häufig durch Destillation i.Vak. (s. S. 318) bzw. durch Umkristallisieren[1] reinigen lassen. Beim Destillieren ist auf absoluten Kohlendioxid-Ausschluß zu achten, da sonst Racemisierung eintritt[2]. Schon bei Raumtemperatur sind intra- und intermolekulare Kondensationen zu beobachten, wobei 2,5-Dioxo-piperazine[3] bzw. Polyaminosäuren entstehen[4]. Diese Neigung besteht in besonderem Maße auch bei Dipeptid-methylestern, worauf bei der hydrogenolytischen Entacylierung dieser Derivate (s. S. 52) zu achten ist. Die freien Methylester höherer Peptide sind dagegen relativ stabile Verbindungen[5], die kristallin erhalten werden können.

Zur Umsetzung der Aminosäure-methylester mit N-geschützten Aminosäuren bzw. Peptiden ist es in der Mehrzahl der Fälle nicht erforderlich, die freien Ester zu isolieren. Man verfährt vielmehr so, daß man den Ester in geeigneten Lösungsmitteln (wie z.B. 1,4-Dioxan, Essigsäure-äthylester oder Dimethylformamid) durch Zusatz der äquivalenten Menge einer tertiären Base (wie z.B. Triäthylamin, N-Methyl-morpholin, Tributylamin etc.) aus seinem Salz in Freiheit setzt und diese Mischung unmittelbar zur Verknüpfungsreaktion verwendet (s. S. II/173 f.). Manchmal lassen sich aber bessere Ausbeuten erzielen, wenn das in vielen Lösungsmitteln schwer lösliche Triäthylammoniumchlorid abfiltriert wird[6]. (Zur Frage der Racemisierung bei Anwesenheit der Hydrochloride tertiärer Basen während der Verknüpfung s. S. II/437).

Die erhaltenen N-geschützten Peptid-methylester sind in der Mehrzahl leicht kristallisierbare Verbindungen, die sich auf Grund ihres neutralen Verhaltens in Diäthyläther, Essigsäure-äthylester und ähnlichen Lösungsmitteln von basischen bzw. sauren Verunreinigungen durch Schütteln mit verdünnten Säuren bzw. verd. Kaliumhydrogencarbonat-Lösung befreien lassen (Bei Anwesenheit von acidolytisch leicht spaltbaren Schutzgruppen auf tert.-Butylbasis, 2-Nitro-phenylsulfenyl-Resten und ähnl. ist es empfehlenswert, Citronensäure- oder besser verd. Kaliumhydrogensulfat-Lösungen[7] zu verwenden). Es sei darauf hingewiesen, daß diese Operationen bei stark hydrophoben Ausgangssubstanzen (wie z.B. N-Benzyloxycarbonyl-leucin) unter Umständen mehrere Male wiederholt werden müssen, um reine Produkte zu erhalten. Eine Überprüfung der Waschwässer – Trübung beim Ansäuern! – ist daher ratsam.

Auf die verschiedenen Möglichkeiten der Spaltung der Methylester wird auf S. 334 näher eingegangen.

---

1 K. Vogler u. P. Lanz, Helv. **43**, 270 (1960).
2 M. Brenner, Privatmitteilung.
3 E. Abderhalden u. S. Suzuki, H. **176**, 101 (1928).
E. Fischer, B. **34**, 433 (1901),
H. N. Rydon u. P. W. G. Smyth, Soc. **1956**, 3642.
4 H. Brockmann u. H. Musso, B. **87**, 581 (1954).
5 R. Schwyzer u. W. Rittel, Helv. **44**, 159 (1961).
6 J. Ramachandran u. C. H. Li, J. Org. Chem. **28**, 173 (1963).
7 R. Spangenberg, P. Thamm u. E. Wünsch, H. **352**, 655 (1971).

Tab. 41. L-Aminosäure-α-methylester und deren Salze

Aminosäure		F [°C]	$[\alpha]_D$	t	c	Lösungsmittel	Literatur	Literatur entsprechender D-Verbindung
Abu	b	116–117	+ 13,8	24	1,0	95%-ige Essigsäure	1	
Aib	a b	173–175 186,5–187					2 1,3	
Ala	b	109–111	+ 6,5	22	1,6	Methanol	4–8	7
Arg	c d	196 156	+ 21,7 + 16,3	17 20	2,5 2	Methanol Methanol	9–11 11	10,12
Asp	a	181–182	+ 42,2	26	0,44	Wasser	13,14	13
Cys	b	140	− 2,9	20	10	Methanol	15–18	
$(Cys)_2$	c, h	173	− 38,4	20	4	Methanol	19,20	
Dap	a c	Öl 166					9 9	
Gln	b	145–147					21	
Glu	a	149–150	+ 35,1	25	2,01	Wasser	22	23

[a] freier Ester
[b] Monohydrochlorid
[c] Dihydrochlorid
[d] Dihydrobromid
[h] Diester

---

[1] E. Klieger u. H. Gibian, A. **649**, 183 (1961).
[2] M. Goodman u. W. J. McGahren, Tetrahedron **23**, 2031 (1967).
[3] E. L. Smith u. D. H. Spackman, J. Biol. Chem. **212**, 271 (1955).
[4] J. A. Maclaren, W. E. Savige u. J. M. Swan, Austral. J. Chem. **11**, 345 (1958).
[5] W. Grassmann, E. Wünsch u. A. Riedel, B. **91**, 455 (1958).
[6] A. L. Barker u. G. S. Skinner, Am. Soc. **46**, 403 (1924).
[7] M. Zaoral et al., Collect. czech. chem. Commun. **32**, 843 (1967).
[8] S. Goldschmidt u. K. K. Gupta, B. **98**, 2831 (1965).
[9] E. Fischer u. U. Suzuki, B. **38**, 4173 (1905).
[10] J. P. Greenstein et al., Arch. Biochem. **64**, 342 (1956).
[11] R. A. Boissonnas et al., Helv. **41**, 1867 (1958).
[12] E. Wünsch u. H.-G. Heidrich, H. **332**, 300 (1963).
[13] J. Kovács, H. Nagy-Kovács u. R. Ballina, Am. Soc. **85**, 1839 (1963).
[14] J. Kovács et al., J. Org. Chem. **26**, 1084 (1961).
[15] L. Zervas u. D. M. Theodoropoulos, Am. Soc. **78**, 1359 (1956).
[16] M. X. Sullivan, W. L. Hess u. H. W. Howard, J. Washington Acad. **32**, 285 (1942).
[17] G. F. Holland u. L. A. Cohen, Am. Soc. **80**, 3765 (1958).
[18] M. Bergmann u. G. Michaëlis, B. **63**, 987 (1930).
[19] E. Fischer u. U. Suzuki, H. **45**, 405 (1905).
[20] E. Abderhalden u. E. Wybert, B. **49**, 2449 (1916).
[21] E. Sondheimer u. R. W. Holley, Am. Soc. **76**, 2816 (1954).
[22] E. Klieger u. H. Gibian, A. **655**, 195 (1962).
[23] V. Bruckner, J. Kovács u. K. Kovács, Acta chim. Acad. Sci. hung. **31**, 361 (1953).

Tab. 41. (1. Fortsetzung)

Aminosäure		F [°C]	$[\alpha]_D$	t	c	Lösungsmittel	Literatur	Literatur entsprechender D-Verbindung
Gly	b	175					1	
	f	116–117					2	
His	c	127–130	+ 16,0		1	Methanol	3–9	8
Hyp	b	162–164					10–12	
Ile	a	Öl					13	
	b	100,5-101	+ 26,6	23	2	Wasser	14–16	14
Leu	a	(Kp_3:47°)	+ 16,5	17			17,18	22
	b	151–151,5	+ 13,2	23	6,1	Wasser	2,17,19–21	
	e	136–137					17	
	f	175,5–176	+ 11,6	19–23	6,9	Methanol	2	
Lys	c	212					23	
Met	a	(Kp_{11}: 124–125°)					24	
	b	145–146	+ 26,8	19	5	Wasser	24–27	24–26
Nle	b	126–127	+ 21,1	17	0,77	Äthanol	28	

[a] freier Ester
[b] Monohydrochlorid
[c] Dihydrochlorid
[e] Pikrinsäure-Salz
[f] 4-Toluolsulfonsäure-Salz

1 T. CURTIUS u. F. GOEBEL, J. pr. [2] **37,** 150 (1888).
2 J. M. THEOBALD, M. W. WILLIAMS u. G. T. YOUNG, Soc. **1963,** 1927.
3 E. FISCHER u. L. H. CONE, A. **363,** 107 (1908).
4 H. PAULY, H. **42,** 508 (1904).
5 B. O. HANDFORD, B. WEINSTEIN et al., J. Org. Chem. **33,** 4251 (1968).
6 N. C. DAVIS, J. Biol. Chem. **223,** 935 (1956).
7 G. LOSSE u. G. MÜLLER, B. **94,** 2768 (1961).
8 E. SCHRÖDER, A. **692,** 241 (1966).
9 P. RIVAILLE u. G. MILHAUD, Helv. **54,** 355 (1971).
10 E. L. SMITH u. M. BERGMANN, J. Biol. Chem. **153,** 627 (1944).
11 T. WIELAND u. R. SARGES, A. **658,** 181 (1962).
12 K. HEYNS u. G. LEGLER, H. **321,** 161 (1960).
13 R. A. BOISSONNAS et al., Helv. **38,** 1491 (1955).
14 E. L. SMITH, D. H. SPACKMAN u. W. J. POLGLASE, J. Biol. Chem. **199,** 801 (1952).
15 C. RESSLER u. V. DU VIGNEAUD, Am. Soc. **79,** 4511 (1957).
16 H. SCHWARZ u. F. M. BUMPUS, Am. Soc. **81,** 890 (1959).
17 K. WEIL u. W. KUHN, Helv. **29,** 784 (1946).
18 E. ABDERHALDEN u. H. SPINNER, H. **107,** 1 (1919).
19 E. SANDRIN u. R. A. BOISSONNAS, Helv. **46,** 1637 (1963).
20 H. F. SCHOTT et al., J. Org. Chem. **12,** 490 (1947).
21 M. A. NYMAN u. R. M. HERBST, J. Org. Chem. **15,** 108 (1950).
22 C. S. SMITH u. A. E. BROWN, Am. Soc. **63,** 2605 (1941).
23 M. BERGMANN, L. ZERVAS u. J. P. GREENSTEIN, B. **65,** 1692 (1932).
24 M. BRENNER u. R. W. PFISTER, Helv. **34,** 2085 (1951).
25 C. A. DEKKER, S. P. TAYLOR u. J. S. FRUTON, J. Biol. Chem. **180,** 155 (1949).
26 G. LOSSE et al., B. **91,** 2410 (1958).
27 H. YAJIMA, Chem. Pharm. Bull. (Tokyo) **16,** 1342 (1968).
28 H. M. FLOWERS u. W. S. REITH, Biochem. J. **53,** 657 (1953).

Tab. 41. (2. Fortsetzung)

Aminosäure		F [°C]	$[\alpha]_D$	t	c	Lösungsmittel	Literatur	Literatur entsprechender D-Verbindung
Nva	b	111	+ 20	22	2	95%-ige Essigsäure	1	
Phe	b	159–161	– 4,6	25	5	Wasser	2–5	7,5
	f	162–162,5	+ 13,1	19–23	7,5	Methanol	6	
Pro	a	Öl					8	
	b	71	– 32,6	24	2,1	Methanol	7,8	
	f	116,6–117,5	– 17,8	19–23	6,7	Methanol	6	
Ser	a	Öl					9	
	b	168	+ 3	23	2	Wasser	9–11	12
Thr	a	70–72	+ 5,0	25	3	Methanol	13,14	15
Trp	b	213,5–214 (Zers.)	+ 17,1	20	2,06	Methanol	16–19	19
	g	127 (Zers.)					15	

[a] freier Ester
[b] Monohydrochlorid
[f] 4-Toluolsulfonsäure-Salz
[g] Hydro-trichloracetat

[1] E. SANDRIN u. R. A. BOISSONNAS, Helv. **46**, 1637 (1963).
[2] H. SCHWARZ, F. M. BUMPUS u. I. H. PAGE, Am. Soc. **79**, 5697 (1957).
[3] R. A. BOISSONNAS et al., Helv. **39**, 1421 (1956).
[4] S. VISSER et al., R. **87**, 559 (1968).
[5] M. GOODMAN u. W. J. MCGAHREN, Tetrahedron **23**, 2031 (1967).
[6] J. M. THEOBALD, M. W. WILLIAMS u. G. T. YOUNG, Soc. **1963**, 1927.
[7] B. F. ERLANGER, H. SACHS u. E. BRAND, Am. Soc. **76**, 1806 (1954).
[8] S. GUTTMANN, Helv. **44**, 721 (1961).
[9] E. FISCHER u. W. A. JACOBS, B. **39**, 2942 (1906).
[10] S. GUTTMANN u. R. A. BOISSONNAS, Helv. **41**, 1852 (1958).
[11] J. I. HARRIS u. J. S. FRUTON, J. Biol. Chem. **191**, 143 (1951).
[12] V. BRUCKNER u. M. SZEKERKE, Acta chim. Acad. Sci. hung. **34**, 93 (1962).
[13] K. VOGLER u. P. LANZ, Helv. **43**, 270 (1960).
[14] F. MARCHIORI, R. ROCCHI u. E. SCOFFONE, G. **93**, 823 (1963).
[15] T. WIELAND u. R. SARGES, A. **658**, 181 (1962).
[16] R. A. BOISSONNAS et al., Helv. **41**, 1867 (1958).
[17] E. ABDERHALDEN u. M. KEMPE, H. **52**, 207 (1907).
[18] H. PETER et al., Helv. **46**, 577 (1963).
[19] G. LOSSE, J. pr. **7**, 141 (1958).

Tab. 41. (3. Fortsetzung)

Aminosäure		F [°C]	$[\alpha]_D$	t	c	Lösungsmittel	Literatur	Literatur entsprechender D-Verbindung
Tyr	a	134–135	+ 26,9	23,5	2,4	Methanol	1–5	
	b	190	+ 12,9	20	2	Methanol	4,6–10	10
Val	b	167,5–168	+ 15,5	21	2	Wasser	11–19	13,18
	f	175–176	+ 13,4	23	10	Methanol	12	

[a] freier Ester [b] Monohydrochlorid
[f] 4-Toluolsulfonsäure-Salz

33.112. Substituierte Methylester

33.112.1. *Pyridyl-(4)-methylester [4-Picolylester]*

Pyridyl-(4)-methylester von N-Benzyloxycarbonyl-aminosäuren werden erhalten durch Umsetzung von Pyridyl-(4)-methylchlorid mit den Triäthylamin-Salzen, oder besser den Tetramethylguanidin-Salzen, dieser N-Acyl-aminosäuren oder durch deren Veresterung mit Pyridyl-(4)-methanol unter der Einwirkung von N,N'-Dicyclohexyl-carbodiimid[21].

Methode ⓐ: **N-Benzyloxycarbonyl-L-phenylalanin-pyridyl-(4)-methylester [Z-Phe-OPyM][21]:** Eine Lösung von 3,0 g (0,01 Mol) N-Benzyloxycarbonyl-phenylalanin, 1,6 g (0,01 Mol) Pyridyl-(4)-methylchlorid-Hydrochlorid[22] und 2,3 g (0,02 Mol) 1,1,3,3-Tetramethyl-guanidin in 25 *ml* Dimethylformamid wird 2 Stdn. auf 90° erhitzt. Das Lösungsmittel wird dann i. Vak. (1 Torr) abgedampft, der Rückstand mit Essigsäure-äthylester versetzt, das Lösungsmittel wieder i. Vak. entfernt. Die letzte Operation wird wiederholt. Das erhaltene Material wird in 30 *ml* Essigsäure-äthylester gelöst, die Lösung 3mal mit 1n Na-

---

[1] H. SCHWARZ u. F. M. BUMPUS, Am. Soc. **81**, 890 (1956)
[2] H. R. ALMOND u. C. NIEMANN, Biochemistry **1**, 12 (1962).
[3] H. OTSUKA et al., Bl. chem. Soc. Japan **38**, 679 (1965).
[4] J. RAMACHANDRAN u. C. H. LI, J. Org. Chem. **28**, 173 (1963).
[5] E. FISCHER u. W. SCHRAUTH, A. **354**, 21 (1907).
[6] H. SCHWARZ, F. M. BUMPUS u. I. H. PAGE, Am. Soc. **79**, 5697 (1957).
[7] R. A. BOISSONNAS et al., Helv. **38**, 1491 (1955).
[8] A. E. BARKDOLL u. W. F. ROSS, Am. Soc. **66**, 951 (1944).
[9] E. WÜNSCH, G. FRIES u. A. ZWICK, B. **91**, 542 (1958).
[10] E. SCHRÖDER, A. **692**, 241 (1966).
[11] R. A. BOISSONNAS et al., Helv. **41**, 1867 (1958).
[12] J. M. THEOBALD, M. W. WILLIAMS u. G. T. YOUNG, Soc. **1963**, 1927.
[13] E. L. SMITH, D. H. SPACKMAN u. W. J. POLGLASE, J. Biol. Chem. **199**, 801 (1952).
[14] R. A. BOISSONNAS et al., Helv. **39**, 1421 (1956).
[15] D. A. ROWLANDS u. G. T. YOUNG, Soc. **1952**, 3937.
[16] R. SCHWYZER et al., Helv. **41**, 1273 (1958).
[17] J. I. HARRIS u. T. S. WORK, Biochem. J. **46**, 582 (1950).
[18] S. SHANKMAN u. Y. SCHVO, Am. Soc. **80**, 1164 (1958).
[19] R. L. M. SYNGE, Biochem. J. **42**, 99 (1948).
[21] R. CAMBLE, R. GARNER u. G. T. YOUNG, Soc. [C] **1969**, 1911.
[22] H. S. MOSHER u. J. E. TESSIERI, Am. Soc. **73**, 4925 (1951).
Z. FÖLDI, Acta chem. scand. **19**, 205 (1959).

triumhydrogencarbonat-Lösung, 2mal mit 10*ml* Wasser, mit 10*ml* Kochsalz-Lösung gewaschen und schließlich über Magnesiumsulfat getrocknet. Nach dem Eindampfen i. Vak. verbleibt eine braune Festsubstanz, die 2mal aus Diäthyläther unter Zusatz von Aktivkohle umkristallisiert wird; Ausbeute: 1,9 g (50% d. Th.); F: 87,5–89,5°; $[\alpha]_D^{20} = -33,0°$; (c = 1,0; in Dimethylformamid) (farblose Nadeln).

Anstelle von 1,1,3,3-Tetramethyl-guanidin kann Triäthylamin als Base verwendet werden. Die Ausbeuten liegen dann aber etwas niedriger.

Methode ⓑ: **N-Benzyloxycarbonyl-L-valin-pyridyl-(4)-methylester [Z-Val-OPyM][1]:** 2,05 g (0,982 Mol) N-Benzyloxycarbonyl-valin und 0,81 g (0,074 Mol) Pyridyl-(4)-methanol in 20 *ml* Dichlormethan werden unter Rühren bei Raumtemp. mit 1,7 g (0,082 Mol) N,N'-Dicyclohexyl-carbodiimid versetzt. Nach 16 Stdn. wird der N,N'-Dicyclohexyl-harnstoff abfiltriert, das Filtrat 2mal mit je 25*ml* 1n Natriumhydrogencarbonat-Lösung und 10 *ml* Wasser gewaschen. Nach dem Abdampfen des Lösungsmittels wird der erhaltene Rückstand 3mal mit je 20 *ml* 2n Citronensäure-Lösung extrahiert. Die vereinigten Extrakte werden mit Essigsäure-äthylester überschichtet und daraufhin mit festem Natriumhydrogencarbonat alkalisch gemacht. Die organische Phase wird über Magnesiumsulfat getrocknet, anschließend i. Vak. eingedampft und der Ester aus Diäthyläther/Petroläther (Kp: 40–60) umkristallisiert; Ausbeute: 1,5 g (60% d. Th.); F: 65–66°; $[\alpha]_D^{20} = -11,6°$ (c = 1,0; in Dimethylformamid).

Die Abspaltung des Benzyloxycarbonyl-Restes mit Bromwasserstoff in Eisessig ergibt die Dihydrobromide der Aminosäure-pyridyl-(4)-methylester.

Aminosäuren, deren Aminogruppen durch substituierte Vinylreste (s. dazu S. 277) geschützt sind, lassen sich ebenfalls in die entsprechenden Pyridyl-(4)-methylester überführen[2]. Anschließende acidolytische Abspaltung der Amino-Schutzgruppe liefert Salze dieser Ester.

Aminosäure-pyridyl-(4)-methylester-Dihydrochloride; allgemeine Arbeitsvorschrift[2]: 0,01 Mol des trockenen Kaliumsalzes der mit einem substituierten Vinyl-Rest blockierten Aminosäure (Herstellung s. S. 364) in 10 *ml* Dimethylformamid werden unter Rühren mit 1,64 g (0,01 Mol) Pyridyl-(4)-methyl-chlorid-Hydrochlorid und 1,15 g (0,01 Mol) 1,1,3,3-Tetramethyl-guanidin versetzt und dann 2 Stdn. auf 90° erhitzt. Die dunkelrote Lösung wird daraufhin mit 70 *ml* Essigsäure-äthylester verdünnt, 2mal mit je 50 *ml* einer 1 m Natriumhydrogencarbonat-Lösung, 2mal mit je 50 *ml* Wasser gewaschen, über Natriumsulfat getrocknet und letztlich i. Vak. eingedampft. Der Rückstand wird mit 20 *ml* 1 n methanol. Chlorwasserstoff-Lösung bis zur völligen Auflösung geschüttelt. Nach 10 Min. bei 20° wird die Lösung i. Vak. bei 20° zur Trockene eingedampft. Das verbleibende Öl wird beim Verreiben mit Diäthyläther fest. Umkristallisieren aus Methanol/Diäthyläther oder Äthanol/Diäthyläther; Ausbeuten: zwischen 54 und 98% d. Th.

Die Verwendung von 1,1,3,3-Tetramethyl-guanidin als Base liefert reinere Produkte als der Einsatz von Triäthylamin.

Das schwach basische Stickstoffatom des Pyridyl-(4)-Restes bietet die Möglichkeit, N-geschützte Aminosäure- oder Peptid-pyridyl-methylester am Polymer eines Kationenaustauschers, z. B. Sulfopropyl-Sephadex C-25 ($H^{\oplus}$-Form), zu fixieren. Daraufhin können alle nicht-basischen Ausgangs- oder im Zuge der Synthese gebildeten Nebenprodukte durch Auswaschen des Harzes entfernt werden.

Auf diese Weise werden Vorteile der Peptidsynthese an Festkörpern (s. S. 371 ff.) mit denen der konventionellen stufenweisen Synthesetechnik vereinigt, da über diese Reinigung hinaus sowohl eine Umsetzung in homogener Lösung als auch eine analytische Überprüfung und Charakterisierung der einzelnen Zwischenprodukte möglich ist. Schwierigkeiten können allerdings auftreten, wenn die acylierende Komponente eine basische Funktion (wie z. B. Histidin) aufweist[3]. Ein Überschuß dieser Substanz kann dann durch Auswaschen nicht mehr abgetrennt werden.

Kommen Aminosäuren mit säurelabilen Schutzgruppen, wie z. B. dem tert.-Butyloxycarbonyl-Rest, zum Einsatz, so muß der saure Ionenaustauscher zunächst mit 3-Brompyridin in das entsprechende Salz übergeführt werden, um eine Acidolyse dieser Schutzgruppen zu vermeiden[1].

---

[1] R. Camble, R. Garner u. G. T. Young, Soc. [C] **1969**, 1911.

[2] J. A. Maclaren, Austral. J. Chem. **25**, 1293 (1972).

[3] R. Garner u. G. T. Young, Soc. [C] **1971**, 50.

Eine Reinigung der einzelnen Zwischenstufen kann neben der oben beschriebenen Methode auch durch deren Extraktion mit wäßriger Citronensäure-Lösung aus organischer Phase, z.B. Essigsäure-äthylester-Lösung, erfolgen. Naturgemäß sind dieser Arbeitstechnik durch die abnehmende Löslichkeit der Derivate höherer Peptide in wäßrigen Säuren Grenzen gesetzt. Dem kann durch Einführung weiterer Pyridyl-(4)-methyl-Reste in das Molekül, wie z.B. Veresterung der ω-Carboxy-Gruppen von Asparaginsäure oder Glutaminsäure, begegnet werden[1].

Da dies einerseits, bedingt durch die Sequenz der zu synthetisierenden Peptide, nicht immer möglich ist, der Einsatz von Sulfopropyl-Sephadex C 25 andererseits auf mit Wasser mischbare organische Lösungsmittel beschränkt bleibt, ist der in wasserfreien Solvenzien anwendbare Kationenaustauscher Amberlyst-15 auf seine Brauchbarkeit hin untersucht worden[2,3].

N-tert.-Butyloxycarbonyl-O-benzyl-L-seryl-S-benzylthio-methyl-L-cysteinyl-glycyl-L-phenylalanin-pyridyl-(4)-methylester [BOC-Ser(BZL)-Cys(BTM)-Gly-Phe-OPyM][2]: 4,18 g (0,010 Mol) Phenylalanin-pyridyl-(4)-methylester-Dihydrobromid in 20 *ml* Dimethylformamid werden mit einem Überschuß Triäthylamin (~ 8,1 g/11,2 *ml*, 80 mMol) versetzt; nach 15 Min. wird das überschüssige Triäthylamin i.Vak. abgedampft, bis keine Base mehr mit einem feuchten Indikatorpapier festgestellt werden kann; daraufhin gibt man 20 *ml* Dimethylformamid zu.

Eine Lösung von 2,1 g (0,012 Mol) N-tert.-Butyloxycarbonyl-glycin in 20 *ml* Dimethylformamid wird bei 0° nacheinander unter Rühren mit 1,62 g (0,012 Mol) 1-Hydroxy-benzotriazol und 2,47 g (0,012 Mol) N,N'-Dicyclohexyl-carbodiimid versetzt. Man rührt noch 1 Stde. bei 0° und eine weitere Stde. bei 20°. Die Mischung wird zu dem, wie oben unmittelbar vor seiner Verwendung hergestellten, Phenylalanin-pyridyl-(4)-methylester gegeben. Halbquantitative Dünnschichtchromatographie in Methanol/Chloroform 1 : 9 zeigt weniger als 0,1% Amino-Komponente nach 5 Min. Die Reaktionsmischung wird dann i.Vak. eingedampft, der erhaltene Rückstand in 100 *ml* Essigsäure-äthylester gelöst, vom ausgefallenen N,N'-Dicyclohexyl-harnstcff abfiltriert, letzterer mit wenig Essigsäure-äthylester gewaschen.

Das Filtrat wird 5mal durch eine Säule (100 *ml*) mit Amberlyst-15 (3-Brom-pyridin-Salz, s. oben) geschickt. Nach zwei Zyklen verbleibt weniger als 1% des geschützten Peptides unadsorbiert.

Die Säule wird dann zunächst 2mal mit 500 *ml* Essigsäure-äthylester (A) und dann 2mal mit 500 *ml* einer 0,5 m Lösung von Pyridin in Essigsäure-äthylester (B) gewaschen. Nach dem Eindampfen i.Vak. der ersten 500 *ml* des Eluats (B) verbleiben 4,12 g (9,9 mMol) des geschützten Dipeptids BOC-Gly-Phe-OPyM; Dünnschichtchromatographie in Methanol/Chloroform (1 : 9) zeigt Spuren von 3-Brom-pyridin und 1-Hydroxy-benzotriazol, aber keine anderen Verunreinigungen. Der tert.-Butyloxycarbonyl-Rest wird mittels 25 *ml* absol. Trifluoressigsäure im Laufe von 15 Min. abgespalten. Nach dem Abdampfen der Trifluoressigsäure i.Vak. erhält man H-Gly-Phe-OPyM · 2TFA-OH als farblosen Schaum.

4,28 g (0,012 Mol) BOC-Cys(BTM)-OH werden mit der Amino-Komponente (wie oben aus dem Salz hergestellt) durch eine Wiederholung der oben beschriebenen Arbeitsvorgänge verknüpft und anschließend wie dort durch eine Säule mit Amberlyst-15 (3-Brom-pyridin-Salz) geschickt. Die ersten 500 *ml* des Wasch-essigesters (A) enthalten 0,44 g BOC-Cys(BTM)-Gly-Phe-OPyM, die nach 2maliger Rechromatographie im Reinheitsgrad mit der Hauptmenge übereinstimmen, die durch Eindampfen des Eluats (B) erhalten wird; Gesamtausbeute: 5,47 (84% d.Th.; bez. auf das geschützte Dipeptid BOC-Gly-Phe-OPyM); chromatographisch rein in Methanol/Chloroform (1 : 9).

Wie vorstehend beschrieben wird nun die Amino-Schutzgruppe vom Tripeptid mit Hilfe von Trifluoressigsäure abgespalten, die Amino-Komponente aus dem Hydro-trifluoracetat freigesetzt und dann mit 3,65 g (0,0124 Mol) BOC-Ser(BZL)-OH verknüpft. Die Reaktionsmischung wird i.Vak. eingedampft, der Rückstand mit 100 *ml* Essigsäure-äthylester versetzt, von Ungelöstem abfiltriert. Aus dem Filtrat scheidet sich langsam eine gelartige Masse aus.

Das nach dem Entfernen des Lösungsmittels i.Vak. verbleibende Produkt wird mit Diäthyläther verrieben, abfiltriert und letztlich getrocknet; F: 98–100°; $[\alpha]_D^{20} = -10{,}4°$ (c = 1,0; in Essigsäure-äthylester). Chromatographisch rein in Methanol/Chloroform (1 : 9), Essigsäure-äthylester/Pyridin/Eisessig/Wasser (120:20:6:11) und Butanol/Eisessig/Wasser (10 : 1 : 3). Nach dem Eindampfen des zum Verreiben verwendeten Diäthyläthers verbleibt ein Öl, das durch die normale Aufarbeitungsprozedur (s. oben) mittels Amberlyst-15 (40 *ml*, 3-Brompyridin-Salz) mit Chloroform als Lösungsmittel (80 *ml*) gereinigt wird. Nicht basische Produkte werden dabei mit 400 *ml* Chloroform aus der Säule ausgewaschen, das Produkt wird mit 0,5 n Pyridin in Chloroform eluiert. Man erhält so weitere 1,04 g des geschützten Tetrapeptidesters BOC-Ser(BZL)-Cys(BTM)-Gly-Phe-OPyM, (F: 97–100°) die mit dem oben isolierten Produkt identisch sind; Gesamtausbeute: 7,81 g (76,5% d.Th., bez. auf Phenylalanin-pyridyl-(4)-methylester-Dihydrobromid).

---

1 R. Garner u. G. T. Young, Soc. [C] **1971**, 50.

2 J. Burton u. G. T. Young, Israel J. Chem. **9**, 201 (1971).

3 J. Burton, G. A. Fletcher u. G. T. Young, Chem. Commun. **1971**, 1057.

Die Spaltung der Pyridyl-(4)-methylester gelingt[1]:

① durch alkalische Hydrolyse (s. dazu auch S. 334)
② durch katalytische Hydrogenolyse (s. S. 51)
③ mittels Natrium in flüssigem Ammoniak (s. S. 54)
④ durch elektrolytische Reduktion an einer Quecksilberkathode.

Die Ester sind stabil gegen Bromwasserstoff in Eisessig (45% g/V 24 Stdn.). Sie lassen sich glatt in Hydrazide und Amide überführen[1].

33.112.2. *Anthryl-(9)-methylester*

Anthryl-(9)-methylester von N-Acyl-aminosäuren werden durch Umsetzung dieser Säuren mit einem Äquivalent 9-Chlormethyl-anthracen und der entsprechenden Menge Triäthylamin in Acetonitril als Lösungsmittel hergestellt[2]:

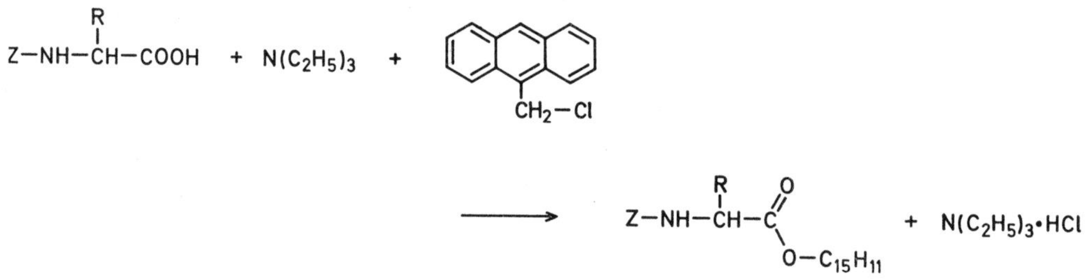

$$Z-NH-\underset{}{\overset{R}{\overset{|}{C}}}H-COOH \;+\; N(C_2H_5)_3 \;+\; \text{9-}(CH_2-Cl)\text{-Anthracen}$$

$$\longrightarrow\; Z-NH-\overset{R}{\overset{|}{C}}H-C(=O)-O-C_{15}H_{11} \;+\; N(C_2H_5)_3\cdot HCl$$

Sie können als tetra-substituierte Benzylester verstanden werden. Dementsprechend gelingt ihre Spaltung durch katalytische Hydrogenolyse. Die alkalische Hydrolyse verläuft glatt mit 0,1 n Natronlauge bei 20°. Im Gegensatz zu den Benzylestern werden die Anthryl-(9)-methylester von 2 n Bromwasserstoff-Lösung in Eisessig schon nach 10–30 Min. bei 20° in die zugrunde liegende Säure und 9-Brommethyl-anthracen übergeführt. Sehr rasch kann der Anthryl-(9)-methyl-Rest mittels Natrium-methylthiolat in Phosphorsäure-tris-[dimethylamid] als Lösungsmittel abgespalten werden[3].

33.11.3. Äthylester

Aminosäure-äthylester sind ebenso wie die Methylester, die aus Gründen der Verseifungsgeschwindigkeit bevorzugt werden[4], schon lange bekannt. Sie sind wie diese nach dem auf S. 316 beschriebenen allgemeinen Verfahren nach E. Fischer[5] aus Äthanol und Aminosäure-Hydrochloriden unter dem katalytischen Einfluß von Chlorwasserstoff herzustellen.

Auch die auf S. 317 angegebene „Thionylchlorid-Methode"[6] führt zum Erfolg. Eine Variante dieser Arbeitstechnik zur Gewinnung von *Glutaminsäure-diäthylester-Hydrochlorid* im großen Maßstab (10 Mol) ist beschrieben worden[7].

---

[1] R. Camble, R. Garner u. G. T. Young, Soc. [C] **1969**, 1911.
[2] F. H. C. Stewart, Austral. J. Chem. **18**, 1699 (1965).
[3] N. Kornblum u. A. Scott, Am. Soc. **96**, 590 (1974).
[4] E. Wünsch u. A. Zwick, H. **333**, 108 (1963).
[5] E. Fischer, B. **34**, 433 (1901).
[6] M. Brenner u. W. Huber, Helv. **36**, 1109 (1953).
[7] W. J. Humphlet u. C. Wilson, J. Org. Chem. **26**, 2508 (1961).

Aminosäure-äthylester-Hydrochloride können ebenfalls nach der Methode der azeotropen Veresterung gewonnen werden[1], die bei der Herstellung der Benzylester mit gutem Erfolg angewandt wird (s. S. 348).

Aminosäure-äthylester-Hydrochloride; allgemeine Arbeitsvorschrift[1]: In einem 500-*ml*-Zweihalskolben, der mit einem Wasserabscheider (s. S. 348) und einem Thermometer versehen ist, werden 0,1 Mol Aminosäure oder deren Hydrochlorid, 200 *ml* 95%-iges Äthanol, 150 *ml* Benzol und 20–30 *ml* konz. Salzsäure gegeben. Da die Geschwindigkeit der Veresterung von der Konzentration des Katalysators abhängt, sollte die Salzsäure so bemessen werden, daß die Mischung 1,5—2,0 n ist. Der Kolben wird dann in einem Ölbad unter Magnetrührung auf 80–85° erhitzt. Das Azeotrop beginnt bei 66° zu destillieren. Nach 30 Min. haben sich etwa 200 *ml* des azeotropen Gemisches abgeschieden, die Temp. steigt dabei auf 72°. Jetzt werden 50 *ml* Äthanol und 150 *ml* Benzol zugefügt und die Destillation anschließend 30 Min. fortgesetzt, bis die Temp. auf 72–74° gestiegen ist und sich weitere 200 *ml* des Azeotrops abgeschieden haben.

Die Mischung wird dann bei dieser Temp. 10 Min. unter Rückfluß zum Sieden erhitzt, daraufhin mit je 20 *ml* Äthanol und Benzol versetzt. Im Laufe der nächsten 15 Min. werden 100 *ml* des Azeotrops abdestilliert und letztlich wird das Gemisch noch 60 Min. unter Rückfluß erhitzt. Der Kolbeninhalt wird nach dem Abkühlen auf 50° i.Vak. unter Stickstoff eingedampft, bis man einen öligen oder festen Rückstand erhält; letzterer wird anschließend mit 100 *ml* Diäthyläther verrieben, abfiltriert und schließlich i.Vak. getrocknet.

Alanin- und *Lysin-äthylester-Hydrochlorid* geben gewöhnlich ölige Rückstände, die mit Diäthyläther zur Kristallisation gebracht werden können. *Arginin-äthylester-Dihydrochlorid* wird in einer wachsartigen Form erhalten. Das Produkt kann i. Hochvak. in einen Schaum verwandelt werden, der sich nach einigen Stdn. verfestigt[1]. *Prolin-äthylester-Hydrochlorid* konnte nur als Öl isoliert werden. Ausbeuten fast quantitativ.

Bei der oben angegebenen Methode ist es nicht erforderlich, trockenen Chlorwasserstoff oder absol. Äthanol zu verwenden. Sie sollte auf andere Alkohole, die ein Azeotrop mit Benzol und Wasser bilden, übertragbar sein.

Für die Synthese von Aminosäure-methylestern oder Estern tertiärer Alkohole (Dehydratisierung zu Olefinen!) ist dieses Verfahren jedoch nicht geeignet[2].

Aminosäure-äthylester-Hydrochloride sind, wie auch andere Aminosäureester-Hydrochloride oder -Hydrobromide, meist hygroskopische Verbindungen, insbesondere die entsprechenden Arginin- und Lysin-Derivate. Die Hygroskopizität hängt wesentlich von der Reinheit der Produkte ab, d.h. von deren Gehalt an Halogenwasserstoff[1,3].

Durch Umesterung (s. S. 319) mit Hilfe von Ameisensäure- oder Essigsäure-äthylester bei saurer Katalyse lassen sich die Äthylester von N-Acyl-aminosäuren herstellen[4].

Über die Synthese von Carbonsäureestern aus Carbonsäuren und Alkoholen mittels Carbodiimiden wurde schon 1939 berichtet[5]. Die Reaktion hat mittlerweile zur Herstellung von Aktivestern N-geschützter Aminosäuren große Bedeutung erlangt (s. S. II/17). Beim Einsatz von aliphatischen Alkoholen verläuft sie jedoch weniger glatt. Als Nebenprodukte bilden sich in größerem Maße N-Acyl-harnstoffe und Säureanhydride (s. dazu auch S. II/106). Dies läßt sich vermeiden, wenn die Ester über die O-Alkyl-isoharnstoffe als Zwischenprodukte hergestellt werden[6] (Zum Mechanismus der Reaktion mit Carbodiimiden s. S. II/104f.):

---

[1] M. Dymicky, E. F. Mellon u. J. Naghski, Anal. Biochem. **41**, 487 (1971).

[2] S. dazu ds. Handb., Bd. VIII, Kap. Aldehyde, S. 522.

[3] T. B. Johnson u. A. A. Ticknor, Am. Soc. **40**, 6366 (1918).

[4] E. Taschner u. C. Wassielewski, A. **640**, 142 (1961).

[5] F. Zetzsche u. A. Friedrich, B. **72**, 1735 (1939).

[6] E. Vowinkel, B. **100**, 16 (1967).

$$R^1-N{=}C{=}N-R^1 + R^2-OH \longrightarrow R^1-NH-\underset{\displaystyle OR^2}{\underset{|}{C}}{=}N-R^1$$

$$\xrightarrow{R^3-COOH} R^3-CO-OR^2 + R^1-NH-\underset{\displaystyle O}{\underset{\|}{C}}-NH-R^1$$

Man stellt demnach zunächst aus dem Alkohol und dem Carbodiimid (meist N,N'-Dicyclohexyl-carbodiimid) den O-Alkyl-isoharnstoff her und setzt diesen dann in einem zweiten Reaktionsschritt mit der Carbonsäure zum Ester unter Bildung eines Harnstoff-Derivats um. Wie bei der Umsetzung von N-geschützten Aminosäuren mit Diazoalkanen oder N,N-Dimethylformamid-acetalen (s. S. 351) dürfte auch hier die Reaktion nach einem S_N2-Mechanismus ablaufen, wobei das Carboxylat-Anion der Aminosäure das alkylierende Agens nucleophil angreift[1].

Die Methode wurde zur Veresterung säureempfindlicher N-Azulenyl-peptide angewandt[2].

Veresterung von N-Acyl-aminosäuren oder -peptiden mittels O-Alkyl-isoharnstoffen:

O-Äthyl-N,N'-dicyclohexyl-isoharnstoff[3,4]: 2,53 g Äthanol, 10,33 g N,N'-Dicyclohexyl-carbodiimid und 100 mg Kupfer(I)-chlorid werden 5 Stdn. auf 50–60° erhitzt. Das Ende der Reaktion erkennt man am Verschwinden der —N=C=N— Bande bei 2118 cm^{-1} im IR-Spektrum. Zur Abtrennung des Kupfer(I)-chlorids wird das Rohprodukt in Petroläther über Aluminiumoxid (nach Brockmann) filtriert, letzteres mit Petroläther gewaschen. Nach Abdampfen des Lösungsmittels wird der verbleibende Rückstand destilliert; Ausbeute 12,56 g (99% d. Th.); $Kp_{0,003}$: 78°; $n_D^{20} = 1{,}4911$.

Allgemeines Verfahren[1,2]: Die zu veresternden Verbindungen und O-Alkyl-N,N'-dicyclohexyl-isoharnstoffe (frei von N,N'-Dicyclohexyl-carbodiimid, da sich sonst N-Acyl-harnstoffe bilden!) werden in äquiv. Mengen in geeigneten absol. Lösungsmitteln (wie z. B. Dichlormethan, Benzol oder Dimethylformamid) mehrere Stdn. erhitzt. Nach dem Erkalten wird der N,N'-Dicyclohexyl-harnstoff abfiltriert und mit Dichlormethan gewaschen. Das Lösungsmittel wird, wenn möglich, mit 5%-iger Kaliumhydrogencarbonat-Lösung gewaschen, über Natriumsulfat getrocknet und schließlich abgedampft. Der Rückstand wird durch Destillation, Umkristallisieren oder Filtrieren durch Kieselgel gereinigt; Ausbeuten: über 90% d. Th.

Bei Anwendung eines Überschusses an O-Alkyl-N,N'-dicyclohexyl-isoharnstoffen empfiehlt es sich, die Reaktionsmischung nach ~ 2–3 Stdn. mit einigen *ml* Eisessig zu versetzen und das Erhitzen noch einige Stdn. fortzusetzen.

O-tert.-Butyl-N,N'-dicyclohexyl-isoharnstoff reagiert anders als die primären und sekundären O-Alkyl-isoharnstoffe. Die Umsetzung erfolgt bereits bei Raumtemp. spontan. Außer den gewünschten Estern werden dabei erhebliche Mengen Isobuten gebildet. Die Ausbeute an Ester ist relativ gering (~ 40% d. Th.). Sie läßt sich aber durch Einsatz von 3-fachem Überschuß an O-Alkyl-isoharnstoff auf ~ 70% d. Th. steigern[1].

Eine weitere Möglichkeit zur Gewinnung von N-geschützten Aminosäure-äthylestern ist in der Umsetzung von N-Acyl-aminosäuren mit Orthocarbonsäure-triestern gegeben[5]:

$$Acyl-NH-\overset{\displaystyle R^1}{\overset{|}{CH}}-COOH + HC(OC_2H_5)_3 \longrightarrow R^2-C(=O)-OC_2H_5 + H-C(=O)-OC_2H_5 + H_5C_2-OH$$

---

[1] E. Vowinkel, B. **100**, 16 (1967).

[2] E. Wünsch u. E. Jaeger, H. **352**, 1584 (1971).

[3] E. Vohwinkel, B. **99**, 1479 (1966).

[4] E. Schmidt u. F. Moosmüller, A. **597**, 235 (1955).

[5] H. Cohen u. J. D. Mier, Chem. & Ind. **1965**, 349.

Die N-Acyl-aminosäuren werden dabei in Dimethylformamid als Lösungsmittel mit der äquimolaren Menge Orthocarbonsäure-triäthylester ~ 1 Stde. auf 90–120° ohne Katalysator erhitzt. Dabei erzielt man mit Orthokohlensäure-tetraäthylester und Orthoessigsäure-triäthylester bessere Ausbeuten als beim Einsatz von Orthoameisensäure-triäthylester[1,2]. Auch bei der Umsetzung von freien Aminosäuren mit einem Überschuß von Orthocarbonsäure-triäthylester werden nach diesem Verfahren N-Acyl-aminosäure-äthylester gebildet[3].

Die Veresterung von N-Acyl-aminosäuren und -peptiden in wäßrigem Medium gelingt mit Triäthyloxonium-tetrafluoroborat als veresterndem Agens (Meerweins Reagenz[4]):

$$\text{Acyl-NH-}\underset{}{\overset{R^1}{\overset{|}{\text{CH}}}}\text{-COOH} + [(H_5C_2)_3O]^{\oplus}[BF_4]^{\ominus} \longrightarrow \text{Acyl-NH-}\overset{R^1}{\overset{|}{\text{CH}}}\text{-COOC}_2H_5 + (H_5C_2)_2O + HBF_4$$

N-Acyl-aminosäure- und -peptid-äthylester; allgemeine Arbeitsvorschrift[5]: 1 m Mol N-Acyl-aminosäure oder -peptid in 10 *ml* Wasser, die 21 mMol Natriumhydrogencarbonat enthalten, wird unter Rühren im Laufe von 10 Min. portionsweise mit 20 mMol Triäthyloxonium-tetrafluoroborat in fester Form, oder in Acetonitril gelöst, versetzt. Nach 20 Min. wird die Mischung mit Essigsäure-äthylester extrahiert; die organische Phase wird mit verd. Kaliumhydrogencarbonat-Lösung, dann mit Wasser gewaschen, über Natriumsulfat getrocknet und daraufhin i. Vak. eingedampft. Es verbleibt der gewünschte Ester, der durch Umkristallisieren gereinigt wird; Ausbeuten: zwischen 80 und 90% d. Th.

Die Methode soll sich besonders zur Veresterung von Proteinen eignen; alkoholische und phenolische Hydroxy-Gruppen sowie Amide und der Guanidin-Rest reagieren unter den genannten Bedingungen nicht. Methionin und Histidin werden am Schwefel bzw. Imidazol-Stickstoff alkyliert.

Auch die auf S. 321 beschriebenen Wege zur Herstellung von N-geschützten Aminosäure-methylestern über N-Carbonsäure-Anhydride oder innere Anhydride der N-Acyl-amino-dicarbonsäuren sind im Falle der Äthylester gangbar.

Zu der auf S. 322 angegebenen Methode zur Gewinnung der freien Aminosäure-methylester durch Umsetzung der Salze der Aminosäureester mit Ammoniak in Chloroform, die auch für die Äthylester angewandt werden kann, sei hier ein Beispiel angeführt.

Glycin-äthylester [H-Gly-OEt][6]: 30 g Glycin-äthylester-Hydrochlorid werden in 25 *ml* Chloroform suspendiert und unter Eiskühlung mit 125 *ml* ~ 2%-iger ammoniakalischer Chloroform-Lösung versetzt (Bei 19° werden in 100 g Chloroform 2,15 g Ammoniak gelöst). Sodann wird das Reaktionsgemisch unter Eiskühlung ~ 15 Min. gerührt, anschließend 15 Min. stehengelassen. Das gebildete Ammoniumchlorid wird abfiltriert bzw. abgesaugt und mit wenig Chloroform gewaschen. Beim Filtrieren empfiehlt sich der Zusatz von etwas Absorptionskohle zur Chloroform-Lösung. Das Filtrat wird i. Vak. eingedampft (Badtemp. maximal 20°!), der zurückbleibende freie Glycin-äthylester bei 11 Torr destilliert; Ausbeute: 19 g (86% d. Th.).

Die Freisetzung von Glycin-äthylester durch Vermischen mit Dicyclohexylamin ohne Lösungsmittel und sofortige Destillation ist ebenfalls beschrieben worden[7].

---

1 H. Cohen u. J. D. Mier, Chem. & Ind. **1965**, 349.

2 S. V. Rogozhin, Yu. A. Davidovich u. V. V. Korshak, Izv. Akad. SSSR **1969**, 2858; C. A. **72**, 101065[s] (1970).

3 V. V. Korshak, S. V. Rogozhin u. Yu. A. Davidovich, Izv. Akad. SSSR **1969**, 977; C. A. **71**, 39360[h] (1969).

4 H. Meerwein et al., J. pr. **147**, 257 (1937).

5 O. Yonemitsu, T. Hamada u. Y. Kanaoka, Tetrahedron Letters **1969**, 1819.

6 G. Hillmann, Z. Naturf. **1**, 682 (1946).

7 F. Weygand u. M. Reiher, B. **88**, 26 (1955).

Aminosäureester-Hydrochloride lassen sich auch unter milden Bedingungen durch Umsetzung mit Diazomethan in die freien Ester überführen, wobei sich das flüchtige Methylchlorid bildet[1]. Ein Überschuß an Diazomethan ist wegen der Gefahr der Betain-Bildung (s. S. 321) zu vermeiden[2].

Die Umsetzung von Aminosäure-äthylestern als Amin-Komponenten zu Peptid-Derivaten erfolgt analog den Aminosäure-methylestern (s. S. 323).

Die Spaltung der Methyl- oder Äthylester von N-Acyl-aminosäuren oder -peptiden gelingt in der Mehrzahl der Fälle durch milde alkalische Hydrolyse nach einem $B_{AC}2$-Mechanismus[3], wobei die Äthylester merklich langsamer reagieren als die entsprechenden Methylester[4], weshalb letztere den Äthylestern vorzuziehen sind. Die Hydrolyse kann in best. Fällen durch Schwermetallionen katalysiert werden[5].

Aus den so erhaltenen Salzen werden die freien Säuren durch Versetzen mit einer aliquoten Menge einer relativ starken Säure erhalten (z. B. Citronensäure oder Mineralsäure, bei gut wasserlöslichen Produkten auch Kationenaustauschern in der $H^{\oplus}$-Form[6]).

N-Benzyloxycarbonyl-L-phenylalanyl-L-alanin [Z-Phe-Ala-OH][7]: 1,9 g Z-Phe-Ala-OMe in 15 *ml* 1,4-Dioxan/Wasser ($\sim$ 9:1) werden unter Rühren mit 5 *ml* 1n Natriumhydroxid-Lösung in Portionen zu 1 *ml* unter Kontrolle des Laugenverbrauches mit Thymolphthalein als Indikator bei 20° verseift. Nach Ansäuern der Lösung mit der äquiv. Menge 1n Salzsäure dampft man das 1,4-Dioxan i.Vak. weitgehend ab, nimmt den erhaltenen Rückstand in Essigsäure-äthylester auf, extrahiert die organische Phase erschöpfend mit verd. Kaliumhydrogencarbonat-Lösung und führt schließlich nach dem Ansäuern der vereinigten Extrakte erneut in Essigsäure-äthylester über. Die Essigsäure-äthylester-Phase wird mit Wasser, ges. Natriumchlorid-Lösung säurefrei gewaschen, über Natriumsulfat getrocknet und dann i.Vak. eingedampft. Der Rückstand kristallisiert aus Essigsäure-äthylester/Petroläther (Kp: 40–60°); Ausbeute: 1,65 g (90% d.Th.); F: 165°; $[\alpha]_D^{22} = -11{,}0 \pm 0{,}5°$ (c = 2,0; in Äthanol).

N-Benzyloxycarbonyl-L-valyl-L-histidyl-L-prolin [Z-Val-His-Pro-OH][8]: Zu einer Lösung von 5,5 g (0,011 Mol) Z-Val-His-Pro-OMe in 30 *ml* Methanol (p_H-Wert der Lösung genau auf 8,0 stellen!) werden 5,5 *ml* wäßrige 4n Natriumhydroxid-Lösung gegeben. Die Reaktionsmischung wird 2 Stdn. bei 20° stehengelassen, daraufhin mit 300 *ml* Methanol verdünnt und dann durch eine Säule mit Amberlite IRC-50 Kationenaustauscher ($H^{\oplus}$-Form) geschickt. Das Harz wird 2mal mit je 200 *ml* Methanol gewaschen (Enthält die methanolische Lösung mehr Wasser als angegeben, so ist der Austausch der Natrium-Ionen nicht vollständig!). Die vereinigten Eluate werden i.Vak. eingedampft; der Rückstand wird in 25 *ml* Dichlormethan gelöst, diese Lösung mit 20 *ml* Essigsäure-äthylester versetzt. Der dabei gebildete Niederschlag wird durch Erhitzen bis zum Sieden wieder in Lösung gebracht. Nach 24 Stdn. bei −20° hat sich eine sehr fein-kristalline Substanz abgeschieden, die sich nicht durch Filtrieren abtrennen läßt. Sie wird abzentrifugiert, mehrmals mit Essigsäure-äthylester, Diäthyläther gewaschen und schließlich i.Vak. getrocknet; Ausbeute: 3,79 g (71% d.Th.); F: 176°; $[\alpha]_D^{22} = -44{,}4° \pm 0{,}5°$ (c = 1,1; in Methanol); $-21{,}4° \pm 0{,}5°$ (c = 1,0; in Dimethylformamid).

Als Lösungsmittel werden überwiegend organische Solvenzien verwendet, die mit unterschiedlichen Mengen Wasser versetzt sind. Gemische mit 1,4-Dioxan[9], Methanol bzw.

---

[1] J. W. Hinman, E. L. Caron u. H. N. Christensen, Am. Soc. **72**, 1620 (1950).
[2] R. Kuhn u. W. M. Ruelius, B. **83**, 420 (1950).
[3] Zum Mechanismus s. E. S. Gould, *Mechanismus und Struktur in der organischen Chemie*, S. 374, Verlag Chemie, Weinheim/Bergstr. 1964.
R. W. Hay, L. J. Porter u. J. P. Morris, Austral. J. Chem., **19**, 1197 (1966).
[4] R. W. Taft, Am. Soc. **74**, 2729 (1952).
[5] H. Kroll, Am. Soc. **74**, 2036 (1952).
M. D. Alexander u. D. H. Busch, Am. Soc. **88**, 1130 (1966).
R. W. Hay, M. L. Jansen u. P. I. Cropp, Chem. Commun. **1967**, 621.
R. W. Hay u. L. J. Porter, Soc. [C] **1969**, 127.
[6] S. Guttmann, Helv. **44**, 721 (1961).
B. O. Handford, B. Weinstein et al., J. Org. Chem. **33**, 4251 (1968).
[7] E. Wünsch, Dissertation Universität München 1955.
[8] S. Guttmann, Helv. **44**, 721 (1961).
[9] V. du Vigneaud u. G. L. Miller, J. Biol. Chem. **116**, 449 (1936).

Äthanol[1], 1,4-Dioxan und Aceton[2], Pyridin[3], selbst Dimethylformamid[4] sind gebräuchlich (Die Esterspaltung in Suspension ist möglich[5]).

Der Einfluß von organischen Lösungsmitteln auf die Verseifungsgeschwindigkeit der Methylester oder Äthylester von Aminosäuren oder Peptiden ist wesentlich größer als bei einfachen Carbonsäureestern, die ohnehin meist wesentlich langsamer hydrolysiert werden[6].

Schwer lassen sich die Ester von Valin und Isoleucin verseifen, wegen der hier vorhandenen sterischen Hinderung[7].

Amide, wie z.B. Valin-amid, können zusammen mit dem zu spaltenden Alkylester der Verseifung unterliegen[8].

Die Hydrolyse der Peptid-alkylester gestaltet sich mit zunehmender Kettenlänge der Peptide immer schwieriger[9]. Längere Reaktionszeiten[10], große Überschüsse an Alkalimetall-hydroxiden[11] und höhere Temperaturen (um 40°)[12] sind erforderlich, um die Ester-Bindung zu spalten, was die Gefahr von Nebenreaktionen erhöht.

Die Ursachen für solche unerwünschten Reaktionsabläufe bei alkalischer Esterspaltung liegen:

① in der Art der Aminosäure bzw. in der Sequenz der Peptidkette. Mehrfunktionelle Aminosäuren geben häufig Anlaß zu Nebenreaktionen. So wurden z.B. bei Anwesenheit von Asparagin- bzw. Glutaminsäure-ω-estern $\alpha \rightarrow \beta$- bzw. $\alpha \rightarrow \gamma$-Transpeptidierungen und Spaltung der Peptidbindung beobachtet[13]. Bei Peptiden mit Serin als Baustein wurden N → O-Acylwanderungen festgestellt[14]. Bei der Verseifung von *N-Benzyloxycarbonyl-asparagin-methylester* bzw. *N-Benzyloxycarbonyl-glutamin-methylester* erhält man Succinimid- bzw. Glutarimid-Derivate[15].

Diese Erscheinungen können häufig vermieden oder zumindest reduziert werden, wenn die Alkalimetall-hydroxid-Lösung nicht auf einmal, sondern in kleinen Portionen[16] unter Einhaltung bestimmter p_H-Werte (Thymolphthalein als Indikator!) zur Reaktionsmischung gegeben wird (sog. titrimetrische Verseifung[17,18]).

Gänzlich unterdrücken kann man Nebenreaktionen aber oft nur durch eine zusätzliche Blockierung der Drittfunktionen der Aminosäuren (s. dazu a. S. 468ff.).

---

1 E. Brand, B. F. Erlanger u. H. Sachs, Am. Soc. **74**, 1851 (1952).
2 P. G. Katsoyannis, Am. Soc. **83**, 4053 (1961).
3 R. A. Boissonnas, S. Guttmann et al., Helv. **38**, 1491 (1955).
4 K. Vogler u. P. Lanz, Helv. **43**, 270 (1960).
H. C. Beyerman, J. S. Bontekoe u. A. C. Koch, R. **79**, 105 (1960).
5 S. Guttmann u. R. A. Boissonnas, Helv. **41**, 1852 (1958).
J. A. Maclaren, Austral. J. Chem. **11**, 360 (1958).
6 Y. Shalatin u. S. A. Bernhard, Am. Soc. **86**, 2291 (1964).
7 T. Wieland u. B. Heinke, A. **615**, 184 (1958).
8 R. Schwyzer et al., Helv. **45**, 2473 (1962).
9 R. Schwyzer et al., Helv. **41**, 1273 (1958); **41**, 1287 (1958).
B. F. Erlanger u. E. Brand, Am. Soc. **73**, 3508 (1951).
D. Theodoropoulos u. J. Gazopoulos, Soc. **1960**, 3861.
10 K. Vogler u. P. Lanz, Helv. **43**, 270 (1960).
B. F. Erlanger, W. V. Curran u. N. Kokowsky, Am. Soc. **80**, 1128 (1958).
11 R. Schwyzer u. P. Sieber, Helv. **41**, 1582 (1958).
12 H. Zahn u. N. H. La France, A. **630**, 37 (1960).
13 A. R. Battersby u. J. C. Robinson, Soc. **1955**, 259.
R. Schwyzer et al., Helv. **46**, 1975 (1963).
14 S. Guttmann u. R. A. Boissonnas, Helv. **41**, 1852 (1958).
K. Hofmann et al., Am. Soc. **79**, 1636 (1957).
15 E. Sondheimer u. R. W. Holley, Am. Soc. **76**, 2467 (1954); **79**, 3767 (1957).
16 J. I. Harris u. J. S. Fruton, J. Biol. Chem. **191**, 143 (1951).
17 E. Wünsch, Dissertation, Universität München 1955.
18 W. Grassmann u. E. Wünsch, B **91**, 449 (1958).

② in der Natur anderer im Peptid vorhandener Schutzgruppen. Bei der Verseifung von N-Benzyloxycarbonyl-peptidestern mit überschüssigem Alkali wurde die Bildung von Hydantoinen und Harnstoff-Derivaten[1-3] festgestellt (s. dazu auch S. 64). (Bei Verwendung des tert.-Butyloxycarbonyl-Restes als Amino-Schutzgruppe ist mit diesen Schwierigkeiten nicht zu rechnen). Besondere Vorsicht ist in diesem Hinblick bei der Hydrolyse von N-Benzyloxycarbonyl-peptidestern geboten, bei denen Glycin als zweite Aminosäure dem Aminoende benachbart ist[3].

Besonders alkaliempfindlich sind der Phthalyl- und der Trifluoracetyl-Rest (s. dazu a. S. 177). In speziellen Fällen wurde die Eliminierung von Benzylthiol (Geruch!) aus S-Benzyl-cystein-haltigen Peptiden während der alkalischen Verseifung von Alkylestern beobachtet[4].

Auch die sonst in alkalischem Medium stabilen tert.-Butylester (s. S. 394) können bei langen Reaktionszeiten, wie sie bei der Verseifung von langkettigen Peptidestern erforderlich sind, zum Teil hydrolysiert werden[5].

Auf die allgemeine Gefahr der Racemisierung[6] bei der alkalischen Spaltung von optisch aktiven Aminosäure-alkylestern – früher schon am besonderen Beispiel des Z-Gly-Cys (BZL)-OEt beobachtet[4] – sei hier ausdrücklich hingewiesen. Die Autoren[7] fanden 0,8–2,8% Racemisierung bei der Hydrolyse von N-Benzyloxycarbonyl-dipeptid-methylestern mit einem Äquivalent 0,25n Natronlauge in Aceton nach einer Stunde Reaktionsdauer bei 20°.

Setzt man N-Acyl-aminosäure-methylester oder -äthylester bzw. entsprechende Peptid-Derivate mit Hydrazin um, so erhält man die Hydrazide dieser Säuren (s. dazu S. II/298). Amide können in analoger Weise durch Reaktion dieser Ester mit Ammoniak hergestellt werden (s. S. 454, 456, 465).

In Umkehrung der Bildungsreaktion (s. S. 315) können Aminosäure- bzw. Peptid-methyl-(-äthyl)-ester auch in saurem Medium hydrolysiert werden. Die Spaltung der Ester-Gruppen läuft nach primärer Protonierung nach einem $A_{AC}2$-Mechanismus ab[8], d.h. die Ester erleiden acylierende Spaltung.

Nur beim Einsatz von N-ungeschützten Peptiden[9] oder bei gleichzeitiger Abspaltung der Amino-Schutzgruppe[10] ist die saure Hydrolyse mit konz. Salzsäure bei ~40° durchzuführen. Die ansonsten erforderlichen höheren Temp. verlangen geeignete N-Schutzgruppen, wie den Phthalyl-[11] oder den Tosyl-Rest[12], wenn letztere erhalten bleiben sollen. Acidolytisch leicht spaltbare Amino-Schutzgruppen wie z.B. der tert.-Butyloxycarbonyl- oder der 2-Nitro-phenylsulfenyl-Rest kommen naturgemäß nicht in Frage.

N-Phthalyl-L-phenylalanyl-glycin [PHT=Phe-Gly-OH][11]: Zu 4,6 g (0,0121 Mol) PHT=Phe-Gly-OEt wird ein Gemisch aus 50 *ml* Aceton, 35 *ml* Wasser und 15 *ml* konz. Salzsäure gegeben. Die Mischung wird 2 Stdn. am Rückfluß erhitzt, die klare Lösung i. Vak. zur Trockene eingedampft, der Rückstand letztlich in 50 *ml* Wasser, die 6 g Kaliumhydrogencarbonat enthalten, aufgelöst. Die Lösung wird filtriert und an-

---

1 E. Wünsch, Dissertation, Universität München 1955.
2 F. Wessely, K. Schlögl u. E. Wawersich, M. **83**, 1426 (1952).
3 J. A. MacLaren, Austral. J. Chem. **11**, 360 (1958).
4 J. A. MacLaren, W. E. Savige u. J. M. Swan, Austral. J. Chem. **11**, 345 (1958).
5 K. L. Agarwal, G. W. Kenner u. R. C. Sheppard, Soc. [C] **1968**, 1384.
6 Besonders leicht racemisieren Peptide, die N_α-Methyl-aminosäuren enthalten; J. R. McDermott u. N. L. Benoiton, Canad. J. Chem. **51**, 2555 (1973).
7 G. W. Kenner u. J. M. Seely, Am. Soc. **94**, 3259 (1972).
8 J. N. E. Day u. C. K. Ingold, Trans. Faraday Soc. **37**, 686 (1941).
9 R. Schwyzer et al., Helv. **41**, 1287 (1958).
10 R. B. Merrifield u. D. W. Woolley, Am. Soc. **78**, 4646 (1956).
F. Schneider, H. **321**, 38 (1960).
11 J. C. Sheehan, D. W. Chapman u. R. W. Roth, Am. Soc. **74**, 3822 (1952).
12 M. Zaoral u. J. Rudinger, Collect. czech. chem. Commun. **24**, 1993 (1959).

schließend gegen Kongorot mit konz. Salzsäure angesäuert. Nach Zugabe von 25 *ml* Äthanol wird das Produkt durch Erhitzen wieder in Lösung gebracht, aus der sich beim Abkühlen feine farblose Nadeln abscheiden. Das erhaltene Material wird abfiltriert, mit 50 *ml* Wasser gewaschen; Ausbeute: 3,55 g (83% d.Th.); F: 183–189°; $[\alpha]_D^{28} = -148{,}5°$; (c = 1,5; in Äthanol).

Ist die Amino-Gruppe durch den Benzyloxycarbonyl-Rest geschützt, so wird dieser unter den oben genannten Bedingungen zusammen mit dem Methyl- oder Äthyl-Rest abgespalten[1,2]. Nur in besonderen Fällen bleibt diese Amino-Schutzgruppe in 1n Salzsäure[3] oder 1n Bromwasserstoffsäure[4] bei 90° 1–1,5 Stdn. erhalten.

Der Benzyloxycarbonyl-Rest wird hingegen nicht angegriffen, wenn die Esterspaltung in Lösungsmitteln wie 96%-iger Essigsäure, 80%-igem 1,4-Dioxan oder 80%-igem Aceton mit 4-Toluolsulfonsäure bei 20° durchgeführt wird. Die Reaktionsdauer liegt bei 3–4 Tagen. Die Umsetzung gelingt nicht, wenn unter wasserfreien Bedingungen gearbeitet wird[5].

Mit Bromwasserstoff in Eisessig (s. S. 56) lassen sich N-Phthalyl- oder N-Tosyl-peptid-methylester oder -äthylester bei Raumtemperatur spalten[6]. Der Bromwasserstoff spielt nur die Rolle eines Protonendonators. Es handelt sich um eine Acidolyse[5] und nicht um eine Hydrolyse, wie oben im Falle der Reaktion mit konz. Salzsäure beschrieben.

Auch bei der sauren Spaltung von Aminosäure- bzw. Peptid-methylestern oder -äthylestern ist mit einer Hydrolyse der Peptidbindung zu rechnen, dies gilt vor allem bei Anwesenheit von Serin in der Peptidsequenz[7].

Nach einem besonderen Mechanismus verläuft die Spaltung der Esterbindung bei der Umsetzung mit Lithiumhalogeniden (LiX)[8]:

$$\text{Acyl-NH-}\underset{}{\overset{R^1}{\overset{|}{C}}}\text{H-CO-OCH}_3 + \text{LiX} \longrightarrow \text{Acyl-NH-}\overset{R^1}{\overset{|}{C}}\text{H-CO-OLi} + \text{CH}_3\text{X}$$

Der Ester erleidet alkylierende Spaltung.

Man verfährt so[9], daß man 1 Millimol des Esters in 1–2 *ml* Pyridin löst und mit 1,2–3 mMol des trockenen Lithiumhalogenids einige Stdn. auf dem Wasserbad oder zum Sieden erhitzt, wobei sich das Lithiumsalz der Säure kristallin abscheidet.

Das Pyridin wird dann i. Vak. entfernt, der Rückstand in Wasser aufgenommen, die wäßr. Lösung mit einem organischen Lösungsmittel zur Entfernung des unumgesetzten Esters extrahiert. Aus der wäßrigen Phase erhält man die Säure in sehr reiner Form.

Die Ausbeuten an freier Säure steigen zwar in der Reihe

$$\text{LiCl} < \text{LiBr} < \text{LiJ}$$

an, doch bewährt sich das Lithiumbromid am besten. Methylester werden leichter gespalten als Äthylester.

---

1 F. BERGEL u. J. A. STOCK, Soc. **1960**, 3658 .
2 B. RINIKER u. R. SCHWYZER, Helv. **44**, 677 (1961).
3 P. G. KATSOYANNIS, Am. Soc. **83**, 4053 (1961).
4 G. W. ANDERSON, Am. Soc. **75**, 6081 (1953).
5 E. TASCHNER, Collect czech. chem. Commun. **24**, 90 (1959).
6 E. TASCHNER, G. KUPRYSZEWSKI u. B. LIBEREK, Roczniki Chem. **30**, 643 (1956); **32**, 1107 (1958); C. A. **51**, 2556 (1957); **53**, 8006 (1959).
7 E. WÜNSCH, Collect. czech. chem. Commun. **24**, 93 (1959).
8 E. TASCHNER u. B. LIBEREK, Roczniki Chem. **30**, 323 (1956); C. A. **51**, 1039 (1957); Bl. Acad. polon. **7**, 877 (1959); C. A. **55**, 16465 (1961).
9 E. TASCHNER, Collect. czech. chem. Commun. **24**, 91 (1959).

Peptid- und Amid-Bindungen sowie der Phthalyl- und der Tosyl-Rest sind beständig. Die Benzyloxycarbonyl-Gruppe wird abgespalten[1].

Die Esterspaltung kann auch besonders schonend in präparativem Maßstab unter der katalytischen Wirkung der Enzyme Trypsin oder Chymotrypsin bei $p_H = 7{,}0$ und 25° mit 0,1n Natronlauge in wäßriger Lösung oder Suspension durchgeführt werden[2].

Diese, gegenüber den vorstehend genannten Methoden, mit wesentlich weniger unerwünschten Nebenreaktionen verlaufende Hydrolyse ist nicht auf aromatische (Chymotrypsin!) oder basische (Trypsin!) C-endständige Aminosäuren beschränkt. Threonin-, Serin- und Histidin-ester können leicht, Alanin-, Valin- und Leucin-ester etwas schwieriger sowohl mittels Chymotrypsin als auch mittels Trypsin verseift werden. Dies gilt auch für N_ε-formylierte Lysin-ester. Bei carboxy-endständigen Asparaginsäure- oder Glutaminsäure-diestern ist die selektive Verseifung an der α-Carboxy-Gruppe möglich.

Da in den meisten Fällen wahlweise Chymotrypsin oder Trypsin verwendet werden kann, besteht die Möglichkeit, bei Anwesenheit chymotryptisch spaltbarer Peptidbindungen in der Peptidkette auf Trypsin auszuweichen und umgekehrt. Dies ist besonders dann wichtig, wenn eine bestimmte Peptidbindung leichter spaltbar ist als die Esterbindung, weil dann eine Verringerung der Ferment-Menge[3] nicht zum Ziel führt.

Die alkoholische Komponente des Esters hat keinen Einfluß auf die enzymatische Verseifbarkeit; Methyl-, Äthyl- und tert.-Butyl-ester lassen sich gleich gut verseifen[4].

Eine weitere Möglichkeit, freie Carboxy-Gruppen unter der Einwirkung von Enzymen wiederherzustellen, ist in der Abspaltung kleiner ,,Trägerpeptide'' vom Carboxy-Ende von Oligopeptiden gegeben. (Die Trägerpeptide, z.B. H-Leu-Gly-Gly-OEt, dienen im Zuge der Oligopeptid-Synthese als Carboxy-Schutzgruppen). Als Enzym bietet sich z.B. das Thermolysin an, das Peptid-Bindungen am Aminoende hydrophober Aminosäuren, wie z.B. Leucin, Isoleucin, Phenylalanin oder Valin, selektiv hydrolysiert. Voraussetzung ist eine zumindest geringe Löslichkeit der zu spaltenden Peptid-Derivate in wäßrigem Äthanol[5].

---

[1] E. Taschner, Collect. czech. chem. Commun. **24**, 91 (1959).

[2] G. Kloss u. E. Schröder, H. **336**, 248 (1964).

[3] E. Walton et al., J. Org. Chem. **27**, 2255 (1962).

[4] G. W. Schwert u. M. A. Eisenberg, J. Biol. Chem. **179**, 665 (1949).

[5] M. Ohno u. C. B. Anfinsen, Am. Soc. **92**, 4098 (1970).

Tab. 42. L-Aminosäure-α-äthylester und deren Salze

Aminosäure		F [°C]	$[\alpha]_D$	t	c	Lösungsmittel	Literatur	Literatur entsprechender D-Verbindung
Abu	a		+ 6,1	25	2	5n Salzsäure	1	
Ala	a	76	+ 3,1	19	2,5	Wasser	1–3	4
Asp	b	181–183	+24,2	26	2,1	Wasser	5,6	6
Cys	a	115					7	
$(Cys)_2$	c,d	188	−48,45	20	3,7	Wasser	8	
Dab	c	173–175 (Zers.)					9	
Glu	b	116–118					10	
Gly	b	(Kp_1: 30°)					11	
	a	145–148					11–14	
Hyp	b	(Kp_1: 112–114°)					15	
	a	147–148					15	
αHyp	a	148–151					16	
Leu	a	133	+18,2	21	1,538	Äthanol	17,18	18
Lys	a	143,5–144,5	+11,7	17	2,5	Äthanol	19,20	
Met	a	81–82	+18,7	21	2,2	Äthanol	21	
Nva	a		+ 9,5	25	2	5n Salzsäure	1	

[a] Hydrochlorid
[b] freier Ester
[c] Dihydrochlorid
[d] Diester

1 S.-C. J. Fu, S. M. Birnbaum u. J. P. Greenstein, Am. Soc. **76**, 6054 (1954).
2 D. A. Rowlands u. G. T. Young, Soc. **1952**, 3937.
3 R. Rocchi, F. Marchiori u. E. Scoffone, G. **93**, 823 (1963).
4 E. Klieger u. H. Gibian, A. **649**, 183 (1961).
5 W. J. Le Quesne u. G. T. Young, Soc. **1952**, 24.
6 J. Kovács, H. Nagy-Kovács u. R. Ballina, Am. Soc. **85**, 1839 (1963).
7 E. Cherbuliez u. P. Plattner, Helv. **12**, 317 (1929).
8 E. Abderhalden u. E. Wybert, B. **49**, 2449 (1916).
9 S. Akabori u. S. Numano, Bl. chem. Soc. Japan. **11**, 214 (1936).
10 W. J. Le Quesne u. G. T. Young, Soc. **1950**, 1954.
11 M. Goodman u. W. J. McGahren, Tetrahedron **23**, 2031 (1967).
12 R. W. Chambers u. F. H. Carpenter, Am. Soc. **77**, 1522 (1955).
13 T. Curtius u. F. Goebel, J. pr. **37**, 150 (1888).
14 C. S. Marvel, Org. Synth. **14**, 46 (1934).
15 J. Kapfhammer u. A. Matthes, H. **223**, 43 (1934).
16 E. Adams, N. C. Davis u. E. L. Smith, J. Biol. Chem. **208**, 573 (1954).
17 F. Röhmann, B. **30**, 1978 (1897).
18 G. Losse u. H. Jeschkeit, B. **90**, 1275 (1957).
19 S. Akabori u. T. Kanekò, Bl. chem. Soc. Japan **11**, 208 (1936).
20 H. Werbin u. A. Palm, Am. Soc. **73**, 1382 (1951).
21 D. Flěs u. A. Markovac-Prpic, Croat. Chem. Acta **29**, 79 (1957).

Tab. 42. (Fortsetzung)

Aminosäure		F [°C]	$[\alpha]_D$	t	c	Lösungsmittel	Literatur	Literatur entsprechender D-Verbindung
Phe	a	155–156	− 7,3	20	3,9	Wasser	1–3	1
Pro	b	(Kp_{12-14}: 78°)					4	
Ser	a	130–131	− 4,8		2,1	Wasser	5	
Thr	b	52–54	+ 0,95	20	5	Äthanol	6	
Trp	a	225–226					7,8	
Tyr	b	108–109	+19.4	20	4,07	Äthanol	9	9
	a	170–171	−28,9	20	1,98	Äthanol	9–11	9
Val	b	(Kp_{10}: 68°)	+24,98	22	4,924	Äthanol	1	1
	b	102–104	+ 6,7	24	2	Wasser	12,13	

[a] Hydrochlorid [b] freier Ester

33.114. Substituierte Äthylester

33.114.1. *2,2,2-Trichlor-äthylester*

2,2,2-Trichlor-äthylester von N-geschützten Aminosäuren können z.B. mittels Phosphoroxidchlorid aus N-Benzyloxycarbonyl-aminosäuren und 2,2,2-Trichlor-äthanol hergestellt werden[14]. [Die anschließende Abspaltung der Amino-Schutzgruppe mit Bromwasserstoff in Eisessig (s. S. 56) liefert die Hydrobromide der Aminosäure-2,2,2-trichlor-äthylester]. Außerdem sollten sie durch Umsetzung von N-Acyl-aminosäuren mit 2,2,2-Trichloräthanol unter der Einwirkung von N,N'-Dicyclohexyl-carbodiimid in Pyridin bei 20°[15] oder durch azeotrope Veresterung mit 4-Tolulosulfonsäure als Katalysator in Toluol als Lösungs- bzw. Umwälzmittel zugänglich sein[16]. Unter den genannten Bedingungen wurden bisher

---

[1] G. Losse u. H. Jeschkeit, B. **90**, 1275 (1957).
[2] E. Fischer u. W. Schoeller, A. **357**, 1 (1907).
[3] G. Losse u. E. Demuth, B. **94**, 1762 (1961).
[4] J. Kapfhammer u. A. Matthes, H. **223**, 43 (1934).
[5] G. Riley, J. H. Turnbull u. W. Wilson, Soc. **1957**, 1373.
[6] K. Poduška u. J. Rudinger, Collect. czech. chem. Commun. **24**, 3449 (1959).
[7] J. R. Spies, Am. Soc. **70**, 3717 (1948).
[8] C. P. Berg, W. C. Rose u. C. S. Marvel, J. Biol. Chem. **85**, 207 (1929–1930).
[9] G. Losse, J. pr. **7**, 141 (1958).
[10] F. Röhmann, B. **30**, 1978 (1897).
[11] C. Berse, T. Massiah u. L. Piché, J. Org. Chem. **26**, 4514 (1961).
[12] W. J. Le Quesne u. G. T. Young, Soc. **1950**, 1954.
[13] J. R. Vaughan u. J. A. Eichler, Am. Soc. **75**, 5556 (1953).
[14] B. Marinier, Y. C. Kim u. J.-M. Navarre, Canad. J. Chem. **51**, 208 (1973
[15] F. Eckstein, Ang. Ch. **77**, 912 (1965).
[16] R. B. Woodward, Ang. Ch. **78**, 557 (1966).

lediglich Carbonsäuren bzw. Phosphorsäuren mit 2,2,2-Trichlor-äthanol verestert. Die Ester bewährten sich bestens bei der Synthese des *Cephalosporins C* durch Woodward[1]. Ihre Spaltung gelingt mit Zinkstaub in 80–90%-iger Essigsäure[2–4] bei 20° im Laufe von 5 Stdn. oder innerhalb 1 Stdn. bei 50° in Dimethylformamid. Als Spaltungs-Mechanismus wird eine β-Eliminierung der Säure, ähnlich wie im Falle der 2-Methylthio-äthylester, diskutiert (s. S. 342)[5].

33.114.2. *2-Methylthio-äthylester*

Die direkte Herstellung von Aminosäure-2-methylthio-äthylestern durch azeotrope Veresterung (s. dazu S. 348) der 4-Toluolsulfonsäure-Salze von Aminosäuren mit Methyl-(2-hydroxy-äthyl)-sulfid[6] gelingt nur in Ausnahmefällen, wie z. B. beim Leucin und Phenylalanin[7]. Die Methode versagt völlig im Falle von Glycin und Glutaminsäure-γ-benzylester[7]. 2-Methylthio-äthylester von N-geschützten Aminosäuren sind jedoch relativ leicht zugänglich. Die folgenden Arbeitsvorschriften können allgemein angewendet werden.

2-Methylthio-äthylester von N-geschützten Aminosäuren; allgemeine Arbeitsvorschrift[7]:

Ohne Lösungsmittel: 0,1 Mol Aminosäure-Derivat werden ~ 12 Stdn. mit 0,15 Mol Methyl-(2-chlor-äthyl)-sulfid[8] und 0,175 Mol absol. Triäthylamin auf 65° erhitzt. Nach dem Abkühlen wird die Reaktionsmischung in Chloroform, Diäthyläther oder Essigsäure-äthylester gelöst und die Lösung nacheinander mit Wasser, ges. Natriumhydrogencarbonat-Lösung, Wasser gewaschen, getrocknet und i. Vak. zur Trockene eingedampft. Das Produkt wird aus einem geeigneten Lösungsmittel, wie z. B. Essigsäure-äthylester, Äthanol oder Petroläther, umkristallisiert.

In Essigsäure-äthylester: 0,1 Mol der N-geschützten Aminosäure, 0,2 Mol Methyl-(2-chlor-äthyl)-sulfid[8] und 0,15 Mol absol. Triäthylamin in 25–50 *ml* Essigsäure-äthylester werden 20 bis 90 Stdn. auf 50–90° erhitzt. Nach dem Abkühlen wird die Lösung mit Essigsäure-äthylester verdünnt und dann filtriert. Das Filtrat wird wie oben beschrieben aufgearbeitet; die Ausbeuten schwanken bei beiden Methoden zwischen 60 und 95% d. Th.

Als Amino-Schutzgruppen, die sich nach erfolgter Veresterung zur Gewinnung der freien Ester wieder selektiv neben der 2-Methylthio-äthyl-Gruppe abspalten lassen, haben sich der 2-Nitro-phenylsulfenyl- und der Trityl-Rest bewährt[7]. Der Einsatz des häufig verwendeten Benzyloxycarbonyl-Restes ist hier nicht möglich, da bei dessen Abspaltung mit Bromwasserstoff in Eisessig (s. S. 56) das dabei entstehende Benzylbromid mit dem Thioäther unter Bildung eines Sulfoniumsalzes reagiert. Entfernung des Benzyloxycarbonyl-Restes mit Natrium in flüssigem Ammoniak (s. S. 54) führt zur gleichzeitigen Spaltung des Esters[7,9].

Aminosäure-2-methylthio-äthylester können analog den unsubstituierten Äthylestern ohne Schwierigkeiten nach dem Carbodiimid-, dem Azid- oder den Aktivester-Verfahren mit N-geschützten Aminosäuren zur Reaktion gebracht werden[7].

---

1 R. B. Woodward et al., Am. Soc. **88**, 852 (1966).
2 F. Eckstein, Ang. Ch. **77**, 912 (1965).
3 R. B. Woodward, Ang. Ch. **78**, 557 (1966).
4 B. Marinir, Y. C. Kim u. J.-M. Navarre, Canad. J. Chem. **51**, 208 (1973).
5 E. Cherbuliez et al., Helv. **45**, 2282 (1962).
6 W. Windus u. P. R. Shildneck, Org. Synth. Coll. Vol. II, 345 (1943).
7 M. J. S. A. Amaral, H. N. Rydon et al., Soc. [C] **1966**, 807.
8 W. R. Kirner u. W. Windus, Org. Synth. Coll. Vol. II, 136 (1943).
9 H. N. Rydon u. J. E. Willett, *Peptides*, Proc. of the 5th Europ. Peptide Symposium, Oxford 1962, Pergamon Press, Oxford **1963**, S. 23.

Setzt man N-geschützte Aminosäure- oder Peptid-2-methylthio-äthylester mit einem Überschuß an Methyljodid um, so bildet sich das entsprechende Methyl-sulfoniumsalz[1]:

$$\text{Acyl–NH–}\underset{}{\overset{R^1}{\text{CH}}}\text{–C}(=O)\text{–O–CH}_2\text{–CH}_2\text{–S–CH}_3 + CH_3J \longrightarrow \left[\text{Acyl–NH–}\overset{R^1}{\text{CH}}\text{–C}(=O)\text{–O–CH}_2\text{–CH}_2\text{–}\overset{\oplus}{S}(CH_3)_2\right] J^{\ominus}$$

Amino-Schutzgruppen, die durch nucleophile Agenzien abgespalten werden, wie z.B. der 2-Nitro-phenylsulfenyl-Rest (s. S. 203f.), können dabei naturgemäß nicht verwendet werden.

Schlechte Ausbeuten wurden bei Anwesenheit von N-tert.-Butyloxycarbonyl-glutaminsäure-γ-benzylester in der Peptidsequenz erhalten[2].

Die Umsetzung der Ester mit Wasserstoffperoxid in Aceton unter der katalytischen Wirkung von Ammoniummolybdat[3] liefert die entsprechenden Sulfone[2]:

$$\text{Acyl–NH–}\overset{R^1}{\text{CH}}\text{–C}(=O)\text{–O–CH}_2\text{–CH}_2\text{–S–CH}_3 + 2\,H_2O_2 \xrightarrow{(NH_4)_2MoO_4} \text{Acyl–NH–}\overset{R^1}{\text{CH}}\text{–C}(=O)\text{–O–CH}_2\text{–CH}_2\text{–}\underset{O}{\overset{O}{\overset{\|}{\underset{\|}{S}}}}\text{–CH}_3 + 2\,H$$

Beide Verfahren müssen natürlich auf Peptide ohne Methionin, Cystein oder Cystin beschränkt werden.

Es sei hier außerdem darauf hingewiesen, daß Mischungen von Wasserstoffperoxid mit Aceton schon heftige ***Explosionen*** verursacht haben[4].

Sowohl die Sulfoniumsalze als auch die Sulfone der 2-Methylthio-äthylester lassen sich mit 0,25n Natronlauge bei 20° bei einem p_H-Wert von 10,0–10,5 (p_H-Stat) in wäßriger Lösung oder in Gemischen von Wasser und organischen Lösungsmitteln, wie z.B. 1,4-Dioxan oder Äthanol (s. dazu auch S. 343), glatt innerhalb weniger Minuten verseifen[2].

Die große Alkali-Labilität dieser Verbindungen erklärt sich zum Teil durch die leichte β-Eliminierung der Carboxy-Gruppen:

$$\text{R–C}(=O)\text{–}\underline{\overline{O}}\text{–CH}_2\text{–}\underset{\underset{\overset{\uparrow}{\ominus|\underline{O}\text{–H}}}{H}}{\text{CH}}\text{–}\underset{O}{\overset{O}{\overset{\|}{\underset{\|}{S}}}}\text{–CH}_3 \longrightarrow \text{R–C}(O)_2^{\ominus} + H_2C{=}CH\text{–}\underset{O}{\overset{O}{\overset{\|}{\underset{\|}{S}}}}\text{–CH}_3$$

Daneben läuft aber auch eine Hydrolyse nach einem $B_{AC}2$-Mechanismus ab (s. S. 334). Der Mechanismus der gesamten Reaktion ist aufgeklärt worden[5].

---

[1] H. N. Rydon u. J. E. Willett, *Peptides*, Proc. of the 5th Europ. Peptide Symposium, Oxford 1962, Pergamon Press, Oxford **1963**, S. 23.

[2] P. M. Hardy, H. N. Rydon u. R. C. Thompson, Tetrahedron Letters **1968**, 2525.

[3] G. Toennies u. J. J. Kolb, J. Biol. Chem. **140**, 131 (1941).

[4] C. J. M. Stirling, Chem. in Britain **5**, 36 (1969).

[5] P. Mamalis u. H. N. Rydon, Soc. **1955**, 1049.

33.114.3. *Polymer-2-(methylsulfonyl)-äthylester*

Tesser und Ellenbroek[1] fixierten die 2-Sulfonyl-äthyl-Gruppe am Polymer durch Umsetzung des nach Merrifield chlormethylierten Polystyrols (s. dazu auch S. 371ff.) mit Thioglykol und anschließende Oxidation des Thioäthers zum Sulfon mit Perbenzoesäure in Dichlormethan oder Benzol:

$$\text{Ⓟ}-CH_2-Cl + HS-CH_2-CH_2-OH \xrightarrow[-HCl]{} \text{Ⓟ}-CH_2-S-CH_2-CH_2-OH$$

$$\xrightarrow{\text{Perbenzoesäure}} \text{Ⓟ}-CH_2-\overset{O}{\underset{O}{\overset{\|}{\underset{\|}{S}}}}-CH_2-CH_2-OH$$

Die Hydroxy-Funktion kann mit N-geschützten Aminosäuren unter der Einwirkung von N,N'-Dicyclohexyl-carbodiimid acyliert werden. Die gebildeten Ester sind durch β-Eliminierung mit Natriummethanolat in Methanol im Laufe von 45 Min. bei 20° spaltbar.

33.114.4. *2-(4-Nitro-phenylthio)-äthylester*

Im Gegensatz zu den 2-Methylthio-äthylestern lassen sich die 2-(4-Nitro-phenylthio)-äthylester von Aminosäuren durch direkte azeotrope Veresterung (s. dazu auch S. 348) mit 2-(4-Nitro-phenylthio)-äthanol herstellen[2]. Die erhaltenen Ester sind gut kristallisierbare Verbindungen. Die Umsetzung mit N-geschützten Aminosäuren gelingt ohne Schwierigkeiten nach dem Carbodiimid-Verfahren. Wie die 2-Methylthio-äthylester führt man die 2-(4-Nitro-phenylthio)-äthylester vor der alkalischen Hydrolyse in die entsprechenden Sulfone über.

N-Triphenylmethyl-glycyl-glycin-2-(4-nitro-phenylsulfonyl)-äthylester [TRT-Gly-Gly-ONSE][2]: 0,56 g (0,001 Mol) TRT-Gly-Gly-ONTE werden in 26 *ml* 4%-igem wäßr. Aceton gelöst. Dazu werden 2,3 *ml* 30%-iges wäßr. Wasserstoffperoxid gegeben, die 0,3 *ml* einer 0,3 m Lösung von Ammoniummolybdat in Wasser enthalten. Die Reaktionsmischung wird 2 Stdn. bei 20° stehen gelassen. Das Aceton wird i. Vak. abgedampft, der erhaltene Niederschlag durch Zusatz von Aceton zu der erhitzten verbliebenen Mischung wieder in Lösung gebracht. Beim Abkühlen scheidet sich das gewünschte Sulfon ab. Es wird abfiltriert und daraufhin aus Äthanol umkristallisiert; Ausbeute: 0,52 g (89% d.Th.); F: 176–178°.

N-Benzyloxycarbonyl-glycyl-glycin [Z-Gly-Gly-OH][2]: 0,48 g (0,001 Mol) Z-Gly-Gly-ONSE werden in 25 *ml* 80%-igem wäßr. Aceton gelöst und mit einer 0,1 n wäßr. Kalilauge bei p_H 10–10,5 automatisch titriert (p_H-Stat). Das Aceton wird i. Vak entfernt, die verbleibende Lösung mit Diäthyläther extrahiert und anschließend mit 0,2 n Salzsäure angesäuert. Das ausgefallene Material wird abfiltriert und dann getrocknet; Ausbeute: 0,23 g (85% d.Th.); F: 176,5–177°.

Aus der ätherischen Phase kann (4-Nitro-phenyl)-vinyl-sulfon (F: 111–112°) isoliert werden.

33.114.5. *2-(Toluol-4-sulfonyl)-äthylester (2-Tosyl-äthylester)*

Bringt man N-geschützte Aminosäuren mit Hilfe von N,N'-Dicyclohexyl-carbodiimid in Pyridin mit 2-(Toluol-4-sulfonyl)-äthanol[3,4] zur Reaktion, so erhält man deren 2-Tosyl-äthylester[5].

---

[1] G. I. Tesser u. B. W. J. Ellenbroek, *Peptides*, Proc. of the 8th Europ. Pept. Symp., Noordwijk 1966, North Holland Publ. Co., Amsterdam **1967**, S. 124.
[2] M. J. S. A. Amaral, Soc. [C] **1969**, 2495.
[3] A. T. Kader u. C. J. M. Stirling, Soc. **1964**, 258.
[4] U. Ludescher u. R. Schwyzer, Helv. **55**, 2052 (1972).
[5] A. W. Miller u. C. J. M. Stirling, Soc. [C] **1968**, 2612.

N-Benzyloxycarbonyl-aminosäure-2-(toluol-4-sulfonyl)-äthylester[1]**; allgemeine Arbeitsvorschrift:** 0,01 Mol N-Benzyloxycarbonyl-aminosäure in 6 *ml* Pyridin werden bei 0° mit 2,2 g (0,011 Mol) 2-Tosyl-äthanol und dann mit 2,15 (0,0105 Mol) N,N'-Dicyclohexyl-carbodiimid in 4 *ml* Pyridin versetzt. Die Lösung wird bei 0° 1 Stde. gerührt und anschließend bei 20° 16 Stdn. stehengelassen. Man läßt sie dann unter Rühren in eine Mischung aus 100 g Eis, 15 *ml* konz. Salzsäure und 70 *ml* Chloroform einfließen. Nach einer Stde. wird vom N,N'-Dicyclohexyl-harnstoff abfiltriert, die organische Phase abgetrennt, diese nacheinander mit 30 *ml* 2n Salzsäure, 30 *ml* Wasser, 2mal 30 *ml* 5%-iger wäßr. Natriumhydrogencarbonat-Lösung und Wasser gewaschen. Der nach dem Eindampfen i. Vak. verbleibende Rückstand wird in Benzol gelöst, die Lösung von weiterem N,N'-Dicyclohexyl-harnstoff durch Filtration befreit und anschließend i. Vak. eingedampft. Das Produkt wird aus Essigsäure-äthylester/Petroläther (Kp: 40–60°) umkristallisiert; Ausbeuten: zwischen 70 und 90 % d.Th.

Die 2-Tosyl-äthylester sind auch in einem „Mehrstufen-Prozeß" durch Umsetzung der N-geschützten 2-Chlor-äthylester von Aminosäuren – leicht zugänglich durch Veresterung nach Fischer[2] (s. S. 316), gefolgt von nachträglicher Einführung der Amino-Schutzgruppe – mit 4-Methyl-thiophenolat in tert.-Butanol herstellbar.

Anschließende Oxidation mit Wasserstoffperoxid liefert das Sulfon. Der oben beschriebene Weg ist aber vorzuziehen.

Eine direkte Veresterung z.B. der Aminosäure-4-Toluolsulfonsäure-Salze wie im Falle der 2-(4-Nitro-phenylthio)-äthylester (s. S. 343) gelingt hier nicht.

Die freien Ester können durch Abspaltung des Benzyloxycarbonyl-Restes von den N-geschützten Aminosäure-2-tosyl-äthylestern mittels Bromwasserstoff in Eisessig als Hydrobromide ohne Schwierigkeiten erhalten werden.

Peptidsynthesen nach dem Mischanhydrid-, dem Aktivester- oder dem Carbodiimid-Verfahren sind mit Aminosäure-2-tosyl-äthylestern als Amin-Komponenten durchgeführt worden[3,4].

Die Abspaltung dieser Schutzgruppe gelingt durch β-Eliminierung in Wasser/1,4-Dioxan bereits mittels Natriumcarbonat-Lösung bei 20° im Laufe von 2 Stdn.[3] (s. dazu auch S. 342). Auch Kaliumcyanid-Lösung kann zu diesem Zweck verwendet werden. Die Ester sind stabil gegen Triäthylamin (24 Stdn. bei Raumtemp.)[3].

Die Reaktion von N-Benzyloxycarbonyl-aminosäure-2-tosyl-äthylestern mit Hydrazin liefert die entsprechenden Hydrazide.

N-tert.-Butyloxycarbonyl-L-valyl-S-acetaminomethyl-L-cysteinyl-L-leucyl-D-phenylalanyl-L-prolin [BOC-Val-Cys(AAM)-Leu-D-Phe-Pro-OH][4]: 931 mg (1 mMol) BOC-Val-Cys (AAM)-Leu-D-Phe-Pro-OTSE werden in 9 *ml* 1,4-Dioxan und 6 *ml* Wasser gelöst und anschließend mit Hilfe eines Autotitrators beim konstanten p_H-Wert von 11,5 während 1 Stde. durch Zugabe von 0,2 n Natronlauge verseift. Die Lösung wird zur Entfernung unumgesetzten Esters mit Diäthyläther extrahiert, bei 0° mit 1 n Schwefelsäure bis $p_H = 2$ angesäuert und dann mit drei Portionen Essigsäure-äthylester ausgezogen. Die organische Phase wird 2mal mit ges. Natriumchlorid-Lösung gewaschen, über Natriumsulfat getrocknet und letztlich i. Vak. verdampft. Der Rückstand wird aus Äthanol/Wasser umkristallisiert; Ausbeute: 596 mg (79% d.Th.); F: 138–139° (Zers.); $[\alpha]_D^{20} = -48{,}7°$ (c = 1,01; in Äthanol).

33.114.6. *2-Phenyl-2-oxo-äthylester* (*Phenacylester*)

N-Benzyloxycarbonyl-aminosäuren lassen sich in Gegenwart von Triäthylamin mit Phenacylbromid in die entsprechenden Phenacylester überführen[5]:

---

[1] A. T. Kader u. C. J. M. Stirling, Soc. **1964**, 258.
[2] E. Fischer, B. **34**, 433 (1901).
[3] A. W. Miller u. C. J. M. Stirling, Soc. [C] **1968**, 2612.
[4] U. Ludescher u. R. Schwyzer, Helv. **55**, 2052 (1972).
[5] G. C. Stelakatos, A. Paganou u. L. Zervas, Soc. [C] **1966**, 1191.

$$\text{Z-NH-}\underset{}{\overset{R}{\overset{|}{\text{CH}}}}\text{-COOH} + \text{Br-CH}_2\text{-}\overset{O}{\overset{\|}{\text{C}}}\text{-C}_6\text{H}_5 + \text{N(C}_2\text{H}_5)_3$$

$$\longrightarrow \text{Z-NH-}\overset{R}{\overset{|}{\text{CH}}}\text{-CO-O-CH}_2\text{-}\overset{O}{\overset{\|}{\text{C}}}\text{-C}_6\text{H}_5 + \text{N(C}_2\text{H}_5)_3\cdot\text{HBr}$$

N-Benzyloxycarbonyl-L-alanin-2-phenyl-2-oxo-äthylester [Z-Ala-OPE][1]: Eine Lösung von 2,3 g (0,01 Mol) N-Benzyloxycarbonyl-alanin, 1,4 *ml* (0,01 Mol) Triäthylamin und 2 g (0,01 Mol) Phenacylbromid in 20 *ml* Essigsäure-äthylester wird 12 Stdn. gerührt. Dabei scheidet sich der gewünschte Ester zusammen mit Triäthylamin-Hydrobromid ab. Der Niederschlag wird abfiltriert, getrocknet und anschließend mit Wasser gewaschen, dabei geht das Triäthylamin-Hydrobromid in Lösung. Das Filtrat wird nacheinander mit Wasser, verd. Schwefelsäure, Kaliumhydrogencarbonat-Lösung und Wasser gewaschen, dann getrocknet und schließlich i. Vak. zur Trockene eingedampft. Der erhaltene Rückstand wird zusammen mit dem nach dem Auswaschen des Triäthylammoniumbromids gewonnenen Material aus Äthanol umkristallisiert; Ausbeute: 2,9 g (86 % d.Th.); F: 154–155°; $[\alpha]_D^{18} = -26,5°$ (c = 2,0; in Chloroform).

Die Reaktion kann auch in anderen Lösungsmitteln wie absol. Äthanol oder Dimethylformamid ausgeführt werden.

N-Benzyloxycarbonyl-L-glutaminsäure-α-2-phenyl-2-oxo-äthylester [Z-Glu-OPE][2]:

Dicyclohexylamin-Salz: Zu einer Lösung von 2,8 g (0,01 Mol) N-Benzyloxycarbonyl-glutaminsäure und 1,4 *ml* (0,01 Mol) Triäthylamin in 7 *ml* Dimethylformamid werden sofort 2 g Phenacylbromid gegeben. Nach 48 Stdn. Rühren bei 20° wird die Mischung mit 100 *ml* Essigsäure-äthylester versetzt, anschließend mit Wasser gewaschen, über Natriumsulfat getrocknet und letztlich i. Vak. auf 50 *ml* eingeengt. Daraufhin werden 3 *ml* Dicyclohexylamin zugefügt und der gebildete Niederschlag nach Stehenlassen in der Kälte abfiltriert. Umkristallisieren aus Äthanol; Ausbeute: 54% d.Th.; F: 149–151°; $[\alpha]_D^{14} = -16,5°$ (c = 3,0; in Methanol).

Reiner Ester: 1 g des oben erhaltenen Salzes wird mit verd. Schwefelsäure versetzt, die mit Essigsäure-äthylester extrahiert wird. Die organische Phase wird mit Waser sulfatfrei gewaschen, getrocknet und dann i. Vak. eingedampft. Der Rückstand wird in 5 *ml* Aceton aufgenommen. Aus dieser Lösung fällt der reine Ester durch tropfenweise Zugabe von Wasser aus; Ausbeute: 0,6 g (87% d.Th.); F: 69–79° [Nach Trocknen über Phosphor(V)-oxid, da die Substanz hygroskopisch ist!]; $[\alpha]_D^{21} = -31,4°$ (c = 1,0; in Methanol).

Aminosäuren, deren Aminogruppen durch substituierte Vinylreste (s. S. 277) geschützt sind, lassen sich ebenfalls in die Phenacylester überführen. (Eine allgemeine Arbeitsvorschrift zur Veresterung solcher N-geschützter Aminosäuren ist auf S. 328 gegeben).

N-(1-Methyl-2-äthoxycarbonyl-vinyl)-L-serin-2-phenyl-2-oxo-äthylester [MEV-Ser-OPE]:

N-(1-Methyl-2-äthoxycarbonyl-vinyl)-L-serin-Kaliumsalz [MEV-Ser-OK][3]: Zu 33,8 *ml* (0,05 Mol) einer 8,3%-igen methanol. Kaliumhydroxid-Lösung werden 5,5 g (0,052 Mol) Serin und 8 *ml* (0,063 Mol) Acetessigsäure-äthylester gegeben. Die Mischung wird am Wasserbad unter Rückfluß 15 Min. zum Sieden erhitzt. Die noch warme Lösung wird von unumgesetztem Serin durch Filtration befreit. Aus dem Filtrat scheiden sich beim Abkühlen Kristalle aus. Sie werden nach 12 Stdn. abfiltriert. Aus der Mutterlauge erhält man nach dem Einengen noch eine kleine Menge rohes Produkt (F: 168–170°). Umkristallisieren aus Isopropanol. Eine zweite Umkristallisation aus Äthanol liefert das reine Produkt; Ausbeute: 11,5 g (90% d.Th.); F: 175–178°; $[\alpha]_D^{22} = +75,6°$ (c = 1,0; in Methanol).

N-(1-Methyl-2-äthoxycarbonyl-vinyl)-L-serin-2-phenyl-2-oxo-äthylester [MEV-Ser-OPE][3]: Eine Mischung aus 5,1 g (0,02 Mol) MEV-Ser-OK und 4 g (0,02 Mol) Phenacylbromid in 75 *ml* Essigsäure-äthylester wird bei 20° 24 Stdn. stehengelassen. Nach Zugabe von 750 *ml* Wasser scheidet sich ein fast farbloses Öl ab, das innerhalb kurzer Zeit durchkristallisiert; Umkristallisieren aus Äthanol; Ausbeute: 5,2 g (78% d.Th.); F: 128–129°; $[\alpha]_D^{23} = +230,4°$ (c = 1,0; in Methanol).

---

[1] G. C. Stelakatos, A. Paganou u. L. Zervas, Soc. [C] **1966**, 1191.
[2] J. Taylor-Papadimitriou, L. Zervas et al., Soc. [C] **1967**, 1830.
[3] A. Balog et al., Rev. Roumaine Chim. **16**, 1601 (1971).

Phenacylester von Aminosäuren sind über einen längeren Zeitraum stabil in konzentrierten Bromwasserstoff/Eisessig-Lösungen[1], deshalb sind die Hydrobromide dieser Ester durch Acidolyse z.B. der N-Benzyloxycarbonyl- oder der N-subst.-Vinyl-aminosäure-phenacylester zugänglich.

L-Serin-2-phenyl-2-oxo-äthylester-Hydrobromid [H-Ser-OPE·HBr][2]: 4,2 g (0,013 Mol) fester MEV-Ser-OPE in 25 *ml* Essigsäure-äthylester werden mit 2 *ml* 45%-iger Bromwasserstoff-Lösung in Eisessig versetzt und dann bis zur vollständigen Auflösung geschüttelt. Beim Stehenlassen bei 20° hat sich nach 30–45 Min. eine große Menge farbloser Kristalle abgeschieden. Diese werden nach 3 Stdn. abfiltriert und anschließend aus Äthanol umkristallisiert; Ausbeute: 3,2 g (81% d.Th.); F: 110-112,5°. Umkristallisieren aus Isopropanol; F: 113–114°; $[\alpha]_D^{23} = +7,7°$ (c = 4,0; in Methanol).

Auf die Herstellung von Peptid-phenacylester-Derivaten und die dabei auftretenden Nebenreaktionen wird im folgenden Abschnitt (S. 347) über 4-Brom-phenacylester näher eingegangen.

Die Abspaltung der Phenacyl-Gruppe kann unter milden Bedingungen mit Natrium-thiophenolat erfolgen[1,3,4].

N-Benzyloxycarbonyl-L-valyl-L-valin [Z-Val-Val-OH][1]: Zu einer Lösung von 0,71 g (0,0015 Mol) Z-Val-Val-OPE in 4 *ml* Dimethylformamid gibt man 0,39 g (0,003 Mol) Natriumthiophenolat und rührt die Mischung 30 Min. bei 20°. Daraufhin werden 15 *ml* Wasser zugegeben und der Ansatz wiederholt mit Diäthyläther extrahiert. Die wäßr. Phase wird nach dem Abdestillieren von geringen, in ihr gelösten, Mengen Diäthyläther i. Vak., mit 5n Schwefelsäure angesäuert. Beim Stehenlassen in der Kälte kristallisiert Z-Val-Val-OH aus dieser Lösung; Ausbeute: 0,38 g (72% d.Th.); F: 137–138°; $[\alpha]_D^{15} = -30,8°$ (c = 3,2; in 1n Kalilauge).

Die Ester erleiden dabei durch den Angriff des stark nucleophilen Thiophenolat-Anions alkylierende Spaltung. Die Reaktion verläuft nach 2. Ordnung[4].

Überraschend erscheint die Tatsache, daß Phenacylester auch durch katalytische Hydrogenolyse in Gegenwart von Palladiumschwarz spaltbar sind[1,5], da es sich hier nicht um Derivate des Benzylalkohols handelt.

Die genaue Untersuchung dieses Vorgangs zeigt[5], daß zur völligen Hydrierung zwei Äquivalente Wasserstoff erforderlich sind, da zwei Reaktionen gleichzeitig nebeneinander ablaufen:

$$\text{Acyl-NH-CH}(R^1)\text{-CO-O-CH}_2\text{-CO-C}_6\text{H}_5$$

H_2 / Pd (schnell) → $\text{Acyl-NH-CH}(R^1)\text{-COOH} + [\text{H}_3\text{C-CO-C}_6\text{H}_5 \longrightarrow \text{H}_3\text{C-CH}_2\text{-C}_6\text{H}_5]$

H_2 / Pd (langsam) → $\text{Acyl-NH-CH}(R^1)\text{-CO-O-CH}_2\text{-CH}_2\text{-C}_6\text{H}_5$

---

[1] G. C. Stelakatos, A. Paganou u. L. Zervas, Soc. [C] **1966**, 1191.
[2] A. Balog et al., Rev. Roumaine Chim. **16**, 1601 (1971).
[3] J. C. Sheehan u. G. D. Daves, J. Org. Chem. **29**, 2006 (1964).
[4] G. Losse u. G. Berndsen, A. **715**, 204 (1968).
[5] J. Taylor-Papadimitriou, L. Zervas et al., Soc. [C] **1967**, 1830.

Der zum Teil gebildete 2-Phenyl-äthylester unterliegt keiner weiteren Hydrogenolyse. Dies ist der Grund für die relativ schlechten Ausbeuten[1] (70–75% d.Th.) bei Anwendung dieser Methode. Die Spaltung der Phenacylester mit Zinkstaub in Eisessig ist ebenso möglich[2] wie deren Photolyse[3].

33.114.7. *2-(4-Brom-phenyl)-2-oxo-äthylester* (*4-Brom-phenacylester*)

Ledger und Stewart[4] haben den 4-Brom-phenacyl-Rest als Carboxy-Schutzgruppe für die Synthese von Peptiden vorgeschlagen. Die Herstellung von N-Benzyloxycarbonyl-aminosäure-4-brom-phenacylester gelingt analog der für die Phenacylester gegebenen Vorschrift (s. S. 345). Sie zeichnen sich durch leichte Kristallisierbarkeit aus.

Die Umsetzung der freien Ester als Amin-Komponenten zu Dipeptid-Derivaten erfolgt glatt nach dem Mischanhydrid-Verfahren. Bei langsamer verlaufenden Verknüpfungsreaktionen, wie z.B. der Reaktion mit N-geschützten Aminosäure-4-nitro-phenylestern oder -aziden, können Nebenreaktionen wie z.B. die Bildung Schiff'scher Basen eintreten[5]. Der Einsatz von Phenacylestern ist daher wohl erst ab der Dipeptid-Stufe sinnvoll. Darüber hinaus ist die schon beträchtliche acylierende Wirkung der 4-Brom-phenacylester in Betracht zu ziehen.

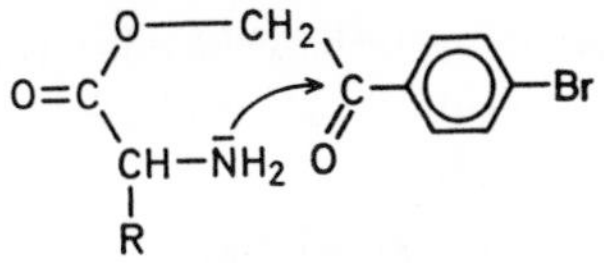

Ringschluß zur Schiff'schen Base

Die Spaltung der Ester erfolgt wie auf S. 346 beschrieben unter milden Bedingungen mit Natriumthiophenolat. Bei der Einwirkung dieses Reagenzes auf *Z-Asn-OBPE* tritt wie bei der alkalischen Verseifung von N-Acyl-asparagin-alkylestern (s. S. 335) intramolekularer Ringschluß zum Amino-succinimid-Derivat ein[4].

33.114.8. *Polymer-2-phenyl-2-oxo-äthylester*

Da die Phenacylester von N-Acyl-aminosäuren unter relativ milden Bedingungen zu synthetisieren und (nach der Umsetzung) durch Natriumthiophenolat glatt spaltbar sind (s. dazu S. 346), wurde vorgeschlagen, Brom-acetyliertes Polystyrol als Ausgangsmaterial für Peptidsynthesen am festen Träger zu verwenden[6]. Dadurch können zwei wesentliche Nachteile (Verknüpfung mit dem Harz und Abspaltung vom Polymer!) des Verfahrens nach Merrifield (s. dazu S. 371ff.) vermieden werden.

Das benötigte Harz ist durch Friedel-Crafts-Reaktion zugänglich.

Brom-acetyliertes Polystyrol[7]: In eine Suspension von 50 g Polymer (Bio-Beads S × 2/200–400 mesh) in 160 *ml* trockenem Nitrobenzol werden bei 20° unter Rühren 15 g wasserfreies Aluminiumchlorid eingetragen. Bei 70° Badtemp. wird daraufhin im Laufe von 20 Min. 0,1 Mol Brom-acetylbromid zugetropft. Nach 30 Min. Reaktionsdauer läßt man auf 20° abkühlen, rührt weitere 14 Stdn. und hydrolysiert den gebildeten Komplex letztlich mit Wasser. Nach dem Waschen mit Diäthyläther und dem Trocknen erhält man ein farbloses bis schwach gelbliches Pulver.

---

1 J. Taylor-Papadimitriou, L. Zervas et al., Soc. [C] **1967**, 1830.
2 J. B. Hendrickson u. C. Kandall, Tetrahedron Letters **1970**, 343.
3 J. C. Sheehan u. K. Umezawa, J. Org. Chem. **38**, 3771 (1973).
4 R. Ledger u. F. H. C. Stewart, Austral. J. Chem. **20**, 787 (1967).
5 R. Schwyzer et al., Helv. **38**, 69 (1955).
6 F. Weygand, *Peptides* 1968, Proc. of the 9th Europ. Pept. Symp., Orsay, North Holland Publ. Co., Amsterdam **1968**, S. 183.
7 H. Hintermaier, Dissertation, Technische Universität München 1968.

33.115. Benzylester

In Anlehnung an den zum Schutz der Amino-Funktion eingeführten Benzyloxycarbonyl-Rest (s. S. 47) wurden von denselben Autoren[1] auch die Benzylester von Aminosäuren erstmals in der Peptidchemie verwendet.

Zur Herstellung der Aminosäure-benzylester-4-Toluolsulfonsäure-Salze hat sich die Methode der azeotropen Veresterung als günstig erwiesen[2,3].

Aminosäure-benzylester-4-Toluolsulfonsäure-Salze; allgemeine Arbeitsvorschrift[4]: 1 Mol Aminosäure wird mit 1,2 Mol 4-Toluolsulfonsäure-Monohydrat in einer Reibschale gründlich verrieben, mit 5–10 Mol Benzylalkohol angeteigt und mit der 8–10fachen Menge Benzol in einen Kolben gespült, der über einen Wasserabscheider[5] mit einem Rückflußkühler verbunden ist und in ein siedendes Wasserbad taucht. Nach kurzer Zeit entsteht meist eine klare Lösung. Die theor. Wassermenge hat sich nach ~ 2–3 Stdn. Erhitzen unter Rückfluß abgeschieden. Während die Reaktionsmischung erkaltet, fällt das 4-Toluolsulfonsäure-Salz des Aminosäure-benzylesters kristallin aus. Es wird abfiltriert. mit Diäthyläther gewaschen und nach dem Trocknen i. Vak. aus Tetrahydrofuran[4] oder Methanol/Diäthyläther[2] umkristallisiert. Die so erhaltenen Produkte sind praktisch frei von unveresterter Aminosäure. Die Ausbeuten liegen zwischen 70 und 90% d.Th. Eine Reinigung[6] durch Überführung der erhaltenen Aminosäure-benzylester-4-Toluolsulfonsäure-Salze in die Aminosäure-benzylester-Hydrochloride erübrigt sich in den meisten Fällen.

Neben Benzol finden auch Tetrachlormethan[3,7,8] oder Toluol[9] als Lösungs- und Umwälzmittel bzw. Chlorwasserstoff[10], Benzolsulfonsäure[11] oder 4-Lauryl-benzolsulfonsäure[3] als Salzbildner bei diesem Verfahren Verwendung.

Statt der üblichen Wasserabscheidungstechnik kann man dem rückfließenden binären Gemisch das Wasser auch mit Trockenmitteln wie Silica Gel, Sikkon usw. entziehen[7].

Der Zusatz von Tribenzylborat zur Entfernung des gebildeten Wassers wird ebenfalls empfohlen[12].

Auch freie Peptide können verestert werden[13,14]. Wie schon erwähnt (s. S. 316), läuft diese Reaktion meist rascher ab als die Veresterung einzelner Aminosäuren.

L-Tryptophyl-glycin-benzylester-Hydrochlorid [H-Trp-Gly-OBZL · HCl][13]: 3 g Tryptophyl-glycin werden in 60 *ml* Benzylalkohol suspendiert und die Suspension unter Kühlung in einer Eis-Kochsalz-Mischung mit trockenem Chlorwasserstoff gesättigt. Dann werden 20 *ml* absol. Benzol zugegeben und das gebildete Wasser daraufhin durch azeotrope Destillation i. Vak. (Badtemp. 50°) entfernt. Sättigung der Reaktionsmischung mit Chlorwasserstoff und azeotrope Destillation mit Benzol werden noch 2mal wiederholt. Die Lösung wird i. Vak. bei 1 Torr (Badtemp.: 75–80°) eingedampft, der erhaltene Rückstand in einer Reibschale mit Diäthyläther verrieben, bis Kristallisation eintritt. Das Material wird 2mal aus absol. Äthanol/Diäthyläther umkristallisiert; Ausbeute: 3,2 g (72% d.Th.); F: 172–174°; $[\alpha]_D^{25} = +27{,}0°$ (c = 1,2; in absol. Äthanol).

---

1 M. Bergmann u. L. Zervas, B. **66**, 1288 (1933).
2 L. Zervas, M. Winitz u. J. P. Greenstein, J. Org. Chem. **22**, 1515 (1957).
3 J. D. Cipera u. R. V. V. Nicholls, Chem. & Ind. **1955**, 16.
4 H. Determann, O. Zipp u. T. Wieland, A. **651**, 172 (1962).
5 s. ds. Handb., Bd. VIII, Kap. Aldehyde, S. 523.
J. P. Greenstein u. M. Winitz, *Chemistry of the Amino Acids*; Bd. II S. 940, John Wiley & Sons, Inc., New York, N. Y. 1961.
6 H. K. Miller u. H. Waelsch, Am. Soc. **74**, 1092 (1952).
7 J. E. Shields, W. H. McGregor u. F. H. Carpenter, J. Org. Chem. **26**, 1491 (1961).
8 J. A. Maclaren, W. E. Savige u. J. M. Swan, Austral. J. Chem. **11**, 345 (1958).
9 A. Berger u. E. Katchalski, Am. Soc. **73**, 4084 (1951).
10 R. B. Merrifield u. D. W. Woolley, Am. Soc. **80**, 6635 (1958).
11 B. Bezas u. L. Zervas, Am. Soc. **83**, 719 (1961).
12 J. Kollonitsch u. J. Vita, Nature **178**, 1307 (1956).
13 K. Hofmann et al., Am. Soc. **80**, 1486 (1958).
14 D. Theodoropoulos u. J. Gazopoulos, J. Org. Chem. **27**, 2091 (1962).

Die α-Benzylester von Aminodicarbonsäuren können durch selektive saure Hydrolyse der Dibenzylester – zugänglich nach der auf S. 348 angegebenen allgemeinen Arbeitsvorschrift – mittels Jodwasserstoffsäure erhalten werden[1,2].

L-Asparaginsäure-α-benzylester [H-Asp-OBZL][2]: 55%-ige Jodwasserstoffsäure wird durch Zusatz von hypophosphoriger Säure zur kochenden Lösung entfärbt und anschließend destilliert. 8 *ml* der konstant siedenden Jodwasserstoffsäure werden zu einer Lösung von 9,0 g Asparaginsäure-dibenzylester-4-Toluolsulfonsäure-Salz in 60 *ml* reinem Eisessig gegeben. Die Lösung wird 29 Stdn. bei 54° stehengelassen. Das Lösungsmittel wird daraufhin i. Vak. entfernt. Um Spuren von Benzylalkohol zu entfernen, wird der erhaltene Rückstand mehrmals mit kleinen Mengen Benzol versetzt, die dann i. Vak. abgedampft werden. Die dunkle viskose Masse wird auf $-10°$ abgekühlt, mit absol. Äthanol überschichtet und nach Zusatz von 2,5 *ml* Triäthylamin mit diesem Gemisch verrieben; dabei tritt langsam Lösung des dunklen Materials ein, wobei sich gleichzeitig gelbe Kristalle abscheiden. Der p_H-Wert der Suspension wird mit weiterem Triäthylamin auf 7 gestellt. Nach 12 Stdn. Stehenlassen in der Kälte wird die feste Substanz abfiltriert, mit Äthanol, Diäthyläther gewaschen und schließlich aus Wasser umkristallisiert. Vor dem Abfiltrieren wird solange Natronlauge zugegeben, bis die Lösung einen p_H-Wert von 5,5 aufweist; F: 174–175°; $[\alpha]_D^{18} = -15{,}4°$ (c = 5,0; in 1n Salzsäure); Ausbeute vor dem Umkristallisieren: 2,25 g (50% d.Th.).

Stellt man Aminosäure-benzylester-Hydrochloride nach Fischer aus Benzylalkohol und Aminosäure-Hydrochloriden mit Chlorwasserstoff als Katalysator her, so können die mit diesem Verfahren im Falle der Methylester oder Äthylester (s. S. 316) erreichten Ausbeuten hier nicht erzielt werden, da ein Teil des erforderlichen großen Überschusses an relativ teurem Benzylalkohol in Benzylchlorid umgewandelt wird. Die Produkte sind zudem meist mit Aminosäure-Hydrochloriden verunreinigt[3], so daß die Veresterungsprozedur mehrmals wiederholt werden muß[4]. Wird jedoch Benzolsulfonsäure als Katalysator und Salzbildner verwendet, so können die Ausbeuten erheblich gesteigert werden[5].

Erlanger und Hall[6] setzten Polyphosphorsäure als wasserbindendes Agens ein.

L-Phenylalanin-benzylester-Hydrochlorid [H-Phe-OBZL · HCl][6]: 2 g (0,012 Mol) Phenylalanin werden in eine homogene Lösung von 5 g Polyphosphorsäure in 25 *ml* Benzylalkohol eingetragen. Die Mischung wird im Ölbad unter Rühren 4 Stdn. auf 90–95° erhitzt (Das Phenylalanin geht dabei innerhalb weniger Min. in Lösung). Das Gemisch wird daraufhin in 200 *ml* Wasser gegossen, die $\sim$ 10 *ml* konz. Salzsäure enthalten; diese wäßr. Lösung wird mit Diäthyläther extrahiert und anschließend abgetrennt. Die organische Phase wird 3mal mit 2%-iger Salzsäure gewaschen, die vereinigten Waschwässer und die abgetrennte wäßr. Phase werden durch Zugabe von festem Natriumcarbonat auf $p_H = 10$ gestellt und dann 3mal mit je 100 *ml* Diäthyläther geschüttelt. Die organische Phase wird über Magnesiumsulfat getrocknet und daraufhin mit Chlorwasserstoff nahezu gesättigt; Phenylalanin-benzylester-Hydrochlorid scheidet sich dabei aus; Rohausbeute: 2,3 g (65% d.Th.). Nach Umkristallisieren aus Essigsäure-äthylester/Petroläther (Kp: 40–60°); F: 203°; $[\alpha]_D^{25} = -22{,}5°$ (c = 1,0; in 0,25 n Salzsäure).

Dieses Verfahren bietet gegenüber der Methode nach Fischer den Vorteil der niedrigeren Reaktionstemperatur, was im Hinblick auf die Stabilität der gebildeten Salze der Benzylester von Bedeutung ist.

Die Thionylchlorid-Methode[7] (s. S. 317) kann zur Herstellung von Aminosäure-benzylestern ebenso herangezogen werden[8] wie die Umsetzung der Aminosäure-4-Toluolsulfonsäure-Salze mit Dibenzylsulfit[9] (s. dazu auch die allgemeine Vorschrift S. 318).

---

[1] H. Sachs u. E. Brand, Am. Soc. **75**, 4610 (1953).
[2] P. M. Bryant, G. T. Young et al., Soc. **1959**, 3868.
[3] E. Abderhalden u. S. Suzuki, H. **176**, 101 (1928).
[4] R. E. Neumann u. E. L. Smith, J. Biol. Chem. **193**, 97 (1951).
[5] H. K. Miller u. H. Waelsch, Am. Soc. **74**, 1092 (1952).
[6] B. F. Erlanger u. R. M. Hall, Am. Soc. **76**, 5781 (1954).
[7] M. Brenner u. W. Huber, Helv. **36**, 1109 (1953).
[8] J. Ramachandran u. C. H. Li, J. Org. Chem. **28**, 173 (1963).
R. P. Patel u. S. Price, J. Org. Chem. **30**, 3575 (1965).
[9] J. M. Theobald, M. W. Williams u. G. T. Young, Soc. **1963**, 1927.

Auch N-Carbonsäure-Anhydride (sog. Leuchs'sche Anhydride, s. S. II/187ff.) eignen sich zur Gewinnung von Aminosäure-benzylester-Hydrochloriden[1–3].

L-Valin-benzylester-Hydrochlorid [H-Val-OBZL·HCl][2]: In eine Suspension von 35g (0,3 Mol) Valin in 400 *ml* absol. Tetrahydrofuran wird unter Rühren bei 50° in schwachem Strom Phosgen eingeleitet. Nach ~ 40 Min. bildet sich eine klare Lösung. Das Lösungsmittel wird daraufhin i. Vak. abgedampft, der Rückstand (rohes N-Carbonsäure-Anhydrid des Valins) in 500 *ml* Diäthyläther gelöst, die 22 g (0,6 Mol) trockenen Chlorwasserstoff enthalten. Dazu werden sofort unter Rühren 65 g (0,6 Mol) Benzylalkohol gegeben. Nach 10 bis 15 Min. setzt Kohlendioxid-Entwicklung ein. Die Reaktionsmischung wird dann 12 Stdn. bei Raumtemp. unter Feuchtigkeitsausschluß stehengelassen, wobei sich Valin-benzylester-Hydrochlorid abscheidet, so daß der gesamte Kolbeninhalt zu einer festen Masse erstarrt. Diese wird auf eine Glasfritte gebracht, anschließend mehrmals mit absol. Diäthyläther gewaschen und aus Essigsäure-äthylester umkristallisiert; Ausbeute: 57 g (78% d.Th.); F: 137–138°.

Die Herstellung der Aminosäure-benzylester-Hydrochloride aus den Aminosäure-chlorid-Hydrochloriden und Benzylalkohol[4] hat nur geringe Bedeutung.

Aminosäure-benzylester können zudem durch azeotrope Veresterung von N-Benzyloxycarbonyl-aminosäuren mit Benzylalkohol[5,6] und 4-Toluolsulfonsäure und anschließende Abspaltung der Amino-Schutzgruppe mit Bromwasserstoff in Eisessig hergestellt werden[5] (Bezüglich der hier auftretenden Nebenreaktionen s. S. 59).

N-geschützte Aminosäuren sind auch mit Hilfe von Thionylchlorid[7], Sulfurylchlorid[8] oder N,N'-Dicyclohexyl-carbodiimid[9] und Benzylalkohol in die Benzylester überführbar. Verwendet man Sulfurylchlorid, so erhält man nur bei Einsatz von 1,1,2,2-Tetrachloräthan als Lösungsmittel befriedigende Ausbeuten.

Analog der Synthese von Methylestern N-geschützter Aminosäuren mit Diazomethan gelingt die Herstellung der entsprechenden Benzylester durch Reaktion mit Phenyldiazomethan[10,11]. Diese Methode ist lediglich für die Gewinnung von N-*Benzyloxycarbonyl-asparagin*- oder -*glutamin-benzylester* von Bedeutung[11].

Eine der Umsetzung mit Phenyldiazomethan vergleichbare spezielle Veresterungsmethode ist die Reaktion mit Meerweinschen Acetalen[12] des Dimethylformamids[13,14].

Die nach folgender Bruttogleichung verlaufende Reaktion

$$\text{Acyl-NH-}\underset{}{\overset{R^1}{\overset{|}{\text{CH}}}}\text{-COOH} + (H_3C)_2N\text{-}\overset{O-CH_2-C_6H_5}{\overset{|}{\text{CH}}}\text{-O-CH}_2\text{-C}_6H_5$$

$$\xrightarrow{20\text{-}80^\circ,\ 1\ \text{Stde.}} \text{Acyl-NH-}\overset{R^1}{\overset{|}{\text{CH}}}\text{-CO-O-CH}_2\text{-C}_6H_5 + (H_3C)_2N\text{-CHO} + H_5C_6\text{-CH}_2\text{-OH}$$

[1] B. F. ERLANGER u. E. BRAND, Am. Soc. **73**, 3508 (1951).
H. N. RYDON et al., Soc. **1956**, 3148.
[2] Y. IWAKURA et al., Bl. chem. Soc. Japan **37**, 1707 (1964).
[3] M. WILCHEK u. A. PATCHORNIK, J. Org. Chem. **28**, 1874 (1963).
[4] P. RUGGLI, R. RATTI u. E. HENZI, Helv. **7**, 332 (1929).
C. R. HARINGTON u. T. H. MEAD, Biochem. J. **30**, 1598 (1936).
A. M. CORWIN u. C. I. DAMEREL, Am. Soc. **65**, 1974 (1943).
[5] D. BEN-ISHAI u. A. BERGER, J. Org. Chem. **17**, 1564 (1952).
[6] H. A. DEWALD, A. M. MOORE et al., Am. Soc. **81**, 4367 (1959).
[7] G. KUPRYSZEWSKI u. T. SOKOLOWSKA, Acta Biochem. Polon. **4**, 85 (1957).
[8] E. TASCHNER u. C. WASIELEWSKI, A. **640**, 139 (1961).
[9] M. ROTHE u. F. W. KUNITZ, A. **609**, 88 (1957), Fußnote 17.
[10] P. S. SARIN u. G. D. FASMAN, Biochem. biophys. Acta **82**, 175 (1964).
[11] E. SONDHEIMER u. R. J. SEMERARO, J. Org. Chem. **26**, 1847 (1961).
[12] H. MEERWEIN et al., B. **89**, 2060 (1956).
[13] H. BRECHBÜHLER, A. ESCHENMOSER et al., Helv. **48**, 1746 (1965).
[14] H. BÜCHI, K. STEEN u. A. ESCHENMOSER, Ang. Ch. **75**, 1176 (1963).
H. VORBRÜGGEN, Ang. Ch. **75**, 297 (1963).

benötigt weder saure noch basische Katalysatoren und liefert meist hohe Ausbeuten an reinen Estern. Sowohl die weiteren Reaktionsprodukte (Dimethylformamid und Benzylalkohol) als auch das in geringem Überschuß eingesetzte Acetal stellen keine Aufarbeitungsprobleme; letzteres zerfällt beim Kontakt mit Wasser in Dimethylformamid und Benzylalkohol.

Für die Reaktion wird folgender Mechanismus angenommen[1]:

$$\text{ⓐ}\quad R-C(=O)-OH + (H_3C)_2N-CH(OR^1)-OR^1 \overset{K}{\rightleftharpoons} R-C(=O)-O^{\ominus} + (H_3C)_2\overset{\oplus}{N}=CH(OR^1) + R^1-O-H$$

$$\text{ⓑ}\quad R-C(=O)-O^{\ominus} + (H_3C)_2\overset{\oplus}{N}=CH(OR^1) \xrightarrow{k'} R-C(=O)-OR^1 + (H_3C)_2N-C(=O)-H$$

Es handelt sich um eine Alkylierung des Carboxylat-Ions. Da Dimethylformamid-dineopentylacetal nur äußerst langsam reagiert (k′ ist sehr klein), muß der Zusatz eines Fremdalkohols R^1-OH zum Reaktionsgemisch aus Carbonsäure und Dimethylformamid-dineopentylacetal zur Bildung des Esters R—CO—OR^1 führen, wenn $k'_{R1} \gg k'_{neop.}$ und sich das Gleichgewicht ⓐ einstellt, d.h. der Fremdalkohol dadurch in das Reaktionssystem eingeschleust wird.

N-(4-Decyloxy-benzyloxycarbonyl)-L-valin-benzylester [DeOZ-Val-OBZL]:

Dimethylformamid-dibenzylacetal[1]: 23,8 g (0,2 Mol) Dimethylformamid-dimethylacetal[2] und 58,2 g (0,54 Mol) Benzylalkohol werden in einem 250 *ml*-Dreihalskolben mit Stickstoff-Zuleitung und einer 40 cm-Vigreux-Kolonne mit Destillieraufsatz 2 Stdn. unter Stickstoff auf 140–150° erhitzt und dabei das während der Reaktion sich bildende Methanol durch die Kolonne kontinuierlich abdestilliert. Die fraktionierte Destillation des Rückstandes i. Hochvak. (Stickstoff) liefert 33,05 g (61% d.Th.); $Kp_{0,04}$: 131–132°; $n_D^{18} = 1,5403$.

N-(4-Decyloxy-benzyloxycarbonyl)-L-valin-benzylester [DeOZ-Val-OBZL][1]: 206 mg (0,507 mMol) DeOZ-Val-OH und 209 mg (0,70 mMol) Dimethylformamid-dibenzylacetal in 35 *ml* Benzol werden in Stickstoffatmosphäre 1,5 Stdn. auf 80° erhitzt. Die Reaktionsmischung wird über Eis gegossen, das gebildete Eis-Wasser-Gemenge mit Diäthyläther überschichtet und geschüttelt. Die organische Phase wird nacheinander mit verd. Natriumhydrogencarbonat-Lösung, 2n Salzsäure und ges. Kochsalz-Lösung gewaschen und schließlich i. Vak. eingedampft. Das erhaltene rötliche Material wird in Methanol/Diäthyläther in der Wärme mit Aktivkohle entfärbt. Nach dem Eindampfen des Lösungsmittels wird die Substanz aus Methanol umkristallisiert (200 mg; F: 62–63°).

Aus der Mutterlauge werden nach 2maliger Kristallisation aus Methanol / wenig Wasser weitere 45 mg erhalten; Gesamtausbeute: 245 mg (97% d.Th.); F: 62–63°; $[\alpha]_{546}^{22} = +2,2°$ (c = 1,8; in Chloroform).

N-tert.-Butyloxycarbonyl-glycyl-L-phenylalanin-benzylester [BOC-Gly-Phe-OBZL]:

Dimethylformamid-dineopentylacetal[1]: Die Herstellung erfolgt analog der Synthese des Dimethylformamid-dibenzylacetals (s. oben) aus 12,0 g (0,101 Mol) Dimethylformamid-dimethylacetal und 18,0 g (0,204 Mol) Neopentylalkohol innerhalb von 5 Stdn. bei 140°; Ausbeute: 20,27 g (81% d.Th.); Kp_{13}: 81–83°; $n_D^{18} = 1,4133$.

N-tert.-Butyloxycarbonyl-glycyl-L-phenylalanin-benzylester [BOC-Gly-Phe-OBZL][1]: 702 mg (2,18 mMol) BOC-Gly-Phe-OH (F: 138°), 656 mg (2,84 mMol) Dimethylformamid-

---

[1] H. Brechbühler, A. Eschenmoser et al., Helv. **48**, 1746 (1965).

[2] H. Bredereck, F. Effenberger u. G. Simchen, Ang. Ch. **73**, 493 (1961); B. **96**, 1350 (1963).

dineopentylacetal und 311 mg (2,88 mMol) Benzylalkohol in 10 *ml* Dichlormethan werden 72 Stdn. bei Raumtemp. gerührt. Nach üblicher Aufarbeitung (s. oben) (Eis, Essigsäure-äthylester, 2n Natriumcarbonat-Lösung, 2 n Salzsäure, Kochsalz-Lösung) erhält man 761 mg (84,8%) dünnschichtchromatographisch einheitlichen (Essigsäure-äthylester/Benzol; 1:1) Dipeptid-benzylester durch Kristallisation des Neutralteils aus Essigsäure-äthylester/Petroläther; F: 79–80°; $[\alpha]_{546}^{20} = +17,9°$ bzw. $[\alpha]_D^{20} = +14,5°$ (c = 1,90; in Chloroform).

In analoger Weise lassen sich wohl auch Methylester oder Äthylester von N-geschützten Aminosäuren oder Peptiden nach diesem Verfahren herstellen. Die Methode ist hingegen nicht zur Veresterung von freien Aminosäuren anwendbar.

Ebenfalls eine Alkylierung des Carboxylat-Ions erfolgt bei der Umsetzung von Dicyclohexylamin-[1] bzw. Triäthylamin-Salzen[1,2] oder von Silbersalzen[3] N-geschützter Aminosäuren mit Benzylhalogeniden. Dieses Verfahren ist von besonderem Interesse für die Herstellung von α-Estern der Glutaminsäure[4].

Die α-Ester der Asparaginsäure lassen sich auf diesem Wege nicht synthetisieren[4]. Man erhält sie durch Umsetzung des N-geschützten intramolekularen Anhydrids[5] der Asparaginsäure mit Alkoholen[6] (s. dazu auch S. 321) oder durch Desamidierung von Z-Asn-OR mit Hilfe von Nitrosyl-hydrogensulfat (Bleikammerkristalle)[1].

Die freien Aminosäure-benzylester erhält man durch Suspendieren ihrer Salze in Chloroform, anschließendes Behandeln mit der äquivalenten Menge Triäthylamin (s. dazu auch S. 322) und Fällen des gebildeten Triäthylammoniumsalzes mit Diäthyläther[7]. Benzolsulfonsäure-Triäthylamin-Salz wird dabei kristallin erhalten, das entsprechende Salz der 4-Toluolsulfonsäure scheidet sich hingegen als Öl ab, was die Abtrennung vom gelösten Benzylester erschwert[8]. Die so erhaltenen Ester können durch Destillation i. Vak. gereinigt werden[9]. Sie neigen nicht so sehr zur Cyclisierung und damit Bildung von 2,5-Dioxopiperazinen wie die Aminosäure-methylester oder -äthylester[9,10].

Aminosäure-benzylester lassen sich mit Hilfe der in der Peptidchemie häufig verwendeten Verfahren, wie der Carbodiimid-, der Aktivester-, der Azid- oder der Mischanhydrid-Methode (s. dazu S. II/1ff.) acylieren.

N-Benzyloxycarbonyl-L-valyl-L-tyrosyl-L-prolin-benzylester [Z-Val-Tyr-Pro-OBZL][11]:

N-Benzyloxycarbonyl-L-valyl-L-tyrosin-azid [Z-Val-Tyr-N_3]: 8,6 g (0,020 Mol) Z-Val-Tyr-$NHNH_2$ werden in einer Mischung aus 50 *ml* 2n Salzsäure, 30 *ml* Eisessig und einigen Tropfen Essigsäure-äthylester gelöst. Diese Lösung wird auf −2° abgekühlt, mit einem Vibromischer heftig bewegt und im Laufe von 20 Min. mit 1,4 g (0,020 Mol) Natriumnitrit versetzt. Nach weiteren 30 Min. wird der Vibromischer abgestellt. Alle weiteren Operationen werden in einem Kühlraum mit Geräten und Reagenzien durchgeführt, die vorher mindestens 2Stdn. auf 0° abgekühlt worden sind. Die Reaktionsmischung wird mit 60 *ml* Essigsäure-äthylester geschüttelt, die organische Phase nacheinander mit Wasser, 5%-iger Kaliumhydrogencarbonat-Lösung, Wasser gewaschen und schließlich über Natriumsulfat getrocknet.

---

[1] G. H. L. Nefkens u. R. J. F. Nivard, R. **84**, 1315 (1965).
[2] R. Schwyzer, B. Iselin u. M. Feurer, Helv. **38**, 69 (1955).
[3] M. Frankel u. A. Berger, J. Org. Chem. **16**, 1513 (1951).
[4] G. H. L. Nefkens u. R. J. F. Nivard, R. **83**, 199 (1964).
[5] Auch α-Ester der Glutaminsäure sind auf diesem Wege zugänglich; siehe dazu
F. Weygand u. K. Hunger, Z. Naturf. **13 b**, 50 (1958).
E. Klieger u. H. Gibian, A. **655**, 195 (1962).
G. Losse, H. Jeschkeit u. W. Langenbeck, B. **96**, 204 (1963).
[6] G. Losse, H. Jeschkeit u. D. Knopf, B. **97**, 1789 (1964).
[7] H. K. Miller u. H. Waelsch, Am. Soc. **74**, 1092 (1952).
[8] J. E. Shields, W. H. McGregor u. F. H. Carpenter, J. Org. Chem. **26**, 1491 (1961).
[9] E. Abderhalden u. S. Suzuki, H. **176**, 101 (1928).
[10] R. G. Hiskey et al., J. Org. Chem. **37**, 2478 (1972).
[11] J. Ramachandran u. C. H. Li, J. Org. Chem. **28**, 173 (1963).

N-Benzyloxycarbonyl-L-valyl-L-tyrosyl-L-prolin-benzylester [Z-Val-Tyr-Pro-OBZL]: 7,32 g (0,030 Mol) H-Pro-OBZL·HCl werden in 50 *ml* Essigsäure-äthylester suspendiert; die Suspension wird auf 0° abgekühlt, mit 4,2 *ml* (0,030 Mol) Triäthylamin versetzt und dann 60 Min. gerührt. Das dabei ausgeschiedene Triäthylamin-Hydrochlorid wird abfiltriert, mit einigen *ml* Essigsäure-äthylester gewaschen. Zum Filtrat gibt man die oben hergestellte Azid-Lösung ([Z-Val-Tyr-N_3]) und engt dann das Vol. der Mischung i. Vak. bei 0° auf die Hälfte ein. Nach 4 Stdn. beginnen sich Kristalle abzuscheiden. Man läßt noch 2 Tage bei 4° stehen, filtriert daraufhin das Produkt ab und wäscht es mit Essigsäure-äthylester; Ausbeute: 9,0 g (75% d. Th.); F: 188–190°; Umkristallisieren aus heißem Essigsäure-äthylester; F: 191–192°; $[\alpha]_D^{25} = -38{,}8°$ (c = 1,2; in Pyridin).

Die Abspaltung der Benzyl-Gruppe erfolgt wie die des Benzyloxycarbonyl-Restes in der Mehrzahl der Fälle durch katalytische Hydrogenolyse[1]. Diese Arbeitstechnik ist schon auf S. 51 ausführlich beschrieben worden.

Eine selektive Spaltung der Benzylester- neben der Benzyloxycarbonyl-Gruppe ist auf diese Weise sicher nur in Ausnahmefällen möglich. Die genaue Verfolgung der Wasserstoff-Aufnahme hat keine Anhaltspunkte für eine unterschiedliche Reaktionsgeschwindigkeit der beiden Gruppen geliefert[2]. Ebenso ist die Katalysatormenge sowie deren Konzentration auf einem Träger (Kohle, Bariumsulfat) ohne Einfluß[2].

Die gleichzeitige hydrogenolytische Entfernung dieser beiden Schutzgruppen ist auch bei höheren Peptiden noch möglich[3], mit wesentlich längeren Reaktionszeiten ist jedoch zu rechnen[4].

L-Valyl-L-tyrosyl-L-prolin [H-Val-Tyr-Pro-OH][5]: 0,5 g (0,83 mMol) Z-Val-Tyr-Pro-OBZL werden in einer Mischung aus 20 *ml* Eisessig und 20 *ml* Methanol gelöst und im Laufe von 6 Stdn. in Gegenwart von frisch bereitetem Palladiumschwarz hydriert. Der Katalysator wird abfiltriert, gewaschen, das Filtrat und die Waschflüssigkeit i. Vak. eingedampft. Der Rückstand wird aus Methanol/Wasser umkristallisiert; F: 176–178°; $[\alpha]_D^{25} = -27{,}4°$ (c = 0,6; in Wasser).

Eine acidolytische Spaltung der Benzylester ist mittels einer gesättigten Lösung von Bromwasserstoff in Eisessig zu erzielen. Im Gegensatz zur Entfernung des Benzyloxycarbonyl-Restes nach dieser Methode (eine genaue Beschreibung wird auf S. 56 gegeben. Hinsichtlich der auftretenden Nebenreaktionen s. ebenfalls dort) kann die Ester-Bindung hier nur unter relativ drastischen Bedingungen geöffnet werden. Eine quantitative Umsetzung kann bei Raumtemp. erst nach ~12 Stdn.[6] oder bei 50–60° nach 1–2 Stdn.[7] erreicht werden. Dabei kann die Peptidbindung bereits in Mitleidenschaft gezogen werden[8].

Die selektive Abspaltung der Benzyloxycarbonyl-Gruppe in Gegenwart von Benzylestern gelingt in vielen Fällen durch Einwirkung von 2n Bromwasserstoff-Lösung in Eisessig[8] oder Nitromethan[9] bei Raumtemperatur.

Insbesondere bei höheren Peptiden ist aber unter diesen Bedingungen schon mit einer gleichzeitigen Acidolyse der Benzylester-Bindung zu rechnen[3,10,11]. Die Abtrennung der dabei entstandenen Peptid-Hydrobromide ist oft nicht möglich[3,12].

---

[1] Um Umesterungen zu vermeiden, ist es empfehlenswert, sek. Alkohole oder tert. Butanol als Lösungsmittel zu verwenden.
P. C. Crofts, J. H. H. Markes u. H. N. Rydon, Soc. **1959**, 3610.

[2] R. Häussler, Chimia (Aarau) **14**, 369 (1960).

[3] H. Zahn u. E. Schnabel, A. **604**, 62 (1957).

[4] C. A. Dekker, S. P. Taylor u. J. S. Fruton, J. Biol. Chem. **180**, 155 (1949).

[5] J. Ramachandran u. C. H. Li, J. Org. Chem. **28**, 173 (1963).

[6] D. Ben-Ishai u. A. Berger, J. Org. Chem. **17**, 1564 (1952).

[7] J. A. MacLaren, W. E. Savige u. J. M. Swan, Austral. J. Chem. **11**, 345 (1958).
K. Bláha u. J. Rudinger, Collect. czech. chem. Commun. **30**, 585 (1965).

[8] F. H. C. Stewart, Austral. J. Chem. **19**, 1067 (1966).

[9] L. Benoiton u. H. N. Rydon, Soc. **1960**, 3328.

[10] G. W. Anderson, J. Blodinger u. A. D. Welcher, Am. Soc. **74**, 5309 (1952).

[11] F. H. C. Stewart, Austral. J. Chem. **20**, 2243 (1967).

[12] H. Schwarz u. K. Arakawa, Am. Soc. **81**, 5691 (1959).

L-Valyl-L-tyrosyl-L-prolin-benzylester [H-Val-Tyr-Pro-OBZL][1]: 3,32 g (0,0055 Mol) Z-Val-Tyr-Pro-OBZL werden in einer Reibschale fein pulverisiert und dann mit 10 *ml* einer 4n Bromwasserstoff-Lösung in Eisessig 15 Min. bei 20° unter Ausschluß von Feuchtigkeit heftig gerührt. H-Val-Tyr-Pro-OBZL · HBr wird durch Zugabe von 250 *ml* absol. Diäthyläther ausgefällt. Der Niederschlag wird 2 mal mit absol. Diäthyläther gewaschen, der Äther jeweils abdekantiert. Der Rückstand wird in 60 *ml* kaltem, mit Essigsäure-äthylester ges. Wasser gelöst, die Lösung 2 mal mit je 30 *ml* Diäthyläther gewaschen. Die wäßr. Phase wird mit kalter 5%-iger Natriumhydrogencarbonat-Lösung auf $p_H = 8$ gestellt und dann 2 mal mit je 50 *ml* Essigsäure-äthylester extrahiert. Die organische Phase wird mit Wasser gewaschen, über Natriumsulfat getrocknet und i. Vak zur Trockene eingedampft. Der Rückstand wird 12 Stdn. über Phosphor(V)-oxid getrocknet; Ausbeute: 2 g (77,8% d.Th.); F: 50–60°; $[\alpha]_D^{25} = -41{,}9°$ (c = 0,6; in Methanol).

Benzylester können auch reduktiv durch Einwirkung einer Lösung von Natrium in flüssigem, siedendem Ammoniak analog dem Benzyloxycarbonyl-Rest gespalten werden[2,3] (Eine ausführliche Beschreibung dieses Verfahrens ist auf S. 54 gegeben).

Eine alkalische Hydrolyse der Benzylester-Bindung ist unter denselben Bedingungen möglich[4], wie sie für Methylester oder Äthylester beschrieben worden ist (s. S. 334). Sie wird jedoch selten durchgeführt, da meist die katalytische Hydrogenolyse vorzuziehen ist (Über die Bedeutung der hier beschriebenen Möglichkeiten zur Spaltung der Benzylester-Bindung bei der Peptidsynthese an polymeren Trägermaterialien s. S. 381 f.).

Auch die Umsetzung N-geschützter Aminosäure-benzylester mit Hydrazin-Hydrat zu den entsprechenden Hydraziden ist auf üblichem Wege durchführbar[5] (s. S. II/298).

---

[1] J. Ramachandran u. C. H. Li, J. Org. Chem. **28**, 173 (1963).
[2] G. S. Heaton, H. N. Rydon u. J. A. Schofield, Soc. **1956**, 3157.
[3] C. W. Roberts, Am. Soc. **76**, 6203 (1954).
[4] D. T. Gish u. V. du Vigneaud, Am. Soc. **79**, 3579 (1957).
[5] B. F. Erlanger, W. V. Curran u. N. J. Kokowsky, Am. Soc. **81**, 3055 (1959).
W. E. Savige, Austral. J. Chem. **14**, 664 (1961).
H. Zahn u. E. Schnabel, A. **604**, 62 (1957).

Tab. 43. L-Aminosäure-α-benzylester und deren Salze

Aminosäure		F [°C]	$[\alpha]_D$	t	c	Lösungsmittel	Literatur	Literatur entsprechender D-Verbindung
Abu	f	117	− 6,3	13	2	Äthanol	1	
Aib	f	154					1	
Ala	b	140	−10,9	25	2	0,1n Salzsäure	1–5	2,6
	e	111,5–113,5	+ 7,5	24	4,5	Pyridin	7	
	f	116–118	− 6,0	26	4	Methanol	1,8	1,9
βAla	c	57					10	
	f	138–139					1	
Arg	b	152 (Zers.)	− 9,2	25	1,9	40%-iges Äthanol	11	
	h	202 (Zers.)					11	
Asn	a	Öl	−29	25	2,5	Dimethylformamid	12	
	b	125	0 ± 1	25	2	Wasser	13	
Asp	a	174–175	−15,4	18	5	1 n Salzsäure	14,15	15
Cys	b	106	−26,6	25	1,01	0,1n Salzsäure	3	
	d	139 (Zers.)					16,17	
$(Cys)_2$	b,i	166 (Zers.)	+32,8	25	0,7	0,1n Salzsäure	3	
Glu	a	147–148	+12,2	25	2,9	0,1n Salzsäure	18–20	18

[a] freier Ester
[b] Hydrochlorid
[c] Hydrobromid
[d] Hydrojodid
[e] Benzolsulfonsäure-Salz
[f] 4-Toluolsulfonsäure-Salz
[h] Dihelianthat {Di-[4′-dimethylamino-azobenzol-sulfonsäure-(4)]-Salz}
[i] Diester

[1] N. Izumiya u. S. Makisumi, J. chem. Soc. Japan **78**, 662 (1957).
[2] B. F. Erlanger u. E. Brand, Am. Soc. **73**, 3508 (1951).
[3] B. F. Erlanger u. R. M. Hall, Am. Soc. **76**, 5781 (1954).
[4] G. Harris u. I. C. MacWilliam, Soc. **1961**, 2053.
[5] J. Rudinger u. Z. Pravda, Collect. czech. chem. Commun. **23**, 1947 (1958).
[6] G. Harris u. I. C. MacWilliam, Soc. **1963**, 5552.
[7] J. E. Shields, W. H. McGregor u. F. H. Carpenter, J. Org. Chem. **26**, 1491 (1961).
[8] H. Gibian u. E. Schröder, A. **642**, 145 (1961).
[9] M. Winitz et al., Am. Soc. **78**, 2423 (1956).
[10] D. Ben-Ishai u. A. Berger, J. Org. Chem. **17**, 1564 (1952).
[11] H. Zahn u. J. F. Diehl, Ang. Ch. **69**, 135 (1957).
[12] D. Chillemi, L. Scarso u. E. Scoffone, G. **87**, 1356 (1957).
[13] G. Amiard u. R. Heymès, Bl. **1957**, 1373.
[14] P. M. Bryant, G. T. Young et al., Soc. **1959**, 3868.
[15] J. Kovács, H. Nagy-Kovács u. R. Ballina, Am. Soc. **85**, 1839 (1963).
[16] S. J. Leach u. H. Lindley, Austral. J. Chem. **7**, 173 (1954).
[17] C. R. Harington u. T. H. Mead, Biochem. J. **30**, 1598 (1936).
[18] H. Sachs u. E. Brand, Am. Soc. **75**, 4610 (1953).
[19] C. Coutsogeorgopoulos u. L. Zervas, Am. Soc. **83**, 1885 (1961).
[20] E. Klieger u. H. Gibian, A. **655**, 195 (1962).

Tab. 43. (1. Fortsetzung)

Aminosäure		F [°C]	[α]D	t	c	Lösungsmittel	Literatur	Literatur entsprechender D-Verbindung
Gly	a	($Kp_{8\text{-}11}$: 93–95°)					1	
	b	140					1–8	
	c	147					9	
	e	135,5–137					6	
	f	132–134					10–12	
Gln	b	120–122	+13,0	20	4	Methanol	13	
His	g	146–149					14	
	b	147–150					15	
Hyp	f	107–109	−21,8	13	2	Wasser	10	
Ile	f	153–154	− 0,1	25	2	Methanol	11,16	
*a*Ile	*f	162–164	− 0,2	25	2	Methanol		11
Leu	a	Öl	+ 4,4	21		Dimethylformamid	17,18	
	b	129	− 8,0	30	2	0,1n Salzsäure	5,7,19	
	e	167–168	+ 4,4	21	2	Dimethylformamid	18	
	f	158,5–160	− 1,7	25	2	Methanol	10–12,17	
Lys	g	147–149	− 2,8	13	2	Wasser	10	
Nle	f	127	− 9,0	13	2	Äthanol	10	
Nva	b	118,5	− 9,84	20	4,8	Wasser	20	20

* Werte für die D-Verbindung
[a] freier Ester
[b] Hydrochlorid
[c] Hydrobromid
[e] Benzolsulfonsäure-Salz
[f] 4-Toluolsulfonsäure-Salz
[g] Di-4-toluolsulfonsäure-Salz

[1] E. ABDERHALDEN u. S. SUZUKI, H. **176**, 101 (1928).
[2] B. F. ERLANGER u. E. BRAND, Am. Soc. **73**, 3508 (1951).
[3] C. R. HARINGTON u. T. H. MEAD, Biochem. J. **30**, 1598 (1936).
[4] P. RUGGLI, R. RATTI u. E. HENZI, Helv. **12**, 332 (1929).
[5] H. K. MILLER u. H. WAELSCH, Am. Soc. **74**, 1092 (1952).
[6] J. D. CIPERA u. R. V. V. NICHOLLS, Chem. & Ind. **1955**, 16.
[7] Y. IWAKURA et al., Bl. chem. Soc. Japan **37**, 1707 (1964).
[8] J. A. MACLAREN, Austral. J. Chem. **25**, 1293 (1972).
[9] D. BEN-ISHAI u. A. BERGER, J. Org. Chem. **17**, 1564 (1952).
[10] N. IZUMIYA u. S. MAKISUMI, J. chem. Soc. Japan **78**, 662 (1957).
[11] L. ZERVAS, M. WINITZ u. J. P. GREENSTEIN, J. Org. Chem. **22**, 1515 (1957).
[12] J. M. THEOBALD, M. W. WILLIAMS u. G. T. YOUNG, Soc. **1963**, 1927.
[13] L. ZERVAS u. C. HAMALIDIS, Am. Soc. **87**, 99 (1965).
[14] S. AKABORI, S. SAKAKIBARA u. S. SHIINA, Bl. chem. Soc. Japan **31**, 788 (1958).
[15] E. L. SMITH u. M. BERGMANN, J. Biol. Chem. **153**, 627 (1944).
[16] C. W. ROBERTS, Am. Soc. **76**, 6203 (1954).
[17] H. FELTKAMP u. H. PFROMMER, Die Pharmazie **1965**, 20.
[18] H. GIBIAN u. E. SCHRÖDER, A. **642**, 145 (1961).
[19] B. F. ERLANGER u. R. M. HALL, Am. Soc. **76**, 5781 (1954).
[20] G. LOSSE et al., B. **91**, 2410 (1958).

Tab. 43. (2. Fortsetzung)

Aminosäure		F [°C]	$[\alpha]_D$	t	c	Lösungsmittel	Literatur	Literatur entsprechender D-Verbindung
Phe	b	203	−22,5	25	1,01	0,25n Salzsäure	1–4	
	c	209	+ 5,4	25	2,3	Methanol	5,6	
	e	165–166	+19	22	3	Pyridin	2,7	
	f	170,5–171,5	− 7,2	25	2	Methanol	6,8–11	
Pro	b	148–149	−43,3	28	1,0	Methanol	12–14	
Ser	b	178	−4,28	20	5,13	Methanol	15,16	15,16
Thr	f	Öl					17	
	b	125–126	−14,3	22	1,0	Dimethylformamid	18	
Trp	b	222	+ 4	25	2	Methanol	19	
Tyr	a	120	−12,5	25	2	Methanol	20,21	
	b	205	−23,3	25	1	0,1n Salzsäure	1,22	23
	e	143–145	− 3,8	23	2	Dimethylformamid	24	
	f	179–180,5	−12,2	25	2	Methanol	8,9,25	
Val	b	138–139	+ 9,1	24	3	Pyridin	2,3	
	e	177–180	+14	24	3,78	Pyridin	2	
	f	158–160	+ 1.2	25	2	Methanol	8–10,24	

[a] freier Ester
[b] Hydrochlorid
[c] Hydrobromid
[e] Benzolsulfonsäure-Salz
[f] 4-Toluolsulfonsäure-Salz

[1] B. F. Erlanger u. R. M. Hall, Am. Soc. **76**, 5781 (1954).
[2] J. E. Shields, W. H. McGregor, u. F. H. Carpenter, J. Org. Chem. **26**, 1491 (1961).
[3] Y. Iwakura et al., Bl. chem. Soc. Japan **37**, 1707 (1964).
[4] M. Sokolovsky, M. Wilchek u. A. Patchornik, Am. Soc. **86**, 1202 (1964).
[5] D. Ben-Ishai, J. Org. Chem. **19**, 62 (1954).
[6] H. Schwarz u. K. Arakawa, Am. Soc. **81**, 5691 (1959).
[7] C. Schattenkerk et al., R. **83**, 677 (1964).
[8] N. Izumiya u. S. Makisumi, J. chem. Soc. Japan **78**, 662 (1957).
[9] L. Zervas, M. Winitz u. J. P. Greenstein, J. Org. Chem. **22**, 1515 (1957).
[10] J. M. Theobald, M. W. Williams u. G. T. Young, Soc. **1963**, 1927.
[11] J. A. MacLaren, Austral. J. Chem. **25**, 1293 (1972).
[12] E. L. Smith u. M. Bergmann, J. Biol. Chem. **153**, 627 (1944).
[13] R. E. Neumann u. E. L. Smith, J. Biol. Chem. **193**, 97 (1951).
[14] J. Ramachandran u. C. H. Li, J. Org. Chem. **28**, 173 (1963).
[15] V. Bruckner u. M. Szekerke, Acta chim. Acad. Sci. hung. **34**, 93 (1962).
[16] G. Losse u. M. Augustin, B. **91**, 157 (1958).
[17] H. R. Gutmann u. S. F. Chang, J. Org. Chem. **27**, 2248 (1962).
[18] E. Schnabel, H. Klostermeyer u. H. Berndt, A. **749**, 90 (1971).
[19] M. Wilchek u. A. Patchornik, J. Org. Chem. **28**, 1874 (1963).
[20] G. Amiard, R. Heymès u. L. Velluz, Bl. **1956**, 97.
[21] R. Wade u. F. Bergel, Soc. **1967**, 592.
[22] H. Edelhoch, L. Brand u. M. Wilchek, Biochemistry **6**, 547 (1967).
[23] B. F. Erlanger, W. V. Curran u. N. Kokowsky, Am. Soc. **80**, 1128 (1958).
[24] H. Gibian u. E. Schröder, A. **642**, 145 (1961).
[25] N. Izumiya u. S. Makisumi, J. chem. Soc. Japan **78**, 1768 (1957).

33.116. Substituierte Benzylester

33.116.1. *4-Nitro-benzylester*

Wie die unsubstituierten Benzylester können auch die 4-Nitro-benzylester durch azeotrope Veresterung aus Aminosäure-Benzolsulfonsäure-Salzen[1,2] bzw. -4-Toluolsulfonsäure-Salzen[3] und 4-Nitro-benzylalkohol unter dem katalytischen Einfluß der gleichzeitig als Salzbildner verwendeten Sulfonsäuren hergestellt werden.

L-Histidin-4-nitro-benzylester-Di-benzolsulfonsäure-Salz [H-His-ONB · 2BES-OH][1]: Eine Suspension aus 1,55 g (0,01 Mol) Histidin, 4,5 g (0,03 Mol) 4-Nitro-benzylalkohol und 4 g (0,025 Mol) Benzolsulfonsäure-Monohydrat in 50 *ml* Tetrachlormethan wird unter Rückfluß 2 Tage zum Sieden erhitzt, das Kondensat wird durch wasserfreies Calciumsulfat geleitet. Von der erhaltenen festen Substanz wird abdekantiert, diese in 5 *ml* ~ 90%-igem Äthanol aufgenommen. Dazu gibt man langsam Diäthyläther bis zur schwachen Trübung. Nach Anreiben scheidet sich ein kristallines Produkt als Monohydrat ab; Ausbeute: 5,61 g (90% d.Th.); F: 92–95°; $[\alpha]_D^{29} = -4{,}95°$ (c = 3,0; in Pyridin).

Die Substanz verliert beim Trocknen i.Vak. nach 12 Stdn. bei 78° das Kristallwasser fast vollständig.

Nach diesem Verfahren kann u. a. auch *H-Lys(NZ)-ONB* hergestellt werden.

Da weder die freien Aminosäuren noch Benzolsulfonsäure in Tetrachlormethan merklich löslich sind, bilden sich beim Erhitzen der Reaktionsmischung zwei Phasen, da die Benzolsulfonsäure schmilzt und auf dem Umwälzmittel schwimmt. Diese Schicht verfestigt sich in vielen Fällen mit fortschreitender Reaktion. Das Erhitzen wird dann eingestellt, der Ansatz nach dem Abkühlen wie oben beschrieben aufgearbeitet.

Ein homogenes Gemisch wird beim Einsatz von Chloroform und 3–5 Äquivalenten 4-Nitro-benzylalkohol erhalten[3] (ein Teil des überschüssigen Alkohols kann nach beendeter Reaktion zurückgewonnen werden). Nach einigen Stdn. wird ein nahezu quantitativer Umsatz erzielt.

L-Alanin-4-nitro-benzylester-4-Toluolsulfonsäure-Salz [H-Ala-ONB · TOS-OH][3]: 8,9 g (0,1 Mol) Alanin, 57,0 g (0,3 Mol) 4-Toluolsulfonsäure-Monohydrat und 76,5 g (0,5 Mol) 4-Nitro-benzylalkohol werden in 300 *ml* absol. Chloroform suspendiert (Das Chloroform wird durch Schütteln mit konz. Schwefelsäure getrocknet, anschließend zur Entfernung von Spuren Schwefelsäure durch Hyflo-Supercel filtriert). Nach einigen Min. Erhitzen unter kräftigem Rückfluß bildet sich eine klare Lösung. Das Kondensat wird durch wasserfreies Calciumsulfat wieder in den Reaktionskolben zurückgeleitet. Die Veresterung ist nach ~ 6 Stdn. vollständig. Die dunkle Lösung wird i.Vak. weitgehend eingeengt. Auf Zusatz von Diäthyläther folgt Kristallisation des gelb-orangen Rohprodukts (F: 140–145°; Ausbeute: 42,2 g). Umkristallisieren aus 250 *ml* Isopropanol liefert schwach gelbe Nadeln; Ausbeute: 36,4 g (92% d.Th.); F: 155–157,5°; $[\alpha]_D^{29} = -4°$ (c = 1,0; in Methanol).

Der Schmelzpunkt läßt sich durch nochmaliges Umkristallisieren auf 156–158° steigern.

Der als Filtrat vom Rohprodukt verbliebene Diäthyläther wird 2 mal mit Wasser, 1 mal mit wäßr. 1 n Kaliumhydrogencarbonat-Lösung gewaschen, das Lösungsmittel i.Vak. abgedampft, der Rückstand mit Benzol verrieben, der so erhaltene 4-Nitro-benzylalkohol abfiltriert und dann getrocknet; Ausbeute 41,7 g (68% der zurückgewinnbaren Menge); F: 96.5–98°.

Eine weitere Möglichkeit zur Herstellung von Aminosäure-4-nitro-benzylester-4-Toluolsulfonsäure-Salzen ist in der Umsetzung der 4-Toluolsulfonsäure-Salze der Aminosäuren mit Di-[4-nitro-benzyl]-sulfit gegeben[4].

L-Leucin-4-nitro-benzylester-4-Toluolsulfonsäure-Salze [H-Leu-ONB · TOS-OH]:

Di-[4-nitro-benzyl]-sulfit[4]: Zu einer Lösung von 210 g reinem 4-Nitro-benzylalkohol in einer Mischung aus 121 *ml* absol. Pyridin und 1000 *ml* absol. Diäthyläther tropft man unter heftigem Rühren bei 15–25° im Laufe von 2 Stdn. 54 *ml* Thionylchlorid. 20 Min. nach Beendigung der Zugabe des Thionylchlorids bringt man das abgeschiedene Öl durch Zusatz von Wasser und Essigsäure-äthylester in Lösung.

---

[1] J. E. Shields, W. H. McGregor u. F. H. Carpenter, J. Org. Chem. **26**, 1491 (1961).
[2] G. Losse u. H. Vietmeyer, J. pr. **32**, 204 (1966).
[3] R. H. Mazur u. J. M. Schlatter, J. Org. Chem. **28**, 1025 (1963).
[4] J. M. Theobald, M. W. Williams u. G. T. Young, Soc. **1963**, 1927.

Die organische Phase wird mit Wasser gewaschen, getrocknet und dann i. Vak. eingedampft. Der erhaltene kristalline Rückstand wird aus Chloroform/Petroläther (Kp: 60–80°) umkristallisiert; Rohausbeute: 79% d. Th.; F: 82,5–83° (schwach gelbe Prismen).

L-Leucin-4-nitro-benzylester-4-Toluolsulfonsäure-Salz [H-Leu-ONB · TOS-OH][1]: 0,66 g (0,005 Mol) Leucin, 1,03 g (0,006 Mol) wasserfreie 4-Toluolsulfonsäure und 7,0 g (0,02 Mol) Di-[4-nitro-benzyl]-sulfit werden zusammen 7 Stdn. auf 100° erhitzt. Beim Abkühlen wird die Masse fest; sie wird mit Diäthyläther verrieben und daraufhin abfiltriert. Das Produkt ist dünnschichtchromatographisch frei von unverestertem Leucin; Rohausbeute: 2,0 g (91% d. Th.). Umkristallisieren aus Methanol/Diäthyläther; F: 207–208°; $[\alpha]_D^{23} = -0{,}7°$ (c = 1,0; in Methanol)

Die Veresterung von N-geschützten Aminosäuren mit 4-Nitro-benzylhalogeniden gelingt glatt in Gegenwart von tert. Basen wie z. B. Triäthylamin in absol. Essigsäure-äthylester als Lösungsmittel[2,3]. In einigen Fällen (z. B. Synthese des *Z-Asn-ONB*) ist Dimethylformamid als Solvens günstiger[4–6]. Nachfolgende acidolytische Abspaltung der Amino-Schutzgruppe liefert ein Salz des optisch reinen Aminosäure-4-nitro-benzylesters. Histidin-Derivate können nach dieser Methode nicht verestert werden, da Quartärnierung des Imidazol-Stickstoffs eintritt[3].

N-Benzyloxycarbonyl-glycin-4-nitro-benzylester [Z-Gly-ONB][3]: 4,18 g Z-Gly-OH, 5,15 g 4-Nitro-benzylchlorid und 4,2 *ml* Triäthylamin in 35 *ml* Essigsäure-äthylester werden über Nacht unter Rückfluß zum Sieden erhitzt, wobei nach 30 Min. Triäthylamin-Hydrochlorid auszukristallisieren beginnt. Die Mischung wird heiß filtriert, das Filtrat mit 5 % Methanol versetzt, abgekühlt und wie üblich mit kaltem Wasser, 1 n Salzsäure, 1 m Kaliumhydrogencarbonat-Lösung und letztlich ges. Kochsalz-Lösung gewaschen, über Natriumsulfat getrocknet und i. Vak. eingedampft. Der Rückstand kristallisiert aus Essigsäure-äthylester/Ligroin. Ausbeute: 6,32 g (92 % d. Th.); F: 107–109,5°.

Zur Herstellung von Z-Asp-ONB s. S. 659.

Ein Verfahren, das sich besonders zur Herstellung von 4-Nitro-benzylestern N-geschützter Peptide eignet, ist in der Umsetzung dieser Peptid-Derivate mit 4-Toluolsulfonsäure-4-nitro-benzylester gegeben[7] (Die azeotrope Veresterung und die Alkylierung mit 4-Nitro-benzylhalogeniden kann vor allem bei Anwesenheit mehrfunktioneller Aminosäuren in der Peptidsequenz zu Nebenreaktionen Anlaß geben).

N_{im}-Benzyl-L-histidyl-L-prolyl-L-phenylalanin-4-nitro-benzylester-Di-4-toluolsulfonsäure-Salz [H-His(BZL)-Pro-Phe-ONB · 2 TOS-OH]:

4-Toluolsulfonsäure-4-nitro-benzylester [TOS-ONB][7]: 16,9 g (0,1 Mol) Silbernitrat in 20 *ml* dest. Wasser werden unter Rühren mit 23 g (0,1 Mol) Natrium-4-toluolsulfonat-Dihydrat in 20 *ml* dest. Wasser versetzt. Der gebildete Niederschlag wird abfiltriert, mit kaltem Wasser gewaschen und dann i. Vak. bei Dunkelheit getrocknet [Ausbeute: 21 g (75% d. Th.); F: 225° (Zers.)].

15,3 g dieses Silbersalzes werden in 100 *ml* Chloroform suspendiert, die 11 g 4-Nitro-benzylbromid enthalten. Die Mischung wird im Dunkeln 24 Stdn. unter Rückfluß zum Sieden erhitzt, daraufhin filtriert; das Filtrat wird i. Vak. eingedampft, der verbleibende Rückstand mit kaltem Petroläther (Kp: 50–70°) verrieben, abfiltriert und getrocknet; Ausbeute: 13,6 g (88% d. Th.); F: 86–88%; Umkristallisieren aus Isopropanol/Petroläther; Ausbeute: 12,1 g (80% d. Th.); F: 103°.

Das Rohprodukt (F: 86–88°) ist für weitere Umsetzungen von ausreichender Reinheit.

Der Versuch, nach dieser Vorschrift 4-Toluolsulfonsäure-benzylester herzustellen, lieferte ein pechschwarzes Produkt[7].

---

1 J. M. Theobald, M. W. Williams u. G. T. Young, Soc. **1963**, 1927.
2 R. Schwyzer, B. Iselin u. M. Feurer, Helv. **38**, 69 (1955).
R. Schwyzer u. P. Sieber, Helv. **42**, 972 (1959).
3 H. Schwarz u. K. Arakawa, Am. Soc. **81**, 5691 (1959).
4 E. Sondheimer u. R. J. Semeraro, J. Org. Chem. **26**, 1847 (1961).
5 G. H. L. Nefkens u. R. J. F. Nivard, R. **84**, 1351 (1965).
6 K.-H. Deimer, Diplomarbeit, Universität München 1968.
7 D. Theodoropoulos u. J. Tsangaris, J. Org. Chem. **29**, 2272 (1964).

N$_{im}$-Benzyl-L-histidyl-L-prolyl-L-phenylalanin-4-nitro-benzylester-Di-4-toluolsulfonsäure-Salz [H-His(BZL)-Pro-Phe-ONB · 2 TOS-OH][1]: Zu einer Lösung von 0,9 g TRT-His(BZL) Pro-Phe-OH[1] und 0,17 *ml* Triäthylamin in 5 *ml* absol. Aceton werden 0,38 g 4-Toluolsulfonsäure-4-nitro-benzylester gegeben. Die Mischung wird 1 Stde. unter Rückfluß zum Sieden erhitzt, das Lösungsmittel anschließend i. Vak. abgedampft. Der erhaltene Rückstand wird in Essigsäure-äthylester aufgenommen, die Lösung nacheinander mit 5%-iger wäßr. Diäthylamin-Lösung, Wasser gewaschen, getrocknet und i. Vak. eingedampft. Der Rückstand wird in 5 *ml* Äthanol gelöst und daraufhin durch Zugabe von 0,48 g 4-Toluolsulfonsäure-Monohydrat und 5 min. Erhitzen der Lösung zum Sieden unter Rückfluß detrityliert. Das Äthanol wird i. Vak. entfernt, der erhaltene Rückstand in einigen *ml* Isopropanol wieder in Lösung gebracht. Nach dem Anreiben tritt Kristallisation ein, die durch Zusatz von absol. Diäthyläther und Stehenlassen in der Kälte vervollständigt wird; Ausbeute 0,97 g (81% d. Th.); F: 170–171° (Erweichen bei 110°). Nach dem Umkristallisieren aus Isopropanol/Diäthyläther; Ausbeute: 0,87 g (72,5% d. Th.); F: 170–171°; $[\alpha]_D^{20} = -8{,}7 \pm 1°$ (c = 1,0; in Dimethylformamid) bzw. $-20{,}1 \pm 0{,}5°$ (c = 3,0; in 50%-iger Essigsäure).

Hingewiesen sei schließlich noch auf die Möglichkeiten zur Herstellung von 4-Nitro-benzylestern N-acylierter Aminosäuren mittels Benzolsulfochlorid und 4-Nitro-benzylalkohol[2] und inneren Anhydriden von Aminodicarbonsäuren[3,4].

Die freien 4-Nitro-benzylester von Aminosäuren lassen sich mit Basen wie z. B. wäßriger Kaliumhydrogencarbonat- oder Kaliumcarbonat-Lösung[5,6] oder Ammoniak[5] (s. das folgende Beispiel) aus ihren Salzen gewinnen. Es handelt sich meist um leicht kristallisierbare Verbindungen, die beim längeren Aufbewahren wie die entsprechenden Methylester, Äthylester oder Benzylester zur Cyclisierung, d. h. 2,5-Dioxo-piperazin-Bildung neigen[5].

Sie können ohne Schwierigkeiten mit Kopfkomponenten nach dem Carbodiimid-[5–7], dem Azid-[6,8], dem Mischanhydrid-[6,7] oder dem Aktivester-Verfahren[6] zu Peptid-Derivaten verknüpft werden (s. dazu auch S. II/1 ff.). Die erhaltenen Peptid-Derivate zeichnen sich durch eine gute Kristallisationsfähigkeit aus[5,7].

L-Seryl-glycin-4-nitro-benzylester [H-Ser-Gly-ONB]:

N-Benzyloxycarbonyl-L-seryl-glycin-4-nitro-benzylester[5] [Z-Ser-Gly-ONB]: 12 g (0,05 Mol) Z-Ser-OH und 10,5 g (0,05 Mol) frisch hergestellter H-Gly-ONB werden in 120 *ml* Dichlormethan gelöst und auf 0° abgekühlt, wobei sich rasch ein salzartiger Komplex der beiden Reaktionspartner ausscheidet (diese Reaktion tritt in verstärktem Maße bei Verwendung von Acetonitril als Lösungsmittel auf, etwas langsamer in Dimethylformamid). Das Gemisch wird unter Rühren mit einer Lösung von 11,3 g (0,055 Mol) N,N'-Dicyclohexyl-carbodiimid in 20 *ml* Dichlormethan versetzt und noch ~ 12 Stdn. bei 0° gerührt; dabei geht das Salz allmählich in Lösung und gleichzeitig scheidet sich ein Gemisch des Reaktionsproduktes und N,N'-Dicyclohexyl-harnstoff aus, das nach Zugabe von 0,5 *ml* Eisessig (zur Zerstörung von überschüssigem Carbodiimid) abfiltriert und mit Dichlormethan gewaschen wird. Zur Abtrennung von N,N'-Dicyclohexyl-harnstoff wird das Material mit 150 *ml* Tetrahydrofuran verrührt, vom Ungelösten abfiltriert, das Filtrat i. Vak. eingedampft. Beim Versetzen des Rückstandes mit Essigsäure-äthylester tritt Kristallisation ein. Nach ~ 12 Stdn. Stehen bei 0° wird das Produkt abfiltriert und dann aus Äthanol umkristallisiert; Ausbeute: 15 g (70% d. Th.); F: 121–123°; $[\alpha]_D^{30} = -8{,}5 \pm 0{,}5°$ (c = 2,0; in Eisessig), $+1{,}5° \pm 0{,}5°$ (c = 2,0; in Tetrahydrofuran).

L-Seryl-glycin-4-nitro-benzylester-Hydrobromid [H-Ser-Gly-ONB · HBr][5]: 43,1 g (0,1 Mol) Z-Ser-Gly-ONB werden in 100 *ml* absol. Essigsäure-äthylester suspendiert und mit 200 *ml* einer frisch bei 0° bereiteten 2n Lösung von Bromwasserstoff in Essigsäure-äthylester versetzt. Das Ausgangsmaterial geht beim Umschütteln rasch in Lösung und nach ~ 10 Min. beginnt die Abscheidung des kristallinen Reaktionsprodukts, nach 2 Stdn. wird das Lösungsmittel abdekantiert, das kristalline Material

---

1 D. Theodoropoulos u. J. Tsangaris, J. Org. Chem. **29**, 2272 (1964).
2 G. Blotny, J. F. Biernat u. E. Taschner, A. **663**, 194 (1962).
3 E. Schröder u. E. Klieger, A. **673**, 196 (1963).
4 J. Halstrøm, K. Brunfeldt et al., H. **351**, 1576 (1970).
5 B. Iselin u. R. Schwyzer, Helv. **45**, 1499 (1962).
6 S. Guttmann, Helv. **44**, 721 (1961).
7 R. Schwyzer u. P. Sieber, Helv. **42**, 972 (1959).
8 H. Schwarz u. K. Arakawa, Am. Soc. **81**, 5691 (1959).

mit Essigsäure-äthylester gewaschen, filtriert und i. Vak. getrocknet. Das rohe Ester-Hydrobromid [30,0 g (79% d.Th.); F: ~ 140–145°] ist für die nachfolgende Überführung in den freien Dipeptidester genügend rein. Nach Umkristallisieren aus Äthanol wird analysenreines Material erhalten; F: 157–159°; $[\alpha]_D^{27} = +12,0° \pm 0,5°$; (c = 2,0; in Wasser).

Die Reaktion läßt sich auch mit Bromwasserstoff in 1,4-Dioxan durchführen, doch kristallisiert dabei das Hydrobromid nicht aus der Reaktionslösung aus und ist dementsprechend schwieriger isolierbar; mit Bromwasserstoff in Eisessig oder Nitromethan entsteht nur öliges Material.

L-Seryl-glycin-4-nitro-benzylester [H-Ser-Gly-ONB]: Zur Überführung in den freien Ester werden 29,0 g (0,07 Mol) Hydrobromid in 450 *ml* trockenem Chloroform suspendiert und bei 0° mit 40 *ml* einer 2,5n Lösung von Ammoniak in Methanol (~ 1,3 Äquivalente) versetzt. Beim Rühren des Gemisches bei 0° geht das Hydrobromid rasch in Lösung unter gleichzeitiger Ausscheidung von Ammoniumbromid. Nach 15 Min. wird filtriert, das Lösungsmittel i. Vak. bei ~ 20° abdestilliert und der kristalline Rückstand mit kaltem Essigsäure-äthylester und Diäthyläther gewaschen. Der rohe Ester [16,9 g (74% d.Th.); F: ~ 85°] kann direkt für weitere Umsetzung verwendet werden. Zweimaliges vorsichtiges Umkristallisieren aus Acetonitril ergibt den analysenreinen Dipeptidester (F: 94–96°).

Bei längerem Stehen oder beim Erwärmen in Lösung geht der Ester in das cyclische L-Seryl-glycyl über (F: 213–215°). Der Umsatz des Esters mit überschüssigem Hydrazin in methanolischer Lösung (20 Stdn, bei 25°) liefert nach dem Eindampfen und Verrühren des Rückstandes mit Äthanol *H-Ser-Gly-NHNH*$_2$. Umkristallisieren aus Dimethylformamid; F: 140–141°; $[\alpha]_D^{24} = +8,8° \pm 0,5°$ (c = 2,6; in Wasser)

4-Nitro-benzylester sind gegenüber 2n Lösungen von Bromwasserstoff in Eisessig wesentlich stabiler als die Benzylester[1,2]. Sie eignen sich also besonders zu Synthesen, bei denen die N-Schutzgruppe mittels dieses Reagenzes (s. dazu auch die ausführliche Beschreibung S. 56) abgespalten werden soll. In einigen Fällen ist aber auch Acidolyse von Aminosäure-4-nitro-benzylestern bei Einwirkung von Bromwasserstoff in Eisessig beobachtet worden[3].

Die Abspaltung der 4-Nitro-benzyl-Gruppe kann naturgemäß durch übliche katalytische Hydrogenolyse (s. dazu die eingehende Erörterung S. 51) oder alkalische Hydrolyse erfolgen (s. S. 334)[4].

N-tert.-Butyloxycarbonyl-L-asparagyl(β-tert.-butylester)-L-seryl-glycin [BOC-Asp(OtBu)-Ser-Gly-OH][5]: 5,7 g (10 mMol) BOC-Asp(OtBu)-Ser-Gly-ONB werden in 100 *ml* Methanol mittels 1 g Palladiumkohle (10%-ig) bei ~ 20° und Atmosphärendruck hydriert. Wasserstoff-Aufnahme etwas mehr als vier Äquivalente. Die vom Katalysator abfiltrierte Lösung wird i. Vak. eingedampft, der Rückstand in Essigsäure-äthylester aufgenommen und das Peptid-Derivat mit 3mal 10 *ml* 1 n Kaliumhydrogencarbonat-Lösung aus der organischen Phase extrahiert (Das als Nebenprodukt bei der Hydrierung angefallene Tolidin bleibt in der Essigsäure-äthylester-Phase). Die vereinigten alkalischen Extrakte werden mit 150 *ml* Essigsäure-äthylester überschichtet und bei 0° mit 10 *ml* 5 n Salzsäure versetzt. Die Essigsäure-äthylester-Phase wird rasch abgetrennt, die wäßr. Phase wiederholt mit Essigsäure-äthylester gewaschen. Die Essigsäure-äthylester-Extrakte werden vereinigt, mit ges. Natriumchlorid-Lösung gewaschen, getrocknet und i. Vak. auf ~ 10 *ml* eingeengt. Nun wird bei 50° vorsichtig Petroläther zugegeben, worauf sich beim langsamen Abkühlen verfilzte Nadeln abscheiden; Ausbeute: 4,0 g (92% d.Th.); F: 132–34° (keine Veränderung beim Umkristallisieren aus Essigsäure-äthylester/Hexan); $[\alpha]_D^{25} = -16,9°$ (c = 1,9; in Methanol); $[\alpha]_D^{25} = -13,4° \pm 0,5°$ (c = 2,0; in Eisessig).

Zur Bedeutung dieser Schutzgruppe bei der Synthese von tert.-Butyl-äthern der Hydroxy-aminosäuren s. S. 582. Über ihre Verwendung bei der Peptidsynthese an Polymeren s. S. 375.

---

[1] R. SCHWYZER u. P. SIEBER, Helv. **42**, 972 (1959).
[2] H. SCHWARZ u. K. ARAKAWA, Am. Soc. **81**, 5691 (1959).
[3] S. GUTTMANN, Helv. **44**, 721 (1961).
[4] Enzymatisch können die Ester mittels Elastase gespalten werden (s. dazu auch S. 338); D. ATLAS u. A. BERGER, Biochemistry **11**, 4719 (1972).
[5] R. SCHWYZER et al., Helv. **46**, 1975 (1963).

Tab. 44. L-Aminosäure-α-4-nitro-benzylester und deren Salze

Aminosäure		F [°C]	$[\alpha]_D$	t	c	Lösungsmittel	Literatur	Literatur entsprechender D-Verbindung
Ala	b	177–178,5	— 3,0	25	5	Dimethylformamid	1,2	3
	c	158–160	+ 7,1	24	7,5	Pyridin	1,4	
	e	156–158	— 4,0	29	1	Methanol	5	
	h	196–198	— 2,45	20		Dimethylformamid	4	
Asn	b	175–178	— 3,0	17	2	Wasser	6,7,8	
	h	182,5–184	+ 1,8	21	1	Dimethylformamid	9	
Asp	a	172–173	— 15,1	25	1	n Salzsäure	10	
Gln	b	163–165	+ 5,6	30	2	Dimethylformamid	8,7	
Glu	b	152–153	+ 10,8	25	1,06	Methanol	11	
Gly	a	51–53					12	
	b	194,5–197					13,14	
	c	191–192					10	
	e	200–202					15	
	h	197–199					4,9	
His	d,g	92–95	— 4,95	29	3	Pyridin	1	
	f	217–219	+ 6,0	24	1	Methanol	5	
Leu	b	124–125 132,5–135	+ 2,6	22	4	Äthanol	14	
	c	213–215	+ 16,7	25	1	Pyridin	10,4	
	e	207–208	— 0,7	23	1	Methanol	16,17	
	h	148,5–150	+ 8,2	20	1	Dimethylformamid	9,4	

[a] freier Ester
[b] Hydrobromid
[c] Benzolsulfonsäure-Salz
[d] Di-benzolsulfonsäure-Salz
[e] 4-Toluolsulfonsäure-Salz
[f] Di-4-toluolsulfonsäure-Salz
[g] Monohydrat
[h] Hydrochlorid

[1] J. E. Shields, W. H. McGregor u. F. H. Carpenter, J. Org. Chem. **26**, 1491 (1961).
[2] I. Schechter u. A. Berger, Biochemistry **5**, 3362 (1966).
[3] H. G. Garg, M. C. Khosla u. N. Anand, J. sci. Ind. Research (India) **21 B**, 286 (1962).
[4] G. Losse u. H. Vietmeyer, J. pr. **32**, 204 (1966).
[5] R. H. Mazur u. J. M. Schlatter, J. Org. Chem. **28**, 1025 (1963).
[6] A. P. Fosker u. H. D. Law, Soc. **1965**, 4922.
[7] E. Sondheimer u. R. J. Semeraro, J. Org. Chem. **26**, 1847 (1961).
[8] D. Theodoropoulos u. I. Souchleris, J. Org. Chem. **31**, 4009 (1966).
[9] J. A. Maclaren, Austral. J. Chem. **25**, 1293 (1972).
[10] E. Schröder u. E. Klieger, A. **673**, 208 (1964).
[11] E. Klieger u. H. Gibian, A. **655**, 195 (1962).
[12] B. Iselin u. R. Schwyzer, Helv. **45**, 1499 (1962).
[13] E. Wünsch u. A. Zwick, B. **97**, 2497 (1964).
[14] H. Schwarz u. K. Arakawa, Am. Soc. **81**, 5691 (1959).
[15] D. Theodoropoulos u. T. Tsangaris, J. Org. Chem. **29**, 2272 (1964).
[16] J. M. Theobald, M. W. Williams u. G. T. Young, Soc. **1963**, 1927.
[17] H. Aoyagi, H. Arakawa u. N. Izumiya, Bl. chem. Soc. Japan **41**, 433 (1968).

Tab. 44. (Fortsetzung)

Aminosäure		F [°C]	$[\alpha]_D$	t	c	Lösungsmittel	Literatur	Literatur entsprechender D-Verbindung
Met	b	149–151	+ 4,1	27	2	Methanol	[1]	
Phe	b	213–216	— 1,1	22	4	Methanol	[2]	
	c	190–191	+ 11,0	24	4	Dimethylformamid	[3,4]	
	e	180–182	+ 0,5	27	1	Methanol	[5]	
	h	206–206,5	+ 18,3	20	1	Dimethylformamid	[6,4]	
Pro	b	176–178	— 32,1		0,22	Dimethylformamid	[7]	
Ser	c	157–158	— 14,4	25	1	Pyridin	[8]	
	e	158–163	— 18,0	26	1	Methanol	[5]	
	h	190,5–192,5	— 15,5	20	1	Dimethylformamid	[6]	
Trp	e	206–207	+ 12,8	25	2	Dimethylformamid	[9]	
Tyr	c	218–219	+ 15,2	25	1	Pyridin	[8]	
	h	209,5–210	+ 3,6	20	1	Dimethylformamid	[6]	
Val	b	149–150	+ 6,6	22	5	Dimethylformamid	[10]	
	c	155	+ 15,1	25	1	Pyridin	[8,4]	
	h	154–156	+ 7,2	20		Dimethylformamid	[4]	

[b] Hydrobromid
[c] Benzolsulfonsäure-Salz
[e] 4-Toluolsulfonsäure-Salz
[h] Hydrochlorid

[1] B. Iselin u. R. Schwyzer, Helv. **45**, 1499 (1962).
[2] H. Schwarz u. K. Arakawa, Am. Soc. **81**, 5691 (1959).
[3] J. E. Shields, W. H. McGregor u. F. H. Carpenter, J. Org. Chem. **26**, 1491 (1961).
[4] G. Losse u. H. Vietmeyer, J. pr. **32**, 204 (1966).
[5] R. H. Mazur u. J. M. Schlatter, J. Org. Chem. **28**, 1025 (1963).
[6] J. A. MacLaren, Austral. J. Chem. **25**, 1293 (1972).
[7] K. Poduška u. H. Maassen van den Brink-Zimmermannova, Collect. czech. chem. Commun. **33**, 3769 (1968).
[8] E. Schröder u. E. Klieger, A. **673**, 208 (1964).
[9] D. Theodoropoulos u. J. Tsangaris, J. Org. Chem. **29**, 2272 (1964).
[10] F. H. C. Stewart, Austral. J. Chem. **18**, 1095 (1965).

33.116.2. *Andere Benzylester mit elektronegativen Substituenten*

Aminosäure-4-chlor-benzylester[1,2] bzw. -2-cyan-benzylester[3] sind analog den 4-Nitro-benzylestern stabil gegenüber Bromwasserstoff-Lösungen in Eisessig. Peptidsynthetische Bedeutung haben sie bisher nicht erlangt.

4-(4-Dimethylamino-phenyl)-azo-benzylester von Aminosäuren sind zugänglich durch Umsetzung von N-geschützten Aminosäuren mit 4-(4-Dimethylamino-phenyl)-azo-benzylalkohol[4] in Pyridin unter der Einwirkung von N,N'-Dicyclohexyl-carbodiimid und anschließender Abspaltung der Amino-Schutzgruppe. Derivate dieser Ester können ähnlich den Pyridyl-(4)-methylestern von Peptiden (s. S. 328) salzartig an einen Kationenaustauscher, z.B. Sulfopropyl-Sephadex C-25 ($H^{\oplus}$-Form), gebunden und dann von nichtbasischen Verunreinigungen durch Auswaschen befreit werden. Die dunkelrote Farbe der am Austauscher fixierten Ester schlägt bei deren Elution mit 2%-iger methanolischer Triäthylamin-Lösung nach Orange um. Die Abspaltung des 4-(4-Dimethylamino-phenyl)-azo-benzyl-Restes kann durch katalytische Hydrogenolyse erfolgen[4].

33.116.3. *4-Methoxy-benzylester*

Aminosäure-4-methoxy-benzylester werden am besten durch Veresterung N-geschützter Aminosäuren hergestellt, gefolgt von der selektiven Abspaltung der Amino-Schutzgruppe[5,6]. Zur Blockierung der Amino-Gruppe sind hier vor allem der 2-Nitro-phenylsulfenyl-Rest und substituierte Vinyl-Reste brauchbar.

L-Valin-4-methoxy-benzylester-Hydrochlorid [H-Val-OMOB · HCl][5]: 4,51 g (0,01 Mol) NPS-Val-OH · DCHA werden in 25 *ml* Chloroform suspendiert und unter Rühren mit 2,01 g (0,01 Mol) 4-Methoxy-benzylbromid[7] versetzt. Die Mischung wird noch 24 Stdn. im Dunklen bei 20–25° gerührt, das gebildete Dicyclohexylammoniumbromid anschließend zusammen mit ungelöstem Ausgangsmaterial abfiltriert. Das Filtrat wird i. Vak. zur Trockne eingedampft, der Rückstand in Essigsäure-äthylester aufgenommen, die Lösung filtriert und dann mehrmals mit Wasser gewaschen, bis eine farblose wäßrige Phase erhalten wird, um gelöstes Ausgangsmaterial abzutrennen. Nach dem Trocknen über Natriumsulfat wird die Essigsäure-äthylester-Phase i. Vak. konzentriert, der ölige Rückstand in 30 *ml* absol. Diäthyläther gelöst, mit einer kleinen Menge ges. Chlorwasserstoff-Lösung in Diäthyläther versetzt, nahezu unmittelbar gefolgt von ~ 60 *ml* absol. Diäthyläther. Nach dem Anreiben in der Kälte tritt Kristallisation ein. Das Rohprodukt wird abfiltriert, in 20 *ml* Wasser suspendiert, die Mischung mit Essigsäure-äthylester überschichtet und letztlich wäßr. ges. Kaliumcarbonat-Lösung zugegeben. Die organische Phase wird abgetrennt und über Kaliumcarbonat getrocknet (Die Extraktion mit Essigsäure-äthylester wird wiederholt, wenn in der wäßr. alkalischen Phase noch Salz des gewünschten Esters suspendiert ist!).

Zu dieser Lösung gibt man eine kleine Menge Chlorwasserstoff-Lösung in Diäthyläther. Nach Zusatz von mehr Diäthyläther scheidet sich ein kristalliner Niederschlag ab, der aus Essigsäure-äthylester/Diäthyläther umkristallisiert wird; Ausbeute: 1,2 g (44% d.Th.); F: 114–114,5; $[\alpha]_D^{30} = -3{,}6°$ (c = 3,0; in Dimethylformamid); $[\alpha]_D^{30} = -10{,}0°$ (c = 3,0; in Tetrahydrofuran).

Etwas bessere Ausbeuten können bei Verwendung der N-(2-Nitro-phenylsulfenyl)-aminosäure-Silbersalze anstelle der Dicyclohexylamin-Salze erzielt werden[5].

Aminosäure-4-methoxy-benzylester-Hydrochloride; allgemeine Herstellungsvorschrift[6]: 0,01 Mol der Aminosäure werden in 20 *ml* 0,5 n methanol. Kaliumhydroxid-Lösung (Natriumhydroxid kann ebenfalls verwendet werden) gelöst (gut kristallisierte Aminosäuren müssen fein pulverisiert werden). Dazu wer-

---

1 L. Kisfaludy u. M. Löw, Acta chim. Acad. Sci. hung. **44**, 33 (1965); C. A. **63**, 13404a (1965).
2 S. Guttmann u. J. Pless, Ang. Ch. **77**, 53 (1965).
3 F. H. C. Stewart, Austral. J. Chem. **18**, 1877 (1965).
4 T. Wieland u. W. Racky, Chimia **22**, 375 (1968).
5 G. C. Stelakatos u. N. Argyropoulos, Soc. [C] **1970**, 964.
6 J. A. Maclaren, Austral. J. Chem. **25**, 1293 (1972).
7 E. Späth, M. **34**, 2001 (1913).
J. W. Baker, Soc. **1932**, 2631.

den 1,39 *ml* (0,011 Mol) frisch destillierter Acetessigsäure-äthylester gegeben. Die Mischung wird daraufhin 10 Min. unter Rückfluß zum Sieden erhitzt, das Lösungsmittel i. Vak. abgedampft. Es verbleibt eine feste farblose Masse. Da Lösungsmittelspuren die Ausbeuten nach der folgenden Stufe merklich verringern, ist es zweckmäßig, das Produkt 12 Stdn. i. Vak. über Phosphor(V)-oxid zu trocknen. Zur getrockneten Substanz werden 10 *ml* absol. Dimethylformamid und 0,01 Mol frisch bereitetes 4-Methoxy-benzylchlorid[1] gegeben (Unreines 4-Methoxy-benzylchlorid polykondensiert beim Lagern[2]; die reine Substanz ist jedoch tiefgekühlt ~ 4 Wochen haltbar[3]). Die Mischung wird bei 20° 16–24 Stdn. magnetisch gerührt.

Die erhaltene feine Suspension wird mit 50 *ml* 1 n Natriumhydrogencarbonat-Lösung und 70 *ml* Essigsäure-äthylester versetzt. Die organische Phase wird mit 50 *ml* 1 m Natriumhydrogencarbonat-Lösung, 2mal mit je 50 *ml* Wasser gewaschen und dann über Natriumsulfat getrocknet. Nach dem Eindampfen hinterbleibt meist eine kristalline Substanz, gelegentlich ein Öl. Dazu werden 20 *ml* 1 n methanol. Chlorwasserstoff-Lösung gegeben und die Substanz durch leichtes Schütteln bei ~ 20° in Lösung gebracht. Nach 10 Min. bei 20° wird die Mischung i. Vak. eingedampft (Badtemp.: 20°!). Das erhaltene Öl wird durch Verreiben mit absol. Diäthyläther zur Kristallisation gebracht (Umkristallisieren aus Methanol/Diäthyläther). Die so erhaltenen Substanzen sind meist farblose Pulver; Ausbeuten: zwischen 59 und 98% d. Th. Die Ester sind optisch rein.

Im Falle des *H-Gly-OMOB · HCl* könnte die Ausbeute von 37 auf 76% d. Th. durch Erhöhung der Temp. von 20° auf 40° bei der Alkylierung gesteigert werden. Die Vorschrift kann auch bei der Veresterung von Hydroxy-aminosäuren (Serin,Threonin), Asparagin, S-Benzyl-cystein und S-Äthylthio-cystein angewendet werden. Im Falle des Tryptophans ergeben sich Schwierigkeiten[4].

Die Diester der Aminodicarbonsäuren können auf diese Weise nicht hergestellt werden. Versuche, tert.-Butylester mit tert.-Butyljodid als Alkylierungsmittel zu synthetisieren, sind ebenso gescheitert[4].

Zur Herstellung der hier als Zwischenprodukte gewonnenen, mit subst. Vinyl-Resten geschützten, Alkalimetallsalze der Aminosäuren s. auch die ausführliche Beschreibung S. 277.

Über die Synthese von N-Benzyloxycarbonyl-aminosäure-4-methoxy-benzylestern mit Hilfe von N,N'-Dicyclohexyl-carbodiimid und Anisol[5], Acetalen des Dimethylformamids[6] (s. dazu auch S. 350), sowie die Umesterung von 4-Nitro-phenylestern mit Anisol unter dem Einfluß von mehreren Äquivalenten Imidazol, wurde berichtet[7]. Eine selektive Abspaltungsmethode für den Benzyloxycarbonyl-Rest ist hingegen nicht bekannt.

Peptidsynthesen nach dem Carbodiimid - und dem Aktivester-Verfahren unter Verwendung von 4-Methoxy-benzylestern wurden durchgeführt[3,7,8].

N-Benzyloxycarbonyl-L-valyl-L-valin-4-methoxy-benzylester [Z-Val-Val-OMOB][3]: Zu einer kalten Lösung von 2,74 g (0,01 Mol) H-Val-OMOB · HCl in 25 *ml* Chloroform werden unter Rühren 1,4 *ml* (0,01 Mol) Triäthylamin, 2,51 g (0,01 Mol) Z-Val-OH und schließlich 2,06 g (0,01 Mol) N,N'-Dicyclohexyl-carbodiimid gegeben. Nach 6 Stdn. bei 25–30° wird die Mischung mit einigen Tropfen 50%-iger Essigsäure versetzt und dann von ausgefallenem N,N'-Dicyclohexyl-harnstoff (2,1 g; 91% d. Th.) abfiltriert. Das Filtrat wird nacheinander mit Wasser, verd. Schwefelsäure, Wasser, verd. Kaliumhydrogencarbonat-Lösung und Wasser gewaschen, getrocknet und letztlich i. Vak. eingedampft. Der kristalline Rückstand wird in warmem Essigsäure-äthylester gelöst. Die Lösung wird filtriert und dann bis zur Trübung mit Diäthyläther versetzt. Umkristallisieren aus Chloroform/Petroläther (Kp: 40–60°); Ausbeute 3,3 g (70% d. Th.); F: 128,5–129,5°; $[\alpha]_D^{22} = -34{,}5°$ (c = 1,0; in Tetrahydrofuran).

Die Schmelzpunkte der so synthetisierten Peptid-Derivate liegen beträchtlich unter denen der entsprechenden 2,4,6-Trimethyl-benzylester (s. S. 367), was unter Umständen von Nachteil sein kann[7].

---

1 A. Sakakibara, Bl. chem. Soc. Japan **37**, 433 (1964).
R. Quelet u. J. Allard, Bl. **4**, 1470 (1937).

2 K. Rorig, T. J. Telinski et al., Org. Synth. Coll. Vol. **IV**, 576 (1963).

3 G. C. Stelakatos u. N. Argyropoulos, Soc. [C] **1970**, 964.

4 J. A. MacLaren, Austral. J. Chem. **25**, 1293 (1972).

5 F. Weygand u. K. Hunger, B. **95**, 1 (1962).

6 H. Brechbühler, A. Eschenmoser et al., Helv. **48**, 1746 (1965).

7 F. H. C. Stewart, Austral. J. Chem. **21**, 2543 (1968).

8 F. H. C. Stewart, Austral. J. Chem. **20**, 1991 (1967).

Die Säurelabilität der 4-Methoxy-benzylester ist der der 2,4,6-Trimethyl-benzylester oder tert.-Butylester (s. S. 369, 395) vergleichbar. Die direkte Veresterung der 4-Toluolsulfonsäure-Salze von Aminosäuren durch die Standardmethode der azeotropen Veresterung (s. S. 348) liefert aus diesem Grunde nur geringe Ausbeuten[1].

Die Spaltung der 4-Methoxy-benzylester erfolgt durch Trifluoressigsäure schon bei 0° [1,2]. Zur Vermeidung unerwünschter Polymerisationen oder Substitutionen durch die dabei primär entstehenden 4-Methoxy-benzyl-Kationen empfiehlt sich der Zusatz einer elektrophil leicht substitierbaren Substanz wie Anisol[3].

Gegen Halogenwasserstoffe sind die Ester unterschiedlich beständig. Die Acidolyse geht langsam vor sich mit Chlorwasserstoff-Lösungen in Essigsäure-äthylester; sie verläuft hingegen rasch in Nitromethan.

Eine selektive Entfernung dieser Schutzgruppe neben tert.-Butylestern oder Diphenylmethylestern scheint demnach durch Acidolyse nicht möglich zu sein[1].

Als modifizierte Benzylester sind die 4-Methoxy-benzylester auch durch katalytische Hydrogenolyse und alkalische Verseifung spaltbar[1].

Tab. 45. L-Aminosäure-α-4-methoxy-benzylester-Hydrochloride

Aminosäure	F [°C]	$[\alpha]_D$	t	c	Lösungsmittel	Literatur
Ala	139–140	— 7,8	20	3,0	Dimethylformamid	1
Asn	159	+ 6,6	21	4,0	Dimethylformamid	4
Gln	144	+ 6,9	21	1,0	Dimethylformamid	4
Gly	156					4,5
Hyp	141,5–142,5	— 33,0	23	1,0	Dimethylformamid	6
Phe	170–172	+ 8,9	23	2,9	Dimethylformamid	1
Pro	124,5–125	— 34,9	22,5	1,0	Dimethylformamid	6
Sar	135–135,5					6
Val	114–114,5	— 10,0	30	3,0	Tetrahydrofuran	1

33.116.4. *3,4-Methylendioxy-benzylester* (*Piperonylester*)

Die Herstellung der Aminosäure-3,4-methylendioxy-benzylester-Derivate gelingt durch Alkylierung der Triäthylamin-Salze von N-(2-Nitro-phenylsulfenyl)-aminosäuren mit 3,4-Methylendioxy-benzylchlorid[7,8] in Dimethylformamid als Lösungsmittel, gefolgt von der Abspaltung des 2-Nitro-phenylsulfenyl-Restes mittels 1n methanol. Salzsäure[8].

Umesterung von N-geschützten Aminosäure-4-nitro-phenylestern mit 3,4-Methylendioxy-benzylalkohol in Gegenwart von Imidazol als Katalysator führt ebenfalls zum Ziel[8]; z.B.:

---

[1] G. C. Stelakatos u. N. Argyropoulos, Soc. [C] **1970**, 964.
[2] F. Weygand u. K. Hunger, B. **95**, 1 (1962).
[3] F. Weygand u. E. Nintz, Z. Naturf. **20b**, 429 (1965).
[4] J. A. MacLaren, Austral. J. Chem. **24**, 1695 (1971).
[5] J. A. MacLaren, Austral. J. Chem. **25**, 1293 (1972).
[6] F. H. C. Stewart, Austral. J. Chem. **24**, 1749 (1971).
[7] H. Decker u. O. Koch, B. **38**, 1739 (1905).
[8] F. H. C. Stewart, Austral. J. Chem. **24**, 2193 (1971).

$$\text{Z-Gly-ONP} + \text{HO-CH}_2\text{-C}_6\text{H}_3(\text{O-CH}_2\text{-O}) \xrightarrow{\text{Imidazol}} \text{Z-Gly-OMDB} + \text{HO-C}_6\text{H}_4\text{-NO}_2$$

N-Benzyloxycarbonyl-glycin-3,4-methylendioxy-benzylester [Z-Gly-OMDB][1]: 330 mg Z-Gly-ONP und 152 mg 3,4-Methylendioxy-benzylalkohol in 4 *ml* 1,4-Dioxan werden bei 20° unter Rühren mit 680 mg (10 Äquiv.) Imidazol versetzt. Nach ~ 12 Stdn. scheidet sich auf Zugabe von Wasser ein Öl ab, das bald erstarrt. Das so erhaltene Produkt wird sorgfältig mit 1 n Ammoniak-Lösung, Wasser gewaschen und nach dem Trocknen i.Vak. (585 mg; 85% d.Th.) aus Essigsäure-äthylester/Cyclohexan umkristallisiert; F: 101–101,5°.

Die peptidsynthetische Umsetzung dieser Aminosäure-3,4-methylendioxy-benzylester mit Kopfkomponenten wurde mit Hilfe des Aktivester-Verfahrens ausgeführt[1]. Die Abspaltung der Carboxy-Schutzgruppe wird durch Einwirkung von Bromwasserstoff/Essigsäure (2 n Lösung) oder Trifluoressigsäure (bei Raumtemp. innerhalb weniger Minuten) vorgenommen. Die als Nebenprodukt auftretende schwerlösliche kristalline Substanz ist das Polymerisationsprodukt der intermediär auftretenden subst. Benzyl-Kationen[2].

33.116.5. *2,4,6-Trimethyl-benzylester*

Die Aminosäure-2,4,6-trimethyl-benzylester können racemisierungsfrei in einem Mehrstufenprozeß durch Veresterung von N-geschützten Aminosäuren und anschließender Deblockierung der Amino-Funktion hergestellt werden. Als Amino-Schutzgruppen bieten sich der 2-Nitro-phenylsulfenyl-[3] oder der Trityl-Rest[4] und vor allen Dingen substituierte Vinyl-Reste[5] an. Die dabei erhaltenen Ausbeuten sprechen gegen eine sterische Hinderung durch die 2,4,6-Trimethyl-benzyl-Gruppe.

Aminosäure-2,4,6-trimethyl-benzylester-Hydrochloride; allgemeine Herstellungsvorschrift[5]: Setzt man bei der auf S. 364 gegebenen Vorschrift zur Herstellung von 4-Methoxy-benzylester-Hydrochloriden von Aminosäuren als Alkylierungsmittel anstelle von 4-Methoxy-benzylchlorid lediglich die entsprechende Menge 2,4,6-Trimethyl-benzylchlorid[6,7] ein, so ist die Prozedur vollständig auf die Herstellung von 2,4,6-Trimethyl-benzylester-Hydrochloriden übertragbar.

L-Alanin-2,4,6-trimethyl-benzylester-Hydrochlorid [H-Ala-OTMB · HCl][4]:

N-Trityl-L-alanin-2,4,6-trimethyl-benzylester [TRT-Ala-OTMB]: 2 mMol N-Trityl-alanin in 1,5 *ml* Dimethylformamid werden unter Rühren mit 0,28 *ml* Triäthylamin und 338 mg 2,4,6-Trimethyl-benzylchlorid[6,7] versetzt. Nach 12 Stdn. Rühren bei 20° wird die Mischung mit wäßr. Natriumhydrogencarbonat-Lösung verdünnt. Nach einigen Stdn. Stehenlassen bei 0° wird das abgeschiedene Produkt abfiltriert, i. Vak. getrocknet und aus Äthanol umkristallisiert; Ausbeute: 70% d.Th.; F: 143,5–144,5; $[\alpha]_D^{24} = +19,1°$ (c = 2,0; in Dimethylformamid).

L-Alanin-2,4,6-trimethyl-benzylester-Hydrochlorid [H-Ala-OTMB·HCl]: 1,5 g des so erhaltenen TRT-Ala OTMB werden in 9,5 *ml* Methanol suspendiert und dann mit 2,5 *ml* 2 n methanol. Salzsäure 1 Min. zum Sieden erhitzt. Aus der gekühlten Lösung scheidet sich nach Zugabe von Diäthyläther H-Ala-OTMB · HCl aus, das aus Chloroform/Diäthyläther umkristallisiert wird; Ausbeute: 75% d.Th.; F: 151,5–152,5°; $[\alpha]_D^{24} = -9,5°$ (c = 2,0; in Wasser).

---

1 F. H. C. Stewart, Austral. J. Chem. **24**, 2193 (1971).
2 A. S. Lindsey, Soc. **1965**, 1685.
A. Goldup, A. B. Morrison u. G. W. Smith, Soc. **1965**, 3865.
3 F. H. C. Stewart, Austral. J. Chem. **20**, 365 (1967).
4 F. H. C. Stewart, Austral. J. Chem. **19**, 1067 (1966).
5 J. A. Maclaren, Austral. J. Chem. **25**, 1293 (1972).
6 O. Grummitt u. A. Buck, Org. Synth., Coll. Vol. **III**, 195 (1955).
7 R. Ledger u. F. H. C. Stewart, Austral. J. Chem. **18**, 1477 (1965).

L-Asparagin-2,4,6-trimethyl-benzylester-Hydrochlorid [H-Asn-OTMB · HCl]:

N-(2-Nitro-phenylsulfenyl)-L-asparagin-2,4,6-trimethyl-benzylester[NPS-Asn-OTMB][1]: 4,0 g NPS-Asn-OH und 1,96 *ml* Triäthylamin werden in 7,0 *ml* Dimethylformamid gelöst und mit 2,4 g geschmolzenem 2,4,6-Trimethyl-benzylchlorid versetzt. Die Mischung wird 1–2 Tage bei 20° gerührt und anschließend mit 1 n Natriumhydrogencarbonat-Lösung verdünnt. Das abgeschiedene dunkle Öl wird beim Kühlen fest. Das Produkt wird mit Wasser gewaschen, i. Vak. getrocknet und dann aus Chloroform/Cyclohexan umkristallisiert; Ausbeute: 4,0 g (70% d.Th.); F: 173–174°; $[\alpha]_D^{20,5}$ = −31,7° (c = 1,0; in Dimethylformamid).

L-Asparagin-2,4,6-trimethyl-benzylester-Hydrochlorid [H-Asn-OTMB · HCl][1]: 2,3 g NPS-Asn-OTMB werden in 6,9 *ml* Methanol suspendiert und mit 6,9 *ml* 2 n methanol. Salzsäure versetzt. Nach einigen Min. Stehenlassen bei 20° erhält man eine klare Lösung, aus der sich ein kristallines Produkt abscheidet. Die Kristallisation wird durch Zugabe von Diäthyläther vervollständigt, die so erhaltene Substanz abfiltriert, mit Diäthyläther gewaschen und letztlich aus Methanol/Essigsäure-äthylester umkristallisiert; Ausbeute: 1,22 g (80% d.Th.); F: 194,5–195,5°; $[\alpha]_D^{21,5}$ = −3,6° (c = 5,0; in Wasser).

Unbefriedigende Ergebnisse werden erzielt, wenn Acyliden-Reste wie die 5-Chlor-salicyliden-Gruppe[2] zum Schutz der Amino-Funktion eingesetzt werden[3]. Die selektive Abspaltung der tert.-Butyloxycarbonyl-Schutzgruppe von N-tert.-Butyloxycarbonyl-aminosäure-2,4,6-trimethyl-benzylestern gelingt mit Bortrifluorid-Diäthylätherat[4]. Findet hingegen 4n Chlorwasserstoff-Lösung in 1,4-Dioxan als Spaltungsreagenz Verwendung, so sind die erhaltenen Produkte mit freien Aminosäuren verunreinigt, da auch die Ester-Bindung acidolytisch geöffnet wird. Eine Reinigung durch Umkristallisieren ist jedoch möglich[3].

Die Herstellung von Aminosäure-2,4,6-trimethyl-benzylestern durch azeotrope Veresterung (s. S. 348) der freien Aminosäuren mit 2,4,6-Trimethyl-benzylalkohol unter der Einwirkung von 4-Toluolsulfonsäure gelingt nicht, da im Zuge der Reaktion Zersetzung des Alkohols in nicht näher charakterisierte Produkte eintritt[3].

Versuche, diese Ester analog den tert.-Butylestern von Aminosäuren nach Roeske[5] (s. S. 390) aus Aminosäuren und 2,4,6-Trimethyl-benzylalkohol in einem Gemisch aus konz. Schwefelsäure und 1,4-Dioxan in guten Ausbeuten herzustellen, waren ebenso erfolglos wie die Umsetzung von Aminosäure-N-Carbonsäure-Anhydriden mit 2,4,6-Trimethyl-benzylalkohol in Gegenwart von Chlorwasserstoff[3].

Der 2,4,6-Trimethyl-benzyl-Rest ist vor allen Dingen für jene Aminosäuren als Carboxy-Schutzgruppe von Bedeutung, deren tert.-Butylester nicht auf direktem Wege zugänglich sind, wie z.B. die des Glycins, Asparagins oder Glutamins.

Die peptid-synthetische Umsetzung dieser Ester gelingt glatt nach dem Aktivester-[1,6], dem Carbodiimid-[6,7] und dem Mischanhydrid-Verfahren[8].

S-Trityl-L-cysteinyl-L-asparagin-2,4,6-trimethyl-benzylester [H-Cys(TRT)-Asn-OTMB]:

N-tert.-Butyloxycarbonyl-S-trityl-L-cysteinyl-L-asparagin-2,4,6-trimethyl-benzylester [BOC-Cys(TRT)-Asn-OTMB][4]: Eine Suspension von 12,86 g (0,02 Mol) BOC-Cys(TRT)-OH · DCHA und 6,02 g (0,02 Mol) H-Asn-OTMB · HCl in 140 *ml* N,N-Dimethyl-acetamid wird auf 10° abgekühlt und mit 2,3 g (0,02 Mol) N-Hydroxy-succinimid versetzt, gefolgt von 4,2 g (0,02 Mol) N,N'-Dicyclohexyl-carbodiimid. Man läßt die Reaktionsmischung rühren, bis sie ~ 20° erreicht hat und setzt das Rühren dann noch 10 Stdn. fort. Das Ganze wird durch ein Filter in eine kalte Natriumchlorid-Lösung gegossen, das Filtrat mit Essigsäure-äthylester extrahiert. Die organische Phase wird nach-

---

[1] F. H. C. Stewart, Austral. J. Chem. **20**, 365 (1967).
[2] J. C. Sheehan u. V. J. Grenda, Am. Soc. **84**, 2417 (1962).
[3] F. H. C. Stewart, Austral. J. Chem. **21**, 1101 (1968).
[4] R. Hiskey et al., J. Org. Chem. **37**, 2478 (1972).
[5] R. W. Roeske, J. Org. Chem. **28**, 1251 (1963).
[6] F. H. C. Stewart, Austral. J. Chem. **21**, 2831 (1968).
[7] F. H. C. Stewart, Austral. J. Chem. **19**, 1067 (1966).
[8] F. H. C. Stewart, Austral. J. Chem. **19**, 1511 (1966).

einander mit kalter Natriumchlorid-Lösung, kalter 10%-iger Citronensäure-Lösung, kalter 1 n Natriumhydrogencarbonat-Lösung und kalter Natriumchlorid-Lösung gewaschen. Nach dem Eindampfen verbleibt ein fester Rückstand (13,6 g), der nach dem Trocknen aus Diäthyläther/Petroläther umkristallisiert wird; Ausbeute: 12,0 g (84% d.Th.); F: 179–180°; $[\alpha]_D^{15} = +20,6°$ (c = 1,4; in Methanol).

S-Trityl-L-cysteinyl-L-asparagin-2,4,6-trimethyl-benzylester [H-Cys(TRT)-Asn-OTMB][1]: BOC-Cys(TRT)-Asn-OTMB (wie oben erhalten) wird in 100 *ml* Eisessig gelöst und bei ~ 20° unter Rühren tropfenweise mit 13 *ml* (0,1 Mol) Bortrifluorid-Diäthylätherat versetzt. Nach 2 Stdn. wird zur Mischung kaltes Wasser gegeben, das 34 g (0,3 Mol) Natriumacetat enthält. Durch Sättigen mit Natriumchlorid wird dann ein Produkt gefällt, das abfiltriert, mit Natriumchlorid-Lösung gewaschen und zwischen Essigsäure-äthylester und einer 10%-igen Natriumhydrogencarbonat-Lösung verteilt wird. Die Essigsäure-äthylester-Phase wird mit Wasser, dann mit Natriumchlorid-Lösung gewaschen und i. Vak. eingedampft. Es verbleibt eine farblose Substanz, die direkt weiterverarbeitet werden kann. Ausbeute: 85,2% d. Th.

Zur Charakterisierung kann wie folgt ein Oxalsäure-Salz hergestellt werden: 10,79 g (0,0179 Mol) H-Cys (TRT)-Asn-OTMB werden in 10 *ml* Methanol gelöst und mit 1,6 g (0,0177 Mol) einer ätherischen Lösung von wasserfreier Oxalsäure versetzt. Auf Zugabe von Diäthyläther fällt daraus ein farbloses Salz, das aus Methanol/Diäthyläther umkristallisiert wird; Ausbeute: 7,8 g (56% d. Th.); F: 119–121°; $[\alpha]_D^{27} = +48,9°$ (c = 1,65; in Methanol).

Die Abspaltung des 2,4,6-Trimethyl-benzyl-Restes erfolgt im Gegensatz zum Benzyl-Rest durch Einwirkung von 2n Bromwasserstoff-Lösung in Eisessig oder 100%-iger Trifluoressigsäure bei 20°. Diese erhöhte Säurelabilität kann auf die größere Stabilität der intermediär auftretenden 2,4,6-Trimethyl-benzyl-Kationen zurückgeführt werden[2].

Die Ester sind bei 20° ~ 20 Stdn. stabil gegen 1n methanol. Lösungen von Chlorwasserstoff, bei 65° jedoch nur wenige Minuten. Eine selektive Acidolyse in Gegenwart von Benzyloxycarbonyl-Gruppen mittels Trifluoressigsäure kann somit durchgeführt werden. 2,4,6-Trimethyl-benzylester gleichen in ihrer Stabilität gegenüber Säuren demnach den tert.-Butylestern.

Der Zusatz von Anisol als nucleophiler „Scavenger" zu den Spaltungsansätzen, wie er bei den etwas säurelabileren 4-Methoxy-benzylestern (s. S. 366) erforderlich ist, erübrigt sich im Falle der 2,4,6-Trimethyl-benzylester.

L-Glutaminyl-L-asparagin [H-Gln-Asn-OH]:

N-Benzyloxycarbonyl-L-glutaminyl-L-asparagin-2,4,6-trimethyl-benzylester [Z-Gln-Asn-OTMB][3]: 301 mg H-Asn-OTMB · HCl werden in 4 *ml* Dimethylformamid suspendiert, unter Rühren mit 0,14 *ml* Triäthylamin und anschließend mit 401 mg Z-Gln-ONP versetzt. Die Mischung wird noch 1–2 Tage bei 20° gerührt und dann mit Äthanol verdünnt. Nach einigen Stdn. Stehenlassen bei 0° wird das abgeschiedene Produkt abfiltriert, mit Äthanol, Diäthyläther gewaschen, getrocknet und letztlich aus Essigsäure/Äthanol umkristallisiert; F: 225–227°; $[\alpha]_D^{18,5} = -1,3°$ (c = 1,0; in Dimethylformamid); $[\alpha]_D^{20} = +6,2°$ (c = 1,0; in Eisessig); Ausbeute vor dem Umkristallisieren: 481 mg (91% d. Th.).

L-Glutaminyl-L-asparagin [H-Gln-Asn-OH][3]: 460 mg Z-Gln-Asn-OTMB werden bei 20° 1 Stde. mit 3 *ml* 2 n Bromwasserstoff-Lösung in Eisessig behandelt. Die Lösung wird daraufhin mit Diäthyläther versetzt. Dabei scheidet sich ein kristallines Produkt ab. Es wird in Wasser gelöst, die Lösung mit 1 n Ammoniak auf $p_H = 7$ gestellt und dann bis zur Trübung mit Äthanol versetzt. Das gewünschte Dipeptid kristallisiert bei 0° aus dieser Mischung aus. Es wird aus wäßrigem Äthanol umkristallisiert; F: 203–204° (Zers.); $[\alpha]_D^{21,5} = +19,5°$ (c = 1,0; in Wasser) bzw. $[\alpha]_D^{23} = +20,2°$ (c = 1,0; in 0,5 n Salzsäure); Ausbeute vor dem Umkristallisieren: 174 mg (77% d. Th.).

N-Benzyloxycarbonyl-L-glutamyl(γ-äthylester)-glycin [Z-Glu(OEt)-Gly-OH]:

N-Benzyloxycarbonyl-L-glutamyl(γ-äthylester)-glycin-2,4,6-trimethyl-benzylester [Z-Glu(OEt)-Gly-OTMB][4]: 488 mg H-Gly-OTMB · HCl werden in Chloroform unter Rühren nacheinander mit 0,28 *ml* Triäthylamin und Diäthyläther versetzt. Dabei scheidet sich der freie Aminosäureester ab. Er wird abfiltriert, i. Vak. getrocknet und anschließend in 8 *ml* Dimethylformamid

---

[1] R. G. Hiskey et al., J. Org. Chem. **37**, 2478 (1972).
[2] C. A. Cupas, M. B. Comisarow u. G. A. Olah, Am. Soc. **88**, 361 (1966).
[3] F. H. C. Stewart, Austral. J. Chem. **20**, 365 (1967).
[4] F. H. C. Stewart, Austral. J. Chem. **19**, 1511 (1966).

gelöst. Dazu werden 860 mg Z-Glu(OEt)-ONP gegeben und die Mischung 2–3 Tage bei 20° stehengelassen. Nach dem Abdampfen des Lösungsmittels i.Vak. wird der erhaltene Rückstand in Essigsäure-äthylester aufgenommen, die Lösung sorgfältig mit Wasser, 1 n Ammoniak (zur Entfernung des 4-Nitro-phenols) gewaschen, getrocknet und anschließend i.Vak. eingedampft. Aus heißem Äthanol erhält man eine amorphe Substanz; F: 148,5–150°; $[\alpha]_D^{22} = -3{,}5°$ (c = 2,0; in Dimethylformamid); Ausbeute vor dem Umfällen: 755 mg (76% d.Th.).

N-Benzyloxycarbonyl-L-glutamyl(γ-äthylester)-glycin [Z-Glu(OEt)-Gly-OH][1]: 400 mg Z-Glu(OEt)-Gly-OTMB werden bei 20° 1 Stde. mit 3 *ml* Trifluoressigsäure behandelt. Die Trifluoressigsäure wird dann i.Vak. entfernt (Badtemp. nicht über 30°!), der Rückstand mit einem Überschuß an 1n Natriumhydrogencarbonat-Lösung versetzt. Die wäßr. Lösung wird 2mal mit Essigsäure-äthylester gewaschen, mit 6n Salzsäure angesäuert und letztlich mit Essigsäure-äthylester extrahiert. Die vereinigten Extrakte werden i.Vak. eingedampft. Das verbleibende Öl kristallisiert beim Verreiben mit Wasser; F: 55,5–56,5°; $[\alpha]_D^{21,5} = -4{,}2°$ (c = 2,0; in Dimethylformamid); Ausbeute vor dem Umkristallisieren: 287 mg (97 % d.Th.).

Über eine alkalische Hydrolyse oder eine katalytische Hydrogenolyse der 2,4,6-Trimethyl-benzylester wurde bisher nicht berichtet. Beide Spaltungsmethoden sollten jedoch in Analogie zu den entsprechenden Benzylestern keine Schwierigkeiten bereiten.

Tab. 46. L-Aminosäure-α-2,4,6-trimethyl-benzylester-Hydrochloride

Aminosäure	F [°C]	$[\alpha]_D$	t	c	Lösungsmittel	Literatur
Ala	151,5–152,5	— 9,5	24	2,0	Wasser	2
Asn	194,5–195,5	— 3,6	21,5	5,0	Wasser	3,4
Gln	172,5–174	— 2,8	21	2,0	Wasser	3
Gly	176–177					2,5
Ile	150–150,5	+ 20,0	20,5	1,0	Dimethylformamid	6
Leu	177–179	+ 20,7	17,5	1,0	Dimethylformamid	6
Phe	160–161,5	— 45,8	20	1,0	Wasser	6
Pro	156,5–157	— 20,3	20	2,0	Dimethylformamid	6,7
Sar	158,5–159					7
Thr	153,5–154,5	— 6,1	19	1,0	Dimethylformamid	6
Tyr	191,5–193	— 16,0	20	1,0	Dimethylformamid	6
Val	173–174	+ 14,0	22,5	1,0	Dimethylformamid	6

33.116.6. *Pentamethyl-benzylester*

Pentamethyl-benzylester von Aminosäuren können analog den 2,4,6-Trimethyl-benzylestern durch Alkylierung der Triäthylamin-Salze von N-(2-Nitro-phenylsulfenyl)- oder N-Trityl-aminosäuren mit Pentamethyl-benzylchlorid[8,9] und anschließende Abspal-

[1] F. H. C. Stewart, Austral. J. Chem. **19**, 1511 (1966).
[2] F. H. C. Stewart, Austral. J. Chem. **19**, 1067 (1966).
[3] F. H. C. Stewart, Austral. J. Chem. **20**, 365 (1967).
[4] R. G. Hiskey et al., J. Org. Chem. **37**, 2478 (1972).
[5] J. A. MacLaren, Austral. J. Chem. **25**, 1293 (1972).
[6] R. Ledger u. F. H. C. Stewart, Austral. J. Chem. **21**, 1101 (1968).
[7] F. H. C. Stewart, Austral. J. Chem. **24**, 1749 (1971).
[8] F. Benington, R. D. Morin u. L. C. Clark, J. Org. Chem. **23**, 2034 (1958).
[9] R. R. Aitken, G. M. Badger u. J. W. Cook, Soc. **1950**, 331.

tung der Amino-Schutzgruppe hergestellt werden. Sie bieten vom peptid-synthetischen Standpunkt keine Vorteile gegenüber den 2,4,6-Trimethyl-benzylestern. Ihr Einsatz beschränkte sich bisher auf die Synthese von Peptolid-Derivaten[1–3] (s. dazu auch S. 876).

Die Abspaltung des Pentamethyl-benzyl-Restes gelingt glatt mittels 2n Bromwasserstoff-Lösungen in Eisessig[4].

33.116.7. *Polymer-benzylester*

Von den verschiedenen Möglichkeiten, N-geschützte Aminosäuren an makromolekularen bzw. polymeren Substanzen zu fixieren (s. dazu a. S. 347, 389), ist diejenige, bei der diese Aminosäuren „benzylester-artig" covalent an ein Polymerisat gebunden sind, an erster Stelle zu nennen[5]. Sie kann als Ursprung sämtlicher Varianten der sogenannten Festkörper-Peptidsynthese gelten[6].

33.116.7.1. Der Veresterungsschritt

Aus der Vielzahl der verwendeten Polymeren sei hier das am häufigsten verwendete Copolymerisat aus Polystyrol und 2% 1,4-Divinyl-benzol herausgegriffen. Durch Chlormethylierung dieses Harzes nach Friedel-Crafts[7] wird eine funktionelle Gruppe geschaffen, die z.B. mit dem Triäthylamin-Salz einer N-Acyl-aminosäure reagieren kann:

$$\left[\text{Acyl–NH–CH}(R^1)\text{–C}(=O)O^{\ominus}\right](H_5C_2)_3\overset{\oplus}{N}H \quad + \quad Cl–CH_2–Ⓟ$$

$$\xrightarrow[\text{bzw. } C_2H_5OH;\ 24-65\ \text{Stdn.}]{\text{1,4-Dioxan oder } H_3C–COOC_2H_5} \text{Acyl–NH–CH}(R^1)\text{–C}(=O)\text{–O–CH}_2\text{–Ⓟ} \quad + \quad \left[(H_5C_2)_3\overset{\oplus}{N}H\right]Cl^{\ominus}$$

Chlormethylierung eines Polystyrol-1,4-Divinyl-benzol-Copolymerisats[5,7,8]: 500 g Polystyrol (Perlpolymerisat, zu 2% vernetzt mit 1,4-Divinyl-benzol, Siebfraktion 200–400 mesh) werden in je 3,3 *l* 1n Natronlauge, Wasser und 1n Salzsäure je 12 Stdn. suspendiert, abfiltriert und mit je 3 *l* Wasser, Dimethylformamid und Methanol gewaschen. Das Harz wird bei 100° 3 Stdn. i. Vak. getrocknet (Gründliches Auswaschen des Harzes ist sehr wichtig, da Spuren von schwefelhaltigen Verbindungen eine Vergiftung des Katalysators und eine intensive Rotfärbung des Ansatzes bewirken[9]). 50 g dieses Materials werden bei

---

1 F. H. C. Stewart, Austral. J. Chem. **21**, 1327 (1968).
2 F. H. C. Stewart, Austral. J. Chem. **23**, 2147 (1970).
3 F. H. C. Stewart, Chem. & Ind., **1967**, 1960.
4 F. H. C. Stewart, Austral. J. Chem. **20**, 2243 (1967).
5 R. B. Merrifield, Am. Soc. **85**, 2149 (1963).
6 J. M. Stewart u. J. D. Young, *Solid Phase Peptide Synthesis*, Freemann & Co., San Francisco **1969**, geben eine genaue Beschreibung dieser Arbeitstechnik.
J. H. Jones weist in *Amino-acids, Peptides and Proteins*, Vol. 2 Soc. **1970**, 159 jedoch darauf hin, daß diese Monographie unglücklicherweise den Eindruck erwecken könnte, als sei eine Art „Do it yourself Peptidsynthese" möglich.
s. dazu auch die kritische Betrachtung von E. Wünsch, Ang. Ch. **83**, 773 (1971).
7 K. W. Pepper, H. M. Paisley u. M. A. Young, Soc. **1953**, 4097.
8 T. Wieland, C. Birr u. F. Flor, A. **727**, 130 (1969).
9 B. Green u. L. R. Garson, Soc. [C] **1969**, 401.
K. P. Polzhofer u. K. H. Ney, Tetrahedron **26**, 3221 (1970).

25° 1 Stde. unter Rühren in 300 *ml* Chloroform gequollen und nach dem Abkühlen auf 0° mit einer kalten Lösung von 7,56 *ml* wasserfreiem Zinn(IV)-chlorid in 300 *ml* Chlormethyl-methyläther versetzt. Die Mischung wird 30 Min. bei 0° gerührt, das abfiltrierte cremefarbene Material wird mit einer graduell veränderten Mischung (Gradient) von 1,4-Dioxan/Wasser, der anfangs 3 n Salzsäure beigemischt wird, dann mit den Gradienten Wasser/1,4-Dioxan (2 *l*), 1,4-Dioxan/Methanol (1,5 *l*) und schließlich mit 1 *l* Methanol gewaschen. Abrupte Änderungen in der Zusammensetzung der Waschflüssigkeiten sind dabei zu vermeiden. Das Produkt wird i.Vak. bei 100° 3 Stdn. getrocknet; Ausbeute: 51,82 g mit 2,37 m Äquiv. Chlor/g. Das läßt auf eine Chlormethylierung von ~ 27% der aromatischen Ringe des Polymerisats schließen.

Veresterung des Chlormethyl-harzes mit N-tert.-Butyloxycarbonyl-L-phenylalanin[1]: 20 g des Polymeren (47,4 mÄquiv. Chlor) (s. oben) werden mit 12,57 g (47,4 mMol) BOC-Phe-OH und 5,98 *ml* (42,7 mMol, 0,9 Äquiv.) Triäthylamin in 100 *ml* absol. Tetrahydrofuran 50 Stdn. unter Rückfluß zum Sieden erhitzt, abfiltriert und gewaschen mit den Gradienten aus Tetrahydrofuran/Wasser (2,5 *l*), Wasser/Methanol (1,5 *l*), Methanol/1,4-Dioxan (1 *l*) und 1,4-Dioxan/Methanol (1,5 *l*). Nach dem Trocknen i.Vak. verbleiben 26,0 g verestertes Harz. Gewichtszunahme 0,9 mMol BOC-Phe-OH/g Harz.

Zur Bestimmung des Phenylalanin-Gehaltes wird die Amino-Schutzgruppe mit 1 n Chlorwasserstoff-Lösung in Eisessig abgespalten, H-Phe-OBØ · HCl mit Triäthylamin zersetzt und nach dem Auswaschen der Chlorid-Gehalt des Filtrats nach Volhard titriert: 1,03 mMol Phenylalanin/g Harz. Stickstoffanalyse des Harzes: 1,05 mMol Phenylalanin/g Harz. Aminosäureanalyse nach 15 stdg. Totalhydrolyse einer Harzprobe in 1,4-Dioxan/konz. Salzsäure durch Kochen unter Rückfluß, 3 Bestimmungen: 0,75 mMol/Phenylalanin/g Polymer.

Die bei dieser Reaktion erzielten Ausbeuten liegen zwischen 14 und 50% d.Th.[2,3]. Ein erheblicher Teil der Aryl-chlormethylen-Gruppen bleibt also unumgesetzt; diese können jedoch durch Wiederholen des Knüpfungsschrittes mit Essigsäure-triäthylamin-Salz „neutralisiert" werden[4,5]. Darüber hinaus wurde die Bildung von quartären Ammonium-verbindungen beobachtet[6–8], die N-geschützte Aminosäuren wie Anionenaustauscher salzartig binden können, wodurch einerseits die durch Analyse ermittelten Mengen der covalent gebundenen Aminosäure-Derivate verfälscht werden[9], andererseits die Gefahr der Umesterung bzw. Alkoholyse der in Nachbarschaft zu diesen Ammonium-Gruppen befindlichen Benzylester-Bindungen gegeben ist, wenn das Harz mit Alkoholen gewaschen wird[10–12].

$$\text{Ⓟ}-C_6H_4-CH_2-Cl \quad + \quad (H_5C_2)_3N \longrightarrow \left[\text{Ⓟ}-C_6H_4-CH_2-\overset{\oplus}{N}(C_2H_5)_3\right]Cl^{\ominus}$$

Die Quartärnierung soll sich durch Verwendung eines geringen Unterschusses an Triäthylamin weitgehend vermeiden lassen[13].

---

[1] T. Wieland, C. Birr u. F. Flor, A. **727**, 130 (1969).
[2] L. C. Dorman u. J. Love, J. Org. Chem. **34**, 158 (1969).
[3] A. Loffet, Int. J. Pept. Prot. Res. **3**, 297 (1971).
[4] R. B. Merrifield, Am. Soc. **85**, 2149 (1963).
[5] H. C. Beyerman et al., R. **87**, 257 (1968).
[6] J. Rudinger u. V. Gut, *Peptides*, Proc. of the 8th Europ. Pept. Symp., Noordwijk 1966, North Holland Publ. Comp., Amsterdam **1967**, S. 89 (Diskussionsbemerkung).
[7] H. C. Beyerman et al., *Peptides*, Proc. of the 8th Europ. Pept. Symp., Noordwijk 1966, North Holland Publ. Comp., Amsterdam **1967**, S. 117.
[8] H. C. Beyerman u. R. A. In't Veld, R. **88**, 1019 (1969).
[9] B. F. Gisin, Helv. **56**, 1476 (1973).
[10] H. C. Beyerman, *Peptides* 1969, Proc. of the 10th Europ. Pept. Symp., Abano Terme, North Holland Publ. Comp., Amsterdam **1971**, S. 87.
[11] T. Wieland, C. Birr u. A. von Dungen, A. **747**, 207 (1971).
[12] W. S. Hancock, G. R. Marshall et al., Am. Soc. **93**, 1799 (1971).
[13] J. M. Stewart u. J. D. Young, *Solid Phase Peptide Synthesis*, S. 7, Freeman u. Co., San Francisco **1969**.

Bessere Ergebnisse werden erzielt, wenn anstelle von Triäthylamin z.B. Tetramethylammoniumhydroxid als Base verwendet wird. Eine Quartärnierung ist hier naturgemäß ausgeschlossen. Die Ausbeuten schwanken zwischen 47 und 77% d.Th.[1,2]. Nahezu vollständig sollen die Caesiumsalze von N-tert.-Butyloxycarbonyl-aminosäuren mit chlormethylierten Harzen reagieren[3].

Quantitativ wurde der Veresterungsschritt unter den in der vorstehenden Vorschrift angegebenen Bedingungen (Essigsäure-äthylester oder Äthanol als Lösungsmittel!) für Styrol-1,4-Divinyl-benzol-Copolymerisate unterschiedlicher Struktur (Vernetzungsgrad!) untersucht[4]. Es stellte sich heraus, daß Harztypen mit der größten inneren Oberfläche und hohem Vernetzungsgrad die höchsten Umsatzraten ermöglichen. Eine Quartärnierung der Aryl-chlormethylen-Gruppen konnte bei Einsatz des sog. „Schalenharzes" (s. dazu S. 381) nicht beobachtet werden. Die Reaktion verläuft in Äthanol schneller als in Essigsäure-äthylester.

Eine reaktivere funktionelle Gruppe erhält man, wenn man die Arylchlormethylen-Gruppen durch Substitution des Chlors durch Dialkylsulfid in Dialkyl-(aryl-methylen)-sulfoniumchlorid überführt; daraufhin ist es möglich, das Chlorid-Ion durch andere Anionen, wie z.B. das Hydrogencarbonat-Ion zu ersetzen. Das so gewonnene Harz kann durch N-geschützte Aminosäuren neutralisiert und die salzartige Bindung der Aminosäure-Derivate an das Polymer anschließend durch Erhitzen des trockenen Harzes in eine covalente Ester-Bindung umgewandelt werden. Die Reaktion verläuft rascher und mit besseren Ausbeuten als die oben beschriebene Veresterungsprozedur[5,6]. Optisch aktive Aminosäuren racemisieren dabei nicht.

Die Umwandlung der Aryl-chlormethylen-Gruppen des Harzes in reaktionsfreudigere Aryl-brommethylen- oder -jodmethylen-Gruppen gelingt durch Abspaltung von „benzylesterartig" am Polymer gebundener Essigsäure oder Pivalinsäure – an das Harz geknüpft nach dem eingangs beschriebenen Verfahren – mittels Brom- oder Jodwasserstoff-Lösungen in Eisessig. Auf diese Weise modifizierte Harze reagieren in einigen Stunden bei ~20° mit Salzen von N-geschützten Aminosäuren in guten Ausbeuten[7].

Eine weitere Möglichkeit, N-geschützte Aminosäuren unter relativ milden Bedingungen „benzylester-artig" an ein Polymer zu binden, besteht in deren Umsetzung mit Hydroxymethyl-Gruppen von Polymeren unter der Einwirkung von N,N'-Carbonyl-di-imidazol, N,N'-Dicyclohexyl-carbodiimid (s. dazu auch S. II/326f., II/107,)[8–10] oder N,N-Dimethylformamid-dineopentylacetal[11] (s. auch S. 350).

Acetylierung von chlormethyliertem Polystyrol-1,4-Divinylbenzol-Copolymerisat[8]: 47,5 g chlormethyliertes Polymer (200–400 mesh, 9,4% Chlorid bzw. 2,65 mMol Chlorid/g Harz) in 400 *ml* frisch destilliertem Benzylalkohol und 26 g (2 Äquivv.) wasserfreies Kaliumacetat werden unter Rühren 1 Stde. auf 80° erhitzt (Chlorid-Gehalt: 8,4%). Nach weiteren 8 Stdn. Erhitzen wird ein Chlorid-Gehalt von 1,5% festgestellt, der nach weiteren 5 Stdn. Acetylieren konstant bleibt. Im IR-Spektrum (Kaliumbromid-Preßlinge)

---

1 A. Loffet, Int. J. Pept. Prot. Res. **3**, 297 (1971).

2 D. Yamashiro u. C. H. Li, Am. Soc. **95**, 1310 (1973).

3 B. F. Gisin, Helv. **56**, 1476 (1973).

4 A. Losse, Z. **11**, 386 (1971).

5 L. C. Dorman u. J. Love, J. Org. Chem. **34**, 158 (1969).

6 A. Fontana, F. M. Veronese u. E. Boccu, Z. Naturf. **26b**, 314 (1971).

7 M. A. Tilak, Tetrahedron Letters **1968**, 6323.

8 H. C. Beyerman u. R. A. In't Veld, R. **88**, 1019 (1969).

9 M. Bodanszky u. J. T. Sheehan, Chem. & Ind. **1966**, 1597.

10 B. F. Gisin u. R. B. Merrifield, Am. Soc. **94**, 6165 (1972).

11 J. Schreiber, *Peptides*, Proc. of the 8th Europ. Pept. Symp., Noordwijk 1966, North Holland Publ. Comp., Amsterdam **1967**, S. 107.

treten Banden bei 5,77 und 8,25 μ (charakteristisch für Carbonsäureester) auf. Das Harz wird dann abfiltriert, mit Wasser „chlorid-frei" gewaschen und anschließend nacheinander mit Dimethylformamid und Methanol behandelt. Das Produkt wird bei ~ 100° und 50 Torr bis zur Gewichtskonstanz getrocknet; Ausbeute: 50 g.

Hydrolyse des acetylierten Hydroxymethyl-Polymers[1]: 49 g des acetylierten Hydroxymethyl-polymers in 400 *ml* 2 n äthanol. Natriumhydroxid-Lösung werden unter Rühren am Rückfluß zum Sieden erhitzt. Die Verseifung ist nach ~ 12 Stdn. vollständig (Kontrolle durch IR-Spektren). Chloranalyse: 0,3% Chlorid. Daraus ergibt sich ein Gehalt von Aryl-hydroxymethylen-Gruppen von 9,4%–0,3% = 9,1% bzw. von 2,55 (±0,05) mMol/g Harz (Fehlergrenze der Chlorid-Bestimmung wird zu 0,1% angenommen).

Veresterung des Hydroxymethyl-Polymers[1]: 1 g des Hydroxymethyl-Polymers wird mit 4 Äquiv. N-tert.-Butyloxycarbonyl-aminosäure (ber. auf die Menge der Aryl-hydroxymethylen-Gruppen/g Harz) und 4 Äquiv. N,N'-Carbonyl-di-imidazol in 50 *ml* Dichlormethan bei ~ 20° 48 Stdn. unter Schütteln umgesetzt; Ausbeute: 37–78% d.Th. Die unveresterten Aryl-hydroxymethylen-Gruppen werden in analoger Weise durch Reaktion mit Essigsäure blockiert; dies ist für weitere Umsetzungen des Polymers unerläßlich.

Das Verfahren eignet sich besonders zur Anknüpfung von N-(2-Nitro-phenylsulfenyl)-aminosäuren an Polymere[2] und zur Synthese von Peptoliden an festen Trägern[3]. Es erscheint ungeeignet zur Umsetzung von N-geschütztem Asparagin oder Glutamin, weil die Gefahr der Dehydratisierung der Amid-Funktionen zu Nitrilen besteht[4]. N-Acyl-methionin und N_{im}-Benzyl-histidin können jedoch glatt verestert werden[5].

Eine umfassende Übersicht über die nach den verschiedenen Methoden mit Polymeren oder makromolekularen Substanzen verknüpften N-geschützten Aminosäuren findet sich bei R. B. Merrifield[5].

33.116.7.2. Schutzgruppen

An die bei der Peptid-Synthese an Polymeren verwendeten Schutzgruppen werden hohe Anforderungen hinsichtlich ihrer selektiven Spaltbarkeit gestellt. Im hier behandelten Fall der „benzylester-artigen" Bindung an das Trägermaterial wird die Wahl der α-Amino-Schutzgruppe (s. dazu S. 46ff.) einerseits von der Stabilität der Benzylester-Bindung diktiert – wobei ausdrücklich darauf hingewiesen sei, daß es sich eigentlich um eine n-Alkyl-benzylester-Bindung handelt, die gegenüber sauren Reagenzien merklich labiler als eine „reine" Benzylester-Bindung ist[6] – andererseits ist die Art der verwendeten Dritt-Funktions-Maskierung (s. dazu S. 468ff.) von entscheidender Bedeutung. Nicht zuletzt muß die Möglichkeit der totalen Deblockierung der Peptid-Derivate nach beendeter „Festkörper-Synthese" ins Auge gefaßt werden.

Am häufigsten wird der tert.-Butyloxycarbonyl-Rest als α-Amino-Schutzgruppe in Kombination mit Drittfunktions-Maskierungen auf Benzyl-Basis verwendet. Die Abspaltung der tert.-Butyloxycarbonyl-Gruppe erfolgt bevorzugt mit 1 n Chlorwasserstoff-Lösung in Eisessig. Daneben werden 3–5 n Lösungen von Chlorwasserstoff in 1,4-Dioxan, Trifluoressigsäure und ein Gemisch von Trifluoressigsäure und Dichlormethan im Verhältnis 1:1 eingesetzt. (Eine Übersicht findet man bei R.B. Merrifield[5]).

Die Stabilität der Seitenkettenschutzgruppen auf Benzylbasis gegenüber diesen Agenzien ist unterschiedlich. So wird der Benzyloxycarbonyl-Rest, der als Blockierung der ω-Amino-Funktion des Lysins oder des Ornithins dient, im Falle des Lysins in 0,8 n Chlor-

---

[1] H. C. Beyerman u. R. A. In't Veld, R. **88**, 1019 (1969).
[2] G. Losse u. K. Neubert, Z. **8**, 387 (1968).
[3] G. Losse u. H. Klengel, Tetrahedron **27**, 1423 (1971).
[4] L. C. Dorman u. J. Love, J. Org. Chem. **34**, 158 (1969).
[5] R. B. Merrifield, Adv. Enzymol. **32**, 221 (1969).
[6] F. H. C. Stewart, Austral. J. Chem. **20**, 2243 (1967).

wasserstoff-Lösung in Eisessig bei 20° innerhalb 30 Min. zu 0,78%[1], in Trifluoressigsäure/Dichlormethan (1:1) innerhalb 60 Min. zu 0,8% abgespalten[2]. Noch etwas labiler gegenüber Säuren ist O-Benzyl-tyrosin; außerdem bilden sich bei Spaltungsreaktionen in Trifluoressigsäure/Dichlormethan (1:1) ~63% Tyrosin und 37% 3-Benzyl-tyrosin. Das Verhältnis ändert sich nicht nach 100 Stdn. Reaktionsdauer. Ähnliche Ergebnisse werden auch in Gegenwart von 100 Äquivalenten Anisol als „Scavenger" erzielt[2]. Ein Schutz der ε-Amino-Gruppe des Lysins durch den Benzyloxycarbonyl-Rest oder eine Blockierung der Hydroxy-Gruppe des Tyrosins durch den Benzyl-Rest scheint demnach für diese Variante der Peptid-Synthese an festen Polymeren unzureichend zu sein[3]. Ähnliches gilt für die 4-Methoxy-benzyl-Gruppe, wenn sie zur Blockierung der Thiol-Funktion des Cysteins angewandt[2,4] wird. Als ausreichend stabil in Trifluoressigsäure/Dichlormethan (1:1) gelten die ω-Benzylester von Asparaginsäure und Glutaminsäure, O-Benzyl-threonin und -serin sowie der 2-Brom-[3], 2-Chlor-, der 2,4-Dichlor- und der 3,4-Dichlor-benzyloxycarbonyl-Rest[2].

Anstelle des tert.-Butyloxycarbonyl-Restes wurden der tert.-Amyloxycarbonyl-[5], der 4-Methoxy-benzyloxycarbonyl-[6], der Formyl-[7], der Furfuryloxycarbonyl[7,8] und der Trityl-Rest[7] auf ihre Brauchbarkeit hin untersucht. Letzterer eignet sich aus sterischen Gründen nur, wenn, abweichend vom üblichen stufenweisen Anbau einzelner Aminosäuren, Peptid-Fragmente an das Harz gebunden werden[9].

Soll der Benzyloxycarbonyl-Rest als α-Amino-Schutzgruppe eingesetzt werden, so ist dies nur nach vorausgegangener Halogenierung oder Nitrierung des Harzes möglich, da sonst bei der Deblockierung der Amino-Gruppe ein erheblicher Teil der „benzylester-artigen" Bindungen zum Polymer gleichzeitig mit der Amino-Schutzgruppe gespalten wird[10].

Eine weitere Kombinationsmöglichkeit ist im Einsatz von sehr säurelabilen Amino-Schutzgruppen, wie z.B. dem 2-Nitro-phenylsulfenyl-[11] oder dem 2-[Biphenylyl-(4)]-propyl-(2)-oxycarbonyl-Rest[12], zusammen mit Seitenkettenfunktionsmaskierungen auf tert.-Butyl-Basis gegeben; eine Kombination, die auch bei der konventionellen Peptid-synthese häufig verwendet wird. Die beim Abspalten des 2-Nitro-phenylsulfenyl-Restes entstehenden Nebenprodukte besitzen jedoch, wie schon erwähnt (s. S. 217), eine große Affinität zu den verwendeten Harzen und sind somit nur schwer abzutrennen[13].

Eine interessante Variation ergibt sich durch den Einsatz von photolytisch spaltbaren Amino-Schutzgruppen, wie z.B. der α,α-Dimethyl-3,5-dimethoxy-benzyloxycarbonyl-Gruppe[14].

---

[1] A. Yaron u. S. F. Schlossmann, Biochemistry **7**, 2673 (1968).
[2] B. W. Erickson u. R. B. Merrifield, *Chemistry and Biology of Peptides*, Proc. of the 3rd American Pept. Symp., Boston USA 1972, Ann Arbor Science Publ., Ann Arbor, Michigan **1972**, S. 191.
[3] D. Yamashiro u. C. H. Li, Am. Soc. **95**, 1310 (1973).
[4] D. Yamashiro, R. L. Noble u. C. H. Li, *Chemistry and Biology of Peptides*, Proc. of the 3rd American Pept. Symp. Boston USA 1972, Ann Arbor Science Publ., Ann Arbor, Michigan **1972**, S. 197.
[5] N. Inukai, K. Nakano u. M. Murakami, Bl. chem. Soc. Japan **41**, 182 (1968).
[6] F. Weygand u. U. Ragnarsson, Z. Naturf. **21b**, 1141 (1966).
[7] G. Losse u. K. Neubert, Z. **8**, 228 (1968).
[8] G. Losse u. K. Neubert, Tetrahedron Letters **1970**, 1267.
[9] K. Brunfeldt u. J. Halstrøm, Acta chem. scand. **24**, 3013 (1970).
[10] R. B. Merrifield, Am. Soc. **85**, 2148 (1963).
[11] V. A. Najjar u. R. B. Merrifield, Biochemistry **5**, 3765 (1966).
[12] J. Blake u. C. H. Li, Int. J. Pept. Prot. Res. **3**, 185 (1971).
D. Yamashiro, J. Blake u. C. H. Li, Am. Soc. **94**, 2855 (1972).
W. Parr u. G. Holzer, H. **352**, 1043 (1971).
[13] W. Kessler u. B. Iselin, Helv. **49**, 1330 (1966).
[14] C. Birr et al., A. **763**, 162 (1972).

Spezielle Probleme treten auf bei Anwesenheit der mehrfunktionellen Aminosäuren Arginin (Blockierung durch Nitrierung s. S. 507 oder Tosylierung s. S. 516), Cystein bzw. Cystin (s. dazu die ausführliche Abhandlung S. 735 ff.), Histidin (Schutz des Imidazolstickstoffs z.B. durch Benzylierung s. S. 541) und natürlich der Aminodicarbonsäuren bzw. deren ω-Amide.

Die Schwierigkeiten, die beim Einsatz von Tyrosin und Lysin auftreten können, wurden bereits erwähnt. Mit den in den Abschnitten über mehrfunktionelle Aminosäuren beschriebenen Nebenreaktionen, z.B. Transpeptidierung (Asparaginsäure!)[1], Bildung von Pyrrolidon-(5)-carbonsäure-(2) (Glutamin!)[2,3] etc. ist natürlich auch bei der Peptidsynthese an Polymeren zu rechnen; die damit verbundene Gefahr der Bildung von Fehlsequenzen ist nicht zu unterschätzen.

Gesondert hingewiesen sei hier lediglich noch auf die leichte Oxidierbarkeit des Tryptophans in saurer Lösung[4], was besonders im Hinblick auf die bei der Synthese von großen Peptiden häufig zu wiederholende acidolytische Spaltung der α-Amino-Schutzgruppe von Bedeutung ist und im Extremfall sogar zum Scheitern einer Synthese führen kann[5]. Aus diesem Grund wird der Zusatz von Reduktionsmitteln wie 2-Mercapto-äthanol[4] oder Dithiothreitol[6] bei der Spaltung empfohlen. Gute Ergebnisse wurden bei der Verwendung von 1 n Chlorwasserstoff-Lösung in Ameisensäure als Spaltungsreagenz erzielt[7,8]. Ein wirksamer Schutz des Indol-Systems durch Formylierung scheint daher möglich zu sein[8].

33.116.7.3. Der Verknüpfungsschritt

Nach Acidolyse der Amino-Schutzgruppe und Freisetzung der Amino-Gruppe z.B. durch Triäthylamin in Dimethylformamid, Chloroform oder Dichlormethan steht die am Harz fixierte Aminosäure oder das bereits aufgebaute Peptid-Fragment zur weiteren peptidsynthetischen Umsetzung zur Verfügung. Dabei stößt man auf eines der Hauptprobleme der Peptidsynthese an Polymeren, die quantitative Umsetzung aller freien Amino-Gruppen mit N-geschützten Aminosäuren oder Peptid-Derivaten und die anschließende quantitative Deblockierung für einen weiteren Reaktionszyklus. Berechnungen zeigen[9], daß selbst bei einem 99%-igen Ablauf des Acylierungsschrittes z.B. nach Anknüpfen von 54 Aminosäuren mit 8,5% Anteil an Peptiden mit 53 Aminosäuren und 31,7% Verunreinigungen mit Peptiden bestehend aus 54 Aminosäuren zu rechnen ist. Eine Vielzahl der zur konventionellen Peptidsynthese verwendeten Verknüpfungsmethoden (s. a. S. II/1ff.) ist aus diesem Grunde untersucht worden. Eine umfassende Übersicht gibt R. B. Merrifield[1].

An erster Stelle sind das Carbodiimid- und das Aktivester-Verfahren (überwiegend 4-Nitrophenylester) zu nennen. Als Lösungsmittel bzw. Quellungsmittel dienen vor allem Dichlormethan und Dimethylformamid[10]. Da es sich um eine heterogene Reaktion handelt, spielen die Eigenschaften des Polymers, wie Vernetzung, Quellfähigkeit, Durchlässigkeit für ein-

---

[1] R. B. Merrifield, Advanc. Enzymol. **32**, 221 (1969).
[2] H. Takashima, V. du Vigneaud u. R. B. Merrifield, Am. Soc. **90**, 1323 (1968).
[3] M. Manning, Am. Soc. **90**, 1348 (1968).
[4] J. Blake u. C. H. Li, Am. Soc. **90**, 5882 (1968).
[5] S. Sano u. M. Kurihara, H. **350**, 1183 (1969).
[6] C. H. Li u. D. Yamashiro, Am. Soc. **92**, 7608 (1970).
[7] M. Ohno, S. Tsukamoto u. N. Izumiya, Chem. Commun. **1972**, 663.
[8] M. Ohno, N. Izumiya et al., Bl. chem. Soc. Japan **45**, 2852 (1972).
[9] H. C. Beyerman et al., *Peptides* 1969, Proc. of the 10th Europ. Pept. Symp., Abano Terme, North Holland Publ. Co., Amsterdam **1971**, S. 173.
[10] W. S. Hancock, G. R. Marshall et al., J. Org. Chem. **38**, 774 (1973).

diffundierende Moleküle, Sitz der reaktiven Gruppen[1] innerhalb des Harzes, deren Solvatation[2] sowie die mechanischen Eigenschaften wie Stabilität, Filtrierbarkeit und Korngröße eine wesentliche Rolle[3]. Autoradiographische Untersuchungen mittels Tritium-markierter Aminosäuren haben gezeigt, daß die Reaktion keineswegs nur an der Oberfläche der Harzperlen stattfindet[4]. Eine Übertragung der Ergebnisse und Arbeitstechniken der konventionellen Peptidsynthese ist aus diesen Gründen nicht immer möglich. So erwies sich z.B. die Abscheidung von N,N'-Dicyclohexyl-harnstoff innerhalb des gequollenen Harzes als diffusionshemmend[5]. Bereits bekannte Nebenreaktionen wie z.B. die N-Acyl-harnstoff-Bildung, die Dehydratisierung zu Nitrilen (Asparagin und Glutamin! s. S. II/106, daher Anwendung des Aktivester-Verfahrens[6]) bei der Verknüpfung mittels Carbodiimiden sind in Betracht zu ziehen. 2,5-Dioxo-piperazin-Bildung auf der Dipeptid-Stufe wurde insbesondere beobachtet[7], wenn sekundäre Aminosäuren, wie Prolin[8,9] oder N-Alkyl-aminosäuren[10] carboxyendständig sind. Eine ähnliche Reaktion kann auch intermolekular ablaufen. Dies führt zu einer Kettenverdoppelung[11]:

$$H{+}NH-CH_2-CO{+}_n O-CH_2-C_6H_4-CH(-CH_2-)\quad H{+}NH-CH_2-CO{+}_n O-CH_2-C_6H_4-CH(-CH_2-)$$

$$\downarrow$$

$$H{+}NH-CH_2-CO{+}_{2n} O-CH_2-C_6H_4-CH(-CH_2-)\quad HO-CH_2-C_6H_4-CH(-CH_2-)$$

Um die geforderte quantitative Umsetzung zu erreichen, werden große Überschüsse an „Kopfkomponenten" – bei sterisch gehinderten Aminosäuren wie Valin und Isoleucin bis zu 6 Äquivalente[12–14] – eingesetzt; Katalysatoren bzw. Aktivatoren (z.B. 1,2,4-Triazol bei

---

1 G. LOSSE u. R. ULBRICH, Tetrahedron **28**, 5823 (1972).
2 W. S. HANCOCK, G. R. MARSHALL et al., J. Org. Chem. **38**, 774 (1973).
3 A. LOSSE, Z. **11**, 386 (1971).
4 R. B. MERRIFIELD u. V. LITTAU, *Peptides* 1968, Proc. of the 9th Europ. Pept. Symp., Orsay, North Holland Publ. Co., Amsterdam **1968**, S. 179.
5 H. HAGENMAIER u. H. FRANK, H. **353**, 1973 (1972).
6 H. TAKASHIMA, V. DU VIGNEAUD u. R. B. MERRIFIELD, Am. Soc. **90**, 1323 (1968).
7 W. LUNKENHEIMER u. H. ZAHN, A. **740**, 1 (1970).
8 B. F. GISIN u. R. B. MERRIFIELD, Am. Soc. **94**, 3102 (1972).
9 M. ROTHE u. J. MAZÁNEK, Ang. Ch. **84**, 290 (1972) u. A. **1974**, 439.
10 M. C. KOSHLA, R. R. SMEBY u. F. M. BUMPUS, Am. Soc. **94**, 4721 (1972).
11 H. C. BEYERMAN, E. W. B. DE LEER u. W. VAN VOSSEN, Chem. Commun. **1972**, 929.
12 C. H. LI u. D. YAMASHIRO, Am. Soc. **92**, 7608 (1970).
13 U. RAGNARSSON, S. KARLSSON u. B. SANDBERG, Acta chem. scand. **25**, 1487 (1971).
14 C. B. ANFINSEN, Biochem. Biophys. Res. Commun. **47**, 1353 (1972).

Umsetzung mit 4-Nitro-phenylestern[1]) werden zugegeben oder die Acylierung wird mehrmals wiederholt[2,3]. Eine aus diesem Grund zu erwartende Aminoacyl-Einschiebung wurde tatsächlich beobachtet[4] (s. dazu auch S. II/342). Die Rückgewinnung nicht umgesetzter N-Acyl-aminosäure-Derivate ist bei Anwendung des Carbodiimid-Verfahrens nicht möglich (N-Acyl-harnstoff-Bildung!)[5]; bei den Aktivester-Verfahren zumindest zeitraubend. Aus diesem Grunde wird z.B. vor der Reaktion mit Carbodiimiden eine Sättigung des Harzes mit N-Acyl-aminosäure empfohlen, wobei diese durch „Salzbildung" mit freien Amino-Gruppen ionisch am Harz fixiert wird. Der Überschuß kann mit Dichlormethan ausgewaschen und zurückgewonnen werden[6,7]. Werden symmetrische Anhydride von N-tert.-Butyloxycarbonyl-aminosäuren (s. auch S. II/260) als Acylierungsmittel verwendet, so können in diesem Fall die freien N-Acyl-aminosäuren durch Hydrolyse der nicht abreagierten Anhydride mittels Natriumhydrogencarbonat-Lösung regeneriert werden[8].

N-tert.-Butyloxycarbonyl-L-alanyl-L-histidyl-N_{ω}-tosyl-L-arginyl-L-leucyl-L-histidyl-L-glutaminyl-L-leucin-polymer-benzylester [BOC-Ala-His-Arg(TOS)-Leu-His-Gln-Leu-OBØ][9]: 1,51 g (0,33 mMol) BOC-Leu-OBØ werden zur Knüpfung der folgenden Aminosäure-Derivate wie folgt behandelt:

① waschen mit 4 Portionen Dichlormethan zu je 15 *ml* (vom Harz werden nach dem Filtrieren 5 *ml* Dichlormethan zurückgehalten).
② Abspaltung des tert.-Butyloxycarbonyl-Restes durch Zugabe von 15 *ml* Trifluoressigsäure/Dichlormethan (3:1), anschließend 15 Min. Schütteln (Rühren der Ansätze erwies sich wegen der mechan. Zerstörung des Harzes als ungünstig).
③ waschen mit 3 Portionen Dichlormethan zu je 15 *ml*.
④ waschen mit 3 Portionen 50%-igem absol. Äthanol in Dichlormethan zu je 15 *ml*.
⑤ waschen mit 3 Portionen Dichlormethan zu je 15 *ml*.
⑥ neutralisieren mit 0,30 *ml* (1,75 mMol) Äthyl-diisopropyl-amin in 15 *ml* Dichlormethan.
⑦ waschen mit 6 Portionen Dichlormethan zu je 15 *ml* (Nach Einführung des Glutamins werden die letzten drei Waschvorgänge mit je 15 *ml* Dimethylformamid ausgeführt).
⑧ Zugabe von 1,36 mMol der jeweiligen N-tert.-Butyloxycarbonyl-aminosäure in 11 *ml* Dichlormethan und 10 Min. schütteln (Ausnahmen unten beachten!)
⑨ Zugabe von 1,33 mMol N,N'-Dicyclohexyl-carbodiimid in 3,2 *ml* Dichlormethan.
⑩ waschen mit 3 Portionen Dimethylformamid zu je 15 *ml*.
⑪ waschen mit 3 Portionen absol. Äthanol zu je 15 *ml*.

Zur Anknüpfung des Glutamin-Restes werden die Stufen ⑧ und ⑨ durch Zugabe von 3,4 mMol BOC-Gln-ONP, gelöst in 11 *ml* Dimethylformamid, ersetzt. Die Histidin-Reste werden mittels BOC-His(BOC)-OH eingeführt, der Argininrest durch Umsetzung mit 1,37 mMol BOC-Arg(TOS)-OH gelöst in 12 *ml* Dimethylformamid/Dichlormethan (1:9).

Der Reaktionszeiten (Stufe ⑨) sind wie folgt:

Glutamin, 17 Stdn.	Arginin, 5,5 Stdn.
Histidin, 3 Stdn.	Histidin, 3 Stdn.
Leucin, 2,5 Stdn.	Alanin, 2 Stdn.

Der N_{im}-tert.-Butyloxycarbonyl-Rest am Histidin wird beim Durchlaufen der Stufe 2. teilweise abgespalten. Das Harz wiegt nach Beendigung der Synthese 1,83 g.

Die verwendeten Lösungsmittel müssen absolut rein und wasserfrei sein[10]. (Unreines Dichlormethan kann z.B. einen Teil der freien Amino-Gruppen blockieren[11]).

---

[1] H. C. Beyerman et al., R. **87**, 257 (1968).
Bei der Umsetzung von BOC-Gln-ONP hat sich der Zusatz von Harnstoff als günstig erwiesen:
F. C. Westall u. A. B. Robinson, J. Org. Chem. **35**, 2842 (1970).
W. S. Hancock, G. R. Marshall et al., Am. Soc. **93**, 1799 (1971).
[2] C. B. Anfinsen, Biochem. Biophys. Res. Commun. **47**, 1352 (1972).
[3] F. Weygand u. R. Obermeier, Z. Naturf. **23b**, 1390 (1968).
[4] A. R. Mitchell u. R. W. Roeske, J. Org. Chem. **35**, 1171 (1970).
[5] R. B. Merrifield, Adv. Enzymol. **32**, 221 (1969).
[6] K. Esko u. S. Karlsson, Acta chem. scand. **24**, 1415 (1970).
[7] D. F. Elliot, P. Moritz u. R. Wade, Soc. [Perkin] I **1972**, 1862.
[8] T. Wieland, C. Birr u. F. Flor, Ang. Ch. **83**, 333 (1971).
[9] D. Yamashiro, J. Blake u. C. H. Li, Am. Soc. **94**, 2855 (1972).
[10] K. P. Polzhofer u. K. H. Ney, Tetrahedron **26**, 3221 (1970).
[11] K. Brunfeldt, FEBS-Letters **19**, 345 (1972).

N-4-Methoxy-benzyloxycarbonyl-D-phenylalanyl-L-prolyl-L-valyl-N_δ-4-nitro-benzyloxycarbonyl-L-ornithyl-L-leucyl-D-phenylalanyl-L-prolyl-L-valyl-N_δ-4-nitro-benzyloxycarbonyl-L-ornithyl-L-leucin-polymer-benzylester [MOZ-D-Phe-Pro-Val-Orn(NZ)-Leu-D-Phe-Pro-Val-Orn(NZ)-Leu-OBØ][1]**:** 5,5 g (2,6 mMol bez. auf Leucin) MOZ-Leu-OBØ werden in einem Reaktionsgefäß nach Merrifield zum Aufbau der Peptidkette wie folgt behandelt:

① waschen mit 3 Portionen Essigsäure zu je 20 *ml*
② abspalten des 4-Methoxy-benzyloxycarbonyl-Restes durch 30 Min. Schütteln mit 2 Portionen einer 1n Chlorwasserstoff-Lösung in Eisessig zu je 20 *ml* in Gegenwart von 2 *ml* Anisol
③ waschen mit 3 Portionen Essigsäure zu je 20 *ml*
④ waschen mit 3 Portionen abs. Äthanol zu je 20 *ml*
⑤ waschen mit 3 Portionen Dimethylformamid zu je 25 *ml*
⑥ 10 Min. schütteln mit 2 Portionen einer 10%-igen Lösung von Triäthylamin in Dimethylformamid zu je 25 *ml*
⑦ schütteln mit 3 Portionen Dichlormethan zu je 25 *ml*
⑧ Das Harz wird in 25 *ml* Dichlormethan suspendiert, daraufhin ein Überschuß (2,5fach bei der ersten Stufe, linear ansteigend bis 3,5fach bei der letzten Stufe) der jeweiligen N-4-Methoxy-benzyloxycarbonyl-aminosäure in der Suspension gelöst und dann 15 Min. geschüttelt.
⑨ Die äquivalente Menge N,N'-Dicyclohexyl-carbodiimid, gelöst in 5–10 *ml* Dichlormethan, wird zugegeben und das Schütteln daraufhin noch 4 Stdn. fortgesetzt.
⑩ Die Verknüpfungsreaktion wird durch Waschen des Harzes mit 3 Portionen Dichlormethan zu je 25 *ml* und 3 Portionen abs. Äthanol zu je 20 *ml* abgebrochen.

Zur Anknüpfung der Valin- und und Prolin-Reste wird die Reaktionszeit wegen sterischer Hinderung auf 8 Stdn. gesteigert.

Nachdem der letzte Reaktionscyclus beendet ist, wird das erhaltene Produkt i. Vak. getrocknet. Man erhält 9,48 g. Die Gewichtszunahme beträgt 3,98 g. (Zur weiteren Umsetzung dieser Substanz zum *Gramicidin-S-Dihydrochlorid* s. S. II/305).

Die einzelnen Syntheseschritte können mechanisiert werden[2]. Dies ist neben der zeitsparenden Arbeitstechnik und der Möglichkeit, daß überschüssige Reagenzien und niedermolekulare Folgeprodukte (z.B. Nitrophenol) leicht abgetrennt werden können, ein wesentlicher Vorteil der Peptidsynthese an hochmolekularen Träger-substanzen (s. dazu auch S. 84).

Racemisierung wurde bei üblichem stufenweisen Anbau N-Urethan-geschützter Aminosäuren nicht beobachtet[3].

Wird keine 100%-ige Umsetzung der freien Amino-Gruppen erzielt, was besonders mit zunehmender Kettenlänge zu erwarten ist[4], so ist mit Fehlsequenzen oder Rumpfsequenzen zu rechnen, die die gewünschten Produkte verunreinigen. Eine unvollständige Reaktion wurde aber nicht nur beim Verknüpfungsschritt[4–10], sondern auch bei der anschließenden Acidolyse der N_α-tert.-Butyloxycarbonyl-Gruppe beobachtet[8].

Zur Blockierung nicht umgesetzter Amino-Gruppen bietet sich deren Acylierung mit Reagenzien an, die nach Abspaltung des Peptids vom Träger eine leichte Abtrennung (z. B. durch Chromatographie an Ionenaustauschern) der Nebenprodukte

---

1 M. Ohno et al., Am. Soc. **93**, 5251 (1971).
2 R. B. Merrifield, Science **150**, 178 (1965).
R. B. Merrifield, J. M. Stewart u. N. Jernberg, Anal. Chem. **38**, 1905 (1966).
K. Brunfeldt, J. Halstrøm u. P. Roepstorff, Acta chem. scand. **23**, 2830 (1969).
T. Wieland, C. Birr u. A. von Dungen, A. **747**, 207 (1971).
3 E. Bayer et al., Am. Soc. **92**, 1738 (1970).
4 H. Hagenmaier, Tetrahedron Letters **1970**, 283.
5 E. Bayer et al., Am. Soc. **92**, 1735 (1970).
6 J. Meienhofer et al., J. Org. Chem. **35**, 4137 (1970).
7 H. Klostermeyer, B. **101**, 2823 (1968).
8 F. Chuen-Heh Chou, R. Shapiro et al., Am. Soc. **93**, 267 (1971).
9 W. S. Hancock, G. R. Marshall et al., J. Org. Chem. **38**, 774 (1973).
10 G. Losse u. R. Ulbrich, Tetrahedron **28**, 5823 (1972).

erlauben. Über die erfolgreiche Anwendung von 3-Nitro-phthalsäureanhydrid[1], des cyclischen Anhydrids der 3-Sulfo-propionsäure[2] und von N-Acetyl-imidazol[3] wurde berichtet. Eine allgemeine Anwendbarkeit solcher Acylierungsmittel wird jedoch bezweifelt[4].

33.116.7.4. Bestimmung des Umsatzgrades

Zur Ermittlung der Menge der nach jedem Verknüpfungsschritt nicht umgesetzten Amino-Gruppen wurden neben der Aminosäure-Analyse[5] verschiedene Titrations-Methoden angewandt, wie z.B. die direkte Titration des Aminostickstoffs mit 0,1n Perchlorsäure[6], die Titration von Halogenid nach vorausgegangener Umsetzung mit Pyridin-Hydrochlorid[4,7], -Hydrobromid[8,9], oder nach Abspaltung der Schutzgruppen mit 1n Salzsäure[10], wobei die gebundenen Halogenwasserstoffe zunächst mit Triäthylamin aus dem Harz ausgewaschen werden. Hier sei auch auf die spektroskopische Bestimmung von Pikrinsäure hingewiesen, die zunächst am Harz ammonsalzartig gebunden, und anschließend mit Äthyl-diisopropyl-amin eluiert wird[11].

Ebenfalls auf spektrophotometrischen Messungen beruht die Bestimmung der freien Amino-Gruppen durch deren Umsetzung mit 2-Hydroxy-1-naphthaldehyd und anschließende Aminolyse des gebildeten Aldimins mit Benzylamin[12], sowie deren indirekte Ermittlung durch Absorptionsmessung der bei der Verknüpfung mit bestimmten Aktivestern freigesetzten Phenole[13,14] bzw. der dabei abnehmenden Ausgangssubstanzen[15].

Darüber hinaus ist eine massenspektrometrische Verdünnungsanalyse der nach Reaktion mit Phenylsenfölen[16] gebildeten Thiohydantoine, quantitative ^{19}Fluor-Kernresonanz-spektroskopie von Trifluoracetyl-Derivaten der Aminosäuren[17] sowie die Messung der Radioaktivität ^{14}C-markierter N-tert.-Butyloxycarbonyl-aminosäuren zur Bestimmung des Umsatzgrades[18] möglich. Schließlich seien noch qualitative Farbreaktionen mit Bromkresolpurpur[19], Ninhydrin[20] und Azoaldehyden[21] erwähnt.

Zur Überwindung der Schwierigkeiten, die sich durch nicht quantitative Verknüpfungsreaktionen, u.a. bedingt durch die teilweise diffusions-kontrollierte Reaktion[22,23] in der

---

1 T. WIELAND, C. BIRR u. H. WISSENBACH, Ang. Ch. **81**, 782 (1969).
2 H. WISSMANN u. R. GEIGER, Ang. Ch. **82**, 937 (1970).
3 L. D. MARKLEY u. L. C. DORMAN, Tetrahedron Letters **1970**, 1787.
4 W. S. HANCOCK, G. R. MARSHALL et al., J. Org. Chem. **38**, 774 (1973).
5 F. C. WESTALL, J. SCOTCHLER u. A. B. ROBINSON, J. Org. Chem. **37**, 3363 (1972).
J. SCOTCHLER, R. LOZIER u. A. B. ROBINSON, J. Org. Chem. **35**, 3151 (1970).
6 K. BRUNFELDT, P. ROEPSTORFF u. J. THOMSEN, Acta chem. scand. **23**, 2906 (1969).
7 L. C. DORMAN, Tetrahedron Letters **1969**, 2319.
8 G. LOSSE u. R. ULBRICH. Tetrahedron **28**, 5823 (1972).
9 G. LOSSE u. R. ULBRICH, Z. **11**, 346 (1971).
10 E. BAYER, G. JUNG u. H. HAGENMAIER, Tetrahedron **24**, 4853 (1968).
11 B. F. GISIN, Anal. chim. Acta **58**, 248 (1972).
B. F. GISIN u. R. B. MERRIFIELD, Am. Soc. **94**, 3102, 6165 (1972).
12 K. ESKO, S. KARLSSON u. J. PORATH, Acta chem. scand. **22**, 3342 (1968).
13 M. BODANSZKY u. J. T. SHEEHAN, Chem. & Ind. **1966**, 1597.
14 S. HÖRNLE, H. **348**, 1355 (1967).
15 V. GUT u. J. RUDINGER, *Peptides* 1968, Proc. of the 9th Europ. Pept. Symp., Orsay, North Holland Publ. Co., Amsterdam **1968**, S. 185.
16 F. WEYGAND u. R. OBERMEIER, Z. Naturf. **23b**, 1390 (1968).
17 E. BAYER et al., Am. Soc. **94**, 265 (1972).
18 C. L. KRUMDIECK u. C. M. BAUGH, Biochemistry **8**, 1568 (1969).
19 H. C. BEYERMAN u. H. HINDRIKS, *Peptides* 1969, Proc. of the 10th Europ. Pept. Symp., Abano Terme, North Holland Publ. Co., Amsterdam **1971**, S. 145.
20 E. KAISER et al., Anal. Biochem. **34**, 595 (1970).
21 G. LOSSE u. H. KLENGEL, Tetrahedron **27**, 1423 (1971).
22 E. BAYER et al., Am. Soc. **92**, 1735 (1970).
23 A. LOSSE, Tetrahedron Letters **1971**, 4989.

Matrix, insbesondere bei höheren Peptiden ergeben, sind als Trägersubstanzen neben löslichen Polystyrolen[1,2] auch Sephadex LH-20[3] und mit Harz überzogene Glas-[4,5] bzw. Kel-F-perlen[6] (sog. Schalenharze) und poröse Glasperlen verwendet worden. Letztere sind entweder mit den Silanol-Gruppen der Oberfläche durch 1,4-Di-[hydroxymethyl]-benzol als Monoäther covalent verbunden (I)[7]:

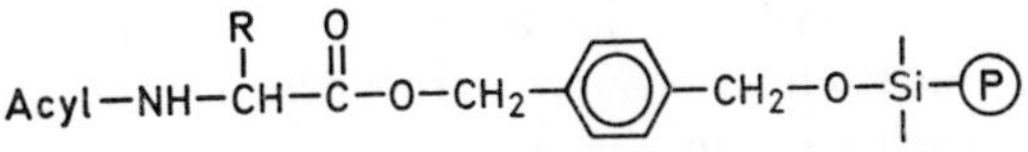

$$\text{Acyl-NH-}\overset{\displaystyle R}{\overset{|}{C}}\text{H-}\overset{\displaystyle O}{\overset{\|}{C}}\text{-O-CH}_2\text{-C}_6\text{H}_4\text{-CH}_2\text{-O-}\underset{|}{\overset{|}{Si}}\text{-}Ⓟ$$

I

oder durch eine Si—C-Bindung mit dem organischen Rest (II)[8]:

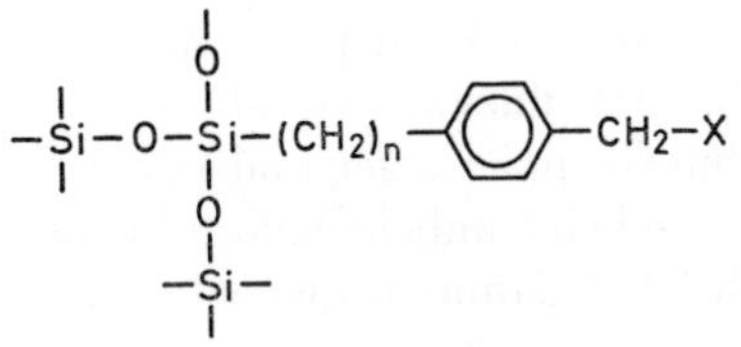

$$\text{-}\underset{|}{\overset{|}{Si}}\text{-O-}\underset{\underset{\underset{\underset{|}{\text{-}Si\text{-}}}{|}}{\underset{|}{O}}}{\overset{\overset{|}{O}}{\overset{|}{Si}}}\text{-(CH}_2)_n\text{-C}_6\text{H}_4\text{-CH}_2\text{-X}$$

II

n = 1,2,3....
X = Halogen

Eine weitere Möglichkeit zur Optimierung der Peptidsynthese an polymeren Trägern kann in der Fragment-Verknüpfung zwischen kurzkettigen Peptiden und harzgebundenen Aminosäuren oder Peptiden gegeben sein, da vor allen Dingen „schwierige" Peptid-Bindungen zunächst konventionell hergestellt werden können[9,10].

33.116.7.5. Die Abspaltung vom Polymer

Die Spaltung der Polymer-Benzylester-Bindung erfolgt bevorzugt durch P r o t o n e n - s o l v o l y s e[11]. Da es sich, wie schon erwähnt (s. S. 374), um alkyl-substituierte Benzylester

---

[1] M. M. SHEMYAKIN, YU. A. OVCHINNIKOV et al., Tetrahedron Letters **1965**, 2323.
A. A. KIRYUSHKIN, YU. A. OVCHINNIKOV et al., *Peptides*, Proc. of the 8th Europ. Pept. Symp., Noordwijk 1966, North Holland Publ. Co., Amsterdam **1967**, S. 100.
B. GREEN u. L. R. GARSON, Soc. [C] **1969**, 401.
J. J. MAHER, M. E. FUREY u. L. J. GREENBERG, Tetrahedron Letters **1971**, 27.

[2] Auch lösliche Polystyrole können sich aber chemisch eindeutig heterogen verhalten; R. H. ANDREATTA u. H. RINK, Helv. **56**, 1205 (1973).

[3] G. VLASOV et al., Ch. Z. **97**, 236 (1973).

[4] E. BAYER et al. Am. Soc. **92**, 1735 (1970).

[5] DOS 2109027 (1971), F. Hoffmann-La Roche u. Co., Erf.: C. HORVATH u. S. R. LIPSKY; C. A. **76**, 4165 (1972).

[6] G. W. TREGEAR, *Chemistry and Biology of Peptides*, Proc. of the 3th Amer. Pept. Symp., Boston U.S.A. 1972, Ann Arbor Science Publ. Inc., Ann Arbor, Michigan **1972**, S. 175.

[7] E. BAYER et al., Tetrahedron Letters **1970**, 4503.

[8] W. PARR u. K. GROHMANN, Ang. Ch. **84**, 266 (1972).
W. PARR u. K. GROHMANN, Tetrahedron Letters **1971**, 2633.
W. PARR, K. GROHMANN u. K. HÄGELE, A. **1974**, 655.

[9] F. WEYGAND u. U. RAGNARSSON, Z. Naturf. **21b**, 1141 (1966).

[10] H. YAJIMA, H. KAWATANI u. H. WATANABE, Chem. Pharm. Bull. (Tokyo) **18**, 1333 (1970); C. A. **73**, 88161 (1970).
S. VISSER u. K. E. T. KERLING, R. **89**, 880 (1970).
G. S. OMENN u. C. B. ANFINSEN, Am. Soc. **90**, 6571 (1968).

[11] R. B. MERRIFIELD, Adv. Enzymol. **32**, 221 (1969).

handelt, kann die Bindung im Gegensatz zu den „reinen“ Benzylestern (s. S. 353) unter etwas milderen Bedingungen gelöst werden.

Als saure Agenzien werden vor allem Lösungen von Bromwasserstoff in Trifluoressigsäure (Eisessig als Lösungsmittel erwies sich wegen der Gefahr der Acetylierung von Hydroxy-aminosäuren als ungünstig[1]) und wasserfreier, flüssiger Fluorwasserstoff angewandt[2,3]. Bei der Spaltung mit Bromwasserstoff (bei ~ 20°) sind die dabei auftretenden zahlreichen Nebenreaktionen, wie z.B. Angriff auf das Indol-Systems des Tryptophans (s. a. S. 566), in Betracht zu ziehen. Um Bromierungen zu vermeiden (Tyrosin!), ist es empfehlenswert, den Bromwasserstoff zunächst durch eine Lösung von Resorcin in Trifluoressigsäure zu leiten[4].

Die Acidolyse mittels Fluorwasserstoff bei 0° in Gegenwart von Anisol als „Scavenger“ bietet gegenüber jener mit Bromwasserstoff den Vorteil, daß neben sämtlichen N- und O-Schutzgruppen auf Benzyl- bzw. tert.-Butyl-Basis auch die Nitroguanido- und die S-Methoxy-benzyl-Maskierung entfernt werden[5] (es wurde jedoch auch über unbefriedigende Ergebnisse berichtet[6]). Als fluorwasserstoff-resistent werden N_{im}-Benzyl-, N_{im}-2,4-Dinitro-phenyl-, S-Alkylthio-Gruppierungen und 4-Nitro-benzylester genannt; auch das Indol-System des Tryptophans scheint unbehelligt zu bleiben[7]. Die Abspaltung vom Harz ist bei beiden Verfahren nach 30–90 Minuten quantitativ.

L-Alanyl-L-histidyl-L-arginyl-L-leucyl-L-histidyl-L-glutaminyl-L-leucin [H-Ala-His-Arg-Leu-His-Gln-Leu-OH][8]: Eine Mischung von 765 mg BOC-Ala-His-Arg(TOS)-Leu-His-Gln-Leu-OBØ, 0,70 *ml* Anisol und ~ 15 *ml* flüssigem Fluorwasserstoff wird 30 Min. bei 0° gerührt. Der Fluorwasserstoff wird durch einen Stickstoffstrom bei 0° im Laufe von ~ 10 Min. entfernt. Der Rückstand wird i. Vak. über Natriumhydroxid getrocknet und dann mit 10 *ml* Trifluoressigsäure 15 Min gerührt. Das Harz wird abfiltriert und 2mal mit je 5 *ml* Trifluoressigsäure gewaschen. Das Filtrat wird i. Vak. eingedampft, der erhaltene ölige Rückstand in einer Mischung aus 10 *ml* 0,2n Essigsäure und 10 *ml* Diäthyläther gelöst. Die organische Phase wird verworfen, die wäßr. Lösung nochmals mit 5 *ml* Diäthyläther gewaschen und dann lyophilisiert.

Aminosäure-Analyse: His: 1,92; Arg: 0,96; Glu: 0,99; Ala: 2,70; Leu: 2,00. Nach Chromatographie an Carboxymethyl-Cellulose verbleiben 80 mg eines Produkts, das weiter gereinigt wird. (Verteilungschromatographie an Sephadex G-25)[9].

Die sonst zur Entfernung des Benzyl-Restes übliche katalytische Hydrogenolyse unter milden Bedingungen in Gegenwart von Palladium-Schwarz (s. S. 353) ist hier nicht möglich, da es sich sowohl beim Katalysator als auch beim Substrat um Festsubstanzen handelt[10,11]. Eine alkalische Hydrolyse[12] oder die basenkatalysierte Umesterung in Gegenwart

---

[1] R. B. Merrifield, Biochemistry **3**, 1385 (1964).
[2] J. Lenard u. A. B. Robinson, Am. Soc. **89**, 181 (1967).
[3] S. Sakakibara u. Y. Shimonishi, Bl. chem. Soc. Japan **38**, 1412 (1965).
[4] A. Marglin u. R. B. Merrifield, Am. Soc. **88**, 5051 (1966).
[5] Ähnliche Eigenschaften soll Bor-tris-[trifluoracetat] (hergestellt aus Bortribromid und Trifluoressigsäure) besitzen. J. Pless u. W. Bauer, Ang. Ch. **85**, 142 (1973).
[6] W. S. Hancock, G. R. Marshall et al., Am. Soc. **93**, 1799 (1971); J. Biol. Chem. **247**, 6224 (1972). A. Marglin u. R. B. Merrifield, Ann. Rev. Biochem. **39**, 841 (1970).
[7] S. Sakakibara u. Y. Shimonishi, Bl. chem. Soc. Japan **40**, 2164 (1967).
[8] D. Yamashiro, J. Blake u. C. H. Li, Am. Soc. **94**, 2855 (1972).
[9] Auf die außerordentliche Agressivität und Giftigkeit des Fluorwasserstoffs sei ausdrücklich hingewiesen. Eine genaue Beschreibung der für die Arbeit mit diesem gefährlichen Reagenz unbedingt erforderlichen Spezialapparatur aus resistentem Poly-(trifluor-chlor-äthylen) („Kel-F“) bzw. Teflon geben J. M. Stewart u. J. D. Young, *Solid Phase Peptide Synthesis*, S. 41, Freeman and Co., San Francisco **1969**.
[10] R. B. Merrifield, Endeavour **24**, 3 (1965).
[11] Die Reaktion läßt sich selbst dann nicht präparativ ausnutzen, wenn lösliche Polystyrole als Trägermaterialien verwendet werden. Die Ausbeuten liegen bei ~ 10% d.Th. R. H. Andreatta u. H. Rink, Helv. **56**, 1205 (1973).
[12] R. B. Merrifield, Am. Soc. **85**, 2149 (1963).

von Anionenaustauschern[1] scheint wegen der Racemisierungsgefahr und der im zweiten Fall gleichzeitig erfolgenden Umesterung der ω-Benzylester von Aminodicarbonsäuren nicht sehr erfolgversprechend zu sein.

Die Ammonolyse der Polymer-Benzylester-Bindung mit Hilfe einer gesättigten Lösung von Ammoniak in Methanol, Äthanol oder Dimethylformamid[2] liefert neben den gewünschten Peptid-amiden (z.B. *Oxytocin*, *Sekretin*) auch die entsprechenden Methylester[3]. ω-Benzyl- oder ω-tert.-Butylester, die zum Schutz der Seitenketten von Aminodicarbonsäuren dienen, werden gleichzeitig ebenfalls in Amide bzw. Methylester übergeführt[4].

Bei Einwirkung von flüssigem, siedendem Ammoniak wird nur eine unbefriedigende Ammonolyse erzielt[5]. Glatt verläuft die Reaktion jedoch im Bombenrohr bei ~20° in einem Gemisch aus flüssigem Ammoniak (vorher bei –70° kondensiert) und Dimethylformamid im Verhältnis 1:1. Tert.-Butylester sind unter diesen Bedingungen stabil[6].

Die Abspaltung eines Peptids vom Harz mittels Hydrazin-Hydrat in absol. Äthanol oder Dimethylformamid[7] bietet die Möglichkeit, „einfache" kurzkettige Peptide an polymeren Trägern zu synthetisieren, die anschließend konventionell nach der Azid-Methode (s. S. II/305) zu höheren Peptiden verknüpft werden können (Zur Frage der Nebenreaktionen bei der Hydrazinolyse s. S. II/299ff.).

Zur Überwindung der Schwierigkeiten, die sich bei der Abspaltung der Peptid-Derivate vom Harz ergeben, wurden verschiedene andere Polymer-ester, wie z.B. Polymer-2-phenyl-2-oxo-äthylester (s. S. 347), Polymer-2-(methylsulfonyl)-äthylester (s. S. 343), Polymer-diphenyl-methylester (s. S. 389), Polymer-phenylester, Polymer-2-nitro-benzylester[8] (photolytisch spaltbar!), Polymer-4-benzyloxy-benzylester[9] und Polymer-tert.-amylester[10] als Alternativen zu den Polymer-benzylestern vorgeschlagen.

33.117. Ester höherer und polymerer primärer Alkohole

Als Carboxy-Schutzgruppen sind Reste höherer primärer Alkohole in der Peptidchemie von geringer Bedeutung. Sie finden jedoch z.B. bei der quantitativen gaschromatographischen Bestimmung von Aminosäuren Verwendung. Die Verbindungen können durch Umesterung von Aminosäure-methylestern z.B. mit n-Butanol unter dem katalytischen Einfluß von Proton- oder Lewissäuren hergestellt werden[11,12]. Beim Einsatz basischer Katalysatoren wie z.B. Natriumalkanolaten erhält man völlig racemisierte Produkte[12].

Zur Überwindung der aufgrund der Säurelabilität der „benzylester-artigen" Bindung der carboxy-endständigen Aminosäure an ein Polymer bei der Peptidsynthese an Fest-

---

[1] B. Halpern, L. Chew et al., Tetrahedron Letters **1968**, 5163.
W. Pereira, B. Halpern et al., J. Org. Chem. **34**, 2032 (1969).
[2] M. Bodanszky u. J. T. Sheehan, Chem. & Ind. **1966**, 1597.
M. Manning, Am. Soc. **90**, 1348 (1968).
H. Takashima, V. du Vigneaud u. R. B. Merrifield, Am. Soc. **90**, 1323 (1968).
E. Bayer u. H. Hagenmaier, Tetrahedron Letters **1968**, 2037.
[3] H. C. Beyerman, H. Hindriks u. E. W. B. de Leer, Chem Commun. **1968**, 1668.
[4] W. Parr u. G. Holzer, H. **352**, 1043 (1971).
[5] H. C. Beyerman et al., R. **87**, 257 (1968).
[6] W. Parr, C. Yang u. G. Holzer, Tetrahedron Letters **1972**, 101.
[7] S. Visser et al., R. **87**, 559 (1968).
M. Ohno et al., Am. Soc. **93**, 5251 (1971).
M. Ohno u. C. B. Anfinsen, Am. Soc. **89**, 5994 (1967).
[8] D. H. Rich u. S. K. Gurawa, Chem. Commun. **1973**, 610.
[9] S.-S. Wang, Am. Soc. **95**, 1328 (1973).
[10] S.-S. Wang u. R. B. Merrifield, Int. J. Pept. Prot. Res. **4**, 309 (1972).
[11] D. L. Stalling, G. Gille u. C. W. Gehrke, Anal. Biochem. **18**, 118 (1967).
[12] M. Brenner u. W. Huber, Helv. **36**, 1109 (1953).

körpern nach Merrifield (s. S. 374) aufgetretenen Schwierigkeiten wurden u.a. neue Polymere I, II und III eingesetzt:

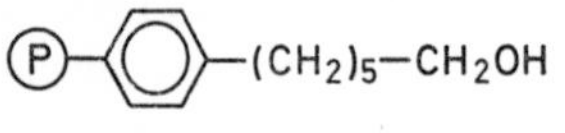

$$\text{Ⓟ}-C_6H_4-(CH_2)_5-CH_2OH \qquad \text{Ⓟ}-C_6H_4-\overset{O}{\overset{\|}{C}}-(CH_2)_3-OH \qquad \text{Ⓟ}-C_6H_4-N(COCH_3)-(CH_2)_n-OH$$

I 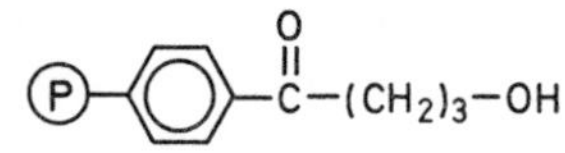 — II 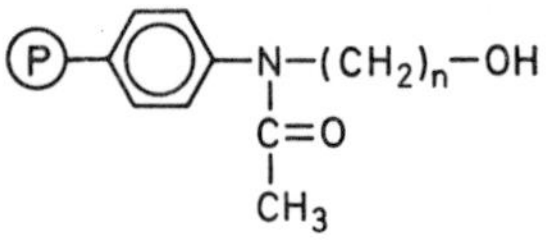 — III n = 2,6

Die Herstellung von I erfolgt durch Friedel-Crafts-Acylierung eines Polystyrol-copolymerisats mit Adipinsäure-methylester-chlorid, gefolgt von einer Reduktion nach Wolff-Kishner mit Hydrazin-Hydrat und der Überführung der Carboxy-Funktion in den Alkohol mit Lithiumaluminiumhydrid[1].

Analog gewinnt man II durch Friedel-Crafts-Acylierung eines Polystyrol-copolymerisats mit γ-Chlor-butyrylchlorid und anschließende alkalischer Verseifung des Essigsäureesters, der bei der Umsetzung des bei dieser Acylierung gebildeten Produkts mit Triäthylammoniumacetat erhaltenen wird[2].

Das Polymer III wird hergestellt durch Umsetzung eines wie üblich (s. S. 371) chlormethylierten Polystyrols mit 2-Amino-äthanol oder 6-Amino-hexanol und darauf folgende Acetylierung des Stickstoffs mit Acetanhydrid[2].

Die Knüpfung von N-Acyl-aminosäuren an diese Harze gelingt mittels N, N'-Carbonyl-di-imidazol (s. S. 374). Die Spaltung der N-Acyl-peptid-polymer-ester-Bindung erfolgt durch alkalische Hydrolyse, was sich wegen der damit verbundenen Nebenreaktionen (s. S. 335) sehr nachteilig auswirken kann.

Ebenfalls makromolekularer primärer Alkohol-Derivate (z.B. Polyäthylenglykol) als zugleich löslichkeitsvermittelnder Carboxy-Schutzgruppe bedient sich ein Verfahren der Peptidsynthese[3], das die Vorteile der „Festkörpersynthese" (s. S. 371 ff.) und der konventionellen Peptidsynthese in homogener Phase auf sich vereinigen soll („Liquid-Phase"-Methode, LPM). Die Abtrennung der niedermolekularen Reagentien geschieht dabei durch Ultrafiltration (Membranfiltration). Das erhaltene Peptid-Derivat wird vom makromolekularen Träger durch alkalische Hydrolyse (Racemisierungsgefahr, Spaltung der Peptidkette, Transpeptidierung etc., s. dazu auch S. 335) abgelöst.

33.120. Ester sekundärer Alkohole

33.121. Isopropylester und andere Ester sekundärer Alkohole

Isopropylester von Aminosäuren können z.B. nach Fischer aus Aminosäure-Hydrochloriden und Isopropanol[4,5] oder durch azeotrope Veresterung (s. S. 348) von Aminosäure-4-Toluolsulfonsäure-Salzen mit Isopropanol in guten Ausbeuten hergestellt werden[5]. Die freien Ester sind hinsichtlich ihrer Neigung zur Cyclisierung, d. h. 2,5-Dioxo-piperazin-Bildung,

---

1 E. Bayer et al., H. **352**, 759 (1971).
2 M. A. Tilak u. C. S. Hollinden, Tetrahedron Letters **1968**, 1297.
3 M. Mutter, H. Hagenmaier u. E. Bayer, Ang. Ch. **83**, 883 (1971).
E. Bayer u. M. Mutter, Nature **237**, 512 (1972); B. **107**, 1344 (1974).
M. Mutter u. E. Bayer, Ang. Ch. **86**, 101 (1974).
4 M. Brenner u. V. Kocher, Helv. **32**, 333 (1949).
5 S. Sakakibara et al., Bl. chem. Soc. Japan **40**, 2164 (1967).

stabiler als die Aminosäure-methylester[1], außerdem sind sie alkalisch nicht so leicht hydrolysierbar. Die Acidolyse in flüssigem Fluorwasserstoff bei 0° ist jedoch nach ~2 Stdn. quantitativ[2].

Cyclopentylester von Aminosäuren wurden zusammen mit dem Cyclopentyloxycarbonyl-Rest (s. S. 107) in die Peptidchemie eingeführt[3]. Sie können unter relativ drastischen Bedingungen mit einer Lösung von Bromwasserstoff in Eisessig (s. S. 56) bei ~ 20° im Laufe von 15 Stdn. gespalten werden. Die Ester haben in der Peptidchemie bisher keine Bedeutung erlangt.

Hingewiesen sei auf die Aminosäure-2,2'-dinitro-diphenyl-methylester, die unter der Einwirkung von ultraviolettem Licht (s. auch S. 116) photolytisch spaltbar sind[4].

33.122. Diphenyl-methylester (Ditylester, Benzhydrylester)

Aminosäure-diphenyl-methylester können durch Umsetzung der 4-Toluolsulfonsäure-Salze oder Naphthalin-2-sulfonsäure-Salze von Aminosäuren mit Diphenyldiazomethan[5] in Dimethylformamid hergestellt werden[6].

Aminosäure-diphenyl-methylester-4-Toluolsulfonsäure-Salze; allgemeine Herstellungsvorschrift[6]: 0,01–0,02 Mol des Aminosäure-(oder des Peptid-)-4-Toluolsulfonsäure-Salzes werden in 5 *ml* Dimethylformamid gelöst, auf 50° erwärmt und dann unter Rühren mit 1,5 Äquiv. Diphenyldiazomethan in ~ 10 *ml* Dimethylformamid versetzt. Nach 10 Min. wird das Lösungsmittel i. Vak. abgedampft, der erhaltene Rückstand aus Acetonitril umkristallisiert; Ausbeuten: 75–90% d. Th.

L-Glutaminsäure-α-diphenyl-methylester [H-Glu-ODPM][7]: Glutaminsäure-Naphthalin-2-sulfonsäure-Salz, hergestellt aus 2,94 g (0,02 Mol) Glutaminsäure und 4,52 g (0,02 Mol) Naphthalin-2-sulfonsäure, wird in 10 *ml* Dimethylformamid gelöst. Dazu tropft man unter Rühren im Lauf von 15–20 Min. bei 50° eine Lösung von 4,0 g (0,02 Mol) Diphenyldiazomethan in 10 *ml* Dimethylformamid. Daraufhin läßt man die Mischung auf 20° abkühlen und versetzt sie dann mit 5 g Natriumacetat in 20 *ml* Wasser. Der gewünschte Ester kristallisiert in der Kälte nach dem Anreiben. Er wird abfiltriert, nacheinander mit Wasser, Äthanol und Diäthyläther gewaschen und getrocknet; Ausbeute: 4,2 g (67% d. Th.); F: 162,5–163,5°. Nach kurzem Auskochen mit Äthanol steigt der Schmelzpunkt auf 165°. $[\alpha]_D^{20} = -5{,}0°$ (c = 2,0; in Methanol, das die äquivalente Menge Naphthalin-2-sulfonsäure enthält).

Versuche, diese Ester analog den Benzylestern mit Hilfe der azeotropen Veresterung (s. dazu S. 348) aus 4-Toluolsulfonsäure-Salzen von Aminosäuren und Diphenylmethanol herzustellen, scheiterten ebenso wie die Umsetzung von N-Carbonsäure-Anhydriden (s. S. II/187 ff.) mit Diphenylmethanol[8]. Diphenyl-methylester sind jedoch über die oben angegebene Methode hinaus zugänglich durch Alkylierung von N-geschützten Aminosäuren mit Diphenyldiazomethan[8–10] oder Diphenylmethanol[8] oder durch Reaktion deren Silbersalze mit Diphenylmethylchlorid[9] und anschließender Abspaltung der Amino-Schutzgruppe. Zur Blockierung der Stickstoff-Funktion werden der 2-Nitro-phenylsulfenyl-, der Formyl- und der Trityl-Rest verwendet.

S-Trityl-L-cystein-diphenyl-methylester-Oxalsäure-Salz [H-Cys(TRT)-ODPM · OXA-(OH)$_2$]:

S,N-Ditrityl-L-cystein-diphenyl-methylester [TRT-Cys(TRT)-ODPM][8]: 106 g (0,156 Mol) S,N-Ditrityl-L-cystein-Diäthylamin-Salz werden mittels eines Kationenaustauschers (Dowex 50 WX-8, H$^{\oplus}$-Form) in Wasser/Tetrahydrofuran (1:2) zur freien Säure umgesetzt. Das so erhaltene amorphe Produkt wird in 500 *ml* Toluol gelöst und mit einem Überschuß an gelöstem Diphenyldiazomethan versetzt. Die Mischung wird 12 Stdn. bei 20° stehengelassen, dann 6 Stdn. auf dem siedenden Wasserbad erhitzt, mit 50 g Florisil behandelt und schließlich 2 Stdn. sich selbst überlassen. Die filtrierte Lösung

---

1 M. Brenner u. V. Kocher, Helv. **32**, 333 (1949).
2 S. Sakakibara et al., Bl. chem. Soc. Japan **40**, 2164 (1967).
3 F. C. McKay u. N. F. Albertson, Am. Soc. **79**, 4686 (1957).
4 A. Patchornik, B. Amit u. R. B. Woodward, Am. Soc. **92**, 6333 (1970).
5 L. I. Smith u. K. L. Howard, Org. Synth., Coll. Vol. **III**, 351 (1955).
6 A. A. Aboderin, G. R. Delpierre u. J. S. Fruton, Am. Soc. **87**, 5469 (1965).
7 J. Taylor-Papadimitriou, L. Zervas et al., Soc. [C] **1967**, 1830.
8 R. G. Hiskey u. J. B. Adams, Am. Soc. **87**, 3969 (1965).
9 G. C. Stelakatos, A. Paganou u. L. Zervas, Soc. [C] **1966**, 1191.
10 M. Bethell, D. B. Bigley u. G. W. Kenner, Chem. & Ind. **1963**, 653.

wird i. Vak. eingedampft, das erhaltene gelbe Öl in Diäthyläther aufgenommen und durch Zusatz von Methanol zur Kristallisation gebracht. Umkristallisieren aus Diäthyläther/Methanol; Ausbeute: 104 g (87% d.Th.); F: 124–124,5°; $[\alpha]_D^{25} = +51,0°$ (c = 1,93; in Aceton).

S-Trityl-L-cystein-diphenyl-methylester-Oxalsäure-Salz [H-Cys(TRT)-ODPM·OXA-$(OH)_2$][1]: Zu einer Lösung von 7,72 g (0,01 Mol) TRT-Cys(TRT)-ODPM in 25 *ml* Tetrahydrofuran werden 2,46 *ml* (0,01 Mol Chlorwasserstoff) einer 4,06n Chlorwasserstoff-Lösung in Tetrahydrofuran und 2 *ml* Wasser gegeben. Die Lösung wird 5 Min. am Rückfluß zum Sieden erhitzt, anschließend mit Natriumhydrogencarbonat basisch gemacht und dann i. Vak. vom Tetrahydrofuran weitgehend befreit. Vom Wasser wird abdekantiert und der verbleibende zähe gelbe Rückstand in Diäthyläther gelöst. Diese Lösung wird mit ges. Kochsalz-Lösung gewaschen, getrocknet und dann mit einer Lösung von 0,9 g (0,01 Mol) wasserfreier Oxalsäure versetzt. Der farblose Niederschlag wird aus Aceton/Petroläther/Diäthyläther umkristallisiert; Ausbeute: 2,1 g (33% d.Th.); F: undefiniert (~ 80°); $[\alpha]_D^{20} = +60,7°$ (c = 1,6; in Äthanol).

Eine bessere Ausbeute (85% d.Th.) erhält man durch Detritylierung mittels 5n Salzsäure/Aceton (1:4) und Reinigung des gewonnenen H-Cys(TRT)-ODMP·HCl durch Verreiben mit Diäthyläther/Hexan.

L-Asparagin-diphenyl-methylester-Hydrochlorid [H-Asn-ODPM·HCl][2]:

N-(2-Nitro-phenylsulfenyl)-L-asparagin-Silbersalz [NPS-Asn-OAg]: Zu einer Suspension von 5,7 g (0,02 Mol) NPS-Asn-OH in 25 *ml* wäßr. Methanol (20%-ig) werden 2 *ml* Diäthylamin gegeben. Nach gelindem Erwärmen erhält man eine klare Lösung, die durch Zugabe einer kleinen Menge NPS-Asn-OH schwach sauer gemacht wird. Nach Zusatz einer wäßr. Lösung von 3,73 g (0,022 Mol) Silbernitrat fällt NPS-Asn-OAg als Gallerte, die schnell fest wird. Das Produkt wird abfiltriert, mit Methanol gewaschen und über Phosphor(V)-oxid i. Vak. getrocknet; Ausbeute: 7,4 g (94 % d.Th.).

N-(2-Nitro-phenylsulfenyl)-L-asparagin-diphenyl-methylester [NPS-Asn-ODPM]: Das oben erhaltene Silbersalz (0,018 Mol) wird in 100 *ml* Chloroform suspendiert und unter Rühren mit 3,2 g (0,016 Mol) Diphenylmethylchlorid versetzt. Nach 24 Stdn. Rühren bei 20° wird die Mischung 1 Stde. am Rückfluß zum Sieden erhitzt. Das gebildete Silberchlorid wird durch Celit abgesaugt, das Filtrat i. Vak. eingedampft. Der ölige Rückstand wird in Diäthyläther aufgenommen, die ätherische Lösung wiederholt mit ges. Natriumcarbonat-Lösung, dann mit Wasser gewaschen, getrocknet und anschließend i. Vak. zur Trockene eingedampft. Der ölige Rückstand wird mit Petroläther (Kp: 40–60°) überschichtet und mehrere Tage im Kühlschrank aufbewahrt; dabei erstarrt das Produkt zu einer amorphen Masse; Ausbeute: 4,3 g (50% d.Th.).

L-Asparagin-diphenyl-methylester-Hydrochlorid [H-Asn-ODPM·HCl]: Die oben erhaltene Substanz wird in 30 *ml* Aceton gelöst und mit 4,4 *ml* 5n Salzsäure versetzt (Hierbei ausfallendes Di-[2-nitrophenyl]-disulfid wird abfiltriert oder später mit wasserunlöslichen Produkten abgetrennt). Nach 5 Min. wird die Lösung zur Trockne eingedampft (Badtemp. 25–30°). Der erhaltene ölige Rückstand wird mit Diäthyläther verrieben, wobei ein amorpher Niederschlag von H-Asn-ODPM·HCl entsteht. Dieses Rohprodukt wird in wenig Wasser suspendiert, die Mischung filtriert, das Filtrat mit ges. wäßr. Natriumcarbonat-Lösung versetzt und mit Diäthyläther extrahiert. Die organische Phase wird über Kaliumcarbonat getrocknet und dann mit einer ätherischen Chlorwasserstoff-Lösung versetzt. Der kristalline Niederschlag wird abfiltriert und aus Methanol/Diäthyläther umkristallisiert; F: 159–160°; $[\alpha]_D^{18} = +1,4°$ (c = 6,4; in Dimethylformamid). Ausbeute vor dem Umkristallisieren: 1,6 g (30% d.Th.).

Aminosäure-diphenyl-methylester können als Amin-Komponenten mit Hilfe der häufig angewandten Methoden wie z.B. dem Carbodiimid- oder dem Mischanhydrid-Verfahren zu Peptid-Derivaten verknüpft werden. Die sperrige Diphenyl-methyl-Gruppe gibt dabei offenbar keinen Anlaß zu mäßigen Ausbeuten[3].

L-Valyl-L-valin-diphenyl-methylester-Hydrochlorid [H-Val-Val-ODPM·HCl][2]: 4,48 g (0,01 Mol) NPS-Val-OH·DCHA und 3,2 g (0,01 Mol) H-Val-ODPM·HCl werden in 50 *ml* Chloroform suspendiert und bei 7–8° einige Min. gerührt. Dann werden 2,06 g (0,01 Mol) N,N'-Dicyclohexyl-carbodiimid unter Rühren zur klaren Lösung gegeben. Nach 12 Stdn. Rühren bei 20° fügt man einige Tropfen 50%-ige wäßr. Essigsäure zu der Mischung und filtriert den Niederschlag, bestehend aus N,N'-Dicyclohexyl-harnstoff und Dicyclohexylamin-Hydrochlorid, ab. Das Filtrat wird nacheinander mit Wasser, verd. Schwefelsäure, Wasser, verd. Kaliumhydrogencarbonat-Lösung und Wasser gewaschen, getrocknet und schließlich i. Vak. zur Trockene eingedampft. Es verbleibt eine glasartige Masse. Der 2-Nitro-phenylsulfenyl-Rest wird nun wie oben für NPS-Asn-ODPM beschrieben abgespalten. Das so erhaltene rohe H-Val-

---

[1] R. G. Hiskey u. J. B. Adams, Am. Soc. **87**, 3969 (1965).

[2] G. C. Stelakatos, A. Paganou u. L. Zervas, Soc. [C] **1966**, 1191.

[3] A. A. Aboderin, G. R. Delpierre u. J. S. Fruton, Am. Soc. **87**, 5469 (1965).

Val-ODPM·HCl wird wie erwähnt gereinigt (s. H-Asn-ODPM·HCl, S. 386) und dann aus Tetrahydrofuran/Diäthyläther umkristallisiert; Ausbeute: 3,35 g (80% d.Th.); F: 180–181°; $[\alpha]_D^{20} = -14,9°$ (c = 8,0; in Dimethylformanid).

Die Abspaltung des Diphenyl-methyl-Restes erfolgt analog dem Benzyl-Rest glatt durch katalytische Hydrogenolyse[1,2]. Im Gegensatz zu den Benzylestern zeigen die Diphenyl-methylester jedoch eine erheblich höhere Säurelabilität. Sie werden durch Trifluoressigsäure bei 0°, ges. Chlorwasserstoff-Lösung in Eisessig bei 25°, Eisessig bei 70° und Bortrifluorid-Diäthylätherat/Eisessig (1:6) bei 25° innerhalb weniger Min. 100%-ig gespalten. Gegenüber 1,7 n Chlorwasserstoff-Lösung in Tetrahydrofuran und Salzsäure in Aceton (5 *ml* 5n Salzsäure in 20 *ml* Aceton) sind sie bei 25° ~60 Min. beständig[3].

In diesem Verhalten sind diese Ester demnach den tert.-Butylestern sehr ähnlich. Dies bestätigt sich bei quantitativen Untersuchungen[4,5].

N-Phthalyl-S-diphenyl-methyl-L-cysteinyl-glycin [PHT = Cys(DPM)-Gly-OH][6]: Zu einer Lösung von 25,0 g (0,06 Mol) H-Gly-ODPM·TOS-OH, 8,4 *ml* (0,06 Mol) Triäthylamin und 25,0 g (0,06 Mol) PHT=Cys(DPM)-OH in 90 *ml* Dichlormethan werden unter Rühren bei −10° 12,0 g (0,0615 Mol) 1-Äthyl-3-(3-dimethylamino-propyl)-carbodiimid-Hydrochlorid gegeben. Die Mischung wird noch 1 Stde. bei −10° und dann 20 Stdn. bei 20° gerührt. Nach dem Abdampfen des Lösungsmittels i. Vak. wird der Rückstand in 300 *ml* Essigsäure-äthylester gelöst, diese Lösung nacheinander mit 1 n Salzsäure, Wasser, 5%-iger Natriumhydrogencarbonat-Lösung, Wasser, ges. Kochsalz-Lösung gewaschen, getrocknet und i. Vak. eingedampft. Das verbleibende Material wird in 300 *ml* Eisessig-Chloroform (2:1) gelöst, die Mischung bei 20° mit 39 *ml* (0,3 Mol) Bortrifluorid-Diäthylätherat versetzt und nach 1 Stde. in 2800 *ml* Eiswasser/Chloroform (5:2) gegossen. Die wäßr. Phase wird mit Chloroform extrahiert; die vereinigten organischen Extrakte werden getrocknet, i. Vak. eingedampft und der Rückstand aus Essigsäure-äthylester umkristallisiert; Ausbeute: 20,5 g (72% d.Th.); F: 188–190°; $[\alpha]_D^{18} = -108,6°$ (c = 1,1; in Aceton).

Darüber hinaus unterliegen die Diphenyl-methylester zum Unterschied von den tert.-Butylestern rasch der alkalischen Hydrolyse. Mit zwei Äquivalenten 85%-igem Hydrazin-Hydrat erfolgt bei Erhitzen am Rückfluß in methanolischer Lösung Reaktion zum Hydrazid[3].

Läßt man wäßr. Lösungen von Aminosäure-diphenyl-methylester-Hydrochloriden einige Stdn. bei 20° stehen, so tritt wie bei den Triphenyl-methylestern Hydrolyse ein, wobei sich gleichzeitig Diphenylmethanol abscheidet. Dieser Vorgang kann durch Temperaturerhöhung erheblich beschleunigt werden. Der p_H-Wert der Lösung verschiebt sich gleichzeitig in den stärker sauren Bereich[1].

---

1 G. C. Stelakatos, A. Paganou u. L. Zervas, Soc. [C] **1966,** 1191.
2 A. A. Aboderin, G. R. Delpierre u. J. S. Fruton, Am. Soc. **87,** 5469 (1965).
3 R. G. Hiskey u. J. B. Adams, Am. Soc. **87,** 3969 (1965).
4 G. Losse, D. Zeidler u. T. Grieshaber, A. **715,** 196 (1968).
5 G. Blotny u. E. Taschner, Bull. Acad. Polon. Sci, Ser. Sci. Chim. **14,** 615 (1966).
6 R. G. Hiskey, J. T. Staples u. R. L. Smith, J. Org. Chem. **32,** 2772 (1967).

Tab. 47. L-Aminosäure-α-diphenyl-methylester und deren Salze

Aminosäure		F [°C]	$[\alpha]_D$	t	c	Lösungsmittel	Literatur
Ala	a	176–177					1
	b	178	−14,4	23	10,0	Dimethylformamid	2
Asn	c	143–144	+4,8	24	6,0	Dimethylformamid	3
	b	159–160	+1,4	18	6,4	Dimethylformamid	2
Gln		169	−7,5	22	3,0	Dimethylformamid	3
Gly	a	140–142					1,4
	b	134–135					2
	d	155–155,5					5
Glu	f	165	−5,0	20	2,0	Methanol + 1 Äquiv. Naphthalin-2-sulfonsäure	3
Leu	a	197–198					1
Met	a	169–171					1
Phe	a	195–197					1
Ser	a	158–159					1
Thr	a	153–154					1
Val	a	170–171					1
	b	159,5–160	−35,0	30	0,8	Tetrahydrofuran	2
	e	148–149	−24,8	21	5,0	Dimethylformamid	2

[a] 4-Toluolsulfonsäure-Salz
[b] Hydrochlorid
[c] Naphthalin-2-sulfonsäure-Salz
[d] Oxalsäure-Salz
[e] Hydrobromid
[f] freier Ester

[1] A. A. Aboderin, G. R. Delpierre u. J. S. Fruton, Am. Soc. **87**, 5469 (1965).
[2] G. C. Stelakatos, A. Paganou u. L. Zervas, Soc. [C] **1966**, 1191.
[3] J. Taylor-Papadimitriou, L. Zervas et al., Soc. [C] **1967**, 1830.
[4] R. G. Hiskey, J. T. Staples u. R. L. Smith, J. Org. Chem. **32**, 2772 (1967).
[5] R. G. Hiskey u. J. B. Adams, Am. Soc. **87**, 3969 (1965).

33.123. Polymer-diphenyl-methylester

Die Umsetzung von Polystyrol (mit 2% 1,4-Divinyl-benzol copolymerisiert) und Benzoylchlorid nach Friedel-Crafts liefert ein Keton, dessen Reduktion mit Natriumboranat zum entsprechenden Carbinol führt, das sich mit Halogenwasserstoff leicht in ein Halogenid überführen läßt[1]:

$C_6H_5\text{–}COCl + C_6H_5\text{–}(P) \xrightarrow[-\ HCl]{AlCl_3} C_6H_5\text{–}CO\text{–}C_6H_4\text{–}(P) \xrightarrow{NaBH_4} C_6H_5\text{–}CH(OH)\text{–}C_6H_4\text{–}(P)$

(Phenyl-brom-methyl)-polystyrol (2%-1,4-Divinyl-benzol-Copolymerisat):

Benzoyl-polystyrol (mit 2% 1,4-Divinyl-benzol copolymerisiert)[1]: 425 g Polystyrol (2%-1,4-Divinyl-benzol-Copolymerisat, 200–400 mesh) werden bei 0° in 2400 *ml* Nitrobenzol unter Rühren mit (0,85 Mol) Benzoylchlorid versetzt, gefolgt von 57 g (0,425 Mol) wasserfreiem Aluminiumchlorid in 3 Portionen. Daraufhin wird die Mischung noch 30 Min. bei 0° und 3 Stdn. bei 20° gerührt. Das Harz wird abfiltriert und nacheinander mit je 2000 *ml* 1,4-Dioxan, 1,4-Dioxan/3 n Salzsäure (3:1), 1,4-Dioxan und Methanol gewaschen und i. Vak. bei 40° 12 Stdn. getrocknet.

Phenyl-polystyrol (2% 1,4-Divinyl-benzol-Copolymerisat)-carbinol[1]: Eine Mischung aus 100 g Benzoyl-polystyrol-copolymerisat und 550 *ml* Diglyme wird auf 0° abgekühlt und unter Rühren eine Suspension von 3 g Natriumborhydrid in 100 *ml* Diglyme zugetropft. Nach 15 Min. Rühren bei 0° wird die Mischung 10 Stdn. auf 60° erhitzt. Nach dem Abkühlen auf 0° werden 40 *ml* konz. Salzsäure zugetropft. Das Harz wird abfiltriert, mit heißem Wasser, heißem Äthanol gewaschen und i. Vak. bei 40° getrocknet.

(Phenyl-brom-methyl)-polystyrol (2%-1,4-Divinyl-benzol-Copolymerisat)[2]: Durch eine Suspension von 70 g Phenyl-polystyrol-(copolymerisat)-carbinol (0,79 mMol Hydroxy-Gruppen pro g Harz) in 840 *ml* Dichlormethan wird 1 Stde. trockener Bromwasserstoff geleitet. Das Harz wird daraufhin abfiltriert, mit Dichlormethan gewaschen und getrocknet (Bromgehalt 0,81 mMol/g Harz).

Ersetzt man den Bromwasserstoff durch Chlorwasserstoff, so wird die analoge Chlor-Verbindung erhalten.

Am so modifizierten Harz läßt sich z.B. eine mit dem 1-Methyl-2-benzoyl-vinyl-Rest N-geschützte Aminosäure durch eine Diphenyl-methylester-Bindung fixieren[2]. Wegen ihrer guten Löslichkeit in organischen Solvenzien werden für diese Umsetzung die Dicyclohexylamin-Salze der N-(1-Methyl-2-benzoyl-vinyl)-aminosäuren eingesetzt[3] (s. dazu auch S. 277):

$MBV\text{–}Val\text{–}OH \cdot DCHA + Br\text{–}CH(C_6H_5)\text{–}C_6H_4\text{–}(P) \xrightarrow[\text{oder 4 Tage bei } 20°\text{ in } CH_2Cl_2]{\text{Rückfluß } CHCl_3\text{, 12 Stdn.}} MBV\text{–}Val\text{–}O\text{–}CH(C_6H_5)\text{–}C_6H_4\text{–}(P) + DCHA \cdot HBr$

(Fortsetzung S. 390)

[1] G. L. Southard, G. S. Brooke u. J. M. Pettee, Tetrahedron **27**, 2701 (1971).

[2] G. L. Southard, G. S. Brooke u. J. M. Pettee, Tetrahedron Letters **1969**, 3505.

[3] G. L. Southard, G. S. Brooke u. J. M. Pettee, Tetrahedron, **27**, 1359 (1971).

① 0,4n HCl in THF 30 Min.
② $(C_2H_5)_3N$
③ MBV—Gly—OH·DCHA + DCCD + TOS—OH
→ MBV—Gly—Val—O—CH(C_6H_5)—C_6H_4—Ⓟ

①–③ zweimal wiederholt
mit MBV-Ala-OH·DCHA
und MBV-Leu-OH·DCHA
→ MBV—Leu—Ala—Gly—Val—O—CH(C_6H_5)—C_6H_4—Ⓟ

④ 0,4n HCl in THF
⑤ 50% TFA—OH in $CHCl_3$
→ H—Leu—Ala—Gly—Val—OH·TFA—OH

Die Amino-Schutzgruppe kann unter milden Bedingungen mit 0,4n Salzsäure in Tetrahydrofuran (1 *ml* 6n Salzsäure in 15 *ml* Tetrahydrofuran) oder 1n 4-Toluolsulfonsäure-Monohydrat in Tetrahydrofuran wieder abgespalten werden. Die Kettenverlängerung erfolgt durch Acylierung mit ~5 Äquiv. einer weiteren N-(1-Methyl-2-benzoyl-vinyl)-aminosäure unter Einwirkung von N,N′-Dicyclohexyl-carbodiimid. Die Ablösung des gewünschten Peptids vom Harz nach beendeter Synthese gelingt im Laufe von 30 Min. mittels 5–50%-iger Trifluoressigsäure in Chloroform. Diese Spaltungsbedingungen sind wesentlich schonender als diejenigen, die zur Lösung der Benzylester-Bindung bei der Synthese am Festkörper nach Merrifield (s. S. 382) geschaffen werden müssen.

33.130. Ester tertiärer Alkohole

33.131. tert.-Butylester

Aminosäuren können in saurem Medium mit Isobuten[1,2] oder Essigsäure-tert.-butylester[3,4] in Salze der Aminosäure-tert.-butylester übergeführt werden.

L-Asparaginsäure(β-benzylester)-α-tert.-butylester-Hydrochlorid [H-Asp(OBZL)-OtBu·HCl][2]: Zu einer Lösung von 3,0 g (0,013 Mol) H-Asp(OBZL)-OH in einer Mischung aus 25 *ml* 1,4-Dioxan und 2,5 *ml* konz. Schwefelsäure werden in einer 500 *ml*-Druckflasche (oder einem Autoklaven) 25 *ml* flüssiges Isobuten gegeben (Aus einer Stahlflasche in einen mit einer Trockeneis/Äthanol-Kältemischung gekühlten Kolben kondensiert.) Die Mischung wird bei 20° 4 Stdn. geschüttelt und dann sofort unter Rühren in 125 *ml* kalte 1n Natronlauge gegossen, die mit 200 *ml* Diäthyläther überschichtet ist. Vor dem Öffnen ist das Reaktionsgefäß gut zu kühlen (Überdruck!). Die wäßr. Phase wird gut mit Diäthyläther gewaschen. Die vereinigten ätherischen Lösungen werden über Natriumsulfat getrocknet und anschließend i. Vak. auf ein Vol. von ~ 5 *ml* eingeengt. Nach Zugabe von 25 *ml* Diäthyläther wird der Gehalt an Aminosäureester durch Titration bestimmt und die Lösung daraufhin mit der äquiv. Menge einer Lösung von Chlorwasserstoff in Diäthyläther versetzt, worauf Kristallisation eintritt. Das erhaltene H-Asp(OBZL)-OtBu·HCl wird aus Essigsäure-äthylester umkristallisiert; Ausbeute: 3,0 g (73% d.Th.); F: 115–117°; $[\alpha]_D^{25} = +23{,}3°$ (c = 2,0; in Äthanol).

Durch katalytische Hydrogenolyse (Abspaltung der Benzyl-Gruppe!) von H-Asp (OBZL)-OtBu läßt sich *H-Asp-OtBu* bequem herstellen.

Die Ausbeuten hängen bei der Umsetzung mit Isobuten stark von der Löslichkeit der Aminosäuren im Gemisch aus 1,4-Dioxan/Schwefelsäure ab[2]. [Auch Diäthylenglykol-dimethyläther (Diglyme) als Lösungsmittel oder Kationenaustauscher wie z.B. Dowex 50 X–8

---

[1] R. W. Roeske, Chem. & Ind. **1959**, 1121.
[2] R. W. Roeske, J. Org. Chem. **28**, 1251 (1963).
[3] E. Taschner et al., A. **646**, 134 (1961).
[4] A. Chimiak, T. Kolasa u. J. F. Biernat, Z. **12**, 264 (1972).

als Katalysatoren[1] sind geeignet]. Aus diesem Grunde ist die Umsetzung z.B. von Glycin, Asparagin und Glutamin auf diese Weise nicht möglich[2].

Den beim zweiten Verfahren zur Umesterung benötigten Essigsäure-tert.-butylester gewinnt man einfach aus Essigsäureanhydrid und tert.-Butanol[3].

Aminosäure-tert.-butylester-Hydrochloride (Hydroacetate); allgemeine Arbeitsvorschrift[4,5]:

Essigsäure-tert.-butylester [Ac-OtBu][3]: In einem 2-*l*-Dreihalsrundkolben mit Rückflußkühler, Thermometer, Quecksilberverschluß und Hershbergrührer werden 612 g (0,1 Mol) techn. Acetanhydrid und 270 g (~ 4 Mol) feinpulvriges Calciumcarbid unter Ausschluß von Feuchtigkeit (Calciumchloridrohr am Kühler!) 2 Stdn. unter Rückfluß zum Sieden erhitzt. Nach dem Abkühlen auf etwa 70° werden 296 g (4 Mol) absol. tert.-Butanol zugegeben und nun unter ständigem Rühren 100 Stdn. unter Rückfluß erwärmt. Der dicke Brei wird nach dem Abkühlen vorsichtig auf Eis gebracht und das Ganze einer Wasserdampfdestillation unterworfen. Die dabei erhaltene organische Phase wird mit Natriumcarbonat-Lösung, Wasser gut gewaschen und nach dem Trocknen über eine 50 *cm* Raschig-Kolonne destilliert. Essigsäure-tert.-butylester geht fast ohne Vorlauf bei 95,5–96,5° über; Ausbeute: 90% d.Th. (bez. auf tert.-Butanol).

Aminosäure-tert.-butylester-Hydrochloride (Hydroacetate); allgemeine Arbeitsvorschrift)[4,5]: 4 mMol Aminosäure, 60 *ml* Essigsäure-tert.-butylester und 4,4 mMol Perchlorsäure (als 60%-ige wäßr. Lösung) werden ~ 15 Min. geschüttelt und die erhaltene klare Lösung 4 Tage bei 20° stehengelassen (Während dieser Zeit kristallisieren in einigen Fällen die Hydroperchlorate der gewünschten Ester oder der Aminosäuren aus). Das auf 0° abgekühlte Reaktionsgemisch wird 4mal mit je 10 *ml* 0,5n Salzsäure extrahiert und die vereinigten wäßr. Extrakte sofort mit festem Natriumhydrogencarbonat neutralisiert. Danach wird diese Lösung mehrmals mit Diäthyläther ausgeschüttelt, wobei bei gut wasserlöslichen Estern (z.B. H-Gly-OtBu) bis zu 150 *ml* Diäthyläther eingesetzt werden müssen. Um den Gehalt an Ester zu bestimmen, wird von der mit Magnesiumsulfat getrockneten ätherischen Lösung ein aliquoter Teil nach Zusatz einiger *ml* Wasser mit 0,1n Salzsäure gegen Methylorange titriert. Nach dem Einengen der Lösung, unter Verwendung einer Widmer-Kolonne, um Verluste an Ester zu vermeiden, wird diese mit der ber. Menge einer Lösung von Chlorwasserstoff in Diäthyläther versetzt, worauf meist sofort Kristallisation des Aminosäureester-Hydrochlorids einsetzt; Ausbeuten: 45–75% d.Th.

Überschüssiger Essigsäure-tert.-butylester kann nach einmaliger Destillation wieder verwendet werden.

Beim Reinigen der Aminosäure-tert.-butylester durch Überführen in deren Hydrochloride oder Phosphorigsäure-Salze[6] ist sorgsam darauf zu achten, daß nur äquivalente Mengen Mineralsäure eingesetzt werden, da sonst partielle Acidolyse der Ester eintreten kann[7]. Wäßrige Lösungen von Aminosäure-tert.-butylester-Hydrochloriden unterliegen bei 20° innerhalb weniger Stdn. der Hydrolyse, die durch Temperatursteigerung[8] oder Schwermetall-Ionen[9] erheblich beschleunigt werden kann.

Gibt man zu der ätherischen Ester-Lösung eine Mischung aus Essigsäure und Diäthyläther (1 mMol = 1 *ml*), so erhält man die sehr gut kristallisierenden Hydroacetate der Aminosäure-tert.-butylester, die den Hydrochloriden besonders im Hinblick auf ihre Beständigkeit und Lagerfähigkeit vorzuziehen sind. Die Acetate können durch Kristallisation oder besser durch Sublimation (~ 100°/1 Torr) einfach gereinigt werden. Sie sind unlöslich in Wasser, löslich aber in Diäthyläther, Essigsäure-äthylester, Chloroform, Tetrahydrofuran und Toluol. Sie sind nicht hygroskopisch[5].

Als ebenfalls beständig erwiesen sich die Dibenzolsulfimidsalze der Aminosäure-tert.-butylester[10]. Sie sind durch Fällen mit Diäthyläther aus einer konz. methanol. Lösung des tert.-Butylesters und der äquiv. Menge Dibenzolsulfimid leicht herzustellen. Die Reinigung erfolgt durch Umfällen aus Methanol/Wasser.

---

1 US. P. 3496219 (1970), Sinclair Res., Erf.: D. W. YOUNG; C. A. **73**, 25868j (1970).
2 R. W. ROESKE, J. Org. Chem. **28**, 1251 (1963).
3 R. V. OPPENAUER, M. **97**, 62 (1966).
4 E. TASCHNER et al., A. **646**, 134 (1961).
5 A. CHIMIAK, T. KOLASA u. J. F. BIERNAT, Z. **12**, 264 (1972).
6 G. W. ANDERSON u. F. M. CALLAHAN, Am. Soc. **82**, 3359 (1960).
7 E. SCHRÖDER u. K. LÜBKE, A. **655**, 211 (1962).
8 A. VOLLMAR u. M. S. DUNN, J. Org. Chem. **25**, 387 (1960).
9 Y. WU u. D. H. BUSCH, Am. Soc. **92**, 3326 (1970).
10 E. WÜNSCH u. G. WENDLBERGER, München, unveröffentlichte Ergebnisse.
E. WÜNSCH, F. DREES u. J. JENTSCH, B. **98**, 803 (1965).

Kommen Hydroxy-aminosäuren wie Serin oder Threonin bzw. Thiol-aminosäuren wie Cystein zum Einsatz, so werden nach beiden Verfahren die tert.-Butyläther bzw. Thioäther der gewünschten Aminosäure-tert.-butylester erhalten[1,2]. Zur Reaktion des Tyrosins werden unterschiedliche Angaben gemacht. Es wird sowohl über eine überwiegend selektive Veresterung[3] als auch über eine gleichzeitige Veresterung und Äther-Bildung[2] bei der Umsetzung mit Isobuten in 1,4-Dioxan in Anwesenheit von konz. Schwefelsäure berichtet. Glutaminsäure wird bei der Umesterung mit Essigsäure-tert.-butylester bevorzugt – bei geeigneten Bedingungen nahezu ausschließlich – in den Glutaminsäure-γ-tert.-butylester übergeführt[4].

Schwierigkeiten, die bei der Veresterung von Salzen der freien Aminosäuren nach den angegebenen Methoden auftreten können (z.B. Schwerlöslichkeit) lassen sich durch Veresterung der N-geschützten Aminosäuren – bevorzugt N-Benzyloxycarbonyl-aminosäuren – und anschließende Abspaltung der Amino-Schutzgruppe umgehen.

Die Herstellung dieser Derivate ist möglich durch tert.-Butylierung von N-Acyl-aminosäuren mit Isobuten in Gegenwart von konz. Schwefelsäure[3,5], mit Essigsäure-tert.-butylester unter dem katalytischen Einfluß von Perchlorsäure[6,7], mit tert.-Butyljodid[5] (Umsetzung der Silbersalze von N-Acyl-aminosäuren!) sowie durch Acylierung von tert.-Butanol unter Einwirkung von Phosphoroxidchlorid[8] oder Benzolsulfochlorid[9] (s. auch S. 402).

L-Prolin-tert.-butylester [H-Pro-OtBu]:

N-Benzyloxycarbonyl-L-prolin-tert.-butylester [Z-Pro-OtBu][5]: Zu einer Lösung von 74,3 g (0,3 Mol) Z-Pro-OH in 600 *ml* Dichlormethan gibt man 3 *ml* konz. Schwefelsäure und sättigt die Mischung mit gasförmigem Isobuten, wobei das Vol. der Lösung um 300 *ml* zunimmt. Nach 65 Stdn. Stehenlassen bei 20° wird das Ganze in 500 *ml* Wasser gegossen, das genügend Natriumcarbonat enthält, um alle Säuren zu neutralisieren. Die organische Phase wird abgetrennt, mit Wasser gewaschen und dann i. Vak. bei 60° konzentriert; das verbleibende Öl erstarrt bald zu einer kristallinen Masse; Ausbeute: 86,5 g (95% d.Th.); F: 44–55°; $[\alpha]_D^{25} = -52{,}5°$ (c = 2,2; in Äthanol). Umkristallisieren aus Diäthyläther/Petroläther bringt keine Erhöhung des Schmelzpunktes.

Die Vorschrift ist auch zur Veresterung von N-Acyl-dipeptiden geeignet.

L-Prolin-tert.-butylester [H-Pro-OtBu][5]: 30,5 g (0,1 Mol) Z-Pro-OtBu werden wie üblich (s. auch S. 51) in 250 *ml* absol. Äthanol in Gegenwart von 10%-igem Palladium/Aktivkohle hydrogenolytisch entacyliert. Nach dem Abfiltrieren des Katalysators wird das Filtrat i. Vak. auf ein Vol. von ~ 75 *ml* eingeengt und dann mit 8,2 g (0,1 Mol) phosphoriger Säure in 200 *ml* Diäthyläther versetzt. H-Pro-OtBu · H_3PO_3 scheidet sich als Öl ab, das durch Zugabe von 250 *ml* Wasser in Lösung gebracht wird (Etwa vorhandener unumgesetzter Z-Pro-OtBu verbleibt in der organischen Phase). Die wäßr. Phase wird abgetrennt, mit 7 g Natriumhydroxid alkalisch gemacht und dann 2mal mit je 100 *ml* Diäthyläther extrahiert. Die vereinigten Extrakte werden über Natriumsulfat getrocknet und anschließend i. Vak. eingedampft. Es verbleibt ein Öl, das bei 1,5 Torr bei 57° übergeht; Ausbeute: 13,2 g (77% d.Th.).

N-Benzyloxycarbonyl-L-asparagin-tert.-butylester [Z-Asn-OtBu][3]: 3,0 g Z-Asn-OH in 25 *ml* 1,4-Dioxan werden mit 2,5 *ml* konz. Schwefelsäure und 25 *ml* flüssigem Isobuten (aus einer Stahlflasche kondensiert) versetzt und das Gemisch 4 Stdn. in einer Druckflasche oder einem gut verschlossenen starkwandigen Rundkolben geschüttelt. Danach wird die Lösung (Vorsicht beim Öffnen des Gefäßes, vorher gut kühlen!) in 250 *ml* einer 5%-igen Natriumhydrogencarbonat-Lösung gegossen, die mit 100 *ml* Diäthyläther überschichtet ist. Die wäßrige Phase wird noch 2mal mit je 50 *ml* Diäthyläther extrahiert; die vereinigten Extrakte werden mit 5%-iger Natriumhydrogencarbonat-Lösung gewaschen, über Na-

---

[1] A. Chimiak, T. Kolasa u. J. F. Biernat, Z. **12**, 264 (1972).
[2] E. Schröder, A. **670**, 127 (1963).
[3] R. W. Roeske, J. Org. Chem. **28**, 1251 (1963).
[4] E. Taschner et al., A. **663**, 188 (1963).
[5] G. W. Anderson u. F. M. Callahan, Am. Soc. **82**, 3359 (1960).
[6] E. Taschner, C. Wasielewski u. J. F. Biernat, A. **646**, 119 (1961).
E. Taschner et al., Ang. Ch. **71**, 743 (1959).
[7] E. Taschner et al., A. **646**, 127 (1961).
[8] E. Taschner et al., A. **646**, 123 (1961).
[9] G. Blotny, J. F. Biernat u. E. Taschner, A. **663**, 194 (1963).

triumsulfat getrocknet und dann i. Vak. eingedampft. Der verbleibende feste Rückstand wird aus Essigsäure-äthylester/Petroläther umkristallisiert; Ausbeute: 2,0 g (55% d. Th.); F: 105–106°; $[\alpha]_D^{25} = -14{,}9°$ (c = 2,0; in Äthanol).

Versucht man, *Z-Asn-OtBu* oder *Z-Gln-OtBu* durch Umesterung mit Essigsäure-tert.-butylester, katalysiert durch Perchlorsäure, nach Taschner[1] herzustellen, so erhält man neben den gewünschten Produkten *Z-Asn(tBu)-OH* bzw. *Z-Gln(tBu)-OH* und *Z-Asn(tBu)-OtBu* bzw. *Z-Gln(tBu)-OtBu* als Nebenprodukte[2,3]. Die Reaktion verläuft bei Einsatz von Perchlorsäure nur eindeutig, wenn der Ansatz schon nach ~3 Stdn. aufgearbeitet wird. Als geeigneterer Katalysator erwies sich hier konz. Schwefelsäure. Wasserfreies Zinkchlorid und ein Gemisch[2] aus Phosphorsäure/Phosphor(V)-oxid waren bei 20° unwirksam[2]. Schnabel[2] et al. schließen daraus, daß die Amid-tert.-butylierung über intermediär auftretende tert.-Butyl-Kationen verlaufen muß. Die Alkylierung mit Isobuten sollte demnach nach einem anderen Mechanismus verlaufen als die Umesterung mit Essigsäure-tert.-butylester, da bei der Herstellung der tert.-Butylester mittels Isobuten/konz. Schwefelsäure keine Amidalkylierung erfolgt.

N-Acyl-aminosäure-tert.-butylester durch Umesterung; allgemeine Arbeitsvorschrift[1]: 2 mMol N-acylierte Aminosäure (die Amino-Schutzgruppe kann der Benzyloxycarbonyl-, Tosyl- oder der Phthalyl-Rest sein), 4 *ml* Essigsäure-tert.-butylester und 140–340 mg (0,1–0,25 mMol) Perchlorsäure-Dihydrat werden zusammen unter gelegentlichem Schütteln 3–4 Tage bei 20° stehengelassen, wobei sich im allgemeinen eine klare Lösung bildet (Bei der Veresterung von N-Tosyl-pyrrolidon-(5)-carbonsäure-(2) scheidet sich nach einiger Zeit der unlösliche Ester teilweise aus). Zur Aufarbeitung wird das Gemisch mit 20 *ml* Diäthyläther oder Essigsäure-äthylester verdünnt, mit Natriumhydrogencarbonat-Lösung, Wasser gewaschen, über Magnesiumsulfat getrocknet und der Rückstand nach dem Verdampfen des Lösungsmittels i. Vak. z. B. aus Methanol umkristallisiert; Ausbeuten: ~ 80% d. Th.

N-Phthalyl-dipeptide konnten auf diese Weise nicht verestert werden[1].

Aminosäure-tert.-butylester-Hydrochloride aus Phthalyl-aminosäure-tert.-butylestern[1]: 1 mMol N-Phthalyl-aminosäure-tert.-butylester wird in 4 *ml* tert.-Butanol gelöst, mit 2 mMol 30%-igem Hydrazin-Hydrat versetzt und 30 Min. lang zum Sieden erhitzt, wobei sich bereits nach 7–10 Min. Phthalhydrazid auszuscheiden beginnt. Nach dem Abkühlen wird das Reaktionsgemisch mit 100 *ml* Wasser und 200 mg wasserfreiem Natriumcarbonat so lange geschüttelt, bis alles Phthalhydrazid in Lösung gegangen ist. Die Lösung wird dann 3mal mit je 10 *ml* Diäthyläther extrahiert. Die vereinigten Extrakte werden getrocknet und unter Rühren mit einer alkohol. Chlorwasserstoff-Lösung auf $p_H = 5$ gestellt. Dann wird der Diäthyläther abgedampft, der feste Rückstand in kaltem Methanol gelöst und mit absol. Diäthyläther versetzt, wobei sich die Aminosäure-tert.-butylester-Hydrochloride kristallin abscheiden; Ausbeuten: 82–96% d. Th.

N-Acyl-aminosäure- und -peptid-tert.-butylester unter Verwendung von Phosphoroxidchlorid; allgemeine Arbeitsvorschrift[4]: 2 mMol N-acylierte Aminosäure oder N-acyliertes Peptid werden in 2 *ml* absol. Pyridin gelöst; die Lösung wird nach Zugabe von 5 *ml* absol. tert.-Butanol auf ~ −5° gekühlt und unter heftigem Rühren mit 0,22 *ml* (2,4 mMol) Phosphoroxidchlorid versetzt. Man läßt 15 Min. bei −5° und dann 3 Stdn. bei 20° stehen. Hierauf werden zum Reaktionsgemisch je 100 *ml* Wasser und Essigsäure-äthylester gegeben, die organische Phase wird abgetrennt, mit 10 *ml* 1n Salzsäure, dann mit 10 *ml* 2%-iger Natriumhydrogencarbonat-Lösung, wenig Wasser gewaschen und getrocknet. Nach dem Eindampfen des Lösungsmittels i. Vak. wird das Produkt (wenn fest) z. B. aus Methanol umkristallisiert. Aus der Natriumhydrogencarbonat-Lösung kann man durch Ansäuern die nicht in Reaktion getretene Säure regenerieren; Ausbeuten: 72–94% d. Th.

Die Produkte fallen schon nach einmaligem Umkristallisieren in sehr reiner Form an.

N_ε-tert-Butyloxycarbonyl-L-lysin-tert.-butylester-Hydrochlorid [H-Lys(BOC)-OtBu · HCl]:

N_α-Benzyloxycarbonyl-N_ε-tert.-butyloxycarbonyl-L-lysin-tert.-butylester [Z-Lys(BOC)-OtBu][5]: Zu 36,2 g Z-Lys(BOC)-OH (s. S. 476) in 230 *ml* tert.-Butanol und 95 *ml* absol. Pyridin läßt man bei −5° unter kräftigem Rühren 9,5 *ml* Phosphoroxidchlorid langsam zutropfen. Nach 1

---

1 E. TASCHNER, C. WASIELEWSKI u. J. F. BIERNAT, A. **646**, 119 (1961).

2 E. SCHNABEL u. H. SCHÜSSLER, A. **686**, 229 (1965).

3 F. M. CALLAHAN, G. W. ANDERSON et al., Am. Soc. **85**, 201 (1963).

4 E. TASCHNER et al., A. **646**, 123 (1961).

5 E. WÜNSCH u. A. TRINKL, H. **345**, 193 (1966).

stdgm. Rühren und Stehenlassen über Nacht bei 20° wird die Reaktionsmischung mit je 250 *ml* Essigsäure-äthylester und Wasser versetzt. Die abgetrennte organische Phase wird mit Citronensäure-, Kaliumhydrogencarbonat-Lösung und Wasser gewaschen, über Natriumsulfat getrocknet und i. Vak. zu einem zähen, gelblichen Öl eingedampft; Ausbeute: 31,1 g (77% d. Th.).

N_ε-tert.-Butyloxycarbonyl-L-lysin-tert.-butylester-Hydrochlorid [H-Lys(BOC)-OtBu·HCl][1]: 31,1 g Z-Lys(BOC)-OtBu in 300 *ml* absol. Methanol werden in Gegenwart von 1 Äquiv. Essigsäure und Palladiumschwarz als Katalysator hydrogenolytisch entacyliert. Der nach dem Eindampfen des Filtrats vom Katalysator i. Vak. verbleibende Rückstand wird in Diäthyläther aufgenommen, die ätherische Lösung mit Kaliumhydrogencarbonat-Lösung, Wasser gewaschen, über Natriumsulfat getrocknet und schließlich i. Vak. auf ein kleineres Vol. eingeengt. Nach Zusatz von wenig Petroläther läßt man unter Rühren 1n Chlorwasserstoff in Diisopropyläther bis zu einem p_H-Wert von 3,8 eintropfen. Währenddessen kristallisieren farblose Nadeln aus; nach kurzem Stehenlassen im Kühlschrank wird die gebildete Fällung abfiltriert und i. Vak. bei 10^{-2} Torr über Phosphor(V)-oxid getrocknet; Ausbeute: 21,6 g (89,5% d. Th.); F: 139–140°; $[\alpha]_D^{20} = +12{,}1 \pm 1°$ (c = 1,0; in Methanol).

Nach der Phosphoroxidchlorid-Methode lassen sich N-Benzyloxycarbonyl- und N-Phthalyl-, nicht aber N-Tosyl-aminosäuren verestern. Auch freie Aminosäuren konnten auf diese Weise nicht in ihre tert.-Butylester übergeführt werden. Führt man die Reaktion bei erhöhter Temperatur durch, so werden die Ester in guten Ausbeuten, aber vollständig racemisiert erhalten[2].

Schließlich sei noch auf die Möglichkeit zur Herstellung von Aminosäure-tert.-butylestern aus α-Brom-carbonsäure-tert.-butylestern und Natriumazid, gefolgt von der katalytischen Hydrierung der so erhaltenen Azido-Verbindung zum Aminosäureester, hingewiesen. Die benötigten α-Brom-carbonsäure-tert.-butylester sind durch Acylierung von tert.-Butanol mit α-Brom-carbonsäure-bromid oder durch Alkylierung der α-Brom-carbonsäuren mit Isobuten zugänglich[3]. Auf diesem Wege werden natürlich nur racemische Gemische der Ester erhalten.

Die freien Aminosäure-tert.-butylester – aus ihren Salzen durch Neutralisation mit Natronlauge und Ausschütteln z. B. mit Diäthyläther freisetzbar[4] – sind relativ stark basische Verbindungen, die sich leicht durch Umkristallisieren oder Destillation reinigen lassen, da im Gegensatz zu den n-Akylestern (s. S. 323) nur noch eine sehr geringe Neigung zur Cyclisierung, d. h. zur 2,5-Dioxo-piperazin-Bildung besteht. H-Gly-OtBu bleibt bei −20° sogar nach 700 Tagen völlig unzersetzt[4]. Bei 20° tritt erst nach mehreren Wochen geringfügige Zersetzung ein[4,5].

Die Ester sind somit relativ stabil gegenüber Agentien wie Ammoniak, Hydrazin oder Hydroxyl-Ionen[4,6,7]. Die selektive alkalische Hydrolyse von n-Alkylestern gelingt nach der titrimetrischen Methode (s. S. 334) glatt auch bei Anwesenheit von ω-tert.-Butylestern der Aminodicarbonsäuren[8–10], die hydrolyseempfindlicher sind als die α-tert.-Butylester[11]. Werden hingegen zur Verseifung, z. B. von Methylestern längerkettiger Peptid-Derivate, große Überschüsse an Alkali erforderlich, so tritt auch Spaltung der tert.-Butylester ein[12].

---

1 E. Wünsch u. A. Trinkl, H. **345**, 193 (1966).
2 E. Taschner et al., A. **646**, 123 (1961).
3 A. Vollmar u. M. S. Dunn, J. Org. Chem. **25**, 387 (1960).
4 G. W. Anderson u. F. M. Callahan, Am. Soc. **82**, 3359 (1960).
5 A. Vollmar u. M. S. Dunn, J. Org. Chem. **26**, 4123 (1961).
6 E. Taschner et al., Chimia **14**, 371, 372 (1960).
7 H. C. Beyerman u. J. S. Bontekoe, R. **81**, 699 (1962).
8 E. Wünsch u. A. Zwick, B. **97**, 3305 (1964).
9 H. Kappeler u. R. Schwyzer, Helv. **44**, 1136 (1961).
10 R. Schwyzer u. H. Kappeler, Helv. **44**, 1991 (1961).
11 R. Schwyzer et al., Helv. **46**, 1975 (1963).
12 K. L. Agarwal, G. W. Kenner u. R. C. Sheppard, Soc. [C] **1968**, 1384.

Die selektive Abspaltung des Trifluoracetyl-Restes mittels Alkalimetallhydroxid-Lösungen[1] ist neben tert.-Butylestern ebenso möglich wie die Deblockierung von N-Phthalyl-aminosäuren oder -peptiden mit Hilfe von Hydrazin-Hydrat[1–4] oder die Überführung von Aminosäure-n-alkylestern in Aminosäure-hydrazide mit demselben Reagenz[4–6].

Darüber hinaus sind die Ester stabil gegen katalytische Hydrogenolyse in Gegenwart von Palladium oder Platin, was im Hinblick auf die selektive Abspaltung des Benzyloxy-carbonyl-Restes und der verschiedenen Benzylester (s. S. 353) von großer Bedeutung ist[1].

N-Benzyloxycarbonyl-L-prolyl-L-leucin-tert.-butylester [Z-Pro-Leu-OtBu][1]: 3,76 g (0,01 Mol) Z-Pro-ONP und 1,87 g (0,01 Mol) H-Leu-OtBu in 15 *ml* Dichlormethan werden bei 20° 48 Stdn. gerührt. Die Lösung wird dann nacheinander mit 30 *ml* 0,5 n Natronlauge (zur Entfernung des 4-Nitro-phenols), 30 *ml* Wasser, einer wäßr. Lösung von 1 g phosphoriger Säure in 15 *ml* Wasser (zur Entfernung basischer Verbindungen) und 10 *ml* Wasser gewaschen. Nach dem Abdampfen des Lösungsmittels verbleibt eine farblose feste Masse, die aus sehr wenig Isopropanol/Heptan umkristallisiert wird (F: 89,5–91°); $[\alpha]_D^{25} = -76,5°$ (c = 5,0; in Methanol). Die Verbindung wird als Hemihydrat erhalten; Ausbeute vor dem Umkristallisieren: 4,15 g (96% d.Th.).

Die Bedeutung der tert.-Butylester für die Peptidsynthese, insbesondere für den Aufbau von Naturstoffen, muß ausdrücklich betont werden. Sie wurden u.a. bei den Synthesen der Penicilline[7], der Adrenocorticotropine (ACTH)[8], des Schafinsulins[9], des Glucagons[10] und der Thyrocalcitonine[11] eingesetzt.

Die häufige Verwendung dieser Ester ist vor allem auf ihre Spaltbarkeit mit Säuren (nach einem A_{AL} 1-Mechanismus[12]) unter relativ milden Bedingungen zurückzuführen. Dies erlaubt bei einer geeigneten Kombination mit Amino- und Seitenkettenfunktions-Maskierungen, wie z.B. dem tert.-Butyloxycarbonyl- und dem tert.-Butyl-Rest, die gleichzeitige Entfernung sämtlicher Schutzgruppen. Die Gefahr der Racemisierung ist dabei weitgehend ausgeschlossen[13]. Als saure Agenzien finden hauptsächlich 2n Bromwasserstoff-Lösung in Eisessig[13], gesätt. Chlorwasserstoff-Lösung in Eisessig[14], Trifluoressigsäure[15] (s. dazu auch S. 127) und Lösungen von Bortrifluorid-Diäthylätherat in Eisessig[16–18] Verwendung, wobei sich das letzte Gemisch in einigen Fällen gerade zur selektiven Spaltung von tert.-Butylestern neben anderen Schutzgruppen, wie z.B. dem Benzyloxycarbonyl-Rest bewährt hat.

L-Phenylalanyl-L-valyl-L-glutaminyl-L-tryptophyl-L-leucin [H-Phe-Val-Gln-Trp-Leu-OH]:

N-tert.-Butyloxycarbonyl-L-phenylalanyl-L-valyl-L-glutaminyl-L-tryptophyl-L-leucin-tert.-butylester [BOC-Phe-Val-Gln-Trp-Leu-OtBu][14]: 105,1 g H-Val-Gln-Trp-Leu-OtBu

---

1 G. W. Anderson u. F. M. Callahan, Am. Soc. **82**, 3359 (1960).
2 E. Taschner, C. Wasielewski u. J. F. Biernat, A. **646**, 119 (1961).
3 E. Schröder u. K. Lübke, A. **655**, 211 (1962).
4 R. Schwyzer u. H. Kappeler, Helv. **44**, 1991 (1961).
5 E. Taschner et al., Chimia **14**, 371, 372 (1960).
6 H. Kappeler u. R. Schwyzer, Helv. **44**, 1136 (1961).
7 J. C. Sheehan u. P. A. Cruickshank, Am. Soc. **78**, 3677 (1956).
J. C. Sheehan u. K. R. Henery-Logan, Am. Soc. **79**, 1262 (1957).
8 R. Schwyzer u. P. Sieber, Nature **199**, 172 (1963).
9 H. Zahn et al., Z. Naturf. **18b**, 1120 (1963).
10 E. Wünsch u. G. Wendlberger, B. **101**, 3659 (1968).
11 P. Sieber et al., Helv. **51**, 2057 (1968).
12 G. Losse, D. Zeidler u. T. Grieshaber, A. **715**, 196 (1968).
13 G. W. Anderson, Chimia **14**, 371 (1960).
14 E. Wünsch u. F. Drees, B. **100**, 816 (1967).
15 R. Schwyzer, E. Surbeck-Wegmann u. H. Dietrich, Chimia **14**, 366 (1960).
16 R. G. Hiskey u. J. B. Adams, J. Org. Chem. **31**, 2178 (1966).
17 R. G. Hiskey et al., J. Org. Chem. **37**, 2478 (1972).
18 J. Meienhofer, Am. Soc. **92**, 3771 (1970).

in 2000 *ml* Tetrahydrofuran werden bei 0° mit 63,3 g BOC-Phe-OSU unter Rühren versetzt. Bereits nach kurzer Zeit wird das Reaktionsgemisch nahezu fest. Nach 18 stdg. Stehenlassen bei ~ 20° wird der größte Teil des Tetrahydrofurans i. Vak. abdestilliert und der Rückstand mit viel Wasser behandelt. Das abfiltrierte, mit Wasser gewaschene Material wird noch feucht aus Methanol umkristallisiert. Die farblosen Nadeln werden abfiltriert; Ausbeute: 133,5 g (96% d.Th.); F: 219–220°; $[\alpha]_D^{20} = -45,6 \pm 0,5°$ (c = 2,1; in Methanol).

L-Phenylalanyl-L-valyl-L-glutaminyl-L-tryptophyl-L-leucin [H-Phe-Val-Gln-Trp-Leu-OH][1]:

Hydrochlorid: 63,5 g BOC-Phe-Val-Gln-Trp-Leu-OtBu werden mit 1000 *ml* eiskaltem mit Chlorwasserstoff ges. Eisessig übergossen und 1 Stde. bei ~ 20° unter Feuchtigkeitsauschluß stehengelassen. Die erhaltene Lösung wird i. Vak. eingedampft; dabei kristallisiert das Pentapeptid-Hydrochlorid aus. Der Rückstand wird mit viel absol. Diäthyläther behandelt, nach dem Aufbewahren im Kühlschrank abfiltriert und dann i. Vak. über Phosphor(V)-oxid und Kaliumhydroxid getrocknet; Ausbeute: 55 g (quantitativ); F: 233–234° (Zers.).

Pentapeptid: 21,9 g Pentapeptid-Hydrochlorid in 100 *ml* 1,4-Dioxan und 250 *ml* Wasser werden vorsichtig unter Eiskühlung mit 30 *ml* 1 n Natronlauge versetzt. Der entstandene Niederschlag wird abfiltriert, i. Vak. bei 40° getrocknet und aus Dimethylformamid/Wasser umkristallisiert; Ausbeute: 18,6 g (90% d.Th. über beide Stufen); F: 228–229° (Zers.).

N-Benzyloxycarbonyl-S-trityl-L-cysteinyl-glycyl-glycyl-glycin [Z-Cys(TRT)-Gly-Gly-Gly-OH][2]: 10,0 g (0,0138 Mol) Z-Cys(TRT)-Gly-Gly-Gly-OtBu in 50 *ml* Eisessig werden mit 3 *ml* (0,0236 Mol) Bortrifluorid-Diäthylätherat versetzt. Die Lösung wird 1 Stde. unter Stickstoffatmosphäre stehengelassen, dann wird das Lösungsmittel durch Gefriertrocknen entfernt. Es verbleibt ein orange-farbener Feststoff. Das Material wird in Essigsäure-äthylester gelöst, die Lösung mit ges. Natriumchlorid-Lösung gewaschen und dann mit einer konz. Lösung von Natriumhydrogencarbonat in Wasser geschüttelt, die 2,32 g (0,0276 Mol) Natriumhydrogencarbonat enthält. Um die Phasentrennung zu beschleunigen, wird ges. Natriumchlorid-Lösung zugegeben. Die wäßr. Phase wird mehrmals mit Essigsäure-äthylester gewaschen, dann mit dem gleichen Lösungsmittel überschichtet und mit 1 n Salzsäure angesäuert. Die Essigsäure-äthylester-Phase wird mit Wasser, ges. Natriumchlorid-Lösung gewaschen, getrocknet, und dann i. Vak. zu einem festen Schaum konzentriert. Dieser wird in Benzol gelöst, die Lösung lyophilisiert (farbloses Pulver); Ausbeute: 7,67 g (84% d.Th.). Die Substanz konnte nicht kristallin erhalten werden.

Von den Amino-Schutzgruppen, die in Gegenwart von tert.-Butylestern im sauren Milieu selektiv spaltbar sind, seien an dieser Stelle der 2-[Biphenylyl-(4)]-propyl-(2)-oxycarbonyl- (s. S. 141), der 2-Nitro-phenylsulfenyl- (s. S. 203) und der Trityl-Rest (s. S. 266) genannt, die mit Erfolg bei Peptidnaturstoff-Synthesen eingesetzt worden sind. Hingegen scheint eine spezifische Acidolyse der häufig verwendeten tert.-Butyloxycarbonyl-Gruppe nur in Ausnahmefällen möglich zu sein[3–5]. Als Carboxy-Schutzgruppe bieten sich bei dieser Problemstellung die 2,4,6-Trimethyl-benzylester an (s. S. 369)[6].

---

1 E. Wünsch u. F. Drees, B. **100**, 816 (1967).
2 R. G. Hiskey u. J. B. Adams, J. Org. Chem. **31**, 2178 (1966).
3 R. G. Hiskey et al., J. Org. Chem. **36**, 488 (1971).
4 R. G. Hiskey, L. M. Beacham u. V. G. Matl, J. Org. Chem. **37**, 2472 (1972).
5 C. J. Gray u. A. M. Khoujah, Tetrahedron Letters **1969**, 2647.
6 R. G. Hiskey et al., J. Org. Chem. **37**, 2478 (1972).

Tab. 48. L-Aminosäure-α-tert.-butylester und deren Salze

Aminosäure		F [°C]	$[\alpha]_D$	t	c	Lösungsmittel	Literatur	Literatur entsprechender D-Verbindung
Ala	b	167 (Zers.)	+1,77[f]	20	2	Äthanol	1	
	e	147–148	+15,7	20	2	Pyridin	2	
β-Ala	a	($Kp_{1,5}$:46-48°)					3	
	c	137–140					3	
Asn	a	101–102	+0,24	25	2,01	Äthanol	4	
	d	142–144	+7,4		1	Wasser	5	
Asp	a	178–179 (Zers.)	+25,4	25	1,1	Wasser	6	
Gln	c	123–124	+15,3	25	4,59	Wasser	7	
	d	85–87	+3,4		1	Äthanol	5	
Glu	a	143–144	+16,0	25	1	Wasser	6	
Gly	a	(Kp_2: 30°)					7	
	b	137–140					8,9	
	c	155–157 (Zers.)					7	
	e	153–155					2	
	g	82–83					10	
Ile	a	($Kp_{0,45}$: 52°)	+26,7	25	100%		7	
	b	158–160	+30,9	25	2	Äthanol	6,1	
	e	134–135	+29,9	20	2	Pyridin	2	

a freier Ester
b Hydrochlorid
c Phosphorigsäure-Salz
d 4-Toluolsulfonsäure-Salz
e Dibenzolsulfimid-Salz
f $[\alpha]_{546}$
g Hydroacetat

1 R. W. ROESKE, Chem. & Ind. **1959**, 1121.
2 E. WÜNSCH u. G. WENDLBERGER, München, unveröffentlichte Ergebnisse.
3 R. CAMBLE, R. PURKAYASTHA u. G. T. YOUNG, Soc. [C] **1968**, 1219.
4 F. M. CALLAHAN et al., Am. Soc. **85**, 201 (1963).
5 E. SCHNABEL u. H. SCHÜSSLER, A. **686**, 229 (1965).
6 R. ROESKE, J. Org. Chem. **28**, 1251 (1963).
7 G. W. ANDERSON u. F. M. CALLAHAN, Am. Soc. **82**, 3359 (1960).
8 C. H. LI et al., J. Org. Chem. **28**, 178 (1963).
9 E. TASCHNER, C. WASIELEWSKI u. J. F. BIERNAT, A. **646**, 119 (1961).
10 A. CHIMIAK, T. KOLASA u. J. F. BIERNAT, Z. **12**, 264 (1972).

Tab. 48. (Fortsetzung)

Aminosäure		F [°C]	$[\alpha]_D$	t	c	Lösungsmittel	Literatur	Literatur entsprechender D-Verbindung
Leu	a	($Kp_{0,15}$: 45°)	+21,6	25	2,5	Äthanol	1	
	b	173	+11,0	25	2	Dimethylformamid	2,3,4	5
	c	163–164 (Zers.)	+5,0	25	5	Wasser	1	
	e	108–111	+22,5	20	2	Pyridin	6	
	g	88–89	+15,9	20	2	Äthanol	7	
Phe	a	($Kp_{0,25}$: 107°)	+24,6	25	100%		1,8	1,8
	b		+44,2	25	2	Äthanol	4,3	9
	c	156–158 (Zers.)	+3,1	25	4,58	Wasser	1	
	e	158–160	+36,8	20	2	Pyridin	6	
Pro	a	($Kp_{1,5}$: 57°)	−41,5	25	1,8	Äthanol	1,10	
	b	110–112	−30,5	25	2	Äthanol	4,10	
	e	161–163	−14,7	20	2	Methanol	6	
Thr	c	140–141	−12,9	25	1,34	Wasser	11	
Tyr	a	143–145	+24,5	25	2	Äthanol	4,3,11,1	
	c	167,5 (Zers.)	+4,4	25	5,01	Wasser	1	
Val	a	($Kp_{1,25}$: 63°)	+25,5	25	100%		1	
	b	147–149	+20,5	25	2	Äthanol	4,3	12
	e	132–134	+30,2	20	2	Pyridin	6	
	g	88–90	+20,6	20	2	Äthanol	7	

[a] freier Ester
[b] Hydrochlorid
[c] Phosphorigsäure-Salz
[e] Dibenzolsulfimid-Salz
[g] Hydroacetat

[1] G. W. Anderson u. F. M. Callahan, Am. Soc. **82**, 3359 (1960).
[2] R. O. Studer u. W. Lergier, Helv. **48**, 460 (1965).
[3] R. W. Roeske, Chem. & Ind. **1959**, 1121.
[4] R. Roeske, J. Org. Chem. **28**, 1251 (1963).
[5] R. O. Studer et al., Helv. **48**, 1371 (1965).
[6] E. Wünsch u. G. Wendlberger, München, unveröffentliche Ergebnisse.
[7] A. Chimiak, T. Kolasa u. J. F. Biernat, Z. **12**, 264 (1972).
[8] E. Schröder, A. **692**, 241 (1966).
[9] K. Vogler et al., Helv. **48**, 1161 (1965).
[10] W. Rittel, Helv. **45**, 2465 (1962).
[11] F. M. Callahan et al., Am Soc. **85**, 201 (1963).
[12] E. Klieger u. H. Gibian, A. **649**, 183 (1961).

33.132. Triphenyl-methylester (Tritylester)

Bei der Tritylierung von freien Aminosäuren bilden sich N-Trityl-aminosäure-triphenyl-methylester als Nebenprodukte[1–3]. Eine bessere Veresterung wird bei der Umsetzung von Peptiden mit ~3 Äquiv. Triphenylmethylchlorid und Triäthylamin in Pyridin als Lösungsmittel erzielt[4]. Dabei gebildetes unverestertes N-Trityl-peptid kann durch Ausschütteln mit wäßr. Natriumhydrogencarbonat-Lösung aus einer Lösung des Rohprodukts in Essigsäure-äthylester leicht abgetrennt werden[4].

Versuche zur Herstellung von Aminosäure-triphenyl-methylestern aus N-Trityl-aminosäure-triphenyl-methylestern durch selektive Acidolyse des Trityl-Restes waren nur im Falle des Glycins erfolgreich[5].

Da Triphenyl-methylester von Carbonsäuren durch Reaktion der Alkali- bzw. Silbersalze dieser Säuren mit Triphenylmethylbromid in guten Ausbeuten erhalten worden sind[6], sollten die entsprechenden Ester von Aminosäuren bei Anwendung einer geeigneten selektiv spaltbaren Amino-Schutzgruppe zugänglich sein.

Triphenyl-methylester sind relativ stabil gegenüber alkalischer Hydrolyse[2]. Sie sind jedoch durch Alkoholyse unter milden Bedingungen schon bei ~20° im Laufe von 24 Stdn. spaltbar[5,7]. Bemerkenswert scheint auch ihre außerordentliche Labilität gegenüber Säuren. Die Ester werden z.B. innerhalb weniger Min. mit Eisessig bei 20° selektiv neben tert.-Butylestern gespalten[8].

33.133. Pseudo-tert.-Ester (Trimethyl-silylester)

Zur Herstellung von Aminosäure-trimethyl-silylestern wurden zahlreiche Methoden beschrieben wie z.B. die partielle Silylierung von freien Aminosäuren mit Hexamethyldisilazan in siedendem Toluol[9,10] oder mit Trimethylsilyl-diäthyl-amin bei ~20°[9]:

$$2\ H_3\overset{\oplus}{N}-\underset{}{\overset{R}{C}}H-COO^{\ominus} + (H_3C)_3Si-NH-Si(CH_3)_3 \longrightarrow 2\ H_2N-\overset{R}{C}H-CO-O-Si(CH_3)_3 + NH_3$$

$$H_3\overset{\oplus}{N}-\overset{R}{C}H-COO^{\ominus} + (H_3C)_3Si-N(C_2H_5)_2 \longrightarrow H_2N-\overset{R}{C}H-CO-O-Si(CH_3)_3 + HN(C_2H_5)_2$$

---

1 E. Gazis, L. Zervas et al., *Peptides*, Proc. of the 5th Europ. Pept. Symp., Oxford 1962, Pergamon Press, Oxford **1963**, S. 17.

2 H. Block u. M. E. Cox, *Peptides*, Proc. of the 5th Europ. Pept. Symp., Oxford 1962, Pergamon Press, Oxford **1963**, S. 83.

3 G. Amiard u. R. Heymès, Bl. **24**, 1373 (1957).

4 K. Brunfeldt u. J. Halstrøm, Acta chem. scand. **24**, 3013 (1970).

5 G. C. Stelakatos, A. Paganou u. L. Zervas, Soc. [C] **1966**, 1191.

6 K. D. Berlin et al., J. Org. Chem. **27**, 3595 (1962).

7 J. Halstrøm u. K. Brunfeldt, H. **353**, 1204 (1972).

8 G. Losse, D. Zeidler u. T. Grieshaber, A. **715**, 196 (1968).

9 K. Rühlmann u. J. Hils, A. **683**, 211 (1965).
Die Herstellung von freien Aminosäure-trimethyl-silylestern durch hydrogenolytische Entacylierung von N-Benzyl-oxycarbonyl-aminosäure-trimethylsilylestern ist wegen der damit verbundenen Vergiftung des Katalysators (Palladiumschwarz) nicht möglich.
L. Birkofer u. A. Ritter, B. **93**, 424 (1960).

10 K. Rühlmann, J. Hils u. H. J. Graubaum, J. pr. [4] **32**, 37 (1966).

Im Hinblick auf einen peptid-synthetischen Einsatz dieser Ester kommen jedoch nur solche Silylierungsmittel in Frage, die keine stark nucleophilen Folgeprodukte, wie Ammoniak bzw. Diäthylamin, geben, da diese mit reaktionsfreudigen Aminosäure-Derivaten (z.B. Aktivester) sofort reagieren.

Als Silylierungsagenzien bieten sich Silylamide der folgenden Strukturen an[1,2]:

$$(H_3C)_3Si{-}NH{-}\overset{\overset{\displaystyle O}{\|}}{C}{-}CH_3 \qquad H_3C{-}\underset{\underset{\displaystyle (H_3C)_3Si}{|}}{N}{-}\overset{\overset{\displaystyle O}{\|}}{C}{-}CH_3 \qquad \begin{matrix}(H_3C)_3Si{-}O \\ \quad\backslash \\ \qquad C{-}CH_3 \\ \quad // \\ (H_3C)_3Si{-}N\end{matrix}$$

I II III

Silylierung von Aminosäuren; allgemeine Arbeitsvorschrift[1]: 0,025 Mol Aminosäure und 0,05 Mol N-Trimethyl-silyl-N-methyl-acetamid(II) werden in 25 *ml* absol. 1,4-Dioxan unter Magnetrührung auf 100° erhitzt. Ist die Silylierung nach 6 Stdn. nicht beendet, so wird die nicht umgesetzte Aminosäure unter absolutem Feuchtigkeitsausschluß über eine Glasfritte abfiltriert, mit Tetrahydrofuran, Diäthyläther gewaschen, getrocknet, gewogen und der Silylierungsgrad aus der Differenz von Ausgangs- und Endprodukt bestimmt. Bei manchen Versuchen erfolgen ~ 90% des Umsatzes schon in den ersten 20–30 Min., während bis zur völligen Lösung der letzten Aminosäure-Kristalle noch 2–3 Stdn. vergehen können.

Glycin und Alanin sind schwierig zu silylieren, während Tyrosin und Glutaminsäure leicht reagieren. Dipeptide wie z.B. Glycyl-glycin cyclisieren unter den angegebenen Bedingungen überwiegend zu 2,5-Dioxo-piperazinen. Der Zusatz von konz. Schwefelsäure[2] soll keinen positiven Effekt haben[1]. Lösungsmittel wie Pyridin, Dimethylformamid, Tetrahydrofuran oder Acetonitril scheinen wenig geeignet zu sein.

Eine ausschließliche Silylierung der Carboxy-Gruppe ist, selbst bei Einsatz von äquivalenten Mengen der Silylierungsmittel I–III, nicht möglich. Es werden vielmehr immer Gemische von N-Trimethyl-silyl-aminosäure-trimethyl-silylester und Aminosäure-trimethyl-silylester erhalten, was aber in Anbetracht der weiteren peptid-synthetischen Umsetzung dieser Derivate bedeutungslos ist.

Die schnellste und billigste Silylierung von Aminosäuren und Peptiden kann mit Trimethylchlorsilan in Gegenwart eines tertiären Amins erreicht werden[1,3].

N-Trimethyl-silyl-aminosäure-trimethyl-silylester; allgemeine Arbeitsvorschrift[1,4]: 0,1 Mol Aminosäure (oder Dipeptid) werden in 120 *ml* absol. Dichlormethan mit 26 *ml* (0,2 Mol) Trimethylchlorsilan zum Sieden erhitzt. Nach dem Entfernen der Heizung werden 28 *ml* (0,2 Mol) Triäthylamin so schnell zugetropft, wie es der Rückfluß erlaubt. Die Lösung wird noch 5 Min. gerührt und kann anschließend zur Peptidsynthese verwendet werden. Zur Isolierung der Produkte wird die Lösung mit ~ 100 *ml* Petroläther verdünnt, mit Eis gekühlt und filtriert. Die Ester werden aus dem Filtrat durch Destillation gewonnen; Ausbeuten: 80–90%.

Die Wahl des Lösungsmittels ist bei diesem Verfahren von entscheidender Bedeutung. Gute Ergebnisse werden mit Dichlormethan oder Chloroform erzielt. In Tetrahydrofuran, 1,4-Dioxan, Acetonitril, Tetrachlormethan oder Diäthyläther verlaufen die Umsetzungen unvollständig[1].

Aminosäure-(bzw. Peptid)-trimethyl-silylester-Hydrochloride; allgemeine Arbeitsvorschrift[1]: 0,1 Mol Aminosäure (Oligopeptid) und 13 *ml* (0,1 Mol) Trimethylchlorsilan werden in einem Gemisch aus 150 *ml* absol. Chloroform und 20–30 *ml* Acetonitril 1–2 Stdn. zum Sieden erhitzt. Es bildet sich dabei eine klare Lösung oder eine Suspension des jeweiligen Silylester-Hydrochlorids, die direkt zur Peptidsynthese weiter verwendet werden kann.

---

[1] H. R. Kricheldorf A. **763**, 17 (1972).

[2] L. Birkofer u. F. Müller, *Peptides* 1968, Proc. of the 9th Europ. Pept. Symp., Orsay, North Holland Publ. Co., Amsterdam **1968**, S. 151.

[3] J. Hils u. K. Rühlmann, B. **100**, 1638 (1967).

[4] H. R. Kricheldorf, B. **103**, 3353 (1970).

Im Falle von Glycin und von Alanin läßt sich der Umsatz nur schwierig auf > 95% d. Th. steigern.

Sämtliche angegebenen Silylierungsreaktionen verlaufen unter Erhalt der optischen Aktivität der eingesetzten Aminosäuren[1].

Reine Aminosäure-trimethyl-silylester[2,3] sind farblose, glasig erstarrende Verbindungen, die jedoch reproduzierbare Schmelzpunkte ohne Zersetzungserscheinungen zeigen. Sie lassen sich unzersetzt destillieren und lösen sich in der Wärme gut, in der Kälte mäßig in aromatischen Kohlenwasserstoffen, nicht dagegen in aliphatischen.

Durch Wasser oder Alkohole werden die Ester momentan zu freien Aminosäuren und Hexaalkyldisiloxan bzw. Alkoxysilan solvolysiert[2]:

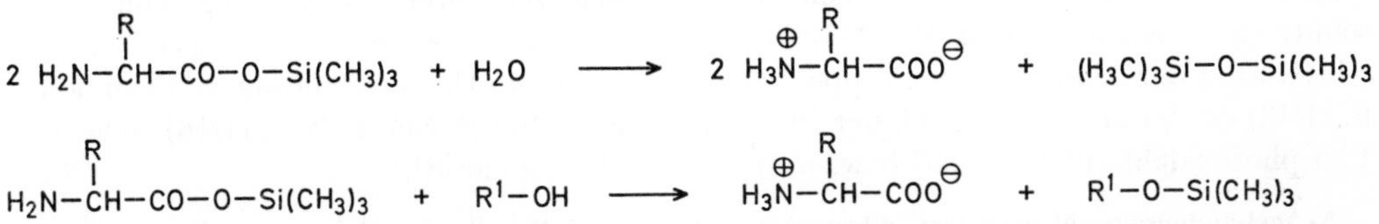

$$2\ H_2N-\underset{R}{CH}-CO-O-Si(CH_3)_3 + H_2O \longrightarrow 2\ \overset{\oplus}{H_3N}-\underset{R}{CH}-COO^{\ominus} + (H_3C)_3Si-O-Si(CH_3)_3$$

$$H_2N-\underset{R}{CH}-CO-O-Si(CH_3)_3 + R^1-OH \longrightarrow \overset{\oplus}{H_3N}-\underset{R}{CH}-COO^{\ominus} + R^1-O-Si(CH_3)_3$$

Dieser Vorzug der Silylester-Gruppe gegenüber den Alkylestern kommt bei der Peptidsynthese nur voll zur Geltung, wenn die Aminosäure-silylester nicht isoliert werden müssen, d.h. bei einem Eintopfverfahren.

Sowohl reine Aminosäure-trimethyl-silylester als auch N-Trimethyl-silyl-aminosäuretrimethyl-silylester lassen sich nach dem Mischanhydrid-[1,4] oder dem Aktivester-Verfahren[1,5,6] zu Peptid-Derivaten umsetzen:

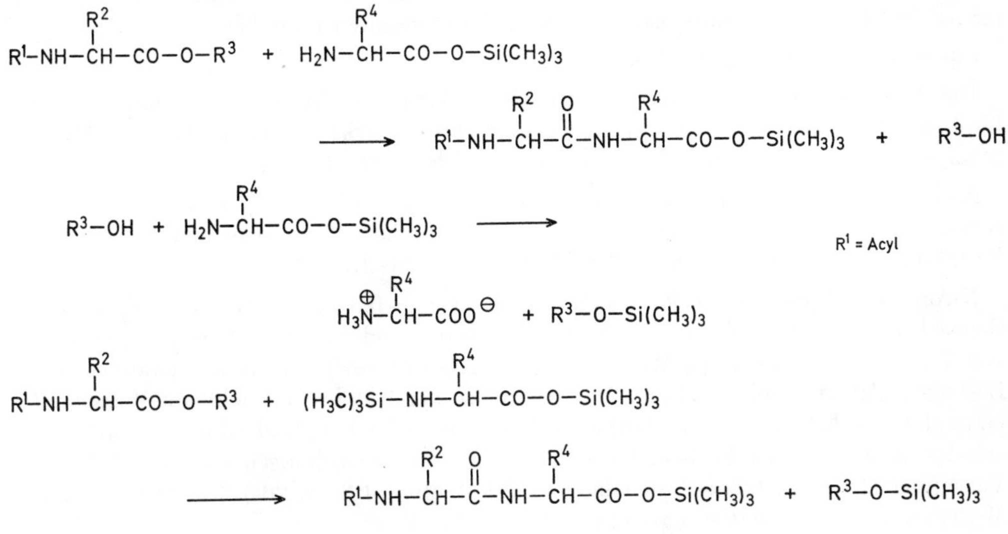

$$R^1-NH-\underset{R^2}{CH}-CO-O-R^3 + H_2N-\underset{R^4}{CH}-CO-O-Si(CH_3)_3$$

$$\longrightarrow R^1-NH-\underset{R^2}{CH}-\overset{O}{\overset{\|}{C}}-NH-\underset{R^4}{CH}-CO-O-Si(CH_3)_3 + R^3-OH$$

$$R^3-OH + H_2N-\underset{R^4}{CH}-CO-O-Si(CH_3)_3 \longrightarrow$$

$$\overset{\oplus}{H_3N}-\underset{R^4}{CH}-COO^{\ominus} + R^3-O-Si(CH_3)_3$$

R^1 = Acyl

$$R^1-NH-\underset{R^2}{CH}-CO-O-R^3 + (H_3C)_3Si-NH-\underset{R^4}{CH}-CO-O-Si(CH_3)_3$$

$$\longrightarrow R^1-NH-\underset{R^2}{CH}-\overset{O}{\overset{\|}{C}}-NH-\underset{R^4}{CH}-CO-O-Si(CH_3)_3 + R^3-O-Si(CH_3)_3$$

---

1 H. R. KRICHELDORF, A. **763**, 17 (1972).
2 K. RÜHLMANN u. J. HILS, A. **683**, 211 (1965).
3 K. RÜHLMANN, J. HILS u. H. J. GRAUBAUM, J. pr. [4] **33**, 37 (1966).
4 L. BIRKOFER, W. KONKOL u. A. RITTER, B. **94**, 1263 (1961).
L. BIRKOFER, A. RITTER u. P. NEUHAUSEN, A. **659**, 190 (1962).
5 L. BIRKOFER u. F. MÜLLER, *Peptides* 1968, Proc. of the 9th Europ. Pep St.ymp., Orsay, North Holland Publ. Co., Amsterdam **1968**, S. 151.
6 E. SCHNABEL u. A. OBERDORF, *Peptides* 1968, Proc. of the 9th Europ. Pept. Symp., Orsay, North Holland Publ. Co., Amsterdam **1968**, S. 261.

Peptidsynthese mit N-Acyl-aminosäure-(N-hydroxy-succinimid)-, -4-nitro-phenyl- oder -2,4,5-trichlorphenylestern und N-Trimethyl-silyl-aminosäure-trimethyl-silylestern[1]: 0,1 Mol Aktivester in ~ 100 *ml* absol. Chloroform oder Tetrahydrofuran werden mit einer Lösung von 0,1 Mol N-Trimethyl-silyl-aminosäure-trimethyl-silylester (wie oben hergestellt) gemischt, und dann 1–2 Tage bei ~ 20° aufbewahrt. Der Ansatz wird i. Vak. eingedampft, der Rückstand mit 200 *ml* Tetrachlormethan verdünnt, die Mischung mit 2 n Salzsäure oder 10%-iger Citronensäure gut ausgeschüttelt. Schon während des Ausschüttelns (spätestens nach 30 Min.) kristallisiert das Dipeptid-Derivat fast vollständig aus. Aus der mit Natriumsulfat getrockneten organischen Phase ist eventuell noch eine geringe Menge einer zweiten Fraktion isolierbar; Ausbeuten: 80–90% d. Th.

33.140. Ester von Phenolen

Aminosäure-phenylester können racemisierungsfrei durch Veresterung von N-geschützten Aminosäuren (z. B. N-Benzyloxycarbonyl-aminosäuren) und anschließende Abspaltung der Amino-Schutzgruppe hergestellt werden. Die Veresterung (s. dazu auch S. II/13) erfolgt am besten nach der Phosphit- (s. S. II/16 f.)[2], Sulfit- (s. S. II/16)[2] oder der Phosphoroxidchlorid-Methode[3] bzw. mittels Benzolsulfochlorid[4].

N-Acyl-aminosäure-phenylester; allgemeine Arbeitsvorschrift[4]: Zu 2 mMol der gepulverten N-acylierten Aminosäure in 2 *ml* wasserfreiem Pyridin werden unter Kühlung und Rühren 2 *ml* einer frisch bereiteten 1 n Lösung von Benzolsulfochlorid in absol. Toluol gegeben. Nach 15 Min. wird unter Rühren mit 2 mMol reinem Phenol versetzt und unter gelegentlichem Schütteln 20 Stdn. bei ~ 20° belassen. Danach wird der Ansatz mit 10 *ml* Essigsäure-äthylester verdünnt, mit 1 n Salzsäure (bis zur sauren Reaktion), mit 2%-iger Natriumhydrogencarbonat-Lösung (bis zur alkalischen Reaktion) und endlich mit Wasser gewaschen, über Magnesiumsulfat getrocknet und i. Vak. zur Trockene eingeengt. Der Rückstand wird, wenn fest, z. B. aus Äthanol umkristallisiert; Ausbeuten: 75–97% d. Th.

Die unveränderten N-Acyl-aminosäuren werden nach dem Ansäuern der Natriumhydrogencarbonat-Lösung mit konz. Salzsäure regeneriert.

Nach der gleichen Vorschrift lassen sich bei Anwendung von 5 *ml* frisch destilliertem tert.-Butanol auch tert.-Butylester von N-Acyl-aminosäuren herstellen.

Zur Synthese von *Z-Glu-OPh* s. S. 640.

Die Abspaltung des Benzyloxycarbonyl-Restes kann selektiv mittels Bromwasserstoff-Lösungen in Eisessig (s. dazu die ausführliche Beschreibung S. 56) oder katalytischer Hydrogenolyse in Gegenwart von Palladiumschwarz erfolgen[5,6] (s. S. 51).

Aminosäure-phenylester sind gegen Aminolyse unbeständiger als z. B. n-Alkylester; sie lassen sich aber als Amin-Komponenten nach dem Mischanhydrid- oder dem Carbodiimid-Verfahren in guten Ausbeuten zu Peptid-Derivaten umsetzen[6].

N-Acyl-peptid-phenylester können bei Zusatz von ~0,8 Äquiv. Wasserstoffperoxid in Gemischen aus ~40% Wasser und Aceton, 1,4-Dioxan oder Dimethylformamid im Laufe von 7–20 Min. bei einem p_H-Wert von 10,5 (Autotitrator!) mit Alkalimetallhydroxid-Lösungen glatt verseift werden. Die Hydrolyse verläuft bei Verzicht auf Wasserstoffperoxid wesentlich langsamer, darüber hinaus racemisieren optisch aktive carboxy-endständige Aminosäuren erheblich. Im Rahmen dieser Untersuchungen wurde auch bei der Verseifung (1 Äquiv. 0,25n Natronlauge/3 Vol. Aceton, 1 Stde. 20°) der entsprechenden Methylester eine Racemisierung von 0,8–2,8% festgestellt[6].

---

1 H. R. Kricheldorf, A. **763**, 17 (1972).
2 B. Iselin, R. Schwyzer et al., Helv. **40**, 373 (1957).
3 T. Wieland u. B. Heinke, A. **615**, 184 (1958).
4 G. Blotny, J. F. Biernat u. E. Taschner, A. **663**, 194 (1963).
5 G. W. Kenner, Ang. Ch. **71**, 741 (1959).
6 G. W. Kenner u. J. M. Seely, Am. Soc. **94**, 3259 (1972).
D. Hudson, G. W. Kenner et al., *Peptides* 1972, Proc. of the 12th Europ. Pept. Symp., Reinhardsbrunn Castle, North Holland Publ. Co., Amsterdam **1973**, S. 70.

Bei Anwesenheit von schwefelhaltigen Aminosäuren oder Tryptophan in der Peptidsequenz wird der Zusatz eines großen Überschusses von Dimethylsulfid empfohlen, um unerwünschte Oxidationen durch das Wasserstoffperoxid zu vermeiden[1].

Bei Hydrolyse der Phenylester mit verd. Mineralsäure in heißem 1,4-Dioxan werden stark racemisierte Produkte erhalten[2].

Auch N-Acyl-aminosäure(-peptid)-phenyl-thioester (zur Herstellung dieser Verbindungen s. S. II/275) können durch Umsetzung mit Persäuren wie z. B. Peressigsäure oder Perbenzoesäure wieder in die zugrunde liegenden freien Säuren übergeführt werden[3].

33.141. Polymer-phenylester

N-Acyl-aminosäuren können mit Hilfe von Carbodiimiden (s. S. II/103 ff.) covalent in einer „phenylester-artigen" Bindung an Harze gebunden werden, die sich z. B. durch Polykondensation aus Phenol und Formaldehyd (1,3,5-Trioxan)[4] oder durch Umsetzung des Triäthylamin-Salzes der 4-Hydroxy-phenylessigsäure mit chlormethyliertem Polystyrol-Copolymerisat[5] gewinnen lassen. Als Amino-Schutzgruppen, die sich ohne Beeinträchtigung der Bindung an das Harz entfernen lassen, finden der tert.-Butyloxycarbonyl-, der tert.-Amyloxycarbonyl- und der Benzyloxycarbonyl-Rest Verwendung. Der stufenweise Anbau von Aminosäure-Derivaten an die am Harz gebundene Aminosäure (s. auch S. 376) kann nach dem Carbodiimid- oder Aktivester-Verfahren erfolgen. Die gewünschte Peptidkette wird durch 1 n methanolische Natriumhydroxid-Lösung vom Festkörper abgelöst, dabei soll bei carboxy-endständigen optisch aktiven Aminosäuren nur eine Racemisierung von $\sim 3\%$ erfolgen[4].

Die Knüpfung der ersten N-acylierten Aminosäure an das Harz unter relativ milden Bedingungen kann als Vorteil gegenüber der Peptidsynthese an Festkörpern nach Merrifield (s. S. 371 ff.) angesehen werden. Die Spaltung vom Träger im alkalischen Milieu erscheint jedoch ungünstig (Racemisierung, Spaltung der Peptidkette, Transpeptidierung etc., s. auch S. 335).

33.150. Amide und andere substituierte N-Derivate

Ein echter Schutz der Carboxy-Funktion durch Amid-Bildung ist nur möglich, wenn die Amid-Bindung ohne Angriff auf die ihr in ihrem chemischen Verhalten sehr ähnliche Peptid-Bindung wieder geöffnet werden kann. Dies ist bei N_{am}-unsubstituierten Aminosäure-amiden[6] nur in Ausnahmefällen durchführbar[7,8].

---

[1] G. W. Kenner u. J. M. Seely, Am. Soc. **94**, 3259 (1972).
D. Hudson, G. W. Kenner et al., *Peptides* 1972, Proc. of the 12th Europ. Pept. Symp., Reinhardsbrunn, North Holland Publ. Co., Amsterdam **1973**, S. 70.

[2] G. W. Kenner, Ang. Ch. **71**, 741 (1959).

[3] E. Wünsch, Collect. czech. chem. Commun. **24**, 89 (1959).
H. Hilpert, Diplomarbeit, Universität München, 1957.

[4] N. Inukai, K. Nakano u. M. Murakami, Bl. chem. Soc. Japan **41**, 182 (1968).

[5] J. Blake u. C. H. Li, Int. J. Pept. Prot. Res. **3**, 185 (1971).

[6] N-substituierte 2-Nitro-anilide von Carbonsäuren können durch Photolyse wieder in die freien Säuren übergeführt werden. B. Amit u. A. Patchornik, Tetrahedron Letters **1973**, 2205.
Erwähnt sei weiterhin, daß aus N-geschützten Peptidestern, die den Cystein-Rest enthalten, mit Phosgen ein Thiazolidon-Derivat hergestellt werden kann, dessen alkalische Hydrolyse zu einer selektiven Spaltung der Peptidkette führt, wobei die freie Carboxy-Gruppe der an die Amino-Gruppe des Cysteins geknüpften Aminosäure wieder hergestellt wird. T. Inui, Bl. chem. Soc. Japan **44**, 2515 (1971).

[7] R. Schwyzer et al., Helv. **41**, 1287 (1958).

[8] K. Hofmann u. H. Yajima, Am. Soc. **83**, 2289 (1961).

Hingegen lassen sich z.B. N-Acyl-sulfonamide, die gegenüber alkalischer und saurer Hydrolyse recht beständig sind, nach Methylierung des sekundären Stickstoffatoms mit Diazomethan unter relativ milden Bedingungen (0,5n Natronlauge) hydrolysieren[1]:

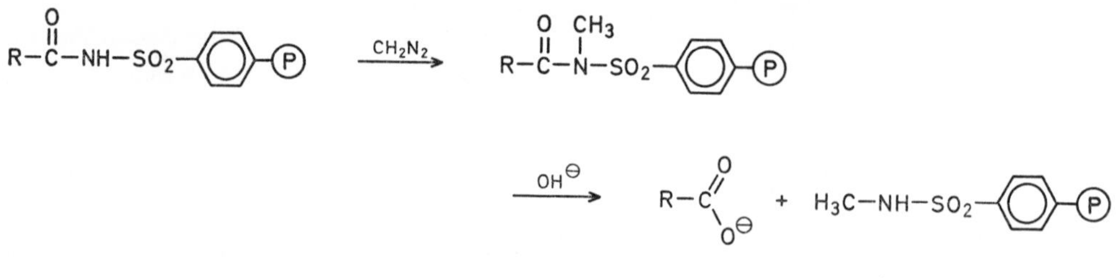

$$R-\overset{\overset{O}{\|}}{C}-NH-SO_2-C_6H_4-Ⓟ \xrightarrow{CH_2N_2} R-\overset{\overset{O}{\|}}{C}-\overset{\overset{CH_3}{|}}{N}-SO_2-C_6H_4-Ⓟ$$

$$\xrightarrow{OH^{\ominus}} R-C\begin{matrix}\nearrow O\\ \searrow O^{\ominus}\end{matrix} + H_3C-NH-SO_2-C_6H_4-Ⓟ$$

Auf diese Weise kann auch eine stabile Bindung an ein Polymer erfolgen, die nach beendeter Peptidsynthese an diesem Festkörper (s. dazu auch S. 371 ff.) auf genanntem Weg wieder leicht spaltbar ist.

Von den N′-substituierten Hydraziden N-geschützter Aminosäuren, die z. B. nach dem Mischanhydrid-Verfahren (s. S. 433) auf übliche Weise hergestellt werden können, lassen sich die N′-Phenyl-hydrazide durch Oxidation mit Kupfer(II)-acetat[2,3], Eisen(III)-chlorid[3] oder aktiviertem Mangandioxid[4] wieder in die freien Säuren überführen[5]. Dabei werden Stickstoff und Benzol frei. Peptid-synthetische Bedeutung als α-Carboxy-Schutzgruppe hat der Phenylhydrazin-Rest jedoch bisher nicht erlangt (Zur Peptidsynthese durch Oxidation von N-Acyl-aminosäure-hydraziden s. S. II/323f.).

33.160. O-Acyl-halb- und halbamino-acetale (Phthalimido-methylester)

Phthalimido-methylester von Aminosäuren werden durch Umsetzung von N-Benzyloxycarbonyl-aminosäuren mit N-Chlormethyl-phthalimid und anschließende Abspaltung der Amino-Schutzgruppe hergestellt[6].

N-Benzyloxycarbonyl-aminosäure-phthalimido-methylester; allgemeine Herstellungsvorschrift:

N-Hydroxymethyl-phthalimid[7]: In eine 20%-ige wäßr. Formaldehyd-Lösung, die so bemessen ist, daß sie 1,1 Mol Formaldehyd enthält, trägt man 1 Mol Phthalimid ein. Bei vorsichtigem Erhitzen bis zum Rückfluß tritt Lösung ein. Daraus scheiden sich bei langsamem Abkühlen große Kristalle von N-Hydroxymethyl-phthalimid aus. Das erhaltene Material wird abfiltriert, gut mit Wasser und 96%-igem Äthanol gewaschen und anschließend im Exsiccator über konz. Schwefelsäure getrocknet; Ausbeute: 90–95% d.Th.; F: 141°.

N-Chlormethyl-phthalimid[6,8]: N-Hydroxymethyl-phthalimid (vorstehend) wird in Thionylchlorid suspendiert und daraufhin vorsichtig am Rückfluß zum Sieden erhitzt, bis Lösung eintritt. Man erhitzt noch 30 Min., destilliert das überschüssige Thionylchlorid ab und kristallisiert den erhaltenen Rückstand aus Toluol oder Dichlormethan um; Ausbeute: 72% d.Th.; F: 132°.

---

1 G. W. Kenner, J. R. McDermott u. R. C. Sheppard, Chem. Commun. **1971**, 636.
2 E. Waldschmidt-Leitz u. K. Kühn, B. **84**, 381 (1951).
3 H. B. Milne et al., Am. Soc. **79**, 637 (1957).
4 R. B. Kelly, J. Org. Chem. **28**, 453 (1963).
5 In ähnlicher Weise lassen sich aus N-Acyl-N,N′-diisopropyl-hydrazinen die freien Carbonsäuren durch Oxidation z. B. mit Blei(IV)-acetat herstellen. D. H. R. Barton, M. Girijavallabhan u. P. G. Sammes, Soc. [Perkin I] **1972**, 929.
6 G. H. L. Nefkens, Nature **193**, 974 (1962).
G. H. L. Nefkens, G. I. Tesser u. R. J. F. Nivard, R. **82**, 941 (1963).
7 G. W. Pucher u. T. B. Johnson, Am. Soc. **44**, 820 (1922).
8 F. Sachs, B. **31**, 1232, 3233 (1898).

N-Benzyloxycarbonyl-aminosäure-phthalimido-methylester[1,2]; allgemeine Arbeitsvorschrift: Ein Mol der N-geschützten Aminosäure wird zusammen mit einem Mol Diäthylamin in trockenem Essigsäure-äthylester gelöst. Nach Zugabe von 1 Mol N-Chlormethyl-phthalimid läßt man die Lösung ~ 12 Stdn. stehen. Sie wird dann 2mal mit Wasser und 1mal mit Kaliumhydrogencarbonat-Lösung gewaschen. Nach dem Trocknen dampft man das Lösungsmittel i.Vak. ab. Der Rückstand ist meist kristallin; Ausbeuten: 75–90% d.Th.

Die Reaktionszeit kann beim Einsatz von Dimethylformamid als Lösungsmittel und Dicyclohexylamin als Base bei ~60° auf wenige Min. reduziert werden.

Auf diese Weise lassen sich auch N-geschützte Peptide in die Phthalimido-methylester überführen.

Durch Entacylierung der Benzyloxycarbonyl-Derivate mittels katalytischer Hydrogenolyse (s. S. 51) in Gegenwart eines Äquiv. 4-Toluolsulfonsäure erhält man die 4-Toluolsulfonsäure-Salze der Phthalimido-methylester[2]. Es handelt sich wie bei den N-geschützten Derivaten um leicht kristallisierbare Verbindungen.

Der Phthalimido-methyl-Rest kann bei den häufig verwendeten Verknüpfungsmethoden (s. S. II/1 ff.) wie dem Carbodiimid-, dem Mischanhydrid- oder dem Aktivester-Verfahren zum Schutz der Carboxy-Gruppe dienen[2].

Die Abspaltung gelingt mit zwei Äquiv. Alkalimetallhydroxid. Auch Diäthylamin kann als Base eingesetzt werden. Die Reaktion ist dann bei ~ 20° erst nach ~ 3 Stdn. vollständig. Bei der Umsetzung von Phthalimido-methylestern mit Hydrazin erhält man, im Gegensatz zu den Methylestern, Äthylestern oder Benzylestern, ebenfalls die freie Säure[2].

Sehr rasch läßt sich der Phthalimido-methyl-Rest mittels Bromwasserstoff in Eisessig enfernen. Auch Chlorwasserstoff in Essigsäure-äthylester oder 1,4-Dioxan kann als saures Agens angewandt werden[2].

Unter sehr milden Bedingungen gelingt die Abspaltung mit Natriumthiophenolat[3], wobei der Ester alkylierende Spaltung erleidet, oder mit aktiviertem Zink[4] in Eisessig[5].

Phthalimido-methylester sind stabil gegen wasserfreie 4-Toluolsulfonsäure, Pyridin-Hydrobromid, Lithiumbromid in Pyridin und katalytisch aktivierten Wasserstoff. Durch Einwirkung von Natrium in flüssigem Ammoniak werden keine definierten Reaktionsprodukte erhalten[2].

33.200. Die Salzbildung

bearbeitet von

Dr. Karl-Heinz Deimer

Max-Planck-Institut für Biochemie, München

Am einfachsten läßt sich die Zwitterionenstruktur einer Aminosäure oder eines Peptids durch Salzbildung aufheben (s. dazu auch S. 32). Bei Salzbildung mit Basen wird die nucleophile Reaktionsbereitschaft der Amino-Gruppe erhöht[6,7].

Die Wahl der salzbildenden Base richtet sich vor allen Dingen nach der Löslichkeit der resultierenden Salze in den verwendeten Lösungsmitteln. Aminosäuren werden bevorzugt als Alkali- oder Erdalkalimetallsalze in wäßr. Lösung oder in einem Gemisch

[1] G. H. L. Nefkens, Nature **193**, 974 (1962).
[2] G. H. L. Nefkens, G. I. Tesser u. R. J. F. Nivard, R. **82**, 941 (1963).
[3] J. C. Sheehan u. G. D. Daves, J. Org. Chem. **29**, 2006 (1964).
[4] E. Baer u. D. Buchnea, J. Biol. Chem. **230**, 447 (1958).
[5] D. L. Turner u. E. Baczynski, Chem. & Ind. **1970**, 1204.
[6] T. Curtius u. R. Wüstenfeld, J. pr. [2] **70**, 73 (1904).
[7] K. Hofmann et al., Am. Soc. **79**, 1636 (1956).

aus Wasser und einem darin gut löslichen organischen Solvenz (z.B. 1,4-Dioxan) mit einer entspechenden „Kopfkomponente" zu Peptid-Derivaten umgesetzt. Peptide bringt man hingegen, wenn sie sich nicht ausgesprochen hydrophil verhalten, meist als Salze tertiärer Basen, wie z.B. Triäthylamin, N-Methyl-morpholin oder 1,1,3,3-Tetramethylguanidin[1], in organischen Lösungsmitteln (z.B. Dimethylformamid) zur Reaktion.

Die peptid-synthetische Umsetzung der genannten Salze kann mit Hilfe des Aktivester-, des Mischanhydrid-, des Säurehalogenid- oder des Säureazid-Verfahrens erfolgen[2] (s. dazu a. S. II/1 ff.).

Aminosäure- oder Peptid-Derivate, die durch alkali-labile Amino-Schutzgruppen wie z.B. den Phthalyl- (s. S. 250) oder den Tosyl-Rest (s. S. 223) blockiert sind, können natürlich nicht eingesetzt werden.

N_α-Benzyloxycarbonyl-N_ω-nitro-L-arginyl-L-prolyl-glycin [Z-Arg(NO_2)-Pro-Gly-OH][3]: Man löst 1,50 g (20 mMol) Glycin in 20 *ml* 0,5 n Natronlauge, fügt 20 *ml* 1,4-Dioxan zu und versetzt die Mischung anschließend unter heftigem Rühren mit einer Lösung von 5,71 g (10 mMol) Z-Arg(NO_2)-Pro-ONP in 40 *ml* 1,4-Dioxan/Wasser (1:1). Der p_H-Wert der Lösung wird durch Zugabe eines Gemisches aus 1 n Natronlauge und 1,4-Dioxan (1:1) mittels eines Autotitrators bei p_H 9,5 gehalten. Der Verbrauch von Natronlauge (~ 10 mMol) ist in wenigstens 30 Min. beendet. Der Ansatz wird daraufhin mit 500 *ml* Wasser versetzt und nacheinander mit Essigsäure-äthylester und Diäthyläther gewaschen. Die wäßr. Phase wird auf 0° abgekühlt, mit 1 n Schwefelsäure angesäuert, das ausgeschiedene Öl 2mal mit je 200 *ml* 2-Butanol extrahiert, die organische Phase mit 30%-iger Kochsalz-Lösung gewaschen und i.Vak. zur Trockene eingedampft. Der erhaltene Rückstand enthält neben dem gewünschten Tripeptid noch eine geringe Menge anorganischer Salze. Er wird in 300 *ml* einer Mischung aus Aceton/1,4-Dioxan (1:1) gelöst, die Lösung mit einem stark sauren Ionenaustauscher (Dowex-50, $H^{\oplus}$-Form) behandelt, filtriert und dann i.Vak. zur Trockene eingedampft. Aus der Lösung des erhaltenen festen Schaums in 10 *ml* Äthanol fällt nach Zugabe von 100 *ml* Diäthyläther das gewünschte Produkt; Ausbeute: 3,77 g (77% d.Th.); F: ~ 100° (unscharf); $[\alpha]_D^{22} = -61{,}8 \pm 0{,}5°$ (c = 1,0; in Methanol) bzw. $-42{,}5° \pm 0{,}5$; (c = 1,0; in Dimethylformamid).

N-tert.-Butyloxycarbonyl-S-diphenyl-methyl-L-cysteinyl-glycyl-L-phenylalanyl-glycin [BOC-Cys(DPM)-Gly-Phe-Gly-OH][4]: 7,62 g (14,1 mMol) BOC-Cys(DPM)-Gly-OSU in 30 *ml* 1,2-Dimethoxy-äthan werden unter Rühren zu einer Lösung von 3,50 g (14,5 mMol) H-Phe-Gly-OH und 2,9 g (29 mMol) Kaliumhydrogencarbonat in 30 *ml* Wasser gegeben, dabei wird eine beträchtliche Menge Gas frei. Nach 1 Stde. wird die Reaktionsmischung mit 200 *ml* 1 n Schwefelsäure verdünnt, wobei sich ein gummiartiger Niederschlag abscheidet, der durch 2malige Extraktion mit je 100 *ml* Essigsäure-äthylester in Lösung gebracht wird. Die organische Phase wird nacheinander 3mal mit je 200 *ml* Wasser, 2mal mit je 100 *ml* ges. Kochsalz-Lösung gewaschen, über Magnesiumsulfat getrocknet, filtriert und i.Vak. auf 30 *ml* eingeengt. Nach Zusatz von Diäthyläther wird ein farbloser Niederschlag erhalten, der abfiltriert und getrocknet wird; Ausbeute: 8,6 g (93% d.Th.); F: 108–111°; $[\alpha]_D^{22} = +0{,}01°$ (c = 0,89; in Chloroform).

N-Benzyloxycarbonyl-L-asparagyl(β-tert.-butylester)-O-tert.-butyl-L-seryl-L-alanin-Dicyclohexylamin-Salz [Z-Asp(OtBu)-Ser(tBu)-Ala-OH · DCHA][5]: 15,5 g H-Ser(tBu)-Ala-OH, 50 *ml* Pyridin und 11,3 *ml* N-Methyl-morpholin in 500 *ml* Dimethylformamid werden bei 0° mit 44 g Z-Asp(OtBu)-OSU versetzt, die Mischung wird 2 Tage bei ~ 20° und nach Zugabe von 2 *ml* N-(2-Amino-äthyl)-piperazin weitere 30 Min. gerührt. Anschließend dampft man i.Vak. zur Trockene ein. Der Rückstand wird zwischen verd. Schwefelsäure und Diäthyläther verteilt und die abgetrennte, sulfat-frei gewaschene Äther-Phase erschöpfend mit Kaliumhydrogencarbonat-Lösung ausgezogen. Aus den vereinigten Extrakten wird nach Ansäuern mit verd. Schwefelsäure (p_H = 1.5) das N-Acyl-tripeptid in Diäthyläther übergeführt; nach Säurefrei-waschen und Trocknen der organischen Phase versetzt man bei 0° mit 19,8 *ml* Dicyclohexylamin. Nach kurzem Stehenlassen im Kühlschrank filtriert man das abgeschiedene Dicyclohexylamin-Salz des N-Acyl-tripeptids ab. Aus dem Filtrat erhält man auf Zusatz von Petroläther eine zweite Fraktion. Nach Trocknen bei 10^{-2} Torr über Phosphor(V)-oxid (Farbloses Pulver); Ausbeute: 55 g (73% d.Th.); F: 154–157°; $[\alpha]_D^{20} = +3{,}0 \pm 0{,}5°$ bzw. $[\alpha]_{546}^{20} = +3{,}3°$ (c = 2; in Äthanol).

---

[1] D. STEVENSON u. G. T. YOUNG, Soc. [C] **1969**, 2389.

[2] Eine Übersicht geben E. SCHRÖDER u. K. LÜBKE in *The Peptides*, Bd. I, S. 69, Academic Press, New York · London 1966.

[3] S. GUTTMANN u. R. A. BOISSONNAS, Helv. **44**, 1713 (1961).

[4] R. G. HISKEY, L. M. BEACHAM u. V. G. MATL, J. Org. Chem. **37**, 2472 (1972).

[5] E. WÜNSCH, G. WENDLBERGER u. P. THAMM, B. **104**, 2445 (1971).

Der „Schutz" der Carboxy-Funktion durch Salzbildung bietet den Vorteil, daß nach beendeter Reaktion das gewünschte N-geschützte Peptid-Derivat beim Ansäuern als freie Säure anfällt, deren Carboxy-Gruppe sofort für eine weitere Umsetzung zur Verfügung steht. Dies ist besonders bei der stufenweisen Synthese von größeren Peptidteilsequenzen von Nutzen, da dann eine unter Umständen schwierige alkalische Verseifung von n-Alkylestern nicht erforderlich ist (s. S. 335).

Ein Nachteil entsteht der Methode jedoch insofern, als mit einer Verseifung der reaktiven Acyl-Komponente (z. B. Aktivester) besonders beim Arbeiten in wäßrigen Lösungsmitteln zu rechnen ist. Vor allem bei der Synthese von Dipeptid-Derivaten ist dann eine Abtrennung der aus der „Kopfkomponente" infolge Hydrolyse gebildeten freien N-geschützten Aminosäure durch alkalische Extraktion aus organischer Lösung (s. dazu S. 323) meist unmöglich, weil das ebenfalls als Säure vorliegende N-geschützte Dipeptid-Derivat gleichzeitig extrahiert wird. Es erscheint daher günstig in solchen Fällen, die carboxy-endständige Aminosäure zunächst zu verestern und die Ester-Bindung dann bereits auf der Dipeptid- oder Tripeptid-Stufe wieder zu spalten. Die weitere Synthese kann daraufhin mit Salzen der so erhaltenen Peptide fortgesetzt werden. Die Löslichkeiten der einzelnen Reaktionspartner und der Folgeprodukte sind dann meist so unterschiedlich, daß die gewünschten Peptid-Derivate durch Umkristallisieren gereinigt werden können.

33.300. Unechte Schutzgruppen

bearbeitet von

Dr. Paul Thamm

Max-Planck-Institut für Biochemie, München

Wie die echten Carboxy-Schutzgruppen (s. S. 315) haben auch die unechten Carboxy-Schutzgruppen Maskierungs-Aufgaben zu erfüllen:

① Aufhebung der Zwitterion-Struktur einer Aminosäure oder eines Peptids, wodurch Umsetzungen an der terminalen Amin-Gruppe möglich werden.

② Schutz der terminalen Carboxy-Gruppe einer Aminosäure oder eines Peptids vor unerwünschten Veränderungen während der Peptidsynthese.

Im Gegensatz zu den echten Carboxy-Schutzgruppen, die gewöhnlich nach Beendigung einer Fragment-Synthese unter Regenerierung der terminalen Carboxy-Gruppe abgespalten werden, pflegt man unechte Carboxy-Schutzgruppen in der Absicht einzusetzen, diese nach beendeter Fragment-Synthese zur Weiterverknüpfung des synthetisierten Fragments weiterzuverwenden. Dieser Spezialaufgabe werden hauptsächlich zwei Typen unechter Carboxy-Schutzgruppen gerecht:

① solche, die ohne weitere Umwandlung (nach beendeter Fragment-Synthese) zur Umsetzung mit Amin-Komponenten befähigt sind (wie z.B. substituierte Alkyl- bzw. Phenylester, O-Acyl-Verbindungen N-substituierter Hydroxylamine, oder andere),

② solche, die erst nach geeigneter Umwandlung (nach beendeter Fragment-Synthese) zur Umsetzung mit Amin-Komponenten befähigt sind. In diese Kategorie unechter Carboxy-Schutzgruppen gehören z.B. 2,2-Diphenyl-2-hydroxy-äthylester (Aktivierung durch Umwandlung in 2,2-Diphenyl-vinylester, s. S. II/81), 4-Methylthio-phenylester (Aktivierung durch Umwandlung in 4-Methyl-sulfonyl-phenylester, s. S. II/59), N'-maskierte Säurehydrazide (Aktivierung durch Oxidation, s. S. II/323 bzw. durch Umwandlung in Säureazide, s. S. 430), oder andere.

Peptid-Fragmente mit unechtem Carboxy-Schutz werden im allgemeinen durch schrittweise N-Aminoacylierung (vgl. Schema S. 408) einer unecht carboxy-geschützten Aminosäure aufgebaut (die ihrerseits gewöhnlich nur auf dem Wege der Umsetzung der N-maskierten Aminosäure mit der gewünschten unechten Carboxy-Schutzgruppe und anschließende Abspaltung der N-Maskierung erhältlich ist). Wenn die gewählte unechte Carboxy-Schutzgruppe zum direkt aminolysierbaren Typ 1 der obigen Gegenüberstellung gehört, muß das Acyl-Übertragungspotential der die Kopfkomponente carboxy-aktivierenden Gruppe möglichst weit über dem entsprechenden Potential der unechten Schutzgruppe liegen, um die mögliche Selbstkondensation der unecht geschützten Amin-Komponente durch raschestmögliche Verknüpfung mit der Kopfkomponente zu verhindern. Damit kommen zur N-Aminacylierung der nach Typ 1 unecht carboxy-geschützten Aminosäuren oder Peptide im allgemeinen nur die Säurechlorid-Methode bzw. die Methode der gemischten Anhydride, in manchen Fällen auch die Carbodiimid-Methode, in Betracht.

Die genannte Beschränkung in der Auswahl der Verknüpfungsmethoden gilt indessen *nicht* für unechte Carboxy-Schutzgruppen des Typs 2 (S. 407).

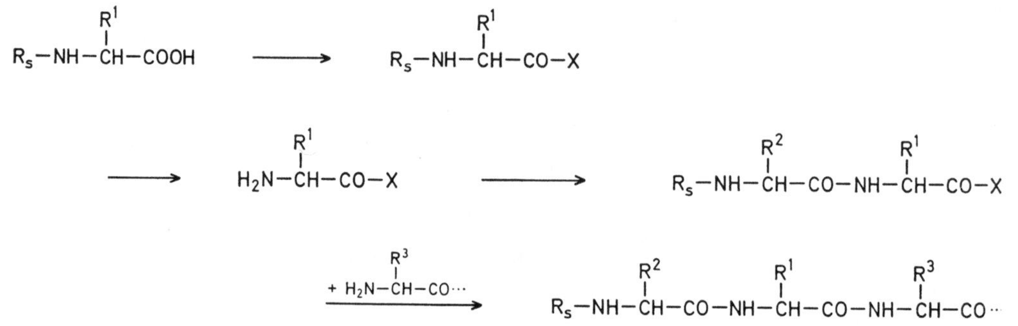

$$R_s\text{–NH–CH}(R^1)\text{–COOH} \longrightarrow R_s\text{–NH–CH}(R^1)\text{–CO–X}$$

$$\longrightarrow H_2N\text{–CH}(R^1)\text{–CO–X} \longrightarrow R_s\text{–NH–CH}(R^2)\text{–CO–NH–CH}(R^1)\text{–CO–X}$$

$$\xrightarrow{+\ H_2N\text{–CH}(R^3)\text{–CO}\cdots} R_s\text{–NH–CH}(R^2)\text{–CO–NH–CH}(R^1)\text{–CO–NH–CH}(R^3)\text{–CO}\cdots$$

R_s = Amin-Schutzgruppe

X = unechte Carboxy-Schutzgruppe

Größere peptidsynthetische Bedeutung erlangte die oben skizzierte „Technik der unechten Carboxy-Schutzgruppe" einerseits in ihrer Anwendung zum Aufbau stereochemisch einheitlicher Peptid-Aktivester (sogen. „backing-off-Methode" nach Goodman[1,2], s. S. II/23) und andererseits als „Methode der N′-geschützten Hydrazide" nach Hofmann[3], s. S. 431. Unechte Carboxy-Schutzgruppen spielen ebenfalls eine wichtige Rolle bei der Synthese asymmetrischer Amino-dicarbonsäure-bispeptide. So kann beispielsweise die α-ständige Carboxy-Gruppe der Asparaginsäure oder Glutaminsäure mit einer unechten Carboxy-Schutzgruppe X (vgl. Formelschema) maskiert werden, so daß Verknüpfungen an der ω-ständigen Carboxy-Gruppe (z.B. nach dem Carbodiimid-Verfahren) und damit der Aufbau von ω-Peptiden ermöglicht werden. Anschließend wird die unechte Carboxy-Schutzgruppe zur Knüpfung einer α-Peptid-Bindung herangezogen:

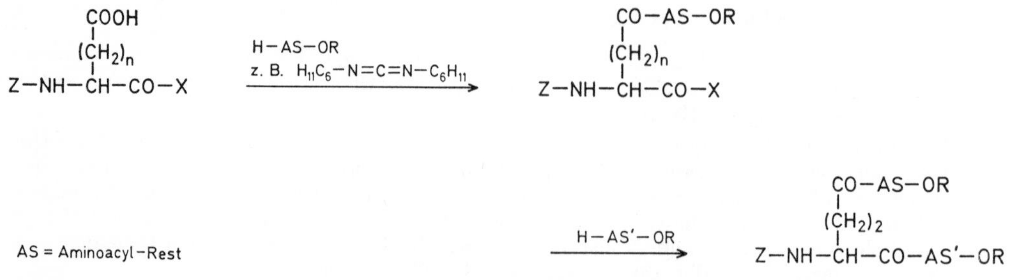

$$Z\text{–NH–CH}[(CH_2)_n\text{–COOH}]\text{–CO–X} \xrightarrow[\text{z. B. } H_{11}C_6\text{–N=C=N–}C_6H_{11}]{H\text{–AS–OR}} Z\text{–NH–CH}[(CH_2)_n\text{–CO–AS–OR}]\text{–CO–X}$$

$$\xrightarrow{H\text{–AS}'\text{–OR}} Z\text{–NH–CH}[(CH_2)_2\text{–CO–AS–OR}]\text{–CO–AS}'\text{–OR}$$

AS = Aminoacyl-Rest

[1] M. Goodman u. K. C. Stueben, Am. Soc. **81**, 3980 (1959).
[2] M. Goodman u. K. C. Stueben, Am. Soc. **84**, 1279 (1962).
[3] K. Hofmann, A. Lindenmann, M. Z. Magee u. N. Haq Khan, Am. Soc. **74**, 470 (1952).

Zur Anwendung als unechte Carboxy-Schutzgruppen kamen speziell in diesem Zusammenhang beispielsweise: Cyanmethyl-, Äthylthioester-, Phenyl-, Phenylthioester-, 4-Nitrophenyl- und N'-Acyl-hydrazid-Gruppe. Häufig werden die genannten unechten Schutzgruppen in Hydrazid-Gruppen umgewandelt, so daß die Weiterverknüpfung an der unecht geschützten Carboxy-Gruppe über die reaktionsfähigen Säureazide vorgenommen werden kann.

Einige der im Folgenden beschriebenen unechten Carboxy-Schutzgruppen nehmen insofern eine Sonderstellung ein, als sie auch als echte Carboxy-Schutzgruppen zur Anwendung kommen können. Es handelt sich hierbei um Gruppen mit besonders niedrigem Acyl-Übertragungspotential, wie Methylester-Gruppe, Phenylester- und Phenylthioester-Gruppe oder – im Bereich der Peptolid-Synthese (s. S. 874) – die Cyanmethylester-Gruppe.

33.310. Alkylester

Zur Anwendung als unechte Carboxy-Schutzgruppe kamen bisher die folgenden Alkylester: Methylester, Cyanmethylester, 2,2-Diphenyl-2-hydroxy-äthylester, Äthylthioester.

33.311. Methylester

Die Umsetzungsgeschwindigkeit der Methylester N-geschützter Peptide (hergestellt z.B. durch Verknüpfung N-geschützter Aminosäuren mit Aminosäure-methylestern; zur Herstellung der letzteren s. S. 315) mit Amin-Komponenten ist zur Durchführung systematischer Peptidsynthesen zu gering. Daher findet die Methylester-Gruppe als *unechte* Carboxy-Schutzgruppe ihre wichtigste Anwendung in der Herstellung von Peptid-amiden (s. S. 465) und -hydraziden, wobei letztere gewöhnlich in Peptid-azide überführt und zur Fragmentverknüpfung herangezogen werden (s. S. II/296).

33.312. Cyanmethylester

Durch Substitution mit der stark elektronegativen Nitril-Gruppe wird die Aminolysierbarkeit der Methylester-Gruppe entscheidend verbessert[1–3]. Die resultierenden Cyanmethylester gehören daher in die Kategorie der Aktivester.

Aminosäure-cyanmethylester werden durch Protonensolvolyse entsprechend N-geschützter Aminosäure-cyanmethylester (Herstellung s. S. II/6) erhalten.

Als in diesem Zusammenhang brauchbare Amin-Schutzgruppen wurden beschrieben: Benzyloxycarbonyl-[4,5], Formyl-[4], Furyl-(2)-methoxycarbonyl-[6], Trityl-Gruppe[7] und N-Schutzgruppen vom 2-Acyl-vinyl-Typ[8].

Die optimalen Bedingungen zur hydrolytischen Abspaltung der Amin-Schutzgruppen müssen fallweise ermittelt werden, da unter ungünstigen Bedingungen partielle Hydra-

---

[1] R. Schwyzer, B. Iselin u. M. Feurer, Helv. **38**, 69 (1955).
[2] R. Schwyzer, M. Feurer, B. Iselin u. H. Kägi, Helv. **38**, 80 (1955).
[3] R. Schwyzer, M. Feurer u. B. Iselin, Helv. **38**, 83 (1955).
[4] M. Goodman u. K. C. Stueben, Am. Soc. **81**, 3980 (1959).
[5] E. A. Morozova u. S. M. Zhenodarova, Ž. obšč. Chim. **28**, 1661 (1958); engl.: 1711; C. A. **53**, 1169[f] (1959).
[6] H. Jeschkeit, G. Losse u. K. Neubert, B. **99**, 2803 (1966).
[7] R. Schwyzer, B. Iselin, W. Rittel u. P. Sieber, Helv. **39**, 872 (1956).
[8] A. Balog, E. Vargha, D. Breazu, L. Beu u. F. Gönczy, Rev. Roumaine Chim. **15**, 1391 (1970).

tation der Cyanmethylester-Gruppe zur kaum noch aminolysierbaren Aminocarbonyl-methylester-Gruppe eintritt[1]:

$$\text{Acyl-NH-}\underset{}{\overset{\text{R}}{\overset{|}{\text{CH}}}}\text{-CO-O-CH}_2\text{-CN} \xrightarrow{H_2O} \text{Acyl-NH-}\overset{\text{R}}{\overset{|}{\text{CH}}}\text{-CO-O-CH}_2\text{-CO-NH}_2$$

L-Phenylalanin-cyanmethylester-Hydrochlorid [H-Phe-OCyM · HCl][1]: Die Suspension von 0,6 g (2,6 mMol) FOR-Phe-OCyM[1] in 24 *ml* wäßriger n Salzsäure wird 5 Min. unter häufigem Umschütteln auf dem Wasserbad erhitzt. Die abgekühlte klare Lösung wird 3mal mit je 5 *ml* Essigsäure-äthylester extrahiert. Nach Gefriertrocknung der wäßrigen Lösung und Umkristallisieren aus Äthanol: Ausbeute: 0,35 g (56% d.Th.); F: 185–185,5°.

Höhere Säure-Konzentration und längere Reaktionszeit als angegeben führen zu erhöhter Bildung von Aminocarbonyl-methylester (s. oben).

L-Phenylalanyl-glycyl-L-leucin-cyanmethylester-Hydrobromid [H-Phe-Gly-Leu-OCyM · HBr][2]: Zu 2 g Z-Phe-Gly-Leu-OCyM[2] werden 2,8 *ml* ges. Bromwasserstoff-Lösung in Essigsäure gegeben. Eine Stde. nach Beendigung der Kohlendioxid-Entwicklung werden 100 *ml* wasserfreier Diäthyläther zugegeben, wodurch Kristallisation eintritt. Das Rohprodukt wird 3mal aus wasserfreiem Methanol/Diäthyläther umgefällt; Ausbeute: 1,52 g (89% d.Th.); F: 192–193° (Zers.).

Die Kettenverlängerung eines Aminosäure-cyanmethylesters zum N-geschützten Peptid-cyanmethylester kann nach der Säurechlorid-Methode vorgenommen werden.

N-Phthaloyl-glycyl-glycin-cyanmethylester [PHT=Gly-Gly-OCyM][3]: 3,5 g (20 mMol) H-Gly-OCyM · HCl und 4,5 g (20 mMol) PHT=Gly-Cl in 150 *ml* Benzol werden solange zum Sieden erhitzt (∼ 4 Stdn.), bis die Chlorwasserstoff-Entwicklung beendet ist. Nach Abkühlen auf 20° wird der entstandene Niederschlag abfiltriert und aus Essigsäure-äthylester/Petroläther umkristallisiert: Ausbeute: 5,25 g (87% d.Th.); F: 203–204°.

Die Verknüpfung N-geschützter Peptid-cyanmethylester mit Amin-Komponenten geschieht nach den gleichen Gesichtspunkten, die für N-geschützte Aminosäure-cyanmethylester beschrieben wurden (s. S. II/9).

2-Cyan-benzylester[4], die als Vinyloge der Cyanmethylester aufgefaßt werden können, wirken im Gegensatz zu letzteren kaum noch acylierend, so daß sie als unechte Carboxy-Schutzgruppen keine Rolle spielen.

Tab. 49. L-Aminosäure-cyanmethylester-Hydrochloride [H-AS-OCyM · HCl]

Aminosäure	F [°C]	[α]D	t [°C]	c	Lösungsmittel	Literatur
Gly	170–172					3
Gly[a]	159–162					5
Ala	158–159	+ 18°	20–25	2	Wasser	3
Val	144–146	+ 13,0°	20–25	2	Wasser	3
Leu	163–165	+ 8,75°	20–25	1,6	Wasser	3
Phe	185–188	– 1,25°	20–25	4	Wasser	1,3
Cys (BZL)[a]	146–148					5

[a] Hydrobromid

---

1 M. Goodman u. K. C. Stueben, Am. Soc. **81**, 3980 (1959).
2 E. A. Morozova u. S. M. Zhenodarova, Ž. obšč. Chim. **28**, 1661 (1958); engl.: 1711; C. A. **53**, 1169[f] (1959).
3 A. Balog, E. Vargha, D. Breazu, L. Beu u. F. Gönczy, Rev. Roumaine Chim. **15**, 1391 (1970).
4 F. H. C. Stewart, Austral. J. Chem. **18**, 1877 (1965).
5 H. Jeschkeit, G. Losse u. K. Neubert, B. **99**, 2803 (1966).

33.313. 2,2-Diphenyl-2-hydroxy-äthylester

Aminosäure-2,2-diphenyl-2-hydroxy-äthylester I können aus ihren N-Trityl-Derivaten (Herstellung vgl. S. II/81) erhalten werden[1]. Da die erforderliche N-Demaskierung durch

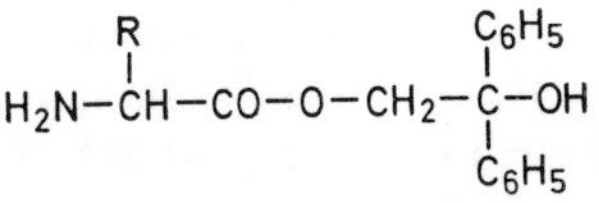

$$H_2N-\underset{}{\overset{R}{\overset{|}{C}}}H-CO-O-CH_2-\underset{\underset{C_6H_5}{|}}{\overset{\overset{C_6H_5}{|}}{C}}-OH$$

I

Einwirkung warmer 50%-iger wäßriger Essigsäure vorgenommen wird, entstehen die genannten Ester in der Form ihrer Hydroacetate[1]. Zur weiteren Verknüpfung mit N-geschützten Aminosäuren eignet sich die Mischanhydrid-Methode[1].

Unter dem Einfluß starker Säuren (z.B. Trifluoressigsäure) wird die 2,2-Diphenyl-2-hydroxy-äthyl-Gruppe unter Eliminierung von Wasser in die 2,2-Diphenyl-vinyl-Gruppe umgewandelt, wodurch eine Aktivierung der maskierten Carboxy-Gruppe erreicht wird (s. S. II/81).

33.314. Alkylthioester

Als unechte Carboxy-Schutzgruppe vom Typ der Alkylthioester kam bisher lediglich die Äthylthioester-Gruppe zu peptidsynthetischer Anwendung.

So kann beispielsweise die α-ständige Carboxy-Gruppe der Glutaminsäure als Äthylthioester maskiert werden, um eine systematische Peptid-Verknüpfung (nach der Carbodiimid-Methode, Aktivester-Methode oder Methode der gemischten Anhydride) an der γ-ständigen Carboxy-Gruppe zu ermöglichen[2,3]. Anschließend kann die Äthylthioester-Gruppe zu weiterer Umsetzung an der α-Carboxy-Gruppe herangezogen werden; z.B. zur Herstellung des α-Hydrazids[2].

Ähnlich wie Äthylthioester dürften auch Carboxymethylthioester als unechte Carboxy-Schutzgruppen verwendbar sein. Sie werden erhalten durch Verknüpfung von N-Benzyloxycarbonyl-aminosäuren mit Thiol-essigsäure (nach der Methode der gemischten Anhydride, s. S. II/273, 387) und anschließende Abspaltung der Amin-Maskierung mit Bromwasserstoff in Essigsäure[4]. Entsprechende Peptid-carboxymethylthioester (S-Peptidyl-thiolessigsäuren) wurden zur Cyclisierung linearer Peptide herangezogen[5].

33.320. Arylester

33.321. Phenylester

Die Phenylester-Gruppe wurde von Kenner[6,7] als echte Carboxy-Schutzgruppe (s. S. 402) in die Peptidsynthese eingeführt. Ihre Brauchbarkeit als unechte Carboxy-Schutzgruppe

---

1 T. Wieland, J. Lewalter u. C. Birr, A. **740**, 31 (1970).
2 E. Klieger u. H. Gibian, A. **651**, 194 (1962).
3 E. Klieger u. H. Gibian, A. **655**, 195 (1962).
4 R. Schwyzer, Helv. **37**, 647 (1954).
5 R. Schwyzer, B. Iselin, W. Rittel u. P. Sieber, Helv. **39**, 872 (1956).
6 G. W. Kenner u. J. H. Seely, Am. Soc. **94**, 3259 (1972).
7 D. Hudson, G. W. Kenner et al. in: H. Hanson u. H. D. Jakubke: *Peptides* 1972, Proc. 12th Europ. Peptide Sympos. Reinhardsbrunn Castle 1972, North-Holland Publ. Co., Amsterdam **1973**, S. 70.

konnte von Klieger und Gibian[1] anhand von Synthesen von Glutaminsäure-peptiden demonstriert werden.

Aminosäure-phenylester werden aus N-geschützten Aminosäure-phenylestern (Herstellung s. S. II/13) erhalten, z.B. durch Hydrogenolyse der N-Benzyloxycarbonyl-Derivate in Gegenwart von Säure (Chlorwasserstoff oder 4-Toluolsulfonsäure)[2,3] oder durch Acidolyse der N-Benzyloxycarbonyl- bzw. N-tert.-Butyloxycarbonyl-Derivate (z.B. mittels Bromwasserstoff in Essigsäure[2-4]). In jedem Falle erhält man die Aminosäure-phenylester in der Form ihrer Salze. Nach ihrer Freisetzung (durch Zugabe eines Äquivalents Base) können Aminosäure-phenylester mit N-maskierten Aminosäuren oder Peptiden nach der Methode der gemischten Anhydride, Azid-Methode, Aktivester-Methode oder Carbodiimid-Methode (evtl. Zusatz von 1-Hydroxy-benzotriazol oder N-Hydroxy-succinimid) verknüpft werden[2,3].

Zur Umsetzung N-geschützter Peptid-phenylester mit Aminosäure- oder Peptidestern als Amin-Komponenten ist – bedingt durch die geringe Aminolysierbarkeit der Phenylester (s. S. II/14) – die Anwendung erhöhter Temperatur (~50°) erforderlich. Daher werden Peptid-phenylester bevorzugt zur Herstellung von Peptid-amiden oder Peptid-hydraziden verwendet[1].

33.322. Phenylthioester

Aminosäure-phenylthioester werden gewöhnlich durch Verknüpfung von N-Benzyloxycarbonyl-aminosäuren mit Thiophenol nach verschiedenen Methoden (s. S. II/275) und anschließende Abspaltung der N-Benzyloxycarbonyl-Gruppe gewonnen. Der letztere Schritt kann nicht auf hydrogenolytischem Wege durchgeführt werden, da der erforderliche Edelmetall-Katalysator durch den Schwefel der Thioester-Gruppe vergiftet wird. Eine brauchbare Methode ist jedoch die Umsetzung der N-Benzyloxycarbonyl-aminosäure-phenylthioester mit Bromwasserstoff in Essigsäure als Lösungsmittel, möglichst unter Zusatz von Phenol oder Thiophenol, um das evtl. im Bromwasserstoff enthaltene bzw. während der Abspaltungsreaktion entstehende Brom abzufangen[5]. Ohne diese Zusätze lassen sich unerwünschte Nebenreaktionen oftmals nur durch den Einsatz besonders reiner, absolut wasserfreier Reaktionspartner bzw. Lösungsmittel vermeiden[6,7].

L-Glutaminsäure-α-phenylthioester-Hydrobromid [H-Glu(OH)-SPh · HBr][5]: 0,25 g (0,67 mMol) Z-Glu(OH)-SPh[5] werden in 2 *ml* der Mischung aus gleichen Teilen von Thiophenol und Eisessig gelöst. Zu dieser Mischung werden 1 *ml* der Lösung von 35 g Bromwasserstoff in 100 *ml* Eisessig hinzugefügt. Nach etwa 2 Stdn. ist die Kohlendioxid-Entwicklung beendet. Der größte Teil des Lösungsmittels wird i.Vak. abgedampft, wonach das Reaktionsprodukt in der Kälte auskristallisiert; Ausbeute: 0,19 g (90% d.Th.); F: 171–174°; $[\alpha]_D^{25} = +92,8°$ (c = 1,3; 0,1 n Salzsäure).

Aus Aminosäure-chlorid-Hydrochloriden und Thiophenol können Aminosäure-phenylthioester-Hydrochloride auch auf direktem Wege erhalten werden[8]. In vielen Fällen

---

1 E. Klieger u. H. Gibian, A. **655**, 195 (1962).
2 G. W. Kenner u. J. H. Seely, Am. Soc. **94**, 3259 (1972).
3 D. Hudson, G. W. Kenner et al. in: H. Hanson u. H. D. Jakubke: *Peptides* 1972, Proc. 12th Europ. Peptide Sympos. Reinhardsbrunn Castle 1972, North-Holland Publ. Co., Amsterdam **1973**, S. 70.
4 T. Wieland u. F. Jaenicke, A. **599**, 125 (1956).
5 H. Sachs u. H. Waelsch, Am. Soc. **77**, 6600 (1955).
6 T. Wieland u. B. Heinke, A. **615**, 184 (1958).
7 R. Schwyzer, Helv. **37**, 647 (1954).
8 T. Wieland u. W. Schäfer, A. **576**, 104 (1952).

bilden sich jedoch nach diesem Verfahren neben den gewünschten Aminosäure-Derivaten zusätzlich Polykondensationsprodukte, die nicht einfach abzutrennen sind[1].

Die Kettenverlängerung von Aminosäure-phenylthioestern durch Verknüpfung mit N-maskierten Aminosäuren oder Peptiden als Kopfkomponente ist nach der Carbodiimid-Methode[2], Phosphoroxidchlorid-Methode[3] oder der Methode der gemischten Anhydride möglich. Die gleichen Reaktionen sind auch an Peptid-phenylthioestern durchführbar. Dipeptid-phenylthioester lassen sich nach der Methode der gemischten Anhydride mit Kopfkomponenten verknüpfen, ohne daß 2,5-Dioxo-piperazine entstehen[3]. Eine Ausnahme bilden Dipeptid-thioester des Prolins oder Hydroxypyrolins, bei denen die Ringschluß-reaktion der gewünschten N-Aminoacylierung den Rang abläuft[3].

N-Benzyloxycarbonyl-dipeptid-phenylthioester; allgemeine Arbeitsvorschrift[3]: Zu 10 mMol N-Benzyl-oxycarbonyl-aminosäure und 1,4 *ml* (10 mMol) Triäthylamin in 30 *ml* Tetrahydrofuran werden unter Schütteln bei –15° 0,95 *ml* (10 mMol) Chlorameisensäure-äthylester gegeben und die Mischung 0,5 Stdn. bei –15° belassen. Danach fügt man 1,4 *ml* Triäthylamin und sofort anschließend 10 mMol Aminosäure-phenylthioester-Hydrobromid (gelöst in Wasser oder Tetrahydrofuran) hinzu und schüttelt kräftig durch. Nach beendeter Umsetzung wird mit 20 *ml* Wasser versetzt und das organ. Lösungsmittel i. Vak. abdestilliert. Das abgeschiedene Rohprodukt wird mit gesätt. wäßriger Natriumhydrogencarbonat-Lösung extrahiert und anschließend mit Wasser gewaschen. Das so behandelte Rohprodukt wird in Essigsäure-äthylester gelöst, die Lösung über Natriumsulfat getrocknet und nach Einengen auskristallisieren gelassen (Ausbeute: ~70% d. Th.).

Nach den oben genannten Verknüpfungsreaktionen werden N-maskierte Peptid-phenylthioester in guter Ausbeute und optischer Reinheit erhalten. Die Weiterverknüpfung dieser carboxy-aktivierten Fragmente mit Amin-Komponenten ist ebenfalls möglich, ohne daß razemische Nebenprodukte gebildet werden. In Anbetracht des verhältnismäßig geringen Acyl-Übertragungsvermögens der Phenylthioester müssen Peptidverknüpfungen oft bei erhöhter Temperatur (~40–60°) durchgeführt werden. Recht geeignet sind die Peptid-phenylthioester auch für die Herstellung von Peptid-hydraziden, deren Bildung aus Peptid-phenylthioester und Hydrazin (geringer Überschuß, um die Bildung von N,N'-Dipeptidyl-hydrazin zu vermeiden) bereits bei 20° vonstatten geht[3].

Als unechte Carboxy-Schutzgruppen sind auch Polymer-phenylthioester-Gruppen verwendbar. Ein geeignetes Ausgangsmaterial ist Poly-[4-thiol-styrol][4]:

CH_2
CH—C_6H_4—SH

Nähere Untersuchungen über entsprechende Synthesen liegen bisher nicht vor.

---

1 T. Wieland u. H. Bernhard, A. **582**, 218 (1953).
2 G. Losse, H. Jeschkeit u. W. Langenbeck, B. **96**, 204 (1963).
3 T. Wieland u. B. Heinke, A. **615**, 184 (1958).
4 A. Patchornik, M. Fridkin u. E. Katchalski in *Peptides*, Proc. 8th Europ. Peptide Sympos. Noordwijk 1966, North-Holland Publ. Co., Amsterdam **1967**, S. 91.

Tab. 50. L-Aminosäure-phenylthioester [H-AS-SPh]

Aminosäure		F [°C]	$[\alpha]_D$	t [°C]	c	Lösungsmittel	Literatur
Ala	a	155–157					1
Asn	b	174	+ 77,3°	20	0,54	Wasser	2
Glu	b, c	171–174	+ 92,8°	25	1,3	n Salzsäure	3,4
	b, d	149–152					3
Glu(OMe)	b, c	183–185	+ 90,2°	21	1,03	Wasser	3
Gly	a	180 (Zers.)					5
	b	201–202 (Zers.)					6
Leu	a	171–172					5
	b	158–159 (Zers.)	+ 101°	23	0,85	Wasser	6
Met	a	143					5
Pro	b	112–113					6
Val	a	190 (Zers.)					5

[a] Hydrochlorid [c] α-Phenylthioester
[b] Hydrobromid [d] γ-Phenylthioester

33.323. 4-Nitro-phenylester

Im Gegensatz zu anderen unechten Carboxy-Schutzgruppen vom Aktivester-Typ gelangte die 4-Nitro-phenylester-Gruppe zu breiter peptidsynthetischer Anwendung. Diese Beliebtheit erklärt sich durch ihre besondere Eignung zum racemisierungsfreien Aufbau carboxy-aktivierter Peptide nach der ,,backing-off"-Methode[6–10] (s. S. II/23).

Aminosäure-4-nitro-phenylester wurden bisher nur aus N-maskierten Aminosäure-4-nitro-phenylestern (Herstellung s. S. II/14) gewonnen.

[1] T. Wieland u. H. Köppe, A. **588**, 15 (1954).
[2] G. Losse, H. Jeschkeit u. D. Knopf, B. **97**, 1789 (1964).
[3] G. Losse, H. Jeschkeit u. W. Langenbeck, B. **96**, 204 (1963).
[4] H. Sachs u. H. Waelsch, Am. Soc. **77**, 6600 (1955).
[5] T. Wieland u. W. Schäfer, A. **576**, 104 (1952).
[6] T. Wieland u. B. Heinke, A. **615**, 184 (1958).
[7] M. Goodman u. K. C. Stueben, Am. Soc. **84**, 1279 (1962).
[8] M. Goodman u. K. C. Stueben, Am. Soc. **81**, 3980 (1959).
[9] J. Kovacs, L. Kisfaludy, M. Q. Ceprini u. R. H. Johnson, Tetrahedron **25**, 2555 (1969).
[10] B. Iselin u. R. Schwyzer, Helv. **43**, 1760 (1960).

Als für den genannten Zweck geeignete N-Maskierungen wurden beschrieben: Benzyloxycarbonyl-[1–6], tert.-Butyloxycarbonyl-[7], Furyl-(2)-methoxy-carbonyl-[8], 2-Nitro-phenylsulfenyl-[9] Trityl- (s. S. 274, 275) und Nitrosyl-Gruppe[10].

In den meisten Fällen der Herstellung von Aminosäure-4-nitro-phenylestern kommt als reversible N-Maskierung die Benzyloxycarbonyl-Gruppe zur Anwendung, da sie sehr bequem mit Bromwasserstoff in Eisessig-Lösung zu entfernen ist. Die resultierenden Aminosäure-4-nitro-phenylester-Hydrobromide sind im allgemeinen nicht hygroskopische, kristalline und beständige Verbindungen.

L-Tyrosin-4-nitro-phenylester-Hydrobromid [H-Tyr-ONP · HBr][2]: 4,36 g (10 mMol) Z-Tyr-ONP[2] werden in 20 *ml* Eisessig suspendiert und mit 20 *ml* einer 5n Bromwasserstoff-Lösung in Eisessig versetzt. Das Ausgangsmaterial geht unter Kohlendioxid-Entwicklung allmählich in Lösung, und gleichzeitig scheidet sich das Reaktionsprodukt in mikrokristalliner Form aus. Nach 2 Stdn. wird das feste Material abzentrifugiert und mehrmals mit Eisessig, Aceton und Diäthyläther gewaschen; Ausbeute: 3,38 g (89% d.Th.); F: 231–233° (aus Methanol/Diäthyläther); $[\alpha]_D = +34{,}0°$ (c = 3; Methanol).

Wenn N-Benzyloxycarbonyl-glutamin-4-nitro-phenylester nach dem üblichen Verfahren mit Bromwasserstoff in Essigsäure-Lösung umgesetzt wird, entsteht ein unreines, sehr hygroskopisches Rohprodukt[11]. Die Bildung unerwünschter Nebenprodukte ist in diesem Falle wahrscheinlich auf die nicht vollkommene Beständigkeit der γ-Säureamid-Funktion gegenüber Bromwasserstoff in Eisessig (s. S. 710) zurückzuführen. Eine Reinigung des Rohprodukts ist jedoch nach Überführung in das nicht hygroskopische 4-Toluolsulfonsäure-Salz möglich[11].

L-Glutamin-4-nitro-phenylester-4-Toluolsulfonsäure-Salz [H-Gln-ONP · TOS-OH][11]: 4,5 g Z-Gln-ONP werden in 10 *ml* einer 6n Bromwasserstoff-Lösung in Eisessig gelöst und 20 Min. bei 20° belassen. Danach wird i. Vak. bei 20–30° eingedampft und der Rückstand zwischen 20 *ml* Wasser und Diäthyläther verteilt. Zur abgetrennten wäßrigen Lösung wird die Lösung von 2,7 g Natrium-4-toluolsulfonat in 5 *ml* Wasser gegeben. Der entstehende Niederschlag wird nach einigen Stdn. abgesaugt und mit Wasser, Äthanol und Diäthyläther gewaschen; Ausbeute: 3,8 g (58% d.Th.); F: 164,5–166°; $[\alpha]_D^{20} = +9{,}0°$ (c = 2,0; Dimethyl-formamid).

Beim Versuch einer hydrogenolytischen N-Demaskierung von N-Benzyloxycarbonyl-aminosäure-4-nitro-phenylestern ist grundsätzlich mit einer unerwünschten zusätzlichen Hydrierung der Nitro-Gruppe zu rechnen; allerdings verläuft die letztere Reaktion erheblich langsamer als die Hydrogenolyse der Benzyloxycarbonyl-Gruppe:

$$\text{Z-NH-}\underset{}{\overset{R}{\text{CH}}}\text{-CO-ONP} \xrightarrow[\text{HX}]{H_2/Pd} \text{H}_2\text{N-}\overset{R}{\text{CH}}\text{-CO-ONP}\cdot\text{HX} + \text{H}_2\text{N-}\overset{R}{\text{CH}}\text{-CO-OPh(NH}_2)\cdot 2\,\text{HX}$$

---

[1] M. Goodman u. K. C. Stueben, Am. Soc. **81**, 3980 (1959).
[2] B. Iselin u. R. Schwyzer, Helv. **43**, 1760 (1960).
[3] M. E. Cox, H. G. Garg, J. Hollowood, J. M. Hugo, P. M. Scopes u. G. T. Young, Soc. **1965**, 6806.
[4] E. Schnabel, A. **673**, 171 (1964).
[5] J. Kovacs u. R. L. Rodin, J. Org. Chem. **33**, 2418 (1968).
[6] F. H. C. Stewart, Austral. J. Chem. **19**, 2361 (1966).
[7] D. F. DeTar u. T. Vajda, Am. Soc. **89**, 998 (1967).
[8] H. Jeschkeit, G. Losse u. K. Neubert, B. **99**, 2803 (1966).
[9] F. H. C. Stewart, Austral. J. Chem. **19**, 489 (1966).
[10] F. H. C. Stewart, Austral. J. Chem. **22**, 2451 (1969).
[11] F. H. C. Stewart, Austral. J. Chem. **19**, 2361 (1966).

Durch Verwendung eines vorhydrierten Katalysators (10% Palladium an Aktivkohle) war es in vielen Fällen möglich, die selektive Hydrogenolyse der Benzyloxycarbonyl-Gruppe innerhalb weniger Minuten zu beenden, so daß die 4-Nitro-phenylester-Gruppe noch nicht verändert wurde[1]. Ein großer Vorteil dieser Arbeitsweise ist die Schonung säureempfindlicher Schutzgruppen von Drittfunktionen, die bei einer Behandlung mit Bromwasserstoff in Essigsäure zusätzlich abgespalten werden würden.

L-Asparaginsäure(β-4-nitro-phenylester)-α-tert.-butylester-Hydrochlorid [H-Asp(ONP)-OtBu · HCl][1]: Zur vorhydrierten Suspension von 100 mg Palladium (10% auf Aktivkohle) in 60 *ml* absol. Methanol gibt man 2,3 g (5,18 mMol) Z-Asp(ONP)-OtBu[1] und weitere 1,46 *ml* absol. Methanol, der 190 mg (5,22 mMol) Chlorwasserstoff enthält. Nach 5 Min. sind 57 *ml* Wasserstoff absorbiert worden. Man filtriert sofort vom Katalysator ab und engt das Filtrat i. Vak. auf ein Vol. von 2 *ml* ein. Durch Zugabe von absol. Diäthyläther wird das Rohprodukt ausgefällt. Beim Stehen bei −7° tritt Kristallisation ein. Nach Umkristallisieren aus Methanol/Diäthyläther; Ausbeute: 1,6 g (90% d. Th.); F: 146° (Zers.); $[\alpha]_D^{23} = +14°$ (c = 1,37; Dimethylformamid).

Die anderen, oben genannten reversiblen N-Schutzgruppen, die im Rahmen der Herstellung von Aminosäure-4-nitro-phenylestern verwendet werden können, können durchwegs acidolytisch entfernt werden, so die tert.-Butyloxycarbonyl-Gruppe durch Trifluoressigsäure[2], die Furyl-(2)-methoxycarbonyl-Gruppe mit 6,5%-iger Bromwasserstoff-Lösung in Essigsäure[3], die 2-Nitro-phenylsulfenyl-Gruppe durch 2n Chlorwasserstoff-Lösung in Methanol[4], die Trityl-Gruppe durch Trifluoressigsäure[5] oder Chlorwasserstoff in wäßr. Aceton[6] und die Nitrosyl-Gruppe durch 5,5n Chlorwasserstoff-Lösung in 1,4-Dioxan[7].

L-Glutamyl(γ-benzylester)-L-seryl-glycin-4-nitro-phenylester-Hydro-trifluoracetat [H-Glu(OBZL)-Ser (H)-Gly-ONP · TFA-OH][2]: 9 g BOC-Glu(OBZL)-Ser(H)-Gly-ONP[2] werden in 30 *ml* Trifluoressigsäure gelöst und die Lösung 15 Min. bei 20° stehen gelassen. Nach Abdampfen des Lösungsmittels bei 25–30° i. Vak. wird der Rückstand mit Diäthyläther verrieben, wobei er kristallisiert. Nach Umfällen aus Acetonitril-Diäthyläther erhält man in mehreren Fraktionen insgesamt 7,1 g (77% d. Th.); F: 80–85°.

Sarkosin-4-nitro-phenylester-Hydrochlorid [H-Sar-ONP · HCl][7]: 200 mg NO-Sar-ONP[7] werden mit 2,0 *ml* einer 5,5n Chlorwasserstoff-Lösung in 1,4-Dioxan versetzt und 20 Min. bei 20° belassen. Durch Zugabe von Diäthyläther wird ein Rohprodukt ausgefällt, das aus Methanol/Diäthyläther umkristallisiert wird; Ausbeute: 190 mg (79% d. Th.); F: 173,5–174,5°.

Weitere experim. Beispiele zur N-Schutzgruppen-Abspaltung s. S. 208, 274, 275.

In jedem Falle erhält man Aminosäure-4-nitro-phenylester in der Form ihrer Salze. Nach ihrer Freisetzung (durch Zugabe eines Äquivalents Base) können sie mit N-geschützten Aminosäuren zum Zwecke der Kettenverlängerung zu N-geschützten Peptid-4-nitrophenylestern verknüpft werden (sog. „backing-off"-Methode[8,9], s. S. II/23). Diese Verknüpfung wird in vielen Fällen nach der Mischanhydrid-Methode vorgenommen, wobei meistens Kohlensäure-monoisobutylester, seltener Kohlensäure-monoäthylester als „Hilfssäure" (s. S. II/171) zur Anwendung kommen. Es sollte auf niedrige Reaktionstemperatur geachtet werden, um die mögliche Selbstkondensation der Amin-Komponente zu vermeiden[10] (experim. Beispiele s. S. 205 bzw. II/23).

---

1 J. Kovacs u. R. L. Rodin, J. Org. Chem. **33**, 2418 (1968).
2 D. F. DeTar u. T. Vajda, Am. Soc. **89**, 998 (1967).
3 H. Jeschkeit, G. Losse u. K. Neubert, B. **99**, 2803 (1966).
4 F. H. C. Stewart, Austral. J. Chem. **19**, 489 (1966).
5 R. Schwyzer u. P. Sieber, Helv. **41**, 2186 (1958).
6 L. Zervas u. I. Photaki, Am. Soc. **84**, 3887 (1962).
7 F. H. C. Stewart, Austral. J. Chem. **22**, 2451 (1969).
8 M. Goodman u. K. C. Stueben, Am. Soc. **84**, 1279 (1962).
9 M. Goodman u. K. C. Stueben, Am. Soc. **81**, 3980 (1959).
10 F. H. C. Stewart, Austral. J. Chem. **21**, 2543 (1968).

Die Abhängigkeit der Verknüpfungsausbeute vom Lösungsmittel wurde von Stewart[1] am Beispiel der Verknüpfung von N-Benzyloxycarbonyl-alanin mit Glycin-4-nitro-phenylester nach der Mischanhydrid-Methode untersucht:

Lösungsmittel	Ausbeute an *Z-Ala-Gly-ONP* [% d.Th.]
Aceton	70
Dimethylformamid	69
Acetonitril	64
Toluol	60
Dichlormethan	23
1,4-Dioxan	20
Chloroform	0,7

Racemische Produkte können entstehen, wenn N-geschützte Peptide als Kopfkomponente nach der Methode der gemischten Anhydride aktiviert werden[1].

Gelegentlich entstehen beim Versuch einer Kettenverlängerung nach der „backing-off"-Methode aus Dipeptid-4-nitro-phenylestern durch Selbstkondensation die entsprechenden 2,5-Dioxo-piperazine. Diese unerwünschte Reaktion soll unterdrückt werden können, wenn das im verwendeten Reaktionsmedium schwerlösliche Dipeptid-4-nitro-phenylester-Hydrobromid in fester Form zur Lösung des Mischanhydrids der Kopf-Komponente gegeben wird[2]. Die Gefahr der Bildung von 2,5-Dioxo-piperazinen ist besonders bei Dipeptiden des Prolins oder Hydroxyprolins gegeben[3].

Eine andere, ebenfalls verbreitete Methode zur Verknüpfung von N-geschützten Aminosäuren mit Aminosäure-4-nitro-phenylestern ist das Carbodiimid-Verfahren [mit Dicyclohexyl-carbodiimid[3-8] oder mit Cyclohexyl-(2-morpholino-äthyl)-carbodiimid-metho-4-toluolsulfonat[6]].

N-Benzyloxycarbonyl-L-asparagyl(β-methylester)-glycin-4-nitro-phenylester [Z-Asp(OMe)-Gly-ONP][6]: Zur Mischung aus 14,1 g Z-Asp(OMe)-OH, 14 g H-Gly-ONP · HBr und 25 g Cyclohexyl-(2-morpholino-äthyl)-carbodiimid-metho-4-toluolsulfonat in 200 *ml* Dichlormethan werden bei 5° unter Rühren 5,2 g Triäthylamin gegeben. Nach 30 Min. wird das Lösungsmittel verdampft. Das nach Verreiben des Rückstands mit 200 *ml* Wasser in kristalliner Form erhaltene Rohprodukt wird aus Essigsäure-äthylester umkristallisiert; Ausbeute: 16,3 g (70% d.Th.); F: 167–168°.

N-Benzyloxycarbonyl-L-valyl-L-tyrosin-4-nitro-phenylester [Z-Val-Tyr-ONP][8]: In eine Lösung von 2,51 g (10 mMol) Z-Val-OH in 50 *ml* Acetonitril werden unter Rühren bei 0° 3,83 g (10 mMol) H-Tyr-ONP · HBr und 1,40 *ml* (10 mMol) Triäthylamin eingetragen. Das Reaktionsgemisch, aus dem sich rasch ein

---

[1] F. H. C. Stewart, Austral. J. Chem. **18**, 887 (1965).
[2] A. Wittinghofer, A. **1974**, 290.
[3] M. Goodman u. K. C. Stueben, Am. Soc. **84**, 1279 (1962).
[4] M. Goodman u. K. C. Stueben, Am. Soc. **81**, 3980 (1959).
[5] R. L. Huguenin u. R. A. Boissonnas, Helv. **45**, 1629 (1962).
[6] D. F. DeTar, M. Gouge, W. Honsberg u. U. Honsberg, Am. Soc. **89**, 988 (1967).
[7] B. Iselin u. R. Schwyzer, Helv. **43**, 1760 (1960).
[8] L. Zervas, D. Borovas u. E. Gazis, Am. Soc. **85**, 3660 (1963).

Niederschlag (Z-Val-OH · H-Tyr-ONP) ausscheidet, wird nach 15 Min. mit 2,06 g (10 mMol) Dicyclohexyl-carbodiimid versetzt und 1 Stde. bei 0° und 4 Stdn. bei ~ 10° weitergerührt; während dieser Zeit geht das anfänglich ausgeschiedene Salz in Lösung, und gleichzeitig fällt ein Gemisch von N,N'-Dicyclohexyl-harnstoff und Dipeptid-Derivat aus. Das Filtrat von diesem Niederschlag und der Extrakt dieses Niederschlags mit Tetrahydrofuran werden vereinigt und i. Vak. eingedampft. Der Rückstand wird aus Acetonitril umkristallisiert; Ausbeute: 1,8 g (34% d. Th.); F: 192–195°; $[\alpha]_D^{25} = -21{,}4°$ (c = 2,1; Tetrahydrofuran).

Weitere Verknüpfungsverfahren sind: Einsatz der Kopf-Komponente als Säurechlorid[1] oder als Aktivester[2], Einsatz der Amin-Komponente als N-Carbonyl-Derivat (experim. Beispiel s. S. II/24)[3], Verwendung von 2-Äthyl-5-phenyl-1,2-oxazolium-3-sulfonat („Woodward-Reagenz K")[4] als Verknüpfungsreagenz.

Zur Verknüpfung N-geschützter Peptid-4-nitro-phenylester mit Amin-Komponenten s. S. II/24.

N-(2-Nitro-phenylsulfenyl)-L-alanyl-glycyl-L-seryl-glycin-äthylester [NPS-Ala-Gly-Ser-Gly-OEt][5]: Die Mischung aus 630 mg NPS-Ala-Gly-ONP (Herstellung s. S. 205), 340 mg H-Ser-Gly-OEt · HCl[5] und 0,21 *ml* Triäthylamin in 6 *ml* Dimethylformamid wird 2–3 Tage bei 20° umgesetzt. Danach wird die Reaktionsmischung zwischen Essigsäure-äthylester und Wasser verteilt und die abgetrennte organ. Phase eingedampft. Das Rohprodukt wird aus Äthanol/Diäthyläther umkristallisiert; Ausbeute: 601 mg (85% d. Th.); F: 152,5–153,5°; $[\alpha]_D^{23,7} = -33{,}8°$ (c = 1,0; Dimethylformamid).

Die 4-Nitro-phenylthioester-Gruppe kam bisher nur selten als unechte Carboxy-Schutzgruppe zur Anwendung[6,7]. Entsprechend geschützte Aminosäuren werden durch Behandlung von N-Benzyloxycarbonyl-aminosäure-4-nitro-phenylthioestern mit Bromwasserstoff in Eisessig erhalten[8,9]. Die Aminoacylierung der Aminosäure-4-nitro-phenylthioester kann nach der Mischanhydrid-Methode vorgenommen werden, doch ist hierbei eine Selbstkondensation der sehr reaktionsfähigen Thioester nur schwer zu vermeiden[7].

Polymer-nitro-phenylester N-geschützter Aminosäuren sind bereits vielfach beschrieben worden (s. S. II/74), jedoch nie als unechte Carboxy-Schutzgruppen zur Anwendung gekommen.

---

1 M. Goodman u. K. C. Stueben, J. Org. Chem. **27**, 3409 (1962).
2 J. Kovacs, G. L. Mayers, R. H. Johnson, R. E. Cover u. U. R. Ghatak, J. Org. Chem. **35**, 1810 (1970).
3 G. Losse u. H. Vietmeyer, J. pr. **32**, 204 (1966).
4 R. B. Woodward, R. A. Olofson u. H. Mayer, Am. Soc. **83**, 1010 (1961).
5 F. H. C. Stewart, Austral. J. Chem. **19**, 489 (1966).
6 H. Faulstich, H. Trischmann u. T. Wieland, Tetrahedron Letters **1969**, 4131.
7 T. Wieland u. B. Heinke, A. **615**, 184 (1958).
8 G. W. Kenner u. J. M. Turner, Chem. & Ind. **1955**, 602.
9 G. W. Kenner, P. J. Thomson u. J. M. Turner, Soc. **1958**, 4148.

Tab. 51. L-Aminosäure-4-nitro-phenylester [H-AS-ONP · HX]

Aminosäure		F [°C]	$[\alpha]_D$	t [°C]	c	Lösungsmittel	Literatur
Ala	b	182–183	− 2,4°	25	2,1	Äthanol	1–3
Asn	b	156–158	+ 7,75°	20	0,8	Äthanol	2
	c	180–181	+ 22,0°	19	1,0	Dimethylformamid	4
Asp-OBZL	b,d	104–105	− 8,9°	26	4,4	50%-ige Essigsäure	5
Asp-OtBu	a,d	146 (Zers.)	+ 14,0	23	1,4	Dimethylformamid	6
Asp(OBZL)	b,e	135–137	+ 38,9°	25	4	Äthanol	7
Cys	b	155–155,5	+ 14,6°	25	2,1	Äthanol	1
Cys(BZL)	b	155–157	− 14,0°	21	1	Tetrahydrofuran	8
Cys(Z)	b	148–149	− 6,2°	25	2,5	Methanol	9
Gln	c	164–166	+ 9,0°	20	2,0	Dimethylformamid	10
Glu-OBZL	b,d	128–131	+ 6,3°	23	1,05	Äthanol	11
Glu-OtBu	a,d	128 (Zers.)	+ 2,3°	23	1,9	Methanol	6
Glu(OMe)	b,e	179	+ 23,8°	25	1,7	Methanol	12
			+ 30,7°	20	2	Wasser	13
Glu(OBZL)	b,e	123,5	+ 29,3°	19	2,06	Äthanol	1,11,14

[a] Hydrochlorid [b] Hydrobromid [c] 4-Toluolsulfonsäure-Salz [d] ω-4-Nitro-phenylester
[e] α-4-Nitro-phenylester

[1] M. Goodman u. K. C. Stueben, Am. Soc. **81**, 3980 (1959).
[2] E. Schnabel, A. **673**, 171 (1964).
[3] G. Losse u. H. Vietmeyer, J. pr. **32**, 204 (1966).
[4] F. H. C. Stewart, Austral. J. Chem. **22**, 2663 (1969).
[5] J. Kovacs, R. Ballina u. R. Rodin, Chem. & Ind. **1963**, 1955.
[6] J. Kovacs u. R. L. Rodin, J. Org. Chem. **33**, 2418 (1968).
[7] L. Zervas u. C. Hamalidis, Am. Soc. **87**, 99 (1965).
[8] W. D. Cash, J. Org. Chem. **27**, 3329 (1962).
[9] L. Zervas, I. Photaki u. N. Ghelis, Am. Soc. **85**, 1337 (1963).
[10] F. H. C. Stewart, Austral. J. Chem. **19**, 2361 (1966).
[11] G. Losse, H. Jeschkeit u. D. Knopf, B. **97**, 1789 (1964).
[12] M. Goodman, E. E. Schmitt u. D. A. Yphantis, Am. Soc. **84**, 1283 (1962).
[13] G. Losse, H. Jeschkeit u. W. Langenbeck, B. **96**, 204 (1963).
[14] L. Zervas, D. Borovas u. E. Gazis, Am. Soc. **85**, 3660 (1963).

Tab. 51. (Fortsetzung)

Aminosäure		F [°C]	$[\alpha]_D$	t [°C]	c	Lösungsmittel	Literatur
Glu(OBZL)	d,e	112–113					1
Gly	a	183,5 (Zers.)					2
	b	217–218					3–8
Leu	b	198–200	+ 11,4°	25	2,2	Äthanol	3
Lys	b	192–194	+ 14,3°	20	1,5	Äthanol	4
Phe	a	187 (Zers.)	+ 47,0°	23	1	Methanol	2
	b	215–216	+ 46,8°	25	2,3	Äthanol	3,4
(Me)Phe	b	200–201	+ 42,1°	25		Methanol	9
Pro	a	162–163	− 20,2°	19,5	1,0	Methanol	10
	b	198–199	− 18,6	25	2,2	Methanol	3
			− 21,3°	20	0,5	Äthanol	4
Sar	a	173–175					10
	b	189–191					10
Tyr	b	226–229	+ 34,5°	24	4,1	Methanol	11
			+ 48,5°	20	1,2	Äthanol	4
Tyr(TOS)	b	210–211	+ 34,0°	20	1,0	Dimethylformamid	12
Val	b	199–200	+ 17,1°		1	Wasser	13

[a] Hydrochlorid [b] Hydrobromid [d] Hydro-trifluoracetat [e] α-4-Nitro-phenylester

[1] D. F. DeTar u. T. Vajda, Am. Soc. **89**, 998 (1967).
[2] J. Kovacs u. R. L. Rodin, J. Org. Chem. **33**, 2418 (1968).
[3] M. Goodman u. K. C. Stueben, Am. Soc. **81**, 3980 (1959).
[4] E. Schnabel, A. **673**, 171 (1964).
[5] H. Jeschkeit, G. Losse u. K. Neubert, B. **99**, 2803 (1966).
[6] T. Wieland u. B. Heinke, A. **615**, 184 (1958).
[7] D. F. DeTar, M. Gouge, W. Honsberg u. U. Honsberg, Am. Soc. **89**, 988 (1967).
[8] G. Losse u. H. Vietmeyer, J. pr. **32**, 204 (1966).
[9] M. Goodman u. K. C. Stueben, J. Org. Chem. **27**, 3409 (1962).
[10] F. H. C. Stewart, Austral. J. Chem. **22**, 2451 (1969).
[11] B. Iselin u. R. Schwyzer, Helv. **43**, 1760 (1960).
[12] F. H. C. Stewart, Austral. J. Chem. **19**, 2361 (1966).
[13] K. Lübke u. E. Schröder, Z. Naturf. **16b**, 765 (1961).

33.324. Halogen-substituierte Phenylester

Die folgenden halogen-substituierten Phenyl-Gruppen kamen bisher als unechte Carboxy-Schutzgruppen zur Anwendung: Pentafluor-phenyl-, 2,4,5-Trichlor-phenyl- und Pentachlor-phenyl-Gruppe.

Die entsprechenden Aminosäure-ester erhält man in den meisten Fällen über die N-Benzyloxycarbonyl-Derivate (Herstellung s. S. II/41), wobei die Abspaltung der Benzyloxycarbonyl-Gruppe generell entweder durch Acidolyse oder auf hydrogenolytischem Wege erreicht werden kann.

Bei der Acidolyse mit Bromwasserstoff in Eisessig[1-3] oder in Nitromethan[4] ist – besonders im Falle der Pentafluor-phenylester – auf möglichst vollkommenen Wasserausschluß zu achten, da anderenfalls eine teilweise Hydrolyse der Phenylester-Bindung nicht zu vermeiden ist[1].

L-Prolin-pentachlor-phenylester-Hydrobromid [H-Pro-OPCP · HBr][3]: Man löst 3,1 g (6,25 mMol) Z-Pro-OPCP in 6,5 *ml* 4 n Bromwasserstoff-Lösung in Eisessig. Nach 1 Stde. bei 20° werden 80 *ml* Diäthyläther zugefügt und der entstandene Niederschlag mehrfach mit Diäthyläther gewaschen. Das Rohprodukt wird aus absol. Methanol umkristallisiert; Ausbeute: 2,55 g (92% d.Th.); F: 209–210° (Zers.); $[\alpha]_D^{20} = + 14{,}9°$ (c = 1,1; Methanol).

Beim Versuch der hydrogenolytischen Entacylierung von N-Benzyloxycarbonyl-aminosäure-pentachlor-phenylestern an Palladium-Kohle wurde als Nebenreaktion eine Dehalogenierung der Pentachlor-phenylester-Gruppe beobachtet[5]. Diese unerwünschte Nebenreaktion wird mit Sicherheit vermieden, wenn

① große Mengen Katalysator [~ 0,1 g Palladium (10%-ig, an Aktivkohle) pro 1 g Aminosäure-Derivat] zur Anwendung kommen

② der Katalysator vorhydriert wird

③ die Hydrogenolyse in Gegenwart eines Äquivalents Chlorwasserstoff (bezogen auf Aminosäure-Derivat) vorgenommen wird.

Unter diesen Bedingungen ist die Hydrogenolyse der Benzyloxycarbonyl-Gruppe im Regelfall nach spätestens 10 Min. beendet[5,6]. Günstig ist eine zeitliche Verfolgung der Wasserstoff-Aufnahme, damit die Einwirkung des Wasserstoff-gesättigten Katalysators auf die Pentachlor-phenylester-Gruppe nicht unnötig über die zur N-Demaskierung erforderliche Zeit verlängert wird.

Aminosäure-pentachlor-phenylester-Hydrochloride; allgemeine Arbeitsvorschrift[6]: Pro 10 mMol Z-Aminosäure-OPCP werden 0,5 g Palladium (10%-ig auf Aktivkohle) im Gemisch aus 1 *ml* Essigsäure und 20 *ml* Methanol suspendiert und bei Atmosphärendruck vorhydriert. Man setzt 10 mMol Chlorwasserstoff in der Form einer 4 n Chlorwasserstoff-Lösung in Methanol hinzu und setzt die Vorhydrierung solange fort, bis eine weitere Wasserstoff-Aufnahme durch den Katalysator nicht mehr beobachtet wird. Nunmehr werden 10 mMol Z-Aminosäure-pentachlor-phenylester in 10 *ml* Methanol hinzugegeben und wiederum solange der Hydrogenolyse unterworfen, bis keine Wasserstoff-Aufnahme mehr beobachtet wird (Dauer: ~ 5–10 Min.). Das Filtrat vom Katalysator wird i. Vak. auf ein kleines Vol. eingeengt. Durch Zugabe von genügend Diäthyläther erhält man die rohen Ester-Hydrochloride, die zur Reinigung aus Methanol/Diäthyläther umgefällt werden können. – Wichtig ist vollständiger Wasserausschluß!

---

[1] L. Kisfaludy, M. Q. Ceprini, B. Rakoczy u. J. Kovacs in H. C. Beyerman, A. Van de Linde u. W. Maassen van den Brink: *Peptides*, Proc. 8th Europ. Peptide Sympos., Noordwijk 1966, North Holland Publ. Co., Amsterdam **1967**, S. 25.

[2] J. Kovacs, R. Ballina, R. L. Rodin, D. Balasubramanian u. J. Applequist, Am. Soc. **87, 119** (1965).

[3] R. Fairweather u. J. H. Jones, Soc. [Perkin I] **1972,** 1908.

[4] V. A. Shibnev, T. P. Chuvaeva u. K. T. Poroshin, Izv. Akad. SSSR **1969,** 2527; C. A. **72,** 79465 (1970).

[5] J. Kovacs u. A. Kapoor, Am. Soc. **87,** 118 (1965).

[6] J. Kovacs, R. Giannotti u. A. Kapoor, Am. Soc. **88,** 2282 (1966).

Der große Vorteil der hydrogenolytischen N-Demaskierung ist stets die Schonung säureempfindlicher Schutzgruppen von Aminosäure-Drittfunktionen. Wenn jedoch auf letztere keine Rücksicht genommen zu werden braucht, so ist die Gewinnung der halogen-substituierten Aminosäure-phenylester beispielsweise auch durch Acidolyse der N-tert.-Butyloxycarbonyl-Verbindungen mit Chlorwasserstoff in Essigsäure-äthylester[1] möglich.

Besondere Vorteile speziell der Aminosäure-pentachlor-phenylester-Hydrohalogenide sind ihre Kristallisationsbereitschaft, verbunden mit – im Vergleich zu anderen Phenylestern – besonders hohen Schmelzpunkten, sowie ihre außerordentlich hohe Reaktivität gegenüber Amin-Komponenten.

Nachteile speziell der Aminosäure-pentafluor-phenylester sind ihre – bereits oben erwähnte – Hydrolyseempfindlichkeit, sowie die überaus große Löslichkeit ihrer N-Benzyloxycarbonyl-Derivate in organischen Lösungsmitteln, wodurch eine Reinigung dieser Derivate durch Umkristallisieren oft sehr erschwert wird.

Eine Kettenverlängerung der halogen-substituierten Aminosäure-phenylester im Rahmen der „backing-off"-Methode (s. S. 408) kann durch Verknüpfung mit N-geschützten Aminosäuren nach der Methode der gemischten Anhydride vorgenommen werden. Die meistverwendete „Hilfssäure" (s. S. II/171) ist in diesem Zusammenhang Kohlensäure-mono-isobutylester; seltener wird die Aktivierung der Kopf-Komponente mittels Chlorameisensäure-äthylester[2] oder Pivaloylchlorid[2] vorgenommen. Als Verknüpfungsreagenz soll sich auch Dicyclohexyl-carbodiimid eignen[3]. Für alle Verknüpfungen wichtig ist das Einhalten tiefer Temperaturen (−5 bis −10°), um eine Selbstkondensation der Amin-Komponente zu vermeiden.

N-Benzyloxycarbonyl-glycyl-S-benzyl-L-cystein-pentafluor-phenylester [Z-Gly-Cys(BZL)-OPFP][4]: 1,045 g (5 mMol) Z-Gly-OH werden zusammen mit 0,55 *ml* (5 mMol) N-Methyl-morpholin in 13 *ml* Essigsäure-äthylester gelöst und bei −20° mit 0,7 *ml* (5,3 mMol) Chlorameisensäure-isobutylester versetzt. Nach 15 Min. werden 2,289 g (5 mMol) H-Cys(BZL)-OPFP · HBr[4] sowie 0,7 *ml* Triäthylamin hinzugegeben. Man rührt noch 30 Min. bei −20° und 1 Stde. bei 0°, verdünnt die Reaktionsmischung mit 13 *ml* Essigsäure-äthylester, extrahiert nacheinander mit 13 *ml* n Salzsäure, 15 *ml* 5%-iger wäßriger Natriumhydrogencarbonat-Lösung, 2 mal mit 20 *ml* n Salzsäure, 3 mal mit 20 *ml* Wasser und trocknet über Natriumsulfat. Die Lösung wird eingedampft und der Rückstand aus Diäthyläther/Pentan umkristallisiert; Ausbeute: 2,50 g (44% d.Th.); F: 84–85°; $[\alpha]_D^{22} = -30{,}74°$ (c = 2; Essigsäure-äthylester).

Zur Verknüpfung halogen-substituierter N-maskierter Peptid-phenylester mit Amin-Komponenten s. S. II/41. Über eine weitere Nebenreaktion bei der Demaskierung von N-Benzyloxycarbonyl-aminosäure-chlor-phenylestern s. S. II/205.

33.325. 4-Methylthio-phenylester

Die 4-Methylthio-phenylester-Gruppe eignet sich besonders gut zur unechten Carboxy-Maskierung:

① 4-Methylthio-phenylester sind kaum aminolysierbar. Damit ist die Tendenz zur Selbstkondensation der entsprechenden Aminosäure- bzw. Peptid-ester sehr gering, und die N-terminale Kettenverlängerung gestaltet sich besonders einfach.

② Die Aktivierung der unechten Carboxy-Schutzgruppe nach vollzogener Fragmentsynthese ist durch eine einfache Reaktion (Oxidation mittels Wasserstoffperoxid[5,6] oder mittels Peroxo-3-chlor-

---

[1] T. P. Chuvaeva, L. V. Morozova, V. A. Shibnev u. K. T. Poroshin, Doklady Akad. SSSR **13**, 28 (1970); C. A. **74**, 142333 (1971).

[2] R. Fairweather u. J. H. Jones, Soc. [Perkin I] **1972**, 1908.

[3] V. A. Shibnev, S. K. Khalikov, M. P. Finogenova u. K. T. Poroshin, Izv. Akad. SSSR **1970**, 399; C. A. **73**, 4182 (1970).

[4] L. Kisfaludy, J. E. Roberts, R. H. Johnson, G. L. Mayers u. J. Kovacs, J. Org. Chem. **35**, 3563 (1970).

[5] B. J. Johnson u. E. G. Trask, J. Org. Chem. **33**, 4521 (1968).

[6] B. J. Johnson u. P. M. Jacobs, Chem. Commun. **1968**, 73.

benzoesäure[1] zu den entsprechenden 4-Methylsulfonyl-phenylestern) durchzuführen (Ausnahme: Peptid-Fragmente, die schwefelhaltige Aminosäuren, wie Methionin oder Cystein, enthalten[1]; s. S. II/59).

Amin-ungeschützte Aminosäure-4-methylthio-phenylester werden im Regelfall aus den entsprechenden N-Benzyloxycarbonyl-Derivaten (Herstellung s. S. II/59) gewonnen. Zur Abspaltung der Benzyloxycarbonyl-Gruppe ist die Hydrogenolyse unbrauchbar, da der erforderliche Edelmetallkatalysator durch den Schwefel der Methylthio-phenyl-Gruppe vergiftet wird.

Dagegen ist die acidolytische Abspaltung der N-Maskierung mit Bromwasserstoff in Eisessig sehr leicht durchzuführen.

Die letztere Feststellung gilt auch für die tert.-Butyloxycarbonyl-Gruppe als N-Maskierung, die durch Behandlung des N-geschützten Esters mit Chlorwasserstoff in Eisessig abgespalten wird.

L-Phenylalanin-4-methylthio-phenylester-Hydrobromid [H-Phe-OMTP · HBr][1]: Zu 2,1 g (5 mMol) Z-Phe-OMTP[1] in 10 *ml* Eisessig wird die Lösung von 2,7 g (33 mMol) wasserfreiem Bromwasserstoff in 20 *ml* Eisessig gegeben. Die gelbe Lösung wird 35 Min. bei 20° gerührt und danach i. Vak. eingedampft. Der Rückstand wird mit wasserfreiem Diäthyläther verrieben, abgesaugt und unter Wasserausschluß aus Methanol/Diäthyläther umkristallisiert; Ausbeute: 1,4 g (82% d.Th.); F: 226°; $[\alpha]_D^{29} = +34{,}7°$ (c = 1,9; Methanol).

N_ε-Benzyloxycarbonyl-L-lysin-4-methylthio-phenylester-Hydrochlorid [H-Lys(Z)-OMTP · HCl][2]: 9,5 g (18,9 mMol) BOC-Lys(Z)-OMTP[3] werden zu 57 *ml* n Chlorwasserstoff-Lösung in Eisessig gegeben und 30 Min. bei 20° belassen. Danach wird das Ester-Hydrochlorid durch Zugabe wasserfreien Diäthyläthers ausgefällt und aus Methanol/Diäthyläther umkristallisiert; Ausbeute: 7,9 g (95% d.Th.); F: 147°; $[\alpha]_D^{25} = +18{,}0°$ (c = 4,8; Methanol).

Die Aminosäure-4-methylthio-phenylester werden gewöhnlich als Hydrohalogenide erhalten. Nach ihrer Freisetzung (durch Zugabe eines Äquivalentes Base) können sie nach Mischanhydrid-Methode, Aktivester-Methode[2,3] oder Carbodiimid-Verfahren[4] mit N-maskierten Aminosäuren verknüpft werden.

N-tert.-Butyloxycarbonyl-L-leucyl-N_ε-benzyloxycarbonyl-L-lysin-4-methylthio-phenylester [BOC-Leu-Lys(Z)-OMTP][2]: 3,65 g (8 mMol) H-Lys(Z)-OMTP · HCl (Herstellung s. oben) werden zur Lösung von 4,0 g (8 mMol) BOC-Leu-OPCP und 0,85 g Triäthylamin in 50 *ml* Dichlormethan gegeben, die Lösung über Nacht bei 20° gerührt und i. Vak. eingedampft. Der Rückstand wird zwischen Essigsäure-äthylester und 50 *ml* 10%-iger Citronensäure-Lösung verteilt, die organische Phase abgetrennt und 3 mal mit je 200 *ml* Wasser extrahiert, über Natriumsulfat getrocknet und eingedampft. Der Rückstand wird aus Essigsäure-äthylester/Hexan umkristallisiert; Ausbeute: 3,9 g (77% d.Th.); F: 87°; $[\alpha]_D^{24} = -21{,}3°$ (c = 6,7; Dimethylformamid).

Zur Verknüpfung N-maskierter Peptid-4-methylthio-phenylester mit Amin-Komponenten nach oxidativer Aktivierung s. S. II/59.

Die Einbringung der 4-Methylthio-phenyl-Gruppe in ein Polymer-Trägerharz ist möglich und erlaubt Peptidsynthesen an fester Phase. Ein in diesem Sinne geeignetes Trägerharz wird durch Reaktion eines chlormethylierten Polystyrol-Harzes mit O-Äthyl-kohlensäure-4-thiol-phenylester und anschließende Verseifung gewonnen[5]:

$$-CH_2-CH(-C_6H_4-CH_2-Cl)- \xrightarrow[\text{2. Verseifung}]{\text{1. } HS-C_6H_4-O-CO-OC_2H_5} -CH_2-CH(-C_6H_4-CH_2-S-C_6H_4-OH)-$$

---

[1] B. J. JOHNSON u. T. A. RUETTINGER, J. Org. Chem. **35**, 255 (1970).
[2] B. J. JOHNSON u. E. G. TRASK, J. Org. Chem. **33**, 4521 (1968).
[3] B. J. JOHNSON u. D. S. REA, Canad. J. Chem. **48**, 2509 (1970).
[4] B. J. JOHNSON, J. Org. Chem. **34**, 1178 (1969).
[5] D. L. MARSHALL u. I. E. LIENER, J. Org. Chem. **35**, 867 (1970).

Die Verknüpfung dieser Polymer-phenylester-Gruppe mit N-geschützten Aminosäuren kann nach Mischanhydrid- oder Carbodiimid-Verfahren vorgenommen werden, ebenso die Kettenverlängerung nach Abspaltung der jeweiligen Amin-Schutzgruppen. Nach Oxidation zum Sulfon wird das synthetisierte Peptid-Fragment durch Aminolyse, z.B. durch einen Aminosäureester, vom Harz abgelöst und gleichzeitig mit dem Aminosäureester verknüpft[1].

In der Literatur werden auch abgewandelte Trägerharze beschrieben[2,3], die ebenfalls eine Aktivierung durch Ausbildung der 4-Sulfonyl-phenyl-Gruppe zulassen.

Tab. 52. L-Aminosäure-4-methylthio-phenylester-Hydrobromide [H-AS-OMTP · HBr]

Aminosäure	F [°C]	$[\alpha]_D$	t [°C]	c	Lösungsmittel	Literatur
Ala	159	+4,4°	29	2,98	Methanol	4
Gly	250					4
	223 (Zers.)[a]					5
Ile	191	+29,9°	29	1,32	Methanol	4
Leu	201	+20,4°	31	0,24	Methanol	4,6
Lys(TFA)	151	+23,3°	29	2,4	Methanol	4
Lys(Z)	147	+18,0°	25	4,8	Methanol	7
Phe	226	+34,7°	29	1,9	Methanol	4
Pro	135	—21,9°	29	1,3	Methanol	4
Sar	203					4
Val	226 (Zers.)	+18,9°	28	1,3	Methanol	4,5,7

[a] Hydrochlorid

33.326. 4-(4-Chlor-phenylazo)-phenylester

Aminosäure-4-(4-chlor-phenylazo)-phenylester werden aus N-Benzyloxycarbonyl-aminosäure-4-(4-chlor-phenylazo)-phenylestern (Herstellung s. S. II/61) durch Einwirkung von Bromwasserstoff in Eisessig in der Form ihrer Hydrobromide erhalten[8].

Aminosäure-4-(4-chlor-phenylazo)-phenylester-Hydrobromide; allgemeine Arbeitsvorschrift[8]: 10 mMol N-Benzyloxycarbonyl-aminosäure-4-(4-chlor-phenylazo)-phenylester[8] werden mit 12–15 *ml* 36%-iger Bromwasserstoff-Lösung in Eisessig versetzt und bis zum Abklingen der Kohlendioxid-Entwicklung bei 20° stehen gelassen (~ 20–30 Min.). Nach Zugabe von 100 *ml* Diäthyläther wird der gebildete Nieder-

[1] D. L. Marshall u. I. E. Liener, J. Org. Chem. **35**, 867 (1970).
[2] E. Flanigan u. G. R. Marshall, Tetrahedron Letters **1970**, 2403.
[3] T. Wieland u. C. Birr, Ang. Ch. **78**, 303 (1966).
[4] B. J. Johnson u. T. A. Ruettinger, J. Org. Chem. **35**, 255 (1970).
[5] B. J. Johnson u. P. M. Jacobs, Chem. Commun. **1968**, 73.
[6] B. J. Johnson u. P. M. Jacobs, J. Org. Chem. **33**, 4524 (1968).
[7] B. J. Johnson u. E. G. Trask, J. Org. Chem. **33**, 4521 (1968).
[8] A. Barth, A. **683**, 216 (1965).

schlag abgesaugt und mit Diäthyläther extrahiert. Das Rohprodukt wird mehrere Tage i. Vak. über Kaliumhydroxid getrocknet und dann noch einmal mit Diäthyläther extrahiert. Nach erneutem Trocknen erhält man die Ester-Hydrobromide in analysenreiner Form.

Nach der Freisetzung aus dem Hydrobromid können die oben genannten Aminosäureester mit N-geschützten Aminosäuren nach der Mischanhydrid-Methode verknüpft werden[1].

N-Benzyloxycarbonyl-dipeptid-4-(4-chlor-phenylazo)-phenylester; allgemeine Arbeitsvorschrift[1]: 4 mMol N-Benzyloxycarbonyl-aminosäure werden in 50 *ml* Tetrahydrofuran gelöst, mit 1,12 *ml* (8 mMol) Triäthylamin versetzt und auf –15° gekühlt. Nach der Zugabe von 0,36 *ml* (4 mMol) Chlorameisensäure-äthylester wird 30 Min. gerührt und dann mit 4 mMol Aminosäure-4-(4-chlor-phenylazo)-phenylester-Hydrobromid (Herstellung s. S. 424) versetzt. Man rührt noch 1 Stde. bei –15° und läßt auf 20° anwärmen. – Die Reaktionsmischung kann zwischen Essigsäure-äthylester und Wasser verteilt, die organ. Phase nach Abtrennung mit Natriumhydrogencarbonat-Lösung extrahiert und eingedampft werden.

Zur Verknüpfung N-geschützter Peptid-4-(4-chlor-phenylazo)-phenylester mit Amin-Komponenten s. S. II/62. Zur Anwendung der Ester-Gruppe als unechter Carboxy-Schutz bei der Synthese asymmetrischer Glutamyl-C_α,C_γ-bispeptide vgl. Lit.[2].

33.327. 8-Hydroxy-chinolinester

Aminosäure-8-hydroxy-chinolinester, die durch Einwirkung von Bromwasserstoff in Eisessig auf N-Benzyloxycarbonyl-aminosäure-8-hydroxy-chinolinester (Herstellung s. S. II/64) in der Form ihrer Dihydrobromide entstehen[3–5], können in der Regel ohne besondere Reinigung mit N-geschützten Aminosäuren nach der Mischanhydrid-Methode[4–6] verknüpft werden. Experimentelle Beispiele hierfür sowie für die Verknüpfung N-geschützter Peptid-8-hydroxy-chinolinester mit Amin-Komponenten s. S. II/65.

In gleicher Weise wie 8-Hydroxy-chinolinester lassen sich auch 5-Chlor- bzw. 5,7-Dichlor-8-hydroxy-chinolinester zum unechten Carboxy-Schutz einsetzen[5].

33.328. 2-Benzyloxy-phenylester

Die 2-Benzyloxy-phenyl-Gruppe eignet sich aus drei Gründen besonders zum Einsatz als unechte Carboxy-Schutzgruppe:

① Als Ester-Gruppe bewirkt sie keine Carboxy-Aktivierung, so daß bei freien Aminosäure-2-benzyloxy-phenylestern die Gefahr einer Selbstkondensation nicht gegeben ist.

② Eine Carboxy-Aktivierung von N-geschützten Peptid-2-benzyloxy-phenylestern ist durch Überführung in die entsprechenden 2-Hydroxy-phenylester leicht möglich.

③ N-geschützte Peptid-2-hydroxy-phenylester können racemisierungsfrei mit Amin-Komponenten verknüpft werden (s. S. II/71)[3,7].

Zur Herstellung von Aminosäure-2-benzyloxy-phenylestern aus N-geschützten Aminosäure-2-benzyloxy-phenylestern (Herstellung s. S. 426) ist zu beachten, daß nur solche Derivate herangezogen werden können, deren N-Maskierung selektiv neben der Benzyläther-Gruppe abgespalten werden kann. Aus diesem Grunde scheidet die Benzyloxycarbonyl-Gruppe aus, da unter den Bedingungen ihrer Abspaltung (Hydrogenolyse, Bromwasser-

---

1 A. Barth, A. **683**, 216 (1965).
2 A. Barth, A. **686**, 221 (1965).
3 J. H. Jones u. G. T. Young, Soc. [C] **1968**, 436.
4 H.-D. Jakubke u. A. Voigt, B. **99**, 2419 (1966).
5 H.-D. Jakubke u. A. Voigt, B. **99**, 2944 (1966).
6 S. Chladek, J. Org. Chem. **37**, 2863 (1972).
7 R. D. Cowell u. J. H. Jones, Soc. [C] **1971**, 1082.

stoff in Eisessig) eine zusätzliche Abspaltung der Benzyläther-Gruppe nicht zu vermeiden ist. Geeignete N-Schutzgruppen sind dagegen die tert.-Butyloxycarbonyl- und die 2-Nitro-phenylsulfenyl-Gruppe, die unter milden acidolytischen Bedingungen (3–8n Chlorwasserstoff in Diäthyläther[1], 1,4-Dioxan[2] bzw. Essigsäure-äthylester[3] oder 90%-ige Trifluoressigsäure[3]) entfernt werden können.

L-Alanin-2-benzyloxy-phenylester-Hydrochlorid [H-Ala-OBOP · HCl][3]:

N-tert.-Butyloxycarbonyl-L-alanin-2-benzyloxy-phenylester [BOC-Ala-OBOP][3]: In die Lösung von 1,08 g Chlorameisensäure-äthylester in 10 *ml* Chloroform wird innerhalb 6 Min. bei −6° unter Rühren die Lösung von 1,89 g BOC-Ala-OH und 1,01 g Triäthylamin in 15 *ml* Chloroform eingetropft. Nach weiteren 5 Min. wird die Lösung von 2,0 g 2-Benzyloxy-phenol[2] und 1,01 g Triäthylamin in 10 *ml* Chloroform innerhalb 6 Min. bei −6° eingerührt. Nach 30 Min. bei −6° und 6 Stdn. bei 20° wird das Lösungsmittel verdampft, der Rückstand zwischen Essigsäure-äthylester und Wasser verteilt, die abgetrennte organ. Phase mit 10%-iger Citronensäure-Lösung und ges. Natriumhydrogencarbonat-Lösung extrahiert, getrocknet und eingedampft; Ausbeute: 2,68 g (72% d.Th.).

L-Alanin-2-benzyloxy-phenylester-Hydrochlorid: Zu 2,68 g BOC-Ala-OBOP[3] in 25 *ml* Diäthyläther werden 2,5 *ml* einer 3n Chlorwasserstoff-Lösung in Essigsäure-äthylester gegeben. Der sich bildende Niederschlag wird nach 16 Stdn. isoliert und getrocknet; Ausbeute: 1,95 g; F: 164–171°; $[\alpha]_D^{20} = -15{,}7°$ (c = 1; Chloroform).

Man erhält die Aminosäure-2-benzyloxy-phenylester als beständige kristalline Hydrochloride (bzw. als oft ölige Hydro-trifluoracetate). Nach ihrer Freisetzung (z.B. durch Zugabe eines Äquiv. Base) können sie als Amin-Komponenten mit N-geschützten Aminosäuren verknüpft werden. Diese Verknüpfung ist nach der Mischanhydrid-Methode[2], aber auch nach der Aktivester-Methode (N-Hydroxy-succinimid-ester[3,4], 2,4,5-Trichlor-phenylester[4]) ohne Schwierigkeit durchzuführen.

Zur Verknüpfung wurden ebenfalls Pyridyl-(2)-thioester herangezogen[2]. Ihre Verwendung führt jedoch zu geringfügiger Verunreinigung des synthetisierten Fragments mit schwefelhaltigen Verbindungen, wodurch eine Carboxy-Aktivierung durch hydrogenolytische Abspaltung der O-Benzyl-Gruppe von der 2-Benzyloxy-phenyl-Gruppe sehr erschwert wird (Vergiftung des Katalysators)[3].

N-tert.-Butyloxycarbonyl-L-alanyl-L-alanin-2-benzyloxy-phenylester [BOC-Ala-Ala-OBOP][3]: Zur Lösung von 0,815 g (2,65 mMol) H-Ala-OBOP · HCl (Herstellung s. oben) in 5 *ml* Dimethylformamid werden unter Rühren bei 20° 0,758 g (2,65 mMol) BOC-Ala-OSU und 0,37 *ml* (2,65 mMol) Triäthylamin gegeben. Nach 5 Stdn. wird das Reaktionsgemisch zwischen 60 *ml* Essigsäure-äthylester und 20 *ml* Wasser verteilt. Die abgetrennte organische Phase wird nacheinander mit 25 *ml* 10%-iger Citronensäure-Lösung, 25 *ml* ges. Natriumhydrogencarbonat-Lösung und 2 mal mit je 25 *ml* Wasser extrahiert und getrocknet. Das Lösungsmittel wird abdestilliert und der Rückstand aus Diäthyläther/Petroläther umkristallisiert; Ausbeute: 1,01 g (86% d.Th.); F: 100–102°; $[\alpha]_D^{20} = -49{,}6°$ (c = 1; Chloroform).

Zur Überführung der 2-Benzyloxy-phenyl-Gruppe in die carboxy-aktivierende 2-Hydroxy-phenyl-Gruppe s. S. II/70.

33.330. Heteroarylester

Heteroaromatische Estergruppen fanden als unechte Carboxy-Schutzgruppen bisher kaum Eingang in die Peptidsynthese. Ein Beispiel bildet die 1-Phenyl-3-methyl-pyrazolyl-(5)-ester-Gruppe:

$H_2N-CH(R)-CO-O-$[1-Phenyl-3-methyl-pyrazol-5-yl] (CH_3, N, N–C_6H_5)

[1] J. H. Jones u. G. T. Young, Soc. [C] **1968**, 436.
[2] R. D. Cowell u. J. H. Jones, Soc. [C] **1971**, 1082.
[3] R. D. Cowell u. J. H. Jones, Soc. [Perkin I] **1972**, 2236.
[4] J. H. Jones u. J. Walker, Soc. [Perkin I] **1972**, 2923.

Die N-ungeschützten Aminosäureester werden durch Spaltung der N-Benzyloxycarbonyl-Derivate (Herstellung s. S. II/119) mit Bromwasserstoff in Eisessig oder durch katalytische Hydrogenolyse in Gegenwart von 4 Äquivalenten Bromwasserstoff jeweils als Dihydrobromide erhalten[1].

Da die Verknüpfung N-geschützter Peptid-pyrazolyl-(5)-ester mit Amin-Komponenten nicht racemisierungsfrei verläuft (s. S. II/120), sollte als C-terminale Aminosäure des Fragments Glycin oder Prolin gewählt werden.

33.340. O-Acyl-halbacetale und -halbketale

Alkoxy-methyl-Gruppen, wie Methoxy-methyl-[2] oder Tetrahydropyranyl-(2)-Gruppe[3], bewirken eine deutliche Aktivierung der mit ihnen maskierten Carboxy-Gruppe (s. S. II/90), so daß ihre Anwendung als unechte Schutzgruppe möglich scheint, wenngleich sie auch noch nicht an experimentellen Beispielen demonstriert wurde. Nachteilig sind die verhältnismäßig geringe Beständigkeit der genannten Maskierungen unter sauren Bedingungen sowie das Auftreten von Aldehyden bei der Aminolyse[2,3] (s. S. II/91). Aminosäure-tetrahydropyranyl-(2)-ester stellen in der Regel Diastereomeren-Gemische dar, wodurch sich ungünstige Kristallisationseigenschaften ergeben können.

33.350. O-Acyl-hydroxylamine

33.351. N-Alkylierte Hydroxylamine

33.351.1. *N-Monoalkyl-hydroxylamine*

O-Acyl-Verbindungen I des unsubstituierten Hydroxylamins sind zwar isolierbar, gehen jedoch viel zu leicht in die entsprechenden Hydroxamsäuren II über, als daß man sie zu systematischer Peptidsynthese heranziehen könnte[4–6]:

$$\underset{\text{I}}{\text{R–CO–O–NH}_2} \longrightarrow \underset{\text{II}}{\text{R–CO–NH–OH}}$$

Dagegen werden durch Umsetzung von Aminosäure-N-Carbonsäure-Anhydriden mit N-Methyl-hydroxylamin-Hydrochlorid O-(Aminoacyl)-N-methyl-hydroxylamin-Hydrochloride erhalten[7], deren Tendenz zur Umwandlung in die entsprechenden Hydroxamsäuren erheblich abgeschwächt ist. Die Ausbeuten an den genannten Verbindungen erreichen 90% d. Th., wenn bei niedriger Temperatur (0°) und mit wasserfreiem Äthanol als Lösungsmittel gearbeitet wird.

Beim Erwärmen ihrer Lösung oder bei längerem Aufbewahren bei 20° gehen auch O-(Aminoacyl)-N-methyl-hydroxylamine in Hydroxamsäuren über. Kurz nach ihrer Bereitung lassen sie sich jedoch mit N-geschützten Aminosäuren unter dem Einfluß von Dicyclohexyl-carbodiimid zu N-geschützten O-(Peptidyl)-N-methyl-hydroxylaminen und diese sich weiterhin mit Amin-Komponenten umsetzen[7].

---

[1] G. LOSSE, K. H. HOFFMANN u. G. HETZER, A. **684**, 236 (1965).
[2] R. SCHWYZER, B. ISELIN u. M. FEURER, Helv. **38**, 69 (1955).
[3] B. ISELIN u. R. SCHWYZER, Helv. **39**, 57 (1956).
[4] W. P. JENCKS, Am. Soc. **80**, 4581 (1958).
[5] W. P. JENCKS, Am. Soc. **80**, 4585 (1958).
[6] T. C. BRUICE u. L. R. FEDOR, Am. Soc. **86**, 739 (1964).
[7] S. BITTNER, Y. KNOBLER u. M. FRANKEL, Tetrahedron Letters **1965**, 95.

33.351.2. *N,N-Dialkyl-hydroxylamine*

Die Umwandlung von O-Acyl-N,N-dialkyl-hydroxylaminen in Hydroxamsäuren ist nicht möglich.

Ein einfaches Beispiel für die peptidsynthetische Anwendung dieser Verbindungsklasse sind O-(Aminoacyl)-N,N-diäthyl-hydroxylamine, die aus Aminosäure-N-Carbonsäure-Anhydriden und N,N-Diäthyl-hydroxylamin-Hydrochlorid hergestellt werden können[1]:

$$\text{(NCA, R)} + HO{-}N(R^1)(R^2) \xrightarrow[-\,CO_2]{HCl} HCl\cdot H_2N{-}\underset{|}{\overset{R}{C}}H{-}CO{-}O{-}N(R^1)(R^2)$$

$R^1 = R^2 = C_2H_5$; $R^1{-}R^2 = -(CH_2)_5-$

Zu größerer Bedeutung als unechter Carboxy-Schutz gelangten aus der genannten Verbindungsklasse nur die (1-Hydroxy-piperidin)-ester. Zur Herstellung der Aminosäure-(1-hydroxy-piperidin)-ester spaltet man Aminosäure-N-Carbonsäure-Anhydride durch 1-Hydroxy-piperidin in Gegenwart von 1 Äquivalent Chlorwasserstoff auf[2,3].

S-Benzylthio-methyl-L-cystein-(1-hydroxy-piperidin)-ester-Hydrochlorid [H-Cys(BTM)-OPi · HCl]:

1-Hydroxy-piperidin-Hydrochlorid [HOPi · HCl][2]: Zur Lösung von 1-Hydroxy-piperidin (Herstellung s. S. II/133) in Diäthyläther wird 1 Äquiv. einer 3,3 n Chlorwasserstoff-Lösung in Diäthyläther gegeben. Der entstandene Niederschlag wird aus Chloroform/Diäthyläther umkristallisiert; F: 142–146° (Erweichen bei 122–123°).

S-Benzylthio-methyl-L-cystein-(1-hydroxy-piperidin)-ester-Hydrochlorid [H-Cys(BTM)-OPi · HCl][2]: Die Lösung von 1,375 g (10 mMol) frisch umkristallisiertem 1-Hydroxy-piperidin-Hydrochlorid (Herstellung s. o.) in 20 *ml* Chloroform wird unter Rühren bei 20° zur Suspension von 2,834 g (10 mMol) frisch umkristallisiertem H-[Cys(BTM)-NCA] in 20 *ml* Chloroform gegeben (im Dunklen und unter Ausschluß von Wasser). Nach 75 Min. bei 20° und weiteren 6 Stdn. bei 0° wird der Niederschlag aufs Filter gebracht, mit wenig kaltem Chloroform und Diäthyläther gewaschen, in 200 *ml* kaltem Äthanol gelöst und die Lösung filtriert. Man engt die Lösung bei 20° solange ein, bis die ersten Kristalle erscheinen und gibt überschüssigen Diäthyläther hinzu. Nach Absaugen des Niederschlags und Trocknen erhält man 2,24 g (59,5% d. Th.); $[\alpha]_D^{20} = -33{,}4°$ (c = 1,0; Methanol). Die Verbindung hat keinen definierten Schmelzpunkt (s. u.).

Die nach dem oben beschriebenen Verfahren erhaltenen Aminosäure-(1-hydroxy-piperidin)-ester-Hydrochloride sind in der Regel mehr oder weniger durch Polyaminosäuren (entstanden durch teilweise Polykondensation des als Ausgangsverbindung eingesetzten N-Carbonsäure-Anhydrids) verunreinigt[3,4]. Sie besitzen dann einen unscharfen Schmelzpunkt und liefern schlecht stimmende Elementaranalysen. Durch vorsichtiges Auflösen in Äthanol, in dem Polyaminosäuren oft schwerlöslich sind, können die Ester-Hydrochloride gelegentlich weiter gereinigt werden[3].

Nach der Freisetzung der Aminosäure-(1-hydroxy-piperidin)-ester aus ihren Hydrochloriden können sie mit N-geschützten Aminosäuren zu entsprechenden Peptidestern umgesetzt werden. Als Verknüpfungsmethoden kamen zur Anwendung: Mischanhydrid-Methode[2,3] (experimentelles Beispiel s. S. 429), Carbodiimid-Verfahren[3], 2-Äthyl-5-phenyl-1,2-oxazolium-3'-sulfonat (Woodward's Reagenz K)[3] (experimentelles Beispiel s. S. II/134), Inamin-Verfahren[3,4].

---

[1] S. Bittner, Y. Knobler u. M. Frankel, Tetrahedron Letters **1965**, 95.
[2] R. Camble, R. Purkayastha u. G. T. Young, Soc. [C] **1968**, 1219.
[3] F. Weygand et al., Z. Naturf. **21 b**, 325 (1966).
[4] F. Weygand u. W. König, Z. Naturf. **20 b**, 710 (1965).

N-Benzyloxycarbonyl-L-glutamyl(α-tert.-butylester)-Cγ-S-benzylthio-methyl-L-cysteinyl-glycin-tert.-butylester [Z-Glu(Cys{BTM}-Gly-OtBu)-OtBu]:

N-Benzyloxycarbonyl-L-glutamyl (α-tert.-butylester)-Cγ-S-benzylthio-methyl-L-cystein-(1-hydroxy-piperidin)-ester [Z-Glu(Cys{BTM}-OPi)-OtBu][2]: Zur Lösung von 1,35 g (4 mMol) Z-Glu(OH)-OtBu und 0,405 g (4 mMol) Triäthylamin in 24 *ml* Tetrahydrofuran wird bei −15° unter Rühren die Lösung von 0,434 g (4 mMol) Chlorameisensäure-äthylester in 5 *ml* Tetrahydrofuran innerhalb 1,5 Min. zugetropft. Nach weiteren 10 Min. werden 1,508 g (4 mMol) H-Cys(BTM)-OPi · HCl (Herstellung s. S. 428) und anschließend während 10 Min. die Lösung von 0,405 g (4 mMol) Triäthylamin in 10 *ml* Tetrahydrofuran zugegeben. Danach läßt man die Reaktionsmischung sich über Nacht auf 20° erwärmen. Das Filtrat vom Niederschlag wird eingedampft, der Rückstand zwischen Essigsäure-äthylester und 10 *ml* 0,2 n Salzsäure verteilt, die abgetrennte organ. Phase nacheinander mit 10 *ml* 0,2 n Salzsäure, Wasser, 2 mal mit je 10 *ml* n Natriumhydrogencarbonat-Lösung, Wasser und gesätt. Natriumchlorid-Lösung extrahiert und getrocknet. Der Abdampfrückstand wird mit Diäthyläther verrieben und 2 mal aus Diisopropyläther umkristallisiert; Ausbeute: 1,6 g (61% d. Th.); F: 89–92°; $[\alpha]_D^{20} = -46{,}5°$ (c = 0,47; Methanol).

N-Benzyloxycarbonyl-L-glutamyl (α-tert.-butylester)-Cγ-S-benzylthio-methyl-L-cysteinyl-glycin-tert.-butylester [Z-Glu(Cys{BTM}-Gly-OtBu)-OtBu][1]: Die Lösung von 0,12 g (2,0 mMol) Essigsäure in 0,5 *ml* Chloroform wird zur Mischung aus 0,66 g (1,0 mMol) Z-Glu(Cys{BTM}-OPi)-OtBu (Herstellung s. o.) und 0,263 g (2,0 mMol) H-Gly-OtBu gegeben. Man rührt 3 Stdn. bei 20°, fügt 2 *ml* Chloroform hinzu und rührt noch 6 Tage. Nach Verdampfen des Lösungsmittels wird der Rückstand in Chloroform gelöst und nacheinander mit 0,1 n Salzsäure, Wasser, n Natriumhydrogencarbonat-Lösung und Wasser extrahiert, getrocknet und erneut eingedampft. Der Rückstand wird aus Chloroform mit Petroläther umgefällt; Ausbeute: 0,61 g (88% d. Th.); F: 127–129°; $[\alpha]_D^{20} = -54{,}4°$ (c = 0,49; Methanol).

33.352. N-Acyl-hydroxylamine

Ein Beispiel für die Verwendung von N-Acyl-hydroxylaminen zum unechten Carboxy-Schutz bildet die sogen. (N-Hydroxy-succinimid)-ester-Gruppe. Die Bedeutung dieser Gruppe zur Verknüpfung N-geschützter Peptide mit Amin-Komponenten ist zwar in letzter Zeit erheblich gestiegen (s. S. II/149), doch werden die hierfür erforderlichen N-geschützten Peptid-(N-hydroxy-succinimid)-ester nur sehr selten nach der „backing-off"-Methode hergestellt. Dies erklärt sich aus der besonders intensiven Carboxy-Aktivierung durch die genannte Gruppe, wodurch die Gefahr der Selbstkondensation amin-ungeschützter Aminosäure-(N-hydroxy-succinimid)-ester in besonderem Maße gegeben ist[3].

Zwar kann die hydrogenolytische oder acidolytische Demaskierung N-geschützter Aminosäure-(N-hydroxy-succinimid)-ester ohne Schwierigkeiten nach den bekannten Arbeitsweisen vorgenommen werden, doch ist eine Verknüpfung mit N-geschützten Aminosäuren zu N-geschützten Peptid-(N-hydroxy-succinimid)-estern nur nach einem Anhydrid-Verfahren möglich[4].

N-tert.-Butyloxycarbonyl-L-alanyl-L-prolyl-glycin-(N-hydroxy-succinimid)-ester [BOC-Ala-Pro-Gly-OSU]:

Glycin-(N-hydroxy-succinimid)-ester-Hydrobromid [H-Gly-OSU · HBr][4]: Man löst 5,96 g (19,1 mMol) Z-Gly-OSU in der Mischung von 160 *ml* Eisessig und 50 *ml* Dichlormethan auf und leitet bei 0° während 2 Stdn. unter Rühren wasserfreien Bromwasserstoff ein. Danach wird das Lösungsmittel abdestilliert und der Rückstand mit Dichlormethan verrieben. Nach Trocknen Ausbeute: ~ 100% d. Th.; F: 166–168° (Zers.).

---

[1] F. Weygand et al., Z. Naturf. **21b**, 325 (1966).
[2] R. Camble, R. Purkayastha u. G. T. Young, Soc. [C] **1968**, 1219.
[3] J. Ramachandran, A. Berger u. E. Katchalski, Biopolymers **10**, 1829 (1971).
[4] G. P. Lorenzi, B. B. Doyle u. E. R. Blout, Biochemistry **10**, 3046 (1971).

N-tert.-Butyloxycarbonyl-L-alanyl-L-prolyl-glycin-(N-hydroxy-succinimid)-ester [BOC-Ala-Pro-Gly-OSU][1]: Die Lösung von 509 mg (1,77 mMol) BOC-Ala-Pro-OH[1] in 20 *ml* Chloroform wird unter Rühren auf −15° gekühlt. Nach Zugabe von 0,20 *ml* (1,78 mMol) N-Methyl-morpholin und 0,25 *ml* (1,92 mMol) Chlorameisensäure-isobutylester wird für 30 Min. bei −15° gerührt, 450 mg (1,78 mMol) H-Gly-OSU · HBr und tropfenweise die Lösung von 0,20 *ml* N-Methyl-morpholin in 4 *ml* Chloroform zugegeben. Man läßt die Reaktionsmischung sich auf 20° erwärmen, extrahiert nach 18 Stdn. mit Wasser, trocknet über Natriumsulfat und verdampft das Lösungsmittel. Der Rückstand wird aus Essigsäure-äthylester/Hexan umkristallisiert; Ausbeute: 390 mg (50% d.Th.); F: 129,5–131°.

Zur Verknüpfung N-geschützter Peptid-(N-hydroxy-succinimid)-ester mit Amin-Komponenten s. S. II/152.

33.353. O-Acyl-Oxime

Zum unechten Carboxy-Schutz scheint sich auch die O-Acyl-oxim-Gruppierung zu eignen:

$$H_2N-\underset{\displaystyle R}{\overset{|}{C}}H-CO-O-N=C\begin{matrix}R^1\\R^2\end{matrix}$$

Entsprechende O-Aminoacyl-Verbindungen können entweder durch Umsetzung von Aminosäure-N-Carbonsäure-Anhydriden mit Ketoximen (in Gegenwart von 1 Äquivalent Chlorwasserstoff)[2] oder aus N-(2-Nitro-phenylsulfenyl)-aminosäuren und Ketoximen mit Dicyclohexyl-carbodiimid als Verknüpfungsreagenz und anschließende N-Demaskierung (durch Einwirkung von 3 Äquivalenten Chlorwasserstoff in Essigsäure-äthylester-Lösung)[3] hergestellt werden.

33.360. Hydrazide

bearbeitet von

Dr. Peter Stelzel

Max-Planck-Institut für Biochemie, München

Wie auf S. II/299ff. beschrieben, ist bei N-Acyl-peptidestern, die z.B. -Asp(OtBu)- oder -Arg(NO_2)- in der Sequenz enthalten, bei Vorliegen von z.B. der N-Phthalyl-, N-Trifluoracetyl- oder N-Formyl-Schutzgruppe oder in der Peptolid-Chemie[4] (s. S. II/369 ff.) eine Hydrazinolyse zur direkten Herstellung der N-Acyl-peptid-hydrazide, die zur Fragment-Verknüpfung mittels der Azid-Methode (s. S. II/303) benötigt werden, wegen verschiedener Nebenreaktionen nicht möglich. In diesen Fällen empfiehlt es sich, die Hydrazid-Gruppe bereits von vornherein in die carboxy-endständige Aminosäure einzuführen, zweckmäßigerweise in einer N′-geschützten Form, wenn auch Synthesen mit N′-ungeschützten Aminosäure-hydraziden beschrieben wurden (s. S. 431).

---

[1] G. P. Lorenzi, B. B. Doyle u. E. R. Blout, Biochemistry **10**, 3046 (1971).

[2] S. Bittner, Y. Knobler u. M. Frankel, Tetrahedron Letters **1965**, 95.

[3] G. Losse, K. H. Hoffmann u. G. Hetzer, A. **684**, 236 (1965).

[4] E. Schröder u. K. Lübke, *Peptides* (Proc. 5th Europ. Symp., Oxford 1962), Pergamon Press, Oxford **1963**, S. 195.

33.361. N′-Unsubstituierte Aminosäure-hydrazide

Bei der Verknüpfung von Z-Gly-OH und H-Gly-$NHNH_2$ mittels Woodward-Reagenz K (s. S. II/85) wurden 62% d.Th. an *Z-Gly-Gly-$NHNH_2$* erhalten (aus Z-Gly-Gly-OEt durch Hydrazinolyse: 79% d.Th.), bei der Umsetzung von Z-Ala-OH mit H-Gly-Gly-$NHNH_2$ 63% d.Th. an *Z-Ala-Gly-Gly-$NHNH_2$*[1]. N,N′-disubstituiertes Hydrazin (I) konnte nicht nachgewiesen werden.

$$Z{-}NH{-}CH_2{-}COOH \quad + \quad H_2N{-}CH_2{-}CO{-}NH{-}NH_2$$

$$\not\to \quad Z{-}NH{-}CH_2{-}CO{-}NH{-}CH_2{-}CO{-}NH{-}NH{-}CO{-}CH_2{-}NH{-}R \quad (\mathrm{I}); \quad R = H, Z$$

$$\to \quad Z{-}NH{-}CH_2{-}CO{-}NH{-}CH_2{-}CO{-}NH{-}NH_2$$

Bei der Verknüpfung von Z-Asp(OtBu)-ONP mit H-Ser-$NHNH_2$ oder H-Leu-$NHNH_2$ wurden jedoch neben *Z-Asp(OtBu)-Ser-$NHNH_2$* (62% d.Th.) bzw. *Z-Asp(OtBu)-Leu-$NHNH_2$* (64% d.Th.) 5–10% N,N′-Diacyl-hydrazin (analog I) gefunden[2]. Bei der Umsetzung von Z-Gly-N_3 mit H-Ala-$NHNH_2$ wurden 27% d.Th. an *Z-Gly-Ala-$NHNH_2$* und 48% d.Th. *Z-Gly-Ala-NHNH(Z-Gly)* erhalten[3].

Bezüglich der Polykondensation von H-$(Gly)_3$-$NHNH_2$ · 2HCl nach der Azid-Methode s. Lit.[4].

33.362. N′-Substituierte Aminosäure-hydrazide

Prinzipiell sind alle Gruppen, die als Amino-Schutzgruppen Anwendung finden, auch als N′-Schutzgruppen für ein Aminosäure-hydrazid verwendbar, mit Ausnahme der N-Sulfonyl-Gruppen (s. S. 223), da hier zu drastische Abspaltungsbedingungen erforderlich sind. Man muß allerdings eine sinnvolle Kombination von selektiv spaltbaren Schutzgruppen zur Blockierung der α-Amino-, der Hydrazid- und einer eventuell vorliegenden Seitenketten-Funktion auswählen. In der Praxis haben sich als Hydrazid-N′-Schutzgruppen insbesondere die Benzyloxycarbonyl-, die tert.-Butyloxycarbonyl- und die Trityl-Gruppe bewährt.

Die Verwendung der N′-geschützten Aminosäure-hydrazide erfolgt nach folgendem Schema:

$$\underset{\mathrm{II}}{Z{-}NH{-}\overset{R}{\overset{|}{C}}H{-}COOH} \xrightarrow[-\ H_2O]{H_2N{-}NH{-}BOC\ /\ \mathrm{III}\quad H_{11}C_6{-}N{=}C{=}N{-}C_6H_{11}\ \text{o.ä.}} \underset{\mathrm{IV}}{Z{-}NH{-}\overset{R}{\overset{|}{C}}H{-}CO{-}NH{-}NH{-}BOC} \xrightarrow{H_2\ /\ Pd}$$

---

[1] H. T. Cheung u. E. R. Blout, J. Org. Chem. **30**, 315 (1965).
[2] F. Chillemi, G. **96**, 359 (1966).
[3] H. Zahn u. E. Schnabel, A. **605**, 212 (1957).
[4] M. Z. Magee u. K. Hofmann, Am. Soc. **71**, 1555 (1949).

$$\underset{\text{V}}{H_2N-\overset{R}{\overset{|}{C}}H-CO-NH-NH-BOC} \xrightarrow[-\ HX]{Z-NH-\overset{R}{\overset{|}{C}}H-CO-X} \underset{\text{VI}}{Z-NH-\overset{R}{\overset{|}{C}}H-CO-NH-\overset{R}{\overset{|}{C}}H-CO-NH-NH-BOC}$$

$$\xrightarrow[-\ HX]{1.\ H_2/Pd \quad 2.\ Z-NH-\overset{R}{\overset{|}{C}}H-CO-X} \longrightarrow \underset{\text{VII}}{Z-\left[NH-\overset{R}{\overset{|}{C}}H-CO\right]_n-NH-NH-BOC} \xrightarrow{TFA-OH}$$

$$\underset{\text{VIII}}{Z-\left[NH-\overset{R}{\overset{|}{C}}H-CO\right]_n-NH-NH_2} \xrightarrow{\text{Azid-Methode}} \underset{\text{IX}}{Z-\left[NH-\overset{R}{\overset{|}{C}}H-CO\right]_n-N_3} \xrightarrow[-\ HN_3]{\underset{X}{H-\left[NH-\overset{R}{\overset{|}{C}}H-CO\right]_m-R^1}}$$

R = Aminosäure-Seitenkette
R^1 = O-Alkyl oder NHNH(BOC)
X = ONP, OSU o. ä.

$$\underset{\text{XI}}{Z-\left[NH-\overset{R}{\overset{|}{C}}H-CO\right]_n-\left[NH-\overset{R}{\overset{|}{C}}H-CO\right]_m-R^1} \quad \text{usw.}$$

Man verknüpft z.B. eine N-Benzyloxycarbonyl-aminosäure II mit tert.-Butyloxycarbonyl-hydrazin (III) mittels Dicyclohexyl-carbodiimid, der Mischanhydrid-Methode oder nach einem ähnlichen Verfahren zum N-Benzyloxycarbonyl-aminosäure-N′-tert.-butyloxycarbonyl-hydrazid IV, spaltet die N-Benzyloxycarbonyl-Gruppe durch katalytische Hydrogenolyse ab, verknüpft das erhaltene Aminosäure-N′-tert.-butyloxycarbonyl-hydrazid V mit einer N-Acyl-aminosäure nach einem beliebigen Verfahren zum N-Benzyloxycarbonyl-dipeptid-N′-tert.-butyloxycarbonyl-hydrazid VI, entfernt wieder die N-Benzyloxycarbonyl-Gruppe usf., bis man das gewünschte N-Benzyloxycarbonyl-peptid-N′-tert.-butyloxycarbonyl-hydrazid VII erhält. Zur Verknüpfung dieses Fragments mit einer Amin-Komponente X wird die N′-tert.-Butyloxycarbonyl-Gruppe von VII mit z. B. Trifluoressigsäure entfernt und das resultierende freie Hydrazid VIII in das Azid IX überführt. Dieses ergibt mit X das N-Acyl-peptid XI, das in analoger Weise aminoseitig [nach Abspaltung der N-Benzyloxycarbonyl-Gruppe] oder carboxyseitig [nach Entfernung der N′-tert.-Butyloxycarbonyl-Gruppe bei R^1 = NHNH(BOC)] weiterverknüpft werden kann.

33.362.1. *N′-Acyl-substituierte Hydrazide*

33.362.1.01. N′-Benzyloxycarbonyl-hydrazide

N′-substituierte Aminosäure- und N-Acyl-aminosäure-hydrazide wurden erstmals von K. Hofmann et al.[1,2] in der Peptidchemie eingesetzt.

Bei der Umsetzung von Aminosäure-N-Dithiocarbonsäure-Anhydriden (s. S. II/285) mit Benzyloxycarbonyl-hydrazin (zur Herstellung dieses Reagenzes s. Lit.[2-4]; s. S. 433) erhielten die Autoren die entsprechenden Aminosäure-N′-benzyloxycarbonyl-hydrazide[1]. Dieses Verfahren eignet sich wegen

---

[1] K. Hofmann, M. Z. Magee u. A. Lindenmann, Am. Soc. **72**, 2814 (1950).
[2] K. Hofmann et al., Am. Soc. **74**, 470 (1952).
[3] N. Rabjohn, Am. Soc. **70**, 1181 (1948).
[4] H. Böshagen u. J. Ullrich, B. **92**, 1478 (1959).

der dabei auftretenden Racemisierung jedoch nur für Glycin und DL-Aminosäuren[1]. Als weitere Möglichkeiten wurden die Umsetzung von N-Acyl-aminosäuren mit Benzyloxycarbonyl-hydrazin in einer Papain-katalysierten Reaktion oder die Verknüpfung von N-Acyl-aminosäure-chloriden mit Benzyloxycarbonyl-hydrazin untersucht[1]; die Ausbeuten waren jedoch nicht besonders gut.

Über die Verwendung von Aminosäure-N-Carbonsäure-Anhydriden (s. S. II/187) zur Herstellung der N_α-unsubstituierten Aminosäure-N'-acyl-hydrazide wurde bisher nicht berichtet (vgl. a. S. II/346).

Als beste Methoden zur Herstellung der substituierten Hydrazide erwiesen sich letztlich das Kohlensäure-Mischanhydrid-Verfahren (s. S. II/171; z.B. Lit. [2–5]), das Dicyclohexylcarbodiimid-Verfahren (s. S. II/107; z.B. Lit.[5–7]) oder auch die Verwendung von N,N'-Carbonyl-di-imidazol (s. S. II/326; z.B. Lit.[4]). Grundsätzlich können sowohl N-Acyl-aminosäuren als auch N-Acyl-peptide (z.B. Lit.[4,8]) mit Benzyloxycarbonyl-hydrazin verknüpft werden, es gelten hier lediglich die üblichen Einschränkungen im Hinblick auf die Racemisierungsgefahr wie bei Fragment-Verknüpfungen.

Die Abspaltung der N'-Schutzgruppen vom Hydrazid erfolgt mit den gleichen Reagenzien wie bei ihrer Verwendung als Amino-Schutzgruppen, hier z.B. durch katalytische Hydrierung (z.B. Lit.[4,6,9]) oder durch Bromwasserstoff/Trifluoressigsäure (z.B. Lit.[5]). Die katalytische Hydrierung von PHT=Ser(tBu)-Arg(NO_2)-NHNH(Z) zu *PHT=Ser(tBu)-Arg-NHNH*$_2$ gelang jedoch nicht[3].

Bezüglich der verschiedenen Modifikationen der Azid-Methode und ihrer Vor- und Nachteile s. S. II/303ff.

Die Verwendung der 4-Nitro-benzyloxycarbonyl-Gruppe als N'-Schutzgruppe soll in der Peptolid-Chemie Vorteile bringen[10].

Eine Verbindung wie z.B. *H-Gly-NHNH(Z)* kann auch als Azapeptid (Glycyl-azaglycin-benzylester) aufgefaßt werden (s. S. II/388ff.).

N-Phthalyl-L-threonyl-O-benzyl-L-serin-N'-benzyloxycarbonyl-hydrazid [PHT=Thr-Ser(BZL)-NHNH(Z)][2]:

Benzyloxycarbonyl-hydrazin [NH_2NH(Z)][7, vgl. 1]: Eine Lösung von 2,25 *ml* 100%-igem Hydrazin-Hydrat in 25 *ml* absol. Chloroform wird im Eis/Kochsalz-Bad unter Rühren so langsam mit 3,5 *ml* (~ 0,015 Mol) Chlorameisensäure-benzylester in 5 *ml* absol. Chloroform versetzt, daß die Temp. 0° nicht übersteigt. Nach 30 min. Rühren bei Raumtemp. (Verschwinden der anfänglichen Trübung) wird die Lösung mit 20 *ml* Chlorwasserstoff-ges. Diäthyläther versetzt. Durch Zugabe von viel Diäthyläther wird ein Gemisch von Benzyloxycarbonyl-hydrazin-Hydrochlorid und Hydrazin-Dihydrochlorid ausgefällt. Dieses wird filtriert, mit Diäthyläther gewaschen, mit 35 *ml* absol. Äthanol ausgekocht und heiß filtriert. Aus dem Filtrat scheidet sich nach 12stdgm. Belassen bei −20° restliches Hydrazin-Dihydrochlorid aus. Das Filtrat wird i. Vak. auf 15 *ml* eingeengt. Nach 12stdgm. Stehen bei Raumtemp. scheidet sich daraus das Benzyloxycarbonyl-hydrazin-*Hydrochlorid* aus; Ausbeute: 2,3 g (76% d.Th.); F: 167°. Dieses Hydrochlorid kann direkt eingesetzt werden (s. u.).

Zur Freisetzung rührt man das Hydrochlorid in 20 *ml* absol. Chloroform bei 0° unter Zusatz von 2,8 *ml* Triäthylamin bis zur klaren Lösung. Auf Zugabe von 100 *ml* Diäthyläther fällt das Triäthylammoniumchlorid quantitativ aus. Das Filtrat wird i. Vak. zur Trockene genommen und der Rückstand aus 40 *ml* Diäthyläther mit viel Petroläther ausgefällt; Ausbeute: 1,5 g (60% d.Th.); F: 66,5–67°.

N-tert.-Butyloxycarbonyl-O-benzyl-L-serin-N'-benzyloxycarbonyl-hydrazid [BOC-Ser(BZL)-NHNH(Z)][2]: Zu 29,55 g BOC-Ser(BZL)-OH und 13,9 *ml* Triäthylamin in 200 *ml* Tetra-

---

1 K. Hofmann et al., Am. Soc. **74**, 470 (1952).
2 E. Wünsch u. G. Wendlberger, B. **97**, 2504 (1964).
3 E. Wünsch u. G. Wendlberger, B. **100**, 160 (1967).
4 K. Hofmann et al., Am. Soc. **87**, 620 (1965).
5 H. T. Storey, K. Hofmann et al., Am. Soc. **94**, 6170 (1972).
6 E. Wünsch, B. **98**, 797 (1965).
7 H. Böshagen u. J. Ullrich, B. **92**, 1478 (1959).
8 K. Lübke et al., A. **679**, 195 (1964).
9 K. Hofmann, J. P. Visser u. F. M. Finn, Am. Soc. **91**, 4883 (1969); **92**, 2900 (1970).
10 E. Schröder u. K. Lübke, *Peptides*, Proc. 5th Europ. Symp., Oxford 1962; Pergamon Press, Oxford **1963**, S. 195.

hydrofuran läßt man bei —10° unter Rühren 9,6 *ml* Chlorameisensäure-äthylester tropfen und gibt nach 10 Min. eine Lösung von 20,3 *ml* Benzyloxycarbonyl-hydrazin-Hydrochlorid und 13,9 *ml* Triäthylamin in 200 *ml* Chloroform zu. Es wird 4–5 Stdn. bei Raumtemp. gerührt, über Nacht im Kühlschrank stehengelassen und dann i. Vak. weitgehend vom Lösungsmittel befreit. Man verteilt den Rückstand zwischen Essigsäure-äthylester und Wasser, wäscht die Essigsäure-äthylester-Phase wie üblich mit Citronensäure-, Kaliumhydrogencarbonat-Lösung und Wasser, trocknet über Natriumsulfat und engt i. Vak. ein. Umkristallisation aus Diäthyläther/Petroläther; Ausbeute: 41,3 g (93% d.Th.); F: 76,5–78°.

O-Benzyl-L-serin-N′-benzyloxycarbonyl-hydrazid [H-Ser(BZL)-NHNH(Z)][1]: 108,9 g BOC-Ser(BZL)-NHNH(Z) werden mit 250 *ml* eiskalter Trifluoressigsäure übergossen und 15 Min. unter Eiskühlung und dann 3 Stdn. bei Raumtemp. stehengelassen (Auflösung und Gasentwicklung). Nach restloser Entfernung der überschüss. Trifluoressigsäure i. Vak. verteilt man den Rückstand zwischen eiskalter Kaliumhydrogencarbonat-Lösung und Diäthyläther, wäscht die abgetrennte Diäthyläther-Phase mit wenig Wasser neutral und trocknet über Natriumsulfat; beim Einengen i. Vak. tritt Kristallisation ein; Ausbeute: 78,8 g (93,5% d.Th.); $[\alpha]_D^{20} = +8,3 \pm 0,5°$ (c = 2; Methanol).

N-Phthalyl-L-threonyl-O-benzyl-L-serin-N′-benzyloxycarbonyl-hydrazid [PHT=Thr-Ser(BZL)-NHNH(Z)][1]: Man löst 34 g H-Ser(BZL)-NHNH(Z) und 24 g PHT=Thr-OH (s. S. 253) unter Rühren in Acetonitril und versetzt bei —10° mit 20 g Dicyclohexyl-carbodiimid in Acetonitril. Nach 4stdgm. Rühren bei —5° läßt man über Nacht im Kühlschrank stehen und rührt anschließend bis zum Erreichen von Raumtemp. nach. Man filtriert vom N,N′-Dicyclohexyl-harnstoff ab, engt das Filtrat i. Vak. ein, nimmt den Rückstand in Essigsäure-äthylester auf, wäscht die Lösung wie üblich mit Kaliumhydrogencarbonat-Lösung, verd. Schwefelsäure und Wasser, trocknet über Natriumsulfat und dampft i. Vak. ein. Beim Erwärmen und Verreiben des Rückstands mit Diäthyläther tritt Kristallisation ein; Ausbeute: 51,5 g (92% d.Th.); F: 132–133,5° (aus Äthanol/Diäthyläther/Petroläther).

S-Äthylamino-carbonyl-L-cysteinyl-glycin-N′-benzyloxycarbonyl-hydrazid-Hydro-trifluoracetat [H-Cys(EAC)-Gly-NHNH(Z) · TFA-OH][2]:

Glycin-N′-benzyloxycarbonyl-hydrazid-Hydro-trifluoracetat [H-Gly-NHNH(Z) · TFA-OH]: 21,02 g BOC-Gly-OH werden in 300 *ml* Essigsäure-äthylester gelöst und bei —18° mit 14,76 *ml* N-Methyl-morpholin und 15,61 *ml* Chlorameisensäure-isobutylester unter Rühren versetzt. Nach 4 Min. werden 21,94 g Benzyloxycarbonyl-hydrazin zugegeben. Man rührt 15 Min. bei —18° und 45 Min. bei Raumtemp. Anschließend dampft man i. Vak. ein, löst den Rückstand in Essigsäure-äthylester, wäscht die Lösung wie üblich, trocknet sie und befreit i. Vak. vom Lösungsmittel. Zur Abspaltung der N-tert.-Butyloxycarbonyl-Gruppe wird der Rückstand wie üblich mit 100 *ml* 90%-iger Trifluoressigsäure behandelt, die überschüss. Trifluoressigsäure i. Vak. entfernt und der Rückstand aus Diäthyläther/Petroläther und Methanol/Diäthyläther umgefällt; Ausbeute: 35,13 g (87% d.Th.); F: 176–177°.

N-tert.-Butyloxycarbonyl-S-äthylamino-carbonyl-L-cysteinyl-glycin-N′-benzyloxycarbonyl-hydrazid [BOC-Cys(EAC)-Gly-NHNH(Z)]: 1,69 g H-Gly-NHNH(Z) · TFA-OH in 5 *ml* Dimethylformamid werden bei —10° zu einer Lösung von 2,48 g BOC-Cys(EAC)-OTCP in 25 *ml* Dimethylformamid gegeben. Nach Zugabe von 0,61 *ml* Triäthylamin rührt man 3 Stdn. bei 0° und 72 Stdn. bei Raumtemp.; nach Entfernen des Lösungsmittels wird der Rückstand in Essigsäure-äthylester gelöst, die Lösung wie üblich gewaschen und getrocknet. Nach Eindampfen i. Vak. wird aus Essigsäure-äthylester umkristallisiert; Ausbeute: 2,3 g (92% d.Th.); F: 164–166°; $[\alpha]_D^{29} = -22,1°$ (c = 1,73; Dimethylformamid); $[\alpha]_D^{26} = -9,2°$ (c = 1,22; Methanol).

S-Äthylamino-carbonyl-L-cysteinyl-glycin-N′-benzyloxycarbonyl-hydrazid-Hydro-trifluoracetat [H-Cys(EAC)-Gly-NHNH(Z) · TFA-OH]: 2,0 g BOC-Cys(EAC)-Gly-NHNH(Z) werden wie üblich mit 10 *ml* 90%-ig-wäßr. Trifluoressigsäure behandelt, das Lösungsmittel i. Vak. entfernt und der Rückstand mit 150 *ml* Diäthyläther versetzt. Der Niederschlag wird abfiltriert, mit Diäthyläther gewaschen und getrocknet; Ausbeute: 2,02 g (98% d.Th.).

Zur Charakterisierung wird eine Probe des Hydro-trifluoracetats in 5%-ig-wäßr. Essigsäure gelöst und auf eine Ionenaustauscher-Säule mit Amberlite IRA 400 (20–50 mesh; Acetat-Form) gebracht. Das Dipeptid-Hydroacetat *H-Cys(EAC)-Gly-NHNH(Z) · Ac-OH* wird aus dem Eluat durch Gefriertrocknung isoliert; $[\alpha]_D^{28} = +9,5$ (c = 2,30; Methanol).

S-Äthylamino-carbonyl-L-cysteinyl-L-tyrosin-N′-benzyloxycarbonyl-hydrazid-Hydro-trifluoracetat [H-Cys(EAC)-Tyr-NHNH(Z) · TFA-OH][2]:

N-tert.-Butyloxycarbonyl-L-tyrosin-N′-benzyloxycarbonyl-hydrazid [BOC-Tyr-NHNH(Z)]: 23,13 g BOC-Tyr-OH · DCHA werden mit wäßr. Citronensäure-Lösung/Essigsäure-äthylester zerlegt, die organische Phase mit Wasser gewaschen, getrocknet und i. Vak. vom Lösungsmittel befreit. Der Rückstand wird in 200 *ml* Essigsäure-äthylester aufgenommen, bei —10° mit 9,9 g

---

[1] E. Wünsch u. G. Wendlberger, B. **97**, 2504 (1964).

[2] H. T. Storey, K. Hofmann et al., Am. Soc. **94**, 6170 (1972).

Benzyloxycarbonyl-hydrazin und 10,32 g Dicyclohexyl-carbodiimid versetzt, eine Stde. in der Kälte und anschließend 18 Stdn. bei Raumtemp. gerührt. Man filtriert, verdünnt das Filtrat mit Essigsäure-äthylester, wäscht die Lösung wie üblich und trocknet sie. Nach Entfernen des Lösungsmittels i. Vak. wird der Rückstand mit Petroläther behandelt und aus Essigsäure-äthylester/Petroläther umkristallisiert; Ausbeute: 21,25 g (99% d.Th.); F: 136–139°; $[\alpha]_D^{26} = -6{,}6°$ (c = 4,52; Methanol).

L-Tyrosin-N'-benzyloxycarbonyl-hydrazid-Monohydroacetat [H-Tyr-NHNH(Z) · Ac-OH]: 8,59 g BOC-Tyr-NHNH(Z) werden mit 100 *ml* kalter 90%-ig-wäßr. Trifluoressigsäure behandelt. Nach Entfernen der überschüss. Trifluoressigsäure i. Vak. wird das verbleibende Öl mit Diäthyläther und anschließend mit Petroläther behandelt, bis es erstarrt. Das getrocknete Rohprodukt wird in wäßr. 10%-iger Essigsäure gelöst und auf eine Säule (2 × 35 cm) mit Ionenaustauscher-Harz (AG1–X2) gebracht, die mit 10%-iger Essigsäure eluiert wird. Die vereinigten Eluate werden eingeengt und gefriergetrocknet; Ausbeute: 5,5 g (70% d.Th.); $[\alpha]_D^{25} = +36{,}9°$ (c = 1,14; Wasser).

N-tert.-Butyloxycarbonyl-S-äthylamino-carbonyl-L-cysteinyl-L-tyrosin-N'-benzyloxycarbonyl-hydrazid [BOC-Cys(EAC)-Tyr-NHNH(Z)]: Man versetzt eine Lösung von 21,8 g H-Tyr-NHNH(Z) · Ac-OH in 450 *ml* Tetrahydrofuran bei −10° unter Rühren mit 26,4 g BOC-Cys(EAC)-OTCP, hält 44 Stdn. bei 4° und entfernt anschließend das Lösungsmittel i. Vak. Der Rückstand wird in Essigsäure-äthylester gelöst, die Lösung gewaschen, getrocknet und etwas eingeengt, worauf man das Rohprodukt mit Petroläther ausfällt. Nochmaliges Umfällen aus Essigsäure-äthylester/Petroläther; Ausbeute: 21,37 g (60% d.Th.); F: 142–144°; $[\alpha]_D^{29} = -37{,}5°$ (c = 3,79; Methanol).

S-Äthylamino-carbonyl-L-cysteinyl-L-tyrosin-N'-benzyloxycarbonyl-hydrazid-Hydro-trifluoracetat [H-Cys(EAC)-Tyr-NHNH(Z) · TFA-OH]: 21,37 g BOC-Cys(EAC)-Tyr-NHNH(Z) werden wie üblich in 100 *ml* 90%-ig-wäßr. Trifluoressigsäure gelöst. Anschließend nimmt man i. Vak. zur Trockene, versetzt den Rückstand mit Diäthyläther/Petroläther (1 : 1), filtriert, wäscht den Niederschlag mit Diäthyläther, trocknet und kristallisiert aus Äthanol/Diäthyläther/Petroläther um; Ausbeute: 17,47 g (80% d.Th.); F: 122–124° (Zers.); $[\alpha]_D^{29} = +2{,}3°$ (c = 1,97; Wasser); $[\alpha]_D^{29} = -7{,}6°$ (c = 2,14; Methanol).

N-Formyl-L-alanyl-S-äthylamino-carbonyl-L-cysteinyl-L-asparagyl-L-tyrosyl-L-threonyl-S-äthylamino-carbonyl-L-cysteinyl-glycyl-L-seryl-L-asparaginyl-S-äthylamino-carbonyl-L-cysteinyl-L-tyrosin-hydrazid-Hydrobromid [FOR-Ala-Cys(EAC)-Asp-Tyr-Thr-Cys(EAC)-Gly-Ser-Asn-Cys(EAC)-Tyr-NHNH$_2$ · HBr][1]:

N-Formyl-L-alanyl-S-äthylamino-carbonyl-L-cysteinyl-L-asparagyl-L-tyrosyl-L-threonyl-S-äthylamino-carbonyl-L-cysteinyl-glycin-hydrazid-Hydrobromid [FOR-Ala-Cys(EAC)-Asp-Tyr-Thr-Cys(EAC)-Gly-NHNH$_2$ · HBr]: 0,23 g FOR-Ala-Cys(EAC)-Asp-Tyr-Thr-Cys(EAC)-Gly-NHNH(Z) werden bei 0° in 15 *ml* einer frisch hergestellten ges. Lösung von Bromwasserstoff in Trifluoressigsäure gelöst. Man leitet 35 Min. bei 0° und 35 Min. bei Raumtemp. Bromwasserstoff ein. Nach Entfernen des Lösungsmittels werden 100 *ml* Diäthyläther zugegeben, der Niederschlag abfiltriert, mit Diäthyläther gewaschen und getrocknet; Ausbeute: 0,21 g (96% d. Th.).

N-Formyl-L-alanyl-S-äthylamino-carbonyl-L-cysteinyl-L-asparagyl-L-tyrosyl-L-threonyl-S-äthylamino-carbonyl-L-cysteinyl-glycyl-L-seryl-L-asparaginyl-S-äthylamino-carbonyl-L-cysteinyl-L-tyrosin-N'-benzyloxycarbonyl-hydrazid [FOR-Ala-Cys(EAC)-Asp-Tyr-Thr-Cys(EAC)-Gly-Ser-Asn-Cys(EAC)-Tyr-NHNH(Z)]: Obiges Heptapeptid-hydrazid-Hydrobromid in 1 *ml* Dimethylformamid wird bei −10° mit 1,53 *ml* einer Lösung von 6,91 n Chlorwasserstoff in 1,4-Dioxan/Dimethylformamid (1 : 10) und 0,28 *ml* einer 10%-igen Lösung von tert.-Butylnitrit in Dimethylformamid versetzt. Man rührt 15 Min. bei −10° und kühlt hierauf auf −25 bis −30°. Nach Zugabe von 1,76 *ml* einer 10%-igen Lösung von Triäthylamin in Dimethylformamid wird 5 Min. bei −25 bis −30° gerührt. Hierauf werden 0,161 g H-Ser-Asn-Cys(EAC)-Tyr-NHNH(Z) · Ac-OH in 1 *ml* Dimethylformamid und 0,29 *ml* einer 10%-igen Lösung von Triäthylamin in Dimethylformamid zugegeben und die Mischung 84 Stdn. bei 4° gerührt (der p_H-Wert wird durch tropfenweise Zugabe von 10%-igem Triäthylamin in Dimethylformamid auf 7,5–8 gehalten). Anschließend verdünnt man mit 100 *ml* Butanol/Methanol/Wasser (1 : 1 : 1) und bringt die Lösung auf eine Säule (1,9 × 7 cm) mit AG 1-X2-Ionenaustauscher-Harz. Man eluiert mit 50 *ml* des gleichen Lösungsmittels, hierauf mit 200 *ml* Butanol/Methanol/0,03 m Essigsäure und 900 *ml* Butanol/Methanol/0,09 m Essigsäure. Man sammelt 20 *ml*-Fraktionen; das gewünschte Produkt wird im letzten Eluierungsmittel durch Absorptionsmessungen bei 280 nm und Dünnschicht-Chromatographie nachgewiesen. Die gesammelten Fraktionen werden vom Lösungsmittel i. Vak. befreit (da das Produkt beim längeren Stehen in den Auffanggläsern ausfällt, werden diese mit Dimethylformamid nachgespült), der Rückstand mit 30 *ml* Essigsäure-äthylester behandelt, zentrifugiert, mit Essigsäure-äthylester nachgewaschen und getrocknet; Ausbeute: 0,224 g (64% d.Th.); $[\alpha]_D^{29} = -43{,}9°$ (c = 1,08; Dimethylformamid).

---

1 H. T. Storey, K. Hofmann et al., Am. Soc. **94**, 6170 (1972).

N-Formyl-L-alanyl-S-äthylamino-carbonyl-L-cysteinyl-L-asparagyl-L-tyrosyl-L-threonyl-S-äthylamino-carbonyl-L-cysteinyl-glycyl-L-seryl-L-asparaginyl-S-äthylamino-carbonyl-L-cysteinyl-L-tyrosin-hydrazid-Hydrobromid [FOR-Ala-Cys(EAC)-Asp-Tyr-Thr-Cys(EAC)-Gly-Ser-Asn-Cys(EAC)-Tyr-$NHNH_2$ · HBr]: 0,135 g des obigen Undecapeptid-N'-benzyloxycarbonyl-hydrazids werden bei 0° in 15 *ml* mit Bromwasserstoff ges. Trifluoressigsäure gelöst. Man leitet 30 Min. bei 0° und 30 Min. bei Raumtemp. Bromwasserstoff ein, entfernt hierauf das Lösungsmittel, versetzt mit 50 *ml* Diäthyläther, filtriert den entstandenen Niederschlag ab, wäscht mit Diäthyläther nach und trocknet; Ausbeute: 0,125 g (96% d. Th.).

N_ω-Nitro-L-arginyl-L-glutamin-N'-benzyloxycarbonyl-hydrazid-Hydrat [H-Arg(NO_2)-Gln-NHNH(Z) · H_2O][1]:

N_α-tert.-Butyloxycarbonyl-N_ω-nitro-L-arginyl-L-glutamin-N'-benzyloxycarbonyl-hydrazid-Hemihydrat [BOC-Arg(NO_2)-Gln-NHNH(Z) · 1/2 H_2O]: Zu einer eiskalten Lösung von 6,2 g BOC-Arg(NO_2)-Gln-OH · C_2H_5OH in 25 *ml* Dimethylformamid werden 2,4 g N,N'-Carbonyl-di-imidazol unter Rühren zugegeben. Man kühlt und rührt bis zum Ende der Kohlendioxid-Entwicklung (~ 1 Stde.). Anschließend werden 2,3 g Benzyloxycarbonyl-hydrazin zugesetzt und 12 Stdn. bei Raumtemp. gerührt. Nach Entfernung des Lösungsmittels i. Vak. wird der ölige Rückstand zwischen 60 *ml* Butanol (ges. mit 2%-iger Essigsäure) und 40 *ml* 2%-iger Essigsäure (ges. mit Butanol) verteilt. Die wäßr. Phase wird 6 mal mit je 60 *ml* Butanol (ges. mit 2%-iger Essigsäure), die Butanol-Phasen 10 mal mit je 40 *ml* 2%-iger Essigsäure (ges. mit Butanol) gewaschen. Die vereinigten Butanol-Phasen werden i. Vak. zur Trockene genommen, das verbleibende Öl in Äthanol gelöst und das Rohprodukt mit Diäthyläther ausgefällt. Nach nochmaligem Umfällen aus Äthanol/Diäthyläther; Ausbeute: 4,05 g (53% d. Th.); $[\alpha]_D^{28} = -19{,}5°$ (c = 3,09; Äthanol); $[\alpha]_D^{28} = -11{,}5$ (c = 3,90; Dimethylformamid).

Zur Herstellung von *BOC-Arg(NO_2)-Gln-NHNH(Z)* aus BOC-Arg(NO_2)-OH und H-Gln-NHNH(Z) mittels Chlorameisensäure-äthylester (63% d. Th.) s. Lit.[1].

N_ω-Nitro-L-arginyl-L-glutamin-N'-benzyloxycarbonyl-hydrazid-Hydrat [H-Arg(NO_2)-Gln-NHNH(Z) · H_2O]: 10,3 g BOC-Arg(NO_2)-Gln-NHNH(Z) · 1/2 H_2O werden in 20 *ml* eiskalter wasserfreier Trifluoressigsäure gelöst und die Lösung 10 Min. bei Raumtemp. belassen. Hierauf werden 200 *ml* eiskalter Diäthyläther zugegeben, die resultierende Suspension 1 Stde. bei –10° belassen, der gebildete Niederschlag abfiltriert und mit Diäthyläther gewaschen. Das hygroskopische Rohprodukt wird in 150 *ml* Wasser gelöst, mit ~ 100 *ml* Amberlite IRA-400 (Acetatform; in Wasser aufgeschlämmt) versetzt, die Suspension 30 Min. gerührt und anschließend das Harz abfiltriert; dieses wird mit 100 *ml* Wasser nachgewaschen. Die Filtrate werden mit 1 n Ammoniumhydroxid auf $p_H = 8$ eingestellt und 6 mal mit je 100 *ml* Butanol (ges. mit 0,01 n Ammoniumhydroxid) extrahiert. Die Butanol-Phasen werden 10 mal mit je 90 *ml* 0,01 n Ammoniumhydroxid (ges. mit Butanol) gewaschen und letztlich i. Vak. zur Trockene genommen. Der Rückstand wird in wenig 1,4-Dioxan/Wasser (1 : 1; Vol./Vol.) gelöst und die Lösung gefriergetrocknet; Ausbeute: 6,61 g (76% d. Th.); $[\alpha]_D^{28} = -11{,}2°$ (c = 3,02; Dimethylformamid) (aus Butanol).

N-tert.-Butyloxycarbonyl-L-phenylalanyl-L-glutamyl(γ-tert.-butylester)-L-arginyl-L-glutaminyl-L-histidyl-L-methionyl(D-S-oxid)-L-asparagyl-L-seryl-L-seryl-L-threonyl-L-seryl-L-alanyl-L-alanin-Hexahydrat [BOC-Phe-Glu(OtBu)-Arg-Gln-His-Met(D-O)-Asp-Ser-Ser-Thr-Ser-Ala-Ala-OH · $6H_2O$][2]:

N-tert.-Butyloxycarbonyl-L-phenylalanyl-L-glutamyl(γ-tert.-butylester)-L-arginyl-L-glutamin-hydrazid-Dihydroacetat-Trihydrat [BOC-Phe-Glu(OtBu)-Arg-Gln-$NHNH_2$ · 2 Ac-OH · $3H_2O$][1]: 0,473 g BOC-Phe-Glu(OtBu)-Arg$(NO)_2$-Gln-NHNH(Z) werden in 20 *ml* Methanol/Essigsäure/Wasser (2 : 1 : 1) wie üblich über Palladium hydriert. Der Katalysator wird abfiltriert und das Filtrat i. Vak. eingedampft. Das verbleibende Öl wird in 5%-iger Essigsäure gelöst und die Lösung gefriergetrocknet; Ausbeute: 0,436 g (95% d. Th.) hygroskopisches Material; $[\alpha]_D^{28} = -33{,}8°$ (c = 0,62; Wasser).

N-tert.-Butyloxycarbonyl-L-phenylalanyl-L-glutamyl(γ-tert.-butylester)-L-arginyl-L-glutaminyl-L-histidyl-L-methionyl(D-S-oxid)-L-asparagyl-L-seryl-L-seryl-L-threonyl-L-seryl-L-alanyl-L-alanin-Hexahydrat [BOC-Phe-Glu(OtBu)-Arg-Gln-His-Met(D-O)-Asp-Ser-Ser-Thr-Ser-Ala-Ala-OH · $6H_2O$][2]: Man bereitet aus 0,923 g (1 mMol) BOC-Phe-Glu(OtBu)-Arg-Gln-$NHNH_2$ · 2Ac-OH · $3H_2O$ in 10 *ml* Dimethylformamid mit 0,72 *ml* (5 mMol) 6,9 n Chlorwasserstoff/1,4-Dioxan und 0,13 *ml* (1,1 mMol) tert.-Butylnitrit bei –25 bis –30° eine Azid-Lösung. Diese wird gerührt, bis der Hydrazid-Test negativ ist (~ 30 Min.). Hierauf kühlt man auf –60°, gibt 0,69 *ml* (5 mMol) Triäthylamin zu und versetzt letztlich mit 0,518 g (0,5 mMol) H-His-Met(D-O)-Asp-Ser-Ser-Thr-Ser-Ala-Ala-OH · Ac-OH · $3H_2O$ in 10 *ml* Wasser, 0,21 *ml* (1,5 mMol) Triäthylamin und 10 *ml* Dimethylformamid. Man rührt 27 Stdn. bei 4° und 72 Stdn. bei Raumtemp.; hierauf

[1] K. Hofmann et al., Am. Soc. **87**, 620 (1965).
[2] K. Hofmann, J. P. Visser u. F. M. Finn, Am. Soc. **91**, 4883 (1969).

befreit man i. Vak. von den Lösungsmitteln. Der Rückstand wird 6mal zwischen je 50 *ml* Butanol und 2%-iger Essigsäure verteilt. Die wäßr. Phasen werden i. Vak. eingedampft, der Rückstand in 80 *ml* 10%-iger Essigsäure gelöst und auf einer Gegenstrom-Apparatur zwischen Butanol und 10%-iger Essigsäure verteilt (187 Überführungen). Der Inhalt der Gefäße 74–99 wird vom Lösungsmittel i. Vak. befreit und der Rückstand gefriergetrocknet; Ausbeute: 0,351 g (41% d. Th.); $[\alpha]_D^{23} = -37{,}4°$ (c = 2,07; 10%-ige Essigsäure).

33.362.1.02. N'-tert.-Butyloxycarbonyl-hydrazide

Auch der umgekehrte Weg, nämlich Schutz des N' am Hydrazid durch die tert.-Butyloxycarbonyl-Gruppe und Schutz der α-Amino-Funktion durch die Benzyloxycarbonyl- oder eine andere, nicht mit Trifluoressigsäure o. ä. spaltbare Schutzgruppe, wird mit Erfolg beschritten.

Erstmals wurde dies von Schwyzer et al.[1,2] durchgeführt. Bei der Verknüpfung von Z-Gly-Gly-OH und tert.-Butyloxycarbonyl-hydrazin (zur Herstellung dieses Reagenzes s. Lit. [3,4] u. S. 119) mittels Dicyclohexyl-carbodiimid in kaltem Methanol wurde *Z-Gly-Gly-NHNH(BOC)* erhalten, aus dem sich sowohl die N-Benzyloxycarbonyl- als auch die N'-tert.-Butyloxycarbonyl-Gruppe selektiv abspalten ließen[1,5]. Bei Hydraziden, die schwer löslich sind, kann die zur Abspaltung der N'-tert.-Butyloxycarbonyl-Gruppe verwendete Trifluoressigsäure gleich als Lösungsmittel für die Azid-Bildung herangezogen werden[2] (s. S. 439, II/303).

Die Herstellung der N-Acyl-aminosäure(-peptid-)-N'-tert.-butyloxycarbonyl-hydrazide erfolgt nach den gleichen Methoden wie die der N-Acyl-aminosäure-N'-benzyloxycarbonyl-hydrazide [meist mittels der Dicyclohexyl-carbodiimid-Methode (s. S. II/107; z. B. Lit.[1,5–9] oder des Kohlensäure-Mischanhydrid-Verfahrens (s. S. II/171; z. B. Lit.[6,8–12])], die Abspaltung der N_α-Schutzgruppe nach den üblichen Methoden, die Abspaltung der N'-tert.-Butyloxycarbonyl-Gruppe mittels Trifluoressigsäure[1,12], Chlorwasserstoff/Essigsäure-äthylester[5], Chlorwasserstoff/Äthanol[10], Chlorwasserstoff/Methanol[5] oder Chlorwasserstoff/1,4-Dioxan[11,13].

Beim Arbeiten mit einem Peptid mit carboxy-endständigem -Phe-NHNH(BOC) wurde ein teilweiser Verlust der N'-tert.-Butyloxycarbonyl-Gruppe beobachtet, wenn beim Abdestillieren der Lösungsmittel Temperaturen über 36° vorlagen. Bei carboxy-endständigem -Gly-NHNH(BOC) wurde dies nicht festgestellt[14].

Zur Verwendung von Aminosäure-N'-tert.-butyloxycarbonyl-hydraziden zur Peptid-Synthese an fester Phase[13] s. S. II/314.

L-Phenylalanin-N'-tert.-butyloxycarbonyl-hydrazid [H-Phe-NHNH(BOC)][12]:

N-Benzyloxycarbonyl-L-phenylalanin-N'-tert.-butyloxycarbonyl-hydrazid [Z-Phe-NHNH(BOC)]: Zu 59,9 g Z-Phe-OH in 400 *ml* Tetrahydrofuran und 27,9 *ml* Triäthylamin läßt man unter Rühren bei −10° 19,2 *ml* Chlorameisensäure-äthylester zutropfen. Nach 10 Min. werden 26,5 g tert.-Butyloxycarbonyl-hydrazin (Herstellung s. S. 119) zugegeben, und der Ansatz wird 4 Stdn. bei

---

1 R. Schwyzer, Ang. Ch. **71**, 742 (1959).
2 R. Schwyzer, E. Surbeck-Wegmann u. H. Dietrich, Chimia **14**, 366 (1960).
vgl. J. Meienhofer, Acta chim. Acad. Sci. hung. **48**, 171 (1966).
3 L. A. Carpino, Am. Soc. **79**, 98 (1957).
4 Yu. A. Ovchinnikov et al., Experientia **21**, 418 (1965).
5 R. Schwyzer u. A. Tun-Kyi, Helv. **45**, 859 (1962).
6 E. Wünsch, F. Drees u. J. Jentsch, B. **98**, 803 (1965).
7 E. Wünsch u. F. Drees, B. **99**, 110 (1966).
8 J. Beacham, K. Hofmann et al., Am. Soc. **93**, 5526 (1971).
9 K. Kawasaki, K. Hofmann et al., Am. Soc. **95**, 6815 (1973).
10 R. A. Boissonnas, S. Guttmann u. P.-A. Jaquenoud, Helv. **43**, 1349 (1960).
11 S. Guttmann, Helv. **44**, 721 (1961).
12 E. Wünsch u. G. Wendlberger, B. **97**, 2504 (1964).
13 A. M. Felix u. R. B. Merrifield, Am. Soc. **92**, 1385 (1970).
14 R. Camble, K. Hofmann et al., Am. Soc. **94**, 2091 (1972).

Raumtemp. gerührt. Nach Abziehen des Tetrahydrofurans i. Vak. verteilt man den Rückstand zwischen Essigsäure-äthylester und Wasser, wäscht die organische Phase wie üblich mit Citronensäure- und Kaliumhydrogencarbonat-Lösung und trocknet über Natriumsulfat. Der nach Eindampfen i. Vak. erhaltene Rückstand kristallisiert beim Verreiben mit Petroläther; Ausbeute: 69,5 g (84% d.Th.); F: 81–84° (aus Diäthyläther).

L-Phenylalanin-N'-tert.-butyloxycarbonyl-hydrazid [H-Phe-NHNH(BOC)]: 98 g Z-Phe-NHNH(BOC) werden wie üblich in Methanol über Palladium-Schwarz hydrogenolytisch entacyliert, das Filtrat i. Vak. eingeengt und der Rückstand aus Äthanol/Petroläther oder Essigsäure-äthylester/Petroläther umkristallisiert; Ausbeute: 63 g (95,5% d.Th.); F: 115–116°; $[\alpha]_D^{20} = +20,0 \pm 0,5°$ (c = 1,85; Äthanol).

Zur weiteren Umsetzung zu PHT=Thr-Phe-NHNH(BOC)[1] und zu PHT=Thr-Phe-Thr-Ser(BZL)-NHNH(Z)[1] über PHT=Thr-Phe-N_3 s. S. 257.

L-Arginyl-L-prolyl-L-prolyl-glycyl-L-phenylalanyl-L-seryl-L-prolyl-L-phenylalanyl-L-arginin-Dihydrochlorid [H-Arg-Pro-Pro-Gly-Phe-Ser-Pro-Phe-Arg-OH · 2HCl; Bradykinin-Dihydrochlorid][2]:

N-Benzyloxycarbonyl-L-prolyl-glycin-N'-tert.-butyloxycarbonyl-hydrazid [Z-Pro-Gly-NHNH(BOC)]: Man löst 29,7 g (0,097 Mol) Z-Pro-Gly-OH und 13,6 *ml* (0,097 Mol) Triäthylamin in 250 *ml* Tetrahydrofuran, kühlt auf −10°, fügt 9,3 *ml* (0,097 Mol) Chlorameisensäure-äthylester und nach 10 Min. 12,8 g (0,097 Mol) tert.-Butyloxycarbonyl-hydrazin hinzu und beläßt 5 Stdn. bei Raumtemp. Nach Abziehen des Lösungsmittels i. Vak. wird der Rückstand in 300 *ml* Essigsäure-äthylester aufgenommen; man wäscht die Lösung 3mal mit Wasser und 3mal mit 1 n Ammoniumhydroxid, trocknet über Natriumsulfat, entfernt das Lösungsmittel i. Vak., trocknet den Rückstand i. Hochvak. und löst in 75 *ml* trockenem Diäthyläther. Nach 16stdgm. Belassen im Kühlschrank wird filtriert, mit wenig Diäthyläther und Diäthyläther/Petroläther nachgewaschen und i. Vak. getrocknet; Ausbeute: 18,9 g (46% d.Th.); F: 119°; $[\alpha]_D^{21} = -30,0 \pm 0,5°$ (c = 2,0; Dimethylformamid); $[\alpha]_D^{21} = -44,5 \pm 0,5°$ (c = 2,0; Methanol).

L-Prolyl-glycin-N'-tert.-butyloxycarbonyl-hydrazid [H-Pro-Gly-NHNH(BOC)]: 16,8 g (0,04 Mol) Z-Pro-Gly-NHNH(BOC) in 500 *ml* Methanol werden katalytisch hydriert, anschließend der Katalysator abfiltriert, das Lösungsmittel i. Vak. entfernt, der Rückstand in 100 *ml* Acetonitril aufgenommen und die Lösung wieder i. Vak. zur Trockene verdampft. Der Rückstand wird aus Diäthyläther/Petroläther umgefällt; Ausbeute: 11,2 g (98% d.Th.); F: 69°; $[\alpha]_D^{21} = -29,6 \pm 0,5°$ (c = 2,0; Dimethylformamid) bzw. −33,5 ± 0,5° (c = 2,0; Methanol).

N_α-Benzyloxycarbonyl-N_ω-nitro-L-arginyl-L-prolyl-L-prolyl-glycin-N'-tert.-butyloxycarbonyl-hydrazid [Z-Arg(NO_2)-Pro-Pro-Gly-NHNH(BOC)]: 8,56 g (0,019 Mol) Z-Arg(NO_2)-Pro-OH und 5,73 g (0,02 Mol) H-Pro-Gly-NHNH(BOC) werden in 150 *ml* Acetonitril und 20 *ml* Dimethylformamid gelöst, auf −5° gekühlt und mit 5,15 g (0,025) Mol Dicyclohexyl-carbodiimid versetzt. Nach 12 Stdn. bei Raumtemp. wird filtriert, das Filtrat i. Vak. eingeengt, mit Diäthyläther versetzt, der Niederschlag abfiltriert, mit Petroläther gewaschen und in 500 *ml* Chloroform gelöst. Man wäscht die Lösung 2mal mit je 20 *ml* 1 m Phosphorsäure, 3 mal mit je 20 *ml* 1 n Natriumcarbonat- und einmal mit 20 *ml* 30%-iger Natriumchlorid-Lösung, trocknet über Natriumsulfat, entfernt das Lösungsmittel i. Vak., behandelt den Rückstand mit Petroläther und wäscht letztlich mit Diäthyläther; Ausbeute: 11,3 g (83% d.Th.); F: 115° (Zers.); $[\alpha]_D^{22} = -66,6 \pm 0,5°$ (c = 1,2; Methanol) bzw. −39,9 ± 0,5° (c = 1,6; Dimethylformamid).

N_α-Benzyloxycarbonyl-N_ω-nitro-L-arginyl-L-prolyl-L-prolyl-glycin-hydrazid-Hydrochlorid [Z-Arg(NO_2)-Pro-Pro-Gly-$NHNH_2$ · HCl]: Man löst 7,19 g (0,01 Mol) Z-Arg(NO_2)-Pro-Pro-Gly-NHNH(BOC) in 45 *ml* 4 n Chlorwasserstoff/Äthanol, beläßt 1 Stde. bei Raumtemp., engt i. Vak. ein und behandelt den Rückstand mit Diäthyläther. Man filtriert und trocknet i. Vak.; Ausbeute: 6,42 g (98% d.Th.); F: 123° (Zers.).

N_α-Benzyloxycarbonyl-N_ω-nitro-L-arginyl-L-prolyl-L-prolyl-glycyl-L-phenylalanyl-L-seryl-L-prolyl-L-phenylalanyl-N_ω-nitro-L-arginin-4-nitro-benzylester [Z-Arg(NO_2)-Pro-Pro-Gly-Phe-Ser-Pro-Phe-Arg(NO_2)-ONB]: Man löst 0,983 g (0,0015 Mol) Z-Arg(NO_2)-Pro-Pro-Gly-$NHNH_2$ · HCl in 10 *ml* Dimethylformamid und 1,3 *ml* 4 n Salzsäure, kühlt auf −5°, versetzt mit 0,33 *ml* einer 5 *n* Natriumnitrit-Lösung und 2 *ml* Dimethylformamid, rührt 5 Min. bei −5° und gibt 2 *ml* 25%-ige Kaliumcarbonat-Lösung dazu. Nach weiterem 2min. Rühren liegt der p_H-Wert bei 7,0 ± 0,5. Man setzt 5 *ml* eiskalten Essigsäure-äthylester zu und trocknet rasch über Natriumsulfat. Man filtriert, wäscht mit 5 *ml* Dimethylformamid nach und versetzt das Filtrat mit 1,24 g (0,0015 Mol) H-Phe-Ser-Pro-Phe-Arg(NO_2)-ONB. Man hält die Lösung 3 Tage bei 0°, entfernt die Lösungsmittel i. Vak., behandelt den Rückstand mit Diäthyläther und filtriert das Rohprodukt ab. Dieses wird in 40 *ml*

---

[1] E. Wünsch u. G. Wendlberger, B. **97**, 2504 (1964).

[2] R. A. Boissonnas, S. Guttmann u. P.-A. Jaquenoud, Helv. **43**, 1349 (1960).

1,4-Dioxan und 10 *ml* Wasser gelöst und über einen sauren Ionenaustauscher (Dowex-50 W-X4), danach über einen basischen (Amberlite IRA-410) geschickt. Das Filtrat wird i. Vak. zur Trockene genommen, der Rückstand mit Diäthyläther behandelt, filtriert und getrocknet (Rohausbeute: 2,02 g). Das Material wird nun in eine Gegenstrom-Apparatur gebracht und im System Chloroform/Tetrachlormethan/ Methanol/0,33 n Ammoniumhydroxid (8 : 7 : 3 : 3) verteilt. Nach 150 Überführungen enthalten die Gefäße 6 bis 25 das Hauptprodukt (K = 0,14); die gesammelten Fraktionen werden i. Vak. vom Lösungsmittel befreit, der Rückstand mit Diäthyläther behandelt, filtriert und i. Hochvak. getrocknet; Ausbeute: 1,31 g (65% d. Th.); F: 185° (Zers.); $[\alpha]_D^{22}$ = −47,2 ± 0,5° (c = 1,8; Methanol) bzw. −44,6 ± 0,5° (c = 2,1; Dimethylformamid).

L-Arginyl-L-prolyl-L-prolyl-glycyl-L-phenylalanyl-L-seryl-L-prolyl-L-phenylalanyl-L-arginin-Dihydrochlorid [H-Arg-Pro-Pro-Gly-Phe-Ser-Pro-Phe-Arg-OH · 2HCl]: Man löst 0,296 g (0,21 mMol) Z-Arg(NO_2)-Pro-Pro-Gly-Phe-Ser-Pro-Phe-Arg(NO_2)-ONB in 10 *ml* Essigsäure und 6 *ml* 0,2 n Salzsäure und hydriert wie üblich 30 Stdn. bei Raumtemp. über Palladium-Schwarz. Man zentrifugiert und entfernt hierauf das Lösungsmittel i. Vak. Der Rückstand wird einer Gegenstrom-Verteilung im System sek.-Butanol/Wasoser/Trifluressigsäure (120 : 160 : 1) unterworfen (200 Überführungen). Das Produkt befindet sich in den Gefäßen 80 bis 110 (K = 0,91); die gesammelten Fraktionen werden i. Vak. zur Trockene genommen, der Rückstand mit Diäthyläther behandelt, filtriert und i. Hochvak. getrocknet. Man erhält 0,20 g (86% d. Th.) Produkt als Hydro-trifluoracetat, das mittels eines Ionenaustauschers in das Hydrochlorid überführt wird.

N-Benzyloxycarbonyl-L-leucyl-L-valyl-L-glutamyl(γ-tert.-butylester)-L-alanin-N′-tert.-butyloxycarbonyl-hydrazid [Z-Leu-Val-Glu(OtBu)-Ala-NHNH(BOC)][1]:

N-Benzyloxycarbonyl-L-valin-N′-tert.-butyloxycarbonyl-hydrazid [Z-Val-NHNH(BOC)][1, vgl. 2]: 25,2 g (0,1 Mol) Z-Val-OH und 14 g (0,106 Mol) tert.-Butyloxycarbonyl-hydrazin in 200 *ml* Acetonitril werden bei 0° mit 23 g (0,11 Mol) Dicyclohexyl-carbodiimid versetzt. Nach 6stdgm. Rühren bei Raumtemp. wird 1 *ml* Essigsäure zugegeben, nach weiteren 30 Min. vom N,N′-Dicyclohexylharnstoff abfiltriert und mit Essigsäure-äthylester nachgewaschen. Man verdünnt das Filtrat mit 500 *ml* Essigsäure-äthylester, wäscht je 2mal mit 1 m Citronensäure-, 1 m Natriumhydrogencarbonat-Lösung und Wasser und trocknet über Magnesiumsulfat. Nach Entfernung der Lösungsmittel wird der Rückstand aus Essigsäure-äthylester/Hexan und Äthanol/Wasser umkristallisiert; Ausbeute: 26,5 g (73% d. Th.); F: 140–141°; $[\alpha]_D^{25}$ = −41,0° (c = 1; Methanol); $[\alpha]_D^{25}$ = −15,3° (c = 1; Dimethylformamid).

N-Benzyloxycarbonyl-L-leucyl-L-valin-N′-tert.-butyloxycarbonyl-hydrazid[Z-Leu-Val-NHNH(BOC)][1]: 18,3 g (0,05 Mol) Z-Val-NHNH(BOC) werden in 200 *ml* Methanol mit 2 g Palladium-Schwarz bei Raumtemp. hydriert. Nach Filtration wird die Lösung eingedampft, der Rückstand in Essigsäure-äthylester gelöst und mit 18,2 g (0,05 Mol) Z-Leu-OSU versetzt. Man beläßt 20 Stdn. bei Raumtemp., filtriert hierauf das Rohprodukt ab, wäscht mit Essigsäure-äthylester und Wasser nach und kristallisiert aus Äthanol/Wasser um; Ausbeute: 18,6 g (77% d. Th.); F: 166–167°; $[\alpha]_D^{25}$ = −64,7° (c = 1; Methanol).

N-Benzyloxycarbonyl-L-leucyl-L-valyl-L-glutamyl(γ-tert.-butylester)-L-alanin-N′-tert.-butyloxycarbonyl-hydrazid [Z-Leu-Val-Glu(OtBu)-Ala-NHNH(BOC)][1]: 8,35 g (0,016 Mol) Z-Glu(OtBu)-Ala-NHNH(BOC) werden in 250 *ml* Essigsäure-äthylester in Gegenwart von 3 g Palladium-Schwarz wie üblich hydriert. – Zur Herstellung der Azid-Lösung werden 7,2 g (0,015 Mol) Z-Leu-Val-NHNH(BOC) in 10 *ml* Trifluoressigsäure gelöst, nach 1 Stde. bei Raumtemp. mit 24 *ml* 2 n Salzsäure versetzt, auf −3° gekühlt und mit 1,14 g Natriumnitrit in 10 *ml* Wasser versetzt. Nach 5 Min. bei −3° nimmt man in 100 *ml* Essigsäure-äthylester auf, wäscht die organische Phase mit 1m Natriumhydrogencarbonat-Lösung, trocknet und vereinigt sie mit der Amin-Lösung. Man beläßt 24 Stdn. bei 0° und 24 Stdn. bei Raumtemp., filtriert das Rohprodukt ab und wäscht es mit Essigsäure-äthylester, 0,5 n Schwefelsäure, 1 m Natriumhydrogencarbonat-Lösung und Wasser. Es wird 2mal aus Äthanol/Wasser umkristallisiert; Ausbeute: 9,4 g (77% d. Th.); F: 224–225°; $[\alpha]_D^{23}$ = −23,1° (c = 1; Dimethylformamid); $[\alpha]_D^{23}$ = −50,2° (c = 1; Essigsäure).

N-Benzyloxycarbonyl-L-leucyl-L-alanyl-glycin-N′-tert.-butyloxycarbonyl-hydrazid [Z-Leu-Ala-Gly-NHNH(BOC)][3]:

N-Benzyloxycarbonyl-L-alanyl-glycin-N′-tert.-butyloxycarbonyl-hydrazid [Z-Ala-Gly-NHNH(BOC)]: Zu einer eiskalten Lösung von 28,0 g Z-Ala-Gly-OH, 13,2 g tert.-Butyloxycarbonyl-hydrazin und 2,3 g N-Hydroxy-succinimid in 200 *ml* Tetrahydrofuran werden 20,6 g Dicyclohexyl-carbodiimid in 50 *ml* Tetrahydrofuran gegeben. Man rührt 1 Stde. bei 0° und 3 Stdn. bei Raumtemp. und filtriert hierauf. Das Filtrat wird i. Vak. vom Lösungsmittel befreit, der Rückstand in 250 *ml* Essig-

---

[1] J. Meienhofer, Acta chim. Acad. Sci. hung. **48**, 171 (1966).
[2] E. Wünsch u. F. Drees, B. **99**, 110 (1966).
[3] K. Kawasaki, K. Hofmann et al., Am. Soc. **95**, 6815 (1973).

säure-äthylester gelöst, die Lösung wie üblich gewaschen, getrocknet und i. Vak. eingedampft. Umkristallisation aus wäßr. Methanol; Ausbeute: 32,1 g (81% d. Th.); F: 93–94°; $[\alpha]_D^{28} = -8{,}6°$ (c = 4,36; Methanol).

L-Alanyl-glycin-N'-tert.-butyloxycarbonyl-hydrazid-Hydroacetat [H-Ala-Gly-NHNH(BOC) · Ac-OH]: 15,8 g Z-Ala-Gly-NHNH(BOC) werden in 150 *ml* Methanol und 25 *ml* 10%-ig. wäßr. Essigsäure über Palladium wie üblich hydriert. Der Katalysator wird abfiltriert und das Filtrat i. Vak. eingedampft. Der Rückstand wird in Wasser/1,4-Dioxan gelöst und gefriergetrocknet; Ausbeute: 13,0 g (100% d. Th.); F: 235–236° (Zers.); $[\alpha]_D^{26} = +14{,}9°$ (c = 3,43; Wasser).

N-Benzyloxycarbonyl-L-leucyl-L-alanyl-glycin-N'-tert.-butyloxycarbonyl-hydrazid [Z-Leu-Ala-Gly-NHNH(BOC)]: Zu einer Lösung von 16,2 g H-Ala-Gly-NHNH(BOC) · Ac-OH und 6,0 *ml* Triäthylamin in 150 *ml* Dimethylformamid werden 18,1 g Z-Leu-OSU gegeben. Nach 6 stdgm. Rühren bei Raumtemp. wird das Lösungsmittel i. Vak. entfernt, der Rückstand in 300 *ml* Essigsäure-äthylester gelöst, die Lösung wie üblich gewaschen, getrocknet und letztlich das Lösungsmittel i. Vak. abgedampft. Der Rückstand wird aus Essigsäure-äthylester umkristallisiert; Ausbeute: 19,8 g (78% d. Th.); F: 187°; $[\alpha]_D^{26} = -29{,}0°$ (c = 3,40; Methanol).

N-Benzyloxycarbonyl-L-asparaginyl-L-glutamyl-L-asparaginyl-L-asparaginyl-L-glutaminyl-L-leucyl-L-alanyl-glycyl-L-valyl-L-isoleucyl-L-threonyl-L-histidyl-L-threonyl-glycin-hydrazid-Bis-hydro-trifluoracetat [Z-Asn-Glu-Asn-Asn-Gln-Leu-Ala-Gly-Val-Ile-Thr-His-Thr-Gly-NHNH$_2$ · 2TFA-OH][1]:

N-Benzyloxycarbonyl-L-asparaginyl-L-glutamyl-L-asparaginyl-L-asparaginyl-L-glutaminyl-L-leucyl-L-alanyl-glycin-hydrazid-Hydro-trifluoracetat [Z-Asn-Glu-Asn-Asn-Gln-Leu-Ala-Gly-NHNH$_2$ · TFA-OH]: Man löst 0,3 g Z-Asn-Glu(OtBu)-Asn-Asn-Gln-Leu-Ala-Gly-NHNH(BOC) · H_2O in 3 *ml* 90%-iger Trifluoressigsäure und hält 1 Stde. bei Raumtemp. Anschließend wird der Überschuß an Trifluoressigsäure i. Vak. entfernt und der Rückstand mit Diäthyläther versetzt. Man filtriert und trocknet i. Vak. über Phosphor(V)-oxid und festem Kaliumhydroxid; Ausbeute: 0,28 g (97% d. Th.); $[\alpha]_D^{28} = -24{,}9°$ (c = 0,98; Dimethylsulfoxid).

N-Benzyloxycarbonyl-L-asparaginyl-L-glutamyl-L-asparaginyl-L-asparaginyl-L-glutaminyl-L-leucyl-L-alanyl-glycyl-L-valyl-L-isoleucyl-L-threonyl-L-histidyl-L-threonyl-glycin-N'-tert.-butyloxycarbonyl-hydrazid [Z-Asn-Glu-Asn-Asn-Gln-Leu-Ala-Gly-Val-Ile-Thr-His-Thr-Gly-NHNH(BOC)]: Man löst 0,056 g Z-Asn-Glu-Asn-Asn-Gln-Leu-Ala-Gly-NHNH$_2$ · TFA-OH in 0,8 *ml* Dimethylsulfoxid und 0,8 *ml* Dimethylformamid und kühlt auf −10°. Man fügt 0,33 *ml* einer Lösung von 7,7 n Chlorwasserstoff in 1,4-Dioxan/Dimethylformamid (1:10) und 0,07 *ml* 10%-iges tert.-Butylnitrit in Dimethylformamid hinzu und rührt 10 Min. bei −10°. Nach Kühlen auf −20° werden 0,48 *ml* 10%-iges Triäthylamin in Dimethylformamid zugegeben und hierauf 0,043 g H-Val-Ile-Thr-His-Thr-Gly-NHNH(BOC) · 2Ac-OH in 0,5 *ml* Dimethylformamid und 0,14 *ml* 10%-iges Triäthylamin in Dimethylformamid. Man rührt 48 Stdn. bei 4°, fällt danach das Produkt mit Essigsäure-äthylester aus, wäscht nach und trocknet i. Vak.; Ausbeute: 0,087 g.

N-Benzyloxycarbonyl-L-asparaginyl-L-glutamyl-L-asparaginyl-L-asparaginyl-L-glutaminyl-L-leucyl-L-alanyl-glycyl-L-valyl-L-isoleucyl-L-threonyl-L-histidyl-L-threonyl-glycin-hydrazid-Bis-hydro-trifluoracetat [Z-Asn-Glu-Asn-Asn-Gln-Leu-Ala-Gly-Val-Ile-Thr-His-Thr-Gly-NHNH$_2$ · 2TFA-OH]: Man löst 0,087 g Z-Asn-Glu-Asn-Asn-Gln-Leu-Ala-Gly-Val-Ile-Thr-His-Thr-Gly-NHNH(BOC) in 1,2 *ml* eiskalter 90%-iger Trifluoressigsäure, hält 10 Min. bei 0° und 30 Min. bei Raumtemp. und fällt hierauf das Rohprodukt mit Diäthyläther aus. Man filtriert, wäscht mit Diäthyläther und trocknet (Rohausbeute: 0,086 g). Man löst das Material in 2,5 *ml* 45%-iger Ameisensäure, bringt die Lösung auf eine Säule (1 × 120 cm) mit Sephadex G-25 und eluiert mit dem gleichen Lösungsmittel. Man sammelt 1,5 *ml*-Fraktionen (Durchflußgeschwindigkeit: 1,5 *ml*/10 Min.), die mit Dünnschicht-Chromatographie überprüft werden. Die Fraktionen mit identischem Material werden vereinigt und gefriergetrocknet; Ausbeute: 0,05 g (54% d. Th.; über 2 Stufen).

33.362.1.03. N'-(2,2,2-Trichlor-äthoxycarbonyl)-hydrazide

Die von Woodward et al.[2] in die Peptidchemie eingeführte 2,2,2-Trichlor-äthoxycarbonyl-Schutzgruppe (s. S. 103) kann ebenfalls als Hydrazid-N'-Schutzgruppe herangezogen werden[3]. Bei der Umsetzung von Chlorameisensäure-2,2,2-trichlor-äthylester[4] oder (2,2,2-Trichlor-äthyl)-(4-nitro-phenyl)-carbonat mit 80%-igem Hydrazin-Hydrat wurde 2,2,2-

[1] K. Kawasaki, K. Hofmann et al., Am. Soc. **95**, 6815 (1973).
[2] R. B. Woodward et al., Am. Soc. **88**, 852 (1966).
[3] H. Yajima u. Y. Kiso, Chem. Pharm. Bull. (Tokyo) **19**, 420 (1971).
[4] T. B. Windholz u. D. B. R. Johnston, Tetrahedron Letters **1967**, 2555.

Trichlor-äthoxycarbonyl-hydrazin in 68 bzw. 89%-iger Ausbeute erhalten. Die Umsetzung mit N-Acyl-aminosäuren erfolgt nach der Dicyclohexyl-carbodiimid-Methode oder mittels Chlorameisensäure-äthyl(bzw. -isobutyl)ester (85–93% d. Th.). Die 2,2,2-Trichlor-äthoxy-carbonyl-Gruppe wird, wie bei der Verwendung als Amin-Schutzgruppe, mit Zinkstaub in Methanol oder Essigsäure abgespalten[1, vgl. 2]. Unter diesen Bedingungen sind die N-Benzyloxycarbonyl-, die N-tert.-Butyloxycarbonyl-, die Benzylester- und die tert.-Butylester-Gruppe stabil[3].

Umsetzungen mit N_α-freien Aminosäure-N'-(2,2,2-trichlor-äthoxycarbonyl)-hydraziden wurden bisher nicht beschrieben.

33.362.1.04. N'-Trifluoracetyl-hydrazide

Die Verwendung der alkali-labilen Trifluoracetyl-Schutzgruppe (s. S. 171) für Hydrazide[4] soll mehr Variations-Möglichkeiten erbringen als die bisher beschriebenen Gruppen. Bei der Umsetzung von NPS-Ala-$NHNH_2$ mit Trifluoressigsäure-4-nitro-phenylester und Triäthylamin in Dimethylformamid wurde *NPS-Ala-NHNH(TFA)* erhalten, daraus mittels Chlorwasserstoff/Essigsäure-äthylester *H-Ala-NHNH(TFA) · HCl*; dieses ergab mit Z-Ala-OH und Dicyclohexyl-carbodiimid/Triäthylamin in Dichlormethan oder Chloroform *Z-Ala-Ala-NHNH(TFA)*. Daraus wurde die N'-Trifluoracetyl-Gruppe durch Erhitzen unter Rückfluß in Methanol mit verd. wäßr. Natronlauge abgespalten. Im Falle von Z-Ala-$NHNH_2$ wurde dieses in Tetrahydrofuran mit Trifluoressigsäure mittels Dicyclohexyl-carbodiimid zum *Z-Ala-NHNH(TFA)* verknüpft.

Nähere experimentelle Angaben fehlen bisher.

33.362.1.05. N'-Formyl-hydrazide

Bei der Umsetzung von z.B. Z-Gly-OH mit Formyl-hydrazin mittels der Mischanhydrid-Methode wurde *Z-Gly-NHNH(FOR)* erhalten[5]. Dieses ergab mit Bromwasserstoff/Essigsäure *H-Gly-NHNH(FOR) · HBr*, mit N-Brom-succinimid (vgl. S. II/323) in wäßr. Aceton *Z-Gly-OH*. Wird die Oxidation in Gegenwart von Benzylamin durchgeführt, erhält man *Z-Gly-NH(BZL)*.

Peptidsynthesen mit Aminosäure-N'-formyl-hydraziden wurden bisher nicht beschrieben.

33.362.1.06. N'-Polymer-acyl-gebundene Hydrazide

Bei der Umsetzung von N-Acyl-aminosäuren mit Polymer-tert.-amyloxycarbonyl-hydrazin (I) werden N-Acyl-aminosäure-N'-(polymer-tert.-amyloxycarbonyl)-hydrazide (II) erhalten, Verbindungen, die die Vorzüge der Methode der N'-geschützten Hydrazide und der Peptidsynthese an fester Phase[6] (s. S. 371) vereinigen sollen[7–9].

---

1 T. B. Windholz u. D. B. R. Johnston, Tetrahedron Letters **1967**, 2555.

2 J. Grimshaw, Soc. **1965**, 7136.

3 H. Yajima u. Y. Kiso, Chem. Pharm. Bull. (Tokyo) **19**, 420 (1971).

4 J. Preston u. B. Weinstein, Experientia **24**, 265 (1967).

5 D. Biedrzycka u. J. F. Biernat, Roczniki Chem. **44**, 2477 (1970); C. A. **75**, 36625 (1971).

6 J. M. Stewart u. J. D. Young, *Solid Phase Peptide Synthesis*, W. H. Freeman & Co., San Francisco 1969.

7 S.-S. Wang u. R. B. Merrifield, Am Soc. **91**, 6488 (1969).

8 S.-S. Wang u. R. B. Merrifield, *Peptides* 1969, Proc. 10th Europ. Symp., Abano Terme; North-Holl. Publ. Co., Amsterdam **1971**, S. 74.

9 S.-S. Wang u. R. B. Merrifield, Int. J. Pept. Prot. Res. **4**, 309 (1972).

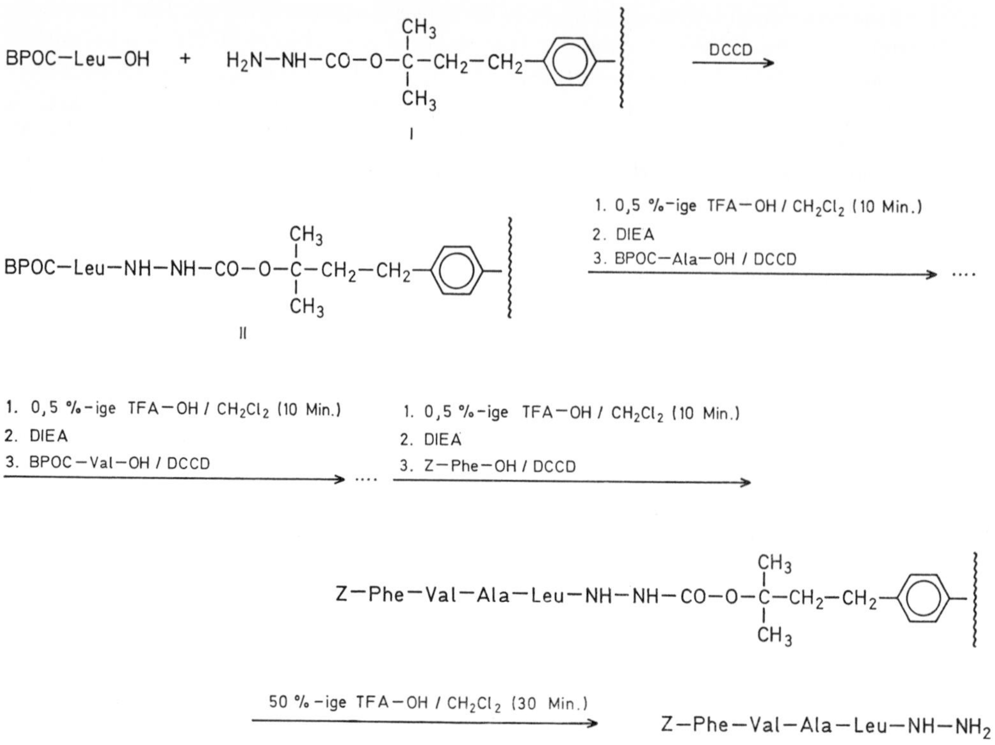

$$\text{BPOC-Leu-OH} + \text{H}_2\text{N-NH-CO-O-C(CH}_3)_2\text{-CH}_2\text{-CH}_2\text{-C}_6\text{H}_4\text{-(Polymer)} \xrightarrow{\text{DCCD}}$$

I

$$\text{BPOC-Leu-NH-NH-CO-O-C(CH}_3)_2\text{-CH}_2\text{-CH}_2\text{-C}_6\text{H}_4\text{-(Polymer)}$$

II

1. 0,5 %-ige TFA–OH / CH_2Cl_2 (10 Min.)
2. DIEA
3. BPOC–Ala–OH / DCCD
→ ....

1. 0,5 %-ige TFA–OH / CH_2Cl_2 (10 Min.)
2. DIEA
3. BPOC–Val–OH / DCCD
→ ....

1. 0,5 %-ige TFA–OH / CH_2Cl_2 (10 Min.)
2. DIEA
3. Z–Phe–OH / DCCD
→

$$\text{Z-Phe-Val-Ala-Leu-NH-NH-CO-O-C(CH}_3)_2\text{-CH}_2\text{-CH}_2\text{-C}_6\text{H}_4\text{-(Polymer)}$$

$$\xrightarrow{\text{50 \%-ige TFA-OH / CH}_2\text{Cl}_2\text{ (30 Min.)}} \text{Z-Phe-Val-Ala-Leu-NH-NH}_2$$

DCCD = Dicyclohexyl-carbodiimid
TFA–OH = Trifluoressigsäure
DIEA = Diisopropyl-äthyl-amin

Ausgehend von BPOC-Leu-NHNH(ØAOC) (II) konnte durch stufenweise Verknüpfung mit BPOC-Ala-OH, BPOC-Val-OH und Z-Phe-OH mittels Dicyclohexyl-carbodiimid *Z-Phe-Val-Ala-Leu-NHNH$_2$* in 76%-iger Gesamtausbeute hergestellt werden[1,2]. Unter den Bedingungen, die zur Abspaltung der 2-[Biphenylyl-(4)]-propyl-(2)-oxycarbonyl-Gruppen notwendig sind (0,5%-ige Trifluoressigsäure in Dichlormethan, 10 Min.), ist die Polymer-tert.-amyloxycarbonyl-Gruppe stabil; diese wird mit 50%-iger Trifluoressigsäure in Dichlormethan innerhalb 30 Min. quantitativ gespalten.

Z-Ala-Val-Ser(BZL)-Glu(OBZL)-Ile-Gln-Phe-Met(O)-Asn-Leu-NHNH(ØAOC) konnte, zum Teil mittels Dicyclohexyl-carbodiimid, teils nach der 4-Nitro-phenylester-Methode, in nahezu quantitativer Ausbeute synthetisiert werden (nach Abspaltung der N'-Polymer-tert.-amyloxycarbonyl-Gruppe: 36% d. Th.)[3].

L-Asparagyl-L-arginyl-L-valyl-L-tyrosyl-L-valyl-L-histidyl-L-prolyl-L-phenylalanin [H-Asp-Arg-Val-Tyr-Val-His-Pro-Phe-OH] (Val^5-Angiotensin II)[2]:

Polymer-tert.-amyloxycarbonyl-hydrazin [Ø-C_6H_4-CH_2-CH_2-C$(CH_3)_2$-O-CO-NH-NH_2, NH_2NH(ØAOC)][1]:

Polymer-3-oxo-butan [*Ø-C_6H_4-CH_2-CH_2-CO-CH_3*]: Man wäscht Polystyrol-Perlen (quervernetzt mit 2% Divinyl-benzol, 200–400 mesh) gut mit Benzol, Dichlormethan, 10%-iger Trifluoressigsäure in Dichlormethan, 10%-igem Tributylamin in Dichlormethan, Dimethylformamid und Äthanol, um Styrol

[1] S.-S. Wang u. R. B. Merrifield, Am. Soc. **91**, 6488 (1969).
[2] S.-S. Wang u. R. B Merrifield, *Peptides* 1969, Proc. 10th Europ. Symp., Abano Terme; North-Holl. Publ. Co., Amsterdam **1971**, S. 74.
[3] S.-S. Wang u. R. B. Merrifield, Int. J. Pept. Prot. Res. **4**, 309 (1972).

und andere niedermolekulare Verunreinigungen zu entfernen. 10 g des so behandelten Harzes werden in ein 200-*ml*-Kel-F-Gefäß einer Fluorwasserstoff-Apparatur nach Sakakibara[1] (vgl. S. 62) gebracht. Nach Kühlen des Gefäßes mit Trockeneis/Aceton werden 12,5 *ml* Methyl-vinyl-keton (Butenon) zugegeben und ~ 40 *ml* wasserfreier Fluorwasserstoff dazudestilliert. Man rührt 30 Min. bei Raumtemp. und gießt anschließend die Reaktionsmischung vorsichtig in 2000 *ml* absol. Äthanol. Man filtriert durch eine Glasfritte und wäscht mit Äthanol, Dichlormethan, Benzol, Dimethylformamid, Dichlormethan, 3%-iger Trifluoressigsäure und 10%-igem Tributylamin in Dichlormethan, Dichlormethan, 1,4-Dioxan und Äthanol; Ausbeute: 10,2 g.

Polymer-tert.-amylalkohol [$Ø\text{-}C_6H_4\text{-}CH_2\text{-}CH_2C(CH_3)_2\text{-}OH$, *HOAmØ*][2]: Man suspendiert 1 g Magnesium-Späne in 200 *ml* trockenem Diäthyläther und leitet 20 Min. Methylbromid ein, bis sich alles gelöst hat. Nun wird eine Suspension von 10 g des obigen Harzes in 50 *ml* Benzol in mehreren Portionen zugegeben, wobei sich der Diäthyläther zum Sieden erhitzt. Man beläßt anschließend 1 Stde. bei Raumtemp., filtriert durch eine Glasfritte, wäscht mit Äthanol und 1,4-Dioxan/Wasser und rührt das Harz 1 Stde. mit 1,4-Dioxan/1 n Schwefelsäure (1:1). Man filtriert nun, wäscht mit 1,4-Dioxan/Wasser, 1,4-Dioxan und den oben angegebenen Lösungsmitteln; Ausbeute: 9,5 g.

Dieser Polymer-tert.-amylalkohol kann direkt als Ausgangsmaterial für Peptidsynthesen an fester Phase herangezogen werden[2-4] (vgl. S. 374, 383).

Polymer-tert.-amyloxycarbonyl-hydrazin[$Ø\text{-}C_6H_4\text{-}CH_2\text{-}CH_2\text{-}C(CH_3)_2\text{-}O\text{-}CO\text{-}NH\text{-}NH_2$, $NH_2NH(ØAOC)$][2]: 8 g des oben hergestellten Harzes werden in 70 *ml* Dichlormethan suspendiert, auf 0° gekühlt und mit 5,5 *ml* Pyridin versetzt. Man tropft nun 7,8 *ml* Chlorameisensäure-phenylester zu und rührt 12 Stdn. bei 4°. Dann wird die Reaktionsmischung auf eine kleine Menge kleingeschlagenes Eis gegossen, das Harz durch eine Glasfritte abfiltriert und gewaschen (8,3 g). Dieses Material wird in 65 *ml* Dimethylformamid mit 6,6 *ml* Hydrazin-Hydrat innerhalb von 6 Stdn. bei Raumtemp. hydrazinolysiert. Man filtriert und wäscht; Ausbeute: 8,2 g.

N-Benzyloxycarbonyl-L-asparagyl(β-benzylester)-N_ω-nitro-L-arginyl-L-valyl-O-benzyl-L-tyrosin-hydrazid [Z-Asp(OBZL)-Arg(NO_2)-Val-Tyr(BZL)-$NHNH_2$][3]: 3,4 g (0,75 mMol) BPOC-Tyr(BZL)-NHNH(ØAOC), hergestellt wie üblich (S. 374) aus BPOC-Tyr(BZL)-OH und Polymer-tert.-amyloxycarbonyl-hydrazin mittels Dicyclohexyl-carbodiimid (4facher Überschuß) in Dichlormethan innerhalb 90 Min. bei Raumtemp., wird in das Reaktionsgefäß gebracht und nach der üblichen Festphasen-Peptidsynthese[5] (vgl. S. 378) nacheinander mit BPOC-Val-OH, BPOC-Arg(NO_2)-OH und Z-Asp(OBZL)-OH mittels Dicyclohexyl-carbodiimid verknüpft. Die Abspaltung der 2-[Biphenylyl-(4)]-propyl-(2)-oxycarbonyl-Gruppen erfolgt mittels einer 20fachen Menge 0,5%-iger Trifluoressigsäure/Dichlormethan innerhalb 10 Min. bei Raumtemp. (vgl. das Synthese-Schema auf S. 442). Zur Abspaltung des Tetrapeptids vom Polymer wird das erhaltene Z-Asp(OBZL)-Arg(NO_2)-Val-Tyr(BZL)-NHNH(ØAOC) in 70 *ml* 50%-iger Trifluoressigsäure/Dichlormethan suspendiert und 30 Min. bei Raumtemp. gerührt. Anschließend wird vom Harz abfiltriert, das Filtrat i. Vak. eingeengt, der Rückstand in Methanol gelöst und das Produkt mit Diäthyläther ausgefällt; Ausbeute: 0,594 g; F: 174–176°.

L-Asparagyl-L-arginyl-L-valyl-L-tyrosyl-L-valyl-L-histidyl-L-prolyl-L-phenylalanin [H-Asp-Arg-Val-Tyr-Val-His-Pro-Phe-OH][3]: 0,463 g (0,5 mMol) Z-Asp(OBZL)-Arg(NO_2)-Val-Tyr(BZL)-$NHNH_2$ werden in 1,5 *ml* Dimethylformamid gelöst, auf −30° gekühlt und mit 0,33 *ml* 3,3 n Chlorwasserstoff/Essigsäure-äthylester und 0,06 g Isoamylnitrit in wenig Dimethylformamid versetzt. Man rührt 30 Min. bei −30°, fügt 0,14 *ml* Triäthylamin und gleich darauf 0,3 g (0,45 mMol) H-Val-His(BZL)-Pro-Phe-OH in 1 *ml* Dimethylformamid zu. Man rührt 1 Stde. bei −20° und 2 Tage bei 4°. Der p_H-Wert wird mit einigen Tropfen Triäthylamin auf 8,0–8,5 gehalten. Anschließend entfernt man die Lösungsmittel i. Vak., behandelt den Rückstand mit 30 *ml* Wasser + 0,3 *ml* Essigsäure, filtriert und fällt aus wenig Dimethylformamid/Wasser um. Das geschützte Octapeptid wird hierauf in 65 *ml* Methanol, 5 *ml* Wasser, 2 *ml* Essigsäure und 7 *ml* Dimethylformamid über 0,8 g 5%-igem Palladium/Bariumsulfat 3 Tage druckhydriert. Anschließend wird filtriert, die Lösungsmittel i. Vak. entfernt und der Rückstand über eine Gegenstrom-Verteilung in Butanol/Wasser/Essigsäure 4:5:1 gereinigt (100 Überführungen; K = 0,30). Die Fraktionen mit dem Hauptpeak werden gesammelt und gefriergetrocknet; Ausbeute: 0,256 g (0,22 mMol; 49% d. Th., bez. auf eingesetzte Amin-Komponente; 37,5% d. Th., bez. auf ursprünglich eingesetztes BPOC-Tyr(BZL)-NHNH(ØAOC)).

---

1 S. Sakakibara et al., *Peptides*, Proc. 8th Europ. Symp., Noordwijk 1966; North-Holl. Publ. Co., Amsterdam **1967**, S. 44.

2 S.-S. Wang u. R. B. Merrifield, Am. Soc. **91**, 6488 (1969).

3 S.-S. Wang u. R. B. Merrifield, *Peptides* 1969, Proc. 10th Europ. Symp., Abano Terme; North-Holl. Publ. Co., Amsterdam **1971**, S. 74.

4 S.-S. Wang u. R. B. Merrifield, Int. J. Pept. Prot. Res. **4**, 309 (1972).

5 J. M. Stewart u. J. D. Young, *Solid Phase Peptide Synthesis*, W. H. Freeman & Co., San Francisco 1969.

Nach dem gleichen Prinzip werden die N-Acyl-aminosäure-N'-[polymer-(4-benzyloxy-benzyloxycarbonyl)]-hydrazide (III) verwendet[1,2].

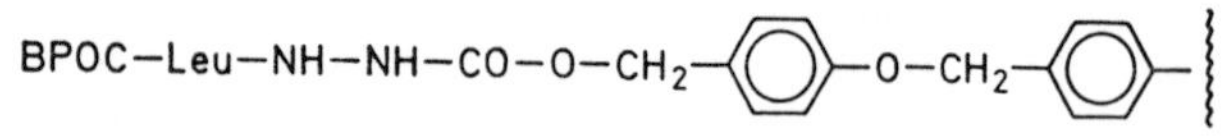

BPOC–Leu–NH–NH–CO–O–CH_2–C₆H₄–O–CH_2–C₆H₄–(Polymer)

III

Zu ihrer Herstellung werden N-Acyl-aminosäuren mit Polymer-(4-benzyloxy-benzyloxycarbonyl)-hydrazin mittels Dicyclohexyl-carbodiimid umgesetzt. Ausgehend von BPOC-Leu-NHNH(ØBOZ) wurde das N-Acyl-tetrapeptid-hydrazid *Z-Phe-Val-Ala-Leu-NHNH*$_2$ in 42%-iger Gesamtausbeute hergestellt[1,2]. Die Abspaltung der Polymer-(4-benzyloxy-benzyloxycarbonyl)-Gruppe gelingt, wie bei der Polymer-tert.-amyloxycarbonyl-Gruppe, mit 50%-iger Trifluoressigsäure in Dichlormethan quantitativ innerhalb von 30 Min. bei Raumtemperatur.

33.362.2. *N'-Alkyl (Aryl-)-substituierte Hydrazide*

33.362.2.01. N'-Trityl-hydrazide

Bei der Umsetzung von N-Trifluoracetyl-aminosäuren mit Trityl-hydrazin mittels Dicyclohexyl-carbodiimid, der Phosphit-Methode oder über die Cyanmethylester werden N-Trifluoracetyl-aminosäure-N'-trityl-hydrazide erhalten[3,4]. Aus diesen kann die N-Trifluoracetyl-Gruppe durch alkoholische Lauge abgespalten werden; die resultierenden Aminosäure-N'-trityl-hydrazide werden, meist ohne Isolierung, nach einem beliebigen Verfahren mit einer N-Trifluoracetyl-aminosäure umgesetzt. Aus den letztlich erhaltenen N-Trifluoracetyl-peptid-N'-trityl-hydraziden wird die N'-Trityl-Gruppe durch alkoholische Salzsäure oder 50%-ige Essigsäure abgespalten und die N'-freien N-Acyl-peptid-hydrazid-Hydrochloride nach der Azid-Methode weiterverknüpft.

Bei der Herstellung von *TFA-Ile-NHNH(TRT)* sowie bei der Umsetzung von TFA-Arg(NO_2)-OH und Aminosäure-N'-trityl-hydraziden mittels Dicyclohexyl-carbodiimid wurde teilweise Racemisierung festgestellt[3].

Bei TFA-Ser-NHNH(TRT) wurde durch alkoholische Salzsäure nicht nur der N'-Trityl-, sondern auch der N-Trifluoracetyl-Rest unter Ausbildung von *H-Ser-NHNH*$_2$ · *2HCl* abgespalten; analoges wurde bei Threonin beobachtet[4]. (Bei anderen N-Trifluoracetyl-aminosäure-N'-trityl-hydraziden trat dies nicht auf.) Daher bleibt diese Methode auf die Fälle beschränkt, wo es nicht erforderlich ist, die Trityl-Gruppe bei Vorliegen von N-terminalem TFA-Ser- oder TFA-Thr- abzuspalten[4]. In den anderen Fällen müssen Serin und Threonin an der Hydroxy-Gruppe geschützt werden (am besten durch die Benzyl-Gruppe); damit wird bei der Abspaltung der Trityl-Gruppe durch alkoholische Salzsäure die Bildung eines O-Peptids (durch N→O-Acyl-Wanderung) verhindert[4].

Bei Verwendung der Phosphoroxidchlorid-Methode[5] (s. S. II/231) zur Herstellung von N-Trifluoracetyl-aminosäure-N'-trityl-hydraziden muß nach beendeter Synthese zur Zer-

---

1 S.-S. Wang, *Chemistry and Biology of Peptides*, Proc. 3rd Amer. Symp., Boston 1972; Ann Arbor Sci. Publ. Inc., Ann Arbor, Mich., **1972**, S. 179.
2 S.-S. Wang, Am. Soc. **95**, 1328 (1973).
3 F. Weygand u. W. Steglich, B. **92**, 313 (1959).
4 F. Weygand u. H. Rinno, B. **92**, 517 (1959).
5 T. Wieland u. B. Heinke, A. **599**, 70 (1956).

störung noch vorhandener Säurechloride der Phosphorsäure entweder gleichzeitig Triäthylamin und Wasser zugesetzt oder mit einem Überschuß an wäßriger Natriumhydrogencarbonat-Lösung geschüttelt werden. Die Ausbeuten sind jedoch in allen Fällen geringer als bei der Verwendung von Dicyclohexyl-carbodiimid[1].

Z-Glu($NHNH_2$)-SEt konnte in 64%-iger Ausbeute über Z-Glu[NHNH(TRT)]-SEt aus Z-Glu-SEt hergestellt werden[2].

Die Verwendung von N-Acyl-peptid-N'-trityl-hydraziden erwies sich auch als brauchbarer Umweg in Fällen, wo eine direkte Hydrazinolyse eines N-Acyl-peptidesters (vgl. S. II/299) oder die Verwendung von Benzyloxycarbonyl- oder tert.-Butyloxycarbonyl-hydrazin ausgeschlossen sind oder in Fällen, wo bei ungeschützter β-Carboxy-Gruppe der Asparaginsäure bei der Azid-Methode Nebenreaktionen zu erwarten sind (s. S. II/310), wie z. B. bei Z-Glu(OtBu)-Lys(TFA)-Asp(OtBu)-OMe bzw. Z-Glu(OH)-Lys(TFA)-Asp(OH)-$NHNH_2$[3].

N-Benzyloxycarbonyl-L-glutamyl(γ-tert.-butylester)-N_ε-trifluoracetyl-L-lysyl-L-asparagyl(β-tert.-butylester)-L-arginyl(hydroacetat)-L-asparaginyl-L-asparagyl(β-tert.-butylester)-L-leucyl-L-isoleucyl-O-tert.-butyl-L-threonin-N'-tert.-butyloxycarbonyl-hydrazid [Z-Glu(OtBu)-Lys(TFA)-Asp(OtBu)-Arg(Ac-OH)-Asn-Asp(OtBu)-Leu-Ile-Thr(tBu)-NHNH(BOC)][3]:

Trityl-hydrazin-Hydrochlorid [NH_2NH(TRT) · HCl][4, vgl. 5]: In einem Dreihalskolben mit Rührer und Rückflußkühler werden 45 g 80%-iges Hydrazin-Hydrat und 84 g aus Acetylchlorid umkristallisiertes Tritylchlorid in 250 *ml* Diäthyläther unter kräftigem Rühren 1–2 Stdn. unter schwachem Rückfluß erhitzt. Am Ende des Erhitzens beginnt Bis-trityl-hydrazin auszufallen. Man filtriert es ab und wäscht mit Diäthyläther nach. Das Filtrat wird 2–3mal mit Wasser gut ausgeschüttelt, um überschüss. Hydrazin zu entfernen. Dabei fällt meist noch etwas Bis-trityl-hydrazin aus. Man filtriert, trocknet das Filtrat über Calciumchlorid und versetzt es vorsichtig mit Chlorwasserstoff-ges. Diäthyläther, bis kein Trityl-hydrazin-Hydrochlorid mehr ausfällt. Ein Überschuß an Chlorwasserstoff soll vermieden werden. Man filtriert, wäscht gut mit Diäthyläther und trocknet i. Vak.; Ausbeute: 55–70 g (58–75% d. Th.); F: 111–113°.

N-Benzyloxycarbonyl-L-glutamyl(γ-tert.-butylester)-N_ε-trifluoracetyl-L-lysyl-L-asparaginsäure(β-tert.-butylester)-N'-trityl-hydrazid [Z-Glu(OtBu)-Lys(TFA)-Asp(OtBu)-NHNH(TRT)][3]: 2,0 g (2,73 mMol) Z-Glu(OtBu)-Lys(TFA)-Asp(OtBu)-OH werden zu einer Lösung von Trityl-hydrazin [erhalten aus 0,93 g (3,0 mMol) Trityl-hydrazin-Hydrochlorid mit 0,42 *ml* (3,0 mMol) Triäthylamin in Tetrahydrofuran und Abfiltrieren des Triäthylammoniumchlorids] in 80 *ml* Tetrahydrofuran gegeben. Man versetzt bei −10° mit 0,645 g (5,6 mMol) N-Hydroxy-succinimid und 0,58 g (2,8 mMol) Dicyclohexyl-carbodiimid. Die Reaktionsmischung wird 4 Stdn. bis zum Erreichen von Raumtemp. gerührt und anschließend 12 Stdn. im Kühlschrank belassen. Der Dicyclohexyl-harnstoff wird abfiltriert, das Filtrat i. Vak. eingedampft, der Rückstand in Essigsäure-äthylester gelöst, die Lösung mehrmals mit verd. Citronensäure-, Natriumcarbonat-Lösung und Wasser gewaschen, über Natriumsulfat getrocknet und i. Vak. auf ein kleines Volumen eingeengt. Man fällt das Produkt mit Diäthyläther aus und fällt nochmals aus Essigsäure-äthylester/Diäthyläther um; Ausbeute: 1,9 g (70% d. Th.); F: 177–179°; $[\alpha]_D^{25} = -21{,}5 \pm 0{,}5°$ (c = 0,97; Methanol).

N-Benzyloxycarbonyl-L-glutamyl(γ-tert.-butylester)-N_ε-trifluoracetyl-L-lysyl-L-asparaginsäure(β-tert.-butylester)-hydrazid [Z-Glu-(OtBu)-Lys(TFA)-Asp(OtBu)-$NHNH_2$][3]: 1,5 g (1,52 mMol) Z-Glu(OtBu)-Lys-(TFA)-Asp(OtBu)-NHNH(TRT) werden in 50%-iger Essigsäure suspendiert und 3 Min. bei 100° gerührt. Nach Kühlen auf 25° wird die entstandene Lösung i. Vak. eingedampft, der Rückstand in Essigsäure-äthylester aufgenommen, die Lösung mit Natriumcarbonat-Lösung und Wasser gewaschen, über Natriumsulfat getrocknet, i. Vak. auf ein kleines Volumen eingeengt und letztlich das Produkt mit Diäthyläther ausgefällt; Ausbeute: 0,7 g (62% d. Th.); F: 191–192°; $[\alpha]_D^{25} = -28{,}3 \pm 0{,}5°$ (c = 1,056; Methanol).

---

[1] F. Weygand u. H. Rinno, B. **92**, 517 (1959).
[2] E. Klieger u. H. Gibian, A. **651**, 194 (1962).
[3] L. Moroder, E. Scoffone et al., A. **1974**, 213.
[4] F. Weygand u. W. Steglich, B. **92**, 313 (1959).
[5] H. Wieland, B. **42**, 3021, 3025 (1909).
J. K. Senior, Am. Soc. **38**, 2718 (1916).

N-Benzyloxycarbonyl-L-glutamyl(γ-tert.-butylester)-N_ε-trifluoracetyl-L-lysyl-L-asparagyl(β-tert.-butylester)-L-arginyl(hydroacetat)-L-asparaginyl-L-asparagyl(β-tert.-butylester)-L-leucyl-L-isoleucyl-O-tert.-butyl-L-threonin-N'-tert.-butyloxycarbonyl-hydrazid [Z-Glu(OtBu)-Lys(TFA)-Asp(OtBu)-Arg(Ac-OH)-Asn-Asp(OtBu)-Leu-Ile-Thr(tBu)-NHNH(BOC)][1]: Man versetzt eine Lösung von 1,0 g (1,34 mMol) Z-Glu(OtBu)-Lys (TFA)-Asp(OtBu)-$NHNH_2$ in 25 *ml* Dimethylformamid bei —15° mit 1,15 *ml* (5,36 mMol) 4,7 n Chlorwasserstoff/1,4-Dioxan und 1,75 *ml* (1,47 mMol) einer 10%-igen Lösung von tert.-Butylnitrit in Dimethylformamid und rührt 10 Min. bei —15°. Anschließend kühlt man auf —60° und versetzt mit 0,94 *ml* (6,7 mMol) Triäthylamin. Nun läßt man eine gekühlte Lösung von 0,97 g (0,89 mMol) H-Arg(Ac-OH)-Asn-Asp(OtBu)-Leu-Ile-Thr(tBu)-NHNH(BOC) · Ac-OH in 25 *ml* Dimethylformamid und 0,125 *ml* (0,89 mMol) Triäthylamin einfließen. Man rührt 2 Tage bei 5° und engt hierauf i. Vak. auf das halbe Volumen ein. Das auf Zugabe von 100 *ml* eiskaltem Wasser ausgeschiedene flockige Rohprodukt wird abfiltriert, gut mit Wasser gewaschen und mit Essigsäure-äthylester verrieben. Die entstandene Gallerte wird abzentrifugiert und mit Diäthyläther digeriert. Man trocknet über Phosphor(V)-oxid, löst in siedendem Methanol und beläßt 12 Stdn. im Kühlschrank. Man filtriert, verreibt mit Diäthyläther und fällt aus Butanol/Essigsäure/Wasser (2:1:1) mit etwas Essigsäure-äthylester aus; Ausbeute: 1,17 g (76% d. Th.); $[\alpha]_D^{25} = -20{,}5 \pm 0{,}5°$ (c = 1,0; Dimethylformamid).

33.362.2.02. N'-Isopropyl-hydrazide

Bei der Umsetzung von Z-Gly-OH mit Isopropyl-hydrazin nach der Kohlensäure-Mischanhydrid-Methode wurde *Z-Gly-NHNH(iPr)* erhalten[2]. Dieses kann anodisch zum Diimin oxidiert und mit einer Amin-Komponente verknüpft werden (s. S. II/325). N_α-freie Aminosäure-N'-isopropyl-hydrazide sind bisher nicht als Amin-Komponente zu Peptidsynthesen herangezogen worden.

N'-Isopropyl-hydrazide sind auch aus den entsprechenden Isopropyliden-Derivaten (s. S. 447) durch Hydrierung an Platin zugänglich[3].

Die N,N'-Diisopropyl-hydrazid-Gruppe wurde bislang nur als echte Carboxy-Schutzgruppe eingesetzt[4] (s. S. 404).

33.362.2.03. N'-Phenyl-hydrazide

Die aus N-Acyl-aminosäuren und Phenylhydrazin nach verschiedenen Methoden[2,5–11] zugänglichen N-Acyl-aminosäure-N'-phenyl-hydrazide (s. S. II/324) können nach Abspaltung der N-Acyl-Gruppe als Amin-Komponente mit N-Acyl-aminosäuren verknüpft werden. Aus den resultierenden N-Acyl-peptid-N'-phenyl-hydraziden läßt sich die Phenylhydrazid-Gruppe über die Zwischenstufe eines Diimins oxidativ abspalten unter Freisetzung der Carboxy-Gruppe (Verwendung des Phenylhydrazin-Restes als echte Schutzgruppe, s. S. 404)[8,12–15]; bei gleichzeitiger Anwesenheit einer Amin-Komponente werden N-Acyl-peptide erhalten (Verwendung als unechte Schutzgruppe; s. S. II/324)[2,10,11,16].

---

1 L. Moroder, E. Scoffone et al., A. **1974**, 213.
2 J. Lewalter u. C. Birr, A. **740**, 48 (1970).
3 Fr. P. 1331318 (1963), Roussel-UCLAF, Erf.: A. Allais; C. A. **60**, 661[d] (1964).
4 D. H. R. Barton et al., Soc. [Perkin I] **1972**, 929.
5 M. Bergmann u. H. Fraenkel-Conrat, J. Biol. Chem. **119**, 707 (1937).
6 E. Bennet u. C. Niemann, Am. Soc. **70**, 2610 (1948).
7 H. B. Milne u. C. M. Stevens, Am. Soc. **72**, 1742 (1950).
8 E. Waldschmidt-Leitz u. K. Kühn, B. **84**, 381 (1951).
9 H. B. Milne u. C.-H. Peng, Am. Soc. **79**, 645 (1957).
10 H. B. Milne u. C. F. Most, J. Org. Chem. **33**, 169 (1968).
11 H. B. Milne u. F. H. Carpenter, J. Org. Chem. **33**, 4476 (1968).
12 H. B. Milne et al., Am. Soc. **79**, 637 (1957).
13 R. B. Kelly, E. G. Daniels u. J. W. Hinman, J. Org. Chem. **27**, 3239 (1962).
14 R. B. Kelly, J. Org. Chem. **28**, 453 (1963).
15 H. B. Milne u. W. D. Kilday, J. Org. Chem. **30**, 67 (1965).
16 H. B. Milne u. W. D. Kilday, J. Org. Chem. **30**, 64 (1965).

Die aus N-Acyl-aminosäuren und Hydrazobenzol erhältlichen N-Acyl-aminosäure-N',N''-diphenyl-hydrazide[1] reagieren in analoger Weise (s. S. II/325). Die Übertragung dieser Reaktionsfolge auf die Peptidsynthese an fester Phase gelingt, wenn die Hydrazid-Gruppe in Form des 4-Hydrazino-benzoesäure-benzylesters an das Polymer geknüpft ist. Wird Hydrazin als Polymer-benzyl-hydrazid eingesetzt, ergeben sich Nebenreaktionen durch unerwünschten Spontanzerfall der intermediär bei der Oxidation auftretenden Azo-Gruppe[1].

33.362.2.04. N'-Alkyliden-hydrazide

In einigen Fällen werden N-Acyl-aminosäure-hydrazide als N'-Benzyliden-[2] oder N'-Isopropyliden-Derivate[3] isoliert, um eine zusätzliche Reinigung zu erreichen (vgl. S. II/299). Die Alkyliden-Gruppe wird unter den Bedingungen der Azid-Methode abgespalten.

Aus Glutaminsäure-N'-isopropyliden-hydrazid wurde durch Hydrierung an Platin *H-Glu-NHNH (iPr)* (s. S. 446) erhalten[4].

---

[1] T. WIELAND, J. LEWALTER u. C. BIRR, A. **740**, 31 (1970).
[2] F. ŠORM u. J. RUDINGER, Collect. czech. chem. Commun. **15**, 491 (1950).
[3] B. F. ERLANGER, H. SACHS u. E. BRAND, Am. Soc. **76**, 1806 (1954).
[4] Fr. P. 1331318 (1963), Roussel-UCLAF, Erf.: A. ALLAIS; C. A. **60**, 661^{d} (1964).

Tab. 53. N′-Substituierte L-Aminosäure-hydrazide der Formel H-AS(R)-NHNH(R^1)

Amino-säure	R	R^1	F [°C]	$[\alpha]_D$	t	c	Lösungsmittel	Literatur	Literatur entsprechender D-Verbindung
Ala		Z [a]	211–213	+15,3	20	2	Methanol	1	
		BOC	86–90,5	+ 6,3	20	2,1	Methanol	2	
		BOC [b]	163–168 (Zers.)	+ 9,2	20	0,45	Dimethylformamid	3	
Arg	NO_2	Z [a]	100 (Zers.)	+24,0	20	1	Methanol	4	
Asn		BOC						5	
Asp	OtBu	BOC						6,7	
Cys	MOB	BOC		− 1,5	20	2	Methanol	2	
Gln		Z						8	
		BOC		+15,1	25	1,91	Methanol	9	
Glu			169–171					10	
		iPr	177 (Zers.)	+90	20	1	Wasser	11	
Gly								12,13	
		Ph	138,2–139,5					14	
		Ph [f]	216–227					14	
		Z [a]	176–178					15–17	
		Z [c]	174–175					18,19	
		BOC	130–132,5					2	

[a] Hydrochlorid [b] Dibenzolsulfimid-Salz [c] Hydro-trifluoracetat [f] Hydrojodid

[1] J. C. Anderson, G. W. Kenner u. R. C. Sheppard, Tetrahedron, Suppl. **8**, 39 (1966).
[2] A. M. Felix u. R. B. Merrifield, Am. Soc. **92**, 1385 (1970).
[3] K. Poduška, Privatmitteilung.
[4] E. Wünsch u. G. Wendlberger, B. **100**, 160 (1967).
[5] H. Zahn, H. Schüssler u. R. Zabel, H. **340**, 249 (1965).
[6] Y. Wolman u. Y. S. Klausner, Israel J. Chem. **9**, 211 (1971).
[7] L. Moroder, E. Scoffone et al., A. **1974**, 213.
[8] K. Hofmann et al., Am. Soc. **87**, 620 (1965).
[9] J. Beacham, K. Hofmann et al., Am. Soc. **93**, 5526 (1971).
[10] W. J. Le Quesne u. G. T. Young, Soc. **1950**, 1959.
[11] Fr. P. 1331318 (1963), Roussel-UCLAF, Erf.: A. Allais; C. A. **60**, 661[d] (1964).
[12] C. R. Lindegren u. C. Niemann, Am. Soc. **71**, 1504 (1949).
[13] T. Curtius u. L. Levy, J. pr. **70**, 89 (1904).
[14] H. B. Milne u. C. F. Most, J. Org. Chem. **33**, 169 (1968).
[15] B. F. Erlanger, H. Sachs u. E. Brand, Am. Soc. **76**, 1806 (1954).
[16] K. Hofmann et al., Am. Soc. **74**, 470 (1952).
[17] K. Hofmann et al., Am. Soc. **72**, 2814 (1950).
[18] M. A. Ondetti, M. Bodanszky et al., Am. Soc. **90**, 4711 (1968).
[19] H. T. Storey, K. Hofmann et al., Am. Soc. **94**, 6170 (1972).

Tab. 53. (1. Fortsetzung)

H-AS(R)-NHNH(R¹)			F [°C]	$[\alpha]_D$	t	c	Lösungsmittel	Literatur	Literatur entsprechender D-Verbindung
Aminosäure	R	R¹							
Ile		BOC	98–100	+24 +44,1	20 20	1,7 1,6	Essigsäure Essigsäure (95%-ig)	1 1	
Leu			47–48	+21,9 +23,6	21 25	0,8 1	Wasser Äthanol (95%-ig)	2 3	
		[g]	252–254	+29,5	20	1,64	Wasser	4	4
		Ph	122–123					5	
		Ph [f]	221–222					5	
		Z [a]	167–169					6	
		Z [c]	181–183	−23,7	24	1,1	Dimethylformamid	7	
		BOC	114–116	+21,5	20	2,2	Methanol	8,9	
Lys	cPOC	BOC	50 (Zers.)	−21,5 +13,5	22 22	2 2	Essigsäure (95%-ig) Methanol	10 10	
Met	D-O	[a]	176–178	+85,5		4,1	Wasser	11	
Phe		[g]		+64,4	23	0,75	Wasser	4	4
		[h]	150–151	+60,2	20	0,83	Wasser	4	4
		Ph	134,5–135					5	
		Ph [f]	198–202					5	
		BOC	115–116	+20,0 +48,8	20 22	1,85 2,40	Äthanol 1 n Salzsäure	12 13	

[a] Hydrochlorid [c] Hydro-trifluoracetat [f] Hydrojodid [g] Dihydrochlorid
[h] Dihydrochlorid-Monohydrat

---

[1] R. L. Huguenin u. R. A. Boissonnas, Helv. **44**, 213 (1961).
[2] F. Weygand u. W. Swodenk, B. **93**, 1693 (1960).
[3] F. Chillemi, G. **86**, 359 (1966).
[4] G. Losse et al., J. pr. **8**, 339 (1959).
[5] H. B. Milne u. C. F. Most, J. Org. Chem. **33**, 169 (1968).
[6] K. Hofmann et al., Am. Soc. **72**, 2814 (1950).
[7] M. A. Ondetti, M. Bodanszky et al., Am. Soc. **90**, 4711 (1968).
[8] E. Wünsch, F. Drees u. J. Jentsch, B. **98**, 803 (1965).
[9] A. M. Felix u. R. B. Merrifield, Am. Soc. **92**, 1385 (1970).
[10] E. Sandrin u. R. A. Boissonnas, Helv. **46**, 1637 (1963).
[11] B. Iselin, Helv. **44**, 61 (1961).
[12] E. Wünsch u. G. Wendlberger, B. **97**, 2504 (1964).
[13] R. Camble, K. Hofmann et al., Am. Soc. **94**, 2091 (1972).

Tab. 53. (2. Fortsetzung)

H-AS(R)-NHNH(R¹)			F [°C]	$[\alpha]_D$	t	c	Lösungsmittel	Literatur	Literatur entsprechender D-Verbindung
Aminosäure	R	R¹							
Pro		BOC	119	−45,3	21	1	Methanol	1	
				−40,6	21	1	Dimethylformamid	1	
Pyr		Z	163–165					2	
Ser			~40	+ 9,6	25	1	Wasser	3	
	BZL	Z [d]		+ 8,3	20	2	Methanol	4	
Thr	Ac	Z [a]	120	+10	22	1	Dimethylformamid	5	
Tyr			198–200	+70,2	23	2	3 n Salzsäure	6–9	6
		Z [e]		+36,9	25	1,14	Wasser	10	
		BOC	168–169	+28,5	27	2	Methanol	11,1	
				− 3,1	21	1	Dimethylformamid	1	
				+45,0	21	1	Essigsäure (95%-ig)	1	
Val			74–76	+42,5	20	1	Methanol	12	
		[g]	200–202	+47,5	21	0,65	Wasser	13	13
		Z [a]	102–110 (Zers.)	+18,5	28	2	Wasser	14	
		Z [c]	196–197					14	
		BOC	106–107	+19,4	22	1	Methanol	15,16	

[a] Hydrochlorid [c] Hydro-trifluoracetat [d] × $^{3}/_{4}$ Wasser [e] Hydroacetat [g] Dihydrochlorid

[1] S. Guttmann, Helv. **44**, 721 (1961).
[2] K. Hofmann et al., Am. Soc. **72**, 2814 (1950).
[3] F. Chillemi, G. **86**, 359 (1966).
[4] E. Wünsch u. G. Wendlberger, B. **97**, 2504 (1964).
[5] R. de Castiglione, Farmaco (Pavia), Ed. sci. **24**, 644 (1969); C. A. **71**, 81709 (1969).
[6] K. Vogler u. P. Lanz, Helv. **49**, 1348 (1966).
[7] T. Curtius, J. pr. **95**, 349 (1927).
[8] R. Lutwach, H. F. Mower u. C. Niemann, Am. Soc. **79**, 2179 (1957).
[9] A. N. Kurtz u. C. Niemann, Am. Soc. **83**, 3309 (1961).
[10] H. T. Storey, K. Hofmann et al., Am. Soc. **94**, 6170 (1972).
[11] H. Zahn, H. Schüssler u. R. Zabel, H. **340**, 249 (1965).
[12] F. Weygand u. W. Swodenk, B. **93**, 1693 (1960).
[13] G. Losse et al., J. pr. **8**, 339 (1959).
[14] E. Wünsch, B. **98**, 797 (1965).
[15] E. Schnabel et al., A. **707**, 227 (1967).
[16] E. Wünsch u. F. Drees, B. **99**, 110 (1966).

34. Nachträgliche Einführung der α-Carboxy-Gruppe

bearbeitet von

Dr. Paul Thamm

Max-Planck-Institut für Biochemie, München

Beim heutigen Stand der Peptidsynthese ist die nachträgliche Einführung der (terminalen) α-Carboxy-Gruppe in Anbetracht der vielen verfügbaren Carboxy-Schutzgruppen (s. S. 315) eine überholte Synthesestrategie, die nur noch in Spezialfällen zur Anwendung kommen dürfte.

Als „Vorläufer" der Carboxy-Gruppe kommen nur solche Gruppen in Frage, die sich unter Reaktionsbedingungen in die Carboxy-Gruppe umwandeln lassen, unter denen die bereits synthetisierte Peptidkette bzw. Schutzgruppen nicht verändert werden, also z.B. Nitril-, Trifluormethyl- oder Vinyl-Gruppen.

34.1. Nitril-Gruppe

Aminosäure- oder Peptid-nitrile werden durch Dehydratation der entsprechenden Säureamide erhalten, z.B. durch Einwirkung von Benzolsulfonylchlorid[1,2], 4-Toluolsulfonylchlorid[3,4], Phosphoroxidchlorid[5] oder Dicyclohexyl-carbodiimid[6,7] auf die Pyridin-Lösung der Säureamide. Anschließend kann die Verknüpfung der erhaltenen Aminosäure-nitrile mit N-geschützten Aminosäuren oder Peptiden nach der Aktivester-Methode[8,9], Säurechlorid-Methode[9] oder Mischanhydrid-Methode[10] vorgenommen werden.

Zur Überführung in die entsprechenden Carbonsäuren können die N-geschützten Aminosäure- oder Peptid-nitrile alkalisch oder sauer verseift werden, wobei die Reaktion jedoch sehr oft auf der Stufe des Säureamids stehen bleibt, wenn nicht drastische Maßnahmen (konz. Säuren oder Laugen, erhöhte Temperatur) ergriffen werden. Da sich solche Maßnahmen jedoch mit Rücksicht auf Peptidbindungen, Schutzgruppen usw. in der Regel verbieten, empfiehlt es sich, das Nitril nach Pinner[11] über das Iminoester-Hydrochlorid zunächst in den entsprechenden Alkylester umzuwandeln (Beispiele s. Lit.[2,10]), der sich – besonders im Falle des Methylesters oder Äthylesters – leicht entweder zur Carbonsäure hydrolysieren (s. S. 334) oder in das Hydrazid überführen läßt (s. S. II/296).

---

1 E. Radde, B. **55**, 3174 (1922).

2 P. E. Peterson u. C. Niemann, Am. Soc. **79**, 1389 (1957).

3 C. R. Stephens, B. J. Bianco u. F. J. Pilgrim, Am. Soc. **77**, 1701 (1955).

4 M. Zaoral u. J. Rudinger, Collect. czech. chem. Commun. **24**, 1993 (1959).

5 B. Liberek, Chem. & Ind. **1961**, 987.

6 C. Ressler u. H. Ratzkin, J. Org. Chem. **26**, 3356 (1961).

7 B. Liberek, C. Buczel u. Z. Grzonka, Tetrahedron **22**, 2303 (1966).

8 K. Kawashiro, H. Yoshida u. S. Morimoto, Chemistry Letters (Tokyo) **1974**, 1.

9 E. Vargha, Stud. Univ. Babeş-Bolyai, Chem., **13**, 31 (1968); C. A. **71**, 39 374 (1969).

10 A. Balog et al., Stud. Univ. Babeş-Bolyai, Chem., **14**, 137 (1969); C. A. **73**, 25 843 (1970).

11 A. Pinner: *Die Iminoäther und ihre Derivate*, Verlag Robert Oppenheim (Gustav Schmidt), Berlin 1892.

34.2. Trifluormethyl-Gruppe

Die Trifluormethyl-Gruppe kann unter sehr milden Bedingungen (z. B. selektiv neben einer Methylester-Gruppe) alkalisch zur Carboxy-Gruppe verseift werden. Als Beispiel hierfür beschrieb Weygand[1] die Umwandlung des N-Benzyloxycarbonyl-3,3,3-trifluor-alanin-methylesters in *N-Benzyloxycarbonyl-aminomalonsäure-monomethylester*:

$$Z{-}NH{-}\underset{}{\overset{\overset{\displaystyle CO{-}OCH_3}{|}}{CH}}{-}CF_3 \xrightarrow{n\ NaOH} Z{-}NH{-}\overset{\overset{\displaystyle CO{-}OCH_3}{|}}{CH}{-}COOH$$

34.3. Vinyl-Gruppe

N-Geschützte Aminosäure-allylamide können mit Permanganat oder Perjodat zu N-geschützten Peptiden oxidiert werden:

$$Z{-}NH{-}\overset{\overset{\displaystyle R}{|}}{CH}{-}CO{-}NH{-}\overset{\overset{\displaystyle R^1}{|}}{CH}{-}CH{=}CH_2 \longrightarrow Z{-}NH{-}\overset{\overset{\displaystyle R}{|}}{CH}{-}CO{-}NH{-}\overset{\overset{\displaystyle R^1}{|}}{CH}{-}COOH$$

Ein Beispiel für die Herstellung einer ω-Carboxy-Gruppe auf diesem Wege beschrieb Sondheimer[2] (s. S. 662). Beispiele für die Erstellung einer α-Carboxy-Gruppe findet man bei Sondheimer[2] bzw. bei Weygand[3].

---

[1] F. Weygand, W. Steglich u. W. Oettmeier, B. **103,** 1655 (1970).
[2] E. Sondheimer, J. Org. Chem. **30,** 665 (1965).
[3] F. Weygand, W. Steglich u. W. Oettmeier, B. **103,** 818 (1970).

35. Die α-Carbonamid-Funktion

bearbeitet von

Dr. Paul Thamm

Max-Planck-Institut für Biochemie, München

Im vorliegenden Beitrag wird die Herstellung von Aminosäure- und Peptid-α-amiden beschrieben. Die Verwendung der α-Carbonamid-Funktion als reversibler Schutz der terminalen α-Carboxy-Funktion wird an anderer Stelle abgehandelt (s. S. 403).

35.1. Synthesen mit freier α-Carbonamid-Funktion

Unter den üblichen Bedingungen der gebräuchlichen Methoden zur Peptid-Verknüpfung oder Schutzgruppen-Abspaltung bleibt die α-Carbonamid-Funktion zumeist unverändert, so daß besondere Maßnahmen zum Schutz dieser Gruppe gewöhnlich nicht erforderlich sind. Somit kann die Synthese eines Peptid-α-amids prinzipiell dahingehend geplant werden, daß als Ausgangspunkt das N'-ungeschützte Amid der C-terminalen Aminosäure (oder eines C-terminalen Peptid-Fragmentes) gewählt und die Kettenverlängerung durch schrittweise Verknüpfung mit N-geschützten Aminosäuren (oder Peptid-Fragmenten) als Kopfkomponente durchgeführt wird.

Häufig werden jedoch einer Synthese mit freier α-Carbonamid-Funktion bereits nach wenigen Verknüpfungs-Schritten durch die zunehmende Schwerlöslichkeit der wachsenden Peptid-amid-Kette Grenzen gesetzt. Unter solchen Umständen wird die Anwendung entweder einer geeigneten Amid-Maskierung (s. S. 461) oder des Prinzips der nachträglichen Einführung der C-terminalen Amid-Gruppe (s. S. 465) unumgänglich.

35.11. α-Amide aus N-ungeschützten Aminosäuren

Die Amid-Bildung aus freier Aminosäure und Ammoniak ist unter extremen Reaktionsbedingungen zwar möglich, doch wird eine Fülle von Nebenprodukten gebildet. Vorteilhaft ist daher eine „Aktivierung" der Carboxy-Gruppe der Aminosäure, die derartig abgestuft sein muß, daß die Umsetzung mit Ammoniak zwar eintritt, die Umsetzung mit der eigenen Amin-Gruppe jedoch weitgehend ausgeschaltet ist. Diese Bedingung erfüllen Aminosäure-methylester und -äthylester, die deshalb in den meisten Fällen zur Anwendung kommen. Vorsicht ist bei den entsprechenden Glycin-estern geboten, da ihre Neigung zur Bildung des 2,5-Dioxo-piperazins sehr ausgeprägt ist[1,2]. Benzylester[3,4] und 4-Nitro-benzylester[5] wurden nur vereinzelt der Ammonolyse unterworfen.

---

[1] P. S. Yang u. M. M. Rising, Am. Soc. **53**, 3183 (1931).

[2] E. Koenigs u. B. Mylo, B. **41**, 4427 (1908).

[3] T. Yamashita, J. Biochem. [Tokyo] **48**, 651 (1960).

[4] E. L. Smith u. M. Bergmann, J. Biol. Chem. **153**, 627 (1944).

[5] V. J. Hruby, M. F. Ferger u. V. du Vigneaud, Am. Soc. **93**, 5539 (1971).

Ausgangsmaterialien für die Ammonolyse sind entweder die in freier Form isolierten (möglichst frisch destillierten) Aminosäure-methylester oder -äthylester oder ihre Salze mit einer starken Säure (häufig Chlorwasserstoff). In der Salz-Form werden die Ester bevorzugt eingesetzt, da sie in dieser Form einerseits durch protonen-katalysierte Veresterung der Aminosäuren (s. S. 316) sehr bequem erhalten werden und andererseits am besten gelagert werden können (Vermeidung von 2,5-Dioxo-piperazin-Bildung bzw. Polykondensation).

Die Ammonolyse wird mit einer gesättigten Lösung von Ammoniak in Methanol durchgeführt (ohne Lösungsmittel, z.B. in flüssigem Ammoniak, verläuft die Reaktion nur in wenigen Fällen zufriedenstellend[1]). Nach Zugabe der Aminosäure-ester läßt man mehrere Tage bei 20° stehen und dampft das Lösungsmittel ab. Das Rohprodukt versetzt man zur Entfernung anhaftenden Ammoniaks mehrfach mit Methanol und dampft zur Trockne. Die gebildeten Aminosäure-amide werden in vielen Fällen als Hydrochloride isoliert. Nach Überführung in die unprotonierte Form (oder ins Hydroacetat[2]) können sie mit N-maskierten Aminosäuren oder Peptiden als Kopfkomponente verknüpft werden.

L-Methionin-amid [H-Met-NH_2][3]: Man löst 20 g (0,1 Mol) H-Met-OMe · HCl[4] in 200 *ml* Methanol, sättigt bei 0° mit Ammoniak, läßt 5 Tage bei 20° stehen und dampft zur Trockne ein. Der Rückstand wird in Wasser aufgenommen und mit Amberlite IRA-410 ($OH^{\ominus}$) behandelt. Das Filtrat vom Ionenaustauscher dampft man ab, gibt zum Rückstand Äthanol und Benzol und dampft erneut zur Trockne ein. Der Rückstand wird 2mal aus Essigsäure-äthylester/Petroläther umkristallisiert; Ausbeute: 9,2 g (62% d. Th.); F: 40–45°; $[\alpha]_D^{22} = +28°$ (c = 2; 95%-ige Essigsäure); $[\alpha]_D^{22} = -28°$ (c = 2; Dimethylformamid).

Die Umsetzung des Asparaginsäure-diäthylesters mit Ammoniak führt wie erwartet zum *Asparaginsäure-diamid*[5] (*Asparagin-amid*). Dagegen cyclisiert Glutaminsäure-diäthylester (I) unter dem Einfluß des Ammoniaks zum Lactam, so daß man Pyrrolidon-(5)-carbonsäure-(2)-amid (II) erhält[6] (Acylierung der α-Amin-Funktion z.B. durch die Benzyloxycarbonyl-Gruppe verhindert den Ringschluß[7]). Aufspaltung des Lactam-ringes durch protonenkatalysierte Alkoholyse führt zum *Isoglutamin-ester* (III)[6]:

$$\underset{\text{I}}{\text{H-}\overset{\text{OEt}}{\underset{|}{\text{Glu}}}\text{-OEt}} \xrightarrow{NH_3} \underset{\text{II}}{\text{H-Pyr-NH}_2} \xrightarrow{R-OH\,/\,H^{\oplus}} \underset{\text{III}}{\text{H-}\overset{\text{OR}}{\underset{|}{\text{Glu}}}\text{-NH}_2}$$

35.12. α-Amide aus N-geschützten Aminosäuren

Aminosäuren können auch nach mehreren der zum Aufbau der Peptid-Bindung gebräuchlichen Verfahren mit Ammoniak zu Amiden verknüpft werden. Zur Anwendung dieser Verfahren ist jedoch eine N-Maskierung der Aminosäure-Komponente in den meisten Fällen unerläßlich, da anderenfalls mit 2,5-Dioxo-piperazin-Bildung und Polykondensation gerechnet werden muß.

Bei der Auswahl der Amin-Schutzgruppen ist auf ihre Beständigkeit gegenüber Ammoniak zu achten. Diese Voraussetzung ist bei einer Maskierung vom Urethan-Typ, bei der

---

1 E. Koenigs u. B. Mylo, B. **41**, 4427 (1908).
2 R. Schwyzer, A. Costopanagiotis u. P. Sieber, Helv. **46**, 870 (1963).
3 E. Sandrin u. R. A. Boissonnas, Helv. **46**, 1637 (1963).
4 M. Brenner u. R. W. Pfister, Helv. **34**, 2085 (1951).
5 E. L. Smith u. D. H. Spackman, J. Biol. Chem. **212**, 271 (1955).
6 R. W. Chambers u. F. H. Carpenter, Am. Soc. **77**, 1522 (1955).
7 J. S. Fruton, J. Biol. Chem. **165**, 333 (1946).

N-(4-Toluolsulfonyl)-Gruppe, N-Trityl-Gruppe oder N-Formyl-Gruppe gegeben. Die N-Trifluoracetyl-Gruppe ist gegen Ammoniak nur bei Ausschluß von Wasser beständig[1]. Wenig geeignet ist die N-Phthalyl-Gruppe, da sie durch Ammoniak bei längerer Einwirkung zum Halbamid aufgespalten wird[2].

Nach erfolgter Amid-Bildung muß die Amin-Schutzgruppe wieder abgespalten werden, um weitere peptid-synthetische Umsetzungen an der Amin-Gruppe zu ermöglichen. So wird beispielsweise die N-Benzyloxycarbonyl-Gruppe hydrogenolytisch[3,4] oder acidolytisch (Bromwasserstoff in Eisessig[5,6]) abgespalten, die N-tert.-Butyloxycarbonyl-Gruppe mit Trifluoressigsäure[7], die N-Trifluoracetyl-Gruppe mit wäßriger Ammoniak-Lösung[1], die N-(4-Toluolsulfonyl)-Gruppe mit Natrium in flüssigem Ammmoniak[8] usw. Unter den verschiedenen angegebenen Reaktionsbedingungen wird die Amid-Gruppe gewöhnlich nicht angegriffen.

Nach einigen der genannten Abspaltungsverfahren erhält man die Aminosäureamide in der Salz-Form, aus welcher die unprotonierten Amide z.B. durch Umsetzung mit basischen Ionenaustauschern[4,6] (in der $OH^{\ominus}$-Form) erstellt werden können. Gelegentlich isoliert man auch die Hydroacetate, da die Essigsäure eine direkte Umsetzung z.B. mit N-geschützten Aminosäure-aktivestern oder -anhydriden nicht stört[7]. Diese Hydroacetate können durch Einwirkung basischer Ionenaustauscher (in der Acetat-Form) auf die Aminosäureamid-Salze erhalten werden[7].

L-Valin-amid-Hydrobromid [H-Val-NH_2 · HBr][5]: 111 g Z-Val-NH_2 (s. S. 456) werden mit 200 *ml* 40%-iger Bromwasserstoff-Lösung in Eisessig übergossen, die Mischung zunächst bei 0°, dann bei 20° insgesamt 3,5 Stdn. stehen gelassen. Nach weitgehender Entfernung des Bromwasserstoff-Eisessig-Gemisches i. Vak. und nachfolgender azeotroper Destillation mit Toluol bringt man das Produkt durch Behandlung mit Diäthyläther zur Kristallisation. Nach mehrmaligem Auskochen mit Diäthyläther und Trocknen über Kaliumhydroxid und Phosphor(V)-oxid bei 0,01 Torr erhält man ein farbloses Pulver; Ausbeute: 87,5 g (100% d.Th.); F: 242° (Zers.); $[\alpha]_D^{20} = +22,4°$ (c = 2; Wasser)

N-tert.-Butyloxycarbonyl-L-prolyl-L-valin-amid [BOC-Pro-Val-NH_2]:

L-Valin-amid-Hydro-trifluoracetat [H-Val-NH_2 · TFA-OH][7]: 4,2 g (19,4 mMol) BOC-Val-NH_2 werden in 5 *ml* Trifluoressigsäure gelöst. Nach 15 Min. bei 20° dampft man das Lösungsmittel ab und kristallisiert den Rückstand aus Methanol um; Ausbeute: 4,1 g (91,6% d.Th.); F: 124–125°.

L-Valin-amid-Hydroacetat [H-Val-NH_2 · Ac-OH][7]: Das oben erhaltene H-Val-NH_2 · TFA-OH wird in wenig Methanol/Wasser (1:1) gelöst und durch eine kleine Säule von Dowex-II (Acetat-Form) filtriert. Das Filtrat wird zur Trockne eingedampft und der Rückstand ohne weitere Reinigung und Charakterisierung zur Peptidknüpfung eingesetzt.

N-tert.-Butyloxycarbonyl-L-prolyl-L-valin-amid [BOC-Pro-Val-NH_2][7]: 2,85 g (13,3 mMol) BOC-Pro-OH werden mit 1,84 *ml* (13,3 mMol) Triäthylamin in 70 *ml* Tetrahydrofuran gelöst und bei −10° langsam mit 1,74 *ml* (13,3 mMol) Chlorameisensäure-isobutylester versetzt. Nach 20 Min. bei −10° wird die auf −10° vorgekühlte Lösung von 2,35 g (13,3 mMol) H-Val-NH_2 · Ac-OH (vgl. oben) in 30 *ml* Tetrahydrofuran innerhalb 1 Stde. zugetropft. Man erwärmt 30 Min. auf 50°, filtriert vom ausgeschiedenen Triäthylamin-Hydrochlorid ab und dampft i.Vak. zur Trockne ein. Der Rückstand wird in Essigsäure-äthylester gelöst, nacheinander mit 5%-iger Citronensäure-Lösung und 5%-iger Natriumhydrogencarbonat-Lösung gewaschen, über Natriumsulfat getrocknet und eingedampft. Der Rückstand wird aus Diäthyläther umkristallisiert; Ausbeute: 1,84 g (44,1% d.Th.); F: 84°.

---

1 F. Weygand, P. Klinke u. I. Eigen, B. **90**, 1896 (1957).
2 E. Sandrin u. R. A. Boissonnas, Helv. **46**, 1637 (1963).
3 E. L. Smith u. D. H. Spackman, J. Biol. Chem. **212**, 271 (1955).
4 J. M. Davey, A. H. Laird u. J. S. Morley, Soc. [C] **1966**, 555.
5 E. Wünsch, G. Wendlberger u. A. Högel, B. **104**, 2430 (1971).
6 M. Bodanszky u. V. du Vigneaud, Am. Soc. **81**, 5688 (1959).
7 R. Schwyzer, A. Costopanagiotis u. P. Sieber, Helv. **46**, 870 (1963).
8 J. M. Swan u. V. du Vigneaud, Am. Soc. **76**, 3110 (1954).

35.12.1. Die Ammonolyse N-geschützter Aminosäure-methylester und -äthylester

N-geschützte Aminosäure-methylester oder -äthylester (s. S. 320 ff.) können mit Ammoniak zu N-geschützten Aminosäure-amiden umgesetzt werden[1–3]. Die praktische Durchführung unterscheidet sich nicht von der Ammonolyse N-ungeschützter Aminosäure-ester (s. S. 454).

35.12.2. Die Ammonolyse N-geschützter carboxy-aktivierter Aminosäuren

Die Ammonolyse von Aktivestern N-geschützter Aminosäuren zu Amiden wurde mehrfach untersucht. Verwendet werden vielfach die 4-Nitro-phenylester[4–7], aber auch einige Thioester, wie Äthylthioester[8] oder Phenylthioester[4,6,9].

N-Benzyloxycarbonyl-glycin-amid [Z-Gly-NH_2][5]: Zur Lösung von 28,05 g Z-Gly-ONP in 100 *ml* Chloroform werden 30 *ml* einer ges. Lösung von Ammoniak in Methanol gegeben. Nach 2 Stdn. bei 20° wird der Niederschlag abgesaugt, mit Chloroform gewaschen und aus Essigsäure-äthylester, dann aus 95%-igem Äthanol umkristallisiert; Ausbeute: 14,1 g (80% d.Th.); F: 137–138,5°.

Sehr verbreitet sind Anhydrid-Verfahren, insbesondere diejenigen, die von gemischten Anhydriden N-geschützter Aminosäuren mit Kohlensäure-halbestern ausgehen[10–15] (zur Ammonolyse innerer Anhydride der Amino-dicarbonsäuren s. unten).

N-Benzyloxycarbonyl-L-valin-amid [Z-Val-NH_2][15]: 201,5 g Z-Val-OH in 1500 *ml* Dimethylformamid werden bei −15° unter Rühren mit 112 *ml* Triäthylamin und anschließend innerhalb 15 Min. mit 76,8 *ml* Chlorameisensäure-äthylester versetzt. Nach weiteren 10 Min. gibt man auf einmal 60 *ml* konz. Ammoniak in 150 *ml* Tetrahydrofuran zu, rührt 3 Stdn. bei −15° und 12 Stdn. bei 20°, filtriert den Niederschlag ab und wäscht ihn mit Tetrahydrofuran und Wasser. Nach dem Trocknen kristallisiert man aus ~ 2500 *ml* Äthanol um; Ausbeute: 111 g (55,5% d.Th.); F: 212° (Zers.); $[\alpha]_D^{20} = +22{,}6°$ (c = 1; Dimethylformamid).

Bei den oben genannten Verknüpfungs-Verfahren ist eine mehrfache Aminoacylierung des Ammoniaks grundsätzlich nicht ausgeschlossen. Einer solchen unerwünschten Nebenreaktion muß durch Amwendung großer Überschüsse an Ammoniak entgegengewirkt werden.

35.12.3. Die Ammonolyse N-geschützter innerer Anhydride der Amino-dicarbonsäuren

Der gezielte Aufbau der α-Monoamide der Amino-dicarbonsäuren (*Asparaginsäure, Glutaminsäure*) ist entweder durch Ausnutzung der verschiedenen Acidität beider Carboxy-Gruppen (vgl. Lit.[16]) oder – eindeutiger – nach Einführung einer ω-Carboxy-Maskierung (s. S. 643) möglich.

---

1 F. Weygand, P. Klinke u. I. Eigen, B. **90**, 1896 (1957).
2 E. L. Smith u. W. J. Polglase, J. Biol. Chem. **180**, 1209 (1949).
3 E. L. Smith u. D. H. Spackman, J. Biol. Chem. **212**, 271 (1955).
4 F. Weygand u. W. Steglich, B. **93**, 2983 (1960).
5 M. Bodanszky, M. A. Ondetti, C. A. Birkhimer u. P. L. Thomas, Am. Soc. **86**, 4452 (1964).
6 G. Losse, H. Jeschkeit u. W. Langenbeck, B. **96**, 204 (1963).
7 C. Meyers, R. T. Havran, I. L. Schwartz u. R. Walter, Chem. & Ind. **1969**, 136.
8 E. Klieger u. H. Gibian, A. **651**, 194 (1962).
9 F. Weygand u. J. Kaelicke, B. **95**, 1031 (1962).
10 K. Hofmann, E. Stutz, G. Spühler, H. Yajima u. E. T. Schwartz, Am. Soc. **82**, 3727 (1960).
11 R. Schwyzer, A. Costopanagiotis u. P. Sieber, Helv. **46**, 870 (1963).
12 J. M. Davey, A. H. Laird u. J. S. Morley, Soc. [C] **1966**, 555.
13 L. Benoiton, Canad. J. Chem. **40**, 570 (1962).
14 M. Kraml u. L. P. Bouthillier, Canad. J. Chem. **33**, 1630 (1955).
15 E. Wünsch, G. Wendlberger u. A. Högel, B. **104**, 2430 (1971).
16 C. Ressler, Am. Soc. **82**, 1641 (1960).

Weiterhin können α-Monoamide der Amino-dicarbonsäuren durch Ammonolyse ihrer inneren Anhydride erhalten werden (vgl. S. 663, II/217):

$$\underset{\text{I}}{\text{Acyl-NH-}\overset{\frown}{\text{CH-(CH}_2)_n\text{-CO-O-CO}}} \xrightarrow{NH_3} \underset{\text{II}}{\text{Acyl-NH-CH(-(CH}_2)_n\text{-COOH)-CO-NH}_2} + \underset{\text{III}}{\text{Acyl-NH-CH(-(CH}_2)_n\text{-CO-NH}_2\text{)-COOH}}$$

Grunsätzlich entstehen bei der Aminolyse der inneren Anhydride I nebeneinander α-Amid II und ω-Amid III. Die bevorzugte Aufspaltungsrichtung wird jedoch durch die Art der verwendeten Amin-Schutzgruppe stark beeinflußt; so erhält man als praktisch einziges Produkt das α-Amid, wenn Schutzgruppen vom Urethan-Typ[1] oder die N-Trifluoracetyl-Gruppe[2] zur Anwendung kommen. N-(4-Toluolsulfonyl)-glutaminsäureanhydrid wird ammonolytisch zu 76% α-Amid und 10% γ-Amid aufgespalten[3], N-Phthalyl-glutaminsäureanhydrid dagegen überwiegend zum γ-Amid[4,5].

N-Benzyloxycarbonyl-L-asparaginsäure-α-amid (N-Benzyloxycarbonyl-L-isoasparagin) [Z-Asp(OH)-NH₂][1]: 2,7 g Z-Asp-O[1] (vgl. S. II/220) werden in 20 *ml* eiskalter 25%-iger wäßriger Ammoniak-Lösung unter Schütteln gelöst. Danach säuert man an, wäscht den Niederschlag mit Wasser und trocknet; Ausbeute: 2 g (69,3% d. Th.); F: 164°; $[\alpha]_D^{18} = +6{,}9°$ (Eisessig).

Diamide der N-geschützten Amino-dicarbonsäuren entstehen bei der ammonolytischen Aufspaltung ihrer N_α-geschützten cyclischen Imide[6]:

$$\text{Acyl-NH-}\overset{\frown}{\text{CH-(CH}_2)_n\text{-CO-NH-CO}} \xrightarrow{NH_3} \text{Acyl-NH-CH(-(CH}_2)_n\text{-CO-NH}_2\text{)-CO-NH}_2$$

---

1 M. Bergmann u. L. Zervas, B. **65**, 1192 (1932).
2 F. Weygand, P. Klinke u. I. Eigen, B. **90**, 1896 (1957).
3 C. Ressler, Am. Soc. **82**, 1641 (1960).
4 R. W. Chambers u. F. H. Carpenter, Am. Soc. **77**, 1522 (1955).
5 F. E. King u. D. A. A. Kidd, Soc. **1949**, 3315.
6 C. Meyers, R. T. Havran, I. L. Schwartz u. R. Walter, Chem. & Ind. **1969**, 136.

Tab. 54. L-Aminosäure-amide [H-AS-NH_2]

AS		F [°C]	[α]D	t [°C]	c	Lösungsmittel	Literatur
Ala	a	71–72 225 (Zers.)	+6° +11,0°	 22	5,2 1,24	Wasser Methanol	1,2 3,4
Arg	b, f		+13,8°	24	1	Wasser	5,6
Asn	a	214–215	−15,8°	25	1	Wasser	7
Asp		212	+15,5°	18	1,5	0,1 n Salzsäure	8–14
Cys	a c	191–191 178–180	 +8,2°	 16	 2,9	 Methanol	15 16
$(Cys)_2$	b d	230 (Zers.) 230–232	−203°	20	1	n Salzsäure	15,17,18 19,20
Gln	d	98–100 193–196	 +20,1°	 23	 1	 Wasser	21,22 23
Glu	c	186–187 216–217	+21,2° +17,3°	22 24	6,5 6,2	Wasser Wasser	9,13,21,24–29 28

[a] Monohydrochlorid [c] Monohydrobromid [f] Hydrat
[b] Dihydrochlorid [d] Dihydrobromid

[1] P. S. Yang u. M. M. Rising, Am. Soc. **53,** 3183 (1931).
[2] E. Koenigs u. B. Mylo, B. **41,** 4427 (1908).
[3] J. K. Chang, H. Sievertson, B. Currie u. K. Folkers, J. Med. Chem. **14,** 484 (1971).
[4] G. Pfleiderer, P. G. Celliers, M. Stanulović, E. D. Wachsmut, H. Determann u. G. Braunitzer, Bio. Z. **340,** 552 (1964).
[5] L. Zervas, T. T. Otani, M. Winitz u. J. P. Greenstein, Am. Soc. **81,** 2878 (1959).
[6] K. Dirr u. H. Späth, H. **237,** 121 (1935).
[7] E. L. Smith u. D. H. Spackman, J. Biol. Chem. **212,** 271 (1955).
[8] L. Benoiton, Canad. J. Chem. **40,** 570 (1962).
[9] M. Bergmann u. L. Zervas, B. **65,** 1192 (1932).
[10] T. Vajda u. V. Bruckner, Acta chim. Acad. Sci. hung. **16,** 215 (1958); C. A. **53,** 8005g (1959).
[11] F. Weygand, P. Klinke u. I. Eigen, B. **90,** 1896 (1957).
[12] S. W. Tanenbaum, Am. Soc. **75,** 1754 (1953).
[13] C. Ressler, Am. Soc. **82,** 1641 (1960).
[14] M. R. Bovarnick, J. Biol. Chem. **148,** 151 (1943).
[15] T. A. Martin, D. H. Causey, A. K. Sheffner, A. G. Wheeler u. J. R. Corrigan, J. Med. Chem. **10,** 1172 (1967).
[16] Y. Hirotsu, T. Shiba u. T. Kaneko, Bl. chem. Soc. Japan **43,** 1564 (1970).
[17] L. Flohé, W. Günzler, G. Jung, E. Schaich u. F. Schneider, H. **352,** 159 (1971).
[18] I. W. Stapleton u. J. M. Swan, Austral. J. Chem. **15,** 106 (1962).
[19] F. Schneider u. H. Wenck, H. **350,** 1521 (1969).
[20] M. Brenner u. H. C. Curtius, Helv. **46,** 2126 (1963).
[21] J. M. Swan u. V. du Vigneaud, Am. Soc. **76,** 3110 (1954).
[22] C. A. Dekker, D. Stone u. J. S. Fruton, J. Biol. Chem. **181,** 719 (1949).
[23] C. Meyers, R. T. Havran, I. L. Schwartz u. R. Walter, Chem. & Ind. **1969,** 136.
[24] R. W. Chambers u. F. H. Carpenter, Am. Soc. **77,** 1522 (1955).
[25] G. Amiard u. R. Heymes, Bl. **1957,** 1373.
[26] J. Melville, Biochem. J. **29,** 179 (1935).
[27] M. Kraml u. L. P. Bouthillier, Canad. J. Chem. **33,** 1630 (1955).
[28] E. Klieger u. H. Gibian, A. **651,** 194 (1962).
[29] H. Gibian u. E. Klieger, A. **640,** 145 (1961).

Tab. 54. (1. Fortsetzung)

AS		F [°C]	$[\alpha]_D$	t [°C]	c	Lösungsmittel	Literatur
Gly		67–68					1,2,3
	a	200–203					4,5
	c	199–203					6
	e	122–124					7
His	b	260–261	+22,0°	20	1	Wasser	8,9
Hyp		139					9
Ile	a	246 (Zers.)	+21,2°	20	1	Wasser	10
Leu	a	244	+10,1°	20	2	Wasser	8,11–13
	c	235–238	+8,7°	25	5	Wasser	14
	e	125–126	+9,3°	27	5	Wasser	15
Lys	b	250–260	+18,8°	25	1	Wasser	8,16,17
Met		50–51	+22,5°	27	2	n Salzsäure	18,19
	e	103					20
Phe		93–94	+20,7°	20	1,8	Wasser	21,22
	e	119–120					21,23

[a] Monohydrochlorid
[b] Dihydrochlorid
[c] Monohydrobromid
[d] Dihydrobromid
[e] Hydroacetat

[1] P. S. Yang u. M. M. Rising, Am. Soc. **53**, 3183 (1931).
[2] E. Koenigs u. B. Mylo, B. **41**, 4427 (1908).
[3] P. Bergell u. H. v. Wülfing, H. **64**, 348 (1910).
[4] G. Pfleiderer, P. G. Celliers, M. Stanulovic, E. D. Wachsmut, H. Determann u. G. Braunitzer, Bio. Z. **340**, 552 (1964).
[5] H. E. Johnson u. D. G. Crosby, J. Org. Chem. **27**, 798 (1962).
[6] M. Bodanszky, M. A. Ondetti, C. A. Birkhimer u. P. L. Thomas, Am. Soc. **86**, 4452 (1964).
[7] R. W. Chambers u. F. H. Carpenter, Am. Soc. **77**, 1522 (1955).
[8] E. L. Smith u. D. H. Spackman, J. Biol. Chem. **212**, 271 (1955).
[9] N. C. Davis, J. Biol. Chem. **223**, 935 (1956).
[10] E. L. Smith, D. H. Spackman u. W. J. Polglase, J. Biol. Chem. **199**, 801 (1952).
[11] D. S. Robinson, S. M. Birnbaum u. J. P. Greenstein, J. Biol. Chem. **202**, 1 (1953).
[12] E. L. Smith u. N. B. Slonim, J. Biol. Chem. **176**, 835 (1948).
[13] G. Losse, H. J. Hebel u. C. Kästner, J. pr. **8**, 339 (1959).
[14] F. C. McKay u. N. F. Albertson, Am. Soc. **79**, 4686 (1957).
[15] O. K. Behrens u. M. Bergmann, J. Biol. Chem. **129**, 587 (1939).
[16] S. G. Waley u. J. Watson, Biochem. J. **57**, 529 (1954).
[17] Y. Levin, A. Berger u. E. Katchalski, Biochem. J. **63**, 308 (1956).
[18] E. Sandrin u. R. A. Boissonnas, Helv. **46**, 1637 (1963).
[19] F. Chillemi, G. **93**, 1079 (1963).
[20] C. A. Dekker, S. P. Taylor u. J. S. Fruton, J. Biol. Chem. **180**, 155 (1949).
[21] J. M. Davey, A. H. Laird u. J. S. Morley, Soc. [C] **1966**, 555.
[22] K. Blau u. S. G. Waley, Biochem. J. **57**, 538 (1954).
[23] J. S. Fruton u. M. Bergmann, J. Biol. Chem. **145**, 253 (1942).

Tab. 54. (2. Fortsetzung)

AS		F [°C]	$[\alpha]_D$	t [°C]	c	Lösungsmittel	Literatur
Pro		99					1
	a	182	−70,7°	23	2	Äthanol	1–4
Pyr		166–168	−42,3°		2	Wasser	3,5
Ser		103	+24,6°	24	3	Essigsäure	6
	a	187–188	+13,2°	20	1,1	Wasser	7,8
	e	131–132	+11,0°	25	1	Wasser	9
Thr	a	230–233	+3,1°	22	1,5	Methanol	10
Trp		167–170	−7,9°	20	2	Äthanol	11
	a	257–260	+24,0°	26	1,6	Wasser	12
Tyr		153–154	+19,2°	20	4.1	Wasser	13,14
	a,f	238–239	+28,8°	20	0,74	Äthanol (80%-ig)	7
	e	177					15,16
Val	a	268 (Zers.)	+28.3°	20	1	Wasser	17
	c	242 (Zers)	+22,4°	20	2	Wasser	18
	e						19

[a] Monohydrochlorid
[c] Monohydrobromid
[e] Hydroacetat
[f] Hydrat

[1] D. Hamer u. J. P. Greenstein, J. Biol Chem. **193,** 81 (1951).
[2] N. C. Davis, J. Biol. Chem. **223,** 935 (1956).
[3] R. W. Chambers u. F. H. Carpenter, Am. Soc. **77,** 1522 (1955).
[4] K. Heyns u. G. Legler, H. **321,** 161 (1960).
[5] R. B. Angier, C. W. Waller, B. L. Hutchins, J. H. Boothe, J. H. Mowat, J. Semb u. Y. Subba Row, Am. Soc. **72,** 74 (1950).
[6] R. W. Hanson u. H. N. Rydon, Soc. **1964,** 836.
[7] G. Losse, H. J. Hebel u. C. Kästner, J. pr. **8,** 339 (1959).
[8] S. A. Bernhard, A. Berger, J. H. Carter, E. Katchalski, M. Sela u. Y. Shalitin, Am. Soc. **84,** 2421 (1962).
[9] E. L. Smith, u. D. H. Spackman, J. Biol. Chem. **212,** 271 (1955).
[10] J. K. Chang, H. Sievertson, B. Currie u. K. Folkers, J. Med. Chem. **14,** 484 (1971).
[11] L. C. Baugness u. C. P. Berg, J. Biol. Chem. **106,** 615 (1934).
[12] E. L. Smith u. W. J. Polglase, J. Biol. Chem. **180,** 1209 (1949).
[13] E. Koenigs u. B. Mylo, B. **41,** 4427 (1908).
[14] K. Blau u. S. G. Waley, Biochem. J. **57,** 538 (1954).
[15] O. K. Behrens, u. M. Bergmann, J. Biol. Chem. **129,** 587 (1939).
[16] J. S. Fruton u. M. Bergmann, J. Biol. Chem. **145,** 253 (1942).
[17] E. L. Smith, D. H. Spackman u. W. J. Polglase, J. Biol. Chem. **199,** 801 (1952).
[18] E. Wünsch, G. Wendlberger u. A. Högel, B. **104,** 2430 (1971).
[19] R. Schwyzer, A. Costopanagiotis u. P. Sieber, Helv. **46,** 870 (1963).

35.2. Synthesen mit maskierter α-Carbonamid-Funktion

35.21. Die Maskierung der terminalen α-Carbonamid-Funktion

Unter den üblichen Bedingungen der gebräuchlichen Methoden zur Peptid-Verknüpfung oder Schutzgruppen-Abspaltung bleibt die α-Carbonamid-Funktion zumeist unverändert (vgl. dagegen die häufigen Nebenreaktionen an der ω-Carbonamid-Funktion von Asparagin- und Glutamin-Derivaten, s. S. 701). Nur in wenigen Fällen wurde eine Dehydratation zur Nitril-Gruppe beobachtet[1,2]. Somit ist ein besonderer Schutz der terminalen α-Amid-Gruppe gewöhnlich nicht erforderlich.

Dagegen ist die Maskierung der α-Carbonamid-Funktion in sehr vielen Fällen von hohem synthetischem Nutzen. Durch den Ersatz von Wasserstoff-Atomen der Carbonsäure-amid-Gruppe durch reversibel abspaltbare Maskierungs-Gruppen wird die Ausbildung inter- bzw. intramolekularer Wasserstoff-Brücken erschwert und damit die Löslichkeit der maskierten Peptid-amide in organischen Lösungsmitteln erheblich verbessert. Diese Möglichkeit zur Erhöhung der Löslichkeit bedeutet einen wichtigen Fortschritt in der Synthese höherer Peptid-amide, da bereits kurzkettige unmaskierte Peptid-amide in den üblichen Lösungsmitteln so schwerlöslich sein können, daß weitere synthetische Arbeiten mit ihnen problematisch werden.

Eine weitere, oft störende Eigenschaft vieler unmaskierter Peptidamide ist ihre Wasserlöslichkeit, die ebenfalls eine Folge der Ausbildung von Wasserstoff-Brücken ist und dementsprechend durch Maskierung der Carbonsäure-amid-Gruppe verringert werden kann.

Als Amid-Maskierung denkbar wären beispielsweise die Benzyl-Gruppe[3], Tetrahydropyranyl-(2)-Gruppe[4,5] oder die tert.-Butyl-Gruppe[6,7]. Derartig maskierte Derivate von Aminosäure-amiden sind zwar leicht herzustellen, doch bereitet die Abspaltung im allgemeinen große Schwierigkeiten[8,9]. Die Trityl-Gruppe kommt wegen ihrer großen Empfindlichkeit gegenüber Säuren nicht in Frage.

Sehr geeignet sind dagegen methoxy-substituierte Benzyl-Gruppen sowie die Diphenylmethyl-Gruppe einschließlich verschiedener Varianten.

35.21.1. Methoxy-substituierte Benzyl-Gruppen

Durch Einführung elektronen-liefernder Substituenten in die 2- oder 4-Stellung des Phenyl-Restes kann die acidolytische Spaltbarkeit der N-Benzyl-amid-Gruppe erheblich verbessert werden[8]. In dieser Hinsicht geeignete Substituenten sind Methoxy-Gruppen, so daß die 4-Methoxy-benzyl-, 2,4-Dimethoxy-benzyl- und 2,4,6-Trimethoxy-benzyl-Gruppe zur Maskierung der Carbonamid-Funktion zu größerer Bedeutung gelangten.

Aminosäure-N'-2,4-dimethoxy-benzylamide; allgemeine Arbeitsvorschrift[8]: 50 mMol N-maskierte Aminosäure und 6,9 g (60 mMol) N-Hydroxy-succinimid werden in Chloroform oder Dimethylformamid gelöst und unter Eiskühlung und Rühren mit 11,3 g (55 mMol) Dicyclohexylcarbodiimid in Chloro-

---

[1] W. König u. R. Geiger, B. **103**, 2041 (1970).
[2] J. Rudinger, Ang. Ch. **71**, 742 (1959).
[3] F. Weygand, W. Steglich, J. Bjarnason, R. Akhtar u. N. M. Khan, Tetrahedron Letters **1966**, 3483.
[4] C. Glacet u. G. Troude, Bl. **1964**, 292.
[5] A. J. Speziale, K. W. Ratts u. G. J. Marco, J. Org. Chem. **26**, 4311 (1961).
[6] F. M. Callahan, G. W. Anderson, R. Paul u. J. E. Zimmerman, Am. Soc. **85**, 201 (1963).
[7] R. N. Lacey, Soc. **1960**, 1633.
[8] F. Weygand, W. Steglich, J. Bjarnason, R. Akhtar u. N. Chytil, B. **101**, 3623 (1968).
[9] J. J. Korst, J. D. Johnston, K. Butler, E. J. Bianco, L. H. Conover u. R. B. Woodward, Am. Soc. **90**, 439 (1968).

form versetzt. Nach 5–10 Min. bei 20° werden 8,36 g (50 mMol) 2,4-Dimethoxy-benzylamin zugegeben. Man läßt über Nacht reagieren, saugt vom ausgefallenen N,N'-Dicyclohexyl-harnstoff ab, verdünnt bei Verwendung von Dimethylformamid mit Chloroform oder Essigsäure-äthylester, extrahiert nacheinander mit verd. Salzsäure, ges. Natriumhydrogencarbonat-Lösung und Wasser, trocknet über Natriumsulfat und verdampft das Lösungsmittel. Der Rückstand wird aus Essigsäure-äthylester/Petroläther umkristallisiert. Die Ausbeuten betragen gewöhnlich 70–95% d.Th.

Bei der acidolytischen Abspaltung der oben genannten Maskierungs-Gruppen entstehen (substituierte) Benzyl-Kationen, die sich mit Ausnahme des sterisch gehinderten 2,4,6-Trimethoxy-benzyl-Kations zu Polymeren zusammenlagern können. Durch Zugabe eines „Kationen-Fängers", also einer elektrophil leicht substituierbaren Verbindung wie Anisol, 1,3-Dimethoxy-benzol oder Benzylthiol, wird nicht nur die Bildung der Polymeren verhindert, sondern darüber hinaus die Abspaltung der Maskierung vom Amid beschleunigt und vervollständigt.

Die Abspaltung der 4-Methoxy-benzyl-Gruppe gelingt mit Trifluoressigsäure erst in der Siedehitze[1], mit wasserfreiem flüssigem Fluorwasserstoff jedoch schon bei 20°[2]. Mit Trifluoressigsäure bei 20° lassen sich 2,4-Dimethoxy- sowie 2,4,6-Trimethoxy-benzyl-Gruppe abspalten. Die mit den genannten Gruppen maskierten Amide sind beständig unter den Bedingungen der Hydrogenolyse, nicht völlig beständig dagegen gegenüber Natrium in flüssigem Ammoniak[1].

N-Trifluoracetyl-glycin-amid [TFA-Gly-NH_2][3]: 3,2 g TFA-Gly-NH(24DB)[3] werden in 30 *ml* Trifluoressigsäure 2,5 Tage bei 15° stehen gelassen. Man dampft das Lösungsmittel i.Vak. ab, destilliert 2mal mit Methanol nach, nimmt den Rückstand in 100 *ml* Wasser auf, filtriert, extrahiert das Filtrat mit Diäthyläther und dampft die wäßrige Lösung ein. Der Rückstand wird aus Essigsäure-äthylester/Petroläther umkristallisiert; Ausbeute: 1,52 g (90% d.Th.); F: 114–115°.

35.21.2. Diphenylmethyl-Gruppen

Auch die Amid-Schutzgruppen vom Typ des Diphenylmethyl-Restes zeichnen sich durch ihre leichte acidolytische Abspaltbarkeit aus. Strukturelle Variationen ergeben sich durch Substitution der Phenyl-Reste mit Methyl- oder Methoxy-Gruppen.

Die Maskierung der Amid-Gruppe gelingt im Falle der unsubstituierten Diphenylmethyl-Gruppe durch Verknüpfung einer N-geschützten Aminosäure mit Diphenylmethyl-amin nach der Carbodiimid-Methode[4], im Falle der 4,4'-Dimethyl-[5] oder 4,4'-Dimethoxy-diphenylmethyl-Gruppe[5,6] dagegen durch säurekatalysierte Umsetzung eines N-geschützten Aminosäure-amids mit der entsprechenden Carbinol-Verbindung.

N-Benzyloxycarbonyl-L-prolin-N'-4,4'-dimethoxy-dithyl-amid [Z-Pro-NH(DOD)][6]: Zur Lösung von 25 g (0,1 Mol) Z-Pro-NH_2[7] und 24 g (0,1 Mol) 4,4'- Dimethoxy-benzhydrol in 200 *ml* Eisessig gibt man 1 *ml* konz. Schwefelsäure und läßt 2 Tage bei 20° stehen. Mit 800 *ml* Wasser wird ein Öl ausgefällt, das bald kristallisiert. Der Niederschlag wird abgesaugt, mit Wasser gewaschen und in Essigsäureäthylester gelöst. Diese Lösung wird mit Natriumhydrogencarbonat-Lösung und Wasser gewaschen, über Natriumsulfat getrocknet und i.Vak. eingeengt. Der Rückstand kristallisiert unter Diäthyläther; er wird aus Äthanol/Wasser umgefällt; Ausbeute: 36,7 g (77% d.Th.); F: 119–122°; $[\alpha]_D^{22} = -5,1°$ (c = 1; Dimethylformamid).

---

[1] F. WEYGAND, W. STEGLICH, J. BJARNASON, R. AKHTAR u. N. M. KHAN, Tetrahedron Letters **1966**, 3483.
[2] P. G. PIETTA u. G. R. MARSHALL, Chem. Commun. **1970**, 650.
[3] F. WEYGAND, W. STEGLICH, J. BJARNASON, R. AKHTAR u. N. CHYTIL, B. **101**, 3623 (1968).
[4] S. SAKAKIBARA, Y. SHIMONISHI, Y. KISHIDA, M. OKADA u. H. SUGIHARA, Bl. chem. Soc. Japan **40**, 2164 (1967).
[5] W. KÖNIG u. R. GEIGER, B. **103**, 2041 (1970).
[6] W. KÖNIG u. R. GEIGER, B. **105**, 2872 (1972).
[7] D. HAMER u. J. P. GREENSTEIN, J. Biol. Chem. **193**, 81 (1951).

Die Diphenylmethyl-Gruppe kann über einen ihrer Phenyl-Reste an ein polymeres Trägerharz angeheftet werden[1–5]. So modifiziert lassen sich mit ihrer Hilfe Peptid-α-amide nach der Festphasen-Technik[7] (vgl. S. 371ff.) synthetisieren.

Schließlich sei die 9-Xantenyl-Gruppe (Xanthydryl-Gruppe) erwähnt, die von Sakakibara et al.[8,9] zur Amid-Maskierung angewendet wurde. Ihr großer Nachteil ist die Schwerlöslichkeit ihrer Amid-Derivate, sodaß diese Gruppe keine größere Bedeutung erlangte.

Alle genannten Amid-Maskierungen können acidolytisch abgespalten werden. Oft wird zur Erleichterung der Abspaltung ein „Kationen-Fänger" wie z. B. Anisol zugesetzt (s. S. 462). Flüssiger wasserfreier Fluorwasserstoff kommt in Gegenwart von Anisol bei der Diphenylmethyl-[10,11] und Polymer-diphenylmethyl-Gruppe[1–5] zur Anwendung. N'-(4,4'-Dimethoxy-diphenylmethyl)-amide und (unter verschärften Bedingungen) N'-(4,4'-Dimethyl-diphenylmethyl)-amide werden durch Einwirkung von Trifluoressigsäure in Gegenwart von Anisol gespalten[12,13].

L-Pyrrolidon-5-oyl-L-histidyl-L-prolin-amid (TRH) [H-Pyr-His-Pro-NH_2][13]: 2,04 g (2,1 mMol) Z-Gln (DOD)-His-Pro-NH(DOD)[13] werden mit 10 *ml* Trifluoressigsäure und 1 *ml* Anisol 1,5 Stdn. zum Sieden erhitzt. Danach destilliert man die Trifluoressigsäure i. Vak. ab, destilliert 2 mal mit Diäthyläther i. Vak. nach, verteilt den Rückstand zwischen Diäthyläther und Wasser und filtriert die abgetrennte wäßrige Lösung über einen stark basischen Ionenaustauscher (z. B. „Serdolit Blau", OH^--Form), wäscht mit Wasser nach, engt das Filtrat auf 100 *ml* ein, entfärbt mit etwas Kohle und lyophilisiert; Ausbeute: 683 mg (88% d. Th.); $[\alpha]_D^{20} = -58{,}5°$ (c = 1; Wasser).

Unter den angewendeten Abspaltungs-Bedingungen wird neben den Amid-Schutzgruppen auch die Maskierung der terminalen Amino-Gruppe abgespalten, unter gleichzeitiger Umwandlung des Glutamin-Bausteines in den Pyrrolidon-(5)-carbonsäure-(2)-Baustein.

Tab. 55. N'-Geschützte L-Aminosäure-amide [H-AS-NH(R)]

AS	R		F [°C]	$[\alpha]_D$	t [°C]	c	Lösungsmittel	Literatur
Gly	MOB	a	162–163					1
	DMOB	a	182–184					14
	TMOB	a	205					14
	DOD	a	202–204					12
Leu	DPM		204–206	+12,9°	17	2	Methanol	11
Met	DMOB	b	148–149	c −52,2°	22	1	Wasser	14
	TMOB	a	233–234	c −67,8°	20	1	Wasser	14
Phe	MOB	a	177–178					1

a Hydrochlorid b 4-Toluolsulfonsäure-Salz c $[\alpha]_{546}$

1 J. G. Pietta u. G. R. Marshall, Chem. Commun. **1970**, 650.
2 P. Rivaille u. G. Milhaud, Helv. **55**, 1617 (1972).
3 J. Rivier, M. Monahan, W. Vale, G. Grant, M. Amoss, R. Blackwell, R. Guillemin u. R. Burgus, Chimia **26**, 300 (1972).
4 P. Rivaille, A. Robinson, M. Kamen u. G. Milhaud, Helv. **54**, 2772 (1971).
5 M. W. Monahan u. J. Rivier, Biochem. Biophys. Research Commun. **48**, 1100 (1972).
6 P. G. Pietta et al., G. **103**, 483 (1973).
7 R. B. Merrifield, Am. Soc. **85**, 2149 (1963).
8 S. Akabori, S. Sakakibara u. Y. Shimonishi, Bl. chem. Soc. Japan **34**, 739 (1961).
9 Y. Shimonishi, S. Sakakibara u. S. Akabori, Bl. chem. Soc. Japan **35**, 1966 (1962).
10 S. Sakakibara, Y. Shimonishi, M. Okada u. Y. Kishida in H. C. Beyerman, A. v. d. Linde u. W. Maassen v. d. Brink, *Peptides* (Proc. 8th Europ. Peptide Sympos. Noordwijk 1966), North-Holland Publ. Co., Amsterdam **1967**, S. 44.
11 S. Sakakibara, Y. Shimonishi, Y. Kishida u. H. Sugihara, Bl. chem. Soc. Japan, **40**, 2164 (1967).
12 W. König u. R. Geiger, B. **103**, 2041 (1970).
13 W. König u. R. Geiger, B. **105**, 2872 (1972).
14 F. Weygand, W. Steglich, J. Bjarnason, R. Akhtar u. N. Chytil, B. **101**, 3623 (1968).

35.22. Die Maskierung der Peptid-Bindung

Wenn anläßlich der Knüpfung einer Peptid-Bindung aus Gründen der geringen Reaktivität der terminalen Amin-Gruppe der Amin-Komponente hohe Überschüsse an reaktiver Kopfkomponente zum Einsatz kommen müssen, kann eine zusätzliche Acylierung der bereits gebildeten Peptid-Kette (sogen. „backbone-Acylierung") nicht mehr ausgeschlossen werden[1,2]. Diese Gefahr besteht besonders an den Peptid-Bindungen zwischen sterisch wenig gehinderten Aminosäuren.

In solchen Fällen kann die Substitution der restlichen Wasserstoff-Atome der Peptid-Bindungen durch maskierende Gruppen Abhilfe schaffen. Bei geeigneter Auswahl dieser Gruppen kann zusätzlich die Hydrophobie der Peptid-Kette und damit ihre Löslichkeit in organischen Lösungsmitteln erhöht werden. Die praktische Verwertbarkeit dieses Prinzips demonstrierten Weygand et al.[3] am Beispiel des *N-(4-Methoxy-benzyloxycarbonyl)-tetraglycyl-glycins*, das im unmaskierten Zustand praktisch unlöslich ist. Nach Substitution aller Peptid-Bindungen mit der 2,4-Dimethoxy-benzyl-Gruppe löst sich das genannte Peptid jedoch sehr leicht in Essigsäure-äthylester.

Außer der genannten 2,4-Dimethoxy-benzyl-Gruppe [3,4] wurden zur Maskierung der Peptid-Bindung vorgeschlagen: die Methyl-Gruppe[5] (irreversible Maskierung), die Benzyl-Gruppe[3,5,6] und die 4-Methoxy-benzyl-Gruppe[3].

Zum Aufbau der an der Peptid-Bindung maskierten Peptide bilden die entsprechenden N-Benzyl-Derivate der in der geplanten Sequenz enthaltenen Aminosäuren wichtige Schlüsselverbindungen (zu ihrer Herstellung vgl. Lit.[4,5]).

N-Benzyloxycarbonyl-glycyl-N-(2,4-dimethoxy-benzyl)-glycin-methylester [Z-Gly-(24DB)Gly-OMe][4]: 2,09 g (10 mMol) Z-Gly-OH und 2,39 g (10 mMol) H-(24DB)Gly-OMe[4] in 20 *ml* Tetrahydrofuran werden langsam mit 2,26 g (11 mMol) Dicyclohexylcarbodiimid in 20 *ml* Tetrahydrofuran versetzt. Anderentags wird das Filtrat vom ausgefallenen N,N'-Dicyclohexyl-harnstoff zur Trockene eingedampft, der Rückstand in Essigsäure-äthylester aufgenommen, mit verd. Salzsäure und ges. Natriumhydrogencarbonat-Lösung extrahiert und nach Trocknen über Natriumsulfat abgedampft. Der Rückstand wird aus Essigsäure-äthylester umkristallisiert; Ausbeute: 3,65 g (84% d.Th.); F: 87–88°.

Die Abspaltung einer Benzyl-Gruppe von der Peptid-Bindung ist hydrogenolytisch nicht möglich; sie gelingt jedoch mittels Natriums in flüssigem Ammoniak[3,6]. Schwierig ist die Abspaltung der 4-Methoxy-benzyl-Gruppe, auch wenn siedende Trifluoressigsäure zur Einwirkung kommt[3]. Dagegen kann die 2,4-Dimethoxy-benzyl-Gruppe von einer Peptid-Bindung durch Trifluoressigsäure in Gegenwart eines „Kationen-Fängers" (s. S. 462) schon bei 20° glatt abgespalten werden[4].

N-Benzyloxycarbonyl-glycyl-L-phenylalanin [Z-Gly-Phe-OH][4]: 0,72 g (1,42 mMol) Z-Gly-(24DB)Phe-OH[4] werden unter Zusatz von 0,5 g 1,3-Dimethoxy-benzol in 10 *ml* Trifluoressigsäure 4 Stdn. bei 20° stehen gelassen. Das Lösungsmittel wird i.Vak. abdestilliert, der Rückstand in Essigsäure-äthylester aufgenommen und diese Lösung mit verd. Natronlauge extrahiert. Die wäßrige Lösung wird abgetrennt und unter Essigsäure-äthylester angesäuert. Die abgetrennte organische Phase wird mit Wasser gewaschen, über Natriumsulfat getrocknet und eingedampft. Den Rückstand kristallisiert man aus Essigsäure-äthylester/Petroläther um; Ausbeute: 0,34 g (67% d.Th.); F: 128–129°; $[\alpha]_{578}^{22} = +39,9°$ (c = 5; Äthanol).

---

[1] A. R. Mitchell u. R. W. Roeske, J. Org. Chem. **35**, 1171 (1970).
[2] E. Wünsch, Ang. Ch. **83**, 773 (1971).
[3] F. Weygand, W. Steglich, J. Bjarnason, R. Akhtar u. N. M. Khan, Tetrahedron Letters **1966**, 3483.
[4] F. Weygand, W. Steglich, J. Bjarnason, R. Akhtar u. N. Chytil, B. **101**, 3623 (1968).
[5] P. Quitt, J. Hellerbach u. K. Vogler, Helv. **46**, 327 (1963).
[6] G. C. Stelakatos u. N. Argyropoulos, Chem. Commun. **1966**, 271.

35.3. Die nachträgliche Einführung der α-Carbonamid-Funktion

Ein verbreitetes Synthese-Prinzip im Aufbau höherer Peptid-α-amide besteht darin, daß man zunächst die vollständige Aminosäure-Sequenz erstellt und die Carbonamid-Funktion erst im letzten Synthese-Schritt einführt. Durch dieses Vorgehen vermeidet man viele Schwierigkeiten (hauptsächlich Löslichkeitsprobleme), die sich im Verlaufe einer längeren Synthese durch die Anwesenheit der terminalen Carbonsäure-amid-Gruppe ergeben könnten.

35.31. Die Ammonolyse von Peptid-α-alkylestern

Ein sehr verbreitetes Verfahren zur Herstellung von Peptid-α-amiden beruht auf der Ammonolyse der Peptid-α-alkylester. Gewöhnlich handelt es sich um Methylester oder Äthylester, da sich diese am leichtesten mit Ammoniak umsetzen lassen; seltener kommen Benzylester oder 4-Nitro-benzylester zum Einsatz. Ungeeignet sind z.B. tert.-Alkylester. Die genannte Methode ist auf Peptide mit Kettenlängen von zwei bis etwa zehn Aminosäure-Resten anwendbar.

Ein Schutz der terminalen bzw. drittfunktionellen Amin-Gruppen[1] ist besonders bei Peptidestern mit leicht ammonolysierbarer α-Ester-Gruppe, wie Methylester- oder Äthylester-Gruppe, empfehlenswert. Dagegen kann z.B. bei Peptid-α-benzylestern unter Umständen auf eine Maskierung der terminalen Amin-Gruppe verzichtet werden (vgl. Lit. [2]). Unumgänglich ist jedoch eine Blockade der terminalen Amin-Gruppe auf der Dipeptid-Stufe, da freie Dipeptid-alkylester unter der Einwirkung von Ammoniak eher in das entsprechende 2,5-Dioxo-piperazin als in das Amid umgewandelt werden[3,4]. Einmal gebildet, neigen freie Dipeptid-amide kaum noch zur Bildung von 2,5-Dioxo-piperazinen (vgl. Lit. [5]).

Die Ammonolyse der Peptid-α-ester ist in vielen Fällen recht langwierig, so daß ein Angriff des Ammoniaks auf eventuell vorhandene Schutz-Gruppen an Aminosäure-Drittfunktionen nicht immer ausgeschlossen ist. So können insbesondere ω-Ester-Gruppen von Asparaginsäure- oder Glutaminsäure-Bausteinen ammonolysiert werden[6–8] (zur Stabilität von Amin-Schutzgruppen gegenüber Ammoniak s. S. 454).

Die als Ausgangs-Verbindungen benötigten Peptidester werden gewöhnlich durch schrittweise Verknüpfung von Aminosäuren oder Peptid-Fragmenten mit dem C-terminalen Aminosäureester erhalten. Damit bleibt die C-terminale Carboxy-Gruppe während der gesamten Synthese maskiert, woraus sich gewisse methodische Vorteile ergeben. Peptid-α-methylester werden auch durch Umesterung von Peptid-α-Polymer-estern gewonnen (s. S. 466), die ihrerseits durch Peptid-Synthese nach der Festphasen-Methode (s. S. 371ff.) erhalten werden.

In seiner praktischen Ausführung entspricht das Verfahren der Peptid-alkylester-Ammonolyse der schon früher beschriebenen Umsetzung an Aminosäure-alkylestern (s. S. 454). Hier wie dort führt die Einwirkung von flüssigem Ammoniak (also ohne

---

1 Zur Auswahl der N-Schutzgruppen s. S. 454.
2 C. Ressler u. V. du Vigneaud, Am. Soc. **76**, 3107 (1954).
3 J. M. Davey, A. H. Laird u. J. S. Morley, Soc. [C] **1966**, 555.
4 K. Blàha, Collect. czech. chem. Commun. **34**, 4000 (1969).
5 R. Neher, B. Riniker, H. Zuber, W. Rittel u. F. W. Kahnt, Helv. **51**, 917 (1968).
6 A. F. Beecham, Am. Soc. **76**, 4615 (1954).
7 W. Parr, C. Yang u. G. Holzer, Tetrahedron Letters **1972**, 101.
8 R. W. Hanson u. H. N. Rydon, Soc. **1964**, 836.

Lösungsmittel) nur selten zum Ziel; der Gebrauch eines polaren Lösungsmittels, wie Methanol, Äthanol oder Dimethylformamid, ist somit zur Erzielung hoher Ausbeuten wichtig.

N_α-Benzyloxycarbonyl-N_ε-formyl-L-lysyl-L-prolyl-L-valyl-glycyl-N_ε-formyl-L-lysyl-N_ε-formyl-L-lysinamid [Z-Lys(FOR)-Pro-Val-Gly-Lys(FOR)-Lys(FOR)-NH_2][1]: 250 mg Z-Lys(FOR)-Pro-Val-Gly-Lys(FOR)-Lys(FOR)-OMe[2] werden in 5 *ml* Methanol gelöst und diese Lösung bei −70° 10 Min. mit Ammoniak gesättigt. Anschließend läßt man 1 Woche bei 0° stehen, filtriert den Niederschlag ab, löst ihn in 5 *ml* Äthanol und läßt in der Kälte auskristallisieren. Der Niederschlag wird mit kaltem Äthanol gewaschen und i. Vak. getrocknet; Ausbeute: 144 mg (59% d.Th.); F: 173–177°; $[\alpha]_D^{26} = -34{,}7°$ (c = 1,1; Dimethylformamid).

Die beschriebene Ester-ammonolyse bleibt leicht unvollständig, wenn die C-terminale Aminosäure sterisch gehindert ist[3,4] (z.B. Valin). Die günstigsten Verhältnisse liegen demnach bei C-terminalem Glycin vor.

35.32. Die Ammonolyse von Peptid-Polymer-estern

In gleicher Weise, wie einfach aufgebaute Ester der Peptide (Methylester, Äthylester oder Benzylester) sind auch Ester mit Polymer-alkoholen (wie sie als Trägerharze bei der Peptid-Synthese nach der Festphasen-Technik[5] Verwendung finden) der ammonolytischen Spaltung zugänglich, wenn gewisse strukturelle Voraussetzungen gegeben sind. Die besten Ausbeuten werden erhalten, wenn eine sterisch ungehinderte Aminosäure (wie Glycin) als erste mit dem Polymer-alkohol verknüpft ist. Zusätzliche methodische Verbesserungen werden durch Modifizierung der Trägerharze erreicht, wie z.B. Anwendung von nitrierten Polymer-benzylalkoholen[5,6], polymeren Hydroxy-alkylstyrolen[7,8] oder Poly-phenol-Harzen[9].

Die Ammonolyse wird gewöhnlich so durchgeführt, daß das peptidbeladene Harz in methanolischer Ammoniak-Lösung suspendiert und einige Stunden oder Tage bei 20° darin belassen wird. Flüssiger Ammoniak ohne Lösungsmittel bewährte sich seltener. In manchen Fällen erwies sich ein Gemisch aus Dimethylformamid und Methanol oder Äthanol als geeignetes Reaktionsmedium.

Wenn jedoch sterisch gehinderte Aminosäuren wie Valin oder Phenylalanin als erste mit dem Polymer-alkohol verknüpft sind, stößt die direkte Ammonolyse der Ester-Bindung auf Schwierigkeiten. In diesen Fällen erwies sich eine von Beyerman[10,11] eingeführte Zwei-Stufen-Technik als günstiger Ausweg. Nach dieser Arbeitsweise wird im ersten Schritt eine base-katalysierte Umesterung des Peptid-α-Polymer-esters mit Methanol durchgeführt, wodurch ein reaktionsfähigerer Peptid-α-methylester entsteht, der im zweiten Schritt der Ammonolyse unterworfen wird. Als Katalysatoren für die methanolytische Abspaltung des Peptids vom Trägerharz eignen sich tertiäre Amine, wie N-Methyl-morpholin oder Triäthylamin.

---

[1] K. Hofmann, N. Yanaihara, S. Lande u. H. Yajima, Am. Soc. **84**, 4470 (1962).
[2] K. Hofmann, T. Liu, H. Yajima, N. Yanaihara u. S. Lande, Am. Soc. **83**, 2294 (1961).
[3] K. Hofmann, T. A. Thompson, M. E. Woolner, G. Spühler, H. Yajima, J. D. Cipera u. E. T. Schwartz, Am. Soc. **82**, 3721 (1960).
[4] R. A. Boissonnas, S. Guttmann, R. L. Huguenin, P. A. Jaquenoud u. E. Sandrin, Helv. **41**, 1867 (1958).
[5] R. B. Merrifield, Am. Soc. **85**, 2149 (1963).
[6] H. Takashima, V. du Vigneaud u. R. B. Merrifield, Am. Soc. **90**, 1323 (1968).
[7] E. Bayer, E. Breitmaier, G. Jung u. W. Parr, H. **352**, 759 (1971).
[8] W. Parr, C. Yang u. G. Holzer, Tetrahedron Letters **1972**, 101.
[9] N. Inukai, K. Nakano u. M. Murakami, Bl. chem. Soc. Japan, **41**, 182 (1968).
[10] H. C. Beyerman, H. Hindriks u. E. W. B. Leer, Chem. Commun. **1968**, 1668.
[11] H. C. Beyerman u. R. A. in't Veld, R. **88**, 1019 (1969).

[5-Gln]-α-MSH (Abspaltung vom Trägerharz nach Synthese nach der Festkörper-Technik)[1]:
Methanolyse: 4,9 g (0,84 mMol) Ac-Ser(BZL)-Tyr(BZL)-Ser(BZL)-Met-Gln-His(BZL)-Phe-Arg(TOS)-Trp-Gly-Lys(TOS)-Pro-Val-OBØ[1] werden in 50 *ml* Dimethylformamid, 50 *ml* Methanol und 22 *ml* Triäthylamin suspendiert. Die Mischung wird 22 Stdn. bei 42° gerührt, vom Harz abfiltriert, das Harz mit Dimethylformamid extrahiert und erneut der Methanolyse unterworfen. Die vereinigten Filtrate werden eingedampft.

Ammonolyse: Der oben hergestellte Peptid-α-methylester wird in 110 *ml* Dimethylformamid, 79 *ml* Äthylenglycol und 51 *ml* Wasser gelöst. Man sättigt bei 0° mit Ammoniak und läßt 20 Stdn. bei 20° stehen. Danach sättigt man erneut bei 0° mit Ammoniak und läßt weitere 2 Tage bei 20° stehen. Danach wird auf ein Vol. von 80 *ml* eingeengt und das entstandene Peptid-α-amid durch Zugabe von Wasser ausgefällt. Nach Abkühlen auf 0° wird der Niederschlag abzentrifugiert, mit Wasser gewaschen und getrocknet.

[5-Gln]-α-MSH: Nach Abspaltung der Schutzgruppen erhält man 26 mg [5-Gln]-α-MSH.

35.33. Amide aus Nitrilen

Die ungeschützte α-Carbonamid-Funktion kann während der Peptid-Synthese durch Dehydratation in die Nitril-Gruppe umgewandelt werden[2]. Solche unerwünschten Nebenreaktionen sind besonders aus der Chemie des Asparagins oder Glutamins bekannt (s. S. 723). Aus der Nitril-Gruppe kann – wenigstens in einfachen Fällen – die Amid-Gruppe regeneriert werden (z.B. mit Chlorwasserstoff in Äthanol[3], Bromwasserstoff in Eisessig[4] oder mit Wasserstoffperoxid in wäßriger alkalischer Lösung[5]). Mit der Herstellung von N-Aminoacyl- oder N-Peptidyl-aminosäure-nitrilen (vgl. Lit.[6–8]) und anschließender Umwandlung der Nitril-Gruppe in die Säureamid-Gruppe ist eine Möglichkeit zur reversiblen Maskierung der α-Carbonamid-Funktion angedeutet[2], die jedoch in der Praxis keine allgemeine Bedeutung gewinnen konnte.

---

[1] J. J. Blake, R. W. Crooks u. C. H. Li, Biochemistry **9**, 2071 (1970).
[2] J. Rudinger, Ang. Ch. **71**, 742 (1959).
[3] H. E. Johnson u. D. G. Crosby, J. Org. Chem. **27**, 798 (1962).
[4] M. Zaoral u. J. Rudinger, Collect. czech. chem. Commun. **24**, 1993 (1959).
[5] B. Liberek, Chem. & Ind. **1961**, 987.
[6] E. Vargha, Stud. Univ. Babes-Bolyai, Chem. **13**, 31 (1968); C. A. **71**, 39374 (1969).
[7] A. Balog et al., Stud. Univ. Babes-Bolyai, Chem., **14**, 137 (1969); C. A. **73**, 25843 (1970).
[8] K. Kawashiro, H. Yoshida u. S. Morimoto, Chemistry Letters (Japan) **1974**, 1.

36. Mehrfunktionelle Aminosäuren und ihre Einbeziehung in die Synthese

bearbeitet von

Prof. Dr. Erich Wünsch

Max-Planck-Institut für Biochemie, München

Eines der großen Probleme der Peptidsynthese bringen die „mehrfunktionellen" Aminosäuren mit sich, d.h. jene Vertreter dieser Körperklasse, die im Bereich der Seitenketten zusätzliche basische, saure und andere Gruppen aufweisen und damit eine systematische Aminosäure-Verknüpfung erschweren, bzw. in einigen Fällen unmöglich machen. So verschiedenartig diese Gruppen sein können, so bunt und zahlreich sind die eingeschlagenen Bestrebungen, dieses vor allem die moderne Peptidnaturstoffsynthese belastende Phänomen auszuklammern. Während z.B. bei Diaminosäuren und Amino-dicarbonsäuren eine ω-Blokkierung meist unumgänglich ist, wird in anderen Fällen, z.B. bei Hydroxy-aminosäuren, auch der zweite mögliche Weg postuliert: Herstellung der Peptidbindung unter Bedingungen, die Nebenreaktionen dieser zusätzlichen funktionellen Gruppen ausschalten, bzw. in erträglichen Grenzen halten. Generell muß aber einer Maskierungstechnik der Vorzug gegeben werden, da nur diese dem Bestreben Rechnung trägt, unübersichtliche Umsetzungen konsequent zu vermeiden. Vor allem wenn es gelingt, solche selektive Schutzgruppen für alle dritten Funktionen zu finden, die den Verlauf der Synthese nicht oder nur gering behindern (z.B. Löslichkeit) und schließlich nach vollzogenem Aufbau höherer Oligopeptidsequenzen unter schonendsten Bedingungen quantitativ oder zumindest hochprozentig entfernt werden können.

In den folgenden Abschnitten soll ein Überblick über die bislang erarbeiteten Möglichkeiten gegeben werden.

36.100. Die ω-Amino-Gruppe

36.110. Diaminoacyl-peptide

Der Einsatz der Diaminosäuren als „Kopfkomponente" bei der Peptidsynthese bereitet im allgemeinen keine Schwierigkeiten, da es ohne weiteres möglich ist, zahlreiche N_α,N_ω-„gleichsubstituierte" Derivate der Diaminosäuren als sichere Ausgangs-Materialien zu gewinnen (s. Tab. 57, S. 493) und in Analogie zu den „normalen" N_α-geschützten Aminosäuren auch umzusetzen[1–7]. (s. spez. die Synthesen des *Kallidins*[8–11], des *Ribonuclease-S-Peptids*[12,13] und des *Cholecystokinin-Pankreozymins*[14]).

[1] Eine Ausnahme macht *δ-Hydroxy-lysin*, s. S. 575.
[2] M. Bergmann, L. Zervas u. W. F. Ross, J. Biol. Chem. **111**, 245 (1935).
[3] S. G. Waley u. J. Watson, Biochem. J. **57**, 529 (1954).
[4] S. Goldschmidt u. G. Rosculet, B. **93**, 2387 (1960).
[5] K. Hofmann, W. D. Peckham u. A. Rheiner, Am. Soc. **78**, 238 (1956).
[6] G. Amiard u. B. Goffinet, Bl. **1957**, 1373.
[7] W. Grassmann u. E. Wünsch, B. **91**, 449 (1958).
[8] E. D. Nicolaides, H. A. de Wald u. D. A. McCarthy, Biochem. Biophys. Res. Commun. **6**, 210 (1961).
[9] J. Pless et al., Helv. **45**, 394 (1962).
[10] E. Wünsch, H. G. Heidrich u. W. Grassmann, B. **97**, 1818 (1964).
[11] E. Schröder u. H. Gibian, A. **673**, 176 (1964).
[12] E. Scoffone et al., G. **94**, 743 (1964).
[13] K. Hofmann et al., Am. Soc. **87**, 611 (1965).
[14] M. Bodanszky et al., J. Org. Chem. **37**, 2303 (1972).

N_α,N_ε-Dibenzyloxycarbonyl-L-lysin [Z-Lys(Z)-OH][1]: 125 g (684 mMol) Lysin-Monohydrochlorid werden in 342 *ml* Wasser und 684 *ml* 2n Natronlauge gelöst und sofort auf −10° abgekühlt. Unter Rühren tropft man innerhalb 75 Min. 852 *ml* 4n Natronlauge und 360 *ml* Chlorameisensäure-benzylester (beide auf 0° gekühlt) so zu, daß die Temp. 0° nicht übersteigt und ein p_H-Wert über 10 eingehalten wird. Man rührt 15 Min. weiter und stellt dann mit 1000 *ml* eiskalter 2n Salzsäure auf p_H 1,5. Das abgeschiedene Öl nimmt man in Äther auf. Nach sorgfältigem Waschen mit n Salzsäure und Wasser wird die ätherische Lösung 1 mal mit 2000 *ml* und 2 mal mit 500 *ml* n Ammoniak extrahiert, die erhaltenen ammoniakalischen Phasen vereinigt, 2 mal mit Äther ausgezogen und schließlich unter starker Kühlung (zweckmäßig ist die Zugabe von 500 g Eis) unter Überschichtung mit 2000 *ml* Äther mit 700 *ml* 4n Salzsäure angesäuert. Die ätherische Phase wird abgetrennt und die wäßrige erschöpfend mit Äther extrahiert. Nach Wiederholung dieser Reinigungsoperation wird die erhaltene ätherische Lösung von N_α,N_ω-Dibenzyloxycarbonyl-lysin über Natriumsulfat getrocknet und i.Vak. eingedampft. Man erhält 243 g Öl. Nach Aufnehmen in 350 *ml* absol. Äther und Zugabe von 1000 *ml* Petroläther tritt beim Stehen im Kühlschrank alsbald Kristallisation ein; Ausbeute: 223 g (79% d.Th.); F: 80°; $[\alpha]_D^{21} = -3{,}9 \pm 0{,}5°$ (c = 2; in Methanol) und $-1{,}5 \pm 0{,}5°$ (c = 2, in Eisessig).

36.120. N_α-Peptide der Diaminosäuren

Dort jedoch, wo Diaminosäuren carboxy-endständig bzw. -mittelständig in eine bestimmte Sequenz eingebaut werden sollen, ist es unumgänglich, die reinen freien oder deren α-carboxy-geschützte N_ω-Derivate oder N_α,N_ε-gemischt-disubstituierte Verbindungen zu besitzen. Hierfür stehen gegenwärtig nachstehende fünf Wege offen, wobei auf eine Totalsynthese, die zu DL-Derivaten führt, keine Rücksicht genommen werden soll.

36.121. Selektive N_α-Demaskierung von N_α,N_ω-identisch-substituierten Diaminosäuren

Das klassische Beispiel dieser Mehode ist die erstmals von Bergmann et al.[2, vgl. a. 1] beschriebene Herstellung von *N_ε-Benzyloxycarbonyl-L-lysin* (IV) und dessen *Methylester-Hydrochlorid* (V) aus Z-Lys(Z)-OH (I). Sie basiert auf der selektiven Spaltung der α-Urethan-Bindung aus N_α,N_ω-identisch disubstituierten Derivaten, im genannten Falle über das Carbonsäure-chlorid II und N-Carbonsäure-Anhydrid III verlaufend (vgl. dazu S. II/187f.):

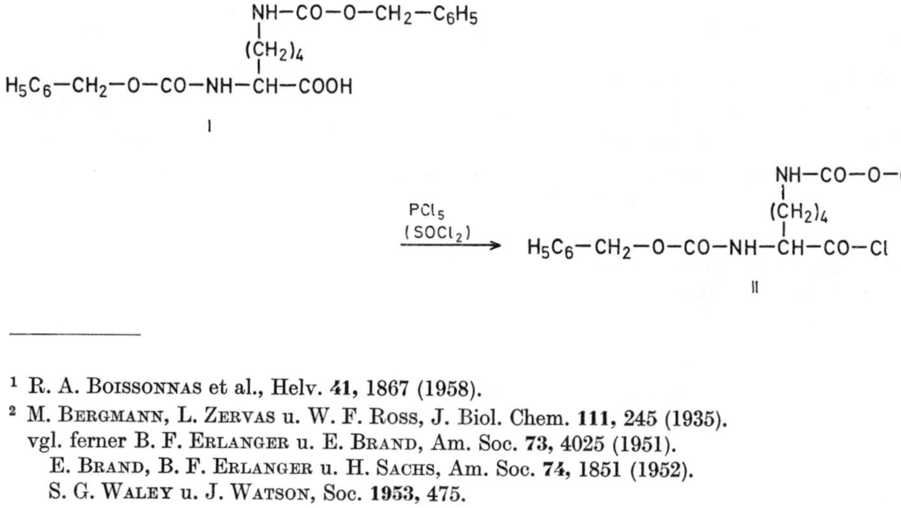

```
                          NH—CO—O—CH2—C6H5
                          |
                          (CH2)4
                          |
H5C6—CH2—O—CO—NH—CH—COOH

                I
```

```
                                   NH—CO—O—CH2—C6H5
                                   |
      PCl5                         (CH2)4
     (SOCl2)                       |
    ————————→   H5C6—CH2—O—CO—NH—CH—CO—Cl

                                   II
```

---

[1] R. A. Boissonnas et al., Helv. **41**, 1867 (1958).

[2] M. Bergmann, L. Zervas u. W. F. Ross, J. Biol. Chem. **111**, 245 (1935).
vgl. ferner B. F. Erlanger u. E. Brand, Am. Soc. **73**, 4025 (1951).
E. Brand, B. F. Erlanger u. H. Sachs, Am. Soc. **74**, 1851 (1952).
S. G. Waley u. J. Watson, Soc. **1953**, 475.

$$\xrightarrow{-H_5C_6-CH_3} \underset{\text{III}}{\text{HN}-\text{CH}[(CH_2)_4-CO-O-CH_2-C_6H_5]-CO-O-CO} \begin{cases} \xrightarrow{H^{\oplus}/H_2O} H_2N-CH(COOH)-(CH_2)_4-NH-CO-O-CH_2-C_6H_5 \quad \text{IV} \\ \xrightarrow{H^{\oplus}/ROH} H_2N-CH(COOR)-(CH_2)_4-NH-CO-O-CH_2-C_6H_5 \quad \text{V} \end{cases}$$

N_ε-Benzyloxycarbonyl-L-lysin-benzylester-Hydrochlorid [H-Lys(Z)-OBZL · HCl][1]: Zu einer äther. Suspension (300 *ml*) von 207 g (0,5 Mol) Z-Lys(Z)-OH werden unter Rühren bei —10° 92 *ml* Thionylchlorid innerhalb 30 Min. zugetropft. Nach 30 Min. Rühren bei Raumtemp. erwärmt man die Lösung 3 Stdn. zum gelinden Sieden. Die alsbald einsetzende Kristallisation wird durch Stehen im Kühlschrank vervollständigt (Eine zweite Fraktion läßt sich nach Einengen der Mutterlauge und Versetzen mit Petroläther gewinnen). Das über Phosphor(V)-oxid kurz getrocknete Produkt (H-[Lys-NCA]; F: 98°) wird mit 500 *ml* Benzylalkohol, der 19 g Chlorwasserstoff enthält, übergossen. Nach 16 Stdn. Stehen bei Raumtemp. (wobei Lösung erfolgt) fällt man das entstandene Benzylester-Hydrochlorid durch Zugabe von 1000 *ml* absol. Äther aus; Ausbeute: 154 g (76% d. Th.); F: 139–140° (aus heißem Wasser); $[\alpha]_D^{20} = -4{,}9 \pm 0{,}5°$ (c = 0,5; in 0,1 n Salzsäure)[2].

Auf dem oben beschriebenen Wege sind auch die entsprechenden *Ornithin*- und Diamino-propionsäure-Derivate zugänglich geworden[3]. Im Falle der α,γ-Diamino-buttersäure versagt die Methode, da Pyrrolidon-Bildung eintritt.

Eine selektive Spaltung der α-Maskierung bei N_α,N_ω-gleichsubstituierten Diaminosäuren zeigten ferner Rudinger et al.[4] für die TOS-Dab(TOS)-OH auf; Bromwasserstoff in Eisessig cyclisiert unter Eliminierung des N_α-Tosyl-Restes zum H-Dab(TOS)-lactam, das sich alkalisch zur H-Dab(TOS)-OH öffnen läßt.

Schließlich fand Amiard[5], daß TRT-Lys(TRT)-OH (auch als Kopfkomponente im Peptidverband direkt zu verwenden) unter spezifischen Bedingungen in α-Stellung detritylierbar ist. In der Folge ergaben Untersuchungen von Bláha und Rudinger[6] entsprechende, wenn auch relativ geringe, Unterschiede bei der acidolytischen Spaltung von N_α- bzw. N_ω-Urethan-Schutzgruppen.

36.122. Selektive N_ω-Maskierung der Diaminosäure-Kupfer(II)-Komplexe

Die wohl sicherste und brauchbarste Methode zur Herstellung reiner N_ω-substituierter Diaminocarbonsäuren ist auf einer Isolierungsmethode begründet, die Kurtz[7] für Lysin entwickelt hatte: in schwach alkalischem Medium ($p_H = 8{,}5$–9) setzt sich der leicht lösliche Kupfer(II)-Lysin-Komplex(VI) mit Carbonsäure-chloriden, -fluoriden,-4-nitro-phenylestern

---

1 E. Wünsch, unveröffentlichte Ergebnisse.
Methode s. R. A. Boissonnas et al., Helv. **41**, 1867 (1958).

2 vgl. B. F. Erlanger u. E. Brand, Am. Soc. **73**, 4025 (1951); $[\alpha]_D^{20} = -9{,}9°$ (c = 0,5; in 0,1n Salzsäure).

3 R. L. M. Synge, Biochem. J. **42**, 99 (1948).
K. Poduška, J. Rudinger u. F. Šorm, Chem. Listy **49**, 737 (1955).

4 K. Poduška u. J. Rudinger, Collect. czech. chem. Commun. **24**, 3449 (1959).

5 G. Amiard u. B. Goffinet, Bl. **1957**, 1133.

6 K. Bláha u. J. Rudinger, Collect. czech. chem. Commun. **30**, 585 (1965).

7 A. C. Kurtz, J. Biol. Chem. **140**, 705 (1941).

etc. zum schwer löslichen N_ε-Acyl-lysin-Kupfer(II)-Komplex (VII) um; dieser läßt sich mit Schwefelwasserstoff zum freien N_ω-Acyl-Derivat VIII zerlegen. Nach diesem Verfahren sind in der Folgezeit zahlreiche für die Peptidsynthese brauchbare N_ω-Acyl-Derivate des Lysins[1,2], Ornithins[3,11] und der α,γ-Diamino-buttersäure[4] synthetisiert worden (vgl. a. Tab. 57, 58, 59, S. 491f., 500 u. 504).

Für α,β-Diamino-propionsäure dürfte diese Methode fraglich sein, da eine eindeutige Differenzierung des Kupfer(II)-α-Amino- zugunsten des Kupfer(II)-β-Aminosäure-Komplexes kaum noch bestehen wird[5].

Wenig erfreulich ist allein die Zerlegung der Kupfer-Verbindung mit gasförmigem Schwefelwasserstoff; Foelsch und Serck-Hanssen[6] wenden deshalb Thioacetamid an (Freisetzung von Schwefelwasserstoff in situ). Die Zerstörung des Kupfer-Komplexes wird ferner mittels Cyanid-Ionen[7] oder mittels „komplex-bildender" Reagenzien[2,8,9] (z.B. EDTA) vorgenommen; bei wasserlöslichen Verbindungen hat sich auch die Verwendung von „Komplexbildner-Harzen"[9] bewährt. In Sonderfällen z.B. beim H-Lys(cPOC)-OH[10] und H-Orn (PHT)-OH gelingt diese auch mit Salzsäure[11].

$$\underset{\text{VI}}{\begin{matrix} NH_2 \\ | \\ (CH_2)_n \\ | \\ H_2N{-}CH{-}C{=}O \\ \vdots \quad\quad | \\ Cu/2{-}O \end{matrix}} \xrightarrow[\text{(R–CO–N}_3\text{ etc.)}]{\text{R–CO–Cl + OH}^\ominus} \underset{\text{VII}}{\begin{matrix} NH{-}CO{-}R \\ | \\ (CH_2)_n \\ | \\ H_2N{-}CH{-}C{=}O \\ \vdots \quad\quad | \\ Cu/2{-}O \end{matrix}} \xrightarrow[(CN^\ominus)/(H^\oplus)]{H_2S} \underset{\text{VIII}}{\begin{matrix} NH{-}CO{-}R \\ | \\ (CH_2)_n \\ | \\ H_2N{-}CH{-}COOH \end{matrix}}$$

---

1 A. Neuberger u. F. Sanger, Biochem. J. **37**, 515 (1943).
K. Schlögl u. H. Fabitschowitz, M. **84**, 937 (1953).
C. M. Stevens u. R. Watanabe, Am. Soc. **72**, 725 (1950).
G. H. L. Nefkens, G. I. Tesser u. R. J. F. Nivard, R. **79**, 688 (1960).
R. Schwyzer u. W. Rittel, Helv. **44**, 159 (1961).
K. Hofmann et al., Am. Soc. **82**, 3727 (1960).
E. Schnabel et al., A. **743**, 57 (1971).

2 D. Yamashiro u. C. H. Li, Am. Soc. **95**, 1310 (1973).
D. Yamashiro u. C. H. Li, Int. J. Pept. Prot. Res. **4**, 181 (1972).

3 J. I. Harris u. T. S. Work, Biochem. J. **46**, 582 (1950).
B. F. Erlanger, H. Sachs u. E. Brand, Am. Soc. **76**, 1806 (1954).
H. N. Christensen, J. Biol. Chem. **160**, 75 (1945).
N. Izumiya, Bl. chem. Soc. Japan **26**, 53 (1953).

4 B. C. Barrass u. D. T. Elmore, Soc. **1957**, 3134.
T. Kurihara u. K. Suzuki, J. pharm. Soc. (Japan) **75**, 1269 (1955).
H. N. Christensen u. T. R. Riggs, J. Biol. Chem. **220**, 265 (1956).
K. Poduška u. J. Rudinger, Collect. czech. chem. Commun. **24**, 3449 (1959).
M. Zaoral, J. Rudinger u. F. Šorm, Chem. Listy **47**, 427 (1953); Collect. czech. chem. Commun. **18**, 530 (1956).

5 s. dazu A. Albert, Biochem. J. **50**, 690 (1952).

6 G. Foelsch u. K. Serck-Hanssen, Acta chem. scand. **13**, 1243 (1959).

7 H. Zahn u. E. Umlauf, H. **297**, 127 (1954).
H. Zahn et al., B. **89**, 407 (1956).

8 M. Zaoral, Collect. czech. chem. Commun. **30**, 1853 (1965).
S. Kuwata u. H. Watanabe, Bl. chem. Soc. Japan **38**, 676 (1965).

9 R. Ledger u. F. H. C. Stewart, Austral. J. Chem. **18**, 933 (1965).

10 E. Wünsch, unveröffentlichte Arbeiten.

11 M. Bodanszky et al., Am. Soc. **86**, 4452 (1964).

N_ε-Benzyloxycarbonyl-L-lysin [H-Lys(Z)-OH][1]: 365 g Lysin-Monohydrochlorid und 160 g Natriumhydroxid in 1,6 *l* Wasser werden mit 250 g Kupfer(II)-sulfat (Pentahydrat) in 800 *ml* Wasser bei 30° versetzt; zur erhaltenen tiefblauen Lösung gibt man nach Abkühlen auf 0° unter Rühren 200 g Natriumhydrogencarbonat zu und anschließend tropfenweise innerhalb 45–60 Min. 380 *ml* Chlorameisensäure-benzylester (Reaktionstemp. 0°). Man rührt die Reaktionsmischung 3 Stdn. bei 0° und anschließend über Nacht unter Erreichen von Raumtemp. weiter (Vorsicht vor Überschäumen!).

Der ausgefallene Kupfer(II)-Komplex wird abfiltriert, nacheinander mit 4 *l* Wasser und 2 *l* Aceton gewaschen und weitgehend trockengesaugt. Die Suspension des erhaltenen Kupfer(II)-Komplexes in 4 *l* Wasser versetzt man unter Rühren portionsweise mit 720 *ml* konz. Salzsäure, worauf eine tiefgrüngefärbte Lösung entsteht. In diese leitet man 60–90 Min. Schwefelwasserstoff langsam ein.

Nach kurzem „Entgasen" der Suspension i. Vak. wird vom Kupfer(II)-sulfid abfiltriert, dieses mit 8 *l* Wasser sorgfältig gewaschen. Filtrat und Waschwässer werden auf 5–10° abgekühlt und anschließend mit konz. Ammoniak unter Rühren und Kühlung auf $p_H = 7$ gestellt (Verbrauch ~ 5–600 *ml*). Nach 1stdgm. Stehenlassen bei 5–10° filtriert man das ausgeschiedene Material ab, wäscht es nacheinander mit 4 *l* Wasser und 2 *l* Methanol und trocknet es i. Vak. bei 70° zur Gewichtskonstanz; Ausbeute: 480–505 g (85–90°% d. Th.); F: 256–258° (Zers.); $[\alpha]_D^{20} = +15° \pm 0,5$ (c = 2; in 3n Chlorwasserstoff).

Zur Herstellung von *H-Lys(TOS)-OH* s. S. 224.

N_ε-Benzyloxycarbonyl-DL-hydroxylysin [H-DL-Hyl(Z)-OH][2]: 2,5 g (~ 3,8 mMol) N_ε-Benzyloxycarbonyl-DL-hydroxylysin-Kupfer(II)-Komplex (fein pulverisiert) werden in einer 50-*ml*-Schliffstöpselflasche in 10 *ml* Wasser suspendiert und bei Raumtemp. unter ständigem Schütteln von Hand portionenweise mit 1,16 g (~ 18 mMol) Kaliumcyanid in 10 *ml* Wasser versetzt, bis der blaue Kupfer-Komplex der Aminosäure völlig in Lösung geht. Es scheidet sich alsbald (mitunter schon vor Beendigung der Kaliumcyanid-Zugabe) H-Hyl(Z)-OH in Form von weißen Flocken aus. Nach Ansäuern mit Essigsäure (Abzug!) kühlt man rasch auf 0° ab, filtriert und wäscht den Niederschlag gut mit Eiswasser. Nach 4maligem Umkristallisieren aus Wasser steigt der F von 216° auf den konstanten Wert von 225° (Zers.; farblose, seidig glänzende Blättchen); Ausbeute: 1,13 g (49,1% d. Th.).

N_ε-(2-Brom-benzyloxycarbonyl)-L-lysin [H-Lys(2BZ)-OH][3]: Die siedende Lösung von 22,25 g Lysin-Hydrochlorid in 400 *ml* Wasser wird mit 16,4 g basischem Kupfer(II)-carbonat versetzt; die Mischung wird 10 Min. lang zum Sieden erhitzt, dann abgekühlt und von ungelöstem Material abfiltriert. Nach Verdünnen des Filtrats mit 1,2 *l* Wasser und 4,9 *l* Dimethylformamid fügt man 50 g (2-Brom-benzyl)-(4-nitro-phenyl)-carbonat und 22,3 g Natriumhydrogencarbonat hinzu und rührt das Gemisch 2 Tage lang. Der gebildete blaue Niederschlag wird abfiltriert, mit Wasser und Äthanol sorgfältig gewaschen und letztlich in 6 *l* siedendem Wasser gelöst, das ~ 50 g Äthylen-diamin-tetraessigsäure-Dinatriumsalz enthält. Nach Abkühlen und Rühren der Mischung bei 4° über Nacht wird das abgeschiedene farblose Produkt abfiltriert und sorgfältig mit Wasser und Äthanol gewaschen; Ausbeute: 42 g (96% d. Th.); F: 220–223°; $[\alpha]_D^{24} = +9,6°$ (c = 1,09 in 80%-iger Essigsäure).

N_δ-Phthalyl-L-ornithin [H-Orn(PHT)-OH][4]:

N_δ-Phthalyl-L-ornithin-Kupfer(II)-Komplex: Eine Lösung von 67,4 g Ornithin-Monohydrochlorid und 32 g Natronlauge in 700 *ml* Wasser wird mit 50 g Kupfer(II)-sulfat · 5 H_2O in 700 *ml* Wasser vermischt; die erhaltene tiefblaue Lösung versetzt man mit 40 g Natriumhydrogencarbonat und 100 g N-Äthoxycarbonyl-phthalimid und rührt das Reaktionsgemisch ~ 45 Min. Die abgeschiedene blaue Fällung wird abfiltriert, mit Wasser, Äthanol, Chloroform und Äther gewaschen und i. Vak. getrocknet; Ausbeute: 114 g (97,5% d. Th.).

N_δ-Phthalyl-L-ornithin-Hydrochlorid: 114 g gepulvertes N_δ-Phthalyl-L-ornithin-Kupfer(II)-salz werden 1 Stde. mit 600 *ml* 6 n Salzsäure gerührt. Man filtriert und wäscht mit 6n Salzsäure bis das Filtrat nahezu farblos ist. Das rohe Hydrochlorid wird am Filter durch Durchsaugen von Luft weitgehend getrocknet und schließlich mit etwas Essigsäure-äthylester gewaschen; Ausbeute: 92 g (90% d. Th.); F: 223–225 (Zers.).

N_δ-Phthalyl-L-ornithin: 5 g H-Orn(PHT)-OH · HCl in 100 *ml* Wasser versetzt man mit 45 *ml* 0,5 n Kaliumhydrogencarbonat-Lösung und anschließend mit einigen Tropfen Essigsäure, um ein p_H = 7 zu erhalten. Das in langen Nadeln auskristallisierte Produkt wird abfiltriert, mit Wasser gewaschen, i. Vak. getrocknet und aus Wasser/Äthanol umkristallisiert; Ausbeute: 1,3 g; F: (215) 220–221° (Zers.).

---

[1] R. Studer, Privatmitteilung.
vgl. M. Bergmann u. L. Zervas, J. Biol. Chem. **111**, 249 (1935).
A. Neuberger u. F. Sanger, Biochem. J. **37**, 515 (1943).
K. Schlögl u. H. Fabitschowitz, M. **84**, 937 (1953).

[2] H. Zahn u. E. Umlauf, H. **297**, 127 (1954).

[3] D. Yamashiro u. C. H. Li, Am. Soc. **95**, 1310 (1973).

[4] M. Bodanszky et al., Am. Soc. **86**, 4452 (1964).

Die erhaltenen N_ω-substituierten Diaminocarbonsäuren lassen sich einerseits leicht (z.B. unter Schotten-Baumann-Bedingungen) zu N_α,N_ω-gemischt-disubstituierten Derivaten umsetzen[1,5] (Eine Ausnahme bilden N_ω-Trifluoracetyl-Derivate, die unter den alkalischen Reaktionsbedingungen weitgehend zerstört werden; Aufbau dieser Verbindungen vgl. S. 477). Andererseits gelingt auch die Veresterung der α-Carboxy-Gruppe glatt mit Äthanol/Chlorwasserstoff[2,6], Benzylalkohol/4-Toluolsulfonsäure oder Polyphosphorsäure[3] und Isobuten/Schwefelsäure etc.[4] in Dichlormethan oder 1,4-Dioxan zu den entsprechenden Estern.

N_α-Benzyloxycarbonyl-N_δ-phthalyl-L-ornithin [Z-Orn(PHT)-OH][5]: 50 g H-Orn(PHT)-OH · HCl (Rohprodukt) in 2,5 *l* Wasser werden mit 0,5 n Kaliumhydrogencarbonat-Lösung neutralisiert. Nach Zugabe von weiterem 1 *l* 0,5n Kaliumhydrogencarbonat-Lösung versetzt man mit 29 *ml* Chlorameisensäure-benzylester und rührt die Mischung für 3 Stdn. (Schnellmischer). 15g Natriumhydrogencarbonat werden nun zugefügt und weitere 4 Stdn. gerührt. Die Reaktionslösung schüttelt man (evtl. nach Abfiltrieren von Unlöslichem) 2mal mit Äther aus und säuert dann mit 6n Salzsäure an. Das ausgefallene Öl erstarrt alsbald; es wird abfiltriert, mit Wasser gewaschen, im Vakuum-Exsikkator scharf getrocknet und aus Essigsäure-äthylester umkristallisiert; Ausbeute 42 g (63,5% d.Th.; farblose Nadeln); F: 127–129°.

N_ε-Benzyloxycarbonyl-L-ornithin-methylester-Hydrochlorid [H-Orn(Z)-OMe · HCl][6]: 2 g H-Orn(Z)-OH werden in 100 *ml* n methanolischer Salzsäure gelöst und 24 Stdn. bei Raumtemp. aufbewahrt. Die Lösung wird bis zur Trockene i.Vak. eingedampft und die Veresterung noch 2mal wiederholt. Der feste Rückstand wird schließlich aus Aceton/Äther umkristallisiert; Ausbeute: 2,35 g (fast quant.); F: 132–134°; $[\alpha]_D^{19} = +14,5 \pm 0,5°$ (c = 4; in Methanol).

36.123. N_ω-Maskierung der „freien" Diaminosäure

Schon Kjaer[7] hatte in seinen Arbeiten auf Basizitätsunterschiede der N_α- bzw. N_ω-Amino-Gruppe hingewiesen und festgestellt, daß eine bevorzugte N_ω-Acylierung der freien Diaminocarbonsäuren möglich sei (hierfür dürfte auch der sterische Faktor einen entscheidenden Beitrag leisten). Schallenberg und Calvin[8] empfahlen dann nachdrücklich diesen Weg mit der gelungenen Herstellung von *H-Lys(TFA)-OH* bzw. *H-Orn(TFA)-OH* aus den freien Diaminocarbonsäuren und Trifluoressigsäure-äthylthioester (vgl. auch die N_ω-Formylierung mit Ameisensäure-4-nitro-phenylester S. 166).

N_ε-Trifluoracetyl-DL-lysin [H-DL-Lys(TFA)-OH][8]: Zu einer Lösung von 1,83 g (10 mMol) DL-Lysin-Monohydrochlorid in 10 *ml* n Natronlauge werden 2 *ml* Trifluoressigsäure-äthylthioester gegeben. Die heterogene Mischung wird 6 Stdn. geschüttelt, währenddessen sich ein Niederschlag bildet. Die Reak-

---

1 R. L. Huguenin u. R. A. Boissonnas, Helv. **46**, 1669 (1963).
C. H. Li, E. Schnabel u. D. Chung, Am. Soc. **82**, 2062 (1960).
R. Schwyzer, A. Costopanagiotis u. P. Sieber, Helv. **46**, 870 (1963).

2 E. Katchalski u. P. Spitnik, Am. Soc. **73**, 2946 (1951).
J. I. Harris u. T. S. Work, Biochem. J. **46**, 582 (1950).

3 E. Wünsch, unveröffentlichte Ergebnisse.
s. a. B. Erlanger, W. V. Curran u. N. Kokowsky, Am. Soc. **81**, 3055 (1959).

4 R. Roeske, J. Org. Chem. **28**, 1251 (1963).
E. Klieger u. E. Schröder, A. **661**, 193 (1963).

5 M. Bodanszky et al., Am. Soc. **86**, 4452 (1964).

6 R. L. M. Synge, Biochem. J. **42**, 99 (1948),

7 A. Kjaer, Acta chem. scand. **3**, 1087 (1949).

8 E. E. Schallenberg u. M. Calvin, Am. Soc. **77**, 2779 (1955).

tionslösung wird in Eiswasser gekühlt, der Niederschlag abfiltriert; Rohausbeute 1,81 g (75%). Die rohe Substanz wird in 10 *ml* heißem Wasser gelöst und mit 15 *ml* heißem Äthanol versetzt; Ausbeute: 1,25 g (69% d.Th.; farblose rechteckige Kristalle); F: 226–231° (Zers.).

Später hatten Poduška und Rudinger[1] die Tosylierung von α,γ-Diamino-buttersäure in schwach alkalischer Lösung studiert und gefunden, daß γ- und α-Derivate im Verhältnis 10:1 nebeneinander, sowie die α,γ-Ditosyl-Verbindung, entstehen. Zu ähnlichen Ergebnissen kommen auch Zahn[2] und Schwyzer[3] bei der Herstellung von *H-Lys(Z)-OH*[4] und *H-Lys(BOC)-OH*: N_α-mono- und N_α,N_ε-disubstituierte Derivate[5] sind die Begleitprodukte. Ein solcher Reaktionsverlauf ist nicht verwunderlich, da schließlich mit einem Gleichgewicht zwischen $\alpha\alpha$- und $\alpha\omega$-Zwitterionenform gerechnet werden muß und außerdem die Basizität der freien N_ω-Amino-Gruppe ausreichen sollte, die Zwitterionenform eines Nachbarmoleküls durch Salzbildung aufzuheben. Im ersten Falle wird eine N_α-Acylierung, im zweiten eine N_α,N_ω-Diacylierung möglich:

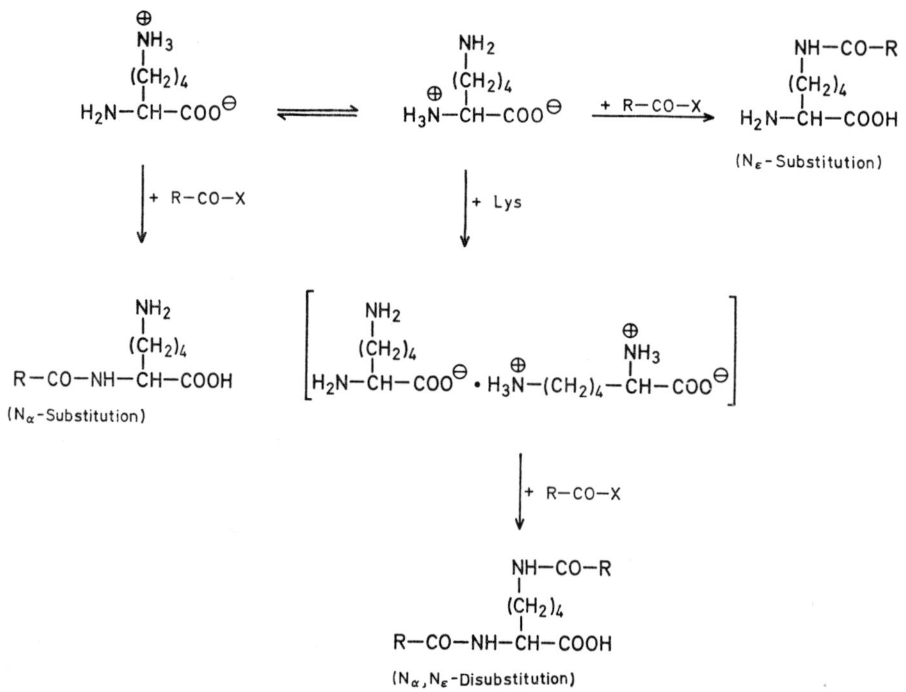

$$H_2N{-}CH(COO^{\ominus}){-}(CH_2)_4{-}\overset{\oplus}{N}H_3 \rightleftharpoons \overset{\oplus}{H_3}N{-}CH(COO^{\ominus}){-}(CH_2)_4{-}NH_2 \xrightarrow{+\ R-CO-X} H_2N{-}CH(COOH){-}(CH_2)_4{-}NH{-}CO{-}R$$

(N_ε-Substitution)

$$H_2N{-}CH(COO^{\ominus}){-}(CH_2)_4{-}\overset{\oplus}{N}H_3 \xrightarrow{+\ R-CO-X} R{-}CO{-}NH{-}CH(COOH){-}(CH_2)_4{-}NH_2$$

(N_α-Substitution)

$$\overset{\oplus}{H_3}N{-}CH(COO^{\ominus}){-}(CH_2)_4{-}NH_2 \xrightarrow{+\ Lys} \left[H_2N{-}CH(COO^{\ominus}){-}(CH_2)_4{-}NH_2 \cdot \overset{\oplus}{H_3}N{-}(CH_2)_4{-}CH(\overset{\oplus}{N}H_3){-}COO^{\ominus}\right] \xrightarrow{+\ R-CO-X} R{-}CO{-}NH{-}CH(COOH){-}(CH_2)_4{-}NH{-}CO{-}R$$

(N_α,N_ε-Disubstitution)

Allein die Tatsache des rascheren einstufigen Herstellungsverfahrens und der verhältnismäßig guten Trennmöglichkeit der beiden monosubstituierten Produkte macht die Methode aktuell.

---

[1] K. Poduška u. J. Rudinger, Collect. czech. chem. Commun. **24**, 3449 (1959).
[2] H. Zahn u. H. R. Falkenburg, A. **636**, 117 (1960).
[3] R. Schwyzer u. W. Rittel, Helv. **44**, 159 (1961).
[4] vgl. auch J. H. Jones u. G. T. Young, Soc. [C] **1968**, 53.
[5] A. Kjaer, Acta chem. scand. **3**, 1087 (1949).
vgl. dazu J. Šavrda u. D. H. Veyrat, Soc. [C] **1970**, 2180.

36.124. Reine N_α-blockierte Diaminosäuren als Ausgangsbasis

Die vierte und neueste Variante basiert zunächst auf der Herstellung reiner N_α-Derivate der Diaminocarbonsäuren, aus denen schließlich die gewünschten gemischt-disubstituierten N_α,N_ω-Verbindungen und daraus, wenn nötig, spezielle N_ω-substituierte α-Carboxy-Derivate formbar sind.

Eine Schotten-Baumann-Acylierung unter sehr milden alkalischen Bedingungen hat sich als präparativ brauchbare Methode generell nicht verwirklichen lassen (s. aber S. 476). So mußten zwangsläufig Umwege beschritten werden, d. h., daß N_α-Monoacyl- X entweder über ein leicht zugängliches N_ω-Acyl- XIa oder N_ω-Alkyl-Derivat XIb einer Diaminosäure gewonnen (Weg B), oder partialsynthetisch aus geeigneten Ausgangsmaterialien XII bzw. XV aufgebaut werden (Weg C_1 und C_2):

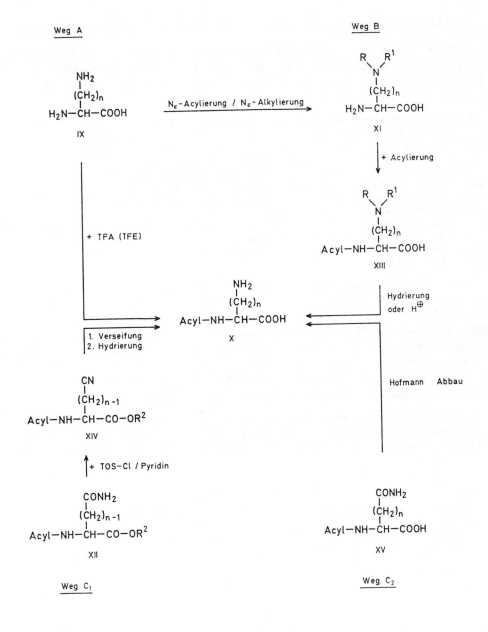

Weg A

$H_2N(CH_2)_n$–CH(NH_2)–COOH (IX)

→ N_ε-Acylierung / N_ε-Alkylierung →

Weg B

$RR^1N(CH_2)_n$–CH(NH_2)–COOH (XI)

↓ + Acylierung

$RR^1N(CH_2)_n$–CH(NH–Acyl)–COOH (XIII)

Weg A: + TFA (TFE)

Weg B: Hydrierung oder $H^\oplus$

$H_2N(CH_2)_n$–CH(NH–Acyl)–COOH (X)

Weg C_1: 1. Verseifung 2. Hydrierung

$NC(CH_2)_{n-1}$–CH(NH–Acyl)–CO–OR^2 (XIV)

↑ + TOS–Cl / Pyridin

$H_2NOC(CH_2)_{n-1}$–CH(NH–Acyl)–CO–OR^2 (XII)

Weg C_1

Weg C_2: Hofmann Abbau

$H_2NOC(CH_2)_n$–CH(NH–Acyl)–COOH (XV)

Weg C_2

36.124.10. *Direkte N_α-Acylierung der Diaminosäuren*

Die direkte N_α-Acylierung der Diaminosäuren („Weg A", S. 475) ist bislang nur im sauren Medium erfolgreich verlaufen; so konnten Weygand und Geiger[1, vgl. a. 2] *TFA-Lys-OH* (Xa; n = 4) und *TFA-Orn-OH* (Xa; n = 3) durch Umsatz der freien Aminosäuren (IX; n = 4 bzw. 3) in Trifluoressigsäure mit Trifluoressigsäureanhydrid in guter Ausbeute erhalten.

N_α-Trifluoracetyl-DL-lysin [TFA-DL-Lys-OH][1]: 0,458 g DL-Lysin in 4 *ml* Trifluoressigsäure werden mit 0,6 *ml* Trifluoressigsäureanhydrid bei 0° versetzt und bei + 15° 15 Min. stehengelassen. Der nach Eindampfen i. Vak. erhaltene Rückstand wird in Wasser aufgenommen, die Lösung mit verd. Ammoniak neutralisiert und i. Vak. eingedampft. Das verbleibende Rohprodukt wird 2 mal mit absol. Äthanol zur Entfernung von Ammoniumtrifluoracetat ausgezogen und schließlich aus Wasser/Aceton umkristallisiert; Ausbeute: 0,615 g (81% d. Th.); F: 233°.

36.124.20. *N_α-Derivate der Diaminosäuren über leicht zugängliche N_ω-Verbindungen*

„Weg B" (S. 475) haben Zervas et al.[3] erstmals mit der Herstellung von reinem *Z-Lys-OH* (Xb) aus H-Lys(BAL)-OH (XIb; R + R^1: $=CHC_6H_5$) über die N_α-Acyl-N_ε-benzyliden-Verbindung XIII (R + R^1: $=CHC_6H_5$) erreicht, für die nach Erfahrungen von Wünsch[4] folgende verbesserte Vorschrift gegeben sei.

N_α-Benzyloxycarbonyl-L-lysin [Z-Lys-OH][5]: (0,75 Mol) 175,7 g H-Lys(BAL)-OH in 375 *ml* 2n Natronlauge und 375 *ml* Tetrahydrofuran werden bei ~ 0° unter Rühren gelöst, auf −3 bis −5° gekühlt und mit 127,5 g Benzyloxycarbonylchlorid (Chlorameisensäure-benzylester) und 375 *ml* 2n Natronlauge bei p_H = 8,8 acyliert (die Reaktionstemp. soll dabei 0° nicht übersteigen).

Nach beendeter Zugabe wird 10 Min. bei −3°, dann weitere 10 Min. bei Raumtemp. nachgerührt. Nach Zugabe von 150 *ml* eiskalter 10n Salzsäure erhitzt man 5 Min. auf 50°, destilliert anschließend Tetrahydrofuran i. Vak. ab und extrahiert die verbleibende Lösung 2 mal mit Äther. Danach wird mit 2n Natronlauge auf p_H = 6,2 gestellt, nach kurzem Stehenlassen im Kühlschrank die filtrierte Lösung i. Vak. auf ~ 100 *ml* eingeengt und erneut im Kühlschrank aufbewahrt. Die entstandene Fällung wird abfiltriert und über Phosphor(V)-oxid getrocknet; Ausbeute: 101,5 g (~ 48,5% d. Th.); $[\alpha]_D^{20}$ = −13,7 ± 0,5° bzw. $[\alpha]_{546}^{20}$ = −16,1° (c = 2, in0, 2n Salzsäure), R_F = 0,71 (Pyridin/Wasser 80:20) [H-Lys(Z)-OH, R_F = 0,81].

Diese N_α-Acyl-Derivate der Diaminosäuren sind einer N_ω-Acylierung bzw. -Alkylierung[3] zu gemischt-disubstituierten Verbindungen wiederum leicht zugänglich; so läßt sich Z-Lys-OH (Xb) mit gutem Erfolg nach der Schwyzerschen BOC-Azid-Technik in Z-Lys(BOC)-OH überführen[5,6], ein Zwischenprodukt, das auf dem umgekehrten Wege nur mit mäßigem Erfolg zugänglich war[7]. Nach Veresterung mit Diazomethan bzw. tert.-Butanol/Phosphoroxidchlorid in Pyridin und folgender hydrogenolytischer Entfernung der N_α-Schutzgruppe wurden auch *H-Lys(BOC)-OMe*[6,7] und *H-Lys(BOC)-OtBu*[8], isoliert als Hydrochloride, zugänglich (zur Herstellung des letzteren s. S. 394).

N_α-Benzyloxycarbonyl-N_ε-tert.-butyloxycarbonyl-L-lysin [Z-Lys(BOC)-OH][5,8]:

N_α-Benzyloxycarbonyl-N_ε-tert.-butyloxycarbonyl-L-lysin-Dicyclohexylamin-Salz [Z-Lys(BOC)-OH · DCHA]: Eine Lösung von 56 g Z-Lys-OH in 200 *ml* 1,4-Dioxan und 100 *ml* 2n Natronlau-

---

1 F. Weygand u. R. Geiger, B. **89**, 647 (1956).
2 K. Hofmann et al., Am. Soc. **82**, 3727 (1960); *N_α-Formylierung* von *Lysin.*
3 B. Bezas u. L. Zervas, Am. Soc. **83**, 719 (1961).
4 vgl. dazu E. Wünsch, Collect. czech. chem. Commun. **24**, Spec. Issue, 112 (1959).
5 E. Wünsch u. A. Zwick, B. **97**, 3305 (1964).
6 K. Sturm, R. Geiger u. W. Siedel, B. **96**, 906 (1963).
7 R. Schwyzer u. W. Rittel, Helv. **44**, 159 (1961).
8 E. Wünsch u. A. Trinkl, H. **345**, 193 (1966).

ge wird mit 32 g (~ 0,22 Mol) tert.-Butyloxycarbonyl-azid und 1 g Magnesiumoxid versetzt und 24 Stdn. bei 45° gerührt. Das i. Vak. eingeengte Filtrat säuert man mit Citronensäure-Lösung an, nimmt das ausgefallene Öl in Essigsäure-äthylester auf, wäscht die Essigsäure-äthylester-Phase mit wenig Wasser, trocknet über Natriumsulfat und dampft i. Vak. ein. Der in absol. Äther aufgenommene Rückstand wird mit 36,2 *ml* Dicyclohexylamin in Äther versetzt, der gebildete Niederschlag abfiltriert und aus Äthanol/Wasser umkristallisiert; Ausbeute: 99,5 g (88,5% d. Th.); F: 156–157°; $[\alpha]_D^{20} = + 7,82 \pm 1°$ bzw. $[\alpha]_{546}^{20} = + 9,0°$ (c = 1; in Äthanol).

N_α-Benzyloxycarbonyl-N_ε-tert.-butyloxycarbonyl-L-lysin: Eine Suspension von 55 g obigen Dicyclohexylamin-Salzes in Wasser wird mit Äther überschichtet und mit Citronensäure im Überschuß versetzt. Nach kurzem Schütteln werden die klaren Phasen getrennt, die ätherische mit Wasser gewaschen, über Natriumsulfat getrocknet und schließlich i. Vak. eingedampft (zur Entfernung des letzten Restes Wasser ist eine azeotrope Vakuumdestillation mit Toluol angebracht). Das erhaltene Öl kristallisiert beim Aufbewahren im Vakuum-Exsikkator über Phosphor(V)-oxid; Ausbeute 37,8 g (~ 100% d. Th.); F: 63,5–64,5° (farblose Nadeln aus Äther/Petroläther); $[\alpha]_D^{20} = -5,87 \pm 1°$ bzw. $[\alpha]_{546}^{20} = -6,97°$ (c = 1; in Methanol).

N_ε-tert.-Butyloxycarbonyl-L-lysin-methylester-Hydrochlorid [H-Lys(BOC)-OMe · HCl][1]:

N_α-Benzyloxycarbonyl-N_ε-tert.-butyloxycarbonyl-L-lysin-methylester [Z-Lys(BOC)-OMe]: 112 g Z-Lys(BOC)-OH in Äther werden bei −10° tropfenweise mit einer ätherischen Diazomethan-Lösung (üblich bereitet aus 80 g 4-Toluolsulfonyl-methylnitrosamid) unter Rühren versetzt. Überschüssiges Diazomethan wird durch Zugabe von Essigsäure zerstört. Nach Eindampfen der Reaktionslösung i. Vak. kristallisiert der Rückstand nach Aufnehmen in Äther auf vorsichtigen Zusatz von Petroläther; Ausbeute: 107,1 g (92,5% d. Th.); F: 63–64°; $[\alpha]_D^{26} = -10,6 \pm 0,5°$ (c = 1,9; in Aceton).

N_ε-tert.-Butyloxycarbonyl-L-lysin-methylester-Hydrochlorid: 107 g des nach oben erhaltenen Z-Lys(BOC)-OMe in Methanol werden in Gegenwart von Palladiumkohle (10% Pd) wie üblich hydriert. Die Lösung wird vom Katalysator abfiltriert, mit methanolischer Salzsäure auf $p_H = 4,5$ titriert und i. Vak. eingedampft. Der ölige Rückstand kristallisiert beim Behandeln mit absol. Äther; Ausbeute: 75 g (93,7% d. Th.); F: 158–159° (feine Nadeln aus Methanol/Äther); $[\alpha]_D^{25} = + 19,0 \pm 1,0°$ (c = 1,09; in Methanol).

Schwyzer et al.[2] erhielten auf dem Umweg der N_α-tert.-Butyloxycarbonylierung von H-Lys(Z)-OH XIa (R: -CO-O-$CH_2C_6H_5$; R^1: H) und hydrogenolytischer Entfernung des Benzyloxycarbonyl-Restes aus dem Diacyl-Derivat XIII (R: -CO-O-CH_2-C_6H_5; R^1: H) reines *BOC-Lys-OH* (Xc), mit dessen Hilfe die Autoren unter Befolgen der Nefkenschen Phthalylierungsmethodik (s. S. 252) erstmals ein hochproz. reines *BOC-Lys(PHT)-OH* in die Hand bekamen. Eine N_α-tert.-Butyloxycarbonylierung von H-Lys(PHT)-OH hatte sich wegen der enormen Alkali-Empfindlichkeit des Phthalyl-Restes als unrealisierbar erwiesen; dagegen war die Herstellung der Benzyloxycarbonyl-Verbindung möglich[3] (vgl. auch die Herstellung von *Z-Orn(PHT)-OH* unter S. 473).

N_α-tert.-Butyloxycarbonyl-N_ε-phthalyl-L-lysin [BOC-Lys(PHT)-OH]:

N_α-tert.-Butyloxycarbonyl-N_ε-benzyloxycarbonyl-L-lysin [BOC-Lys(Z)-OH][2]: 5 g H-Lys(Z)-OH (S. 472) werden in 50 *ml* 1,4-Dioxan und 17,9 *ml* 1n Natronlauge gelöst. Nach Zugabe von 4,96 *ml* tert.-Butyloxycarbonyl-azid wird die Mischung unter Rühren und Erwärmen (Außentemp. + 15°) innert 15 Stdn. mit 44,7 *ml* 1n Natronlauge tropfenweise versetzt, wobei sich die Lösung während der ersten 3 Stdn. trübt, um dann wieder klar zu werden. Nach 21 Stdn. werden 50 *ml* Wasser zugesetzt und die Lösung 1 mal mit Essigsäure-äthylester extrahiert. Die Essigsäure-äthylester-Phase wird 2 mal mit wenig Wasser extrahiert, die vereinigten wäßrigen Schichten auf 0° gekühlt, mit kaltem Essigsäure-äthylester überschichtet und vorsichtig mit kalter 2n Salzsäure auf $p_H = 3$ (Kongopapier) gestellt. Das Reaktionsprodukt wird wie üblich aufgearbeitet: Öl (Trocknen 2 Stdn. bei 10^{-2} Torr und 50°); Ausbeute: 7,2 g (105% d. Th.).

N_α-tert.-Butyloxycarbonyl-L-lysin [BOC-Lys-OH][2]: 210 g rohes BOC-Lys(Z)-OH werden in 1,9 *l* absol. Methanol und nach Zugabe von 100 *ml* Wasser und 20,5 g 10%-iger Pd-Kohle hydriert. In 4 Stdn. werden 8,68 *l* Wasserstoff verbraucht. Nach Filtration und Verdampfen hinterbleiben 130 g (98%) Öl. Kristallisation aus Äthanol ergibt 114 g (86% d. Th.; F: 200–201°) und 4,6 g (3,5% d. Th.)

---

[1] R. Schwyzer u. W. Rittel, Helv. **44**, 159 (1961).
D. Wolfrum, Diplomarbeit, Universität München 1965.

[2] R. Schwyzer, A. Costopanagiotis u. P. Sieber, Helv. **46**, 870 (1963).

[3] S. Hase et al., Am. Soc. **94**, 3590 (1972).

weniger reines Material (F: 195–196°). Das Analysenpräparat wird aus Wasser/Aceton umkristallisiert; F: 204–205°.

N_α-tert.-Butyloxycarbonyl-N_ε-phthalyl-L-lysin [BOC-Lys(PHT)-OH][1]: 17,6 g (20 mMol) BOC-Lys-OH und 7,58 g (20 mMol) wasserfreies Natriumcarbonat werden in 70 *ml* Wasser gelöst. Nach Zugabe von 19,7 g (25 mMol) N-Äthoxycarbonyl-phthalimid wird die Mischung 30 Min. bei 20° gerührt und darauf durch ein großes Hartfilter genutscht. Das klare Filtrat wird mit Essigsäure-äthylester überschichtet, auf 0° gekühlt und vorsichtig mit 2n Salzsäure auf $p_H = 2$ angesäuert und 2 mal mit Essigsäure-äthylester ausgeschüttelt. Die Essigsäure-äthylester-Extrakte werden nun mit Wasser neutral gewaschen und wie üblich fertig aufgearbeitet. Abschließend wird 1 Stde. bei 50° und 10^{-2} Torr getrocknet; Ausbeute: 26,6 g (98,8%); (Reinheitsgrad ~ 98%, ermittelt durch äquival. Titration); farbloses Harz.

36.124.30. N_α-Derivate der Diaminosäuren aus N_α-substituierten Aminodicarbonsäure-amiden

Auf „Weg C_1" (S. 475) waren es Rudinger et al.[2], denen die Herstellung von reinen *N_α-Tosyl*-Verbindungen von *L-α,γ-Diamino-buttersäure* (Xd; n = 2) und *L-Ornithin* (Xd; n = 3) aus den Estern von TOS-Ala(CN)-OH (XIV; n = 2) bzw. TOS-Abu(CN)-OH (XIV; n = 3) durch Hydrierung gelang, die der Nitrile XIV durch Dehydratisierung der entsprechenden Asparagin-XII (n = 2) bzw. Glutamin-Derivate XII (n = 3). Nach Zaoral und Rudinger[3] ist diese Reaktion auch im Peptidverband möglich.

N_α-Tosyl-L-ornithin [TOS-Orn-OH]:

N-Tosyl-L-glutamin-methylester [TOS-Gln-OMe][2]ⓐ: 30,0 g TOS-Gln-OH werden in Methanol suspendiert und unter Eiskühlung mit einer äther. Lösung von Diazomethan bis zum Auftreten einer schwachen Gelbfärbung versetzt. Der Überschuß an Diazomethan wird mit einigen Tropfen Eisessig zerstört, die Lösung i. Vak. eingedampft und der erhaltene Rückstand aus Wasser umkristallisiert; Ausbeute: 25,0 g (80% d. Th.); F: 140–141°.

TOS-Gln-OH kann mit gleich gutem Ergebnis mit 25%-iger methanolischer Salzsäure verestert werden; eine weitere Herstellungsmöglichkeit von TOS-Gln-OMe ist durch aminolytische Ringöffnung von TOS-Pyr-OMe gegeben[2].

N-Tosyl-γ-cyano-L-aminobuttersäure-methylester [TOS-Abu(CN)-OMe][2]ⓑ: 7,8 g TOS-Gln-OMe werden in 7 *ml* Pyridin unter leichtem Erwärmen gelöst. Zu der auf 25° abgekühlten Lösung fügt man 5 g Tosylchlorid; nach 1 Min. setzt eine exotherme Reaktion unter Verfärbung ein. Nach vollständiger Auflösung (~ 5 Min.) fügt man 10 *ml* Wasser zu, 5 Min. später nochmals 10 *ml* Wasser und 10 *ml* verd. Salzsäure. Das sich abscheidende Öl kristallisiert alsbald (rascher beim Animpfen). Man kühlt auf 0° ab, filtriert und digeriert den Rückstand mit Wasser. Das erhaltene Rohprodukt ist zur Weiterverarbeitung genügend rein; Ausbeute: 5,9 g (80,5% d. Th.); F: 91–93°.

N-Tosyl-γ-cyano-L-aminobuttersäure [TOS-Abu(CN)-OH][2]ⓒ: Eine Suspension des rohen TOS-Abu(CN)-OMe (6,0 g) in 7 *ml* Wasser wird mit 11,0 *ml* 4 n Natronlauge verseift. Die erhaltene Lösung wird nach Zugabe von Aktivkohle filtriert und mit konz. Salzsäure angesäuert. Das abgeschiedene Öl beginnt alsbald fest zu werden; die Festsubstanz wird aus Methanol/Wasser umkristallisiert; Ausbeute: 4,68 g (81,5% d. Th.); F: 144,5–145,5°.

N_α-Tosyl-L-ornithin-Hydrochlorid [TOS-Orn-OH · HCl] ⓓ: 1 g TOS-Abu(CN)-OH in 6 *ml* Eisessig und 3 *ml* konz. Salzsäure wird in Gegenwart von Adams-Katalysator (0,2 g) hydriert. Nach Aufnahme von 151 *ml* Wasserstoff wird vom Katalysator abfiltriert, das Filtrat i. Vak. zur Trockene eingedampft. Der erhaltene Rückstand wird mit 4 *ml* Aceton digeriert und aus 80%-igem Äthanol/Äther umkristallisiert; Ausbeute: 0,72 g (63% d. Th.); F: 213° (Zers.) und $[\alpha]_D^{20} = +12{,}6°$ (c = 5,1; in 50%-iger Essigsäure).

N_α-Tosyl-L-ornithin: Die Lösung von 1 g des erhaltenen Hydrochlorids in 3 *ml* Wasser wird mit Pyridin auf p_H = 6–7 gestellt und i. Vak. zur Trockene eingedampft. Nach Behandeln mit Aceton wird der Rückstand filtriert, mit eiskaltem Wasser und Aceton gewaschen und i. Vak. scharf getrocknet (F: 189–190°).

---

[1] R. Schwyzer, A. Costopanagiotis u. P. Sieber, Helv. **46**, 870 (1963).
[2] M. Zaoral u. J. Rudinger, Collect. czech. chem. Commun. **24**, 1993 (1959).
[3] M. Zaoral u. J. Rudinger, Pr. chem. Soc. **1957**, 176.

Das erhaltene TOS-Orn-OH ist in seinen analytischen Daten identisch mit dem aus H-Orn(Z)-OH durch N_α-Tosylierung und nachfolgende hydrogenolytische Entfernung der N_δ-Schutzgruppe synthetisierten Material[1].

Als Alternativ-Weg ist die Hydrierung des Ester-Derivates ⓑ in Acetanhydrid mittels Raney-Nickel und anschließende Hydrolyse des erhaltenen TOS-Orn(Ac)-OMe mittels konz. Salzsäure zu ⓓ möglich[2].

Als „Weg C_2“ zur Herstellung N_α-acylierter Diaminosäuren ist ferner der „Hofmann-Abbau“ der entsprechenden Aminodicarbonsäure-ω-amide (XV) gangbar; aus *TOS-Gln-OH* (XV; n = 2) bzw. *TOS-Asn-OH* (XV; n = 1) konnten *TOS-Dab-OH* (Xd; n = 2)[3] bzw. *TOS-Dap-OH* (Xd; n = 1)[3,4] in guter Ausbeute erhalten werden (s. Schema S. 475).

36.125. N_α,N_ω-Gemischt-disubstituierte Diaminosäuren aus N_α-substituierten Aminodicarbonsäuren

N_α,N_ω-Gemischt-disubstituierte Diaminosäuren sind außer auf den bisher geschilderten Wegen partial-synthetisch durch „Curtius-Abbau“ von N_α-Acyl-aminodicarbonsäure-ω-aziden zugänglich:

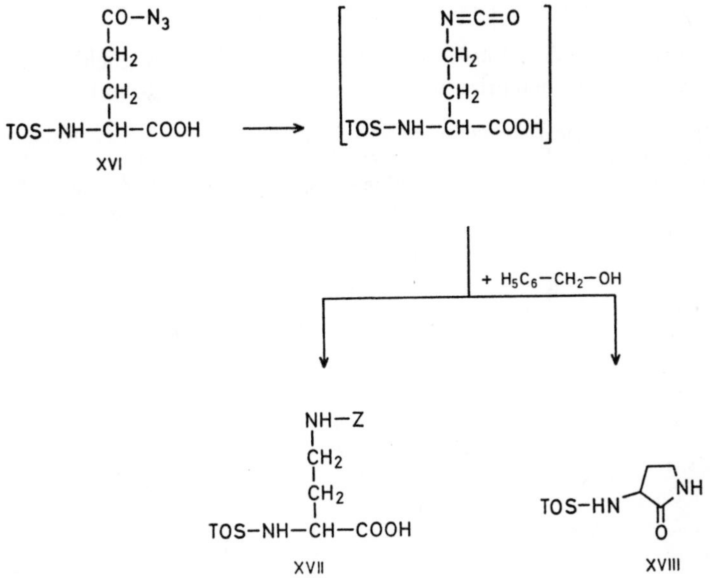

TOS–NH–CH(CH_2–CH_2–CO–N_3)–COOH (XVI) ⟶ [TOS–NH–CH(CH_2–CH_2–N=C=O)–COOH]

+ H_5C_6–CH_2–OH

TOS–NH–CH(CH_2–CH_2–NH–Z)–COOH (XVII) und TOS–HN-Pyrrolidon (Lactam, NH, C=O) (XVIII)

Nach Rudinger[5] führt die Umlagerung von TOS-Glu(N_3)-OH (XVI) in Benzylalkohol-Gegenwart zu *TOS-Dab(Z)-OH* (XVII) bzw. dem TOS-Dab-lactam (XVIII) in 37 bzw. 25% Ausbeute; erstere kann für die Synthese von N_α,N_ω-gemischt-diacylierten Diaminobutyryl-peptiden herangezogen werden (s. dazu die folgenden Ausführungen).

---

[1] M. Zaoral u. J. Rudinger, Collect. czech. chem. Commun. **24**, 1993 (1959).

[2] V. Gut, Dissertation, Inst. f. organ. Chemie. Tschechosl. Akademie d. Wiss. Prag 1964.

[3] J. Rudinger, K. Poduška u. M. Zaoral, Collect. czech. chem. Commun. **25**, 2022 (1960).

[4] A. Kjaer u. P. O. Larsen, Acta chem. scand. **13**, 1565 (1959).

[5] J. Rudinger, Collect. czech. chem. Commun. **19**, 365 (1954).

36.130. „N_ω-Peptide" der Diaminosäuren

Die Verknüpfung von Aminosäuren (Peptiden) mit der ω-Amino-Gruppe der Diaminosäuren gehört in den Sektor der Aminosäure-(Peptid-)-amide; die Bezeichnung „ω-Peptide" ist im Hinblick auf das Auftreten solcher Amid-Bindungen in Eiweißkörpern (Vernetzung von Peptidketten über ω-Amino-dicarbonsäure-ω-diaminosäure-Bindungen) bzw. in homodet-cyclischen Peptiden (Polymyxine, Bacitracin A) allgemein üblich geworden (vgl. dazu S. 41 f.). Die synthetischen Arbeiten haben sich bislang weitgehend auf ω-Peptide des Lysins und der Diaminobuttersäure erstreckt.

36.131. „Symmetrisch-substituierte" N_α,N_ω-Bis-aminoacyl-(peptidyl)-diaminosäuren

„Symmetrisch-substituierte" N_α,N_ω-Bis-aminoacyl-(peptidyl)-diaminosäuren bereiten in ihrer Herstellung keinerlei Schwierigkeiten; als geeignete Ausgangsmaterialien stehen die leicht zugänglichen carboxy-maskierten Diaminosäuren, insbesondere deren Ester, zur Verfügung[1–3].

36.132. N_ω-Aminoacyl- und N_α,N_ω-„asymmetrisch-substituierte" Bis-aminoacyl-(peptidyl)-diaminosäuren

Die Anwendung der auf S. 469ff. geschilderten Verfahrensmöglichkeiten zur Synthese von N_α-Diaminosäure-peptiden erlaubt auch den Aufbau von N_ω- und N_α,N_ω-Peptiden:

ⓐ N_α- und carboxy-maskierte Diaminosäuren XIX [N_α-Acyl-ester, Kupfer(II)-Komplexe usf.] lassen sich nach verschiedenen „Anhydrid-", aktiven Ester- u. a. -Methoden mit N-Acyl-aminosäuren (Peptiden) in ω-Stellung glatt zu den Verbindungen XX verknüpfen[2,4–6,9]; nach Aufhebung der Maskierungen (incl. Entfernung des N_α-Acyl-Restes der eingeführten Aminosäure bzw. des Peptids) resultieren die Aminosäure-(Peptid)-ω-amide der Diaminosäuren XXI.

Selektiv-reversible Blockierungen an der „Amino-" wie der „Kopfkomponente" eröffnen die Chance der Synthese sowohl von N_ω-[N_α-geschützten Aminoacyl(Peptidyl)]-Derivaten der Diaminosäuren XXII, die nunmehr eine Peptidverknüpfung an der α-Amino-Gruppe zu asymmetrischen N_α, N_ω-Bis-aminoacyl(peptidyl)-diaminosäuren XXIII erlauben, als auch von N_α-geschützten N_ω-Aminoacyl(Peptidyl)-Verbindungen XXIV, die wiederum einer Peptidketten-Verlängerung zum Derivat XXV zugänglich sind, z.B. (s. Formelschema S. 481).

ⓑ N_ω- und carboxy-geschützte Diaminosäuren finden u. a. auch Eingang in die Synthese N_α,N_ω-asymmetrischer Diaminosäure-peptide, sofern geeignete Schutzgruppen-Kombinationen hierfür herangezogen werden[6]. Dieser Verfahrenstechnik haben sich Vogler et al.[7] mit großem Erfolg bei ihren Totalsynthesen der Polymyxine bedient.

ⓒ Letztlich können N_ω-Aminoacyl-Derivate durch direkte ω-Acylierung der freien Diaminosäuren erhalten werden[8] (vgl. dazu S. 470ff.).

---

1 E. Schröder, E. Klieger u. H. Gibian, A. **646**, 101 (1961).
2 H. Zahn u. W. Pätzold, B. **96**, 2566 (1963).
3 K. Poduška, G. S. Katrukha, A. B. Silaev u. J. Rudinger, Collect. czech. chem. Commun. **30**, 2410 (1965).
4 D. Theodoropoulos u. L. C. Craig, J. Org. Chem. **21**, 1376 (1956).
D. Theodoropoulos, J. Org. Chem. **23**, 140 (1958).
5 D. L. Swallow, I. M. Lockhart u. E. D. Abraham, Biochem. J. **70**, 359 (1958).
G. L. Mechanic u. M. Levy, Am. Soc. **81**, 1889 (1959).
6 B. Bezas u. L. Zervas, Am. Soc. **83**, 719 (1961).
7 K. Vogler et al., Helv. **48**, 1161 (1965).
R. O. Studer, W. Lergier, P. Lanz, E. Böhni u. K. Vogler, Helv. **48**, 1371 (1965).
8 K. Poduška, J. Rudinger u. F. Šorm, Collect. czech. chem. Commun. **20**, 1174 (1955).
9 M. C. Khosla, H. G. Garg u. N. Anand, J. Sci. Ind. Res. **21 B**, 318 (1962).

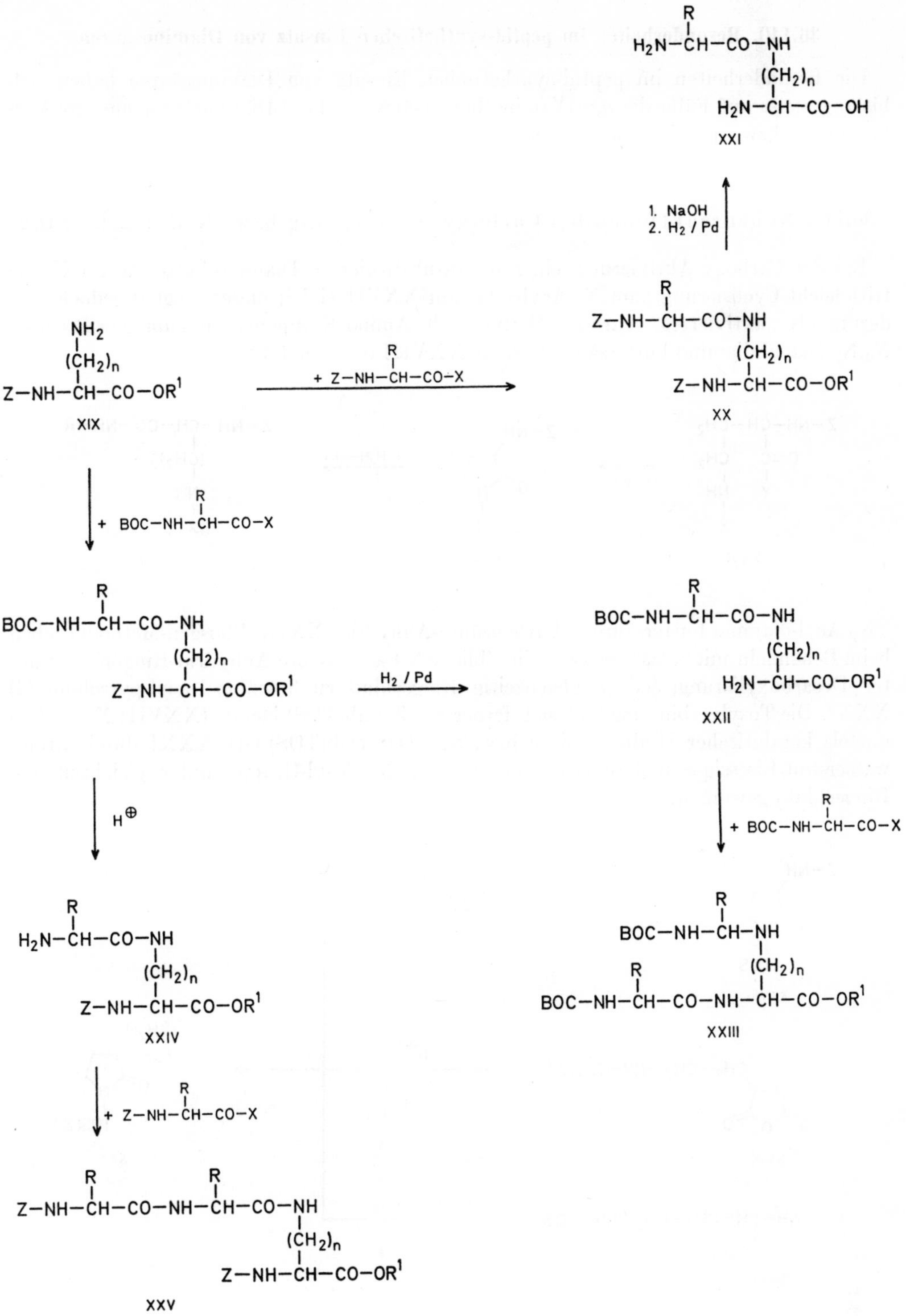

Z–NH–CH(–(CH$_2$)$_n$–NH$_2$)–CO–OR[1]

XIX

$\xrightarrow{+\ Z–NH–CH(R)–CO–X}$

Z–NH–CH(R)–CO–NH–(CH$_2$)$_n$–CH(NH–Z)–CO–OR[1]

XX

$\xrightarrow{1.\ NaOH;\ 2.\ H_2\ /\ Pd}$

H$_2$N–CH(R)–CO–NH–(CH$_2$)$_n$–CH(NH$_2$)–CO–OH

XXI

XIX $\xrightarrow{+\ BOC–NH–CH(R)–CO–X}$

BOC–NH–CH(R)–CO–NH–(CH$_2$)$_n$–CH(NH–Z)–CO–OR[1]

$\xrightarrow{H_2\ /\ Pd}$

BOC–NH–CH(R)–CO–NH–(CH$_2$)$_n$–CH(NH$_2$)–CO–OR[1]

XXII

$\xrightarrow{+\ BOC–NH–CH(R)–CO–X}$

BOC–NH–CH(R)–NH–(CH$_2$)$_n$–CH(NH–CO–CH(R)–NH–BOC)–CO–OR[1]

XXIII

BOC–NH–CH(R)–CO–NH–(CH$_2$)$_n$–CH(NH–Z)–CO–OR[1] $\xrightarrow{H^{\oplus}}$

H$_2$N–CH(R)–CO–NH–(CH$_2$)$_n$–CH(NH–Z)–CO–OR[1]

XXIV

$\xrightarrow{+\ Z–NH–CH(R)–CO–X}$

Z–NH–CH(R)–CO–NH–CH(R)–CO–NH–(CH$_2$)$_n$–CH(NH–Z)–CO–OR[1]

XXV

36.140. Besonderheiten im peptid-synthetischen Einsatz von Diaminosäuren

Die Besonderheiten im peptid-synthetischen Einsatz von Diaminosäuren haben sich bislang meist auf Fälle der α,γ-Diamino-buttersäure- und α,β-Diamino-propionsäure-Verbindungen bzw. -peptide spezialisiert.

36.141. Nebenreaktionen bei Carboxy-Aktivierung bzw. N-Demaskierung

Bei der Carboxy-Aktivierung einer α,γ-disubstituierten Diamino-buttersäure (XXVI) tritt leicht Cyclisierung zum N_α-Acyl-γ-lactam XXVII ein[1,2]; dieses reagiert jedoch wiederum als „aktiviertes" Carboxy-Derivat mit Amino-Komponenten zum gewünschten N_α,N_γ-Diacyl-diamino-buttersäure-Derivat XXVIII (s. a. S. 483):

Z—NH—CH(—CO—Y)—CH$_2$—CH$_2$—NH—X (XXVI) —(− HY)→ Z—NH-Lactam, N—X (XXVII) —(+ H$_2$N—R)→ Z—NH—CH(—CO—NH—R)—(CH$_2$)$_2$—NH—X (XXVIII)

N_γ-Acyl-diamino-buttersäure-N-Carbonsäure-Anhydride XXIX (Phosgen-Methode) geben beim Behandeln mit Salzsäure zwar die übliche N-Carbonsäure-Anhydrid-Ringöffnung unter Decarboxylierung, jedoch gleichzeitig Ringschluß zu 3-Amino-1-acyl-pyrrolidon-(2) XXX[3]. Die Tosylverbindung läßt sich ferner aus Z-Dab(TOS)-lactam (XXVII; X = TOS) mittels katalytischer Hydrogenolyse bzw. aus TOS-Dab(TOS)-OH XXXI durch Bromwasserstoff/Eisessig-Solvolyse (Eliminierung der N_α-Tosyl-Gruppe unter gleichzeitigem Ringschluß) gewinnen:

Z—NH-Lactam, N—TOS (XXVII) —(+ H$_2$ / Pd (bzw. HBr / Eisessig))→ XXX

N-Carbonsäure-Anhydrid mit CH$_2$—CH$_2$—NH—TOS(Z) (XXIX) —(H$^\oplus$)→ H$_2$N-Lactam, N—TOS(Z) (XXX)

TOS—NH—CH(COOH)—CH$_2$—CH$_2$—NH—TOS (XXXI) —(HBr / Eisessig)→ XXX

---

[1] S. Wilkinson, Soc. **1951**, 104.

[2] M. Zaoral, J. Rudinger u. F. Šorm, Collect. czech. chem. Commun. **18**, 530 (1953).

[3] K. Poduška u. J. Rudinger, Collect. czech. chem. Commun. **22**, 1283 (1957); **24**, 3449 (1959).

N_γ-Tosyl-L-diamino-buttersäure-γ-lactam [H-Dab(TOS)-γ-lactam]:

N_α-Benzyloxycarbonyl-N_γ-tosyl-L-diamino-buttersäure-γ-lactam [Z-Dab(TOS)-γ-lactam][1]: Eine Lösung von 1,83 g Z-Dab(TOS)-OH in 10 *ml* Chloroform wird bei 0° mit 1,65 g N-Äthyl-piperidin und 0,72 g Chlorameisensäure-butyl-(2)-ester behandelt. Nach wenigen Min. beginnt die Kristallisation; man läßt 1 Stde. bei 0°, 1 weitere Stde. bei Raumtemp. stehen, verdünnt mit 40 *ml* Äther und filtriert ab. Nach üblichem Waschen des Rückstandes mit n Salzsäure, Natriumhydrogencarbonat-Lösung (5%-ig) und Wasser und Trocknen i. Vak. erhält man ein Produkt, das aus Äthanol umkristallisiert wird; Ausbeute: 1,50 g (86% d. Th.); F: 184–185°

N_γ-Tosyl-L-diamino-buttersäure-γ-lactam [H-Dab(TOS)-γ-lactam][2]: Eine Suspension von 9,35 g Z-Dab(TOS)-γ-lactam in 75 *ml* 25%-igem Bromwasserstoff/Eisessig wird bei Raumtemp. ~ 5 Min. zur Lösung geschüttelt und weitere 30 Min. stehengelassen; das Hydrobromid kristallisiert währenddessen aus. Man verdünnt mit 400 *ml* Äther, filtriert die Fällung ab und wäscht 3mal mit je 100 *ml* Äther; Ausbeute: 8,0 g (99% d. Th.); F: 255–258° (Zers.).

Aus dem Hydrobromid kann nach Hillmann[3] mit Ammoniak-Chloroform die freie Base erhalten werden; aus Äthanol/Äther/Petroläther: F: 104–105,5°; $[\alpha]_D^{20} = -12{,}2°$ (c = 4,2, in 1,4-Dioxan).

Die Amino-acyl-pyrrolidone XXX lassen sich vorteilhaft zu N_α,N_γ-amino- und carboxy-geschützten Verbindungen der α,γ-Diamino-buttersäure XXXII aminoacylieren und sodann (als „aktive" N_α-Aminoacyl-α,γ-diamino-buttersäure-lactame) mit Aminosäureestern XXXIII zu Tripeptid-Derivaten XXXIV verknüpfen, eine günstige Kombinationsmöglichkeit, die Rudinger et al.[2,4] u. a. erfolgreich für die Synthese cyclischer Modellpeptide mit zunächst wahrscheinlicher Circulin-A-Aminosäuresequenz benutzt haben:

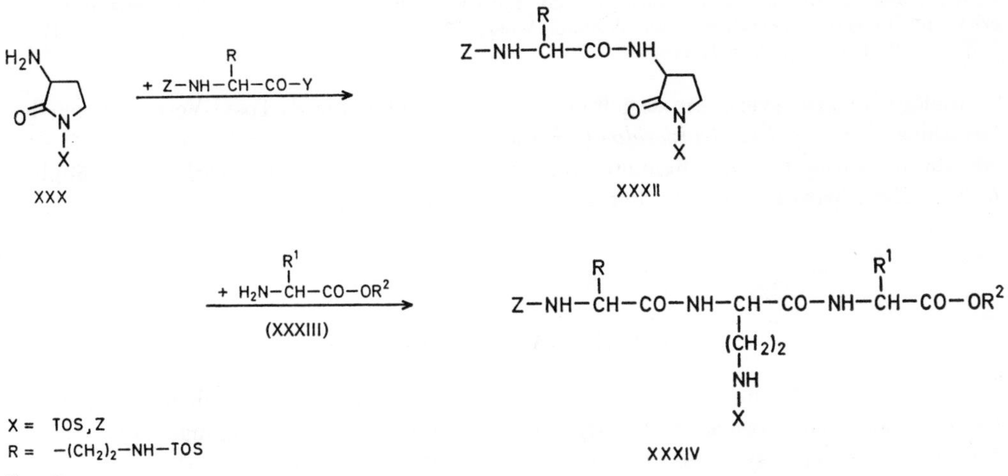

XXX + Z–NH–CH(R)–CO–Y ⟶ Z–NH–CH(R)–CO–NH–(XXX-Rest) XXXII

+ H_2N–CH(R^1)–CO–OR^2 (XXXIII) ⟶ Z–NH–CH(R)–CO–NH–CH[$(CH_2)_2$–NH–X]–CO–NH–CH(R^1)–CO–OR^2 XXXIV

X = TOS, Z
R = $-(CH_2)_2-NH-TOS$
Y = N_3
R^1 = $-CH_2-CH(CH_3)_2$
R^2 = $-C_2H_5$

N_α-Benzyloxycarbonyl-N_γ-tosyl-L-diamino-butyryl-N_γ-tosyl-L-diamino-butyryl-L-leucin-äthylester [Z-Dab(TOS)-Dab(TOS)-Leu-OEt]:

N_α-Benzyloxycarbonyl-N_γ-tosyl-L-diamino-buttersäure-hydrazid [Z-Dab(TOS)-$NHNH_2$][2]:

Methode ⓐ: 4,0 g Z-Dab(TOS)-γ-lactam in 40 *ml* 1,4-Dioxan/absol. Methanol (1:1) werden mit 1 *ml* 82%-igem Hydrazin-Hydrat versetzt, die Reaktionslösung 2,5 Stdn. bei Raumtemp. stehengelassen,

[1] K. Poduška u. J. Rudinger, Collect. czech. chem. Commun. **22**, 1283 (1957).

[2] K. Poduška u. J. Rudinger, Collect. czech. chem. Commun. **24**, 3449 (1959).

[3] G. Hillmann, Z. Naturf. **1**, 682 (1946).

[4] K. Poduška u. J. Rudinger, Rec. Chem. Progress **23**, 3 (1962).

danach i. Vak. zur Trockene eingedampft und der Rückstand aus Äthanol/Äther umkristallisiert; Ausbeute: 4,07 g (94% d. Th.); F: 138,5–140°; $[\alpha]_D^{20} = -4,8°$ (c = 4, in Eisessig).

Methode ⓑ: Eine Lösung von 1,42 g Z-Dab(TOS)-OMe und 0,35 *ml* 82%-igem Hydrazin-Hydrat in 6 *ml* absol. Methanol wird 2 Tage bei Raumtemp. aufbewahrt, danach i. Vak. zur Trockene eingeengt. Der ölige Rückstand kristallisiert aus Äthanol/Äther; Ausbeute: 1,28 g (90% d. Th.); F: 137–139°; $[\alpha]_D^{20} = -4,5°$ (c = 5, in Eisessig).

N_α-Benzyloxycarbonyl-N_γ-tosyl-L-diamino-butyryl-N_γ-tosyl-L-diamino-buttersäure-γ-lactam [Z-Dab(TOS)-Dab(Tos)-γ-lactam][1]: Eine Lösung von 1,47 g Z-Dab(TOS)-$NHNH_2$ in 1,3 *ml* 7,5n Salzsäure und 25 *ml* 60%-iger Essigsäure wird mit 50 *ml* Äther überschichtet, unter Rühren auf −10° abgekühlt und mit einer vorgekühlten Lösung von 0,28 g Natriumnitrit in 2 *ml* Wasser tropfenweise innerhalb 2 Min. versetzt. Nach ~ 5 Min. werden die Phasen getrennt, die ätherische 3mal mit ges. Natriumchlorid-Lösung gewaschen, rasch über Natriumsulfat getrocknet und in eine Lösung von 0,89 g H-Dab(TOS)-γ-lactam in 5 *ml* 1,4-Dioxan (dem kurz zuvor 1 *ml* Eisessig zugefügt wurde) unter Rühren eingegossen. Der zunächst gebildete Niederschlag (Lactam-Acetat) geht innerhalb 1 Stde. wieder in Lösung. Nach Aufbewahren über Nacht bei 0° versetzt man mit überschüssiger Natriumhydrogencarbonat-Lösung; der entstehende Niederschlag wird abfiltriert, mit verd. Salzsäure und Wasser gewaschen und 2 mal aus Äthanol umkristallisiert; Ausbeute = 1,14 g (51% d. Th.); F: 164–165,5°; $[\alpha]_D^{20} = -0,9°$ (c = 5, in Eisessig).

N_α-Benzyloxycarbonyl-N_γ-tosyl-L-diamino-butyryl-N_γ-tosyl-L-diamino-butyryl-L-leucin-äthylester[Z-Dab(TOS)-Dab(TOS)-Leu-OEt][1]: 0,64 g oben beschriebenes Benzyloxycarbonyl-dipeptid-lactam und 0,32 g frisch destillierter H-Leu-OEt in 1 *ml* Nitromethan werden unter gelegentlichem Schütteln 1 Stde. auf 100° erwärmt. Die abgekühlte Lösung wird mit 10 *ml* Essigsäureäthylester verdünnt, mit 0,5 n Salzsäure, Wasser, 5%-iger Natriumhydrogencarbonat-Lösung und wieder Wasser gewaschen, über Natriumsulfat getrocknet und schließlich i. Vak. eingedampft. Der erhaltene Rückstand kristallisiert aus Äthanol/Äther; Ausbeute: 0,53 g (66% d. Th.); F: 113,5–117°; $[\alpha]_D^{20} = -25,1°$ (c = 3,8, in Eisessig).

Analoge Reaktionsverhältnisse gelten ansonsten lediglich für N_δ-Tosyl-Verbindungen des Ornithins. *3-Amino-1-tosyl-piperidon-(2)*[2] und das *3-Benzyloxycarbonylamino*-Derivat[3] sind wie die substituierten α,γ-Diamino-buttersäure-lactame aus Z-Orn(TOS)-OH zugänglich und als Zwischenstufen für die Peptid-Synthese brauchbar.

36.142. N,N-Acylwanderungen

N_α- und N_ω-Acyl(Peptidyl)-diamino-buttersäure bzw. -propionsäure gehen sowohl unter basischen als auch schwach sauren Reaktionsbedingungen (d. h. Bedingungen, die auch im Verlaufe einer Peptidsynthese auftreten) $\alpha \rightleftharpoons \omega$-Acylwanderungen ein[4].

So wird beim Behandeln von *H-Gly-Dab-OH* (XXXV; n = 2, R = H_2N-CH_2-) mit 0,1m Ammoniak- oder 0,5 m Pyridin-Lösung bei 36° schon nach 3 Stdn. in erheblichem Maße *H-Dab(H-Gly)-OH* (XXXVI) gebildet. Bei längerer Reaktionsdauer beobachtet man zusätzlich das Auftreten einer dritten Komponente XXXVII, die, in ihrer Konstitution noch nicht aufgeklärt, eine gelbe Ninhydrin-Färbung zeigt. Alle drei Verbindungen (XXXV–XXXVII) stehen im „Reaktionsgleichgewicht" miteinander.

Rudinger et al.[4] postulieren den Reaktionsmechanismus wie folgt:

---

1 K. Poduška u. J. Rudinger, Collect. czech. chem. Commun. **24**, 3449 (1959).

2 J. Rudinger u. V. Gut, unveröffentlichte Arbeiten.

3 vgl. auch M. Bodanszky u. C. A. Birkhimer, Chimia **14**, 368 (1960).

4 K. Poduška, G. S. Katrukha, A. B. Silaev u. J. Rudinger, Collect. czech. chem. Commun. **30**, 2410 (1965).

XXXVII (?)

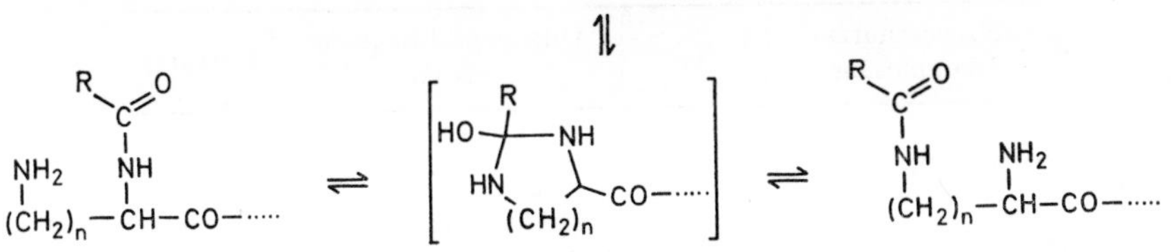

XXXV ⇌ XXXVIII ⇌ XXXVI

Analoge Verhältnisse treffen auch für Mono-acyl-Derivate der α,β-Diamino-propionsäure zu. Demgegenüber geht *H-Gly-Orn-OH* keine $\alpha \rightleftharpoons \delta$-Acylwanderung ein; erst beim Erhitzen auf 80° über 16 Stdn. bildet sich in 30%-iger Ausbeute vermutlich *3-(Glycyl-amino)-piperidon-(2)* [*H-Gly-Orn-δ-lactam*]. Die fehlende $\alpha \rightleftharpoons \delta$-Acylwanderung bei Ornithin-Derivaten wird einer wenig begünstigten Bildungstendenz eines 7-gliedrigen Ringsystems (Intermediärprodukt XXXVIII zugeschrieben[1].

36.143. Peptid-Spaltung

Zu beachten ist des weiteren die Spaltungstendenz von Diaminoacyl-(aber auch N_α-Acyl-diaminoacyl-)-peptiden (XXXIX) unter Lactamcyclisierung[2] zu XL und freiem Peptid XLI:

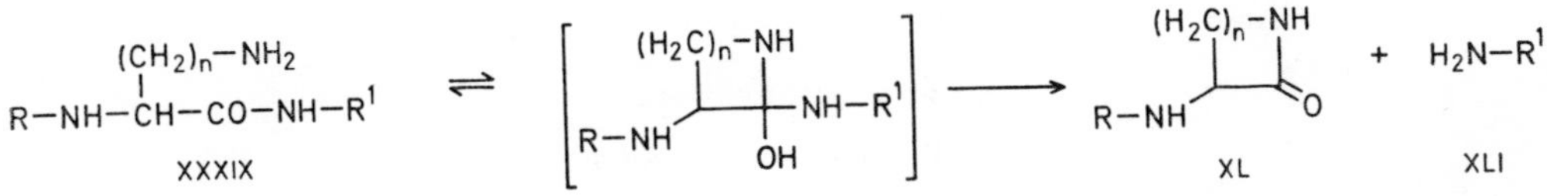

XXXIX ⇌ [ ] ⟶ XL + XLI

R = H oder Acyl-
n = 1—3

Die Reaktion wurde neuerdings von Rudinger et al.[1] bzw. Lipson und Sondheimer[3] näher studiert; sie läuft vor allem beim Erwärmen wäßriger oder alkoholischer Lösungen von α,γ-Diamino-butyryl- und Ornithyl-peptiden in Gegenwart von Ammoniak oder tert.-Basen in erheblichem Ausmaße ab. Aber auch unter „Normalbedingungen", wie sie bei Herstellung und Isolierung von Peptiden auftreten, muß ein solcher Spaltungsablauf einkalkuliert werden, insbesondere wenn Amino-Maskierungen etc. unter alkalischen bzw. (bei erhöhten Temp.) hydrolytischen Bedingungen aufgehoben werden.

36.150. „Selektive" N_α,N_ω-Schutzgruppen-Technik

Wie aus den Tab. 57 (S. 491–506) ersichtlich, stehen für die Synthese von Diaminosäurepeptiden eine große Anzahl aktueller Zwischenprodukte zur Verfügung, deren Anwendungsgrenzen und -möglichkeiten durch gegenwärtig vorliegende Schutzgruppen und die aufzubauenden Aminosäure-Sequenzen diktiert werden. In der „Peptid-Naturstoff-Synthese" sind vorwiegend die in Tab. 56 (S. 489ff.) aufgeführten N_α,N_ω-Schutzgruppen-Kombinationen zum Einsatz gelangt.

---

1 K. Poduška, G. S. Katrukha, A. B. Silaev u. J. Rudinger, Collect. czech. chem. Commun. **30**, 2410 (1965).

2 B. C. Barrass u. D. T. Elmore, Soc. **1957**, 4830.

3 M. A. Lipson u. E. Sondheimer, J. Org. Chem. **29**, 2392 (1964).

Tab. 56. N_α,N_ω-Schutzgruppen-Kombinationen für Peptid-Naturstoff-Synthesen

N_ω-geschützte Diaminosäure	N_α-	Oligopeptid-Sequenz aus/von	Literatur
Lys(TOS)	Z	*Lys-Vasopressin*	1,2,3
		Lys-Vasotocin	4,5
		ACTH	6,7,8
		α-MSH	9,10
		Insulin-B	11,12,13,14
		Kallidin	15,16
	BOC	*ACTH*	17
Orn(TOS)	Z	*Gramicidin S*	18,19
		Orn-Vasopressin	20
		Orn-Oxytocin	20
Dab(TOS)	Z	*Polymyxin B*	21
	cPOC	*Circulin A*	22
	FOR	*Polymyxin B*	23
Lys(Z)	TRT	*α-MSH*	24
	Z	*Kallidin*	25,16
Orn(Z)	Z	*Orn-Kallidin*	25

[1] M. Bodanszky, J. Meienhofer u. V. du Vigneaud, Am. Soc. **82,** 3195 (1960).
[2] J. Meienhofer u. V. du Vigneaud, Am. Soc. **83,** 142 (1961).
[3] R. Roeske et al., Am. Soc. **78,** 5883 (1956).
[4] R. A. Boissonnas u. R. L. Huguenin, Helv. **43,** 182 (1960).
[5] R. D. Kimbrough u. V. du Vigneaud, J. Biol. Chem. **236,** 778 (1961).
[6] C. H. Li et al., Am. Soc. **83,** 4449 (1961).
[7] E. Schröder u. H. Gibian, A. **649,** 168 (1961); Z. Naturf. **15b,** 814 (1960).
[8] S. Bajusz et al., Acta chim. Acad. Sci. hung. **30,** 239 (1962).
[9] K. Hofmann et al., Am. Soc. **82,** 3721 (1960).
[10] K. Hofmann et al., Am. Soc. **80,** 6458 (1958).
[11] J. Kunde u. H. Zahn, A. **646,** 137 (1961).
[12] E. Schnabel, A. **667,** 179 (1963).
[13] P. G. Katsoyannis u. K. Suzuki, Am. Soc. **84,** 1420 (1962).
[14] L. T. Ke et al., Sci. Sinica (Peking) **11,** 337 (1962).
[15] E. D. Nicolaides, H. A. De Wald u. D. A. McCarthy, Biochem. Biophys. Res. Commun. **6,** 210 (1961).
[16] J. Pless et al., Helv. **45,** 394 (1962).
[17] C. H. Li et al., Am. Soc. **84,** 2460 (1962).
[18] B. F. Erlanger, H. Sachs u. E. Brand, Am. Soc. **76,** 1806 (1954).
[19] R. Schwyzer u. P. Sieber, Helv. **40,** 624 (1957).
[20] R. L. Huguenin u. R. A. Boissonnas, Helv. **46,** 1669 (1963).
[21] R. O. Studer, K. Vogler u. W. Lergier, Helv. **44,** 131 (1961).
[22] K. Poduška u. J. Rudinger, Collect. czech. chem. Commun. **31,** 2938 (1966).
[23] K. Vogler et al., Helv. **43,** 574 (1960); **46,** 2823 (1963).
[24] R. A. Boissonnas et al., Helv. **41,** 1867 (1958).
[25] E. Schröder u. H. Gibian, A. **673,** 176 (1964).

Tab. 56. (1. Fortsetzung)

N_ω-geschützte Diaminosäure	N_α-	Oligopeptid-Sequenz aus/von	Literatur
Dab(Z)	BOC	*Polymyxin* B_1 u. E_1	1
	PHT	*Polymyxin* B_1 u. E_1	1
	FOR	*Polymyxin B*	2–4
	NPS	*Circulin A*	5
Lys(BOC)	Z	*ACTH*	6–9
		MSH	10
		Insulin B-Kette	11
		Kallidin	12
		Eledoisin	13,14
		Glucagon	15
		Calcitonine	16,17
		Ribonuclease A	18
		Proinsulin	19
	PAZ	*ACTH*	20–22
	NPS	*Glucagon*	15
		Ribonuclease A	23
		Pancreozymin (Cholezystokinin)	24

[1] K. Vogler et al., Helv. **48**, 1161 (1965).
R. O. Studer, W. Lergier, P. Lanz, E. Böhni u. K. Vogler, Helv. **48**, 1371 (1965).
R. O. Studer, W. Lergier u. K. Vogler, Helv. **49**, 974 (1966).
[2] K. Vogler et al., Helv. **43**, 574 (1960); **46**, 2823 (1963).
[3] K. Vogler u. L. H. Chopard-dit-Jean, Helv. **43**, 279 (1960).
[4] K. Vogler u. P. Lanz, Helv. **43**, 270 (1960).
[5] K. Poduška, Collect. czech. chem. Commun. **31**, 2955 (1966).
[6] R. Schwyzer, B. Riniker u. H. Kappeler, Helv. **46**, 1541 (1963).
[7] R. Schwyzer u. P. Sieber, Nature **199**, 172 (1963).
[8] K. Sturm, R. Geiger u. W. Siedel, B. **96**, 609 (1963).
[9] S. Guttmann, J. Pless u. R. A. Boissonnas, Helv. **45**, 170 (1962).
[10] R. Schwyzer, A. Costopanagiotis u. P. Sieber, Helv. **46**, 870 (1963).
[11] E. Schnabel, A. **674**, 218 (1964).
[12] E. Wünsch, H.-G. Heidrich u. W. Grassmann, B. **97**, 1818 (1964).
[13] K. Lübke et al., A. **679**, 195 (1964).
[14] S. Bajusz, Acta chim. Acad. Sci. hung. **42**, 383 (1964).
[15] E. Wünsch u. A. Zwick, B. **97**, 3305 (1964).
[16] P. Sieber et al., Helv. **51**, 2057 (1968) u. **53**, 2135 (1970).
[17] S. Guttmann et al., Helv. **52**, 1789 (1969).
[18] G. Borin et al., Int. J. Pept. Prot. Res. **4**, 37 (1972).
[19] R. Geiger et al., Z. Naturf. **24b**, 999 (1969).
[20] R. Schwyzer et al., Ang. Chem. **72**, 915 (1960).
[21] H. Kappeler u. R. Schwyzer, Helv. **44**, 1136 (1961).
[22] R. Schwyzer u. H. Kappeler, Helv. **46**, 1550 (1963).
[23] K. Hofmann, J. P. Visser u. F. M. Finn, Am. Soc. **91**, 4883 (1969).
[24] M. Bodanszky et al., J. Org. Chem. **37**, 2303 (1972).

Tab. 56. (2. Fortsetzung)

Nω-geschützte Diaminosäure	Nα-	Oligopeptid-Sequenz aus/von	Literatur
Lys(BOC)	TRT	*ACTH*	1,2
		Salm-Calcitonin	3
	TFA	*ACTH*	4
Orn(BOC)	Z	*Ribonuclease A*	5
Dab(BOC)	NPS	*Circulin A*	6
Lys(FOR)	Z	*ACTH*	7–9
		Ribonuclease T_1	10
	BOC	*Ribonuclease A*	11
Lys(TFA)	BOC	*Staphyl. Nuclease*	12
Lys(PHT)	Z	*Lys-Vasopressin*	13
	BOC	*ACTH* und *MSH*	14
Orn(PHT)	Z	*Orn-Vasopressin* und *Vasotocin*	15
		Orn-Glucagon	16
Lys(cPOC)	Z	*Eledoisin*	17
Lys(Z)	BOC	*Ribonuclease A*	18
		Cytochrom C	19
		Staphyl. Nuclease	20
		Melittin	21
	TRT	*ACTH*	22,23

[1] S. Guttmann, J. Pless u. R. A. Boissonnas, Helv. **45**, 170 (1962).
[2] R. Schwyzer u. H. Kappeler, Helv. **46**, 1550 (1963).
[3] S. Guttmann et al., Helv. **52**, 1789 (1969).
[4] South Africa P. 61617 (1961), CIBA, Erf.: R. Schwyzer et al.
[5] G. Borin et al., Int. J. Pept. Prot. Res. **4**, 37 (1972).
[6] K. Poduška, Collect. czech. chem. Commun. **31**, 2955 (1966).
[7] K. Hofmann et al., Am. Soc. **83**, 487 (1961).
[8] K. Hofmann et al., Am. Soc. **83**, 2294 (1961).
[9] K. Hofmann et al., Am. Soc. **84**, 4481 (1962).
[10] N. Yanaihara et al., Am. Soc. **91**, 2184 (1969).
[11] K. Hofmann et al., Am. Soc. **87**, 611, 640 (1965).
[12] M. Ohno et al., Am. Soc. **91**, 6842 (1969).
[13] S. Hase et al., Am. Soc. **94**, 3590 (1972).
[14] R. Schwyzer, A. Costopanagiotis u. P. Sieber, Helv. **46**, 870 (1963).
[15] M. Bodanszky et al., Am. Soc. **86**, 4452 (1964).
[16] E. Wünsch u. G. Wendlberger, B. **100**, 160 (1967).
[17] E. Sandrin u. R. A. Boissonnas, Helv. **46**, 1637 (1963).
[18] B. Gutte u. R. B. Merrifield, Am. Soc. **91**, 501 (1969).
S. Visser u. K. E. T. Kerling, R. **89**, 880 (1970).
[19] S. Sano u. M. Kurihara, H. **350**, 1183 (1969).
[20] M. Ohno u. C. B. Anfinsen, Am. Soc. **92**, 4098 (1970).
[21] K. Lübke, A. **702**, 180 (1967).
[22] R. A. Boissonnas et al., Helv. **44**, 123 (1961).
[23] R. A. Boissonnas et al., Experientia **12**, 446 (1956).

Vorwiegend aufgrund der zu geringen Selektivität bei acidolytischer N_α-tert.-Butyloxycarbonyl-Demaskierung (s. S. 80) war man bestrebt, die angewandte N_ω-Benzyloxycarbonyl-Schutzgruppe durch andere Reste zu ersetzen. Beim gegenwärtigen Stand der Maskierungs-Technik für Diaminocarbonsäuren werden außer den genannten (s. Tab. 56, S. 486ff.) folgende Schutzgruppen-Kombinationen vorgeschlagen:

N_α-	N_ω-Schutzgruppe	Literatur	N_α-	N_ω-Schutzgruppe	Literatur
BOC	CZ	1–3	Z	TEOC	7
	2CZ	2		PiOC	10
	3CZ	1–3, *		TRT	11
	BZ	4,5			
	2BZ	5	BPOC	BOC	12
	3BZ	5, *			
	24DCZ	2	MOZ	TEOC	7
	34DCZ	2		Z	
	26DCZ	2, *			13
	NZ	3, *	TFA	MCA	14
	MAZ	6			
	TEOC	7	ACA	Z	15
	DMOC	8		BOC	15
	PyOC	9			

Der Einsatz von N_α,N_ω-„asymmetrisch-substituierten und selektiv-spaltbaren“ Diaminosäure-Derivaten sei an folgenden charakteristischen Synthesen demonstriert; das angedeutete „Festkörper-Verfahren“ von Meienhofer[16] sollte im Hinblick auf die vorgenommene Polymer-Aufhängung an der N_ε-Amino-Gruppe des Lysins beachtet werden.

N_α-Benzyloxycarbonyl-N_ε-tert.-butyloxycarbonyl-L-lysyl-O-tert.-butyl-L-tyrosyl-L-leucyl-L-asparaginsäure(β-tert.-butylester)-methylester [Z-Lys(BOC)-Tyr(tBu)-Leu-Asp(OtBu)-OMe][17]: 190 g Z-Lys(BOC)-OH und 270 g H-Tyr(tBu)-Leu-Asp(OtBu)-OMe in 2,5 *l* Dichlormethan/Dimethylformamid (3 : 2) werden

* Acidolytisch zu stabil.

1 K. Noda, S. Terada u. N. Izumiya, Bl. chem. Soc. Japan **43**, 1883 (1970).

2 B. W. Erickson u. R. B. Merrifield, *Chemistry and Biology of Peptides* Proc. 3rd Amer. Peptide Symposium, Boston 1972, Ann Arbor Science Publ., Ann Arbor, Michigan **1972**, S. 191.

3 E. Schnabel, H. Klostermeyer u. H. Berndt, A. **749**, 90 (1971).

4 D. Yamashiro u. C. H. Li, Int. J. Pept. Prot. Res. **4**, 181 (1972).

5 D. Yamashiro, R. L. Noble u. C. H. Li, *Chemistry and Biology of Peptides* Proc. 3rd Amer. Peptide Symposium, Boston 1972, Ann Arbor Science Publ., Ann Arbor, Michigan **1972**, S. 197.

6 R. Schwyzer u. P. Sieber, Helv. **43**, 1910 (1960).

7 H. Yajima, H. Watanabe u. M. Okamoto, Chem. Pharm. Bull. (Tokyo) **19**, 2185 (1971).

8 S. Sakakibara et al., Bl. Chem. Soc. Japan **43**, 3322 (1970).

9 D. F. Veber, S. F. Brady u. R. Hirschmann, *Chemistry and Biology of Peptides* Proc. 3rd. Amer. Peptide Symposium, Boston 1972, Ann Arbor Science Publ., Ann Arbor, Michigan **1972**, S. 315.

10 D. Stevenson u. G. T. Young, Soc. [C] **1969**, 2398.

11 B. Bezas u. L. Zervas, Am. Soc. **83**, 719 (1961).

12 P. Sieber u. B. Iselin, Helv. **51**, 622 (1968).

13 D. Abe u. N. Izumiya, Bl. chem. Soc. Japan **43**, 1202 (1970).

14 W. Steglich u. G.-H. Batz, Ang. Ch. **83**, 83 (1971).

15 F. d'Angeli et al., Ricerca Sci. **36**, 3 (1966).

16 J. Meienhofer u. A. Trzeciak, Proc. Nat. Acad. Sci. USA **68**, 1006 (1971).

17 E. Wünsch, A. Zwick u. G. Wendlberger, B. **100**, 173 (1967).

bei −10° mit 110 g Dicyclohexylcarbodiimid versetzt. Die Reaktionsmischung wird 3 Stdn. bei −10° und anschließend 12 Stdn. bei Raumtemp. gerührt. Das Filtrat vom N,N'-Dicyclohexyl-harnstoff wird i.Vak. eingedampft, der Rückstand 2mal aus Äthanol umkristallisiert; Ausbeute: 419 g (93% d.Th.); F: 164,5–165°; $[\alpha]_D^{20} = -25,82 \pm 0,5°$ bzw. $[\alpha]_{546}^{20}$: $= -33,52°$ (c = 2; in Äthanol).

N_ε-tert.-Butyloxycarbonyl-L-lysyl-O-tert.-butyl-L-tyrosyl-L-leucyl-L-asparaginsäure(β-tert.-butylester)-methylester [H-Lys(BOC)-Tyr(tBu)-Leu-Asp(OtBu)-OMe][1]: 98,8g Z-Lys(BOC)-Tyr(tBu)-Leu-Asp(OtBu)-OMe in 600 *ml* Methanol werden in Gegenwart von Palladiumschwarz wie üblich hydriert, durch Zutropfen von 2n Salzsäure in Methanol wird p_H 4,5 eingehalten. Der nach Eindampfen des Filtrats i.Vak. erhaltene ölige Rückstand wird mit Essigsäure-äthylester und eiskalter Natriumcarbonat-Lösung (etwas mehr als die ber. Menge) behandelt, die abgetrennte Essigsäure-äthylester-Phase mit Wasser alkalifrei gewaschen, über Natriumsulfat getrocknet und i.Vak. eingedampft. Aus der ätherischen Lösung fällt der Tetrapeptidester auf Zusatz von Petroläther aus; er wird aus Diisopropyläther umkristallisiert; Ausbeute: 82,9 g (96% d.Th.); F: 67° (58°); $[\alpha]_D^{20} = -10,56 \pm 0,5°$ bzw. $[\alpha]_{546}^{20} = -13,13°$ (c = 2; in Äthanol).

N_α-tert.-Butyloxycarbonyl-N_ε-polymer-benzyloxycarbonyl-L-lysyl-glycin-amid[BOC-Lys(ØZ)-Gly-NH_2]:

N_α-tert.-Butyloxycarbonyl-N_ε-benzyloxycarbonyl-L-lysyl-glycin-äthylester [BOC-Lys(Z)-Gly-OEt][2]: Zu 18,5 g BOC-Lys(Z)-OH in 30 *ml* Tetrahydrofuran (frisch destill. über Lithiumalanat) werden bei −10° unter Rühren mit 6,8 *ml* Triäthylamin und 6,4 *ml* Chlorameisensäure-isobutylester versetzt. Nach 5 Min. wird eine gekühlte Mischung von 7,0 g H-Gly-OEt · HCl und 7,0 *ml* Triäthylamin in 45 *ml* Dimethylformamid zugefügt, der ganze Ansatz 2 Stdn. bei −10° und 15 Stdn. bei Raumtemp. gerührt. Nach Filtration dampft man i.Vak. zur Trockne ein; das verbleibende Öl wird in Essigsäure-äthylester aufgenommen, die erhaltene Lösung mit m Citronensäure-, n Natriumhydrogencarbonat- und Kochsalz-Lösung gewaschen, über Magnesiumsulfat getrocknet und letztlich i.Vak. eingedampft. Das ölige Material kristallisiert aus 1500 *ml* Diisopropyläther in farblosen Nadeln; Ausbeute: 18,1 g (80% d. Th.); F: 67–68°; $[\alpha]_D^{22} = -12,9°$ (c = 1 in Methanol).

N_α-tert.-Butyloxycarbonyl-N_ε-benzyloxycarbonyl-L-lysyl-glycin-amid[BOC-Lys(Z)-Gly-NH_2][2]: 15 g BOC-Lys(Z)-Gly-OEt in 150 *ml* absol. Äthanol werden bei 0° mit gasförmigem Ammoniak behandelt (ges. Lösung). Das Reaktionsgefäß wird verschlossen 3 Tage bei Raumtemp. aufbewahrt. Danach wird die Reaktionsmischung i.Vak. eingedampft; das verbleibende Öl kristallisiert aus Isopropanol/Diisopropyläther; Ausbeute: 13,1 g (93,5% d.Th.); F: 76°; $[\alpha]_D^{22} = -3°$ (c = 1 in Methanol).

N_α-tert.-Butyloxycarbonyl-N_ε-polymer-benzyloxycarbonyl-L-lysyl-glycin-amid [BOC-Lys(ØZ)-Gly-NH_2][2]: 5,65 g BOC-Lys(Z)-Gly-NH_2 in 50 *ml* Methanol werden über frisch hergestelltem Palladium-Schwarz katalytisch hydriert und aufgearbeitet. Das erhaltene ölige Produkt wird in 60 *ml* Dimethylformamid aufgenommen, 12 g Chlorameisensäure-benzylester-Polymer und 1,32 g Triäthylamin zugefügt und diese Mischung 24 Stdn. bei Raumtemp. gerührt. Das nach Filtration abgetrennte beladene Harz wird mit Dimethylformamid/Methanol und Diäthyläther gewaschen und letztlich getrocknet.

Um nicht umgesetzte Säurechlorid-Gruppen zu „inaktivieren", wird das erhaltene Produkt in 100 *ml* Benzylalkohol suspendiert und nach Sättigung mit gasförm. Ammoniak 17 Stdn. lang bei Raumtemp. verschlossen aufbewahrt. Danach wird der beladene Festkörper mit Benzylalkohol, Äthanol und Diäthyläther gewaschen und i.Vak. über Kaliumhydroxid getrocknet; Ausbeute: 12,3 g.

(Beladungsdichte bestimmt durch Aminosäureanalyse: 0,28 mMol Glycin/g und 0,29 mMol Lysin/g bei einem Rest-Chlor-Gehalt von 0,2 mäqu/g).

Nachstehend weitere Beispiele mit N_α, N_ω-Schutzgruppen-Paaren

NPS:	BOC	S. 213, 214	Z:	BOC	S. 622
TRT:	BOC	S. 271f., 274		PHT	S. 532
	TOS	S. 274		TEOC	S. 104f.
cPOC:	TOS	S. 107ff.		TOS	S. 483f.

---

[1] E. Wünsch, A. Zwick u. G. Wendlberger, B. **100**, 173 (1967).

[2] J. Meienhofer u. A. Trzeciak, Proc. Nat. Acad. Sci. USA **68**, 1006 (1971).

Tab. 57. Derivate des L-Lysins

N_ε-Derivate [H-Lys(R)-OH]

R		F [°C]	$[\alpha]_D$	t	c	Lösungsmittel	Literatur	Literatur der entsprechenden D-Form
AOC		225–230					1	
FOR		214–215 (Zers.)	+ 15,5	26	1,4	ges. Natriumhydrogencarbonat-Lösung	2,3	
PHT		232	+ 22,6	22	2	Dimethylformamid	4	
	a	212					4	
TOS		234–237 (Zers.)	+ 16,4	25	2	6n Salzsäure	5–11	12
TRT		230 (Zers.)	+ 9,0	20	2	1n Salzsäure	13	
BOC		237–255	+ 4,7	26	0,8	2n Ammoniak	14,15	16
	a	230–232	+ 11,7	20	2	Wasser	15	
Z		238 (Zers.)	+ 13,2	25	1,6	Wasser + 2 Äquiv. Salzsäure	17–24,3,25	26
NZ		240–241 (Zers.)	+ 14,2	24	4	6n Salzsäure	8,27,28,3	
ACA		223–225	+ 1,89		2	Wasser	29,30	

[a] Monohydrochlorid

[1] C. M. Stevens u. R. Watanabe, Am. Soc. **72**, 725 (1950).
[2] K. Hofmann, E. Stutz, G. Spühler et al., Am. Soc. **82**, 3727 (1960).
[3] R. Ledger u. F. H. C. Stewart, Austral. J. Chem. **18**, 933 (1965).
[4] G. H. L. Nefkens, G. I. Tesser u. R. J. F. Nivard, R. **79**, 688 (1960).
[5] B. F. Erlanger, W. V. Curran u. N. Kokowski, Am. Soc. **81**, 3051 (1959).
[6] R. Roeske, F. H. C. Stewart et al., Am. Soc. **78**, 5883 (1956).
[7] E. A. Morozova u. S. M. Zhenodarova, Ž. obšč. Chim. **31**, 45 (1961); C. A. **55**, 27121 (1961).
[8] J. E. Shields, W. H. McGregor u. F. H. Carpenter, J. Org. Chem. **26**, 1491 (1961).
[9] J. Meienhofer u. V. du Vigneaud, Am. Soc. **82**, 2279 (1960).
[10] M. Rimpler, A. **745**, 8 (1971).
[11] M. Zaoral, Collect. czech. chem. Commun. **30**, 1853 (1965).
[12] M. Zaoral, J. Kolč u. F. Šorm, Collect. czech. chem. Commun. **32**, 1242 (1967).
[13] G. Amiard u. B. Goffinet, Bl. **1957**, 1133.
[14] R. Schwyzer u. W. Rittel, Helv. **44**, 159 (1961).
[15] L. Zervas u. C. Hamalidis, Am. Soc. **87**, 99 (1965).
[16] E. Schnabel, J. Stoltefuss et al., A. **743**, 57 (1971).
[17] H. Zahn u. H. R. Falkenburg, A. **636**, 117 (1960).
[18] A. Neuberger u. F. Sanger, Biochem. J. **37**, 515 (1943).
[19] G. Foelsch, u. K. Serck-Hanssen, Acta chem. scand. **13**, 1243 (1959).
[20] A. Kjaer u. P. O. Larsen, Acta chem. scand. **15**, 750 (1961).
[21] K. Schlögl u. H. Fabitschowitz, M. **84**, 937 (1953).
[22] M. Bergmann, L. Zervas u. W. F. Ross, J. Biol. Chem. **111**, 245 (1935).
[23] J. H. Jones u. G. T. Young, Soc. [C] **1968**, 53.
[24] T. Okuda u. H. Zahn, B. **98**, 1164 (1965).
[25] A. A. Costopanagiotis et al., J. Org. Chem. **33**, 1261 (1968).
[26] J. E. Folk u. J. A. Gladner, J. Biol. Chem. **231**, 379 (1958).
[27] K. Noda, S. Terada u. N. Izumiya, Bl. chem. Soc. Japan **43**, 1883 (1970).
[28] E. Schnabel, H. Klostermeyer u. H. Berndt, A. **749**, 90 (1971).
[29] F. d'Angeli et al., Privatmitteilung.
[30] V. Giormani, F. Filira et al., Ricerca sci. **37**, 84 (1967).

Tab. 57. (1. Fortsetzung)

R	F [°C]	$[\alpha]_D$	t	c	Lösungsmittel	Literatur	Literatur der entsprechenden D-Form
TEOC	218–220	+ 13,9	16	0,2	50%-ige Essigsäure	1	
DMOC	198,5–201,5 (Zers.)	+ 22,3	25	1	1 n Salzsäure	2	
CZ	255–258 (Zers.)	+ 14,2	16	0,51	50%-ige Essigsäure	2–4	
3CZ	245–248 (Zers.)	+ 10,0	25	2	5 n Salzsäure	3,4	
CyZ	240–242 (Zers.)	+ 12,7	25	2	5 n Salzsäure	3	
PyOC	234					5	
Ac	249–253 (Zers.)	+ 3,4		4		6	
MAZ	242–243 (Zers.)					7	
PrOC	235–241 (Zers.)	+ 17,7	15	1,1	1 n Salzsäure	8	
BAL	206–208 (Zers.)					9,10	11
BZ	247–249	+ 11,2	24	1,05	80%-ige Esssigsäure	12	
PiOC	150 (Zers.)	+ 16,4	20	1	1 n Salzsäure	13	
TFA		+ 21,7 [b]	20	3	Dichloressigsäure	14	
2 BZ	220–223	+ 9,6	24	1,09	80%-ige Essigsäure	15	
D-IbOC	Öl					16	

[b] $[\alpha]_{580}$

[1] H. Yajima, H. Watanabe u. M. Okamota, Chem. Pharm. Bull. (Tokyo) **19**, 2185 (1971).
[2] S. Sakakibara et al., Bl. chem. Soc. Japan **43**, 3322 (1970).
[3] K. Noda, S. Terada, N. Izumya, Bl. chem. Soc. Japan **43**, 1883 (1970).
[4] E. Schnabel, H. Klostermeyer u. H. Berndt, A. **749**, 90 (1971).
[5] D. F. Veber, S. F. Brady u. R. Hirschmann, *Chemistry and Biology of Peptides*, 3rd Amer. Peptide Sympos., Boston 1972, Ann Arbor Science Publ., Ann Arbor, Michigan **1972**, S. 315.
[6] A. Neuberger u. F. Sanger, Biochem. J. **37**, 515 (1943).
[7] R. Schwyzer u. P. Sieber, Helv. **43**, 1910 (1960).
[8] S. Sakakibara, Y. Shimonishi et al., Bl. chem. Soc. Japan **40**, 2164 (1967).
[9] B. Bezas u. L. Zervas, Am. Soc. **83**, 719 (1961).
[10] B. Witkop u. T. W. Beiler, Am. Soc. **76**, 5589 (1954).
[11] M. Bergmann u. L. Zervas, H. **152**, 282 (1926).
[12] D. Yamashiro u. C. H. Li, Int. J. Pept. Prot. Res. **4**, 181 (1972).
[13] D. Stevenson u. G. T. Young, Soc. [C] **1969**, 2389.
[14] C. B. Anfinsen et al., Proc. Nat. Acad. Sci. USA **58**, 1806 (1967).
[15] D. Yamashiro u. C. H. Li, Am. Soc. **95**, 1310 (1973).
[16] M. Fujino et al., Chem. Pharm. Bull. (Tokyo) **20**, 1017 (1972).

Tab. 57. (2. Fortsetzung)

N_α,N_ε-Bis-Derivate [R¹-Lys(R)-OH]

R	R¹	F [°C]	[α]D	t	c	Lösungsmittel	Literatur	Literatur entsprechender D-Verbindung
Z	Z	80	−7,8	21	2	Pyridin	1–4	
	[a]	124–127	+6,0	20–26	1	Methanol	5	
Z	FOR	74–78	+9,6	24	1,4	Äthanol	6,5	
	[a]	240	+4,8	21–25	1,07	Eisessig	5	
Z	NPS [a]	184–187	−29,1		0,7	Dimethylformamid	7,8	
Z	MOZ	Öl					9	
	[a]	133–135	+4,4	26	1,59	Methanol	9	
Z	TOS	121–122	+13,5	23	2,2	Methanol	10–12	
Z	BOC	Öl					13–18	
	[a]	114–115	+6,8	20	2	Dimethylformamid	18,16,17,19	
Z	Ac	80	+3,59	25	2	Methanol	20–22	
Z	AdOC	56–60	−0,6	25	2	Methanol	23	
Z	BPOC	amorph	−1,8	20	1	Methanol	24	
	[a]	amorph					25	

[a] DCHA-Salz [c] Diäthylaminsalz

[1] R. A. Boissonnas et al., Helv. **41**, 1867 (1958).
[2] M. Bergmann, L. Zervas u. W. F. Ross, J. Biol. Chem. **111**, 245 (1935).
[3] E. Schröder, E. Klieger u. H. Gibian, A. **646**, 101 (1961).
[4] R. Rocchi, F. Marchiori u. E. Scoffone, G. **93**, 823 (1963).
[5] E. Klieger, E. Schröder u. H. Gibian, A. **640**, 157 (1961).
[6] K. Hofmann et al., Am. Soc. **82**, 3727 (1960).
[7] L. Zervas, D. Borovas u. E. Gazis, Am. Soc. **85**, 3660 (1963).
[8] J. Šavdra u. D. H. Veyrat, Soc. [C] **1970**, 2180.
[9] F. Weygand u. K. Hunger, B. **95**, 1 (1962).
[10] A. Kjaer u. P. O. Larsen, Acta chem. scand. **15**, 750 (1961).
[11] D. Theodoropoulos et al., Nature **184**, 187 (1959).
[12] B. C. Barrass u. D. T. Elmore, Soc. **1957**, 3134.
[13] A. E. Lanzilotti et al., Am. Soc. **86**, 1880 (1964).
[14] R. Schwyzer, A. Costopanagiotis u. P. Sieber, Helv. **46**, 870 (1963).
[15] G. W. Anderson u. A. C. McGregor, Am. Soc. **79**, 6180 (1957).
[16] W. Broadbent, J. S. Morley u. B. E. Stone, Soc. [C] **1967**, 2632.
[17] E. Schnabel, H. Herzog et al., A. **716**, 175 (1968).
[18] S. Visser et al., R. **87**, 559 (1968).
[19] E. Schnabel, A. **702**, 188 (1967).
[20] H. Zahn u. K. Mella, H. **344**, 75 (1966).
[21] A. Neuberger u. F. Sanger, Biochem. J. **37**, 515 (1943).
[22] C. C. Irving u. H. R. Gutmann, J. Org. Chem. **24**, 1979 (1959).
[23] W. L. Haas, E. V. Krumkalns u. K. Gerzon, Am. Soc. **88**, 1988 (1966).
[24] S. S. Wang u. R. B. Merrifield, Int. J. Pept. Prot. Res. **1**, 235 (1969).
[25] R. S. Feinberg u. R. B. Merrifield, Tetrahedron **28**, 5865 (1972).

Tab. 57. (3. Fortsetzung)

R	R[1]	F [°C]	$[\alpha]_D$	t	c	Lösungsmittel	Literatur	Literatur entsprechender D-Verbindung
Z	D-IbOC	—	– 10,9	22	1	Chloroform	[1]	
CZ	CZ	98–100	– 5,7		2	Äthanol	[2]	
CZ	BOC	88–90	– 7,0[d]	20–23	1	Essigsäure	[3]	
3CZ	BOC[a]	97–99	– 6,4[d]	20–23	1	Essigsäure	[3]	
NZ	NZ [b]	56–72	– 5,4	23	1	Pyridin	[4]	
NZ	BOC	103–106	– 6,4[d]	20–23	1	Essigsäure	[3,5,6]	
BOC	Z	63,5–64,5	– 5,87	20	1	Methanol	[7–13,6]	
	[a]	156–157	+ 7,8	20	1	Äthanol	[14,9,15,11 12 16–19]	
BOC	BOC	Öl	– 3,1	30	1,05	Methanol	[20–23]	
	[a]	136–138	+ 5,6[d]	18–25	1	Essigsäure	[13,23]	
BOC	PAZ	105–106	–1,0	25	1	Methanol	[10]	
BOC	TOS	141–142					[11]	
BOC	NPS [a]	194–195	–43,4		1,5	Chloroform	[17]	
BOC	BPOC[a]	amorph	+10,0	20	1	Methanol	[24]	

[a] DCHA-Salz [b] Monohydrat
[d] $[\alpha]_{578}$

[1] G. Jäger u. R. Geiger. A. **1973**, 1535.
[2] L. Kisfaludy, Privatmitteilung.
[3] E. Schnabel, H. Klostermeyer u. H. Berndt, A. **749**, 90 (1971).
[4] D. T. Gish u. F. H. Carpenter, Am. Soc. **75**, 950 (1953).
[5] R. A. Boissonnas et al., Helv. **41**, 1867 (1958).
[6] E. Schnabel, H. Herzog et al., A. **716**, 175 (1968).
[7] E. Wünsch u. A. Trinkl, H. **345**, 193 (1966).
[8] K. Sturm, R. Geiger u. W. Siedel, B. **96**, 609 (1963).
[9] E. Schnabel, A. **674**, 218 (1964).
[10] R. Schwyzer u. W. Rittel, Helv. **44**, 159 (1961).
[11] W. Broadbent, J. S. Morley u. B. E. Stone, Soc. [C] **1967**, 2632.
[12] A. Ali u. B. Weinstein, J. Org. Chem. **36**, 3022 (1971).
[13] E. Schnabel, A. **702**, 188 (1967).
[14] E. Wünsch u. A. Zwick, B. **97**, 3305 (1964).
[15] F. Chillemi u. E. O. Goffredo, G. **94**, 866 (1964).
[16] A. Ali, F. Fahrenholz u. B. Weinstein, Ang. Ch. **84**, 259 (1972).
[17] L. Zervas u. C. Hamalidis, Am. Soc. **87**, 99 (1965).
[18] A. A. Costopanagiotis et al., J. Org. Chem. **33**, 1261 (1968).
[19] H. Otsuka et al., Bl. chem. Soc. Japan **37**, 1471 (1964).
[20] K. Hofmann et al., Am. Soc. **87**, 611 (1965).
[21] E. Sandrin u. R. A. Boissonnas, Helv. **46**, 1637 (1963).
[22] E. Scoffone et al., G. **94**, 743 (1964).
[23] L. Bernardi et al., G. **94**, 853 (1964).
[24] P. Sieber u. B. Iselin, Helv. **51**, 622 (1968).

Tab. 57. (4. Fortsetzung)

R	R^1	F [°C]	$[\alpha]_D$	t	c	Lösungsmittel	Literatur	Literatur entsprechender D-Verbindung
Z	Bz	132–133	+2,5	23	2,4	1n Natriumhydroxid	1	
Ac	BOC	137–138	–10,1	20	0,5	Eisessig	2	
ACA	ACA [a]	135–136					3	
ACA	Z [a]	115–117					3	
AOC	AOC	Öl					4	
AOC	Z	Öl					4	
	[a]	126–127	+5,54	22	3,1	Äthanol	4	
BYS	BYS	144–145	–9,9	26	1	1n Natriumhydroxid	5,6	
cPOC	Z	Öl	–9,5	22	2	Dimethylformamid	7	
cPOC	cPOC	93–100					8	
DNPS	DNPS [a]	124–126	–10,4	22	0,5	Dimethylformamid	9	
FOR	Z	94–95	–4,5	26	1,06	Methanol	10	
FOR	BOC	131–132	–3,1	27	1,65	Methanol	11	
NPS	NPS [a]	156–158	–19,2	24	1	Dimethylformamid	12	
PHT	Z	129–130,5	–1,8	25	3	Methanol	13	
	[a]	158–159	+6,1	25	2	Methanol	13	
PHT	BOC	Harz					14,15	
PiOC	Z	110–112	–6,7	20	1	Dimethylformamid	16	
	[a]	151–153	+7,6	20	1	Äthanol	16	
PyOC	BOC	82–83,5					17	

[a] DCHA-Salz

---

[1] C. C. Irving u. H. R. Gutmann, J. Org. Chem. **24**, 1979 (1959).
[2] K. Lübke u. E. Schröder, A. **692**, 237 (1966).
[3] V. Giormani, F. Filira et al., Ricerca sci. **37**, 84 (1967).
[4] S. Sakakibara et al., Bl. chem. Soc. Japan **38**, 1522 (1965).
[5] H. B. Milne u. C.-H. Peng, Am. Soc. **79**, 639 (1957).
[6] J. P. Greenstein u. M. Winitz, *Chemistry of the Amino Acids* **2**, 924, J. Wiley & Sons, New York 1961.
[7] E. Sandrin u. R. A. Boissonnas, Helv. **46**, 1637 (1963).
[8] F. C. McKay u. N. F. Albertson, Am. Soc. **79**, 4686 (1957).
[9] A. Fontana, F. Marchiori u. L. Moroder, Ricerca sci. **36**, 261 (1966).
[10] K. Hofmann et al., Am. Soc. **82**, 3727 (1960).
[11] K. Hofmann et al., Am. Soc. **87**, 611 (1965).
[12] J. Šavdra u. D. H. Veyrat; Soc. [C] **1970**, 2180.
[13] S. Hase et al., Am. Soc. **94**, 3590 (1972).
[14] R. Schwyzer, A. Costopanagiotis u. P. Sieber, Helv. **46**, 870 (1963).
[15] H. Arold, H. Feist u. K. Wilding, J. pr. **311**, 511 (1969).
[16] D. Stevenson u. G. T. Young, Soc. [C] **1969**, 2389.
[17] D. F. Veber, S. F. Brady u. R. Hirschmann, *Chemistry and Biology of Peptides*, 3rd Amer. Peptide Symposium, Boston 1972, Ann Arbor Science Publ., Ann Arbor, Michigan **1972**, S. 315.

Tab. 57. (5. Fortsetzung)

R	R[1]	F [°C]	$[\alpha]_D$	t	c	Lösungsmittel	Literatur	Literatur entsprechender D-Verbindung
TFA	Z	89–91	–1,8	25	1	Essigsäure	1	
TFA	BOC	103					2	
TMOZ	TMOZ	Sirup	–8,3[d]			Dimethylformamid	3	
TEOC	Z [a]	162–165	+2,9	16	1,1	Methanol	4	
TEOC	BOC	94–98	–9,8	16	1	Methanol	4	
TEOC	MOZ[a]	138–140	+4,2	16	1	Methanol	4	
TOS	Z	85–88	–13,3	21	1	5% Natriumhydrogencarbonat	5–7	8
	[a]	146–148	+7,9	20–26	1,29	Dimethylformamid	9	
TOS	BOC	Öl	–12,4[d]	18–25	1	Essigsäure	10–12	
	[a]	143–144	–7,0[d]	18–25	1	Essigsäure	10–12	
TOS	FOC[a]	148–149	+9,75	21	2,4	Äthanol	13	
TOS	FOR	Öl					9	
	[a]	171–172	+13,5	21–25	1,05	Äthanol	9	
TOS	TFA	104	–4,2	23	1,7	Äthanol	14	
TRT	TRT[c]	150	+23,0	20	2	Chloroform	15	
Z	MBV[a]	135–137	+48,9	20	2	Äthanol	16	
BZ	BOC	102,5–104	+6,0	24	4,6	Chloroform	17	
2 BZ	BOC[a]	106–108	+6,3	24	2,44	Chloroform	18	

[a] DCHA-Salz
[c] Diäthylaminsalz
[d] $[\alpha]_{578}$

[1] M. Tilak et al., Colloq. Int. Centre Nat. Rech. Sci. **175,** 173 (1968); C. A. **71,** 13356 (1969).
[2] C. B. Anfinsen et al., Proc. Nat. Acad. Sci. USA **58,** 1806 (1967).
[3] E. Schnabel, H. Herzog et al., A. **716,** 175 (1968).
[4] H. Yajima, H. Watanabe u. M. Okamoto, Chem. Pharm. Bull. (Tokyo) **19,** 2185 (1971).
[5] R. Roeske, F. H. C. Stewart et al., Am. Soc. **78,** 5883 (1956).
[6] K. Hofmann, et al., Am. Soc. **82,** 3721 (1960).
[7] M. Zaoral, Collect. czech. chem. Commun. **30,** 1853 (1965).
[8] M. Zaoral, J. Kolč u. F. Šorm, Collect. czech. chem. Commun. **32,** 1242 (1967).
[9] E. Klieger, E. Schröder u. H. Gibian, A. **640,** 157 (1961).
[10] E. Schnabel, A. **702,** 188 (1967).
[11] W. Broadbent, J. S. Morley u. B. E. Stone, Soc. [C] **1967,** 2632.
[12] T. Okuda u. H. Zahn, Makromol. Ch. **121,** 87 (1969).
[13] H. Jeschkeit, G. Losse u. K. Neubert, B. **99,** 2803 (1966).
[14] F. Weygand u. W. Steglich, B. **92,** 313 (1959).
[15] G. Amiard u. B. Goffinet, Bl. **1957,** 1133.
[16] G. L. Southard, G. S. Brooke u. J. M. Pettee, Tetrahedron **27,** 1359 (1971).
[17] D. Yamashiro u. C. H. Li, Int. J. Pept. Prot. Res. **4,** 181 (1972).
[18] D. Yamashiro u. C. H. Li, Am. Soc. **95,** 1310 (1973).

Tab. 57. (6. Fortsetzung)

Carboxy-substituierte N_ε-Derivate [H-Lys(R)-R²]

R	R²	F [°C]	[α]D	t	c	Lösungsmittel	Literatur	Literatur entsprechender D-Verbindung
Z	OBZL [a]	139	–9,9	22	0,5	0,1 n Salzsäure	1–3	1
Z	OEt [a]	115,5–116,5	+12,2	17	2,1	0,1 n Salzsäure	5,4,6	
Z	NH_2 [a]	203					7	
Z	OtBu [a]	147–149	+13,6	25	2	Äthanol	8,9	
Z	OMe [a]	117	+16,7	21	2	Methanol	10,2,7	
Z	OBZL [e]	110–112	–5,4	20	2	Dimethylformamid	11	
NZ	ONB [b]	168–169	+3,7	24	3	Dimethylformamid	12	
BOC	OMe	Öl					13	
	[a]	158–159	+19,0	25	1,09	Methanol	13	
	[f]	81–83	+16,4	25	2	Methanol	14–16	
BOC	OtBu [a]	139–140	+12,14	20	1	Methanol	17	
FOR	OMe [a]	amorph					18	
FOR	NH_2 [d]	120–123	+16,6	25	0,87	Wasser	18	
MAZ	OMe [a]	241 (Zers.)					19	
TOS	OBZL [a]	172–174	–7,5	25	1	0,1 n Salzsäure	20,21	

[a] Monohydrochlorid
[b] Benzolsulfonsäure-Salz
[d] Monohydroformiat
[e] 4-Toluolsulfonsäure-Salz
[f] Hydroacetat

[1] B. F. Erlanger u. E. Brand, Am. Soc. **73**, 4025 (1951).
[2] T. Shiba u. T. Kaneko, Bl. chem. Soc. Japan **33**, 1721 (1960).
[3] E. Wünsch, H.-G. Heidrich u. W. Grassmann, B. **97**, 1818 (1964).
[4] S. G. Waley u. J. Watson, Biochem. J. **57**, 529 (1954).
[5] S. G. Waley, Chem. & Ind. **1953**, 107.
A. Zehra, B. **23**, 3625 (1890).
[6] H. R. Falkenburg, Dissertation, Rheinisch-Westfälische Technische Hochschule Aachen 1959.
[7] M. Bergmann, L. Zervas u. W. F. Ross, J. Biol. Chem. **111**, 245 (1935).
[8] R. Roeske, J. Org. Chem. **28**, 1251 (1963).
[9] E. Taschner et al., A. **646**, 134 (1961).
[10] R. A. Boissonnas et al., Helv. **41**, 1867 (1958).
[11] O. Abe, H. Takiguchi et al., Bl. chem. Soc. Japan **40**, 1945 (1967).
[12] J. E. Shields, W. H. McGregor u. F. H. Carpenter, J. Org. Chem. **26**, 1491 (1961).
[13] R. Schwyzer u. W. Rittel, Helv. **44**, 159 (1961).
[14] W. Kessler u. B. Iselin, Helv. **49**, 1330 (1966).
[15] H. Otsuka, K. Inouye u. Y. Jono, Bl. chem. Soc. Japan **37**, 1471 (1964).
[16] A. A. Costopanagiotis et al., J. Org. Chem. **33**, 1261 (1968).
[17] E. Wünsch u. A. Trinkl, H. **345**, 193 (1966).
[18] K. Hofmann et al., Am. Soc. **82**, 3727 (1960).
[19] R. Schwyzer u. P. Sieber, Helv. **43**, 1910 (1960).
[20] B. F. Erlanger, W. V. Curran u. N. Kokowsky, Am. Soc. **81**, 3051 (1959).
[21] C. H. Li, J. Ramachandran et al., Am. Soc. **86**, 2703 (1964).

Tab. 57. (7. Fortsetzung)

R	R²	F [C°]	$[\alpha]_D$	t	c	Lösungsmittel	Literatur	Literatur entsprechender D-Verbindung
TOS	OtBu [a]	136–138	+14,8	25	2	Äthanol	1	
TOS	OEt [a]	136–137,5	+10,1	22	2	6n Salzsäure	2,3	
TOS	OMe [a]	135–137	+14,0	24	1	0,1n Salzsäure	4,5	
TOS	ONB [b]	170–172	+3,2	24	4	Dimethylformamid	6	
TRT	OMe [c]	138–140					7	
	[g]	155–157	+12,3	20	3,8	Methanol	7	

[a] Monohydrochlorid
[b] Benzolsulfonsäure-Salz
[c] Dihydrobromid
[g] Dihydrochlorid

1 R. Roeske, J. Org. Chem. **28**, 1251 (1963).
2 B. F. Erlanger, W. V. Curran u. N. Kokowsky, Am. Soc. **81**, 3051 (1959).
3 R. Roeske, F. H. C. Stewart et al., Am. Soc. **78**, 5883 (1956).
4 E. Schröder u. H. Gibian, A. **649**, 168 (1961).
5 R. Schwyzer u. P. Sieber, Helv. **41**, 1582 (1958).
6 J. E. Shields, W. H. McGregor u. F. H. Carpenter, J. Org. Chem. **26**, 1491 (1961).
7 B. Bezas u. L. Zervas, Am. Soc. **83**, 719 (1961).

Tab. 57. (8. Fortsetzung)

Carboxy-substituierte N_α-Derivate [R¹-Lys-R²]

R¹	R²	F [°C]	$[\alpha]_D$	t	c	Lösungsmittel	Literatur
Z	OBZL [c]	96–98	–17,5	25	5,6	Methanol	1
Z	OMe	Sirup					2
TOS	OEt [a]	180,5					3
TOS	OBZL [a]	170					3
	[b]	172–173	+10,4	23	2,2	95%-iges Äthanol	4,5
TOS	OMe	93–95	–5,4	23	2,5	95%-iges Äthanol	4
	[a]	148–150	–10,2	22	4	Wasser	4,6
TFA	OMe	($Kp_{0,5}$: 154°)	–20,3	25		Äthanol	7
Bz	NH_2 [a]	200–202	+3,3	28	2,8	Wasser	8
Ac	OMe [a]	Öl					4

[a] Monohydrochlorid
[b] Monohydrobromid
[c] Benzolsulfonsäure-Salz

[1] B. BEZAS u. L. ZERVAS, Am. Soc. **83**, 719 (1961).
[2] A. A. COSTOPANAGIOTIS et al., J. Org. Chem. **33**, 1261 (1968).
[3] D. L. SWALLOW, I. M. LOCKHART u. E. P. ABRAHAM, Biochem. J. **70**, 359 (1958).
[4] C. C. IRVING u. H. R. GUTMANN, J. Org. Chem. **24**, 1979 (1959).
[5] G. L. MECHANIC u. M. LEVY, Am. Soc. **81**, 1889 (1959).
[6] B. C. BARRASS u. D. T. ELMORE, Soc. **1957**, 4830.
[7] F. WEYGAND u. R. GEIGER, B. **92**, 2099 (1959).
[8] K. HOFMANN u. M. BERGMANN, J. Biol. Chem. **130**, 81 (1939).

Tab. 58. Derivate des L-Ornithins

Nδ-Derivate [H-Orn(R)-OH]

R		F [°C]	$[\alpha]_D$	t	c	Lösungsmittel	Literatur	Literatur entsprechender D-Verbindung
Z		253–255 (Zers.)	+22,7	21	2,9	Wasser : Aceton 1 : 1	1–6	6,7
NZ		231–232 (Zers.)	+14,0	25	0,675	6n Salzsäure	8	
BOC		180 (Zers.)	+6,1	20	1,34	2n Ammoniak	9	
	c	234–235	+13,4	20	1	Essigsäure	10	
Ac			+24,0	25	1	5n Salzsäure	6	
PHT	a	220–221					11	
	b	223–224 (Zers.)					11	
TFA		250–251	+12,9	20	0,5	Wasser	12	
TOS		212	+20,8	23	2	6n Salzsäure	13,14	15
FOR		215–216	+2,1	27	2,4	Wasser	16	

[a] Monohydrat
[b] Monohydrochlorid
[c] Hydroacetat

[1] B. C. Barrass u. D. T. Elmore, Soc. **1957,** 3134.
[2] R. L. M. Synge, Biochem. J. **42,** 99 (1948).
[3] N. Izumiya et al., Bl. chem. Soc. Japan **33,** 66 (1960).
[4] J. I. Harris u. T. S. Work, Biochem. J. **46,** 582 (1950).
[5] J. Noguchi et al., J. chem. Soc. Japan, pure Chem. Sect. **82,** 604 (1961).
[6] J. P. Greenstein, M. Winitz et al., Arch. Biochem. **64,** 342 (1956).
[7] T. Kato u. N. Izumiya, Bl. chem. Soc. Japan **39,** 2242 (1966).
[8] M. Ohno, K. Kuromizu et al., Am. Soc. **93,** 5251 (1971).
[9] G. I. Tesser u. R. Schwyzer, Helv. **49,** 1013 (1966).
[10] F. Marchiori, R. Rocchi et al., Soc. [C] **1967,** 81.
[11] M. Bodanszky et al., Am. Soc. **86,** 4452 (1964).
[12] F. Weygand u. R. Geiger, B. **89,** 647 (1956).
[13] B. F. Erlanger, H. Sachs u. E. Brand, Am. Soc. **76,** 1806 (1954).
[14] Y. Noda, J. chem. Soc. Japan, pure Chem. Sect. **80,** 411 (1959).
[15] Y. Ariyoshi, T. Shiba u. T. Kaneko, Bl. chem. Soc. Japan **40,** 1709 (1967).
[16] K. Hofmann et al., Am. Soc. **92,** 2900 (1970).

Tab. 58. (1. Fortsetzung)

N_α,N_δ-Bis-Derivate [R¹-Orn(R)-OH]

R	R¹	F [°C]	$[\alpha]_D$	t	c	Lösungsmittel	Literatur	Literatur entsprechender D-Verbindung
Z	Z	112–114	–4,0	20	3	Äthanol	[1,2,3]	
	[a]	137–138	+4,8	20–26	3,75	Methanol	[3]	
Z	BOC	Öl	–8,9[b]	18–25	1	Essigsäure	[4–6]	[7]
Z	AOC	Öl					[8]	
Z	FOR	72–77	+3,0	23	0,99	Dimethylformamid	[3]	
Z	MOZ	73–75	–2,3	20	2	Dimethylformamid	[9]	
	[a]	133–135	+6,3	19	2	Methanol	[10,11]	
Z	TOS	120,5–121,5					[12,13]	
	[a]	171–172	+34,8	20–26	1,12	Chloroform	[3]	
BOC	Z	97–98	–8,8	25	1	Pyridin	[14,15,4,16,6]	
	[a]	133	+5,4	23	5,03	Methanol	[15,14,4,16,6]	
FOR	BOC	Öl	–2,2	28	8,8	Methanol	[17]	
NZ	MOZ	122–124	–4,0	25	1,8	Methanol	[18]	
	[a]	128–130	+3,2	25	1,45	Methanol	[18]	
PHT	Z	129–131					[19]	
PHT	PHT	187–188,5	–31,5	25		Äthanol	[20]	

[a] DCHA-Salz [b] $[\alpha]_{578}$

[1] R. L. M. Synge, Biochem. J. **42,** 99 (1948).
[2] J. I. Harris u. T. S. Work, Biochem. J. **46,** 582 (1950).
[3] E. Klieger, E. Schröder u. H. Gibian, A. **640,** 157 (1961).
[4] E. Schnabel, A. **702,** 188 (1967).
[5] H. Arold u. O. Barth, J. pr. **38,** 50 (1968).
[6] W. Broadbent, J. S. Morley u. B. E. Stone, Soc. [C] **1967,** 2632.
[7] T. Kato u. N. Izumiya, Bl. chem. Soc. Japan **39,** 2242 (1966).
[8] S. Sakakibara, M. Shin et al., Bl. chem. Soc. Japan **38,** 1522 (1965).
[9] M. Kondo, H. Aoyagi et al., Bl. chem. Soc. Japan **39,** 2234 (1966).
[10] S. Sofuku, M. Mizumura u. A. Hagitani, Bl. chem. Soc. Japan **43,** 177 (1970).
[11] M. Waki u. N. Izumiya, Bl. chem. Soc. Japan **41,** 1909 (1968).
[12] B. C. Barrass u. D. T. Elmore, Soc. **1957,** 3134.
[13] M. Zaoral u. J. Rudinger, Collect. czech. chem. Commun. **24,** 1993 (1959).
[14] E. Schröder, H.-S. Petras u. E. Klieger, A. **769,** 221 (1964).
[15] G. I. Tesser u. R. Schwyzer, Helv. **49,** 1013 (1966).
[16] F. Marchiori, R. Rocchi, G. Vidali et al., Soc. [C] **1967,** 81.
[17] K. Hofmann, J. P. Visser u. F. M. Finn, Am. Soc. **92,** 2900 (1970).
[18] M. Ohno, K. Kuromizu et al., Am. Soc. **93,** 5251 (1971).
[19] M. Bodanszky et al., Am. Soc. **86,** 4452 (1964).
[20] E. E. van Tamelen u. E. E. Smissman, Am. Soc. **75,** 2031 (1953).

Tab. 58. (2. Fortsetzung)

R	R^1		F [°C]	$[\alpha]_D$	t	c	Lösungsmittel	Literatur	Literatur entsprechender D-Verbindung
TOS	Z		100–102	+2,0	22	1,2	95%-ige Essigsäure	[1,2]	[3]
		[a]	160–161	+11,0	22	0,8	Dimethylformamid	[1]	
TOS	BOC		116–118	+1,6	22	2,25	Methanol	[4]	
TOS	FOR		Öl					[5]	
		[a]	191–192	+12,6	21–25	1,27	Dimethylformamid	[5]	
TOS	FOC		150–152	+6,8	22	3	Äthanol	[6]	
Z	Bz		145	–1,4	20	1	Methanol	[7]	

[a] DCHA-Salz

[1] R. L. Huguenin u. R. A. Boissonnas, Helv. **46**, 1670 (1963).
[2] C. H. Li, E. Schnabel u. D. Chung, Am. Soc. **82**, 2062 (1960).
[3] Y. Ariyoshi, T. Shiba u. T. Kaneko, Bl. chem. Soc. Japan **40**, 1709 (1967).
[4] H. Klostermeyer et al., *Peptides*, Proc. of the 8th Europ. Peptide Symposium, Noordwijk 1966, North-Holland Publ. Co., Amsterdam **1967**, S. 113.
[5] E. Klieger, E. Schröder u. H. Gibian, A. **640**, 157 (1961).
[6] G. Losse u. K. Neubert, Tetrahedron Letters **1970**, 1267.
[7] N. Nishi, S. Tokura u. J. Noguchi, Bl. chem. Soc. Japan **43**, 2900 (1970).

Tab. 58. (3. Fortsetzung)

Carboxy-substituierte N_δ-Derivate [H-Orn(R)-R²] und N_α-Derivate [R¹-Orn-R²]

R	R²	F [°C]	$[\alpha]_D$	t	c	Lösungsmittel	Literatur	Literatur entsprechender D-Verbindung
Z	OBZL	Öl					1	
	[a]	161	+3,1	21	2,57	Methanol	1	
Z	OEt [c]		–8,9	21	2	Dimethylformamid		2
Z	OMe [a]	140–141	+15,6	19	3	Methanol	3–5	
TOS	OBZL [a]	125–127					6	
	[b]	196–197	+5,4	25	0,5	0,1n Salzsäure	6	
TOS	OtBu	111–112	+16,0	25	1	Methanol	7	
TOS	OEt [a]	Öl					6	
TOS	OMe [a]	135–136	+16,0	25	1,07	0,1n Salzsäure	8–10	9
BOC	OMe [a]	154–155	+15,5	25	1	Methanol	11	
R¹	R²							
TOS	OMe [a]	152–153					12,13	

[a] Monohydrochlorid [b] Phosphorsäure-Salz

[1] G. Losse, H. Jeschkeit u. H. Zaschke, A. **676**, 232 (1964).
[2] T. Kato u. N. Izumiya, Bl. chem. Soc. Japan **39**, 2242 (1966).
[3] J. I. Harris u. T. S. Work, Biochem. J. **46**, 582 (1950).
[4] R. L. M. Synge, Biochem. J. **42**, 99 (1948).
[5] M. Iwai u. K. Nakajima, Bl. chem. Soc. Japan **43**, 3246 (1970).
[6] B. F. Erlanger, W. V. Curran u. N. Kokowski, Am. Soc. **81**, 3055 (1959).
[7] E. Klieger u. E. Schröder, A. **661**, 193 (1963).
[8] E. Klieger u. H. Gibian, A. **649**, 183 (1961).
[9] Y. Noda, J. chem. Soc. Japan, pure Chem. Sect. **80**, 411 (1959).
[10] B. F. Erlanger, H. Sachs u. E. Brand, Am. Soc. **76**, 1806 (1954).
[11] E. Schröder, H.-S. Petras u. E. Klieger, A. **679**, 221 (1964).
[12] B. C. Barrass u. D. T. Elmore, Soc. **1957**, 4830.
[13] M. Zaoral u. J. Rudinger, Collect. czech. chem. Commun. **24**, 1993 (1959).

Tab. 59. Derivate der L-α,γ-Diamino-buttersäure

Nγ-Derivate [H-Dab(R)-OH]

R		F [°C]	$[\alpha]_D$	t	c	Lösungsmittel	Literatur	Literatur entsprechender D-Verbindung
Z		235–236 (Zers.)					1–4	
	a,c	187–188	−29,6	20	1,4	6n Salzsäure	5	
TOS		220–225 (Zers.)	+20,4	20	6	6n Salzsäure	6,7	8
	a	104–105,5	−12,2	20	4,2	1,4-Dioxan	6	
	a,b	255–258 (Zers.)					6	
	a,c	239–240 (Zers.)					6	
	a,d	123–125					6	
BOC		216 (Zers.)	+8,6	20	0,42	Wasser	9	

[a] Lactam
[b] Monohydrobromid
[c] Monohydrochlorid
[d] Hydroacetat

[1] B. C. Barrass u. D. T. Elmore, Soc. **1957**, 3134.
[2] M. Zaoral, J. Rudinger u. F. Šorm, Collect. czech. chem. Commun. **18**, 530 (1953).
[3] K. Vogler u. P. Lanz, Helv. **43**, 270 (1960).
[4] T. Kurihara u. K. Suzuki, J. pharm. Soc. Japan **75**, 1269 (1955).
[5] K. Poduška u. J. Rudinger, Collect. czech. chem. Commun. **22**, 1283 (1957).
[6] K. Poduška u. J. Rudinger, Collect. czech. chem. Commun. **24**, 3449 (1959).
[7] H. N. Christensen u. T. R. Riggs, J. Biol. Chem. **220**, 265 (1956).
[8] R. O. Studer, K. Vogler u. W. Lergier, Helv. **44**, 131 (1961).
[9] K. Poduška, Collect. czech. chem. Commun. **31**, 2955 (1966).

Tab. 59. (1. Fortsetzung)

N_α,N_γ-Bis-Derivate [R^1-Dab(R)-OH]

R	R^1		F [°C]	$[\alpha]_D$	t	c	Lösungsmittel	Literatur	Literatur entsprechender D-Verbindung
Z	Z		152					1	
		a	113–114	–30,4	20	2	Essigsäure-äthylester	2,3	
Z	NPS		128–130					4,5	
		b	192–193	–45.5	20–25	0,49	Dimethylformamid	4	
Z	BOC		Öl					6–8	
		b	121–122	–18,2	20	2	Methanol	7,6,9	
Z	Bz		117–118					9,10	
Z	FOR		97–99	–12,1	20	2	Dimethylformamid		11
Z	PHT		Öl					6	
Z	TOS		149,5–150,5					12–14	
BOC	Z		Öl					6,8	
		b	198–200	–7,6	23	1,8	Dimethylformamid	6	
BOC	NPS	b	198–199 (Zers.)	–49,7	20–25	0,47	Dimethylformamid	4	
BOC	TOS		149–150 (Zers.)	–1,2	20–25	0,52	Dimethylformamid	4	
PHT	TOS		217–218	+10,1	24	4	Dimethylformamid	15,16	16
TOS	Z		118–119					13	17
		a	184–185					2	
TOS	BOC		128 (Zers.)					13	
		a	184–187					13	
TOS	TOS		154–156					13,2	
		a	170–171					2	

[a] Lactam [b] DCHA-Salz

[1] M. ZAORAL, J. RUDINGER u. F. ŠORM, Collect. czech. chem. Commun. **18**, 530 (1953).
[2] K. PODUŠKA u. J. RUDINGER, Collect. czech. chem. Commun. **22**, 1283 (1957).
[3] S. WILKINSON, Soc. **1951**, 104.
[4] K. PODUŠKA, Collect. czech. chem. Commun. **31**, 2955 (1966).
[5] J. GOERDELER u. H. HOLST, Ang. Ch. **71**, 775 (1959).
[6] K. VOGLER et al., Helv. **48**, 1161 (1965).
[7] H. AROLD, J. pr. **311**, 278 (1969).
[8] W. BROADBENT, J. S. MORLEY u. B. E. STONE, Soc. [C] **1967**, 2632.
[9] J. RUDINGER et al., Collect. czech. chem. Commun. **25**, 2022 (1960).
[10] N. IZUMIYA et al., J. chem. Soc. Japan, pure Chem. Sect. **79**, 65 (1958).
[11] K. VOGLER et al., Helv. **43**, 279 (1960).
[12] B. C. BARRASS u. D. T. ELMORE, Soc. **1957**, 3134.
[13] K. PODUŠKA u. J. RUDINGER, Collect. czech. chem. Commun. **24**, 3449 (1959).
[14] J. RUDINGER, Collect. czech. chem. Commun. **19**, 365 (1954).
[15] M. ZAORAL u. F. ŠORM, Collect. czech. chem. Commun. **31**, 90 (1966).
[16] M. ZAORAL u. F. ŠORM, Collect. czech. chem. Commun. **31**, 310 (1966).
[17] R. O. STUDER et al., Helv. **44**, 131 (1961).

Tab. 59. (2. Fortsetzung)

Carboxy-substituierte N_γ-Derivate [H-Dab(R)-R²] und N_α-Derivate [R¹-Dab-R²]

R	R²		F [°C]	$[\alpha]_D$	t	c	Lösungsmittel	Literatur
Z	OEt	a	153–154					1,2
Z	OMe		Öl					3
		a	164–166	+15,2	20	2	Methanol	3,4,5
BOC	OMe	a	167	+17,5	23	2	Methanol	6,5,7
TOS	OMe		Öl					8
		b	191–193 (Zers.)	+21,6	20	1	Wasser	8
R¹	R²							
TOS	OMe	a	199,5–200,5					9,10
		c	89–90					10

[a] Monohydrochlorid
[b] x 0,5 Schwefelsäure
[c] Dihydroacetat

36.200. Die ω-Guanido-Gruppe

Die Synthese von Peptiden des Arginins, als bekanntesten Vertreter dieser Gruppe, stellt eines der wichtigsten und schwierigsten Probleme auch heute noch dar, um so mehr, als viele höhere, biologisch wirksame Oligopeptide (*Arginin-Vasopressin, Bradykinin-Kallidin, Hypertensin, MSH-ACTH, Insulin, Glucagon*, etc.) mindestens einen Arginin-Rest — oft sogar die Arginyl-Arginyl-Sequenz — enthalten und bislang keine allgemein anwendbare exakte Blockierung und somit Ausschaltung der Guanido-Funktion aufgefunden werden konnte.

---

[1] K. Poduška u. J. Rudinger, Collect. czech. chem .Commun. **22**, 1283 (1957).
[2] M. Zaoral et al., Collect. czech. chem. Commun. **18**, 530 (1953).
[3] K. Vogler u. P. Lanz, Helv. **43**, 270 (1960).
[4] N. Izumiya et al., J. Biochem. (Tokyo) **46**, 1347 (1959).
[5] K. Poduška, Collect. czech. chem. Commun. **31**, 2955 (1966).
[6] K. Vogler et al., Helv. **48**, 1161 (1965).
[7] J. Rudinger et al., Collect. czech. chem. Commun. **25**, 2022 (1960).
[8] K. Vogler et al., Helv. **43**, 574 (1960).
[9] B. C. Barrass u. D. T. Elmore, Soc. **1957**, 4830.
[10] M. Zaoral u. J. Rudinger, Collect. czech. chem. Commun. **24**, 1993 (1959).

Man bedient sich zur Zeit der Nitrierung, der Monoacylierung, der Diacylierung, der Protonierung und der Peralkylierung als Maskierungsmöglichkeiten, die jedoch nur zum Teil der komplexen Natur der stark basischen Guanido-Gruppierung gerecht werden, oder benutzt bekannte Amidinierungs-(Guanylierungs-)Reaktionen an Ornithin-peptiden zum nachträglichen Aufbau von Arginin-Sequenzen.

36.210. Die „Nitrierung“ der Guanido-Gruppe

Kossel und Kennaway[1] hatten mit der Synthese von *N_ω-Nitro-arginin* einen Weg zur Blockierung der Guanido-Funktion aufgezeigt, den Bergmann et al.[2] der Peptidsynthese nutzbar machten mit der Feststellung, daß diese Nitro- zur freien Guanido-Gruppierung hydrogenolytisch spaltbar ist.

N_α-Benzyloxycarbonyl-N_ω-nitro-L-arginin [Z-Arg(NO_2)-OH]:

N_ω-Nitro-L-arginin [H-Arg(NO_2)-OH][2]: In einen Dreihalskolben mit Rühraufsatz und Kältethermometer werden zunächst 67 *ml* rauchende Salpetersäure (86%-ig), 134 *ml* konz. Schwefelsäure und 67 *ml* Oleum (mit 20%-igem SO_3-Gehalt) unter Alkohol/Trockeneis-Kühlung gegeben. Dazu fügt man unter heftigem Rühren bei −10° portionenweise 134 g Arginin-Salpetersäure-Salz zu. Der entstandene dicke Brei wird unter anhaltendem Rühren nach ungefähr 2 Stdn. dünnflüssig. Das Reaktionsgemisch gießt man vorsichtig auf viel zerstoßenes Eis, stellt die erhaltene klare Lösung mit konz. Ammoniak auf $p_H = 8$–9 und säuert schließlich mit Eisessig an ($p_H = 6$). Nach längerem Stehen im Kühlschrank wird der Kristallbrei abgesaugt, aus Wasser umkristallisiert und mit Äthanol und Äther gewaschen; Ausbeute: 113,2 g (91% d. Th.); F: 255–256°; $[\alpha]_D^{20} = +24{,}7°$ (c = 4,53; in 2n Salzsäure).

N_α-Benzyloxycarbonyl-N_ω-nitro-L-arginin [Z-Arg(NO_2)-OH][3–5]: Die Lösung von 16,43 g N_ω-Nitro-arginin in 75 *ml* n Natronlauge wird unter Eiskühlung und Schütteln mit 13,4 g Chlorameisensäure-benzylester und 79 *ml* n Natronlauge in mehreren Portionen wie üblich umgesetzt. Beim Ansäuern fällt die Benzyloxycarbonyl-Verbindung zunächst als Öl aus, das alsbald durchkristallisiert. Das abfiltrierte Produkt wird in 5%-iger Kaliumhydrogencarbonat-Lösung aufgenommen, die erhaltene Lösung 5 mal mit Essigsäure-äthylester gewaschen und schließlich mit 6n Salzsäure angesäuert (Kongorot). Die kristalline Fällung wird abfiltriert, über Phosphor(V)-oxid i. Vak. getrocknet und aus Äthanol/Wasser umkristallisiert; Ausbeute: 60—95% d. Th.; F: 134–136°[3] bzw. 132–134°[4,5]; $[\alpha]_D^{27} = -3{,}5°$ (c = 1,02; in Methanol)[3,5].

Zunächst nur als carboxy-endständige Aminosäure (als Ester) einsetzbar, da die Herstellung des Säurechlorids bzw. -hydrazids von Z-Arg(NO_2)-OH mißlang, glaubte man später diesen Engpaß mittels der gemischten Anhydrid-Methode nach Wieland-Boissonnas-Vaughan überwunden zu haben[3–5]. Doch hat sich in der Folge ergeben, daß fast bei jeder Aktivierung der α-Carboxy-Gruppe eines N_α-Acyl-N_ω-nitro-arginins I als Folgereaktion innermolekularer Lactamringschluß zu II neben der gewünschten Peptidsynthese zu III auftreten kann[6]. Aus diesem Grunde mißlingt u. a. die Herstellung von N_α-Acyl-N_ω-nitro-arginin-4-nitrophenylestern; demgegenüber zeigen die 2,4-Dinitro-phenylester keine Neigung zum Lactam-Ringschluß auf, so daß ihrer Heranziehung zu Peptidsynthesen nichts im Wege steht[7]:

---

1 A. Kossel u. E. L. Kennaway, H. **72**, 486 (1911).
2 M. Bergmann, L. Zervas u. H. Rinke, H. **224**, 40 (1934).
3 K. Hofmann, W. D. Peckham u. A. Rheiner, Am. Soc. **78**, 238 (1956).
4 H. O. van Orden u. E. L. Smith, J. Biol. Chem. **208**, 751 (1954).
5 H. Gibian u. E. Schröder, A. **642**, 145 (1961).
6 M. E. Clubb, P. M. Scopes u. G. T. Young, Chimia **14**, 373 (1960).
M. Bodanszky u. J. C. Sheehan, Chem. & Ind. **1960**, 1268.
7 M. Bodanszky u. N. J. Williams, Am. Soc. **89**, 685 (1967).

Dem Auftreten des Lactams II im Verlauf der Umsetzung mit Amino-Komponenten kommt zusätzlich Bedeutung zu, da das Lactam mit freien Amino-Gruppen in einer „Umaminierung" zu substituierten Nitro-guanido-Verbindungen IV und dem Lactam des Ornithins V reagiert[1]. Die mit der Lactam-Bildung aufgezeigte Acylierbarkeit der δ-NH-Gruppierung läßt auch eine N_δ-Aminoacylierung von N_ω-Nitro-arginin-haltigen Amino-Komponenten VI beim Einsatz in der Peptidsynthese möglich werden: δ-Amino-acyl-Verbindung VIII neben Peptid-Derivat VII[2]:

---

[1] R. Paul, G. W. Anderson u. F. M. Callahan, J. Org. Chem. **26**, 3347 (1961).
[2] W. Siedel, Privatmitteilung.

Die bestehende Alkali-Empfindlichkeit des N_ω-Nitro-arginins muß bei den üblichen N_α-Acylierungen nach Schotten-Baumann einkalkuliert werden [vgl. Herstellung von Z-Arg(NO_2)-OH, S. 507]. So scheiterte Anderson[1] an der Herstellung der *N_α-tert.-Butyloxycarbonyl*-Verbindung IX mittels 0-ert.-Butyloxycarbonyl-4-nitro-phenol in carbonatalkalischer Lösung: unter den Versuchsbedingungen trat unter Ammoniak-Eliminierung Ringschluß zu einem 1,3-Diazepan-Derivat X ein; dagegen glückte die Umsetzung mit tert.-Butyloxycarbonyl-azid in Gegenwart von max. 1 Äquiv. Natronlauge und Magnesiumoxid[2,3].

H_2N–C(=N–NO_2)–NH–$(CH_2)_3$–CH(NH_2)–COOH

BOC–ONP (Na_2CO_3) → X

BOC–N_3 (1 Äquiv. NaOH; MgO) → IX

BOC–NH–CH(COOH)–$(CH_2)_3$–NH–C(=N–NO_2)–NH_2 IX

N_α-tert.-Butyloxycarbonyl-N_ω-nitro-L-arginin [BOC-Arg(NO_2)-OH][2]: 67,0 g (~ 0,3 Mol) N_ω-Nitro-arginin in 300 *ml* 1,4-Dioxan und 300 *ml* n Natronlauge werden mit 58,0 g (0,6 Mol) BOC-Azid versetzt, 12 Stdn. bei 35–40° und nach Zusatz von 5 g Magnesiumoxid weitere 10 Stdn. bei dieser Temp. gerührt. Danach filtriert man vom nicht umgesetzten N_ω-Nitro-arginin ab (nach Umkristallisieren aus Wasser werden 16,8 g zurückerhalten), neutralisiert die Lösung mit Citronensäure, entfernt den größten Teil des 1,4-Dioxans i.Vak. und säuert schließlich nach Abkühlen mit Citronensäure an. Die mit Natriumchlorid ges. wäßr. Lösung wird mit Essigsäure-äthylester erschöpfend extrahiert, die vereinigten Essigsäure-äthylester-Phasen nach üblicher Aufarbeitung i.Vak. eingedampft. Dabei scheidet sich das BOC-Derivat kristallin ab. Nach scharfem Trocknen i.Vak. über Phosphor(V)-oxid bei 50° wird der Rückstand in 1000 *ml* absol. Tetrahydrofuran heiß gelöst; aus der filtrierten, i.Vak. auf die Hälfte ihres Vol. eingeengten Lösung kristallisiert BOC-Arg(NO_2)-OH (s. dazu unten!) beim Stehenlassen im Kühlschrank aus; Ausbeute: 73,0 g (65% d.Th., bzw. 88%, bez. auf umgesetztes Nitro-arginin); F: 111–114° (nach Trocknen bei 10^{-3} Torr/Raumtemp.; Nadeln); $[\alpha]_D^{20} = -22{,}8 \pm 0{,}5°$ bzw. $[\alpha]_{546}^{20} = -27{,}1°$ (c = 1,9; in Pyridin); R_F: 0,53 (Pentanol/Pyridin/Wasser 35 : 35 : 30).

Das oben beschriebene tert.-Butyloxycarbonyl-Derivat konnte kristallin nur mit Kristallösungsmitteln (Alkohole, Wasser, Tetrahydrofuran etc.) erhalten werden; Trocknen bei höheren Temp. und hohem Vak. führte zur Zersetzung: chromatographisch ließ sich dann freies N_ω-Nitro-arginin nachweisen[2]. Auch das von Rittel[4] beschriebene TRT-Arg(NO_2)-OH zeichnet sich durch leichte Zersetzlichkeit aus, so daß von seiten des Autors auf eine Reindarstellung verzichtet wurde.

---

1 R. Paul, G. W. Anderson u. F. M. Callahan, J. Org. Chem. **26**, 3347 (1961).

2 E. Wünsch u. A. Zwick, B. **97**, 3312 (1964).

3 E. Wünsch et al., *Peptides*, Proc. 6th Europ. Sympos., Athen 1963, Pergamon Press, Oxford **1966**, S. 79.

4 W. Rittel, Helv. **45**, 2465 (1962).

In den letzten Jahren machten mehrere Autoren[1,2] darauf aufmerksam, daß N_ω-Nitro-arginin-peptidester, die durch Bromwasserstoff/Eisessig-Spaltung ihrer Benzyloxycarbonyl-Derivate hergestellt wurden, größere Mengen überschüssigen Bromwasserstoffes zäh festhalten und nicht rein erhalten werden können. Durch Variation des Lösungsmittels war es möglich, in einigen wenigen Fällen Abhilfe zu schaffen: allgemein anwendbar soll nach Zahn[2] die Solvolyse mit flüssigem Bromwasserstoff bei etwa −70° sein.

N_ω-Nitro-L-arginyl-glycin-benzylester-Hydrobromid [H-Arg(NO_2)-Gly-OBZL · HBr][2]: Auf 31 g Z-Arg(NO_2)-Gly-OBZL werden unter Rühren bei −80° 200 *ml* Bromwasserstoff kondensiert, wobei sich die Substanz bis auf einen geringen Rest auflöst. Nach 1 Stde. wird der Bromwasserstoff bei −50° abdestilliert und der Rückstand mit Äther behandelt. Das erhaltene Produkt wird mit Äther durch mehrfaches Dekantieren gewaschen und schließlich mit absol. Tetrahydrofuran unter Rückfluß extrahiert. Man schlämmt das Dipeptid in 200 *ml* Benzylalkohol auf und leitet unter Eiskühlung Chlorwasserstoff-Gas ein. Die gelbe Lösung entfärbt sich dabei innerhalb von 2 Stdn. Nach weiteren 2 Stdn. wird auf Raumtemp. erwärmt und nach 24 Stdn. Stehenlassen überschüssiger Benzylalkohol i. Vak. abdestilliert. Der Rückstand wird mit Äther verrieben (stark hygroskopisches weißes Pulver); Ausbeute: 22,5 g (80% d. Th.).

Da die Entfernung der Benzyloxycarbonyl-Schutzgruppe nach Taschner[3] mit 4-Toluolsulfonsäure in siedendem Benzol oder nach Weygand[4] mit siedender Trifluoressigsäure zur weitgehenden Zersetzung unter Ausstoß von nitrosen Gasen führte, dürfte eine Unbeständigkeit der Nitro-guanido-Gruppierung auch gegenüber Säuren feststehen. Demgegenüber konnten E. Wünsch et al.[5] mit der geglückten Synthese von *BOC-Ser(BZL)-Arg(NO_2)-Ala-OBZL* zeigen, daß die Trifluoressigsäure-Entacylierung von tert.-Butyloxycarbonyl-Derivaten zu einheitlichen N_ω-Nitro-arginin-peptidester-Hydro-trifluoracetaten führt, die zusätzlich $^1/_6$ Mol Trifluoressigsäure je N_ω-Nitro-arginin-Einheit enthalten.

Die Nitro-guanido-Maskierung kann mittels katalytisch erregten Wasserstoffs (Palladiumschwarz etc.) nach Bergmann et al.[6] rückgängig gemacht werden. Doch hat sich im Verlauf der Zeit gezeigt, daß diese Reversibilität nicht so einfach und glatt verläuft, wie zunächst angenommen[7]. Zwar gelingt es durch entsprechend lange Hydrierungsdauer, Hydrierung in Gegenwart von Mineralsäuren oder hochprozentiger Essigsäure gegebenenfalls unter Druck oder mit Raney-Nickel als Katalysator bei gewissen niederen Peptiden zum gewünschten Ziel zu kommen. Doch für den Fall der Synthese höherer Oligopeptide, in deren Sequenz Tryptophan, Tyrosin, Phenylalanin, Histidin bzw. säureempfindliche Schutzgruppen vorliegen (tert.-Butyloxycarbonyl, tert.-Butylester und -äther etc.), sind Nebenreaktionen nicht mehr auszuschließen[8]:

ⓐ gleichzeitige Hydrierung von Tryptophan, Tyrosin, Histidin und Phenylalanin bei zu langer Hydrierungsdauer

ⓑ Abspaltung von säurelabilen Schutzgruppen bei Hydrierung in zu stark saurem Medium

ⓒ Auftreten der durchlaufenen Reduktionsstufen insbesondere der des Amino-Guanidins bei ungenügender Hydrierungsdauer bzw. zu schwach saurem Medium[9].

Die günstigsten Ergebnisse werden durch Hydrierung bei Normaldruck und -temperatur entweder mittels Palladium-Raney-Nickel-Katalysator[9] (in hochprozentiger wäßriger Essigsäure) erzielt, wobei die Abwesenheit schwefelhaltiger Aminosäuren im Peptidver-

---

[1] E. Schröder u. H. Gibian, A. **649**, 168 (1961).
[2] H. Zahn u. R. Fahnenstich, A. **663**, 184 (1963).
[3] E. Taschner u. B. Liberek, Collect. czech. chem. Commun. **24**, 80 (1959).
[4] F. Weygand u. W. Steglich, Z. Naturf. **14b**, 472 (1959).
[5] E. Wünsch u. A. Zwick, B. **97**, 3312 (1964).
[6] M. Bergmann, L. Zervas u. H. Rinke, H. **224**, 40 (1934).
[7] H. O. van Orden u. E. L. Smith, J. Biol. Chem. **208**, 751 (1954).
[8] C. Gros et al., Helv. **44**, 2042 (1961).
H. Kappeler, Helv. **44**, 476 (1961).
[9] B. Iselin, *Peptides*, Proc. 6th Europ. Peptide Sympos., Athen 1963, Pergamon Press, Oxford **1966**, S. 27.

band Bedingung ist, oder mittels eines Palladium-Katalysators[1] unter Zusatz von Bortrifluorid-Diäthylätherat in absol. Methanol[2] selbst bei methioninhaltigen Peptiden (s. dazu S. 53).

L-Arginyl-L-valin-Hydroacetat [H-Arg-Val-OH · Ac-OH]:

N_α-Benzyloxycarbonyl-N_ω-nitro-L-arginyl-L-valin-benzylester [Z-Arg(NO_2)-Val-OBZL][3]: 3,53 g (0,01 Mol) Z-Arg(NO_2)-OH in 10 *ml* Tetrahydrofuran und 1,39 *ml* (0,01 Mol) Triäthylamin werden bei −10° mit 0,95 *ml* (0,01 Mol) Chlorameisensäure-äthylester versetzt. Nach 10 Min. bei −5° werden 4,55 g (0,012 Mol) H-Val-OBZL · TOS-OH in 10 *ml* Tetrahydrofuran und 1,67 *ml* Triäthylamin zugegeben, worauf man das Reaktionsgemisch langsam auf Erreichen von Raumtemp. erwärmt. Nach weitgehender Entfernung des Lösungsmittels durch Vak.-Destillation wird der verbleibende Rückstand zwischen Essigsäure-äthylester und Wasser verteilt, die abgetrennte organische Phase mit n Salzsäure, Natriumhydrogencarbonat-Lösung und Wasser wie üblich gewaschen und über Natriumsulfat getrocknet. Beim Eindampfen i.Vak. tritt Kristallisation ein, die durch Zugabe von Petroläther vervollständigt wird; Ausbeute: 3,2 g (58% d.Th.); F: 149–150°; $[\alpha]_D^{28} = -23,1°$ (c = 2, in 1,4-Dioxan).

L-Arginyl-L-valin-Hydroacetat [H-Arg-Val-OH · Ac-OH][3]: 1,63 g (3 mMol) Z-Arg(NO_2)-Val-OBZL in 18 *ml* Methanol, 3 *ml* Eisessig und 3 *ml* Wasser werden wie üblich hydriert. Der nach Einengen des Filtrats i.Vak. erhaltene Rückstand kristallisiert aus Wasser/Äthanol/Essigsäure-äthylester in Blättchen; Ausbeute: 0,95 g (95% d.Th.); F: 213–215°; $[\alpha]_D^{23} = +12,0°$ (c = 1; in Wasser).

L-Arginyl-L-methionin-methylester-Dihydrochlorid [H-Arg(HCl)-Met-OMe · HCl][2]: 0,25 g Z-Arg(NO_2)-Met-OMe in 20 *ml* absol. Methanol, das 0,32 *ml* Bortrifluorid-Diäthylätherat enthält, werden in Gegenwart des Palladium-Katalysators bei 40° über 14 Stdn. lang hydriert (die Absorption der Lösung bei 270 mμ ist dann verschwunden; die Überprüfung für die beendete Reaktion wird zusätzlich durch Papierchromatographie festgestellt). Das Filtrat vom Katalysator wird mit Amberlite IRA 400 (~ 7 g in der Acetatform) stundenlang unter Stickstoffatmosphäre behandelt. Austauscherharz wird durch Filtration abgetrennt, die Lösung i.Vak. eingedampft. Der erhaltene Rückstand wird in wenig Wasser aufgenommen, nach Zusatz von 3 *ml* n Salzsäure gefriergetrocknet; Ausbeute: 0,16 g (80% d.Th.); farbloses Pulver von $[\alpha]_D^{21} = -7,6°$ (c = 0,6; in Wasser).

Eine neuartige Reversibilität der Nitro-guanido-Maskierung wurde von Young et al.[4] beschrieben. Durch elektrolytische Reduktion an einer Quecksilber-Kathode in n Schwefelsäure gelingt die fast quantitative Überführung von N_ω-Nitro-arginin in die unsubstituierte Aminosäure. Die Methodik läßt sich auf N_ω-Nitro-arginin-peptide übertragen und verläuft auch in Gegenart schwefelhaltiger Aminosäuren, z.B. S-Benzyl-cystein, ohne Nebenreaktionen, sofern der Reaktionsverlauf mittels Papier-Elektrophorese bei p_H = 6 bzw. 11,5 kontrolliert und nach beendeter reduktiver Entfernung der Nitro-Gruppe gestoppt wird. Bei einer Überreduktion treten schließlich Nebenprodukte auf, die eine Reindarstellung der Peptide erschweren.

L-Arginin-peptid-Hydroacetate aus N_ω-Nitro-L-arginin-peptiden; allgemeine Reduktionsvorschrift[5]: ~400 mg des N_ω-Nitro-arginin-peptids in n Schwefelsäure werden in der von Young et al.[5] beschriebenen Apparatur (Quecksilberkathode, Platinanode) unter Magnetrührung und Kühlung bei 0,2 Amp. reduziert. Die Reduktion wird anhand entnommener Proben durch Papier-Elektrophorese bei p_H = 6,0 oder 11,5 in ihrem Fortgang verfolgt, nach Verschwinden der Nitro-arginin-Komponente sofort unterbrochen. Die Reduktionszeiten liegen zwischen 1–6,5 Stdn. Die abpipettierte Reaktionslösung incl. der Waschflüssigkeit (5%-ige Essigsäure) läßt man eine Dowex-3-acetat-Austauschersäule passieren; das erhaltene sulfat freie Eluat wird i.Vak. (z.B. 0,05 Torr und 40°) eingedampft, der Rückstand in der für das erwartete Peptid üblichen Weise umkristallisiert; Ausbeute: 80–95% Arginin-peptid-Hydroacetat.

Wie Young[5] weiter zeigen konnte, ist es bei Verwendung von Tetrahydrofuran/n Schwefelsäure (1:1) als Elektrolyt ferner möglich, in diesem System lösliche Benzyloxycarbonyl-peptide des N_ω-Nitro-arginins der Reduktion zu unterwerfen. Hierbei bleibt die Amino-Schutzgruppe intakt und man erhält N_α-Benzyloxycarbonyl-arginin-peptide.

---

[1] M. Zelinsky u. N. Glinka, B. **44**, 2305 (1911).
[2] H. Yajima et al., Chem. Pharm. Bull. (Tokyo) **16**, 1342 (1968).
[3] H. Gibian u. E. Schröder, A. **642**, 145 (1961).
[4] M. E. Clubb, P. M. Scopes u. G. T. Young, Chimia **14**, 373 (1960).
[5] P. M. Scopes et al., Soc. **1965**, 782.
K. B. Walshaw u. G. T. Young, Soc. **1965**, 786.

Die bekannte Reduktion von Nitro-guanidin mittels Zink[1] konnte mit Erfolg auch auf N_ω-Nitro-arginin-peptide übertragen werden; in salzsaurem Milieu gelang die reduktive Entfernung der N_ω-Nitro-Schutzgruppe, z.B. am N_α-Benzyloxycarbonyl-bradykinin-4-nitro-benzylester-Derivat, wobei gleichzeitig die Carboxy-Maskierung mit aufgehoben wurde[2] (*N_α-Benzyloxycarbonyl-bradykinin*).

Zinn(II)-chlorid zur reduktiven Demaskierung von N_ω-Nitro-arginin-Derivaten wird von Noguchi et al.[3] empfohlen.

Unter den Bedingungen der „Sakakibara-Demaskierung"[4] für N-Benzyloxycarbonyl-O- und S-Benzyl-Reste etc. (s. S. 61) wird auch die Nitro-guanido-Gruppierung in Richtung freie Guanido-Funktion verändert.

L-Histidyl-L-phenylalanyl-L-arginyl(hydroacetat)-L-tryptophyl-glycin [H-His-Phe-Arg(Ac-OH)-Trp-Gly-OH][5]: 0,72 g Z-His-Phe-Arg(NO_2)-Trp-Gly-OH und 0,72 *ml* Anisol werden in 7–8 *ml* wasserfreier Fluorwasserstoffsäure aufgelöst (Trockeneis/Aceton-Bad). Die Reaktionsmischung wird 30 Min. bei 0° gerührt, überschüssiger Fluorwasserstoff anschließend wie üblich entfernt und der erhaltene Rückstand i. Vak. über Nacht über Natriumhydroxid getrocknet und dann in 20 *ml* Wasser aufgenommen. Die erhaltene Lösung wird sorgfältig mit Essigsäure-äthylester gewaschen, anschließend über eine kleine Säule von Amberlite CG 400 (Acetat-Form) geschickt. Die erhaltene fluorid-freie Lösung wird gefriergetrocknet; Ausbeute: 0,64 g (98,5% d. Th.).

Das Rohmaterial wurde sofort für die nächste peptidchemische Umsetzung verwendet.

Diese Wiederherstellung der Arginin-Funktion gelingt auch in Anwesenheit S-haltiger Aminosäuren anscheinend einwandfrei, wie Sakakibara et al.[6] mit der Herstellung hochreinen *Arg^8-vasopressins* aus AOC-Cys(MOB)-Tyr(tBu)-Phe-Gln-Asn-Cys(MOB)-Pro-Arg(NO_2)-Gly-NH_2 demonstriert haben.

Arg^8-vasopressin[6]: 100 mg AOC-Cys(MOB)-Tyr(tBu)-Phe-Gln-Asn-Cys(MOB)-Pro-Arg(NO_2)-Gly-NH_2 werden in 0,5 *ml* Trifluoressigsäure und 0,08 *ml* Anisol gelöst und anschließend 30 Min. bei 0° mit 5 *ml* flüssigem Fluorwasserstoff behandelt. Nach üblicher Entfernung des Fluorwasserstoffs nimmt man in 100 *ml* Wasser auf; durch die Lösung wird nach Einstellen eines $p_H = 6{,}7$ mittels Ammoniak ein kohlendioxid-freier Luftstrom über 2 Stdn. durchgeleitet. Die Gesamtaktivität der erhaltenen Wirkstoff-Lösung wird zu 25080 ± 2500 Einheiten gefunden, was 84% einer theor. möglichen Ausbeute darstellt.

36.220. Die N_ω-Monoacylierung

Die ω-Monoacylierbarkeit des Arginins hatten bereits 1928 Felix und Dirr[7] bzw. Zervas und Bergmann[8] mit der Herstellung von *Bz-Arg(Bz)-OH* festgestellt.

Für die Peptidsynthese verwertbare gleichsubstituierte N_α,N_ω-Diacyl-Derivate sind in Gestalt von *NZ-Arg(NZ)-OH*[9], *BYS-Arg(BYS)-OH*[10], *Z-Arg(Z)-OH*[11] und *BOC-Arg(BOC)-OH*[12] erstellt worden.

---

1 J. Thiele, A. **23**, 270 (1892).

2 J. Pless u. S. Guttmann, *Peptides*, Proc. 8th Europ. Peptide Sympos. Noordwijk 1966, North-Holland Publ. Co., Amsterdam **1967**, S. 50.

3 T. Hayakawa, Y. Fujiwara u. J. Noguchi, Bl. chem. Soc. Japan **40**, 1205 (1967).

4 S. Sakakibara u. Y. Shimonishi, Bl. chem. Soc. Japan **38**, 1412 (1965).

5 K. Inouye, A. Tanaka u. H. Otsuka, Bl. chem. Soc. Japan **43**, 1163 (1970).

6 S. Sakakibara et al., *Peptides*, Proc. 8th Europ. Peptide Sympos. Noordwijk 1966, North-Holland Publ. Co., Amsterdam **1967**, S. 44.

7 K. Felix u. K. Dirr, H. **176**, 29 (1928).

8 L. Zervas u. M. Bergmann, B. **61**, 1195 (1928).

9 D. T. Gish u. F. H. Carpenter, Am. Soc. **75**, 950, 5872 (1953).

10 H. B. Milne u. C.-H. Peng, Am. Soc. **79**, 639 (1957).
H. T. Clarke u. H. B. Gillespie, Am. Soc. **54**, 1964 (1932).

11 L. Zervas, M. Winitz u. J. P. Greenstein, Arch. Biochem. **65**, 573 (1956); J. Org. Chem. **22**, 1515 (1957).

12 E. Schnabel, A. **702**, 188 (1967).
H. Arold u. S. Reissmann, Z. Chem. **8**, 107 (1968).

36.221. N_ω-Benzyloxycarbonyl-Derivate

Insbesondere die Zervas-Schule konnte zeigen, daß diese N_ω-Acyl-Verbindungen einerseits zwar gewisse Vorteile mit sich bringen (Löslichkeit, Kristallisierbarkeit, geringere Basizität), andererseits aber eine eindeutige Maskierung der Guanido-Funktion nicht garantieren. *Z-Arg(Z)-OH* (XI) läßt sich nach der Sheehan'schen Carbodiimid-Methode nur mit Aminosäureester-Hydrochloriden zu Acyl-peptidester-Hydrochloriden XII kondensieren. Mit freien Aminosäureestern bleibt die Verknüpfung aus; als „Nebenprodukt" konnte ein „Anhydro"-dibenzyloxycarbonyl-arginin isoliert werden, das als *Z-Arg(Z)-δ-lactam* (XIII) identifiziert wurde[1].

Z–NH–C(=NH)–NH–$(CH_2)_3$–CH(NH–Z)–COOH (XI) $\xrightarrow{+\ HCl\cdot H_2N-CH(R)-COOR^1\ (+\ DCCD)}$ Z–NH–C(=NH·HCl)–NH–$(CH_2)_3$–CH(NH–Z)–CO–NH–CH(R)–COOR^1 (XII)

XI $\xrightarrow{+\ H_2N-CH(R)-COOR^1\ (DCCD)}$ XIII

Z–NH–C(=NH)–N (Piperidin-2-on, 3-NH–Z) (XIII) $\xrightarrow{+\ (R^2-CO)_2O}$ Z–NH–C(=N–CO–R^2)–N (Piperidin-2-on, 3-NH–Z) (XIV)

$\xrightarrow{+\ HCl\ (H_2O)}$ Z–NH–CO–NH–CO–R^2 (XVI) + $H_2N\cdot HCl$–$(CH_2)_3$–CH(NH–Z)–COOH (XV)

Das Lactam-Derivat XIII reagiert glatt mit Carbonsäureanhydriden zu einem Triacyllactam XIV, das beim Behandeln mit kalter Salzsäure in N,N'-Diacyl-harnstoff XVI und *Z-Orn(HCl)-OH* (XV) aufspaltet. Diese Reaktion war erstmals 1926 von Bergmann und Köster[2] beim Behandeln von Arginin mit Essigsäureanhydrid im Überschuß aufgefunden worden.

N_α,N_ω-Di-[benzyloxycarbonyl]-L-arginin [Z-Arg(Z)-OH][1,3]: Das durch Peracylierung von 35 g Arginin erhaltene Z-Arg(ω,δ-Z_2)-ONa (s. S. 523) wird in ~ 500 *ml* 95%-igem Äthanol in Gegenwart von 15 g Kaliumhydroxid unter Rühren und Kühlen gelöst. Nach 2 Stdn. bei Raumtemp. fügt man 300 *ml* Wasser zu und engt die Reaktionslösung i. Vak. bei 30–35° auf ein Vol. von 300–400 *ml* ein. Danach verdünnt man mit 400–500 *ml* Wasser und gibt Essigsäure im Überschuß zu. Vom ausgefallenen Öl wird abdekantiert, der Rückstand mehrmals mit Eiswasser gewaschen. Die Lösung in 400–500 *ml* heißem Methanol läßt man langsam auf Raumtemp. abkühlen. Die einsetzende Kristallisation wird durch mehrstdgs. Stehen im Kühlschrank vervollständigt. Ausbeute: 52 g (58% d. Th.). Zur Reinigung nimmt man in verd. Kalium

---

[1] L. ZERVAS, T. T. OTANI, M. WINITZ u. J. P. GREENSTEIN, Am. Soc. **81**, 2878 (1959).
[2] M. BERGMANN u. H. KÖSTER, H. **159**, 179 (1926).
[3] L. ZERVAS, M. WINITZ u. J. P. GREENSTEIN, J. Org. Chem. **22**, 1515 (1957).

carbonat-Lösung auf; aus der erhaltenen Lösung scheidet sich beim Ansäuern ein Öl ab, das wie oben beschrieben aus Methanol kristallin erhalten wird. F: 150°; $[\alpha]_D^{25} = -10,0°$ (c = 1, in Pyridin).

L-Arginyl-L-glutaminsäure [H-Arg-Glu-OH]:

N_α,N_ω-Di-[benzyloxycarbonyl]-L-arginyl-L-glutaminsäure [Z-Arg(Z)-Glu-OH][1,2]: Zu einer Lösung von 2,4 g H-Glu(OEt)-OEt · HCl in 15 *ml* wasserfreiem 1,4-Dioxan werden 4,4 g Z-Arg(Z)-OH und 2,2 g Dicyclohexylcarbodiimid gegeben. Die Reaktionsmischung wird 8 Stdn. bei Raumtemp. geschüttelt, währenddessen das Arginin-Derivat in Lösung geht und N,N'-Dicyclohexyl-harnstoff ausfällt. Nach Verdünnen der Lösung mit 1 *ml* Wasser filtriert man vom Harnstoff ab und dampft das Filtrat i. Vak. ein. Der Rückstand wird in Essigsäure-äthylester aufgenommen, die erhaltene Lösung nacheinander 2 mal mit 4%-iger Natriumcarbonat-Lösung, verd. Essigsäure und Wasser gewaschen. Nach Entfernen des Lösungsmittels i.Vak. wird der Rückstand in ~ 15 *ml* heißem Äthanol gelöst und bei 0° aufbewahrt. Der kristalline Niederschlag [0,8 g Z-Arg(Z)-Lactam; F: 149°; $[\alpha]_D^{25} = -13,6°$ (c = 2, in Chloroform)] wird abgenutscht. Das Filtrat versetzt man mit 6 *ml* 5n Kalilauge. Nach 1,5 Stdn. Stehenlassen bei Raumtemp. säuert man mit 4,5 *ml* 5n Schwefelsäure und Eisessig an und dekantiert das ausgefallene Öl mehrmals mit Wasser. Beim Aufbewahren im Kühlschrank tritt Kristallisation ein, das Kristallisat wird aus Äthanol/Wasser umkristallisiert; Ausbeute: 2,6 g (46% d.Th.); F: 160°.

L-Arginyl-L-glutaminsäure [H-Arg-Glu-OH]*: Z-Arg(Z)-Glu-OH (s. o.) in 95%-iger Essigsäure wird wie üblich in Gegenwart von Palladiumschwarz als Katalysator hydriert (s. S. 52). Nach beendeter Reaktion dampft man das Filtrat i. Vak. zur Trockene ein. Der erhaltene Rückstand kristallisiert aus wenig heißem Wasser auf Zugabe von heißem Äthanol. Aus Wasser wird das Dipeptid als kristallines Tetrahydrat isoliert; Ausbeute: 90% d. Th.; F: 210–214°; $[\alpha]_D^{24} = +21,4°$ (c = 1, in Wasser) (ber. für wasserfreies Dipeptid).

Nach Zervas et al.[1-3] gibt Z-Arg(Z)-OH (XI) beim Behandeln mit Thionylchlorid oder Phosphor(V)-chlorid glatt H-[Arg(Z)-NCA] (XVII), das nach üblichen Verfahren mittels verd. Essigsäure oder Chlorwasserstoff/Alkoholen in *H-Arg(Z)-OH* (XVIII) bzw. *H-Arg(Z)-OR·HCl* (XIX) übergeführt werden kann. Von diesen Verbindungen eignet sich *H-Arg(Z)-OBZL* gut zur Herstellung von Arginin-peptiden der Sequenz X-Arg nach dem gemischten Anhydrid- oder Carbodiimid-Verfahren, sofern ein Äquivalent einer starken Säure (z.B. 4-Toluolsulfonsäure) zugegen ist.

XI $\xrightarrow{+\ SOCl_2}$ XVII; XVII $\xrightarrow{+\ H^\oplus\ /\ H_2O}$ XVIII; XVII $\xrightarrow{+\ H^\oplus\ /\ R^1-OH}$ XIX

XI: Z-NH-C(=NH)-NH-$(CH_2)_3$-CH(NH-Z)-COOH

XVII: Z-NH-C(=NH)-NH-$(CH_2)_3$-(N-Carboxyanhydrid)

XVIII: Z-NH-C(=NH)-NH-$(CH_2)_3$-CH(NH_2)-COOH

XIX: Z-NH-C(=NH)-NH-$(CH_2)_3$-CH(NH_2)-$COOR^1$

N_ω**-Benzyloxycarbonyl-L-arginin-benzylester [H-Arg(Z)-OBZL]**[3]: 4,4 g Z-Arg(Z)-OH werden mit 30 *ml* Thionylchlorid übergossen und 1 Stde. bei Raumtemp. aufbewahrt. Auf Zugabe von Petroläther erfolgt Abscheidung eines Öls, das nach mehrmaligem Digerieren mit Petroläther in 20 *ml* Benzylalkohol (der

---

* L. Zervas, persönliche Mitteilung.

[1] L. Zervas, T. T. Otani, M. Winitz u. J. P. Greenstein, Am. Soc. **81**, 2878 (1959).

[2] L. Zervas, M. Winitz u. J. P. Greenstein, J. Org. Chem. **22**, 1515 (1957).

[3] L. Zervas, T. T. Otani, M. Winitz u. J. P. Greenstein, Arch. Biochem. **75**, 290 (1958).

0,7 g Chlorwasserstoff enthält) gelöst wird. Nach 3 stdgm. Stehenlassen bei Raumtemp. wird die Lösung mit Äther versetzt, das abgeschiedene Öl in wenig Wasser aufgenommen. Unter Eiskühlung macht man die abgetrennte wäßr. Phase mit überschüssigem Kaliumcarbonat alkalisch und extrahiert den freien Ester mit Essigsäure-äthylester. Aus der i.Vak. eingeengten Lösung kristallisieren nach Zugabe von Petroläther farblose Prismen, die aus Essigsäure-äthylester umkristallisiert werden; Ausbeute: 82% d. Th.; F: 121°.

Vorstehenden Ergebnissen wäre daher zu entnehmen, daß N_ω-Monoacyl-Derivate des Arginins erst nach zusätzlicher Protonierung zu brauchbaren Ausgangsmaterialien für die Einbeziehung dieser Aminosäure in die Peptidsynthese werden (s. auch S. 517, 521).

36.222. N_ω-4-Nitro-benzyloxycarbonyl-Derivate

Der vorstehend genannte Vorbehalt scheint bei 4-Nitro-benzyloxycarbonyl-Blockierung der Guanido-Funktion kaum mehr zuzutreffen. Nach Guttmann[1] bereitet eine Carbodiimid-

NZ–NH–C(=NH)–NH–$(CH_2)_3$–CH(NH–Z)–COOH (XXI) $\xrightarrow{DCCD}$ XXIII (Lactam: NZ–NH–C(=NH)–N-Piperidin-2-on, 3-NH–Z) $\xrightarrow{N_2H_4}$ NZ–NH–C(=NH)–NH–$(CH_2)_3$–CH(NH–Z)–CO–NH–NH_2 (XXIV)

XXI + H_2N–CH(R)–CO–OR^1 (DCCD) → XXII

XXIV + H_2N–CH(R)–CO–OR^1 → XXII

XXII: NZ–NH–C(=NH)–NH–$(CH_2)_3$–CH(NH–Z)–CO–NH–CH(R)–CO–OR^1

XXII + $OH^\ominus$ (R^1 = Alkyl) bzw. TFE [R^1 = $(H_3C)_3C$] → XXV: NZ–NH–C(=NH)–NH–$(CH_2)_3$–CH(NH–Z)–CO–NH–CH(R)–COOH

XXII + HBr / Eisessig → XXVIa; R^1 = Alkyl; b; R^1 = H: NZ–NH–C(=NH)–NH–$(CH_2)_3$–CH(NH_2)–CO–NH–CH(R)–CO–OR^1

XXII + H_2 / Pd → XXVIIa; R^1 = Alkyl; $(H_3C)_3C$; b; R^1 = H: H_2N–C(=NH)–NH–$(CH_2)_3$–CH(NH_2)–CO–NH–CH(R)–CO–OR^1

R^1 = CH_3; C_2H_5; $(H_3C)_3C$; CH_2–C_6H_5

[1] S. Guttmann u. J. Pless, Acta chim. Acad. Sci. hung. **44**, 21 (1965).
Fr.P. 1415687 (1965), Sandoz Ltd., Erf.: S. Guttmann, J. Pless u. R. A. Boissonnas; C. A. **64**, 19773[b] (1966).

Verknüpfung von *Z-Arg(NZ)-OH* (XXI) — aus Z-Arg-OH (XX) und Chlorameisensäure-4-nitro-benzylester zugänglich — mit Aminosäureestern zu den geschützten Peptiden XXII keinerlei Schwierigkeiten, wenn man von der geringen Bildung des *Z-Arg(NZ)-δ-lactams* (XXIII) absieht; das Lactam läßt sich im Zuge der Aufarbeitung verhältnismäßig leicht abtrennen. Das Lactam XXIII, aus Z-Arg(NZ)-OH (XXI) und Dicyclohexylcarbodiimid fast quantitativ zugänglich, kann hydrazinolytisch zu *Z-Arg(NZ)-NHNH*$_2$ (XXIV) geöffnet werden; letzteres dient schließlich als Ausgangsmaterial für eine Peptidsynthese zu XXII nach dem Azid-Verfahren (s. Formelschema S. 515).

Die 4-Nitro-benzyloxycarbonyl-Maskierung der Guanido-Funktion ist mittels katalytischer Hydrogenolyse relativ rasch reversibel; sie zeigt eine hohe Stabilität gegenüber acidolytischen Spaltungsverfahren (Bromwasserstoff/Essigsäure, Trifluoressigsäure etc.), wofür Guttmann[1] die stark induktiven Effekte der benachbarten Nitro- und Guanidium-Gruppen (nach primärer Protonierung der Acyl-guanido-Funktion) incl. Ausbildung eines semi-cyclischen Systems verantwortlich macht, und auch gegenüber den Bedingungen einer alkalischen Esterhydrolyse. Bei Anwendung geeigneter Schutzgruppen-Kombination (z.B. N_α-Benzyloxycarbonyl, Alkylester und tert.- Butylester) wird es möglich, Arginyl-peptid-Derivate XXV–XXVII zu synthetisieren[1], die als Ausgangsmaterialien für den Aufbau noch höherer Peptide von großer Bedeutung sind (s. Schema S. 515).

36.223. N_ω-Tosyl-Derivate

Ein geeignetes N_ω-Mono-sulfonyl-Derivat hat erstmals Schwyzer[2] im *Z-Arg(TOS)-OH* aufgefunden (über N_α,N_ω-Di-sulfonyl-Derivate siehe Clarke und Gillespie[3] bzw. Milne und Peng[4]), dessen sich Li et al.[5] bei Synthesen auf dem ACTH-Gebiet sowie Boissonnas et al.[6] bei der Herstellung des *Bradykinins, Kallidins* und *Arginin-Vasopressins* bedienten.

N_ω-Tosyl-L-arginin [H-Arg(Tos)-OH]:

N_α-Benzyloxycarbonyl-N_ω-tosyl-L-arginin · Cyclohexylamin-Salz [Z-Arg(TOS)-OH · CHA][7]: 25 g (81 mMol) Z-Arg-OH werden in einer Mischung von 100 *ml* Wasser und 400 *ml* Aceton suspendiert, auf 0° abgekühlt und unter Rühren mit 4n Natronlauge (auf 0° vorgekühlt) versetzt, bis ein bleibender p_H-Wert von 11–11,5 der Mischung erreicht ist. Nach 1,5–2 Stdn. erfolgt klare Lösung, zu der nun 38 g (200 mMol) Tosylchlorid in 60 *ml* Aceton innerhalb 30 Min. unter Rühren zugetropft werden, unter Aufrechterhalten des oben genannten p_H-Wertes mit 4n Natronlauge. Nach 3 Stdn. wird das Reaktionsgemisch mit n Salzsäure neutralisiert und i. Vak. weitgehend eingeengt. Nach Zugabe von 200 *ml* Wasser extrahiert man die erhaltene Lösung 3 mal mit je 150 *ml* Äther, kühlt auf 0° ab und säuert mit 6n Salzsäure auf p_H = 3 an. Vom abgeschiedenen Öl wird abdekantiert; die wäßr. Phasen extrahiert man nach Natriumchlorid-Sättigung 3 mal mit je 150 *ml* Essigsäure-äthylester. In den vereinigten Auszügen nimmt man oben erhaltenes Öl auf. Die Lösung wird sorgfältig mit 0,1 n Salzsäure (negativer Sakaguchi-Test) und Wasser gewaschen, über Natriumsulfat getrocknet und i. Vak. bis zur Gewichtskonstanz eingedampft. Das ölige Produkt (30 g) wird in 100 *ml* Methanol aufgenommen und bei 0° mit 7 *ml* Cyclohexylamin versetzt: nach Anreiben tritt alsbald Kristallisation des Cyclohexylamin-Salzes ein; Ausbeute: 22,1 g (48,6% d. Th.); F: 152–154; $[\alpha]_D^{25}$ = 6,1° (c = 3,2; in Methanol).

---

[1] S. Guttmann u. J. Pless, Acta chim. Acad. Sci. hung. **44**, 21 (1965).
[2] R. Schwyzer u. C. H. Li, Nature **182**, 1669 (1958).
[3] H. T. Clarke u. H. B. Gillespie, Am. Soc. **54**, 1964 (1932).
[4] H. B. Milne u. C.-H. Peng, Am. Soc. **79**, 639 (1957).
[5] C. H. Li et al., Am. Soc. **83**, 4449 (1961).
W. Oelofsen u. C. H. Li, J. Org. Chem. **33**, 1581 (1968).
[6] S. Guttmann, J. Pless u. R. A. Boissonnas, Helv. **45**, 170 (1962).
J. Pless et al., Helv. **45**, 394 (1962).
R. L. Huguenin u. R. A. Boissonnas, Helv. **45**, 1629 (1962).
[7] J. Ramachandran u. C. H. Li, J. Org. Chem. **27**, 4006 (1962).
E. Schnabel u. C. H. Li, Am. Soc. **82**, 4576 (1960).

N_α-Benzyloxycarbonyl-N_ω-tosyl-L-arginin [Z-Arg(TOS)-OH][1]: 20,7 g (35 mMol) des oben erhaltenen Salzes werden unter Erwärmen in 150 *ml* Methanol gelöst, rasch im Eisbad abgekühlt und mit 30 *ml* 2n Salzsäure 1 Stde. gerührt. Nach Abziehen des Methanols i. Vak. bei Raumtemp. werden 200 *ml* Wasser zugefügt und die Mischung 4 mal mit je 150 *ml* Essigsäure-äthylester extrahiert. Die vereinigten Auszüge werden sorgfältig mit Wasser gewaschen, über Natriumsulfat getrocknet und i.Vak. eingedampft. Der Rückstand wird mit 150 *ml* Essigsäure-äthylester heiß gelöst: beim Abkühlen tritt Kristallisation ein; Ausbeute: 15,5 g (95,9% d. Th.); F: 86–89°; $[\alpha]_D^{25} = -0{,}5°$ (c = 7,5; in Methanol) bzw. $[\alpha]_D^{25} = -1{,}3°$ (c = 4, in Dimethylformamid); R_F = 0,83 (Butanol/Eisessig/Wasser 4 : 1 : 1).

N_ω-Tosyl-L-arginin [H-Arg(TOS)-OH][1]: 9,25 g (20 mMol) Z-Arg(TOS)-OH in 100 *ml* Methanol werden unter Rühren (Vibro-Mischer) in Gegenwart von frisch bereitetem Palladium [aus 1 g Palladium(II)-chlorid nach Willstätter[2]] hydriert. Nach Beendigung der Kohlendioxid-Entwicklung wird vom Katalysator abfiltriert und die Lösung i. Vak. zur Trockene eingedampft. Die Lösung des Rückstands in 80 *ml* heißem Wasser (evtl. von Unlöslichem filtriert) wird über Nacht bei Raumtemp. der Kristallisation überlassen; Ausbeute: 5,6 g (85,3% d. Th.); F: 146–150°, $[\alpha]_D^{25} = -5{,}5°$ (c = 1,3; in Methanol).

Bei der Peptidverknüpfung von N_α-Acyl-N_ω-tosyl-arginin mittels Carbodiimid- oder Woodward-Reagenz-Verfahren ist eine zusätzliche Protonierung nicht erforderlich. Wenngleich auch bei der N_ω-Tosyl-Verbindung wiederum keine vollständige Maskierung der Guanido-Funktion vorliegt und auch hier als Folge einer Carboxy-Aktivierung ein die Peptidknüpfung begleitender Lactam-Ringschluß möglich ist [vgl. die von Li et al.[3] beschriebene Isolierung von *Z-Arg(TOS)-δ-Lactam* bei der Herstellung dieses disubstituierten Arginin-Derivates], gelingt u. a. die Herstellung und peptidsynthetische Verwendung aktivierter Ester wie z. B. von *Z-Arg(TOS)-ONP*[4].

Die Reversibilität der Tosyl-Guanido-Maskierung gelingt durch übliche Natrium/Ammoniak-Reduktion in all den Fällen[4,5], bei denen eine solche Prozedur der aufgebauten Sequenz keinen Schaden zufügt (vgl. Schwyzer u. Kappeler[6]); als Nebenreaktion am Arginin-Molekül wurde bislang eine geringe Desamidinierung (unter 2%) beobachtet[7]. Lediglich bei einer Detosylierung von N_ω-Tosyl-arginin und voraussichtlich auch von amino-freien N_ω-Tosyl-arginyl-peptiden kann die Desamidinierung auf Beträge über 20% ansteigen[5].

36.224. N_ω-(Isopropoxycarbonyl-tetrachlor-benzoyl)-Derivate

Guttmann[8] hat mit der Herstellung von *Z-Arg(ITBz)-OH* (XXXI) ein weiteres für eine erfolgreiche Peptidsynthese geeignetes Ausgangsmaterial aufgefunden. Eine sehr weitgehende Maskierung wird durch N_ω-Monoacylierung in Verbindung mit einem sterischen Blockierungseffekt erzielt, obgleich auch in diesem Falle eine N_δ-Acylierung nicht völlig ausgeschlossen ist. So entsteht beim Behandeln von XXXI mit Carbodiimiden das entsprechende Lactam (s. o. u. S. 513, 516 u. 521).

Die Herstellung dieser neuen N_ω-maskierten Arginin-Verbindung gelang Guttmann[8] aus Z-Arg-OH (XX) durch Umsatz mit 2-Isopropoxycarbonyl-3,4,5,6-tetrachlor-benzoesäure-2,4,5-trichlor-phenylester (XXX), der aus Tetrachlor-phthalsäure-anhydrid (XXVIII) über den Phthalsäurehalbester XXIX nach folgendem Schema zugänglich ist:

---

[1] J. Ramachandran u. C. H. Li, J. Org. Chem. **27**, 4006 (1962).

[2] R. Willstätter u. E. Waldschmidt-Leitz, B. **54**, 128 (1921).

[3] C. H. Li et al., Am. Soc. **83**, 4449 (1961).

[4] S. Guttmann, J. Pless u. R. A. Boissonnas, Helv. **45**, 170 (1962).

[5] J. Pless et al., Helv. **45**, 394 (1962).

[6] R. Schwyzer u. H. Kappeler, Helv. **46**, 1550 (1963).

[7] S. Guttmann, *Peptides*, Proc. 5th Europ. Peptide Sympos., Oxford 1962, Pergamon Press, Oxford **1963**, S. 41.

[8] S. Guttmann u. J. Pless, Chimia **18**, 185 (1964); Acta chim. Acad. Sci. hung. **44**, 23 (1965).

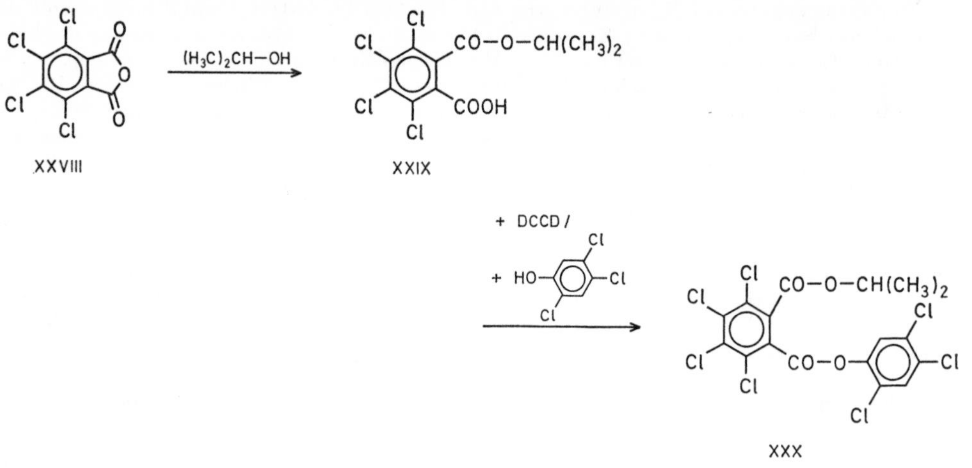

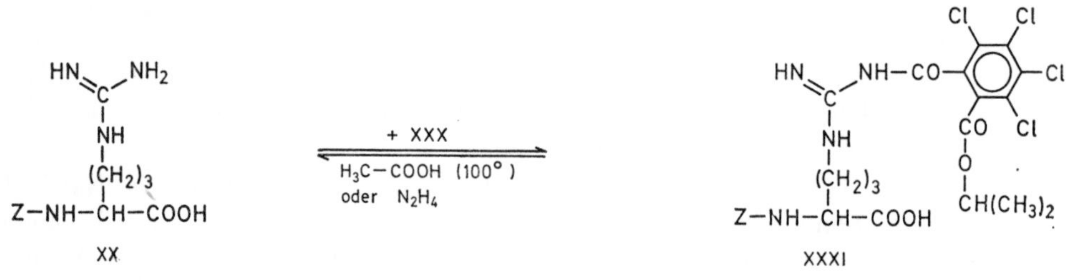

XXVIII $\xrightarrow{(H_3C)_2CH-OH}$ XXIX $\xrightarrow{+\ DCCD\ /\ +\ HO-C_6H_2Cl_3}$ XXX

XX $\underset{H_3C-COOH\ (100°)\ \text{oder}\ N_2H_4}{\overset{+\ XXX}{\rightleftharpoons}}$ XXXI

N_α-Benzyloxycarbonyl-N_ω-(2-isopropoxycarbonyl-3,4,5,6-tetrachlor-benzoyl)-L-arginin [Z-Arg(ITBz)-OH]:

2-Isopropoxycarbonyl-3,4,5,6-tetrachlor-benzoesäure[1]: 286 g 3,4,5,6-Tetrachlor-phthalsäureanhydrid in 1 *l* siedendem Isopropanol werden 3 Stdn. gerührt, bis eine klare Lösung entsteht. Das Reaktionsgemisch wird in 4 *l* Wasser gegossen, worauf Kristallisation erfolgt. Man filtriert ab und kristallisiert aus heißem Benzol um; Ausbeute: 330 g; F: 142°.

2-Isopropoxycarbonyl-3,4,5,6-tetrachlor-benzoesäure-2,4,5-trichlor-phenylester[1]: Eine Lösung von 330 g 2-Isopropoxycarbonyl-3,4,5,6-tetrachlor-benzoesäure und 236 g 2,4,5-Trichlorphenol in 2 *l* Essigsäure-äthylester wird bei −10° mit 242 g Dicyclohexylcarbodiimid versetzt und anschließend bei 20° 3 Stdn. geschüttelt. Nach Abfiltrieren von Harnstoff dampft man i.Vak. ein und kristallisiert den Rückstand aus Dimethylformamid um; Ausbeute: 410 g; F: 149°.

In analoger Weise konnte auch der *4-Nitro-phenylester* erhalten werden; F: 98° (aus Äthanol).

N_α-Benzyloxycarbonyl-N_ω-(2-isopropoxycarbonyl-3,4,5,6-tetrachlor-benzoyl)-L-arginin [Z-Arg(ITBz)-OH][1]: 192 g Z-Arg-OH und 350 g 2-Isopropoxycarbonyl-3,4,5,6-tetrachlor-benzoesäure-4-nitro-phenylester (oder 395 g 2-Isopropoxycarbonyl-3,4,5,6-tetrachlor-benzoesäure-2,4,5-trichlor-phenylester) in 600 *ml* Dimethylformamid werden mit 135 *ml* Triäthylamin versetzt und 2 Tage bei 20° (resp. 50°) stehengelassen. Man dampft i.Vak. ein, nimmt den Rückstand in Essigsäure-äthylester auf und schüttelt die erhaltene Lösung 5 Stdn. mit verd., wäßr. Phosphorsäure. Das ausgefallene Produkt wird abfiltriert, mit Diäthyläther gewaschen und getrocknet; Ausbeute: 280 g; F: 180°; $[\alpha]_D^{24} = -45°$ (in Dimethylformamid).

Z-Arg(ITBz)-OH (XXXI) kann nach dem Carbodiimid-Verfahren z.B. mit Aminosäure(Peptid)-tert.-butylestern in guter Ausbeute zu den allseits geschützten Arginyl-aminosäuren(-peptiden) (XXXII) vereinigt werden; als Nebenreaktion läuft eine geringe Bildung des N_α,N_ω-Diacyl-δ-lactams XXXIII ab, die aufgrund seiner relativ leichten Eliminierung im Zuge der Aufarbeitung des Verknüpfungsansatzes nicht ins Gewicht fällt[2].

---

[1] S. Guttmann, Privatmitteilung.

[2] S. Guttmann u. J. Pless, Acta chim. Acad. Sci. hung. 44, 23 (1965).

Diese Lactam-Bildung [die beim Umsatz von Z-Arg(ITBz)-OH (XXXI) mit Carbodiimid allein fast quantitativ verläuft] soll einen zusätzlichen Weg der Synthese von Arginyl-peptiden erlauben, da der δ-Lactamring mittels Hydrazin geöffnet werden kann: das so zugängliche *Z-Arg(ITBz)-NHNH*$_2$ (XXXIV) läßt sich unter Befolgen der üblichen Azid-Technik mit Aminosäure(Peptid)-tert.-butylestern zu Arginyl-aminosäure(peptid)-tert.-butylestern (XXXII) umsetzen[1]:

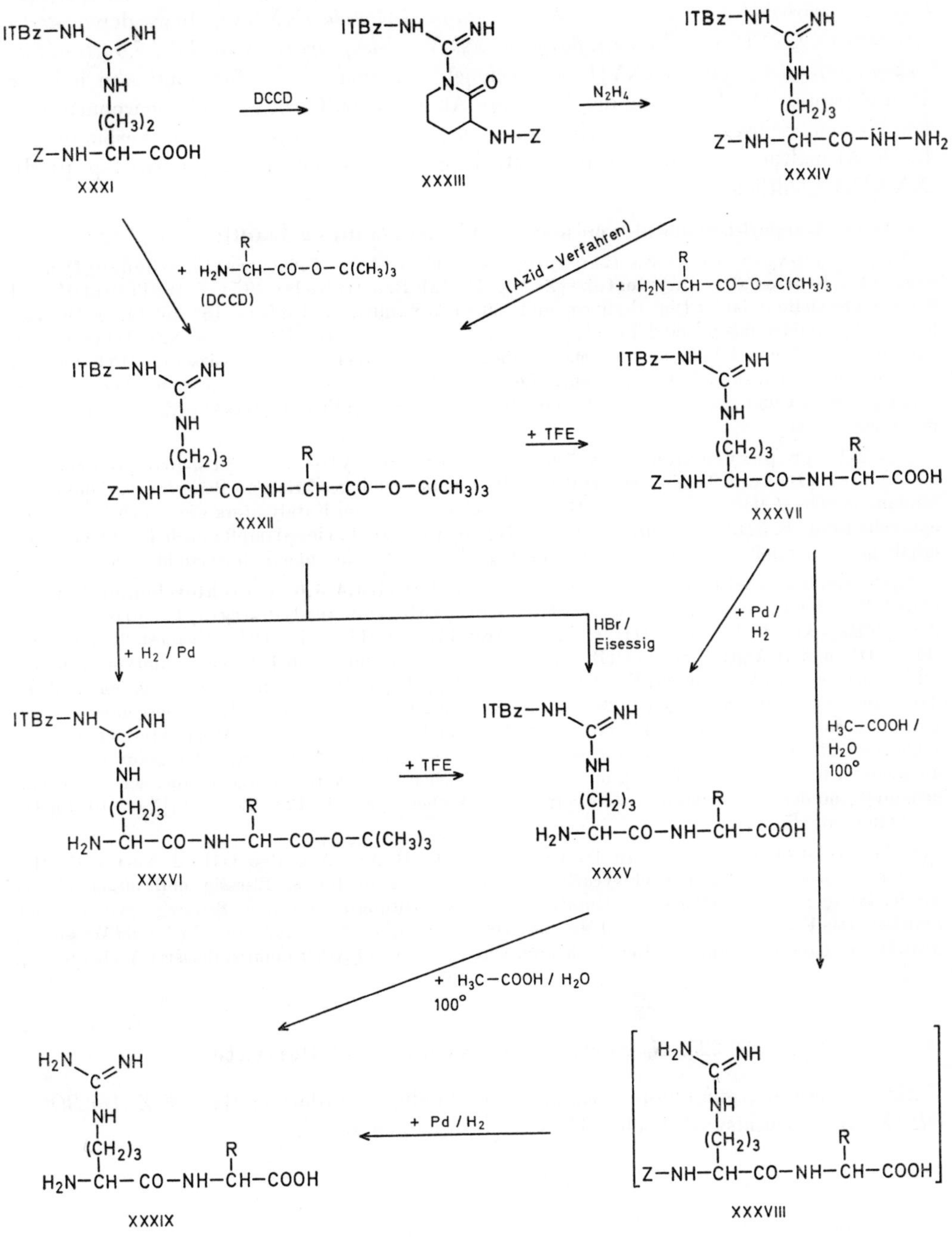

ITBz–NH–C(=NH)–NH–$(CH_3)_2$–CH(NH–Z)–COOH (XXXI) —DCCD→ ITBz–NH–C(=NH)–N (Lactam, C=O), NH–Z (XXXIII) —N_2H_4→ ITBz–NH–C(=NH)–NH–$(CH_2)_3$–CH(NH–Z)–CO–NH–NH_2 (XXXIV)

XXXI + H_2N–CH(R)–CO–O–$C(CH_3)_3$ (DCCD) → XXXII

XXXIV (Azid-Verfahren) + H_2N–CH(R)–CO–O–$C(CH_3)_3$ → XXXII

ITBz–NH–C(=NH)–NH–$(CH_2)_3$–CH(NH–Z)–CO–NH–CH(R)–CO–O–$C(CH_3)_3$ (XXXII) —+ TFE→ ITBz–NH–C(=NH)–NH–$(CH_2)_3$–CH(NH–Z)–CO–NH–CH(R)–COOH (XXXVII)

XXXII —+ H_2 / Pd→ ITBz–NH–C(=NH)–NH–$(CH_2)_3$–CH(NH_2)–CO–NH–CH(R)–CO–O–$C(CH_3)_3$ (XXXVI)

XXXII —HBr / Eisessig→ XXXV

XXXVII —+ Pd / H_2→ XXXV

XXXVI —+ TFE→ ITBz–NH–C(=NH)–NH–$(CH_2)_3$–CH(NH_2)–CO–NH–CH(R)–COOH (XXXV)

XXXVII —H_3C–COOH / H_2O 100°→ [H_2N–C(=NH)–NH–$(CH_2)_3$–CH(NH–Z)–CO–NH–CH(R)–COOH] (XXXVIII)

XXXV —+ H_3C–COOH / H_2O 100°→ XXXIX

XXXVIII —+ Pd / H_2→ H_2N–C(=NH)–NH–$(CH_2)_3$–CH(NH_2)–CO–NH–CH(R)–COOH (XXXIX)

---

[1] S. Guttmann u. J. Pless, Acta chim. Acad. Sci. hung. 44, 23 (1965).

Diese substituierte Benzoyl-Blockierung der Guanido-Funktion ist nach Guttmann[1] mittels verdünnter Essigsäure (1 stdgs. Erwärmen bei 100°), ferner 0,1 n Salzsäure (unter oben genannten analogen Bedingungen) und Hydrazin (17 Stdn. bei 20°) reversibel. Die Guttmannsche Guanido-Maskierung verhält sich jedoch stabil gegenüber Bromwasserstoff/Eisessig- bzw. Trifluoressigsäure-Solvolyse und katalytischer Hydrogenolyse.

Diese erfreulichen Tatsachen gestatten nunmehr im Falle von Arginyl-peptid-Derivaten der Formel XXXII eine selektive Abspaltung der drei Schutzgruppen, wodurch *N_ω-(2-Isopropoxycarbonyl-3,4,5,6-tetrachlor-benzoyl)-arginyl-peptide* (XXXV), bzw. deren *-tert.-butylester* (XXXVI) oder *N_α-Benzyloxycarbonyl-N_ω-(2-isopropoxycarbonyl-3,4,5,6-tetrachlor-benzoyl)-arginyl-peptide* (XXXVII) als geeignete Startmaterialien für Synthesen höherer Arginyl-peptide (Verlängerung der Kette am Amino- bzw. Carboxy-Ende) gewonnen werden können. Selbstverständlich sind aus den genannten teil-geschützten Verbindungen durch Abspaltung der restlichen Schutzgruppen auch die freien Arginyl-peptide (XXXIX) erhältlich.

L-Arginyl-L-arginyl-L-prolin-Di-hydroacetat [H-Arg-Arg-Pro-OH · 2 Ac-OH]:

N_α-Benzyloxycarbonyl-N_ω-(2-isopropoxycarbonyl-3,4,5,6-tetrachlor-benzoyl)-L-arginyl-L-prolin-tert.-butylester [Z-Arg(ITBz)-Pro-OtBu][2]: 49 g Z-Arg(ITBz)-OH und 9,3 g H-Pro-OtBu in 50 *ml* Dimethylformamid/150 *ml* Acetonitril werden bei —10° mit 14,5 g Dicyclohexylcarbodiimid versetzt und 2 Tage bei 0° gerührt (geschüttelt). Das Filtrat vom N,N'-Dicyclohexylharnstoff dampft man i. Vak. zur Trockene ein; die Lösung des Rückstands in Essigsäure-äthylester wird mit verd. Phosphorsäure, Natriumcarbonat-Lösung und Wasser wie üblich gewaschen, über Natriumsulfat getrocknet und erneut i. Vak. eingedampft; Ausbeute: 28 g; F: 120° (Zers.); $[\alpha]_D^{24}$ = —41° (in Dimethylformamid).

N_ω-(2-Isopropoxycarbonyl-3,4,5,6-tetrachlor-benzoyl)-L-arginyl-L-prolin-tert.-butylester [H-Arg(ITBz)-Pro-OtBu][2]: 19 g vorstehend beschriebene Benzyloxycarbonyl-Verbindung in 600 *ml* Methanol werden in Gegenwart eines Palladium-Katalysators wie üblich katalytisch entacyliert (vgl. S. 52f.). Das Filtrat vom Katalysator wird i. Vak. eingedampft; nach Trocknen i. Vak. erhält man ein zähflüssiges Öl; Ausbeute: 14 g; $[\alpha]_D^{21}$ = —33° (in Dimethylformamid).

N_α-Benzyloxycarbonyl-N_ω-(2-isopropoxycarbonyl-3,4,5,6-tetrachlor-benzoyl)-L-arginyl-N_ω-(2-isopropoxycarbonyl-3,4,5,6-tetrachlor-benzoyl)-L-arginyl-L-prolin [Z-Arg(ITBz)-Arg(ITBz)-Pro-OH][2]: 12 g Z-Arg(ITBz)-Arg(ITBz)-Pro-OtBu [hergestellt aus Z-Arg (ITBz)-OH und H-Arg(ITBz)-Pro-OtBu (s. oben) nach einem unter Teil 1 dieser Gesamtvorschrift beschriebenen, analogen Verfahren; F=100° (Zers.); $[\alpha]_D^{21}$=—12° (in Dimethylformamid)] werden mit 25 *ml* Trifluoressigsäure übergossen. Nach 2stdgm. Stehen bei 20° dampft man das Reaktionsgemisch i. Vak. ein; die Lösung des Rückstands in verd. wäßr. Ammoniak wird mehrfach mit Äther extrahiert und anschließend mit verd. Schwefelsäure angesäuert. Das abgeschiedene Material wird in Essigsäure-äthylester aufgenommen, die erhaltene Lösung mit Wasser gewaschen, über Natriumsulfat getrocknet, i. Vak. eingedampft und der Rückstand nochmals getrocknet; Ausbeute: 9 g; F: 130° (Zers.); $[\alpha]_D^{24}$=—10° (in Dimethylformamid).

L-Arginyl-L-arginyl-L-prolin-Di-hydroacetat [H-Arg-Arg-Pro-OH · 2 Ac-OH][2]: 21 g vorstehend beschriebener Benzyloxycarbonyl-tripeptid-ester in 100 *ml* Eisessig und 50 *ml* Wasser werden in Gegenwart eines Palladium-Katalysators zur Abspaltung der N_α-Amino-Schutzgruppe wie üblich hydriert. Das Filtrat erwärmt man 30 Min. auf 100° (Badtemp.). Man kühlt ab, gibt 100 *ml* Wasser zu, filtriert und dampft i. Vak. ein. Der Rückstand wird aus Äthanol/Äther umkristallisiert; Ausbeute: 8 g.

36.225. N_ω-tert.-Butyloxycarbonyl-Derivate

Als eine weitere, guanido-monoacylierte Verbindung wurde von Bajusz[3] *Z-Arg(BOC)-OH* (XLa) zu peptidsynthetischen Umsetzungen herangezogen.

---

[1] S. Guttmann u. J. Pless, Acta chim. Acad. Sci. hung. 44, 23 (1965).

[2] S. Guttmann, Privatmitteilung.

[3] S. Bajusz, Acta chim. Acad. Sci. hung. 44, 31 (1965).

Z-Arg(BOC)-OH ist durch Acylierung von Z-Arg-OH (XX) mit tert.-Butyloxycarbonyl-azid in einem Wasser/Aceton-Gemisch in Gegenwart von 4 Äquiv. Natriumhydroxid[1] bzw. besser bei $p_H = 12–13$[2] zugänglich.

Z-Arg(BOC)-OH (XLa) und *BOC-Arg(BOC)-OH* (XLb) lassen sich mit Hilfe von O-Alkyl-kohlensäure-anhydrid-, Dicyclohexylcarbodiimid- und (am besten) Aktivester-Verfahren (4-Nitro-phenyl-, 2,4-Dinitro-phenyl-, [N-Hydroxy-succinimid-] und andere) mit Aminosäure(Peptid)-estern oder -amiden zu XLIa und XLIb verknüpfen[1,2]. Diese Peptid-Derivate werden allerdings stets neben geringen Anteilen Diacyl-arginin XLa oder XLb von wechselnden Mengen N_α,N_ω-Diacyl-arginin-δ-lactam XLIIa oder XLIIb begleitet; sie können jedoch aufgrund ihrer Löslichkeit in Diäthyläther meist bei einer der folgenden Stufen der Synthese leicht abgetrennt werden[2]. Die Bildung der Lactame XLIIa oder XLIIb läßt sich trotz einer der Aktivierung vorausgehenden Protonierung der N_α,N_ω-Diacyl-arginine nicht völlig unterdrücken:

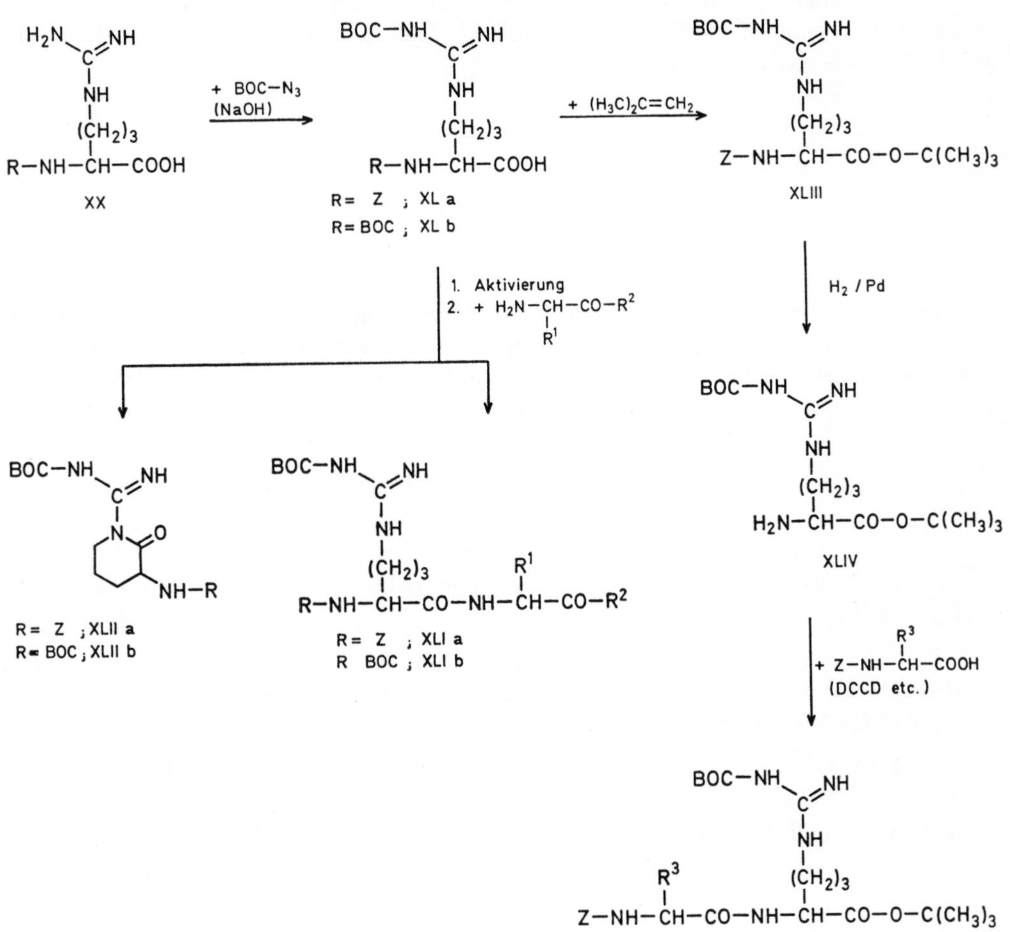

H_2N–C(=NH)–NH–$(CH_2)_3$–CH(NH–R)–COOH (XX) $\xrightarrow{+\ BOC-N_3\ (NaOH)}$ BOC–NH–C(=NH)–NH–$(CH_2)_3$–CH(NH–R)–COOH (R = Z; XLa; R = BOC; XLb)

XLa $\xrightarrow{+\ (H_3C)_2C=CH_2}$ BOC–NH–C(=NH)–NH–$(CH_2)_3$–CH(NH–Z)–CO–O–C$(CH_3)_3$ (XLIII)

XLa/XLb: 1. Aktivierung; 2. + H_2N–CH(R^1)–CO–R^2 →

BOC–NH–C(=NH)–N (Lactam, NH–R) (R = Z; XLII a; R = BOC; XLII b)

BOC–NH–C(=NH)–NH–$(CH_2)_3$–CH(NH–R)–CO–NH–CH(R^1)–CO–R^2 (R = Z; XLI a; R = BOC; XLI b)

XLIII $\xrightarrow{H_2/Pd}$ BOC–NH–C(=NH)–NH–$(CH_2)_3$–CH(NH_2)–CO–O–C$(CH_3)_3$ (XLIV)

XLIV $\xrightarrow{+\ Z-NH-CH(R^3)-COOH\ (DCCD\ etc.)}$ Z–NH–CH(R^3)–CO–NH–CH[$(CH_2)_3$–NH–C(=NH)–NH–BOC]–CO–O–C$(CH_3)_3$

XLV

---

[1] S. Bajusz, Acta chim. Acad. Sci. hung. 44, 31 (1965).

[2] H. Arold u. S. Reissmann, Z. Chem. 8, 107 (1968).

Wie Arold[1] weiter aufzeigte, kann die N_α,N_ω-Diacyl-Verbindung XL auf übliche Weise mittels Isobuten zu *Z-Arg(BOC)-OtBu* (XLIII; 85% d. Th.) verestert werden,; hydrogenolytische Abspaltung der Benzyloxycarbonyl-Schutzgruppe erbringt schließlich *H-Arg(BOC)-OtBu* (XLIV), ein für Synthesen von Arginin-peptiden XLV sehr willkommenes Startmaterial. Bemerkenswert ist, daß alle Verbindungen von H-Arg(BOC)-OH (incl. Peptide) Lösungsmittel in undefinierter Größenordnung zähe festhalten[1].

36.226. Andere N_ω-Acyl-Derivate

Eine Anzahl zusätzlicher N_ω-Acyl-arginin-Derivate haben Guttmann und Pless[2] auf ihre peptidsynthetische Eignung untersucht. In vielen Fällen wurde zwar die komplexe Basen-Natur der Guanido-Funktion entscheidend beeinflußt, so daß Carboxyl-Aktivierungen und damit Verknüpfungen erfolgversprechend schienen, doch entweder erwiesen sich diese N_ω-Monoacyl-Verbindungen als zu instabil (Dichlor- und Trifluoracetyl-) oder ließ sich eine einwandfreie Reversibilität der Maskierung bislang nicht verwirklichen (Malonyl-, Benzoyl-, subst. Benzoyl- etc.).

36.230. Die N_ω,N_δ-Diacylierung

36.231. N_ω-N_δ-Di-[benzyloxycarbonyl]-Derivate

Beim Behandeln von freiem Arginin (XLVI) unter streng alkalischen Schotten-Baumann-Bedingungen mit überschüssigem Chlorameisensäure-benzylester (bis 4 Äquiv.) hatten Zervas et al.[3] ein schwerlösliches Produkt erhalten, das sich als Natrium-Salz eines Tris-[benzyloxycarbonyl]-Derivats entpuppte, besser gesagt, als ein Gemisch zweier isomerer Verbindungen von der Struktur XLVIIa und XLVIIb (s. Formelschema S. 523).

Von den beiden isomeren Natriumsalzen ist unter den von Zervas et al.[3] gewählten Reinigungsbedingungen nur das *Z-Arg(ω,δ-Z₂)-ONa* beständig; es kann in ~ 20%-iger Ausbeute rein isoliert werden und mittels verd. Schwefelsäure in das freie *Z-Arg(ω,δ-Z₂)-OH* (XLVIII) übergeführt werden. Dagegen erleidet das Triacyl-Derivat XLVIIb Zersetzung zum *Z-Arg(Z)-OH* (XI).

Beim Behandeln der isomeren Natriumsalze (Rohprodukt) mit alkoholischer Kalilauge wird eine Benzyloxycarbonyl-Gruppe abgespalten, wobei in 60%-iger Ausbeute ebenfalls *Z-Arg(Z)-OH* (XI) entsteht (s. oben).

Mit erheblich besserer Ausbeute[4] (32% über alle Stufen) gelingt die Herstellung von *Z-Arg(δ,ω-Z₂)-OH* aus Z-Arg-OH nach dem von Weygand und Nintz[5] für die N_α-(4-Methoxy-benzyloxycarbonyl)-Verbindung ausgearbeiteten Verfahren (s. S. 523).

---

1 H. Arold u. S. Reissmann, Z. Chem. **8**, 107 (1968).
S. Reissmann, Peptid-Tagung Quedlinburg Nov. 1965.

2 S. Guttmann u. J. Pless, Acta chim. Acad. Sci. hung. **44**, 23 (1965).

3 L. Zervas, M. Winitz u. J. P. Greenstein, J. Org. Chem. **22**, 1515 (1957).
L. Zervas et al., Am. Soc. **81**, 2878 (1959).

4 E. Wünsch u. G. Wendlberger, B. **100**, 160 (1967).

5 F. Weygand u. E. Nintz, Z. Naturf. **20b**, 429 (1965).

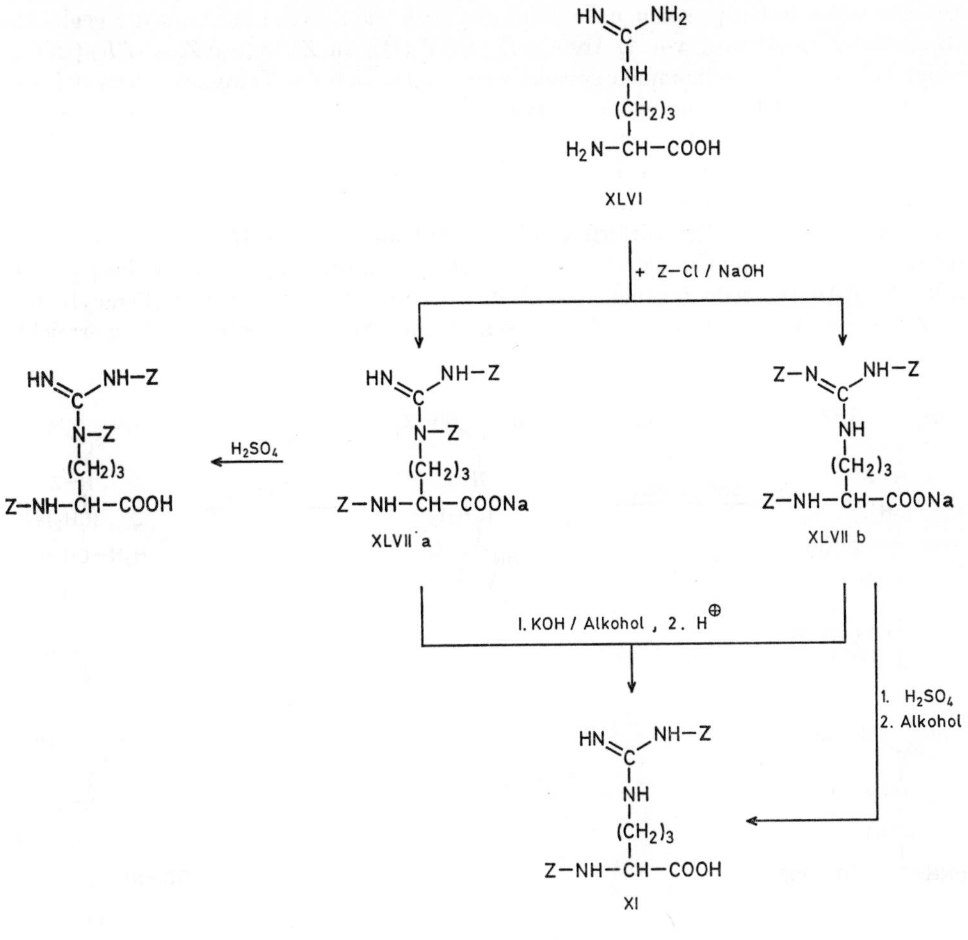

HN=C(NH₂)–NH–(CH₂)₃–CH(NH₂)–COOH

XLVI

+ Z–Cl / NaOH

HN=C(NH–Z)–N(Z)–(CH₂)₃–CH(NH–Z)–COOH ← H_2SO_4 — HN=C(NH–Z)–N(Z)–(CH₂)₃–CH(NH–Z)–COONa (XLVII a); Z–N=C(NH–Z)–NH–(CH₂)₃–CH(NH–Z)–COONa (XLVII b)

1. KOH / Alkohol, 2. $H^{\oplus}$; 1. H_2SO_4 2. Alkohol

HN=C(NH–Z)–NH–(CH₂)₃–CH(NH–Z)–COOH

XI

Nα,Nω,Nδ-Tris-[benzyloxycarbonyl]-L-arginin [Z-Arg(ω,δ-Z$_2$)-OH][1]: 43,5 g Z-Arg-OH (s. S. 530) in 280 *ml* 2n Natronlauge und 100 *ml* 1,4-Dioxan werden auf 0° abgekühlt und anschließend unter kräftigem Rühren mit 98 *ml* Chlorameisensäure-benzylester und 353 *ml* 2n Natronlauge zwischen 0–3° innerhalb 1 Stde. umgesetzt (Die Zugabe von Acylchlorid und Lauge erfolgt abwechselnd in ~ 10 Portionen). Nach 1 stdgm. Nachrühren bei 0–3° filtriert man das ausgefallene Z-Arg(ω,δ-Z$_2$)-ONa ab und wäscht dieses mit 300 *ml* eiskalter, 5%-iger Natriumcarbonat-Lösung. Das trocken gesaugte Produkt wird mit Diäthyläther verrieben, erneut auf das Filter gebracht und mit Diäthyläther gewaschen. Anschließend wird das trockene Natriumsalz in absol. Äthanol aufgenommen (evtl. wird von unlöslichem Material abfiltriert); aus der erhaltenen Lösung scheidet sich beim Stehenlassen im Kühlschrank ein Niederschlag ab. Er wird abfiltriert und i. Vak. getrocknet. Die Suspension des erhaltenen Natriumsalzes (63 g) in 1500 *ml* Essigsäure-äthylester wird unter Rühren mit 350 *ml* 2%-iger, eiskalter Schwefelsäure versetzt. Sobald Lösung erfolgt ist, wird die Essigsäure-äthylester-Phase abgetrennt, diese mit 2%-iger Schwefelsäure und Wasser gewaschen, über Natriumsulfat getrocknet und i. Vak. eingedampft. Der erhaltene feste Rückstand wird mehrfach mit Petroläther digeriert und anschließend 2mal aus Essigsäure-äthylester umkristallisiert; Ausbeute: 25,5 g (32% d. Th., bez. auf eingesetztes Z-Arg-OH); F: 137–138°; $[\alpha]_D^{20} = +16{,}8 \pm 1°$ bzw. $[\alpha]_{546}^{20} = +19{,}4°$ (c = 1, in Chloroform).

Z-Arg(ω,δ-Z$_2$)-OH (XLVIII) kann als „Kopfkomponente" nach verschiedenen Methoden (gemischte Anhydrid-, Carbodiimid-, Nitro-phenylester-[1,2] u. a.) zur Peptidsynthese herangezogen werden (s. weiter unten). Dies deutet zwar darauf hin, daß N_ω,N_δ-Diacyl-Derivate des Arginins vom Typ XLVIIa der Forderung einer Totalmaskierung der komplexen, stark

[1] E. Wünsch u. G. Wendlberger, B. **100**, 160 (1967).
[2] L. Zervas, M. Winitz u. J. P. Greenstein, Am. Soc. **83**, 3300 (1961).
E. D. Nicolaides et al., Nature **187**, 773 (1960).

basischen Guanido-Gruppe sehr nahe kommen, doch wie Zervas et al.[1] mit der geglückten N(Guanido)-Triacylierung von Z-Arg(ω,δ-Z_2)-ONP (IL) zu *Z-Arg(ω,δ-Z_2,ω'-PR)-ONP* (L) gezeigt haben, nicht vollkommen gerecht werden. Da sich das Tetra-acyl-Derivat L nach hydrogenolytischer Entfernung der Benzyloxycarbonyl-Schutzgruppen, folgender Acetylierung und anschließender Hydrolyse in bekannter Reaktion zu *Ac-Orn-δ-Lactam* (LI) und N-Propionyl-N-acetyl-harnstoff (LII) umsetzen ließ (vgl. S. 513), konnten die Autoren gleichzeitig beweisen, daß dem Ausgangsmaterial Z-Arg(ω,δ-Z_2)-OH (XLVIII) die oben für das Natriumsalz erwähnte Strukturformel XLVIIa zukommen muß. Da einer der drei Acyl-Reste (z.B. bei L) an der Guanido-Gruppierung stets als „Acyl-imin" vorliegt, das jedwedem nucleophilen Angriff leicht zugänglich ist (Acyl-Überträger), dürfte mit einer „Peracylierung" das Ziel einer Ausschaltung der komplexen Arginin-Seitenkettenfunktion unerreichbar sein.

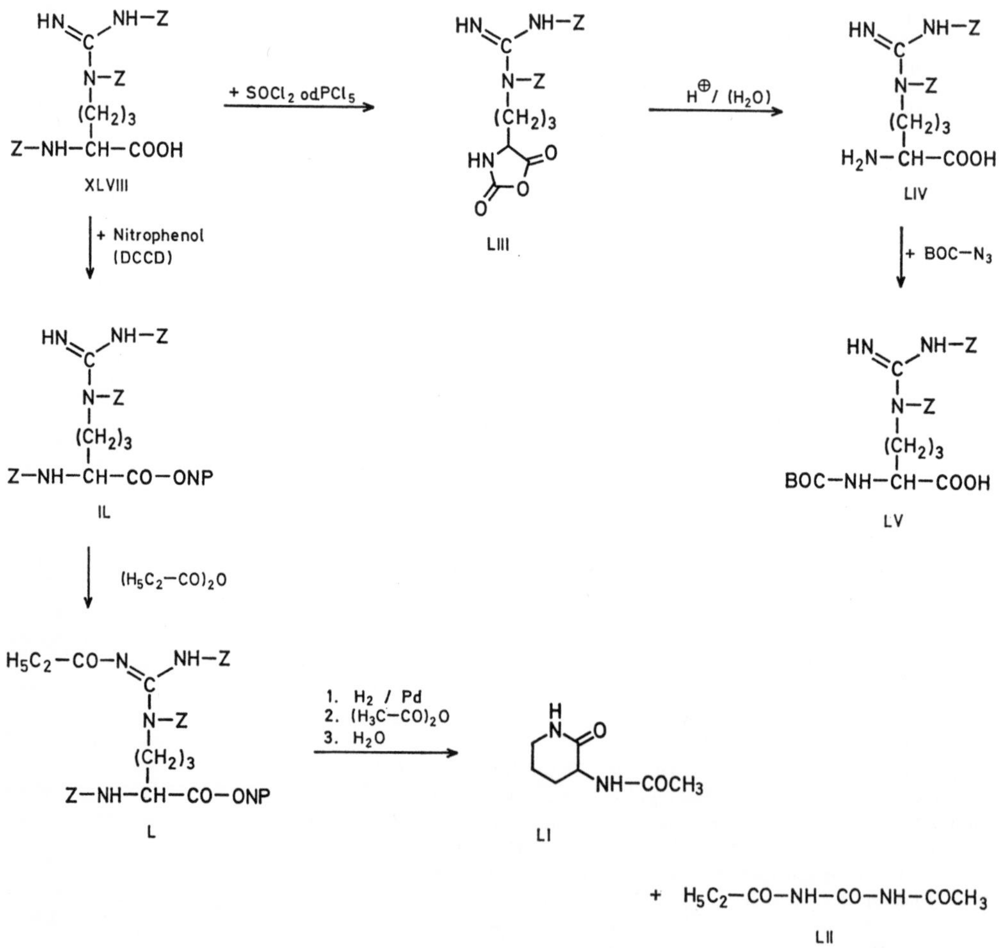

HN=C(NH–Z)–N(Z)–$(CH_2)_3$–CH(NH–Z)–COOH
XLVIII

→ + $SOCl_2$ od. PCl_5 →

HN=C(NH–Z)–N(Z)–$(CH_2)_3$–(Oxazolidin-2,5-dion, HN–C=O / O)
LIII

→ $H^{\oplus}$ / (H_2O) →

HN=C(NH–Z)–N(Z)–$(CH_2)_3$–CH(H_2N)–COOH
LIV

↓ + $BOC–N_3$

HN=C(NH–Z)–N(Z)–$(CH_2)_3$–CH(BOC–NH)–COOH
LV

XLVIII ↓ + Nitrophenol (DCCD)

HN=C(NH–Z)–N(Z)–$(CH_2)_3$–CH(Z–NH)–CO–ONP
IL

↓ $(H_5C_2–CO)_2O$

H_5C_2–CO–N=C(NH–Z)–N(Z)–$(CH_2)_3$–CH(Z–NH)–CO–ONP
L

→ 1. H_2 / Pd; 2. $(H_3C–CO)_2O$; 3. H_2O →

3-(NH–$COCH_3$)-piperidin-2-on (H, N, O)
LI

+ H_5C_2–CO–NH–CO–NH–$COCH_3$
LII

Zervas et al.[2] haben mit Hilfe von Z-Arg(ω,δ-Z_2)-OH und Aminosäure-benzylester eine Anzahl von Dipeptiden synthetisiert, von denen die Herstellung des *H-Arg-Arg-OH* die interessanteste ist.

---

[1] L. Zervas, M. Winitz u. J. P. Greenstein, Am. Soc. **83**, 3300 (1961).
E. D. Nicolaides et al., Nature **187**, 773 (1960).

[2] L. Zervas et al., Am. Soc. **81**, 2878 (1959).

Mit Hilfe von *Z-Arg(ω,δ-Z_2)-ONP* und *-OSU* konnten Wünsch et al.[1–5] mit Erfolg die „Arginin-Fragmente" in ihren Glucagon- und Sekretin-Synthesen aufbauen; vor Anbau der nächsten Aminosäure oder eines Fragments wird der Diacyl-Schutz der Guanido-Funktion durch „Protonierung" abgelöst.

L-Arginyl(hydrobromid)-L-arginyl(hydrobromid)-L-alanyl-L-glutaminyl-L-asparagyl(β-tert.-butylester)-L-phenylalanyl-L-valin-tert.-butylester-Hydroacetat [H-Arg(HBr)-Arg(HBr)-Ala-Gln-Asp(OtBu)-Phe-Val-OtBu · Ac-OH]:

N_α,N_ω,N_δ-Tris-[benzyloxycarbonyl]-L-arginin-4-nitro-phenylester [Z-Arg(ω,δ-Z_2)-ONP][1]: 57,6 Z-Arg(ω,δ-Z_2)-OH (s. S. 523) und 1,53 g 4-Nitro-phenol werden in möglichst wenig Essigsäure-äthylester in der Wärme gelöst, auf —10° abgekühlt und anschließend mit 22,6 g Dicyclohexylcarbodiimid versetzt. Das Reaktionsgemisch wird 10 Stdn. bei 0° und 8 Stdn. bei Raumtemp. gerührt, auf —10° abgekühlt und vom ausgefallenen N,N'-Dicyclohexyl-harnstoff durch Filtration befreit. Die erhaltene Lösung wird i.Vak. zur Trockene eingedampft, der feste Rückstand mit viel absol. Äthanol ausgekocht und schließlich aus Essigsäure-äthylester/Äthanol umkristallisiert. Nach erneuter Heißextraktion mit absol. Äthanol und Trocknen i.Vak. erhält man 60 g (84% d.Th.); F: 134–135°; $[\alpha]_D^{20}$ = —7,25 ± 1° bzw. $[\alpha]_{546}^{20}$ = —9,41° (c = 1, in Chloroform).

N_α,N_ω,N_δ-Tris-[benzyloxycarbonyl]-L-arginyl-L-arginyl(hydrobromid)-L-alanyl-L-glutaminyl-L-asparagyl(β-tert.-butylester)-L-phenylalanyl-L-valin-tert.-butylester [Z-Arg(ω,δ-Z_2)-Arg(HBr)-Ala-Gln-Asp(OtBu)-Phe-Val-OtBu][1]: 9,9 g H-Arg(HBr)-Ala-Gln-Asp(OtBu)-Phe-Val-OtBu·Ac-OH (s. S. 530) in 150 *ml* Dimethylformamid werden bei 0° mit 8 g Z-Arg (ω,δ-Z_2)-ONP (s. oben) versetzt. Nach 10stdgm. Rühren bei 0° und 40 Stdn. bei Raumtemp. wird das Lösungsmittel i.Vak. entfernt, der feste gelbe Rückstand mit Diäthyläther verrieben, abfiltriert und mit Diäthyläther gewaschen. Das staubtrockene Produkt wird mit ~ 500 *ml* Essigsäure-äthylester unter Rühren 15 Min. ausgekocht, abfiltriert, mit Essigsäure-äthylester gewaschen und getrocknet. Nach anschließendem Digerieren mit Wasser nimmt man das erhaltene Material in wenig Dimethylformamid/Methanol auf; die Lösung wird 10 Min. unter Rühren mit Aktivkohle auf 50° erwärmt, filtriert und mit Diäthyläther versetzt. Der Niederschlag wird abfiltriert, mit Äther gewaschen und bei 80° i.Vak. getrocknet; Ausbeute: 14,2 g (95% d.Th.); F: 189–190°; $[\alpha]_D^{20}$=—26,9 ± 1° bzw. $[\alpha]_{546}^{20}$=—33,35° (c = 1, in 80%-iger Essigsäure).

L-Arginyl(hydrobromid)-L-arginyl(hydrobromid)-L-alanyl-L-glutaminyl-L-asparagyl(β-tert.-butylester)-L-phenylalanyl-L-valin-tert.-butylester-Hydroacetat [H-Arg (HBr)-Arg(HBr)-Ala-Gln-Asp(OtBu)-Phe-Val-OtBu·Ac-OH][1]: 10,65 g Benzyloxycarbonylhexapeptid (s. oben) in 400 *ml* Methanol werden in Gegenwart von Palladiumschwarz und 20 *ml* Eisessig üblich hydriert (~ 15 Stdn.). Das Filtrat wird mit n Bromwasserstoffsäure auf p_H = 5,2 gestellt (Verbrauch ~ 7,1 *ml*) und i.Vak. eingedampft. Die Lösung des Rückstands in wenig Methanol wird mit Diäthyläther versetzt, die Fällung abfiltriert und i.Vak. bei 80° über Phosphor(V)-oxid getrocknet; Ausbeute: 8,5 g (95% d.Th.); F: 174–175°; $[\alpha]_D^{20}$ = —32,5 ± 1° bzw. $[\alpha]_{546}^{20}$ = —38,9° (c = 1, in Methanol).

Wie aus obiger Vorschrift ersichtlich, verläuft die hydrogenolytische Abspaltung der N_ω- bzw. N_δ-Benzyloxycarbonyl-Reste in diesem Falle mit üblichem Erfolg (s. jedoch folgenden Absatz).

Z-Arg(ω,δ-Z_2)-OH (XLVIII) läßt sich ferner nach bekannten Verfahren via Säurechlorid in ein *H-[Arg(ω,δ-Z_2)-NCA]* (LIII) überführen; folgende Hydrolyse erbringt schließlich ein N_ω,N_δ-disubstituiertes Arginin LIV[6,7] (s. Schema S. 524). Schwyzer u. Sieber[8] haben letztere Verbindung als N_α-tert.-Butyloxycarbonyl-Derivat LV, das nach der üblichen tert.-Butyloxycarbonyl-azid-Technik[9] zugänglich ist[10], für einen stufenweisen Aufbau von *α-ACTH*$^{1-21}$ (früher *β*$^{1-21}$*-Corticotropin*) und *Abu*^{4}*-α-ACTH*$^{1-21}$ herangezogen. Trotz bester Zwischenergebnisse (80–95% Ausbeute pro Stufe) scheiterten die Autoren an der Reindarstellung

1 E. Wünsch u. G. Wendlberger, B. **100**, 160 (1967).
2 E. Wünsch, G. Wendlberger u. A. Högel-Betz, B. **104**, 2430 (1971).
3 E. Wünsch, G. Wendlberger u. P. Thamm, B. **104**, 2445 (1971).
4 E. Wünsch, Z. Naturf. **22b**, 1269 (1967).
5 E. Wünsch, Naturwiss. **59**, 239 (1972).
6 L. Zervas et al., Am. Soc. **81**, 2878 (1959).
7 L. Zervas, M. Winitz u. J. P. Greenstein, J. Org. Chem. **22**, 1515 (1957).
8 R. Schwyzer u. P. Sieber, unveröffentl. Ergebnisse; s. dazu H. Kappeler, *Peptides*, Proc. 5th Europ. Peptide Symposium Oxford 1962, Pergamon Press, Oxford **1963**, S. 5.
9 R. Schwyzer, P. Sieber u. H. Kappeler, Helv. **42**, 2622 (1959).
10 C. Gros et al., Helv. **44**, 2042 (1961).

der beiden Oligopeptide, da eine erfolgreiche Abspaltung beider N_ω,N_δ-Benzyloxycarbonyl-Reste sowohl am Arginin 17 als auch am Arginin 18 durch katalytisch erregten Wasserstoff (Palladiumkohle) mißlang. Bei der sehr langsam verlaufenden Hydrogenolyse wurden (unter den Bedingungen der Autoren) die beiden Tyrosin-2- und Tryptophan-9-Reste teilweise mit aufhydriert.

N_α-tert.-Butyloxycarbonyl-N_ω,N_δ-di-[benzyloxycarbonyl]-L-arginin [BOC-Arg(ω,δ-Z_2)-OH]:

N_ω,N_δ-Di-[benzyloxycarbonyl]-L-arginin [H-Arg(ω,δ-Z_2)-OH][1]: 2,9 g Z-Arg(ω,δ-Z_2)-OH werden mit 20 *ml* reinstem Thionylchlorid übergossen und 5 Stdn. bei Raumtemp. stehengelassen. Auf Zugabe von Petroläther fällt ein Öl aus, das mehrfach mit Petroläther digeriert wird. Der erhaltene Sirup wird in 20 *ml* Aceton gelöst und nach Zugabe von 0,5 *ml* konz. Salzsäure 6 Stdn. bei Raumtemp. aufbewahrt. Danach dampft man die Lösung i. Vak. bei 40° zur Trockene, nimmt den Rückstand in Wasser auf und versetzt die von etwas unlöslichem Material filtrierte Lösung bis zur schwach basischen Reaktion mit Kaliumhydrogencarbonat. Der dabei resultierende Niederschlag wird abgesaugt und noch feucht aus Methanol umkristallisiert; Ausbeute: 50% d. Th.; F: 160°.

N_α-tert.-Butyloxycarbonyl-N_ω,N_δ-di-[benzyloxycarbonyl]-L-arginin [BOC-Arg(ω,δ-Z_2)-OH][2]: 15,6 g H-Arg(ω,δ-Z_2)-OH in 620 *ml* 1,4-Dioxan/Wasser (1 : 1) werden mit 15,6 g Magnesiumoxid und 9,8 *ml* tert.-Butyloxycarbonyl-azid wie üblich umgesetzt. Nach 16 Stdn. engt man das Reaktionsgemisch i. Vak. ein; den Rückstand nimmt man in Essigsäure-äthylester unter gleichzeitigem vorsichtigem Ansäuern mit Salzsäure/Wasser (1 : 1) bei 0° auf. Die abgetrennte organische Phase wird mit Wasser gewaschen und bei 40° und 15 Torr zur Trockene gebracht. Die Chloroform-Lösung des Rückstands chromatographiert man an Silicagel „Merck", das 15% Wasser enthält. Man eluiert mit 800 *ml* Chloroform/Essigsäure-äthylester (1 : 1). Das Eluat wird bei 40° und 15 Torr eingedampft, der Rückstand (11,8 g) in 55 *ml* Methanol aufgenommen und vorsichtig mit 15 *ml* Wasser versetzt. Der kristalline Niederschlag wird abfiltriert, mit 50%-igem Methanol gewaschen und bei 50° und 15 Torr getrocknet; Ausbeute 10,8 g (56% d. Th.); F: (138) 141–142° (Zers.).

Weygand et al.[3] haben in Umkehr der zu BOC-Arg(ω,δ-Z_2)-OH (s. Schema S. 523) führenden Substitutionsmethodik *MOZ-Arg(ω,δ-Z_2)-OH* (LVII) hergestellt und zur Synthese der geschützten Glucagon-Sequenz 15–19 mit Erfolg benützt. *MOZ-Arg-OH* (LVI), aus Arginin und 4-Methoxy-benzyloxycarbonyl-azid[4] zugänglich, ließ sich in wäßrigem 1,4-Dioxan mit Chlorameisensäure-benzylester und Natronlauge (im Überschuß) an der Guanido-Funktion diacylieren; nach üblicher Aufarbeitung des Rohprodukts (Isomerengemisch tri-substituierter Arginine, s. dazu S. 522f.) konnte das Triacyl-Derivat LVII chromatographisch und analytisch rein in 37%-iger Ausbeute isoliert werden. Umsetzung von MOZ-Arg(ω,δ-Z_2)-OH (LVII) mit H-Ala-OBZL nach dem Sheehan-Verfahren ergab den substituierten *MOZ-Arg(ω,δ-Z_2)-Ala-OBZL* (LVIII), der mittels wasserfreier Trifluoressigsäure in Anisol-Gegenwart fast quantitativ zu *H-Arg(ω,δ-Z_2)-Ala-OBZL* (LIX) entacyliert werden konnte (s. Schema S. 527).

Der weitere Aufbau des Glucagon-Bruchstücks geschah in Verfahrensanalogie durch stufenweisen Anbau der entsprechenden N_α-(4-Methoxy-benzyloxycarbonyl)-aminosäuren.

N_α-(4-Methoxy-benzyloxycarbonyl)-N_ω,N_δ-di-[benzyloxycarbonyl]-L-arginyl-L-alanin-benzylester [MOZ-Arg(ω,δ-Z_2)-Ala-OBZL]:

N_α-(4-Methoxy-benzyloxycarbonyl)-N_ω,N_δ-di-[benzyloxycarbonyl]-L-arginin[MOZ-Arg(ω,δ-Z_2)-OH[3]: Zu einer auf 3° gekühlten Lösung von 47,7 g MOZ-Arg-OH (s. S. 72) in 100 *ml* 1,4-Dioxan und 280 *ml* 2n Natronlauge werden innerhalb 1 Stde. unter kräftigem Rühren portionenweise 96 *ml* Chlorameisensäure-benzylester und 353 *ml* 2n Natronlauge zugesetzt. Nach weiterem 1 stdgm. Rühren kühlt man die Reaktionsmischung und filtriert den gebildeten Niederschlag ab. Das erhaltene Natriumsalz wird mit 180 *ml* 5%-iger kalter Natriumcarbonat-Lösung gewaschen und danach in 1 *l* Chloroform aufgenommen. Die mit 90 *ml* obiger Natriumcarbonat-Lösung gewaschene und über Natrium-

---

[1] L. Zervas, M. Winitz u. J. P. Greenstein, J. Org. Chem. **22**, 1515 (1957).
[2] C. Gros et al., Helv. **44**, 2042 (1961).
[3] F. Weygand u. E. Nintz, Z. Naturf. **20b**, 429 (1965).
[4] F. C. McKay u. N. F. Albertson, Am. Soc. **79**, 4686 (1957).
F. Weygand u. K. Hunger, B. **95**, 1, 7 (1962).

```
HN   NH2                       HN   NH2                          HN   NH-Z
  ⪞C                             ⪞C                                ⪞C
   |                              |                                 |
   NH                             NH                               N-Z
   |          + MOZ-N3            |           + Z-Cl                |
 (CH2)3      ---------->        (CH2)3        (NaOH)              (CH2)3
   |                              |          ---------->            |
H2N-CH-COOH               MOZ-NH-CH-COOH                     MOZ-NH-CH-COOH
                                LVI                                LVII

                                              HN   NH-Z
          CH3                                   ⪞C
          |                                      |
 + H2N-CH-CO-O-BZL                              N-Z
   (DCCD)                                        |
 ------------------->                          (CH2)3        CH3
                                                 |           |
                                        MOZ-NH-CH-CO-NH-CH-CO-O-BZL
                                                      LVIII

                                              HN   NH-Z
                                                ⪞C
                                                 |
                                                N-Z
          + TFE                                  |
        ---------->                            (CH2)3        CH3
                                                 |           |
                                            H2N-CH-CO-NH-CH-CO-O-BZL
                                                      LIX
```

sulfat getrocknete Chloroform-Lösung hinterläßt nach Eindampfen i. Vak. einen öligen Rückstand, der bei mehrfachem Digerieren mit trockenem Äther kristallisiert (Ausbeute an Natriumsalz: 65 g). Das erhaltene Produkt wird in 500 *ml* absol. Äthanol aufgenommen. Beim Stehen der filtrierten Lösung bei 4° scheidet sich ein zähflüssiges Öl aus, das nochmals analog mit siedendem Äthanol behandelt wird. Die abgetrennte Kristallmasse suspendiert man in 1,4 *l* Essigsäure-äthylester, fügt unter Schütteln 350 *ml* 2%-ige eiskalte Schwefelsäure hinzu. Hierbei erfolgt völlige Lösung. Die abgetrennte, mit 350 *ml* 2%-iger Schwefelsäure gewaschene und über Magnesiumsulfat getrocknete Essigsäure-äthylester-Phase wird i. Vak. eingedampft, der erhaltene feste Rückstand nach Digerieren mit Petroläther abfiltriert und aus Essigsäure-äthylester/Petroläther umkristallisiert; Ausbeute: 31,6 g (37% d. Th.); F: 135–136° (farblose Kristalle); $[\alpha]_{546}^{25} = +14{,}0°$ (c = 1,5; in Äthanol).

N$_\alpha$-(4-Methoxy-benzyloxycarbonyl)-N$_\omega$,N$_\delta$-di-[benzyloxycarbonyl]-L-arginyl-L-alanin-benzylester [MOZ-Arg(ω,δ-Z_2)-Ala-OBZL][1]: 16,7 g MOZ-Arg(ω,δ-Z_2)-OH und 6,72 g H-Ala-OBZL in 120 *ml* Dichlormethan werden bei –15° mit 6,7 g Dicyclohexylcarbodiimid in 45 *ml* Dichlormethan versetzt, die Reaktionsmischung nach 3tägigem Stehen bei –10° in üblicher Weise aufgearbeitet; zum Schluß wird aus Essigsäure-äthylester/Petroläther umkristallisiert; Ausbeute: 18,6 g (87% d. Th.); F: 162–163°; $[\alpha]_{546}^{21} = -1{,}4°$ (c = 1,5; in Dimethylformamid).

36.232. N$_\omega$,N$_\delta$-Di-[adamantyl-(1)-oxycarbonyl]-Derivate*

Die Guanido-Funktionen in Z- und MOZ-Arg-OH sind mit Chlorameisensäure-adamantyl-(1)-ester unter üblichen Bedingungen leicht und in Ausbeuten um 90% diacylierbar[2]; es muß allerdings offengehalten werden, ob diese Diacylierung zu sterisch einheitlichen N$_\omega$,N$_\delta$-Derivaten führt, so wie dies für die Benzyloxycarbonyl-Verbindungen beschrieben wurde (vgl. S. 522ff.). Möglicherweise ist dies auch bedeutungslos, da eine eventuelle N$_{\omega'}$-

[1] F. Weygand u. E. Nintz, Z. Naturf. **20b**, 429 (1965).

[2] G. Jäger u. R. Geiger, B. **103**, 1727 (1970).

* Das Vorliegen einer N$_\omega$,N$_\delta$-Diacyl-Struktur sowie die sterische Einheitlichkeit der Verbindungen ist nicht gesichert; beim Abkürzungs-Symbol wird daher auf den ω,δ-Hinweis verzichtet.

„Adamantyl-(1)-oxycarbonyl-imin-Gruppierung" eine relativ günstige, der N_{im}-tert.-Butyloxycarbonyl- bzw. N_{im}-Adamantyl-(1)-oxycarbonyl-Maskierung ähnliche Stabilität gegen nucleophile Angriffe haben dürfte.

Aus *Z-Arg(AdOC$_2$)-OH* kann durch katalytische Entacylierung *H-Arg(AdOC$_2$)-OH* gewonnen werden; dessen Überführung in *AdOC-Arg(AdOC$_2$)-OH* (s. S. 140) oder in *NPS-Arg(AdOC$_2$)-OH* beschert weitere interessante Tri-acyl-arginine[1].

N_δ,N_ω-Di-[adamantyl-(1)-oxycarbonyl]-L-arginin [H-Arg(AdOC$_2$)-OH]:

N_α-Benzyloxycarbonyl-N_δ,N_ω-di-[adamantyl-(1)-oxycarbonyl]-L-arginin* [Z-Arg(AdOC$_2$)-OH][1]: Zu 20,7 g Z-Arg-OH in 40 *ml* 1,4-Dioxan und 134 *ml* 2n Natronlauge werden unter Vibromischung bei 6–8° innerhalb 1 Stde. gleichzeitig 200 *ml* 2n Natronlauge und 57,4 g frisch hergestellter Chlorameisensäure-adamantyl-(1)-ester in 50 *ml* 1,4-Dioxan zugetropft. Nach 3 stdgm. „Nachvibrieren" bei 5–8° wird zentrifugiert und der Rückstand mit Diäthyläther verrieben, abfiltriert und mit Diäthyläther gewaschen. Das ätherische Filtrat wird i. Vak. bis fast zur Trockene eingedampft, der Rückstand mit Petroläther verrieben, abfiltriert, mit Petroläther gewaschen, zusammen mit obigem Rückstand in Wasser suspendiert und mit 0,5 m Citronensäure auf $p_H = 2$–3 angesäuert. Das freigesetzte Produkt wird in Diäthyläther aufgenommen, die erhaltene Lösung nach Trocknen über Natriumsulfat eingedampft. Verbleibendes Material kristallisiert aus Methanol/Wasser; Ausbeute: 39,2–41,1 g (88–92% d. Th.); F: 120–122° (Zers.); $[\alpha]_D^{22} = +20{,}8°$ (c = 1, in Chloroform).

N_δ,N_ω-Di-[adamantyl-(1)-oxycarbonyl]-L-arginin [H-Arg(AdOC$_2$)-OH][1]: 13,3 g Z-Arg(AdOC$_2$)-OH in 100 *ml* 90%-iger Essigsäure werden in Gegenwart von Palladiumschwarz 150 Min. mit Wasserstoff behandelt. Das Filtrat vom Katalysator wird dann i. Vak. eingedampft, das erhaltene Produkt kristallisiert aus Methanol/Wasser. Es wird abfiltriert, sorgfältig mit Wasser gewaschen, über Phosphor(V)-oxid getrocknet und schließlich mit Methanol/Diäthyläther verrieben; Ausbeute: 8,78 g (80% d. Th.); F: 176° (Zers.). $[\alpha]_D^{22} = -28{,}9°$ (c = 1, in Chloroform).

Der peptidchemische Einsatz der N_α-Acyl-N_ω,N_δ-di-[adamantyl-(1)-oxycarbonyl]-arginine erfolgt wiederum in Gestalt der „Aktiv-Ester" mit gutem Ergebnis[1,2]. So zugänglich gewordene N_α-Benzyloxycarbonyl-peptide (-peptidester etc.) sollten sich einwandfrei zu N_ω,N_δ-Di-[adamantyl-(1)-oxycarbonyl]-arginyl-peptiden selektiv entacylieren lassen. Dies ist jedoch nicht immer der Fall; insbesondere hydrogenolytische Debenzyloxycarbonylierung in essigsaurem Medium läßt als Nebenprodukt eine ninhydrin-negative Substanz auftreten. Den Autoren[1] gelang es in einem Falle, dieses Nebenprodukt als Derivat des 2-Imino-4-carboxy-1,3-diazepans zu identifizieren (vgl. dazu die Entstehung von 1,3-Diazepanen aus N_ω-Nitro-arginin, S. 509).

36.240. Die Peralkylierung der Guanido-Gruppe

Bei Tritylierungsversuchen am H-Arg-OMe (LV) konnten Zervas et al.[3] zeigen, daß bei der üblichen Umsetzung mit Tritylchlorid nach der N_α-Alkylierung auch eine Tritylierung an der Guanido-Gruppe erfolgt, sobald die Prozedur in Gegenwart äquiv. Mengen starker Laugen vorgenommen wird. Bei „stufenweiser" Ausführung der Reaktion werden *TRT-Arg-OMe*(LXI), *TRT-Arg(TRT)-OMe* (LXII) und *TRT-Arg(ω,δ-TRT$_2$)-OMe* (LXIII) von jeweils charakteristischem Schmelzpunkt und spezifischem Drehwert erhalten.

Eine Behandlung von H-Arg-OMe mit einem großen Überschuß an Tritylchlorid in Gegenwart äquiv. Alkalimengen führt sogar zu *TRT-Arg(ω,ω',δ-TRT$_3$)-OMe* (LXIV), der ein in allen „aktiven" Wasserstoff-Atomen blockiertes Arginin-Derivat darstellt und damit der Vorstellung einer Totalmaskierung der Guanido-Gruppe entsprechen sollte. Über die Ver-

---

1 G. Jäger u. R. Geiger, B. **103**, 1727 (1970).
2 R. Geiger et al., Z. Naturf. **24b**, 999 (1969).
3 E. Gazis et al., *Peptides*, Proc. 5th Europ. Peptide Sympos. Oxford 1962, Pergamon Press, Oxford **1963**, S. 17.

* Das Vorliegen einer N_ω,N_δ-Diacyl-Struktur sowie die sterische Einheitlichkeit der Verbindungen sind nicht gesichert; beim Abkürzungs-Symbol wird daher auf den ω,δ-Hinweis verzichtet.

wendung dieser N-guanido-alkylierten Arginine LXII–LXIV zu Peptidsynthesen liegen bislang noch keinerlei Angaben vor.

$$H_2N{-}CH(CO{-}OCH_3){-}(CH_2)_3{-}NH{-}C({=}NH){-}NH_2 \ (\text{LX}) \xrightarrow[\text{(TÄA)}]{+\ \text{TRT-Cl}} \text{TRT-NH-CH(CO-OCH}_3\text{)-(CH}_2)_3\text{-NH-C(=NH)-NH}_2 \ (\text{LXI}) \xrightarrow[(OH^{\ominus})]{+\ \text{TRT-Cl}} \text{TRT-NH-CH(CO-OCH}_3\text{)-(CH}_2)_3\text{-NH-C(=NH)-NH-TRT} \ (\text{LXII})$$

$$\text{LX} \xrightarrow[(OH^{\ominus})]{+\ \text{TRT-Cl (Überschuß)}} \text{TRT-NH-CH(CO-OCH}_3\text{)-(CH}_2)_3\text{-N(TRT)-C(=N-TRT)-NH-TRT} \ (\text{LXIV})$$

$$\text{LXII} \xrightarrow[(OH^{\ominus})]{+\ \text{TRT-Cl}} \text{TRT-NH-CH(CO-OCH}_3\text{)-(CH}_2)_3\text{-N(TRT)-C(=NH)-NH-TRT} \ (\text{LXIII})$$

36.250. Die Protonierung der Guanido-Funktion

Mit der erfolgreichen peptidchemischen Umsetzung von *NZ-Arg(HCl)-Cl* bzw. *Z-Arg (HBr)-OH* mittels Pyrophosphorigsäure-tetraäthylester (Tetraäthyl-pyrophosphit) in Phosphorigsäure-diäthylester (Diäthyl-phosphit) haben Gish und Carpenter[1] bzw. Anderson[2] erstmals demonstriert, daß eine eindeutige Maskierung der komplexen Guanido-Gruppe durch Salzbildung mit starken Säuren erzielt werden kann. Du Vigneaud, Gish und Katsoyannis[3] haben in ihren *Vasopressin*-Synthesen mit gleich gutem Erfolg guanido-protoniertes Arginin als Bestandteil einer Aminopeptid-Komponente eingesetzt (s. auch Zahn[4] und Boissonnas[5]):

$$\text{Z-Arg(HX)-OH} \longleftarrow \text{Arg} \longrightarrow \text{H-Arg(HX)-OR}$$

$$\text{Z-Arg(HX)-OH} \xrightarrow[\text{(DCCD od. TÄPP)}]{+\ H_2N{-}R^1} \text{Z-Arg(HX)-NH-R}^1$$

$$\text{H-Arg(HX)-OR} \xrightarrow[\text{(DCCD)}]{+\ R^2{-}COOH} R^2\text{-CO-Arg(HX)-OR}$$

X = Cl, Br etc.

---

[1] D. T. Gish u. F. H. Carpenter, Am. Soc. **75**, 5872 (1953).
[2] G. W. Anderson, Am. Soc. **75**, 6081 (1953).
[3] V. du Vigneaud, D. T. Gish u. P. G. Katsoyannis, Am. Soc. **76**, 4751 (1954).
[4] H. Zahn u. J. F. Diehl, Ang. Ch. **69**, 135 (1957); Z. Naturf. **12b**, 85 (1957).
[5] R. A. Boissonnas et al., Experientia **12**, 446 (1956).

Diese Methode der Ausschaltung der Guanido-Funktion ist in der Folge vielfach bei der Herstellung auch höherer Peptide benutzt worden[1]. Vor allem die Feststellung von Boissonnas[2] verdient Beachtung, nach der sich Z-Arg-OH und Aminosäureester-Hydrohalogenide nach Auflösung in Pyridin oder Dimethylformamid/Diäthylphosphit nach der Carbodiimid-Methode verknüpfen lassen. Nach den Befunden von Wünsch und Wendlberger[3,4] ist hierbei einer „Hydrobromid-Maskierung" der Guanido-Gruppe eindeutig der Vorzug zu geben, da Arginin-Hydrobromid-Derivate die günstigsten Löslichkeitseigenschaften aufweisen (Vgl. dazu die Synthese des *Sekretins*[5]). Anscheinend ist eine „Hydrobromid-Maskierung" auch eine gute Basis für die Erstellung eines für die Peptidsynthese nach Hirschmann et al. recht brauchbaren H-[Arg(HBr)-NCA][6,7] (s. dazu S. II/188 u. II/199).

L-Arginyl(hydrobromid)-L-alanyl-L-glutaminyl-L-asparagyl(β-tert.-butylester)-L-phenylalanyl-L-valin-tert.-butylester-Hydroacetat [H-Arg(HBr)-Ala-Gln-Asp(OtBu)-Phe-Val-OtBu · Ac-OH]:

N_α-Benzyloxycarbonyl-L-arginin [Z-Arg-OH][8]: Zu 63 g (0,3 Mol) Arginin-Monohydrochlorid in 300 *ml* 1n Natronlauge werden unter Rühren bei 0° während 1 Stde. 55 *ml* Chlorameisensäurebenzylester und 165 *ml* 2n Natronlauge so zugegeben, daß ein $p_H = 9$–10 eingehalten wird. Nach weiteren 2 Stdn. Rühren, währendessen der p_H-Wert auf 7,0–7,5 absinkt, filtriert man den gebildeten Niederschlag ab. Das mit Wasser gewaschene, aus siedendem Wasser umkristallisierte und getrocknete Rohprodukt wird 1 Stde. mit einem Gemisch von 200 *ml* Aceton und 150 *ml* Äther digeriert und bei 50° i. Vak. getrocknet; Ausbeute: 82,7 g (89% d. Th.); F: 184° (Zers.); $[\alpha]_D^{23} = -9{,}3 \pm 0{,}5°$ (c = 2, in n Salzsäure).

N_α-Benzyloxycarbonyl-L-arginin-Hydrobromid [Z-Arg(HBr)-OH][2]: 8,0 g Z-Arg-OH (s. oben) werden in 20 *ml* Bromwasserstoff in Methanol (1,4 n) gelöst. Die auf Zugabe von 100 *ml* absol. Äther gebildete Fällung wird abfiltriert, mit Äther gewaschen und i. Vak. getrocknet; Ausbeute: 10,0 g (99% d. Th.); F: 177°.

N_α-Benzyloxycarbonyl-L-arginyl (hydrobromid)-L-alanyl-L-glutaminyl-L-asparagyl (β-tert.-butylester)-L-phenylalanyl-L-valin-tert.-butylester [Z-Arg(HBr)-Ala-Gln-Asp(OtBu)-Phe-Val-OtBu][4]: 12,5 g H-Ala-Gln-Asp(OtBu)-Phe-Val-OtBu und 7,78 g Z-Arg(HBr)-OH (s. oben) in 100 *ml* Pyridin werden bei −10° mit 4,12 g Dicyclohexylcarbodiimid versetzt. Die Reaktionsmischung wird anschließend 6 Stdn. bei −5° und weiter 48 Stdn. bei Raumtemp. gerührt. Man kühlt auf −10°, ab, filtriert vom ausgefallenen N,N'-Dicyclohexyl-harnstoff und dampft die Lösung schließlich i. Vak. vollständig ein. Der im Vakuumexsikkator über Phosphor(V)-oxid getrocknete Rückstand wird 3 mal mit absol. Äther digeriert und anschließend 2 mal aus Methanol/Essigsäure-äthylester umgefällt; Ausbeute: 17,6 g (91% d. Th.); F: 196,5–197°; $[\alpha]_D^{20} = -38{,}1 \pm 1°$ bzw. $[\alpha]_{546}^{20} = -46{,}0°$ (c = 1, in Methanol).

L-Arginyl(hydrobromid)-L-alanyl-L-glutaminyl-L-asparagyl(β-tert.-butylester)-L-phenylalanyl-L-valin-tert.-butylester-Hydroacetat [H-Arg(HBr)-Ala-Gln-Asp(OtBu)-Phe-Val-OtBu · Ac-OH][4]: 19,8 g N_α-Benzyloxycarbonyl-hexapeptid-tert.-butylester (s. oben) in 200 *ml* Methanol werden in Gegenwart von 1,1 *ml* Eisessig und Palladiumschwarz als Katalysator wie üblich hydriert. Das Filtrat wird i. Vak. eingedampft, der Rückstand in wenig heißem Methanol aufgenommen und in viel absol. Diäthyläther eingerührt. Der flockige Niederschlag wird abfiltriert und i. Vak. bei 50–60° über Kaliumhydroxid und Phosphor(V)-oxid getrocknet (das lösungsmittel-feuchte Produkt ist sehr hygroskopisch); Ausbeute: 17,4 g (94% d. Th.); F: 173–175°; $[\alpha]_D^{20} = -32{,}4 \pm 1°$ bzw. $[\alpha]_{546}^{20} = -39{,}5°$ (c = 1, in Methanol).

Diese „Guanido-Blockierung" besitzt den großen Vorteil der Unkompliziertheit und den Wegfall einer nachträglichen Schutzgruppen-Entfernung, aber auch den manchmal großen Nachteil der durch die Salzbildung bedingten speziellen Löslichkeitseigenschaften (z. B. Löslichkeit in Wasser) der erhaltenen Peptid-Derivate (insbesondere bei mehreren

---

[1] V. du Vigneaud et al., Am. Soc. **80**, 3355 (1958).
R. Schwyzer et al., Ang. Ch. **72**, 915 (1960).
R. A. Boissonnas et al., Helv. **44**, 123 (1961).
S. Guttmann, Helv. **44**, 721 (1961).
K. Hofmann et al., Am. Soc. **83**, 487 (1961).
[2] R. A. Boissonnas et al., Helv. **41**, 1867 (1958).
[3] E. Wünsch u. G. Wendlberger, B. **100**, 820 (1967).
[4] E. Wünsch u. G. Wendlberger, B. **100**, 160 (1967).
[5] E. Wünsch, G. Wendlberger u. P. Thamm, B. **104**, 2445 (1971).
[6] R. Hirschmann et al., Am. Soc. **93**, 2746 (1971).
[7] M. Weinert et al., H. **352**, 719 (1971).
[8] G. W. Anderson, Am. Soc. **75**, 6081 (1953).

Arg-Resten in der Sequenz), wodurch deren Reindarstellung erschwert werden kann. Im letztgenannten Falle dürfte möglicherweise ein geeigneter Ausweg in einer Kombination zweier Maskierungsverfahren zu finden sein (s. dazu S. 525).

36.260. Nachträglicher Aufbau der Guanido-Gruppe

Im „interessierenden" Falle läßt sich die Überführung von Ornithin in *Arginin* mit Hilfe teilweise altbekannter Methoden bewerkstelligen: mit Cyanamid[1], Guanidin[2] oder günstiger S-Methyl-isothioharnstoff[3] bzw. O-Methyl-isoharnstoff (LXV)[4] stehen geeignete Reagenzien zur Verfügung:

$$\cdots\text{-NH-}\underset{\underset{NH_2}{|}}{\overset{(CH_2)_3}{CH}}\text{-CO-}\cdots \xrightarrow[\text{LXVI: 1-Amidino-3,5-dimethyl-pyrazol } (H_3C,\ CH_3;\ N\text{-}C(=NH)NH_2)]{+\ H_3C\text{-}O\text{-}C(=NH)NH_2\ \ (\text{LXV})} \cdots\text{-NH-}\underset{\underset{NH\text{-}C(=NH)NH_2}{|}}{\overset{(CH_2)_3}{CH}}\text{-CO-}\cdots$$

Mehrere Autoren[5] haben sich dieser Verfahren z.B. bei der Überführung der Ornithyl- in Arginyl-Reste im *Tyrocidin* bzw. *Gramicidin*, von Poly-Ornithin in *Poly-Arginin* bzw. von TOS-Orn-Gly-OH in *TOS-Arg-Gly-OH* bedient; ein vorzügliches Beispiel der nachträglichen Erstellung von Guanido-Funktionen ist die Umwandlung eines Orn^{10}-Orn^{12}-Eicosapeptids mit der (ansonst) terminalen Sequenz 1–20 der Ribonuclease A in ein „*$hArg^1$-$hArg^7$-Arg^{12}-S-Peptid-Analogon*"[6].

Als Amidinierungsreagens wird neuerdings von Habeeb[7] 1-Amidino-3,5-dimethyl-pyrazol (LXVI) empfohlen. Diese Methodik (oft als „Guanylierung" bezeichnet) haben Bodanszky et al.[8] mit Erfolg bei der Synthese von *Arginin-Vasopressin* bzw. *-Vasotocin* in stufenweisem „Benzyloxycarbonyl-nitrophenylester-Aufbau" benutzt, wobei die N_δ-Amino-Gruppe des Ornithins durch den Phthalyl-Rest geschützt war. Nach hydrazinolytischer Entfernung der N_δ-Ornithin-Maskierung wurden die beiden N_α-benzyloxycarbonyl- bzw. S-benzyl-geschützten Nonapeptid-amide in Dimethylformamid mit 1-Amidino-3,5-dimethyl-pyrazol-Salpetersäure-Salz und Triäthylamin bei $p_H = 8$–9 über 4 Tage umgesetzt, die gebildeten Argininpeptide als Hydroacetate isoliert. In analoger Weise war es den Autoren möglich, ein N_α-Benzyloxycarbonyl-Derivat der ACTH-Sequenz 6–10 zu gewinnen.

---

[1] E. BAUMANN, A. **167,** 77 (1873).
E. SCHULZE u. E. WINTERSTEIN, B. **32,** 3191 (1899).
[2] H. RAMSEY, B. **41,** 4385 (1908).
[3] J. KAPFHAMMER u. H. MÜLLER, Helv. **24,** 645 (1941); J. Org. Chem. **2,** 480 (1937).
E. SCHÜTTE, H. **279,** 52 (1943).
[4] F. TURBA u. K. SCHUSTER, H. **283,** 27 (1948).
P. J. VITHAYATHIL u. F. M. RICHARDS, J. Biol. Chem. **235,** 1029 (1960).
[5] H. N. CHRISTENSEN, J. Biol. Chem. **160,** 75 (1945).
A. B. SILAEV u. V. M. STEPANOV, Dokl. Akad. SSSR **112,** 297 (1957).
E. KATCHALSKI u. P. SPITNIK, Nature **164,** 1092 (1949); Am. Soc. **73,** 3992 (1951).
B. C. BARRASS u. D. T. ELMORE, Soc. **1957,** 3134.
M. ZAORAL u. J. RUDINGER, Pr. Chem. Soc. **1957,** 176.
[6] G. BORIN et al., Int. J. Pept. Prot. Res. **4,** 27 (1972).
[7] A. F. S.A. HABEEB, Canad. J. Biochem. Physiol. **38,** 493 (1960).
[8] M. BODANSZKY et al., Am. Soc. **86,** 4952 (1964).

L-Histidyl-L-phenylalanyl-L-arginyl(hydrobromid)-L-tryptophyl-glycin [H-His-Phe-Arg(HBr)-Trp-Gly-OH]:

N_α-Benzyloxycarbonyl-L-histidyl-L-phenylalanyl-L-ornithyl-L-tryptophyl-glycin-tert.-butylester [Z-His-Phe-Orn-Trp-Gly-OtBu][1]: Zu 500 mg Z-His-Phe-Orn(PHT)-Trp-Gly-OtBu in 3,5 *ml* Methanol und Chloroform (2.5 : 1) gibt man 1 *ml* 2n methanolischer Hydrazin-Lösung und läßt 3 Stdn. bei Raumtemp. reagieren. Nach Ansäuern der Mischung mit 4n methanolischer Essigsäure und Stehenlassen über Nacht im Kühlschrank filtriert man vom ausgeschiedenen Phthalhydrazid ab. Den nach Einengen des Filtrats erhaltenen Rückstand extrahiert man 5mal mit je 10 *ml* 20%-iger wäßr. Essigsäure, die vereinigten und filtrierten Auszüge werden wie üblich lyophilisiert; Ausbeute: 430 mg (99% d. Th.).

Das so erhaltene Produkt wird ohne weitere Reinigung umgesetzt.

L-Histidyl-L-phenylalanyl-L-arginyl(hydrobromid)-L-tryptophyl-glycin [H-His-Phe-Arg(HBr)-Trp-Gly-OH][1]: 240 mg Z-His-Phe-Orn-Trp-Gly-OtBu werden unter Stickstoff mit 3 *ml* Trifluoressigsäure übergossen. Nach 15 Min. Stehenlassen bei Raumtemp., wobei Lösung erfolgt, fügt man 40 *ml* absol. Äther zu. Der gebildete Niederschlag wird abfiltriert, mit Äther gewaschen und sorgfältig i. Vak. über Kaliumhydroxid getrocknet. 203 mg des so erhaltenen Benzyloxycarbonyl-pentapeptids und 120 mg 1-Guanyl-3,5-dimethyl-pyrazol-Salpetersäure-Salz werden in einem Gemisch von 1,2 *ml* Dimethylformamid und 0,24 *ml* Triäthylamin gelöst, der Reaktionsansatz 4 Stdn. bei 38–40° und 60 Stdn. bei Raumtemp. stehengelassen. Das nach Zusatz von 10 *ml* Wasser ausfallende Produkt wird abzentrifugiert und i. Vak. getrocknet (178 mg).

Zur Abspaltung der Benzyloxycarbonyl-Gruppe wird die Verbindung unter Stickstoff in 4 *ml* eines Gemisches von Essigsäure und Bromwasserstoff/Eisessig (ges.) gelöst. Nach 1 stdgm. Aufbewahren bei Raumtemp. wird mit absol. Äther verdünnt, der Niederschlag abfiltriert, sorgfältig mit Äther gewaschen und durch Chromatographie an 5 g Carboxymethylcellulose wie üblich gereinigt; Ausbeute: 95 mg; $[\alpha]_D^{20} = -11 \pm 1°$ (c = 1, in n Salzsäure) [Lit[2].: $[\alpha]_D^{26} = -11,8°$ (c = 0,9, in n Salzsäure)].

---

[1] M. BODANSZKY et al., Am. Soc. **86**, 4952 (1964).

[2] K. HOFMANN u. S. LANDE, Am. Soc. **83**, 2286 (1961).

Tab. 60. Derivate des L-Arginins

N_G-Derivate [H-Arg(R)-OH]

R	F [°C]	$[\alpha]_D$	t	c	Lösungsmittel	Literatur	Literatur entsprechender D-Verbindung
Z	190	+9,5	25	6,12	Wasser + 1 Äquiv. Salzsäure	[1]	
Z, Z	160					[1,2]	
NZ	140,5–142	+16,8	24	1	6n Salzsäure	[3]	
TOS	146–150	−5,5	25	1,3	Methanol	[4,5]	
NO_2	251–252	+24,3	25	4,12	2n Salzsäure	[6–13]	[10,14]
$AdOC_2$ [a]	176 (Zers.)	−28,9	22	1	Chloroform	[15]	

[a] Hydrat

[1] L. Zervas, M. Winitz u. J. P. Greenstein, J. Org. Chem. **22**, 1515 (1957).
[2] F. Weygand u. E. Nintz, Z. Naturf. **20b**, 429 (1965).
[3] D. T. Gish u. F. H. Carpenter, Am. Soc. **75**, 5872 (1953).
[4] J. Ramachandran u. C. H. Li, J. Org. Chem. **27**, 4006 (1962).
[5] S. Guttmann, J. Pless u. R. A. Boissonnas, Helv. **45**, 170 (1962).
[6] K. Hofmann, W. D. Peckham u. A. Rheiner, Am. Soc. **78**, 238 (1956).
[7] N. Heyboer, G. H. Visser u. K. E. T. Kerling, R. **81**, 69 (1962).
[8] M. Bergmann, L. Zervas u. H. Rinke, H. **224**, 40 (1934).
[9] H. O. van Orden u. E. L. Smith, J. Biol. Chem. **208**, 751 (1954).
[10] H. Gibian u. E. Schröder, A. **642**, 145 (1961).
[11] G. Harris u. I. C. MacWilliam, Soc. **1961**, 2053.
[12] G. R. Pettit, R. L. Smith u. H. Klinger, J. Med. Chem. **10**, 145 (1967).
[13] T. Hayakawa et al., Bl. chem. Soc. Japan **40**, 1205 (1967).
[14] H. Yajima u. K. Kubo, Am. Soc. **87**, 2039 (1965).
[15] G. Jäger u. R. Geiger, B. **103**, 1727 (1970).

Tab. 60. (1. Fortsetzung)

N_α,N_G-Bis-Derivate [R¹-Arg(R)-OH]

R	R¹	F [°C]	$[\alpha]_D$	t	c	Lösungsmittel	Literatur	Literatur entsprechender D-Verbindung
Z	Z	150	−10,0	25	1	Pyridin	1,2,3	
Z, Z	Z	138–139	+15,5	25	1	Chloroform	3,1,4	
Z, Z	BOC	141–142 (Zers.)					5	
Z, Z	MOZ	135–136	+14,0[h]	20	1	Äthanol	6	
Z	NPS	105					7	
NZ	NZ	180,5–181,5	+6,3	25	1	0,6n Salzsäure/ 1,4-Dioxan 1:4	8	
NZ	BOC	118–120	−5,6 [f]			Dimethylformamid	9	
BOC	Z	100 (Zers.)	−2,44	20	2	Methanol	10,11	
BOC	BOC	182–184 (Zers.)	−5,6 [f]	18–25	1	Essigsäure	11	
TOS	Z	86–89	−1,3	25	4	Dimethylformamid	12,13,14	15
	a	152–154	+6,1	25	3,2	Methanol	12	
TOS	BOC	99–100	−3,3	25	4	Dimethylformamid	12,16	
	e	amorph	−3,5 [f]	18–25	1	Essigsäure	11	
TOS	MAZ	115	+6,1		1	Essigsäure	17	
BYS	BYS	84–86	−8,7	26	1	1n Natrium-hydroxid	18,19	

[a] CHA-Salz
[e] Monohydrat
[f] $[\alpha]_{578}$
[h] $[\alpha]_{546}$

[1] L. Zervas, M. Winitz u. J. P. Greenstein, Arch. Biochem. **65**, 573 (1956).
[2] L. Zervas, T. T. Otani, M. Winitz u. J. P. Greenstein, Am. Soc. **81**, 2878 (1959).
[3] L. Zervas, M. Winitz u. J. P. Greenstein, J. Org. Chem. **22**, 1515 (1957).
[4] E. Wünsch u. G. Wendlberger, B. **100**, 160 (1967).
[5] C. Gros, M. P. de Garilhe, A. Costopanagiotis u. R. Schwyzer, Helv. **44**, 2042 (1961).
[6] F. Weygand u. E. Nintz, Z. Naturf. **20b**, 429 (1965).
[7] L. Zervas u. C. Hamalidis, Am. Soc. **87**, 99 (1965).
[8] D. T. Gish u. F. H. Carpenter, Am. Soc. **75**, 950 (1953).
[9] E. Schnabel et al., A. **716**, 175 (1968).
[10] Z. Paulay u. S. Bajusz, Acta chim. Acad. Sci. hung. **43**, 147 (1965).
[11] E. Schnabel, A. **702**, 188 (1967).
[12] J. Ramachandran u. C. H. Li, J. Org. Chem. **27**, 4006 (1962).
[13] E. Schnabel u. C. H. Li, Am. Soc. **82**, 4576 (1960).
[14] G. R. Pettit u. A. K. Das Gupta, Canad. J. Chem. **45**, 567 (1967).
[15] M. Zaoral, J. Kolč u. F. Šorm, Collect. czech. chem. Commun. **32**, 1242 (1964).
[16] D. Yamashiro, J. Blake u. C. H. Li, Am. Soc. **94**, 2855 (1972).
[17] R. Schwyzer u. C. H. Li, Nature **182**, 1669 (1958).
[18] J. P. Greenstein u. M. Winitz, *Chemistry of the Amino Acids* **2**, 924 (1960).
[19] H. B. Milne u. C.-H. Peng, Am. Soc. **79**, 639 (1957).

Tab. 60. (2. Fortsetzung)

R	R[1]	F [°C]	$[\alpha]_D$	t	c	Lösungsmittel	Literatur	Literatur entsprechender D-Verbindung
NO_2	Z	134–136	−3,5	27	1,02	Methanol	1–6	4,7
NO_2	CZ	161–162	−4,1		2	Äthanol	8	
NO_2	NZ	145–146	−8,0	22	1,11	Aceton	9	
NO_2	ACA	143–145					10,11	
NO_2	BOC	115–116 (Zers.)	−5,9	28	2,46	Dimethylformamid	12–14	
	c	111–114	−22,8	20	1,9	Pyridin	15	
	d	98–100	+2,8	25,5	2,3	Methanol	16	
NO_2	Bz	158–159	+1,4	24	1	Methanol	17	
NO_2	MBV b	101–107	+12,02	25	2	Dimethylformamid	18	
NO_2	MOZ	148–149,5 (Zers.)	−9,3	18	2,1	Pyridin	19,20	
NO_2	PHT	209–210,5					3	
NO_2	TRT	149–155					21,22	
NO_2	AOC	139–141 (Zers.)	−28,2	18	2	Pyridin	23	

[b] DCHA-Salz
[c] x 3/4 Tetrahydrofuran
[d] x 1/2 Essigsäure-äthylester

1 K. Hofmann, W. D. Peckham u. A. Rheiner, Am. Soc. **78**, 238 (1956).
2 M. Bergmann, L. Zervas u. H. Rinke, H. **224**, 40 (1934).
3 H. O. van Orden u. E. L. Smith, J. Biol. Chem. **208**, 751 (1954).
4 H. Gibian u. E. Schröder, A. **642**, 145 (1961).
5 G. Harris u. I. C. MacWilliam, Soc. **1961**, 2053.
6 G. R. Pettit, R. L. Smith u. H. Klinger, J. Med. Chem. **10**, 145 (1967).
7 H. Yajima u. K. Kubo, Am. Soc. **87**, 2039 (1965).
8 L. Kisfaludy, Privatmitteilung.
9 C. Berse u. L. Piche, J. Org. Chem. **21**, 808 (1956).
10 V. Giormani, F. Filira, R. A. Syed u. F. d'Angeli, Ricerca sci. **37**, 84 (1964).
11 F. d'Angeli et al., Privatmitteilung.
12 K. Hofmann, W. Haas, M. J. Smithers et al., Am. Soc. **87**, 620 (1965).
13 E. Schnabel, A. **702**, 188 (1967).
14 A. Ali, F. Fahrenholz u. B. Weinstein, Ang. Ch. **84**, 259 (1972).
15 E. Wünsch u. A. Zwick, B. **97**, 3312 (1964).
16 K. Inouye, Bl. chem. Soc. Japan **38**, 1148 (1965).
17 N. Nishi, S. Tokura u. J. Noguchi, Bl. chem. Soc. Japan **43**, 2900 (1970).
18 G. L. Southard, G. S. Brooke, u. J. M. Pettee, Tetrahedron **27**, 1359 (1971).
19 S. Sakakibara I. Honda et al., Experientia **25**, 576 (1969); C. A. **71**, 81701 (1969).
20 E. Klieger, A. **724**, 204 (1969).
21 R. Schwyzer, W. Rittel, H. Kappeler u. B. Iselin, Ang. Ch. **72**, 915 (1960).
22 W. Rittel, Helv. **45**, 2465 (1962).
23 I. Honda, Y. Shimonishi u. S. Sakakibara, Bl. chem. Soc. Japan **40**, 2415 (1967).

Tab. 60. (3. Fortsetzug)

R	R[1]	F [°C]	$[\alpha]_D$	t	c	Lösungsmittel	Literatur	Literatur entsprechender D-Verbindung
NO_2	D-IbOC	153–153,5	—28,7	25	1	Äthanol	1	
NO_2	BPOC [g]	120–123	+6,3	20	1	Methanol	2	
NO_2	NPS [b]	150–151	—4,5	20	1	Dimethylformamid	3	
TOS	AOC	79,5–83	—13	25	1,9	Pyridin	4	
$AdOC_2$	Z	120–122 (Zers.)	+20,8	22	1	Chloroform	5	
$AdOC_2$	MOZ	110–112 (Zers.)	+16,1	22	1	Chloroform	5	
$AdOC_2$	AdOC	158–160 (Zers.)	+15,7	22	1	Chloroform	5	
$AdOC_2$	NPS	115–120 (Zers.)	—3,5	22	1	Chloroform	5	
TOS	BPOC [a]	amorph					6	
ITBz	Z	180	—45	24		Dimethylformamid	7	

[a] CHA-Salz
[b] DCHA-Salz
[g] x Diäthyläther

[1] M. FUJINO et al., Chem. Pharm. Bull. (Tokyo) **20**, 1017 (1972).
[2] S. S. WANG u. R. B. MERRIFIELD, Int. J. Pept. Prot. Res. **1**, 235 (1969).
[3] M. GUARNERI et al., G. **101**, 363 (1971).
[4] T. FUJII u. S. SAKAKIBARA, Bl. chem. Soc. Japan **43**, 3954 (1970).
[5] G. JÄGER u. R. GEIGER, B. **103**, 1727 (1970).
[6] R. S. FEINBERG u. R. B. MERRIFIELD, Tetrahedron **28**, 5865 (1972).
[7] S. GUTTMANN, Privatmitteilung.

Tab. 60. (4. Fortsetzung)

Carboxy-substituierte N_G-Derivate [H-Arg(R)-R²]

R	R²		F [°C]	$[\alpha]_D$	t	c	Lösungsmittel	Literatur	Literatur entsprechender D-Verbindung
Z	OMe	a	110 (Zers.)					1	
Z	OBZL		129–130					2,1	
TOS	OBZL		74–75	+3,3	25	2	Dimethylformamid	3	
NO_2	OEt	b	175					4	
		c	92–94	+12,2	25	1,57	Methanol	4	
NO_2	OMe	c	159–161	+17,5	25	3,2	Methanol	5,6,7,8	6
NO_2	OBZL	b	212					4	
		c	171–173	+15,0	20		Methanol	9,4,10	
		e		−1,4	25,5	1,97	Methanol	11	
		f	132–134	+11,7	24	3	Pyridin	12	
NO_2	ONB	d	175	+5,0	22	1	Dimethylformamid	13	
NO_2	NH_2	d	237–239	+13,7	26	2,5	Wasser	11	

a x 2 HCl x H_2O
b Helianthat [4′-Dimethylamino-azobenzol-sulfonsäure-(4)-Salz]
c Monohydrochlorid
d Monohydrobromid
e 4-Toluolsulfonsäure-Salz
f Di-(4-Toluolsulfonsäure)-Salz

36.300. Imidazol- und Pyrazol-Funktionen

Im biologischen „Aktiv-Zentrum" von Peptid-Wirkstoffen spielt oft ein Histidin-Rest [= β-(Imidazolyl-4/5)-alanin] dank seines schwach basischen Heterocyclus eine entscheidende Rolle; von Interesse sollten auch die (synthetischen) imidazol-isomeren β-Pyrazolyl-alanine sein. Einen Aufbau von Peptiden mit diesen heterocyclischen Aminosäuren* sollen die folgenden Betrachtungen beleuchten.

1 L. Zervas, M. Winitz u. J. P. Greenstein, J. Org. Chem. **22**, 1515 (1957).
2 L. Zervas, T. T. Otani, M. Winitz u. J. P. Greenstein, Am. Soc. **81**, 2878 (1959).
3 J. Ramachandran u. C. H. Li, J. Org. Chem. **27**, 4006 (1962).
4 H. Zahn u. J. F. Diehl, Z. Naturf. **12b**, 85 (1957).
5 K. Hofmann, W. D. Peckham u. A. Rheiner, Am. Soc. **78**, 238 (1956).
6 H. Gibian u. E. Schröder, A. **642**, 145 (1961).
7 S. Lande, J. Org. Chem. **27**, 4558 (1962).
8 H. O. van Orden u. E. L. Smith, J. Biol. Chem. **208**, 751 (1954).
9 G. Harris u. I. C. MacWilliam, Soc. **1963**, 5552.
10 G. L. Tritsch u. D. W. Woolley, Am. Soc. **82**, 2787 (1960).
11 H. Otsuka, K. Inouye et al., Bl. chem. Soc. Japan **39**, 882 (1966).
12 S. Sakakibara u. N. Inukai, Bl. chem. Soc. Japan **39**, 1567 (1966).
13 R. A. Boissonnas, S. Guttmann u. P.-A. Jaquenoud, Helv. **43**, 1349 (1960).

* Ausgenommen hiervon sei β-Pyrazolyl-(1)-alanin, für das gewisse Analogien zu N_{im}-Alkyl-histidin und zu β-[Pyridyl-(2)]-alanin (dessen „Aza-Nor-Analogon" diese Aminosäure darstellt) bestehen.

36.310. Synthesen mit ungeschützter Imidazol-Funktion

Die Einbeziehung der Aminosäure Histidin, als gleichzeitiger Träger der schwach basischen Imidazol-Funktion, in die Synthese von Peptiden der Sequenz „X-His" bietet anscheinend kaum Schwierigkeiten, wenn man von der Abänderung der ansonsten üblichen Aufarbeitungsmethodik absieht (Auswaschen nicht umgesetzter Amino-Komponente mit verd. Säure entfällt meistens).

Mit Hilfe von Säurechlorid-[1], Azid-[2], Misch-Anhydrid-[3,4], Aktiv-Ester-[4] und Carbodiimid-[5] Methoden konnten zahlreiche „Kopfkomponenten" mit Histidin-estern oder Histidyl-peptiden (Histidin in verschiedener Sequenzstellung) erfolgreich verknüpft werden, doch sollte nicht außer acht gelassen werden, daß der Imidazol-Teil des Histidins einer „Mitreaktion" jederzeit zugänglich sein kann. Die immer bestehende Gefahr einer Racemisierung beim Einsatz höherer Peptid-Derivate mit carboxy-endständiger, optisch-aktiver Aminosäure als Kopfkomponente wird damit erhöht.

N-Benzyloxycarbonyl-L-glutamyl(γ-tert.-butylester)-L-histidin-methylester [Z-Glu(OtBu)-His-OMe]:
L-Histidin-methylester-Dihydrochlorid [H-His(HCl)-OMe · HCl][6]: 30 g Histidin-Hydrochlorid werden in 450 *ml* absol. Methanol unter Zugabe von 8 *ml* konz. Schwefelsäure 1 Stde. unter Rückfluß gekocht, weitere 2 Stdn. unter Einleiten von trockenem Chlorwasserstoff. Beim Abkühlen der Lösung kristallisiert das Ester-Dihydrochlorid aus; Ausbeute: 33 g; F: 200–201°.

N-Benzyloxycarbonyl-L-glutamyl(γ-tert.-butylester)-L-histidin-methylester [Z-Glu(OtBu)-His-OMe][7]: 13,25 g Z-Glu(OtBu)-OH und 7,43 g H-His-OMe (F: 58–61°), aus dem Dihydrochlorid mittels Ammoniak nach Hillmann[8] bereitet, in 120 *ml* Acetonitril werden bei 0° mit 9,24 g Dicyclohexylcarbodiimid versetzt. Der Ansatz wird 1 Stde. bei 0° gerührt und 15 Stdn. bei dieser Temp. stehengelassen. Vom ausgeschiedenen N,N'-Dicyclohexyl-harnstoff wird abfiltriert, mit wenig Essigsäure-äthylester nachgewaschen und aus dem Filtrat durch Zugabe von 500 *ml* Äther der Dipeptidester als Gallerte ausgefällt, der aus Essigsäure-äthylester/Äther ein farbloses mikrokristallines Pulver ergibt; Ausbeute: 15,2 g (80% d.Th.); F: 116°; $[\alpha]_D^{20} = -11,4 \pm 1°$ (c = 1,25; in Methanol).

N-Benzyloxycarbonyl-L-glutamyl(Cγ-4,4'-dimethoxy-dityl-amid)-L-histidin [Z-Gln(DOD)-His-OH]:
N-Benzyloxycarbonyl-L-glutamyl(Cγ-4,4'-dimethoxy-dityl-amid)-L-histidin-methylester [Z-Gln(DOD)-His-OMe][9]: 456 g Z-Gln(DOD)-OH (s. S. 718), 242 g H-His(HCl)-OMe·HCl (s. weiter oben) und 270 g 1-Hydroxy-benzotriazol werden in 3 *l* Dimethylformamid verrührt. Dazu gibt man 260 *ml* N-Äthyl-morpholin und bei 0° eine kalte Lösung von 220 g Dicyclohexylcarbodiimid in wenig Dimethylformamid. Man rührt 1 Stde. bei 0°, 2 Stdn. bei Raumtemp. und läßt über Nacht bei gleicher Temp. stehen. Unter Tags wird das Filtrat vom N,N'-Dicyclohexyl-harnstoff mit ~ 3 kg Eis und anschließend mit ~ 10–20 *l* Wasser versetzt. Mit einer ges. Kaliumhydrogencarbonat-Lösung wird $p_H = 8$ eingestellt. Man rührt gut durch und läßt 1 Stde. bei 0° stehen. Nun wird abfiltriert und mit Wasser gewaschen. Bei 40° wird im Vakuumtrockenschrank getrocknet.

Die Substanz trocknet nur sehr langsam und wird daher in noch feuchtem Zustand weiter verarbeitet. Eine kleine Probe weiter getrocknet und letztlich aus Methanol umkristallisiert; F: 204–207°; $[\alpha]_D^{20} = -0,3°$ (c = 1, in Dimethylacetamid).

---

[1] E. Fischer u. L. H. Cone, A. **363**, 107 (1908).
M. Hunt u. V. du Vigneaud, J. Biol. Chem. **124**, 699 (1938); **127**, 43 (1939).
V. du Vigneaud u. M. Hunt, J. Biol. Chem. **125**, 269 (1938).

[2] M. Bergmann, L. Zervas u. J. P. Greenstein, B. **65**, 1692 (1932).
R. F. Fischer u. R. R. Whetstone, Am. Soc. **76**, 5076 (1954).
R. H. Sifferd u. V. du Vigneaud, J. Biol. Chem. **108**, 753 (1935).
K. Hofmann et al., Am. Soc. **79**, 1641 (1957).
R. Roeske et al., Am. Soc. **78**, 5883 (1956).
P. Sieber et al., Helv. **53**, 2135 (1970).

[3] H. Schwarz, F. M. Bumpus u. J. H. Page, Am. Soc. **79**, 5697 (1957).

[4] F. Schneider, H. **320**, 82 (1960); **321**, 38 (1960).

[5] K. Okawa, Bl. chem. Soc. Japan **29**, 488 (1956).
W. Rittel et al., Helv. **40**, 614 (1957).
R. B. Merrifield u. D. W. Woolley, Am. Soc. **78**, 4646 (1956).

[6] N. C. Davis, J. Biol. Chem. **223**, 935 (1956).

[7] R. Schwyzer u. H. Kappeler, Helv. **44**, 1991 (1961).

[8] G. Hillmann, Z. Naturf. **1**, 682 (1946).

[9] W. König u. R. Geiger, B. **105**, 2872 (1972).

N-Benzyloxycarbonyl-L-glutamyl(Cγ-4,4'-dimethoxy-dityl-amid)-L-histidin [Z-Gln (DOD)-His-OH][1]: Die oben gewonnene, noch etwas feuchte Substanz wird in ~ 5 *l* 1,4-Dioxan/Wasser (80 : 20) suspendiert, mit n Natronlauge unter Verwendung von Thymolphthalein als Indikator titrimetrisch verseift (Verbrauch ~ 930 *ml*). Nach beendeter Reaktion wird vom ungelösten Material abfiltriert, die erhaltene Lösung mit der äquiv. Menge n Salzsäure versetzt und letztlich i. Vak. eingeengt. Der Rückstand wird mit Wasser verrieben, aufs Filter gebracht und getrocknet. Zur Reinigung wird die fein verriebene Substanz in Tetrahydrofuran aufgekocht, noch heiß filtriert, mit heißem Tetrahydrofuran gewaschen und getrocknet; Ausbeute: 495 g (85% d. Th. über beide Stufen); F: 183–188°; $[\alpha]_D^{20} = +4{,}2°$ (c = 1, in Dimethylacetamid).

Demgegenüber gelang es zunächst nicht, N_α-Acyl-histidine als „Kopfkomponente" einzusetzen, da

① z. B. *Z-His-OH* in den für die Peptidsynthese gebräuchlichen Lösungsmitteln aufgrund seines dipolaren Charakters praktisch unlöslich ist und sich somit jedweder Carboxy-Aktivierung entzieht

② die Isolierung von N_α-Acyl-histidin-aziden lange Zeit wegen deren Löslichkeit in saurem Medium (Medium der Azid-Bildung) nicht möglich war.

Schwarz et al.[2] sowie Okawa[3] haben die Richtigkeit der unter ① gemachten Ausführung bestätigt, als es den Autoren gelang, in organischen Systemen lösliche N-geschützte Peptide mit carboxy-endständigem Histidin (d. h. N_α-Aminoacyl-histidine) nach dem Phosphit- bzw. dem Carbodiimid-Verfahren mit Amino-Komponenten umzusetzen. *Z-Val-Tyr-Ile-His-OH* besaß gute Löslichkeitseigenschaften in Diäthylphosphit, *Z-Ser(BZL)-His-OH* desgleichen in 1,4-Dioxan/Tetrahydrofuran.

NZ–NH–CH(CH₂-Imidazolyl)–COOH (I) —DCCD→ Lactam (II, NH–NZ) —H₂N–R→ NZ–NH–CH(CH₂-Imidazolyl)–CO–NH–R (III)

I II III

Es ist nicht ausgeschlossen, daß die Peptidverknüpfung über ein „aktives" Lactam verläuft, das als Folgereaktion einer Carboxy-Aktivierung an C-terminalem Histidin entsteht. Nach Sheehan[4] reagiert das 1,4-dioxan-lösliche NZ-His-OH (I) mit Diisopropyl-carbodiimid zum Lactam II, das sich z. B. mit Benzylamin unter „nucleophiler Öffnung des Ringsystems" zu NZ-His-NH(BZL) III umsetzen läßt.

N-Benzyloxycarbonyl-L-glutamyl(Cγ-4,4'-dimethoxy-dityl-amid)-L-histidyl-L-prolin-amid [Z-Gln (DOD)-His-Pro-NH_2][1]: Zu einer Lösung von 96,5 g Z-Gln(DOD)-His-OH (s. o.) in 1 *l* Dimethylformamid gibt man 22,6 g H-Pro-NH_2 · HCl, 40,5 g 1-Hydroxy-benzotriazol, 19,2 *ml* N-Äthyl-morpholin und bei 0° eine kalte Lösung von 31 g Dicyclohexylcarbodiimid in 150 *ml* Dimethylformamid. Man läßt 1 Stde. bei 0° und über Nacht bei Raumtemp. rühren. Der ausgefallene Niederschlag wird andern Tags abfiltriert, die erhaltene Lösung i. Vak. eingedampft. Der Rückstand wird in 1,5 *l* Essigsäure-äthylester, dem wenig Wasser und Äthanol zugesetzt wird, gelöst, und mit ges. Natriumhydrogencarbonat-Lösung und Wasser gewaschen. Nach Trocknen über Natriumsulfat wird die Essigsäure-äthylester-Lösung i. Vak. zur Trokkene gebracht, der Rückstand mit Diäthyläther verrieben, letztlich noch 2 mal mit Essigsäure-äthylester ausgekocht; Ausbeute: 73 g (66% d. Th. an Tripeptid-Derivat-Hemihydrat); $[\alpha]_D^{22} = -25{,}8°$ (c = 1, in 90%-iger Essigsäure) bzw. $[\alpha]_D^{22} = -13{,}5°$ (c = 1, in Dimethylformamid).

---

[1] W. König u. R. Geiger, B. **105**, 2872 (1972).

[2] H. Schwarz, F. M. Bumpus u. J. H. Page, Am. Soc. **79**, 5697 (1957).

[3] K. Okawa, Bl. chem. Soc. Japan **30**, 976 (1957).

[4] J. C. Sheehan, K. Hasspacher u. Ying Lieh Yeh, Am. Soc. **81**, 6086 (1959).

1954 glückte Holley und Sondheimer[1] bzw. Fischer und Whetstone[2] die Isolierung von *BOC-His-N_3* durch Essigsäure-äthylester-Extraktion aus carbonat-alkalischer Lösung und damit die Beseitigung des unter ② (S. 539) genannten Handicaps.

N_α-Benzyloxycarbonyl-L-histidyl-L-alanin-methylester [Z-His-Ala-OMe]:

N_α-Benzyloxycarbonyl-L-histidin-hydrazid [Z-His-$NHNH_2$][1]: 15 g H-His(HCl)-OMe · HCl und 17,3 *ml* Triäthylamin in 120 *ml* Chloroform werden unter Eiskühlung und Rühren mit 6,8 *ml* Chlorameisensäure-benzylester wie üblich umgesetzt (vgl. S. 49). Nach Zugabe von 8,7 *ml* Triäthylamin, wobei der gebildete Niederschlag (Ester-Hydrochlorid) wieder in Lösung geht, und weiteren 6,8 *ml* Chlorameisensäure-benzylester rührt man nach Entfernung des Kühlbads noch 30 Min. bis zum Erreichen der Raumtemp. Die Reaktionslösung wird mit Wasser gewaschen, über Natriumsulfat getrocknet und i. Vak. eingedampft (Chloroformspuren werden durch Vak.-Destillation mit absol. Äthanol entfernt). Die Lösung des erhaltenen Öls in 30 *ml* absol. Äthanol versetzt man mit 6,2 *ml* Hydrazin-Hydrat und bewahrt die Mischung 24 Std. bei Raumtemp. auf. Nach Abkühlen auf 0° filtriert man das ausgefallene Produkt ab, wäscht mit Äther, trocknet i. Vak. und kristallisiert aus heißem Wasser um; Ausbeute: 9,3–11,7 g (50–62% d. Th.); F: 171–173°.

N_α-Benzyloxycarbonyl-L-histidyl-L-alanin-methylester [Z-His-Ala-OMe][1]: 606 mg Z-His-$NHNH_2$ in 6 *ml* n Salzsäure werden mit 8 *ml* Essigsäure-äthylester überschichtet und unter Schütteln mit 140 mg Natriumnitrit in 0,5 *ml* Wasser versetzt. Nach 2 Min. fügt man 2,4 *ml* eiskalte 50%-ige wäßr. Kaliumcarbonat-Lösung hinzu, schüttelt gut durch und trennt die Essigsäure-äthylester-Phase ab. Die verbleibende wäßr. Lösung wird noch 2 mal mit Essigsäure-äthylester extrahiert, die erhaltenen Auszüge kurz über Natriumsulfat getrocknet und mit Alanin-methylester in Äther (der aus 360 mg Ester-Hydrochlorid mittels Kaliumcarbonat wie üblich in Freiheit gesetzt wurde) vereinigt (alle vorstehenden Operationen werden unter Eiskühlung bei 0° ausgeführt). Nach 24 Stdn. Stehenlassen bei 0° filtriert man die abgeschiedenen Kristalle ab, wäscht mit eiskaltem Essigsäure-äthylester, trocknet i. Vak.-Exsikkator und kristallisiert aus wenig absol. Äthanol um; Ausbeute: 72% d. Th.; F: 149,5–152°; $[\alpha]_D^{22} = -25,0°$ (c = 1, in Äthanol).

Zahlreiche Autoren[3] haben sich dieses Verfahrens bislang mit gutem Erfolg bedient, da es ebenso für die Verwendung von N-geschützten Peptidyl-histidin-aziden[4] Gültigkeit besitzt.

Nach Davis[5] kann eine Isolierung des Azids umgangen werden, wenn die Azid-Bildung in Gegenwart bestimmter Mengen an Säure vorgenommen und die Amino-Komponente mit einer obiger Säure äquiv. Menge tert. Base in Chloroform zugegeben wird. Vorteilhafter arbeitet man jedoch nach dem von Rudinger et al.[6] modifizierten Verfahren, wobei die Azid-Bildung mittels Alkylnitriten und die Umsetzung zwar analog dem Davis-Verfahren, jedoch in homogener Phase (wäßr. Tetrahydrofuran oder Dimethylformamid) vorgenommen wird. Schröder und Gibian[7] bzw. Wünsch und Zwick[8] gelang auf diese Weise unter Rückgriff auf

---

[1] R. W. Holley u. E. Sondheimer, Am. Soc. **76**, 1326 (1954).
[2] R. F. Fischer u. R. R. Whetstone, Am. Soc. **76**, 5076 (1954).
[3] K. Hofmann et al., Am. Soc. **79**, 1641 (1957).
W. Rittel et al., Helv. **40**, 614 (1957).
R. B. Merrifield u. D. W. Woolley, Am. Soc. **78**, 4646 (1956).
K. Hofmann, H. Yajima u. E. T. Schwartz, Am. Soc. **82**, 3732 (1960).
M. Bodanszky, M. A. Ondetti u. C. A. Birkhimer, Am. Soc. **86**, 4452 (1964).
R. Geiger, K. Sturm u. W. Siedel, B. **96**, 1080 (1963).
H. Zahn, J. Meienhofer u. H. Klostermeyer, Z. Naturf. **19b**, 110 (1964).
W. König u. R. Geiger, B. **105**, 2872 (1972).
[4] R. Schwyzer u. H. Kappeler, Helv. **44**, 1991 (1961).
R. Schwyzer et al., Helv. **46**, 1975 (1963).
F. Schneider, H. **321**, 38 (1960).
P. Sieber et al., Helv. **53**, 2135 (1970).
[5] N. C. Davis, J. Biol. Chem. **223**, 935 (1956).
[6] J. Honzl u. J. Rudinger, Collect. czech. chem. Commun. **26**, 2333 (1961).
[7] E. Schröder u. H. Gibian, A. **656**, 190 (1962).
[8] E. Wünsch u. A. Zwick, B. **97**, 2497 (1964).

BOC-His-$NHNH_2$ als Ausgangsmaterial die Herstellung wichtiger Zwischenprodukte beim Aufbau von Glucagon-Sequenzen.

N_α-tert.-Butyloxycarbonyl-L-histidyl-O-benzyl-L-seryl-L-glutaminyl-glycyl-L-threonyl-L-phenylalanyl-L-threonyl-O-benzyl-L-serin-N'-benzyloxycarbonyl-hydrazid [BOC-His-Ser(BZL)-Gln-Gly-Thr-Phe-Thr-Ser (BZL)-NHNH(Z)]:

N_α-tert.-Butyloxycarbonyl-L-histidin-methylester [BOC-His-OMe][1]: Die Suspension von 121,0g (500mMol) H-His(HCl)-OMe · HCl in 500 *ml* Chloroform wird auf 0° abgekühlt und unter Rühren mit Ammoniak/Chloroform versetzt. Nach ~ 30 Min. wird vom umgesetzten Ammoniumchlorid abfiltriert, das Filtrat i. Vak. von Lösungsmittel befreit und der ölige Rückstand mit 200 *ml* Pyridin und 143 g (1,00 Mol) tert.-Butyloxycarbonylazid versetzt. Nach 84 Stdn. bei Raumtemp. wird die Lösung i. Vak. eingeengt, der Rückstand mit Äther/Petroläther (1:2) versetzt und in der Kälte der Kristallisation überlassen. Aus Essigsäure-äthylester/Äther bzw. Essigsäure-äthylester/Petroläther (die zunächst ausfallenden braunen Schmieren werden abfiltriert) erhält man nahezu reinen *BOC-His-OMe*; Ausbeute:

1. Fraktion 50,1 g; F: 121,5–123°
2. Fraktion: 82,7 g; F: 117–120°.

Eine kleine Probe wurde zur Analyse aus Essigsäure-äthylester umkristallisiert; F: 124–125°; $[\alpha]_D^{20} = -13{,}6°$; $[\alpha]_{546}^{20} = -15{,}8°$ (c = 2, in Pyridin).

N_α-tert.-Butyloxycarbonyl-L-histidin-hydrazid [BOC-His-$NHNH_2$][2]: 132,8 g BOC-His-OMe (1. und 2. Fraktion) werden in 400 *ml* Methanol gelöst und mit 59 *ml* Hydrazin-Hydrat über Nacht bei Raumtemp. stehengelassen. Danach wird das Lösungsmittel i. Vak. entfernt und der ölige Rückstand im Exsikkator mehrere Tage über konz. Schwefelsäure aufbewahrt. Schließlich wird das harzige Produkt mit Essigsäure-äthylester 20 Min. unter Rückfluß erwärmt, wobei Kristallisation eintritt. Man reinigt das Hydrazid durch 3maliges Auskochen mit heißem Essigsäure-äthylester; Ausbeute: 100 g (74,5%, bez. auf H-His(HCl)-OMe · HCl); F: 142,5–144,5 (Zers.).

Zur Analyse wurde eine kleine Probe aus viel Essigsäure-äthylester umkristallisiert: F: 145–146°; $[\alpha]_D^{20} = -24{,}5°$; $[\alpha]_{546}^{20} = -29{,}8°$ (c = 1,2; in Pyridin).

N_α-tert.-Butyloxycarbonyl-L-histidyl-O-benzyl-L-seryl-L-glutaminyl-glycyl-L-threonyl-L-phenylalanyl-L-threonyl-O-benzyl-L-serin-N'-benzyloxycarbonyl-hydrazid [BOC-His-Ser(BZL)-Gln-Gly-Thr-Phe-Thr-Ser(BZL)-NHNH(Z)][2]: 1,45 g (5,4 mMol) BOC-His-$NHNH_2$ in 3 *ml* Dimethylformamid werden bei −5° mit 4,58 *ml* 2,36 n Chlorwasserstoff/Tetrahydrofuran und 0,73 *ml* Isoamylnitrit, nach ~ 10 Min. mit 1,50 *ml* (10,8 mMol) Triäthylamin versetzt. Dazu gibt man die Lösung von 4,20 g (3,6 mMol) H-Ser(BZL)-Gln-Gly-Thr-Phe-Thr-Ser(BZL)-NHNH(Z) · TFA-OH in 8 *ml* Dimethylformamid und 0,51 *ml* Triäthylamin. Nach 4 Tagen wird i. Vak. zur Trockene eingedampft, der Rückstand mit 50 *ml* heißem Wasser behandelt, abgesaugt und aus 80%-igem Äthanol/Dimethylformamid (5:1) umkristallisiert; Ausbeute: 3,9 g (84% d. Th.); F: 213° (Zers.); $[\alpha]_D^{20} = -20{,}5 \pm 0{,}5°$; $[\alpha]_{546}^{20} = -25{,}3°$ (c = 1,45; in 80%-iger Essigsäure).

In einigen Fällen wurde auch bei Verwendung der N_α-Acyl-histidin-azide als Nebenreaktion innermolekulare Lactam-Cyclisierung festgestellt[3,4].

36.320. Synthesen mit alkyl-blockierter Imidazol-Funktion

36.321. Die N_{im}-Benzyl-[BZL]-Schutzgruppe

Mit der Herstellung von *N_{im}-Benzyl-histidin* (IV) durch Umsetzung von Histidin mit Natrium in flüssigem Ammoniak und Benzylchlorid hatten schon frühzeitig du Vigneaud und Behrens[5] eine Maskierungsmöglichkeit der NH-Imidazol-Gruppierung aufgezeigt, die mit Natrium in flüssigem Ammoniak wieder reversibel gestaltet werden konnte.

---

[1] E. Wünsch u. A. Zwick, B. **97**, 2497 (1964).
[2] E. Wünsch u. A. Zwick, B. **99**, 101 (1966).
[3] R. B. Merrifield u. D. W. Woolley, Am. Soc. **78**, 4646 (1956).
[4] F. Schneider, H. **320**, 82 (1960); **321**, 38 (1960).
[5] V. du Vigneaud u. O. K. Behrens, J. Biol. Chem. **117**, 27 (1937).

N_{im}-Benzyl-L-histidin [H-His(BZL)-OH][1]: Zu 20 g Histidin-Monohydrochlorid in 200 *ml* flüssigem Ammoniak wird unter üblichem Kühlen und Rühren soviel Natrium in kleinen Stücken zugefügt, bis eine über mehrere Min. bleibende Blaufärbung des Reaktionsgemisches erreicht ist. Diese kompensiert man durch Zugabe von wenig Histidin-Hydrochlorid. Man tropft unter kräftigem Turbinieren langsam 12 *ml* Benzylchlorid zu, rührt 30 Min. nach und läßt das Lösungsmittel durch Entfernung des Kühlbades verdampfen; die letzten Reste Ammoniak zieht man i. Vak. ab. Der verbleibende Rückstand wird in 100 *ml* eiskaltem Wasser aufgenommen, die erhaltene Lösung mit Äther extrahiert. Zur Entfernung gelöster Äther-Anteile leitet man einen kräftigen Luftstrom durch die Lösung; nach anschließender Filtration stellt man mit verd. Schwefelsäure auf $p_H = 8–8{,}5$. Nach 3 Stdn. Stehenlassen bei 0° filtriert man den gebildeten Niederschlag ab und kristallisiert aus 20%-igem Äthanol um; Ausbeute: 13,4 g (57% d. Th.); F: 248–249° (nach Sintern bei 243°); $[\alpha]_D^{34} = +20{,}5°$ (c = 2, in Wasser + 1 Äquiv. Salzsäure).

Nach Tilak und Hollinden[2] ist eine N_{im}-Benzylierung von N_α-Acyl-histidinen mit Benzylbromid unter Zusatz von Dicyclohexylamin möglich; hierbei werden allerdings zunächst N_α-Acyl-N_{im}-benzyl-histidin-benzylester gebildet, die anschließend zu den freien Säuren verseift bzw. zwecks Erstellung von N_{im}-Benzyl-histidin entacyliert werden müssen (zur experimentellen Ausführung vgl. S. 543).

N_{im}-Benzyl-histidin (IV) läßt sich z. B. in Form des *N_α-Benzyloxycarbonyl-Derivats* (V)[3] als Kopfkomponente zu peptid-synthetischen Umsetzungen heranziehen; die Verbindung wurde von Wünsch[4], Bricas[5] und Theodoropoulos[6] bei Syntheseversuchen auf dem Hypertensin-, von Schwyzer et al.[7] auf dem β-MSH-, von Li[8] auf dem ACTH- und Zahn et al.[9,10] auf dem Insulin- sowie von Weinstein et al.[11] auf dem Glucagon-Gebiet benützt, wobei als Verknüpfungsmethoden Phosphorazo- bzw. Carbodiimid-Verfahren[12] fungierten. Katchalski et al.[13] glückte mit Hilfe von *H-[His(BZL)-NCA]* (VI), das aus N_α-Benzyloxycarbonyl-Derivat V mittels Phosphor (V)-chlorid erhalten werden konnte, unter Anwendung der üblichen Polykondensations-Methodik die Herstellung von *Poly-L-histidin* (VII) (s. Schema S. 543).

Die Aufhebung vorliegender Imidazol-NH-Blockierung ist neben der wenig schonenden Natrium/flüssig-Ammoniak-Behandlung (s. S. 228 ff.) auch durch katalytische Hydrogenolyse möglich[10,14]; eine quantitative Abspaltung des Benzyl-Restes erzwingen bedeutet jedoch gleichzeitig teilweise Aufhydrierung des Imidazol-Systems. Dieser Demaskierungs-Nachteile sowie der weiter bestehenden Basizität des Imidazol-Rings wegen dürften der Verwendung von N_{im}-Benzyl-geschütztem Histidin entscheidende Grenzen gesetzt sein, auch wenn diese Blockierung gegenüber acidolytischen Bedingungen (selbst gegenüber flüssiger Fluorwasserstoffsäure), so wie sie für die Entfernung von Benzyloxycarbonyl-, tert.-Butyloxycarbonyl- u. a. -Reste gewählt werden, recht stabil ist.

---

1 V. du Vigneaud u. O. K. Behrens, J. Biol. Chem. **117**, 27 (1937).
2 M. A. Tilak u. C. S. Hollinden, Tetrahedron Letters **1969**, 391.
3 B. G. Overell u. V. Petrow, Soc. **1955**, 232.
4 E. Wünsch, Ang. Ch. **71**, 743 (1959).
A. Zwick, Dissertation, Universität München 1958.
5 E. Bricas u. C. Nicot-Gutton, Bl. **1960**, 466.
6 D. Theodoropoulos, Nature **184**, 1634 (1959); J. Org. Chem. **21**, 1550 (1956); Acta chem. scand. **12**, 2034 (1958).
D. Theodoropoulos u. G. Fölsch, Acta chem. scand. **12**, 1955 (1958).
7 R. Schwyzer u. C. H. Li, Nature **182**, 1669 (1958).
H. Kappeler, *Peptides*, Proc. 5th Europ. Sympos., Oxford 1962, Pergamon Press, Oxford **1963**, S. 5.
8 E. Schnabel u. C. H. Li, Am. Soc. **82**, 4576 (1960).
9 H. Zahn u. R. Zabel, A. **659**, 163 (1962).
10 H. Zahn, J. Kunde u. R. Zabel, A. **663**, 177 (1963).
11 B. O. Handford et al., J. Org. Chem. **33**, 4251 (1968).
12 S. Guttmann u. R. A. Boissonnas, Helv. **45**, 2517 (1962).
13 A. Patchornik, A. Berger u. E. Katchalski, Am. Soc. **79**, 5227 (1957).
14 G. Losse u. K. Neubert, Z. **10**, 48 (1970).
G. Losse u. G. Müller, B. **94**, 2768 (1961).

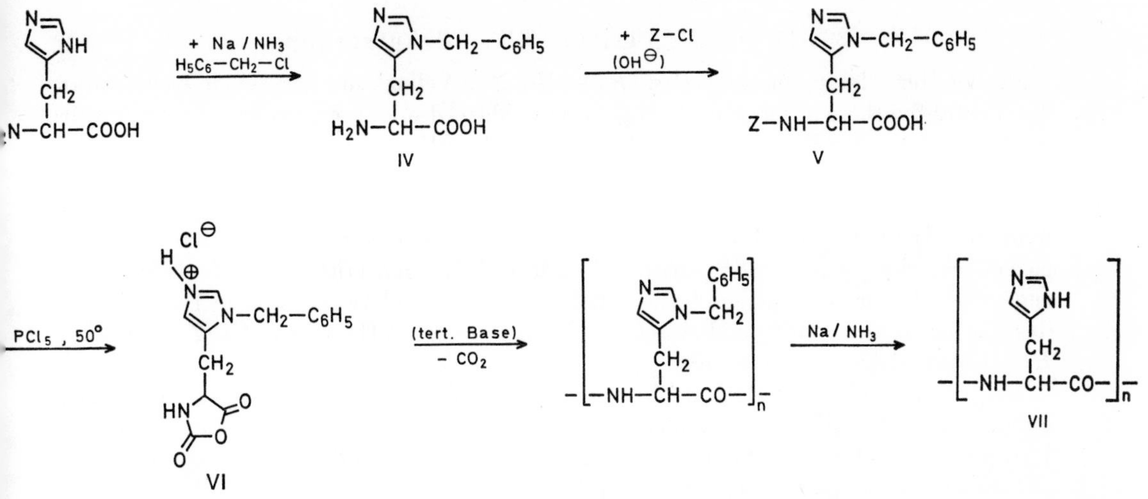

36.322. Die N_{im}-Diphenylmethyl-[DPM]-Schutzgruppe

Durch direkte N_{im}-Alkylierung von BOC-His-OH bzw. H-His-OMe mittels Diphenylmethylbromid in Anlehnung an die Verfahren von Tilak[1] bzw. Zervas[2] sind *N_{im}-Diphenylmethyl-histidin* sowie dessen amino- und carboxy-geschützte Derivate [s. dazu die Herstellung von *H-His(TRT)-OMe · HCl*] bequem zugänglich[3].

N_{α}-tert.-Butyloxycarbonyl-N_{im}-diphenylmethyl-L-histidin [BOC-His(DPM)-OH][3]:

N_{α}-tert.-Butyloxycarbonyl-N_{im}-diphenylmethyl-L-histidin-diphenylmethylester [BOC-His(DPM)-ODPM]: 1,2 g BOC-His-OH werden in 20 *ml* Dimethylformamid suspendiert und mit 2,5 g Diphenylmethylbromid und 1,8 g Dicyclohexylamin, gelöst in je 20 *ml* Dimethylformamid, vereinigt. Der Reaktionsansatz wird 4 Stdn. bei Raumtemp. gerührt, anschließend vom Dimethylformamid durch Vakuumdestillation befreit und der erhaltene Rückstand mit Essigsäure-äthylester behandelt. Das Filtrat vom Dicyclohexylamin-Hydrobromid wird letztlich i. Vak. zur Trockene gebracht.

N_{α}-tert.-Butyloxycarbonyl-N_{im}-diphenylmethyl-L-histidin [BOC-His(DPM)-OH]: 1,9 g des erhaltenen Rohprodukts in 30 *ml* Dimethylformamid/Äthanol (1 : 1) werden mit 4 *ml* n Natronlauge innerhalb 12 Stdn. bei 20° verseift. Es wird noch 2 Stdn. nachgerührt, dann mit 10 *ml* Wasser verdünnt und anschließend mit fester Citronensäure auf $p_H = 5{,}6$ gebracht. Die erhaltene Lösung wird zur Trockene eingeengt, der Rückstand mit Dichlormethan extrahiert. Nach Reinigung durch Säulenchromatographie (Säule 60 × 1,5 cm; Kieselgel 0,2–0,5 mm; Aktivitätsstufe 2; Elutionsmittel: absol. Äthanol) wird aus Dichlormethan/Petroläther umkristallisiert; Ausbeute: 1,5 g (70% d. Th.); F: 60–62°; $[\alpha]_D^{20} = +12{,}8°$ (c = 1, in absol. Äthanol).

Bei größter Beständigkeit gegenüber basischen und nucleophilen Reagenzien und auch relativ hoher Stabilität gegenüber acidolytischen Bedingungen – z. B. vermag n Chlorwasserstoff/Essigsäure innerhalb 24 Stdn. keine Demaskierung zu erreichen – kann die N_{im}-Diphenylmethyl-Schutzgruppe mit 6n Bromwasserstoff/Essigsäure (3 Stdn.), wasserfreier Ameisensäure (10 Min.) oder Trifluoressigsäure (~ 1 Stde.) abgespalten werden[3,4].

Peptidsynthetische Erfahrungen mit N_{im}-Diphenylmethyl-histidin-Derivaten fehlen noch.

---

[1] M. A. TILAK u. C. S. HOLLINDEN, Tetrahedron Letters **1969**, 391.

[2] G. C. STELAKATOS, D. M. THEODOROPOULOS u. L. ZERVAS, Am. Soc. **81**, 2884 (1959).

[3] G. LOSSE u. U. KRYCHOWSKI, J. pr. **312**, 1097 (1970).

[4] G. LOSSE u. U. KRYCHOWSKI, Tetrahedron Letters **1971**, 4121.

36.323. Die N_{im}-Trityl-[TRT]-Schutzgruppe

Mit der Herstellung von *TRT-His(TRT)-OH* haben Velluz[1] und Zervas[2] ein weiteres für die Peptid-Synthese interessantes N_{im}-Alkyl-imidazol-Derivat geschaffen, das z.B. für Synthesen der α-MSH-Sequenz 6–13[3] und der Insulin-Sequenz 1–8[4] herangezogen wurde.

Auch im Falle der N_{im}-Trityl-Gruppierung (gem. der oben für N_{im}-Benzyl- und -Diphenylmethyl-Derivate gemachten Feststellungen) findet man eine relativ hohe Beständigkeit gegenüber Acidolyse. So ist *TRT-His(TRT)-OMe* (VIII) durch Tritylierung von H-His-OMe zugänglich. Unter aufeinanderfolgender Behandlung mit Chlorwasserstoff in Diäthyläther (bis auf das Hydrochlorid) und siedendem Methanol kann VIII zum *H-His(TRT)-OMe · HCl* (IX) N_α-detrityliert werden[2].

Aus dem Histidin-ester-Derivat IX können durch Verseifung mit *H-His(TRT)-OH* (X), durch Acylierung mittels tert.-Butyloxycarbonylazid und anschließende alkalische Ester-Hydrolyse des intermediären Acyl-esters XI mit *BOC-His(TRT)-OH* (XII) zwei weitere „Startmaterialien" gewonnen werden[5]:

$H_2N-CH(CH_2\text{-Imidazolyl})-CO-OCH_3$ $\xrightarrow[(TÄA)]{(H_5C_6)_3-CCl}$ $(H_5C_6)_3C-NH-CH(CH_2\text{-Im-}N\text{-}C(C_6H_5)_3)-CO-OCH_3$ (VIII)

$\xrightarrow{1.\ HCl;\ 2.\ CH_3OH}$ $H_2N-CH(CH_2\text{-Im-}N\text{-}C(C_6H_5)_3)-CO-OCH_3 \cdot HCl$ (IX) $\xrightarrow{BOC-N_3}$ $(H_3C)_3C-O-CO-NH-CH(CH_2\text{-Im-}N\text{-}C(C_6H_5)_3)-CO-OCH_3$ (XI)

IX $\xrightarrow{+OH^\ominus}$ $H_2N-CH(CH_2\text{-Im-}N\text{-}C(C_6H_5)_3)-COOH$ (X)

XI $\xrightarrow{+OH^\ominus}$ $(H_3C)_3C-O-CO-NH-CH(CH_2\text{-Im-}N\text{-}C(C_6H_5)_3)-COOH$ (XII)

N_α-tert.-Butyloxycarbonyl-N_{im}-trityl-L-histidin [BOC-His(TRT)-OH]:

N_{im}-Trityl-L-histidin-methylester-Hydrochlorid [H-His(TRT)-OMe · HCl][2,6]: 2,4 g H-His(HCl)-OMe · HCl in 15 *ml* absol. Chloroform werden mit 6 *ml* Triäthylamin und anschließend mit 5,6 g Triphenyl-chlormethan versetzt. Nach 6stdgr. Reaktionszeit bei Raumtemp. wird die Lösung 2mal mit Wasser gewaschen, über Natriumsulfat getrocknet und letztlich i. Vak eingedampft. Zur Entfernung restlichen Chloroforms wird Vakuumdestillation unter Zusatz einiger *ml* Methanol wiederholt. Die Lösung des öligen Rückstands in absol. Diäthyläther wird mit 10 *ml* Chlorwasserstoff/Diäthyl-

[1] G. Amiard, R. Heymès u. L. Velluz, Bl. **1955**, 191, 1464.
[2] G. C. Stelakatos, D. M. Theodoropoulos u. L. Zervas, Am. Soc. **81**, 2884 (1959).
[3] R. A. Boissonnas et al., Helv. **41**, 1867 (1958).
[4] H. R. Bosshard, Helv. **54**, 951 (1971).
[5] G. Losse u. U. Krychowski, J. pr. **312**, 1097 (1970).
[6] L. Zervas u. D. M. Theodoropoulos, Am. Soc. **78**, 1359 (1956).

äther (ges. Lösung) versetzt. Das abgeschiedene amorphe Hydrochlorid wird abfiltriert, mit absol. Diäthyläther gewaschen und anschließend in 20 *ml* absol. Methanol gelöst. Die erhaltene Lösung wird anschließend am Wasserbad für 2–3 Min. erhitzt. Nach Zugabe von absol. Diäthyläther tritt Kristallisation ein; Ausbeute: 2,7 g (60% d.Th.); F: 145–148°; $[\alpha]_D^{20} = -11{,}5°$ (c = 1, in Wasser).

N_α-tert.-Butyloxycarbonyl-N_{im}-trityl-L-histidin-methylester-Hydrochlorid [BOC-His(TRT)-OMe·HCl][1]: 2,2 g H-His(TRT)-OMe · HCl (s. o.) in 1,4-Dioxan/Wasser (1 : 1) werden mit 1,5 g tert.-Butyloxycarbonyl-azid bei 20° wie üblich umgesetzt, wobei der p_H-Wert durch Zusatz von 4n Natronlauge konstant auf 10 gehalten wird. Nach 24 Stdn. wird die Reaktionslösung mit fester Citronensäure auf $p_H = 5{,}6$ gebracht und i. Vak. bei 15 Torr zur Trockene eingeengt. Die Verbindung wird mit absol. Äthanol extrahiert und aus Dichlormethan/Petroläther umkristallisiert; Ausbeute: 1,6 g (65% d.Th.); F: 210° (Hyg.); $[\alpha]_D^{20} = +3{,}8°$ (c = 1, in absol. Äthanol).

N_α-tert.-Butyloxycarbonyl-N_{im}-trityl-L-histidin [BOC-His(TRT)-OH]: 0,5 g obiger Verbindung werden in 5 *ml* Äthanol mit 1 *ml* n Natronlauge versetzt; nach 1 stdgm. Stehen der Reaktionsmischung bei Raumtemp. neutralisiert man mit n Salzsäure bei 0° und entfernt anschließend das Lösungsmittel bei 15 Torr. Dann wird mit einer 0,5 n Natriumhydrogencarbonat-Lösung gewaschen und die Verbindung mit Chloroform extrahiert. Die erhaltene Lösung wird mehrfach mit Wasser gewaschen, über Natriumsulfat getrocknet, letztlich i. Vak. zur Trockene gebracht und aus Dichlormethan/Petroläther kristallisiert; Ausbeute: 0,2 g (40% d.Th.); F: 112° (Hyg.).

Mit Interesse sollte auch die Möglichkeit der „nachträglichen“ N_{im}-Tritylierung des Histidins im Peptid-Verband vermerkt werden[2].

Die N_{im}-Trityl-Gruppe wird unter „verschärften“ Acidolyse-Bedingungen[3,4], z. B. mittels 6n Bromwasserstoff/Eisessig, konz. Ameisensäure oder Trifluoressigsäure innerhalb von 2 Stdn., 2 Min. bzw. 30 Min. vollständig[1,5] eliminiert, ebenso durch katalytische Hydrogenolyse[4,6]. Sie soll jedoch der Einwirkung von n Chlorwasserstoff/Essigsäure über 20 Stdn.[1] (der N_α-tert.-Butyloxycarbonyl-Rest wird schon nach 30 Min. 100%-ig abgespalten) oder 80%-iger wäßriger Essigsäure (zur N_α-Trityl-Entfernung) widerstehen.

Letzteres Verhalten von N_{im}-N_α-Trityl-Maskierungen konnte von Bosshard[7] nicht bestätigt werden; auch die vom Autor letztlich benutzte Enttritylierung mit Chlorwasserstoff/Essigsäure-äthylester verlief nicht absolut selektiv.

36.330. Synthesen mit aryl-blockierter Imidazol-Funktion

36.331. N_{im}-2,4-Dinitro-[DNP]- und N_{im}-2,4,6-Trinitro-phenyl-[TNP]-Schutzgruppen

Die von Shaltiel[8] erstmals beschriebene thiolytische Spaltung von N_{im}-(2,4-Dinitrophenyl)-imidazol bildet die Basis für eine neue reversible Maskierung der Histidin-imidazol-Funktion[9]. Die Einführung der N_{im}-Schutzgruppe gelingt bei N_α-Acyl-histidinen mittels 2,4-Dinitro-1-fluor-benzol[10]:

---

[1] G. Losse u. U. Krychowski, J. pr. **312**, 1097 (1970).

[2] S. Guttmann, J. Pless u. R. A. Boissonnas, *Peptides*, Proc. 8th Europ. Peptide Sympos., Noordwijk 1966, North-Holland Publ. Co., Amsterdam **1967**, S. 212.

[3] R. A. Boissonnas et al., Helv. **41**, 1867 (1958).

[4] G. Losse u. G. Müller, B. **94**, 2768 (1961).

[5] G. Losse u. U. Krychowski, Tetrahedron Letters **1971**, 4121.

[6] G. C. Stelakatos, D. M. Theodoropoulos u. L. Zervas, Am. Soc. **81**, 2884 (1959).

[7] H. R. Bosshard, Helv. **54**, 951 (1971).

[8] S. Shaltiel, Biochem. Biophys. Research Commun. **29**, 178 (1967).

[9] M. E. Lombardo, R. Piazio u. J. M. Stewart in J. M. Stewart u. J. D. Young, *Solid Phase Peptide Synthesis*, S. 20, Freeman, San Francisco, Calif. 1969.

[10] E. Siepmann u. H. Zahn, Biochem. biophys. Acta **82**, 412 (1964).

N_α-tert.-Butyloxycarbonyl-N_{im}-(2,4-dinitro-phenyl)-L-histidin [BOC-His(DNP)-OH][1]: 2,7 g BOC-His-OMe in 20 *ml* Äthanol werden mit 10 *ml* n Natronlauge wie üblich verseift. Nach 45 Min. wird die Lösung bei 0° mit n Salzsäure neutralisiert und anschließend der Alkohol i. Vak. entfernt. Nach Zugabe von 2,3 g Natriumhydrogencarbonat in 10 *ml* Wasser fügt man vorsichtig über eine Periode von 1 Stde. langsam 1,4 *ml* 2,4-Dinitro-1-fluor-benzol in 15 *ml* Methanol hinzu. Das Reaktionsgemisch wird 10 Stdn. lang bei Raumtemp. sich selbst überlassen, dann anschließend Methanol i. Vak. entfernt, die verbleibende wäßrige Phase nach 3maligem Ausschütteln mit je 20 *ml* Diäthyläther mit n Salzsäure bei 0° auf einen $p_H = 3{,}5$ angesäuert und 3mal mit je 20 *ml* Essigsäure-äthylester extrahiert. Die vereinigten Auszüge werden mit Wasser gewaschen, über Magnesiumsulfat getrocknet und letztlich i. Vak. eingedampft. Der ölige Rückstand wird 3mal aus Äthanol/Petroläther umkristallisiert; Ausbeute: 2,6 g (62% d. Th.); F: 94°; $[\alpha]_D^{20} = +55{,}3°$ (c = 1, in Essigsäure-äthylester).

Das oben beschriebene Histidin-Derivat läßt sich nach dem Carbodiimid-Verfahren an Aminosäure- und Peptid-ester anbauen; auch eine Veresterung ist möglich, z. B. zum „Polymer-benzylester" nach Merrifield[1,2].

Da die selektive Abspaltung des N_α-tert.-Butyloxycarbonyl-Restes schon mit n Chlorwasserstoff/Essigsäure einwandfrei über 30 Min. gelingt, scheint der Einsatz von N_{im}-(2,4-Dinitro-phenyl)-histidin-estern etc. als Amino-Komponenten bei Verwendung von Schutzgruppen auf Benzyl-Basis für „Drittfunktionen" gesichert[1].

Diese gegen Bromwasserstoff/Trifluoressigsäure[1] und andere acidolytische Reagentien[3] stabile N_{im}-2,4-Dinitro-phenyl-Schutzgruppe kann letztlich – vorzugsweise nach Aufhebung aller übrigen Maskierungen incl. einer Ablösung vom Harz bei Anwendung der Festkörpersynthese nach Merrifield – von N_{im}-subst. Histidin(yl)-peptiden in wäßrig-carbonat-alkalischer Lösung ($p_H = 8$) mit überschüssigem Thioglykol (2-Mercapto-äthanol) innerhalb 1 Stde. bei Raumtemp. entfernt werden[1].

Ein „Nitro-homologes" wurde von Losse[3] in Gestalt eines N_{im}-(2,4,6-Trinitro-phenyl)-histidin-Derivats vorgestellt. In seinem Verhalten ähnelt dieses der N_{im}-2,4-Dinitro-phenyl-Verbindung. Bei beiden Produkten ist die Basizität des Imidazol-Systems vorteilhaft herabgesetzt, die Stabilität gegenüber einem acidolytischen Angriff groß, gegenüber einem nucleophilen, wie schon die Thiolyse offenbart, jedoch relativ gering. Hydrazinolyse und Alkoholyse werden deshalb wegen Gefahr partieller Entblockierung der N_{im}-Funktion immer sorgsam vermieden werden müssen.

36.332. Die Polymer-2,4-dinitro-phenyl-[ØDNP]-Schutzgruppe

N-(2,4-Dinitro-5-fluor-phenyl)-glycin-polymer-benzylester, zugänglich aus 1,5-Difluor-2,4-dinitro-benzol und „glycin-verestertem" Merrifield-Harz, reagiert mit BOC-His-OH zu einem Dinitro-m-phenylen-diamin-Derivat.

N_α-tert.-Butyloxycarbonyl-N_{im}-(5-polymer-benzyloxycarbonyl-methylamino-2,4-dinitro-phenyl)-histidin [BOC-His(ØDNP)-OH][4]: 5 g BOC-Gly-OBØ (0,28 m Äquiv. Glycin/g verestertes Harz) werden wie üblich in H-Gly-OBØ übergeführt, mit Chloroform gewaschen und anschließend in 25 *ml* Chloroform suspendiert, das einen Überschuß (5 g) von 1,5-Difluor-2,4-dinitro-benzol enthält. Innerhalb 5 Stdn. werden zur gerührten Suspension insgesamt 0,2 *ml* Triäthylamin in 3 Portionen zugegeben; 2 Stdn. später wird das gelb gefärbte, ninhydrin-negative Harz aufs Filter gebracht und mit Chloroform und Dimethylformamid sorgfältig gewaschen. Das erhaltene Polymermaterial, d. h. N-(5-Fluor-2,4-dinitro-phenyl)-glycin-benzylesterpolymer [FDNP-Gly-OBØ], wird in 25 *ml* Dimethylformamid suspendiert, das 2,8 mMol BOC-His-OH enthält. Das Reaktionsgemisch wird 22 Stdn. lang geschüttelt, wobei innerhalb der ersten 16 Stdn. in 3 Portionen 0,18 *ml* Triäthylamin zugesetzt werden. Anschließend wird das substituierte

---

[1] F. Chillemi u. R. B. Merrifield, Biochemistry **8**, 4344 (1969).

[2] F. Chillemi, *Peptides* 1969, Proc. 10th Europ. Peptide Sympos. Abano Terme 1969, North-Holland Publ. Co., Amsterdam **1971**, S. 84.

[3] G. Losse u. U. Krychowski, Tetrahedron Letters **1971**, 4121.

[4] J. D. Glass, I. L. Schwartz u. R. Walter, Am. Soc. **94**, 6209 (1972).

Harz auf das Filter gebracht und sorgfältig nacheinander mit Dimethylformamid, Äthanol, Dimethylformamid, Äthanol und letztlich Diäthyläther gewaschen und anschließend i. Vak. getrocknet. Das gewonnene Polymerprodukt enthält 0,22 m Äquiv. BOC-His-OH/g verestertes Harz.

Das N_α-acylierte, mit einer N_{im}-2,4-Dinitro-phenylen-Brücke an einen polymeren Träger aufgehängte Histidin-Derivat steht für die peptid-synthetischen Umsetzungen zunächst als Kopfkomponente zur Verfügung; nach Entfernung des N_α-tert.-Butyloxycarbonyl-Restes ist der Einsatz auch als Amino-Komponente möglich. In Verbindung mit der Spaltung der N_{im}-2,4-Dinitro-phenyl-Bindung durch Thiolyse mittels 2-Mercapto-äthanol und der damit erzielten Ablösung vom polymeren Träger ist die Synthese freier Peptide gewährleistet. Walter et al.[1] haben am Beispiel der synthetischen Herstellung des „Thyrotropin-Releasing"-Hormons die Anwendung dieser neuen Art von Festkörper-Synthese-Technik demonstriert.

L-Pyrrolidonoyl-L-histidyl-L-prolin-amid[H-Pyr-His-Pro-NH_2][1]: BOC-His(ØDNP)-OH (das gesamte nach vorstehend beschriebener Vorschrift erhaltene Material) wird nach Waschen mit Pyridin in 25 *ml* absol. Pyridin suspendiert, das 1,0 g Trifluoressigsäure-4-nitro-phenylester enthält. Nach 30 Min. wird die Mischung mit Dimethylformamid gewaschen, anschließend in 25 *ml* Dimethylformamid suspendiert, das 2,8 mÄquiv. H-Pro-NH_2 · HCl und 0,09 *ml* Triäthylamin enthält. Nach 5 Stdn. wird der Reaktionsansatz erneut mit 0,09 *ml* Triäthylamin behandelt, dann weitere 36 Stdn. lang geschüttelt (das Ende der Reaktion wird analytisch getestet). Das abfiltrierte, mit Essigsäure und Dimethylformamid gewaschene substituierte Harz wird anschließend zur Entfernung der N_α-tert.-Butyloxycarbonyl-Schutzgruppe in 25 *ml* Trifluoressigsäure über 30 Min. suspendiert und geschüttelt. Nach Entfernung des Reagenzüberschusses durch Filtration wird der verbleibende Rückstand sorgfältig mit Essigsäure, Äthanol und Dimethylformamid gewaschen. Das erhaltene amino-freie Dipeptid-Derivat wird in 25 *ml* Dimethylformamid suspendiert, das 2,8 mMol H-Pyr-OPCP und 1,4 mMol N-Methyl-morpholin enthält. Nach 20 stdgr. üblicher Reaktionsdauer wird das nunmehr ninhydrin-negative Harz wie üblich mit Dimethylformamid, Äthanol, Essigsäure, Äthanol und letztlich Diäthyläther gewaschen und anschließend i. Vak. getrocknet. Das erhaltene Pulver suspendiert man in 40 *ml* Dimethylformamid, dem 2,0 *ml* 2-Mercapto-äthanol und 100 *ml* Triäthylamin zugesetzt sind; nach 9 stdgm. Verweilen des Ansatzes wird filtriert und das verbleibende Harz sorgfältig mit Dimethylformamid gewaschen. Filtrat und Waschflüssigkeiten werden i. Vak. zu einem Öl konzentriert. Durch Aufnehmen des Rückstands in 2 *ml* Methanol und Eintropfen der erhaltenen Lösung in 30 *ml* Diäthyläther wird ein feines Pulver (Rohprodukt) erhalten. Zur Reinigung wird dieses Material einer Säulenchromatographie an Silicagel G [30 × 0,9 cm, Elutionsmittel: Chloroform/Methanol (7 : 3)] und anschließend einer Verteilungschromatographie an Sephadex G-25 [Säule 56,5 × 2 cm; Butanol/95%-iges Äthanol/Pyridin/Essigsäure/Wasser (40:10:10:4:64 als Lösungsmittel)] unterworfen; Ausbeute: 248 mg (49% d. Th., ber. für eingesetztes H-Gly-OBØ); $[\alpha]_D^{25} = -69{,}7°$ (c = 0,9; in Wasser), bzw. $[\alpha]_D^{26} = -72{,}0°$ (c = 0,7; in n Essigsäure).

36.340. Synthesen mit amino-acetal-blockierter Imidazol-Funktion

36.341. N_{im}-(1-Acylamino-2,2,2-trifluor-äthyl)-[XTE]-Schutzgruppe

Eine sehr erfolgversprechende Blockierung der NH-Imidazol-Funktion wurde von Weygand et al.[2] aufgefunden. 2,2,2-Trifluor-1-chlor-N-benzyloxycarbonyl-äthylamin [XIII; N-(2,2,2-Trifluor-1-chlor-äthyl)-carbamidsäure-benzylester] (Herstellung s. S. 290) reagiert in Gegenwart von 1 Äquivalent tert. Base rasch und unter hohen Ausbeuten mit N_α-Acyl-histidin bzw. -ester XV nach einem Eliminierungs-Additions-Mechanismus, wobei als „aktives Zwischenprodukt" N-Benzyloxycarbonyl-trifluoracetaldimin (XIV) auftritt, zu den N_{im}-(1-Benzyloxycarbonylamino-2,2,2-trifluor-äthyl)-[ZTE]-Derivaten XVI:

---

[1] J. D. Glass, I. L. Schwartz u. R. Walter, Am. Soc. **94**, 6209 (1972).

[2] F. Weygand, W. Steglich u. P. Pietta, Tetrahedron Letters **1966**, 3751.

$F_3C-CH(Cl)-NH-CO-O-CH_2-C_6H_5$ (XIII) $\xrightarrow{+ N(R)_3}$ $F_3C-CH=N-CO-O-CH_2-C_6H_5$ (XIV)

$\xrightarrow{+ \text{XV}}$ (XV: Imidazol-4-yl-$CH_2-CH(NH-Acyl)-CO-R$, N-H) → XVI: Imidazol-4-yl-$CH_2-CH(NH-Acyl)-CO-R$ mit $N-CH(CF_3)-NH-CO-O-CH_2-C_6H_5$ ($F_3C-CH-NH-CO-O-CH_2-C_6H_5$)

$\xrightarrow{+ H_2/Pd}$ XVII: Imidazol-4-yl-$CH_2-CH(NH-Acyl)-CO-R$ mit $N-CH(CF_3)-NH_2$ ($F_3C-CH-NH_2$)

$\xrightarrow{+ H_2O(R^1OH)}$ XVIII: Imidazol-4-yl-$CH_2-CH(NH-Acyl)-CO-R$, N-H

R = OH, OR^2, $-NH-CH(R^3)-CO-\cdots$ etc.

Acyl = BOC, $BOC-NH-CH(R^3)-CO-\cdots$ etc.

Durch diese Alkylierung der NH-Funktion (richtiger Amino-Acetalisierung) wird die Basizität des Imidazol-Ringes weitgehend erniedrigt; dadurch wird die Löslichkeit von Histidin-peptid-Derivaten in Wasser stark gedämpft bzw. die Extraktionsfähigkeit dieser aus organischen Solventien (z.B. Chloroform) mittels verdünnter organischer Säuren (wie Citronensäure, Essigsäure etc.) aufgehoben.

Der peptid-synthetische Einsatz von H-His(ZTE)-OH ist sowohl als Kopfkomponente (z.B. als N_α-tert.-Butyloxycarbonyl-Derivat oder histidin-carboxy-endständiges N-Acyl-peptid) als auch als Amino-Komponente (z.B. Methylester) nach dem Carbodiimid/N-Hydroxy-succinimid- oder dem Inamin-Verfahren möglich[1,2].

Die Abspaltung der N_{im}-(1-Benzyloxycarbonylamino-2,2,2-trifluor-äthyl)-Schutzgruppe gelingt unter den für den Benzyloxycarbonyl-Rest üblichen Bedingungen, z.B. durch katalytische Hydrierung. Primär entsteht hierbei die freie Aminoacetal-Verbindung XVII, die durch Wasser oder Alkohole rasch unter Freisetzung der Imidazol-Gruppe zu XVIII zerfällt[1,2].

Die N_{im}-(1-Benzyloxycarbonylamino-2,2,2-trifluor-äthyl)-Schutzgruppe verhält sich gegenüber den Bedingungen alkalischer Ester-Hydrolyse sowie der acidolytischen Abspaltung von tert.-Butyloxycarbonyl- und 4-Methoxy-benzyloxycarbonyl-Schutzgruppen mittels Trifluoressigsäure stabil, so daß eine einwandfreie selektive Verwendung dieser Maskierungen nebeneinander möglich wird[1,2]:

L-Valyl-L-histidyl-L-leucin [H-Val-His-Leu-OH]:

N_α-tert.-Butyloxycarbonyl-N_{im}-(1-benzyloxycarbonylamino-2,2,2-trifluor-äthyl)-L-histidin-methylester [BOC-His(ZTE)-OMe][2]: 4,04 g BOC-His-OMe und 4,01 g 2,2,2-Trifluor-1-chlor-N-benzyloxycarbonyl-äthylamin in 80 *ml* absol. Tetrahydrofuran werden unter Eiskühlung mit 1,52 g Triäthylamin versetzt. Nach 2stdgr. Reaktionszeit wird vom Triäthylammoniumchlorid abfiltriert, das Filtrat i.Vak. eingedampft. Der erhaltene Rückstand wird in Essigsäure-äthylester aufge-

[1] F. Weygand, W. Steglich u. P. Pietta, Tetrahedron Letters **1966**, **3751**.

[2] F. Weygand, W. Steglich u. P. Pietta, B. **100**, 3841 (1967).

nommen, die Lösung wie üblich gewaschen und aufgearbeitet. Nach Entfernen des Lösungsmittels wird der Rückstand aus Benzol/Petroläther umkristallisiert; Ausbeute: 6,75 g (90% d.Th.); F: 60–80°; $[\alpha]_D^{23} = +4°$ (c = 1, in Methanol).

N_{im}-(1-Benzyloxycarbonylamino-2,2,2-trifluor-äthyl)-L-histidin-methylester [H-His(ZTE)-OMe][1]: 1,0 g BOC-His(ZTE)-OMe werden mit 3 *ml* eiskalter Trifluoressigsäure übergossen. Nach 5 Min. Stehenlassen wird die Reaktionslösung i.Vak. eingedampft und 2 mal Toluol nachdestilliert. Die Lösung des Rückstands in Essigsäure-äthylester wird mit ges. Kaliumcarbonat-Lösung und Wasser wie üblich gewaschen, über Natriumsulfat getrocknet und letztlich erneut i.Vak. eingedampft (Öl); Ausbeute: 0,7 g (87% d.Th.); Nachtrocknen über Phosphor(V)-oxid.

N-Benzyloxycarbonyl-L-valyl-N_{im}-(1-benzyloxycarbonylamino-2,2,2-trifluor-äthyl)-L-histidin-methylester [Z-Val-His(ZTE)-OMe][1]: 0,45 g Z-Val-OH in 15 *ml* absol. Tetrahydrofuran werden bei 0° mit 0,382 g N-Hydroxy-succinimid und 0,27 g Dicyclohexylcarbodiimid versetzt. Nach 1 stdgm. Rühren bei 0° wird vom ausgefallenen N,N'-Dicyclohexyl-harnstoff abfiltriert, die erhaltene Lösung mit 0,7 g H-His(ZTE)-OMe (öliges Rohprodukt) in wenig absol. Tetrahydrofuran vereinigt. Nach 2 stdgm. Rühren der Reaktionsmischung bei 0° wird, evtl. nach erneuter Filtration von wenig abgeschiedenem N,N'-Dicyclohexyl-harnstoff, i.Vak. eingedampft. Der erhaltene Rückstand wird in Essigsäure-äthylester aufgenommen, die Lösung wie üblich aufgearbeitet und der Rückstand 2 mal aus Benzol/Petroläther umkristallisiert; Ausbeute: 0,77 g (70% d.Th.); F: 62–74°; $[\alpha]_{546}^{23} = -19,0°$ (c = 1, in Methanol).

N-Benzyloxycarbonyl-L-valyl-N_{im}-(1-benzyloxycarbonylamino-2,2,2-trifluor-äthyl)-L-histidin [Z-Val-His(ZTE)-OH][1]: 1,89 g Z-Val-His(ZTE)-OMe in 30 *ml* 1,4-Dioxan/Wasser (5:1) werden mit 5 *ml* n Natronlauge über 2 Stdn. wie üblich verseift. Nach weitgehender Entfernung von 1,4-Dioxan i.Vak. wird die Reaktionslösung mit Citronensäure auf $p_H = 4$ gestellt; der gebildete Niederschlag wird in Essigsäure-äthylester aufgenommen, die abgetrennte Essigsäure-äthylester-Phase mit Wasser gewaschen, über Natriumsulfat getrocknet, letztlich i.Vak. erneut eingedampft und der Rückstand aus Benzol/Petroläther umkristallisiert; Ausbeute: 1,48 g (80% d.Th.); F: 40–60°; $[\alpha]_{546}^{23} = -8,0°$ (c = 1, in Methanol).

N-Benzyloxycarbonyl-L-valyl-N_{im}-(1-benzyloxycarbonylamino-2,2,2-trifluor-äthyl)-L-histidyl-L-leucin-benzylester [Z-Val-His(ZTE)-Leu-OBZL][1]: 1,24 g Z-Val-His (ZTE)-OH, 0,79 g H-Leu-OBZL · TOS-OH, 0,20 g Triäthylamin und 0,46 g N-Hydroxy-succinimid in 15 *ml* absol. Tetrahydrofuran werden bei –20° mit 0,5 g Dicyclohexylcarbodiimid versetzt. Nach 2 stdgm. Rühren bei –20° und weiterem 3 stdgn. Rühren der Reaktionsmischung bei Raumtemp. wird das Filtrat vom N,N'-Dicyclohexyl-harnstoff i.Vak. eingedampft, der Rückstand zwischen Essigsäure-äthylester und Wasser verteilt. Nach üblicher Aufarbeitung der abgetrennten Essigsäure-äthylester-Phase wird das erhaltene Material aus Benzol/Petroläther umkristallisiert; Ausbeute: 1,25 g (78% d.Th.); F: 58–65°; $[\alpha]_{546}^{23} = -38°$ (c = 0,5; in Methanol).

L-Valyl-L-histidyl-L-leucin [H-Val-His-Leu-OH][1]: 0,83 g Z-Val-His(ZTE)-Leu-OBZL in 15 *ml* Methanol werden wie üblich (Palladium/Kohle–Katalysator) 6 Stdn. lang hydriert. Das Filtrat vom Katalysator wird i.Vak. eingedampft, der Rückstand aus Äthanol/Diäthyläther umkristallisiert; Ausbeute: 0,28 g (73% d. Th.); F = 225–227°; $[\alpha]_{546}^{26} = -22°$ (c = 0,5; in n Salzsäure).

Erfolgreiche Variationen der „Weygand-Schutzgruppe" müßten mit Ersatz der N-Benzyloxycarbonyl- durch andere brauchbare N-Acyl-Reste, z.B. tert.-Butyloxycarbonyl-, 4-Methoxy-benzyloxycarbonyl-, 2,2,2-Trichlor-äthoxycarbonyl- u.a., gegeben sein; sie würden die Verwendbarkeit noch universeller gestalten.

Der Einführung insbesondere der N_{im}-(1-tert.-Butyloxycarbonylamino-2,2,2-trifluor-äthyl)-Schutzgruppe stand zunächst die Nicht-Zugänglichkeit der Chlorverbindung aus 1-Hydroxy-N-tert.-butyloxycarbonyl-2,2,2-trifluor-äthylamin (XIX) mit Phosphor(V)-chlorid wegen der zu hohen Säurelabilität dieses N-Acyl-Restes entgegen. Weygand et al.[2] konnten jedoch zeigen, daß die aus dem Aminoacetal XIX mittels Carbonsäureanhydriden (z.B. Trifluoressigsäureanhydrid) in Pyridin zugänglichen 1-Acyloxy-Verbindungen XX,

---

[1] F. WEYGAND, W. STEGLICH u. P. PIETTA, B. **100**, 3841 (1967).

[2] F. WEYGAND et al., B. **100**, 3838 (1967).
s. ferner F. WEYGAND et al., B. **101**, 1894 (1968), vereinfachte Methodik.

ohne Isolierung, rasch mit den verschiedensten Nucleophilen, so der NH-Imidazol-Gruppe, unter Austritt von 1 Äquiv. Säure zu XXI reagieren:

$$\underset{\text{XIX}}{F_3C-\underset{|}{\overset{\text{NH-BOC}}{}}CH-OH} \xrightarrow{\text{TFA/Pyridin}} \underset{\text{XX}}{F_3C-\overset{\text{NH-BOC}}{CH}-O-CO-CF_3} \xrightarrow{+\ \text{HY / Pyridin}} \underset{\text{XXI}}{F_3C-\overset{\text{NH-BOC}}{CH}-Y}$$

HY = HNR_2, HO-R etc.

Die Kombinationsmöglichkeit einer (1-tert.-Butyloxycarbonylamino-2,2,2-trifluoräthyl)-Blockierung der NH-Imidazol-Funktion mit einer N_α-Benzyloxycarbonyl-Maskierung spiegeln folgende experimentelle Beispiele wider: Synthese von *H-Val-His-Leu-OH* gegenüber der oben geschilderten (s. S. 548f.) mit „vertauschten" Schutzgruppen.

L-Valyl-L-histidyl-L-leucin [H-Val-His-Leu-OH]:

N-Benzyloxycarbonyl-N_{im}-(1-tert.-butyloxycarbonylamino-2,2,2-trifluor-äthyl)-L-histidin [Z-His(BTE)-OH][1]: 2,8 g 1-Hydroxy-N-tert.-butyloxycarbonyl-2,2,2-trifluor-äthylamin in 20 *ml* absol. Pyridin werden mit 1,8 *ml* Trifluoressigsäureanhydrid unter Eiskühlung versetzt. Zu dieser Reaktionslösung werden nach 30 Min. bei Raumtemp. 3,66 g Z-His-OH zugefügt. Die Reaktionsmischung wird nach Stehenlassen über Nacht i. Vak. eingedampft, der Rückstand in verd. Natriumhydrogencarbonat-Lösung aufgenommen. Die erhaltene Lösung wird 3mal mit Diäthyläther extrahiert und anschließend mit 0,5 m Citronensäure-Lösung auf $p_H = 4$ gestellt. Das ausgefallene Reaktionsprodukt wird in Essigsäure-äthylester aufgenommen, die Essigsäure-äthylester-Phase mit Wasser gewaschen, über Natriumsulfat getrocknet und letztlich i. Vak. eingedampft. Der Rückstand wird aus Diäthyläther/Petroläther umkristallisiert; Ausbeute: 5,16 g (82% d. Th.); F: 80–95°; $[\alpha]_{546}^{23} = +4°$ (c = 1, in Methanol).

N-Benzyloxycarbonyl-N_{im}-(1-tert.-butyloxycarbonylamino-2,2,2-trifluor-äthyl)-L-histidyl-L-leucin-tert.-butylester [Z-His(BTE)-Leu-OtBu][1]: 1,46 g Z-His(BTE)-OH und 0,56 g H-Leu-OtBu in 30 *ml* Essigsäure-äthylester werden bei 0° mit 0,62 g Dicyclohexylcarbodiimid versetzt; die Reaktionsmischung wird 2 Stdn. lang bei 0° gerührt, über Nacht bei Raumtemp. stehengelassen und anschließend durch Filtration vom abgeschiedenen N,N'-Dicyclohexyl-harnstoff befreit. Nach weiterer üblicher Aufarbeitung wird das Rohprodukt aus Diäthyläther/Petroläther umkristallisiert; Ausbeute: 1,37 g (70% d. Th.); F: 64–72°; $[\alpha]_{546}^{23} = -10°$ (c = 0,5; in Methanol).

N-tert.-Butyloxycarbonyl-L-valyl-N_{im}-(1-tert.-butyloxycarbonylamino-2,2,2-trifluor-äthyl)-L-histidyl-L-leucin-tert.-butylester [BOC-Val-His(BTE)-Leu-OtBu][1]: 0,93 g Z-His(BTE)-Leu-OtBu in 20 *ml* Methanol werden wie üblich 6 Stdn. lang hydriert. Das Filtrat vom Katalysator wird i. Vak. eingedampft, der Rückstand in Essigsäure-äthylester aufgenommen. Zu der erhaltenen Lösung werden bei 0° 0,29 g BOC-Val-OH und 0,28 g Dicyclohexylcarbodiimid zugesetzt. Nach 2stdgm. Rühren der Reaktionsmischung bei 0° und Stehenlassen über Nacht bei Raumtemp. filtriert man vom abgeschiedenen N,N'-Dicyclohexyl-harnstoff ab. Nach üblicher Aufarbeitung des Filtrats wird der erhaltene Rückstand aus Diäthyläther/Petroläther umkristallisiert; Ausbeute: 0,67 g (70% d. Th.); F: 110–130°; $[\alpha]_{546}^{23} = -43°$ (c = 0,5; in Methanol).

L-Valyl-L-histidyl-L-leucin [H-Val-His-Leu-OH][1]: 0,72 g BOC-Val-His(BTE)-Leu-OtBu werden unter Eiskühlung mit 10 *ml* Trifluoressigsäure übergossen. Nach 15 Min. langem Stehenlassen bei Raumtemp. wird die Reaktionslösung i. Vak. eingedampft, letztlich unter 2maligem Nachdestillieren von Toluol. Der erhaltene Rückstand wird in 3 *ml* Wasser aufgenommen, die Lösung mit Lewatit MB-60 gerührt und nach Filtration vom Austauscher i. Vak. eingedampft. Nach 2maliger azeotroper Destillation mit absol. Äthanol wird der erhaltene Rückstand aus Äthanol/Diäthyläther umkristallisiert; Ausbeute: 0,296 g (77% d. Th.; s. a. S. 549); F: 225–227°; $[\alpha]_{546}^{26} = -22°$ (c = 0,5; in n Salzsäure).

Die vorstehend beschriebenen Synthesen von H-Val-His-Leu-OH lassen sich insofern variieren, als es möglich ist, die verschiedenen Histidin-dipeptid-Zwischenstufen zunächst ohne Schutz der NH-Imidazol-Funktion aufzubauen und diese dann nachträglich (im Peptid-Verband) mit den „Weygandschen-Schutzgruppen-Reagenzien" zu den N_{im}-maskierten Histidin-peptiden umzusetzen[1].

---

[1] F. Weygand, W. Steglich u. P. Pietta, B. **100**, 3841 (1967).

Als Nachteil dieser N_{im}-Blockierung muß das Vorliegen von Diastereomeren-Gemischen betont werden [zusätzliches Asymmetriezentrum im N_{im} -(1-Acylamino-2,2,2-trifluor-äthyl)-Rest]. Schmelzpunkte oder optische Drehwerte sind daher zur Charakterisierung der „geschützten" Histidin-Derivate (Peptide) wenig geeignet[1].

36.342. N_{im}-(1-Acylamino-2,2,2-trichlor-äthyl)-[XTCE]-Schutzgruppe

Analog dem N_{im}-(1-Benzyloxycarbonylamino-2,2,2-trifluor-äthyl)-Rest ist auch das 2,2,2-Trichlor-Analogon [ZTCE] zum Schutz der NH-Imidazol-Funktion geeignet, im Hinblick auf seine Alkali-Unbeständigkeit in der Verwendbarkeit jedoch etwas eingeschränkt[1] (alkalische Esterverseifung nicht mehr möglich).

36.350. Synthesen mit acyl-blockierter Imidazol-Funktion

Bergmann und Zervas[2] hatten bereits 1928 das Verhalten imidazol-NH-acylierter Histidin-Derivate gegenüber nucleophilen Amino-Komponenten studiert und gefunden, daß Acyl-imidazole ausgezeichnete Acyl-Überträger darstellen (s. a. S. II/326ff.). Es erschien zunächst ausgeschlossen, eine Maskierungsmöglichkeit dieser Art für die Imidazol-NH-Gruppierung aufzubauen.

36.351. Die N_{im}-Benzyloxycarbonyl-[Z]-Schutzgruppe

Erst 1957 fanden Katchalski[3] und wenig später Akabori[4,5] in der N_{α},N_{im}-Di-[benzyloxycarbonyl]-Verbindung XXII ein N_{im}-acyliertes Histidin-Derivat auf, das unter sorgfältiger Einhaltung des Herstellungsverfahrens (kristallin mit 1 Mol Methanol) einige Zeit stabil und für eine peptid-synthetische Verwendung nach dem Carbodiimid-Verfahren geeignet ist. Verschiedene Di-[benzyloxycarbonyl]-histidyl-aminosäureester XXIII konnten von den Autoren auf diesem Wege erhalten werden. Sakiyama[6] hat schließlich aufgezeigt, daß XXII auch nach der Alkyl-kohlensäure-Anhydrid-Methode umgesetzt werden kann, sofern das vorhandene Methanol-Äquiv. bei der Anhydrid-Bildung zu XXIV durch ein zweites Mol Chlorameisensäureester als Dialkyl-carbonat (XXV) abgefangen wird. Gleichzeitig gelang Sakiyama[6] die Herstellung von *Z-His(Z)-ONP* (XXVI); dessen Verknüpfung mit Amino-Komponenten zu XXIII gelang auf üblichem Wege (s. Schema S. 552).

Es dürfte jedoch feststehen, daß obigem N_{im}-Acyl-histidin-Derivat XXII nur diese oben genannte, begrenzte Bedeutung zukommt, da im weiteren Verlauf der Synthese, z.B. alkalische Hydrolyse bzw. Hydrazinolyse der Ester-Derivate XXIII, gleichzeitig auch der N_{im}-Acyl-Rest entfernt wird[6]; isoliert werden somit z.B. N_{α}-Benzyloxycarbonyl-histidyl-aminosäure XXVII bzw. -aminosäure-hydrazide XXVIII (s. Schema S. 552). Auch eine aminolytische Zersetzung der N-Acyl-imidazol-Bindung kann eintreten, d.h. neben den Peptid-Derivaten XXIII bilden sich die Benzyloxycarbonyl-Verbindungen XXIX der eingesetzten Amino-Komponenten[3,7].

Interessant sind die Beobachtungen von Sakiyama[6], daß z.B. Z-His-Phe-OH N_{im}-acylierbar ist, und von Elliot und Morris[8], wonach relativ höhere Resistenz der N_{im}- gegenüber

---

1 F. Weygand, W. Steglich u. P. Pietta, Tetrahedron Letters **1966**, 3751.
2 M. Bergmann u. L. Zervas, H. **175**, 145 (1928).
3 A. Patchornik, A. Berger u. E. Katchalski, Am. Soc. **79**, 6416 (1957).
4 S. Akabori, K. Okawa u. F. Sakiyama, Nature **181**, 772 (1958).
5 F. Sakiyama et al., Bl. chem. Soc. Japan **31**, 926 (1958).
6 F. Sakiyama, Bl. chem. Soc. Japan **35**, 1943 (1962).
7 G. Losse u. U. Krychowski, J. pr. **312**, 1097 (1970).
8 D. F. Elliot u. D. Morris, Chimia **14**, 373 (1960).

der N_α-Benzyloxycarbonyl-Gruppe bei Bromwasserstoff/Eisessig-Solvolyse besteht. Gegenüber Chlorwasserstoff/Essigsäure ist die Beständigkeit des N_{im}-Benzyloxycarbonyl-Restes auch über mehrere Stunden gesichert, während eine N_α-tert.-Butyloxycarbonyl-Blockierung innerhalb 30 Minuten aufgehoben wird[1].

Z–NH–CH(CH₂–Im–N–Z)–COOH · CH₃OH (XXII)

+ O₂N–C₆H₄–OH (DCCD) → Z–NH–CH(CH₂–Im–N–Z)–CO–O–C₆H₄–NO₂ (XXVI)

XXVI + H₂N–CH(R)–CO–OR' → XXIII

XXII + H₂N–CH(R)–CO–OR' (DCCD) → Z–NH–CH(CH₂–Im–N–Z)–CO–NH–CH(R)–CO–OR' (XXIII) ⓐ

XXII + 2 Cl–CO–OR' + tert. Base; – H₃C–O–CO–OR' (XXV) → Z–NH–CH(CH₂–Im–N–Z)–CO–O–CO–OR' (XXIV)

XXIV + H₂N–CH(R)–CO–OR' → XXIII

XXIII +2H₂N–NH₂·H₂O; – Z–NH–NH₂ → Z–NH–CH(CH₂–Im–NH)–CO–NH–CH(R)–CO–NH–NH₂ (XXVIII)

XXIII 3 OH⊖; – CO₂, – H₅C₆–CH₂–OH → Z–NH–CH(CH₂–Im–NH)–CO–NH–CH(R)–COOH (XXVII)

ⓐ ev. + Z–NH–CH(R)–CO–OR' (XXIX) usw.

N_α,N_{im}-Di-[benzyloxycarbonyl]-L-histidin [Z-His(Z)-OH][2]: Zu 5 g Histidin-Monohydrochlorid-Monohydrat und 5,3 g Natriumcarbonat in 48 *ml* n Natronlauge werden bei 0° unter kräftigem Rühren innerhalb 1–1,5 Stdn. portionenweise 8,1 g Chlorameisensäure-benzylester gegeben, währenddessen sich ein Niederschlag abscheidet. Das Reaktionsgemisch wird 1 Stde. bei Raumtemp. gerührt und anschließend mit 6n Salzsäure auf $p_H = 3$ angesäuert. Das abgetrennte gallertige Produkt wird mit 99%-igem Äthanol behandelt; Rohausbeute: 8,6 g (81% d.Th.). Nach sofortigem Umkristallisieren aus Aceton/Wasser farblose Nadeln (als Hydrat): F: 103–105°; $[\alpha]_D^{14} = +34{,}01°$ (c = 2,9; in Essigsäure-äthylester); oder aus Methanol Nadeln (als Methanolat): F: 105–107° (Zers.)[3]; $[\alpha]_D^{20} = +15{,}3°$ (c = 6,3; in Aceton/Methanol).

---

[1] G. LOSSE u. U. KRYCHOWSKI, J. pr. **312**, 1097 (1970).
[2] S. AKABORI, K. OKAWA u. F. SAKIYAMA, Nature **181**, 772 (1958).
[3] A. PATCHORNIK, A. BERGER u. E. KATCHALSKI, Am. Soc. **79**, 6416 (1957).

36.352. Die N_{im}-tert.-Butyloxycarbonyl-[BOC]-Schutzgruppe

Bekanntlich ist N-tert.-Butyloxycarbonyl-imidazol relativ reaktionsträge und als Acyl-Donator für die Herstellung von N-tert.-Butyloxycarbonyl-aminosäuren geeignet[1]. Es mußte daraus gefolgert werden, daß N_{im}-tert.-Butyloxycarbonyl-histidin-Derivate genügend stabil vor allem im Zuge peptid-synthetischer Umsetzung (gegenüber Aminolyse durch Aminosäureester etc.) sein würden.

Die Herstellung reiner N_{α}-Acyl-N_{im}-tert.-butyloxycarbonyl-histidine ließ lange Zeit auf sich warten, obschon bereits 1964 eine Umsetzung von H-His-OMe mit tert.-Butyloxycarbonyl-azid (im Überschuß) zu *BOC-His(BOC)-OMe* mitgeteilt worden war[2]. Erst als mit Fluorameisensäure-tert.-butylester ein für obige Zwecke sehr vorteilhaftes Reagens zur Verfügung stand, gelang die Herstellung von reinem *BOC-His(BOC)-OH*[3,4].

Auch die Einwirkung von tert.-Butyloxycarbonyl-azid auf Histidin unter Zusatz von Magnesiumoxid oder p_H-Stat-Kontrolle (zunächst bei 9,0–9,5, dann bei 8,0–8,4) soll mit 50 bzw. 23% d.Th. zum BOC-His(BOC)-OH führen[5,6]; mit ähnlichen Ergebnissen konnte die Einführung des N_{im}-tert.-Butyloxycarbonyl-Restes auch auf Z-His-OH[5] und bei Anwendung der „p_H-Stat-Reaktion" (= 8,2) auf BPOC-His-OH[6] übertragen werden.

N_{α},N_{im}-Di-[tert.-butyloxycarbonyl]-L-histidin [BOC-His(BOC)-OH][3]: 21 g Histidin-Monohydrochlorid-Monohydrat in 100 *ml* 50%-igem 1,4-Dioxan (Aufschlämmung) werden bei $-5°$ mit 35 *ml* rohem tert.-Butyloxycarbonyl-fluorid (~ 40%-ig) langsam und unter kräftigem Rühren versetzt, währenddessen durch Zugabe von Natronlauge der p_H-Wert der Reaktionsmischung bei 8,3 gehalten wird. Nach 2 Stdn. werden erneut 35 *ml* genannter tert.-Butyloxycarbonyl-fluorid-Lösung zugegeben, wobei nunmehr ein p_H-Wert von 6,8 eingehalten wird. Nach weiterer 4stdgr. Reaktionsdauer wird filtriert, das Filtrat wiederholt mit je 100 *ml* Diäthyläther ausgezogen, die wäßr. Phase mit Citronensäure angesäuert und anschließend portionenweise mit insgesamt 400 *ml* Diäthyläther extrahiert. Die vereinigten Diäthyläther-Lösungen werden sorgfältig mit Wasser gewaschen, anschließend i.Vak. eingedampft. Nach Trocknen des Rückstands über Phosphor(V)-oxid/Kaliumhydroxid amorpher Schaum (F: 75–80°); Ausbeute: 32,1 g (88% d.Th.); $[\alpha]_{578}^{23} = -1,5°$ (c = 1, in Essigsäure).

Die Acylierung ist auch bei Einhalten eines $p_H = 7$ von Anfang an durchführbar; fast quantitative Ausbeuten wurden erreicht[4].

Die Umsetzung der N_{α}-Acyl-N_{im}-tert.-butyloxycarbonyl-histidine wurde bislang nach Carbodiimid-[6], 4-Nitro-phenylester-[3] oder (N-Hydroxy-succinimid)-ester-Verfahren[5] vorgenommen; aus der N_{α}-Benzyloxycarbonyl-Verbindung kann darüber hinaus durch Einwirkung von Thionylchlorid *H-[His(BOC)-NCA]·HCl* erhalten werden[5] — ein geeignetes Startmaterial für Poly-histidin.

Die gegenüber der Einwirkung von Chlorwasserstoff/1,4-Dioxan noch stabile N_{im}-tert.-Butyloxycarbonyl-Maskierung kann mit Bromwasserstoff/Essigsäure, Bromwasserstoff/Trifluoressigsäure oder mit flüssigem Fluorwasserstoff aufgehoben werden[5,6].

36.353. Die N_{im}-[Adamantyl-(1)-oxycarbonyl]-[AdOC]-Schutzgruppe

Ein relativ stabiles identisch subst. N_{α},N_{im}-Diacyl-histidin wurde von Haas et al.[7] in Gestalt von AdOC-His(AdOC)-OH beschrieben; es konnte von Wünsch et al.[8] erfolgreich bei der Synthese des Pankreas-Hormons Glucagon eingesetzt werden.

---

1 W. Klee u. M. Brenner, Helv. **44**, 2151 (1961).
2 E. Wünsch u. A. Zwick, B. **97**, 2497 (1964).
3 E. Schnabel et al., A. **716**, 175 (1968).
4 E. Schnabel et al., A. **743**, 57 (1971).
5 M. Fridkin u. H. J. Goren, Canad. J. Chem. **49**, 1578 (1971).
6 D. Yamashiro, J. Blake u. C. H. Li, Am. Soc. **94**, 2855 (1972).
7 W. L. Haas, E. V. Krumkalns u. K. Gerzon, Abstracts 150. Meeting Amer. Chem. Soc. **1965**, 44c; Am. Soc. **88**, 1988 (1966).
8 E. Wünsch, A. Zwick u. E. Jaeger, B. **101**, 336 (1968).

N_α,N_{im}-Di-[adamantyl-(1)-oxycarbonyl]-L-histidin [AdOC-His(AdOC)-OH][1]: 35 g Histidin-Hydrochlorid (Monohydrat) in 335 *ml* n Natronlauge werden nach Zusatz von 37,1 g Natriumcarbonat unter Eiskühlung und Rühren mit einer Lösung von 23,8 g Chlorameisensäure-adamantyl-(1)-ester in 100 *ml* 1,4-Dioxan in mehreren Portionen innerhalb 1 Stde. versetzt (Nach Zugabe der 1. Portion Chlorameisensäureester verdünnt man die Reaktionsmischung mit 100 *ml* Diäthyläther). Anschließend rührt man die Reaktionsmischung 2 Stdn. bei Raumtemperatur. Nach 3maliger Extraktion der Mischung mit je 500 *ml* Diäthyläther wird unter Eiskühlung, Überschichten mit 500 *ml* Diäthyläther und unter Rühren mit 70 *ml* 85%-iger Phosphorsäure bis $p_H = 2$ angesäuert; nach Trennen der Phasen wird die wäßrige noch 2mal mit je 200 *ml* Diäthyläther ausgeschüttelt. Die vereinigten über Natriumsulfat getrockneten Äther-Extrakte werden i. Vak. eingedampft. Der erhaltene Rückstand wird 2mal aus Dichlormethan/Petroläther umkristallisiert; Ausbeute: 65 g (76% d. Th.); F: 140–145° (Zers.; farbloses monokristallines Pulver); $[\alpha]_D^{20} = +12,6 \pm 0,5°$ bzw. $[\alpha]_{546}^{20} = -14,7°$[2] (c = 2, in Methanol).

Bei gleicher Verfahrensweise ist die Einführung des N_{im}-Adamantyl-(1)-oxycarbonyl-Restes auch im Z-His-OH möglich[3].

N_α,N_{im}-Di-[adamantyl-(1)-oxycarbonyl]-L-histidyl-O-tert.-butyl-L-seryl-L-glutaminyl-glycyl-O-tert.-butyl-L-threonyl-L-phenylalanin [AdOC-His(AdOC)-Ser(tBu)-Gln-Gly-Thr(tBu)-Phe-OH]:

N_α,N_{im}-Di-[adamantyl-(1)-oxycarbonyl]-L-histidin-(N-hydroxy-succinimid)-ester [AdOC-His(AdOC)-OSU][4]: 25,6 g AdOC-His(AdOC)-OH und 7,0 g N-Hydroxy-succinimid in 250 *ml* 1,4-Dioxan werden bei 0° mit 11 g Dicyclohexylcarbodiimid versetzt. Dann wird 2 Stdn. bei 0° und 12 Stdn. bei Raumtemp. gerührt, nach erneutem Abkühlen auf 0° vom abgeschiedenen N,N'-Dicyclohexylharnstoff filtriert und der nach Eindampfen des Filtrats i. Vak. erhaltene Rückstand mit 100 *ml* Dichlormethan behandelt, wobei geringe Mengen N,N'-Dicyclohexyl-harnstoff ungelöst bleiben. Die erwärmte Dichlormethan-Lösung versetzt man vorsichtig mit wenig Petroläther; nach Einsetzen der Kristallisation wird mit Petroläther überschichtet und zuerst bei Raumtemp. und anschließend bei −5° zur Vervollständigung der Kristallisation stehengelassen. Das abfiltrierte Produkt wird i. Vak. bei 60° getrocknet; Ausbeute: 22,6 g (74% d. Th.); F: 164,5–167,5° (151°).

Das erhaltene Produkt enthält noch geringe Mengen N-Hydroxy-succinimid, es ist für die weitere Umsetzung jedoch genügend rein.

N_α,N_{im}-Di-[adamantyl-(1)-oxycarbonyl]-L-histidyl-O-tert.-butyl-L-seryl-L-glutaminyl-glycyl-O-tert.-butyl-L-threonyl-L-phenylalanin [AdOC-His(AdOC)-Ser(tBu)-Gln-Gly-Thr(tBu)-Phe-OH][4]: 6,78 g (1 mMol) H-Ser(tBu)-Gln-Gly-Thr(tBu)-Phe-OH und 1,4 *ml* Triäthylamin in 150 *ml* Pyridin werden bei −5° mit 9,2 g (∼ 1,5 mMol) AdOC-His(AdOC)-OSU (Rohprodukt) versetzt; die Reaktionslösung wird 2 Stdn. bei 0° und weitere 8 Stdn. bei Raumtemp. gerührt, i. Vak. eingedampft, der Rückstand mit absol. Diäthyläther behandelt und auf das Filter gebracht. Die Lösung des erhaltenen Produkts in 100 *ml* Methanol läßt man in 500 *ml* Wasser, das 4,3 g Citronensäure enthält, einfließen. Die gebildete Fällung wird abfiltriert, nach sorgfältigem Waschen mit Wasser i. Vak. getrocknet und schließlich in 300 *ml* Essigsäure-äthylester/Methanol (5:1) aufgenommen. In diese Lösung läßt man unter Rühren 100 *ml* absol. Diäthyläther langsam einfließen. Nach mehrstdgm. Stehenlassen im Kühlschrank bei −5° wird der Niederschlag abfiltriert und i. Vak. bei 40° getrocknet; Ausbeute: 9,45 g (80% d. Th.; N-Acyl-hexapeptid + 1 Mol Methanol); $[\alpha]_D^{20} = +16,63 \pm 1°$ bzw. $[\alpha]_{546}^{20} = +19,94°$ (c = 0,9; in Methanol).

Beide Maskierungen (an α-Amino- und NH-Imidazol-Funktion) sind mittels Trifluoressigsäure-Solvolyse gleichzeitig und glatt reversibel[5,6] (s. S. 584).

36.354. Die N_{im}-Piperidinocarbonyl-[PiC]-Schutzgruppe

Im N_{im}-Piperidinocarbonyl-[PiC]-Rest wurde eine weitere geeignete Acyl-Maskierung der NH-Imidazol-Funktion aufgefunden[7]. Von sekundären Aminen abgeleitete N_{im}-Carbonyl-Derivate des Imidazols sind relativ stabil im Falle der Histidin-Verbindung, z. B.

---

1 W. L. Haas, E. V. Krumkalns u. K. Gerzon, Abstracts 150. Meeting Amer. Chem. Soc. **1985**, 44c; Am. Soc. **88**, 1988 (1966).

2 E. Wünsch, unveröffentlicht.

3 M. A. Tilak, R. Russell u. M. L. Hendricks, Org. Prep. and Proced. Int. **3**, 17 (1971).

4 E. Wünsch, A. Zwick u. E. Jaeger, B. **101**, 336 (1968).

5 E. Wünsch u. G. Wendlberger, B. **101**, 3659 (1968).

6 E. Wünsch u. G. Wendlberger, B. **105**, 2508 (1972).

7 G. Jäger, R. Geiger u. W. Siedel, B. **101**, 3537 (1968).

gegen Acidolyse, Hydrogenolyse und schwach nucleophile Reagenzien, wie Aminosäureester etc. Sie werden aber mittels Hydrazin, Alkanolaten oder Alkalilaugen unter Regenerierung der NH-Imidazol-Funktion zersetzt[1,2].

Die Einführung der N_{im}-Piperidinocarbonyl-Gruppe gelingt durch Umsetzung von N_α-Acyl-histidin-estern bzw. -peptid-estern mit Chlorameisensäure-piperidid im geringen Überschuß in absol. Pyridin bei 65° in Ausbeuten zwischen 68–100%. Wegen der Alkali-Labilität der N_{im}-Piperidinocarbonyl-Gruppierung ist man teilweise bei der Herstellung von entsprechend geschützten Histidin-Startmaterialien (als Kopf- oder Amino-Komponente) auf die Verwendung von Carboxy-Schutzgruppen verwiesen, die nicht alkalisch verseift werden müssen. So stellen die Autoren[1] *NPS-His(PiC)-OH* auf folgendem Umwege her: N_{im}-Acylierung von Z-His-OBZL, hydrogenolytische Abspaltung der beiden „Benzyl-Schutzgruppen" und folgende 2-Nitro-phenylsulfenylierung des isolierten H-His(PiC)-OH.

N_α-(2-Nitro-phenylsulfenyl)-N_{im}-piperidinocarbonyl-L-histidin [NPS-His(PiC)-OH]:

N_α-Benzyloxycarbonyl-L-histidin-benzylester [Z-His-OBZL][1]: 11,8 g H-His-OBZL · TOS-OH und 4,98 g O-Benzyloxycarbonyl-(N-hydroxy)-succinimid in 120 *ml* Dimethylformamid werden bei −5° mit 5,56 *ml* Triäthylamin versetzt. Nach 2 stdgm. Stehenlassen bei Raumtemp. wird die Reaktionslösung i. Vak. eingedampft, der farblose ölige Rückstand 3 mal mit absol. Diäthyläther digeriert. Das verbleibende Öl wird in Essigsäure-äthylester unter Zusatz von etwas Dichlormethan aufgenommen, die Lösung 2 mal mit Natriumhydrogencarbonat-Lösung und 4 mal mit Wasser gewaschen, über Natriumsulfat getrocknet und letztlich i. Vak. eingedampft (Öl); Ausbeute: 6,15 g (79% d. Th.).

Das erhaltene Material ist chromatographisch fast rein; die geringe Menge Verunreinigung [Z-His(Z)-OBZL] kann nur unter relativ hohen Verlusten abgetrennt werden. Für die weitere Verarbeitung ist diese Reinigungsoperation jedoch nicht unbedingt erforderlich.

N_α-Benzyloxycarbonyl-N_{im}-piperidinocarbonyl-L-histidin-benzylester [Z-His(PiC)-OBZL]: 11,65 g Z-His-OBZL (als Hemihydrat s. oben) in 80 *ml* Pyridin werden mit 6,0 g Chlorameisensäure-piperidid versetzt, die Mischung 6 Stdn. auf 65° erwärmt und anschließend i. Vak. eingedampft. Der hellbraune Rückstand wird nach Verreiben mit Wasser in Essigsäure-äthylester aufgenommen, die erhaltene Lösung 1 mal mit n Salzsäure und 3 mal mit Wasser gewaschen, über Natriumsulfat getrocknet und letztlich i. Vak. eingedampft (fast farbloses Öl); Ausbeute: 14,62 g (fast quantitativ); $[\alpha]_D^{25} = -13,9°$ (c = 1, in Methanol).

N_{im}-Piperidinocarbonyl-L-histidin [H-His(PiC)-OH][1]: 13,75 g Z-His(PiC)-OBZL in 150 *ml* Methanol und 20 *ml* Wasser werden in Gegenwart von Palladiumschwarz als Katalysator 3 Stdn. wie üblich hydriert. Das Filtrat vom Katalysator wird i. Vak. eingedampft, der erhaltene Rückstand mit heißem absol. Äthanol verrieben; hierbei tritt Kristallisation ein. Das gebildete kristalline Material wird auf das Filter gebracht, mit absol. Äthanol gewaschen und letztlich über Phosphor(V)-oxid getrocknet; Ausbeute: 5,97 g (80% d. Th.); F: 189–191,5° (Zers.); $[\alpha]_D^{25} = -4,7°$ (c = 1, in Wasser).

Bei nochmaligem Verreiben in heißem Äthanol und längerem Stehen steigt der Zers. P. auf 193–194,5°.

N_α-(2-Nitro-phenylsulfenyl)-N_{im}-piperidinocarbonyl-L-histidin [NPS-His(PiC)-OH][1]: 2,66 g H-His(PiC)-OH in 13 *ml* 1,4-Dioxan und 5 *ml* 2n Natronlauge werden im Verlauf von 15 Min. unter Rühren mit 2,08 g 2-Nitro-phenylsulfenyl-chlorid in 10 Portionen und gleichzeitig mit 6 *ml* 2n Natronlauge tropfenweise versetzt. Die Reaktionsmischung wird nach Verdünnen mit 100 *ml* Wasser filtriert, das Filtrat mit n Schwefelsäure auf $p_H = 2$ gestellt. Die abgeschiedene, halbfeste Masse wird in 300 *ml* Essigsäure-äthylester aufgenommen, die abgetrennte Essigsäure-äthylester-Phase mit Wasser gewaschen, über Natriumsulfat getrocknet und bei tiefer Temp. i. Vak. eingedampft; gelber kristalliner Rückstand; Ausbeute: 3,15 g (75% d. Th.).

Das erhaltene rohe 2-Nitro-phenylsulfenyl-Derivat wird sofort weiterverarbeitet.

Der Einsatz des N_α-(2-Nitro-phenylsulfenyl)-histidin-Derivats erfolgt dann vorzugsweise nach dem N-Hydroxy-succinimid-ester-Verfahren: mit Aminosäure(Peptid)-estern oder Peptiden (hierbei unter Zusatz von N-Methyl-morpholin) erfolgt glatte Verknüpfung.

---

[1] G. Jäger, R. Geiger u. W. Siedel, B. **101**, 3537 (1968).
[2] G. Losse u. U. Krychowski, Tetrahedron Letters **1971**, 4121.

N_{α}-(2-Nitro-phenylsulfenyl)-N_{im}-piperidinocarbonyl-L-histidyl-L-leucyl-L-valyl-L-glutamyl(γ-tert.-butylester)-L-alanyl-L-leucyl-O-tert.-butyl-L-tyrosin [NPS-His(PiC)-Leu-Val-Glu(OtBu)-Ala-Leu-Tyr (tBu)-OH]:

N_{α}-(2-Nitro-phenylsulfenyl)-N_{im}-piperidinocarbonyl-L-histidin-(N-hydroxy-succinimid)-ester [NPS-His(PiC)-OSU][1]: 3,15 g NPS-His(PiC)-OH (Rohprodukt, s. oben) und 0,97 g N-Hydroxy-succinimid in 60 *ml* Acetonitril werden bei −7° mit 1,73 g Dicyclohexylcarbodiimid versetzt. Nach 16stdgm. Stehenlassen bei 0° und 3stdgm. Stehen bei Raumtemp. dampft man das Filtrat vom N,N'-Dicyclohexyl-harnstoff i. Vak. ein. Der erhaltene kristalline Rückstand wird mit absol. Diäthyläther verrieben, nach 48stdgm. Stehenlassen bei 0° auf das Filter gebracht, mit absol. Diäthyläther gewaschen und aus Chloroform/Petroläther umkristallisiert; Ausbeute: 2,52 g (65% d. Th.); F: 157° (gelbliche Kristalle); $[\alpha]_D^{25} = +5{,}6°$ (c = 1, in Chloroform).

N_{α}-(2-Nitro-phenylsulfenyl)-N_{im}-piperidinocarbonyl-L-histidyl-L-leucyl-L-valyl-L-glutamyl(γ-tert.-butylester)-L-alanyl-L-leucyl-O-tert.-butyl-L-tyrosin [NPS-His (PiC)-Leu-Val-Glu(OtBu)-Ala-Leu-Tyr(tBu)-OH][1]: 0,84 g H-Leu-Val-Glu(OtBu)-Ala-Leu-Tyr (tBu)-OH werden in 4 *ml* Dimethylformamid suspendiert und mit 0,15 *ml* N-Methyl-morpholin versetzt. Nach Abkühlen auf −10° werden 0,78 g NPS-His(PiC)-OSU zugegeben, die Mischung bei Raumtemp. gerührt, wobei zunächst Lösung erfolgt und später Abscheiden einer gallertigen Masse eintritt. Der Ansatz wird mit viel absol. Diäthyläther behandelt; das nunmehr pulvrige Material wird abfiltriert, 2 mal mit verd. Citronensäure-Lösung von $p_H = 2$ unter Zusatz von wenig Äthanol verrieben und letztlich mit Wasser gewaschen. Danach wird das erhaltene Material in 20 *ml* Chloroform/Methanol (19:1) 3 Stdn. lang verrührt, in 200 *ml* Diäthyläther gegossen, verrieben, abfiltriert, mit Diäthyläther gewaschen und schließlich i. Hochvak. über Phosphor(V)-oxid bei Raumtemp. getrocknet; Ausbeute: 0,85 g (68% d. Th.); F: 238,5–240,5° (Zers. bei Sintern ab 229°; gelbliches Pulver).

Die Entfernung der N_{im}-Piperidinocarbonyl-Schutzgruppe gelingt mittels 100%-igen Hydrazin-Hydrats in Dimethylacetamid/Äthanol oder mittels 2 n Natronlauge in 1,4-Dioxan bei Raumtemperatur, jeweils jedoch mit einem beträchtlichen Überschuß an Spaltungsreagens[1,2]. Die Anwendung dieser Demaskierungs-Technik auf N_{α}-Acyl-histidyl-peptidester bzw. -peptidyl-histidinester führt gleichzeitig zu Hydrolyse bzw. Hydrazinolyse der Ester-Bindung. Im letzteren Falle können die erhaltenen N_{α}-Acyl-peptid-hydrazide schließlich als Kopfkomponente nach der Azid-Methode Verwendung finden, wobei dann allerdings die freie NH-Imidazol-Funktion des Histidin-Restes in der Sequenz zu beachten ist[1].

N-Benzyloxycarbonyl-L-phenylalanyl-L-histidin-hydrazid [Z-Phe-His-$NHNH_2$][1]: 2,42 g Z-Phe-His (PiC)-OMe (mit 2,5 Mol Kristallwasser erhalten) in 16 *ml* Dimethylacetamid/absol. Äthanol (3:1) werden mit 0,97 *ml* 100%-igem Hydrazin-Hydrat versetzt. Nach 24stdgm. Aufbewahren bei Raumtemp. wird die Reaktionsmischung i. Vak. eingedampft, der sirupartige Rückstand mit absol. Äthanol zerrieben und erneut i. Vak. zur Trockene gebracht. Das nunmehr kristalline Rohprodukt wird mit absol. Äthanol gewaschen und letztlich aus heißem Äthanol/Wasser umkristallisiert; Ausbeute: 1,44 g (80% d. Th.); F: 180,5° (Zers.); $[\alpha]_D^{25} = -31{,}7°$ (c = 1, in 50%-iger Essigsäure).

N-Benzyloxycarbonyl-L-phenylalanyl-L-histidin [Z-Phe-His-OH][1]: 4,47 g Z-Phe-His(PiC)-OBZL in 20 *ml* 1,4-Dioxan werden mit 10,5 *ml* 2n Natronlauge versetzt, die Mischung 2 Stdn. lang bei Raumtemp. gerührt. Nach Verdünnen der Lösung mit 200 *ml* Wasser wird mit 12,3 *ml* 2n Salzsäure angesäuert; der gebildete kristalline Niederschlag wird abfiltriert und über Phosphor(V)-oxid i. Vak. getrocknet; Ausbeute: 2,56 g (84% d. Th.); F: 196–197°.

Nach Verreiben mit heißem Äthanol schmilzt die Substanz bei F: 204–206°; $[\alpha]_D^{25} = -5{,}8°$ (c = 1, in Dimethylformamid).

N_{im}-Piperidinocarbonyl-histidin ist in seiner „Imidazol-Basizität" stark reduziert[2]. Peptide bzw. deren Derivate mit so N_{im}-geschützten Histidin-Resten in der Sequenz weisen sehr günstige Löslichkeitseigenschaften in den für die Peptidchemie gebräuchlichen Solventien auf[1,2]. Diesen zweifellos großen Vorteilen steht jedoch die nur unter drasti-

---

[1] G. Jäger, R. Geiger u. W. Siedel, B. **101**, 3537 (1968).

[2] G. Losse u. U. Krychowski, Tetrahedron Letters **1971**, 4121.

schen nucleophilen Bedingungen reversibel ausführbare N_{im}-Demaskierung nachteilig gegenüber; diese dürfte z.B. bei Anwesenheit von Asparaginsäure- bzw. Asparagin-Resten in der Sequenz kaum ohne Nebenreaktionen durchführbar sein.

36.355. Die N_{im}-Tosyl-[TOS]-Schutzgruppe

Die bekannte, gute Stabilität der Tosyl-amin-Gruppierung hat Sakakibara und Fujii[1] wohl veranlaßt zu versuchen, die Imidazol-Funktion des Histidins durch Sulfonierung auszuschalten.

Die Einführung des N_{im}-Tosyl-Restes gelingt mit Hilfe von Tosylchlorid unter üblichen, carbonat-alkalischen Schotten-Baumann-Reaktionsbedingungen in N_α-Acyl-histidine; *Z-His(TOS)-OH*, *AOC-His(TOS)-OH* und *NPS-His(TOS)-OH*, in ~70%-iger Ausbeute erhältlich, sind dank ihrer guten Löslichkeit in den für N-Acyl-aminosäuren ansonst gebräuchlichen Solventien* ausgezeichnete „Kopfkomponenten" für peptid-synthetische Umsetzungen nach Carbodiimid- (insbesondere bei Anwendung der Merrifield-Technik)[2] oder Misch-Anhydrid-Verfahren[1].

Die vorliegende N_{im}-Maskierung kann durch kurzzeitige Einwirkung von flüssigem Fluorwasserstoff oder unter den Bedingungen alkalischer Ester-Verseifung reversibel gestaltet werden; ob dies auch für Hydrazinolyse zutrifft, ist bislang nicht bearbeitet. Gegenüber Trifluoressigsäure [insbesondere Trifluoressigsäure/Dichlormethan (1:1)[2]] soll die N-Tosyl-imidazol-Bindung selbst bei Raumtemperatur gut beständig sein; Chlorwasserstoff oder Bromwasserstoff in organischen Lösungsmitteln bedingen jedoch partielle Spaltung[1]. Auch gegenüber Alkoholyse scheint diese Sulfonamid-Gruppierung relativ empfindlich zu sein, da z.B. Umkristallisieren von *BOC-His(TOS)-OH* aus Essigsäure-äthylester unter Zusatz von wenig Äthanol (wegen der Schwerlöslichkeit der Verbindung in reinem Essigsäure-äthylester) zur weitgehenden Zersetzung unter Bildung des 4-Toluolsulfonsäure-Salzes von BOC-His-OH führt[3].

36.360. Synthesen mit ungeschützter Pyrazol-Funktion

Der Einsatz von Pyrazolyl-(3)-alanin, seinen carboxy-geschützten Derivaten incl. Pyrazolyl-(3)-alanyl-peptiden als Amino-Komponenten scheint – wie beim Histidin – ohne Komplikationen zu gelingen; Aminoacylierung nach der N-Hydroxy-succinimid-ester-Methode beschreiben erstmals Hofmann et al.[4].

Die „Histidin-Analogie" wird trotz recht unterschiedlicher pK-Werte der beiden isosteren Aminosäuren (His:Pza = 6,0:2,2) auch bei der peptid-synthetischen Verwendung von N_α-Acyl-pyrazolyl-(3)-alaninen als Kopfkomponente deutlich. Zwar ist eine relativ gute Löslichkeit von N_α-blockiertem Pyrazolyl-(3)-alanin (I) in organischen Solventien (selbst Essigsäure-äthylester) aufgrund des erheblich schwächeren dipolaren Charakters vorhanden, doch führt Aktivierung z.B. mittels Dicyclohexylcarbodiimid sofort unter intramolekularer Pyrazolid-Bildung zur „Anhydro-Verbindung" II[5] (vgl. dazu S. 539).

---

* Dies deutet an, daß die Imidazol-Funktion durch die N_{im}-Tosylierung weitestgehend ihrer basischen Eigenschaften beraubt ist.

1 S. Sakakibara u. T. Fujii, Bl. chem. Soc. Japan **42**, 1466 (1969).
2 T. Fujii u. S. Sakakibara, Bl. chem. Soc. Japan **43**, 3954 (1970).
3 E. Wünsch, unveröffentlichte Ergebnisse.
4 R. Andreatta u. K. Hofmann, Am. Soc. **90**, 7334 (1968).
5 K. Hofmann, R. Andreatta u. H. Bohn, Am. Soc. **90**, 6207 (1968).

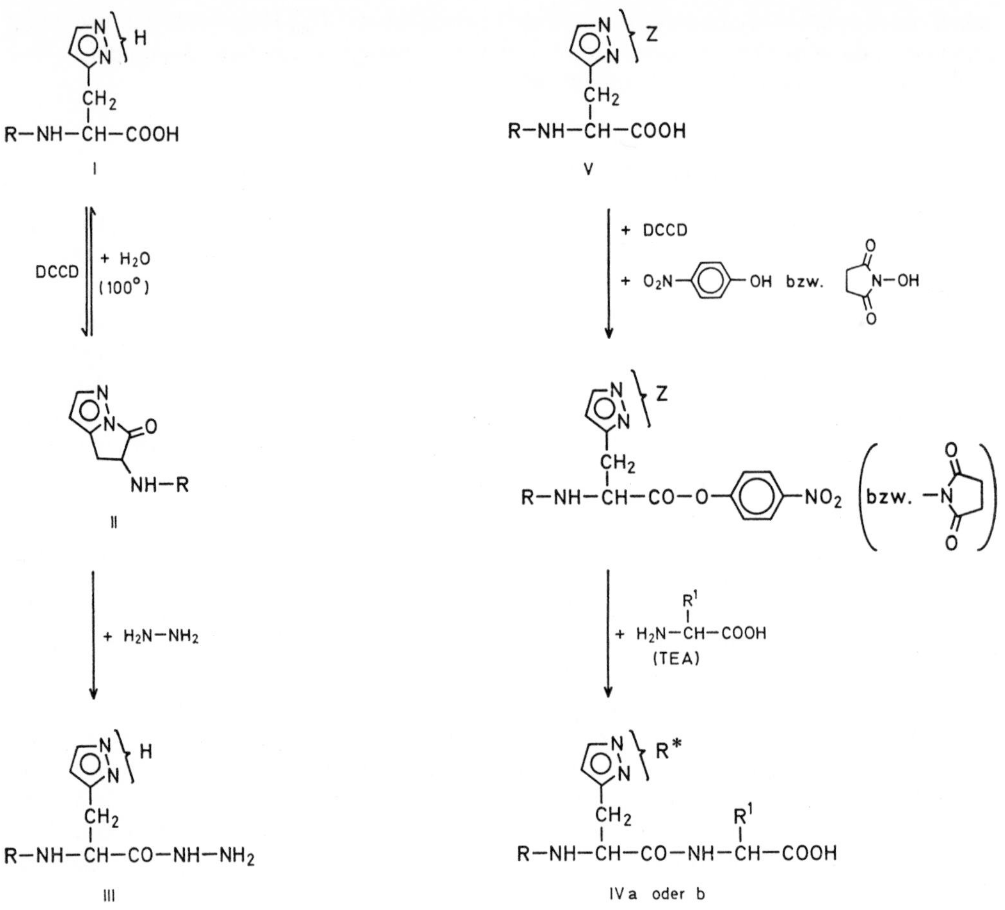

R = Z, BOC
R* = H (IVa); Z (IVb)

Das cyclische Lactam II ist der racemisierungsfreien, nucleophilen Ringöffnung mittels Hydrazin-Hydrat zum *N_α-Acyl-pyrazolyl-(3)-alanin-hydrazid* (III), aber auch zum Acyl-dipeptid IVa mittels Aminosäure-Salzen zugänglich; wie im Falle des Histidin-Derivats glückt die Umwandlung des Hydrazids III, erhältlich auch via Acylierung von Pyrazolyl-(3)-alanin-methylester und folgende Hydrazinolyse des N-Acyl-esters, ins Azid* und dessen Umsetzung mit Amino-Komponenten, u.a. mit Aminosäure-Salzen zum N-Acyl-dipeptid IVa[1].

36.370. Synthesen mit acyl-blockierter Pyrazol-Funktion

Aufgrund der merklichen Basizitäts-Unterschiede zwischen Histidin und Pyrazolyl-(3)-alanin (s. S. 557) und der schlechteren nucleophilen Reaktivität von Carbonsäure-pyrazoliden gegenüber -imidazoliden sollten N_{Pz}-Acyl-pyrazolyl-(3)-alanine relativ bestän-

---

* Zweckmäßig nach dem Rudinger-Verfahren (s. S. II/310), J. Honzl u. J. Rudinger, Collect. czech. chem. Commun. **26**, 2333 (1961).

[1] K. Hofmann, R. Andreatta u. H. Bohn, Am. Soc. **90**, 6207 (1968).

dige Verbindungen sein. Hofmann et al.[1] gelang die Herstellung von *Z-Pza(Z)-OH*, seinen Aktivestern *Z-Pza(Z)-ONP* bzw. *-OSU* und deren erfolgreiche Umsetzung mit Aminosäure(Peptid)-Salzen oder -estern.

N_α,N_{Pz}-Di-[benzyloxycarbonyl]-L-pyrazolyl-(3)-alanyl-L-prolyl-L-phenylalanin-tert.-butylester [Z-Pza (Z)-Pro-Phe-OtBu]:

N_α,N_{Pz}-Di-[benzyloxycarbonyl]-L-pyrazolyl-(3)-alanin [Z-Pza(Z)-OH][1]: 2,96 g Pyrazolyl-(3)-alanin in 39 *ml* 0,5n Natronlauge werden nach Zusatz von 5,95 g Natriumcarbonat-Monohydrat und Abkühlen auf 0° mit 6,8 *ml* Chlorameisensäure-benzylester in 5 Portionen über eine Periode von 1 Stde. unter starkem Rühren versetzt. Die Reaktionsmischung wird anschließend weitere 13 Min. bei Raumtemp. gerührt; das abgeschiedene ölige Material wird durch Zugabe von 50 *ml* Wasser wieder in Lösung gebracht, der Reaktionsansatz mit Diäthyläther extrahiert und anschließend nach Abkühlen auf 0° mit eiskalter 6n Salzsäure angesäuert (Kongorot). Die gebildete Fällung wird in Essigsäure-äthylester aufgenommen, die abgetrennte Essigsäure-äthylester-Phase mit ges. Natriumchlorid-Lösung gewaschen, über Natriumsulfat getrocknet und letztlich i.Vak. eingedampft. Die verbleibende gelatinöse Masse wird mit kaltem Diäthyläther, der 15% Petroläther (30–60°) enthält, gewaschen und anschließend getrocknet; Ausbeute: 7,8 g (96% d.Th.); F: 104–106°; $[\alpha]_D^{24} = -31{,}1°$ (c = 3,2; in Dimethylformamid).

N_α,N_{Pz}-Di-[benzyloxycarbonyl]-L-pyrazolyl-(3)-alanin-4-nitro-phenylester [Z-Pza (Z)-ONP][1]: 10,16 g Z-Pza(Z)-OH und 4,0 g 4-Nitro-phenol in 200 *ml* Essigsäure-äthylester werden bei 0° mit 4,95 g Dicyclohexylcarbodiimid versetzt; die Reaktionsmischung wird 1 Stde. bei 0° und 1 Stde. bei Raumtemp. gerührt, anschließend mit einigen Tropfen Essigsäure versetzt und abgekühlt. Nach Entfernen des abgeschiedenen N,N'-Dicyclohexyl-harnstoffs wird das Lösungsmittel i.Vak. entfernt. Der verbleibende Rückstand wird mit eiskaltem Äthanol und Diäthyläther gewaschen, getrocknet und letztlich aus Äthanol umkristallisiert; Ausbeute: 10,35 g (79% d.Th.); F: 156–158° (feine Kristallnadeln); $[\alpha]_D^{26} = -18{,}0°$ (c = 1,8; in Dimethylformamid).

N_α,N_{Pz}-Di-[benzyloxycarbonyl]-L-pyrazolyl-(3)-alanyl-L-prolyl-L-phenylalanin-tert.-butylester [Z-Pza(Z)-Pro-Phe-OtBu][2]: Öliger H-Pro-Phe-OtBu, erhalten durch übliche Hydrogenolyse von 3,0 g Z-Pro-Phe-OtBu, in 35 *ml* absol. Tetrahydrofuran wird mit 3,61 g Z-Pza(Z)-ONP versetzt; der Reaktionsansatz wird unter Eiskühlung und Rühren mit 1,2 *ml* Triäthylamin versetzt und 1 Stde. bei 0° und 24 Stdn. bei 5° gehalten. Nach Entfernen des Lösungsmittels i.Vak. wird der verbleibende Rückstand in Essigsäure-äthylester aufgenommen, die erhaltene Lösung mit Wasser, n Natriumcarbonat-Lösung, 5%-iger Essigsäure und ges. Natriumchlorid-Lösung wie üblich gewaschen, über Natriumsulfat getrocknet und letztlich i.Vak. eingedampft. Die Lösung des öligen Rückstands in Chloroform läßt man eine Säule aus Kieselgel G passieren; das Chloroform-Eluat hinterläßt nach Eindampfen i.Vak. ein farbloses Öl; Ausbeute: 4,49 g (94% d.Th.); $[\alpha]_D^{27} = -34{,}7°$ (c = 1,25; in Chloroform).

---

[1] K. Hofmann, R. Andreatta u. H. Bohn, Am. Soc. **90**, 6207 (1968).

[2] R. Andreatta u. K. Hofmann, Am. Soc. **90**, 7334 (1968).

Tab. 61. Derivate des L-Histidins

N_{im}-Derivate [H-His(R)-OH]

R	F [°C]	$[\alpha]_D$	t	c	Lösungsmittel	Literatur	Literatur entsprechender D-Verbindung
BZL	248–249	+ 12,2	20	2	Wasser + 1 Äquiv. Salzsäure	[1,2,3,4,5]	[2,4]
PiC	193–194,5 (Zers.)	– 4,7	25	1	Wasser	[6]	
DPM [a]	97					[7]	
TRT [a]	139					[7]	

[a] Pikrat (Pikrinsäure-Salz)

[1] G. Losse u. G. Müller, B. **94**, 2768 (1961).
[2] E. Bricas u. C. Nicot-Gutton, Bl. **1960**, 466.
[3] V. du Vigneaud u. O. K. Behrens, J. Biol. Chem. **117**, 27 (1937).
[4] N. Izumiya, A. Nagamatsu u. S. Ota, Kyushu Memoirs of Med. Sciences **4**, 7 (1953).
[5] B. O. Handford et al., J. Org. Chem. **33**, 4251 (1968).
[6] G. Jäger, R. Geiger u. W. Siedel, B. **101**, 3537 (1968).
[7] G. Losse u. U. Krychowski, J. pr. **312**, 1097 (1970).

Tab. 61. (1. Fortsetzung)

N_{α}, N_{im}-Bis-Derivate [R^1-His(R)-OH]

R	R¹	F [°C]	$[\alpha]_D$	t	c	Lösungsmittel	Literatur
Z	Z	90,5–92 (Zers.)	+ 29,1	19		Essigsäure-äthylester	[1,2]
	[a]	103–105 (Zers.)	+ 34,01	14	2,9	Essigsäure-äthylester	[3,4]
	[b]	105–107 (Zers.)	+ 15,3	20	6,3	Aceton/Methanol 4:1	[5,1,4]
Z	BOC [f]	148–150	+ 48,5	20	0,5	Äthanol	[6]
BZL	Z	214–215 (Zers.)	−17,6	20	2	1n Salzsäure	[7–14]
BZL	BZL		+ 17,5	20	2	Wasser + 1 Äquiv. Salzsäure	[7,15]
BZL	BOC	189–190	+ 23,2	28,3	1	Methanol	[14,16,17]
BZL	BPOC	186–188	−4,3	20	1	Dimethylformamid	[18]
BZL	MAZ	225					[19]
BZL	MBV [f]	165–167	−146,65	25	2	Methanol	[20]
BZL	TOS	198					[15]
BZL	TRT [c]	146–148	+ 14,7	20	1,5	Chloroform	[21]

[a] Monohydrat
[b] ×Methanol
[c] Diäthylamin-Salz
[f] DCHA-Salz

---

[1] K. Inouye u. H. Otsuka, J. Org. Chem. **26**, 2613 (1961).
[2] K. Inouye u. H. Otsuka, J. Org. Chem. **27**, 4236 (1962).
[3] S. Akabori, K. Okawa u. F. Sakiyama, Nature **181**, 772 (1958).
[4] F. Sakiyama et al., Bl. chem. Soc. Japan **31**, 926 (1958).
[5] A. Patchornik, A. Berger u. E. Katchalski, Am. Soc. **79**, 6416 (1957).
[6] G. Losse u. U. Krychowski, J. pr. **312**, 1097 (1970).
[7] E. Bricas u. C. Nicot-Gutton, Bl. **1960**, 466.
[8] D. Theodoropoulos u. G. Foelsch, Acta chem. scand. **12**, 1955 (1958).
[9] A. Winterstein et al., Helv. **39**, 229 (1956).
[10] B. G. Overell u. V. Petrow, Soc. **1955**, 232.
[11] D. Theodoropoulos, J. Org. Chem. **21**, 1550 (1956).
[12] G. Losse u. G. Müller, B. **94**, 2768 (1961).
[13] M. A. Tilak u. C. S. Hollinden, Tetrahedron Letters **1969**, 391.
[14] B. O. Handford et al., J. Org. Chem. **33**, 4251 (1968).
[15] V. du Vigneaud u. O. K. Behrens, J. Biol. Chem. **117**, 27 (1937).
[16] G. R. Marshall u. R. B. Merrifield, Biochemistry **4**, 2394 (1965).
[17] E. Schnabel, A. **702**, 188 (1967).
[18] S. S. Wang u. R. B. Merrifield, Int. J. Pept. Prot. Res. **1**, 235 (1969).
[19] R. Schwyzer, P. Sieber u. K. Zatsko, Helv. **41**, 491 (1958).
[20] G. L. Southard, G. S. Brooke u. J. M. Pettee, Tetrahedron **27**, 1359 (1971).
[21] D. Theodoropoulos u. J. Tsangaris, J. Org. Chem. **29**, 2272 (1964).

Tab. 61. (2. Fortsetzung)

R	R[1]	F [°C]	$[\alpha]_D$	t	c	Lösungsmittel	Literatur
BOC	BOC	75–79	−1,6 [d]	22	1	Essigsäure	1–3
	[f]	157–159	+ 17,6	24	2	Chloroform	4,5
BOC	Z	80 (55)	+ 16,5	23	1	Methanol	2
BOC	BPOC	133–134	+ 21,0	24	1	Methanol	4
BTE	BOC	85–115	−4,0 [e]	23	1	Methanol	6
BTE	Z	80–95	+ 4,0 [e]	23	1	Methanol	6
ZTE	BOC	80–95	+ 4,0 [e]	23	1	Methanol	6,7
AdOC	Z [c]	125					8
AdOC	AdOC	140–145 (Zers.)	+ 12,6	20	2	Methanol	9
DNP	Z	93–98	+ 104	20	1	Chloroform	10
DNP	BOC	94	+ 55,3	20	1	Essigsäure-äthylester	11,12
DPM	BOC	60–62	+ 12,8	20	1	Äthanol	13
PiC	NPS						14
PiC	BOC	90–91	+ 4,9 [g]	20	1	Äthanol	15
TNP	BOC	140	+ 45,8 [g]	20	1	Essigsäure-äthylester	15
TMOZ	TMOZ	amorph	−3,5 [d]			Dimethylformamid	16

[c] Diäthylamin-Salz
[d] $[\alpha]_{578}$
[f] DCHA-Salz
[e] $[\alpha]_{546}$
[g] Nach Privatmitteilung der Autoren Mittelwert bei hoher Schwankungsbreite

[1] E. Schnabel et al., A. **743,** 57 (1971).
[2] M. Fridkin u. H. J. Goren, Canad. J. Chem. **49,** 1578 (1971).
[3] E. Schnabel et al., A. **716,** 175 (1968).
[4] D. Yamashiro, J. Blake u. C. H. Li, Am. Soc. **94,** 2855 (1972).
[5] C. H. Li u. D. Yamashiro, Am. Soc. **92,** 7608 (1970).
[6] F. Weygand, W. Steglich u. P. Pietta, B. **100,** 3841 (1967).
[7] F. Weygand, W. Steglich u. P. Pietta, Tetrahedron Letters **1966,** 3751.
[8] M. A. Tilak, R. Russell u. M. L. Hendricks, Org. Prep. and Proc. Int. **3,** 17 (1971).
[9] W. L. Haas, E. V. Krumkalns u. K. Gerzon, Am. Soc. **88,** 1988 (1966).
[10] S. Shaltiel u. M. Fridkin, Biochemistry **9,** 5122 (1970).
[11] F. Chillemi u. R. B. Merrifield, Biochemistry **8,** 4344 (1969).
[12] P. Rivaille u. G. Milhaud, Helv. **54,** 355 (1971).
[13] G. Losse u. U. Krychowski, J. pr. **312,** 1097 (1970).
[14] G. Jäger, R. Geiger u. W. Siedel, B. **101,** 3537 (1968).
[15] G. Losse u. U. Krychowski, Tetrahedron Letters **1971,** 4121.
E. Schnabel et al., A. **716,** 175 (1968).

Tab. 61. (3. Fortsetzung)

R	R[1]	F [°C]	$[\alpha]_D$	t	c	Lösungsmittel	Literatur
TOS	Z [f]	150–152 (Zers.)	+ 19,2	17	1	Dimethylformamid	[1]
TOS	AOC	109–111 (Zers.)	+ 10,0	17	1	Pyridin	[1]
TOS	BPOC [h]	138–140					[2]
TOS	NPS	140–141 (Zers.)	+ 39,9	17	1	Dimethylformamid	[1]
TRT	TRT	198–200	+ 3,7	20	5	Pyridin	[3,4,5]
TRT	BOC	113	+ 5,9	20	1	Äthanol	[6]

[f] DCHA-Salz [h] CHA-Salz

[1] S. SAKAKIBARA u. T. FUJII, Bl. chem. Soc. Japan **42**, 1466 (1969).
[2] R. S. FEINBERG u. R. B. MERRIFIELD, Tetrahedron **28**, 5865 (1972).
[3] G. C. STELAKATOS, D. THEODOROPOULOS u. L. ZERVAS, Am. Soc. **81**, 2884 (1959).
[4] G. AMIARD, R. HEYMÈS u. L. VELLUZ, Bl. **1955**, 191.
[5] G. LOSSE u. G. MÜLLER, B. **94**, 2768 (1961).
[6] G. LOSSE u. U. KRYCHOWSKI, J. pr. **312**, 1097 (1970).

Tab. 61. (4. Fortsetzung)

Carboxy-substituierte N_{im}-Derivate [H-His(R)-R²]

R	R²		F [°C]	$[\alpha]_D$	t	c	Lösungsmittel	Literatur
BZL	OBZL	a	174–177	+ 8,0	18	1,5	Dimethylformamid	1,2
		b	176–177					3
BZL	OMe	c	111–115					1,4
BZL	ONB	a	224–225	+ 8,3	20	1,5	Dimethylformamid	5
		c	188–190	−12,5	20	2	Pyridin	5
Z	OMe	d	167–167,5					6
ZTE	OMe		Öl					7,8
DPM	OMe	e	238	+ 8,6	20	1	Wasser	9
PiC	OMe	d	167,5 (Zers.)	+ 10,8	25	1,2	Methanol	10
TRT	OMe	e	147	+ 28,5	20	5	Methanol	9,11

[a] Di-benzolsulfonsäure-Salz
[b] Di-4-toluolsulfonsäure-Salz
[c] Dihydrochlorid
[d] Dihydrobromid
[e] Monohydrochlorid

[1] D. Theodoropoulos u. G. Foelsch, Acta chem. scand. **12**, 1955 (1958).
[2] B. Wiemer, Dissertation, Freie Universität Berlin 1960.
[3] D. Theodoropoulos, Acta chem. scand. **12**, 2043 (1958).
[4] D. Theodoropoulos, J. Org. Chem. **21**, 1550 (1956).
[5] G. Losse u. W. Gödicke, B. **100**, 3314 (1967).
[6] K. Inouye u. H. Otsuka, J. Org. Chem. **26**, 2613 (1961).
[7] F. Weygand, W. Steglich u. P. Pietta, B. **100**, 3841 (1967).
[8] F. Weygand, W. Steglich u. P. Pietta, Tetrahedron Letters **1966**, 3751.
[9] G. Losse u. U. Krychowski, J. pr. **312**, 1097 (1970).
[10] G. Jäger, R. Geiger u. W. Siedel, B. **101**, 3537 (1968).
[11] G. C. Stelakatos, D. M. Theodoropoulos u. L. Zervas, Am. Soc. **81**, 2884 (1959).

36.400. Die Indol-Funktion

36.410. Synthesen mit ungeschützter Indol-Funktion

Die Einbeziehung des Tryptophans [β-Indolyl-(3)-alanins] in die Peptidsynthese bringt zunächst kaum Schwierigkeiten; eine Maskierung des Indol-Systems scheint nicht erforderlich[1]. Säurechlorid[2]-, gemischte Anhydrid-[3], Carbodiimid-[4,11] und aktive Ester[5]-Verfahren wurden zur Verknüpfung des Tryptophans mit Aminosäuren sowohl in N- als auch C-terminaler Stellung mit bestem Erfolg verwendet. Ferner verläuft nach Katchalski et al.[6] die N-Carbonsäure-Anhydrid-Bildung und -Polymerisation einwandfrei.

Lediglich bei der üblichen Bildung der Azide aus den Hydraziden mittels überschüssigen Nitrits wurde eine N-Nitrosierung am Indol-Ring beobachtet[7]. Die Nebenreaktion wird bei Einhalten stöchiometrischer Verhältnisse jedoch unterbunden, wie Guttmann und Boissonnas[8] anhand der Synthese von 3-Tryptophan-Analoga des Oxytocins bzw. Vasopressins demonstrieren konnten.

Die Herstellung carboxy-geschützter Tryptophan-Derivate (Methylester[9], Benzylester[5]) wie auch die Einführung der wichtigsten Amino-Schutzgruppen verläuft normal; lediglich eine direkte N-Phthalylierung scheiterte bislang[10].

N-Benzyloxycarbonyl-L-glutaminyl-L-tryptophyl-L-leucin-tert.-butylester [Z-Gln-Trp-Leu-OtBu]:

N_α-Benzyloxycarbonyl-L-tryptophyl-L-leucin-tert.-butylester [Z-Trp-Leu-OtBu][11]: 196,2 g Z-Trp-OH, 123,0 g H-Leu-OtBu · HCl und 77 *ml* Triäthylamin werden in 1,5 *l* Acetonitril zur Lösung gebracht, nach Abkühlen auf $-10°$ mit 103,2 g Dicyclohexylcarbodiimid versetzt, 4 Stdn. bei dieser Temp. gerührt und über Nacht bei $-5°$ stehengelassen. Nach 3 Stdn. Rühren bei Raumtemp. kühlt man auf 0°, saugt vom N,N'-Dicyclohexyl-harnstoff ab und dampft das Filtrat i.Vak. ein. Der ölige Rückstand wird in Essigsäure-äthylester aufgenommen, die Essigsäure-äthylester-Phase mit verd. Citronensäure, 5%-iger Natriumhydrogencarbonat-Lösung und Wasser gewaschen, über Natriumsulfat getrocknet und i.Vak. eingedampft. Das resultierende Öl wird mit Petroläther digeriert, in Äther aufgenommen und die Lösung erneut i.Vak. eingedampft (fester, farbloser Schaum); Ausbeute: 244 g (96% d. Th.); $[\alpha]_D^{20} = -33{,}33 \pm 0{,}5°$ bzw. $[\alpha]_{546}^{20} = -39{,}62°$ (c = 1,5; in Methanol).

L-Tryptophyl-L-leucin-tert.-butylester-Hydroacetat [H-Trp-Leu-OtBu · Ac-OH][11]: 101,5 g Z-Trp-Leu-OtBu in 500 *ml* Methanol werden in Gegenwart von Palladiumschwarz und 13,46 *ml* Eisessig 4 Tage üblich hydriert. Das Filtrat wird i.Vak. eingedampft, der ölige Rückstand in absol. Äther aufgenommen. Nach 2tägigem Stehen bei 0° (rascher nach Animpfen) kristallisiert die Verbindung in farb-

---

1 T. Wieland u. G. Hörlein, A. **591**, 192 (1955).

2 J. S. Fruton, Am. Soc. **70**, 1280 (1948).
E. L. Smith, J. Biol. Chem. **175**, 39 (1948).

3 J. R. Vaughan u. J. A. Eichler, Am. Soc. **76**, 2474 (1954).
K. Hofmann, W. D. Peckham u. A. Rheiner, Am. Soc. **78**, 238 (1956).
N. C. Davis, J. Biol. Chem. **223**, 935 (1956).
T. Wieland, K. Treter u. E. Gross, A. **626**, 154 (1959).
R. Geiger, K. Sturm u. W. Siedel, B. **96**, 1080 (1963).

4 K. Hofmann et al., Am. Soc. **82**, 3732 (1960).
R. Schwyzer u. H. Kappeler, Helv. **44**, 1991 (1961).
C. H. Li et al., Am. Soc. **83**, 4449 (1961).

5 C. H. Li, E. Schnabel u. D. Chung, Am. Soc. **82**, 2062 (1960).
M. Wilchek u. A. Patchornik, J. Org. Chem. **28**, 1874 (1963).
E. Wünsch, F. Drees u. J. Jentsch, B. **98**, 803 (1965).

6 A. Patchornik, M. Sela u. E. Katchalski, Am. Soc. **76**, 299 (1954).

7 D. Brandenburg, Dissertation TH Aachen 1961.

8 S. Guttmann u. R. A. Boissonnas, Helv. **43**, 200 (1960).

9 R. A. Boissonnas et al., Helv. **41**, 1867 (1958).

10 J. H. Billman u. W. F. Harting, Am. Soc. **70**, 1473 (1948).
G. H. L. Nefkens, G. I. Tesser u. R. J. F. Nivard, R. **79**, 688 (1960).

11 E. Wünsch u. F. Drees, B. **99**, 110 (1966).

losen Nadeln; Ausbeute: 81 g (93% d. Th.); F: 105–107°; $[\alpha]_D^{20} = -18{,}5 \pm 0{,}5°$ bzw. $[\alpha]_{546}^{20} = -22{,}15°$ (c = 1,3; in Methanol).

N-Benzyloxycarbonyl-L-glutaminyl-L-tryptophyl-L-leucin-tert.-butylester [Z-Gln-Trp-Leu-OtBu][1]: 42,0 g Z-Gln-OH und 21 *ml* Triäthylamin in 2 *l* Tetrahydrofuran werden bei −15° unter Rühren mit 14,3 *ml* Chlorameisensäure-äthylester versetzt. Nach 20 Min. bei −10° wird eine Lösung von 67,2 g H-Trp-Leu-OtBu · Ac-OH und 21,7 *ml* Triäthylamin in 1 *l* Tetrahydrofuran zugegeben. Der Ansatz wird 3 Stdn. bei 0° gerührt und 24 Stdn. bei Raumtemp. stehengelassen. Man dampft das Lösungsmittel i. Vak. ab, digeriert den Rückstand mehrmals mit Wasser und saugt ab. Das Rohprodukt wird unter Erwärmen auf dem Wasserbad in 1,5 *l* Äthanol gelöst. Nach rascher Zugabe von 1 *l* heißem Wasser tritt alsbald Kristallisation ein, die durch mehrstdgs. Stehenlassen im Kühlschrank vervollständigt wird. Farblose Nadeln aus Äthanol/Wasser; Ausbeute: 80 g (84% d. Th.); F: 203–205°; $[\alpha]_D^{20} = -42{,}66 \pm 0{,}5°$ bzw. $[\alpha]_{546}^{20} = -51{,}94°$ (c = 1, in Äthanol).

Tryptophan-bedingte Nebenreaktionen wurden jedoch bei der Abspaltung verschiedener Schutzgruppen und im Verlauf der Reindarstellungs-Operation bei Peptiden dieser Aminosäure festgestellt:

ⓐ Nach vollzogener üblicher hydrogenolytischer Entacylierung von N-Benzyloxycarbonyl-tryptophan(yl)-peptiden bzw. -estern tritt im Zuge der Aufarbeitung – vor allem bei „stark sauren" Peptiden oder in Anwesenheit von Essigsäure – eine Rot-Violett-Verfärbung ein, die bei Ausschluß von Luftsauerstoff (Arbeiten unter Stickstoff- oder Argon-Atmosphäre) unterdrückt oder zumindest in erträglichen Grenzen gehalten werden kann[2].

ⓑ Bromwasserstoff/Eisessig-Solvolyse bei N-Benzyloxycarbonyl-peptiden kann zu weitgehender Zerstörung bzw. Veränderung des Indol-Systems (2-Oxindol-Bildung?)[3] führen, die sich in einer kräftigen Violett-Verfärbung und UV-Absorptions-Verschiebung äußert[4]. Selbst die acidolytische Abspaltung von tert.-Butyloxycarbonyl- bzw. tert.-Butyläther- und -ester-Gruppen aus tryptophan(yl)-haltigen Peptid-Derivaten mittels Trifluoressigsäure ist von genannten Nebenreaktionen, wenngleich in viel geringerem Maße, begleitet[2] (s. dazu auch die Trifluoracetylierung von Tryptophan, S. 172). Zusätzlich soll eine erhebliche Gefahr einer N_{in}-tert.-Butylierung bestehen, wie massenspektrometrische Untersuchungen mit der Auffindung des Massen-Peaks M + 56 gezeigt haben[5]. Deblockierungen von *BOC-Trp-Gly-OMe* und *BOC-Gly-Trp-OMe* mittels Trifluoressigsäure offenbarten den Autoren eine „Sequenzabhängigkeit" der N-Alkylierungs-Reaktion (für vorliegende Modelle 180 bzw. 43% relative Peak-Intensität).

Günstiger scheint die Aufhebung dieser Maskierungen mit Chlorwasserstoff/Eisessig bei Raumtemp. (s. u.) zu verlaufen[6], vor allem, wenn möglichst kurze Reaktionszeiten eingehalten werden[7]. Die N_{in}-tert.-Butylierung soll hierbei erheblich geringer sein und bei den genannten Modellpeptiden (s. o.) nur bei 10 bzw. 7% relative Peak-Intensität liegen[5].

ⓒ Bei der Natrium/Ammoniak-Reduktion eines N-Benzyloxycarbonyl-peptid-hydrazids der ACTH-1-9-Sequenz wurde von Bajusz und Medzihradszky[8] chromatographisch ein gleichzeitiger Angriff auf den Tryptophan-Rest ermittelt, wobei es sich möglicherweise um einen durch die C-terminale Tryptophan-hydrazid-Gruppierung bedingten Sonderfall handelt.

ⓓ Die Abspaltung der 2-Nitro-phenylsulfenyl-Schutzgruppe mittels Chlorwasserstoff in Alkoholen etc. führt zur Bildung von S-(2-Nitro-phenyl)-thioindol-Derivaten. Die Reaktion verläuft nicht nur bei amino-endständigem Tryptophan durch begünstigte „intramolekulare" elektrophile Substitution[9], sondern auch bei mittelständigem Tryptophan in fast quantitativer Größenordnung[6].

---

[1] E. WÜNSCH u. F. DREES, B. **99**, 110 (1966).
[2] E. WÜNSCH, unveröffentlichte Ergebnisse.
[3] D. THEODOROPOULOS u. J. S. FRUTON, Biochemistry **1**, 933 (1962).
[4] R. A. BOISSONNAS et al., Helv. **41**, 1867 (1958).
[5] YU. B. ALAKHOV et al., Chem. Commun. **1970**, 406, vgl. hierzu aber E. WÜNSCH et al., H. **353**, 1716 (1972).
[6] E. WÜNSCH u. F. DREES, B. **100**, 816 (1967).
[7] W. KESSLER u. B. ISELIN, Helv. **49**, 1330 (1966).
[8] S. BAJUSZ u. K. MEDZIHRADSZKY, *Peptides*, Proc. 5th Europ. Sympos. Oxford 1962, Pergamon Press, Oxford **1963**, S. 49.
[9] J. C. ANDERSON et al., Acta chim. Acad. Sci. hung. **44**, 187 (1965).

Durch Zusatz von Indol (1- oder 2-Methyl-indol etc.) in großem Überschuß (10–20 Äquiv.) gelingt es, diese unerwünschte Nebenreaktion weitestgehend abzufangen[1,2] (s. S. 216).

ⓔ Tryptophyl-aminosäureester, so wie sie z.B. bei der hydrogenolytischen Entacylierung von N-Benzyloxycarbonyl-peptidestern anfallen, zeigen eine hohe Tendenz zur 2,5-Dioxo-piperazin-Bildung; diese besteht selbst in Gegenwart von 1 Äquiv. Essigsäure[3]. Bemerkenswert ist auch die leichte Bildung von Hydantoin-Derivaten bei der Aminolyse von N_α-Benzyloxycarbonyl-tryptophyl-aminosäureestern[4].

L-Phenylalanyl-L-valyl-L-glutaminyl-L-tryptophyl-L-leucin [H-Phe-Val-Gln-Trp-Leu-OH][1]:

L-Phenylalanyl-L-valyl-L-glutaminyl-L-tryptophyl-L-leucin-Hydrochlorid [H-Phe-Val-Gln-Trp-Leu-OH · HCl]: 63,5 g BOC-Phe-Val-Gln-Trp-Leu-OtBu werden mit 1000 *ml* eiskaltem, chlorwasserstoff-ges. Eisessig übergossen und 1 Stde. bei Raumtemp. stehengelassen. Die erhaltene Lösung dampft man i.Vak. ein; dabei kristallisiert das Pentapeptidester-Hydrochlorid aus. Der Rückstand wird mit absol. Diäthyläther behandelt, nach Aufbewahren im Kühlschrank abfiltriert und i.Vak. über Phosphor(V)-oxid und Kaliumhydroxid getrocknet; Ausbeute: 55 g.

L-Phenylalanyl-L-valyl-L-glutaminyl-L-tryptophyl-L-leucin [H-Phe-Val-Gln-Trp-Leu-OH]: 21,9 g Pentapeptid-Hydrochlorid in 100 *ml* 1,4-Dioxan und 250 *ml* Wasser werden vorsichtig und unter Eiskühlung mit 30 *ml* n Natronlauge versetzt. Der entstandene Niederschlag wird abfiltriert, i.Vak. bei 40° getrocknet und aus Dimethylformamid/Wasser umkristallisiert; Ausbeute: 18,6 g (90% d.Th.; bez. auf BOC-Phe-Val-Gln-Trp-Leu-OtBu); F: 228–229°.

Die unter ⓐ und ⓑ (S. 566) angedeutete Oxidations-Empfindlichkeit zwingt zum Arbeiten mit absol. peroxidfreiem Lösungsmittel. Dies ist vor allem bei multiplikativen Verteilungs-, Säulenchromatographie- und Gel-Filtrations-Verfahren tryptophan-haltiger Peptide zu berücksichtigen[5].

Kondensations-Reaktionen mit Aldehyden und Ketonen scheinen gleichfalls zu Nebenprodukten zu führen[5]; das Auftreten dieser Reagentien in Lösungsmitteln oder deren Entstehen bei katalytischen Hydrierungen in Alkoholen[6] ist tunlichst auszuschalten.

36.420. Synthesen mit acyl-blockierter Indol-Funktion

Bei Sättigung einer Tryptophan/Ameisensäure-Lösung mit Chlorwasserstoff tritt N_{in}-Formylierung ein; das UV-Absorptions-Spektrum verschiebt sich derweil in langwelligere Bereiche mit einem charakteristischen Maximum bei 298 mμ ($\varepsilon = 5200$)[7].

N_{in}-Formyl-DL-tryptophan-Hydrochlorid [H-DL-Trp(FOR)-OH · HCl][7]: 0,5 g DL-Tryptophan in 10 *ml* wasserfreier Ameisensäure (98–100%ig) werden unter kräftigem Rühren mit Chlorwasserstoff-Gas gesättigt; das Reaktionsgemisch wird 60–90 Min. verschlossen bei Raumtemp. aufbewahrt. Nach sorgfältiger Entfernung des Lösungsmittels i.Vak. wird der erhaltene Rückstand aus Äthanol/Diäthyläther umkristallisiert, das abgeschiedene Material abfiltriert, mit Diäthyläther gewaschen und getrocknet; Ausbeute: quantitativ.

Izumiya et al.[8] konnten *H-Trp(FOR)-OH* erstmals zur Peptidsynthese heranziehen, da die in wäßrig-äthanolischem Milieu bei $p_H = 8$ zwar unbeständige Verbindung sich als stabil gegenüber 0,5 m Chlorwasserstoff/Ameisensäure (24 Stdn.), flüssiger Fluorwasserstoffsäure, Chlorwasserstoff/Essigsäure (5 Stdn.) und Triäthylamin in Dimethylformamid herausstellte. Eine selektive Abspaltung von tert.-Butyloxycarbonyl-Resten unter Erhalt

---

1 E. Wünsch u. F. Drees, B. **100**, 816 (1967).
2 E. Wünsch, A. Fontana u. F. Drees, Z. Naturf. **22b**, 607 (1967).
3 J. S. Fruton, Am. Soc. **70**, 1280 (1948).
4 N. C. Davis, J. Biol. Chem. **223**, 935 (1956).
5 E. Wünsch et al., H. **353**, 1716 (1972).
6 F. Cardinaux u. M. Brenner, *Peptides* 1971, Proc. 11th Europ. Peptide Sympos. Wien, North-Holland, Publ. Co., Amsterdam **1973**, S. 65.
7 A. Previero, M. A. Coletti-Previero u. J.-C. Cavadore, Biochem. Biophys. Acta **147**, 453 (1967).
8 N. Izumiya et al., *Chemistry and Biology of Peptides*, Proc. 3rd American Peptide Sympos., Boston, Ann Arbor Science Publ., Ann Arbor, Michigan **1972**, S. 269.

der N_{in}-Maskierung mittels m Chlorwasserstoff/Essigsäure (mit oder ohne Thioglykolsäure-Zusatz) oder 0,1 m Chlorwasserstoff/Ameisensäure ist gegeben.

Die N_{in}-Formyl-Schutzgruppe kann außer durch milde alkalische Hydrolyse[1] durch Einwirkung von Hydrazin in Dimethylformamid über 2 Tage oder besser von Piperidin innerhalb 2 Stdn. entfernt werden[2].

Yamashiro u. Li[3] haben die Entformylierung mit Ammonhydrogencarbonat-Puffer-Lösung (1 m; $p_H = 9$) über 24 Stdn. oder mit flüssigem Ammoniak unter Hydroxylamin-Hydrochlorid-Zusatz studiert; eine absolut Nebenprodukt-freie Abspaltung des N_{in}-Formyl-Restes war jedoch damit nicht zu erreichen.

36.500. Die ω-Hydroxy-Funktion

36.510. Die alkoholische Hydroxy-Gruppe[4]

Die wichtigsten und bekanntesten Hydroxy-aminosäuren sind *Serin*, *Threonin*, *Hydroxyprolin*, *Hydroxylysin* und die Alloformen (Epimeren) der drei Letztgenannten. Die Reaktivität der Hydroxy-aminosäuren ist sehr unterschiedlich, denn sie wird durch den Charakter (primär und sekundär, bzw. sogar tertiär) und die Stellung (α, β, γ, δ) der Hydroxy-Gruppe wesentlich mitbestimmt.

Erwähnt sei die Empfindlichkeit gegenüber acylierenden, alkylierenden, wasserabspaltenden und basischen Agenzien (O-Acylierung und Alkylierung, β-Eliminierung und Aldolspaltung) und die Möglichkeit des Eintritts intramolekularer Ringschlußreaktionen, die zu stabilen Endprodukten (Lactone, 1,3-Oxazoline) oder aber zu Umlagerungen (Acylwanderung, evtl. gefolgt von hydrolytischer oder alkoholischer Abspaltung des Acyl-Restes; Aminoacyl-Einlagerung) führen können. Obwohl es in vielen Fällen gelungen ist, Hydroxy-aminosäure-peptide ohne besondere Vorsichtsmaßnahme (Hydroxy-Schutzgruppe) zu synthetisieren, dürfte es dennoch zweckmäßiger sein, durch Maskierung der Hydroxy-Funktion jedwede unübersichtliche Umsetzung konsequent auszuschalten.

36.511. Synthesen mit ungeschützter Hydroxy-Funktion

Die Einbeziehung O-unmaskierter Hydroxy-aminosäuren als Amino-Komponente (Ester oder in N-terminaler, mittelständiger oder C-terminaler Stellung von Peptid-Derivaten) wirft im allgemeinen keine zusätzlichen Probleme auf, sofern jedweder Überschuß der aktivierten Carboxy-Komponente (mit Ausnahme der Azide) vermieden wird. So sind die Fischersche Säurechlorid-[5,6], die Misch-Anhydrid-[7–9], Carbodiimid-[8,10–12],

---

1 A. Previero, M. A. Coletti-Previero u. J.-C. Cavadore, Biochem. biophys. Acta **147**, 453 (1967).
2 N. Izumiya et al., *Chemistry and Biology of Peptides*, Proc. 3rd American Peptide Sympos., Boston, Ann Arbor Science Publ., Ann Arbor, Michigan **1973**, S. 269.
3 D. Yamashiro u. C. H. Li, J. Org. Chem. **38**, 2594 (1973).
4 Vgl. die zusammenfassende Abhandlung: M. Brenner u. A. Hartmann, Collect. czech. chem. Commun. **24**, 120 (1959).
5 M. M. Botwinik, S. M. Awajewa u. E. A. Misstrjukow, Ž. obšč. Chim. **23**, 971 (1953); C. **1954**, 1696.
6 M. M. Botwinik, S. M. Awajewa u. E. A. Misstrjukow, Ž. obšč. Chim. **23**, 1716 (1953); C. **1955**, 563.
7 E. Wünsch u. G. Wendlberger, B. **97**, 2504 (1964).
8 H. Determann, H. J. Torff u. O. Zipp, A. **670**, 141 (1963).
9 J. Beacham et al., Am. Soc. **93**, 5526 (1971).
10 K. Poduška u. M. I. Titov, Collect. czech. chem. Commun. **30**, 1611 (1965).
11 F. Weygand et al., B. **101**, 923 (1968).
12 M. Bodanszky et al., J. Org. Chem. **37**, 2303 (1972).

Aktiv-Ester[1-7] und selbstverständlich Azid-Methode[2,8-10] (experimentelles Beispiel s. S. 572) erfolgreich zur Synthese von Serin- und Threonin-peptiden herangezogen worden.

N-tert.-Butyloxycarbonyl-L-phenylalanyl-L-threonyl-O-benzyl-L-serin-N'-benzyloxycarbonyl-hydrazid [BOC-Phe-Thr-Ser(BZL)-NHNH(Z)][11]:

Dicyclohexylcarbodiimid-Methode: 5,3 g BOC-Phe-OH (20 mMol) und 8,9 g H-Thr-Ser(BZL)-NHNH(Z) in Acetonitril/Dimethylformamid werden bei $-5°$ mit 4,2 g Dicyclohexylcarbodiimid versetzt und 3 Stdn. gerührt. Nach 48stdgm. Stehenlassen im Kühlschrank bei $-5°$ rührt man bis Erreichen der Raumtemp. und filtriert vom ausgefallenen N,N'-Dicyclohexyl-harnstoff nach Abkühlen ab. Das Filtrat wird i. Vak. eingedampft, der Rückstand in Essigsäure-äthylester aufgenommen, die Lösung wie üblich gewaschen, getrocknet, i. Vak. eingeengt und aus Essigsäure-äthylester umkristallisiert; Ausbeute: 11,7 g (84,5% d. Th.); F: 164–165,5°; $[\alpha]_D^{20} = -11,96 \pm 0,5°$ bzw. $[\alpha]_{546}^{20} = -14,75°$ (c = 0,5; in Methanol).

Anhydrid-Methode: 39,8 g (0,15 Mol) BOC-Phe-OH und 21 *ml* Triäthylamin in 500 *ml* Tetrahydrofuran werden bei $-10°$ mit 14,4 *ml* Chlorameisensäure-äthylester versetzt. Nach 10 Min. tropft man eine Lösung von 67 g H-Thr-Ser(BZL)-NHNH(Z) in 700 *ml* Tetrahydrofuran bei $-15°$ zu. Man rührt 4 Stdn. bei Raumtemp. und läßt über Nacht im Kühlschrank stehen. Der nach Abdestillieren des Lösungsmittels i. Vak. erhaltene Rückstand wird zwischen viel Essigsäure-äthylester und Wasser verteilt und die abgetrennte Essigsäure-äthylester-Phase rasch mit Citronensäure-, Kaliumhydrogencarbonat-Lösung und Wasser gewaschen. Nach Einengen i. Vak. unter Benzol-Zusatz nimmt man in frischem Essigsäure-äthylester auf und läßt kristallisieren; Ausbeute: 92,3 g (91% bez. auf umgesetztes Dipeptid-Derivat).

Aus der Citrat-Lösung werden 1,7 g nicht umgesetztes Dipeptid-Derivat zurückgewonnen.

N-tert.-Butyloxycarbonyl-L-phenylalanyl-L-seryl-L-prolin [BOC-Phe-Ser-Pro-OH][1]: Zu einer Lösung von 2,02 g H-Ser-Pro-OH (0,01 Mol) in 20 *ml* Wasser und 10 *ml* n Natronlauge (0,01 Mol) gibt man 3,7 g BOC-Phe-ONP (0,01 Mol) in 40 *ml* 1,4-Dioxan und läßt bei Raumtemp. unter Rühren, Kohlendioxid-Ausschluß und unter Einhalten von $p_H = 9,5$ n Natronlauge zutropfen (innerhalb von 5–6 Stdn. werden 11 *ml* n Natronlauge verbraucht). Die gelb gefärbte Lösung wird unter kräftigem Rühren und Eiskühlung vorsichtig mit 11 *ml* n Salzsäure versetzt, nach Abziehen des 1,4-Dioxans i. Vak. mit Wasser verdünnt und zur Entfernung von 4-Nitro-phenol erschöpfend mit Äther ausgezogen. Die wäßrige Phase scheidet nach Ansäuern mit Citronensäure ein Öl ab, das in Essigsäure-äthylester aufgenommen wird. Die über Natriumsulfat getrocknete und i. Vak. eingedampfte Lösung hinterläßt ein festes Produkt, das nach Aufnehmen in heißem Essigsäure-äthylester, Zugabe von Äther und schließlich (unter Eiskühlung und Rühren) von Petroläther amorph ausfällt. Nach längerem Rühren wird die Substanz kristallin, anschließend wird aus heißem Essigsäure-äthylester umkristallisiert; Ausbeute: 3,3 g (65,2% d. Th.); F: 122–124° (Zers.); $[\alpha]_D^{20} = -58,7 \pm 0,5°$ bzw. $[\alpha]_{546}^{20} = -70,5°$ (c = 1, in Methanol).

Ein Überschuß an aktivierter Carboxy-Komponente bedingt zusätzliche O-Amino-acylierung, wie erstmals Botwinik et al.[12] bzw. später Guttmann[13] sowie Zahn[14] aufgezeigt haben. Nach Zahn entsteht beim Umsatz von Z-Cys(BZL)-ONP und H-Ser-OMe in Essigsäure-äthylester bzw. Tetrahydrofuran wegen Schwerlöslichkeit der Amino-Komponente in diesen Lösungsmitteln bis zu 20% d. Th. *Z-Cys(BZL)-Ser(Z-Cys[BZL])-OMe*.

---

[1] E. Wünsch, H.-G. Heidrich u. W. Grassmann, B. **97**, 1818 (1964).
[2] K. Hofmann et al., Am. Soc. **87**, 611, 631 (1965).
[3] B. O. Handford et al., J. Org. Chem. **33**, 4251 (1968).
[4] H. Yajima, N. Shirai u. Y. Kiso, Chem. Pharm. Bull. (Tokyo) **19**, 1900 (1971).
[5] M. A. Ondetti et al., Am. Soc. **90**, 4711 (1968).
[6] S. Guttmann et al., Helv. **51**, 1155 (1968).
[7] F. Marchiori et al., Soc. [C] **1967**, 89.
[8] E. Schröder, A. **679**, 207 (1964).
[9] K. Lübke, A. **702**, 180 (1967).
[10] R. Rocchi et al., G. **96**, 1537 (1966).
[11] E. Wünsch u. G. Wendlberger, B. **97**, 2504 (1964).
[12] M. Botwinik, S. M. Awajewa u. E. A. Misstrjukow, Ž. obšč. Chim. **23**, 971 (1953).
[13] S. Guttmann, Diskussionsbemerkung, 6th Europ. Peptide Sympos. Athen 1963.
[14] H. Zahn, J. Meienhofer u. E. Schnabel, Acta chim. Acad. Sci. hung. **44**, 109 (1965).

$$H_2N-CH(CH(R^1)-OH)-CO-OR^2 \xrightarrow{+\,R-CO-X} R-CO-NH-CH(CH(R^1)-OH)-CO-OR^2 \quad (I)$$

$$H_2N-CH(CH(R^1)-OH)-CO-OR^2 \xrightarrow{2\,R-CO-X} R-CO-NH-CH(CH(R^1)-O-CO-R)-CO-OR^2 \quad (II)$$

Bei einer Verknüpfung von C-terminalen Asparaginsäure-β-ester- bzw. Asparagin- mit N-terminalen Serin-Komponenten sollte auf eine Hydroxy-Maskierung möglichst nicht verzichtet werden. Bedingt durch das nachbarständige Serin-Hydroxyl wird die Tendenz der Diacylamin-Ringbildung unter Alkohol- (auch tert.-Butanol-) bzw. Ammoniak-Eliminierung (und anschließender $\alpha\rightarrow\beta$-Transpeptidierung) im basischen Bereich (Ester-Verseifung oder Hydrazinolyse) enorm verstärkt[1]; Bernhard[2] bzw. Schwyzer[3] schlagen für eine „beschleunigte" Hydrolyse folgenden Mechanismus vor:

$$\cdots-NH-CH(CH_2-C(=O)-O-C(CH_3)_3\,[-NH_2])-CO-NH-CH(CH_2-OH)-C(=O)-\cdots \underset{}{\overset{-H_2O}{\rightleftharpoons}} \text{Ringzwischenstufe}$$

$$\overset{-[NH_2^\ominus]}{\underset{-(H_3C)_3C-O^\ominus}{\rightleftharpoons}} \cdots-HN-\text{Succinimid}-N-CH(CH_2-OH)-C(=O)-\cdots \xrightarrow{OH^\ominus\,(H_2O)}$$

$$\cdots-NH-CH(CH_2-COOH)-C(=O)-NH-CH(CH_2-OH)-CO-\cdots \quad \alpha\text{-}Peptid$$

$$\cdots-NH-CH(COOH)-CH_2-CO-NH-CH(CH_2-OH)-C(=O)-\cdots \quad \beta\text{-}Peptid$$

---

[1] Y. Shalitin u. S. A. Bernhard, Am. Soc. **86**, 2291 (1964). vgl. auch F. Schneider, H. **332**, 38 (1963).

[2] S. A. Bernhard et al., Am. Soc. **84**, 2421 (1962).

[3] R. Schwyzer et al., Helv. **46**, 1975 (1963).

Schon frühzeitig konnten Fruton[1] sowie Bergmann und Smith[2] zeigen, daß mit *Z-Ser-*N_3 (III) bzw. *Z-Hyp-*N_3 als hydroxy-unmaskierten Kopfkomponenten Peptid-Verknüpfungen möglich sind, sofern durch Einhaltung niedriger Temperaturen die bekannte Azid-Isocyanat-Umlagerung – sie führt im Falle des Serin-Derivats[3] über das Isocyanat IV zum 1,3-Oxazolidinon-(2) (V) – weitgehend zurückgedrängt wird:

$$\underset{\text{III}}{Z{-}NH{-}\overset{\overset{CH_2{-}OH}{|}}{CH}{-}CO{-}N_3} \xrightarrow[-\,N_2]{} \underset{\text{IV}}{Z{-}NH{-}\overset{\overset{CH_2{-}OH}{|}}{CH}{-}N{=}C{=}O} \longrightarrow \underset{\text{V}}{Z{-}NH\text{-(1,3-Oxazolidinon-(2)-4-yl, N–H)}}$$

Dieser Verfahrenstechnik wurde seither in hohem Maße gehuldigt: *Z-Ser-*N_3[4,5], *BOC-Ser-*N_3[6–9] sowie *Z-Thr-*N_3 und *BOC-Thr-*N_3[10–13,30] gelangten zum Einsatz, des weiteren zahlreiche N-Acyl-peptid-azide mit carboxy-endständiger Hydroxy-aminosäure[5,14–31].

Die o.g. Cyclo-urethan-Bildung von Serin-azid-Derivaten dürfte bei „Fragment-Kondensation" von nicht unerheblichem Vorteil sein. Selbst bei hohem Überschuß der „Serin-azid-Kopfkomponente" und relativ langen Zerfallszeiten sollten die gefürchteten Nebenreaktionen als Folge der Azid-Isocyanat-Umlagerung (z.B. disubstituierte Harnstoff-Bildung, s. S. II/307f.) dadurch nicht zum Zuge kommen; die Abtrennung der 1,3-Oxazolidinon-(2)-Derivate von den Verknüpfungsprodukten müßte bei entsprechender Fragment-Auswahl stets glatt gelingen.

---

1 J. S. Fruton, J. Biol. Chem. **146**, 463 (1942).
2 E. L. Smith u. M. Bergmann, J. Biol. Chem. **153**, 627 (1944).
3 E. Schnabel, *Peptides*, Proc. 5th Europ. Symposium on Peptides, Oxford, Pergamon Press, Oxford **1963**, S. 77.
4 K. Hofmann et al., Bioorganic Chemistry **1**, 66 (1971).
5 S. Guttmann u. R. A. Boissonnas, Helv. **41**, 1852 (1958).
6 B. Iselin u. R. Schwyzer, Helv. **44**, 169 (1961).
7 E. Schröder, A. **681**, 241 (1965).
8 R. Geiger, H.-G. Schröder u. W. Siedel, A. **726**, 177 (1969).
9 H. T. Storey et al., Am. Soc. **94**, 6170 (1972).
10 K. Hofmann et al., Am. Soc. **87**, 611 (1965).
11 E. Schröder, A. **681**, 231 (1965).
12 K. Lübke, A. **702**, 180 (1967).
13 S. Guttmann et al., Helv. **51**, 1155 (1968).
14 S. Guttmann u. R. A. Boissonnas, Helv. **45**, 2517 (1962).
15 R. Schwyzer et al., Helv. **43**, 1130 (1960).
16 R. A. Boissonnas, S. Guttmann u. P. A. Jaquenoud, Helv. **43**, 1349 (1960).
17 R. Schwyzer u. H. Kappeler, Helv. **44**, 1991 (1961).
18 E. D. Nicolaides u. H. A. De Wald, J. Org. Chem. **26**, 3872 (1961).
19 S. Guttmann, J. Pless u. R. A. Boissonnas, Helv. **45**, 170 (1962).
20 H. Determann, H.-J. Torff u. O. Zipp, A. **670**, 141 (1963).
21 K. Hofmann et al., Am. Soc. **87**, 631 (1965).
22 E. Schröder, H.-S. Petras u. E. Klieger, A. **679**, 221 (1964).
23 E. Schröder, A. **673**, 220 (1964); **681**, 231 (1965).
24 E. Schröder u. H. Gibian, A. **673**, 176 (1964).
25 K. Lübke et al., A. **679**, 195 (1964).
26 F. Marchiori et al., Soc. [C] **1967**, 89.
27 E. Wünsch, A. Zwick u. A. Fontana, B. **101**, 326 (1968).
28 M. A. Ondetti et al., Am. Soc. **90**, 4711 (1968).
29 B. O. Handford et al., J. Org. Chem. **33**, 4251 (1968).
30 S. Guttmann et al., Helv. **52**, 1789 (1969).
31 J. Beacham et al., Am. Soc. **93**, 5526 (1971).

N-Benzyloxycarbonyl-L-serin-hydrazid [Z-Ser-NHNH$_2$][1]: Freier H-Ser-OMe in Essigsäure-äthylester (aus 3,2 g Serin durch Veresterung mit Chlorwasserstoff und Methanol in üblicher Weise erhalten) wird mit 5 g Chlorameisensäure-benzylester in zwei Portionen acyliert, wobei der entstehende Chlorwasserstoff mittels Kaliumhydrogencarbonat abgefangen wird. Nach beendeter Reaktion wird überschüssiger Chlorameisensäure-benzylester mit Pyridin zerstört, die Lösung wie üblich mit verd. Säure und Wasser gewaschen, über Natriumsulfat getrocknet und i. Vak. eingeengt. Die Lösung des erhaltenen öligen Rückstands in 50 *ml* absol. Äthanol wird mit 1,5 *ml* Hydrazin-Hydrat versetzt und 24 Stdn. bei Raumtemp. stehengelassen. Hierbei kristallisiert das Hydrazid aus; Ausbeute: 3,4 g; F: 181°.

N-Benzyloxycarbonyl-L-seryl-L-tyrosin-methylester [Z-Ser-Tyr-OMe][2]: Zu 19,5 g (100 mMol) H-Tyr-OMe in 100 *ml* Dimethylformamid und 200 *ml* 1,4-Dioxan gibt man die Essigsäure-äthylester-Lösung von Z-Ser-N$_3$, das aus 12,7 g (50 mMol) Z-Ser-NHNH$_2$ wie üblich bereitet (s. S. II/304) wurde. Die Reaktionsmischung engt man i. Vak. auf ein Viertel ihres Vol. ein und läßt sie dann 2 Tage bei 0° stehen. Danach dampft man i. Vak. zur Trockene und nimmt den Rückstand in Essigsäure-äthylester auf. Die erhaltene Lösung wird wie üblich gewaschen und getrocknet und i. Vak. eingeengt. Der Rückstand wird aus Essigsäure-äthylester/Petroläther umkristallisiert; Ausbeute: 16,7 g (80% d. Th.); F: 113°; $[\alpha]_D^{21} = +13,5 \pm 0,5°$ (c = 2, in Dimethylformamid); $[\alpha]_D^{21} = +3,5 \pm 0,5°$ (c = 2,9; in Methanol).

N-Benzyloxycarbonyl-L-threonyl-L-threonyl-glycyl-L-leucyl-L-prolin-methylester [Z-Thr-Thr-Gly-Leu-Pro-OMe][3]: 13,4 g Z-Thr-NHNH$_2$ in 13 *ml* Dimethylformamid und 58,5 *ml* 2,2 n Chlorwasserstoff/Tetrahydrofuran werden mit 7,9 *ml* tert.-Butylnitrit wie üblich[4] umgesetzt. Die Azid-Lösung wird mit Triäthylamin neutralisiert und anschließend mit 33,8 g H-Thr-Gly-Leu-Pro-OMe · HCl und 10,9 *ml* Triäthylamin in Dimethylformamid vermischt. Der Reaktionsansatz wird nach 24stdgm. Stehenlassen bei 0° und weiteren 24 Stdn. bei Raumtemp. nach Abfiltrieren des Triäthylammoniumchlorids i. Vak. eingedampft, der Rückstand in Essigsäure-äthylester aufgenommen und die erhaltene Lösung wie üblich mit verd. Säure, Kaliumhydrogencarbonat-Lösung und Wasser gewaschen und nach Trocknen über Natriumsulfat letztlich i. Vak. zur Trockene gebracht (amorpher Schaum); Ausbeute: 38,7 g (93% d. Th.); $[\alpha]_D^{23} = -58,0°$ (c = 0,5; in Essigsäure).

Nach Wieland[5] bzw. Schwyzer[6] verläuft die Bildung von Hydroxysäure-Alkyl-kohlensäure-Anhydriden und dgl. Misch-Anhydriden sowie deren folgende aminolytische Umsetzung einwandfrei. Die Übertragung dieser Methodik auf N-Acyl-hydroxy-aminosäuren gelang Wünsch[7] bei der Herstellung von *Z-Hyp-Gly-OEt*. Es war somit naheliegend, auch andere Carboxy-Aktivierungs-Verfahren anzuwenden; so benutzten mehrere Autoren, ohne Schutz der Hydroxy-Gruppe von Serin oder Threonin, mit gutem Erfolg das Carbodiimid-Verfahren[2,8–17].

N-Benzyloxycarbonyl-L-hydroxyprolyl-glycin-äthylester [Z-Hyp-Gly-OEt][7]: 13,26 g Z-Hyp-OH in 120 *ml* Tetrahydrofuran/1,4-Dioxan (3:2) werden mit 6,87 *ml* N-Äthyl-piperidin und anschließend bei −10° mit 4,78 *ml* Chlorameisensäure-äthylester und nach 10 Min. mit 5,2 g H-Gly-OEt in 70 *ml* 1,4-Dioxan versetzt. Nach 5 Min. wird die Reaktionsmischung rasch zum beginnenden Sieden erhitzt und nach Abkühlen mit Kaliumhydrogencarbonat-Lösung schwach alkalisch gestellt. Die organischen Lösungsmittel werden weitgehend i. Vak. entfernt, die verbleibende Phase nach Sättigung mit Natriumchlorid mehrfach mit Essigsäure-äthylester extrahiert. Die vereinigten Essigsäure-äthylester-Extrakte werden

---

[1] J. S. Fruton, J. Biol. Chem. **146**, 465 (1942).
[2] S. Guttmann u. R. A. Boissonnas, Helv. **41**, 1852 (1958).
[3] K. Lübke, A. **702**, 180 (1967).
[4] J. Honzl u. J. Rudinger, Collect. czech. chem. Commun. **26**, 2333 (1961).
[5] T. Wieland u. H. Köppe, A. **581**, 1 (1953).
[6] R. Schwyzer, Helv. **35**, 1903 (1952).
[7] E. Wünsch, Dissertation Universität München 1956.
[8] R. Schwyzer u. H. Kappeler, Helv. **44**, 1991 (1961).
[9] C. H. Li et al., Am. Soc. **83**, 4449 (1961).
[10] S. Guttmann u. R. A. Boissonnas, Helv. **42**, 1257 (1959).
[11] R. Schwyzer et al., Helv. **46**, 1975 (1963).
[12] E. Wünsch, H.-G. Heidrich u. W. Grassmann, B. **97**, 1818 (1964).
[13] K. Hofmann et al., Am. Soc. **87**, 611, 631 (1965).
[14] H. Nesvadba et al., Collect. czech. chem. Commun. **33**, 3790 (1968).
[15] F. Weygand et al., B. **101**, 923 (1968).
[16] J. Beacham et al., Am. Soc. **93**, 5526 (1971).
[17] H. Arold u. D. Stibenz, J. pr. **311**, 271 (1969).

wie üblich gewaschen, über Natriumsulfat getrocknet und schließlich i. Vak. eingedampft. Der feste Rückstand kristallisiert aus heißem Essigsäure-äthylester auf Zugabe von Petroläther; Ausbeute: 16 g (92% d. Th.); F: 154–155°; farblose Nadeln.

N-tert.-Butyloxycarbonyl-L-threonyl-L-phenylalanyl-L-threonyl-O-benzyl-L-serin-N'-benzyloxycarbonyl-hydrazid [BOC-Thr-Phe-Thr-Ser(BZL)-NHNH(Z)][1]:

N-tert.-Butyloxycarbonyl-L-threonin [BOC-Thr-OH]: 80 g BOC-Thr-OH · DCHA, suspendiert in Äther, werden mit wäßr. Citronensäure-Lösung bis zur völligen Auflösung behandelt; die abgetrennte wäßrige Phase wird erschöpfend mit Äther extrahiert. Die vereinigten Äther-Extrakte wäscht man mit Wasser, trocknet über Natriumsulfat und dampft i. Vak. zur Trockene ein (Öl); Ausbeute: 43,5 g (fast quantitativ).

N-tert.-Butyloxycarbonyl-L-threonyl-L-phenylalanyl-L-threonyl-O-benzyl-L-serin-N'-benzyloxycarbonyl-hydrazid [BOC-Thr-Phe-Thr-Ser(BZL)-NHNH(Z)]: 21,3 g des Öls (BOC-Thr-OH) und 57,3 g H-Phe-Thr-Ser(BZL)-NHNH(Z) werden in 200 *ml* Dimethylformamid und 800 *ml* Acetonitril gelöst und bei −10° mit 20 g Dicyclohexylcarbodiimid versetzt. Es wird 4 Stdn. bei −10° gerührt, über Nacht im Kühlschrank bei −10° belassen und dann 4 Stdn. bei Raumtemp. gerührt. Nach Abkühlen auf 0° filtriert man vom ausgefallenen N,N'-Dicyclohexyl-harnstoff ab, engt das Filtrat i. Vak. ein und nimmt den Rückstand in Essigsäure-äthylester auf. Die Essigsäure-äthylester-Lösung wird wie üblich gewaschen, kurz über Natriumsulfat getrocknet, auf ein kleines Vol. eingeengt und über Nacht in der Kühltruhe der Kristallisation überlassen; der Niederschlag wird über Phosphor(V)-oxid i. Vak. getrocknet; Ausbeute: 63,5 g (98% d. Th., unter Berücksichtigung zurückgewonnenen Materials) F: (155°) 158–160°; $[\alpha]_D^{20} = -21{,}57 \pm 1°$, bzw. $[\alpha]_{546}^{20} = -26{,}11°$ (c = 1, in Methanol).

Aus der Citrat-Lösung werden 8,95 g Tripeptid-N'-benzyloxycarbonyl-hydrazid zurückgewonnen.

Der Einsatz von N-geschützten Hydroxy-aminosäure-aktivestern schien zunächst in Frage gestellt, da z. B. die 4-Nitro-phenylester nicht rein zu erhalten waren[2]. Scoffone et al. konnten zeigen, daß dies nicht für 2,4-Dinitro-phenylester zutrifft; peptid-synthetische Umsetzungen von *Z-Ser-ODNP*[3] und *Z-Thr-ODNP*[4] verliefen erfolgreich[5].

Auch 2-Äthylaminocarbonyl-4,6-dichlor-phenylester waren mit Hilfe von 5,7-Dichlor-N-äthyl-⟨benzo-[d]-1,2-oxazolium⟩-tetrafluoroborat[6] zugänglich: Z-Ser-OEDP, in kristallisierter Form rein isoliert, ließ sich mit H-Gly-ONP in 78,5%-iger Ausbeute zum *Z-Ser-Gly-ONP* vereinigen[7].

N-Benzyloxycarbonyl-L-threonyl-L-phenylalanyl-L-threonyl-L-serin-methylester [Z-Thr-Phe-Thr-Ser-OMe][8]: Eine Lösung von H-Phe-Thr-Ser-OMe · HCl (gewonnen durch katalytische Hydrogenolyse von 15 g der Benzyloxycarbonyl-Verbindung) in 100 *ml* Dimethylformamid wird nacheinander mit 5,04 *ml* Triäthylamin und 15 g Z-Thr-ODNP (s. S. II/39) versetzt. Die Reaktionsmischung wird über Nacht bei Raumtemp. gehalten und anschließend i. Vak. zur Trockene eingedampft. Der verbleibende Rückstand wird erschöpfend mit Essigsäure-äthylester digeriert; das erhaltene kristalline Material wird auf das Filter gebracht, getrocknet und letztlich aus 95%-igem Äthanol umkristallisiert; Ausbeute: 15,4 g (85% d. Th.); F: 198–200°; $[\alpha]_D^{25} = -10{,}4°$ (c = 0,6; in Dimethylformamid).

Inzwischen scheint der Bann gebrochen zu sein; *Z-Ser-OPCP*[9], *BOC-Ser-SCP*[10] und *BOC-Thr-OSU*[11] konnten in reiner Form gewonnen werden. Ihre „Aminolyse" zu N-Benzyloxycarbonyl(-tert.-Butyloxycarbonyl)-peptiden verlief einwandfrei.

---

1 E. Wünsch u. G. Wendlberger, B. **97**, 2504 (1964).
2 M. Bodanszky u. M. A. Ondetti, Chem. & Ind. **1966**, 26.
3 F. Marchiori, R. Rocchi u. E. Scoffone, G. **93**, 834 (1963).
4 R. Rocchi, F. Marchiori u. E. Scoffone, G. **93**, 823 (1963).
5 S. ferner: E. Scoffone et al., G. **94**, 695 (1964).
F. Marchiori et al., Soc. [C] **1967**, 89.
6 D. S. Kemp u. R. B. Woodward, Tetrahedron **21**, 3019 (1965).
7 S. Rajappa u. A. F. Akerkar, Chem. Commun. **1966**, 826.
8 M. A. Ondetti et al., Am. Soc. **90**, 4711 (1968).
9 E. Klieger, A. **724**, 204 (1969).
H. Yajima, N. Shirai u. Y. Kiso, Chem. Pharm. Bull. (Tokyo) **19**, 1900 (1971).
10 R. Geiger, H.-G. Schröder u. W. Siedel, A. **726**, 177 (1969).
11 H. T. Storey et al., Am. Soc. **94**, 6170 (1972).

Selbstverständlich werden diese Carboxy-Aktivierungsverfahren im Hinblick auf ungeschützte Hydroxy-Funktionen mit noch geringerer Wahrscheinlichkeit an Nebenreaktionen durchführbar sein, wenn die Hydroxy-aminosäure nicht C-terminal in der Kopfkomponente vorliegt[1–3]. Doch muß mit der Möglichkeit einer O-Acylierung am eingesetzten bzw. entstehenden Hydroxy-aminosäure-Derivat gerechnet werden, wenn als Amino-Komponente eine an der Amino-Gruppe sterisch gehinderte Verbindung in die Synthese eingebracht und damit die Reaktionsgeschwindigkeit der Aminolyse stark verringert wird.

Trotz der oben geschilderten Synthesemöglichkeiten von Hydroxy-aminosäure-peptiden bestehen erhebliche Gefahren an Nebenreaktionen (außer den bereits angedeuteten):

ⓐ Im sauren Bereich wurden N → O-Aminoacyl-Wanderungen, als weitere Folgereaktion ein Aufbrechen der Peptidkette, festgestellt[4].

ⓑ Im basischen Bereich (und auch bei tert.-Basen-Gegenwart, Ester-Hydrazinolyse) wird Racemisierung der Hydroxy-aminosäure beobachtet[5]. Mit Sicherheit kann gesagt werden, daß diese Nebenreaktionen weitgehend „sequenzabhängig" sind und für Serin in verstärkterem Maße zutreffen als für Threonin und Hydroxyprolin, d.h. für Aminosäuren mit sekundären Hydroxy-Funktionen. So gelingt nach Wünsch et al.[2] eine einwandfreie hydrazinolytische Spaltung von *PHT=Thr-Ser(BZL)-NHNH(Z)* auch mittels Hydrazin-Hydrat, während beim Serinanalogon nur die Schwyzersche Hydrazin-Hydroacetat-Technik (s. S. 259) eindeutig verläuft.

ⓒ Bei der oft benutzten Halogenwasserstoff-Solvolyse von Amino-Schutzgruppen in Eisessig tritt als Nebenreaktion Acetylierung der Hydroxy-Funktionen ein[6]. Die Veresterungsgeschwindigkeit entspricht den bekannten Gesetzmäßigkeiten der Alkohole. Sie verläuft am Serin-hydroxyl erheblich rascher als am Threonin- bzw. Hydroxyprolin-hydroxyl. So konnten Wünsch und Hacker[7] zeigen, daß die Abspaltung der Schutzgruppe von Z-Hyp-Gly-OEt mittels 2n Bromwasserstoff/Eisessig (2 Stdn.) weitgehend zu *H-Hyp(Ac)-Gly-OEt · HBr* führt, mittels ges. Bromwasserstoff/Eisessig innerhalb 20 Min. dagegen fast quantitativ und mit kaum nennenswerter O-Acetylierung möglich ist.

L-Threonyl-O-benzyl-L-serin-N′-benzyloxycarbonyl-hydrazid [H-Thr-Ser(BZL)-NHNH(Z)][2]: Man löst 57,5 g PHT=Thr-Ser(BZL)-NHNH (Z) in 600 *ml* Methanol unter Zugabe von 5 *ml* 100%-igem Hydrazin-Hydrat, beläßt 20 Stdn. bei Raumtemp. (Niederschlag) und dampft dann i. Vak. ein. Den Rückstand schüttelt man mit 100 *ml* n Salzsäure, 150 *ml* Wasser und 1 *ml* Essigsäure und erwärmt kurze Zeit (~ 10 Min.) auf 40° (45° Badtemp). Nach Abkühlen wird abgesaugt und mit Wasser gewaschen [Rückstand 15 g Phthalhydrazid, F: 320° (Zers.)]. Zum stark gekühlten Filtrat gibt man 100 *ml* eiskalte n Natronlauge und etwas Natriumhydrogencarbonat-Lösung bis zur alkalischen Reaktion und extrahiert unter Natriumchlorid-Sättigung mit Essigsäure-äthylester. Die vereinigten Essigsäure-äthylester-Phasen werden rasch mit Wasser gewaschen (beginnende Kristallisation). Nach Abkühlen wird der Niederschlag abgesaugt, das Filtrat i. Vak. eingeengt und wie üblich aufgearbeitet. Das Hydrazid wird aus siedendem Essigsäure-äthylester umkristallisiert; Ausbeute: 38,0 g (86% d.Th.); F: 114–115°.

L-Hydroxyprolyl-glycin-äthylester-Hydrobromid [H-Hyp-Gly-OEt · HBr][7]: 17,5 g Z-Hyp-Gly-OEt werden mit 27 *ml* eiskaltem Bromwasserstoff in Eisessig (30%-ig) übergossen und 20 Min. bei Raumtemp. stehengelassen. Die erhaltene Lösung wird mit viel Äther versetzt; vom abgeschiedenen Öl wird abdekantiert und noch 2 mal mit je 100 *ml* Äther nachgewaschen. Das ölige Rohprodukt nimmt man in warmem

---

[1] R. Schwyzer u. H. Kappeler, Helv. **44**, 1991 (1961).
C. H. Li et al., Am. Soc. **83**, 4449 (1961).
S. Guttmann u. R. A. Boissonnas, Helv. **42**, 1257 (1959).
R. Schwyzer et al., Helv. **46**, 1975 (1963).
E. Wünsch, H.-G. Heidrich u. W. Grassmann, B. **97**, 1818 (1964).

[2] E. Wünsch u. G. Wendlberger, B. **97**, 2504 (1964).

[3] K. Hofmann, H. Yajima u. E. T. Schwartz, Am. Soc. **82**, 3732 (1960).

[4] J. I. Harris, R. D. Cole u. N. G. Pon, Biochem. J. **62**, 154 (1956).

[5] E. Schnabel u. H. Zahn, A. **614**, 141 (1958).

[6] K. Okawa, Bl. chem. Soc. Japan **30**, 976 (1957).
S. Guttmann u. R. A. Boissonnas, Helv. **41**, 1852 (1958).

[7] E. Wünsch u. E. Hacker, unveröffentlicht.
E. Hacker, Diplomarbeit, Universität München 1957.

absol. Äthanol auf und versetzt vorsichtig mit Äther. Es tritt alsbald Kristallisation ein, die durch Zugabe weiterer Mengen Äther vervollständigt wird. Nach kurzem Stehenlassen im Kühlschrank wird abfiltriert und der Rückstand aus Äthanol/Äther umkristallisiert; Ausbeute: 12,8 g (87% d.Th.); F: 181–182° (farblose Nadeln).

Eine Hydroxy-Acylierungs-Reaktion kann durch Einsatz anderer Lösungsmittel (z.B. 1,4-Dioxan, Nitromethan u.a.) bei der Halogen-Wasserstoff-Solvolyse von Schutzgruppen vermieden werden, vorausgesetzt, daß diese auch zur Lösung der Peptid-Derivate geeignet sind. Bei höheren Oligopeptiden dürfte diese Voraussetzung lediglich Trifluoressigsäure erfüllen; eine mögliche Variation sollte in flüssigem Bromwasserstoff zu suchen sein.

Hydroxylysin, sein allo-Stereoisomeres und allo-Hydroxyprolin sind als „Kopfkomponente" in N-geschützter aber O-unmaskierter Form VI einer Peptid-Verknüpfung nach üblichen Methoden nicht zugänglich, da bei jeder Carboxy-Aktivierung (auch Azidbildung) sofortiger Ringschluß zu den entsprechenden Lactonen VII eintritt (teilweise schon bei der Isolierung der N_{α},N_{ε}-Diacyl-hydroxylysine). Doch gelingt glücklicherweise (wenn auch in bescheidener Ausbeute) die Aminolyse von VII durch Aminosäureester bzw. -amide zu den Peptid-Derivaten VIII[1]; *H-aHyl-Ala-OH* und *H-aHyl-Gly-NH_2*[2] sowie *H-aHyp-Gly-OH*[3] konnten auf diesem Wege hergestellt werden:

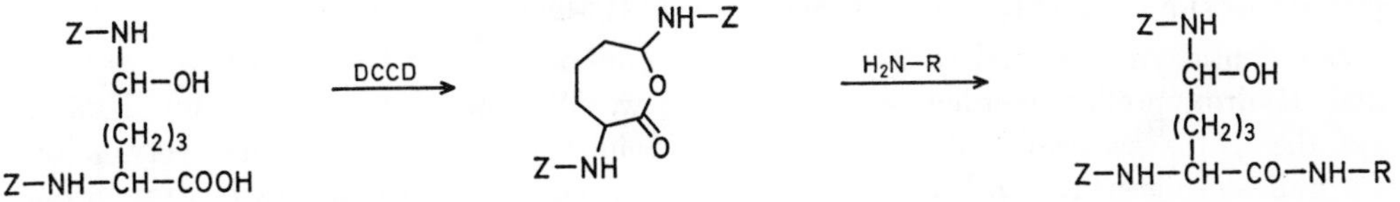

Z–NH–CH(–COOH)–$(CH_2)_3$–CH(OH)–NH–Z (VI) —DCCD→ Lacton VII (Z–NH, NH–Z) —H_2N–R→ Z–NH–CH(–CO–NH–R)–$(CH_2)_3$–CH(OH)–NH–Z (VIII)

VI VII VIII

36.512. Synthesen mit geschützter Hydroxy-Funktion

36.512.1. *O-Acyl-Derivate*

O-Acyl-blockierte Hydroxy-aminosäuren (der aliphatischen Reihe) sind von Frankel und Halmann[4] bzw. Sheehan et al.[5] für eine gezielte Peptidsynthese eingesetzt worden. *Poly-O-acetyl-* und *-O-benzyloxycarbonyl-serin* (nach der N-Carbonsäure-Anhydrid-Methode) sowie *N-Phthalyl-O-acetyl-seryl-peptide* wurden von den Autoren synthetisiert.

Die Herstellung und Bildungsweise von O-Acyl-hydroxy-aminosäuren war lange zuvor von Bergmann[6], Levene[7] sowie Sakami und Toennies[8] aufgefunden und studiert worden. Sie gelingt mittels Säure-chloriden[6,7], -anhydriden[8] (bevorzugt in Gegenwart saurer Katalysatoren) oder einfach durch chlorwasserstoff-katalysierte Veresterung[5] von Säure und Alkohol-Komponente (z.B. Acetyl-serin).

O-Acetyl-L-serin [H-Ser(Ac)-OH][5]:

O-Acetyl-L-serin-Hydrochlorid [H-Ser(Ac)-OH·HCl]: Eine Lösung von 3,5 g Serin in 150 *ml* Eisessig wird bei 0° mit Chlorwasserstoff gesättigt. Nach 15 Stdn. Stehenlassen bei Raumtemp.

---

1 E. Schnabel, A. **667**, 179 (1963).
2 H. Zahn u. L. Zürn, A. **613**, 76 (1958).
3 A. A. Patchett u. B. Witkop, Am. Soc. **79**, 185 (1957).
4 M. Frankel u. M. Halmann, Soc. **1952**, 2735.
5 J. C. Sheehan, M. Goodman u. G. P. Hess, Am. Soc. **78**, 1367 (1956).
6 M. Bergmann, E. Brand u. F. Weinmann, H. **131**, 1 (1923).
M. Bergmann u. A. Miekeley, H. **140**, 128 (1924).
7 P. A. Levene u. A. Schormüller, J. Biol. Chem. **105**, 547 (1934); **106**, 595 (1934).
8 W. Sakami u. G. Toennies, J. Biol. Chem. **144**, 203 (1942).

dampft man i. Vak. zur Trockene ein. Nach Wiederholung der Prozedur wird der erhaltene Rückstand aus Äthanol/Äther umkristallisiert; Ausbeute: 5,2 g (99% d. Th.); F: 160° (Zers.)[1].

O-Acetyl-serin [H-Ser(Ac)-OH]: 3,0 g des Hydrochlorids in Äthanol werden mit 1,62 g Triäthylamin versetzt. Die gebildete Fällung wird abfiltriert und aus Wasser/Äthanol umkristallisiert; Ausbeute: 2,42 g (98% d. Th.); F: 167–168° (Zers.); $[\alpha]_D^{27} = +9,15°$ (c = 2, in 0,1 n Salzsäure).

Neuerdings wurden für die Veresterungsreaktion mit großem Erfolg O-Acyl-lactime (Carbodiimide), N-Acyl-imidazole (N,N'-Carbonyl-di-imidazol) und gemischte Carbonsäure-Benzolsulfonsäure-Anhydride eingesetzt.

Diese Methoden spielen vor allem eine bedeutende Rolle bei der Synthese der O-Peptide, Peptid-lactone und Peptolide (sie werden gesondert behandelt; s. S. II/369 ff.).

Mit Hilfe von Fluorameisensäure-tert.-butylester und -4-methoxy-benzylester (im Überschuß) sind bei p_H-Werten um 10 N,O-Di-acylierungen von Serin und Threonin möglich[2]; tert.-Butyloxycarbonyl-cyanid reagiert nur mit Serin[3].

Nach bislang vorliegenden Ergebnissen dürfte der O-Acyl-Maskierung nur in Sonderfällen Bedeutung zukommen, auch wenn inzwischen weitere Peptid-Synthesen mit O-Acetyl-serin-Derivaten ausgeführt worden sind[1,4]. Die bekannten Tatsachen[5], nämlich die im basischen Medium leicht eintretende O → N-Acyl-Wanderung bei Peptiden mit N-terminaler O-Acyl-hydroxy-aminosäure (aus den N-geschützten Derivaten nach Abspaltung der Amino-Schutzgruppen)[6], die unvermeidliche O-Acyl-Abspaltung bei Hydrolyse und Hydrazinolyse der Peptidester-Bindung[7] und die erhöhte Tendenz zu β-Eliminierung (Serin, Threonin)[8] sprechen eindeutig gegen die Verwendung dieser Hydroxy-Maskierung. (Zum Spezialproblem der O-Aminoacyl-Einlagerungsreaktionen s. S. II/342).

Zur Peptidsynthese sind O-Tosyl-hydroxy-aminosäuren (O-Tosyl-Derivate des Serins und Hydroxyprolins wurden von Zervas[9] bzw. Witkop[10] beschrieben) im Hinblick auf die später zu erfolgende Abspaltung der Schutzgruppe nur beschränkt verwendbar: Im Falle des Serins tritt β-Eliminierung bzw. Racemisierung, im Falle des Hydroxyprolins Inversion am C_γ-Atom zum *allo*-Isomeren ein.

36.512.2. *O-Alkyl-Derivate*

36.512.21. Die O-Benzyl-[BZL]-Schutzgruppe

Eine Maskierung der Hydroxy-Funktion durch Benzyläther-Bildung hatte 1949 Fruton[11] diskutiert; Okawa[12] und Wünsch[13] haben diesen Vorschlag für den Fall des Serins in die Tat umgesetzt. Da eine Verätherung zunächst nicht gelang, wurde *O-Benzyl-DL-serin* (XI) vollsynthetisch aus Acrylester IX über 2,3-Dibrom-propionsäureester X laut nachstehendem Schema aufgebaut. Racematspaltungen von *Ac-DL-Ser(BZL)-OH* bzw. *FOR-DL-Ser(BZL)*-

---

[1] B. O. Handford et al., J. Org. Chem. **33**, 4251 (1968).
[2] E. Schnabel et al., A. **743**, 57 (1971).
[3] M. Leplawy u. W. Stec, Bull. Acad. Polon. Sci., Sér. Sci. chim. **12**, 21 (1964); C. A. **61**, 1933 (1964).
[4] M. A. Ondetti, J. Med. Chem. **6**, 10 (1963).
S. Lande, J. Org. Chem. **27**, 4558 (1962).
E. D. Nicolaides, H. A. De Wald u. M. K. Craft, J. Med. Chem. **6**, 739 (1963).
[5] s. dazu M. Frankel u. M. Halmann, Soc. **1952**, 2735.
[6] J. C. Sheehan, M. Goodman u. G. P. Hess, Am. Soc. **78**, 1367 (1956).
[7] M. Bergmann, E. Brand u. F. Weinmann, H. **131**, 1 (1923).
M. Bergmann u. A. Miekeley, H. **140**, 128 (1924).
[8] A. Patchornik u. M. Sokolovsky, Am. Soc. **86**, 1206 (1964).
[9] L. Zervas et al., *Peptides*, Proc. 5th Europ. Sympos. on Peptides, Oxford 1962, Pergamon Press, Oxford **1963**, S. 27.
[10] A. A. Patchett u. B. Witkop, Am. Soc. **79**, 185 (1957).
[11] J. S. Fruton, Adv. Protein Chem. **5**, 1 (1949).
[12] K. Okawa u. A. Tani, J. chem. Soc. Japan **75**, 1197 (1950).
K. Okawa, Bl. chem. Soc. Japan **30**, 110 (1957).
[13] W. Grassmann et al., B. **91**, 538 (1958).
P. Deufel, Diplomarbeit Universität München 1955.

OH waren enzymatisch[1] (Takadiastase) bzw. mit dem Alkaloidpaar Brucin-Chinin[2] erfolgreich.

$$\underset{\text{IX}}{\begin{matrix}CH_2\\ \|\\ CH{-}CO{-}OR\end{matrix}} \xrightarrow{Br_2} \underset{\text{X}}{\begin{matrix}CH_2{-}Br\\ |\\ Br{-}CH{-}CO{-}OR\end{matrix}} \xrightarrow{H_5C_6{-}CH_2{-}ONa} \begin{matrix}CH_2{-}O{-}CH_2{-}C_6H_5\\ |\\ Br{-}CH{-}CO{-}OR\end{matrix}$$

$$\xrightarrow{OH^{\ominus}} \begin{matrix}CH_2{-}O{-}CH_2{-}C_6H_5\\ |\\ Br{-}CH{-}COOH\end{matrix} \xrightarrow{NH_3} \underset{\text{XI}}{\begin{matrix}CH_2{-}O{-}CH_2{-}C_6H_5\\ |\\ H_2N{-}CH{-}COOH\end{matrix}}$$

Eine direkte Verätherung der Hydroxy-Gruppe am N-Acetyl-DL-threonin gelang Akabori et al.[3] mittels Natrium in flüssigem Ammoniak und Benzylbromid. Das erhaltene *Ac-DL-Thr(BZL)-OH* konnte schließlich enzymatisch mit Takadiastase gespalten werden (O-Benzyl-L-threonin; 89% d.Th.).

Die Übertragung dieser Alkylierungs-Technik auf BOC-Ser-OH und BOC-Thr-OH beschrieben Hruby und Ehler[4]. Allerdings konnte nur bei ersterem Produkt mit 45%-iger O-Benzylierung zum *BOC-Ser(BZL)-OH* ein brauchbares Ergebnis erzielt werden; unerfreulich dagegen blieb die Isolierung von *BOC-Thr(BZL)-OH* (mit ~6% d.Th.).

Schon 1957 hatten Zahn und Diehl[5] die Bildung von *H-DL-Ser(BZL)-OBZL* bei einer Veresterung von DL-Serin mit Benzylalkohol und Benzolsulfonsäure beobachtet. Stewart et al.[6] haben mit Hilfe dieses Verfahrens L-Threonin verestert und veräthert; aus dem zunächst erhaltenen *H-Thr(BZL)-OBZL* gewinnt man durch alkalische Verseifung „optischreines" *H-Thr(BZL)-OH* bzw. durch Acylierung mit tert.-Butyloxycarbonyl-azid und anschließende Ester-Hydrolyse *BOC-Thr(BZL)-OH*.

O-Benzyl-L-threonin-benzylester-Oxalsäure-Salz [H-Thr(BZL)-OBZL · OXA(OH)$_2$][6]: 100 *ml* Benzylalkohol, 200 *ml* Toluol, 11,9 g Threonin und 24,7 g 4-Toluolsulfonsäure-Monohydrat werden unter Rückfluß erhitzt, bis im Abscheider kein Wasser mehr abgesetzt wird (18–22 Stdn.). Nach Abkühlen wird die Reaktionsmischung mit 150 *ml* Essigsäure-äthylester versetzt und anschließend erschöpfend mit kalter 0,5 m Natriumcarbonat-Lösung ausgeschüttelt, bis die wäßr. Phase einen konstanten p_H-Wert von 9 besitzt. Die organische Phase wird anschließend noch einmal mit Wasser gewaschen. Die gesammelten wäßr. Auszüge werden mit 100 *ml* Essigsäure-äthylester extrahiert. Die vereinigten organischen Phasen werden nach Trocknen über Magnesiumsulfat mit 12 g Oxalsäure-Dihydrat in 60 *ml* Methanol versetzt. Beim Stehen im Eisschrank über mehrere Stdn. tritt Kristallisation ein; der gebildete Niederschlag wird abfiltriert und mit kaltem Äthanol gewaschen; Ausbeute: 9,1 g (23% d.Th.); F: 165–167°; $[\alpha]_D^{22} = -44{,}6°$ (c = 1,2; in Methanol).

Falls das Endprodukt bei der chromatographischen Überprüfung nicht einheitlich ist, muß das Oxalsäure-Salz zur Entfernung von anhaftendem H-Thr-OBZL · OXA-(OH)$_2$ rekristallisiert werden. Die Dünnschichtchromatographie erfolgt auf Silicagel im System Äthanol/Wasser/Benzol/Essigsäure (40:20:10:5).

O-Benzyl-L-threonin [H-Thr(BZL)-OH][6]: 3,9 g H-Thr(BZL)-OBZL · OXA-(OH)$_2$ werden zwischen 1 m Kaliumcarbonat-Lösung und Essigsäure-äthylester verteilt; die abgetrennte Essigsäure-äthylester-Phase wird über Magnesiumsulfat getrocknet und anschließend i.Vak. eingedampft. Das verbleibende ölige Material in 50 *ml* Methanol wird anschließend mit 12 *ml* m Natronlauge bei Raumtemp. während

---

1 K. Okawa, Bl. chem. Soc. Japan **29**, 486 (1956).

2 E. Wünsch u. G. Fürst, H. **329**, 109 (1962).
G. Fürst, Dissertation Universität München 1957.

3 Y. Murase, K. Okawa u. S. Akabori, Bl. chem. Soc. Japan **33**, 123 (1960).

4 V. J. Hruby u. K. W. Ehler, J. Org. Chem. **35**, 1690 (1970).

5 H. Zahn u. J. Diehl, Z. Naturf. **12b**, 85 (1957).

6 T. Mizoguchi et al., J. Org. Chem. **33**, 903 (1968).

2 Stdn. verseift; das durch Eindampfen i. Vak. erhaltene Material wird einer Ionenaustauschchromatographie an Dowex-1 (Elutionsmittel m Essigsäure) unterzogen und anschließend aus Wasser/Propanol umkristallisiert; Ausbeute: 1,5 g (72% d. Th.); $[\alpha]_D^{25} = -30{,}4°$ (c = 1,1; in Essigsäure).

N-tert.-Butyloxycarbonyl-O-benzyl-L-threonin [BOC-Thr(BZL)-OH][1]: 6 g H-Thr(BZL)-OBZL · OXA-$(OH)_2$ in 50 *ml* Methanol werden vorsichtig und unter Rühren mit 2,5 g Natriumhydroxid in 15 *ml* Wasser versetzt; die Reaktionsmischung wird anschließend eine weitere Stde. bei Raumtemp. gerührt. Die erhaltene Lösung wird nach Zusatz von 2,2 g Natriumhydrogencarbonat in 20 *ml* Wasser und 5,4 *ml* tert.-Butyloxycarbonyl-azid in 50 *ml* 1,4-Dioxan unter Rühren über 22 Stdn. bei 45° gehalten. Anschliessend wird der Acylierungs-Ansatz i. Vak. auf ein kleineres Vol. konzentriert, um 1,4-Dioxan zu entfernen, mit Wasser verdünnt und letztlich durch Extraktion mit Diäthyläther von überschüssigem tert.-Butyloxycarbonyl-azid und evtl. nicht verseiftem Threoninester befreit. Die verbleibende wäßrige Phase wird unter Eiskühlung mit Citronensäure auf $p_H = 3$ gestellt und danach 3 mal mit Essigsäure-äthylester extrahiert; die Auszüge werden nach Trocknen über Magnesiumsulfat i. Vak. eingedampft: Öl, das nach Stehen in der Kälte kristallisiert; Ausbeute: 2,3 g (48% d. Th.).

Nach Umkristallisieren des erhaltenen Rohmaterials aus Essigsäure-äthylester; F: 115–116°; $[\alpha]_D^{22} = +15{,}8°$ (c = 1,1; in Methanol); Ausbeute: 1,8 g.

Die ausgezeichnete Eignung von H-Ser(BZL)-OH für den Aufbau von Peptiden des Serins[2–15] wird unterstrichen durch:

① die leichte Acylierung der Amino- bzw. nucleophile Substitution der Carboxy-Gruppe nach verschiedenen Methoden, was auf ein Fehlen „ins Gewicht fallender" sterischer Hinderung durch Benzyläther-Bildung hindeutet

② die erhöhte Kristallisationstendenz der O-Benzyl-serin-Derivate und -peptide

③ die günstige Reversibilität der O-Benzyl-Maskierung mittels katalytischer Hydrogenolyse[12], Reduktion mit Natrium in flüssigem Ammoniak und Acidolyse mittels Bromwasserstoff/1,4-Dioxan oder flüssigem Fluorwasserstoff

④ die Beständigkeit der Benzyläther-Gruppierung gegenüber Trifluoressigsäure-Einwirkung und alkalischen Hydrolyse- und Hydrazinolyse-Bedingungen.

Das Paradebeispiel für die erfolgreiche Verwendung von H-Ser(BZL)-OH* ist die erste Totalsynthese des *Sekretins*[13,14]. *BOC-Ser(BZL)-OH* und *BOC-Thr(BZL)-OH* erwiesen sich ferner als willkommene Kopfkomponenten bei Peptidsynthesen nach der Festkörper-Strategie insbesondere bei Anwendung der „Merrifield-Technik" (s. S. 375).

O-Benzyl-L-seryl-L-glutaminyl-glycin-4-nitro-benzylester-Hydro-trifluoracetat [H-Ser(BZL)-Gln-Gly-ONB · TFA-OH]:

N-tert.-Butyloxycarbonyl-O-benzyl-L-serin [BOC-Ser(BZL)-OH][15]: 78 g H-Ser(BZL)-OH, in 100 *ml* 4n Natronlauge und 200 *ml* 1,4-Dioxan gelöst, werden mit 80 g tert.-Butyloxycarbonyl-azid und 4 g Magnesiumoxid versetzt. Unter Rühren wird das Gemisch auf 45° (Badtemp.) erwärmt, wobei langsam Lösung eintritt. Nach erneuter Zugabe von 30 g tert.-Butyloxycarbonyl-azid und 4 g Magnesiumoxid läßt man insgesamt 21 Stdn. bei 45° weiterrühren. Das Filtrat säuert man vorsichtig mit Citronensäure

---

* Zur Verwendung von O-Benzyl-threonin-Derivaten s. W. Danho u. C. H. Li, Int. J. Pept. Prot. Res. **3**, 99 (1971).

1 T. Mizoguchi et al., J. Org. Chem. **33**, 903 (1968).

2 K. Okawa, Bl. chem. Soc. Japan **29**, 486 (1956); **29**, 488 (1956); **30**, 976 (1957); **31**, 88 (1958).

3 W. Grassmann et al., B. **91**, 538 (1958).

4 E. Wünsch et al., *Peptides*, Proc. 6th Europ. Symposium, Athen 1963, Pergamon Press, Oxford **1966**, S. 79.

5 E. Wünsch, G. Wendlberger u. J. Jentsch, B. **97**, 3298 (1964).

6 E. Wünsch u. A. Zwick, B. **97**, 2504 (1964); **97**, 3312 (1964); **99**, 101 (1966).

7 T. Hayakawa, K. Harada u. S. W. Fox, Bl. chem. Soc. Japan **39**, 391 (1966).

8 M. Bodanszky et al., J. Org. Chem. **37**, 2303 (1972).

9 K. Inouye u. H. Otsuka, Bl. chem. Soc. Japan **34**, 1 (1961).

10 M. Bodanszky et al.. Nature **194**, 485 (1962).

11 H. Nesvadba et al., Collect. czech. chem. Commun. **33**, 3790 (1968).

12 vgl. dazu jedoch F. Weygand et al., B. **101**, 923 (1968).

13 M. Bodanszky u. N. J. Williams, Am. Soc. **89**, 685 (1967).

14 M. Bodanszky et al., Am. Soc. **89**, 6753 (1967).

15 E .Wünsch u. A. Zwick, B. **97**, 2497 (1964).

an und nimmt das abgeschiedene Öl in Essigsäure-äthylester auf. Die abgetrennte organische Phase wird erschöpfend mit Kaliumhydrogencarbonat-Lösung extrahiert. Die vereinigten Extrakte werden mit Citronensäure angesäuert; das so gereinigte BOC-Ser(BZL)-OH wird in Äther aufgenommen. Die über Natriumsulfat getrocknete Lösung engt man i.Vak. weitgehend ein und behandelt den Rückstand mit Petroläther, wobei Kristallisation eintritt. Anschließend wird aus Äther/Petroläther umkristallisiert; Ausbeute: 102,3–106,6 g (92–94% d.Th.); F: 60–62°; $[\alpha]_D^{20} = +20,4 \pm 0,5°$ bzw. $[\alpha]_{546}^{20} = +24,2°$ (c = 2, in 80%-igem Äthanol).

Aus der ersten citronensauren, wäßr. Lösung läßt sich nichtumgesetztes H-Ser(BZL)-OH, nach Neutralisieren mit Ammoniak und Einengen der Lösung i.Vak. auf ein kleineres Vol., zurückgewinnen.

N-tert.-Butyloxycarbonyl-O-benzyl-L-seryl-L-glutaminyl-glycin-4-nitro-benzylester [BOC-Ser(BZL)-Gln-Gly-ONB][1]: 20,65 g (70,0 mMol) BOC-Ser(BZL)-OH werden in 100 *ml* Tetrahydrofuran und 9,5 *ml* Triäthylamin gelöst und dazu 6,7 *ml* Chlorameisensäure-äthylester bei −10° getropft. Nach 10 Min. bei −10° wird eine Lösung von 29,4 g (70,0 mMol) H-Gln-Gly-ONB · HBr und 9,5 *ml* Triäthylamin in Dimethylformamid/Chloroform (6:4) zugegeben und 4 Stdn. bei −10° sowie weitere 4 Stdn. bei Raumtemp. gerührt. Nach 12 Stdn. bei Raumtemp. engt man die Lösung i.Vak. ein, versetzt mit Wasser und läßt im Kühlschrank kristallisieren. Der abgesaugte Niederschlag wird in warmem Essigsäure-äthylester aufgenommen, die Lösung wie üblich gewaschen (Citronensäure und Kaliumhydrogencarbonat-Lösung), getrocknet, schließlich i.Vak. eingedampft und aus Äthanol/Wasser (2:3) umkristallisiert; Ausbeute: 39,3 g (91,5% d.Th.); F: 146,5–147,5°, $[\alpha]_D^{20} = -11,7 \pm 0,5°$, bzw. $[\alpha]_{546}^{20} = -14,5°$ (c = 2, in Methanol).

O-Benzyl-L-seryl-L-glutaminyl-glycin-4-nitro-benzylester-Hydro-trifluoracetat [H-Ser(BZL)-Gln-Gly-ONB · TFA-OH][1]: Zu 43 *ml* gekühlter Trifluoressigsäure gibt man unter Rühren 36,4 g (59,2 mMol) BOC-Ser(BZL)-Gln-Gly-ONB. Nach ~ 20 Min. tritt vollständige Lösung ein. Man rührt 40 Min. bei Raumtemp. nach, zieht dann die überschüssige Trifluoressigsäure i.Vak. (25° Badtemp.) ab und behandelt den Rückstand mit absol. Äther. Nach mehrstdgm. Stehen in der Kälte wird abgesaugt, i.Vak. über Kaliumhydroxid und Phosphor(V)-oxid getrocknet und aus Äthanol/Äther umkristallisiert; Ausbeute: 35,4 g (93,5% d.Th.); F: 85–86° (erweicht bei 82°); $[\alpha]_D^{20} = -11,0°$ bzw. $[\alpha]_{546}^{20} = -13,2°$ (c = 2, in Methanol).

N_α-tert.-Butyloxycarbonyl-L-histidyl-L-seryl-L-glutaminyl-glycyl-L-threonyl-L-phenylalanyl-L-threonyl-L-serin-hydrazid [BOC-His-Ser-Gln-Gly-Thr-Phe-Thr-Ser-$NHNH_2$][2]: 17,0 g BOC-His-Ser(BZL)-Gln-Gly-Thr-Phe-Thr-Ser(BZL)-NHNH(Z) in 200 *ml* 80%-iger Essigsäure werden unter Zusatz von Palladiumschwarz 72 Stdn. wie üblich katalytisch hydriert. Das Filtrat engt man i.Vak. ein und dampft den Rückstand mehrmals mit Benzol i.Vak. ab. Die Lösung in wenig Dimethylformamid läßt man in Diäthyläther einfließen; die gebildete Fällung wird abfiltriert und i.Vak. getrocknet; Ausbeute: 12,6 g (92% d. Th., ber. für ein N-Acyl-oktapeptid-hydrazid-Monohydroacetat); F: 190,5° (Zers.); $[\alpha]_D^{20} = -27,2 \pm 0,5°$ bzw. $[\alpha]_{546}^{20} = -32,5°$ (c = 1, in 80%-iger Essigsäure) oder $[\alpha]_D^{20} = -47,4 \pm 1°$ bzw. $[\alpha]_{546}^{20} = -56,5°$ (c = 0,5; in Wasser).

Die Verwendung von O-(4-Chlor-benzyl)-serin wurde von Kisfaludy[3] vorgeschlagen. Durch die 4-Substitution soll die Acidolyse der Benzyl-äther-Gruppierung verzögert sein; noch unter Bromwasserstoff/Eisessig-Einwirkung bei 60° soll diese überleben.

36.512.22. Die O-tert.-Butyl-[tBu]-Schutzgruppe

Im Hinblick auf die Anforderungen der modernen Naturstoffsynthese, die sich für die Maskierung der Seitenketten-Funktionen (ω-Amino- und ω-Carboxy-Gruppen) z.B. der in letzter Stufe unter schonenden Bedigungen spaltbaren tert.-Butyloxycarbonyl- und tert.-Butylester-Gruppen bedient, schien es richtig, auch die Hydroxy-Funktion durch eine unter analogen Bedingungen selektiv spaltbare tert.-Butyläther-Gruppierung zu schützen. Mit der Herstellung von Hydroxy-aminosäure-tert.-butyläther-tert.-butylestern (XVI; R^1 = tBu, s. Schema S. 580) hat Beyerman[4] einen ersten Schritt in diese Richtung getan; doch eignen sich diese Derivate lediglich als carboxy-endständige Komponente.

---

1 E. Wünsch u. A. Zwick, B. **97**, 2497 (1964).
2 E. Wünsch u. A. Zwick, B. **99**, 101 (1966).
3 L. Kisfaludy, *Peptides*, Proc. 6th Europ. Symposium, Athen 1963, Pergamon Press, Oxford **1966**, S. 35.
4 H. C. Beyerman u. J. S. Bontekoe, R. **81**, 691 (1962); Pr. chem. Soc. (London) **1961**, 249.

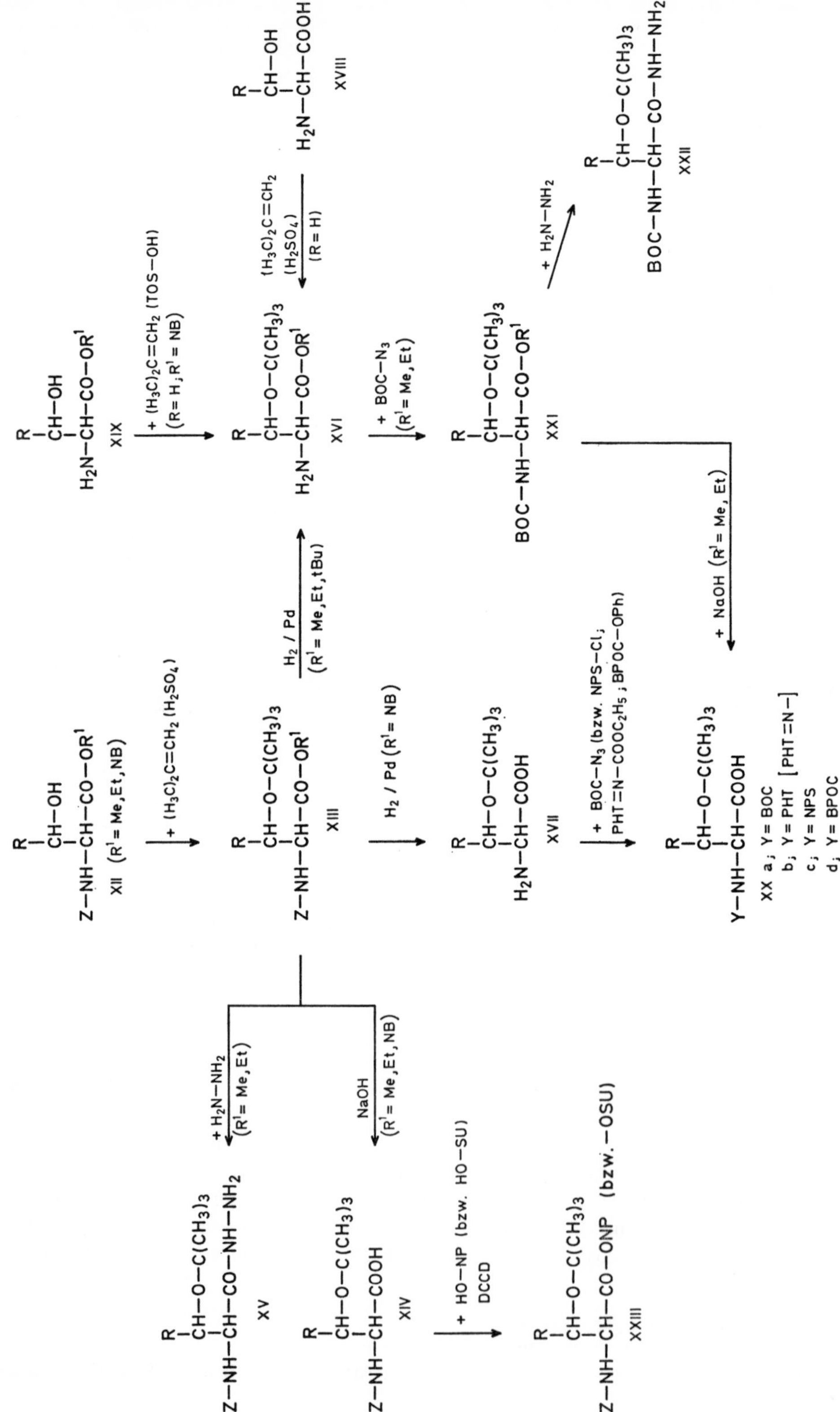

Die freien Hydroxy-aminosäure-tert.-butyläther, deren Methyl-ester bzw. N-Acyl-Derivate haben neuerdings Anderson[1], Wünsch[2] und Schröder[3] beschrieben. Die Synthese gelingt durch Isobuten-Addition an N-Benzyloxycarbonyl-hydroxy-aminosäureester (XII, R^1=Me, Et, NB) in Gegenwart saurer Katalysatoren (Schwefelsäure)*: Die erhaltenen N-Benzyloxycarbonyl-hydroxy-aminosäure-tert.-butyläther-ester XIII lassen sich alkalisch zu N-Benzyloxycarbonyl-hydroxy-aminosäure-tert.-butyläther XIV verseifen, mittels Hydrazin-Hydrat in die Hydrazide XV, bzw. durch katalytische Hydrogenolyse (nur Methyl-, Äthyl- und tert.-Butylester) in Hydroxy-aminosäure-tert.-butyläther-ester XVI überführen. Als geeignetes Ausgangsmaterial erwiesen sich die N-Benzyloxycarbonyl-hydroxy-aminosäure-4-nitro-benzylester (XII, R^1 = NB), deren tert.-Butyläther-Verbindungen (XIII, R^1 = NB) (mit Ausnahme des Hydroxyprolin-Derivats) gut kristallisierende und zu reinigende Produkte darstellen, die nach hydrogenolytischer Abspaltung der Amino- und Carboxy-Schutzgruppen sofort die freien Hydroxy-aminosäure-tert.-butyläther XVII ergeben[4] (s. auch *O-tert.-Butyl-tyrosin* S. 619f.).

Nach E. Schröder[3] gelingt ferner die Umsetzung von freiem Serin XVIII mit Isobuten zu XVI (R^1 = tBu); realisierbar war weiterhin die O-Alkylierung von H-Ser-ONB (XIX) zu XVI (R^1 = NB)[5] und N-Benzyloxycarbonyl-seryl-glycinestern bzw. -glycyl-serin-(threonin)-estern zu den entsprechenden O-tert.-Butyl-Verbindungen[6]. Ob letzteres Verätherungs-Verfahren im Peptidverband generell durchführbar sein wird, muß abgewartet werden. Aus dem freien Hydroxy-aminosäure-tert.-butyläther XVII können mittels tert.-Butyloxycarbonyl-azid, N-Äthoxycarbonyl-phthalimid, 2-Nitro-phenylsulfenyl-chlorid oder [2-Biphenylyl-(4)-propyl-(2)]-phenyl-carbonat und dgl. weitere spezielle Ausgangsmaterialien (XXa-d) gewonnen werden[7-11].

Die N-tert.-Butyloxycarbonyl-Derivate wurden außerdem von Schröder[3] durch N-Acylierung von XVI und alkalische Verseifung der primär entstehenden N-tert.-Butyloxycarbonyl-O-tert.-butyl-hydroxy-aminosäure-ester XXI erhalten; letztere geben durch Hydrazinolyse die entsprechenden Hydrazide XXII[3].

O-tert.-Butyl-L-threonin-tert.-butylester [H-Thr(tBu)-OtBu][12]:

N-Benzyloxycarbonyl-O-tert.-butyl-L-threonin-tert.-butylester [Z-Thr(tBu)-OtBu]: 100 g Z-Thr-OH in 1000 *ml* Dichlormethan werden bei 0° mit 900 *ml* trockenem Isobuten und 10 *ml* konz. Schwefelsäure versetzt und verschlossen 5 Tage (unter anfänglichem Schütteln) bei Raumtemp. aufbewahrt. Danach gießt man das stark gekühlte Gemisch in eiskalte 5%-ige Natriumcarbonat-Lösung und wäscht die abgetrennte Dichlormethan-Phase 2 mal mit obiger Carbonat-Lösung und anschließend mit Wasser neutral. Nach Eindampfen i. Vak. hinterbleibt ein farbloses Öl, das mehrere Tage im Vakuumtrockenschrank über Phosphor(V)-oxid getrocknet wird; [2 Verunreinigungen unter 1% sind vermutlich die beiden Monosubstitutionsprodukte Z-Thr(tBu)-OH und Z-Thr-OtBu]; Ausbeute: 143 g (99% d. Th.).

---

* Ob hierbei in geringem Prozentsatz auch Isobutyläther gebildet werden, ist noch ungeklärt.

[1] F. M. Callahan et al., Am. Soc. **85**, 201 (1963).

[2] E. Wünsch et al., *Peptides*, Proc. 6th Europ. Sympos., Athen 1963, Pergamon Press, Oxford **1966**, S. 79.

[3] E. Schröder, A. **670**, 127 (1963).

[4] E. Wünsch u. J. Jentsch, B. **97**, 2490 (1964).
s. auch J. E. Shields u. H. Renner, Am. Soc. **88**, 2304 (1966).

[5] J. Jentsch, Dissertation Universität München 1964.

[6] K. Poduška u. M. I. Titov, Collect. czech. chem. Commun. **30**, 1611 (1965).

[7] E. Wünsch u. A. Fontana, B. **101**, 323 (1968).

[8] E. Jaeger, in E. Wünsch u. G. Wendlberger, B. **100**, 160 (1967), dort S. 172.

[9] P. Sieber u. B. Iselin, Helv. **51**, 622 (1968); **52**, 1525 (1969).

[10] E. Schnabel, G. Schmidt u. E. Klauke, A. **743**, 69 (1971).

[11] H. Klostermeyer et al., *Peptides*, Proc. 8th Europ. Peptide Sympos., Noordwijk 1966, North-Holland Publ. Co., Amsterdam **1967**, S. 113.

[12] E. Wünsch, F. Drees u. J. Jentsch, B. **98**, 803 (1965).

O-tert.-Butyl-L-threonin-tert.-butylester-Dibenzolsulfimid-Salz[H-Thr(tBu)-OtBu·DBSI]: 50 g Z-Thr(tBu)-OtBu in 300 *ml* Methanol werden wie üblich in Gegenwart von Palladiumschwarz entacyliert. Nach Entfernen des Lösungsmittels i. Vak. erhält man H-Thr(tBu)-OtBu als farbloses Öl; Ausbeute: 31,0 g (98,2% d. Th.); $Kp_{0,001}$: 64°.

30 g des Öls in 50 *ml* Äther werden mit einer Lösung von 42,2 g Dibenzolsulfimid in 200 *ml* Äther vereinigt; es erfolgt alsbald Abscheidung des kristallisierten Salzes; Ausbeute: 57 g (83,1% d. Th.); F: 82–83° (farblose Nadeln).

O-tert.-Butyl-L-serin-tert.-butylester [H-Ser(tBu)-OtBu][1]: 2,1 g Serin in 20 *ml* 1,4-Dioxan werden bei 0° mit 1,5 *ml* konz. Schwefelsäure und 5,4 *ml* Isobuten versetzt und 3 Tage bei Raumtemp. geschüttelt. Nach Neutralisation mit Triäthylamin, Aufnahme des nach Eindampfen erhaltenen Rückstands in Essigsäure-äthylester, Waschen der Lösung mit gesätt. Natriumhydrogencarbonat-Lösung und Trocknen über Natriumsulfat erhält man den freien Ester durch fraktionierte Destillation als Öl; Ausbeute: 83% d. Th.; $Kp_{0,9}$: 70–71°; $[\alpha]_D^{23} = -2,9°$ (c = 1, in Methanol).

O-tert.-Butyl-L-threonin [H-Thr(tBu)-OH]:

N-Benzyloxycarbonyl-L-threonin-4-nitro-benzylester [Z-Thr-ONB][2]: Man löst 50,6 g (200 mMol) Z-Thr-OH und 42 *ml* (300 mMol) Triäthylamin in 200 *ml* Essigsäure-äthylester, fügt 64,8 g (300 mMol) 4-Nitro-benzylbromid hinzu und erhitzt 8–9 Stdn. auf 80°. Nach Abkühlung wird vom Triäthylammoniumbromid abgesaugt und die Essigsäure-äthylester-Lösung wie üblich mit 2n Salzsäure, 10%-iger Natriumhydrogencarbonat- und Kochsalz-Lösung gewaschen. Nach Trocknen über Natriumsulfat wird i. Vak. eingeengt, der Rückstand in wenig Essigsäure-äthylester gelöst und bis zur Trübung mit Petroläther versetzt; Ausbeute: 75,4 g (97% d. Th.); F: 114–115° (farblose Nadeln); $[\alpha]_D^{20} = -14,01 \pm 0,5°$; $[\alpha]_{546}^{20} = -16,57 \pm 0,5°$ (c = 2, in Methanol).

N-Benzyloxycarbonyl-O-tert.-butyl-L-threonin-4-nitro-benzylester [Z-Thr(tBu)-ONB][2]: 40,0 g Z-Thr-ONB werden in 400 *ml* Dichlormethan gelöst, auf 0° gekühlt und vorsichtig mit 360 *ml* Isobuten und 5 *ml* konz. Schwefelsäure versetzt. Das Gemisch wird, in einem dickwandigen Rundkolben verschlossen, 4 Tage bei Raumtemp. aufbewahrt. Die erhaltene abgekühlte Lösung schüttelt man 3 mal mit überschüssiger, eiskalter, 5%-iger Natriumcarbonat-Lösung, extrahiert die wäßr. Phase 2 mal mit Dichlormethan und wäscht die vereinigten Dichlormethan-Lösungen mit Wasser neutral. Nach Trocknen über Phosphor(V)-oxid verbleibt nach Einengen i. Vak. ein hellgelbes kristallines Produkt, das, in wenig Essigsäure-äthylester gelöst, auf Zusatz von Petroläther zunächst ein dunkelbraunes Öl abscheidet. Dieses wird abgetrennt, die Lösung vorsichtig mit weiterem Petroläther versetzt, wonach (rasch nach Animpfen) feine farblose Nadeln ausfallen; Ausbeute: 37 g (81% d. Th.); F: 55–56,5°.

N-Benzyloxycarbonyl-O-tert.-butyl-L-threonin-Dicyclohexylamin-Salz[Z-Thr(tBu)-OH · DCHA][2]: 9,4 g Z-Thr(tBu)-ONB, gelöst in 100 *ml* 1,4-Dioxan/Wasser (~ 4 : 1), werden 2 Stdn. mit 10,6 *ml* 2n Natronlauge unter Rühren verseift (Thymolphthalein als Indikator). Die mit n Salzsäure auf $p_H = 7$ gebrachte Lösung wird im Rotationsverdampfer i. Vak. weitgehend vom 1,4-Dioxan befreit und das ausgeschiedene Öl mit Wasser in Lösung gebracht. Nach Ansäuern mit Citronensäure-Lösung wird mit Äther ausgeschüttelt, die vereinigten, neutral gewaschenen, ätherischen Extrakte werden erschöpfend mit Kaliumhydrogencarbonat-Lösung extrahiert. Die vereinigten wäßr. Phasen scheiden nach Ansäuern mit Citronensäure-Lösung ein Öl ab, das in Äther aufgenommen wird. Nach üblicher Aufarbeitung (Waschen, Trocknen und Eindampfen i. Vak.) hinterbleibt ein farbloser, kristalliner Rückstand, dessen Äther/Petroläther-Lösung auf Zugabe von 3,84 g Dicyclohexylamin farblose Nadeln abscheidet, die aus Äthanol/Äther/Petroläther umkristallisiert werden; Ausbeute: 8,3 g (80% d. Th.); F: 146–147°; $[\alpha]_D^{20} = +9,93°$; $[\alpha]_{546}^{20} = +11,06 \pm 0,5°$ (c = 1, in Äthanol).

O-tert.-Butyl-L-threonin [H-Thr(tBu)-OH]: 29,0 g Z-Thr(tBu)-ONB in wäßrigem Methanol werden in Gegenwart von 4,5 *ml* Essigsäure und Palladium-Katalysator wie üblich hydriert. Nach Verdampfen des Lösungsmittels i. Vak. kristallisiert der Rückstand, der zur Entfernung von 4-Toluidin sorgfältig mit Äthanol verrieben und aus Methanol/Aceton umkristallisiert wird; Ausbeute: 9,7 g (85% d. Th.); F: 259–260° (Zers.); $[\alpha]_D^{20} = -42,11 \pm 0,5°$; $[\alpha]_{546}^{20} = -50,45°$ (c = 2, in Methanol).

O-tert.-Butyl-L-hydroxyprolin-methylester [H-Hyp(tBu)-OMe][3]: 83,8 g Z-Hyp-OMe in 800 *ml* Dichlormethan werden bei 0° vorsichtig mit 600 *ml* Isobuten und 10 *ml* konz. Schwefelsäure versetzt; das Reaktionsgemisch verschlossen 10 Tage bei Raumtemp. aufbewahrt und wie für Z-Thr(tBu)-ONB (s. obige Herstellungsvorschrift) aufgearbeitet.

---

[1] E. Schröder, A. **670**, 127 (1963).

[2] E. Wünsch u. J. Jentsch, B. **97**, 2490 (1964).

[3] E. Wünsch, E. Jaeger u. J. Jentsch, unveröffentlichte Ergebnisse.

Das verbleibende schwach gelbliche Öl (N-Benzyloxycarbonyl-Verbindung) wird in Methanol wie üblich katalytisch hydriert. Das Filtrat ergibt nach Entfernung des Lösungsmittels i. Vak. einen öligen Rückstand, der der fraktionierten Destillation im Hochvak. unterworfen wird; Ausbeute: 37,5 g (62% d. Th.); $Kp_{0,005}$ 78°; $[\alpha]_D^{20} = -8,8 \pm 0,5°$ bzw. $[\alpha]_{546}^{20} = -11,0°$ (c = 2, in Äthanol); $[n]_D^{20} = 1,4522$.

Die Hydroxy-aminosäure-tert.-butyläther eignen sich in Form der N-Acyl-Derivate XIV, XV, XX, XII und XIII bzw. der Ester XVI (R^1 = Me, Et, tBu) ausgezeichnet zur Synthese von Hydroxy-aminosäure-peptiden, wie z.B. anhand der Herstellung von Fragmenten des Glucagons[1-8], des Sekretins[9-11], des Thyrocalcitonins[12,13] und des Calcitonins M[14,15], des Phagen-fd-Hüllproteins[16] sowie letztlich der Totalsynthese der vier genannten Hormone[13,15,17] demonstriert worden ist. Insbesondere das Glucagon mit neun Hydroxy-aminosäure-Resten (der „alkoholischen wie phenolischen" Reihe) stellt ein geradezu ideales Betätigungsfeld dar, um alle Verfahren dieser Aminosäureklasse zu testen (s. auch S. 624f.).

L-Asparaginyl-O-tert.-butyl-L-threonin-tert.-butylester [H-Asn-Thr(tBu)-OtBu][3]:

N-Benzyloxycarbonyl-L-asparaginyl-O-tert.-butyl-L-threonin-tert.-butylester [Z-Asn-Thr(tBu)-OtBu]: 47,5 g (90 mMol) H-Thr(tBu)-OtBu · DBSI (s. S. 582) und 34,8 g (90 mMol) Z-Asn-ONP in 135 *ml* Pyridin läßt man nach Zugabe von 12,5 *ml* (90 mMol) Triäthylamin 2 Tage bei Raumtemp. stehen. Das Filtrat vom ausgefallenen Dibenzolsulfimid-Salz des Triäthylamins wird bei 35° Wasserbadtemp. i. Vak. eingeengt, die Lösung des erhaltenen Öls in 500 *ml* Benzol mit verd. Citronensäure-Lösung und Wasser ausgeschüttelt, über Natriumsulfat getrocknet und i. Vak. eingeengt. Der verbleibende feste Rückstand wird aus Benzol/Petroläther umkristallisiert; Ausbeute: 38,8 g (90,0% d. Th.); F: 120–121° (farblose Nadeln); $[\alpha]_D^{20} = -8,96 \pm 0,5°$ bzw. $[\alpha]_{546}^{20} = -9,61°$ (c = 1, in Methanol).

L-Asparaginyl-O-tert.-butyl-L-threonin-tert.-butylester [H-Asn-Thr(tBu)-OtBu]: 39,5 g Z-Asn-Thr(tBu)-OtBu in Methanol werden in Gegenwart von Palladiumschwarz wie üblich hydrogenolytisch entacyliert und aufgearbeitet. Der erhaltene Rückstand kristallisiert aus Äthanol/Äther/Petroläther in farblosen, verfilzten Nadeln; Ausbeute: 28,1 g (99% d. Th.); F: 150–150,5°; $[\alpha]_D^{20} = +3,0°$ bzw. $[\alpha]_{546}^{20} = +3,3 \pm 0,5°$ (c = 1,8; in Dimethylformamid).

O-tert.-Butyl-L-seryl-N_ε-tert.-butyloxycarbonyl-L-lysyl-O-tert.-butyl-L-tyrosyl-L-leucyl-L-asparaginsäure(β-tert.-butylester)-α-methylester [H-Ser(tBu)-Lys(BOC)-Tyr(tBu)-Leu-Asp(OtBu)-OMe][18]:

N-Benzyloxycarbonyl-O-tert.-butyl-L-seryl-N_ε-tert.-butyloxycarbonyl-L-lysyl-O-tert.-butyl-L-tyrosyl-L-leucyl-L-asparaginsäure(β-tert.-butylester)-α-methylester [Z-Ser(tBu)-Lys(BOC)-Tyr(tBu)-Leu-Asp(OtBu)-OMe]: 32,5 g Z-Ser(tBu)-OH und 80,4 g H-Lys(BOC)-Tyr(tBu)-Leu-Asp(OtBu)-OMe · H_2O in 600 *ml* Dichlormethan und 50 *ml* Dimethylformamid werden bei –10° mit 22,7 g Dicyclohexylcarbodiimid versetzt; das Reaktionsgemisch wird 2 Stdn. bei –10° und anschließend 2 Stdn. bei Raumtemp. gerührt. Nach Abkühlen auf –5° filtriert man vom ausgefallenen N,N'-Dicyclohexyl-harnstoff ab und dampft i. Vak. ein. Das auf Zusatz von Wasser anfallende feste Produkt wird abfiltriert und aus Methanol 2 mal umkristallisiert; Ausbeute: 105,8 g (91% d. Th.); F: 188,5–189,5°; $[\alpha]_D^{20} = -19,6 \pm 1°$ bzw. $[\alpha]_{546}^{20} = -24,7°$ (c = 1,1; in Äthanol).

---

1 H. C. Beyerman u. J. S. Bontekoe, R. **81**, 699 (1962).
2 E. Schröder, A. **670**, 127 (1963); **681**, 231 (1965).
3 E. Wünsch, F. Drees u. J. Jentsch, B. **98**, 803 (1965).
4 E. Wünsch u. F. Drees, B. **99**, 110 (1966).
5 E. Wünsch u. A. Zwick, B. **99**, 105 (1966).
6 E. Wünsch, A. Zwick u. A. Fontana, B. **101**, 326 (1968).
7 E. Wünsch u. G. Wendlberger, B. **101**, 341 (1968).
8 E. Wünsch, A. Zwick u. E. Jaeger, B. **101**, 336 (1968).
9 E. Wünsch, G. Wendlberger u. P. Thamm, B. **104**, 2445 (1971).
10 E. Wünsch u. P. Thamm, B. **104**, 2454 (1971).
11 E. Wünsch, G. Wendlberger u. R. Spangenberg, B. **104**, 3854 (1971).
12 B. Kamber u. W. Rittel, Helv. **51**, 2061 (1968); **52**, 1074 (1969).
13 B. Riniker et al., Helv. **52**, 1058 (1969).
14 B. Kamber et al., Helv. **53**, 556 (1970).
15 P. Sieber et al., Helv. **53**, 2135 (1970).
16 H. Klostermeyer, B. **102**, 3617 (1969).
17 E. Wünsch u. G. Wendlberger, B. **101**, 3659 (1968); **105**, 2508 (1972).
18 E. Wünsch, A. Zwick u. G. Wendlberger, B. **100**, 173 (1967).

O-tert.-Butyl-L-seryl-N_ε-tert.-butyloxycarbonyl-L-lysyl-O-tert.-butyl-L-tyrosyl-L-leucyl-L-asparaginsäure(β-tert.-butylester)-α-methylester [H-Ser(tBu)-Lys(BOC)-Tyr(tBu)-Leu-Asp(OtBu)-OMe]: Die Suspension von 101 g Benzyloxycarbonyl-pentapeptid-methylester (s. oben) in 1000 *ml* Methanol wird in Gegenwart von 7 *ml* Essigsäure und Palladiumschwarz als Katalysator 20 Stdn. bei 32° üblich hydriert, wobei völlige Lösung erfolgt. Der nach Einengen des Filtrats i. Vak. resultierende Rückstand wird in 1000 *ml* Essigsäure-äthylester aufgenommen, die erhaltene Lösung mit etwas mehr als der ber. Menge Kaliumhydrogencarbonat-Lösung behandelt, danach mit Wasser gewaschen, über Natriumsulfat getrocknet und schließlich i. Vak. eingeengt. Der Rückstand wird 2 mal aus Essigsäure-äthylester/Diäthyläther umkristallisiert; Ausbeute: 86,5 g (fast quantitativ); F: 138–140°; $[\alpha]_D^{20} = -28,22 \pm 1°$ bzw. $[\alpha]_{546}^{20} = -33,6°$ (c = 1,3; in Äthanol).

Die Abspaltung der O-tert.-Butyl-Schutzgruppe wird mit Halogenwasserstoff in Trifluoressigsäure über 30 Min.[1], mit Trifluoressigsäure allein über mehrere Stdn.[2–4] oder mit eiskalter konz. Salzsäure in 10 Min. bei 0°[5,6] vollzogen. Halogenwasserstoff-Solvolyse in Eisessig ist im Hinblick auf eine unter den Reaktionsbedingungen leicht erfolgende O-Acetylierung unzweckmäßig[1], in anderen, „inerten" Lösungsmitteln (1,4-Dioxan, Chloroform etc.) unvollkommen[4].

L-Threonin[2]: 2,0 g H-Thr(tBu)-OH werden mit 4 *ml* Trifluoressigsäure übergossen und bei Raumtemp. bis zur Lösung geschüttelt. Nach ~ 6 stdg. Stehenlassen verdünnt man mit Aceton und neutralisiert unter Eiskühlung mit 5 *ml* Triäthylamin, wobei ein kristalliner Niederschlag ausfällt; Ausbeute: 1,2 g (88,3% d. Th.); $[\alpha]_D^{20} = -28,4 \pm 0,5°$ (c = 2, in Wasser).

L-Histidyl-L-seryl-L-glutaminyl-glycyl-L-threonyl-L-phenylalanyl-L-threonyl-L-seryl-L-asparagyl-L-tyrosyl-L-seryl-L-lysyl-L-tyrosyl-L-leucyl-L-asparagyl-L-seryl-L-arginyl-L-arginyl-L-alanyl-L-glutaminyl-L-asparagyl-L-phenylalanyl-L-valyl-L-glutaminyl-L-tryptophyl-L-leucyl-L-methionyl-L-asparaginyl-L-threonin [Glucagon][7]: 0,97 g AdOC-His(AdOC)-Ser(tBu)-Gln-Gly-Thr(tBu)-Phe-Thr(tBu)-Ser(tBu)-Asp(OtBu)-Tyr(tBu)-Ser(tBu)-Lys(BOC)-Tyr(tBu)-Leu-Asp(OtBu)-Ser(tBu)-Arg (HBr)-Arg(HBr)-Ala-Gln-Asp(OtBu)-Phe-Val-Gln-Trp-Leu-Met-Asn-Thr(tBu)-OtBu werden mit 20 *ml* frisch destillierter Trifluoressigsäure sowie 2 *ml* frisch destilliertem Diäthylphosphit und 2 *ml* Methyläthyl-sulfid übergossen. Das Reaktionsgemisch wird unter Aufleiten eines schwachen Argon-Stroms und vor Licht geschützt ~ 2 Stdn. sich selbst überlassen, anschließend i. Vak. bei 10^{-2} Torr/15° Badtemp. zum Sirup eingedampft. Der erhaltene Rückstand wird mit absol. Diäthyläther digeriert, das fest gewordene Material abfiltriert, mit absol. Diäthyläther gewaschen und i. Vak. getrocknet. Es wird anschließend in eine wäßr. Suspension von Dowex-4 ($OH^{\ominus}$-Form) eingetragen. Nach Versetzen mit wenig Essigsäure rührt man die Mischung noch 1 Stde. lang, filtriert vom Austauscher-Harz und lyophilisiert die erhaltene Lösung; Ausbeute 750 mg (Zur Reindarstellung dieses Rohprodukts s. S. II/615).

36.512.3. *Acetal-Derivate*

36.512.31. Die O-Tetrahydropyranyl-(2)-[TPa]-Schutzgruppe

Nach den Ergebnissen von Woods und Kramer[8] sowie Parham und Anderson[9] addiert sich 2,3-Dihydro-4H-pyran (XXII) leicht an alkoholische Hydroxy-Gruppen; die entstehenden alkali-beständigen Acetale können mit Säuren unter Regenerierung des Alkohols

---

[1] E. Schröder, A. **670**, 127 (1963).
[2] E. Wünsch u. J. Jentsch, B. **97**, 2490 (1964).
[3] E. Wünsch u. G. Wendlberger, B. **105**, 2508 (1972).
[4] F. M. Callahan et al., Am. Soc. **85**, 201 (1963).
[5] B. Riniker et al., Helv. **52**, 1058 (1969).
[6] P. Sieber et al., Helv. **51**, 2057 (1968).
[7] E. Wünsch u. G. Wendlberger, B. **101**, 3659 (1968).
[8] G. F. Woods u. D. N. Kramer, Am. Soc. **69**, 2246 (1947).
[9] W. E. Parham u. E. L. Anderson, Am. Soc. **70**, 4187 (1948).

gespalten werden. Aus diesem Verhalten haben Schwyzer et al.[1] eine zusätzliche O-Blokkierung der aliphatischen bzw. aromatischen Hydroxy-aminosäuren abgeleitet, indem sie N-Benzyloxycarbonyl-hydroxy-aminosäureester XXIII mit 2,3-Dihydro-4H-pyran zum Acetal XXIV umsetzten:

Z–NH–CH(CH(R)–OH)–CO–OR^2 (XXIII) + XXII → Z–NH–CH(CH(R)–O–THP)–CO–OR^2 (XXIV)

XXIV + NaOH → Z–NH–CH(CH(R)–O–THP)–COOH (XXV)

XXIV + H_2 / Pd → H_2N–CH(CH(R)–O–THP)–CO–OR^2 (XXVI)

XXV + H_2N–CH(R^1)–CO–OR^2 (ANM etc.) → Z–NH–CH(CH(R)–O–THP)–CO–NH–CH(R^1)–CO–OR^2 (XXVII)

XXVI + Z–NH–CH(R^1)–COOH (ANM etc.) → Z–NH–CH(R^1)–CO–NH–CH(CH(R)–O–THP)–CO–OR^2 (XXVIII)

R = H oder CH_3
R^1 = AS-Seitenkette
R^2 = Alkyl etc.

Nach alkalischer Verseifung der Ester-Gruppe bzw. hydrogenolytischer Abspaltung des Benzyloxycarbonyl-Restes stehen in einer N,O-blockierten Hydroxy-aminosäure XXV und einem O-geschützten Hydroxy-aminosäureester XXVI geeignete Ausgangsmaterialien für die Herstellung von Hydroxy-aminosäure-peptiden XXVII bzw. XXVIII zur Verfügung[1,2]. Wegen des Auftretens eines zusätzlichen asymm. C-Atoms im Tetrahydropyran-Ring liegen die erhaltenen O-Tetrahydropyranyl-(2)-Derivate bzw. -Peptid-Zwischenprodukte stets in einem Diastereomeren-Gemisch vor; mit ungünstigen Kristallisationseigenschaften ist daher zu rechnen (s. dazu S. 625).

---

[1] B. Iselin u. R. Schwyzer, Helv. **39**, 57 (1956).
[2] J. K. N. Jones et al., Canad. J. Chem. **39**, 1005 (1961); **40**, 2229 (1962).

36.512.32. O-(1-Acylamino-2,2,2-trifluor-äthyl)-[XTE]-Schutzgruppe

N-Acyl-hydroxy-aminosäuren XXIX reagieren nach Weygand et al.[1,2] mit 1 Äquiv. 2,2,2-Trifluor-1-halogen-N-benzyloxycarbonyl-äthylaminen (XXXa und b; zur Herstellung s. S. 290) bei Raumtemperatur und unter Zusatz von tert. Basen rasch zu O-(1-Benzyloxycarbonylamino-2,2,2-trifluor-äthyl)-[ZTE]-Derivaten (XXXI), wobei allerdings auf peinlichen Ausschluß von Feuchtigkeit (evtl. Kristallwasser) zu achten ist.

Die N,O-maskierten Hydroxy-aminosäuren XXXI lassen sich z.B. nach dem Carbodiimid-Verfahren mit Aminosäureestern etc. zu den allseits geschützten Peptiden XXXII verknüpfen. Die Beständigkeit der „Amino-acetal-Gruppierung" gegenüber alkalischer Ester-Verseifung unter üblichen schonenden Bedingungen sowie gegenüber Behandlung mit Trifluoressigsäure bei 0° ermöglicht bei Wahl geeigneter Schutzgruppen für Amino- und Carboxy-Funktionen (z.B. Methylester und MOZ-Rest) eine „Dauer-Blockierung" der Hydroxy-Gruppe über den Gesamtverlauf der Synthese höherer Peptide, z.B. über die Peptid-Derivate XXXIII bzw. XXXIV:

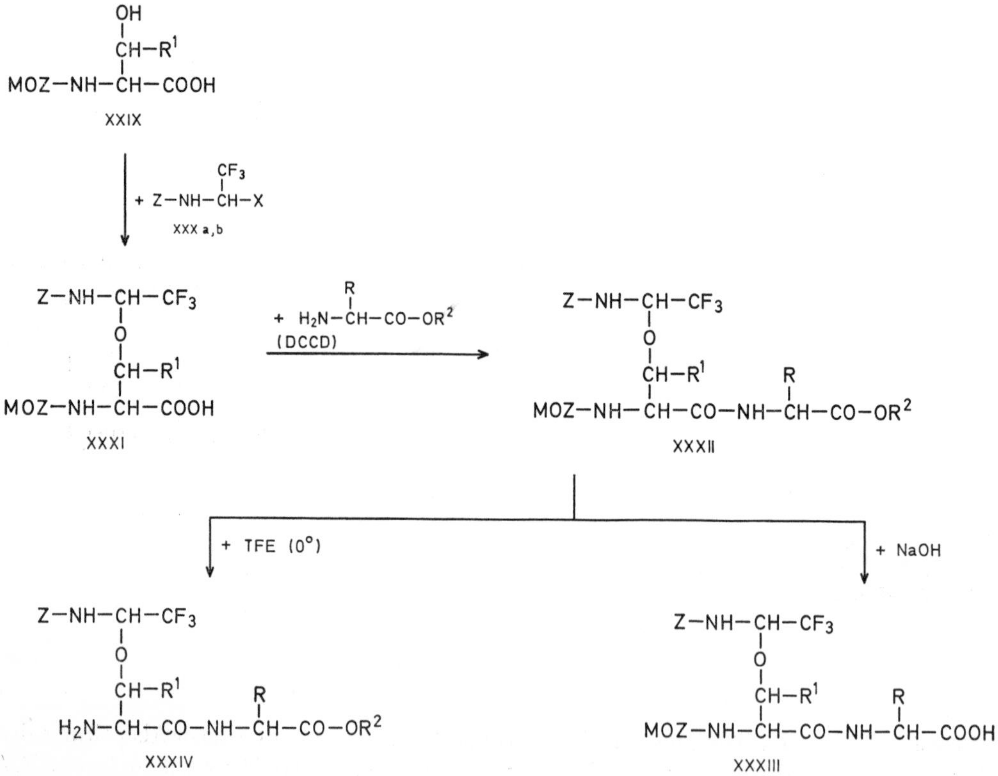

MOZ–NH–CH(CH(OH)–R^1)–COOH
XXIX

↓ + Z–NH–CH(CF_3)–X
XXX a,b

Z–NH–CH(CF_3)–O–CH(R^1)– ; MOZ–NH–CH(…)–COOH
XXXI

→ + H_2N–CH(R)–CO–OR^2 (DCCD)

MOZ–NH–CH[CH(R^1)–O–CH(CF_3)–NH–Z]–CO–NH–CH(R)–CO–OR^2
XXXII

+ TFE (0°) ↓

H_2N–CH[CH(R^1)–O–CH(CF_3)–NH–Z]–CO–NH–CH(R)–CO–OR^2
XXXIV

+ NaOH ↓

MOZ–NH–CH[CH(R^1)–O–CH(CF_3)–NH–Z]–CO–NH–CH(R)–COOH
XXXIII

R^1 = H; CH_3
R^2 = CH_3
X = Cl(a); Br(b)

N-(4-Methoxy-benzyloxycarbonyl)-O-(1-benzyloxycarbonylamino-2,2,2-trifluor-äthyl)-L-seryl-L-phenylalanin-methylester [MOZ-Ser(ZTE)-Phe-OMe]:

N-(4-Methoxy-benzyloxycarbonyl)-O-(1-benzyloxycarbonylamino-2,2,2-trifluor-äthyl)-L-serin [MOZ-Ser(ZTE)-OH][2]: 2,45 g MOZ-Ser-OH und 2,67 g 2,2,2-Trifluor-1-chlor-N-

---

[1] F. Weygand et al., B. **99**, 1944 (1966).
[2] F. Weygand et al., B. **101**, 923 (1968).

benzyloxycarbonyl-äthylamin (s. S. 290) in 100 *ml* absol. Tetrahydrofuran werden bei einer Temp. unter 20° und unter Rühren mit 4 *ml* Triäthylamin versetzt. Nach 15 Min. dampft man die Reaktionslösung i. Vak. ein; das durch Digerieren des Rückstands mit Wasser erhaltene feste Material wird abfiltriert und anschließend in 1,4-Dioxan/ges. Natriumhydrogencarbonat-Lösung (1 : 1) 10 Min. auf 90° erwärmt. Nach Abziehen des 1,4-Dioxans i. Vak. wird mit Essigsäure-äthylester überschichtet und mit verd. Citronensäure-Lösung angesäuert; die abgetrennte Essigsäure-äthylester-Phase wird mit Wasser gewaschen, über Natriumsulfat getrocknet und letztlich i. Vak. erneut eingedampft. Aus der Lösung des Rückstands in Diäthyläther kristallisiert auf Zusatz von 2,2 g Dicyclohexylamin das Salz des N,O-di-maskierten Serins aus, das aus Äthanol/Wasser umkristallisiert wird; Ausbeute: 5,1 g (75% d. Th.); F: 155° (Sintern).

Zur Gewinnung der freien Säure wird das Dicyclohexylamin-Salz in Wasser/Essigsäure-äthylester suspendiert und mit Dowex 50 ($H^{\oplus}$-Form) gerührt. Die abgetrennte Essigsäure-äthylester-Phase wird nach Trocknen über Natriumsulfat i. Vak. eingedampft; das verbleibende Öl kristallisiert nach längerem Stehen und wird aus Essigsäure-äthylester/Petroläther umkristallisiert; Ausbeute: 3,55 g (95% d. Th.); F: ab 70° (Sintern).

N-(4-Methoxy-benzyloxycarbonyl)-O-(1-benzyloxycarbonylamino-2,2,2-trifluor-äthyl)-L-seryl-L-phenylalanin-methylester [MOZ-Ser(ZTE)-Phe-OMe][1]: Zu einer Lösung von 3,65 g MOZ-Ser(ZTE)-OH, 1,6 g H-Phe-OMe · HCl und 1,1 *ml* Triäthylamin in 100 *ml* absol. Tetrahydrofuran werden innerhalb 45 Min. 0,9 g 1-Diäthylamino-propin-(1) zugetropft. Die Reaktionslösung wird anschließend i. Vak. eingedampft und wie üblich aufgearbeitet; zum Abschluß wird aus Essigsäure-äthylester/Petroläther umkristallisiert; Ausbeute: 4,6 g (95% d. Th.); F: 168° (Sintern ab 130°).

O-(1-Benzyloxycarbonylamino-2,2,2-trifluor-äthyl)-L-seryl-L-phenylalanin-methylester-Hydrochlorid [H-Ser(ZTE)-Phe-OMe · HCl][1]: 1,32 g MOZ-Ser(ZTE)-Phe-OMe werden in 2 *ml* Anisol und 3 *ml* Trifluoressigsäure 1 Stde. bei 0° stehengelassen. Nach Eindampfen der Reaktionslösung i. Vak. und 2maligem Nachdestillieren von Toluol wird der erhaltene Rückstand mit 20 *ml* absol. Diäthyläther versetzt, worauf das Hydro-trifluoracetat des Peptidesters auskristallisiert; es wird durch Einleiten von Chlorwasserstoff-Gas in die Mischung in das Peptidester-Hydrochlorid umgewandelt; Ausbeute: 0,81 g (76% d. Th.); F: 90°; nach Erstarren F: 169° (Zers.).

N-(4-Methoxy-benzyloxycarbonyl)-O-(1-benzyloxycarbonylamino-2,2,2-trifluor-äthyl)-L-seryl-L-phenylalanin [MOZ-Ser(ZTE)-Phe-OH][1]: 0,75 g MOZ-Ser(ZTE)-Phe-OMe in 8 *ml* 1,4-Dioxan werden bei Raumtemp. über 8 Stdn. mit 1,2 *ml* n Natronlauge verseift. Nach Abziehen des 1,4-Dioxans i. Vak. wird zwischen Essigsäure-äthylester und verd. Citronensäure-Lösung verteilt, die abgetrennte Essigsäure-äthylester-Phase mit Wasser gewaschen, über Natriumsulfat getrocknet und letztlich i. Vak. eingedampft. Beim Verreiben des Rückstands mit Petroläther erfolgt Kristallisation; Ausbeute: 0,63 g (86% d. Th.); F: 140° (Sintern ab 115°).

Die Einführung der O-Schutzgruppe läßt sich mit gutem Erfolg auch im Peptidverband ausführen[1]. Die nachstehend beschriebene Synthese ist geradezu ein klassisches Beispiel hierfür:

N-(4-Methoxy-benzyloxycarbonyl)-O-(1-benzyloxycarbonylamino-2,2,2-trifluor-äthyl)-L-threonyl-O-(1-benzyloxycarbonylamino-2,2,2-trifluor-äthyl)-L-serin-methylester [MOZ-Thr(ZTE)-Ser(ZTE)-OMe][1]: 3,4 g MOZ-Thr-Ser-OMe und 4,8 g 2,2,2-Trifluor-1-chlor-N-benzyloxycarbonyl-äthylamin in 100 *ml* absol. Tetrahydrofuran werden bei 0° innerhalb 30 Min. mit 2,5 *ml* Triäthylamin in 25 *ml* absol. Tetrahydrofuran versetzt. Nach weiteren 30 Min. fügt man nochmals 2,3 g des Reagenzes und 1,25 *ml* Triäthylamin in 10 *ml* absol. Tetrahydrofuran zu (chromatographisch läßt sich danach kein Ausgangsmaterial mehr nachweisen). Nach dem Abtrennen des ausgeschiedenen Triäthylamin-Hydrochlorids wird das Filtrat i. Vak. eingedampft, der Rückstand in Essigsäure-äthylester aufgenommen, von Unlöslichem filtriert und erneut i. Vak. eingedampft. Der erhaltene Rückstand wird nach Digerieren mit absol. Diäthyläther abfiltriert (aus den Diäthyläther-Extrakten gewinnt man beim Versetzen mit wenig Petroläther evtl. eine 2. Fraktion). Anschließend wird aus Essigsäure-äthylester/Petroläther umkristallisiert; Ausbeute: 5,3 g (75% d. Th.); F: 168–169°.

Die Abspaltung des O-(1-Benzyloxycarbonylamino-2,2,2-trifluor-äthyl)-Restes gelingt in der für die Benzyloxycarbonyl-Schutzgruppe üblichen Weise, z. B. durch katalytische Hydrogenolyse in methanolischer Lösung oder Acidolyse (Erhitzen mit Trifluoressigsäure); hierbei enstehen (ev. nach Neutralisation) die freien Aminoacetale XXXV, die

---

[1] F. Weygand et al., B. **101**, 923 (1968).

schon beim Aufarbeiten der Reaktionsansätze unter Bildung der entsprechenden hydroxy-freien Verbindungen XXXVI zerfallen:

```
Z-NH-CH-CF3                  H2N-CH-CF3
      |                           |
      O                           O                         OH
      |          H2 / Pd          |                         |
      CH-R1     -------->         CH-R1     -------->       CH-R1
      |                           |                         |
····NH-CH-CO····            ····NH-CH-CO····          ····NH-CH-CO····

                                 XXXV                      XXXVI
```

L-Seryl-L-phenylalanin [H-Ser-Phe-OH][1]: 0,5 g MOZ-Ser(ZTE)-Phe-OH (s. S. 587) in 50 *ml* Methanol und 0,5 *ml* Eisessig werden unter Zusatz von Palladium-Kohle 5 Stdn. lang mit Wasserstoff behandelt und aufgearbeitet. Letztlich wird aus Äthanol/Diäthyläther umkristallisiert; Ausbeute: 0,16 g (87% d.Th.); F: 315° (Zers.); $[\alpha]_{546}^{25} = +\ 26{,}3°$ (c = 0,5; in Methanol).

Die leichte Einführbarkeit der Schutzgruppe (auch im Peptidverband), eine oftmals sicher günstige Beeinflussung der Löslichkeitseigenschaften der Peptid-Derivate, die vorteilhafte Abspaltung über Aminoacetale XXXV als Intermediärstufe, welche die gefürchtete N → O-Acylwanderung unterbindet, und letztlich eine noch in Aussicht stehende Variation des N-Acyl-Restes in XXX (anstatt Benzyloxycarbonyl: tert.-Butyloxycarbonyl, 4-Methoxy-benzyloxycarbonyl, 2,2,2-Trichlor-äthoxycarbonyl etc.) sprechen sehr positiv für diese neue Maskierung der Hydroxy-Funktion. Nachteilig sollte sich das „Einschleppen" eines zusätzlichen Asymmetrie-Zentrums auswirken: Synthesebedingt erhält man stets Diastereomeren-Gemische, die sich wie bekannt durch geringe Kristallisationsfreudigkeit, Unschärfe der Schmelzpunkte etc. auszeichnen (vgl. dazu auch S. 551).

36.512.4. *O-Trialkylsilyl-Derivate*

36.512.41. Die O-Trimethylsilyl-[TSi]-Schutzgruppe

Serin läßt sich in Toluol-Suspension unter der gleichzeitigen Einwirkung von Trimethylchlorsilan und Ammoniak oder zweckmäßiger mittels überschüssigen Hexamethyl-disilazans in *TSi-Ser(TSi)-OTSi* (I) überführen[2] (experimentelle Methode s. S. 400). Das vollsilylierte Serin-Derivat kann mittels Chlorwasserstoff/Diäthyläther zu *H-Ser(TSi)-OTSi · HCl* (II) oder durch Alkoholyse (anscheinend aber besser aus letzterer Verbindung) zu *H-Ser(TSi)-OH · HCl* (III) partiell „entsilyliert" werden[3]; mit I als Amino-Komponente sind einwandfreie peptid-synthetische Umsetzungen z.B. mit N-Benzyloxycarbonyl-aminosäuren unter Verwendung von Phosphoroxidchlorid- oder N,N'-Carbonyl-diimidazol-Verfahren zu N-Benzyloxycarbonyl-aminoacyl-N,O-di-[trimethylsilyl]-serin-trimethylsilylester IV geglückt[2]. Da im Zuge üblicher Aufarbeitung die Trimethylsilyl-Reste hydrolytisch entfernt werden, isoliert man letztlich sofort N-Benzyloxycarbonyl-aminoacyl-serine V[2]:

---

[1] F. Weygand et al., B. **101**, 923 (1968).

[2] L. Birkofer, W. Konkol u. A. Ritter, B. **94**, 1263 (1961).

[3] J. Hils u. K. Rühlmann, B. **100**, 1638 (1967).

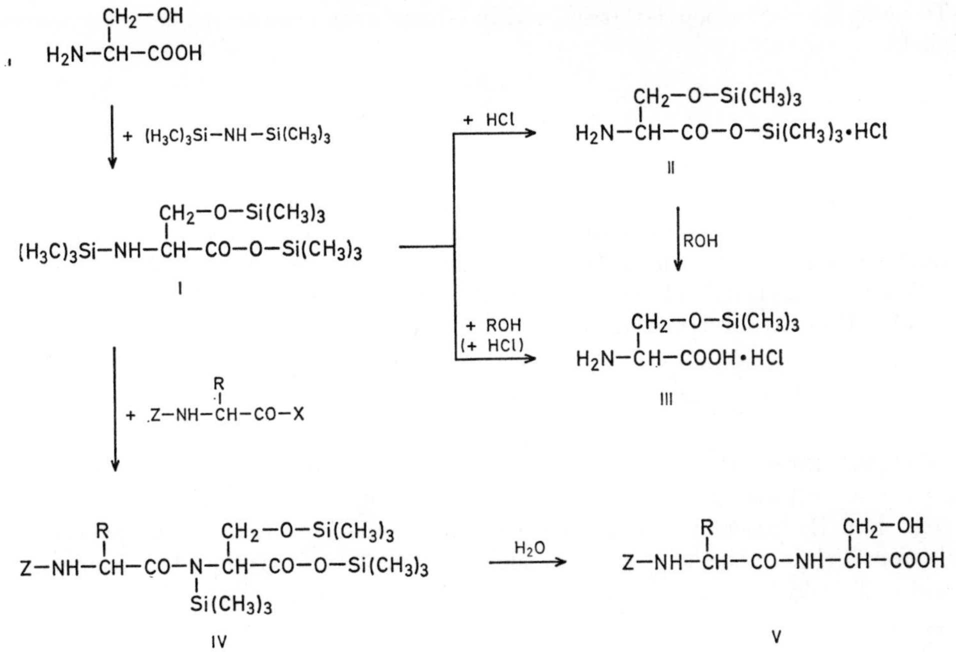

$$H_2N{-}CH(CH_2{-}OH){-}COOH$$

$\downarrow$ + $(H_3C)_3Si{-}NH{-}Si(CH_3)_3$

$$(H_3C)_3Si{-}NH{-}CH(CH_2{-}O{-}Si(CH_3)_3){-}CO{-}O{-}Si(CH_3)_3 \quad \text{I}$$

+ HCl $\rightarrow$

$$H_2N{-}CH(CH_2{-}O{-}Si(CH_3)_3){-}CO{-}O{-}Si(CH_3)_3 \cdot HCl \quad \text{II}$$

$\downarrow$ ROH

+ ROH (+ HCl) $\rightarrow$

$$H_2N{-}CH(CH_2{-}O{-}Si(CH_3)_3){-}COOH \cdot HCl \quad \text{III}$$

I $\downarrow$ + $Z{-}NH{-}CH(R){-}CO{-}X$

$$Z{-}NH{-}CH(R){-}CO{-}N(Si(CH_3)_3){-}CH(CH_2{-}O{-}Si(CH_3)_3){-}CO{-}O{-}Si(CH_3)_3 \quad \text{IV}$$

$\xrightarrow{H_2O}$

$$Z{-}NH{-}CH(R){-}CO{-}NH{-}CH(CH_2{-}OH){-}COOH \quad \text{V}$$

Ein zeitlich begrenzter Schutz der Hydroxy-Funktion der N-Carbonsäure-Anhydride von Serin und Threonin durch Trimethylsilylierung gestattete Hirschmann et al.[1] einen „nebenreaktion-gesicherteren" Aufbau von Seryl(Threonyl)-peptiden; die außerordentlich leichte Abspaltbarkeit des O-Trimethylsilyl-Restes wird hierbei erneut unterstrichen: Unter den „Standard-Bedingungen" der N-Carbonsäure-Anhydrid-Umsetzung wird die O-Maskierung mit aufgehoben (vgl. S. II/190, 200).

L-Threonyl-L-phenylalanyl-L-leucin [H-Thr-Phe-Leu-OH]:

O-Trimethylsilyl-L-threonin-N-Carbonsäure-Anhydrid{H-[Thr(TSi)-NCA]}[1]: 5,8 g H-[Thr-NCA] in 73 *ml* absol. Tetrahydrofuran werden unter Eiskühlung mit 5,14 *ml* Trimethylchlorsilan und anschließend mit 3,24 *ml* absol. Pyridin in 40 *ml* Tetrahydrofuran tropfenweise und unter Rühren versetzt. Nach Entfernung der Kühlung und Erreichen von Zimmertemp. wird die Reaktionsmischung durch Filtration unter Stickstoff-Atmosphäre von ausgefallenem Pyridin-Hydrochlorid befreit und anschließend i. Vak. zu einem Öl konzentriert. Dessen Lösung in 35 *ml* Essigsäure-äthylester wird mit 110 *ml* n Hexan versetzt; die Mischung wird zunächst trüb, klärt sich aber bei Stehen über 30 Min. bei Raumtemp. und anschließend 30 Min. im Kühlschrank. Die abdekantierte „Oberphase" ergibt nach Konzentration i. Vak. eine halbkristalline Masse. Sie wird 2 mal mit 50 *ml* n Hexan verrieben und anschließend unter einem Stickstoffstrom zur Konstanz getrocknet; Ausbeute: 5,6 g (64,7% d. Th.); Zers.-P.: 76°; $[\alpha]_D^{27} = -50{,}5°$ (c = 1,886; in Essigsäure-äthylester).

L-Threonyl-L-phenylalanyl-L-leucin [H-Thr-Phe-Leu-OH][1]: 0,556 g H-Phe-Leu-OH in 20 *ml* 0,45 m Natriumborat-Puffer werden nach üblicher Manier[2] mit 0,552 g H-[Thr(TSi)-NCA] umgesetzt. Die Reaktionsmischung wird anschließend filtriert und der p_H-Wert der Lösung mit 50%-iger wäßr. Schwefelsäure auf 5,6 gestellt. Das ausgefallene kristalline Produkt wird abfiltriert, mit Wasser gewaschen und zum konstanten Gewicht luftgetrocknet; Ausbeute: 0,375 g (49% d. Th.).

Nach Umkristallisieren aus Wasser: $[\alpha]_D^{25} = -12{,}2°$ (c = 0,94; in Essigsäure).

Nach Kricheldorf ist die Herstellung der O-Trimethylsilyl-N-Carbonsäure-Anhydride durch Phosgenierung der „vollsilylierten" Hydroxy-aminosäuren I[3] oder besser von

---

[1] R. Hirschmann et al., Am. Soc. **93**, 2746 (1971).

[2] R. Hirschmann et al., J. Org. Chem. **32**, 3415 (1967); vgl. S. II/198.

[3] H. R. Kricheldorf, B. **103**, 3353 (1970).

N-Trimethylsilyloxycarbonyl-O-trimethylsilyl-hydroxyaminosäure-trimethylsilylestern[1] möglich[2].

36.512.42. Andere O-Trialkylsilyl-Schutzgruppen

Die O-(Isopropyl-dimethyl-silyl)-[ISi]-Maskierung[3] wurde 10^2–10^3-fach solvolyse-stabiler als die Trimethylsilyl-äther-Gruppierung befunden. Als noch stabiler empfiehlt sich der O-(tert.-Butyl-dimethyl-silyl)-[BSi]-Rest[4,5]. Die Herstellung dieser Silyläther-Bindung erfolgt durch Behandeln der alkoholischen Hydroxy-Verbindung mit tert.-Butyl-dimethyl-silyl-chlorid (1,2-Äquivalente) unter Zusatz von Imidazol (2,5 Äquivalente) in Dimethylformamid bei 35° über 10 Stdn. in Ausbeuten über 95%.

Als wahrscheinlicher Trialkylsilyl-Donator wird ein N-(tert.-Butyldimethyl-silyl)-imidazol postuliert. Bei Hydroxysäuren ist auch eine gleichzeitige Veresterung bei 4fachem Reagenzien-Einsatz möglich. Hydroxy-aminosäuren wurden in die Silylierungs-Versuche noch nicht einbezogen[4].

Die O-(tert.-Butyl-dimethyl-silyl)-Bindung ist stabil gegenüber den üblichen Bedingungen einer Ester-Verseifung (mit wäßrigen oder alkoholischen Laugen), einer palladium-katalysierten Hydrogenolyse und einer Zink/Essigsäure-Reduktion; sie ist jedoch glatt spaltbar in Richtung Alkohol durch Behandeln mit 2 bis 3 Äquiv. Tetra-n-butylammonium-fluorid in Tetrahydrofuran oder mit Essigsäure/Wasser (2:1) jeweils bei 25°[4].

---

[1] H. R. Kricheldorf, Synthesis **1970**, 259.
[2] H. R. Kricheldorf, B. **104**, 87 (1971).
[3] E. J. Corey u. R. K. Varma, Am. Soc. **93**, 7319 (1971).
[4] E. J. Corey u. A. Venkateswarlu, Am. Soc. **94**, 6190 (1972).
[5] E. J. Corey u. T. Ravindranathan, Am. Soc. **94**, 4013 (1972).

Tab. 62. Derivate des L-Serins

O-Derivate [H-Ser(R)-OH]

R		F [°C]	$[\alpha]_D$	t	c	Lösungsmittel	Literatur	Literatur entsprechender D-Verbindung
Ac		167–168	+ 9,15	27	0,1	0,1 n Salzsäure	1–3	
	b	160–161	+ 18,3	26	2	Äthanol	4,1	
Bz		148					5	
BZL		213–214	+ 22,75	20	2	80%-ige Essigsäure + 1 Äqu. Salzsäure	6–9	7,6,10
tBu		238–239	−12,2	23	0,5	Wasser	11–13	
	a	250 (Zers.)	−17,69	20	2	Wasser	13	
TSi	b						14	
Z		132					15	

[a] x 1/4 Wasser [b] Hydrochlorid

[1] J. C. Sheehan et al., Am. Soc. **78**, 1367 (1956).
[2] K. Arakawa et al., Am. Soc. **84**, 1424 (1962).
[3] S. Fujiwara et al., Bl. chem. Soc. Japan **35**, 438 (1962).
[4] B. O. Handford et al., J. Org. Chem. **33**, 4251 (1968).
[5] H. Baganz u. G. Dransch, B. **94**, 2597 (1961).
[6] E. Wünsch u. G. Fürst, H. **329**, 109 (1962).
[7] G. H. de Haas u. L. L. M. van Deenen, R. **81**, 215 (1962).
[8] K. Okawa, Bl. chem. Soc. Japan **29**, 486 (1956).
[9] T. Hayakawa et al., Bl. chem. Soc. Japan **39**, 391 (1966).
[10] H. Otsuka et al., Bl. chem. Soc. Japan **39**, 1171 (1966).
[11] E. Schröder, A. **670**, 127 (1963).
[12] F. M. Callahan et al., Am. Soc. **85**, 201 (1963).
[13] E. Wünsch u. J. Jentsch, B. **97**, 2490 (1964).
[14] J. Hils u. K. Rühlmann, B. **100**, 1638 (1967).
[15] M. Frankel u. H. Halmann, Soc. **1952**, 2735.

Tab. 62. (1. Fortsetzung)

N_{α},O-Bis-Derivate [R¹-Ser(R)-OH]

R	R¹	F [°C]	$[\alpha]_D$	t	c	Lösungsmittel	Literatur	Literatur entsprechender D-Verbindung
BZL	Z	98					1	
BZL	BOC	60–62	+ 20,4	20	2	80%-iges Äthanol	2,3	
	[a]	135,5–136	+ 24,3	24	2,5	Methanol	4,5	4
	[b]	156–157	+ 29,5	24	1,3	Methanol	6	
BZL	AOC [a]	121–122	+ 26,6	21	2,1	Äthanol	7	
BZL	BPOC [b]	155–156	+ 2,1	20	1	Methanol	8,9	
BZL	FOR	135–136	+ 48,6	20	3,5	80%-iges Äthanol	10,11	10
BZL	MOZ	70–71	+ 15,2	25	2	Äthanol	12,13	
BZL	PHT	Öl	−45,0	20	12	Chloroform	14	
BZL	TFA	72,5	+ 49,0	24	2	Tetrahydrofuran	15	
tBu	Z	86,5–87,5	+ 22,5	20	2	Äthanol	16–19	
	[a]	149–150	+ 22,13	20	1	Äthanol	20	
tBu	BOC	126–128	0 [c]			Essigsäure	21	
	[a]	150–155	+ 24,1	22	2	Dimethylformamid	22,23	

[a] DCHA-Salz [b] CHA-Salz [c] $[\alpha]_{578}$

1 K. Okawa, Bl. chem. Soc. Japan **29**, 488 (1956).
2 E. Wünsch u. A. Zwick, B. **97**, 2497 (1964).
3 V. J. Hruby u. K. W. Ehler, J. Org. Chem. **35**, 1690 (1970).
4 H. Otsuka et al., Bl. chem. Soc. Japan **39**, 1171 (1966).
5 K. Medzihradszky et al., Ann. Univ. Sci. Budapest, Sect. Chim. **IX**, 71 (1967).
6 M. Iwai, K. Nakajima et al., Bl. chem. Soc. Japan **43**, 3246 (1970).
7 I. Honda, Y. Shimonishi u. S. Sakakibara, Bl. chem. Soc. Japan **40**, 2415 (1967).
8 S. S. Wang u. R. B. Merrifield, Int. J. Pept. Prot. Res. **1**, 235 (1969).
9 R. S. Feinberg u. R. B. Merrifield, Tetrahedron **28**, 5865 (1972).
10 E. Wünsch u. G. Fürst, H. **329**, 109 (1962).
11 K. Inouye u. H. Otsuka, Bl. chem. Soc. Japan **34**, 1 (1961).
12 E. Klieger, A. **724**, 204 (1969).
13 F. Weygand u. E. Nintz, Z. Naturf. **20b**, 429 (1965).
14 G. H. de Haas u. L. L. M. van Deenen, R. **81**, 215 (1962).
15 F. Weygand u. H. Rinno, B. **92**, 517 (1959).
16 E. Wünsch u. A. Zwick, B. **99**, 105 (1966).
17 E. Schröder, A. **670**, 127 (1963).
18 F. M. Callahan et al., Am. Soc. **85**, 201 (1963).
19 J. E. Shields u. H. Renner, Am. Soc. **88**, 2304 (1966).
20 E. Wünsch u. J. Jentsch, B. **97**, 2490 (1964).
21 E. Schnabel, H. Herzog, P. Hoffmann, E. Klauke u. I. Ugi, A. **716**, 175 (1968).
22 H. Klostermeyer et al., *Peptides*, Proc. 8th Europ. Peptide Symposium Noordwijk 1966, North-Holland Publ. Co., Amsterdam **1967**, S. 113.
23 E. Schnabel, A. **702**, 188 (1967).

Tab. 62. (2. Fortsetzung)

R	R¹	F [°C]	$[\alpha]_D$	t	c	Lösungsmittel	Literatur	Literatur entsprechender D-Verbindung
tBu	BPOC[a]	181–183	+ 21,3[c]		1	Methanol	[1]	
	[b]	180–181	+ 21,0	20	1	Methanol	[2,1]	
tBu	DDZ [a]	126–128					[3]	
tBu	NPS	158–161	−33,1	22	2	Dimethylformamid	[4,5]	
tBu	MBV	165–166	−1,14	25	1	Äthanol	[6]	
tBu	PHT	145–147	−57,6	20	1	Äthanol	[7]	
Z	Z	83–84	+ 4,4	22		Äthanol	[8]	[8]
ZTE	Z	120–125					[9]	
ZTE	BOC	55–62					[10]	
ZTE	MOZ	70 (sint.)					[10]	
	[a]	155 (sint.)					[10]	
BOC	BOC	132–133	+ 8,8[c]	21	1	Methanol	[11]	
	[a]	157–159	+ 17,5[c]	22	1	Dimethylformamid	[11]	
Ac	Z	Öl					[12,13]	
Ac	PHT	152–153	−63,1	27	2,4	Äthanol	[14]	
Me	PHT	101–102	−48,1	20	2	Äthanol	[15]	[15]
TFA	TFA	69–70	+ 17,5	21	5,5	Tetrahydrofuran	[16]	

[a] DCHA-Salz [b] CHA-Salz [c] $[\alpha]_{578}$

[1] E. Schnabel, C. Schmidt u. E. Klauke, A. **743,** 69 (1971).
[2] P. Sieber u. B. Iselin, Helv. **51,** 622 (1968).
[3] C. Birr et al., A. **763,** 162 (1972).
[4] H. Klostermeyer et al., *Peptides,* Proc. 8th Europ. Peptide Symposium Noordwijk 1966, North-Holland-Publ. Co., Amsterdam **1967,** S. 113.
[5] E. Wünsch u. A. Fontana, B. **101,** 323 (1968).
[6] G. L. Southard, G. S. Brooke u. J. M. Pettee, Tetrahedron **27,** 1359 (1971).
[7] E. Wünsch u. G. Wendlberger, B. **100,** 160 (1967).
[8] K. Oki, K. Suzuki et al., Bl. chem. Soc. Japan **43,** 2554 (1970).
[9] F. Weygand et al., B. **99,** 1944 (1966).
[10] F. Weygand et al., B. **101,** 923 (1968).
[11] E. Schnabel et al., A. **743,** 57 (1971).
[12] M. Frankel u. M. Halmann, Soc. **1952,** 2735.
[13] B. O. Handford et al., J. Org. Chem. **33,** 4251 (1968).
[14] J. C. Sheehan, M. Goodman u. G. P. Hess, Am. Soc. **78,** 1367 (1956).
[15] D. Flěs u. B. Balenović, Am. Soc. **78,** 3072 (1956).
[16] F. Weygand u. H. Rinno, B. **92,** 517 (1959).

Tab. 62. (3. Fortsetzung)

Carboxy-substituierte O-Derivate [H-Ser(R)-R²]

R	R²	F [°C]	$[\alpha]_D$	t	c	Lösungsmittel	Literatur
BZL	OMe [a]	169	−2,7	13	3	Wasser	1,2
tBu	OMe	($Kp_{0,2}$: 43°)					3
	[a]	171–172	+ 7,7	23	1	Dimethylformamid	3,4
tBu	OtBu	($Kp_{0,9}$: 70–71°)	−2,7	23	1	Äthanol	3,5,6,7
	[a]	170–170,5	−5,1	23	1	Dimethylformamid	3,6,7
TSi	OTSi [a]						8

[a] Monohydrochlorid

[1] K. Okawa, Bl. chem. Soc. Japan **30**, 976 (1957).
[2] K. Inouye u. H. Otsuka, Bl. chem. Soc. Japan **34**, 1 (1961).
[3] E. Schröder, A. **670**, 127 (1963).
[4] E. Wünsch, A. Zwick u. A. Fontana, B. **101**, 326 (1968).
[5] F. M. Callahan et al., Am. Soc. **85**, 201 (1963).
[6] H. C. Beyerman u. J. S. Bontekoe, Pr. chem. Soc. **1961**, 249.
[7] H. C. Beyerman u. J. S. Bontekoe, R. **81**, 691 (1962).
[8] J. Hils u. K. Rühlmann, B. **100**, 1638 (1967).

Tab. 62. (4. Fortsetzung)

Carboxy-substituierte N_α-Derivate [R^1-Ser-R^2]

R^1	R^2	F [°C]	$[\alpha]_D$	t	c	Lösungsmittel	Literatur	Literatur entsprechender D-Verbindung
Z	OBZL	83,5–84,5	+ 6,1	24	7	Chloroform	1,2,3	2,3
Z	OMe	Öl	−12,5	22	1	Methanol	4,5	
Z	ONB	115,5–116,5	−11,87	20	0,9	Methanol	6–8	
Z	OPi	76–80	−22,6	20	1	Dimethylformamid	9	
Z	NH_2	132	+ 14,9	24	5	Äthanol	10,11	
BOC	OMe	Öl					12	
BOC	ONB	101–103	−6,81	28	1,4	Chloroform	13	
Bz	OMe	84–86	+ 17,7	24	1	95%-iges Äthanol	14	14
NPS	OMe	136–138	+ 45,3	25	2	Dimethylformamid	15	

[1] E. Baer, D. Buchnea u. H. C. Stancer, Am. Soc. **81**, 2166 (1959).
[2] E. Baer u. J. Maurukas, J. Biol. Chem. **212**, 25 (1955).
[3] G. Foelsch u. O. Mellander, Acta chem. scand. **11**, 1232 (1957).
[4] E. Schröder, A. **670**, 127 (1963).
[5] C. H. Hassall u. J. O. Thomas, Soc. [C] **1968**, 1495.
[6] E. Wünsch u. J. Jentsch, B. **97**, 2490 (1964).
[7] D. Theodoropoulos et al., Biochemistry **6**, 3927 (1967).
[8] J. E. Shields u. H. Renner, Am. Soc. **88**, 2304 (1966).
[9] J. H. Jones u. G. T. Young, Soc. [C] **1968**, 53.
[10] R. W. Hanson u. H. N. Rydon, Soc. **1964**, 836.
[11] J. S. Fruton, J. Biol. Chem. **146**, 463 (1942).
[12] B. Iselin u. R. Schwyzer, Helv. **44**, 169 (1961).
[13] D. Theodoropoulos et al., Tetrahedron Letters **1967**, 2411.
[14] E. M. Fry, J. Org. Chem. **15**, 438 (1950).
[15] L. Zervas u. C. Hamalidis, Am. Soc. **87**, 99 (1965).

Tab. 63. Derivate des L-Threonins

O-Derivate [H-Thr(R)-OH]

R	F [°C]	$[\alpha]_D$	t	c	Lösungsmittel	Literatur	Literatur entsprechender D-Verbindung
Ac							[1]
BZL	197 (Zers.)	−30,4	25	1,1	Essigsäure	[2,3]	
tBu	259–260 (Zers.)	−42,11	20	2	Methanol	[4]	
[a]	140–141	−12,9	20	1,34	Wasser	[5]	

[a] · H_3PO_4

[1] S. Fujiwara et al., Bl. chem. Soc. Japan **35,** 438 (1962).
[2] T. Mizoguchi et al., J. Org. Chem. **33,** 903 (1968).
[3] Y. Murase et al., Bl. chem. Soc. Japan **33,** 123 (1960).
[4] E. Wünsch u. J. Jentsch, B. **97,** 2490 (1964).
[5] F. M. Callahan et al., Am. Soc. **85,** 201 (1963).

Tab. 63. (1. Fortsetzung)

N_{α},O-Bis-Derivate [R[1]-Thr(R)-OH]

R	R[1]	F [°C]	$[\alpha]_D$	t	c	Lösungsmittel	Literatur
tBu	Z	Öl	+ 8,4	23	1	Dimethylformamid	[1]
	[a]	146–147	+ 9,93	20	1	Äthanol	[2,1]
tBu	BOC	89–91	+ 3,8	22	2	Dimethylformamid	[3,4]
tBu	NPS	112–114	−84,1	22	2	Dimethylformamid	[3,5]
	[a]	179–180	−44,6[c]	20	0,4	Dimethylformamid	[5]
tBu	BPOC[b]	183–184	+ 7,0	20	1	Methanol	[6]
tBu	MBV	174–177	−10,7	25	2	Äthanol	[7]
BOC	BOC	138–140	+ 32,6[c]	22	1	Methanol	[8]
BZL	BOC	115–116	+ 15,8	22	1,1	Methanol	[9]
BZL	BPOC	148–150	+ 11,3	20	1	Methanol	[10]
	[b]	162–164					[11]
ZTE	MOZ	113–116					[12]
	[a]	151–153 (145,5)					[12]
Ac	Z	95–98	+ 29,9	25	1	Essigsäure	[13]
TPA	Z						[14]

[a] DCHA-Salz
[b] CHA-Salz
[c] $[\alpha]_{578}$

[1] E. Schröder, A. **670**, 127 (1963).
[2] E. Wünsch u. J. Jentsch, B. **97**, 2490 (1964).
[2] F. Weygand et al., B. **101**, 923 (1968).
[3] H. Klostermeyer et al., *Peptides*, Proc. 8th Europ. Peptide Symposium Noordwijk 1966, North-Holland Publ. Co., Amsterdam **1967**, S. 113.
[4] E. Schnabel, A. **702**, 188 (1967).
[5] E. Wünsch u. A. Fontana, B. **101**, 323 (1968).
[6] P. Sieber u. B. Iselin, Helv. **52**, 1525 (1969).
[7] G. L. Southard et al., Tetrahedron **27**, 1359 (1971).
[8] E. Schnabel et al., A. **743**, 57 (1971).
[9] T. Mizoguchi et al., J. Org. Chem. **33**, 903 (1968).
[10] S. S. Wang u. R. B. Merrifield, Int. J. Pept. Prot. Res. **1**, 235 (1969).
[11] R. S. Feinberg u. R. B. Merrifield, Tetrahedron **28**, 5865 (1972).
[12] F. Weygand et al., B. **101**, 923 (1968).
[13] M. A. Tilak et al., Colloq. Int. Centre Nat. Rech. Sci. **1968**, Nr. 175, 173; C. A. **71**, 13356 (1969).
[14] J. K. N. Jones et al., Canad. J. Chem. **40**, 2229 (1962).

Tab. 63. (2. Fortsetzung)

Carboxy-substituierte O-Derivate [H-Thr(R)-R²]

R	R²	F [°C]	$[\alpha]_D$	t	c	Lösungsmittel	Literatur
tBu	OMe	($Kp_{0,4}$: 46,5°)	−17,6	23	1	Pyridin	1
	[a]	144,5–145,5	−2,8	23	1	Dimethylformamid	1
	[b]	153–153,5	+ 12,7	23	0,5	Dimethylformamid	1
tBu	OtBu	($Kp_{0,75}$: 70°)	+ 3,7	25	1,34	Äthanol	2–5
	[a]	140	−6,0		2,1	Dimethylformamid	6
	[c]	82–83					3
	[d]	74–76	−20,0	25	1,44	Wasser	2
BZL	OBZL [e]	165–167	−44,6	22	1,2	Methanol	7

Carboxy-substituierte N_α-Derivate [R¹-Thr-R²]

R¹	R²	F [°C]	$[\alpha]_D$	t	c	Lösungsmittel	Literatur	Literatur entsprechender D-Verbindung
Z	OMe	90–91	−17,3	21	1	Methanol	8,9	
Z	OBZL	79–80	−10,5	25	2	95%-iges Äthanol	10,11	
Z	ONB	114–115	−14,01	20	2	Methanol	12,13	
BOC	OtBu	93–94	−28,1	27	2	Methanol	14	
BOC	OEt	Öl					15	
BOC	OMe	Öl					8	
TOS	OMe	100–101	−8,0	16	2	Methanol	16	16

[a] Pikrat (Pikrinsäure-Salz)
[b] Monohydrochlorid
[c] Dibenzolsulfimid-Salz
[d] $\cdot H_3PO_3 \cdot 1/2\ H_2O$
[e] Oxalsäure-Salz

1 E. Schröder, A. **670**, 127 (1963).
2 F. M. Callahan et al., Am. Soc. **85**, 201 (1963).
3 E. Wünsch, F. Drees u. J. Jentsch, B. **98**, 803 (1965).
4 H. C. Beyerman u. J. S. Bontekoe, R. **81**, 691 (1962).
5 H. C. Beyerman u. J. S. Bontekoe, R. **81**, 699 (1962).
6 H. C. Beyerman u. J. S. Bontekoe, Pr. chem. Soc. **1961**, 249.
7 T. Mizoguchi et al., J. Org. Chem. **33**, 903 (1968).
8 C. A. Dekker et al., J. Biol. Chem. **180**, 155 (1949).
9 E. Schröder u. H. Gibian, A. **656**, 190 (1962).
10 H. R. Gutmann u. S. F. Chang, J. Org. Chem. **27**, 2248 (1962).
11 E. Baer u. F. Eckstein, J. Biol. Chem. **237**, 1449 (1962).
12 E. Wünsch u. J. Jentsch, B. **97**, 2490 (1964).
13 D. Theodoropoulos u. J. Tsangaris, J. Org. Chem. **29**, 2272 (1964).
14 I. W. Moore u. M. Szelke, Tetrahedron Letters **1970**, 4423.
15 E. Wünsch u. G. Wendlberger, B. **97**, 2504 (1964).
16 M. Brenner et al., Helv. **34**, 2096 (1951).

Tab. 64. Derivate des L-Hydroxyprolins

O-Derivate [H-Hyp(R)-OH]

R	F [°C]	$[\alpha]_D$	t	c	Lösungsmittel	Literatur
TOS	162–165					[1]
Ac	179–181 (Zers.)					[2]
Bz	220 (Zers.)	−5,4	22	1,2	Wasser	[3]
Me	202	+ 56,0		1	Wasser	[4]
tBu	217 (Zers.)	−31,5	20	1	Wasser	[5]
TSi						[6]

N_α,O-Bis-Derivate [R¹-Hyp(R)-OH]

R	R¹	F [°C]	$[\alpha]_D$	t	c	Lösungsmittel	Literatur
TOS	Z [a,b]	100–101,5	−20,0		1	Methanol	[7]
TOS	TOS	95					[8]
TOS	Ac	181–182					[4,7]
Bz	Ac	185–186	−42,9	20	1,1	Äthanol	[3]
Me	Ac	152–153	−104,3	20	3	Wasser	[9]
MCA	NZ	121–122	−44,0	21,5	1	Äthanol	[10]
tBu	Z	80–81	−26,5	20	1	Methanol	[5]
	[c]	149–150	−6,9	20	1	Äthanol	[5]
tBu	NPS [c]	151–152	−42,4[d]	20	1,1	Dimethylformamid	[11]
AZA	NZ	104–108	+ 32,0	21,5	1	Äthanol	[10]

[a] Monohydrat
[b] *allo*-Form
[c] DCHA-Salz
[d] $[\alpha]_{578}$

---

[1] J. Kurtz et al., Am. Soc. **80,** 393 (1958).
[2] J. J. Kolb u. G. Toennies, J. Biol. Chem. **144,** 203 (1942).
[3] R. L. M. Synge, Biochem. J. **33,** 1924 (1939).
[4] A. Neuberger, Soc. **1945,** 429.
[5] E. Wünsch, J. Jentsch u. E. Jaeger, unveröffentlichte Ergebnisse.
[6] J. Hils u. K. Rühlmann, B. **100,** 1638 (1967).
[7] A. A. Patchett u. B. Witkop, Am. Soc. **79,** 185 (1957).
[8] A. B. Manger u. B. Witkop, Chem. Reviews **66,** 47 (1966).
[9] R. L. M. Synge, Biochem. J. **33,** 1931 (1939).
[10] H. A. De Wald et al., Am. Soc. **81,** 4364 (1959).
[11] E. Wünsch u. A. Fontana, B. **101,** 323 (1968).

Tab. 64. (1. Fortsetzung)

Carboxy-substituierte O-Derivate [H-Hyp(R)-R^2]

R	R^2	F [°C]	$[\alpha]_D$	t	c	Lösungsmittel	Literatur
tBu	OtBu	($Kp_{0,4}$: 90°)	−8,0	25	1	Äthanol	1
	[a]	145	−17,0	25	2,02	Dimethylformamid	2
tBu	OMe	($Kp_{0,005}$ 78°)	−8,8	20	2	Äthanol	3
	[c]	96–98	−5,7	20	1	Methanol	3
TOS	OMe [b]	131–132					4
Me	OEt [c]	150–152					5

Carboxy-substituierte N_α-Derivate [R^1-Hyp-R^2]

R	R^2	F [°C]	$[\alpha]_D$	t	c	Lösungsmittel	Literatur
Z	ONB	Öl					3
TFA	OMe	($Kp_{0,2}$: 114°)					6
Ac	OMe	78					7
TOS	OMe	104					8
	[e]	103–104	−66,5	20	1	Chloroform	8
TOS	NH_2	204					8
BTC	OEt [d]	83–84					9
MOZ	OPIM	147	−20,1		1	Chloroform	10

[a] Pikrat (Pikrinsäure-Salz)
[b] Monohydrobromid
[c] Monohydrochlorid
[d] Monohydrat
[e] *allo*-Form

[1] F. M. Callahan et al., Am. Soc. **85,** 201 (1963).
[2] H. C. Beyerman u. J. S. Bontekoe, R. **81,** 691 (1962).
[3] E. Wünsch, E. Jaeger u. J. Jentsch, unveröffentlichte Ergebnisse.
[4] J. Kurtz et al., Am. Soc. **80,** 393 (1958).
[5] E. Adams et al., J. Biol. Chem. **208,** 573 (1954).
[6] S. Makisumi u. H. A. Saroff, J. Gaschromatog. **3,** 21 (1965).
[7] A. Neuberger, Soc. **1945,** 429.
[8] A. B. Manger u. B. Witkop, Chem. Reviews **66,** 47 (1966).
[9] D. T. Elmore, Soc. **1959,** 3152.
[10] D. L. Turner et al., Lipids (Chicago) **3,** 228 (1968); C. **1969,** 41, E, 1370.

36.520. Die phenolische Hydroxy-Gruppe

Mit der Synthese von Peptiden des Tyrosins, dem klassischen Vertreter von Aminosäuren mit einer Phenol-Funktion, ist schon frühzeitig begonnen worden; die gewonnenen Erkenntnisse sind deshalb verhältnismäßig groß und umfangreich. Eine relativ hohe Reaktionsfreudigkeit, bedingt durch den sauren Charakter und die 4-Stellung des Phenolhydroxyls, verlangt bei allen Umsetzungen besondere Aufmerksamkeit und Sorgfalt; Nebenreaktionen der phenolischen Hydroxy-Gruppe dürften mehr oder minder der Anlaß für relativ geminderte Ausbeuten sein. Wohl auch aus diesem Grunde sind die Versuche, mit O-maskiertem Tyrosin zu arbeiten, schon bald aufgenommen worden. Beim Einsatz als „Amino-Komponente" ist die durch das phenolische Hydroxyl verminderte Basizität der nucleophilen α-Amino-Gruppe zu beachten (vgl. die enorme Beständigkeit von freien Tyrosinestern infolge Zwitterionen-Stabilisierung), die möglicherweise zusätzlich durch einen sterischen Hinderungs-Effekt beeinträchtigt wird. Die Einbeziehung der anderen Vertreter dieser Klasse (Dihydroxy-phenylalanine, Dijod-Tyrosin, Thyroxin usw.) in peptidsynthetische Arbeiten ist bisher kaum erfolgt.

36.521. Synthesen mit ungeschützter Phenol-Funktion

Tyrosin, Tyrosin-ester und -N'-acyl-hydrazide sowie Tyrosyl-peptide lassen sich aminoacylieren, wenn auch nicht mit gleich gutem Erfolg wie die aliphatischen Hydroxy-aminosäuren. Säurechlorid[1]- und -azid-Verfahren[2-4], Mischanhydrid[5-9] (incl. Phosphit-[10]), Carbodiimid-[10-17] (Beispiele s. S. 226 u. 270), sowie letztlich Aktiv-ester-Methoden [4-Nitro-phenyl-[18-26] (s. a. Beispiel S. 271 u. II/22) oder 2,4,5-Trichlor-phenyl[27]] dienten bislang zur Knüpfung der X-Tyr-Bindung; Synthesen mit Hilfe von Phosphorazo-

---

1 J. Honzl u. J. Rudinger, Collect. czech. chem. Commun. **20**, 1190 (1955).
2 E. Schnabel, A. **622**, 181 (1959).
3 K. Hofmann, H. Yajima u. E. T. Schwartz, Am. Soc. **82**, 3732 (1960).
4 J. C. Anderson et al., Tetrahedron Suppl. **8**, 39 (1966).
5 H. Determann, J.-J. Torff u. O. Zipp, A. **670**, 141 (1963).
6 E. Schröder, A. **681**, 241 (1965).
7 B. Kamber, Helv. **54**, 398 (1971).
8 E. Schröder, A. **680**, 142 (1964).
9 E. Schröder, A. **681**, 231 (1965).
10 R. A. Boissonnas et al., Helv. **38**, 1491 (1955).
11 V. du Vigneaud, M. F. Bartlett u. A. Jöhl, Am. Soc. **79**, 5572 (1957).
12 H. C. Beyerman, J. F. Bontekoe u. A. C. Koch, R. **78**, 935 (1959).
13 M. Bodanszky u. V. du Vigneaud, Am. Soc. **81**, 2504 (1959).
14 S. Drabarek u. V. du Vigneaud, Am. Soc. **87**, 3974 (1965).
15 R. Schwyzer et al., Helv. **46**, 1975 (1963).
16 C. H. Li et al., Am. Soc. **83**, 4449 (1961).
17 W. Rittel et al., Helv. **40**, 614 (1957).
18 H. Zahn u. E. Fölsche, A. **716**, 164 (1968).
19 R. Zabel u. H. Zahn, Z. Naturf. **20b**, 650 (1965).
20 P. G. Katsoyannis u. K. Suzuki, Am. Soc. **83**, 4057 (1961).
21 M. Bodanszky, J. Meienhofer u. V. du Vigneaud, Am. Soc. **82**, 3195 (1960).
22 S. Sakakibara et al., Bl. chem. Soc. Japan **38**, 120 (1965).
23 H. Nesvadba et al., Collect. czech. chem. Commun. **33**, 3790 (1968).
24 T. Vajda, Acta chim. Acad. Sci. hung. **46**, 221 (1965).
25 F. Marchiori et al., G. **96**, 1549 (1966).
26 M. A. Ondetti et al., Am. Soc. **92**, 195 (1970).
27 S. Guttmann, Helv. **49**, 83 (1966).

Verbindungen[1] oder N-geschützten Aminosäure-imidazoliden[2,3] scheiterten jedoch, wobei im letzteren Falle N,O-Di-[aminoacyl]-tyrosin-Derivate gebildet werden.

N-tert.-Butyloxycarbonyl-L-leucyl-L-tyrosin-methylester [BOC-Leu-Tyr-OMe][4]: 2,31 g BOC-Leu-OH in 30 *ml* Essigsäure-äthylester werden bei $-10°$ mit 1,4 *ml* Triäthylamin und 1,33 *ml* Chlorameisensäure-isobutylester versetzt. Nach 20 Min. bei $-10°$ wird ein auf $-10°$ gekühltes Gemisch von 2,31 g H-Tyr-OMe · HCl und 1,4 *ml* Triäthylamin in 40 *ml* Essigsäure-äthylester in obige Lösung einfiltriert. Nach 1 stdgr. Reaktionszeit bei $-10°$ und 15 Stdn. bei 20° wird das Filtrat vom abgeschiedenen Triäthylamin-Hydrochlorid in bekannter Weise aufgearbeitet. Der erhaltene Rückstand wird aus Diäthyläther umkristallisiert; Ausbeute: 3,31 g (81% d.Th); F: 106–108°; $[\alpha]_D^{20} = -20°$ (c = 2,3; in Methanol).

N-Benzyloxycarbonyl-L-asparaginyl-L-tyrosin-äthylester [Z-Asn-Tyr-OEt][5,6]: 23 g H-Tyr-OEt in 50 *ml* Dimethylformamid werden bei 0° mit 38,7 g Z-Asn-ONP in 100 *ml* Dimethylformamid versetzt. Nach zweitägiger Umsetzdauer bei 0° wird das Reaktionsgemisch in 700 *ml* Eiswasser eingegossen; das zunächst als Sirup anfallende Produkt kristallisiert nach wenigen Stunden. Nach Umkristallisieren aus 800 *ml* Äthanol (die filtrierte Lösung muß mehrfach wieder erwärmt werden, weil beim raschen Abkühlen ein Teil kristallisiert, der Rest als Gel ausfällt; einmal auskristallisiertes Material ist aber in Äthanol nur noch äußerst wenig löslich); F: 179–180°; $[\alpha]_D^{25} = +4,3°$ (c = 2, in Dimethylformamid); Ausbeute: 41,6 g (91% d.Th.).

Auch die Umsetzungen O-unmaskierter N-Acyl-tyrosine via Azid[4,7–14] (s. dazu S. 112 u. 271), Alkyl-kohlensäure-[4,6,9,15–17] (s. S. 228) oder Phosphorigsäure-Misch-Anhydrid[18,19], Dicyclohexyl- (s. dazu S. 272)[6,10,20–23] oder Cyclohexyl-morpholinyl-äther-isoureid[24] und 4-Nitro-phenyl-[5,25] oder 2,4,5-Trichlor-phenylester[26,27] führen zum Ziel. Die Anwendung von Säurechlorid-, Isocyanat- und Phosphorazo-Verfahren ist jedoch wegen Mitreaktion der Phenol-Funktion ausgeschlossen[1].

N-Benzyloxycarbonyl-L-tyrosyl-L-seryl-L-methionin-methylester [Z-Tyr-Ser-Met-OMe][20]: 35 g BOC-Ser-Met-OMe in 150 *ml* frisch bereitetem n Chlorwasserstoff/Methanol werden 1 Stde. bei Raumtemp. stehengelassen. Nach Eindampfen der Lösung i.Vak. (Badtemp. 30°), mehrmaligem Digerieren des

---

1 E. Wünsch, G. Fries u. A. Zwick, B. **91**, 542 (1958).
vgl. jedoch S. Goldschmidt u. G. Rosculet, B. **93**, 2387 (1960).
2 R. Paul, J. Org. Chem. **28**, 236 (1963).
3 J. Ramachandran u. C. H. Li, J. Org. Chem. **28**, 173 (1963).
4 B. Kamber, Helv. **54**, 398 (1971).
5 R. Zabel u. H. Zahn, Z. Naturf. **20b**, 650 (1965).
6 P. G. Katsoyannis u. K. Suzuki, Am. Soc. **83**, 4057 (1961).
7 E. Schröder, A. **680**, 142 (1964).
8 E. Schröder u. R. Hempel, A. **684**, 243 (1965).
9 E. Schröder, A. **680**, 132 (1964).
10 R. Schwyzer et al., Helv. **46**, 1975 (1963).
11 P. J. Thomas, M. Havranek u. J. Rudinger, Collect. czech. chem. Commun. **32**, 1767 (1967).
12 E. Schröder, A. **681**, 241 (1965).
13 H. Nesvadba et al., Collect. czech. chem. Commun. **33**, 3790 (1968).
14 F. Marchiori et al., G. **96**, 1549 (1966).
15 V. du Vigneaud, M. F. Bartlett u. A. Jöhl, Am. Soc. **79**, 5572 (1957).
16 R. A. Boissonnas et al., Helv. **38**, 1491 (1955).
17 M. Bodanszky u. V. du Vigneaud, Am. Soc. **81**, 2504 (1959).
18 P. C. Crofts, J. H. H. Markes u. H. N. Rydon, Soc. **1959**, 3610.
19 V. du Vigneaud et al., Am. Soc. **76**, 3115 (1954).
20 R. Geiger, H.-G. Schröder u. W. Siedel, A. **726**, 177 (1969).
21 S. Guttmann u. R. A. Boissonnas, Helv. **42**, 1257 (1959).
22 H. C. Beyerman, J. S. Bontekoe u. A. C. Koch, R. **78**, 935 (1959).
23 C. Ressler u. V. du Vigneaud, Am. Soc. **79**, 4511 (1957).
24 W. Rittel et al., Helv. **40**, 614 (1947).
25 B. Iselin u. R. Schwyzer, Helv. **43**, 1760 (1960).
26 J. C. Anderson et al., Tetrahedron Suppl. **8**, 39 (1966).
27 M. A. Ondetti et al., Am. Soc. **92**, 195 (1970).

öligen Rückstandes in Diäthyläther und Trocknen i. Vak. über Schwefelsäure und Kaliumhydroxid erhält man ein schaumiges Harz, das in 450 *ml* Dichlormethan suspendiert wird. Auf Zugabe von 32,2 g Z-Tyr-OH zu obiger Suspension tritt nach langsamem Einrühren von 40 *ml* Triäthylamin alsbald Lösung ein. Nach Abkühlen auf −10° und Zugabe von 21 g Dicyclohexylcarbodiimid in 50 *ml* Dichlormethan wird das Reaktionsgemisch 2 Stdn. bei −10° und 15 Stdn. bei Raumtemp. gerührt. Ungeachtet eines gallertigen Niederschlages wird alsdann eingedampft. Der verbleibende Rückstand wird mit 200 *ml* warmem Methanol erschöpfend digeriert; nach Abkühlen auf 0° werden 21 g N,N′-Dicyclohexyl-harnstoff abfiltriert. Nach Entfernen des Lösungsmittels i. Vak. und Umkristallisieren des Rückstands aus 50%-igem Äthanol: Ausbeute; 47,0 g (86% d.Th.); F: 162–164°; nach nochmaligem Umkristallisieren; F: 168–169°; $[\alpha]_D^{20} = -9{,}6°$ (c = 1, in 90%-iger Essigsäure).

N-tert.-Butyloxycarbonyl-L-tyrosyl-L-methionyl-glycin [BOC-Tyr-Met-Gly-OH][1]: 2,42 g H-Met-Gly-OH · HCl in 50 *ml* kaltem Dimethylformamid werden nach Neutralisation mit 2,8 *ml* Triäthylamin mit 5,1 g BOC-Tyr-OTCP[2] versetzt. Die Reaktionsmischung wird 5 Stdn. bei Raumtemp. gerührt, nach Verdünnen mit 400 *ml* Essigsäure-äthylester mit 100 *ml* 20%-iger Citronensäure-Lösung extrahiert und 3mal mit 50 *ml* Wasser gewaschen, über Magnesiumsulfat getrocknet und letztlich i. Vak. zur Trockene gebracht. Zur Lösung des Rückstandes in 45 *ml* Essigsäure-äthylester fügt man 2 *ml* Dicyclohexylamin; das kristallin ausfallende Material wird abfiltriert, mit Essigsäure-äthylester gewaschen und getrocknet; Ausbeute: 5,1 g (79% d.Th.); F: 139–141°; $[\alpha]_D^{24} = -12{,}6°$ (c = 1, in Dimethylformamid).

Zur Herstellung von Peptiden der Sequenz X-Tyr und Tyr-X haben sich zahlreiche Autoren vorstehend genannter Technik bedient, teilweise sicher aus Mangel an brauchbaren O-Schutzgruppen. Diese Synthesen sollten aber trotz gewisser Erfolge auf dem Oxytocin-, Vasopressin-, Hypertensin-, ACTH-Gebiet etc. nicht als Beweis angesehen werden, daß diese Umsetzungen konsequent ohne Nebenreaktionen verlaufen sind. Die Voraussetzung der Reindarstellung von Tyrosyl-(Tyrosin-)peptiden dürfte meist in einer günstigen Aufarbeitungstechnik bei entsprechend guten Kristallisationseigenschaften der erhaltenen Verbindungen gegeben gewesen sein.

Folgende Möglichkeiten bei der Verwendung hydroxy-unmaskierter Tyrosin-Derivate sind im Zuge der Synthese einzukalkulieren:

ⓐ Nitrosierung des Phenylrings bei der Azid-Bildung[3]

ⓑ O-Aminoacylierung bei 4-Nitro-phenylester-Umsetzungen[4,5] (als Folge einer Umesterung)

ⓒ Leicht eintretende Curtius-Umlagerung bei N-Acyl-tyrosin-aziden im Zuge der peptid-synthetischen Verknüpfung[6] (Ob diese Nebenreaktion durch das freie Phenol-hydroxyl begünstigt wird, ist noch ungeklärt).

ⓓ Anscheinend erhöhte Tendenz zur Racemisierung bei Aktivierung und Umsetzung von N-Acyl-peptiden mit carboxy-endständigem Tyrosin[7,8]

ⓔ C-Benzylierung des aromatischen Ringes in 2-Stellung zur Hydroxy-Funktion bei der Acidolyse von Benzyloxycarbonylamin-, Benzylester- und -äther-Bindungen[9], die auch bei O-geschützten, aber unter den acidolytischen Bedingungen der O-Maskierung gleichzeitig beraubten Tyrosin-Verbindungen ihre Gültigkeit behält.

Die absolute Sicherheit eines Ausschlusses dieser Nebenreaktion ist auch durch Anwendung von „Kationenfängern" nicht gewährleistet.

---

1 M. A. Ondetti et al., Am. Soc. **92**, 195 (1970).
2 J. C. Anderson et al., Tetrahedron Suppl. **8**, 39 (1966).
3 E. Schnabel u. H. Zahn, M. **88**, 646 (1957).
4 J. Ramachandran u. C. H. Li, J. Org. Chem. **28**, 173 (1963).
5 R. Paul, J. Org. Chem. **28**, 236 (1963).
6 K. Hofmann et al., Am. Soc. **82**, 3715 (1960).
7 H. Schwarz u. F. M. Bumpus, Am. Soc. **81**, 890 (1959).
8 B. Riniker u. R. Schwyzer, Helv. **44**, 658 (1961).
9 F. Weygand u. K. Hunger, B. **95**, 1 (1962).

Mit ungeschützten Hydroxy-Funktionen führten Losse et al.[1] Synthesen von 3,4-Dihydroxy-phenylalanyl-peptiden[2] aus; PHT=Dpa-OH wurden nach Carbodiimid-, Phosphoroxidchlorid- und Diäthylcyanamid-Verfahren in 1,4-Dioxan oder Tetrahydrofuran/Dimethylformamid mit Aminosäureestern umgesetzt, PHT=Dpa-SPh mit Aminosäuren in essigsaurer Lösung.

36.522. Synthesen mit geschützter Phenol-Funktion

36.522.1. O-Acyl-Derivate

Schon früh in der Peptidchemie wurden O-acyl-maskierte Tyrosine der Synthese zugeführt, bedingt wohl durch die damals üblichen Verknüpfungsmethoden.

Insgesamt wurden bislang 4 Typen von (Tyrosin)-Phenylestern benannt:

ⓐ Carbonsäure-phenylester

ⓑ Sulfonsäure-phenylester

ⓒ Alkyl-phenyl-carbonate

ⓓ Phenyl-urethan und dessen N-Substitutionsprodukte.

36.522.11. *O-Acetyl-[Ac]-, O-Monochloracetyl-[MCA]- und O-Benzoyl-[Bz]-Schutzgruppen*

Zur einwandfreien Herstellung von *H-Tyr-Tyr-OH* hatten Bergmann et. al.[3] schon 1934 Z-Tyr(Ac)-Cl mit H-Tyr-OEt zu *Z-Tyr(Ac)-Tyr-OEt* verknüpft, daraus nach alkalischer Verseifung (Spaltung beider Esterbindungen) und anschließender Hydrogenolyse (Entfernung der Benzyloxycarbonyl-Schutzgruppe) ein reines Dipeptid isolieren können. In der Folgezeit haben sich mehrere Autoren[4–9] dieser O-Maskierung bedient und gezeigt, daß der O-Acetyl-Rest neben seiner hydrolytischen Entfernung[3,4] auch durch methanolisches Ammoniak[5] oder Hydrazin-Hydrat[4] (gleichzeitige Amid- bzw. Hydrazid-Bildung bei Acylpeptidestern s. Schema, S. 605), sowie im Zuge einer hydrogenolytischen De-benzyloxycarbonylierung von *Z-Tyr(Ac)-AS-OMe, -OEt* (IIa) oder *-NH*$_2$ in 0,2 n Chlorwasserstoff/Methanol[6] oder Äthanol[4] bzw. Entformylierung von *FOR-Tyr(Ac)-AS-OBZL* (IIb) mittels Acetylchlorid/Benzylalkohol[7] abgespalten werden kann. Andererseits aber ist eine selektive N_α-Entacylierung von N-Benzyloxycarbonyl-O-acetyl-tyrosin-estern (III), -tyrosyl-peptidestern (IIa u. IIb) durch Hydrogenolyse in Essigsäure[4] oder Acidolyse mittels 2 n und 4 n Bromwasserstoff/Eisessig[8] möglich, womit O-acetylierte Tyrosin-ester (IVa) bzw. Tyrosyl-peptid-Derivate (V) als Amino-Komponenten für weitere Umsetzungen (z.B. zu VIIa) gewonnen werden.

N-(4-Methoxy-phenylazo-benzyloxycarbonyl)-L-glutamyl(γ-methylester)-O-acetyl-L-tyrosin-4-nitrobenzylester [MAZ-Glu(OMe)-Tyr(Ac)-ONB]:

N-Benzyloxycarbonyl-O-acetyl-L-tyrosin [Z-Tyr(Ac)-OH][3]: 2 g Z-Tyr-OEt in 11,7 *ml* n Natronlauge werden unter Schütteln gelöst und 15 Min. bei Raumtemp. stehengelassen, dann die eisgekühlte Lösung mit 0,56 g Essigsäureanhydrid versetzt und wieder 15 Min. bei Raumtemp. stehenge-

---

[1] G. Losse, A. Barth u. K. Jasche, J. pr. **21**, 32 (1963).
[2] Leider nur diastereomere Peptid-Gemische, da DL-Aminosäuren zum Einsatz gelangten.
[3] M. Bergmann et al., H. **224**, 17 (1934).
[4] A. E. Barkdoll u. W. F. Ross, Am. Soc. **66**, 951 (1944).
[5] J. S. Fruton u. M. Bergmann, J. Biol. Chem. **145**, 253 (1942).
[6] K. Blau u. S. G. Waley, Biochem. J. **57**, 538 (1954).
[7] S. G. Waley u. J. Watson, Biochem. J. **57**, 529 (1954).
[8] R. Schwyzer u. P. Sieber, Helv. **42**, 972 (1959).
[9] H. Schwarz u. F. M. Bumpus, Am. Soc. **81**, 890 (1959).

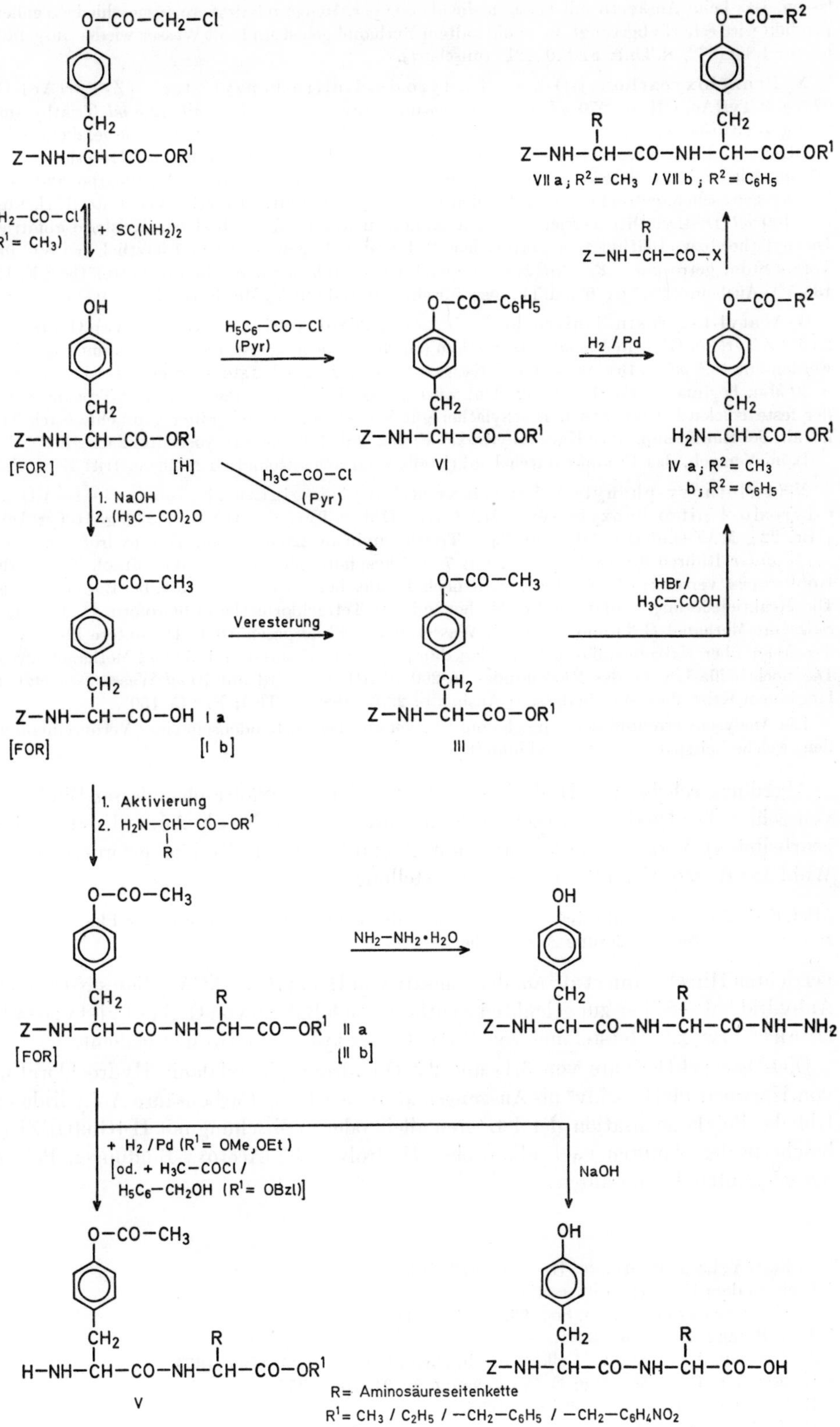

VIII

O–CO–CH_2–Cl

CH_2

Z–NH–CH–CO–OR^1

+ Cl–CH_2–CO–Cl (R^1 = CH_3)

+ $SC(NH_2)_2$

OH

CH_2

Z–NH–CH–CO–OR^1

[FOR] [H]

H_5C_6–CO–Cl (Pyr)

O–CO–C_6H_5

CH_2

Z–NH–CH–CO–OR^1

VI

H_2 / Pd

O–CO–R^2

CH_2

H_2N–CH–CO–OR^1

IV a; $R^2 = CH_3$

b; $R^2 = C_6H_5$

R

Z–NH–CH–CO–X

O–CO–R^2

R CH_2

Z–NH–CH–CO–NH–CH–CO–OR^1

VII a; $R^2 = CH_3$ / VII b; $R^2 = C_6H_5$

H_3C–CO–Cl (Pyr)

1. NaOH

2. $(H_3C–CO)_2O$

O–CO–CH_3

CH_2

Z–NH–CH–CO–OH I a

[FOR] [I b]

Veresterung

O–CO–CH_3

CH_2

Z–NH–CH–CO–OR^1

III

HBr / H_3C–COOH

1. Aktivierung

2. H_2N–CH(R)–CO–OR^1

O–CO–CH_3

CH_2 R

Z–NH–CH–CO–NH–CH–CO–OR^1 II a

[FOR] [II b]

NH_2–$NH_2 \cdot H_2O$

OH

CH_2 R

Z–NH–CH–CO–NH–CH–CO–NH–NH_2

+ H_2 / Pd (R^1 = OMe, OEt)

[od. + H_3C–COCl / H_5C_6–CH_2OH (R^1 = OBzl)]

NaOH

O–CO–CH_3

CH_2 R

H–NH–CH–CO–NH–CH–CO–OR^1

V

OH

CH_2 R

Z–NH–CH–CO–NH–CH–CO–OH

R = Aminosäureseitenkette

R^1 = CH_3 / C_2H_5 / –CH_2–C_6H_5 / –CH_2–$C_6H_4NO_2$

lassen. Das beim Ansäuern mit etwas mehr als der ber. Menge n Salzsäure ausgeschiedene gallertartige Produkt wird scharf abgesaugt, in wenig kaltem Methanol gelöst und mit Wasser wieder ausgefällt; Ausbeute: 1,8 g (87% d.Th.); F: 120–121° (unscharf).

N-Benzyloxycarbonyl-O-acetyl-L-tyrosin-4-nitro-benzylester [Z-Tyr(Ac)-ONB][1]: 27,5 g Z-Tyr(Ac)-OH in 270 *ml* absol. Essigsäure-äthylester werden mit 12,8 *ml* Triäthylamin und 23,3 g 4-Nitro-benzylbromid versetzt und 3 Stdn. unter Rückfluß gekocht. Das ausgefallene Salz wurde abfiltriert und mit absol. Essigsäure-äthylester gut gewaschen. Die erhaltene Essigsäure-äthylester-Lösung wird mit 2n Salzsäure, eiskalter, frisch hergestellter Natrium-hydrogencarbonat-Lösung und Wasser gewaschen, getrocknet und letztlich i. Vak. eingedampft. Der erhaltene feste Rückstand wird mit 100 *ml* Diäthyläther verrieben; nach Abkühlen auf 0° die gebildeten Kristalle abfiltriert, mit Diäthyläther bzw. Diäthyläther/Petroläther (2:1 und 1:1) gewaschen und letztlich bei 80° und 0,03 Torr 4 Stdn. getrocknet (F: 118/126–130°; nach Umkristallisieren aus Benzol/Petroläther: F: 126/133–135,5°); Ausbeute: 28,7 g (76% d.Th., ber. für ein Material mit $^2/_3$ Mol Kristallbenzol).

O-Acetyl-L-tyrosin-4-nitro-benzylester-Hydrobromid [H-Tyr(Ac)-ONB · HBr][1]: 28,5 g Z-Tyr(Ac)-ONB in 130 *ml* Nitromethan (zunächst warm gelöst, dann auf Raumtemp. abgekühlt) werden mit 43,5 *ml* 4n Bromwasserstoff/Essigsäure versetzt. Nach 1 stdgm. Stehen bei Raumtemp. (nach ~ 30 Min. beginnen Kristalle auszufallen) wird i. Vak. bei 30–35° Badtemp. zur Trockne verdampft, der feste Rückstand mit absol. Diäthyläther gut verrieben und aufs Filter gebracht. Nach Trocknen i. Vak. bei Raumtemp. über Kaliumhydroxid F: 152° (ab 156° Zers.); Ausbeute: 23,1 g (91% d.Th.).

Beim Versuch, das Produkt durch Umkristallisieren aus Äthanol zu reinigen, tritt Zers. ein.

N-(4-Methoxy-phenylazo-benzyloxycarbonyl)-L-glutamyl(γ-methylester)-O-acetyl-L-tyrosin-4-nitro-benzylester [MAZ-Glu(OMe)-Tyr(Ac)-ONB][1]: 22,5 g H-Tyr(Ac)-ONB · HBr, 22 g MAZ-Glu(OMe)-OH und 25 *ml* Triäthylamin in 220 *ml* absol. Tetrahydrofuran werden bei −15° unter Rühren innerhalb 1 Stde. mit 7 *ml* Phosphoroxidchlorid in 20 *ml* absol. Tetrahydrofuran tropfenweise versetzt; die Mischung wird noch 1 Stde. bei −15° und 1 Stde. bei Raumtemp. gerührt. Die Reaktionslösung wird nach Vermischen mit 1 *l* Tetrachlormethan/Chloroform (1:1) 2mal mit n Salzsäure/Methanol (1:1) und 2mal mit Wasser/Methanol ausgeschüttelt. Die untere Phase wird nach Trocknen über Natriumsulfat i. Vak. eingedampft, der Rückstand mit 300 *ml* Methanol ausgekocht. Die noch heiße Lösung des Rückstandes in 200 *ml* Äthanol wird mit 70 *ml* Wasser versetzt und der langsamen Kristallisation überlassen; Ausbeute: 22,8 g (58% d.Th.); F: 145–150°.

Die Analysenwerte und der Schmelzpunkt lassen auf das Vorhandensein einer Verunreinigung schließen, welche bei späteren Stufen eliminiert wird.

Allerdings scheint die Hydrolyse-Stabilität der Essigsäure-phenylester-Bindung nicht von sehr hoher Qualität zu sein. So kann durchaus eine Nach-Acetylierung der (aufgearbeiteten) Verknüpfungsansätze mit Acetanhydrid in Pyridin erforderlich werden[1]. Wohl aus diesem Grunde sowie der Feststellung:

„Der Essigsäure-(Tyrosin)-ester könnte im Zuge der Peptidsynthese in wäßriger Phase als Aktivester zu einer O→N-Acylwanderung Anlaß geben“[2]

verzichten Hirschmann et al.[3] auf den Einsatz von H-[Tyr(Ac)-NCA]; dieses N-Carbonsäure-Anhydrid hatte früher zur gelenkten Synthese (nach Bailey) von O-Acetyl-tyrosyl-peptiden[4,5] bzw. zur Herstellung von Poly-O-acetyl-tyrosinen[6,7] gedient.

O,O-Diacetyl-Derivate von 3,4- und 2,5-Dihydroxy-phenylalanin-Hydrochlorid wurden von Harwood und Cassidy[8] als Ausgangsmaterialien für N-Carbonsäure-Anhydride erstellt. Übliche Polykondensation der letzteren allein oder in Mischung mit H-[Glu(OBZL)-NCA] bescherte den Autoren nach alkalischer Hydrolyse der Acetoxy-Bindungen Polypeptide der genannten Aminosäuren.

---

[1] R. Schwyzer u. P. Sieber, Helv. **42**, 972 (1959).
[2] Frei aus dem Englischen übersetzt.
[3] R. Hirschmann et al., Am. Soc. **93**, 2746 (1971).
[4] J. L. Bailey, Soc. **1950**, 3461.
[5] J. Honzl u. J. Rudinger, Collect. czech. chem. Commun. **20**, 1190 (1955).
[6] K. Schlögl, F. Wessely u. E. Wawersich, M. **84**, 705 (1953).
[7] B. G. Overell u. V. Petrow, Soc. **1955**, 232.
[8] H. J. Harwood u. H. G. Cassidy, Am. Soc. **79**, 4360 (1957).

H-Tyr(Bz)-OEt (IVb)- aus Z-Tyr-OEt durch Benzoylierung in Pyridin und folgende hydrogenolytische Freisetzung[1] der α-Amino-Funktion aus dem intermediären Z-Tyr(Bz)-OEt (VI) zugänglich – haben erstmals Harington und Pitt-Rivers[2] mit Z-Cys(BZL)-N_3 verknüpft; der gewonnene N-Acyl-dipeptidester VIIb wurde alkalisch zu *Z-Cys(BZL)-Tyr-OH*[3] verseift.

Eine mögliche O-Monochloracetyl-[MCA]-Maskierung haben Fontana und Scoffone[4] am Z-DL-Tyr(MCA)-OMe(VIII, s. Schema S. 605) an Hand der Einführung und Wiederabspaltung der Schutzgruppe mittels Thioharnstoff (s. S. 189) demonstriert; über peptidsynthetische Umsetzungen wurde nicht berichtet.

36.522.12. *Die O-Tosyl-[TOS]-Schutzgruppe*

O-Tosyl-tyrosin, zugänglich am besten[5] durch Tosylierung des Aminosäure-Kupfer(II)-Komplexes in alkalischer Lösung, wurde erstmals[6] von du Vigneaud et al.[7] in der Peptidsynthese verwendet. Es läßt sich nach bekannter Schotten-Baumann Reaktion ($p_H = 9$) acylieren und dann als Kopfkomponente z.B. als Z-Tyr(TOS)-OH oder NPS-Tyr(TOS)-OH nach dem Misch-Anhydrid-Verfahren verknüpfen: eine selektive Entfernung der N-Schutzgruppen ist in zweiter Instanz mittels 2 n Chlorwasserstoff/Essigsäure[7] oder 2 n Chlorwasserstoff/Methanol[8] gegeben.

Rudinger et al.[9] beschreiben ferner die Überführung von NPS-Tyr(TOS)-OH in den 4-Nitro-phenylester (Carbodiimid-Verfahren); durch Einwirkung von Chlorwasserstoff/Diäthyläther formen die Autoren daraus *H-Tyr(TOS)-ONP · HCl* als interessante Amino-Komponente für die Umsetzung mit TOS-Cys(BZL)-Cl. Von beiden Gruppen[7,9] werden letztlich geschützte Arg[8]- bzw. Lys[8]-Vasopressine synthetisiert, deren Maskierungen incl. des O-Tosyl-Rests durch Natrium/Ammoniak-Reduktion aufgehoben werden.

36.522.13. *O-Alkoxycarbonyl-Schutzgruppen*

Der Ersatz der vorstehend genannten O-Acyl- gegen O-Alkoxycarbonyl-Reste bringt eine sicher erhebliche, den üblichen normalen Bedingungen der Peptidsynthese erwünschte Stabilität-Steigerung gegenüber hydrolytischen und aminolytischen Angriffen mit sich. Dennoch sollte bedacht werden, daß einerseits ein Benzyl-phenyl-carbonat durchaus als Benzyloxycarbonyl-Donator vor allem bei lang dauernden Umsetzungen fungieren kann, andererseits eine alkalisch-hydrolytische oder hydrazinolytische Aufhebung der O-Alkoxycarbonyl-Maskierung in manchen Fällen schwierig werden oder gar ausgeschlossen sein kann.

---

1 In Methanol + 6,85 n Salzsäure, wobei im Gegensatz zur O-Aectyl- (s. o.) die O-Benzoyl-Maskierung unverändert bleibt.

2 C. R. Harington u. R. V. Pitt-Rivers, Biochem. J. **38**, 417 (1944).

3 Vgl. auch B. Iselin, M. Feurer u. R. Schwyzer, Helv. **38**, 1508 (1955).

4 A. Fontana u. E. Scoffone, G. **98**, 1261 (1968).

5 Andere Herstellungsverfahren siehe:
E. Fischer, B. **48**, 93 (1915).
E. L. Jackson, Am. Soc. **74**, 837 (1952).

6 *TOS-Tyr(TOS)-OH* wurde bislang nur selten zu peptid-synthetischen Umsetzungen benutzt (s. S. II/256).

7 P. G. Katsoyannis, D. T. Gish u. V. du Vigneaud, Am. Soc. **79**, 4516 (1957).

8 F. H. C. Stewart, Austral. J. Chem. **20**, 1991 (1967).

9 P. J. Thomas, M. Havranek u. J. Rudinger, Collect. czech. chem. Commun. **32**, 1767 (1967).

36.522.13.1. Der O-Benzyloxycarbonyl-[Z]-Rest[1]

Schon 1933 hatten Abderhalden und Bahn[2] den Reigen der Kohlensäure-(tyrosin)-ester eröffnet und *Z-Tyr(Z)-OH* (IXa) nach der Säurechlorid-Methode zur Synthese von *Tyrosylglycin* benutzt. Die Herstellung dieses N,O-Diacyl-tyrosins (IXa) gelingt leicht durch Einwirkung überschüssigen Chlorameisensäure-benzylesters auf die Aminosäure in alkalischer Lösung[3-6]; auffällig ist das Auffinden sehr unterschiedlicher Schmelzpunkte dieser Verbindung (von F: 85–121°), was seine Ursache in amorphen (evtl. mit sehr geringen Lösungsmittel-Resten behaftet) oder kristallinen Zuständen hat. Der Einsatz von Z-Tyr(Z)-OH wurde bislang außer via Säurechlorid[2,7] mittels der Misch-Anhydrid-[5,7], Carbodiimid-[8,9], Äthoxyacetylen-[4] und Aktivester-Verfahren[10-15] vorgenommen.

Nach vollzogener Verknüpfung können beide N- und O-Maskierungen durch katalytische Hydrogenolyse[8,10,14] oder mittels Bromwasserstoff/Essigsäure[3,5,11-13] entfernt werden; eine selektive Abspaltung des O-Benzyloxycarbonyl-Rests auf alkalisch-hydrolytischer oder hydrazinolytischer Basis wäre in gewissen Fällen denkbar (s. unten).

L-Tyrosyl-L-phenylalanin [H-Tyr-Phe-OH]:

N,O-Di-benzyloxycarbonyl-L-tyrosyl-L-phenylalanin [Z-Tyr(Z)-Phe-OH][10]: 3,0 g Z-Tyr(Z)-OH und 0,7 g Triäthylamin in 14 *ml* absol. Tetrahydrofuran werden wie üblich unter Eiskühlung tropfenweise mit 0,9 g Chlorameisensäure-isobutylester unter Rühren versetzt. Nach 5 Min. langer Reaktionsdauer wird hierzu die Lösung von 1,1 g Phenylalanin in 6,4 *ml* n Natronlauge auf einmal hinzugefügt. Die Reaktionsmischung wird 30 Min. lang gerührt und dann angesäuert. Das ausfallende Öl kristallisiert alsbald; es wird abfiltriert und aus Essigsäure-äthylester/Hexan umkristallisiert; Ausbeute: 3,1 g (48% d.Th.); F: 179–181° [Nach Rekristallisation aus Äthanol; F: 182–184°; $[\alpha]_D^{21} = +6,1°$ (c = 1 in Essigsäure)].

L-Tyrosyl-L-phenylalanin [H-Tyr-Phe-OH][10]: 3,4 g Z-Tyr(Z)-Phe-OH in 30 *ml* 4n Bromwasserstoff/Essigsäure werden 10 Min. lang auf 70° erwärmt. Die abgekühlte Reaktionslösung scheidet auf Zusatz von Diäthyläther einen öligen Niederschlag ab; er wird abgetrennt und in Wasser aufgenommen. Die erhaltene Lösung wird anschließend gegen Lackmus mit wäßr. Kaliumcarbonat neutralisiert, anschließend mit Äthanol versetzt. Das Dipeptid scheidet sich in Form des Monohydrats alsbald in farblosen Nadeln ab; F: 308–310° (Zers.); $[\alpha]_D^{21} = +17,7°$ (c = 0,5; in 2n Salzsäure).

Von Interesse dürfte die Herstellung von „sauberem" *H-Tyr-OtBu* durch Veresterung von Z-Tyr(Z)-OH nach der Phosphoroxidchlorid-Methode (s. S. 393) incl. folgender hydrogenolytischer Abspaltung der Benzyloxycarbonyl-Schutzgruppen sein[6].

---

[1] Ein O-(4-Nitro-benzyloxycarbonyl)-Rest wurde bislang nur mit der Herstellung von *NZ-Tyr(NZ)-OH* bekannt; s. dazu D. T. Gish u. F. H. Carpenter, Am. Soc. **75**, 950 (1953).

[2] E. Abderhalden u. A. Bahn, H. **219**, 72 (1933).

[3] E. Katchalski u. M. Sela, Am. Soc. **75**, 5284 (1953).

[4] H. J. Pannemann, A. F. Marx u. J. F. Arens, R. **78**, 487 (1959).

[5] F. H. C. Stewart, J. Org. Chem. **25**, 1828 (1960).

[6] E. Wünsch, unveröffentlichte Ergebnisse.

[7] P. G. Katsoyannis u. V. du Vigneaud, Am. Soc. **78**, 4482 (1956).

[8] J. C. Anderson et al., Tetrahedron Suppl. **8**, 39 (1966).

[9] R. H. Mazur, Canad. J. Chem. **40**, 1098 (1962).

[10] B. Iselin, M. Feurer u. R. Schwyzer, Helv. **38**, 1508 (1965).

[11] R. L. Huguenin u. S. Guttmann, Helv. **48**, 1885 (1965).

[12] P.-A. Jaquenoud, Helv. **48**, 1899 (1965).

[13] S. Guttmann, Helv. **49**, 83 (1966).

[14] H. Nesvadba et al., Collect. czech. chem. Commun. **33**, 3790 (1968).

[15] H. Zahn u. E. Fölsche, A. **716**, 164 (1968).

H—Tyr—OH
+ 2 RO—CO—Cl (NaOH)
RO—CO—NH—CH(CH2—C6H4—O—CO—OR)—COOH
IX a; R = —CH2—C6H5
b; R = t—C4H9
+ PCl5 (R = —CH2—C6H5)
XII
+ COCl2
1. Cu-Komplex
2. + RO—CO—Cl (NaOH)
H2N—CH(CH2—C6H4—O—CO—OR)—COOH
X; R = —CH2—C6H5
+ R2—OH (TOS—OH etc.)
H2N—CH(CH2—C6H4—O—CO—OR)—CO—OR2
XI a; R2 = —CH2—C6H5
b; R2 = —CH2—C6H4—NO2
RO—CO—N3 od. —ONP
1. + R2—OH (HCl etc.)
2. + RO—CO—Cl etc.
RO—CO—NH—CH(CH2—C6H4—OH)—CO—OR2
XIII a; R = —CH2—C6H5 b; R = t—C4H9
NaOH
RO—CO—NH—CH(CH2—C6H4—OH)—COOH
XIV a; R = —CH2—C6H5
b; R = t—C4H9
+ Cl—CO—OR1 (NaOH)
RO—CO—NH—CH(CH2—C6H4—O—CO—OR1)—COOH
XV a; R = —CH2—C6H5
b; R = t.—C4H9
+ CH2N2 etc.
+ Cl—CO—OR1 / [(H5C2)3N]
RO—CO—NH—CH(CH2—C6H4—O—CO—OR1)—CO—OR2
XVI a; R = —CH2—C6H5
b; R = t—C4H9
H2 / Pd XVI a
HCl / F3C—COOH XVI b
H2N—CH(CH2—C6H4—O—CO—OR1)—CO—OR2
XVII
+ H2N—CO—Cl od. R3—NCO
RO—CO—NH—CH(CH2—C6H4—O—CO—NH—R3)—CO—OR2
XVIII a; R = —CH2—C6H5
b; R = t—C4H9
+ HBr od. H2 / Pd XVIII a
H2N—CH(CH2—C6H4—O—CO—NH—R3)—CO—OR2
XIX
+ H2 / Pd XVIII b R2 = CH2—C6H5
RO—CO—NH—CH(CH2—C6H4—O—CO—NH—R3)—COOH
XX
R1 = CH3, C2H5, CH(CH3)2, —CH(CH3)—C2H5;
R2 = CH3, C2H5, CH2—C6H5;
R3 = H, —CH(CH3)—C2H5, C6H5

Eine O-Benzyloxycarbonylierung des Tyrosins zu *H-Tyr(Z)-OH(X)* ist bei Anwendung der Kupfer-Komplex-Technik (s. auch S. 470) gelungen[1]. Losse et al.[2] konnten durch azeotrope Veresterung der O-geschützten Aminosäure X *H-Tyr(Z)-OBZL · TOS-OH* (XIa) und *H-Tyr(Z)-ONB · TOS-OH* (XIb) sowie die entsprechenden Benzolsulfonsäure-Salze gewinnen; peptid-synthetische Umsetzungen wurden nicht vorgenommen, lediglich „Phosgenierungen" zu N-Carbonyl-aminosäureestern (s. Schema S. 609).

N-Carbonsäure-Anhydride von O-Benzyloxycarbonyl-tyrosin(XII) wurden zur Synthese von Poly-tyrosinen benutzt[1,3], wobei die Entfernung der O-Maskierung mittels Bromwasserstoff/Essigsäure[3] oder durch alkalische Hydrolyse[1] erfolgte.

36.522.13.2. Der O-(2-Brom-benzyloxycarbonyl)-[2BZ]-Rest

Eine acidolytisch „teilstabile" Maskierung der phenolischen Hydroxy-Funktion glauben Yamashiro u. Li[4] mit der O-(2-Brom-benzyloxycarbonyl)-Schutzgruppe zu erreichen; Behandlung von Ac-Tyr(2BZ)-NH_2 mit 50%-iger Trifluoressigsäure in Dichlormethan über 24 Stdn. führt lediglich zu einer ~1%-igen Spaltung der Phenyl-carbonat-Bindung (Dünnschicht-chromatographisch ermittelt). Demgegenüber soll mittels flüssigem Fluorwasserstoff bei 0° über 10 Min. eine einwandfreie und vollständige O-Demaskierung gelingen.

Die Herstellung von *H-Tyr(2BZ)-OH* gelingt durch Umsetzung des Tyrosin-Kupfer(II)-Komplexes in 70%-igem wäßrigem Dimethylformamid mit (4-Nitro-phenyl)-(2-brom-benzyl)-carbonat unter Zusatz von Natriumhydrogencarbonat in ~50%-iger Ausbeute.

36.522.13.3. Die O-tert.-Butyloxycarbonyl-[BOC]-Schutzgruppe

Mit Fluorameisensäure-tert.-butylester war es Schnabel et al.[5] erstmals möglich, *BOC-Tyr(BOC)-OH* (IXb) zu erhalten. Das Bis-acyl-Derivat entsteht unter Einhalten eines Reaktions-p_H-Wertes von 9,3 zu 96% (isoliertes, kristallisiertes u. analysenreines Material 92%) neben wenig BOC-Tyr-OH (s. Schema S. 609).

Die peptid-synthetische Verwendung wurde teilweise mit Herstellung von Aktivestern und einer Umsetzung von BOC-Tyr(BOC)-OSU mit H-Gly-OEt zum *BOC-Tyr(BOC)-Gly-OEt* demonstriert; weitere Angaben, z.B. Entfernung der hydrogenolytisch stabilen O-tert.-Butyloxycarbonyl-Maskierung, fehlen[5].

36.522.13.4. Andere O-Alkoxycarbonyl-Schutzgruppen

Tauscht man die Benzyl-Gruppierung der O-Benzyloxycarbonyl-Maskierung durch andere Alkyl-Reste, z.B. Methyl-, Äthyl-, Propyl-(2)- und Isobutyl-, aus, so werden nach Geiger et al.[6] Alkyl-kohlensäure-(Tyrosin)-ester erhalten, die gegenüber katalytischer Hydrogenolyse und stärkster Acidolyse stabil sind.

O-Methoxycarbonyl-[MOC]-, *O-Äthoxycarbonyl-[EOC]-*, *O-Propyl-(2)-oxycarbonyl-[PrOC]* und *O-Isobutyloxycarbonyl-[iBOC]*-Derivate (XV) von *N-Acyl-tyrosinen* sind aus letzteren (d.i. z.B. XIVa u. b) durch Reaktion mit den entsprechenden Chlorameisensäure-estern in wäßrig-alkalischem Milieu in Ausbeuten zwischen 80 und 93% bequem zugänglich; sie sind als Kopfkomponenten nach vielen Methoden der Peptid-Verknüpfung, z.B. Misch-Anhydrid-, Carbodiimid- und Aktivester-Verfahren, einsetzbar[6].

---

[1] B. G. Overell u. V. Petrow, Soc. **1955**, 232.
[2] G. Losse u. W. Gödicke, B. **100**, 3314 (1967).
[3] E. Katchalski u. M. Sela, Am. Soc. **75**, 5284 (1953).
[4] D. Yamashiro u. C. H. Li, J. Org. Chem. **38**, 591 (1973).
[5] E. Schnabel et al., A. **716**, 175 (1968).
[6] R. Geiger et al., B. **101**, 2189 (1968).

N-Benzyloxycarbonyl-O-äthoxycarbonyl-L-tyrosyl-L-phenylalanin-methylester [Z-Tyr(EOC)-Phe-OMe]:

N-Benzyloxycarbonyl-O-äthoxycarbonyl-L-tyrosin [Z-Tyr(EOC)-OH][1]: Zur Lösung von 31,5 g Z-Tyr-OH (s. S. 49) in 150 *ml* n Natronlauge werden 15 g Natriumcarbonat gegeben und bei höchstens 10° 11 *ml* Chlorameisensäure-äthylester unter starkem Rühren zugetropft. Nach kurzer Zeit entsteht ein Niederschlag. Das Reaktionsgemisch wird mit 400 *ml* Wasser verdünnt, 1 Stde. bei Raumtemp. gerührt und anschließend mit halbkonz. Salzsäure auf $p_H = 2$ gestellt. Der ausgefallene Niederschlag wird in Essigsäure-äthylester aufgenommen, die Lösung mit verd. Salzsäure und Wasser gewaschen, über Natriumsulfat getrocknet und i. Vak. eingedampft. Der erhaltene Rückstand wird aus 150 *ml* Methanol/Wasser (6:4) umkristallisiert; Ausbeute: 36,1 g (93% d.Th.); F: 117–119°; $[\alpha]_D^{25} = -5,3°$ (c = 1,5; in Methanol).

N-Benzyloxycarbonyl-O-äthoxycarbonyl-L-tyrosin-4-nitro-phenylester [Z-Tyr(EOC)-ONP][1]: 7,74 g Z-Tyr(EOC)-OH und 3,34 g 4-Nitro-phenol in 100 *ml* Essigsäure-äthylester/Dimethylformamid (7:3) werden bei 0° mit 4,2 g Dicyclohexylcarbodiimid versetzt. Die Reaktionsmischung wird 12 Stdn. bei 5° und 1 Stde. bei Raumtemp. stehengelassen, nach dem Abkühlen auf 0° vom Harnstoff durch Filtration befreit und letztlich unterhalb 40° i. Vak. eingedampft. Der ölige Rückstand kristallisiert beim Versetzen mit Isopropanol; zum Abschluß wird das Rohprodukt 3mal aus Isopropanol umkristallisiert; Ausbeute: 6,28 g (62% d.Th.); F: 111–112°; $[\alpha]_D^{25} = -12,7°$ [c = 1, in Dimethylformamid/50%-iger Essigsäure (3:2)].

N-Benzyloxycarbonyl-O-äthoxycarbonyl-L-tyrosyl-L-phenylalanin-methylester [Z-Tyr(EOC)-Phe-OMe][1]: 2,54 g Z-Tyr(EOC)-ONP und 1,08 g H-Phe-OMe · HCl in 15 *ml* Dimethylformamid werden unter Kühlung mit 0,69 *ml* Triäthylamin versetzt. Nach 60 stdg. Stehen bei Raumtemp. wird der Reaktionsansatz zur Trockne gebracht, der erhaltene Rückstand zwischen Essigsäure-äthylester und Natriumhydrogencarbonat-Lösung verteilt. Nach erschöpfender Extraktion der Essigsäure-äthylester-Phase mit Natriumhydrogencarbonat-Lösung, anschließendem Waschen mit Wasser und n Salzsäure, Trocknen über Natriumsulfat wird erneut i. Vak. eingedampft. Der verbleibende kristalline Rückstand wird mit Diäthyläther verrieben, nach 2stdgm. Stehenlassen abfiltriert und mit Diäthyläther gewaschen; Ausbeute: 2,40 g (88% d.Th.); F: 176–176,5°; $[\alpha]_D^{25} = -14,6°$ (c = 1,5; in Methanol).

Die für einen Einsatz als Amino-Komponente gefragten O-geschützten Tyrosin-ester (XVII) sind durch Entacylierung spezieller Acyl-Tyr(COOR[1])-OR(XVI) zu erhalten; letztere werden durch Veresterung von Acyl-Tyr(COOR[1])-OH(XV) z.B. mit Diazoalkanen oder Umsetzung von Acyl-Tyr-OR[1] (XIII) mit Chlorameisensäureestern (vgl. dazu S. 612) in inerten Lösungsmitteln unter Triäthylamin-Zugabe erstellt[1] (Die von den Autoren[1] ausgesprochene Einführung der O-Schutzgruppe „im Peptid-Verband“ dürfte mit einer demonstrierten Ausbeute von 33% nicht gerade als „leicht“ zu bezeichnen sein) (vgl. Schema S. 609).

Die reversible Gestaltung der von Geiger et al.[1] bevorzugt abgehandelten O-Äthoxycarbonyl-[EOC]-Maskierung läßt sich durch alkalische Hydrolyse mit n Natronlauge (vgl. dazu auch S. 613), mittels 2n Ammoniak/Methanol oder mittels methanolischem Hydrazin-Hydrat vollziehen; in den letzten beiden Fällen bedingt die zusätzliche Anwesenheit von Peptid-ester-Bindungen die (gewünschte) Erstellung von N-Acyl-peptid-amiden bzw. -hydraziden.

N-Benzyloxycarbonyl-L-tyrosyl-L-phenylalanin-hydrazid [Z-Tyr-Phe-NHNH$_2$][1]: 1,37 g Z-Tyr(EOC)-Phe-OMe in 100 *ml* Methanol werden nach Zugabe von 95 *ml* 80%-igem Hydrazin-Hydrat 15 Stdn. lang bei Raumtemp. belassen. Der hierbei gebildete kristalline Niederschlag wird abfiltriert, mit Methanol gewaschen und aus 80%-igem Äthanol umkristallisiert; Ausbeute: 0,79 g (67% d.Th.); F: 241,5°; $[\alpha]_D^{25} = -26,4°$ (c = 1,4; in Dimethylformamid).

36.522.14. *O-Aminocarbonyl-[AC]-Schutzgruppen*

Der O-Aminocarbonyl-Rest kann mittels N-Carbonyl-sulfamid-chlorid[2] oder Harnstoffchlorid in Z-Tyr-OMe (XIII) eingeführt werden[3]; man isoliert 47 bzw. 49% an *Z-Tyr(AC)-OMe* (XVIIIa, $R^3 = H$). In bedeutend höherer Ausbeute sind O-[N-Phenyl]-[PAC]- und

---

1 R. Geiger et al., B. **101**, 2189 (1968).
2 R. Graf, B. **89**, 1071 (1956); **96**, 56 (1963).
3 G. Jäger, R. Geiger u. W. Siedel, B. **101**, 2762 (1968).

O-[N-Isobutylamino-carbonyl]-[iBAC]-Verbindungen [XVIIIb, $R^3=C_6H_5$;–$CH(CH_3)–C_2H_5$] durch Einwirkung der Phenyl- bzw. Isobutyl-isocyanate auf N-Acyl-tyrosinester XIII erstellbar, mit geringerem Erfolg die O-[N-(4-Nitro-phenyl)]-[NPAC]-[1] und O-[N,N-Diphenylamino-carbonyl]-[DPAC]-Derivate mittels 4-Nitro-phenylisocyanat bzw. N,N-Diphenylharnstoffchlorid[2] (vgl. Schema S. 609).

Die Anwendungsbreite O-Aminocarbonyl-geschützter Tyrosin-Derivate wird mit der Herstellung der Verbindungs-Typen XIX und XX durch hydrogenolytische oder acidolytische Entacylierung von N-Benzyloxycarbonyl-Verbindungen, z. B. von *Z-Tyr(PAC)-OMe* zu *H-Tyr(PAC)-OMe* (XIX, $R^3 = C_6H_5$) einerseits, bzw. einer hydrogenolytischen Benzylester-Spaltung, z. B. von BOC-Tyr(PAC)-OBZL zu *BOC-Tyr(PAC)-OH* (XX, $R^3 = C_6H_5$), andererseits offenbart[2].

O-Phenylamino-carbonyl-L-tyrosin-methylester-Hydrobromid [H-Tyr(PAC)-OMe · HBr][2]:

N-Benzyloxycarbonyl-O-phenylamino-carbonyl-L-tyrosin-methylester [Z-Tyr(PAC)-OMe]: 3,29 g Z-Tyr-OMe in 20 *ml* Dimethylformamid werden bei 0° mit 1,31 g Phenylisocyanat versetzt. Die Reaktionsmischung wird 50 Stdn. bei Raumtemp. stehengelassen und anschließend i. Vak. eingedampft; der erhaltene Rückstand kristallisiert beim Verreiben mit Ligroin. Die abfiltrierten Kristalle werden sorgfältig mit absol. Äthanol digeriert; F: 140–141°; $[\alpha]_D^{25} = -27,9°$ [c = 1,1; in Methanol/Dimethylformamid (1:1)].

O-Phenylamino-carbonyl-L-tyrosin-methylester-Hydrobromid [H-Tyr(PAC)-OMe · HBr]: 4,48 g des oben erhaltenen Z-Tyr(PAC)-OMe läßt man mit 10 *ml* 36%-igem Bromwasserstoff/Essigsäure 1 Stde. lang bei Raumtemp. reagieren. Nach Zugabe von 150 *ml* absol. Diäthyläther wird die Suspension 1 Stde. stehengelassen, danach der kristalline Niederschlag abfiltriert, mit absol. Diäthyläther gewaschen und sorgfältig mit absol. Diäthyläther und heißem Essigäure-äthylester digeriert; Ausbeute: 3,64 g (92% d. Th.); F: 205,5° (Zers.); $[\alpha]_D^{25} = -2,1°$ (c = 1,5; in Methanol).

N-tert.-Butyloxycarbonyl-O-phenylamino-carbonyl-L-tyrosin [BOC-Tyr(PAC)-OH][2]:

N-tert.-Butyloxycarbonyl-O-phenylamino-carbonyl-L-tyrosin-benzylester [BOC-Tyr(PAC)-OBZL]: 7,42 g BOC-Tyr-OBZL hergestellt in 77%-iger Ausbeute durch übliche Umsetzung von H-Tyr-OBZL mit tert.-Butyloxycarbonyl-azid in Pyridin [48stdg. Rühren bei Raumtemp.; F: 126–127°; $[\alpha]_D^{25} = -9,7°$ (c = 1,2; in Methanol)] in 50 *ml* Dimethylformamid werden bei 0° mit 2,62 g Phenylisocyanat versetzt. Die Reaktionsmischung wird nach 15stdgm. Stehen bei Raumtemp. i. Vak. eingedampft; das erhaltene Rohprodukt kristallisiert beim Umfällen aus Äthanol/Wasser völlig durch und wird aus Äthanol/Wasser umkristallisiert; Ausbeute: 7,10 g (72% d. Th.); F: 108–108,5°; $[\alpha]_D^{25} = -10,3°$ (c = 1,3; in Methanol).

N-tert.-Butyloxycarbonyl-O-phenylamino-carbonyl-L-tyrosin [BOC-Tyr(PAC)-OH]: 3,8 g BOC-Tyr(PAC)-OBZL in 120 *ml* Methanol werden wie üblich 30 Min. lang katalytisch hydriert (Palladiumschwarz) und anschließend aufgearbeitet. Das erhaltene Rohprodukt wird aus Essigsäure-äthylester/Petroläther umgefällt; Ausbeute 2,6 g (84% d. Th.); F: 125–130°; $[\alpha]_D^{25} = +14,0°$ (c = 0,5; in Methanol).

Peptid-synthetische Umsetzungen beider Typen O-maskierter Tyrosin-Derivate XIX u. XX verlaufen nach Misch-Anhydrid- oder Aktivester-Verfahren eindeutig[2]; die Abspaltung der O-Aminocarbonyl-Schutzgruppen unter Regenerierung der freien Phenol-Funktion muß mit wäßrigen Alkalien, Alkalimetall-alkanolaten, Ammoniak, Aminen oder Hydrazin-Hydrat – unter den für Phenyl-urethane bekannten, doch relativ „harten" Bedingungen – vollzogen werden[2] (vgl. Schema S. 609).

N-Benzyloxycarbonyl-L-phenylalanyl-L-tyrosin [Z-Phe-Tyr-OH]:

N-Benzyloxycarbonyl-L-phenylalanyl-O-phenylamino-carbonyl-L-tyrosin-methylester [Z-Phe-Tyr(PAC)-OMe][2]: Aus 1,49 g Z-Phe-OH und 0,7 *ml* Triäthylamin in 20 *ml* Tetrahydrofuran wird bei –10° unter Rühren durch Zutropfen von 0,48 *ml* Chlorameisensäure-äthylester das Mischanhydrid gebildet; der hierbei ausgefallene Niederschlag wird durch Zugabe von 20 *ml* Dimethylformamid und 50 *ml* Chloroform wieder in Lösung gebracht. Man rührt 5 Min. bei –5° nach und gibt anschließend die auf –5° vorgekühlte Lösung von 1,98 g H-Tyr(PAC)-OMe · HBr und 0,7 *ml*

---

1 Wegen hoher Empfindlichkeit und leichter Hydrierbarkeit wird dem NPAC-Rest eine „Schutzgruppen-Eignung" abgesprochen; R. Graf, B. **89**, 1071 (1956); **96**, 56 (1963).

2 G. Jäger, R. Geiger u. W. Siedel, B. **101**, 2762 (1968).

Triäthylamin in 100 *ml* Dimethylacetamid/Chloroform (2:3) zu. Man läßt den Reaktionsansatz langsam auf Raumtemp. kommen und rührt dann noch 1 Stde. nach. Nach Entfernen der Lösungsmittel i. Vak. wird der verbleibende Rückstand in 2,5 *l* Chloroform aufgenommen, die Lösung wie üblich mit Natriumhydrogencarbonat-Lösung, n Salzsäure und Wasser gewaschen, über Natriumsulfat getrocknet und letztlich i. Vak. eingedampft. Der Rückstand wird aus Chloroform/Petroläther umkristallisiert; Ausbeute: 1,85 g (62% d.Th.); F: 193–195°; $[\alpha]_D^{25} = -11{,}6°$ (c = 0,6; in Dimethylformamid).

N-Benzyloxycarbonyl-L-phenylalanyl-L-tyrosin [Z-Phe-Tyr-OH][1]: 1,19 g Z-Phe-Tyr (PAC)-OMe in 14 *ml* Dimethylacetamid und 10 *ml* 1,4-Dioxan werden mit 3 *ml* 2n Natronlauge über 2 Stdn. unter Rühren bei Raumtemp. verseift. Die anschließend mit 200 *ml* Wasser verdünnte Reaktionsmischung wird mit 3,5 *ml* 2n Salzsäure versetzt; der gebildete Niederschlag in Essigsäure-äthylester aufgenommen und aus dieser Lösung mit 3 Portionen Natriumhydrogencarbonat-Lösung erschöpfend extrahiert. Nach Ansäuern der wäßr. Lösung mit 2n Salzsäure fällt das Produkt kristallin aus; es wird abfiltriert, mit Wasser gewaschen und getrocknet; Ausbeute: 0,72 g (78% d.Th.); F: 185–187°.

36.522.2. O-Alkyl-Derivate

36.522.21. *Die O-Benzyl-[BZL]-Schutzgruppe*

Eine einfache Herstellung des *Tyrosin-benzyläthers* (XXI) gelang Wünsch et al.[2] durch direkte Alkylierung von Tyrosin-Kupfer mit Benzylbromid unter Zusatz von 1 Äquivalent Natronlauge und anschließender Zersetzung des sehr schwer löslichen und auf diese Weise völlig rein zu erhaltenden O-Benzyl-tyrosin-Kupferkomplexes[3] (vgl. Schema S. 614).

Da einerseits Veresterungen der O-maskierten Aminosäure zu XXIIa mittels n Chlorwasserstoff/Alkohol[2–4] und andererseits N-Acylierungen zu XXIIIa–d, z.B. N-Benzyloxycarbonylierung nach Bergmann-Zervas (s. S. 47ff.), ebenfalls glatt gelangen[4–6], standen brauchbare Ausgangsmaterialien für Synthesen von Tyrosin-(-yl)-peptiden zur Verfügung.

Erwähnenswert ist die gleichzeitige Benzyläther-Bildung bei der Veresterung von Tyrosin mittels Benzylalkohol/Benzolsulfonsäure nach der Methode von Miller und Waelsch[7]: Letztlich konnte *H-Tyr(BZL)-OBZL · HCl* durch fraktionierte Kristallisation aus Methanol in 20%-iger Ausbeute rein erhalten werden[8].

O-Benzyl-L-tyrosin [H-Tyr(BZL)-OH][2]: 72,4 g Tyrosin werden in 200 *ml* 2n Natronlauge gelöst, eine wäßr. Lösung von 149,9 g Kupfer(II)-sulfat (Pentahydrat) zugefügt und auf dem Wasserbad einige Zeit erwärmt. Nach dem Abkühlen bringt man den ausgeschiedenen Kupfer-Komplex durch Zugabe von 1500 *ml* Methanol und 200 *ml* 2n Natronlauge in Lösung. Nun werden 50 *ml* Benzylbromid auf einmal zugefügt und das Gemisch bei 25° 1 Stde. lang geschüttelt oder kräftig gerührt. Nach Abkühlen des Reaktionsansatzes wird der ausgefallene Kupfer-Komplex abfiltriert, mit Methanol/Wasser (1:3,5) gewaschen und bei 60° zur Gewichtskonstanz getrocknet (Ausbeute: 88–96 g).

Der erhaltene Kupfer-Komplex wird durch mehrmaliges Verreiben mit n Salzsäure zerstört, abfiltriert, mit Wasser, verd. Ammoniak und schließlich Aceton/Diäthyläther sorgfältig gewaschen. Nach Umkristallisieren aus 80%-iger Essigsäure; Ausbeute: 66–72 g (60–65% d.Th.; farblose Kristalle); $[\alpha]_D^{20} = -9{,}9 \pm 1°$ (c = 1, in 80%-iger Essigsäure).

N-Benzyloxycarbonyl-O-benzyl-L-tyrosin [Z-Tyr(BZL)-OH][2]: 10 g O-Benzyl-tyrosin, in 400 *ml* Wasser und 12,4 *ml* 3n Natronlauge gelöst, werden mit 6,5 g Chlorameisensäure-benzylester und 12,4 *ml* 3n Natronlauge innerhalb 45 Min. wie üblich acyliert. Nach Ansäuern mit 40 *ml* n Salzsäure wird der erhal-

---

1 G. Jäger, R. Geiger u. W. Siedel, B. **101**, 2762 (1968).

2 E. Wünsch, G. Fries u. A. Zwick, B. **91**, 542 (1958).
Vgl. G. Fries, Diplomarbeit Universität München 1955.
Vgl. A. Zwick, Diplomarbeit Universität München 1956.

3 D. Chillemi, L. Scarso u. E. Scoffone, G. **87**, 1352 (1957).

4 E. Wünsch, G. Wendlberger u. J. Jentsch, B. **97**, 3298 (1964).

5 R. Schwyzer, P. Sieber u. H. Kappeler, Helv. **42**, 2622 (1959).

6 P. J. Thomas, M. Havranek u. J. Rudinger, Collect. czech. chem. Commun. **32**, 1767 (1967).

7 H. K. Miller u. H. Waelsch, Am. Soc. **74**, 1092 (1952).

8 E. Schnabel, A. **622**, 181 (1959).

tene Niederschlag in Essigsäure-äthylester aufgenommen. Die gewaschene filtrierte und über Natriumsulfat getrocknete Essigsäure-äthylester-Phase hinterließ nach Eindampfen i. Vak. ein Öl, das nach einiger Zeit erstarrte; Ausbeute: 12,4 g (82% d.Th.); F: 116,5° (feine Nadeln aus Essigsäure-äthylester/Petroläther); $[\alpha]_D^{18} = +11,5 \pm 2°$ (c = 0,5; in Essigsäure).

O-Benzyl-L-tyrosin-äthylester-Hydrochlorid [H-Tyr(BZL)-OEt · HCl][1]: 50 g O-Benzyl-tyrosin werden mit 1 *l* äthanol. Salzsäure übergossen und über Nacht bei Raumtemp. gerührt. Das Gemisch dampft man i. Vak. zur Trockne ein, behandelt den Rückstand mit 800 *ml* heißem Äthanol und setzt nach Abkühlen auf Raumtemp. 200 *ml* 5n äthanol. Salzsäure zu. Diese Prozedur wird noch 3 mal wiederholt. Der schließlich erhaltene Rückstand wird in 750 *ml* siedendem Äthanol gelöst, vom Unlöslichen abfiltriert und auf ein kleines Vol. eingeengt. Aus der warmen äthanol. Lösung kristallisiert das Ester-Hydrochlorid auf Zugabe von Diäthyläther aus; Ausbeute: 58,8 g (95,5% d.Th.); F: 197–198° $[\alpha]_D^{20} = -7,95° \pm 0,5°$ bzw. $[\alpha]_{546}^{20} = +9,90°$ (c = 4, in Methanol).

Die peptid-synthetische Umsetzung von O-Benzyl-tyrosin und seinen Derivaten XXIIIa–d u. XVIIa–b kann nach fast allen Verknüpfungsmethoden stattfinden. Säurechlorid-[2,3] und -azid-[4,1], Carbodiimid-[2,3,1,5], Mischanhydrid-[1,6], Phosphorazo-[5,7] und Aktivester-Verfahren[8–17] seien genannt.

Zwei Wege des Einsatzes von N-Acyl-Verbindungen sind bevorzugt worden:

ⓐ die Verwendung von *Z-Tyr(BZL)-OH* (XXIIIa) mit der aufoktroyierten Folge des Verlustes der O-Maskierung bei „Weiterbau" am Aminoende (s. Schema S. 615, Weg A). Als beispielgebende Synthesen seien die von *Oxytocin*[8,11,12,15] und *Lys*[8]*-Vasopressin*[9] angeführt.

ⓑ Benutzung von *Acyl-Tyr(BZL)-OH* mit selektiv spaltbaren N-Schutzgruppen, wie BOC-, AOC-, PHT-, NPS-Resten (XXIIIb–d); sie erlauben die Beibehaltung der O-Benzyl-Blockierung über den gesamten oder teilweisen Synthese-Verlauf[3,1,5,6,14,16–19] (s. Schema S. 615, Weg B).

Für Festkörper-Synthesen nach Merrifield ist die Beibehaltung der O-Benzyl-Maskierung Bedingung; als sinnvolle, für alle Merrifield-Synthesen sprechende Beispiele seien die *Tyr*[6]*-Antamanid*-Synthesen[20,21] mit *H-Tyr(BZL)-OBØ* (XXIIb) als Startmaterial aufgezeigt (s. Schema S. 615, Weg C).

Es muß allerdings darauf verwiesen werden, daß die vollständige, selektive Stabilität der O-Benzyläther-Gruppierung im Zuge der tert.-Butyloxycarbonyl-Demaskierung mittels Trifluoressigsäure/Dichlormethan (1:1) etc. nicht gegeben ist; Spaltungsraten von mindestens 0,5%/15 Min. wurden gefunden[22] (s. auch S. 618).

---

[1] E. Wünsch, G. Wendlberger u. J. Jentsch, B. **97**, 3298 (1964).
[2] D. Chillemi, L. Scarso u. E. Scoffone, G. **87**, 1356 (1967).
[3] P. J. Thomas, M. Havranek u. J. Rudinger, Collect. czech. chem. Commun. **32**, 1767 (1967).
[4] E. Schnabel, A. **622**, 181 (1959).
[5] E. Wünsch u. A. Zwick, B. **97**, 3305 (1964).
[6] E. Wünsch et al., *Peptides*, Proc. 6th Europ. Peptide Sympos. Athen, 1963, Pergamon Press, Oxford **1966**, S. 79.
[7] E. Wünsch, G. Fries u. A. Zwick, B. **91**, 542 (1958).
[8] M. Bodanszky u. V. du Vigneaud, Am. Soc. **81**, 5688 (1959).
[9] M. Bodanszky, J. Meienhofer u. V. du Vigneaud, **82**, 3195 (1960).
[10] P. G. Katsoyannis u. K. Suzuki, Am. Soc. **83**, 4057 (1961).
[11] S. Drabarek u. V. du Vigneaud, Am. Soc. **87**, 3974 (1965).
[12] S. Sakakibara et al., Bl. chem. Soc. Japan **38**, 120 (1965).
[13] R. Zabel u. H. Zahn, Z. Naturf. **20b**, 650 (1965).
[14] H. Zahn, W. Danho u. B. Gutte, Z. Naturf. **21b**, 763 (1966).
[15] I. Photaki, Am. Soc. **88**, 2292 (1966).
[16] M. A. Ondetti et al., Am. Soc. **92**, 195 (1970).
[17] S. Hase et al., J. Med. Chem. **15**, 1017 (1972).
[18] R. Garner u. G. T. Young, Soc. [C] **1971**, 50.
[19] W. Danho u. C. H. Li, Int. J. Prot. Res. **3**, 81 (1971).
[20] T. Wieland, C. Rietzel u. A. Seeliger, A. **759**, 63 (1972).
[21] T. Wieland, B. Penke u. C. Birr, A. **759**, 71 (1972).
[22] D. Yamashiro u. C. H. Li, Int. J. Pept. Prot. Res. **4**, 181 (1972).

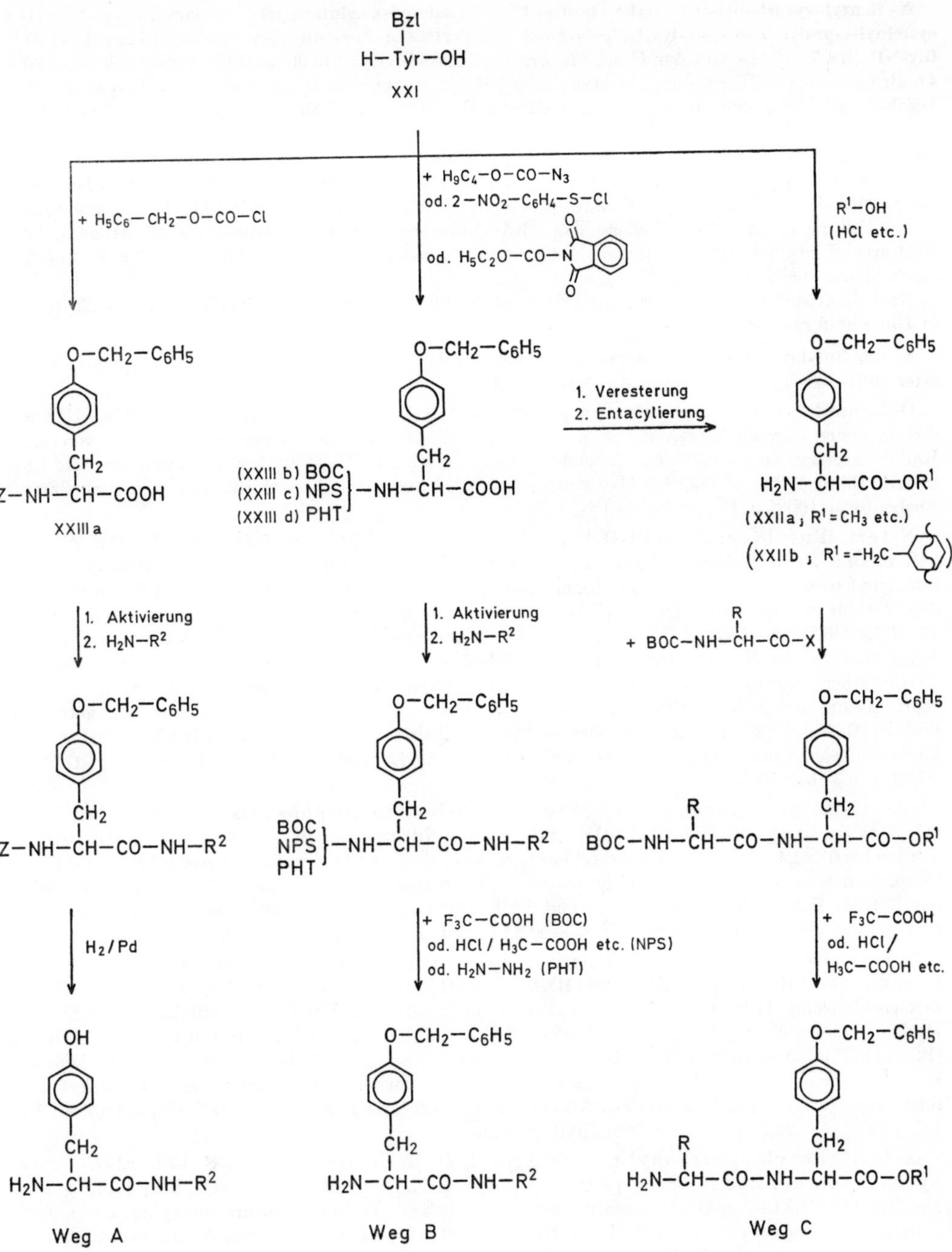

Bzl
H–Tyr–OH
XXI
+ H5C6–CH2–O–CO–Cl
+ H9C4–O–CO–N3
od. 2–NO2–C6H4–S–Cl
od. H5C2O–CO–N
R1–OH
(HCl etc.)
O–CH2–C6H5
CH2
Z–NH–CH–COOH
XXIII a
(XXIII b) BOC
(XXIII c) NPS
(XXIII d) PHT
–NH–CH–COOH
1. Veresterung
2. Entacylierung
H2N–CH–CO–OR1
(XXII a; R1 = CH3 etc.)
(XXII b; R1 = –H2C–
1. Aktivierung
2. H2N–R2
R
+ BOC–NH–CH–CO–X
Z–NH–CH–CO–NH–R2
BOC
NPS
PHT
–NH–CH–CO–NH–R2
BOC–NH–CH–CO–NH–CH–CO–OR1
H2/Pd
+ F3C–COOH (BOC)
od. HCl / H3C–COOH etc. (NPS)
od. H2N–NH2 (PHT)
+ F3C–COOH
od. HCl/
H3C–COOH etc.
OH
H2N–CH–CO–NH–R2
H2N–CH–CO–NH–CH–CO–OR1
Weg A
Weg B
Weg C

N-Benzyloxycarbonyl-O-benzyl-L-tyrosyl-L-phenylalanyl-L-glutaminyl-L-asparaginyl-S-benzyl-L-cysteinyl-L-prolyl-N_ε-tosyl-L-lysyl-glycin-amid [Z-Tyr(BZL)-Phe-Gln-Asn-Cys(BZL)-Pro-Lys(TOS)-Gly-NH_2][1]: 4,7 g Z-Phe-Gln-Asn-Cys(BZL)-Pro-Lys(TOS)-Gly-NH_2 in 30 *ml* Essigsäure werden mit 30 *ml* 4n Bromwasserstoff/Essigsäure versetzt. Nach 1stdgr. Reaktionszeit bei Raumtemp. fügt man 300 *ml* Diäthyläther zur Lösung hinzu; das ausgefallene Material wird abfiltriert, sorgfältig mit Diäthyläther gewaschen und letztlich i. Vak. über Natriumhydroxid und Calciumchlorid für eine kurze Zeit getrocknet. Das erhaltene rohe Heptapeptidamid-Derivat-Hydrobromid in 30 *ml* Dimethylformamid wird bei 0° mit 4 *ml* Triäthylamin und 2,63 g Z-Tyr(BZL)-ONP versetzt. Nach 2tägiger Reaktionszeit bei Raumtemp. wird die Mischung mit 6 *ml* Essigsäure versetzt und anschließend mit 400 *ml* Wasser verdünnt. wobei Fällung eintritt. Der Niederschlag wird abfiltriert, mit 200 *ml* Wasser, 50 *ml* Äthanol, 50 *ml* Aceton und letztlich 100 *ml* warmem Essigsäure-äthylester gewaschen; Ausbeute: 5,7 g F: 214–225° (nach Sintern bei 207°).

Nach Rekristallisation aus Essigsäure/Äthanol: F: 228–231° (Sintern bei 208°); $[\alpha]_D^{20} = -39°$ (c = 1, in Dimethylformamid).

N-tert.-Butyloxycarbonyl-L-asparaginyl-O-benzyl-L-tyrosyl-S-benzyl-L-cysteinyl-L-asparagin-benzylester [BOC-Asn-Tyr(BZL)-Cys(BZL)-Asn-OBZL]:

O-Benzyl-L-tyrosin-äthylester [H-Tyr(BZL)-OEt][2]: 12,76 g H-Tyr(BZL)-OEt · HCl werden in wenig warmem Wasser gelöst, die Lösung abgekühlt und mit einer wäßr. Lösung von 5,27 g Kaliumcarbonat versetzt. Das ausfallende farblose Öl wird in Diäthyläther aufgenommen; die abgetrennte Diäthyläther-Phase wird über Natriumsulfat getrocknet und anschließend i. Vak. eingedampft; Ausbeute: ~ 100% d. Th. (farbloses Öl).

N-tert.-Butyloxycarbonyl-O-benzyl-L-tyrosin [BOC-Tyr(BZL)-OH][2]: Das oben erhaltene Öl in 20 *ml* Pyridin wird unter Rühren innerhalb von 15 Min. mit 10,8 g tert.-Butyloxycarbonyl-azid tropfenweise versetzt. Nach 28 stdgm. Rühren bei 45° Badtemp. und 40 Stdn. bei Raumtemp. werden Pyridin und überschüssiges Acylierungsreagens i. Vak. abgezogen. Der ölige Rückstand wird mit 40 *ml* 1,4-Dioxan und 20 *ml* Wasser aufgenommen und anschließend mit 4 *ml* n Natronlauge verseift. Beim vorsichtigen Neutralisieren mit verd. Salzsäure scheidet sich ein Öl ab, das erschöpfend mit Diäthyläther extrahiert wird. Die vereinigten Diäthyläther-Phasen werden 1 mal mit verd. Citronensäure-Lösung und 2 mal mit Natriumchlorid-ges. Wasser gewaschen, über Natriumsulfat getrocknet und letztlich i. Vak. eingedampft. Das farblose Öl kristallisiert aus Diäthyläther/Petroläther; nach Umkristallisieren aus dem gleichen Gemisch; Ausbeute: 11,8 g (80% d. Th.); F: 112,5–114°; $[\alpha]_D^{20} = +27,44 \pm 0,5°$ bzw. $[\alpha]_{546}^{20} = +33,31°$ (c = 2, in Äthanol).

N-tert.-Butyloxycarbonyl-O-benzyl-L-tyrosin-4-nitro-phenylester [BOC-Tyr(BZL)-ONP][3]: Zu 40,5 g BOC-Tyr(BZL)-OH und 16,7 g 4-Nitro-phenol in 100 *ml* absol. Tetrahydrofuran werden bei 0° 22,4 g Dicyclohexylcarbodiimid gegeben. Nach je 24stdgr. Reaktionszeit bei 0° und Raumtemp. wird vom N,N'-Dicyclohexyl-harnstoff abfiltriert (mit Tetrahydrofuran gewaschen), anschließend das Filtrat i. Vak. zur Trockne gebracht und der Rückstand aus Isopropanol umkristallisiert; Ausbeute: 50 g (93% d. Th.); F: 145–146°; $[\alpha]_D^{22} = -30,2°$ (c = 1, in Dimethylformamid).

N-tert.-Butyloxycarbonyl-O-benzyl-L-tyrosyl-S-benzyl-L-cysteinyl-L-asparagin-benzylester [BOC-Tyr(BZL)-Cys(BZL)-Asn-OBZL][3]: 19,6 g BOC-Cys(BZL)-Asn-OBZL werden wie üblich mit Trifluoressigsäure entacyliert und aufgearbeitet. Das letztlich erhaltene Dipeptidester-Hydro-trifluoracetat wird in Dimethylformamid gelöst und mit 5,6 *ml* Triäthylamin und 18,7 g BOC-Tyr(BZL)-ONP in 30 *ml* Dimethylformamid bei 0° versetzt. Nach 2 Tagen Reaktionszeit wird die Mischung in 1 *l* Wasser eingerührt; das ausgefallene Material wird nach mehrstündigem Stehen abfiltriert, sorgfältig mit Wasser gewaschen und aus Äthanol umkristallisiert; Ausbeute: 17,5 g (60% d. Th.); F: 185–187°; $[\alpha]_D^{22} = -20,3°$ (c = 1, in Dimethylformamid).

N-tert.-Butyloxycarbonyl-L-asparaginyl-O-benzyl-L-tyrosyl-S-benzyl-L-cysteinyl-L-asparagin-benzylester [BOC-Asn-Tyr(BZL)-Cys(BZL)-Asn-OBZL][3]: 14,6 g BOC-Tyr(BZL)-Cys(BZL)-Asn-OBZL werden wieder wie üblich mit Trifluoressigsäure entacyliert und aufgearbeitet. Das erhaltene Tripeptidester-Hydro-trifluoracetat in 20 *ml* Dimethylformamid wird nach Zugabe von 2,8 *ml* Triäthylamin mit 6,7 g BOC-Asn-ONP in 30 *ml* Dimethylformamid bei 0° umgesetzt. Nach 2 Tagen Reaktionszeit wird die Mischung in 1 *l* Wasser eingegossen; der gebildete Niederschlag wird nach mehrstündigem Stehen abfiltriert, sorgfältig mit Wasser gewaschen, in Essigsäure-äthylester suspendiert und so lange mit 0,1 m Triäthylamin/Wasser gewaschen, bis die wäßr. Schicht farblos abläuft. Die Essigsäure-äthylester-Phase wird anschließend noch mit 0,5 m Citronensäure-Lösung und Wasser gewaschen und letztlich i. Vak. eingeengt. Der erhaltene Rückstand kristallisiert aus Benzylalkohol/Äthanol; Ausbeute: 10,6 g (63% d. Th.); F: 225–227°; $[\alpha]_D^{22} = -40,8°$ (c = 1, in Dimethylformamid).

---

[1] M. Bodanszky, J. Meienhofer u. V. du Vigneaud, Am. Soc. **82**, 3195 (1960).

[2] E. Wünsch, G. Wendlberger u. J. Jentsch, B. **97**, 3298 (1964).

[3] H. Zahn, W. Danho u. B. Gutte, Z. Naturf. **21b**, 763 (1966).

Die Aufhebung der alkali-stabilen O-Benzyl-Maskierung kann durch katalytische Hydrogenolyse[1-6], Acidolyse* mittels Bromwasserstoff/Essigsäure[2,7-13] über 1–2 Stdn. oder Bromwasserstoff/Trifluoressigsäure[14,15] oder mit flüssigem Fluorwasserstoff[16,17] – in allen Fällen zur Herabsetzung der „C-Benzylierungs-Gefahr" tunlichst unter Zusatz von Kationen-Fängern (s. Tab. 3, S. 59) – sowie Natrium/Ammoniak-Reduktion[3,18] erfolgen:

L-Tyrosyl-L-glycin [H-Tyr-Gly-OH][3]: 4,6 g Z-Tyr(BZL)-Gly-OH in 200 *ml* wäßr. 1,4-Dioxan werden nach Zusatz von 0,5 *ml* Essigsäure und 0,5 g Palladiumschwarz wie üblich mit Wasserstoff behandelt. Farblose Nadeln nach Eindampfen der filtrierten Lösung i. Vak. und Umkristallisieren aus Wasser/Äthanol; Ausbeute: 2,2 g (93% d.Th.); $[\alpha]_D^{25} = +69{,}1 \pm 1°$ (c = 1, in Wasser + 1 Äquiv. HCl).

N-Benzyloxycarbonyl-L-asparaginyl-L-tyrosyl-S-(4-nitro-benzyl)-L-cysteinyl-L-asparagin-4-nitrobenzylester [Z-Asn-Tyr-Cys(NB)-Asn-ONB][9]: 7,21 g Z-Tyr(BZL)-Cys(NB)-Asn-ONB werden in 80 *ml* 2n Bromwasserstoff/Essigsäure suspendiert; nach 1stdgr. Reaktionszeit bei Raumtemp. (wobei Lösung erfolgt) fügt man 400 *ml* Diäthyläther hinzu. Das ausgefallene Material wird abfiltriert, mit Diäthyläther sorgfältig gewaschen und über Kaliumhydroxid i. Vak. getrocknet. Das rohe H-Tyr-Cys(NB)-Asn-ONB · HBr in 60 *ml* Dimethylformamid versetzt man mit 4 *ml* Triäthylamin und 2,82 g Z-Asn-ONP; nach 24stdgr. Reaktionszeit bei Raumtemp. wird die Mischung in 300 *ml* n Kaliumhydrogencarbonat-Lösung eingegossen, der gebildete Niederschlag aufs Filter gebracht und mit Wasser und n Salzsäure üblich sorgfältig gewaschen. Abschließend wird aus wäßr. Essigsäure umgefällt; Ausbeute: 4,7 g (75% d.Th.); F: 213–216°; $[\alpha]_D^{25} = -44{,}9°$ (c = 1,04 in Dimethylformamid).

Die Erstellung der Tyrosin-benzyläther-Gruppierung gelang Law et al.[19] im Falle des 3-Nitro-tyrosins nur mit Hilfe von Phenyl-diazomethan (die Benzylierung des 3-Nitro-tyrosin-Kupfer-Komplexes mißlang). Die O-Alkylierung wurde am TFA-Tyr($3NO_2$)-OMe vorgenommen, der erhaltene *TFA-Tyr(BZL,3NO₂)-OMe* durch Behandeln mit 2 Äquiv. Natronlauge seiner beiden „alkali-instabilen" Schutzgruppen beraubt, oder am *BOC-Tyr(3NO₂)-OMe*, wonach durch selektive Entfernung von Amino- bzw. Carboxy-Schutzgruppen zusätzlich die N-tert.-Butyloxycarbonyl- bzw. Methylester-Derivate von *H-Tyr(BZL,3NO₂)-OH* anfielen.

Erwähnenswert, aber ohne besondere Bedeutung für die Peptidsynthese sei ferner die direkte Benzylierung von Tyrosin, die in 1. Instanz *BZL-(BZL)Tyr(BZL)-OBZL* und durch folgende alkalische Verseifung ein N,N,O-Tribenzyl-tyrosin anfallen läßt[20].

---

* Über unvollständige Spaltung bzw. Nebenreaktionen s. Lit. [2,16,17].

1 E. Wünsch, G. Wendlberger u. J. Jentsch, B. **97**, 3298 (1964).
2 E. Schnabel, A. **622**, 181 (1959).
3 E. Wünsch, G. Fries u. A. Zwick, B. **91**, 542 (1958).
4 E. Wünsch u. A. Zwick, B. **97**, 3305 (1964).
5 M. A. Ondetti et al., Am. Soc. **92**, 195 (1970).
6 S. Hase et al., J. Med. Chem. **15**, 1017 (1972).
7 M. Bodanszky u. V. du Vigneaud, Am. Soc. **81**, 5688 (1959).
8 M. Bodanszky, J. Meienhofer u. V. du Vigneaud, Am. Soc. **82**, 3195 (1960).
9 P. G. Katsoyannis u. K. Suzuki, Am. Soc. **83**, 4057 (1961).
10 S. Drabarek u. V. du Vigneaud, Am. Soc. **87**, 3974 (1965).
11 S. Sakakibara et al., Bl. chem. Soc. Japan **38**, 120 (1965).
12 R. Zabel u. H. Zahn, Z. Naturf. **20b**, 650 (1965).
13 I. Photaki, Am. Soc. **88**, 2292 (1966).
14 T. Wieland, C. Rietzel u. A. Seeliger, A. **751**, 63 (1972).
15 T. Wieland, B. Penke u. C. Birr, A. **759**, 71 (1972).
16 D. Yamashiro u. C. H. Li, Int. J. Pept. Prot. Res. **4**, 181 (1972).
17 S. Sakakibara et al., Bl. chem. Soc. Japan **40**, 2164 (1967).
18 P. J. Thomas, M. Havranek u. J. Rudinger, Collect. czech. chem. Commun. **32**, 1767 (1967).
19 R. W. Hanson u. H. D. Law, Soc. **1965**, 7297.
20 L. Velluz, G. Amiard u. R. Heymès, Bl. **1955**, 201.

36.522.22. *O-subst.-Benzyl-[XB]-Schutzgruppen*

Die ins Gewicht fallende Empfindlichkeit der Benzyläther-Bindung unter den bekannten acidolytischen Abspaltungs-Bedingungen für die tert.-Butyloxycarbonyl-Schutzgruppe (s. S. 614) hat vor allem für die Synthesen nach der Merrifield-Technik nach einem stabileren Tyrosinäther gerufen.

Li et al.[1] empfehlen den 3-Brom-benzyl-[3BB]-Rest. *H-Tyr(3BB)-OH* ist auf üblichem Wege über den Tyrosin-Kupfer-Komplex zugänglich und mittels tert.-Butyloxycarbonylazid zu *BOC-Tyr(3BB)-OH* acylierbar. Gegenüber der Einwirkung von Trifluoressigsäure/Dichlormethan (1:1) zeigt sich das 3-Brom-benzyl- gegenüber dem Benzyl-Derivat um ~ das 50fache an Stabilität überlegen. Die Aufhebung der O-3-Brom-benzyl-Maskierung gelingt – auch im Peptidverband – mit flüssigem Fluorwasserstoff unter Anisol-Zusatz über 15 Min. bei 0°[1]. Ebenfalls mehr als 50fach stabiler gegen Trifluoressigsäure/Dichlormethan (1:1) soll der O-(2,6-Dichlor-benzyl)-[26DCB]- gegenüber dem O-Benzyl-Rest[2] sein, weshalb von Li et al.[3] BOC-Tyr-(26DCB)-OH zur Synthese von Human-ACTH nach der Merrifield-Technik herangezogen wurde. Erickson u. Merrifield[4] mußten jedoch feststellen, daß auch dieses Tyrosin-Derivat im Zuge einer Sakakibara-Demaskierung (50%-iger Fluorwasserstoff in Anisol, 10 Min. bei 0°) nicht frei von der unerfreulichen Umlagerung (~5%) zu 3-substituiertem Tyrosin ist. Izumiya et al.[5] halten einen Ersatz des O-Benzyl durch den O-4-Methoxy-benzyl-Rest – ebenfalls bedingt durch höhere acidolytische Beständigkeit – für zweckmäßig.

36.522.23. *Die O-[Pyridyl-(4)-methyl]-[PyM]-Schutzgruppe*[6]

Für einen sinnvollen Schutz der Phenol-Funktion halten Young et al.[7] den O-[Pyridyl-(4)-methyl]-Rest. Diese „Aza-benzyl"-Schutzgruppe läßt sich durch Alkylierung des Tyrosin-Nickel-Komplexes mit 4-Chlormethyl-pyridin und Natronlauge in wäßrig-alkoholischem Milieu einführen; der Metall-Komplex wird anschließend mittels Äthylendiamintetraessigsäure [EDTA] zerstört.

BOC-Tyr(PyM)-OH wurde nach dem Carbodiimid-Verfahren zu *BOC-Tyr(PyM)-Gly-OEt* umgesetzt; alkalische Verseifung, anschließende Trifluoressigsäure-Entacylierung und letztlich elektrolytische Reduktion an einer Quecksilber-Kathode in schwach schwefelsaurer Lösung (vgl. hierzu S. 158 u. 273) erbrachte ein reines *H-Tyr-Gly-OH*[7].

Es ist mit Interesse zu vermerken, daß auch eine S-[Pyridyl-(4)-methyl]-Blockierung (s. S. 759) möglich ist; im Verein mit Maskierungen der Carboxy- und Amino-Funktion durch Erstellung von [Pyridyl-(4)-methylester]- (s. S. 330) und Piperidino-oxycarbonyl-amin-Bindungen (s. S. 155) scheint eine neue „Schutzgruppen-Generation" für die Seitenketten-Funktionen auf „gleicher Stabilitäts- und Spaltungs-Basis" heranzureifen[7]. Dies um so mehr, als bekannterweise auch die Nitro-guanido-Maskierung durch elektrolytische Reduktion reversibel gestaltet werden kann (s. dazu S. 511).

---

[1] D. Yamashiro u. C. H. Li, Int. J. Pept. Prot. Res. **4**, 181 (1972).

[2] D. Yamashiro, R. L. Noble u. C. H. Li, *Chemistry and Biology of Peptides*, Proc. 3rd Amer. Peptide Symposium, Boston 1972; Ann-Arbor Science, Publ. Inc., Ann-Arbor Michigan **1972**, S. 197.

[3] D. Yamashiro u. C. H. Li, Am. Soc. **95**, 1310 (1972).

[4] B. W. Erickson u. R. B. Merrifield, Am. Soc. **95**, 3750 (1972).

[5] N. Izumiya et al., *Chemistry and Biology of Peptides*, Proc. 3rd Amer. Peptide Symp. Boston, Ann-Arbor Science Publ., Ann-Arbor Michigan **1972**, S. 269.

[6] Auch als O-(4-Picolyl)-Rest bezeichnet.

[7] A. Gosden, D. Stevenson u. G. T. Young, Chem. Commun. **1972**, 1123.

36.522.24. O-Diphenylmethyl-[DPM]- und O-Trityl-[TRT]-Schutzgruppen

In einem Versuch haben Law et al.[1] die Möglichkeit der Einführung eines O-Diphenylmethyl-Restes mittels Diphenyldiazomethan am Beispiel von TFA-Tyr(DPM,3NO_2)-OMe aufgezeigt. Nach Entfernen der alkali-instabilen Schutzgruppen konnte *H-Tyr(DPM, 3NO_2)-OH* als Hemihydrat in 41%-iger Ausbeute isoliert werden. Die Diphenylmethyl-phenyl-äther-Bindung ist mittels 5,5 n Bromwasserstoff/Essigsäure innerhalb 5 Min. quantitativ spaltbar.

Mit *H-Tyr(TRT)-OBZL* (als *Hydrochlorid*) wurde von Zervas et al.[2] erstmals ein Triphenylmethyl-äther-Derivat des Tyrosins vorgestellt; es war zugänglich durch N,O-Di-tritylierung von H-Tyr-OBZl und anschließender selektiver, partieller N_α-Detritylierung mittels Chlorwasserstoff/Diäthyläther.

Unabhängig davon berichtet auch Schwyzer[3] von einer N,O-Di-Tritylierung eines Pentapeptid-methylesters.

Peptid-synthetische Umsetzungen wurden weder mit O-Diphenylmethyl- noch mit O-Trityl-Verbindungen vorgenommen.

36.522.25. *Die O-tert.-Butyl-[tBu]-Schutzgruppe*

Wie schon bei den Aminosäuren mit „alkoholischer" Hydroxy-Funktion aufgeführt (s. S. 579), war es bei der Entwicklung der konventionellen Peptid-Wirkstoff-Synthese mit Drittfunktionsmaskierung durch Schutzgruppen auf tert.- Butyl-Basis bald unumgänglich geworden, auch die phenolische Hydroxy-Funktion des Tyrosins (evtl. auch die seiner „Verwandten") durch tert.-Butyläther-Bildung zu blockieren bzw. zu schützen.

Schröder[4] bzw. Wünsch et al.[5,6] haben unabhängig voneinander Wege zur Herstellung von *Tyrosin-tert.-butyläther* (XXXIV) bzw. dessen Derivaten erarbeitet, nachdem von Beyerman[7] die „gemeinsame" Veresterung und Verätherung von Z-Tyr-OH (XXV) beschrieben und zur Erstellung von *H-Tyr(tBu)-OtBu* (XXVII) letztlich benutzt worden war[8]. Während Schröder[4] am Z-Tyr-OEt (XXIVa) die Verätherung mit Isobuten vornimmt und aus dem gewonnenen öligen *Z-Tyr(tBu)-OEt* (XXVIII) entweder durch alkalische Verseifung oder durch katalyt. Hydrogenolyse mit *Z-Tyr(tBu)-OH* (XXIX) und *H-Tyr(tBu)-OEt* (XXXa) zu als Kopf- bzw. Amino-Komponenten tauglichen Verbindungen gelangt, bevorzugen Wünsch et al.[5,6] als Ausgangsmaterial *Z-Tyr-ONB* (XXXII) (s. Schema S. 620).

Dies läßt einerseits die Isolierung eines kristallisierten und damit sehr reinen, von nicht veräthertem Ausgangsmaterial sicher befreiten *Z-Tyr(tBu)-ONB* (XXXIII) zu[9], andererseits neben einer anschließenden Verseifung der 4-Nitro-benzylester-Bindung (führt zu XXIX) noch eine einstufige Erstellung des freien *H-Tyr(tBu)-OH* (XXXIV) durch hydrogenolytische Entfernung sowohl der Amino- als auch der Carboxy-Schutzgruppe (vgl. dazu Schema, S. 620).

---

[1] R. W. Hanson u. H. D. Law, Soc. **1965**, 7297.
[2] G. C. Stelakatos, D. M. Theodoropoulos u. L. Zervas, Am. Soc. **81**, 2884 (1959).
[3] DAS 1112525 (1959), CIBA, Erf.: R. Schwyzer.
[4] E. Schröder, A. **670**, 127 (1963).
[5] E. Wünsch et al., *Peptides*, Proc. 6th Europ. Peptide Symposium Athens 1963, Pergamon Press Oxford **1966**, S. 79.
[6] E. Wünsch u. J. Jentsch, B. **97**, 2490 (1964).
[7] H. C. Beyerman u. J. S. Bontekoe, R. **81**, 191 (1962).
[8] F. M. Callahan et al., Am. Soc. **85**, 201 (1963).
[9] Der Umsatz von N-Acyl-tyrosin-estern (XXIVa/b) mit Isobuten unter Protonen-Katalyse verläuft nie 100%-ig.
F. M. Callahan et al., Am. Soc. **85**, 201 (1963).
M. Kinoshita u. H. Klostermeyer, A. **696**, 226 (1966).
Zu lange Reaktionszeiten führen zur Entstehung eines noch unaufgeklärten Nebenproduktes.
E. Wünsch, unveröffentlichte Ergebnisse.

H−Tyr−OH —(1. R^1−OH / HCl; 2. H_5C_6−CH_2−O−CO−Cl / $NaHCO_3$)→ Z−NH−CH(CH_2−C_6H_4−OH)−CO−OR^1 (XXIV a/b)

XXIV a/b —(+ NaOH)→ Z−NH−CH(CH_2−C_6H_4−OH)−COOH (XXV)

XXV —(Isobuten)→ Z−NH−CH(CH_2−C_6H_4−O−$C(CH_3)_3$)−CO−O−$C(CH_3)_3$ (XXVI)

XXVI —(H_2 / Pd)→ H_2N−CH(CH_2−C_6H_4−O−$C(CH_3)_3$)−CO−O−$C(CH_3)_3$ (XXVII)

XXV —(4−NO_2−C_6H_4−CH_2−Br (TÄA))→ Z−NH−CH(CH_2−C_6H_4−OH)−CO−O−CH_2−C_6H_4−4−NO_2 (XXXII)

XXXII —(Isobuten)→ Z−NH−CH(CH_2−C_6H_4−O−$C(CH_3)_3$)−CO−O−CH_2−C_6H_4−4−NO_2 (XXXIII)

XXXIII —(H_2 / Pd)→ H_2N−CH(CH_2−C_6H_4−O−$C(CH_3)_3$)−COOH (XXXIV)

XXXIII —(+ NaOH)→ XXIX

XXIV a/b —(Isobuten)→ Z−NH−CH(CH_2−C_6H_4−O−$C(CH_3)_3$)−CO−OR^1 (XXVIII a/b)

XXVIII a/b —(+ NaOH)→ Z−NH−CH(CH_2−C_6H_4−O−$C(CH_3)_3$)−COOH (XXIX)

XXVIII a/b —(H_2 / Pd)→ H_2N−CH(CH_2−C_6H_4−O−$C(CH_3)_3$)−CO−OR^1 (XXX a/b)

XXX a/b —(1.) + BOC−N_3; 2.) + H_2N−NH_2)→ XXXI

XXVIII a/b —(+ H_2N−NH_2)→ XXXI

(XXXIa) BOC / (XXXIb) Z −NH−CH(CH_2−C_6H_4−O−$C(CH_3)_3$)−CO−NH−NH_2 (XXXI)

Nach Klostermeyer[1] führt auch die Isobuten-Umsetzung von Z-Tyr-OMe (XXIVb) zu einer kristallinen tert.-Butyläther-Verbindung XXVIIIb, wenn das Ausgangsmaterial frei von Z-Tyr(Z)-OMe ist; die Ausbeute bleibt mit 58% d. Th. hinter den Erwartungen zurück (vgl. Schema S. 620).

N-Benzyloxycarbonyl-O-tert.-butyl-L-tyrosin-4-nitro-benzylester [Z-Tyr(tBu)-ONB][2]: 40 g Z-Tyr-ONB werden in 240 *ml* Dichlormethan gelöst, auf 0° gekühlt und vorsichtig mit 400 *ml* Isobuten und 3 *ml* konz. Schwefelsäure versetzt. Das Gemisch wird, in einem dickwandigen Rundkolben verschlossen oder besser in einem Spezial-Druckgefäß[3], 4 Tage bei Raumtemp. aufbewahrt. Die erhaltene abgekühlte Lösung schüttelt man 3mal mit überschüssiger, eiskalter 5%-iger Natriumcarbonat-Lösung, extrahiert die abgetrennte wäßr. Phase 2mal mit Dichlormethan, wäscht die vereinigten Dichlormethan-Lösungen mit Wasser neutral und engt sie i. Vak. ein. Das verbleibende hellgelbe, kristalline Produkt [über Phosphor (V)-oxid getrocknet] wird in wenig Essigsäure-äthylester gelöst; auf Zusatz von Petroläther scheidet sich wenig dunkelbraunes Öl ab.

Nach dessen Abtrennung wird die Lösung vorsichtig mit weiterem Petroläther versetzt, wonach (rasch nach Animpfen) Kristallisation eintritt. Abschließend wird aus Essigsäure-äthylester/Benzol/ Petroläther umkristallisiert; Ausbeute: 35,9 g (80% d. Th.); F: 73,5–74,5° (farblose Nadeln).

N-Benzyloxycarbonyl-O-tert.-butyl-L-tyrosin-äthylester [Z-Tyr(tBu)-OEt][4]: 34 g Z-Tyr-OEt in 100 *ml* Dichlormethan und 1 *ml* konz. Schwefelsäure werden bei 0° mit 100 *ml* Isobuten versetzt.

Nach 3tägigem Schütteln in einem geschlossenen Gefäß wird die Reaktionsmischung mit Triäthylamin neutralisiert und eingedampft. Der Rückstand wird in 250 *ml* Essigsäure-äthylester aufgenommen, die erhaltene Lösung mit ges. Natriumhydrogencarbonat-Lösung und Wasser gut geschüttelt, über Natriumsulfat getrocknet und i. Vak. eingedampft; Ausbeute: 39,9 g (100% d. Th.; Öl).

N-Benzyloxycarbonyl-O-tert.-butyl-L-tyrosin-Dicyclohexylamin-Salz [Z-Tyr(tBu)-OH · DCHA][2]: 22,5 g Z-Tyr(tBu)-ONB in 100 *ml* 1,4-Dioxan-Wasser (4:1) werden innerhalb 2 Stdn. mit 9 *ml* 5n Natronlauge „titrimetrisch" (Thymolphthalein als Indikator) unter Rühren verseift. Die mit n Salzsäure auf $p_H = 7$ gebrachte Reaktionslösung wird i. Vak. weitgehend vom 1,4-Dioxan befreit und das ausgeschiedene Öl mit Wasser wieder in Lösung gebracht. Nach Ansäuern mit Citronensäure-Lösung wird mit Diäthyläther ausgeschüttelt; die vereinigten, neutralgewaschenen Extrakte werden erschöpfend mit Kaliumhydrogencarbonat-Lösung ausgezogen. Die gesammelten wäßr. Phasen scheiden nach Ansäuern mit Citronensäure-Lösung ein Öl ab, das in Diäthyläther aufgenommen wird.

Nach üblicher Aufarbeitung (Waschen, Trocknen, Eindampfen i. Vak.) hinterbleibt ein farbloser fester Rückstand, dessen Diäthyläther/Petroläther-Lösung auf Zugabe von 8 g Dicyclohexylamin eine Fällung abscheidet, die aus Äthanol umkristallisiert wird; Ausbeute: 22,8 g (92,7% d. Th.); F: 160–161,5° (farblose Nadeln); $[\alpha]_D^{20} = +34,68 \pm 0,5°$ bzw. $[\alpha]_{546}^{20} = +41,4 \pm 0,5°$ (c = 1 in Äthanol).

Bei einer Verseifung von Z-Tyr(tBu)-OEt werden ~ 86% an genanntem Salz isoliert[4].

N-Benzyloxycarbonyl-O-tert.-butyl-L-tyrosin [Z-Tyr(tBu)-OH][5]: 55,28 g Z-Tyr(tBu)-OH · DCHA werden in 500 *ml* Essigsäure-äthylester suspendiert und mit 150 *ml* 20%-iger Citronensäure-Lösung 20 Min. lang geschüttelt, wobei zuerst Lösung und dann Fällung von Dicyclohexylamin-Citrat eintritt. Die abgetrennte Essigsäure-äthylester-Phase wird je 2mal mit 10%-iger Citronensäure-Lösung und Wasser gewaschen, über Natriumsulfat getrocknet und i. Vak. zur Trockne eingedampft. Abschließend wird aus Diäthyläther/Petroläther umkristallisiert; Ausbeute: 35,6 g (96% d. Th.); F: 76–78°; $[\alpha]_D^{20} = +9,55 \pm 0,5°$ bzw. $[\alpha]_{546}^{20} = +12,1°$ (c = 2 in Essigsäure).

O-tert.-Butyl-L-tyrosin [H-Tyr(tBu)-OH][2]: 20 g Z-Tyr(tBu)-ONB in wäßr. Methanol werden nach Zusatz von wenig Essigsäure und Palladium-Katalysator wie üblich hydriert. Das Filtrat vom Katalysator wird anschließend i. Vak. eingedampft, der Rückstand zur Entfernung von Toluidin sorgfältig mit Äthanol verrieben und letztlich aus Wasser/Methanol umkristallisiert; Ausbeute: 8,3 g (87% d. Th.); F: 248–249° (Zers.; Blättchen); $[\alpha]_D^{20} = -25,77 \pm 0,5°$ bzw. $[\alpha]_{546}^{20} = -30,73°$ (c = 1 in Wasser).

Z-Tyr(tBu)-OH (XXIX) und ebenso die durch N-Acylierung von O-tert.-Butyl-tyrosin (XXXIV) bequem zugänglichen 2-Nitro-phenylsulfenyl-[6], 2-[Biphenylyl-(4)]-propyl-(2)-oxy-

---

[1] M. Kinoshita u. H. Klostermeyer, A. **696**, 226 (1966).

[2] E. Wünsch u. J. Jentsch, B. **97**, 2490 (1964).

[3] JUVO-Laborreaktionskessel der Firma K. K. Juchheim, D 555 Bernkastel-Kues.

[4] E. Schröder, A. **670**, 127 (1963).

[5] E. Wünsch u. A. Zwick, B. **99**, 105 (1966).

[6] E. Wünsch u. A. Fontana, B. **101**, 323 (1968).

carbonyl-[1] und tert.-Butyloxycarbonyl-Derivate[2] lassen sich nach Carbodiimid-[3], Mischanhydrid-[4–6] und Aktivester-Verfahren[1,2,7] als Kopfkomponenten umsetzen – mit dem gewünschten eindeutigen Ziel der Erhaltung der tert.-Butyläther-Gruppierung über den gesamten Synthese-Verlauf (Ausnahme: BOC-Tyr(tBu)-OH, das entweder nur amino-endständig[2] oder unter dem Aspekt eines späteren Verzichts auf die O-Maskierung eingesetzt werden kann).

Die Verwendung von *H-Tyr(tBu)-OMe* (XXXb) als Amino-Komponente ist „mit Eile" vorzunehmen, da der freie Ester leicht zu 2,5-Dioxo-piperazin-Bildung neigt*. D. h., ein „Hydrierungs-Ansatz" von Z-Tyr(tBu)-OMe (XXVIIIb) muß sofort der Verknüpfung zugeführt werden[7–9]. *H-Tyr(tBu)-OEt* (XXXa) scheint erheblich stabiler zu sein; Schröder[10] konnte aus XXXa durch Umsatz mit tert.-Butyloxycarbonyl-azid in Pyridin zu *BOC-Tyr(tBu)-OEt* und aus diesem durch Hydrazinolyse zu *BOC-Tyr(tBu)-NHNH$_2$* (XXXI) gelangen (s. Schema S. 620).

O-tert.-Butyl-L-tyrosyl-O-tert.-butyl-L-seryl-N$_\varepsilon$-tert.-butyloxycarbonyl-L-lysyl-O-tert.-butyl-L-tyrosyl-L-leucyl-L-asparaginsäure-β-tert.-butylester [H-Tyr(tBu)-Ser(tBu)-Lys(BOC)-Tyr(tBu)-Leu-Asp(OtBu)-OH]:

N-Benzyloxycarbonyl-O-tert.-butyl-L-tyrosyl-O-tert.-butyl-L-seryl-N$_\varepsilon$-tert.-butyloxycarbonyl-L-lysyl-O-tert.-butyl-L-tyrosyl-L-leucyl-L-asparaginsäure(β-tert.-butylester)-methylester[Z-Tyr(tBu)-Ser(tBu)-Lys(BOC)-Tyr(tBu)-Leu-Asp(OtBu)-OMe][3]: 34,1 g Z-Tyr(tBu)-OH und 83,2 g H-Ser(tBu)-Lys(BOC)-Tyr(tBu)-Leu-Asp(OtBu)-OMe in 750 *ml* Dimethylformamid werden mit 20,8 g Dicyclohexylcarbodiimid versetzt; die Reaktionsmischung wird 2 Stdn. bei −10° und anschließend 4 Stdn. bei Raumtemp. gerührt. Das Filtrat vom N,N'-Dicyclohexylharnstoff dampft man i.Vak. zur Trockne ein. Der Rückstand wird aus 80%-igem Äthanol umkristallisiert; Ausbeute: 104,7 g (90% d.Th.); F: 205–206,5°; $[\alpha]_D^{20} = -19{,}5 \pm 1°$ bzw. $[\alpha]_{546}^{20} = -23{,}7°$ (c = 1,2 in Äthanol).

N-Benzyloxycarbonyl-O-tert.-butyl-L-tyrosyl-O-tert.-butyl-L-seryl-N$_\varepsilon$-tert.-butyloxycarbonyl-L-lysyl-O-tert.-butyl-L-tyrosyl-L-leucyl-L-asparaginsäure-β-tert.-butylester [Z-Tyr(tBu)-Ser(tBu)-Lys(BOC)-Tyr(tBu)-Leu-Asp(OtBu)-OH][3]: 92 g Z-Tyr(tBu)-Ser(tBu)-Lys(BOC)-Tyr(tBu)-Leu-Asp(OtBu)-OMe in 500 *ml* 1,4-Dioxan/Wasser (9:1) werden mit 73 *ml* n Natronlauge innerhalb von 5 Stdn. wie üblich verseift (Thymolphthalein als Indikator). Beim Ansäuern der Lösung mit 70 *ml* n Salzsäure und 5 *ml* 5%-iger Citronsäure-Lösung tritt Fällung ein, die durch kurzzeitiges Stehenlassen im Kühlschrank vervollständigt wird. Das abfiltrierte und i.Vak. getrocknete Material wird in Essigsäure-äthylester aufgenommen; der auf Zusatz von 31 g Dicyclohexylamin gebildete Niederschlag wird abfiltriert und aus Acetonitril umkristallisiert (87,5 g; F: 199–200°; Zers.).

Die Suspension des erhaltenen *Dicyclohexylamin-Salzes* in 1500 *ml* Essigsäure-äthylester wird mit überschüss. 10%-iger Citronensäure-Lösung unter Eiskühlung bis zur Lösung geschüttelt. Die abgetrennte Essigsäure-äthylester-Phase wird mit wenig Wasser gewaschen, über Natriumsulfat getrocknet und schließlich i.Vak. zur Trockne gebracht. Abschließend wird aus Methanol umkristallisiert; Ausbeute: 75 g (83% d.Th.); F: 200–201° (Zers.).

O-tert.-Butyl-L-tyrosyl-O-tert.-butyl-L-seryl-N$_\varepsilon$-tert.-butyloxycarbonyl-L-lysyl-O-tert.-butyl-L-tyrosyl-L-leucyl-L-asparaginsäure-β-tert.-butylester [H-Tyr(tBu)-Ser(tBu)-Lys(BOC)-Tyr(tBu)-Leu-Asp(OtBu)-OH][3]: 54,9 g Z-Tyr(tBu)-Ser(tBu)-Lys(BOC)-Tyr

---

* Diese Cyclisierungs-Tendenz scheint sich auf verschiedene Dipeptidester der Sequenz *X-Tyr(tBu)-OMe* zu erstrecken[7].

1 R. G. Hiskey et al., J. Org. Chem. **37**, 2478 (1972).
2 E. Wünsch u. P. Stelzel, unveröffentlichte Ergebnisse.
3 E. Wünsch, A. Zwick u. G. Wendlberger, B. **100**, 173 (1967).
4 E. Wünsch u. A. Zwick, B. **99**, 105 (1966).
5 B. Riniker et al., Helv. **52**, 1058 (1969).
6 P. Sieber et al., Helv. **53**, 2135 (1970).
7 K. B. Mathur, H. Klostermeyer u. H. Zahn, H. **346**, 60 (1966).
8 M. Kinoshita u. H. Klostermeyer, A. **696**, 226 (1966).
9 H. Zahn et al., Z. Naturf. **24 b**, 1127 (1969).
10 E. Schröder, A. **670**, 127 (1963).

(tBu)-Leu-Asp(OtBu)-OH in 2000 *ml* Methanol werden unter Zusatz von 10 *ml* Essigsäure und Palladiumschwarz als Katalysator wie üblich hydriert, wobei das freie Hexapeptid ausfällt. Der Filterrückstand wird mit 1000 *ml* Dimethylformamid auf dem siedenden Wasserbad behandelt; aus dem Filtrat (vom Katalysator) scheidet sich beim Stehenlassen im Kühlschrank das Hexapeptid ab. Es wird abfiltriert und i. Vak. bei 10^{-3} Torr getrocknet; Ausbeute: 46,9 g (96% d. Th.); $[\alpha]_D^{20} = +16,44 \pm 1°$ bzw. $[\alpha]_{546}^{20} = +19,33°$ (c = 1,1 in Essigsäure).

O-tert.-Butyl-L-tyrosyl-S-trityl-L-cysteinyl-L-asparagin-2,4,6-trimethyl-benzylester [H-Tyr(tBu)-Cys (TRT)-Asn-OTMB]:

N-2-[Biphenylyl-(4)]-propyl-(2)-oxycarbonyl-O-tert.-butyl-L-tyrosin-(N-hydroxysuccinimid)-ester [BPOC-Tyr(tBu)-OSU][1]: 18,38 g BPOC-Tyr(tBu)-OH · DCHA in Essigsäure-äthylester wird auf bekannte Weise mit 15%-iger Citronensäure-Lösung in Freiheit gesetzt; die abgetrennte organische Phase (incl. eines Essigsäure-äthylester-Extraktes der wäßr. Lösung) wird mit Citronensäure-, Natriumchlorid-Lösung und Wasser gewaschen, über Natriumsulfat getrocknet und letztlich i. Vak. eingedampft. Das erhaltene Öl in 40 *ml* 1,2-Dimethoxy-äthan wird bei 0° mit 3,22 g N-Hydroxy-succinimid und 5,8 g Dicyclohexylcarbodiimid versetzt. Die Reaktionsmischung wird 3 Stdn. bei 0° gerührt und anschließend über Nacht bei 0° stehengelassen. Das Filtrat vom N,N'-Dicyclohexylharnstoff dampft man i. Vak. zur Trockne ein. Der Rückstand wird 2 mal aus Isopropanol umkristallisiert; Ausbeute: 10,51 g (66% d. Th.); F: 136–138°; $[\alpha]_D^{27} = -18,6°$ (c = 1,7 in Methanol).

N-2-[Biphenylyl-(4)]-propyl-(2)-oxycarbonyl-O-tert.-butyl-L-tyrosyl-S-trityl-L-cysteinyl-L-asparagin-2,4,6-trimethyl-benzylester [BPOC-Tyr(tBu)-Cys(TRT)-Asn-OTMB][1]: Zu 4,52 g H-Cys(TRT)-Asn-OTMB in 30 *ml* 1,2-Dimethoxy-äthan fügt man 4,26 g BPOC-Tyr (tBu)-OSU; das Reaktionsgemisch wird 3 Stdn. lang bei Raumtemp. gerührt und anschließend in Eiswasser gegossen. Die gebildete Fällung wird abfiltriert, mit 10%-iger Natriumhydrogencarbonat-Lösung und Wasser gewaschen und letztlich aus Methanol/Wasser umkristallisiert; Ausbeute: 6,0 g (76% d. Th.); F: 189–190°; $[\alpha]_D^{27} = -2,08°$ (c = 1,25 in Dimethylformamid).

O-tert.-Butyl-L-tyrosyl-S-trityl-L-cysteinyl-L-asparagin-2,4,6-trimethyl-benzylester [H-Tyr(tBu)-Cys(TRT)-Asn-OTMB][1]: Die Suspension von 3,6 g BPOC-Tyr(tBu)-Cys(TRT)-Asn-OTMB in 75 *ml* 80%-iger Essigsäure wird bei Raumtemp. 17 Stdn. kräftig gerührt.

Die erhaltene Lösung wird anschließend in 200 *ml* kalte Kochsalz-Lösung eingegossen; das isolierte abgeschiedene Produkt wird zwischen 100 *ml* Essigsäure-äthylester und 10%-iger Natriumhydrogencarbonat-Lösung verteilt, die abgetrennte Essigsäure-äthylester-Phase mit Wasser und Kochsalz-Lösung gewaschen, über Natriumsulfat getrocknet und letztlich i. Vak. eingedampft. Der Rückstand wird aus Isopropanol umkristallisiert; Ausbeute: 2,69 g (97,9% d. Th.); F: 182–183°; $[\alpha]_D^{26} = +6,9°$ (c = 1,1 in Methanol).

N-Benzyloxycarbonyl-L-leucyl-O-tert.-butyl-L-tyrosyl-L-glutaminyl-L-leucin-methylester [Z-Leu-Tyr (tBu)-Gln-Leu-OMe]:

N-Benzyloxycarbonyl-L-leucyl-O-tert.-butyl-L-tyrosin-methylester [Z-Leu-Tyr (tBu)-OMe][2]: 5 g Z-Tyr(tBu)-OMe in 60 *ml* Methanol werden innerhalb 90 Min. katalytisch hydriert [Palladiumschwarz aus 0,4 g Palladium(II)-chlorid]; das Filtrat vom Katalysator wird i. Vak. eingeengt, die Lösung des Rückstandes in 20 *ml* Tetrahydrofuran mit 4,7 g Z-Leu-OSU umgesetzt. Nach 16 Stdn. Reaktionszeit wird das Lösungsmittel i. Vak. entfernt, der verbleibende Rückstand in 50 *ml* Essigsäure-äthylester aufgenommen; die erhaltene Lösung wird mit 10%-iger Citronensäure-Lösung, ges. Natriumhydrogencarbonat-Lösung und Wasser wie üblich gewaschen, über Natriumsulfat getrocknet und letztlich i. Vak. zur Trockne gebracht. Danach wird der Rückstand aus Essigsäure-äthylester/Petroläther umkristallisiert; Ausbeute: 5,6 g (87% d. Th.); F: 87–89°; $[\alpha]_D^{23} = -11,0°$ (c = 1 in Dimethylformamid).

N-Benzyloxycarbonyl-L-leucyl-O-tert.-butyl-L-tyrosin-hydrazid [Z-Leu-Tyr(tBu)-$NHNH_2$][3]: 4,98 g Z-Leu-Tyr(tBu)-OMe in 30 *ml* Methanol werden mit 2,5 *ml* Hydrazin-Hydrat vermischt und 3 Tage bei Raumtemp. stehengelassen. Danach wird der Ansatz i. Vak. eingedampft, der Rückstand sorgfältig mit Wasser verrieben, nach Abkühlen auf 0° abfiltriert und mit Methanol/Wasser gewaschen; Ausbeute: 4,8 g (96% d. Th.); F: 144–146°; $[\alpha]_D^{22} = -27,1°$ (c = 1 in Dimethylformamid).

N-Benzyloxycarbonyl-L-leucyl-O-tert.-butyl-L-tyrosyl-L-glutaminyl-L-leucin-methylester [Z-Leu-Tyr(tBu)-Gln-Leu-OMe][3]:

Amino-Komponenten-Lösung ①: Die Lösung von 4,07 g Z-Gln-Leu-OMe in 10 *ml* absol. Essigsäure wird mit 18 *ml* 4 n Bromwasserstoff/Essigsäure versetzt. Nach 2 Stdn. wird mit absol. Diäthyläther ge-

---

[1] R. G. Hiskey et al., J. Org. Chem. **37**, 2478 (1972).
[2] M. Kinoshita u. H. Klostermeyer, A. **696**, 226 (1966).
[3] H. Zahn et al., Z. Naturf. **24b**, 1127 (1968).

fällt, abfiltriert und über Phosphor(V)-oxid und Kaliumhydroxid getrocknet. Aus dem in 10 *ml* Dimethylformamid gelösten Hydrobromid wird *H-Gln-Leu-OMe* mit 1,4 *ml* Triäthylamin freigesetzt.

Azid-Lösung ②: 4,98 g Z-Leu-Tyr(tBu)-$NHNH_2$ werden in 20 *ml* Dimethylformamid bei −20° mit 13,2 *ml* 4 n Chlorwasserstoff/Tetrahydrofuran und 1,5 *ml* Isoamylnitrit versetzt. Nach 30 Min. bei −20° wird auf −40° gekühlt und mit 5,6 *ml* Triäthylamin neutralisiert.

Kondensation: Die oben bereiteten Lösungen ① und ② der Amino- und Azid-Komponente werden bei −40° vereinigt; nach Anstieg der Reaktionstemp. von −40° auf + 5° (innerhalb 12 Stdn.) bleibt der Ansatz 2 Tage bei 5° stehen; er wird anschließend in 250 *ml* Eiswasser eingerührt. Der gebildete Niederschlag wird nach mehrstündigem Stehen abfiltriert und sorgfältig mit Wasser gewaschen. Nach 2 maligem Umkristallisieren aus Propanol/Wasser (2:1); Ausbeute: 5,9 g (80% d. Th.); F: 219–222°; $[\alpha]_D^{22} = -31,5°$ (c = 1 in Dimethylformamid).

N-tert.-Butyloxycarbonyl-O-tert.-butyl-L-tyrosyl-L-alanyl-L-glutamyl(γ-tert.-butylester)-glycin [BOC-Tyr(tBu)-Ala-Glu(OtBu)-Gly-OH]:

N-tert.-Butyloxycarbonyl-O-tert.-butyl-L-tyrosin [BOC-Tyr(tBu)-OH][1]: 102 g H-Tyr(tBu)-OH in 215 *ml* 2 n Natronlauge, 300 *ml* 1,4-Dioxan/Wasser (2 : 1) werden mit 100 g rohem tert.-Butyloxycarbonyl-azid in 150 *ml* 1,4-Dioxan bei p_H = 10 wie üblich umgesetzt.

Nach einer Reaktionsdauer von ~ 15 Stdn. wird nur mit 2 n Schwefelsäure neutralisiert, nach weitgehendem Entfernen des organischen Lösungsmittels i. Vak. mit Wasser verdünnt und mit Kaliumhydrogensulfat-Lösung angesäuert. Das abgeschiedene Produkt wird mit Essigsäure-äthylester aufgenommen, die abgetrennte organische Phase wie üblich aufgearbeitet; Ausbeute: 144,5 g (99,6% d. Th.; schwach gelbliches Öl).

1,2 g dieses Öls werden mehrere Tage mit wenig Diäthyläther/Diisopropyläther bei −20° behandelt, wobei Kristallisation eintritt; Ausbeute: 1,12 g ; F: 116–118°; $[\alpha]_D^{20} = -12,1 \pm 1°$ bzw. $[\alpha]_{546}^{20} = -14,63°$ (c = 1 in Dimethylformamid).

N-tert.-Butyloxycarbonyl-O-tert.-butyl-L-tyrosin-Dicyclohexylamin-Salz [BOC-Tyr(tBu)-OH · DCHA][1]: 10 g öliges BOC-Tyr(tBu)-OH in 50 *ml* Diäthyläther werden mit 5,17 g Dicyclohexylamin in 20 *ml* Diäthyläther versetzt. Nach mehrstündigem Stehenlassen bei 0° wird die gebildete Fällung abfiltriert und getrocknet; Ausbeute: 13,7 g (93% d. Th.); F: 138–139°; $[\alpha]_D^{20} = +28,2 \pm 0,5°$ bzw. $[\alpha]_{546}^{20} = +33,7°$ (c = 2 in Methanol).

N-tert.-Butyloxycarbonyl-O-tert.-butyl-L-tyrosin-(N-hydroxy-succinimid)-ester [BOC-Tyr(tBu)-OSU][1]: 131,0 g BOC-Tyr(tBu)-OH (öliges Roh-Produkt) in 800 *ml* Tetrahydrofuran werden mit 43,7 g N-Hydroxy-succinimid und bei −15° unter Rühren mit 78,3 g Dicyclohexylcarbodiimid in 300 *ml* Tetrahydrofuran versetzt. Man läßt 30 Min. bei −10°, hierauf 12 Stdn. bei 20° reagieren. Anschließend wird vom gebildeten N,N′-Dicyclohexyl-harnstoff abfiltriert, das Lösungsmittel i. Vak. entfernt und der Rückstand aus 1400 *ml* Isopropanol umkristallisiert; Ausbeute: 124,1 g (75% d. Th.); F: 136–138°; $[\alpha]_D^{20} = -10,4°$ (c = 2 in 1,4-Dioxan).

N-tert.-Butyloxycarbonyl-O-tert.-butyl-L-tyrosyl-L-alanyl-L-glutamyl(γ-tert.-butylester)-glycin [BOC-Tyr(tBu)-Ala-Glu(OtBu)-Gly-OH][1]: 3,3 g H-Ala-Glu(OtBu)-Gly-OH werden in 150 *ml* Dimethylformamid aufgeschlämmt, mit 4,8 g (11 mMol) BOC-Tyr(tBu)-OSU in 100 *ml* Dimethylformamid und mit 1,37 *ml* (9,8 mMol) Triäthylamin unter Rühren versetzt. Nach 30 Min., wonach Lösung erfolgte, werden 1,05 *ml* N-Methyl-morpholin hinzugefügt und 18 Stdn. bei 20°, nach Zugabe von 0,65 *ml* (5 mMol) N-(2-Amino-äthyl)-piperazin, weitere 90 Min. gerührt. Hierauf dampft man i. Hochvak. ein und verteilt den Rückstand zwischen Kaliumhydrogensulfat-Lösung und Essigsäure-äthylester. Die abgetrennte organ. Phase wird wie üblich aufgearbeitet. Das Tetrapeptid aus wenig Essigsäure-äthylester umkristallisiert; Ausbeute: 5,25 g (82% d. Th.); F: 175–178°; $[\alpha]_D^{20} = -18,1°$ (c = 2 in Methanol).

Die Spaltung der Tyrosin-tert.-butyläther-Bindung unter Regenerierung der freien Hydroxy-Funktion erfolgte in allen bislang mitgeteilten Synthesen, z. B. des *Glucagons*[2], des *α-Thyrocalcitonins*[3], des *Calcitonins M*[4] und des *Leu*[15]*-Human-gastrins*[5], in letzter Stufe mit Beseitigung aller übrigen Schutzgruppen auf tert.-Butyl-Basis: Durch Behandeln des allseits geschützten Peptid-Derivats mit Trifluoressigsäure über 1–2 Stdn. bei Raumtemp. (s. S. 584) oder mit konz. Salzsäure über 8-10 Min. bei 0° – vorzugsweise unter Argon- oder Stickstoff-Atmosphäre.

---

[1] E. Wünsch u. P. Stelzel, unveröffentlichte Ergebnisse.
[2] E. Wünsch u. G. Wendlberger, B. **101**, 3659 (1968).
[3] B. Riniker et al., Helv. **52**, 1058 (1969).
[4] P. Sieber et al., Helv. **53**, 2135 (1970).
[5] E. Wünsch u. K.-H. Deimer, H. **353**, 1255 (1972).

Von Schwyzer[1] festgestellte O- und C-tert.-Butylierungen des Tyrosins durch die bei einer Acidolyse von tert.-Butyloxycarbonyl-Schutzgruppen (und auch tert.-Butyl-äther- sowie -ester-Gruppierungen) intermediär auftretenden tert.-Butyl-Kationen konnten bislang nicht gesichert werden.

Calcitonin M [H-Cys-Gly-Asn-Leu-Ser-Thr-Cys-Met-Leu-Gly-Thr-Tyr-Thr-Gln-Asp-Phe-Asn-Lys-Phe-His-Thr-Phe-Pro-Gln-Thr-Ala-Ile-Gly-Val-Gly-Ala-Pro-NH_2][2]: 2,0 g N_α-tert.-Butyloxycarbonyl-dotriacontapeptid-amid (alle Hydroxy-aminosäuren als tert.-Butyläther, Asparaginsäure und Lysin als γ-tert.-Butylester bzw. N_ε-tert.-Butyloxycarbonyl-Derivat geschützt) werden unter Stickstoffatmosphäre und Eiskühlung unter kräftigem Rühren mit 40 *ml* eiskalter, konz. Salzsäure versetzt. Nach 8 Min. gibt man 400 *ml* Eisessig hinzu, lyophilisiert, löst den erhaltenen Rückstand in Wasser und lyophilisiert abermals, wobei man letztlich mit Luftfeuchtigkeit äquilibriert; Ausbeute: 1,87 g (97% an Rohprodukt)[3].

36.522.3. O-Acetal-Derivate

36.522.31. *Tetrahydropyranyl-(2)-[TPa]-Schutzgruppe*

In Analogie zu seinem Verhalten gegenüber alkoholischen Hydroxy-Gruppen (s. S. 584) addiert sich 2,3-Dihydro-4H-pyran auch an die phenolische Hydroxy-Funktion; Schwyzer und Iselin[4] konnten so Z-Tyr-OEt zum *Z-Tyr(TPa)-OEt* (Diastereomeren-Gemisch) umsetzen. Letzterer war äußerst leicht mit Natronlauge zu *Z-Tyr(TPa)-OH* (Diastereomeren-Gemisch) zu verseifen, das sich durch fraktionierte Kristallisation in die zwei stereoisomeren Komponenten zerlegen ließ.

N-Benzyloxycarbonyl-O-tetrahydropyranyl-(2)-L-tyrosin [Z-Tyr(TPa)-OH][4]:

N-Benzyloxycarbonyl-O-tetrahydropyranyl-(2)-L-tyrosin-äthylester [Z-Tyr(TPa)-OEt]: 30,9 g Z-Tyr-OEt werden fein gepulvert in ein Gemisch von 15,1 g 2,3-Dihydro-4H-pyran und 0,9 *ml* 2 n Chlorwasserstoff/Essigsäure-äthylester portionenweise unter Rühren innerhalb 15 Min. eingetragen, wobei die Reaktionstemp. auf ~ 35° steigt. Nach weiteren 15 Min. ist das Ausgangsmaterial vollständig gelöst. Die Reaktionslösung wird nach insgesamt 3 Stdn. mit Diäthyläther verdünnt, unter Eiskühlung mit 2 n Natronlauge extrahiert (zur Entfernung von sehr wenig Material mit freier Phenol-Gruppe), mit Wasser gewaschen, getrocknet und i. Vak. vom Lösungsmittel befreit. Das erhaltene Öl wird i. Vak. bei 0,01 Torr nachgetrocknet; Ausbeute: 38,1 g (fast quantitativ).

Das Öl läßt sich in kleinen Mengen destillieren; $Kp_{0,3}$: 215–217°; $[\alpha]_D^{24} = +40 \pm 1°$ (c = 4,11 in Chloroform).

N-Benzyloxycarbonyl-O-tetrahydropyranyl-(2)-L-tyrosin [Z-Tyr(TPa)-OH]: In eine Lösung von 38 g öligem Z-Tyr(TPa)-OEt in 150 *ml* Methanol werden 100 *ml* n Natronlauge unter Rühren bei 22–24° mit solcher Geschwindigkeit eingetropft, daß sich die Reaktionslösung nie stark trübt (30 Min.). Nach weiteren 15 Min. ist die Verseifung beendet (keine Trübung einer Probe bei Zugabe von Wasser). Die klare Reaktionslösung wird i. Vak. bei max. 30° vom Methanol befreit, darauf mit Essigsäure-äthylester überschichtet und unter Eiskühlung und Umschütteln mit 2 n Salzsäure angesäuert.

Aus der mit Wasser gewaschenen Essigsäure-äthylester-Phase wird das Reaktionsprodukt durch 3maliges Ausschütteln mit 2 n Natriumcarbonat-Lösung (total 70 *ml*) extrahiert (in der Essigsäure-äthylester-Phase hinterbleiben 3,2 g eines unverseifbaren Neutralproduktes). Die alkalischen, wäßr. Auszüge werden i. Vak. von den letzten Resten Essigsäure-äthylester befreit und bei 0° unter Rühren in 100 *ml* 2 n Essigsäure eingetragen. Das kristalline Produkt wird abfiltriert, sorgfältig mit Wasser gewaschen und i. Vak. bei 30° getrocknet; Ausbeute: 27 g (75% d. Th.); F: ~ 80°.

Aus diesem Material läßt sich durch mehrmaliges Umkristallisieren aus Essigsäure-äthylester das eine der beiden stereoisomeren Produkte in reiner Form gewinnen; Ausbeute: 11,96 g (33% d. Th.); F: 135–137°; $[\alpha]_D^{22} = -47 \pm 1°$ (c = 3,89 in Äthanol) bzw. $[\alpha]_D^{22} = -54 \pm 2°$ (c = 1,87 in Eisessig).

Das restliche in Essigsäure-äthylester leicht lösliche Material wird in 2 n Natriumcarbonat-Lösung aufgenommen und wie oben beschrieben mit Essigsäure gefällt; F: ~ 80°; $[\alpha]_D^{23} = +46 \pm 1°$ (c = 4,91 in Äthanol).

---

1 R. SCHWYZER, Privatmitteilung ⟨in Y. B. ALAKHOV et al., Chem. Commun. **1970**, 406⟩.
2 P. SIEBER et al., Helv. **53**, 2135 (1970).
3 Zur Reindarstellung s. S. II/606.
4 B. ISELIN u. R. SCHWYZER, Helv. **39**, 57 (1956).

Peptidchemische Umsetzungen wurden bislang – um unter eindeutigen Voraussetzungen zu arbeiten – mit dem „negativ-drehenden" Z-Tyr-(TPa*)-OH[1] ausgeführt[2,3]; der auf übliche Weise bereitete *Z-Tyr(TPa*)-OCyM* reagierte mit H-Ile-OEt in hoher Ausbeute zu *Z-Tyr(TPa*)-Ile-OEt.*

N-Benzyloxycarbonyl-S-benzyl-L-cysteinyl-L-tyrosyl-L-isoleucin-äthylester [Z-Cys(BZL)-Tyr-Ile-OEt]:
N-Benzyloxycarbonyl-O-tetrahydropyranyl-(2)-L-tyrosin-cyanmethylester [Z-Tyr(TPa*)-OCyM][2]: 11,95 g des „negativ-drehenden" Z-Tyr(TPa*)-OH, 4,04 g Triäthylamin und 4,53 g Chloracetonitril werden bei 0° verrieben, bis ein einheitliches Öl entstanden ist (30 Min.), und bei Raumtemp. stehen gelassen. Nach 4 und 8 Stdn. werden je 1,01 g Triäthylamin zugefügt und mit dem Öl jeweils gut vermischt. Nach 24 Stdn. wird mit Essigsäure-äthylester verdünnt, das ausgeschiedene Triäthylamin-Hydrochlorid abfiltriert und die Essigsäure-äthylester-Lösung in üblicher Weise aufgearbeitet. Das erhaltene Öl kristallisiert beim Behandeln mit Diäthyläther; es wird aus Aceton/Diäthyläther umkristallisiert; Ausbeute: 10,05 g (77% d.Th.); F: 92–94°; $[\alpha]_D^{22} = -65 \pm 1°$ (c = 3,8 in Chloroform).

N-Benzyloxycarbonyl-O-tetrahydropyranyl-(2)-L-tyrosyl-L-isoleucin-äthylester [Z-Tyr(TPa*)-Ile-OEt][2]: 8,76 g Z-Tyr(TPa*)-OCyM, 3,97 g H-Ile-OEt und 60 mg Essigsäure in 15 *ml* absol. Essigsäure-äthylester werden bei Raumtemp. 4 Tage lang stehengelassen. Die hellgelbe Reaktionslösung wird darauf mit Essigsäure-äthylester verdünnt und in üblicher Weise aufgearbeitet. Der ölige Rückstand kristallisiert auf Zugabe von Diäthyläther/Petroläther; Ausbeute: 8,73 g (81% d.Th.) F: 97–99°; nach Umkristallisieren aus Diäthyläther; F: 101–102°; $[\alpha]_D^{21} = -35 \pm 1°$ (c = 4,75 in Chloroform).

Neben der aufgezeigten Alkali-Stabilität übersteht die Tetrahydropyranyl-äther-Bindung[4] auch eine Behandlung mit katalytisch-erregtem Wasserstoff. Beide Eigenschaften bilden eine Basis für den Aufbau höherer Peptide unter Beibehaltung der O-Maskierung, d.h. es müssen hydrogenolytisch und hydrolytisch spaltbare Amino- und Carboxy-Schutzgruppen zum Zuge kommen[2,3]:

O-Tetrahydropyranyl-(2)-L-tyrosyl-L-isoleucin-äthylester [H-Tyr(TPa*)-Ile-OEt][2]: Eine Lösung von 8,1 g Z-Tyr(TPa*)-Ile-OEt in 80 *ml* absol. Methanol wird nach Zusatz von 0,9 g Essigsäure und 2 g Palladiumkohle (10%-ig) bei Raumtemp. und Normaldruck hydriert, wobei nach Aufnahme von etwas mehr als der ber. Menge Wasserstoff die Wasserstoffaufnahme nach 1 Stde. zum Stillstand kommt. Die filtrierte Reaktionslösung wird i.Vak. eingedampft, das als Öl erhaltene Hydroacetat in Wasser gelöst, bei 0° mit überschüssiger ges. Natriumcarbonat-Lösung versetzt und der freie Ester mit Essigsäure-äthylester extrahiert. Nach dem Abdampfen des Lösungsmittels i.Vak. hinterbleibt ein Öl; Ausbeute: 5,83 g (~ 96% d.Th.).

N-Benzyloxycarbonyl-S-benzyl-L-cysteinyl-O-tetrahydropyranyl-(2)-L-tyrosyl-L-isoleucin-äthylester [Z-Cys(BZL)-Tyr(TPa*)-Ile-OEt][3]: 5,76 g Z-Cys(BZL)-OCyM, 5,8 g H-Tyr(TPa*)-Ile-OEt (vorstehendes Rohprodukt) und 30 mg Eisessig werden in 6,5 *ml* absol. Essigsäure-äthylester gelöst und bei Raumtemp. stehen gelassen. Das Reaktionsprodukt scheidet sich allmählich als gelatineartiges Material aus, das nach 4 Tagen mit Diäthyläther gut verrieben und durch Filtration abgetrennt wird (8,9 g; F: 90°). Nach 2maligem Umkristallisieren aus Aceton/Diäthyläther; Ausbeute: 6,73 g (65% d.Th. ber. auf eingesetzten Dipeptidester); F: 143–145° (feine Nadeln); $[\alpha]_D^{23} = -46 \pm 1°$ (c = 3,92 in Chloroform).

N-Benzyloxycarbonyl-S-benzyl-L-cysteinyl-L-tyrosyl-L-isoleucin-äthylester [Z-Cys(BZL)-Tyr-Ile-OEt][3]: 367 mg Z-Cys(BZL)-Tyr(TPa*)-Ile-OEt werden in 5 *ml* heißem Äthanol gelöst, mit 3 *ml* 2 n Salzsäure versetzt und 5 Min. auf 100° erhitzt. Beim Abkühlen scheidet sich ein bald fest werdendes Öl ab; nach Entfernen des Äthanols i.Vak. und Zugabe von etwas mehr Wasser wird das feste Material gut verrieben und abfiltriert; Ausbeute: 305 mg (94% d.Th.); F: 142–144°; $[\alpha]_D^{23} = -18 \pm 2°$ (c = 2,01 in Eisessig).

Für einen vorübergehenden Schutz der „Tyrosin-Hydroxy-Funktion" durch Acetalisierung mit 2,3-Dihydro-4H-pyran plädierten auch Hirschmann at al.[5].

---

[1] Alle aus der negativ-drehenden N-Benzyloxycarbonyl-Verbindung erstellten O-Tetrahydropyranyl-(2)-peptid-Derivate tragen das Abkürzungssymbol für den O-Substituenten mit Sternchen [=(TPa*)].

[2] B. Iselin u. R. Schwyzer, Helv. **39**, 57 (1956).

[3] B. Iselin, M. Feurer u. R. Schwyzer, Helv. **38**, 1508 (1955).

[4] Richtiger gesagt: die Acetal-Bindung aus Tyrosin und Tetrahydropyran-2-ol.

[5] R. Hirschmann et al., Am. Soc. **93**, 2746 (1971).

H-[Tyr(TPa)-NCA] ist durch Behandeln von H-[Tyr-NCA] mit 2,3-Dihydro-4H-pyran (zugleich als Reaktionsmedium) unter Zusatz von 4-Toluolsulfonsäure-chlorid zugänglich und kann in den beiden diastereomeren Formen isoliert werden. Das aus 2,3-Dihydro-4H-pyran/Petroläther zuerst kristallisierende H-[Tyr(TPa)-NCA] $\{[\alpha]_D^{25} = -89{,}3°$ (c = 1 in Dichlormethan)$\}$ soll für die „kontrollierte N-Carbonsäure-Anhydrid-Peptidsynthese"[1] aufgrund seiner guten Löslichkeit in wäßrigem Reaktionsmilieu (besser löslich als H-[Tyr-NCA]) von Vorteil sein; das andere Isomere mit $[\alpha]_D^{25} = -177°$ scheidet wegen seiner Schwerlöslichkeit aus.

Die O-Tetrahydropyranyl-(2)-Maskierung wird während der „Decarboxylierungs-Stufe" aufgehoben, so daß letztlich sofort Tyrosyl-peptide resultieren.

36.522.4. O-Trimethylsilyl-[TSi]-Schutzgruppe

Alkoholyse von „voll-silyliertem" Tyrosin, d.i. *TSi-Tyr(TSi)-OTSi*, soll in Analogie zum Serin-Derivat zu *H-Tyr(TSi)-OH*[2], Umsetzung mit Phosgen zu optisch aktivem *H-[Tyr(TSi)-NCA]* führen[3] (s. a. S. II/190).

Eleganter und erfolgreicher findet Kricheldorf[4] die Synthese des N-Carbonsäure-Anhydrids aus SiOC-Tyr(TSi)-OTSi[5] durch Einwirkung von Phosphor(III)-bromid, Thionylchlorid oder (am besten) Phosgen.

Peptidchemische Umsetzungen mit Tyrosin-trimethylsilyläther und dessen N-Carbonsäure-Anhydrid sind bislang nicht ausgeführt worden.

---

1 R. Hirschmann et al., J. Org. Chem. **32**, 3163 (1966).
2 J. Hils u. K. H. Rühlmann, B. **100**, 1638 (1967).
3 H. R. Kricheldorf, B. **103**, 3353 (1970).
4 H. R. Kricheldorf, B. **104**, 87 (1971).
5 H. R. Kricheldorf, Synthesis **1970**, 259.

Tab. 65. Derivate des L-Tyrosins

O-Derivate [H-Tyr(R)-OH]

R		F [°C]	$[\alpha]_D$	t	c	Lösungsmittel	Literatur
Ac		213–215					1,2
	a	223 (Zers.)					3
BZL		227–230	−10,7	25	0,75	1 n Natronlauge	4–8
tBu	b	248–249,5 (Zers.)	−25,77	20	1	Wasser	9
Z		215 (Zers.)					10
Me		243–244					11,1,12,13
TOS		215–217	+9,0	22	3	1 n Salzsäure	14–16
EOC	a	219–220 (Zers.)	−4,9	25	1,5	Methanol	17
3BB	c	215 (Zers.)	−4,8	25	1	Methanol	17
		218–220	−6,5	24	1	80%-ige Essigsäure	18

[a] Monohydrochlorid
[b] ×1/4 Wasser
[c] Monohydrobromid

[1] K. Schlögl, F. Wessely u. E. Wawersich, M. **84**, 705 (1953).
[2] K. Kovacs u. A. Kotai, Acta chim. Acad. Sci. hung. **5**, 313 (1955).
[3] A. E. Barkdoll u. W. F. Ross, Am. Soc. **66**, 951 (1944).
[4] D. Chillemi, L. Scarso u. E. Scoffone, G. **87**, 1356 (1957).
[5] E. Wünsch, G. Fries u. A. Zwick, B. **91**, 542 (1958).
[6] J. Noguchi, T. Saito u. T. Hayakawa, J. chem. Soc. Japan, pure chem. Sect. **80**, 82 (1959).
[7] J. S. Morley, Soc. [C] **1967**, 2410.
[8] M. Rimpler, A. **745**, 8 (1971).
[9] E. Wünsch u. J. Jentsch, B. **97**, 2490 (1964).
[10] B. G. Overell u. V. Petrow, Soc. **1955**, 232.
[11] W. Siedel, K. Sturm u. R. Geiger, B. **96**, 1436 (1963).
[12] N. Izumiya u. A. Nagamatsu, Bl. chem. Soc. Japan **25**, 262 (1952).
[13] K. Jošt u. J. Rudinger, Collect. czech. chem. Commun. **26**, 2345 (1961).
[14] P. G. Katsoyannis, D. T. Gish u. V. du Vigneaud, Am Soc. **79**, 4516 (1957).
[15] E. L. Jackson, Am. Soc. **74**, 837 (1952).
[16] E. Fischer, B. **48**, 93 (1915).
[17] R. Geiger et al., B. **101**, 2189 (1968).
[18] D. Yamashiro u. C. H. Li, Int. J. Pept. Prot. Res. **4**, 181 (1972).

Tab. 65. (1. Fortsetzung)

N_α,O-Bis-Derivate [R^1-Tyr(R)-OH]

R	R^1		F [°C]	$[\alpha]_D$	t	c	Lösungsmittel	Literatur
BZL	BOC		109–111	+27,6	20	2	Äthanol	1–5
		a	135 (Zers.)					6
BZL	Z		116,5	+11,5	18	0,5	Essigsäure	7,8
BZL	BZL, BZL		118–119	−15,0		2	Methanol	9
BZL	PHT		212–214	−226,4	20	1	Pyridin	1
BZL	NPS		130–135	+10,1	22	2	Dimethylformamid	10,11
		a	182–183 (Zers.)	+19,6	25	0,5	Dimethylformamid	12
BZL	AOC	a	113,5–115,5	+43,1	21	5	Äthanol	13
BZL	MOZ		111–113	+17,0[b]	25	0,5	Äthanol	14–17
BZL	DDZ	a	69–72					18
BZL	BPOC		198–200	+12,2	20	1	Methanol	19
		d	158–160					20
BZL	DL-IbOC			+41,7	22	1	Chloroform	21
tBu	Z		76–78	+9,55	20	2	Essigsäure	22,23
		a	160–161,5	+34,68	20	1	Äthanol	24,23
tBu	BOC		116–118	−12,08	20	1	Dimethylformamid	25
		a	138–139	+28,2	20	2	Methanol	25,26

[a] DCHA-Salz [b] $[\alpha]_{546}$ [d] CHA-Salz

[1] E. Wünsch, G. Wendlberger u. J. Jentsch, B. **97**, 3298 (1964).
[2] R. Schwyzer, P. Sieber u. H. Kappeler, Helv. **42**, 2622 (1959).
[3] E. Schnabel, A. **702**, 188 (1967).
[4] W. Broadbent, J. S. Morley u. B. E. Stone, Soc. [C] **1967**, 2632.
[5] C. Sorg et al., A. **734**, 180 (1970).
[6] H. C. Beyerman et al., R. **87**, 257 (1968).
[7] E. Wünsch, G. Fries u. A. Zwick, B. **91**, 542 (1958).
[8] J. S. Morley, Soc. [C] **1967**, 2410.
[9] L. Velluz, G. Amiard u. R. Heymès, Bl. **1955**, 201.
[10] H. Klostermeyer et al., *Peptides*, Proc. 8th Europ. Peptide Symposium, Noordwijk 1966, North-Holl. Publ. Comp., Amsterdam **1967**, S. 113.
[11] P. J. Thomas, M. Havranek u. J. Rudinger, Collect. czech. chem. Commun. **32**, 1767 (1967).
[12] F. H. C. Stewart, Austral. J. Chem. **20**, 1991 (1967).
[13] I. Honda, Y. Shimonishi u. S. Sakakibara, Bl. chem. Soc. Japan **40**, 2415 (1967).
[14] E. Klieger, A. **724**, 204 (1969).
[15] S. Sakakibara et al., Experientia **25**, 576 (1969); C. A. **71**, 81701 (1969).
[16] F. Weygand u. E. Nintz, Z. Naturf. **20b**, 429 (1965).
[17] F. Vandesande, Bull. Soc. chim. belges **78**, 395 (1969).
[18] C. Birr et al., A. **763**, 162 (1972).
[19] S. S. Wang u. R. B. Merrifield, Int. J. Pept. Prot. Res. **1**, 235 (1969).
[20] R. S. Feinberg u. R. B. Merrifield, Tetrahedron **28**, 5865 (1972).
[21] G. Jäger u. R. Geiger, A. **1973**, 1535.
[22] E. Wünsch u. A. Zwick, B. **99**, 105 (1966).
[23] E. Schröder, A. **670**, 127 (1963).
[24] E. Wünsch u. J. Jentsch, B. **97**, 2490 (1964).
[25] E. Wünsch u. P. Stelzel, unveröffentlicht.
[26] K. Jošt, Collect. czech. chem. Commun. **36**, 218 (1971).

Tab. 65. (2. Fortsetzung)

R	R^1	F [°C]	$[\alpha]_D$	t	c	Lösungsmittel	Literatur
tBu	NPS [a]	156–157	+24,0	20	0,7	Dimethylformamid	1
tBu	AOC	108–109,5	−15,2	24	3	Dimethylformamid	2
	[a]	114–116	+35,1	18	2	Dimethylformamid	2
tBu	MBV [a]	156–159	−339,0	25	2	Äthanol	3
Ac	Z	112–113	+3,2	20	2,3	Äthanol	4,5
Ac	FOR	163,5–164,5	+73,5	19	1,9	Äthanol	6
Z	Z	117	−5,0	20	10	Essigsäure	7–10
BOC	BOC	92–94	+28,7 [c]	22	1	1,4-Dioxan	11
Me	Ac	146–147					12,13
TPa *	Z	80	+46,0	23	4,91	Äthanol	14
TPa *	Z	135–137	−47,0	22	3,89	Äthanol	14
TOS	Z	124–126	−27,0	25	1	Dimethylformamid	15
TOS	TOS	117–119					16–18
TOS	NPS [a]	148–148,5	+14,5	19,5	1	Dimethylformamid	19,20
TOS	Ac	134–135	+29,4	20	0,83	Methanol	21
TOS	Bz	194–195	−1,3	20	2,61	Wasser + 1,1 Äquiv. Natronlauge	21
BYS	BYS	191–192	−9,2	24	1	n Natronlauge	22,23

[a] DCHA-Salz [c] $[\alpha]_{578}$ * Diastereomeren-Paar

[1] E. Wünsch u. A. Fontana, B. **101,** 323 (1968).
[2] S. Hase et al., Am. Soc. **94,** 3590 (1972).
[3] G. L. Southard et al., Tetrahedron **27,** 1359 (1971).
[4] K. Blau u. S. G. Waley, Biochem. J. **57,** 538 (1954).
[5] M. Bergmann et al., H. **224,** 17 (1934).
[6] S. G. Waley u. J. Watson, Biochem. J. **57,** 529 (1954).
[7] E. Katchalski u. M. Sela, Am. Soc. **75,** 5284 (1953).
[8] H. J. Panneman, A. F. Marx u. J. F. Arens, R. **78,** 487 (1959).
[9] B. Iselin u. R. Schwyzer, Helv. **43,** 1760 (1960).
[10] F. H. C. Stewart, J. Org. Chem. **25,** 1828 (1960).
[11] E. Schnabel et al., Colloq. Int. Centre Nat. Rech. Sci. **175,** 91 (1968); C. A. **71,** 22317 (1969).
[12] W. Siedel, K. Sturm u. R. Geiger, B. **96,** 1436 (1963).
[13] K. Schlögl, F. Wessely u. E. Wawersich, M. **84,** 705 (1953).
[14] B. Iselin u. R. Schwyzer, Helv. **39,** 57 (1956).
[15] P. G. Katsoyannis, D. T. Gish u. V. du Vigneaud, Am. Soc. **79,** 4516 (1957).
[16] E. W. McChesney u. W. K. Swann, Am. Soc. **59,** 1116 (1937).
[17] E. Fischer, B. **48,** 93 (1915).
[18] T. Oseki, J. chem. Soc. Japan **41,** 8 (1920).
[19] F. H. C. Stewart, Austral. J. Chem. **20,** 1991 (1967).
[20] P. J. Thomas, M. Havranek u. J. Rudinger, Collect. czech. chem. Commun. **32,** 1767 (1967).
[21] E. L. Jackson, Am. Soc. **74,** 837 (1952).
[22] H. B. Milne u. C.-H. Peng, Am. Soc. **79,** 639 (1957).
[23] J. P. Greenstein u. M. Winitz, *Chemistry of the Amino Acids* **2,** 924, J. Wiley & Sons, New York · London 1961.

Tab. 65. (3. Fortsetzung)

R	R[1]	F [°C]	$[\alpha]_D$	t	c	Lösungsmittel	Literatur
AlOC	AlOC	105–106					[1]
EOC	Z	117–119	−5,3	25	1,5	Methanol	[2]
EOC	BOC	166	+10,0	25	1,8	Methanol	[2]
EOC	FOR	172–173	+49,4	25	1	Methanol	[2]
MOC	Z	112–130	−3,0	25	1	Methanol	[2]
PrOC	Z	119–121,5	+1,0	25	1	Methanol	[2]
iBOC	Z	103–105	−3,9	25	1	Methanol	[2]
3BB	BOC	143–145	+34,9	24	2,2	Äthanol	[3]
DCB	BPOC [d]	160–164					[4]

[d] CHA-Salz

[1] C. M. Stevens u. R. Watanabe, Am. Soc. **72**, 725 (1950).
[2] R. Geiger et al., B. **101**, 2189 (1968).
[3] D. Yamashiro u. C. H. Li, Int. J. Pept. Prot. Res. **4**, 181 (1972).
[4] R. S. Feinberg u. R. B. Merrifield, Tetrahedron **28**, 5865 (1972).

Tab. 65. (4. Fortsetzung)

Carboxy-substituierte O-Derivate [H-Tyr(R)-R²]

R	R²		F [°C]	$[\alpha]_D$	t	c	Lösungsmittel	Literatur
Ac	OMe	[a]	201 (Zers.)					1
Ac	ONB	[c]	152					2
BZL	OBZL	[a]	222 (Zers.)	−17,25	26	2	Methanol	3
BZL	OMe	[a]	181	+11,5	25	4	Methanol	4,5
BZL	OEt	[a]	197–198	+7,95	20	4	Methanol	6
Bz	OEt	[a]	225 (Zers.)					7
		[c]	223–225	+11,0	24	1	Äthanol	8
tBu	OtBu		($Kp_{0,25}$: 127°)	+25,45	25			9
		[a]	154–155	+42,0	25	1,75	Dimethylformamid	10,9
		[d]	140	−6,0		2,1	Dimethylformamid	10
tBu	OEt		Öl	+22,2	23	0,5	Dimethylformamid	11
		[a]	123–125	+34,6	23	0,5	Dimethylformamid	11
Me	OEt	[a]	202	−4,9	22	2	Wasser	12,13
Me	OMe	[a]	179–181	+82,0	21	1	Pyridin	14
TRT	OBZL	[a]	203–205	−24,2	20	6,6	Methanol	15
Z	OBZL	[a]	195–196	+13,6	20	2	Pyridin	16
		[b]	196–197	+15,6	20	2	Pyridin	16
		[e]	173–175	+10,8	20	2	Pyridin	16
Z	ONB	[a]	192–194	+18,8	20	2	Pyridin	16
		[b]	175–175,5	+19,1	20	2	Pyridin	16
		[e]	175–176,5	+16,4	20	2	Pyridin	16
EOC	OMe	[a]	162–163	+7,1	25	1,4	Methanol	17

[a] Monohydrochlorid [b] 4-Toluolsulfonsäure-Salz [c] Monohydrobromid
[d] Pikrat (Pikrinsäure-Salz) [e] Benzolsulfonsäure-Salz

[1] A. E. Barkdoll u. W. F. Ross, Am. Soc. **66**, 951 (1944).
[2] R. Schwyzer u. P. Sieber, Helv. **42**, 972 (1959).
[3] E. Schnabel, A. **622**, 181 (1959).
[4] E. Wünsch, G. Fries u. A. Zwick, B. **91**, 542 (1958).
[5] D. Chillemi, L. Scarso u. E. Scoffone, G. **87**, 1356 (1957).
[6] E. Wünsch, G. Wendlberger u. J. Jentsch, B. **97**, 3298 (1964).
[7] C. R. Harington u. R. V. Pitt-Rivers, Biochem. J. **38**, 417 (1944).
[8] H.-J. Hess, W. T. Moreland u. G. D. Laubach, Am. Soc. **85**, 4040 (1963).
[9] F. M. Callahan et al., Am. Soc. **85**, 201 (1963).
[10] H. C. Beyerman u. J. S. Bontekoe, Pr. chem. Soc. **1961**, 249.
[11] E. Schröder, A. **670**, 127 (1963).
[12] N. Izumiya u. J. S. Fruton, J. Biol. Chem. **218**, 59 (1956).
[13] K. Jošt u. J. Rudinger, Collect. czech. chem. Commun. **26**, 2345 (1961).
[14] W. Siedel, K. Sturm u. R. Geiger, B. **96**, 1436 (1963).
[15] G. C. Stelakatos, D. M. Theodoropoulos u. L. Zervas, Am. Soc. **81**, 2884 (1959).
[16] G. Losse u. W. Gödicke, B. **100**, 3314 (1967).
[17] R. Geiger et al., B. **101**, 2189 (1968).

Tab. 65. (5. Fortsetzung)

Carboxy-substituierte N_α-Derivate [R^1-Tyr-R^2]

R^1	R^2	F [°C]	$[\alpha]_D$	t	c	Lösungsmittel	Literatur
Z	OEt	88–91					1,2,3
Z	OMe	92–93	−32,7	23	2	Dimethylformamid	4,5,6
Z	OBZL	118–119	−13,9	22	2,2	Methanol	7
Z	OtBu	Öl					8
Z	ONB	117–119	−11,16	20	1	Methanol	1
CZ	OMe	100–101	−12,8	25	2	Äthanol	9
BOC	OMe	102–104	+5,4	22	1	Methanol	10
Ac	OEt	78–80					11
Ac	OMe	132	+27,8	25	2	Methanol	12,13,6
Bz	OMe	151–153	+102,5	20	1	Chloroform	6
ACA	OMe	182–183					14
DB*P*	OBZL	54–55					15
DIB*P*	OEt	143					16
DP*P*	OEt	93–94					16
TFA	OEt	175–176					11
TFA	OMe	137					17

---

[1] E. Wünsch u. J. Jentsch, B. **97,** 2490 (1964).
[2] M. Bergmann u. L. Zervas, B. **65,** 1192 (1932).
[3] B. Iselin u. R. Schwyzer, Helv. **39,** 57 (1956).
[4] M. Kinoshita u. H. Klostermeyer, A. **696,** 226 (1966).
[5] K. Blau u. S. G. Waley, Biochem. J. **57,** 538 (1954).
[6] H. Vorbrüggen u. K. Krolikiewicz, B. **105,** 1168 (1972).
[7] R. Wade u. F. Bergel, Soc. [C] **1967,** 592.
[8] G. W. Anderson u. F. M. Callahan, Am. Soc. **82,** 3359 (1960).
[9] L. Kisfaludy u. S. Dualszky, Acta chim. Acad. Sci. hung. **24,** 301 (1960).
[10] E. Schröder, A. **670,** 127 (1963).
[11] A. Taurog, S. Abraham u. I. L. Chaikoff, Am. Soc. **75,** 3473 (1953).
[12] H. Zahn u. K. Mella, H. **344,** 75 (1966).
[13] E. L. Jackson, Am. Soc. **74,** 837 (1952).
[14] V. Giormani et al., Ricerca sci. **37,** 84 (1967).
[15] S.-O. Li u. E. R. Eakin, Am. Soc. **77,** 1866 (1955).
[16] L. Zervas u. P. G. Katsoyannis, Am. Soc. **77,** 5351 (1955).
[17] S. Makisumi u. H. A. Saroff, J. Gaschromat. **1965,** 21.

36.600. ω-Carboxy-Funktion

36.610. Aminodicarbonsäure-Peptide

Peptide mit carboxy-endständigen Aminodicarbonsäuren sind relativ einfach unter Rückgriff auf Di-Ester dieser Aminosäure zugänglich. Sowohl für den Glutaminsäure- als auch Asparaginsäure-Einsatz stehen Dimethylester, Diäthylester, Dibenzylester, Bis-[4-nitro-benzylester], Bis-[pyridyl-(4)-methylester] und Di-tert.-butylester zur Verfügung; sie werden durch direkte Veresterung (s. u.) oder auf dem Umweg über die N-geschützten Derivate der beiden Aminodicarbonsäuren gewonnen und vorwiegend als Hydrochloride, Hydrobromide, 4-Toluol- bzw. Benzol-sulfonsäure- und Dibenzolsulfimid-Salze kristallin isoliert (s. Tab. 66 u. 67, S. 685f., 695f.).

L-Asparaginsäure-dimethylester-Hydrochlorid [H-Asp(OMe)-OMe · HCl][1]: 13,3 g Asparaginsäure werden mit 150 *ml* n Chlorwasserstoff/Methanol über Nacht stehengelassen; anschließend dampft man die Mischung i. Vak. zur Trockene ein. Dieses Verfahren wird 3 mal wiederholt, beim letzten Mal kurz auf 40–50° erwärmt; Ausbeute: 16 g (86% d.Th.); F: 116–117° (farblose Kristalle aus Methanol/Diäthyläther).

L-Glutaminsäure-dibenzylester-4-Toluolsulfonsäure-Salz [H-Glu(OBZL)-OBZL · TOS-OH][2]: 160 *ml* Benzylalkohol, 30 g Glutaminsäure und 38 g 4-Toluolsulfonsäure werden auf dem Wasserbad bis zur Homogenität erhitzt; nach Zugabe von Tetrachlormethan wird der Reaktionsansatz der azeotropen Destillation unterworfen, bis kein Wasser mehr übergeht. Das aus der eiskalten Lösung ausgefallene Produkt wird aus Äthanol umkristallisiert; Ausbeute: 72 g (71% d.Th.); F: 140°; $[\alpha]_D^{20} = +7,2°$ (c = 2,43; in Äthanol).

L-Asparaginsäure-di-tert.-butylester-Hydrochlorid [H-Asp(OtBu)-OtBu · HCl][3]: 2,67 g Z-Asp-OH in 50 *ml* Essigsäure-tert.-butylester werden nach Zusatz von 0,05 *ml* Perchlorsäure 4 Tage lang bei Raumtemp. stehengelassen. Danach wird die Lösung mit wäßrigem Hydrazin oder wäßrigem Ammoniak (5%-ig) gewaschen, über Natriumsulfat getrocknet und letztlich i. Vak. eingedampft. Das erhaltene ölige Produkt (Benzyloxycarbonyl-Diester) wird in 15 *ml* Äthanol aufgenommen, die Lösung 5 Stdn. lang nach Zusatz von 700 mg Palladium/Kohle-Katalysator wie üblich hydriert. Das Filtrat vom Katalysator wird nach vorsichtigem Ansäuern mit Chlorwasserstoff/Äthanol i. Vak. eingedampft, der erhaltene Rückstand in sehr wenig Äthanol (0,5 *ml*) aufgenommen und mit Diäthyläther ausgefällt; Ausbeute: 1,3 g (48% d.Th.); F: 152–154°; $[\alpha]_D^{20} = +12,8°$ (c = 1 in Äthanol).

Als Startmaterial für Festkörper-Synthesen nach Merrifield können Aminodicarbonsäure-ω-benzylester-α-polymer-benzylester[4] oder auch – mit gleichem Endergebnis – Aminodicarbonsäure-ω-polymer-benzylester-α-benzylester[5] dienen.

Die Aminoacylierung der Aminodicarbonsäure-diester kann mit fast allen Verknüpfungsverfahren vorgenommen werden, angefangen von der Säurechlorid- bis zur neuesten Aktivester-Methode[6–23].

---

[1] W. Grassmann u. E. Wünsch, B. **91**, 449 (1958).
[2] G. Gnichtel u. W. Lautsch, B. **98**, 1647 (1965).
[3] E. Taschner et al., A. **646**, 127, 134 (1961).
Vgl. auch R. Schwyzer et al., Helv. **46**, 1975 (1963).
[4] J. M. Stewart u. J. D. Young, *Solid Phase Peptide Synthesis*, S. 12, 20, Freeman u. Co., San Francisco 1969.
[5] J. Meienhofer et al., J. Org. Chem. **35**, 4137 (1970).
[6] M. Bergmann, L. Zervas u. J. P. Greenstein, B. **65**, 1692 (1932).
[7] S. Goldschmidt u. G. Rosculet, B. **93**, 2387 (1960).
[8] M. Goodman, E. E. Schmitt u. D. A. Yphantis, Am. Soc. **84**, 1283 (1962).
[9] W. Grassmann u. E. Wünsch, B. **91**, 449 (1958).
[10] L. Kisfaludy et al., Acta chim. Acad. Sci. hung. **30**, 473 (1962).
[11] M. Liefländer, H. **320**, 35 (1960).
[12] R. B. Merrifield, J. Biol. Chem. **232**, 43 (1958).
[13] R. B. Merrifield u. D. W. Woolley, Am. Soc. **78**, 4646 (1956).
[14] A. Miller, A. Neidle u. H. Waelsch, Arch. Biochem. **56**, 11 (1955).

(Fortsetzung s. S. 635)

Glycyl-L-asparaginsäure [H-Gly-Asp-OH][1]:

N-Benzyloxycarbonyl-glycyl-L-asparaginsäure-dimethylester [Z-Gly-Asp(OMe)-OMe]: 9,88 g H-Asp(OMe)-OMe · HCl in 100 *ml* Pyridin werden unter Eiskühlung und Rühren mit 2,18 *ml* Phosphor(III)-chlorid in 15 *ml* Pyridin tropfenweise versetzt. Nach kurzem Stehenlassen bei Raumtemp. werden 11 g Z-Gly-OH auf einmal zugegeben und die Mischung 3 Stdn. unter Rühren am Wasserbad erhitzt. Nach Erkalten (evtl. ist von ausgeschiedener poly-metaphosphoriger Säure abzufiltrieren; die spätere Aufarbeitung wird dadurch oft wesentlich erleichtert) entfernt man das Lösungsmittel durch Destillation i. Vak.; der Rückstand wird zwischen Essigsäure-äthylester und verd. Salzsäure verteilt, so daß die wäßrige Schicht kongosauer reagiert. Die abgetrennte organische Phase wird wie üblich mit Kaliumhydrogencarbonat-Lösung und Wasser gewaschen, über Natriumsulfat getrocknet und letztlich i. Vak. eingedampft; Ausbeute: 17,2 g (95% d. Th.); Öl.

N-Benzyloxycarbonyl-glycyl-L-asparaginsäure [Z-Gly-Asp-OH]: 17,2 g öliger Z-Gly-Asp(OMe)-OMe in 100 *ml* 1,4-Dioxan werden wie üblich mit 100 *ml* n Natronlauge während 40 Min. verseift. Nach Ansäuern mit 50 *ml* 2 n Salzsäure nimmt man das ausgefallene Öl in Essigsäure-äthylester auf. Aus der Essigsäure-äthylester-Lösung wird das N-Acyl-Dipeptid mit Kaliumhydrogencarbonat-Lösung extrahiert und nach Ansäuern der wäßrigen Extrakte wiederum in Essigsäure-äthylester übergeführt. Aus der so erhaltenen organischen Phase wird nach Säurefreiwaschen und Trocknen über Natriumsulfat das Lösungsmittel i. Vak. entfernt; es hinterbleibt ein Sirup, der i. Vak.-Exsikkator über Phosphor(V)-oxid zu einer festen, sehr hygroskopischen Masse erstarrt; Ausbeute: 13,2 g (89% d. Th.).

Glycyl-L-asparaginsäure [H-Gly-Asp-OH]: 12,6 g Z-Gly-Asp-OH werden in 150 *ml* 80%-igem Methanol wie üblich katalytisch entacyliert. Das Filtrat vom Katalysator wird i. Vak. zur Trockene gedampft, der Rückstand aus Wasser/Äthanol umkristallisiert; Ausbeute: 5,8 g (80% d. Th. für ein Dipeptid-Monohydrat); farblose Prismen von $[\alpha]_D^{23} = +12{,}6 \pm 0{,}2°$ (c = 5 in Wasser, umgerechnet für das wasserfreie Peptid).

Die Wiederherstellung der beiden freien Carboxy-Funktionen muß im Falle einer „Methylester-Maskierung" durch alkalische Verseifung erzwungen werden (s. o.); Schwyzer et al.[2] glaubten, dies an einem Oktadekapeptid-Derivat der β-MSH-Reihe, das heißt am Z-Asn-Ser-Gly-Pro-Tyr-Lys(TOS)-Met-Gln-His-Phe-Arg(HCl)-Trp-Gly-Ser-Pro-Pro-Lys(TOS)-Asp(OMe)-OMe, mittels 0,46 n Bariumhydroxid-Lösung in 75%-igem 1,4-Dioxan bei $p_H = 11{,}4$ über 14 Min. ausführen zu können. Wie Schwyzer et al.[3] aber später berichteten, führt diese Verseifung der Methylester und die folgende Abspaltung der übrigen Schutzgruppen mittels Calcium in flüssigem Ammoniak zu weitestgehender Zerstörung der aufgebauten Peptidkette; in einer neuen Synthese[3] wurde deshalb H-Asp(OtBu)-OtBu als carboxy-endständiger Baustein verwertet.

L-Glutamyl(C_γ-L-asparaginsäure-di-tert.-butylester)-tert.-butylester-Hydrochlorid [H-Glu(Asp⟨OtBu⟩-OtBu)-OtBu · HCl][4]:

N-Benzyloxycarbonyl-L-glutamyl(C_γ-L-asparaginsäure-di-tert.-butylester)-tert.-butylester [Z-Glu(Asp⟨OtBu⟩-OtBu)-OtBu][4]: 505 mg Z-Glu-OtBu in 4 *ml* Toluol werden mit 170 mg N-Äthyl-piperidin und bei −10° mit 165 mg Chlorameisensäure-äthylester versetzt; die Reak-

---

1 W. Grassmann u. E. Wünsch, B. **91**, 449 (1958).
2 South Afr. P. 601792 (1960), CIBA, Erf.: R. Schwyzer et al.
3 R. Schwyzer et al., Helv. **46**, 1975 (1963).
4 E. Taschner et al., A. **646**, 127 (1961).

(Fortsetzung v. S. 634)
15 V. Prelog u. P. Wieland, Helv. **29**, 1128 (1946).
16 D. A. Rowlands u. G. T. Young, Biochem. J. **65**, 516 (1957).
17 F. Schneider, H. **320**, 82 (1960).
18 E. Taschner et al., A. **646**, 127 (1961).
19 D. W. Woolley, J. Biol. Chem. **172**, 71 (1948).
20 T. Shiba u. T. Kaneko, Bl. chem. Soc. Japan **33**, 1721 (1960).
21 H. Gibian u. E. Klieger, A. **640**, 145 (1961).
22 E. Klieger u. H. Gibian, A. **649**, 183 (1961).
23 R. Schwyzer et al., Helv. **46**, 1975 (1963); **42**, 1702 (1959).

tionsmischung wird bei —10° 20 Min. stehengelassen, 430 mg H-Asp(OtBu)-OtBu · HCl und 170 mg N-Äthyl-piperidin in 2 *ml* Toluol zugefügt und anschließend 40 Stdn. bei 0° belassen. Der danach mit Essigsäure-äthylester verd. Ansatz wird wie üblich mit Wasser, 0,5n Salzsäure und Natriumhydrogencarbonat-Lösung gewaschen, über Natriumsulfat getrocknet und letztlich i. Vak. eingedampft; Ausbeute: 750 mg (88% d.Th.); Öl.

L-Glutamyl(C_γ-L-asparaginsäure-di-tert.-butylester)-tert.-butylester-Hydrochlorid [H-Glu(Asp⟨OtBu⟩-OtBu)-OtBu · HCl][1]: 282 mg Z-Glu(Asp⟨OtBu⟩-OtBu)-OtBu in 5 *ml* 50%-igem tert. Butanol werden nach Zusatz von 200 mg Palladium/Kohle wie üblich hydriert; das Filtrat vom Katalysator wird anschließend i. Vak. eingeengt. Die verbleibende wäßrige Lösung wird 3 mal mit je 5 *ml* Diäthyläther extrahiert, die über Natriumsulfat getrockneten Extrakte mit der ber. Menge Chlorwasserstoff in Diäthyläther versetzt. Nach Eindampfen i. Vak. Ausbeute: 210 mg (86% d.Th.); F: 57–61° (farbloses Pulver).

36.620. C_α-Peptide der Aminodicarbonsäuren

Für die Herstellung von Peptiden mit Aminodicarbonsäuren in mittel- oder aminoendständiger Sequenz-Position – auch wenn beim „Fragment-Aufbau“ zunächst Teilstücke mit carboxy-endständigen Aminodicarbonsäuren entstehen sollten – wurden bislang vier Verfahrenswege eröffnet:

① Synthesen mit Hilfe der innermolekularen cyclischen Anhydride
② Synthesen mit ungeschützter ω-Carboxy-Funktion
③ Synthesen mit geschützter ω-Carboxy-Funktion
④ Synthesen unter nachträglicher Erstellung der ω-Carboxy-Funktion.

36.621. Synthesen mit N-Acyl-aminodicarbonsäure-anhydriden (s. auch S. II/217 ff.)

Bergmann und Zervas[2] haben mit der Ringöffnung von Z-Glu-anhydrid eine klassische Synthese von Glutamyl-peptiden und C_α- bzw. C_γ-Derivaten der Glutaminsäure begründet. Ihre Wegweiser dürften Pauly und Weir[3] sowie Nicolet[4] gewesen sein. Z-Glu-anhydrid (IIa) – aus der N-Benzyloxycarbonyl-aminosäure Ia beim Behandeln mit Acetanhydrid in der Wärme[2] oder besser bei Raumtemp.[5] (racemfrei bei Abwesenheit von Natriumacetat), mit Dicyclohexylcarbodiimid[6] oder Äthoxyacetylen[6] zu erhalten (s. S. II/218–221) – sollte durch Einwirkung von Ammoniak eindeutig das C_α-Amid (N-Benzyloxycarbonyl-isoglutamin)[2], von Glycinester[7,8], Glycyl-glycinester[9], Glutaminsäure-diester[2] etc. stets N-Benzyloxycarbonyl-glutamyl-(C_α)-peptide IIIa ergeben. Man hoffte, daß analoge Verhältnisse auch für Z-Asp-anhydrid[2,10,11] (IIb) zutreffen würden und die Umsetzung mit Ammoniak[2] bzw. Aminosäureestern[7,8] zu Isoasparagin- sowie C_α-Peptid-Derivaten IIIb führen würde. Dies schien zunächst mit Ausnahme der Verknüpfung von Tyrosinester der Fall; letztere Umsetzung führte zu einem C_β-Peptid-Derivat[12].

---

1 E. Taschner et al., A. **646**, 127 (1961).
2 M. Bergmann u. L. Zervas, B. **65**, 1192 (1932).
3 H. Pauly u. J. Weir, B. **43**, 661 (1910).
4 B. H. Nicolet, Am. Soc. **52**, 1192 (1930).
5 W. J. Le Quesne u. G. T. Young, Soc. **1950**, 1954.
6 H. Gibian u. E. Klieger, A. **640**, 145 (1961).
7 W. Grassmann u. S. Schneider, Bio. Z. **273**, 452 (1934).
8 M. Bergmann, L. Zervas u. J. S. Fruton, J. Biol. Chem. **111**, 225 (1935).
9 M. Bergmann, L. Zervas u. J. S. Fruton, J. Biol. Chem. **115**, 593 (1936).
10 M. Bergmann, L. Zervas u. L. Salzmann, B. **66**, 1288 (1933).
11 G. L. Miller, O. K. Behrens u. V. du Vigneaud, J. Biol. Chem. **140**, 411 (1941).
12 M. Bergmann et al., H. **224**, 17 (1934).

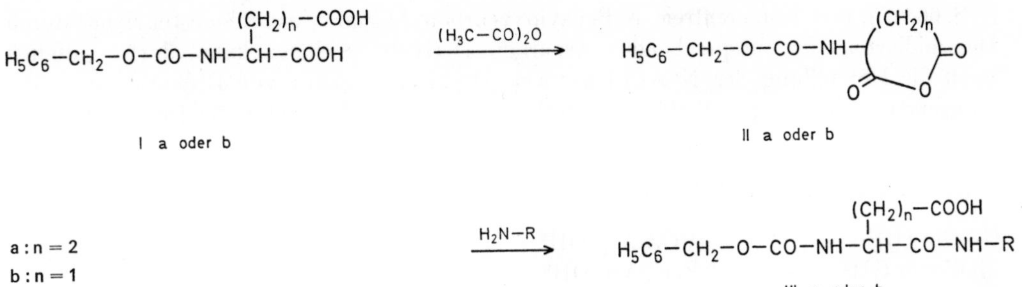

$$H_5C_6-CH_2-O-CO-NH-\underset{|}{CH}(-(CH_2)_n-COOH)-COOH \xrightarrow{(H_3C-CO)_2O} H_5C_6-CH_2-O-CO-NH-\text{[cyclisches Anhydrid, }(CH_2)_n\text{]}$$

I a oder b — II a oder b

a: n = 2
b: n = 1

$$\xrightarrow{H_2N-R} H_5C_6-CH_2-O-CO-NH-CH((CH_2)_n-COOH)-CO-NH-R$$

III a oder b

Melville[1] konnte alsbald aufzeigen, daß nach Ammoniak-Aufspaltung von Z-Glu-anhydrid und anschließender hydrogenolytischer Entfernung der Schutzgruppe neben *Isoglutamin* auch 14% *Glutamin* entsteht. Boothe et al.[2] isolierten beide Tripeptid-Isomeren beim Umsatz des Benzyloxycarbonyl-anhydrids IIa mit H-Glu(OEt)-Glu(OEt)-OEt. Schließlich brachten die Arbeiten von Le Quesne und Young[3,4] bzw. Šorm und Rudinger[5] Klarstellung:

Die aminolytische Aufspaltung der „inneren Anhydride" verläuft im Sinne der Bildung der C_α- und C_γ-Isomeren beim Glutaminsäure-, von C_α- und C_β-Isomeren beim Asparaginsäure-Derivat.

Die Trennung der isomeren N-Benzyloxycarbonyl-peptide gelingt nur in Ausnahmefällen durch fraktionierte Kristallisation, besser dagegen, aufgrund ihrer verschiedenen Acidität, durch fraktionierte Extraktion aus „organischen Phasen" mittels Natriumcarbonat-, Natriumhydrogencarbonat-Lösung etc.[3,6,7] – wobei das stets stärker saure ω-Isomere zuerst ausgezogen wird – oder durch Gegenstromverteilung mit Diäthyläther oder Essigsäureäthylester als organische und Puffern vom p_H-Wert 5,3–6,2 als wäßrige Phasen[8].

Ähnlich der aminolytischen Aufspaltung verläuft auch die Alkoholyse der „inneren Anhydride" von Z-Glu-OH und Z-Asp-OH: Benzyloxycarbonyl-α-ester und -γ-ester bzw. β-ester entstehen jeweils nebeneinander; ihre Trennung kann durch fraktionierte alkalische Extraktion[7,9] oder durch fraktionierte Kristallisation der Dicyclohexylamin-Salze erfolgen[10–14]. Meistens begnügt man sich mit der Gewinnung der im Überschuß entstehenden Komponente, vorwiegend der Benzyloxycarbonyl-α-ester; diese dienen dann als Ausgangsmaterial für eindeutige Peptidsynthesen der Glutamyl-(C_γ)- und Asparagyl-(C_β)-Reihe oder für spezielle Glutaminsäure- und Asparaginsäure-Derivate (s. auch S. 663). Da man jedoch heute bessere Methoden besitzt, um zu N-Acyl-glutaminsäure-α-estern zu gelangen

---

1 J. Melville, Biochem. J. **29**, 179 (1935).
2 J. Semb et al., Am. Soc. **71**, 2310 (1949).
3 W. J. Le Quesne u. G. T. Young, Soc. **1950**, 1959.
4 W. J. Le Quesne u. G. T. Young, Soc. **1952**, 24.
5 F. Šorm u. J. Rudinger, Collect. czech. chem. Commun. **15**, 419 (1950).
6 W. D. John u. G. T. Young, Soc. **1954**, 2870.
7 W. J. Le Quesne u. G. T. Young, Soc. **1950**, 1954.
8 J. Rudinger, Collect. czech. chem. Commun. **16**, 615 (1951).
9 S. Goldschmidt u. C. Jutz, B. **86**, 1116 (1953).
10 E. Wünsch u. A. Zwick, H. **328**, 235 (1962); **333**, 108 (1963).
11 F. Weygand u. M. Reiher, B. **88**, 26 (1955).
12 F. Weygand u. R. Geiger, B. **90**, 634 (1957).
13 F. Weygand u. K. Hunger, Z. Naturf. **13b**, 50 (1958).
14 E. Klieger u. H. Gibian, A. **655**, 195 (1962).

(s. S. 668 ff.), und isomerenfreie N-Benzyloxycarbonyl-asparaginsäure-α-ester sicher durch Desamidierung der entsprechenden Asparagin-Derivate gewinnen kann, dürfte lediglich noch die Herstellung der N-Acyl-asparaginsäure-α-ester von Bedeutung sein, die aufgrund der Säureempfindlichkeit des N-Acyl-Restes nach dem genannten Desamidierungsverfahren nicht gewonnen werden können.

Die „inneren Anhydride" von

CZ-Glu-OH[1]
MOZ-Glu-OH[2]
NZ-Glu-OH[3]
BOC-Glu-OH[4,5]
TFA-Glu-OH[6,7]
MOZ-Asp-OH[8]
BOC-Asp-OH[8]
TFA-Asp-OH[9,10]
und wahrscheinlich auch PTC-Glu-OH[11]

verhalten sich bei den nucleophilen Aufspaltungsreaktionen recht ähnlich den N-Benzyloxycarbonyl-Derivaten der beiden Aminodicarbonsäuren, demgegenüber scheint die aminolytische Aufspaltung von PHT=Glu-anhydrid und PHT=Asp-anhydrid bevorzugt zur Bildung von Glutaminsäure-(C_γ)-amiden oder -peptiden bzw. den Asparaginsäure-(C_β)-amiden oder -peptiden zu führen[12–14].

Bei letzteren soll nach Tanenbaum[15] das für die Umsetzung gewählte Lösungsmittel eine entscheidende Rolle spielen. Eine Alkoholyse von PHT=Asp-anhydrid ergibt **α**- und β-Ester nebeneinander[16]. Interessant scheint ferner die Aufspaltung von PHT=Glu-anhydrid mit Thiophenol: Sie führt eindeutig zum N-Acyl-γ-phenyl-thioester. Bei der entsprechenden N-Benzyloxycarbonyl-Verbindung wird die Aufspaltung hingegen von zugesetzter tertiärer Base entscheidend beeinflußt: Zusatz von Pyridin führt zu 70% α-Phenyl-thioester, von Triäthylamin zu 80% γ-Phenyl-thioester[17].

Zusammenfassend kann festgestellt werden, daß der Einsatz von N-Acyl-aminodicarbonsäure-anhydriden sowohl zur Herstellung von Peptiden als auch zur Gewinnung von speziellen Derivaten dieser Aminosäuren nur noch in Sonderfällen Bedeutung besitzt.

N-tert.-Butyloxycarbonyl-L-asparaginsäure-4-nitro-benzylester [BOC-Asp-ONB][8]:

Dicyclohexylamin-Salz: 2,15 g BOC-Asp-anhydrid (s. S. II/220) in 8 *ml* absol. Tetrahydrofuran werden mit 1,65 g 4-Nitro-benzylalkohol 30 Min. bei Raumtemp. gerührt. Danach werden 2,2 *ml* Dicyclohexylamin zugefügt, die Mischung mit absol. Diäthyläther auf ~ 200 *ml* aufgefüllt, einige Stdn. gerührt und über Nacht stehengelassen. Die abgeschiedenen Kristalle werden abfiltriert und mit Diäthyläther gewaschen; Ausbeute: 4,4 g (80% d. Th.). Das erhaltene Produkt wird aus Äthanol umkristallisiert; F: 166–167° (Spieße); $[\alpha]_D^{25} = -11,7°$ (c = 1 in Dimethylformamid).

---

[1] L. Kisfaludy, Acta chim. Acad. Sci. hung. **24**, 309 (1960).
[2] F. Weygand u. K. Hunger, B. **95**, 7 (1962).
[3] R. W. Chambers u. F. H. Carpenter, Am. Soc. **77**, 1522 (1955).
[4] F. Chillemi, L. Bernardi u. G. Bosisio, G. **94**, 891 (1964).
[5] E. Schröder u. E. Klieger, A. **673**, 196 (1964).
[6] F. Weygand u. M. Reiher, B. **88**, 26 (1955).
[7] F. Weigand u. R. Geiger, B. **90**, 634 (1957).
[8] E. Schröder u. E. Klieger, A. **673**, 208 (1964).
[9] F. Weygand, P. Klinke u. I. Eigen, B. **90**, 1886 (1957).
[10] F. Weygand u. G. Adermann, B. **93**, 2334 (1960).
[11] J. Kollonitsch, A. Hajós u. V. Gábor, B. **89**, 2288 (1956).
[12] F. E. King u. D. A. A. Kidd, Soc. **1949**, **3315**.
[13] F. E. King et al., Soc. **1954**, 1039.
[14] F. E. King, J. W. Clark-Lewis u. G. R. Smith, Soc. **1954**, 1044.
[15] S. W. Tanenbaum, Am. Soc. **75**, 1754 (1953).
[16] F. E. King, J. W. Clark-Lewis u. G. R. Smith, Soc. **1954**, 1046.
[17] T. Wieland u. H. Weidenmüller, A. **597**, 111 (1955).

Salzfrei: 1,65 g des oben erhaltenen Dicyclohexylamin-Salzes werden mit 20 *ml* 20%-iger Citronensäure-Lösung und 20 *ml* Essigsäure-äthylester 30 Min. lang geschüttelt; die abgetrennte Essigsäure-äthylester-Phase wird über Natriumsulfat getrocknet und i. Vak. eingeengt.

Der ölige Rückstand kristallisiert aus Diäthyläther/Petroläther; Ausbeute: 0,6 g (54% d.Th.). Nach erneuter Umkristallisation aus Essigsäure-äthylester/Petroläther: F: 135–136°; $[\alpha]_D^{25} = -8{,}5°$ (c = 0,48 in Methanol).

36.622. Synthesen mit ungeschützter ω-Carboxy-Funktion

Der Einsatz von Peptid-estern bzw. -amiden mit ω-carboxy-ungeschützten Aminodicarbonsäuren in der Sequenz als Amino-Komponenten verläuft in Analogie zu dem freier Peptide. Unter Salzbildung wird die N_α/C_ω-Zwitterionen-Struktur aufgehoben; die α-Amino-Funktion ist dann zur nucleophilen Umsetzung mit geeigneten carboxy-aktivierten Kopfkomponenten (Säureazid-, Säureanhydrid-, Aktivester-Methoden etc.) bereit[1–7]. Als beispielhafte Demonstrationen hierfür sollten die Totalsynthesen der tierischen und menschlichen Gastrine[8–10] sowie die Hirschmann-Denkewalter-Versuche[11–13] zur Synthese des *Ribonuclease-S-Proteins* genannt sein.

N-Benzyloxycarbonyl-L-leucyl-L-asparagyl-L-phenylalanin-amid [Z-Leu-Asp-Phe-NH_2][2]: 0,8 g H-Asp-Phe-NH_2 und 0,31 *ml* Triäthylamin in 3 *ml* Dimethylformamid werden mit 1,34 g Z-Leu-ONP versetzt; die Reaktionslösung wird 16 Stdn. lang bei 36,5° gehalten, danach in eine Mischung von 100 *ml* 0,03 n Salzsäure und 100 *ml* Diäthyläther einfließen gelassen. Der gebildete Niederschlag wird abfiltriert und mit Diäthyläther gewaschen, das erhaltene Material mit warmem Äthanol behandelt, nach Abkühlen auf 0° auf das Filter gebracht und getrocknet; Ausbeute: 1,16 g (76% d.Th.); F: 224–226°; $[\alpha]_D^{23} = -49{,}4°$ (c = 0,53; in Dimethylformamid).

36.622.10. *C_α-Aktivierte N-Acyl-aminodicarbonsäuren*

Nach Bergmann et al.[14] gelingt die Überführung von N-Acyl-glutamyl-aminosäure-estern bzw. -peptid-estern in deren Azide via Hydrazide und die weitere Umsetzung dieser Azide zu höheren N-Acyl-peptid-estern; die bei dieser Umsetzung ungeschützt verbliebene ω-Carboxy-Gruppe des Glutaminsäure-Restes gibt anscheinend keinerlei Anlaß zu Nebenreaktionen (vgl. dazu auch die „Fragment-Kondensationen“ von Hirschmann et al.[11–13] bei der Ribonuclease-S-Protein-Synthese). Le Quesne und Young[15] sowie Šorm und Rudinger[16]

1 J. M. Davey, A. M. Laird u. J. S. Morley, Soc. [C] **1966**, 555.

2 G. W. Kenner, J. J. Mendive u. R. C. Sheppard, Soc. [C] **1968**, 761.

3 R. Hirschmann et al., J. Org. Chem. **32**, 3415 (1967).

4 R. S. Dewey et al., J. Org. Chem. **36**, 49 (1971).

5 K. L. Agarwal, G. W. Kenner u. R. C. Sheppard, Soc. [C] **1968**, 1384.

6 K.-H. Deimer, Dipl.-Arbeit. Univ. München 1968.

7 K. Medzihradszky et al., Acta chim. Acad. Sci. hung. **30**, 105 (1962).

8 J. C. Anderson et al., Tetrahedron Suppl. **8**, 39 (1966).

9 J. Beacham et al., Soc. [C] **1967**, 2520.

10 J. S. Morley, Soc. [C] **1967**, 2410.

11 R. G. Strachan et al., Am. Soc. **91**, 503 (1969).

12 S. R. Jenkins et al., Am. Soc. **91**, 505 (1969).

13 R. Hirschmann et al., Am. Soc. **91**, 507 (1969).

14 M. Bergmann, L. Zervas u. J. S. Fruton, J. Biol. Chem. **115**, 593 (1936).

15 W. J. Le Quesne u. G. T. Young, Soc. **1950**, 1959.

16 F. Šorm u. J. Rudinger, Collect. czech. chem. Commun. **15**, 491 (1950).

beschreiben die Herstellung von *Z-Glu-NHNH*$_2$ durch Hydrazinolyse von Z-Glu-OMe oder Z-Glu-OEt und deren Verwendung zur Synthese von Glutamyl-(C_α)-peptiden via Azid-Methode. Aufgrund der Erfahrungen von Sachs und Brand[1] ist jedoch damit zu rechnen, daß isomere C_γ-Peptide als Nebenprodukte mitentstehen (s. S. 664).

„α-Aktivester" der N-Benzyloxycarbonyl-glutaminsäure wurden in Gestalt der Phenylthioester[2,3], der 4-Nitro-phenylester[4], der Äthyl-thioester[5] und der Phenylester[6] beschrieben (die Reindarstellung der beiden erstgenannten stößt aber auf einige Schwierigkeiten) und zur Herstellung von Glutamyl-(C_α)-peptiden benutzt. Anscheinend am günstigsten verläuft die Umsetzung von N-Benzyloxycarbonyl-glutaminsäure-α-phenylester mit Aminosäure(Peptid)-estern in Tetrahydrofuran oder mit Aminosäure(Peptid)-Triäthylamin-Salzen in wäßrigem Äthanol bei 45° innerhalb 48 Stdn.; die mit 60–80% an N-Benzyloxycarbonyl-peptidestern bzw. 40–50% an N-Benzyloxycarbonyl-peptiden angegebenen Ausbeuten sind jedoch nicht überragend[7].

N-Benzyloxycarbonyl-L-glutaminsäure-α-phenylester [Z-Glu-OPh][6]:

Dicyclohexylamin-Salz: Zu 78,3 g Z-Glu-anhydrid (s. S. II/218) in 500 *ml* absol. Diäthyläther fügt man 33,8 g Phenol in 200 *ml* absol. Diäthyläther hinzu und unter Rühren tropfenweise 62,7 *ml* Dicyclohexylamin. Nach mehrstdgm. Rühren und anschl. Stehenlassen der Reaktionsmischung über Nacht wird das abgeschiedene Dicyclohexylamin-Salz abfiltriert, mit Diäthyläther sorgfältig gewaschen und i. Vak. getrocknet. Durch 2maliges Umkristallisieren aus Chloroform/Diäthyläther oder Äthanol wird letztlich ein reines Material erhalten; Ausbeute: 99 g (61% d. Th.); F: 159–160° (Spieße); $[\alpha]_D^{25} = -11{,}8°$ (c = 0,7; in Chloroform) oder $[\alpha]_D^{25} = -18{,}3°$ (c = 0,83; in Methanol).

Salzfrei: 27 g des oben erhaltenen Salzes werden in 200 *ml* Essigsäure-äthylester unter Zusatz von 20 *ml* 5 n Chlorwasserstoff/Essigsäure-äthylester einige Stdn. verrührt; der Reaktionsansatz wird filtriert. Filtrat und Waschflüssigkeit werden mit Wasser gewaschen, über Natriumsulfat getrocknet und anschließend i. Vak. eingedampft. Der erhaltene Rückstand wird letztlich aus Essigsäure-äthylester/Petroläther umkristallisiert; Ausbeute: 12,7 g (71% d. Th.); F: 122–123° (feine Nadeln); $[\alpha]_D^{25} = -27{,}4°$ (c = 1,08; in 95%-iger Essigsäure).

Aus der Mutterlauge der ersten Dicyclohexylamin-Salz-Fällung können nach Einengen i. Vak. ~ 30% Z-Glu(OPh)-OH · DCHA isoliert werden.

N-Benzyloxycarbonyl-L-glutamyl-aminosäure(peptid)-ester; allgemeine Herstellungsvorschrift[7]: 0,01 Mol Z-Glu-OPh in 20 *ml* absol. Tetrahydrofuran werden mit der Lösung der Aminosäure(Peptid)-ester in Tetrahydrofuran, die aus 0,012 Mol der entsprechenden Hydrochloride in Tetrahydrofuran mit Triäthylamin in Freiheit gesetzt wurden, 48 Stdn. lang auf 45° erwärmt. Nach Einengen der Reaktionsmischung i. Vak. wird der verbleibende Rückstand zwischen Essigsäure-äthylester und n Salzsäure verteilt; die abgetrennte organische Phase wird mit Wasser gewaschen, über Natriumsulfat getrocknet und letztlich i. Vak. eingedampft. Die erhaltenen Rohprodukte werden vorwiegend aus Essigsäure-äthylester/Petroläther oder Diäthyläther umkristallisiert; Ausbeute: 60–80% d. Th.

N-Benzyloxycarbonyl-L-glutamyl-L-alanin [Z-Glu-Ala-OH][7]: 1,6 g Z-Glu-OPh in 10 *ml* Äthanol werden mit 1,5 *ml* Triäthylamin versetzt, 0,54 g Alanin zugefügt und die Mischung 48 Stdn. lang auf 45° erwärmt. Danach wird i. Vak. eingeengt, die Lösung des Rückstandes in Wasser 2 mal mit Diäthyläther ausgeschüttelt, die wäßrige Phase auf $p_H = 3$ angesäuert und das abgeschiedene Öl in Essigsäure-äthylester aufgenommen. Die abgetrennte Essigsäure-äthylester-Phase wird wie üblich gewaschen und getrocknet und letztlich i. Vak. eingedampft, das verbleibende Material 2mal aus Essigsäure-äthylester/Petroläther umkristallisiert; Ausbeute: 0,7 g (44% d. Th.); F: 177–178°; $[\alpha]_D^{25} = -16{,}9°$ (c = 0,91, in 95%-iger Essigsäure).

---

[1] H. Sachs u. E. Brand, Am. Soc. **76**, 1815 (1954).
[2] T. Wieland u. H. Weidenmüller, A. **597**, 111 (1955).
[4] H. Sachs u. H. Waelsch, Am. Soc. **77**, 6600 (1955).
[4] E. Klieger u. H. Gibian, A. **649**, 183 (1961).
[5] E. Klieger u. H. Gibian, A. **651**, 194 (1962).
[6] E. Klieger u. H. Gibian, A. **655**, 195 (1962).
[7] E. Klieger u. E. Schröder, A. **661**, 193 (1963).

36.622.20. Cyclische C_α-aktivierte Verbindungen von N-Acyl-aminodicarbonsäuren

36.622.21. *1,3-Oxazolidin-5-one von N-Acyl-aminodicarbonsäuren*

Wie bekannt, lassen sich N-Tosyl-aminosäuren mit Formaldehyd zu 1,3-Oxazolidin-5-on-Derivaten umsetzen; der „Lactonring" ist aminolytisch aufspaltbar (s. S. II/93f.). Nach Micheel und Haneke[1] sowie Gut und Rudinger[2] sind solche 1,3-Oxazolidin-5-on-Verbindungen auch von TOS-Glu-OH (IVa) und TOS-Aad-OH (IVb) entweder durch einfaches Zusammenschmelzen mit Paraformaldehyd und 4-Toluolsulfonsäure oder durch Umsatz mit Paraformaldehyd in Essigsäure/Essigsäureanhydrid unter Zusatz von Thionylchlorid als Katalysator erhältlich. Die aminolytische Ringöffnung dieser C_α-aktivierten, C_ω-ungeschützten Aminodicarbonsäure-Derivate Va-b mit Aminosäureestern soll eindeutig zu (C_α)-Peptid-Derivaten der Glutaminsäure VIa bzw. α-Amino-adipinsäure VIb führen:

TOS–NH–CH(COOH)–$(CH_2)_n$–COOH (IV a oder b) —HCHO, $-H_2O$→ TOS-N-Oxazolidin-5-on mit $(CH_2)_n$–COOH (V a oder b)

—H_2N–CH(R^1)–$COOR^2$→ TOS–NH–CH($(CH_2)_n$–COOH)–CO–NH–CH(R^1)–$COOR^2$ (VI a oder b)

IV a – VI a: n = 2

IV b – VI b: n = 3

L-α-Amino-adipyl-glycin [H-Aad-Gly-OH][2]**:**

(R)-4-(5-Oxo-3-tosyl-1,3-oxazolid-4-yl)-buttersäure[2]*: 10 g TOS-Aad-OH und 1,9 g Paraformaldehyd werden in 64 *ml* Essigsäure erhitzt, die erhaltene Lösung mit 3 *ml* Essigsäureanhydrid und 3 Tropfen Thionylchlorid versetzt und am siedenden Wasserbad unter Rückfluß 4 Stdn. lang erhitzt. Die Reaktionsmischung wird danach i. Vak. zur Trockene gebracht, die Lösung des verbleibenden Rückstandes in Benzol wie üblich mit Wasser gewaschen, über Natriumsulfat getrocknet und letztlich erneut zur Trockene gedampft. Der Rückstand kristallisiert aus wenig Benzol; Ausbeute: 9,8 g (78% d. Th., ber. für ein Benzol-Solvat); F: 56–58°.

N-Tosyl-L-α-amino-adipyl-glycin-äthylester [TOS-Aad-Gly-OEt][2]: 1g TOS-[Aad-OI] und 1,3 g H-Gly-OEt werden 2 Min. lang auf 100° erhitzt; die Reaktionsmischung wird nach Abkühlen mit Wasser verdünnt und angesäuert. Das hierbei abgeschiedene Öl kristallisiert alsbald; es wird aus Äthanol/Wasser oder Propanol-(2)/Petroläther umkristallisiert; Ausbeute: 1,03 g; F: 124°.

L-α-Amino-adipyl-glycin [H-Aad-Gly-OH][2]: 758 mg TOS-Aad-Gly-OEt in 50 *ml* flüssigem Ammoniak werden mit Natrium in kleinen Stückchen versetzt, bis eine konstante Blaufärbung bestehen bleibt (~ 280 mg Natrium). Danach wird die Blaufärbung der Lösung durch Zugabe von wenig Ammoniumacetat wiederum entfernt, anschließend das Ammoniak verdampft und der erhaltene Rückstand in wenig Eiswasser aufgenommen. Die erhaltene Lösung wird mit 5 g Zerolit 225 ($NH_4^{\oplus}$-Form) 30 Min. lang gerührt. Das Filtrat vom Ionenaustauscher wird auf ein kleines Vol. i. Vak. eingedampft und mit einem geringen Überschuß an m Bariumacetat-Lösung behandelt; nach Entfernung des ausgeschiedenen Bariumsulfates läßt man die Lösung eine Austauscher-Säule, beschickt mit 3 g Zerolit 225 (s. o.) passieren. Das Eluat wird anschließend auf 2 *ml* i. Vak. konzentriert, mit wenig Ammoniak und anschließend mit viel Äthanol versetzt; die gebildete Fällung wird abfiltriert und getrocknet; Ausbeute: 342 mg (69% d. Th., ber. für ein Ammoniumsalz-Hemihydrat); $[\alpha]_D^{20} = +36{,}4°$ (c = 3,84, in n Salzsäure).

---

* 1,3-Oxazolidin-5-on von N-Tosyl-L-α-amino-adipinsäure ⟨TOS-[Aad-OI]⟩

[1] F. Micheel u. H. Haneke, B. **92**, 309 (1959).

[2] V. Gut u. J. Rudinger, Collect. czech. chem. Commun. **28**, 2953 (1963).

36.622.22. *1,3-Oxazolidin-2,5-dione von Aminodicarbonsäuren**

Eine einwandfreie Herstellung des N-Carbonsäure-Anhydrids der Glutaminsäure (VIIa) war erstmals Berger et al.[1] durch direkte Phosgenierung der Aminosäure gelungen, Kovacs et al.[2] durch katalytische Hydrogenolyse von H-[Glu(OBZL)-NCA] oder Z-Glu-anhydrid; in letzterem Falle bildet sich zunächst *N-Carboxy-glutaminsäure-1,5-anhydrid,* das sich sofort zum *H-[Glu-NCA]* umlagert.

Im Gegensatz zu den Ergebnissen von Vajda und Bruckner[3] ist nach Hirschmann et al.[4] auch eine direkte Phosgenierung der Asparaginsäure möglich. Die Ausbeute an reinem kristallinen „Leuchs'schen Anhydrid", d. i. H-[Asp-NCA](VIIb), beträgt allerdings nur 20–25%; seine Umsetzung mit wäßrigem Ammoniak führt aber eindeutig zu Asparagin[4], mit Aminosäure(Peptid)-estern zu Asparagyl-(C_α)-peptidestern[5–7] VIIIb. Strukturuntersuchungen mit Hilfe enzymatischer Abbau-Methoden erbrachten jedenfalls keinen Hinweis auf ein Vorliegen von Asparagyl-(C_β)-peptid-Bindungen[8].

Analoge Feststellungen betrafen Synthesen mit H-[Glu-NCA][4].

$$\text{VII a oder b} \xrightarrow[\text{2. } +H^{\oplus};\ -CO_2]{H_2N-CH(R)-COOH,\ \text{1. } p_H = 10{,}2} H_2N-CH((CH_2)_n-COOH)-CO-NH-CH(R)-COOH \ (\text{VIII a oder b})$$

a : n = 2
b : n = 1

L-Glutamyl-L-leucin [H-Glu-Leu-OH][4]:

L-Glutaminsäure-N-Carbonsäure-Anhydrid ⟨H-[Glu-NCA]⟩: Die Suspension von 35 g Glutaminsäure in 1,1 *l* reinstem, absol. Tetrahydrofuran wird bei 50° über 7 Stdn. lang unter bekannten Bedingungen mit Phosgen behandelt. Die Reaktionsmischung wird danach bei 50° eine weitere Stde. und ohne Erwärmen die folgende Nacht hindurch gerührt (während dieses Prozesses tritt fast vollständige Lösung der Aminosäure ein). Das Filtrat von wenig Ungelöstem wird i. Vak. bei einer Badtemp. unter 40° konzentriert, der erhaltene Rückstand mit 175 *ml* Essigsäure-äthylester behandelt; ungelöstes Material wird abfiltriert und 2mal mit 50 *ml* Essigsäure-äthylester gewaschen. Filtrat und Waschwässer werden vereinigt und mit 150 *ml* Hexan im Zeitraum von 90 Min. versetzt. Danach wird die Mischung 2 Stdn. lang gerührt, das abgeschiedene Produkt durch Filtration unter Stickstoffatmosphäre abgetrennt. Das erhaltene Material wird in 250 *ml* Essigsäure-äthylester erneut gelöst und wiederum durch sorgfältige Zugabe von 150 *ml* Hexan gefällt; Ausbeute: 23,2 g (56,5% d.Th.); F: 83° (Zers.); $[\alpha]_D^{27} = -24{,}6°$ (c = 2,53, in 1,4-Dioxan).

L-Glutamyl-L-leucin [H-Glu-Leu-OH][4]: 296 mg Leucin in 20 *ml* 0,45 n Natriumborat-Puffer werden in bekannter Manier mit 430 mg H-[Glu-NCA] umgesetzt. Die filtrierte Reaktionsmischung wird anschließend mit 50%-iger Schwefelsäure vorsichtig auf $p_H = 3{,}8$ gestellt, das abgeschiedene kristalline Dipeptid isoliert; Ausbeute: 325 mg (55% d.Th.); $[\alpha]_D^{25} = +7{,}14°$ (c = 1,6 in 0,5 n Salzsäure).

---

* Vgl. dazu S. II/187ff.

[1] A. Berger et al., Bull. Research Council. Israel. A. **7**, 98 (1958).

[2] J. Kovacs, H. N. Kovacs u. R. Ballina, Am. Soc. **85**, 1839 (1963).

[3] T. Vajda u. V. Bruckner, Acta chim. Acad. Sci. hung. **16**, 215 (1958).

[4] R. Hirschmann et al., Am. Soc. **93**, 2746 (1971).

[5] R. G. Strachan et al., Am. Soc. **91**, 503 (1969).

[6] S. R. Jenkins et al., Am. Soc. **91**, 505 (1969).

[7] R. Hirschmann et al., Am. Soc. **91**, 507 (1969).

[8] S. Holly et al., unveröffentlichte Ergebnisse, in R. Hirschmann et al., Am. Soc. **93**, 2746 (1971).

36.623. Synthesen mit geschützter ω-Carboxy-Funktion

Diktiert vom Aufbau-Prinzip benötigt dieser zu C_α-Peptiden der Aminodicarbonsäuren führende Syntheseweg folgende spezielle Startmaterialien:

① Für amino-endständigen Einbau N,C_ω-bis-geschützte, „gleichartig-demaskierbare" Derivate.

② Für den mittelständigen Einbau entweder

ⓐ N,C_ω-bis-geschützte, selektiv demaskierbare Derivate bei stufenweisem Syntheseverfahren

ⓑ C_ω-mono-substituierte und C_α,C_ω-bis-substituierte, selektiv C_α-demaskierbare bzw. C_α-aktivierte Derivate bei Fragmentkondensations-Verfahren, wenn das „Kopf-Fragment" – im Gesamtbild also vorübergehend – zunächst carboxy-endständige Aminodicarbonsäure-Reste aufweist.

Welche Aminodicarbonsäure-Derivate letztlich eingesetzt werden, bzw. welche Wege man zu ihrer Herstellung beschreiten muß, wird wiederum entscheidend beeinflußt von der ausgewählten oder auch aufoktroyierten Synthesestrategie. Bislang haben sich für den Schutz der ω-Carboxy-Funktion drei Möglichkeiten angeboten:

① Eine Veresterung

② eine Amid-Maskierung

③ eine Hydrazid-Maskierung

36.623.10. Aminodicarbonsäure-ω-ester

36.623.11. *ω-Methylester und ω-Äthylester*

ω-Methylester und ω-Äthylester der Glutaminsäure und der Asparaginsäure wurden lange Zeit durch direkte Veresterung mit Methanol bzw. Äthanol bei Anwendung von Chlorwasserstoff[1-9], Thionylchlorid[10,11] oder Acetylchlorid[4,12] als Veresterungskatalysatoren gewonnen.

Woolley et al.[13] konnten jedoch auch eine Anwesenheit der isomeren α-Ester in den Reaktionsansätzen nachweisen und stellten somit die uneingeschränkte Verwendbarkeit der genannten Veresterungsmethoden in Frage.

Isomerenfrei sollen dagegen die ω-Ester nach Taschner[14] durch Umsetzen der Aminodicarbonsäuren mit Essigsäure-äthylester bzw. -methylester unter Zusatz von Perchlorsäure anfallen.

L-Glutaminsäure-γ-äthylester [H-Glu(OEt)-OH][4]: 10 g Glutaminsäure werden in 100 *ml* Äthanol, das 2,73 g Chlorwasserstoff enthält, unter Schütteln oder Rühren aufgelöst; nach 3tägigem Stehen der Reaktionsmischung wird 8 *ml* Pyridin zugefügt, der gebildete Niederschlag abfiltriert und mit Äthanol gewaschen. Umkristallisation aus feuchtem Äthanol erbringt farblose Nadeln; Ausbeute: 6,3 g (~ 60% d.Th.); F: 194°.

---

1 E. Abderhalden u. H. Nienburg, H. **219**, 155 (1933).
2 M. Bergmann u. L. Zervas, H. **221**, 51 (1933).
3 D. Coleman, Soc. **1951**, 2294.
4 W. E. Hanby, S. G. Waley u. J. Watson, Soc. **1950**, 3239.
5 B. Hegedüs, Helv. **31**, 737 (1948).
6 J. Kovacs, V. Bruckner u. K. Kovacs, Soc. **1953**, 145.
7 H. K. Miller u. H. Waelsch, Arch. Biochem. **35**, 176 (1952).
8 Z. Pravda, Collect. czech. chem. Commun. **24**, 2083 (1959).
9 D. A. Rowlands u. G. T. Young, Soc. **1952**, 3937.
10 H. Schwarz, F. M. Bumpus u. I. H. Page, Am. Soc. **79**, 5697 (1957).
11 R. A. Boissonnas et al., Helv. **38**, 1491 (1955).
12 M. Goodman, E. E. Schmitt u. D. A. Yphantis, Am. Soc. **84**, 1283 (1962).
13 G. L. Tritsch u. W. D. Woolley, Am. Soc. **82**, 2787 (1960).
14 J. F. Biernat, B. Rzeszotarska u. E. Taschner, A. **646**, 125 (1961).

L-Glutaminsäure-γ-methylester [H-Glu(OMe)-OH]:

Acetylchlorid-Methode[1]: 36,8 g Glutaminsäure werden zu einem gekühlten Gemisch gefügt, das aus 20 *ml* Acetylchlorid und 250 *ml* Methanol bereitet wurde; die Rekationsmischung wird einige Min. lang kräftig geschüttelt bis weitgehend Lösung erfolgt ist, dann 20 Stdn. lang stehen gelassen und letztlich mit 25 *ml* Pyridin versetzt. Nach 48 Stdn. Stehen bei Raumtemp. wird der gebildete Niederschlag abfiltriert, mit Äthanol und Diäthyläther gewaschen und zum Schluß aus 70%-igem Methanol umkristallisiert; Ausbeute: 17–22 g; F: 182° (Zers.; farblose Nadeln). Das erhaltene Material enthält noch ~ 1% freie Glutaminsäure.

Perchlorsäure-Methode[2]: 147 mg Glutaminsäure in 1,6 *ml* Essigsäure-methylester aufgeschlämmt, werden mit 0,11 *ml* Perchlorsäure (Dihydrat) versetzt, die erhaltene Lösung 7 Tage bei 20° belassen. Danach läßt man die Reaktionslösung eine Amberlite-IR-4B-Kolonne (1×15 cm; 8 Tropfen pro Min.; Elutionsmittel Wasser) passieren. Die i. Vak. unterhalb 20° zur Trockne gedampften Eluate hinterlassen einen Kristallbrei, der in 0,2 *ml* Wasser aufgenommen wird. Auf sorgfältige Zugabe von Äthanol zu dieser Lösung tritt Fällung ein; Ausbeute: 103 mg (65% d.Th.); F: 178°.

Eine N-Acylierung der Glutaminsäure-γ-ester bzw. Asparaginsäure-β-ester in schwach alkalischem Medium ist möglich. Benzyloxycarbonyl-[1,3–8], subst. Benzyloxycarbonyl-[9–13] und tert.-Butyloxycarbonyl-Derivate[14] werden so zugänglich (ein anderer Erstellungsweg ist durch Alkoholyse der N-Acyl-aminodicarbonsäure-anhydride gegeben [s. S. 637]); die N-geschützten Aminodicarbonsäure-ω-methylester bzw. -äthylester lassen sich als Kopfkomponenten nach dem Mischanhydrid-[4,8], Carbodiimid-[14–16] und Aktivester-Verfahren[4,17] einsetzen.

N-tert.-Butyloxycarbonyl-L-glutamyl(γ-methylester)-glycin-benzylester [BOC-Glu(OMe)-Gly-OBZL][14]:

N-tert.-Butyloxycarbonyl-L-glutaminsäure-γ-methylester [BOC-Glu(OMe)-OH][14]: Eine Suspension von 6,44 g H-Glu(OMe)-OH und 9 g Magnesiumcarbonat in 100 *ml* 1,4-Dioxan/Wasser (1:1) wird 1 Stde. lang bei 40–45° gerührt, anschließend mit 7,7 g tert.-Butyloxycarbonylazid versetzt. Die Reaktionsmischung wird weitere 20 Stdn. bei 40–45° gerührt, dann auf 0° abgekühlt, filtriert, mit Citronensäure auf $p_H = 3$ gestellt und letztlich 3mal mit Dichlormethan extrahiert. Die vereinigten Auszüge werden wie üblich mit Wasser gewaschen, über Natriumsulfat getrocknet und i. Vak. eingedampft; Ausbeute: 3,67 g (35% d.Th.); Öl.

Zur Charakterisierung wird das Dicyclohexylamin-Salz hergestellt und aus Essigsäure-äthylester umkristallisiert; F: 155–157°; $[\alpha]_D^{20} = +10{,}5°$ (c = 2, in Methanol).

N-tert.-Butyloxycarbonyl-L-glutamyl(γ-methylester)-glycin-benzylester [BOC-Glu(OMe)-Gly-OBZL][14]: 4,38 g H-Gly-OBZL · TOS-OH, 1,82 *ml* Triäthylamin und 2,68 g Dicyclohexylcarbodiimid werden zu einer auf 0° gekühlten Lösung von 3,67 g BOC-Glu(OMe)-OH in Dichlormethan gegeben. Die Reaktionsmischung wird 1 Stde. bei 0° und dann über Nacht bei Raumtemp. gerührt. Nach üblicher Aufarbeitung wird ein Rohprodukt erhalten, das aus Diäthyläther/Petroläther umkristallisiert wird; Ausbeute 3,9 g (75% d. Th.). Nach mehrfachem Umkristallisieren aus Diäthyläther/Petroläther; F: 67–69°; $[\alpha]_D^{20} = -18{,}2°$ (c = 4, in Methanol).

---

1 W. E. Hanby, S. G. Waley u. J. Watson, Soc. **1950**, 3239.
2 J. F. Biernat, B. Rzeszotarska u. E. Taschner, A. **646**, 125 (1961).
3 E. Abderhalden u. H. Nienburg, H. **219**, 155 (1933).
4 M. Goodman, E. E. Schmitt u. D. A. Yphantis, Am. Soc. **84**, 1283 (1962).
5 B. Hegedüs, Helv. **31**, 737 (1948).
6 E. Klieger, E. Schröder u. H. Gibian, A. **640**, 157 (1961).
7 R. A. Boissonnas et al., Helv. **38**, 1491 (1955).
8 H. Schwarz, F. M. Bumpus u. I. H. Page, Am. Soc. **79**, 5697 (1957).
9 R. Schwyzer u. P. Sieber, Helv. **42**, 972 (1959).
10 R. Schwyzer, P. Sieber u. K. Zatsko, Helv. **41**, 491 (1958).
11 R. Schwyzer, E. Surbeck-Wegmann u. H. Dietrich, Chimia (Aarau) **14**, 366 (1960).
12 E. Surbeck-Wegmann, Dissertation, Universität Zürich 1961.
13 L. Kisfaludy, Acta. chim. Acad. Sci. hung. **24**, 309 (1960).
14 J. C. Anderson et al., Soc. [C] **1967**, 108.
15 T. Shiba u. T. Kaneko, Bl. chem. Soc. Japan **33**, 1721 (1960).
16 F. H. C. Stewart, Austral. J. Chem. **18**, 1095 (1965).
17 G. Losse, H. Jeschkeit u. W. Langenbeck, B. **96**, 204 (1963).

Wegen der steten Gefahr einer $\alpha:\gamma$- bzw. $\alpha:\beta$-Transpeptidierung im Zuge der Ester-Demaskierung durch alkalische Hydrolyse[1–4] ist der peptid-synthetische Einsatz von ω-Methyl(Äthyl)-Derivaten zur Herstellung von C_α-Peptiden der Aminodicarbonsäuren kaum mehr gerechtfertigt. Aus diesem Grunde wird in den meisten der bislang aufgezeigten Synthesen auf eine ω-Ester-Demaskierung verzichtet[5–8], falls nicht überhaupt die Absicht vorliegt, die ω-Ester als „Vorläufer" für ω-Carbonsäure-amide[9,10] (s. auch S. 721) bzw. ω-Lactame[11] (Pyrrolidin-Ringschluß, s. S. 680) zu benutzen.

Ebenso erfolgen Herstellung und Umsetzung von

TRT-Glu(OMe)-OH[12]
H-Asp(OMe)-OBZL[12] und
H-Glu(OMe)-ONB[13]
unter der Synthese-Zielsetzung von Glutaminyl- bzw. Glutamin-peptiden (s. S. 721).

36.623.12. ω-*Benzylester*

Durch partielle Veresterung mit Benzylalkohol unter Zusatz von Jodwasserstoffsäure[14], Bromwasserstoffsäure[15], 4-Toluol-[16] und Benzolsulfonsäure[17], am besten aber konz. Schwefelsäure[18–20] sind Aminodicarbonsäure-ω-benzylester zugänglich. Auch eine Umsetzung des Kupfer-Komplexes der Glutaminsäure mit Benzylchlorid[14] oder zweckmäßiger eines Kupfer-di-Natrium-Komplexes mit Benzyljodid[21] führt zu gewünschten γ-Estern (s. dazu S. 656). Eine N-Acylierung (auch N-Aminoacylierung[18,22]) von H-Glu(OBZL)-OH und H-Asp(OBZL)-OH ist unter verschiedensten Bedingungen möglich; mit
N-Benzyloxycarbonyl-[14]
N-tert.-Butyloxycarbonyl-[23–30]

---

1 A. R. Battersby u. J. C. Robinson, Soc. **1955**, 259.
2 J. Kovacs, K. Medzihradszky u. V. Bruckner, Acta chim. Acad. Sci. hung. **6**, 183 (1955).
3 P. Schellenberg u. J. Ullrich, B. **92**, 1276 (1959).
4 M. Liefländer, H. **320**, 35 (1960).
5 M. Goodman, E. E. Schmitt u. D. A. Yphantis, Am. Soc. **84**, 1283 (1962).
6 R. Schwyzer u. P. Sieber, Helv. **42**, 972 (1959).
7 G. Losse, H. Jeschkeit u. W. Langenbeck, B. **96**, 204 (1963).
8 F. H. C. Stewart, Austral. J. Chem. **18**, 1095 (1965).
9 R. Schwyzer, E. Surbeck-Wegmann u. H. Dietrich, Chimia (Aarau) **14**, 366 (1960).
10 E. Surbeck-Wegmann, Dissertation, Universität Zürich 1961.
11 J. C. Anderson et al., Soc. [C] **1967**, 108.
12 L. Velluz et al., Bl. **1956**, 1464.
13 Y. Shimonishi, Bl. chem. Soc. Japan **37**, 200 (1961).
14 W. E. Hanby, S. G. Waley u. J. Watson, Soc. **1950**, 3239.
15 E. R. Blout u. R. H. Karlson, Am. Soc. **78**, 941 (1956).
Nam. S. Choi u. M. Goodman, Biopolymers **11**, 67 (1972).
16 D. W. Clayton, G. W. Kenner u. R. C. Sheppard, Soc. **1956**, 371.
17 V. Bruckner et al., Acta chim. Acad. Sci. hung. **6**, 219 (1955).
18 S. Guttmann u. R. A. Boissonnas, Helv. **41**, 1852 (1958).
19 L. Benoiton, Canad. J. Chem. **40**, 570 (1962).
20 J. Halstrøm et al., H. **351**, 1576 (1970).
21 R. Ledger u. F. H. C. Stewart, Austral. J. Chem. **18**, 1477 (1965).
22 K. Kovács, Y. Kovács-Petres u. C. H. Li, Int. J. Pept. Prot. Res. **3**, 93 (1971).
23 E. Sandrin u. R. A. Boissonnas, Helv. **46**, 1637 (1963).
24 C. H. Li et al., J. Org. Chem. **28**, 181 (1963).
25 E. Schröder u. E. Klieger, A. **673**, 196 (1964).
26 K. Hofmann et al., Am. Soc. **87**, 620 (1965).
27 J. C. Anderson et al., Tetrahedron Suppl. **8**, 39 (1966).
28 E. Schnabel et al., A. **716**, 175 (1968).
29 E. Bayer, G. Jung u. H. Hagenmaier, Tetrahedron **24**, 4863 (1968).
30 P. M. Hardy, H. N. Rydon u. R. C. Thompson, Soc. [Perkin I] **1972**, 5.

N-tert.-Amyloxycarbonyl-[1]
N-4-Methoxy-benzyloxycarbonyl-[2–4]
N-2-[Biphenylyl-(4)]-propyl-(2)-oxycarbonyl-[5]
N-2-Nitro-phenylsulfenyl-[6]
N-Formyl-[7]
N-2-Methyl-1-äthoxycarbonyl-vinyl-Derivaten[8]
der Aminodicarbonsäure-ω-benzylester stehen gute, selektiv demaskierbare Kopfkomponenten für die Peptidknüpfung nach Mischanhydrid-[9–11], Carbodiimid-[7,12] (vgl. „Festkörper-Verfahren" S. 375) und Aktivester-Methoden[13–19], aber auch wertvolle Startmaterialien für spezielle Aminodicarbonsäure-α,ω-diester (s. S. 648) bzw. N-Acyl-aminodicarbonsäure-α-ester bereit.

N-tert.-Butyloxycarbonyl-L-glutaminsäure-γ-benzylester-Dicyclohexylamin-Salz [BOC-Glu(OBZL)-OH · DCHA]:

L-Glutaminsäure-γ-benzylester[H-Glu(OBZL)-OH][20]: Zu einer Mischung aus 500 *ml* Diäthyläther und 50 *ml* 98%-iger Schwefelsäure fügt man vorsichtig 500 *ml* Aldehyd-freien Benzylalkohol; nach Entfernen des Diäthyläthers i. Vak. fügt man vorsichtig zur verbleibenden Mischung in kleinen Portionen 73,5 g Glutaminsäure zu. Die erhaltene Lösung wird 20 Stdn. bei 20° aufbewahrt, mit 1000 *ml* 96%-igem Äthanol verdünnt und anschließend unter kräftigem Rühren mit 250 *ml* Pyridin versetzt. Die sofort auftretende kristalline Fällung wird nach 10 Stdn. bei 0° abfiltriert und mit Diäthyläther gewaschen; das erhaltene Material wird zur Entfernung geringer Mengen freier Glutaminsäure aus 950 *ml* siedendem Wasser, das 10 *ml* Pyridin enthält umkristallisiert; Ausbeute: 90 g (76% d.Th.); F: 189° (farblose Nadeln); $[\alpha]_D^{20} = +19{,}6 \pm 0{,}2°$ (c = 6,0, in Essigsäure) bzw. $[\alpha]_D^{20} = +27{,}7 \pm 0{,}5°$ (c = 2,5, in n Salzsäure).

N-tert.-Butyloxycarbonyl-L-glutaminsäure-γ-benzylester-Dicyclohexylamin-Salz [BOC-Glu(OBZL)-OH · DCHA][21]: 706 g H-Glu(OBZL)-OH in 4 *l* frisch dest. Pyridin suspendiert, werden mit 420 *ml* Triäthylamin und 429 g tert.-Butyloxycarbonylazid versetzt; die Reaktionsmischung wird 4 Tage lang gerührt (wobei der Großteil des γ-Esters in Lösung geht), danach 143 g tert.-Butyloxycarbonylazid und 100 *ml* Triäthylamin zugefügt und weitere 4 Tage gerührt. Nach erneuter Zugabe von 100 *ml* tert.-Butyloxycarbonylazid wird letztlich am 12. Tag aufgearbeitet: Filtration vom nichtumgesetzten γ-Ester, Entfernen des Lösungsmittels i. Vak. und Verteilen des Rückstandes zwischen

---

[1] I. Honda, Y. Shimonishi u. S. Sakakibara, Bl. chem. Soc. Japan **40**, 2415 (1967).
[2] E. Schnabel et al., A. **716**, 175 (1968).
[3] F. Weygand u. E. Nintz, Z. Naturf. **20b**, 429 (1965).
[4] H. Yajima u. Y. Kiso, Chem. Pharm. Bull. (Tokyo) **19**, 420 (1971).
[5] R. S. Feinberg u. R. B. Merrifield, Tetrahedron **28**, 5865 (1972).
[6] L. Zervas, D. Borovas u. E. Gazis, Am. Soc. **85**, 3660 (1963).
[7] E. Lefrancier u. E. Bricas, Bl. **1965**, 3668.
[8] C. Daicoviciu et al., Rev. Roumaine Chim. **16**, 751 (1971); C. A. **75**, 64255 (1971).
[9] K. Kovács, Y. Kovács-Petres u. C. H. Li, Int. J. Pept. Prot. Res. **3**, 93 (1971).
[10] H. Yajima u. H. Kawatani, Chem. Pharm. Bull. (Tokyo) **19**, 1905 (1971).
[11] I. Photaki u. V. du Vigneaud, Am. Soc. **87**, 908 (1965).
[12] E. M. Hardy, H. N. Rydon u. R. C. Thompson, Soc. [Perkin I] **1972**, 5.
[13] J. C. Anderson et al., Tetrahedron Suppl. **8**, 39 (1966).
[14] C. H. Li et al., Am. Soc. **83**, 4449 (1961).
[15] C. H. Li et al., J. Org. Chem. **28**, 178 (1963).
[16] H. Zahn, W. Danho u. B. Gutte, Z. Naturf. **21b**, 763 (1966).
[17] M. Bodanszky u. J. Williams, Am. Soc. **89**, 685 (1967).
[18] M. A. Ondetti et al., Am. Soc. **90**, 4711 (1968).
[19] W. Danho u. C. H. Li, Int. J. Pept. Prot. Res. **3**, 81 u. 99 (1971).
[20] S. Guttmann u. R. A. Boissonnas, Helv. **41**, 1852 (1958).
[21] F. Drees, unveröffentlichte Ergebnisse (modifizierte Darstellung in Anlehnung an E. Sandrin u. R. A. Boissonnas[22] sowie K. P. Polzhofer[23]).
[22] E. Sandrin u. R. A. Boissonnas, Helv. **45**, 1637 (1963).
[23] K. P. Polzhofer, Tetrahedron Letters **1969**, 2305.

Essigsäure-äthylester und verd. Schwefelsäure (p_H der wäßrigen Phase = 3). Die abgetrennte Essigsäure-äthylester-Phase wird sulfatfrei gewaschen und einmal rasch mit einer wäßrigen Lösung von 15 g Kaliumhydrogencarbonat ausgezogen, danach mit Natriumchlorid-Lösung gewaschen, über Natriumsulfat getrocknet und letztlich i. Vak. eingedampft. Die Lösung des öligen Rückstandes in 8 *l* Diäthyläther wird mit 417 g Dicyclohexylamin versetzt; die gebildete Fällung wird abfiltriert und i. Vak. getrocknet; Ausbeute: 1103 g (86% d.Th.); F: 139–140°; $[\alpha]_D^{20} = +14{,}0 \pm 1°$ bzw. $[\alpha]_{546}^{20} = +16{,}27°$ (c = 1,1, in Methanol).

N-tert.-Butyloxycarbonyl-L-asparagyl(β-benzylester)-L-prolyl-L-glutaminsäure-γ-benzylester [BOC-Asp(OBZL)-Pro-Glu(OBZL)-OH][1]:

N-tert.-Butyloxycarbonyl-L-prolyl-L-glutaminsäure-γ-benzylester [BOC-Pro-Glu (OBZL)-OH][1]: Zu einer Suspension von 10,6 g H-Glu(OBZL)-OH (s. S. 646) und 6, 3 *ml* Triäthylamin in 100 *ml* Dimethylformid werden 9,3 g BOC-Pro-OSU hinzugefügt; die Reaktionsmischung wird 30 Stdn. lang bei Raumtemp. gerührt, von unumgesetztem H-Glu(OBZL)-OH durch Filtration befreit und letztlich i. Vak. eingedampft. Die Lösung des Rückstandes in 100 *ml* 4%-iger Natriumhydrogencarbonat-Lösung wird 3 mal mit je 10 *ml* Essigsäure-äthylester gewaschen, die verbleibende wäßrige Phase mit 0,1 n Salzsäure auf $p_H = 3$ gestellt. Das abgeschiedene Öl mit insgesamt 150 *ml* Essigsäure-äthylester extrahiert. Die vereinigten Essigsäure-äthylester-Auszüge werden über Natriumsulfat getrocknet und i. Vak. eingedampft. Der Rückstand wird aus Petroläther/Diäthyläther umkristallisiert; Ausbeute: 10 g (76,5% d.Th.); F: 91–93°; $[\alpha]_D^{25} = -44°$ (c = 1, in Methanol).

L-Prolyl-L-glutaminsäure-γ-benzylester-Hydro-trifluoracetat [H-Pro-Glu(OBZL)-OH · TFA-OH][1]: 4,4 g BOC-Pro-Glu(OBZL)-OH werden in 30 *ml* Trifluoressigsäure gelöst und bei Raumtemp. 45 Min. lang stehengelassen. Überschüssige Trifluoressigsäure wird i. Vak. entfernt, das verbleibende Öl in 50 *ml* Diäthyläther gelöst, die Lösung erneut i. Vak. eingedampft; diese Prozedur wird nochmals wiederholt. Das erhaltene Öl wird i. Vak. über Natriumhydroxid über Nacht getrocknet, um die letzten Spuren Trifluoressigsäure zu entfernen.

N-tert.-Butyloxycarbonyl-L-asparagyl(β-benzylester)-L-prolyl-L-glutaminsäure-γ-benzylester [BOC-Asp(OBZL)-Pro-Glu(OBZL)-OH][1]: Zum erhaltenen Dipeptid-Hydro-trifluoracetat (s. o.) in 50 *ml* Dimethylformamid werden unter Abkühlen auf –10° 3,2 *ml* Triäthylamin gefügt.

3,23 g BOC-Asp(OBZL)-OH (s. S. 125) in 50 *ml* Dimethylformamid werden bei –20° mit 1,01 *ml* N-Methyl-morpholin und 1,05 *ml* Chlorameisensäure-isobutylester versetzt; diese Reaktionsmischung wird 3 Min. lang bei –20° gerührt und anschließend mit der Lösung des Dipeptides (s. o.) vereinigt. Der Ansatz wird 20 Min. bei –20° und 1 Stde. bei Raumtemp. stehengelassen, anschließend i. Vak. eingedampft, der erhaltene Rückstand zwischen kalter 0,1 n Salzsäure und Essigsäure-äthylester verteilt, die abgetrennte Essigsäure-äthylester-Phase mit 10%-iger Citronensäure-Lösung und Wasser wie üblich gewaschen, über Natriumsulfat getrocknet und letztlich i. Vak. eingedampft. Das gewonnene Material wird einer multiplikativen Verteilung im System Tetrachlormethan/Chloroform/Methanol/Wasser (1 : 3 : 3 : 1) über 100 Stufen unterworfen. Das Hauptprodukt (k = 0,02) wird als amorphes Pulver isoliert; Ausbeute: 3,3 g (52% d.Th.); F.: 40–45°; $[\alpha]_D^{20} = -42°$ (c = 1, in Methanol).

Zusätzlich zu vorstehend genannter N-Acylierung von ω-Estern sind Z-Glu(OBZL)-OH[3] und Z-Asp(OBZL)-OH außer der nicht sehr erfolgreichen Ringöffnung von N-Acyl-aminodicarbonsäure-anhydriden[2,3] (s. S. 637) durch partielle alkoholische Verseifung der Acyl-dibenzylester (s. auch S. 648 u. 657) zugänglich, in letzterem Falle mittels Kaliumhydroxid in Benzylalkohol[4], Natriumhydroxid in wäßrigem 1,4-Dioxan[5] oder Lithiumhydroxid in wäßrigem Aceton[6].

Eine spezielle fraktionierte Reinigung von Z-Asp(OBZL)-OH ist nach Skeggs et al.[7] angebracht.

Die Acyl-dibenzylester können z. B. durch Umsetzen von Z-Glu(OAg)-OAg bzw. Z-Asp(OAg)-OAg mittels Benzylbromid[8] bzw. -jodid[4], durch vorsichtige Veresterung von

---

1 K. Kovács, Y. Kovács-Petres u. C. H. Li, Int. J. Pept. Prot. Res. **3**, 93 (1971).
2 E. Klieger u. H. Gibian, A. **655**, 195 (1962).
3 G. Losse, H. Jeschkeit u. W. Langenbeck, B. **96**, 204 (1963).
4 M. Frankel u. A. Berger, J. Org. Chem. **16**, 1513 (1951).
5 A. Berger u. E. Katchalski, Am. Soc. **73**, 4084 (1951).
6 P. M. Bryant et al., Soc. **1959**, 3868.
7 L. T. Skeggs et al., J. Experiment. Med. **108**, 283 (1958).
8 W. E. Hanby, S. G. Waley u. J. Watson, Soc. **1950**, 3239.

Z-Asp-OH mit Benzylalkohol-4-Toluolsulfonsäure[1] oder durch Benzyloxycarbonylierung von H-Asp(OBZL)-OBZL[2] gewonnen werden.

Der Einsatz von Z-Asp(OBZL)-OH in amino-endständiger Sequenz-Position bei Synthesen auf dem Angiotensin-Gebiet[2-10] und zur Herstellung des carboxy-endständigen Dipeptid-Fragments der Gastrine bzw. deren Analoga[11-14] ist hervorzuheben.

L-Asparagyl-L-phenylalanyl-methylester-Hydrochlorid [H-Asp-Phe-OMe · HCl]:

N-Benzyloxycarbonyl-L-asparaginsäure-β-benzylester[Z-Asp(OBZL)-OH][15]: 4,5 g Z-Asp(OBZL)-OBZL in 250 *ml* Wasser/Aceton (1 : 4) werden unter Rühren und bei Raumtemp. mit 0,255 g Lithiumhydroxid in 10 *ml* Wasser innerhalb 30 Min. verseift. Danach wird das Aceton i. Vak. unterhalb 40° verdampft, die verbleibende Lösung durch Extraktion mit Diäthyläther von nicht umgesetztem Z-Asp(OBZL)-OBZL befreit. Die wäßrige Phase erbringt nach Ansäuern mit 6 n Salzsäure ein Öl, das alsbald kristallisiert; es wird aus Benzol umkristallisiert; Ausbeute: 2,5 g (70% d.Th.); F: 107–109°; $[\alpha]_D^{17} = +13{,}1°$ (c = 10, in Essigsäure).

N-Benzyloxycarbonyl-L-asparagyl(β-benzylester)-L-phenylalanyl-methylester[Z-Asp(OBZL)-Phe-OMe][12]: 4,65 g Z-Asp(OBZL)-OH und 2,8 g H-Phe-OMe · HCl in 15 *ml* Dichlormethan werden bei 0° mit 1,32 g Triäthylamin und 2,94 g Dicyclohexylcarbodiimid versetzt; die Reaktionsmischung wird bei 0° 1 Stde. und bei Raumtemp. über Nacht gerührt und anschließend filtriert. Das Filtrat wird wie üblich mit je 20 *ml* n Salzsäure, Wasser, n Natriumhydrogencarbonat-Lösung und wieder Wasser gewaschen, über Magnesiumsulfat getrocknet und letztlich i. Vak. eingedampft. Der Rückstand wird mit 70 *ml* Essigsäure-äthylester erschöpfend digeriert, die Lösung erneut i. Vak. eingedampft. Der verbleibende feste Rückstand wird aus Essigsäure-äthylester/Petroläther umkristallisiert; Ausbeute: 6,1 g (90% d.Th.); F: 115–116°.

L-Asparagyl-L-phenylalanyl-methylester-Hydrochlorid[H-Asp-Phe-OMe · HCl][12]: 3,12 g Z-Asp(OBZL)-Phe-OMe in 50 *ml* Methanol, das 3 *ml* n Salzsäure enthält, werden in Gegenwart von 0,5 g 10%-iger Palladium-Kohle 3 Stdn. lang bei Raumtemp. wie üblich hydriert. Das Filtrat vom Katalysator wird i. Vak. eingedampft (kristalliner Rückstand; F: 105–110°); Ausbeute: 2,0 g (100% d.Th.).

Aminodicarbonsäure-ω-benzylester und deren N-geschützte Verbindungen sind ferner Ausgangsmaterial für selektiv demaskierbare oder aminolytisch teilspaltbare α,ω-Diester, wie

H-Asp(OBZL)-OtBu[16,17] (s. S. 390)
H-Glu(OBZL)-OPE[18] (s. S. 285) und
H-Glu(OBZL)-ONP[19],

die zunächst in carboxy-endständiger Sequenz-Position eingebaut und später die Verknüpfungsstelle für C_α-, bzw. C_ω-Peptide oder asymmetrisch substituierte C_α,C_ω-Bispeptide sein können.

---

1 A. Berger u. E. Katchalski, Am. Soc. **73**, 4084 (1951).
2 R. H. Mazur, Canad. J. Chem. **40**, 1098 (1962).
3 L. T. Skeggs et al., J. Experiment. Med. **108**, 283 (1958).
4 K. Arakawa u. F. M. Bumpus, Am. Soc. **83**, 728 (1961).
5 H. Schwarz u. K. Arakawa, Am. Soc. **81**, 5691 (1959).
6 S. Guttmann, Helv. **44**, 721 (1961).
7 D. Theodoropoulos u. J. Gazopoulos, Soc. **1960**, 3861.
8 R. Garner u. G. T. Young, Soc. [C] **1971**, 50.
9 S. S. Wang u. R. B. Merrifield, *Peptides*, Proc. 10th Europ. Peptide Symposium Abano Terme 1969, North Holland Publ. Co., Amsterdam **1971**, S. 74.
10 J. H. Seu, R. R. Smeby u. F. M. Bumpus, Am. Soc. **84**, 4948 (1962).
11 J. M. Davey, A. M. Laird u. J. S. Morley, Soc. [C] **1966**, 555.
12 J. C. Anderson et al., Soc. [C] **1967**, 108.
13 K. L. Agarwal, G. W. Kenner u. R. C. Sheppard, Soc. [C] **1968**, 1384.
14 G. W. Kenner, J. J. Mendive u. R. C. Sheppard, Soc. [C] **1968**, 761.
15 P. M. Bryant et al., Soc. **1959**, 3868.
16 R. Roeske, J. Org. Chem. **28**, 1251 (1963).
17 E. Taschner et al., A. **646**, 134 (1961).
18 C. Daicoviciu et al., Rev. Roumaine Chim. **16**, 751 (1971); C. A. **75**, 64255 (1971).
19 G. Losse, H. Jeschkeit u. D. Knopf, B. **97**, 1789 (1964).

36.623.13. *ω-tert.-Butylester*

Die moderne konventionelle Peptidsynthese bevorzugt eine Maskierung der „Seitenketten-Funktionen" auf tert.-Alkyl-Basis[1]; der Zugänglichkeit von Aminodicarbonsäure-ω-tert.-butylestern und deren N- bzw. C_α-Derivaten kommt daher große Bedeutung zu. Eine direkte Veresterung der Aminodicarbonsäuren mittels Essigsäure-tert.-butylester und 60%-iger Perchlorsäure ist bislang nur im Falle der Glutaminsäure beschrieben worden[2]; trotz strenger Einhaltung der Reaktionsbedingungen (6 Tage bei 4–8°) kann der ω-Ester IX mit Diester und auch α-Ester (der wahrscheinlich aus dem Diester durch Abspaltung der ω-tert.-Butylester-Gruppe durch die Perchlorsäure entsteht) verunreinigt sein[2] (s. Schema S. 650).

Als geeigneteres Herstellungs-Verfahren für diese ω-tert.-Butylester IX erwies sich die Hydrogenolyse von N-Benzyloxycarbonyl-aminodicarbonsäure-ω-tert.-butylestern XII[3–5] bzw. deren α-Benzylestern[4] XI (R = BZL) oder α-4-Nitro-benzylestern[6] XI (R = NB). Geeignete Startmaterialien für XI und XII sind die relativ günstig und preiswert zugänglichen N-Benzyloxycarbonyl-aminodicarbonsäure-α-ester X; diese, durch Alkoholyse der „inneren Anhydride" II (s. S. 637f.) oder eindeutig isomerenfrei durch Umsetzung der Salze von N-Benzyloxycarbonyl-aminodicarbonsäuren I mit Alkylhalogeniden (für Glutaminsäure-Derivate; s. S. 669) bzw. durch Desamidierung von N-Benzyloxycarbonyl-aminodicarbonsäure-ω-amiden-α-estern XIV – (insbes. für Asparaginsäure-Derivate, s. S. 659) – gewonnen, werden mittels Isobuten/Schwefelsäure[7–9], Essigsäure-tert.-butylester/Perchlorsäure[10,11] oder Phosphoroxidchlorid/tert.-Butanol[12] zu den ω-tert.-Butylester-Verbindungen XI verestert[2–6,13–15]. Alkalische Hydrolyse von XI führt zu den N-Benzyloxycarbonyl-aminodicarbonsäure-ω-tert.-butylestern XII[2,6,12–16].

In der Hydrogenolyse der „gemischten" Aminodicarbonsäure-diester XVI (R = BZL; s. S. 651f.) wurde ein dritter gangbarer Weg zur Herstellung von *H-Glu(OtBu)-OH* und *H-Asp(OtBu)-OH* aufgefunden[17].

N-Benzyloxycarbonyl-L-asparaginsäure(β-tert.-butylester)-α-methylester [Z-Asp(OtBu)-OMe][3,13]: Zu einer Lösung von 232 g Z-Asp-OMe (s. S. 321) in 1600 *ml* Dichlormethan werden bei –5° 10 *ml* konz. Schwefelsäure und 900 *ml* Isobuten (über Natrium getrocknet) gegeben; die Mischung wird 3 Tage lang im geschlossenen Gefäß bei Raumtemp. gerührt. Danach läßt man die wiederum auf –5° abgekühlte Lösung in überschüssige Natriumcarbonat-Lösung einfließen, trennt die Phasen und wäscht die organische mit Wasser neutral. Nach Einengen i. Vak. wird der Rückstand in Diäthyläther aufgenommen, die Lösung mit Kaliumhydrogencarbonat-Lösung und Wasser sorgfältig gewaschen und über Natriumsulfat getrocknet. Nach Einengen i. Vak. erhält man einen Rückstand, der aus Diäthyläther/Petroläther

---

[1] vgl. dazu R. Schwyzer u. P. Sieber, Helv. **49**, 134 (1966).
[2] E. Taschner et al., A. **663**, 188 (1963).
[3] E. Wünsch u. A. Zwick, H. **328**, 235 (1962).
[4] E. Schröder u. E. Klieger, A. **673**, 196 (1964).
[5] R. Schwyzer u. H. Dietrich, Helv. **44**, 2003 (1961).
[6] E. Schröder u. E. Klieger, A. **673**, 208 (1964).
[7] E. Taschner et al., Ang. Ch. **71**, 743 (1959).
[8] G. W. Anderson u. F M. Callahan, Am. Soc. **82**, 3359 (1960).
[9] R. Roeske, Chem. & Ind. **1959**, 1121.
[10] E. Taschner, C. Wasielewski u. J. F. Biernat, A. **646**, 119 (1961).
[11] E. Taschner et al., A. **646**, 134 (1961).
[12] E. Taschner et al., A. **646**, 123 (1961).
[13] E. Wünsch u. A. Zwick, H. **333**, 108 (1963).
[14] R. Schwyzer u. H. Kappeler, Helv. **44**, 1991 (1961).
[15] E. Klieger u. H. Gibian, A. **655**, 195 (1962).
[16] E. Taschner et al., Collect. czech. chem. Commun. **27**, 2237 (1962).
[17] R. Roeske, J. Org. Chem. **28**, 1251 (1963).

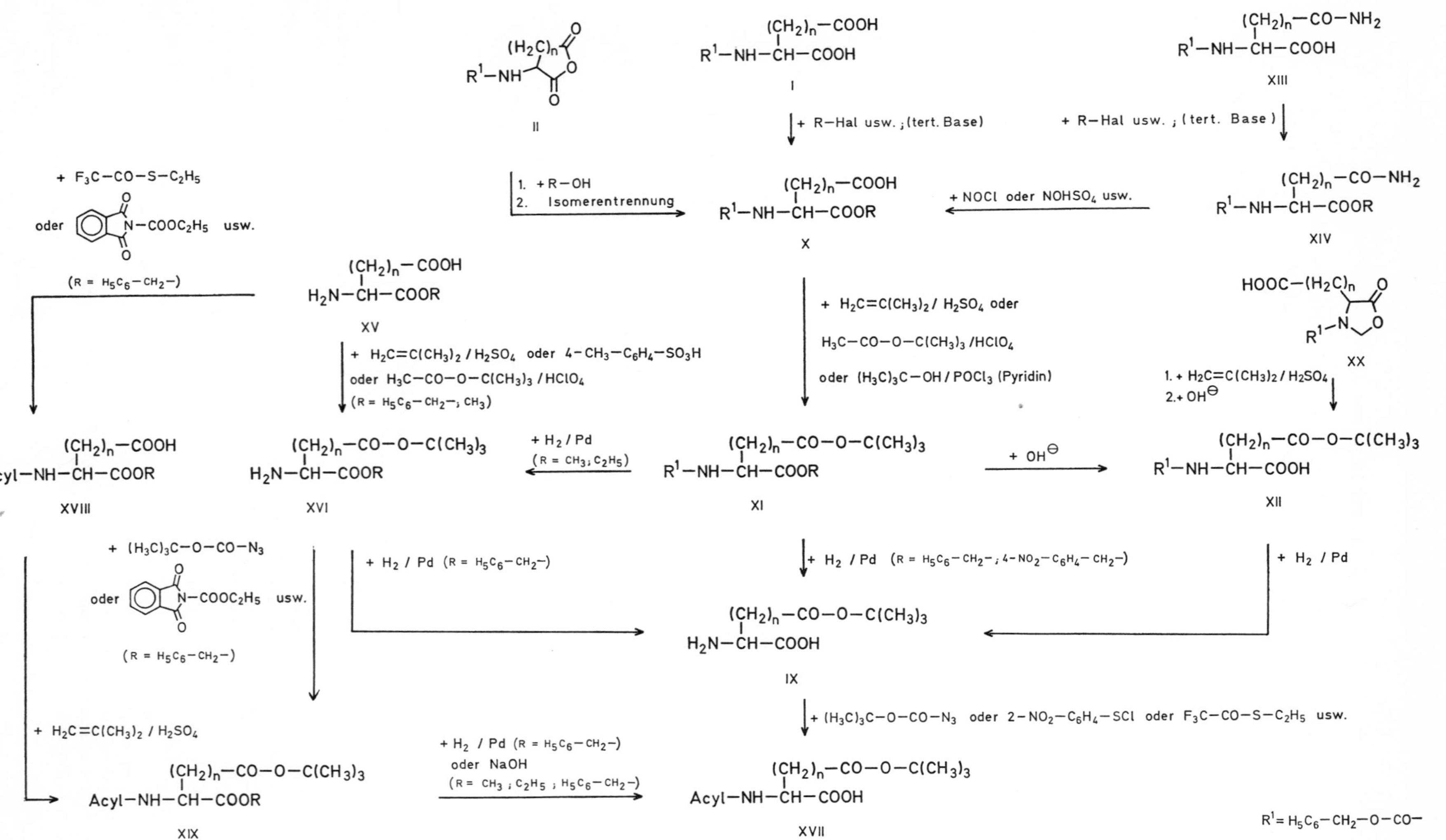
I
II
+ R–Hal usw.; (tert. Base)
XIII
+ R–Hal usw.; (tert. Base)
1. + R–OH
2. Isomerentrennung
+ NOCl oder NOHSO4 usw.
X
XIV
+ F3C–CO–S–C2H5
oder N–COOC2H5 usw.
(R = H5C6–CH2–)
XV
+ H2C=C(CH3)2 / H2SO4 oder
H3C–CO–O–C(CH3)3 / HClO4
oder (H3C)3C–OH / POCl3 (Pyridin)
XX
+ H2C=C(CH3)2 / H2SO4 oder 4–CH3–C6H4–SO3H
oder H3C–CO–O–C(CH3)3 / HClO4
(R = H5C6–CH2–; CH3)
1. + H2C=C(CH3)2 / H2SO4
2. + OH⊖
+ H2 / Pd
(R = CH3; C2H5)
+ OH⊖
XVIII
XVI
XI
XII
+ (H3C)3C–O–CO–N3
oder N–COOC2H5 usw.
(R = H5C6–CH2–)
+ H2 / Pd (R = H5C6–CH2–)
+ H2 / Pd (R = H5C6–CH2–; 4–NO2–C6H4–CH2–)
+ H2 / Pd
IX
+ (H3C)3C–O–CO–N3 oder 2–NO2–C6H4–SCl oder F3C–CO–S–C2H5 usw.
+ H2C=C(CH3)2 / H2SO4
+ H2 / Pd (R = H5C6–CH2–)
oder NaOH
(R = CH3; C2H5; H5C6–CH2–)
XIX
XVII
R1 = H5C6–CH2–O–CO–

umkristallisiert wird; Ausbeute: 263,9 g (96% d.Th.); F: 33–34° (Nadeln); $[\alpha]_D^{20} = -13{,}2 \pm 5°$ bzw. $[\alpha]_{546}^{20} = -16{,}0°$ (c = 1,9, in Äthanol).

N-Benzyloxycarbonyl-L-asparaginsäure(β-tert.-butylester)-α-(4-nitro-benzylester) [Z-Asp(OtBu)-ONB][1]: Die Suspension von 402 g Z-Asp-ONB (s. S. 659) in 2500 *ml* Dichlormethan wird bei –10° mit 5 *ml* konz. Schwefelsäure und anschl. mit 1000 *ml* flüssigem Isobuten versetzt; die Mischung wird in einem Druckgefäß (Fa. Juchheim) 2 Wochen lang bei 28° gerührt. Aus der erhaltenen Lösung läßt man überschüssiges Isobuten bei Raumtemp. verdampfen. Die Restlösung extrahiert man erschöpfend mit verd. Natriumhydrogencarbonat-Lösung, wäscht mit Wasser neutral und trocknet über Natriumsulfat. Das nach dem Eindampfen i. Vak. erhaltene Produkt wird aus Essigsäure-äthylester/Petroläther umkristallisiert; Ausbeute: 390 g (85% d.Th.); F: 93–94°; $[\alpha]_D^{20} = -16{,}2°$ bzw. $[\alpha]_{546}^{20} = -19{,}5°$ (c = 1,0, in Methanol).

N-Benzyloxycarbonyl-L-asparaginsäure-β-tert.-butylester [Z-Asp(OtBu)-OH]:

Methode ⓐ[2]: 118 g Z-Asp(OtBu)-OMe in 600 *ml* 1,4-Dioxan/Wasser (5 : 1) werden wie üblich mit 350 *ml* n Natronlauge titrimetrisch (Thymolphthalein) verseift. Man stellt mit n Salzsäure auf $p_H = 4{,}5$, entfernt i. Vak. den größten Teil des 1,4-Dioxans und säuert schließlich mit überschüssiger Citronensäure-Lösung an. Das abgeschiedene Öl wird mit Diäthyläther aufgenommen, die abgetrennte Äther-Phase mit Wasser gewaschen und schließlich mit Kaliumhydrogencarbonat-Lösung erschöpfend extrahiert. Das beim Ansäuern der Extrakte mit eiskalter Citronensäure-Lösung ausfallende Öl wird erneut in Diäthyläther aufgenommen, die Äther-Phase mit Wasser gewaschen, über Natriumsulfat getrocknet und letztlich i. Vak. eingedampft. Der sirupöse Rückstand wird über Phosphor(V)-oxid im Vakuumexsikkator scharf getrocknet, in absol. Diäthyläther aufgenommen und die Lösung mit Petroläther bis zur beginnenden Trübung versetzt. Nach mehrtägigem Stehenlassen, rasch nach Animpfen, scheiden sich farblose Kristalle ab; Ausbeute: 104 g (92% d.Th.); F: 76–78°; $[\alpha]_D^{20} = -12{,}95° \pm 1°$ bzw. $[\alpha]_{546}^{20} = -15{,}2°$ (c = 1, in Pyridin) oder $[\alpha]_D^{20} = -3{,}4 \pm 1°$ bzw. $[\alpha]_{546}^{20} = -4{,}8°$ (c = 1, in Methanol).

Methode ⓑ[1]: 322 g Z-Asp(OtBu)-ONB in 1500 *ml* Aceton/Wasser (4 : 1) werden innerhalb 20 Stdn. mit 380 *ml* 2 n Natronlauge wie üblich verseift (Thymolphthalein als Indikator). Danach entfernt man das Aceton i. Vak., extrahiert die verbleibende Phase 2 mal mit Diäthyläther und stellt anschließend mit n Schwefelsäure vorsichtig auf $p_H = 2{,}5$ ein. Das abgeschiedene ölige Produkt wird in Diäthyläther aufgenommen, die erhaltene Lösung mit Wasser gewaschen und über Natriumsulfat getrocknet. Auf Zugabe von 160 *ml* Dicyclohexylamin in 500 *ml* Diäthyläther zu dieser Lösung tritt Kristallisation ein; die Fällung wird aus Aceton/Diäthyläther umkristallisiert; Ausbeute: 288 g [81% d.Th.. an *Z-Asp (OtBu)-OH · DCHA*]; F: 126–127°; $[\alpha]_D^{20} = +12{,}6°$ bzw. $[\alpha]_{546}^{20} = +14{,}6°$ (c = 2,0, in Äthanol).

252 g des obenerhaltenen Dicyclohexylamin-Salzes, in 2000 *ml* Diäthyläther suspendiert, werden mit 250 *ml* 2 n Schwefelsäure behandelt; nach Eintritt völliger Lösung werden die Phasen getrennt, die Äther-Phase mit Wasser gewaschen und mit verd. Kaliumhydrogencarbonat-Lösung erschöpfend ausgezogen. Beim Ansäuern dieser Extrakte mit verd. Schwefelsäure fällt ein Öl an; es wird in Diäthyläther aufgenommen, die erhaltene Lösung mit Wasser gewaschen und über Natriumsulfat getrocknet. Nach Entfernen des Lösungsmittels i. Vak. verbleibt ein Rückstand, der aus Diäthyläther/Petroläther umkristallisiert wird; Ausbeute: 146 g (90% d.Th.); F: 74–76°; $[\alpha]_D^{20} = -3{,}8°$ bzw. $[\alpha]_{546}^{20} = -4{,}4°$ (c = 1,0, in Methanol).

L-Asparaginsäure-β-tert.-butylester [H-Asp(OtBu)-OH]:

Methode ⓐ[3]: 5,04 g Z-Asp(OtBu)-OH · DCHA zerlegt man wie üblich mit wäßriger Citronensäure-Lösung; die erhaltene ätherische Lösung von Z-Asp(OtBu)-OH wird mit Natriumchlorid-Lösung gewaschen und über Calciumsulfat getrocknet.

Nach Abziehen des Lösungsmittels wird das verbleibende Öl in Methanol aufgenommen, die erhaltene Lösung in Gegenwart von Palladiumschwarz katalytisch hydriert. Nach üblicher Aufarbeitung erhält man einen festen Rückstand, dessen methanolische Lösung auf Zusatz von Diäthyläther eine gallertige Substanz abscheidet. Nach Abfiltrieren und Trocknen i. Hochvak.; Ausbeute: 1,71 g (90,5% d.Th.); F: 188,5° (Zers.); $[\alpha]_D^{20} = +8{,}4 \pm 1°$ bzw. $[\alpha]_{546}^{20} = +10{,}0°$ (c = 1, in Wasser) sowie $[\alpha]_D^{20} = +8{,}5 \pm 0{,}5°$ bzw. $[\alpha]_{546}^{20} = +10{,}12°$ (c = 3, in 90%-iger Essigsäure).

Methode ⓑ[4]: Eine Suspension von 5,93 g H-Asp(OtBu)-OBZL · HCl in 200 *ml* Diäthyläther wird wie üblich mit 20 *ml* 25%-iger Kaliumcarbonat-Lösung behandelt. Die abgetrennte ätherische Phase (+ „Nachextrakt") wird über Natriumsulfat getrocknet und letztlich i. Vak. eingedampft. Der erhaltene

---

[1] K.-H. Deimer, Diplomarbeit, Universität München 1968.
[2] E. Wünsch u. A. Zwick, B. **99**, 105 (1966).
[3] E. Wünsch u. A. Zwick, H. **328**, 235 (1962).
[4] R. Roeske, J. Org. Chem. **28**, 1251 (1963).

ölige Rückstand wird in einer Mischung von 125 *ml* 95%-igem Äthanol und 75 *ml* Wasser unter Zusatz von 0,2 g 5%-iger Palladium-Kohle 1 Stde. lang mit Wasserstoff unter Druck (3 Atü) behandelt. Das Filtrat vom Katalysator wird i. Vak. auf ~ 50 *ml* eingeengt; auf Zugabe von 400 *ml* Aceton bildet sich eine gelartige Fällung, die beim Rühren in einen kristallinen Niederschlag übergeht; Ausbeute: 2,69 g (76% d. Th.); F: 194–195° (Zers.); $[\alpha]_D^{25} = +8{,}5°$ (c = 1,3, in Wasser).

Methode ©[1]: 2,3 g Z-Asp(OtBu)-ONB (s. S. 651) in 50 *ml* Methanol werden wie üblich in Gegenwart von Palladium-Mohr mit Wasserstoff behandelt. Das Filtrat vom Katalysator wird i. Vak. zur Trockene gedampft, der verbleibende Rückstand aus Methanol/Diäthyläther umgelöst; Ausbeute: 0,72 g (74% d. Th.); F: 197° (Zers.; gallertartig); $[\alpha]_D^{25} = +7{,}5°$ (c = 1, in 90%-iger Essigsäure) bzw. $[\alpha]_D^{25} = +8{,}3°$ (c = 1, in Wasser).

N-Acyl-aminodicarbonsäure-ω-tert.-butylester XVII – außer den bereits besprochenen Benzyloxycarbonyl-Verbindungen (s. vorstehend) – sind auf drei Wegen erhalten worden (vgl. Schema S. 650):

① Durch Acylierung von Aminodicarbonsäure-ω-tert.-butylestern IX[1–5]

② durch Acylierung von „gemischten" Aminodicarbonsäure-ω-tert.-butylester-α-alkylestern (XVI) und anschließender C_α-Demaskierung der erhaltenen Acyl-Diester (XIX), z. B. durch alkalische Verseifung[1–3] oder Hydrogenolyse (nur bei α-Benzylester -Derivaten)[1–3,6] und

③ durch Acylierung von Aminodicarbonsäure-α-benzylestern XV(R = BZL), ω-tert.-Butylierung der resultierenden N-Acyl-α-benzylester XVIII (R = BZL) und letztlich Hydrogenolyse der so zugänglichen N-Acyl-ω-tert.-butylester-α-benzylester XIX (R = BZL)[2,7].

N-2-[Biphenylyl-(4)]-propyl-(2)-oxycarbonyl-L-glutaminsäure-γ-tert.-butylester-Dicyclohexylamin-Salz [BPOC-Glu(OtBu)-OH · DCHA][8]: 6 g H-Glu(OtBu)-OH werden in 13,6 *ml* methanolischer Triton-B-Lösung aufgenommen; nach Entfernen des Lösungsmittels i. Vak. wird das erhaltene Öl (zusätzlich vakuumgetrocknet) in 20 *ml* Dimethylacetamid aufgenommen, die erhaltene Lösung mit 9,99 g [2-(4-Biphenylyl)-propyl-(2)]-phenyl-carbonat versetzt und 3 Tage lang bei 50° gerührt.

Das Reaktionsgemisch wird danach zwischen Wasser und Diäthyläther verteilt, die abgetrennte wäßrige Phase bei 0° mit 10%-iger Citronensäure-Lösung angesäuert, das abgeschiedene Öl in Diäthyläther aufgenommen. Der Äther-Extrakt wird wie üblich gewaschen, getrocknet und letztlich i. Vak. eingedampft; zur Lösung des erhaltenen Öls in Essigsäure-äthylester fügt man 6 *ml* Dicyclohexylamin hinzu. Der gebildete Niederschlag wird abfiltriert und aus Isopropanol/Diäthyläther/Petroläther umkristallisiert; Ausbeute: 12,0 g (65% d. Th.); F: 136–138°; $[\alpha]_D^{20} = +12{,}9°$ (c = 1,7, in Methanol).

N-Trifluoracetyl-L-asparaginsäure-β-tert.-butylester-Dicyclohexylamin-Salz [TFA-Asp(OtBu)-OH · DCHA][2]: 17,85 g H-Asp(OtBu)-OH in 94,5 *ml* n Natronlauge werden mit 20 *ml* Trifluoressigsäure-äthylthioester 24 Stdn. bei Raumtemp. geschüttelt. Das Reaktionsgemisch säuert man unter Eiskühlung mit Citronensäure-Lösung an; den Niederschlag nimmt man in Diäthyläther auf und extrahiert daraus den Trifluoracetyl-mono-ester mit einer Kaliumhydrogencarbonat-Lösung. Nach Ansäuern mit Citronensäure wird die Fällung erneut in Diäthyläther aufgenommen, die abgetrennte organische Phase über Natriumsulfat getrocknet und dann mit Dicyclohexylamin versetzt, solange noch ein Niederschlag entsteht. Der Niederschlag wird aus Äthanol/Petroläther umkristallisiert; Ausbeute: 33,1 g (75% d. Th.); F: 143,5–145°; $[\alpha]_D^{20} = +17{,}75 \pm 0{,}5°$ bzw. $[\alpha]_{546}^{20} = +20{,}72°$ (c = 2, in Äthanol).

---

1 E. Schröder u. E. Klieger, A. **673**, 208 (1964).
2 E. Wünsch u. A. Zwick, H. **333**, 108 (1963).
3 E. Schröder u. E Klieger, A. **673**, 196 (1964).
4 K. Poduška, Collect. czech. chem. Commun. **33**, 3779 (1968).
5 P. Sieber u. B. Iselin, Helv. **51**, 622 (1968).
6 E. Wünsch, G. Wendlberger u. J. Jentsch, B. **97**, 3298 (1964).
7 R. Wolfrum, Diplomarbeit, Universität München 1965.
8 R. G. Hiskey et al., J. Org. Chem. **37**, 2478 (1972).

N-tert.-Butyloxycarbonyl-L-asparaginsäure-β-tert.-butylester [BOC-Asp(OtBu)-OH][1]:

N-tert.-Butyloxycarbonyl-L-asparaginsäure(β-tert.-butylester)-α-benzylester [BOC-Asp(OtBu)-OBZL]: H-Asp(OtBu)-OBZL (auf übliche Weise gewonnen aus 12,7 g des Hydrochlorids in Tetrahydrofuran mit 6,4 *ml* Triäthylamin) in 12 *ml* Pyridin werden mit 7,5 g tert.-Butyloxycarbonylazid 2 Tage bei Raumtemp. gerührt. Danach wird die Mischung i. Vak. eingedampft, der Rückstand in Essigsäure-äthylester aufgenommen, die erhaltene Lösung mit 10%-iger Citronensäure und Wasser wie üblich gewaschen und letztlich i. Vak. eingedampft. Das erhaltene Öl kristallisiert bei mehrtägigem Stehen; es wird aus wäßrigem Äthanol umkristallisiert; Ausbeute: 12 g (79% d.Th.); F: 54–55°; $[\alpha]_D^{25} = -21{,}4°$ (c = 1, in Methanol).

N-tert.-Butyloxycarbonyl-L-asparaginsäure-β-tert.-butylester [BOC-Asp(OtBu)-OH][1]:

Methode ⓐ: 19,0 g BOC-Asp(OtBu)-OBZL in 500 *ml* Methanol werden in Gegenwart von Palladium-Mohr wie üblich hydriert und aufgearbeitet; Ausbeute: 14,5 g (100% d.Th.); Öl.

Das Öl kristallisiert nach längerem Aufbewahren unter Petroläther; es kann aus Petroläther umkristallisiert werden; F: 63–64°; $[\alpha]_D^{25} = -21{,}7°$ (c = 1, in Dimethylformamid). Aus diesem Material kann ein *Dicyclohexylamin-Salz* erhalten werden; es kristallisiert aus Wasser/Äthanol; F: 144–145°; $[\alpha]_D^{25} = +16{,}6°$ (c = 1, in Methanol).

Methode ⓑ: 1,9 g BOC-Asp(OtBu)-OBZL in 20 *ml* Aceton werden bei Raumtemp. mit 5 *ml* n Natronlauge während 2 Stdn. unter Rühren verseift. Nach Entfernen des Acetons i. Vak. wird die verbleibende wäßrige Lösung 2mal mit Essigsäure-äthylester extrahiert, danach mit Citronensäure angesäuert und letztlich mit Diäthyläther erschöpfend ausgezogen. Die über Natriumsulfat getrockneten Äther-Extrakte hinterlassen nach Einengen i. Vak. ein farbloses Öl; Ausbeute: 1,4 g (99% d.Th.).

Das aus diesem Öl erhaltene Dicyclohexylamin-Salz zeigt: F: 139–140°; $[\alpha]_D^{25} = +16{,}2°$ (c = 1, in Methanol).

N-Phthalyl-L-asparaginsäure-β-tert.-butylester [PHT=Asp(OtBu)-OH]:

N-Phthalyl-L-asparaginsäure-α-benzylester [PHT=Asp-OBZL][2]: 22,3 g H-Asp-OBZL in 250 *ml* Wasser und 11,0 g Kaliumhydrogencarbonat werden unter kräftigem Rühren bei Raumtemp. mit 23,0 g N-Äthoxycarbonyl-phthalimid umgesetzt; nach 2 Stdn. wird mit 5 n Salzsäure angesäuert; das abgeschiedene Öl kristallisiert beim Aufbewahren im Kühlschrank; Ausbeute 27,1 g (77% d.Th.); farblose Kristalle aus Äthanol/Petroläther; F: 111,5–112°; $[\alpha]_D^{20} = -42{,}1 \pm 1°$ bzw. $[\alpha]_{546}^{20} = -50{,}1°$ (c = 1, in Äthanol).

N-Phthalyl-L-asparaginsäure(β-tert.-butylester)-α-benzylester [PHT=Asp(OtBu)-OBZL][2]: 23,0 g PHT=Asp-OBZL in 120 *ml* Dichlormethan werden bei −10° mit 1 *ml* konz. Schwefelsäure und 110 *ml* flüssigem Isobuten (über Natrium getrocknet) versetzt. Nach 60 stdgm. Stehenlassen in einem verschlossenen Druckkolben läßt man das Gemisch in eiskalte überschüssige Kaliumhydrogencarbonat-Lösung einfließen, trennt die organische Phase ab, wäscht diese neutral und engt auf ein kleines Vol. ein. Nach Verdünnen mit Diäthyläther wird nochmals mit verd. Kaliumhydrogencarbonat-Lösung und Wasser gewaschen, über Natriumsulfat getrocknet und i. Vak. zum Öl eingedampft. Der Rückstand kristallisiert nach Aufnehmen in warmem Petroläther und mehrstündigem Aufbewahren im Kühlschrank; Ausbeute: 24,6 g (93% d.Th.); F: 73,5–75°; $[\alpha]_D^{20} = -32{,}2 \pm 0{,}5°$ bzw. $[\alpha]_{546}^{20} = -41{,}0°$ (c = 2,5, in Äthanol).

N-Phthalyl-L-asparaginsäure-β-tert.-butylester[2]: 22,4 g PHT=Asp(OtBu)-OBZL in 150 *ml* Methanol werden in Gegenwart von Palladiumschwarz 12 Stdn. hydriert. Das Filtrat engt man i. Vak. ein, nimmt den öligen Rückstand in Diäthyläther auf und extrahiert erschöpfend mit eiskalter Hydrogencarbonat-Lösung. Die wäßrigen Extrakte scheiden beim Ansäuern mit Citronensäure ein Öl ab, das in Diäthyläther aufgenommen wird. Nach Neutralwaschen und Trocknen über Natriumsulfat kristallisieren aus der eingeengten Lösung auf Zusatz von Petroläther feine Nadeln; sie werden aus Diäthyläther/Petroläther umkristallisiert; Ausbeute: 16,7 g (95% d.Th.); F: 114–115°; $[\alpha]_D^{20} = -45{,}9 \pm 0{,}5°$ bzw. $[\alpha]_{546}^{20} = -55{,}3°$ (c = 1,2, in Äthanol).

Ein zusätzliches Herstellungsverfahren für N-Benzyloxycarbonyl-aminodicarbonsäure-ω-tert.-butylester XII weist Itoh[3] vor: Die freien Carboxy-Funktionen der 1,3-Oxazolidin-5-one von Z-Glu-OH bzw. Z-Asp-OH XX lassen sich in bekannter Weise mit Isobuten verestern, die erhaltenen ω-tert.-Butylester-Derivate von XX alkalisch zu XII verseifen (vgl. Schema S. 650).

---

[1] E. Schröder u. E. Klieger, A. **673**, 208 (1964).
[2] E. Wünsch u. A Zwick, H. **333**, 108 (1963).
[3] M. Itoh, Chem. Pharm. Bull. (Tokyo) **17**, 1679 (1969).

Der peptidsynthetische Einsatz von N-Acyl-aminodicarbonsäure-ω-tert.-butylestern als „Kopfkomponente“ wird meist nach Mischanhydrid-[1–3], Carbodiimid-[4–8] und Aktivester-Verfahren (4-Nitro-phenylester[6,9–13]; 2,4,5-Trichlor-phenylester[14–19]; Pentachlorphenylester[20]; [N-Hydroxy-succinimid]-ester[21–33]) betrieben. Insbesondere bei stufenweiser Anknüpfung hat sich die letztgenannte Verknüpfungstechnik bei zahlreichen Synthesen von Peptid-Naturstoffen und deren Analoga bewährt; z. B.:

ACTH	Calcitonin M
Ribonuclease-S-Peptid	Proinsulin-C-Peptid
Gastrine	Insulin-A-Kette
Ribonuclease-T1-Fragmente	Insulin-B-Kette
Glucagon	Leu-15-Human Gastrin I
Sekretin	Nle-13-Motilin
Thyreocalcitonin	Desamino-dicarba(S_1,S_8)-vasopressin

N-tert.-Butyloxycarbonyl-L-asparagyl(β-tert.-butylester)-L-seryl-glycin-4-nitro-benzylester [BOC-Asp(OtBu)-Ser-Gly-ONB][34]: 10 g BOC-Asp(OtBu)-OH und 10,4 g H-Ser-Gly-ONB in 200 *ml* Acetonitril werden bei —5° unter Rühren mit einer vorgekühlten Lösung von 7,8 g Dicyclohexylcarbodiimid in 50 *ml* Acetonitril versetzt. Nach weiterem Rühren, 30 Min. bei 5° und 15 Stdn. bei 0°, wird 1 *ml* Eisessig zugegeben und anschließend vom N,N'-Dicyclohexyl-harnstoff abfiltriert. Das Filtrat wird bei 12 Torr eingedampft, der Rückstand in Essigsäure-äthylester aufgenommen und bei 0° mit n Salzsäure, n Natriumhydrogencarbonat-Lösung und ges. Natriumchlorid-Lösung wie üblich gewaschen. Der nach Eindampfen i. Vak. verbleibende Rückstand liefert beim Zerreiben mit Diäthyläther ein kristallines Material, das letztlich aus Essigsäure-äthylester umkristallisiert wird; Ausbeute: 10,6 g (53% d.Th.); F: 131–133° (Nadeln); $[\alpha]_D^{25} = -15{,}8 \pm 0{,}5°$ (c = 2, in Methanol).

---

[1] E. Taschner et al., A. **663**, 188 (1963).
[2] K. Lübke et al., A. **679**, 195 (1964).
[3] V. K. Naithani, H. **353**, 1806 (1972).
[4] R. Schwyzer u. H. Kappeler, Helv. **44**, 1991 (1961).
[5] E. Wünsch, G. Wendlberger u. J Jentsch, B. **97**, 3298 (1964).
[6] R. Schwyzer u. P. Sieber, Helv. **49**, 134 (1966).
[7] K. Poduška, Collect. czech. chem. Commun. **33**, 3779 (1960).
[8] D. I. Marlborough u. H. N. Rydon, Soc. [Perkin I] **1972**, 1.
[9] E. Scoffone et al., G. **94**, 743 (1964).
[10] K. Hofmann et al., Am. Soc. **87**, 611 (1965).
[11] S. Marchiori et al., Soc. [C] **1967**, 81, 89.
[12] M. A. Ondetti et al., Am. Soc. **90**, 4711 (1968).
[13] B. Riniker et al., Helv. **52**, 1058 (1969).
[14] J. C. Anderson et al., Tetrahedron Suppl. **8**, 39 (1966).
[15] J. Beacham et al., Soc. [C] **1967**, 2520.
[16] S. Guttmann et al., Helv. **51**, 1155 (1968).
[17] K. L. Agarwal, G. W. Kenner u. R. C. Sheppard, Soc. [C] **1968**, 1384.
[18] J. Beacham et al., Am. Soc. **93**, 5526 (1971).
[19] H. T. Storey et al., Am. Soc. **94**, 6170 (1972).
[20] J. Kovačs, R. Giannotti u. A. Kapoor, Am. Soc. **88**, 2282 (1966).
[21] R. Zabel u. H. Zahn, Z. Naturf. **20 b**, 650 (1965).
[22] E. Wünsch u. A. Zwick, B. **99**, 105 (1966).
[23] E. Wünsch, G. Wendlberger u. P. Thamm, B. **104**, 2445 (1971).
[24] E. Wünsch u. P. Thamm, B. **104**, 2454 (1971).
[25] E. Wünsch, G. Wendlberger u. R. Spangenberg, B. **104**, 3854 (1971).
[26] R. G. Hiskey et al., J. Org. Chem. **37**, 2478 (1972).
[27] V. K. Naithani, H. **354**, 67 (1973).
[28] E. Wünsch u. K.-H. Deimer, H. **353**, 1246 (1972).
[29] R. Camble et al., Am. Soc. **94**, 2091 (1972).
[30] S. Hase et al., Am. Soc. **94**, 3590 (1972).
[31] R. Geiger u. A. Volk, B. **106**, 199 (1973).
[32] G. Jäger, B. **106**, 206 (1973).
[33] H. Zahn et al., Z. Naturf. **24 b**, 1127 (1969).
[34] R. Schwyzer et al., Helv. **46**, 1975 (1963).

N-Benzyloxycarbonyl-L-glutamyl(γ-tert.-butylester)-L-alanyl-L-tyrosyl-glycin [Z-Glu(OtBu)-Ala-Tyr-Gly-OH][1]: 4,43 g Z-Ala-Tyr-Gly-OH in 50 *ml* 80%-iger Essigsäure werden nach Zusatz von 400 *ml* Palladium-Kohle (10%-ig) bei Raumtemp. üblich hydrogenolytisch entacyliert. Die gefilterte (Kieselgur) Lösung wird i. Vak. eingedampft, zum Schluß unter azeotroper Destillation mit Benzol; der erhaltene Rückstand wird unter schwachem Erwärmen in 20 *ml* 98%-igem Dimethylformamid aufgenommen. Zu der auf 0° abgekühlten Lösung fügt man 1,4 *ml* Triäthylamin und 5,165 g Z-Glu(OtBu)-OTCP. Die Reaktionsmischung wird 24 Stdn. bei 37° gehalten und letztlich i. Vak. eingedampft; die Lösung des verbleibenden Rückstandes in 200 *ml* Essigsäure-äthylester wird je 2mal mit 50 *ml* 10%-iger Salzsäure bzw. 100 *ml* Wasser gewaschen, über Natriumsulfat getrocknet und erneut i. Vak. eingedampft. Es wird aus Essigsäure-äthylester/Petroläther umkristallisiert; Ausbeute: 5,5 g (87% d.Th.); F: 135–138°; $[\alpha]_D^{25} = -17{,}16°$ (c = 2, in Dimethylformamid).

Als „vorübergehende" C-terminale Startmaterialien – d. h. Erstellung von höheren zur Fragmentkondensation vorgesehenen N-Acyl-peptiden mit carboxy-endständigen Aminodicarbonsäure-ω-tert.-butylester-Resten – sind „gemischte" Diester des Typs XVI zusätzlich gefragt (s. Schema S. 650); sie können aus den N-Benzyloxycarbonyl-aminodicarbonsäure-diestern XI, sofern die α-Estergruppen „hydrierungs-stabil" sind, durch katalytische Hydrogenolyse[2–6] oder durch Umsetzung von Aminodicarbonsäure-α-estern XV mittels Isobuten/Schwefelsäure[7,8], Isobuten/4-Toluolsulfonsäure[9] oder Essigsäure-tert.-butylester/Perchlorsäure[8] gewonnen werden.

L-Glutaminsäure(γ-tert.-butylester)-α-methylester-Hydrochlorid [H-Glu(OtBu)-OMe · HCl][3]: 2,9 g Z-Glu(OtBu)-OMe in 77 *ml* Methanol und 3 *ml* Wasser werden wie üblich in Gegenwart von Palladium-Mohr katalytisch entacyliert. Nach Einengen des Filtrats i. Vak. wird der ölige Rückstand in wenig Methanol aufgenommen, viel Essigsäure-äthylester zur Lösung hinzugefügt und bei —20 bis —30° unter Rühren Chlorwasserstoff/Diäthyläther bis zur sauren Reaktion zugefügt. Nach 10 Min. bei obiger Temp. wird vom gebildeten Niederschlag abfiltriert, dieser mit kaltem Diäthyläther gewaschen und i. Vak. getrocknet; Ausbeute: 1,7 g (81% d.Th.); F: 125–126°; $[\alpha]_D^{25} = +23{,}9°$ (c = 1,02, in Methanol).

L-Asparaginsäure(β-tert.-butylester)-α-benzylester-4-Toluolsulfonsäure-Salz [H-Asp(OtBu)-OBZL · TOS-OH][9]: 29 g 4-Toluolsulfonsäure in 240 *ml* Aceton versetzt man mit 24 g H-Asp-OBZL, kühlt auf 0° ab und fügt unter Schütteln 300 *ml* Isobuten zu. Nach 19 tägigem Aufbewahren unter Verschluß bei Raumtemp. wird auf —5° gekühlt, das kristalline Produkt abfiltriert, mit trockenem Diäthyläther gewaschen und i. Vak. über Phosphor(V)-oxid getrocknet (Frakt. 1). Das Filtrat dampft man i. Vak. bei + 5° Badtemp. zur Trockene ein (Frakt. 2). Die beiden Fraktionen werden getrennt aus Äthanol/Diäthyläther umkristallisiert; Ausbeute: 42,2 g (87% d.Th.); F: 169°.

Die mit Hilfe von „gemischten" Diestern XVI (z. B. R = Me, S. 650) aufgebauten N-geschützten Aminoacyl(Peptidyl)-glutaminsäure-ω-tert.-butylester-α-methylester bzw. -asparaginsäure-ω-tert.-butylester-α-methylester müssen zwecks Vorbereitung zur Fragment-Kondensation alkalisch zu den „freien Säuren" verseift oder mittels Hydrazin-Hydrat in deren α-Hydrazide überführt werden. Bei den Glutaminsäure-Derivaten scheinen beide Umsetzungen[6,10–15] unter den üblichen schonenden Bedingungen ohne weiteres möglich zu sein.

---

[1] K. L. Agarwal, G. W. Kenner u. R. C. Sheppard, Soc. [C] **1968**, 1384.
[2] R. Schwyzer u. H. Kappeler, Helv. **44**, 1991 (1961).
[3] E. Klieger u. H. Gibian, A. **655**, 195 (1962).
[4] E. Taschner et al., A. **663**, 188 (1963).
[5] E. Wünsch u. A. Zwick, H. **333**, 108 (1963).
[6] J. Kovačs, R. Giannotti u. A. Kapoor, Am. Soc. **88**, 2282 (1966).
[7] R. Roeske, J. Org. Chem. **28**, 1251 (1963).
[8] E. Schröder u. E. Klieger, A. **673**, 196 (1964).
[9] E. Wünsch, G. Wendlberger u. J. Jentsch, B. **97**, 3298 (1964).
[10] H. Zahn et al., Z. Naturf. **20 b**, 646 (1965).
[11] H. Zahn, W. Danho u. B. Gutte, Z. Naturf. **21 b**, 763 (1966).
[12] R. Geiger et al., Z. Naturf. **24 b**, 999 (1969).
[13] D. I. Marlborough u. H. N. Rydon, Soc. [Perkin I] **1972**, 1.
[14] W. König, B. **106**, 193 (1973).
[15] V. K. Naithani, H. **353**, 1806 (1972).

Im Falle der Asparaginsäure-Abkömmlinge gelingt nur die alkalische Verseifung einwandfrei[1–3]; jeder Versuch einer Hydrazinolyse führt zu Asparaginsäure-α,β-bis-hydrazid-Verbindungen[4,5] (Über Nebenreaktionen an Asparagyl- und Glutamyl-peptiden s. ferner S. 677).

36.623.14. *ω-subst.-Benzylester*

Wohl aus Gründen der günstigeren acidolytischen Stabilität ist die Verwendung von ω-4-Nitro-benzylestern zu verstehen; acidolytische Entfernungen von N-tert.-Butyloxycarbonyl- und N-Trityl-Schutzgruppen (vor allem) verlaufen dann ungestörter[6,7]. Goodman et al.[8] hatten schon 1963 die Möglichkeit einer Nitrierung des Phenylringes bei Aminodicarbonsäure-ω-benzylestern mittels Nitrofluorborat in Essigsäure aufgezeigt; nach Brunfeldt et al.[7,9] gelingt die Operation einfacher und besser durch Einwirkung von rauchender Salpetersäure.

L-Glutaminsäure- und *L-Asparaginsäure-ω-4-nitro-benzylester* sind des weiteren nach der Stewart'schen Methode[10] zugänglich: In wäßrigem Dimethylformamid oder Äthanol werden die Alkalimetall-Salze der Aminodicarbonsäure-Kupfer-Komplexe mit 4-Nitrobenzylbromid umgesetzt, die erhaltenen „ω-Ester-Kupfer-Komplexe" mit Äthylendiamintetraessigsäure zu H-Glu(ONB)-OH bzw. H-Asp(ONB)-OH zersetzt. Dieses Verfahren der Herstellung ω-subst.-Benzylester ist generell anwendbar (s. ferner S. 657): *2-* und *3-Nitro-*, *4-Methoxy-*, *4-Jod-*, *2-Cyano-*, *4-Phenylazo-* und *2,4,6-Trimethyl-benzylester* konnten so gewonnen werden. Die Ausbeuten sind allerdings mit Werten um 20–45% d.Th. recht bescheiden, für die Gewinnung von H-Asp(MOB)-OH mit 2–5% kaum zumutbar[10].

L-Glutaminsäure-γ-4-nitro-benzylester [H-Glu(ONB)-OH]:

Methode ⓐ[9]: 30,0 g H-Glu(OBZL)-OH werden in kleinen Portionen unter Rühren und im Verlaufe von 15 Min. in 50 *ml* rauchende Salpetersäure, die auf −15° vorgekühlt wurde, eingetragen. Nach beendeter Zugabe läßt man die Reaktionsmischung 45 Min. bei 0° stehen und gießt sie anschließend auf ~ 100 g zerstoßenes Eis. Man stellt den p_H-Wert der Mischung auf 9–10 durch Zugabe konz. Ammoniaks (~ 85 *ml*) und anschl. auf 5–6 mittels Essigsäure (~ 2–3 *ml*). Nach 1 stdgm. Stehen bei + 5° wird das ausgeschiedene Material abfiltriert und aus 800 *ml* Wasser umkristallisiert; Ausbeute: 20 g (56% d.Th.); F: 165–166° (schwach gelbliche Kristalle).

Methode ⓑ[10]: Eine Lösung von 0,8 g Glutaminsäure-Kupfer-Komplex-Natriumsalz in 4 *ml* Wasser wird zu 0,808 g 4-Nitro-benzylbromid in 4 *ml* Dimethylformamid gegeben; die erhaltene Suspension wird bei 35–40° 24 Stdn. gerührt und anschl. mit 10 *ml* Aceton verdünnt. Der abgeschiedene rohe Kupfer-Komplex wird abfiltriert, sorgfältig mit Wasser und Aceton gewaschen, getrocknet und letztlich in siedender 0,1 n Äthylendiamintetraessigsäure-Dinatriumsalz-Lösung (20 *ml* für 1,5 m Mol) bei p_H = 4,5 aufgelöst. Aus der filtrierten Lösung kristallisiert der ω-Ester beim Abkühlen aus; Ausbeute: 0,5 g (~ 45% d.Th.); F: 171–172° (feine Nadeln); $[\alpha]_D^{21} = +19,2°$ (c = 0,8, in Essigsäure).

36.623.15. *ω-Pyridyl-(4)-methylester*

Die N-Benzyloxycarbonyl- u. N-tert.-Butyloxycarbonyl-Derivate von Glutaminsäure und Asparaginsäure lassen sich mittels Pyridyl-(4)-methanol und Dicyclohexylcarbodiimid

---

1 E. Wünsch, B. **98**, 797 (1965).
2 E. Wünsch u. G. Wendlberger, B. **100**, 820 (1967).
3 E. Wünsch, A. Zwick u. G. Wendlberger, B. **100**, 173 (1967).
4 E. Wünsch u. A. Zwick, H. **333**, 108 (1963).
5 E. Scoffone et al., G. **94**, 695 (1964).
6 J. M. Stewart u. J. D. Young, *Solid Phase Peptide Synthesis*, S. 29, Freeman u. Co., San Franzisco 1969.
7 K. Brunfeldt u. J. Halstrøm, Acta chem. scand. **24**, 3013 (1970).
8 M. Goodman et al., Biopolymers **1**, 393 (1963).
9 J. Halstrøm et al., H. **351**, 1576 (1970).
10 R. Ledger u. F. H. C. Stewart, Austral. J. Chem. **18**, 1477 (1965).

zu ihren Dipyridyl-(4)-methylestern umsetzen; die selektive alkalische Verseifung (s. S. 647) der C_α-Ester-Bindung erbringt die jeweils möglichen zwei neuen N-Acyl-ω-pyridyl-(4)-methylester der beiden Aminodicarbonsäuren[1].

N-tert.-Butyloxycarbonyl-L-asparaginsäure-β-pyridyl-(4)-methylester [BOC-Asp(OPyM)-OH][1]:

N-tert.-Butyloxycarbonyl-L-asparaginsäure-di-pyridyl-(4)-methylester [BOC-Asp(OPyM)-OPyM]: Zu 2,34 g BOC-Asp-OH und 2,18 g Pyridyl-(4)-methanol in 20 *ml* Dichlormethan werden 4,12 g Dicyclohexylcarbodiimid zugefügt; nach 18 Stdn. wird die Reaktionsmischung filtriert und anschl. i. Vak. eingedampft. Die Lösung des Rückstandes in Essigsäure-äthylester wird mit Natriumhydrogencarbonat- und Kochsalz-Lösung gewaschen und letztlich erschöpfend mit 0,7 m Citronensäure extrahiert; die sauren Auszüge werden mit Natriumhydrogencarbonat neutralisiert, das abgeschiedene Produkt in Chloroform aufgenommen. Die abgetrennte Chloroform-Lösung wird mit Magnesiumsulfat getrocknet, mit Aktivkohle behandelt und letztlich i. Vak. eingedampft (rötlicher Sirup); Ausbeute: 2,9 g (70% d. Th.).

N-tert-Butyloxycarbonyl-L-asparaginsäure-β-pyridyl-(4)-methylester [BOC-Asp(OPyM)-OH]: 2,75 g des rohen, sirupösen BOC-Asp(OPyM)-OPyM in 75 *ml* Aceton/Wasser (4:1) werden innerhalb 45 Min. tropfenweise mit 0,278 g Lithiumhydroxid-Monohydrat in 6 *ml* Wasser versetzt; nach Entfernen des Acetons i. Vak. wird der verbliebene wäßrige Rückstand mit 20 *ml* Chloroform extrahiert, danach mit 0,465 g Citronensäure angesäuert und das abgeschiedene Produkt in Chloroform extrahiert (3 × 30 *ml*).

Das nach Eindampfen der Auszüge i. Vak. erhaltene Material wird beim Behandeln mit Diäthyläther fest; Kristallisation aus Essigsäure-äthylester ergibt feine Nadeln; Ausbeute: 1,1 g (36% d. Th., ber. für beide Stufen); F: 133–135°; $[\alpha]_D^{20} = -23°$ (c = 1,0, in Dimethylformamid).

Garner u. Young[1] konnten anhand einer neuen Val[5]-Angiotensin-II-Synthese die spezielle Eignung von Z-Asp(OPyM)-OH demonstrieren: Die Kondensation von Z-Asp(OPyM)-OTCP mit H-Arg(NO_2)-Val-Tyr(BZL)-Val-His(BZL)-Pro-Phe-OPyM führte zu einem allseits geschützten Oktapeptid-Derivat [*Z-Asp(OPyM)-Arg(NO_2)-Val-Tyr(BZL)-Val-His(BZL)-Pro-Phe-OPyM*], das in verd. Citronensäure gut löslich und somit leicht rein zu erhalten ist (91% d. Th.). Das entsprechende „Asparagyl(β-benzylester)-Analogon" ist dagegen in Citronensäure-Lösung unlöslich.

36.623.16. *Andere ω-Ester*

Zervas et al.[2] gelang unter Gebrauch „selektiver Schutzgruppentechnik" über die Zwischenprodukte XXI–XXVII (s. Schema S. 658) die Herstellung des γ-(2-Phenyl-2-oxo)-äthylesters (Phenacyl-Esters) der Glutaminsäure (XXVIII), dessen N-Benzyloxycarbonyl- XXIX und C_α-Diphenylmethylester-Derivate XXX sowie (unter „Mitwirkung" der Verbindungen XXXI–XXXIV) des „gemischten" γ-Diphenylmethyl-α-2-phenyl-2-oxo-äthyl-diesters XXXV. Mit Hilfe der Stewart'schen Aminodicarbonsäure-Kupfer-Komplex-Alkalisalze[3] (s. S. 656) sind

γ- und β-2-Oxo-2-(4-brom-phenyl)-äthylester
γ-Phenylaminocarbonyl-methylester
γ-4-Nitro-benzyloxycarbonyl-methylester
γ-2-Nitro-phenylaminocarbonyl-methylester

der Glutaminsäure bzw. Asparaginsäure – wenn auch meistens in geringen Ausbeuten – synthetisiert worden. Des weiteren wird mit TOS-Glu(OPIM)-OH die Herstellung eines ω-Phthalimido-methylester-Derivats aufgezeigt[4].

Alle vorstehend genannten ω-Ester bzw. ihre N- oder C_α-Verbindungen wurden bislang noch nicht zur Peptidsynthese benutzt.

---

[1] R. Garner u. G. T. Young, Soc. [C] **1971**, 50.
[2] J. Taylor-Papadimitriou et al., Soc. [C] **1967**, 1830.
[3] R. Ledger u. F. H. C. Stewart, Austral. J. Chem. **18**, 1477 (1965).
[4] G. H. L. Nefkens, G. I. Tesser u. R. J. F. Nivard, R. **82**, 941 (1963).

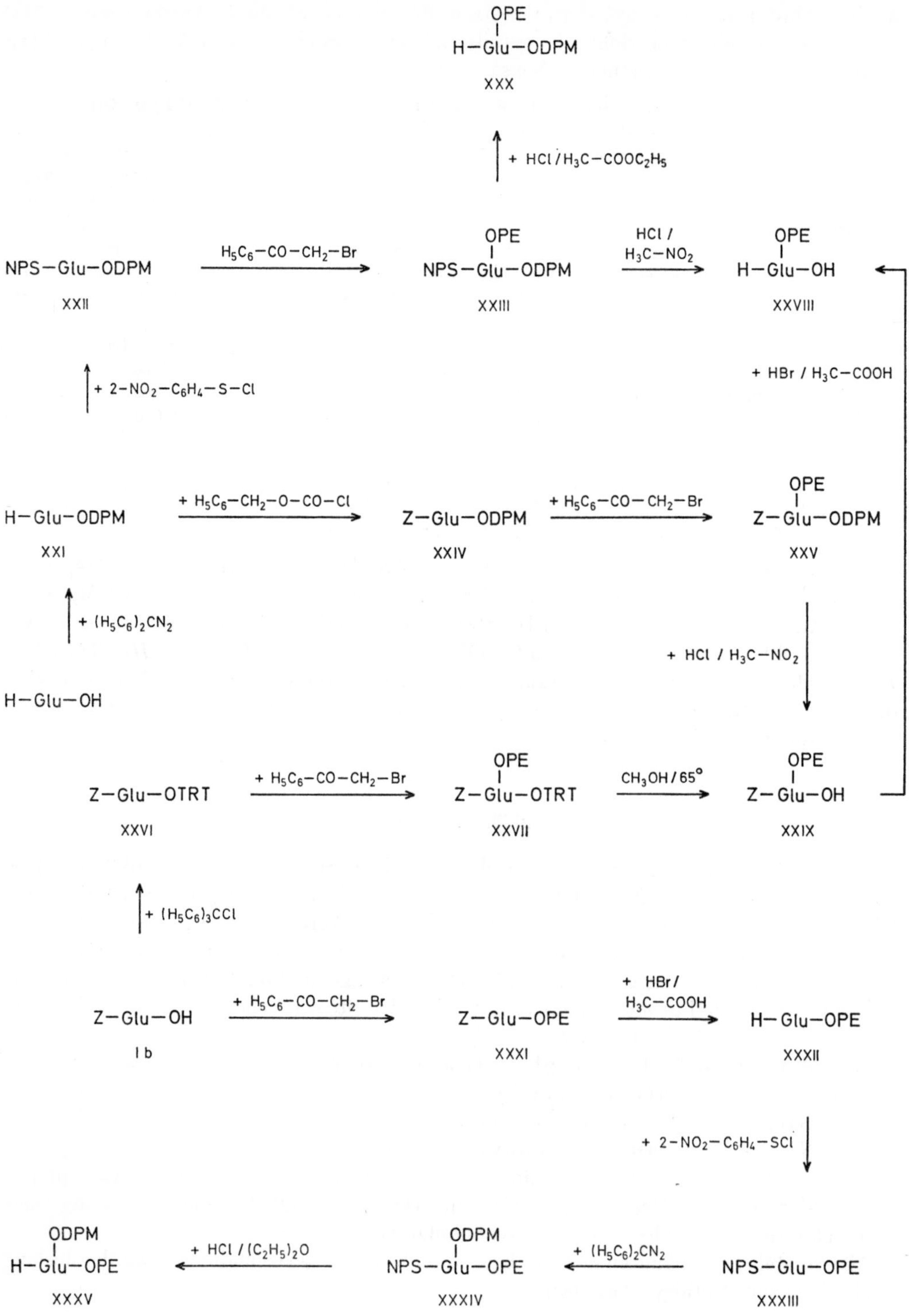

OPE
|
H−Glu−ODPM
XXX

↑ + HCl / $H_3C-COOC_2H_5$

NPS−Glu−ODPM (XXII) —$H_5C_6-CO-CH_2-Br$→ NPS−Glu(OPE)−ODPM (XXIII) —HCl / H_3C-NO_2→ H−Glu(OPE)−OH (XXVIII)

↑ + $2-NO_2-C_6H_4-S-Cl$

+ HBr / $H_3C-COOH$

H−Glu−ODPM (XXI) —+ $H_5C_6-CH_2-O-CO-Cl$→ Z−Glu−ODPM (XXIV) —+ $H_5C_6-CO-CH_2-Br$→ Z−Glu(OPE)−ODPM (XXV)

↑ + $(H_5C_6)_2CN_2$

↓ + HCl / H_3C-NO_2

H−Glu−OH

Z−Glu−OTRT (XXVI) —+ $H_5C_6-CO-CH_2-Br$→ Z−Glu(OPE)−OTRT (XXVII) —CH_3OH / 65°→ Z−Glu(OPE)−OH (XXIX) → (+ HBr / $H_3C-COOH$) → XXVIII

↑ + $(H_5C_6)_3CCl$

Z−Glu−OH (I b) —+ $H_5C_6-CO-CH_2-Br$→ Z−Glu−OPE (XXXI) —+ HBr / $H_3C-COOH$→ H−Glu−OPE (XXXII)

↓ + $2-NO_2-C_6H_4-SCl$

H−Glu(ODPM)−OPE (XXXV) ←+ HCl / $(C_2H_5)_2O$— NPS−Glu(ODPM)−OPE (XXXIV) ←+ $(H_5C_6)_2CN_2$— NPS−Glu−OPE (XXXIII)

36.623.20. Schutz durch Amid-Bildung

36.623.21. *ω-Carbonamide*

Die Herstellung von Glutamyl- bzw. Asparagyl-peptiden aus ihren Glutaminyl- bzw. Asparaginyl-Verbindungen durch hydrolytische Spaltung der C_{ω}-Carbonamid-Bindung ist selten beschritten worden und wohl aus folgenden Gründen relativ bedeutungslos:

① Der Aufbau von Peptiden der Aminodicarbonsäure-ω-amide ist grundsätzlich schwieriger als der von Aminodicarbonsäuren (C_{ω}-frei oder -verestert).

② Die saure Hydrolyse der C_{ω}-Carbonamid-Bindung mit verd. Salzsäure[1,2] (insbesondere 0,5 n Salzsäure über 80 Min. bei 100° unter Zusatz von 0,1% Thiol-essigsäure[3]) oder wäßriger Trichloressigsäure[1] scheint teils unvollständig teils mit Nebenreaktionen (Spaltung von Peptidbindungen!) zu verlaufen.

So konnten Schwyzer et al.[1] nur mittels mühsamer multiplikativer Verteilung ein Gemisch von Asparaginyl- und Asparagyl-peptiden auftrennen, das nach versuchter salzsaurer Hydrolyse des ersteren anfiel; Hofmann et al.[2] benutzen zweifache Carboxymethylcellulose-Chromatographie z. B. zur Reinigung eines „desamidierten" (und gleichzeitig N_{α}-entacylierten) Dekapeptids der α-ACTH-Sequenz 1–10.

Dem gegenüber ist ein „vorübergehender" Schutz der ω-Carboxy-Funktion für die Synthese von reinen, isomerenfreien N-Acyl-aminodicarbonsäure-α-estern (s. auch S. 668f.) von Bedeutung, da speziell bei Asparaginsäure-Derivaten auf das billige Asparagin zurückgegriffen werden kann. Die Desamidierung ist durch Einwirkung von Natriumnitrit/Salzsäure[4], von nitrosen Gasen[5] oder am besten von Nitrosylchlorid[6] sowie Nitrosylschwefelsäure[6–8] vollziehbar.

N-Benzyloxycarbonyl-L-asparaginsäure-α-4-nitro-benzylester [Z-Asp-ONB]:

N-Benzyloxycarbonyl-L-asparagin-4-nitro-benzylester [Z-Asn-ONB][8]: 266,3 g Z-Asn-OH in 1600 *ml* Dimethylformamid/Essigsäure-äthylester (1:3) werden mit 139 *ml* Triäthylamin und anschl. mit 214 g 4-Nitro-benzylbromid versetzt. Die Mischung wird 8 Stdn. lang am Rückfluß unter gleichzeitigem Rühren gekocht, nach dem Abkühlen auf Raumtemp. durch Filtration vom ausgefallenen Triäthylammoniumbromid befreit. Aus der durch Vakuumdestillation eingeengten Lösung (Entfernung des Essigsäure-äthylesters) fällt auf Zusatz von viel Wasser ein festes Produkt aus; es wird abfiltriert und aus Methanol umkristallisiert; Ausbeute: 333 g (83% d.Th.); F: 163–165°; $[\alpha]_D^{20} = -15{,}6°$ bzw. $[\alpha]_{546}^{20} = -18{,}1°$ (c = 1, in Dimethylformamid).

N-Benzyloxycarbonyl-L-asparaginsäure-α-4-nitro-benzylester [Z-Asp-ONB][8]: 500 g Z-Asn-ONB (s.o.) in 3500 *ml* Essigsäure (99–100%-ig) werden unter kräftigem Rühren bei Raumtemp. innerhalb 2 Stdn. mit 300 g Nitrosylschwefelsäure portionsweise versetzt. (Hierbei fällt zunächst ein Niederschlag aus, der sich im Zuge der Reaktion wieder auflöst).

Man rührt noch 12 Stdn. lang und gießt die Mischung dann in 10 *l* Eiswasser. Das sich dabei abscheidende Öl kristallisiert beim Anreiben. Das abfiltrierte Produkt wird in Essigsäure-äthylester aufgenommen, die erhaltene Lösung mit Wasser gewaschen, zur Entfärbung mit Aktivkohle behandelt und über Natriumsulfat getrocknet. Das nach dem Eindampfen i. Vak. erhaltene Rohprodukt wird aus Essigsäure-äthylester/Petroläther umkristallisiert; Ausbeute: 422 g (84% d.Th.); F: 128–130°; $[\alpha]_D^{20} = -17{,}9°$ bzw. $[\alpha]_{546}^{20} = -21{,}3°$ (c = 1,0, in 95%-iger Essigsäure).

---

[1] R. Schwyzer et al., Chimia **11**, 335 (1957).
[2] K. Hofmann u. H. Yajima, Am. Soc. **83**, 2289 (1961).
[3] K. Hofmann et al., Am. Soc. **84**, 4470 (1962).
[4] E. Taschner et al., A. **663**, 188 (1963).
[5] J. Rudinger u. K. Poduška, Privatmitteilung.
[6] G. H. L. Nefkens u. R. J. F. Nivard, R. **84**, 1315 (1965).
[7] R. Wolfrum, Diplomarbeit, Universität München 1965.
[8] K.-H. Deimer, Diplomarbeit, Universität München 1968.

36.623.22. *ω-Lactame*

Die Ausbildung von cyclischen C_γ- bzw. C_δ-Carbonamid-Gruppierungen bei Glutaminsäure bzw. Amino-adipinsäure, d. h. die Erstellung von Pyrrolidin-5-on-2-carbonsäure bzw. Piperidin-6-on-2-carbonsäure, kann auch als Maskierung der ω-Carboxy-Funktion Verwendung finden (s. auch S. 202).

So haben erstmals Angier et al.[1] H-Pyr-OH nach dem Azid-Verfahren mit H-Glu(OEt)-OEt bzw. H-Glu(OEt)-Glu(OEt)-OEt verknüpft und die erhaltenen Pyrrolidonoyl-Derivate durch Behandeln mit Chlorwasserstoff/Äthanol „ringgeöffnet" zu *H-Glu(OEt)-Glu(OEt)-OEt* bzw. *H-Glu(OEt)-Glu(OEt)-Glu(OEt)-OEt* (über den Wert des Verfahrens vgl. S. 202).

Doch erst der Einsatz von TOS-Pyr-OH (XXXVIa; s. S. II/347) eröffnete Rudinger[2] 1954 eine neue Möglichkeit „Glutamyl-C_α-peptide" zu synthetisieren (in Verfahrens-Analogie zur bereits 1940 geglückten Herstellung von TOS-Glu-NH_2[3]), die Gibian und Klieger[4,5] mittels Z-Pyr-OH (XXXVIb; s. S. 264) als Startmaterial weiter ausgebaut haben. Letztere Autoren glauben mit der Herstellung einiger Glutamyl-C_α-peptide bzw. deren N-Benzyloxycarbonyl-Verbindungen beweisen zu können, daß die zunächst isolierten N-Benzyloxycarbonyl-pyrrolidonoyl-aminosäureester XXXVIIb in wäßrigem 1,4-Dioxan mit einem

XXXVI —($H_2N-CH(R^2)-COOR^3$)→ XXXVII

XXXVII —(+ NaOH)→ XXXVIII: $R^1-NH-CH((CH_2)_2-COOH)-CO-NH-CH(R^2)-COOR^3$

XXXVII —(+ 2 KOH)→ XXXIX: $R^1-NH-CH((CH_2)_2-COOH)-CO-NH-CH(R^2)-COOH$

$R^1 = -SO_2-C_6H_4-4-CH_3$ (a); $-COOC_7H_7$ (b) / X = (a und b): $-OH$; $-Cl$; $-O-COOC_2H_5$; $-O-C_6H_4-4-NO_2$; usw.

Äquiv. Natronlauge selektiv unter solvolytischer Öffnung des Lactam-Ringes zu N-Benzyloxycarbonyl-glutamyl-aminosäure-estern XXXVIIIb, mit 2 Äquiv. alkoholischer Kalilauge dagegen unter Aufspaltung des Pyrrolidon-Ringes und gleichzeitiger Verseifung der Ester-Gruppe (nicht bei tert.-Butylestern!) zu N-Benzyloxycarbonylglutamyl-aminosäuren XXXIXb umformbar sind.

---

[1] R. B. Angier et al., Am. Soc. **72**, 74 (1950).
[2] J. Rudinger, Chem. Listy **48**, 235 (1954); Collect. czech. chem. Commun. **19**, 365, 375 (1954).
[3] C. R. Harington u. R. C. G. Moggridge, Soc. **1940**, 706.
[4] H. Gibian u. E. Klieger, A. **640**, 145 (1961).
[5] H. Gibian u. E. Klieger, A. **649**, 183 (1961).

Zur Herstellung von Glutaminyl-peptid-Derivaten durch Ammonolyse der N-Acyl-pyrrolidonoyl-Verbindungen s. S. 721 ff.

N-Benzyloxycarbonyl-L-glutamyl-L-valin-äthylester [Z-Glu-Val-OEt][1]: 3,9 g Z-Pyr-Val-OEt in 35 *ml* 1,4-Dioxan/Wasser (6:1) werden nach Zugabe von 9 *ml* n Natronlauge 30 Min. lang gerührt. Nach Ansäuern der Reaktionsmischung (kongorot) wird i. Vak. eingedampft, der erhaltene Rückstand zwischen Essigsäure-äthylester und Natriumhydrogencarbonat-Lösung verteilt, die abgetrennte wäßrige Phase angesäuert und das ausgeschiedene Öl mit Essigsäure-äthylester extrahiert. Nach Trocknen der Auszüge über Natriumsulfat und Einengen i. Vak. verbleiben Rosetten, die aus Essigsäure-äthylester umkristallisiert werden; Ausbeute: 3,3 g (81% d. Th.; vor dem Umkristallisieren); F: 121–122°; $[\alpha]_D^{20} = -16,7°$ (c = 1,08, in 95%-iger Essigsäure).

N-Benzyloxycarbonyl-L-glutamyl-L-alanin [Z-Glu-Ala-OH][1]: 10,9 g Z-Pyr-Ala-OEt werden mit äthanolischer Kalilauge (frisch hergestellt aus 4 g Kaliumhydroxid in 4 *ml* Wasser und Auffüllen mit Äthanol auf 60 *ml*) über 20 Min. bei Raumtemp. behandelt. Sodann wird in verd. Natriumhydrogencarbonat-Lösung eingegossen, diese einigemale mit Essigsäure-äthylester extrahiert, mit n Salzsäure angesäuert und das ausgefallene ölige Produkt mit Essigsäure-äthylester ausgezogen. Nach Trocknen der organischen Phasen über Natriumsulfat und Eindampfen i. Vak. verbleibt ein Rückstand, der 2mal aus Essigsäure-äthylester/Petroläther umkristallisiert wird; Ausbeute: 8,3 g (79% d. Th.; vor dem Umkristallisieren); F: 180–181°; $[\alpha]_D^{24} = -17,0°$ (c = 1,02, in 95%-iger Essigsäure).

1-Tosyl-piperidin-6-on-2-carbonsäure – die δ-Lactamcyclisierung von TOS-Aad-OH ist nur mittels Tosylchlorid in Pyridin zu erreichen – wurde von Rudinger und Gut[2] beschrieben und u. a. zur Synthese eines C_α-Peptides dieser Aminodicarbonsäure benutzt.

36.623.30. Schutz durch Hydrazid-Bildung

36.623.31. *ω-N'-Phenyl-hydrazide*

Angeregt durch die Arbeiten[3] über den „Fruchtkörper-Inhalts-Stoff" der Champignons „Agaritin" [L-Glutaminsäure-(C_γ)-N'-(4-hydroxymethyl-phenyl)-hydrazid] hat Kelly[4] mehrere C_α-Peptide der Glutaminsäure unter „Phenylhydrazid-Schutz" (vgl. dazu s. S. 404 u. 446) der ω-Carboxy-Funktion synthetisiert. Die oxidative Demaskierung wird mit „aktiviertem" Mangan(II)-oxid[5] in 50–60%-iger Essigsäure bei Raumtemp. über 30–40 Min. vorgenommen; die Spaltungsergebnisse der Phenyl- oder auch 4-Methyl-phenylhydrazid-Gruppierung sind teilweise mit 80–90% recht gut. Benzyloxycarbonyl- und Methyl(Äthyl)-ester-Schutzgruppen bleiben unangegriffen; schwefelhaltige Aminosäuren werden oxidiert, z. B. wird Methionin zu etwa zwei Drittel zum S-Oxid aufoxidiert.

N-Benzyloxycarbonyl-L-glutamyl-glycin-äthylester [Z-Glu-Gly-OEt]:

N-Benzyloxycarbonyl-L-glutaminsäure-C_γ-N'-phenyl-hydrazid [Z-Glu(NHNH⟨Ph⟩)-OH][3]: Eine Lösung von 54,4 g Z-Glu($NHNH_2$)-OH in 300 *ml* 3n Salzsäure und 100 *ml* Wasser wird in einem Eisbad gekühlt, mit 1 *l* tiefgekühltem Diäthyläther (−10°) überschichtet und unter Rühren mit einer kalten Lösung von 15,2 g Natriumnitrit in 100 *ml* Wasser innerhalb 15 Min. versetzt. Die wäßrige Phase wird abgetrennt und 2mal mit je 1 *l* eiskaltem Diäthyläther (−10°) extrahiert; die vereinigten Äther-Extrakte werden rasch 2mal mit 500 *ml* eiskaltem Wasser gewaschen, mit Natriumsulfat kurz getrocknet und anschließend mit 43,2 g Phenylhydrazin in 500 *ml* Diäthyläther innerhalb 20 Min. unter Eiskühlung versetzt. Die Reaktionsmischung wird 8 Stdn. im Eisbad aufbewahrt und dann weitere 8 Stdn. bei Raumtemp. stehengelassen. Die gebildete Fällung wird abfiltriert, mit Diäthyläther gewaschen und anschließend zwischen 1 *l* Essigsäure-äthylester und 500 *ml* n Schwefelsäure verteilt. Die abgetrennte wäßrige Phase wird 2mal mit je 1 *l* Essigsäure-äthylester extrahiert; die vereinigten Essig-

---

[1] H. Gibian u. E. Klieger, A. **649**, 183 (1961).
[2] V. Gut u. J. Rudinger, Collect. czech. chem. Commun. **28**, 2953 (1963).
[3] R. B. Kelly, E. D. Daniels u. J. W. Hinman, J. Org. Chem. **27**, 3229 (1962).
[4] R. B. Kelly, J. Org. Chem. **28**, 453 (1963).
[5] J. Attenburrow et al., Soc. **1952**, 1094.

säure-äthylester-Auszüge werden 2mal mit 500 *ml* n Schwefelsäure und 2mal mit 250 *ml* Wasser gewaschen, über Natriumsulfat getrocknet und letztlich i. Vak. bei 38° eingedampft. Der erhaltene Rückstand kristallisiert aus 60%-igem Methanol; Ausbeute: 47,3 g (70% d.Th.).

Nach Umkristallisieren aus 65%-igem Äthanol schmilzt das Produkt bei F: 70–80°, erstarrt dann langsam und schmilzt erneut bei F: 148–149°.

Anm.: Ob diese Azid-Synthese zu einem isomerenfreien C_γ-N'-Phenyl-hydrazid führt ist unsicher; vgl. dazu S. 663 f.

N-Benzyloxycarbonyl-L-glutamyl(C_γ-N'-phenyl-hydrazid)-glycin-äthylester [Z-Glu (NHNH⟨Ph⟩)-Gly-OEt][1]: Eine Suspension von 2,026g Woodward-Reagenz K (s.S. II/85) in 50 *ml* Acetonitril wird mit einer Lösung von 2,968g Z-Glu(NHNH⟨Ph⟩)-OH und 1,11 *ml* Triäthylamin in 25 *ml* Acetonitril versetzt; die Mischung wird bei Raumtemp. 30 Min. lang gerührt, wobei völlige Lösung erfolgt, und anschließend mit 1,17 g H-Gly-OEt · HCl und 1,11 *ml* Triäthylamin in 25 *ml* Acetonitril versetzt. Nach Stehenlassen über Nacht bei Raumtemp. wird der Ansatz i. Vak. eingedampft; der erhaltene Rückstand kristallisiert aus 0,5%-iger Natriumhydrogencarbonat-Lösung. Das erhaltene Produkt wird sorgfältig mit 0,5%-iger Natriumhydrogencarbonat-Lösung und Wasser gewaschen und letztlich getrocknet; Ausbeute: 2,895 g (77% d.Th.); F: 162–165°.

N-Benzyloxycarbonyl-L-glutamyl-glycin-äthylester [Z-Glu-Gly-OEt][1]: 3,42 g Z-Glu (NHNH⟨Ph⟩)-Gly-OEt in 100 *ml* 60%-iger Essigsäure werden mit 3,92g „aktiviertem" Mangan(II)-oxid versetzt. Das Reaktionsgemisch wird bei Raumtemp. 30 Min. gerührt, nach weiterem Zusatz von 0,5 g Mangan(II)-oxid weitere 15 Min. gerührt. Das feste Material wird abfiltriert und 4mal mit 20 *ml* Essigsäure und einmal mit 25 *ml* Essigsäure-äthylester gewaschen. Filtrat und Wasch-Lösungen werden unter Kühlung mit Schwefelwasserstoff-Gas gesättigt und anschl. i. Vak. bei 25–30° eingedampft. Der erhaltene Rückstand wird in 100 *ml* ges. Natriumhydrogencarbonat-Lösung aufgenommen, diese wäßrige Phase 3mal mit 70 *ml* Essigsäure-äthylester ausgezogen. Die Essigsäure-äthylester-Extrakte werden wiederum 2mal mit 100 *ml* ges. Natriumhydrogencarbonat-Lösung ausgezogen, die vereinigten wäßrigen Extrakte auf Kongorot mit 6n Salzsäure angesäuert und anschließend 3mal mit 500 *ml* Essigsäure-äthylester extrahiert. Die vereinigten Essigsäure-äthylester-Auszüge werden mit 100 *ml* n Salzsäure und 2mal mit 100 *ml* Wasser gewaschen, über Natriumsulfat getrocknet und letztlich i. Vak. zur Trockene gebracht. Ausbeute: 2,25 g (82% d.Th.). Nach Umkristallisieren aus Essigsäure-äthylester/Petroläther steigt der Schmelzpunkt des erhaltenen Materials von F: 102–106° auf 108,5–109,5°.

36.624. Nachträgliche Erstellung der ω-Carboxy-Funktion

Den aufgezeigten vierten Weg einer Synthese von Peptiden der Aminodicarbonsäuren durch nachträgliche Einführung einer ω-Carboxy-Gruppe hat Sondheimer[2] am Beispiel der oxidativen Umwandlung eines Allylglycyl- in ein Asparagyl-Derivat verwirklicht. NZ-Alg-Leu-OH, nach üblichem Carbodiimid-Verfahren aus NZ-Alg-OH und H-Leu-OBZL und anschließender alkalischer Verseifung des intermediären NZ-Alg-Leu-OBZL oder direkt nach der Mischanhydrid-Methode aus NZ-Alg-OH und Leucin erhalten, ließ sich nach einer etwas modifizierten Prozedur von Lemieux und Rudloff[3] – d. i. Olefin-Perjodat-Oxidation unter Zusatz katalytischer Mengen Permanganat – in *NZ-Asp-Leu-OH* überführen; nach hydrogenolytischer Entfernung der N-Schutzgruppe konnte reines *H-Asp-Leu-OH* isoliert werden.

L-Asparagyl-L-leucin [H-Asp-Leu-OH]:

N-(4-Nitro-benzyloxycarbonyl)-L-allylglycyl-L-leucin [NZ-Alg-Leu-OH][2]: 1,176g NZ-Alg-OH und 0,55 *ml* Triäthylamin in 12 *ml* Tetrahydrofuran werden bei —5° mit 0,38 *ml* Chlorameisensäure-äthylester wie üblich in das Mischanhydrid übergeführt. Nach 25 Min. wird der Reaktionsansatz mit 576 mg Leucin in 2,2 *ml* 2n Natronlauge versetzt und anschließend bei Raumtemp. über Nacht stehen gelassen. Nach Entfernen des Lösungsmittels i. Vak. und Zugabe von 15 *ml* Wasser zum Rückstand wird die erhaltene Lösung mit Essigsäure-äthylester extrahiert, die verbleibende wäßrige Phase angesäuert und dann erneut mit Essigsäure-äthylester ausgezogen. Die zuletzt erhaltene Essig-

---

[1] R. B. Kelly, J. Org. Chem. **28**, 453 (1963).

[2] E. Sondheimer, J. Org. Chem. **30**, 665 (1965).

[3] R. U. Lemieux u. E. Rudloff, Canad. J. Chem. **33** 1701 (1955).

säure-äthylester-Lösung wird wie üblich mit Wasser gewaschen, über Magnesiumsulfat getrocknet und letztlich i. Vak. eingedampft, der Rückstand 2mal aus Toluol umkristallisiert; Ausbeute: 0,96 g (59% d. Th.); F: 69–73°.

L-Asparagyl-L-leucin [H-Asp-Leu-OH][1]: Zu 36 *ml* einer 0,115 m Natriumperjodat-Lösung werden bei 20° 407 mg NZ-Alg-Leu-OH zugegeben, der p_H-Wert der Lösung mit 0,5 m Natriumcarbonat-Lösung auf 7,5 eingestellt und dann die Oxidations-Reaktion durch Zufügen von 2 *ml* 0,01 m Kaliumpermanganat-Lösung katalytisch eingeleitet. Nach 1 Stde. wird die Umsetzung durch Ansäuern der Mischung auf $p_H = 2$ gestoppt, anschließend 2mal mit je 30 *ml* Essigsäure-äthylester extrahiert. Die vereinigten Auszüge werden mit Wasser gewaschen, über Magnesiumsulfat getrocknet und letztlich i. Vak. eingedampft. Der verbleibende nichtkristalline Rückstand wird in 5 *ml* Essigsäure aufgenommen und bei Raumtemp. und 1 Atm. unter Zusatz von 50 mg Palladiumschwarz über 2 Stdn. hydriert. Das Filtrat vom Katalysator wird i. Vak. weitgehend eingeengt und anschließend vorsichtig mit Diäthyläther versetzt; hierbei tritt Kristallisation ein; Ausbeute: 158 mg (64% d. Th.); $[\alpha]_D^{25} = -9{,}8°$ (c = 3,3 in 0,1 n Salzsäure).

Diese nachträgliche oxidative Erstellung der ω-Carboxy-Funktion verdient der drastischen Bedingungen wegen – verschiedene Aminosäuren überleben diese Behandlung nicht – nur für Sonderfälle Beachtung.

36.630. C_ω-Peptide der Aminodicarbonsäuren

Synthesen von C_ω-Peptiden der Aminodicarbonsäuren – ob mittel- oder amino-endständiger Sequenzposition – sind in „C_α-Peptid-analoger" Weise nach den drei bekannten Verfahrenswegen ausgeführt worden (s. S. 636 ff.).

26.631. Synthesen mit N-Acyl-aminodicarbonsäure-anhydriden

Generell verläuft die aminolytische Aufspaltung der „inneren Anhydride" N-acylierter Aminodicarbonsäuren zu C_α,C_ω-Peptid-Isomerengemischen; dies hinsichtlich der prozentmäßigen Zusammensetzung in Abhängigkeit von den Aminodicarbonsäuren selbst, den N-Acyl-Resten, den Reaktionsbedingungen (Lösungsmittel, Basenzusatz) und letztlich den Amino-Komponenten (s. dazu S. 636 ff.). Trotz brauchbarer Methoden zur Auftrennung der Isomerengemische gehört die Synthese reiner C_ω-Peptide mit Hilfe des o. g. Verfahrens der Vergangenheit an.

36.632. Synthesen mit ungeschützter α-Carboxy-Funktion

36.632.10. C_ω-aktivierte N-geschützte Aminodicarbonsäuren

Wie im Falle der Synthese von amino-endständigen (auch zunächst) Aminodicarbonsäure-C_α-peptiden ist der Einsatz von ω-carboxy-aktivierten N-Acyl-aminodicarbonsäuren wiederum auf Glutaminsäure und deren Homologe beschränkt.

Z-Glu($NHNH_2$)-OH, durch Hydrazinolyse der entsprechenden ω-Ester-Verbindungen leicht zugänglich, sollte via Z-Glu(N_3)-OH (XL) mit Amino-Komponenten bequem zu N-Benzyloxycarbonyl-glutamyl-(C_γ)-aminosäure(peptid)-estern vereinigt werden können[2-4].

---

[1] E. Sondheimer, J. Org. chem. **30**, 665 (1965).
[2] W. J. Le Quesne u. G. T. Young, Soc. **1950**, 1954, 1959.
[3] D. A. Rowlands u. G. T. Young, Soc. **1952**, 3937.
[4] W. Hegedüs, Helv. **31**, 373 (1948).

Sachs und Brand[1] mußten bei ihren Versuchen jedoch feststellen, daß neben den erwarteten C_γ- XLII auch C_α-Peptid-Derivate XLIII gebildet werden: Als verantwortlich hierfür wird die intermediäre Bildung eines cyclischen „Pseudo-Anhydrids" XLI postuliert[1], dessen aminolytische Ringöffnung nach beiden Richtungen hin möglich sein soll[2-5].

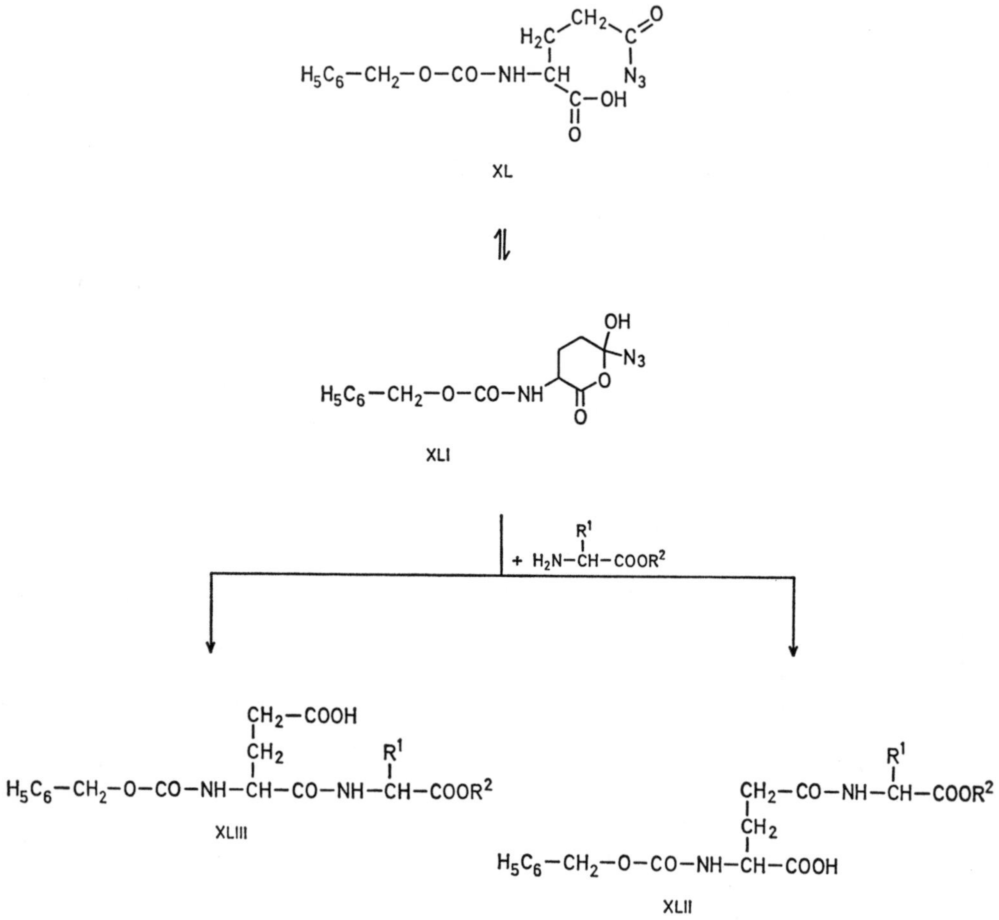

$H_5C_6{-}CH_2{-}O{-}CO{-}NH{-}CH(CO{-}OH){-}CH_2{-}CH_2{-}C(=O){-}N_3$

XL

⇅

$H_5C_6{-}CH_2{-}O{-}CO{-}NH{-}$(cyclisches Pseudo-Anhydrid mit OH und N_3)

XLI

$+ \; H_2N{-}CH(R^1){-}COOR^2$

$H_5C_6{-}CH_2{-}O{-}CO{-}NH{-}CH(CH_2{-}CH_2{-}COOH){-}CO{-}NH{-}CH(R^1){-}COOR^2$

XLIII

$H_5C_6{-}CH_2{-}O{-}CO{-}NH{-}CH(COOH){-}CH_2{-}CH_2{-}CO{-}NH{-}CH(R^1){-}COOR^2$

XLII

Die Umsetzung von TOS-Glu(N_3)-OH scheint einen ähnlichen Verlauf zu nehmen[4].

Eindeutig scheinen dagegen Synthesen mit Hilfe von N-Acyl-glutaminsäure-γ-phenylthioestern zu verlaufen: *Z-Glu(SPh)-OH* und *PHT=Glu(SPh)-OH* sind über die „inneren Anhydride" von Z-Glu-OH und PHT=Glu-OH bei Einhaltung spezieller Reaktionsbedingungen gut zugänglich[6,7] (s. S. 638).

---

[1] H. Sachs u. E. Brand, Am. Soc. **76**, 1815 (1954).
[2] D. A. Rowlands u. G. T. Young, Biochem. J. **65**, 516 (1957).
[3] K. Medzihradszky, Collect. czech. chem. Commun. **24**, 107 (1959); spec. Issue.
[4] O. Gawron u. F. Draus, J. Org. Chem. **24**, 1392 (1959).
[5] H. Jeschkeit u. G. Losse, Z. **5**, 81 (1965).
[6] T. Wieland u. H. Weidenmüller, A. **597**, 111 (1955).
[7] H. Sachs u. H. Waelsch, Am. Soc. **77**, 6600 (1955).

Velluz et al.[1] glaubten mit einem erfolgreichen Abschluß einer Glutathion-Synthese aufgezeigt zu haben, daß TRT-Glu-OH bei einer Dicyclohexylcarbodiimid-Aktivierung infolge sterischer Hinderung der α-Carboxy-Funktion durch die „sperrige“ Amino-Schutzgruppe nur zur Ausbildung einer „ω-Acylisoureid-Bindung“ befähigt ist. Die vollständige, absolute Abschirmung der α-Carboxy-Gruppe meint Morris[2] aufgrund seiner Ergebnisse jedoch verneinen zu müssen.

36.632.20. Cyclische C_ω-aktivierte N-Acyl-aminodicarbonsäuren

N-Acyl(Sulfonyl)-pyrrolidin-5-on-2-carbonsäuren XXXVIa stellen nicht nur „γ-carboxy-geschützte“ (s. S. 660) sondern als „Diacylamine“ auch „γ-carboxy-aktivierte“ Derivate der Glutaminsäure dar (s. dazu auch S. II/347 f.). Allerdings ist zur Erzielung der Pyrrolidon-Ringöffnung und Erstellung eines N-Acyl(Sulfonyl)-glutamyl-(C_γ)-aminosäureesters XLIV eine „kräftige“ Aminolyse erforderlich[3,4], wie mehrstündiges Kochen mit Aminosäureestern unter Zusatz überschüssiger tert. Base in 1,4-Dioxan oder Acetonitril bzw. Erhitzen einer Mischung der beiden Komponenten (z. B. TOS-Pyr-OH und H-Tyr-OEt) auf 130–135° über 10 Min.[3]. Unter erstgenannten Bedingungen ist das Auftreten eines neutralen Beiproduktes beobachtet worden, dem wahrscheinlich die Struktur eines „Glutarimid-Derivats“ (3-Acylamino-piperidin-2,6-dion-Derivat; XLV) zukommt:

XXXVI a $\xrightarrow{+\ H_2N-CH(R^1)-COOR^2}$ XLIV: $R-NH-CH(COOH)-CH_2-CH_2-CO-NH-CH(R^1)-COOR^2$ + (?) XLV

$R = -SO_2-C_6H_4-4-CH_3$

Diese Verfahrenstechnik zur Herstellung von C_ω-Peptid-Derivaten erstreckt sich verständlicherweise nur auf Glutaminsäure- und Amino-adipinsäure-Derivate[5], in letzterem Falle sogar ohne Gefahr einer Nebenprodukt-Bildung.

36.633. Synthesen mit geschützter α-Carboxy-Funktion

Für einen Aufbau von C_ω-Peptiden der Aminodicarbonsäuren gelten „sinngemäß-analoge“ Richtlinien wie für die von C_α-Peptiden (s. S. 636 ff.), d. h. N,C_α-gleichartig- oder selektiv-demaskierbare bis-substituierte-, C_α,C_ω-bis-substituierte und selektiv-C_ω-demaskierbare bzw. -C_ω-aktivierte und C_α-monosubstituierte Derivate sind erforderliche Startmaterialien. Zum Schutze der α-Carboxy-Funktion wurden bislang Veresterung und „1,3-Oxazolidin-5-on-Bildung“ benutzt.

---

[1] G. AMIARD, R. HEYMÈS u. L. VELLUZ, Bl. **1956**, 698.
[2] D. MORRIS, Biochem. J. **76**, 349 (1960).
[3] J. RUDINGER, Collect. czech. chem. Commun. **19**, 375 (1954).
[4] P. SCHELLENBERG u. J. ULLRICH, B. **92**, 1276 (1959).
[5] V. GUT u. J. RUDINGER, Collect. czech. chem. Commun. **28**, 2953 (1963).

36.633.10. Aminodicarbonsäure-α-ester

Die Herstellung der α-Ester von Aminodicarbonsäuren ist bislang auf drei Wegen erfolgt:

① durch direkte C_α-Veresterung

② durch selektive C_ω-Demaskierung bzw. Alkoholyse von amino-ungeschützten α,ω-Diestern, bzw. C_α, C_ω-inneren Anhydriden

③ durch selektive N-Demaskierung N-geschützter Aminodicarbonsäure-α-ester

Eine direkte Veresterung des Naphthalin-2-sulfonsäure-Salzes von Glutaminsäure ist nach der Methode von Fruton et al.[1] mit Hilfe von Diphenyldiazomethan möglich (s. S. 385)[2].

Ferner berichtet Jentsch[3] über die gelungene Herstellung von *H-Asp-OtBu* bei einer direkten Isobuten/Schwefelsäure-Veresterung von Asparaginsäure.

L-Asparaginsäure-α-tert.-butylester [H-Asp-OtBu]: 35,6 g wasserfreie 4-Toluolsulfonsäure in 70 *ml* Aceton werden mit 11,0 g Asparaginsäure versetzt, die Mischung auf 0° gekühlt und unter Schütteln 150 *ml* absol. Isobuten hinzugefügt; hierbei fällt ein gelbes Öl aus, das nach 2 Stdn. wiederum vollständig in Lösung geht.

Nach 4 Tagen Aufbewahren bei Raumtemp. wird die Mischung auf −5° gekühlt und schließlich bei 15° Wasserbadtemp. i. Vak. eingeengt. Der braune Rückstand wird in 600 *ml* Aceton aufgenommen und vorsichtig unter Rühren und Kühlen mit Eiswasser mit 28,5 *ml* Triäthylamin versetzt; nach kurzzeitigem Stehen bei −5° wird der ausgefallene Niederschlag abfiltriert, mit Aceton gewaschen und über Phosphor(V)-oxid getrocknet. Aus der Mutterlauge wird nach Eineingen i. Vak. eine zweite Fraktion isoliert. Zur Reinigung werden die vereinigten Fraktionen aus Wasser mit Aceton gefällt, der Niederschlag abfiltriert, erneut in Methanol aufgenommen, vom unlöslichen Produkt abgetrennt und die erhaltene Lösung i. Vak. bei 10° Wasserbadtemp. eingedampft. Aus der Lösung des Rückstandes in Wasser kristallisieren nach vorsichtigem Zusatz von Aceton unter Reiben farblose Nadeln; Ausbeute: 3,5 g (22,4% d.Th.); F: 183–186° (Zers.); $[\alpha]_D^{20} = +18{,}64 \pm 1°$ bzw. $[\alpha]_{546}^{20} = +21{,}94°$ (c = 1,4, in Wasser).

Eine selektive C_ω-Demaskierung der Di-benzylester zu den *α-Benzylestern* von *Glutaminsäure* und *Asparaginsäure* gelingt mittels Jodwasserstoff[4,5] oder Bromwasserstoff[6] jeweils in Essigsäure, die der gemischt-substituierten H-Glu(OBZL)-OtBu und H-Asp(OBZL)-OtBu zu den α-tert.-Butylestern der beiden Aminosäuren durch katalytische Hydrogenolyse[7] (s. S. 390). Etwas universeller anwendbar ist die Alkoholyse von Asparaginsäure-anhydrid-Hydrobromid (XLVIa), einer Verbindung, die durch Bromwasserstoff/Essigsäure-Entacylierung von Z-Asp-anhydrid (IIa) in über 80%-iger Ausbeute zugänglich ist[6]: *H-Asp-OMe*, *H-Asp-OEt* und *H-Asp-OBZL* konnten in Form der Hydrobromide (XLVII) rein und frei von ß-Isomeren[8] isoliert werden.

Auf Z-Glu-anhydrid (IIb) war dieses Verfahren leider nicht übertragbar; Glutaminsäure-anhydrid-Hydrobromid (XLVIb) ist unter den Debenzyloxycarbonylierungs-Bedingungen instabil: XLVIb reagiert mit Essigsäure zu H-Glu-OH · HBr (XLVIII) und Essigsäure-anhydrid (IL) wahrscheinlich über ein „Mischanhydrid" aus Glutaminsäure und Essigsäure:

---

[1] A. A. Aboderin, G. R. Delpierre u. J. S. Fruton, Am. Soc. **87**, 5469 (1965).
[2] J. Taylor-Papadimitriou et al., Soc. [C], **1967**, 1830.
[3] J. Jentsch, Dissertation, TU München 1964.
[4] H. Sachs u. E. Brand, Am. Soc. **75**, 4610 (1953).
[5] P. M. Bryant et al., Soc. **1959**, 3868.
[6] J. Kovacs, H. N. Kovacs u. R. Ballina, Am. Soc. **85**, 1839 (1963).
[7] R. Roeske, J. Org. Chem. **28**, 1251 (1963).
[8] P. M. Hardy, J. C. Haylock u. H. N. Rydon, Soc. [Perkin I], **1972**, 605.

$H_5C_6-CH_2-O-CO-NH-$ (cycl. Anhydrid, $(H_2C)_n$) II a und b $\xrightarrow[(n=1)]{+ HBr/H_3C-COOH}$ $HBr \cdot H_2N$-(cycl. Anhydrid) XLVI a

II a und b $\xrightarrow[(n=2)]{+ HBr/H_3C-COOH}$ [$HBr \cdot H_2N$-(cycl. Anhydrid)] XLVI b

XLVI a $\xrightarrow{+ R-OH}$ $HBr \cdot H_2N-CH(COOR)-CH_2-COOH$ XLVII

XLVI b $\longrightarrow$ $HBr \cdot H_2N-CH(COOH)-(CH_2)_2-COOH$ XLVIII + $(H_3C-CO)_2O$ IL + Pyrrolidon-carbonsäure (COOH) L

Bei der Reaktion wird auch etwas H-Pyr-OH gebildet, vermutlich durch intramolekulare Umlagerung entweder von XLVIb oder dem interpretierten Mischanhydrid.

L-Glutaminsäure-α-benzylester [H-Glu-OBZL][1]: 10 g H-Glu(OBZL)-OBZL · HCl in 100 *ml* absol. Essigsäure werden mit 10 *ml* konstant siedender farbloser Jodwasserstoffsäure versetzt, die Reaktionsmischung wird 5,5 Stdn. bei 50° gehalten und anschließend i. Vak. eingedampft, letztlich unter zweimaligem Zusatz von Benzol. Der verbleibende dunkle Sirup wird in 60 *ml* auf –10° abgekühltem 95 %-igem Äthanol, das 7 *ml* Tributylamin enthält, aufgenommen; um den p_H-Wert des Gemisches auf ~ 7 zu bringen, werden nochmals 3–4 *ml* Tributylamin zugegeben, wonach Kristallisation eintritt. Nach Stehenlassen im Kühlschrank über Nacht wird das abgeschiedene Produkt aufs Filter gebracht und sorgfältig mit absol. Äthanol und Diäthyläther gewaschen. Das erhaltene kristalline Material (5,7 g) wird bei Raumtemp. in 11 *ml* Wasser, 0,034 Mol Chlorwasserstoff enthaltend, aufgenommen, die Lösung mit Kohle entfärbt, ein gleiches Vol. absol. Äthanol zugefügt und letztlich mit Tributylamin neutralisiert. Die einsetzende Kristallisation wird durch mehrstündiges Stehenlassen bei 0° vervollständigt; Ausbeute: 4,3 g (67 % d. Th.); F: 147–148°; $[\alpha]_D^{25} = +12{,}2°$ (c = 2,9 in 0,1 n Salzsäure).

L-Asparaginsäure-α-äthylester [H-Asp-OEt][2]:

L-Asparaginsäure-anhydrid-Hydrobromid [H-Asp-anhydrid · HBr]: 6,24 g Z-Asp-OH in 7 *ml* Essigsäureanhydrid werden 3 Stdn. bei Raumtemp. stehengelassen; danach wird 5 *ml* Essigsäure zu der Reaktionsmischung gegeben und diese bei 0° mit Bromwasserstoffgas gesättigt. Alsbald tritt Fällung von kristallinem Material ein; diese wird vervollständigt durch Zugabe von absol. Diäthyläther. Das kristalline Produkt wird abfiltriert, mit einer Mischung aus absol. Diäthyläther/Essigsäureanhydrid (10:1) und anschließend mit absol. Diäthyläther gewaschen und letztlich i. Vak. über Phosphor-(V)-oxid getrocknet; Ausbeute: 5 g (81% d. Th.); F: 166–169°; $[\alpha]_D^{20} = -21{,}4°$ (c = 2,1, in Dimethylformamid).

L-Asparaginsäure-α-äthylester: 1,84 g H-Asp-anhydrid · HBr in 10 *ml* absol. Äthanol läßt man bei Raumtemp. für ~ 3 Stdn. stehen, wobei eine klare Lösung entsteht. Triäthylamin, im äquival. Betrag zum Hydrobromid, wird zur Reaktionsmischung zugesetzt, das ausgefallene Material abfiltriert, mit absol. Äthanol gewaschen und letztlich aus Wasser/Äthanol umkristallisiert; Ausbeute: 1,3 g (86,5% d. Th.); F: 181–183°; $[\alpha]_D^{25} = 24{,}2°$ (c = 2,1, in Wasser).

---

[1] H. SACHS u. E. BRAND, Am. Soc. **75**, 4610 (1953).

[2] J. KOVACS, H. N. KOVACS u. R. BALLINA, Am. Soc. **85**, 1839 (1963).

Aus ihren N-Benzyloxycarbonyl-Verbindungen sind durch Bromwasserstoff/Essigsäure-Spaltung *H-Glu-OBZL*[1], *H-Glu-ONB*[1,2], *H-Asp-ONB*[3] und *H-Glu-OPE*[4], durch katalytische Hydrogenolyse *H-Glu-OMe*[1], *H-Glu-OEt*[5] und *H-Asp-OEt*[6] erhalten worden. Entalkylierung von N-Trityl-Derivaten (s. S. 670) diente zur Herstellung von *H-Asp-OBZL*[7] und *H-Glu-OBZL*[8].

L-Glutaminsäure-α-2-phenyl-2-oxo-äthylester-Hydrobromid [H-Glu-OPE · HBr][4]: Zu 1,2 g Z-Glu-OPE in 15 *ml* Essigsäure-äthylester werden 3,5 *ml* 8 n Bromwasserstoff in Essigsäure zugefügt. Die Reaktionsmischung wird 1 Stde. lang bei Raumtemp. gehalten und dann bei 25° i. Vak. zur Trockene eingedampft. Man verrührt den Rückstand mit Essigsäure-äthylester; ungelöstes kristallines Material wird abfiltriert, sorgfältig mit Essigsäure-äthylester und Diäthyläther gewaschen; Ausbeute: 0,99 g (96% d.Th.). Nach Umkristallisieren aus Essigsäure-äthylester, das eine kleine Menge Äthanol enthält: F: 163–164°; $[\alpha]_D^{24} = +23{,}3°$ (c = 3, in Methanol).

Die Bedeutung der freien Aminodicarbonsäure-α-ester liegt jedoch weniger in ihrer Eignung als Startmaterial für die Synthese von C_ω-Peptiden mit mittelständiger Aminodicarbonsäure, so wie dies von Sachs und Brand[9] demonstriert wurde; vielmehr dienen sie zum Aufbau „neuer" spezieller N-acylierter Derivate (vgl. auch Schema S. 658).

N-Benzyloxycarbonyl-L-glutamyl(α-benzylester)-C_γ-L-glutaminsäure-α-benzylester [Z-Glu(Glu-OBZL)-OBZL][9]: Aus 4,8 g Z-Glu-OBZL, 3,2 *ml* Tributylamin und 1,2 *ml* Chlorameisensäure-äthylester in 25 *ml* absol. 1,4-Dioxan wird bei 5–10° die „Mischanhydrid-Lösung" hergestellt. 4,5 g H-Glu-OBZL werden in 30 *ml* eiskaltem Wasser, das 2,64 g Kaliumcarbonat enthält, suspendiert; die Mischung wird kräftig gerührt bis der größte Teil des Esters in Lösung gegangen ist und dann mit der Anhydrid-Lösung vereinigt. Nach Zusatz von 15–20 *ml* 1,4-Dioxan und 10 *ml* Wasser erhält man eine klare Reaktionsmischung, die 1 Stde. bei 0° und über Nacht bei Kühlschranktemp. gerührt wird. Danach wird i. Vak. auf ein kleines Vol. (~ 5 *ml*) konzentriert, nach Verdünnen mit 10 *ml* Wasser die wäßrige Lösung mit 20 *ml* Diäthyläther extrahiert, dann mit 6 n Salzsäure angesäuert und das ausgeschiedene Öl in 40 *ml* Essigsäure-äthylester aufgenommen. Die wäßrigen Phasen werden 2mal mit je 40 *ml* Essigsäure-äthylester nachextrahiert; die vereinigten Essigsäure-äthylester-Auszüge werden mit 25 *ml* eiskaltem Wasser gewaschen und über Natriumsulfat getrocknet. Nach Eindampfen i. Vak. erhält man einen Rückstand, der beim Behandeln mit Diäthyläther kristallisiert; es wird aus Äthanol/Wasser umkristallisiert; Ausbeute: 2,3–3,1 g (30–40% d.Th.); F: 148–151°; $[\alpha]_D^{24} = -6{,}5°$ (c = 1,4, in Essigsäure).

36.633.20. N-geschützte Aminodicarbonsäure-α-ester

Für den Aufbau von C_ω-Peptiden der Aminodicarbonsäuren in „amino-endständiger" Position – auch wenn nur vorübergehend für eine spätere mittelständige Position – dienten bislang N-Acyl (Sulfonyl-, Trityl-)-C_α-ester-Derivate. Diese sind auf folgenden Wegen zugänglich:

① Durch Acylierung von Aminodicarbonsäure-α-estern[3,4,10–12].

② Durch Alkoholyse von „inneren Anhydriden" der N-Acyl-aminodicarbonsäuren (s. S. 637 f.).

---

[1] E. Klieger u. H. Gibian, A. **655**, 195 (1962).
[2] M. Goodman u. K. C. Stueben, Am. Soc. **81**, 3980 (1959).
[3] E. Schröder u. E. Klieger, A. **673**, 208 (1964).
[4] J. Taylor-Papadimitriou et al., Soc. [C] **1967**, 1830.
[5] W. J. Le Quesne u. G. T. Young, Soc. **1950**, 1954.
[6] W. J. Le Quesne u. G. T. Young, Soc. **1952**, 24.
[7] G. Amiard u. R. Heymès, Bl. **1957**, 1373.
[8] C. Coutsogeorgopoulos u. L. Zervas, Am. Soc. **83**, 1881 (1961).
[9] H. Sachs u. E. Brand, Am. Soc. **76**, 1811 (1954).
[10] H. Sachs u. E. Brand, Am. Soc. **75**, 4610 (1953).
[11] P. M. Bryant et al., Soc. **1959**, 3868.
[12] E. Wünsch u. H. Zwick, H. **333**, 108 (1963).

③ Durch direkte Alkylierung der α-Carboxy-Funktion von N-Acyl(Sulfonyl)-aminosäuren[1,2].

④ Durch Desamidierung von N-Acyl-aminodicarbonsäure-ω-amid-α-estern (s. S. 659).

⑤ Durch alkalische Hydrolyse von N-Acyl(Sulfonyl)-pyrrolidin-5-on-2-carbonsäure-tert.-butylestern[3,4].

⑥ Durch selektive C_ω-Demaskierung von „allseits-maskierten" Aminodicarbonsäuren[3-7].

⑦ Durch alkalische Hydrolyse von N-Trityl-aminodicarbonsäure-diestern[8-10].

N-Benzyloxycarbonyl-L-asparaginsäure-α-benzylester [Z-Asp-OBZL][11]: 0,77 g H-Asp-OBZL und 0,8 g Natriumhydrogencarbonat in 20 *ml* Wasser werden zur Lösung gerührt, dann unter fortwährendem Rühren zunächst 0,6 g Chlorameisensäure-benzylester tropfenweise zugefügt und die Reaktionsmischung 5 Stdn. lang bei Raumtemp. gehalten. Die wäßrige Lösung wird mit Diäthyläther extrahiert, anschließend mit konz. Salzsäure auf $p_H = 2$ gestellt, das abgeschiedene Öl in Essigsäureäthylester aufgenommen und letztlich die abgetrennte organische Phase nach Trocknen über Magnesiumsulfat i. Vak. eingedampft.

Der verbleibende Rückstand kristallisiert beim Aufbewahren unter Petrolbenzin (Kp: 60–80°); Ausbeute: 1,23 g (70% d. Th.). Nach Umkristallisieren aus Toluol: F: 84–85°; $[\alpha]_D^{18} = -9,7°$ (c = 5,59, in Essigsäure) bzw. $[\alpha]_D^{17} = -14,8°$ (c = 5,0, in Aceton).

N-Acyl(Sulfonyl)-L-glutaminsäure-α-ester; allgemeine Herstellungsvorschriften[2,12]:

Methode ⓐ: 0,1 Mol N-substituierte Glutaminsäure (Z-Glu-OH, TOS-Glu-OH bzw. PHT=Glu-OH) und 14 *ml* Triäthylamin in 25 *ml* reinem Dimethylformamid werden mit 0,11 Mol Alkylhalogenid (Äthylbromid, Benzylbromid, 4-Nitro-benzylchlorid oder -bromid, N-Chlormethyl-phthalimid etc.) versetzt; die Reaktionsmischung wird über Nacht bei Raumtemp. stehengelassen und anschließend nach Zugabe von 200 *ml* Wasser 3mal mit Essigsäure-äthylester extrahiert. Die Auszüge werden mit Wasser gewaschen, getrocknet und letztlich i. Vak. eingedampft. Es hinterbleibt ein meist öliges Rohprodukt. Aus dessen Lösung in Essigsäure-äthylester tritt auf Zugabe äquival. Mengen Dicyclohexylamin Fällung ein; das abfiltrierte Material wird aus einem gebräuchlichen Lösungsmittel – z.-B. für *Z-Glu-OBZL* aus Wasser, für *Z-Glu-ONB* aus Toluol – umkristallisiert; Ausbeute: 53–73% d. Th.

Methode ⓑ: 0,1 Mol Dicyclohexylamin wird zu einer Lösung von 0,1 Mol N-substituierter Glutaminsäure (s. oben) in 25 *ml* Dimethylformamid gegeben. Die Reaktionsmischung wird auf 50–70° erwärmt bis eine klare Lösung entsteht. Bei 65° wird dann ein Überschuß (0,11 Mol) des Alkylhalogenids (s. o.) zugegeben und die Reaktionsmischung 10 Min. lang gerührt; dabei tritt alsbald Fällung des Dicyclohexylammonium-halogenids ein. (Wenn Äthylbromid zur Anwendung kommt, wird die Reaktionstemp. bei 50° gehalten und die Reaktionszeit auf ~ 15 Stdn. ausgedehnt). Nach beendeter Umsetzung wird Essigsäure-äthylester zugesetzt, vom Dicyclohexylammonium-halogenid abfiltriert und dieses mit Essigsäure-äthylester gewaschen. Die vereinigten Essigsäure-äthylester-Extrakte werden wie unter Methode ⓐ beschrieben aufgearbeitet; Ausbeute: 60–73%.

Methode ⓒ: Zu einer Lösung von 0,01 Mol Triäthylamin in absol. Chloroform werden 0,01 Mol N-substituierte Glutaminsäure (s. unter ⓐ) zugegeben. Nach Zusatz von 0,011 Mol Dimethylsulfat oder Diäthylsulfat läßt man die Reaktionsmischung bei Raumtemp. 5 Stdn. lang stehen. Danach wird das Lösungsmittel i. Vak. entfernt und der verbleibende Rückstand über das Dicyclohexylamin-Salz wie unter ⓐ beschrieben gereinigt; Ausbeuten: ~ 60% d. Th.

N-Benzyloxycarbonyl-L-glutaminsäure-α-tert.-butylester [Z-Glu-OtBu]:

Methode ⓐ[4]: 2,1 g Z-Pyr-OtBu in 30 *ml* Aceton werden mit 7,9 *ml* n Natronlauge 1 Stde. unter Rückfluß erwärmt; anschließend wird das Lösungsmittel bei Raumtemp. entfernt, die wäßrige Lösung mit

---

1 J. Taylor-Papadimitriou et al., Soc. [C] **1967,** 1830.

2 G. H. L. Nefkens u. R. J. F. Nivard, R. **83,** 199 (1964).

3 E. Taschner et al., A. **646,** 127 (1961).

4 E. Klieger u. H. Gibian, A. **655,** 195 (1962).

5 R. Camble, R. Purkayastha u. G. T. Young, Soc. [C] **1968,** 1219.

6 M. A. Ondetti et al., Biochemistry **7,** 4068 (1968).

7 P. M. Hardy, J. C. Haylock u. H. N. Rydon, Soc. [Perkin I] **1972,** 605.

8 L. Zervas u. D. M. Theodoropoulos, Am. Soc. **78,** 1359 (1956).

9 G. Amiard, R. Heymès u. L. Velluz, Bl. **1956,** 97.

10 C. Coutsogeorgopoulos u. L. Zervas, Am. Soc. **83,** 1885 (1961).

11 P. M. Bryant et al., Soc. **1959,** 3868.

12 Vgl. auch G. H. L. Nefkens, G. I. Tesser u. R. J. F. Nivard, R. **82,** 942 (1963).

Wasser verdünnt, mit Diäthyläther extrahiert und letztlich mit konz. Salzsäure bei 0° angesäuert. Das ausgefallene Öl wird in Diäthyläther aufgenommen, die abgetrennte ätherische Phase mit Natriumsulfat getrocknet und letztlich i. Vak. eingedampft (farbloses Öl); Ausbeute: 2,0 g (90% d.Th.).

Methode ⓑ:[1,2]: 3,5 g Z-Glu(OMe)-OtBu in 40 *ml* Aceton werden mit 6 *ml* 2 n Natronlauge innerhalb 1 Stde. bei Raumtemp. unter Schütteln verseift. Nach Entfernen des Acetons i. Vak. wird mit 50 *ml* Wasser verdünnt, die Lösung nach Extraktion mit 50 *ml* Essigsäure-äthylester schließlich mit 12 n Salzsäure angesäuert, wobei ein farbloses Öl ausfällt. Dessen ätherische Lösung wird wie üblich gewaschen, getrocknet und letztlich i. Vak. eingedampft (Öl); Ausbeute: 2,9 g (85% d.Th.).

Zur Reinigung wird das Rohprodukt (1,69 g), gelöst in 10 *ml* Diäthyläther, 5mal mit je 5 *ml* 0,01 n Natriumcarbonat-Lösung erschöpfend extrahiert; die ätherische Phase wird mit Wasser gewaschen, getrocknet und letztlich i. Vak. eingedampft. Das erhaltene Öl kristallisiert aus Diäthyläther/Petroläther in feinen Nadeln; Ausbeute: 1,33 g (79% d.Th.); F: 82–84°; $[\alpha]_D^{20} = -10{,}6°$ (c = 2,0, in Essigsäure-äthylester) bzw. $[\alpha]_D^{20} = -26{,}2°$ (c = 1,2, in Methanol).

N-Trityl-L-glutaminsäure-α-benzylester [TRT-Glu-OBZL][3]: Zu einer Lösung von 11,4 g TRT-Glu(OBZL)-OBZL in 25 *ml* Aceton werden 5,5 *ml* 4 n Lithiumhydroxid-Lösung zugefügt; das ausgefallene Lithiumhydroxid durch leichtes Erwärmen wieder in Lösung gebracht. Die heiße Lösung wird auf Raumtemp. geschüttelt, wobei Lithiumhydroxid sich erneut abscheidet. Das Erwärmen und Schütteln wird wie beschrieben wiederholt (~ 4 Stdn. lang), bis bei Raumtemp. eine homogene Lösung resultiert. Die Reaktionsmischung wird dann mit der 10fachen Menge Wasser versetzt und mit Diäthyläther sorgfältig extrahiert. Die abgetrennte wäßrige Phase (vollständig von gelöstem Diäthyläther befreit) wird nochmals mit 500 *ml* Wasser verdünnt, eisgekühlt und anschließend mit 25 *ml* Essigsäure angesäuert. Nach 24 Stdn. Stehen bei 4° wird der flockige Niederschlag abfiltriert, mit Wasser gewaschen und zuerst an der Luft und dann über Calciumchlorid getrocknet; Ausbeute: 8,5 g (90% d.Th.); F: 105–115° (Zers.) nach Sintern bei 58–60°; $[\alpha]_D^{15} = +40{,}3°$ (c = 2, in Äthanol; nach nochmaliger Reinigung).

Peptidchemische Umsetzungen von N-Acyl-aminodicarbonsäure-α-estern sind, beginnend mit dem Säurechlorid-Verfahren[4–11], mit vielen Verknüpfungsmethoden (z. B. Mischanhydrid-[1,2,12–17], Phosphorazo-[11,13,18], Carbodiimid-[14,15,19–21], Pyrazolid-[22], Azid-[1,7] und Aktivester[14,23–27]) mit Erfolg vorgenommen worden; N-Trityl-glutaminsäure-α-ester ließen sich nach der „Sheehan-Technik" erfolgreich aktivieren[28].

---

[1] E. Taschner et al., A. **646**, 127 (1961).
[2] R. Camble, R. Purkayastha u. G. T. Young, Soc. [C] **1968**, 1219.
[3] C. Coutsogeorgopoulos u. L. Zervas, Am. Soc. **83**, 1985 (1961).
[4] M. Bergmann et al., H. **224**, 17 (1934).
[5] C. R. Harington u. T. H. Mead, Biochem. J. **29**, 1602 (1935); **30**, 1598 (1936).
[6] V. du Vigneaud u. G. L. Miller, J. Biol. Chem. **116**, 469 (1936).
[7] F. Šorm u. J. Rudinger, Collect. czech. chem. Commun. **15**, 491 (1950).
[8] F. Weygand u. M. Reiher, B. **88**, 26 (1955).
[9] F. Weygand u. R. Geiger, B. **90**, 634 (1957).
[10] P. Schellenberg u. J. Ullrich, B. **92**, 1276 (1959).
[11] S. Goldschmidt et al., B. **97**, 2434 (1964).
[12] H. Sachs u. E. Brand, Am. Soc. **75**, 4608 (1953); **76**, 1811 (1954).
[13] M. Liefländer, H. **320**, 35 (1960).
[14] F. Weygand u. K. Hunger, B. **95**, 7 (1962).
[15] E. Klieger u. H. Gibian, A. **655**, 195 (1962).
[16] H. Zahn u. W. Pätzold, B. **96**, 2566 (1963).
[17] B. Riniker u. R. Schwyzer, Helv. **47**, 2357 (1964).
[18] S. Goldschmidt u. C. Jutz, B. **86**, 1116 (1953); **89**, 518 (1956).
[19] P. M. Bryant et al., Soc. **1959**, 3868.
[20] M. Sokolovsky, M. Wilchek u. A. Patchornik, Am. Soc. **86**, 1202 (1964).
[21] P. M. Hardy, J. C. Haylock u. H. N. Rydon, Soc. [Perkin I], **1972**, 605.
[22] W. Ried u. G. Franz, A. **644**, 141 (1961).
[23] G. Losse, H. Jeschkeit u. W. Langenbeck, B. **96**, 204 (1963).
[24] G. Losse, H. Jeschkeit u. D. Knopf, B. **97**, 1789 (1964).
[25] J. Kovacs, R. Giannotti u. A. Kapoor, Am. Soc. **88**, 2282 (1966).
[26] M. A. Ondetti et al., Biochemistry **7**, 4096 (1968).
[27] J. Meienhofer et al., J. Org. Chem. **35**, 4137 (1970).
[28] G. Amiard, R. Heymès u. L. Velluz, Bl. **1956**, 97.

Demgegenüber versagte TOS-Glu-OtBu als Startmaterial mehr oder weniger; sowohl bei der Herstellung der „Aktiv-Stufen" (Mischanhydrid, Acylisoureid, Azid) als auch beim Umsetzungsschritt (Phosphorazo-Methode) trat vollständig oder teilweise Pyrrolidin-5-on-Ringschluß auf[1].

L-Asparagyl-C_β-L-arginin [H-Asp(Arg-OH)-OH]:

N-Benzyloxycarbonyl-L-asparagyl(α-benzylester)-C_β-L-arginin[Z-Asp(Arg-OH)-OBZL][2]: 3,57 g Z-Asp-OBZL und 1,54 *ml* Triäthylamin in 40 *ml* absol. Tetrahydrofuran werden bei –10° mit 1,32 *ml* Chlorameisensäure-isobutylester tropfenweise und unter Rühren während 15 Min. versetzt. Nach Abkühlen auf –15° fügt man rasch eine auf 0° gekühlte Lösung von 2,61 g Arginin in 20 *ml* Wasser hinzu und rührt die homogene Reaktionsmischung 20 Min. bei 0° und 90 Min. bei 22° (p_H = 7–8). Beim Einengen des Ansatzes auf 20 *ml* fällt ein halbfester Niederschlag aus, der bei 0° abfiltriert, mit Wasser gewaschen und getrocknet wird. Dieses Rohprodukt wird einmal aus Methanol/Wasser und 2mal aus Methanol/Essigsäure-äthylester/Petroläther umgefällt; Ausbeute: 3,77 g (~ 74% d.Th.).

Nach nochmaligem Umkristallisieren aus Methanol/Wasser und Trocknen der gewonnenen Substanz bei 0,02 Torr/60° werden feine Nädelchen erhalten; F: 182–184° (Zers.); $[\alpha]_D^{20} = -7{,}3 \pm 1°$ (c = 0,95, in 90%-igem Methanol).

L-Asparagyl-C_β-L-arginin[H-Asp(Arg-OH)-OH][2]: 1,026 g Z-Asp(Arg-OH)-OBZL, in 25 *ml* Methanol/Wasser (1 : 1) suspendiert, werden nach Zusatz von 300 *ml* Palladium-Kohle (10%-ig) unter Kohlendioxid-Absorption in der Schüttelente bei Normaldruck hydriert; die Wasserstoff-Aufnahme (96 *ml*) ist nach 2 Stdn. beendet. Nach 3 Stdn. wird filtriert, das Filtrat auf ~ 3 *ml* konz. und anschließend lyophilisiert. Man erhält nach dem Trocknen bei 0,05 Torr/80° ein amorphes Pulver; Ausbeute: 569 mg (98% d.Th.); Zers.-P.: ~ 205°.

Zur Umwandlung des freien Dipeptides in das Hydroacetat werden 240 mg in 1 *ml* 2 n Essigsäure gelöst, lyophilisiert und der stark hygroskopische Rückstand zur Analyse über Nacht bei 0,02 Torr/100° nachgetrocknet: $[\alpha]_D^{20} = -4{,}9 \pm 1°$ (c = 1, in 0,2 n Natronlauge), bzw. $[\alpha]_D^{20} = +6{,}1 \pm 1°$ (c = 1, in 0,2 n Salzsäure.

L-Glutamyl-C_γ-S-benzylthiomethyl-L-cysteinyl-glycin [H-Glu(Cys⟨BTM⟩-Gly-OH)-OH][3]:

N-Benzyloxycarbonyl-L-glutamyl(α-tert.-butylester)-C_γ-S-benzylthiomethyl-L-cysteinyl-glycin-tert.-butylester [Z-Glu(Cys⟨BTM⟩-Gly-OtBu)-OtBu][3]: Zu 0,604 g Z-Glu-OtBu in 10 *ml* Acetonitril werden 0,25 *ml* Triäthylamin in 10 *ml* Acetonitril unter Rühren und bei 0° gegeben, anschließend 0,454 g Woodward-Reagenz K. Zu der nach 1 Stde. resultierenden klaren Lösung setzt man eine eiskalte Lösung von 0,664 g H-Cys(BTM)-Gly-OtBu in 10 *ml* Acetonitril hinzu; die Reaktionsmischung wird 1 Stde. bei 0° und über Nacht bei Raumtemp. gerührt und dann i. Vak. zur Trockene eingedampft. Der verbleibende Rückstand wird zwischen Essigsäure-äthylester und Wasser verteilt, die abgetrennte Essigsäure-äthylester-Phase mit Wasser, 2 n Salzsäure, Wasser, n Natrium-hydrogencarbonat-Lösung, Wasser und Kochsalz-Lösung gewaschen, über Natriumsulfat getrocknet und anschließend i. Vak. eingedampft. Der zähe Rückstand wird beim Verreiben mit Diäthyläther fest; das Material wird abfiltriert, mit Diäthyläther gewaschen und letztlich aus Diisopropyläther umkristallisiert; Ausbeute: 0,3 g (24% d.Th.); F: 128–130°; $[\alpha]_D^{20} = -54{,}7°$ (c = 0,47, in Methanol) bzw. $[\alpha]_D^{20} = -45{,}8°$ (c = 0,56, in Dimethylformamid) (vgl. dazu S. 429).

L-Glutamyl-C_γ-S-benzylthiomethyl-L-cysteinyl-glycin [H-Glu(Cys⟨BTM⟩-Gly-OH)-OH]: 0,345 g Z-Glu(Cys⟨BTM⟩-Gly-OtBu)-OtBu und 0,91 *ml* Methyl-äthyl-sulfid in 1,5 *ml* Essigsäure werden mit 0,8 *ml* 6,5 n Bromwasserstoff/Essigsäure-Lösung versetzt. Nach 1 Stde. bei Raumtemp. werden zur Rekationsmischung 100 *ml* Diäthyläther hinzugefügt; das ausgefallene Material wird abfiltriert, sorgfältig 3 mal mit Diäthyläther gewaschen und letztlich i. Vak. über Natriumhydroxid getrocknet. Die Lösung des Peptid-Derivat-Hydrobromids in 20 *ml* 20%-iger Essigsäure läßt man eine Kolonne (9 × 1,5 cm) von Dowex 3-Austauscher (Acetat-Form) passieren; man eluiert mit 20%-iger Essigsäure. Die ersten 50 *ml* Eluat werden i. Vak. bei 0,5 Torr/30–35° eingedampft; der erhaltene Rückstand wird mit Aceton verrieben, auf das Filter gebracht und letztlich getrocknet. Das erhaltene Produkt wird in siedendem Wasser (100 *ml*) aufgenommen, die Lösung nach Filtration von Unlöslichem i. Vak. bei 4 Torr/40–50° auf 6 *ml* eingeengt und rasch abgekühlt. Das abgeschiedene kristalline Material wird abfiltriert und sorgfältig mit Wasser und Aceton gewaschen; Ausbeute: 0,144 g (65% d.Th.); F: 202–207,5°; $[\alpha]_D^{20} = -23{,}1°$ (c = 0,5, in 0,025 n Natriumcarbonat-Lösung).

---

[1] E. Taschner et al., A. **646**, 127 (1961).

[2] B. Riniker u. R. Schwyzer, Helv. **47**, 2357 (1964).

[3] R. Camble, R. Purkayastha u. G. T. Young, Soc. [C] **1968**, 1219.

36.633.30. Cyclische N,C_α-bis-geschützte Aminodicarbonsäure-Derivate

36.633.31. *N-Acyl-1,3-oxazolidin-5-one von Aminodicarbonsäuren*

Erstmals haben Rudinger et al.[1] an der 1,3-Oxazolidin-5-on-Verbindung IVa den Versuch gemacht, die freie ω-Carboxy-Funktion via Säurechlorid-Methode mit Aminosäureestern zu N,C_α-maskierten C_γ-Peptiden der Glutaminsäure LIa umzusetzen. Angeblich wegen der leicht, auch bereits im sauren Medium aus LIa eintretenden Bildung von Glutarimid-Derivaten LII konnten jedoch zwangsläufig nur C_α, C_γ-Peptidgemische VIa + LIII erhalten werden. Baudet u. Borecka[2] wollen jedoch eine einwandfreie Carbodiimid-Verknüpfung von TOS-[Glu-OI](IVa) und H-Cys(BZL)-Gly-OEt erreicht und nach alkalischer Hydrolyse des intermediären C_γ-Peptid-Derivats [LIa; $R^1 = CH(CH_2\text{-}SC_7H_7)CO\text{-}NH\text{-}CH_2\text{-}COOC_2H_5$] reines *TOS-Glu(Cys⟨BZL⟩-Gly-OH)-OH* [LIII; $R^2 = CH(CH_2\text{-}SC_7H_7)\text{-}CO\text{-}NHCH_2\text{-}COOH$] mit 87% Ausbeute erhalten haben.

Einwandfrei verläuft die Synthese von C_δ-Peptiden der Amino-adipinsäure (LIV) aus TOS-[Aad-OI] (IVb) nach diesem Verfahren, da eine Umlagerung zum 7-gliedrigen Adipinimid-System nicht eintritt[3]:

TOS, $(CH_2)_n$—COOH; IV a und b

$+ H_2N\text{-}R^1$ (Säurechlorid- oder Carbodiimid-Methode) →

TOS, $(CH_2)_n$—CO—NH—R^1; LI a und b

$+ OH^\ominus$ (n = 3) → LIV: $(CH_2)_3$—CO—NH—R^2, TOS—NH—CH—COOH

$+ H^\oplus / OH^\ominus$ (n = 2) → LII: [TOS—NH, N—R^1]

$+ OH^\ominus$ → VI a: $(CH_2)_2$—COOH, TOS—NH—CH—CO—NH—R^2; LIII: $(CH_2)_2$—CO—NH—R^2, TOS—NH—CH—COOH

$R^1 = \overset{R}{|}CH\text{—}COOR^3$; $R^2 = \overset{R}{|}CH\text{—}COOH$

---

[1] J. Rudinger u. H. Farkašova, Collect. czech. chem. Commun. **28**, 2941 (1963).
[2] T. Baudet u. I. Borecka, Ann. Chimica (Rom) **53**, 53 (1963).
[3] V. Gut u. J. Rudinger, Collect. czech. chem. Commun. **28**, 2953 (1963).

36.633.32. *2-Thio-hydantoin-Derivate von Aminodicarbonsäuren*

Als cyclische N,C_α-„kombinations-maskierte“ Kopfkomponenten können die 2-Thio-hydantoine von Asparaginsäure, Glutaminsäure und Amino-adipinsäure (LV; n = 1–3) dienen[1]; an der noch freien ω-Carboxy-Funktion lassen sich Aminosäureester nach dem Carbodiimid-Verfahren oder über die innermolekularen cyclischen Lactame (LVI; n = 2–3) zu den N,C_α-bis-geschützten C_ω-Peptidestern (LVII; n = 1–3) anknüpfen.

Zur Demaskierung der Amino-Funktion ist eine „Zweistufen-Reaktion“ erforderlich: „Entschwefelung“ der 2-Thio-hydantoin-peptidester mit Raney-Nickel erbringt zunächst N-Formyl-asparagyl [glutamyl; amino-adipyl]-C_α-amid-C_γ-aminosäure-ester (LVIII), die z. B. nach Losse u. Zönnchen[2] entformyliert werden könnten (s. S. 167). Dieser noch nicht erarbeitete Schritt wie die – von den Autoren bereits beobachtete – unsichere Erhaltung der „optischen Reinheit“ muß die Methode der Kategorie „Sonderfälle“ zuweisen.

36.633.40. Aminodicarbonsäure-α,ω-diester

Für die Synthese von C_ω-Peptiden der Aminodicarbonsäuren in mittelständiger Sequenz-Position ist – in weitgehender Analogie zu der von C_α-Peptiden – auch der Weg über Peptid-Derivate mit zunächst carboxy-endständigen Aminodicarbonsäuren gangbar; er setzt die Verwendung selektiv-demaskierbarer α,ω-Diester voraus (zur Herstellung dieser Diester s. S. 648 u. Schemata S. 650 bzw. 658).

Für die Maskierungen der α-Carboxy-, der α-Amino- und evtl. Seitenketten-Funktionen sollten dann sinnvoll Schutzgruppen „einer Richtung“ Verwendung finden. Die vorübergehende Blockierung der ω-Carboxy-Gruppe kann auch als „Aktivester“ (= „unechte“ Schutzgruppe, s. S. 407 ff.) erfolgen[3]:

---

1 H. Behringer u. R. Schunck, B. **100**, 564 (1967).

2 G. Losse u. W. Zönnchen, A. **636**, 140 (1960).

3 G. Losse, H. Jeschkeit u. D. Knopf, B. **97**, 1789 (1964).

N-Benzyloxycarbonyl-L-asparagyl(α-benzylester)-Cβ-L-glutaminsäure-(γ-4-nitro-phenylester)-α-benzylester[Z-Asp(Glu⟨ONP⟩-OBZL)-OBZL][1]:

L-Glutaminsäure-γ-(4-nitro-phenylester)-α-benzylester-Hydrobromid[H-Glu(ONP)-OBZL · HBr][1]: 2 g Z-Glu(ONP)-OBZL werden unter Erwärmen in 5 *ml* absol. Essigsäure gelöst, nach dem Erkalten mit 5 *ml* 30%-iger Bromwasserstoff/Essigsäure-Lösung und 4 Min. später mit 200 *ml* absol. Diäthyläther versetzt; dabei tritt Fällung ein; Ausbeute: 0,76 g (42% d.Th.); F: 128–131°; $[\alpha]_D^{23} = +6{,}3°$ (c = 1,05; in Äthanol).

N-Benzyloxycarbonyl-L-asparagyl(α-benzylester)-Cβ-L-glutaminsäure-(γ-4-nitro-phenylester)-α-benzylester[Z-Asp(Glu⟨ONP⟩-OBZL)-OBZL][1]: 1,8 g Z-Asp-OBZL in 100 *ml* absol. Essigsäure-äthylester werden bei –25° mit 1 g Dicyclohexylcarbodiimid und dann nacheinander mit 2,2 g H-Glu(ONP)-OBZL · HBr und 0,7 *ml* Triäthylamin versetzt. Nach 45 Min. im Kältebad wird der Ansatz noch 4–5 Stdn. bei Raumtemp. aufbewahrt und anschließend filtriert. Das Filtrat wird mit weiteren 0,7 *ml* Triäthylamin versetzt und solange mit Wasser ausgeschüttelt, bis die Waschflüssigkeit nach Ansäuern keine Trübung mehr zeigt. Die Essigsäure-äthylester-Lösung wird anschließend mit verd. Salzsäure und Wasser wie üblich gewaschen, über Natriumsulfat getrocknet, i. Vak. auf 40–50 *ml* eingeengt und letztlich mit viel Petroläther versetzt; Ausbeute: 1,75 g (50% d.Th.); nach Umkristallisieren aus Essigsäure-äthylester/Petroläther F: 119–121°; $[\alpha]_D^{22} = -10{,}0°$ (c = 1,0; in Essigsäure).

36.634. Andere Methoden

Durch Erhitzen von N-Trifluoracetyl-δ-diazo-γ-oxo-L-norvalin-äthylester LX mit H-Glu(OEt)-OEt in Gegenwart von frischgefälltem Silberoxid konnten Weygand et al.[2] *TFA-Glu(Glu[OEt]-OEt)-OEt* (LXI) in 62%-iger Ausbeute gewinnen. Das für diese „Wolffsche Umlagerung" benötigte Diazoketon-Derivat LX ist aus TFA-Asp(Cl)-OEt (LIX) und Diazomethan leicht zugänglich. Damit ist eine Möglichkeit gegeben, aus einer Aminodicarbonsäure ein C_ω-Peptid der nächsthöheren Homologen aufzubauen:

$$\underset{\text{LIX}}{F_3C-CO-NH-\overset{\overset{CO-Cl}{|}}{\underset{}{\overset{CH_2}{|}}}{CH}-COOC_2H_5} \xrightarrow{+\,CH_2N_2} \underset{\text{LX}}{F_3C-CO-NH-\overset{\overset{CO-CHN_2}{|}}{\overset{CH_2}{|}}{CH}-COOC_2H_5}$$

$$\xrightarrow{+\,H_2N-R} \underset{\text{LXI}}{F_3C-CO-NH-\overset{\overset{CO-NH-R}{|}}{\overset{(CH_2)_2}{|}}{CH}-COOC_2H_5}$$

$$R = \overset{(CH_2)_2-COOC_2H_5}{\underset{}{|}}\!\!\!\!CH-COOC_2H_5$$

36.640. C_α,C_ω-bis-Peptide der Aminodicarbonsäuren

36.641. Symmetrische C_α,C_ω-bis-Peptide

Z-Glu-OH wurde nach Mischanhydrid-[3,4], Azid-[4,5], Dicyclohexylcarbodiimid-[3–6] und 4-Nitro-phenylester-Methoden[6], Z-Asp-OH nach dem Säurechlorid-Verfahren[7] der „Doppel-Verknüpfung" zugeführt, teilweise mit geringem Erfolg.

---

[1] G. Losse, H. Jeschkeit u. D. Knopf, B. **97**, 1789 (1964).
[2] F. Weygand, P. Klinke u. I. Eigen, B. **90**, 1896 (1957).
[3] H. Sachs u. E. Brand, Am. Soc. **76**, 1811 (1954).
[4] E. Schröder, E. Klieger u. H. Gibian, A. **646**, 101 (1961).
[5] T. Shiba u. T. Kaneko, Bl. chem. Soc. Japan **33**, 1721 (1960).
[6] H. Zahn u. W. Pätzold, B. **96**, 2566 (1963).
[7] W. Grassmann u. F. Schneider, Bio. Z. **273**, 452 (1934).

Im „Zwei-Schritt-Tempo" kamen Shiba und Kaneko[1, vgl. a. 2,3] ebenfalls zum Ziel; zuerst wurde Z-Glu(N_3)-OH mit H-Glu(OEt)-OEt zum *Z-Glu(Glu[OEt]-OEt)-OH* verbunden, letzteres nach Mischanhydrid- oder besser Carbodiimid-Methoden mit einem zweiten Molekül H-*Glu*(OEt)-OEt zu *Z-Glu(Glu[OEt]-OEt)-Glu(OEt)-OEt* aufgestockt. Inwieweit die anschließende alkalische Ester-Verseifung die Reinheit der C_α,C_ω-bis-Peptide unbeeinflußt läßt, soll dahingestellt sein (vgl. dazu S. 677ff.); man dürfte zweckmäßiger z. B. mit hydrogenolytisch abspaltbaren Carboxy-Schutzgruppen arbeiten[4]. Ähnliche Betrachtungen sollten auch für eine Hydrazinolyse gelten.

36.642. Asymmetrische C_α,C_ω-bis-Peptide

Sachs und Brand[2] haben Z-Glu-Ala-OBZL nach dem Mischanhydrid-Verfahren mit H-Gly-OBZL in guter Ausbeute zum asymmetrischen C_α,C_γ-bis-Derivat umgesetzt; hydrogenolytische Entfernung aller Schutzgruppen erbrachte das Tripeptid *H-Glu(Gly-OH)-Ala-OH*. Ebenfalls nach der O-Alkyl-kohlensäureanhydrid-Methode gelang Gibian et al.[4] eine „Doppelaufknüpfung" auf N-Benzyloxycarbonyl-glutamyl-C_α- und N-Benzyloxycarbonyl-glutamyl-C_γ-aminosäuren; mit Interesse gilt es festzustellen, daß Z-Glu(Ala-OH)-OH und 2 H-Val-OMe mit nur 31%, Z-Glu-Val-OH und 2 H-Leu-OMe dagegen mit 73% zu den „Tetrapeptid-Verbindungen" vereinigt werden konnten. Über die Synthese eines auf den ersten Blick symmetrisch erscheinenden „doppelt-asymmetrischen" C_α,C_γ-bis-Glutamyl-peptids nach dem Carbodiimid-Verfahren berichten Zahn und Pätzold[3]; aus TFA-Glu-OBZL (LXII), H-Lys-OEt(LXIII) und H-Lys(Z)-OEt(LXVI) wurde über die Tripeptid-Derivate LXIV und LXV ein allseits geschütztes Pentapeptid LXVII nach folgendem Schema aufgebaut:

```
                     + H-Lys-OEt/DCCD        TFA-Glu-OBZL
                                                  |
                                               ┌-Lys-OEt            + HBr (flüssig)
2 TFA-Glu-OBZL      ------------------->       |                   ---------------->
                          LXIII              TFA-Glu-OBZL
    LXII                                         LXIV

   TFA-Glu-OH                                        TFA-Glu-Lys(Z)-OEt
        |                                                 |
     ┌-Lys-OEt      + H-Lys(Z)-OEt/DCCD                ┌-Lys-OEt
     |             ------------------->                |
   TFA-Glu-OH               LXVI                      TFA-Glu-Lys(Z)-OEt
      LXV                                                 LXVII
```

Mit der Synthese eines Desamino-dicarba-Oxytocins haben Jošt und Rudinger[5] zugleich erstmals den Aufbau eines cyclischen, asymmetrischen C_α,C_δ-bis-Peptides der Aminosuberinsäure (Aminokorksäure; 2-Amino-octandisäure) vorgewiesen. Bei dieser wie auch der „verbesserten" Herstellung des Hormon-Analogons[6] werden zunächst Peptid-Derivate mit mittelständigem Aminosuberinsäure-δ-methylester aufgebaut, die Esterver-

---

[1] T. Shiba u. T. Kaneko, Bl. chem. Soc. Japan **33**, 1721 (1960).
[2] H. Sachs u. E. Brand, Am. Soc. **76**, 1811 (1954).
[3] H. Zahn u. W. Pätzold, B. **96**, 2566 (1963).
[4] E. Schröder, E. Klieger u. H. Gibian, A. **646**, 101 (1961).
[5] K. Jošt u. J. Rudinger, Collect. czech. chem. Commun. **32**, 1229 (1967).
[6] K. Jošt u. F. Šorm, Collect. czech. chem. Commun. **36**, 234 (1971).

seifungen im Anschluß an die Entacylierungen auf den Sequenzstufen *Z-Tyr-Ile-Gln-Asn-Asu(OMe)-Pro-Leu-Gly-NH$_2$* bzw. *NPS-Ile-Gln-Asn-Asu(OMe)-Pro-Leu-Gly-NH$_2$* vorgenommen.

N-(2-Nitro-phenylsulfenyl)-L-asparaginyl-L-aminosuberyl(δ-methylester)-L-prolyl-L-leucyl-glycin-amid [NPS-Asn-Asu(OMe)-Pro-Leu-Gly-NH$_2$][1]: Zu einer Lösung von 2,0 g Z-Asu(OMe)-OH · DCHA in einer Mischung von 40 *ml* Methanol und 25 *ml* Wasser werden 30 *ml* Dowex-50-WX4($H^{\oplus}$-Form) hinzugeben. Nach 30 Min. Rühren der Reaktionsmischung wird der Ionen-Austauscher durch Filtration entfernt, das Filtrat i. Vak. zur Trockene gebracht, zum Schluß unter azeotroper Destillation mit Benzol. Der erhaltene Rückstand wird in 20 *ml* Dimethylformamid aufgenommen und mit 1,28 g H-Pro-Leu-Gly-NH$_2$ und 0,48 g N-Hydroxy-succinimid und nach Abkühlen auf —20° mit 0,48 g Dicyclohexylcarbodiimid versetzt. Der Reaktionsansatz wird 1 Stde. bei —10°, 2 Stdn. bei 0° und 12 Stdn. bei Raumtemp. gerührt. Das Filtrat vom N,N'-Dicyclohexyl-harnstoff wird i. Vak. zur Trockene gebracht, der durch Behandeln mit Petroläther erhaltene pulvrige Rückstand in Essigsäure-äthylester aufgenommen, die erhaltene Lösung sorgfältig mit n Salzsäure, 0,5 n Natriumhydrogencarbonat-Lösung und Wasser wie üblich gewaschen, über Natriumsulfat getrocknet und letztlich erneut i. Vak. eingedampft, zum Schluß unter azeotroper Destillation mit Benzol. Das erhaltene Material in 8 *ml* Essigsäure wird mit 20 *ml* Bromwasserstoff/Essigsäure (35%-ig) versetzt; nach 10 Min. bei Raumtemp. wird der Reaktionsansatz mit Diäthyläther verdünnt, das ausgefallene Produkt abfiltriert, mehrere Male mit Diäthyläther gewaschen und letztlich über Natriumhydroxid i. Vak. getrocknet. Eine Lösung des so gewonnenen Materials in 24 *ml* Dimethylformamid wird durch Zugabe von 2 *ml* N-Äthyl-piperidin auf einen p_H-Wert von 8,5 gestellt und dann mit 2 g NPS-Asn-OTCP versetzt. Nach 24 Stdn. bei Raumtemp. fügt man nochmals 1 g des Aktivesters hinzu; nach weiteren 24 Stdn. wird die Reaktionsmischung i. Vak. zur Trockene eingedampft, der verbleibende Rückstand mit Petroläther und Diäthyläther behandelt. Das danach kristallin gewordene Material wird abfiltriert und mit Diäthyläther, Wasser, 0,5 n Natriumhydrogencarbonat-Lösung und wieder Wasser gewaschen; Ausbeute: 1,9 g [66% d. Th., ber. für eingesetztes Z-Asu(OMe)-OH · DCHA]. Das Peptid-Derivat läßt sich aus Dimethylformamid/Diäthyläther umkristallisieren; F: 175–177°; $[\alpha]_D^{20}$ = —69,8° (c = 0,5; in Dimethylformamid).

Desamino-dicarba-Oxytocin [Tyr-Ile-Gln-Asn-Asu(δ-lactam)-Pro-Leu-Gly-NH$_2$][1]: Zu einer Lösung von 301,5 mg BOC-Tyr(tBu)-Ile-Gln-Asn-Asu-Pro-Leu-Gly-NH$_2$ in 20 *ml* Dimethylformamid/Pyridin (1 : 1) werden unter Stickstoffatmosphäre und Rühren 1 g Bis-[4-nitro-phenyl]-sulfit zugefügt. Nach 7 Stdn. bei Raumtemp. wird nochmals 1 g und nach 12 Stdn. nochmals 0,5 g des Reagenzes zugesetzt. Nach 6 Stdn. Rühren wird die Reaktionsmischung unter Stickstoffatmosphäre i. Vak. zur Trockene eingedampft, das nach Behandeln mit Diäthyläther erhaltene feine Pulver abfiltriert und sorgfältig mit Diäthyläther und dann Wasser gewaschen. Das i. Vak. getrocknete Produkt wird in 10 *ml* Trifluoressigsäure gelöst, der Ansatz nach 1 Stde. bei Raumtemp. und nach Zugabe von 10 *ml* Toluol i. Vak. zur Trockene eingedampft. Die Lösung des trockenen Rückstandes in 10 *ml* Dimethylformamid wird im Verlauf von 4 Stdn. unter Stickstoffatmosphäre und kräftigem Rühren in 250 *ml* auf 50° erwärmtes Pyridin eingetropft. Nach 12 Stdn. bei Raumtemp. wird die Mischung i. Vak. zur Trockene gebracht, nach Behandeln mit Diäthyläther filtriert und letztlich mit Diäthyläther gewaschen. Das erhaltene Material wird in 25 *ml* Oberphase des Lösungsmittelsystems Butanol-(2)/0,05% Essigsäure (1 : 1) gelöst und der multiplikativen Verteilung über 120 Schritte im genannten Zweiphasen-System unterworfen. Die Fraktionen 70–87 (Verteilungs-Koeffizient 2,15) werden i. Vak. auf ein kleines Vol. eingedampft und letztlich gefriergetrocknet; Ausbeute: 80 mg (30% d. Th.).

Nach zusätzlicher Reinigung mittels Gel-Filtration (Bio-Gel P-2 und P-4; Elutionsmittel m Essigsäure) wird ein Material erhalten, das aus Methanol/Diäthyläther kristallisiert; $[\alpha]_D^{20}$ = —67,4° (c = 0,22; in m Essigsäure).

Die Prozedur der alkal. Esterverseifung scheint bei Vorliegen von Glutamin- und Asparagin-Resten in der Peptid-Kette nicht ungefährlich zu sein (vgl. S. 720). Letztlich wird am erstellten „freien" Octapeptid-Amid mit dem Ringschluß zum cyclischen Lactam die Knüpfung der C_ω-Peptid-Bindung vollzogen.

Sakakibara et al.[2–4] haben nach ähnlichem Bau-Prinzip, doch unter vorteilhafter Verwendung von Aminosuberinsäure-δ-tert.-butylester-Zwischenstufen, sowohl *Desamino-dicarba-Oxytocin*[3] als auch *-Vasopressine*[2,4] und *-Vasotocine*[4] synthetisiert.

---

[1] K. Jošt u. F. Šorm, Collect. czech. chem. Commun. **36**, 234 (1971).
[2] S. Sakakibara u. S. Hase, Bl. chem. Soc. Japan **41**, 2816 (1968).
[3] A. Kobayashi et al., Bl. chem. Soc. Japan **42**, 3491 (1969).
[4] S. Hase et al., Am. Soc. **94**, 3590 (1972).

36.650. Nebenreaktionen beim peptid-synthetischen Einsatz von Aminodicarbonsäuren

Die Tendenzen von Glutamyl(Asparagyl)-amin(peptid)-Derivaten, auf bestimmte Reaktionsbedingungen unter Ausbildung von 6(5)-gliedrigen innermolekularen Ringschlüssen (Glutarimid- und Succinimid-Bildung einerseits, Pyrrolidon-Cyclisierung andererseits) zu antworten, ist schon bald bekannt geworden – ebenso die hydrolytische Aufspaltung der erstgenannten Diacyl-amin-Gruppierungen, die zu C_α- und $C_{\gamma(\beta)}$-Amid(Peptid)-Gemischen führen[1] („reversible, innermolekulare $\alpha \rightleftharpoons \omega$-Transpeptidierung[2]").

Bruckner et al.[3,4] konnten erstmals N-Acyl-glutamyl-C_α-(LXVIII) und N-Acyl-glutamyl-C_γ-aminosäuren LXIX durch kurzes Erwärmen mit Acetanhydrid zu den jeweils gleichen, kristallin isolierbaren Piperidin-2,6-dion-Derivaten LXX „dehydratisieren". Diese Acylamine LXX lösen sich bei Raumtemp. leicht in n Natronlauge; nach Ansäuern lassen sich Gemische der jeweiligen C_α- und C_γ-Peptide LXVIII u. LXIX isolieren – mit überwiegendem Anteil der letzteren.

C_α-Peptide mit mittelständiger Glutaminsäure geben beim Behandeln mit Thionylchlorid/Pyridin nicht nur die Glutarimid-Verbindungen LXX (Weg ⓐ), sondern auch die Pyrrolidon-Derivate LXXI (Weg ⓑ)[5,6], die bei nachfolgender alkalischer Hydrolyse weitestgehend wieder zu den C_α-Peptiden LXVIII geöffnet, in geringem Maße aber unter „Zerbrechen der Peptidkette" zu LXXII und LXXIII gespalten werden[5] (s. Formelschema S. 678).

Ähnliche Befunde wurden auch bei den durch Einwirkung von Acetanhydrid auf C_α-Poly-glutaminsäuren erhaltenen „Anhydro-Polymeren" beobachtet[1,7]. Verantwortlich für den Gang der Dehydratisierung sollen die sterischen Verhältnisse sein[1,8].

Bei Asparaginsäure-Abkömmlingen herrschen anscheinend analoge Verhältnisse: Acetanhydrid-Einwirkung führt zu Succinimid-Derivaten, die mit verd. Laugen zu C_α, C_β-Amid(Peptid)-Gemischen der Asparaginsäure (Verhältnis etwa 1:1) geöffnet werden. Als Extremfälle in der Asparaginsäure-Reihe sind zu vermerken:

① schon Stehenlassen der C_α-Peptide in Wasser bei 50° über 6 Monate führt zu „$\alpha \rightarrow \beta$-Transpeptidierung"[9],

② Erhitzen von H-Lys(H-Asp)-OH bzw. H-Lys(H-Asp-OH)-OH mit 11 n Salzsäure auf 80° zu N_ε-*Aminosuccinyl-lysin*[10].

Die Tendenz zur Cyclisierung wird durch Veresterung der freien Carboxy-Funktion erheblich erhöht. Battersby und Robinson[11] konnten zeigen, daß die Behandlung von Ac-Gly-Gly-Glu(OEt)-Gly-NHC_6H_{11} mit 0,1 n Natronlauge oder 0,28 n Natriumcarbonat-Lösung bei Raumtemp. zu einem C_α,C_γ-Peptid-Gemisch führt, noch dazu unter Verlust der optischen Aktivität. Analoge Verhältnisse wurden in der „Asparagyl-Reihe" vorgefunden[11]; wegen der größeren Stabilität[12] der Pyrrolidin-2,5-dion-Derivate (gegenüber den Piperidin-

---

[1] K. Medzihradszky, Collect. czech. chem. Commun. **24**, 107 (1959); special issue.
[2] J. Kovacs, K. Medzihradszky u. V. Bruckner, Naturwiss. **41**, 450 (1954).
[3] V. Bruckner u. J. Kovacs, Magy. Tud. Akad. Kem. Tud. Oszt. Közlemen. **3**, 105 (1953).
[4] J. Kovacs, K. Medzihradszky u. V. Bruckner, Acta chim. Acad. Sci. hung. **6**, 183 (1955).
[5] D. W. Clayton, G. W. Kenner u. R. C. Sheppard, Soc. **1956**, 371.
[6] A. R. Battersby u. J. G. Robinson, Soc. **1956**, 2076.
[7] V. Bruckner, J. Kovacs u. K. Medzihradszky, Naturwiss. **42**, 96 (1955).
[8] A. R. Battersby u. J. J. Reynolds, Soc. **1961**, 524.
[9] B. Riniker u. R. Schwyzer, Helv. **47**, 2357 (1964).
[10] D. L. Swallow u. E. P. Abraham, Biochem. J. **70**, 364 (1958).
[11] A. R. Battersby u. J. G. Robinson, Soc. **1955**, 259.
[12] E. Sondheimer u. R. W. Holley, Am. Soc. **76**, 2467 (1954).

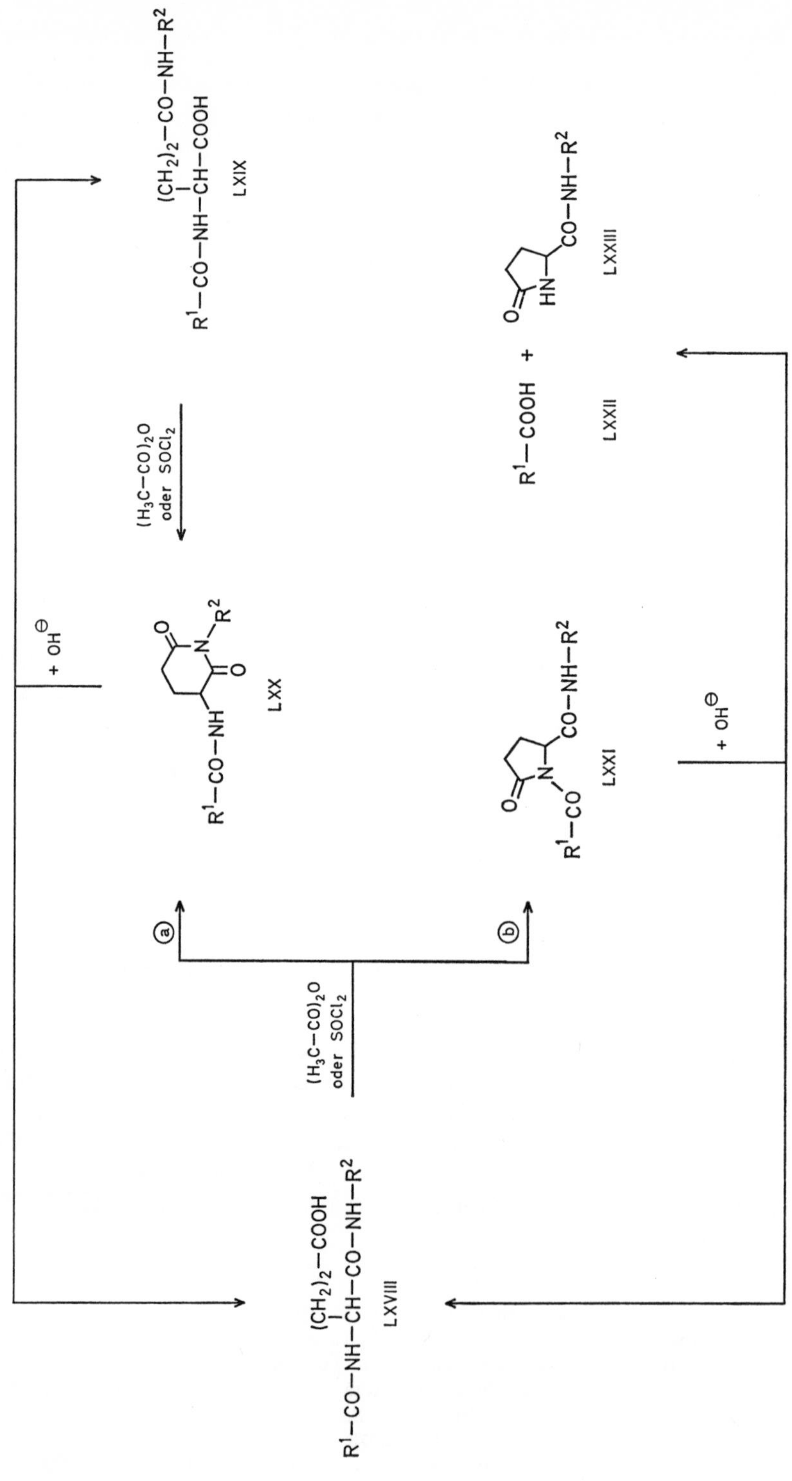
R¹—CO—NH—CH—CO—NH—R²
(CH₂)₂—COOH
LXVIII
(H₃C—CO)₂O
oder SOCl₂
a
b
R¹—CO—NH
LXX
R¹—CO
LXXI
+ OH⊖
R¹—CO—NH—CH—COOH
(CH₂)₂—CO—NH—R²
LXIX
R¹—COOH +
LXXII
LXXIII

2,6-dionen) in wäßrigem Milieu ist diese Diacylamin-Stufe leicht isolierbar. Die Ringschluß-Reaktion läuft bei günstigen sterischen Voraussetzungen (z. B. Glycin als „Sequenzfolge") selbst unter mildesten alkalischen Bedingungen ab, so daß andere Ester-Gruppen daneben überleben können[1,2], auch die ansonst alkali-stabile tert.-Butyl-Maskierung der β-Carboxy-Funktion vermag dem Cyclisierungs-Ablauf keinen Einhalt zu gebieten[2,3]. Bernhard et al.[4] haben die Diacylamin-Bildung und -Hydrolyse an verschiedenen N-Benzyloxy-carbonyl(β-benzylester)-C_α-amiden studiert und nachstehenden Reaktionsmechanismus postuliert; es wurde ferner gefunden, daß Aminosäuren mit „elektronegativer Seitenkette" als Amid-Komponente (wie insbes. Serin, Serinester u. Serinamid) die Tendenz zum Ring schluß erheblich steigern[4,5].

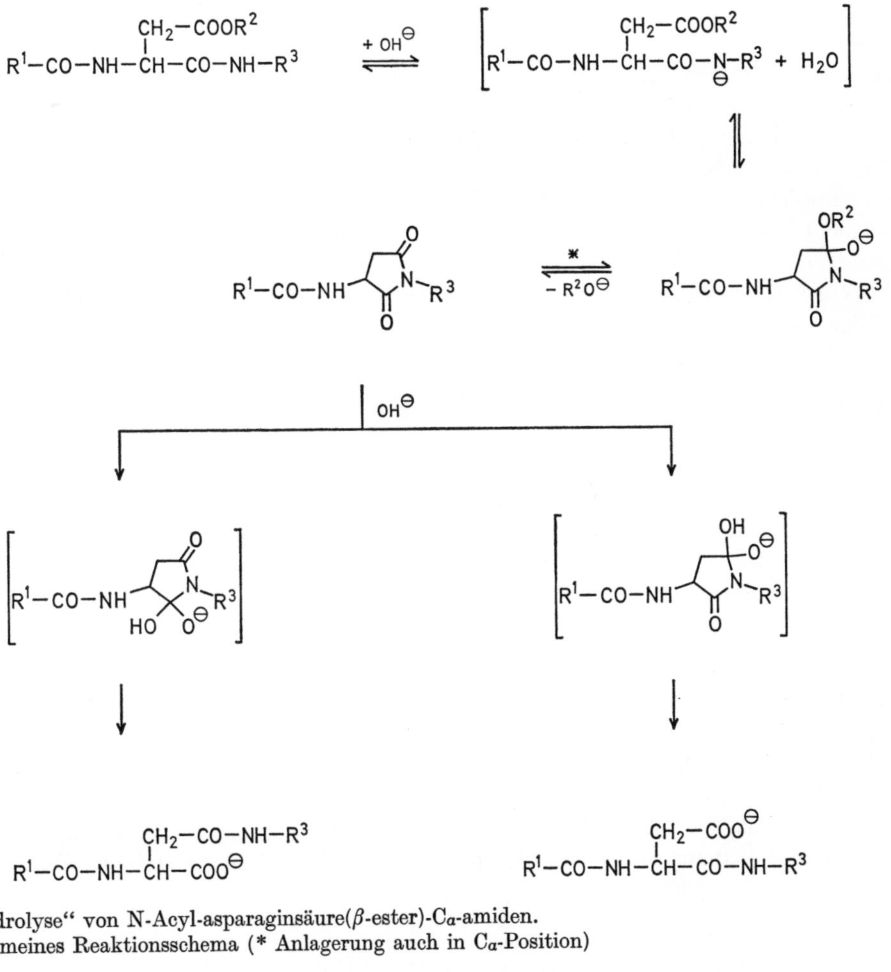

$R^1-CO-NH-CH(CH_2-COOR^2)-CO-NH-R^3 \xrightleftharpoons{+OH^\ominus} [R^1-CO-NH-CH(CH_2-COOR^2)-CO-N^\ominus-R^3 + H_2O]$

$R^1-CO-NH$-Succinimid-$N-R^3 \underset{-R^2O^\ominus}{\overset{*}{\rightleftharpoons}}$ $R^1-CO-NH$-Ring(OR^2, $O^\ominus$)-$N-R^3$

$OH^\ominus$

$[R^1-CO-NH$-Ring(HO, $O^\ominus$)-$N-R^3]$ → $R^1-CO-NH-CH(CH_2-CO-NH-R^3)-COO^\ominus$

$[R^1-CO-NH$-Ring(OH, $O^\ominus$)-$N-R^3]$ → $R^1-CO-NH-CH(CH_2-COO^\ominus)-CO-NH-R^3$

„Hydrolyse" von N-Acyl-asparaginsäure(β-ester)-C_α-amiden.
Allgemeines Reaktionsschema (* Anlagerung auch in C_α-Position)

Doch auch eine protonen-katalysierte Cyclisierung-Eliminierungs-Reaktion ist bei N-Acyl-asparagyl(β-benzylester)-C_α-prim.-amiden und -C_α-glycyl(seryl)-peptiden gegeben.

---

1 B. Iselin u. R. Schwyzer, Helv. **45**, 1499 (1962).
2 S. Bajusz, T. Lazar u. Z. Paulay, Acta chim. Acad. Sci. hung. **41**, 229 (1964).
3 E. Wünsch u. F. Drees, B. **99**, 110 (1966).
4 S. A. Bernhard et al., Am. Soc. **84**, 2421 (1962).
5 R. W. Hanson u. H. Rydon, Soc. **1964**, 836.

Die schon von Merrifield[1,2] beobachtete Bildung eines neutralen Nebenproduktes bei der Herstellung eines (sauren) Asparagyl-seryl-peptides nach der Festkörpermethode – im speziellen bei der Ablösung vom Polymer mittels Bromwasserstoff/Trifluoressigsäure – konnte von Ondetti et al.[3] bei der Synthese von *H-His-Ser-Asp-Gly-Thr-Phe-OH*(-NH_2) erneut demonstriert und in der Struktur als „Succinimid-Derivat" aufgeklärt werden. Beachtung verdient auch die Feststellung, daß die „Asparagyl-glycyl-Sequenz" des geschützten Tetrapeptid-Derivats *Z-Asp(OBZL)-Gly-Thr-Phe-*NH_2 nicht nur bei einer Demaskierung mit Bromwasserstoff/Trifluoressigsäure, sondern in hohem Grade auch schon beim Umkristallisieren aus siedendem Äthanol unter Diacylamin-Bildung verändert wird. Bemerkenswert ist weiter, daß auch die Deblockierung von Z-Asp(OBZL)-Gly-OBZL, Z-Asp(OBZL)-His-OMe und Z-Asp(OBZL)-Ser(BZL)-OMe mit Fluorwasserstoff in Temperaturabhängigkeit mehr oder minder mit $\alpha \rightarrow \beta$-Transpeptidierung verbunden ist; Z-Asp (OBZL)-Ala-OBZL jedoch ergibt reines C_α-Peptid[4].

Schon von Wünsch[5] war darauf hingewiesen worden, daß eine selektive Hydrazinolyse von Z-Asp(OtBu)-OMe bzw. BOC-Asp(OtBu)-OMe mit Hydrazin-Hydrat nicht möglich ist; man erhält die C_α,C_β-Dihydrazide. Diese Tatsache ist von Scoffone et al.[6] bestätigt worden. Erwartungsgemäß verlief deshalb auch die Hydrazinolyse von BOC-Asp(OtBu)-Ser-Gly-Pro-Tyr-Lys(BOC)-Met-OMe nicht einwandfrei; trotz Variation der Bedingungen war es nicht möglich, die Entstehung von Nebenprodukten völlig auszuschalten[7]. Daß hierbei außer einer Methionin-hydrazid- nur C_β-Hydrazid-Bildung[8] am Asparaginsäure-Rest erfolgt, erscheint unwahrscheinlich; vielmehr dürfte ein C_α,C_β-Hydrazid-Gemisch entstehen, als Folge einer hydrazinolytischen Öffnung der primär induzierten „Succinimid-Verbindung".

Peptid-ester und -amide mit amino-endständigen Glutamyl(γ-ester)-Resten – Ausnahme Derivate des Glutaminsäure-γ-tert.-butylesters – cyclisieren leicht zu Pyrrolidonoyl-Verbindungen, sobald sie aus ihren Salzen in Freiheit gesetzt werden (s. dazu auch S. 710f.). Diese Nebenreaktion kann bei Synthesen von Peptid-Naturstoffen mit amino-endständiger „Pyroglutaminsäure" (Pyrrolidin-5-on-2-carbonsäure) zum „gewollten Verlauf" umfunktioniert werden; so haben Kenner et al.[9] zwecks Erstellung eines Gastrin-Fragments der Sequenz 1–5 zunächst BOC-Glu(OMe)-Gly-Pro-Trp-Met-OMe aufgebaut, dieses acidolytisch entacyliert und letztlich das gebildete Pentapeptidester-Hydrochlorid durch Auflösen in methanolischem Ammoniak in *H-Pyr-Gly-Pro-Trp-Met-OMe* überführt.

Neuesten Ergebnissen zufolge führt die „Sakakibara-Demaskierung" mittels Fluorwasserstoff/Anisol bei Glutamyl-peptiden zu „anisolhaltigen" Produkten[10]. Nach Hirschmann[11] ist der Grund hierfür eine Friedel-Crafts-Reaktion der Glutaminsäure-γ-carboxy-Gruppe mit dem „Kationenfänger"; an einem Modellversuch – Behandlung von Polyglutaminsäure mit Fluorwasserstoff/Anisol (30 : 1) – konnte ein „Einbau" von 2,5% Anisol bei einer Reaktionstemperatur von 0°, von 15% aber bei 19° festgestellt werden.

---

[1] R. B. Merrifield, Recent. Progr. Hormone Res. **23**, 451 (1967).
[2] G. R. Marschall u. R. B. Merrifield, Biochemistry **4**, 2394 (1965).
[3] M. A. Ondetti et al., Biochemistry **7**, 4069 (1968).
[4] T. Baba, H. Sugiyama u. S. Seto, Chem. Pharm. Bull. (Tokyo) **21**, 207 (1973).
[5] E. Wünsch u. A. Zwick, H. **333**, 108 (1963).
[6] E. Scoffone et al., G. **94**, 695 (1964).
[7] R. Schwyzer et al., Helv. **46**, 1975 (1963).
[8] G. T. Young et al., *Aminoacids Peptides and Proteins*, Vol. 4, S. 327, The Chem. Society 1972.
[9] J. C. Anderson et al., Soc. [C] **1967**, 108.
[10] S. Sano, Biochem. Biophys. Res. Commun. **51**, 46 (1973).
[11] R. Hirschmann, Internat. Symposium on Peptide Synthesis, Madison Wisconsin May 1973.

Tab. 66. Derivate der L-Asparaginsäure

1. C_β-Derivate [H-Asp(R)-OH]

R		F [°C]	$[\alpha]_D$	t	c	Lösungsmittel	Literatur	Literatur entsprechender D-Verbindung
OBZL		218–220	+28,1	25	1	1 n Salzsäure	1–5	6
	a	154	+11,4	23	7,7	Wasser	7,2	
OEt		200					8	
	b	199–200					9,10	
OMe		187 (Zers.)	+26,8 d	20	2,6	6 n Salzsäure	11	
	b	191–193	+21,4	25	1	Äthanol : Wasser 1 : 3	12,13 14,15	
OtBu		188,5 (Zers.)	+ 8,5	20	1	Wasser	16–20	
ONB	c	198–200	+11,2	25	1	Essigsäure	21–23	
OiPr		213–218 (Zers.)	+28,2	17	4	1 n Salzsäure	24	
OMOB		205	+32,3	24	0,6	Essigsäure	22	
OIB		229–230	+ 9,8	23	0,5	Essigsäure	22	
OBPE		186–188	+18,8	21	0,4	Essigsäure	22	

[a] Monohydrobromid
[b] Monohydrochlorid
[c] Monohydrat
[d] $[\alpha]_{546}$

---

1 L. Benoiton, Canad. J. Chem. **40**, 570 (1962).
2 A. van de Linde et al., R. **80**, 1305 (1961).
3 M. C. Khosla u. N. Anand, J. sci. Ind. Research (India) **21 B**, 287 (1962).
4 Y. Ariyoshi, T. Shiba u. T. Kaneko, Bl. chem. Soc. Japan **40**, 1709 (1967).
5 L. Zervas u. C. Hamalidis, Am. Soc. **87**, 99 (1965).
6 Y. Ariyoshi, T. Shiba u. T. Kaneko, Bl. chem. Soc. Japan **40**, 2648 (1967).
7 D. Ben-Ishai u. A. Berger, J. Org. Chem. **17**, 1564 (1952).
8 T. Hashizume, J. agric. chem. Soc. Japan **25**, 25 (1951).
9 T. Curtius u. H. Koch, J. pr. **38**, 473 (1888).
10 R. Koch u. H. Hanson, H. **292**, 180 (1953).
11 F. Weygand u. H. Fritz, B. **98**, 72 (1965).
12 H. Schwarz, F. M. Bumpus u. I. H. Page, Am. Soc. **79**, 5697 (1957).
13 D. W. Coleman, Soc. **1951**, 2294.
14 A. Piutti et al., G. **36** II, 740 (1906).
15 M. Goodman u. F. Boardman, Am. Soc. **85**, 2483 (1963).
16 E. Wünsch u. A. Zwick, H. **328**, 235 (1962).
17 W. Voelter et al., B. **105**, 3650 (1972).
18 R. Schwyzer u. H. Dietrich, Helv. **44**, 2003 (1961).
19 E. Schröder u. E. Klieger, A. **673**, 208 (1964).
20 R. Roeske, J. Org. Chem. **28**, 1251 (1963).
21 J. E. Shields, Biochemistry **5**, 1041 (1966).
22 R. Ledger u. F. H. C. Stewart, Austral. J. Chem. **18**, 1477 (1965).
23 M. Goodman et al., Biopolymers **1**, 371 (1963).
24 S. Sakakibara et al., Bl. chem. Soc. Japan **40**, 2164 (1967).

Tab. 66. (1. Fortsetzung)

2. N_α,C_β-Bis-Derivate [R[1]-Asp(R)-OH]

R[1]	R	F [°C]	$[\alpha]_D$	t	c	Lösungsmittel	Literatur	Literatur entsprechender D-Verbindung
Z	OBZL	108	+12,1	25	10	Essigsäure	1–8	9
	a	117–118	+14,8	20–26	1	Äthanol	10	
Z	OEt a	104–108					11	
Z	OMe	98	—17,4	25	2,5	Pyridin	12–15	13
	a	117–118	+15,0	20–26	1	Äthanol	10	
Z	OtBu	76–78	—12,95	20	1	Pyridin	16–21	
	a	125,5–126,5	+ 5,8	20	1	90%-ige Essigsäure	17,18,20,22, 23,11	
Z	OPyM	158–160	—20	20	0,8	Dimethylformamid	24	
BOC	OBZL	101	—19,5	22	2	Dimethylformamid	25–31	
	a	130	+17,1	23	1	Methanol	30	

a DCHA-Salz

1 A. Berger u. E. Katchalski, Am. Soc. **73,** 4084 (1951).
2 P. M. Bryant et al., Soc. **1959,** 3868.
3 R. H. Mazur, Canad. J. Chem. **40,** 1098 (1962).
4 L. Benoiton, Canad. J. Chem. **40,** 570 (1962).
5 F. Schneider, H. **332,** 38 (1963).
6 Y. Ariyoshi, T. Shiba u. T. Kaneko, Bl. chem. Soc. Japan **40,** 1709 (1967).
7 E. Katchalski, Methods in Enzymology **3,** 540 (1957).
8 T. Hayakawa et al., Bl. chem. Soc. Japan **39,** 391 (1966).
9 Y. Ariyoshi, T. Shiba u. T. Kaneko, Bl. chem. Soc. Japan **40,** 2648 (1967).
10 E. Klieger, E. Schröder u. H. Gibian, A. **640,** 157 (1961).
11 W. Voelter et al., B. **105,** 3650 (1972).
12 H. Schwarz, F. M. Bumpus u. I. H. Page, Am. Soc. **79,** 5697 (1957).
13 K. Oki et al., Bl. chem. Soc. Japan **43,** 2554 (1970).
14 M. Goodman u. F. Boardman, Am. Soc. **85,** 2483 (1963).
15 A. Ali, P. M. Hardy u. H. N. Rydon, Soc. [Perkin I] **1972,** 1070.
16 E. Wünsch u. A. Zwick, B. **99,** 105 (1966).
17 E. Wünsch u. A. Zwick, H. **328,** 235 (1962).
18 R. Schwyzer u. H. Dietrich, Helv. **44,** 2003 (1961).
19 E. Taschner et al., A. **663,** 188 (1963).
20 E. Schröder u. E. Klieger, A. **673,** 208 (1964).
21 B. O. Handford et al., J. Org. Chem. **32,** 1243 (1967).
22 R. Roeske, J. Org. Chem. **28,** 1251 (1963).
23 T. A. Hylton, A. Preston u. B. Weinstein, J. Org. Chem. **31,** 3400 (1966).
24 R. Garner u. G. T. Young, Soc. [C] **1971,** 50.
25 E. Sandrin u. R. A. Boissonnas, Helv. **46,** 1637 (1963).
26 M. Fujino u. C. Hatanaka, Chem. Pharm. Bull. (Tokyo) **15,** 2015 (1967).
27 E. Schnabel et al., A. **716,** 175 (1968).
28 E. Bayer, G. Jung u. H. Hagenmaier, Tetrahedron **24,** 4853 (1968).
29 J. Halstrøm et al., H. **351,** 1576 (1970).
30 K. P. Polzhofer, Tetrahedron Letters **1969,** 2305.
31 D. A. Laufer u. E. R. Blout, Am. Soc. **89,** 1246 (1967).

Tab. 66. (2. Fortsetzung)

R^1	R	F [°C]	$[\alpha]_D$	t	c	Lösungsmittel	Literatur	Literatur entsprechender D-Verbindung
BOC	OtBu	63–64	—21,7	25	1	Dimethylformamid	1–5	
	a	144–145	+16,6	25	1	Methanol	1,6,7,3,4	
BOC	ONB	130–132	+ 2,4	25	1	Methanol	8	
BOC	OPyM	133–135	—23,0	20	1	Dimethylformamid	9	
MOZ	OBZL	96–99	+ 8,4	20	1,5	Äthanol	10	
MOZ	OtBu	Öl					1	
	a	129,5–130	+ 8,9	25	1	Methanol	1	
MAZ	OMe	104–106					11	
PAZ	OMe						12	
AOC	OMe	Öl					13	
	a	123–124	+19,4	20	1,93	Äthanol	13	
AOC	OBZL	58–60	+ 2,7	17	2,6	Äthanol	14	
MBV	OBZL [a]	111–115	+16,7	25	2	Äthanol	15	
NPS	OBZL [a]	165–166	—38,0		4	Chloroform	16,17	

[a] DCHA-Salz

1 E. Schröder u. E. Klieger, A. **673**, 208 (1964).
2 E. Schnabel, A. **702**, 188 (1967).
3 W. Broadbent, J. S. Morley u. B. E. Stone, Soc. [C] **1967**, 2632.
4 R. Schwyzer et al., Helv. **46**, 1975 (1963).
5 W. Voelter et al., B. **105**, 3650 (1972).
6 E. Wünsch u. A. Zwick, H. **333**, 108 (1963).
7 K. Medzihradszky et al., Ann. Univ. Sci. Budapestinensis de Rolando Eötvös Nominatae, Sect. Chim. **IX**, 71 (1967).
8 K. Brunfeldt u. J. Halstrøm, Acta chem. scand. **24**, 3013 (1970).
9 R. Garner u. G. T. Young, Soc. [C] **1971**, 50.
10 F. Weygand u. E. Nintz, Z. Naturf. **20 b**, 429 (1965).
11 R. Schwyzer u. P. Sieber, Helv. **42**, 972 (1959).
12 E. Surbeck-Wegmann, Dissertation, Universität Zürich 1961.
13 S. Sakakibara et al., Bl. chem. Soc. Japan **38**, 1522 (1965).
14 I. Honda, Y. Shimonishi u. S. Sakakibara, Bl. chem. Soc. Japan **40**, 2415 (1967).
15 G. L. Southard et al., Tetrahedron **27**, 1359 (1971).
16 L. Zervas u. C. Hamalidis, Am. Soc. **87**, 99 (1965).
17 M. Muraoka et al., Bl. chem. Soc. Japan **41**, 2134 (1968).

Tab. 66. (3. Fortsetzung)

R^1	R	F [°C]	$[\alpha]_D$	t	c	Lösungsmittel	Literatur	Literatur entsprechender D-Verbindung
NPS	OtBu [a]	160–162	—76,5		0,49		1	
PHT	OtBu	114–115	—45,9	20	1,2	Äthanol	2,3	
	[a]	197–198	—22,7	25	1	Methanol	3	
TFA	OtBu [a]	143,5–145	+17,75	20	1,7	Äthanol	2	
TFA	OMe [a]	156 (Zers.)	+ 6,4[b]	20	2	Methanol	4	
Ac	OMe	144–145	+ 9,0	22	10	Äthanol	5	
Bz	OMe	154					6	
BPOC	OBZL	186–189	+ 3,4	20	1	Methanol	7	
	[c]	148–150					8	

[a] DCHA-Salz [b] $[\alpha]_{546}$ [c] CHA-Salz

[1] K. Poduška, Collect. czech. chem. Commun. **33**, 3779 (1968).
[2] E. Wünsch u. A. Zwick, H. **333**, 108 (1963).
[3] E. Schröder u. E. Klieger, A. **673**, 208 (1964).
[4] F. Weygand u. H. Fritz, B. **98**, 72 (1965).
[5] E. Marchetti et al., Experientia **21**, 687 (1965).
[6] H. Pauly u. J. Weir, B. **43**, 661 (1910).
[7] S. S. Wang u. R. B. Merrifield, Int. J. Pept. Prot. Res. **1**, 235 (1969).
[8] R. S. Feinberg u. R. B. Merrifield, Tetrahedron **28**, 5865 (1972).

Tab. 66. (4. Fortsetzung)

3. C_α,C_β-Bis-Derivate [H-Asp(R)-R²]

R	R²		F [°C]	$[\alpha]_D$	t	c	Lösungsmittel	Literatur	Literatur entsprechender D-Verbindung
OBZL	OBZL	a	123–124	— 2,0	20	2	Chloroform	1,2	
		b	117	— 3,9	23	9,6	Wasser	3	4
		c	158–158,5	+ 7,3	19–23	2	Chloroform	5,1,6–8	9
OBZL	OtBu	a	115–117	+23,3	25	2	Methanol	10,11	
OBZL	OMe	a	137,5–138	+19,2	17	4,2	Wasser	12	
OBZL	NH_2	*	86,5–87,5	+18,3	30	1,8	Essigsäure-äthylester		13
		*	186–186,5						13
OtBu	OBZL	a	109–110	— 8,7	25	0,7	Methanol	14,10	
		c	169					15	
OtBu	OtBu	a	152–153	+12,8	20	2	Äthanol	11,16	
		h	152–154	+ 3,8	20	2	Methanol	17	
OtBu	OEt	a	170–171	+16,2	20	2	Äthanol	18,19	

a Monohydrochlorid
b Monohydrobromid
c 4-Toluolsulfonsäure-Salz
h Dibenzolsulfimid-Salz
* Werte für die D-Verbindung

[1] L. VELLUZ et al., Bl. **1956,** 1464.
[2] A. MILLER, A. NEIDLE u. H. WAELSCH, Arch. Biochem. **56,** 11 (1955).
[3] D. BEN-ISHAI u. A. BERGER, J. Org. Chem. **17,** 1564 (1952).
[4] G. AMIARD u. R. HEYMÈS, Bl. **1957,** 1373.
[5] J. M. THEOBALD, M. W. WILLIAMS u. G. T. YOUNG, Soc. **1963,** 1927.
[6] L. ZERVAS, M. WINITZ u. J. P. GREENSTEIN, J. Org. Chem. **22,** 1515 (1957).
[7] N. IZUMIYA u. S. MAKISUMI, J. chem. Soc. Japan **78,** 662 (1957).
[8] R. H. MAZUR, Canad. J. Chem. **40,** 1098 (1962).
[9] H. GIBIAN u. E. SCHRÖDER, A. **642,** 145 (1961).
[10] R. ROESKE, J. Org. Chem. **28,** 1251 (1963).
[11] E. TASCHNER et al., A. **646,** 134 (1961).
[12] Y. ARIYOSHI et al., Bl. chem. Soc. Japan **40,** 1709 (1967).
[13] Y. ARIYOSHI et al., Bl. chem. Soc. Japan **40,** 2648 (1967).
[14] E. SCHRÖDER u. E. KLIEGER, A. **673,** 208 (1964).
[15] E. WÜNSCH, G. WENDLBERGER u. J. JENTSCH, B. **97,** 3298 (1964).
[16] R. SCHWYZER et al., Helv. **46,** 1975 (1963).
[17] E. WÜNSCH u. G. WENDLBERGER, unveröffentlichte Ergebnisse.
[18] E. WÜNSCH u. A. ZWICK, H. **333,** 108 (1963).
[19] E. TASCHNER et al., A. **663,** 188 (1963).

Tab. 66. (5. Fortsetzung)

R	R^2		F [°C]	$[\alpha]_D$	t	c	Lösungsmittel	Literatur	Literatur entsprechender D-Verbindung
OtBu	OEt	c	103–103,5	+12,5	20	1,8	Äthanol	1	
		d	37–39					1	
OtBu	OMe	a	167 (Zers.)	+25,8	20	1,8	Äthanol	1,2	
OEt	OEt	a	109–110	+ 8,1	24	1	Wasser	3–6	4
OMe	OBZL	a	115–120	—23,0	20	4	Wasser	7	
OMe	OMe		(Kp_{15}: 119–120°)					8	
		a	116–117					9	
		c	95–96	+10,8	19–23	8,8	Methanol	10	
OMe	OtBu	a	144–146	+ 6,0	21	2,2	Methanol	11	
ONB	ONB	a	184–185	—10,9	20	2	Pyridin	12	
		b	160–161	0	22	5	Dimethylformamid	13	
	$\cdot {}^1/_2 H_2O$	c	165–167	+ 2,2	20	2,3	Methanol	14	
		e	162–163	— 8,4	25	1	Pyridin	15	
OPyM	OPyM	g	161–162	+ 1,2	20	1	Wasser	16	

[a] Monohydrochlorid
[b] Monohydrobromid
[c] 4-Toluolsulfonsäure-Salz
[d] Hydroacetat
[e] Benzolsulfonsäure-Salz
[g] Trihydrobromid

[1] E. Wünsch u. A. Zwick, H. **333**, 108 (1963).
[2] L. Bernardi et al., G. **94**, 853 (1964).
[3] R. E. Neumann u. E. L. Smith, J. Biol. Chem. **193**, 97 (1951).
[4] G. Losse u. G. Moschall, J. pr. **7**, 38 (1958).
[5] K. Balenovic et al., Croat. Chem. Acta **29**, 93 (1957).
[6] M. Goodman u. F. Boardman, Am. Soc. **85**, 2483 (1963).
[7] L. Velluz et al., Bl. **1956**, 1464.
[8] E. Fischer u. E. Koenigs, B. **40**, 2048 (1907).
[9] W. Grassmann u. E. Wünsch, B. **91**, 449 (1958).
[10] J. M. Theobald, M. W. Williams u. G. T. Young, Soc. **1963**, 1927.
[11] P. M. Hardy, J. C. Haylock u. H. N. Rydon, Soc. [Perkin I] **1972**, 605.
[12] G. Losse u. W. Gödicke, B. **100**, 3314 (1967).
[13] I. Photaki u. S. Moschopedis, Experientia **25**, 903 (1969).
[14] P. Cruickshank u. J. C. Sheehan, Am. Soc. **86**, 2070 (1964).
[15] E. Schröder u. E. Klieger, A. **673**, 208 (1964).
[16] R. Garner u. G. T. Young, Soc. [C] **1971**, 50.

Tab. 66. (6. Fortsetzung)

4. N_α,C_α-Bis-Derivate [R[1]-Asp-R[2]]

R[1]	R[2]	F [°C]	[α]D	t	c	Lösungsmittel	Literatur	Literatur entsprechender D-Verbindung
Z	OBZL	84–85	— 9,7	18	5,6	Essigsäure	1–8	9
	a	118–119	+ 2,5	30	1,55	Methanol	3,4	
Z	OtBu a	102–104	— 5,0	20	2	95%-ige Essigsäure	10	
Z	OEt	82,5–84	—16,9	20	2	Äthanol	11,4,12,13,6,14	
	a	157–158	+ 8,2	21	0,85	Äthanol	4,11,14	
Z	OMe	88–89	—16,1	20	2	Äthanol	15,6,16	
	a	159–160	+ 4,9	20	1	Äthanol	15,16	
Z	ONB	124–125	—17,8	25	1	95%-ige Essigsäure	17,6	
	a	153–154	—11,7	25	1	95%-ige Essigsäure	17	
Z	NH_2	164	+ 6,9	18		Essigsäure	18,12	
CZ	OBZL	130–132	+12,1		2	Äthanol	19	
BOC	OBZL	96–97	—22,6	22	1	Methanol	20,21	
	a	127–128	— 6,6	22	1	Dimethylformamid	20	
BOC	OEt a	136–137	— 8,1	25	1	Dimethylformamid	17	

[a] DCHA-Salz

[1] P. M. Bryant et al., Soc. **1959,** 3868.
[2] M. Bergmann, L. Zervas u. L. Salzmann, B. **66,** 1288 (1933).
[3] K. Hofmann et al., Am. Soc. **87,** 631 (1965).
[4] G. Losse et al., B. **97,** 1789 (1964).
[5] R. F. Fischer u. R. R. Whetstone, Am. Soc. **77,** 750 (1955).
[6] G. H. L. Nefkens u. R. J. F. Nivard, R. **84,** 1315 (1965).
[7] Y. Yamamoto et al., Biochem. Prepar. **10,** 10 (1963).
[8] G. L. Miller et al., J. Biol. Chem. **140,** 411 (1941).
[9] W. Stoffel, Dissertation, Universität Köln 1959.
[10] P. M. Hardy, J. C. Haylock u. H. N. Rydon, Soc. [Perkin I] **1972,** 605.
[11] E. Wünsch u. A. Zwick, H. **328,** 235 (1962).
[12] W. J. Le Quesne u. G. T. Young, Soc. **1952,** 24.
[13] E. Taschner et al., A. **663,** 188 (1963).
[14] W. Voelter et al., B. **105,** 3650 (1972).
[15] E. Wünsch u. A. Zwick, H. **333,** 108 (1963).
[16] E. Scoffone et al., G. **94,** 695 (1964).
[17] E. Schröder u. E. Klieger, A. **673,** 208 (1964).
[18] M. Bergmann u. L. Zervas, B. **65,** 1192 (1932).
[19] L. Kisfaludy, Privatmitteilung.
[20] J. Halstrøm et al., H. **351,** 1576 (1970).
[21] E. Schnabel et al., Colloq. Int. Centre Nat. Rech. Sci. **175,** 91 (1968); C. A. **71,** 22317 (1969).

Tab. 66. (7. Fortsetzung)

R^1	R^2	F [°C]	$[\alpha]_D$	t	c	Lösungsmittel	Literatur	Literatur entsprechender D-Verbindung
BOC	ONB	135–136	— 8,5	25	0,48	Methanol	[1,2]	
	[a]	166–167	—11,7	25	1	Dimethylformamid	[1,2]	
BOC	NH_2	153–155	—31,3	25	1	Dimethylformamid	[1]	
MOZ	OBZL	105–106	—15,6	25	1	Methanol	[1]	
	[a]	150–151					[1]	
MOZ	OEt [a]	150–151	— 7,9	25	1	Dimethylformamid	[1]	
MOZ	ONB	118–119	—16,0	25	1	Methanol	[1]	
	[a]	160–161	—12,4	25	1	Essigsäure	[1]	
MOZ	NH_2	144–146	—25,4	25	1	Dimethylformamid	[1]	
PHT	OBZL	111,5–112	—42,1	20	1	Äthanol	[3,1]	
	[a]	152–153	—26,2	25	1	Methanol	[1]	
PHT	ONB	148–149	—62,0	25	1	Methanol	[1]	
	[a]	152–153	—38,8	25	1	Methanol	[1]	
PHT	NH_2	220–222					[4]	
TFA	OBZL	116–117	—45,0	20	1,5	Äthanol	[3,5]	
	[a]	168–170	—15,5[b]	20	1	absol. Methanol	[5]	
TFA	OEt	96–97	—10,2	12	0,5	Tetrahydrofuran	[6]	
	[a]	169–171	— 6,9	17	1,5	Methanol	[6]	
TFA	OMe	114–115	—13,6	21	2	Essigsäureäthylester	[7]	
TFA	NH_2	191	—29,9	19	1,23	absol. Methanol	[6]	
TOS	NH_2	154–155	—14,0	19	1	Dimethylformamid	[8]	
Ac	OMe	121–122	—12,0	23	5	Äthanol	[9]	

[a] DCHA-Salz [b] $[\alpha]_{546}$

[1] E. SCHRÖDER u. E. KLIEGER, A. **673**, 208 (1964).
[2] J. HALSTRØM et al., H. **351**, 1576 (1970).
[3] E. WÜNSCH u. A. ZWICK, H. **333**, 108 (1963).
[4] S. W. TANENBAUM, Am. Soc. **75**, 1754 (1953).
[5] F. WEYGAND u. H. FRITZ, B. **98**, 72 (1965).
[6] F. WEYGAND, P. KLINKE u. I. EIGEN, B. **90**, 1896 (1957).
[7] Y. LIWSCHITZ et al., Soc. **1959**, 1308.
[8] C. RESSLER, Am. Soc. **82**, 1641 (1960).
[9] E. MARCHETTI et al., Experientia **21**, 687 (1965).

Tab. 67. Derivate der L-Glutaminsäure

1. Cγ-Derivate [H-Glu(R)-OH]

R		F [°C]	$[\alpha]_D$	t	c	Lösungsmittel	Literatur	Literatur entsprechender D-Verbindung
OEt		192	+14,0		1	Wasser	1–5	
	a	134–135					1,6,2,7	
OMe		182 (Zers.)					3	8
	a	154					2,9	10
OBZL		169–170	+18,7	25	7,16	Essigsäure	3,11–15	16
OtBu		190–191 (Zers.)	+17,3	25	1,1	Wasser	17–20	
	a	180 (Zers.)	+22,6	25	5	Wasser	19	
ONB		171–172	+19,2	21	0,8	Essigsäure	21–23	
O2NB		160	+17,9	27	1	1n Salzsäure	21	
O3NB		159–160	+20,9	27	0,8	Essigsäure	21	
OIB		187–188	+12,8	29	0,4	Essigsäure	21	
O2CyB		159–160	+14,8	22	0,6	Essigsäure	21	
OMOB		173–175	+20,0	24	0,6	Essigsäure	21	
OPAB		185–187	+ 6,9	27	0,7	Essigsäure	21	
OTMB		160	+23,9	29	0,8	Essigsäure	21	

[a] Monohydrochlorid

[1] B. Hegedüs, Helv. **31**, 737 (1948).
[2] D. W. Coleman, Soc. **1951**, 2294.
[3] W. E. Hanby, S. G. Waley u. J. Watson, Soc. **1950**, 3239.
[4] H. K. Miller u. H. Waelsch, Arch. Biochem. **35**, 176 (1962).
[5] M. Bergmann u. L. Zervas, H. **221**, 51 (1933).
[6] Z. Pravda, Chem. Listy **52**, 1193 (1958).
[7] D. A. Rowlands u. G. T. Young, Soc. **1952**, 3937.
[8] M. Goodman et al., Am. Soc. **84**, 1283 (1962).
[9] R. A. Boissonnas et al., Helv. **38**, 1491 (1955).
[10] V. Bruckner u. M. Kajtar, Acta chim. Acad. Sci. hung. **21**, 417 (1959).
[11] S. Guttmann u. R. A. Boisonnas, Helv. **41**, 1852 (1958).
[12] D. W. Clayton, G. W. Kenner u. R. C. Sheppard, Soc. **1956**, 371.
[13] N. Izumiya et al., J. chem. Soc. Japan, pure Chem. Sect. **79**, 420 (1958); C. A. **54**, 4408 (1960).
[14] E. Katchalski, Methods in Enzymology **3**, 540 (1957).
[15] T. Hayakawa et al., Bl. chem. Soc. Japan **39**, 391 (1966).
[16] V. Bruckner et al., Tetrahedron **2**, 211 (1958).
[17] R. Roeske, J. Org. Chem. **28**, 1251 (1963).
[18] E. Taschner et al., A. **663**, 188 (1963).
[19] L. Zervas u. C. Hamalidis, Am. Soc. **87**, 99 (1965).
[20] E. Schröder u. E. Klieger, A. **673**, 196 (1964).
[21] R. Ledger u. F. H. C. Stewart, Austral. J. Chem. **18**, 1477 (1965).
[22] J. Halstrøm et al., H. **351**, 1576 (1970).
[23] M. Goodman et al., Biopolymers **1**, 371 (1963).

Tab. 67. (1. Fortsetzung)

R	F [°C]	$[\alpha]_D$	t	c	Lösungsmittel	Literatur	Literatur entsprechender D-Verbindung
OiPr	157–161 (Zers.)	+32,2	17	4	1 n Salzsäure	1	
OnPr [a]	152					2	
OPE [a]	166	+18,0	20	3	Methanol	3	
OBPE	182–183	+20,3	21	0,4	Essigsäure	4	
ONZM	144–145					4	
ONCM	140–141	— 2,8	29	0,8	Essigsäure	4	
OPCM	160					4	

[a] Monohydrochlorid

[1] S. Sakakibara et al., Bl. chem. Soc. Japan **40**, 2164 (1967).
[2] D. W. Coleman, Soc. **1951**, 2294.
[3] J. Taylor-Papadimitriou et al., Soc. [C] **1967**, 1830.
[4] R. Ledger u. F. H. C. Stewart, Austral. J. Chem. **18**, 1477 (1965).

Tab. 67. (2. Fortsetzung)

2. N_{α},$C\gamma$-Bis-Derivate [R[1]-Glu(R)-OH]

R[1]	R	F [°C]	$[\alpha]_D$	t	c	Lösungsmittel	Literatur	Literatur entsprechender D-Verbindung
Z	OBZL	76–78	−23,0	22	6,3	1n Kaliumhydrogencarbonat	1–5	1
	[a]	144–145	+11,4	25	1	Äthanol	6–9,3,4	
Z	OtBu	85–86	−16,3	25	1	Methanol	10–14,6,7	
	[a]	139–140	+ 7,3	25	1	Methanol	6,7,11–13,15	
Z	OEt	87					1,16–18	
	[a]	131–134	+10,7	20–26	1	Äthanol	8	
Z	OMe	72–73	−15,3	21	7,5	1,4 n Kaliumhydrogencarbonat	1,3,19,20	1,19,20
	[a]	149–151	+10,1	20–26	1	Äthanol	8	
Z	OPh	98–99	− 4,7	25	1	95%-ige Essigsäure	6	
	[a]	136–138	+11,5	25	0,72	Chloroform	6	
Z	OPE [a]	141–142	+ 7,7	20	3	Methanol	21	
Z	OPyM	138–139	−12,3	20	1,2	Dimethylformamid	22	
CZ	OMe	108–109	− 6,9	22	2	Äthanol	23	
CZ	OCyM	134–136	−27,2	22	1	Methanol	23	

[a] DCHA-Salz

[1] W. E. Hanby, S. G. Waley u. J. Watson, Soc. **1950,** 3239.
[2] G. Losse, H. Jeschkeit u. W. Langenbeck, Z. **1,** 279 (1961).
[3] G. Losse, H. Jeschkeit u. W. Langenbeck, B. **96,** 204 (1963).
[4] F. Weygand u. K. Hunger, B. **95,** 7 (1962).
[5] T. Hayakawa et al., Bl. chem. Soc. Japan **39,** 391 (1966).
[6] E. Klieger u. H. Gibian, A. **655,** 195 (1962).
[7] G. Losse u. H. Weddige, A. **678,** 148 (1964).
[8] E. Klieger, E. Schröder u. H. Gibian, A. **640,** 157 (1961).
[9] S. Akabori et al., Bl. chem. Soc. Japan **34,** 739 (1961).
[10] E. Schröder u. E. Klieger, A. **673,** 196 (1964).
[11] R. Schwyzer u. H. Kappeler, Helv. **44,** 1991 (1961).
[12] D. I. Marlborough u. H. N. Rydon, Soc. [Perkin I] **1972,** 1.
[13] E. Taschner et al., A. **663,** 188 (1963).
[14] E. Schnabel, A. **696,** 220 (1966).
[15] H. Kappeler u. R. Schwyzer, Helv. **44,** 1136 (1961).
[16] B. Hegedüs, Helv. **31,** 737 (1948).
[17] W. J. Le Quesne u. G. T. Young, Soc. **1950,** 1959.
[18] J. Rudinger, Collect. czech. chem. Commun. **16,** 615 (1951).
[19] M. Goodman, E. Schmitt u. D. Yphantis, Am. Soc. **84,** 1283 (1962).
[20] A. Ali, P. M. Hardy u. H. N. Rydon, Soc. [Perkin I] **1972,** 1070.
[21] J. Taylor-Papadimitriou et al., Soc. [C] **1967,** 1830.
[22] R. Garner u. G. T. Young, Soc. [C] **1971,** 50.
[23] L. Kisfaludy, Acta chim. Acad. Sci. hung. **24,** 309 (1960).

Tab. 67. (3. Fortsetzung)

R^1	R	F [°C]	$[\alpha]_D$	t	c	Lösungsmittel	Literatur	Literatur entsprender D-Verbindung
BOC	OBZL	55–57	− 5,2	22	1	Essigsäure	1–6	7,8
	[a]	138–139	+11,9	25	1	Methanol	2,1,4,6,9–12	7
BOC	OtBu	101–102	−10,9	25	1	Methanol	2,9,13,14	
	[a]	140–141	+10,6	25	1	Methanol	2	
BOC	OMe [a]	155–157	+10,5	20	2	Methanol	15	
BOC	ONB [a]	146–147,5	+10,7	25	2	Dimethylformamid	16	
	[c]	104–105	− 7,2	22	1	Methanol	1	
BOC	OPyM	156–158	−16,0	20	1	Dimethylformamid	17	
AOC	OMe	Öl					18	
	[a]	133–134	+13,5	20	1,97	Äthanol	18	
AOC	OBZL[a]	120,5–122	+11,2	14	1,7	Äthanol	19	
BPOC	OBZL[b]	147–149	+20,9	20	1	Methanol	20,21	
BPOC	OtBu [a]	136–138	+12,9	30	1,7	Methanol	22	
	b	174–175 (Zers.)	+15,0	20	1	Methanol	23	
cPOC	OEt	62–66					24	

[a] DCHA-Salz [c] x Dimethylsulfoxid [b] CHA-Salz

[1] J. Halstrøm et al., H. **351**, 1576 (1970).
[2] E. Schröder u. E. Klieger, A. **673**, 196 (1964); vgl. S. 646.
[3] C. H. Li et al., J. Org. Chem. **28**, 178 (1963).
[4] J. C. Anderson, G. W. Kenner et al., Tetrahedron, Suppl. **8**, 39 (1966).
[5] D. F. DeTar u. T. Vajda, Am. Soc. **89**, 998 (1967).
[6] E. Schnabel et al., A. **716**, 175 (1968).
[7] P. M. Hardy et al., Soc. [Perkin I] **1972**, 5.
[8] A. E. Lanzilotti, E. Benz u. L. Goldman, Am. Soc. **86**, 1880 (1964).
[9] K. Medzihradszky et al., Ann. Univ. Sci. Budapestinensis, Sct. Chim. **IX**, 71 (1967).
[10] K. P. Polzhofer, Tetrahedron Letters **1969**, 2305.
[11] K. Inouye et al., Bl. chem. Soc. Japan **43**, 3873 (1970).
[12] A. Ali et al., Ang. Ch. **84**, 259 (1972).
[13] E. Schnabel, A. **702**, 188 (1967).
[14] W. Broadbent, J. S. Morley u. B. E. Stone, Soc. [C] **1967**, 2632.
[15] J. C. Anderson et al., Soc. [C] **1967**, 108.
[16] K. Brunfeldt u. J. Halstrøm, Acta chem. scand. **24**, 3013 (1970).
[17] R. Garner u. G. T. Young, Soc. [C] **1971**, 50.
[18] S. Sakakibara et al., Bl. chem. Soc. Japan **38**, 1522 (1965).
[19] I. Honda et al., Bl. chem. Soc. Japan **40**, 2415 (1967).
[20] S. S. Wang u. R. B. Merrifield, Int. J. Pept. Prot. Res. **1**, 235 (1969).
[21] R. S. Feinberg u. R. B. Merrifield, Tetrahedron **28**, 5865 (1972).
[22] R. G. Hiskey et al., J. Org. Chem. **37**, 2478 (1972).
[23] P. Sieber u. B. Iselin, Helv. **51**, 622 (1968).
[24] F. C. McKay u. N. F. Albertson, Am. Soc. **79**, 4686 (1957).

Tab. 67. (4. Fortsetzung)

R[1]	R	F [°C]	$[\alpha]_D$	t	c	Lösungsmittel	Literatur	Literatur entsprechender D-Verbindung
FOC	OBZL[a]	118–120	+13,2[f]			Äthanol	[1]	
FOR	OBZL	132–134					[2]	
EcPe	OBZL[a]	118–120	−12,9	20–24	1	Methanol	[3]	
MAV	OBZL[a]	114–116	+ 9,3	20–24	1	Methanol	[3]	
MEV	OBZL[a]	118–119	− 7,7	20–24	1	Methanol	[3]	
MBV	OBZL[a]	139–140	+14,8	20–24	1	Methanol	[3]	
MAZ	OMe	123–125					[4]	
MOZ	OBZL	87–88,5	−10,1	18	2,06	Äthanol	[5]	
	[a]	146–147	+ 4,2	22	2,37	Methanol	[6,1]	
MOZ	OtBu	88–90	−13,6	25	1	Methanol	[7]	
	[a]	154–155	+ 7,1	25	1	Methanol	[7]	
MOZ	OEt	78–79	−15,7	25	1	Methanol	[7]	
	[a]	138–139	+ 3,5	25	0,5	Methanol	[7]	
NPS	OBZL[a]	168	−34,0		3,5	Chloroform	[8,9]	
NPS	OtBu[a]	179–180	−25,0		4	Methanol	[10]	

[a] DCHA-Salz [f] $[\alpha]_{578}$

[1] E. SCHNABEL et al., A. **716**, 175 (1968).
[2] B. BOREK u. H. WAELSCH, J. Biol. Chem. **205**, 459 (1953).
[3] A. BALOG et al., Rev. Roumaine Chim. **15**, 1375 (1970).
[4] R. SCHWYZER u. P. SIEBER, Helv. **42**, 972 (1959).
[5] S. SAKAKIBARA et al., Experientia **25**, 576 (1969).
[6] F. WEYGAND u. K. HUNGER, B. **95**, 7 (1962).
[7] E. SCHRÖDER u. E. KLIEGER, A. **673**, 196 (1964).
[8] L. ZERVAS, D. BOROVAS u. E. GAZIS, Am. Soc. **85**, 3660 (1963).
[9] M. MURAOKA et al., Bl. chem. Soc. Japan **41**, 2134 (1968).
[10] L. ZERVAS u. C. HAMALIDIS, Am. Soc. **87**, 99 (1965).

Tab. 67. (5. Fortsetzung)

R^1	R	F [°C]	$[\alpha]_D$	t	c	Lösungsmittel	Literatur	Literatur entsprechender D-Verbindung
NPS	ODPM[a]	176–177	−32,0		1,5	Dimethylformamid	1	
NPS	OPE [a]	180–181	−17,9	27	1	Dimethylformamid	2,1	
PHT	OBZL	66–67	−30,4	20	3	Chloroform	3	
PHT	OtBu	102–103	−38,6	25	1	Methanol	4	
	[a]	151–152	−16,2	25	1	Methanol	4	
PHT	OMe	136–137	−40,5	20	2,7	Chloroform	3	
TFA	OEt [a]	140–141	+ 9,5	20	1	Äthanol	5	
TFA	OMe	90	−22,0 [e]	24	2	Äthanol	6	
TOS	OBZL[a]	185–190	+35,5	22	1	Chloroform	7	
TOS	OMe [d]	113—114					8	
TOS	ONB [a]	189–191	+89,6	22	1	Chloroform	7	
TOS	OPIM	110–112	− 0,7	24	2	Dimethylformamid	7	
TRT	OBZL	136–140	− 8,0	25	2,5	Dimethylformamid	9	
TRT	OMe	116–117	+48,0		2	Methanol	10	
DL-IbOC	OtBu		+ 7,0	22	1	Chloroform	11	

[a] DCHA-Salz [d] Hydrat [e] $[\alpha]_{546}$

1 L. Zervas et al., *Peptides*, Proc. 8th Europ. Peptide Symposium Noordwijk 1966, North-Holland Publ. Co., Amsterdam **1967**, S. 28.
2 J. Taylor-Papadimitriou et al., Soc. [C] **1967**, 1830.
3 F. E. King, J. W. Clark-Lewis u. R. Wade, Soc. **1957**, 886.
4 E. Schröder u. E. Klieger, A. **673**, 196 (1964).
5 F. Weygand u. R. Geiger, B. **90**, 634 (1957).
6 F. Weygand et al., Z. Naturf. **18b**, 93 (1963).
7 G. H. L. Nefkens, G. I. Tesser u. R. J. F. Nivard, R. **82**, 941 (1963).
8 J. Rudinger, Collect. czech. chem. Commun. **19**, 365 (1954).
9 D. Chillemi, L. Scarso u. E. Scoffone, G. **87**, 1356 (1957).
10 G. Amiard et al., Bl. **1956**, 97.
11 G. Jäger u. R. Geiger, A. **1973**, 1535.

Tab. 67. (6. Fortsetzung)

3. Cα,Cγ-Bis-Derivate [H-Glu(R)-R²]

R	R²	F [°C]	[α]D	t	c	Lösungsmittel	Literatur	Literatur entsprechender D-Verbindung
OBZL	OBZL [a]	144–145	+ 7,6	25	2	Methanol	1–4	5
	[b]	102	+ 9,82	25	3,14	0,1n Salzsäure	4,6-9	6,8
	[c]	100–102	+ 9,3	21		96%-iges Äthanol	7	
	[f]	134–137	+10,9	20		96%-iges Äthanol	7	
	[g]	109–113	+ 8,4	21		96%-iges Äthanol	7,9	
OBZL	OtBu [b]	107–108	+16,4	25	2	Äthanol	10	
OBZL	OPOP [b]	155–158	+ 7,67[y]	25	1	Chloroform	11	
OBZL	NH_2 * [b]	187–188	−16,9	25	0,95	Methanol		12
OtBu	OBZL [b]	124–126	+13,8	25	2	Äthanol	10,13,14	
OtBu	OtBu	($Kp_{0,05}$: 110°)	+16,6	25	5,4	Äthanol	15	
	[b]	116–117	+18,7	20	2	Äthanol	16	
	[j]	140–142	+11,7	20	2	Methanol	17	
OtBu	OEt [h]	131–133	+ 18,1	25	0,73	Äthanol	18	

[a] 4-Toluolsulfonsäure-Salz
[b] Monohydrochlorid
[c] Monohydrobromid
[f] Salpetersäure-Salz
[g] Benzolsulfonsäure-Salz
[h] Oxalsäure-Salz
[j] Dibenzolsulfimid-Salz
[y] $[\alpha]_{546}$
* Werte für die D-Verbindung

[1] L. Zervas, M. Winitz u. J. P. Greenstein, J. Org. Chem. **22**, 1515 (1957).
[2] N. Izumiya u. S. Makisumi, J. chem. Soc. Japan **1963**, 1927.
[3] J. M. Theobald, M. W. Williams u. G. T. Young, Soc. **1963**, 1927.
[4] H. Gnichtel u. W. Lautsch, B. **98**, 1647 (1965).
[5] M. Muraoka et al., Bl. chem. Soc. Japan **41**, 2134 (1968).
[6] H. Sachs u. E. Brand, Am. Soc. **75**, 4610 (1953).
[7] B. Helferich, P. Schellenberg u. J. Ullrich, B. **90**, 700 (1957).
[8] V. Bruckner et al., H. **309**, 25 (1957).
[9] J. E. Shields et al., J. Org. Chem. **26**, 1491 (1961).
[10] R. Roeske, J. Org. Chem. **28**, 1251 (1963).
[11] Y. Trudelle, Soc. [Perkin I] **1973**, 1001.
[12] P. Lefrancier u. E. Bricas, Bl. Soc. Chim. Biol. **49**, 1257 (1967).
[13] R. Roeske, Chem. & Ind. **1959**, 1121.
[14] E. Schröder u. E. Klieger, A. **673**, 196 (1964).
[15] G. W. Anderson u. F. M. Callahan, Am. Soc. **82**, 3359 (1960).
[16] E. Taschner et al., A. **646**, 134 (1961).
[17] E. Wünsch u. G. Wendlberger, unveröffentlicht.
[18] R. G. Hiskey et al., J. Org. Chem. **32**, 97 (1967).

Tab. 67. (7. Fortsetzung)

R	R^2		F [°C]	$[\alpha]_D$	t	c	Lösungsmittel	Literatur	Literatur entsprechender D-Verbindung
OtBu	OMe	[b]	125–126	+23,9	25	1,02	Methanol	1–4	
		[e]	Sirup					5	
OEt	OEt	[b]	109–110	+22,5	25,5	2	Äthanol	6–10	11
OEt	ONB	[c]	139–140	+ 5,3	19	3	Wasser	12	
OEt	NH_2	[b]	197–198	+21,2	26	2	Wasser	8	
OMe	OtBu	[b]	135–135,5	+21,7	20	2	Äthanol	13,14	14
OMe	OMe	[a]	130–130,5	+15,8	20–23	8	Methanol	15	
OMe	OPh	[b]	132–133	−34,9	25	1,04	Methanol	1	
OMe	OCQ	[k]	170 (Zers.)	−10,0	22	2	Wasser	14	
ONB	ONB	[a]	174–176	+ 7,3	20	4	Dimethylformamid	16	
		[b]	131–132	+10,9	20	1,5	Dimethylformamid	16	
		[g]	152–153	+15,4	25	1	Pyridin	17,18	
ONB	OTMB	[a]	138–139	+ 9,9	21	2	Methanol	19	
ODPM	OPE	[b]	150–151	+31,0	27	3	Methanol	20	
OPE	ODPM	[b]	137	−27,0	27	3	Methanol	20	
OPyM	OPyM	[i]	140	+ 8,0	20	1,1	Wasser	21	

[a] 4-Toluolsulfonsäure-Salz
[b] Monohydrochlorid
[c] Monohydrobromid
[e] Hydroacetat
[g] Benzolsulfonsäure-Salz
[i] Trihydrobromid
[k] Dihydrobromid

---

[1] E. Klieger u. H. Gibian, A. **655**, 195 (1962).
[2] J. Kovacs, R. Giannotti u. A. Kapoor, Am. Soc. **88**, 2282 (1966).
[3] D. I. Marlborough u. H. N. Rydon, Soc. [Perkin I] **1972**, 1.
[4] K. Medzihradszky et al., Ann. Univ. Sci. Budapest. Sect. Chim. Tomus **IX**, 71 (1967).
[5] K. Hofmann et al., Am. Soc. **87**, 620 (1965).
[6] M. Goodman et al., Am. Soc. **84**, 1283 (1962).
[7] F. Knoop u. H. Österlin, H. **170**, 186 (1927).
[8] R. B. Angier et al., Am. Soc. **72**, 74 (1950).
[9] V. Prelog u. P. Wieland, Helv. **29**, 1128 (1946).
[10] O. M. Friedmann u. A. M. Seligman, Am. Soc. **76**, 658 (1954).
[11] H. U. Chiles u. W. A. Noyes, Am. Soc. **44**, 1798 (1922).
[12] F. H. C. Stewart, Austral. J. Chem. **18**, 1095 (1965).
[13] E. Taschner et al., A. **646**, 134 (1961).
[14] A. Ali, P. M. Hardy u. H. N. Rydon, Soc. [Perkin I] **1972**, 1070.
[15] J. M. Theobald, M. W. Williams u. G. T. Young, Soc. **1963**, 1927.
[16] G. Losse u. W. Gödicke, B. **100**, 3314 (1967).
[17] E. Schröder u. E. Klieger, A. **673**, 208 (1964).
[18] G. Losse u. H. Vietmeyer, J. pr. **32**, 204 (1966).
[19] R. Ledger u. F. H. C. Stewart, Austral. J. Chem. **21**, 1101 (1968).
[20] J. Taylor-Papadimitriou et al., Soc. [C] **1967**, 1830.
[21] R. Garner u. G. T. Young, Soc. [C] **1971**, 50.

Tab. 67. (8. Fortsetzung)

4. Nα,Cα-Bis-Derivate [R[1]-Glu-R[2]]

R^1	R^2	F [°C]	$[\alpha]_D$	t	c	Lösungsmittel	Literatur	Literatur entsprechender D-Verbindung
Z	OBZL	97–98	–23,8	25	1,23	Methanol	1–8	9
	[a]	161–162	–12,0	25	2,1	Methanol	2,10,11,7	
Z	OtBu	82–84	–26,2	20	1,2	Methanol	12,2,13	
	[a]	148–149	–14,1	25	1	Methanol	2,13	
Z	OEt	46–48	–21,4	16	7,7	Äthanol	1,14–16	
	[a]	159–160	–11,7	20–26	2	absol. Methanol	10,11,15,17,18	
Z	OMe	68–69	–25,9	25	1,06	Methanol	2,19–22	
	[a]	172–173	–10,9	25	1,02	Methanol	2,10,11,23,22	
Z	ONB	93–94	–12,4	25	1,07	Methanol	2,11	
	[a]	155–156	– 5,1	25	1,1	95%-ige Essigsäure	2,11	
Z	OPh	122–123	–27,4	25	1,08	95%-ige Essigsäure	2	
	[a]	159–160	–11,8	25	0,7	Chloroform	2	

[a] DCHA-Salz

1 W. J. LE QUESNE u. G. T. YOUNG, Soc. **1950,** 1954.
2 E. KLIEGER u. H. GIBIAN, A. **655,** 195 (1962).
3 H. SACHS u. E. BRAND, Am. Soc. **75,** 4610 (1953).
4 M. LIEFLÄNDER, H. **320,** 35 (1960).
5 G. LOSSE, H. JESCHKEIT u. W. LANGENBECK, Z. **1,** 279 (1961).
6 G. LOSSE, H. JESCHKEIT u. W. LANGENBECK, B. **96,** 204 (1963).
7 F. WEYGAND u. K. HUNGER, B. **95,** 7 (1965).
8 J. S. MORLEY, Soc. [C] **1967,** 2410.
9 M. BERGMANN, L. ZERVAS u. L. SALZMANN, B. **66,** 1288 (1933).
10 E. KLIEGER, E. SCHRÖDER u. H. GIBIAN, A. **640,** 157 (1961).
11 G. H. L. NEFKENS u. R. NIVARD, R. **83,** 199 (1964).
12 R. CAMBLE, R. PURKAYASTHA u. G. T. YOUNG, Soc. [C] **1968,** 1219.
13 E. TASCHNER et al., A. **646,** 127 (1961).
14 S. GOLDSCHMIDT u. C. JUTZ, B. **86,** 1116 (1953).
15 F. WEYGAND u. K. HUNGER, Z. Naturf. **13b,** 50 (1958).
16 J. RUDINGER, Collect. czech. chem. Commun. **16,** 615 (1951).
17 G. H. L. NEFKENS u. R. J. F. NIVARD, R. **84,** 1315 (1965).
18 R. G. HISKEY et al., J. Org. Chem. **32,** 97 (1967).
19 F. ŠORM u. J. RUDINGER, Collect. czech. chem. Commun. **15,** 491 (1950); C. A. **45,** 9482 (1951).
20 C. R. HARINGTON u. T. H. MEAD, Biochem. J. **29,** 1602 (1935).
21 V. DU VIGNEAUD u. G. L. MILLER, J. Biol. Chem. **116,** 469 (1936).
22 D. I. MARLBOROUGH u. H. N. RYDON, Soc. [Perkin I] **1972,** 1.
23 K. MEDZIHRADSZKY et al., Ann. Univ. Sci. Budapest., Sect. Chim. **IX,** 71 (1967).

Tab. 67. (9. Fortsetzung)

R^1	R^2	F [°C]	$[\alpha]_D$	t	c	Lösungsmittel	Literatur	Literatur entsprechender D-Verbindung
Z	ODPM[b]	176–177	−19,3	20	1,5	Methanol	1	
Z	OPE	69–79	−31,4	21	1	Methanol	1	
	a	149–151	−16,5	14	3	Methanol	1	
Z	OPIM a	150–153	− 6,8	23–25	2	Chloroform	2,3	
Z	NH_2	171–172	− 4,6	25	2,03	Methanol	4–9	7
	a	174–175	+ 5,4	20–26	1,02	Äthanol	10	
CZ	OMe	100–101	−19,2	23	2	Äthanol	11	
NZ	NH_2	166–170	+ 4,0	24	10	Dimethylformamid	12	
BOC	OBZL	93–93,5	−30,2	25	1	Methanol	13,14	15
	a	172	−19,2	25	0,7	Methanol	13,14,16	
BOC	OMe a	167–168	−13,0	25	1	Methanol	13	
BOC	ONB	99–100	−20,1	22	1	Methanol	14	
	a	171–172	−10,6	25	1	Methanol	13,14	
BOC	NH_2	158–159	− 3,1	25	0,8	Methanol	17	
FOR	NH_2	138	−11,8	28	2	1n Salzsäure	18	
MOZ	OBZL	70–71	− 9,0	22	2,34	Essigsäure	19	
	a	163–164	−12,5	26	2,95	absol. Methanol	19,20	

[a] DCHA-Salz [b] CHA-Salz

[1] J. Taylor-Papadimitriou et al., Soc. [C] **1967**, 1830.
[2] G. H. L. Nefkens u. R. Nivard, R. **83**, 199 (1964).
[3] G. H. L. Nefkens et al., R. **82**, 941 (1963).
[4] H. Gibian u. E. Klieger, A. **640**, 145 (1961).
[5] E. Klieger u. H. Gibian, A. **651**, 194 (1962).
[6] T. Wieland u. H. L. Weidenmüller, A. **597**, 111 (1955).
[7] M. Bergmann u. L. Zervas, B. **65**, 1192 (1932).
[8] W. J. LeQuesne u. G. T. Young, Soc. **1950**, 1954.
[9] C. Ressler, Am. Soc. **82**, 1641 (1960).
[10] E. Klieger, E. Schröder u. H. Gibian, A. **640**, 157 (1961).
[11] L. Kisfaludy, Acta chim. Acad. Sci. hung. **24**, 309 (1960).
[12] R. W. Chambers u. F. H. Carpenter, Am. Soc. **77**, 1522 (1955).
[13] E. Schröder u. E. Klieger, A. **673**, 196 (1964).
[14] J. Halstrøm et al., H. **351**, 1576 (1970).
[15] A. E. Lanzilotti, E. Benz u. L. Goldman, Am. Soc. **86**, 1880 (1964).
[16] P. G. Pietta et al., J. Org. Chem. **36**, 3966 (1971).
[17] P. Lefrancier u. E. Bricas, Bl. Soc. Chim. biol. **49**, 1257 (1967).
[18] B. Borek u. H. Waelsch, J. Biol. Chem. **205**, 459 (1953).
[19] F. Weygand u. K. Hunger, B. **95**, 7 (1965).
[20] F. Weygand et al., B. **101**, 3642 (1968).

Tab. 67. (10. Fortsetzung)

R[1]	R[2]	F [°C]	$[\alpha]_D$	t	c	Lösungsmittel	Literatur	Literatur entsprechender D-Verbindung
MOZ	OMe [a]	174–175	−10,8	25	1	Methanol	1	
NPS	OBZL [a]	154	−25,9		4	Chloroform	2	
NPS	ODPM [a]	180–181	−33,0	19	1	Methanol	3	
NPS	OPE [a]	148–149	−57,7	29	3	Methanol	3	
PHT	OBZL	80–81	−32,4	23–25	2	Dimethylformamid	4,1	
	a	152–153	− 4,7	23–25	2,5	Chloroform	4,1	
PHT	OtBu	72–73					5	
PHT	OEt	Sirup	−33,5	19		Äthanol	6	
	a	131–133	−14,6	23–25	2	Methanol	4	
PHT	OMe	138	−55,9	26	3,2	Essigsäureäthylester	7	8
	a	132–134	−21,7	23–25	2	Methanol	4	
PHT	NH_2	122–124					1,9	
PHT	OPIM	183–184	−25,8	23–25	2	Dimethylformamid	4	
TFA	OEt	76–77	−42,9	20	2	absol. Äthanol	10	
	a	189	−28,3	20	2	absol. Äthanol	10	

[a] DCHA-Salz

1 E. Schröder u. E. Klieger, A. **673,** 196 (1964).
2 L. Zervas u. C. Hamalidis, Am. Soc. **87,** 99 (1965).
3 J. Taylor-Papadimitriou et. al.. Soc. [C] **1967,** 1830.
4 G. H. L. Nefkens u. R. Nivard, R. **83,** 199 (1964).
5 A. Aquila u. T. Wieland, A. **721,** 223 (1969).
6 F. E. King u. D. A. A. Kidd, Soc. **1949,** 3315.
7 F. E. King, J. W. Clark-Lewis u. R. Wade, Soc. **1957,** 886.
8 H. A. DeWald u. A. M. Moore, Am. Soc. **80,** 3941 (1958).
9 M. Bergmann u. L. Zervas, B. **65,** 1192 (1932).
10 F. Weygand u. R. Geiger B. **90,** 634 (1957).

Tab. 67. (11. Fortsetzung)

R^1	R^2	F [°C]	$[\alpha]_D$	t	c	Lösungsmittel	Literatur	Literatur entsprechender D-Verbindung
TOS	OBZL	132–134	−11,1	23–25	2	Dimethylformamid	[1]	
	[a]	140–144	− 9,8	23–25	2	Chloroform	[1]	
TOS	OtBu	121	+32,5	20	2	Chloroform	[2]	
TOS	OEt [a]	160–161	−12,5	23–25	1	Dimethylformamid	[1]	
TOS	OMe [a]	158–161	−20,8	23–25	1	Dimethylformamid	[1]	
TOS	ONB	127	−18,9	23–25	2	Dimethylformamid	[1]	
	[a]	179–180,5	−23,8	23–25	1	Chloroform	[1]	
TOS	OPIM	167–167,5	−15,3	23	2	Dimethylformamid	[1]	
	[a]	165–167,5	− 2,1	23–25	1	Chloroform	[1]	
TOS	NH_2	170					[3]	
TRT	OBZL	105–115	+40,3	15	2	Äthanol	[4,5]	
TRT	OEt	100	+34,5		2	Methanol	[5,6]	
TRT	OMe	140–141	+45,0		2	Methanol	[5]	

[a] DCHA-Salz

[1] G. H. L. NEFKENS u. R. NIVARD, R. **83**, 199 (1964).
[2] E. TASCHNER et. al., A. **646**, 127 (1961).
[3] C. R. HARINGTON u. R. C. G. MOGGRIDGE, Soc. **1940**, 706.
[4] C. COUTSOGEORGOPOULOS u. L. ZERVAS, Am. Soc. **83**, 1885 (1961).
[5] G. AMIARD et al., Bl. **1956**, 97.
[6] L. ZERVAS u. D. THEODOROPOULOS, Am. Soc. **78**, 1359 (1956).

36.700. Die ω-Carbonamid-Funktion

Als typische Vertreter der Aminodicarbonsäure-ω-amide sind Glutamin und Asparagin bekannt; ihr häufiges Auftreten in der Sequenz von Peptidwirkstoffen – oftmals mit entscheidender biologischer Bedeutung – und ihre Eigenart im peptid-synthetischen Einsatz (man denke hierbei an die Festkörpersynthesen) berechtigen trotz Abstammung und manchmal recht deutlicher chemischer Reaktions-Verwandtschaft zu einer von den Aminodicarbonsäuren getrennten, eigenständigen Behandlung.

36.710. Synthesen mit ungeschützten ω-Carbonamid-Funktionen

Eine Aminoacylierung von Glutamin- und Asparagin-Salzen (wie von Peptid-Salzen auch mit amino-endständigem Glutamin bzw. Asparagin) gelingt einwandfrei mit Hilfe von Säurechlorid-[1-3] (s. a. S. 226), Misch-Anhydrid-[4] und (wohl am sichersten) Aktivester-Verfahren[4,5].

N-Tosyl-L-phenylalanyl-L-glutaminyl-L-asparagin[TOS-Phe-Gln-Asn-OH][2]:

N-Tosyl-L-phenylalanin-chlorid[TOS-Phe-Cl]: 5,4 g TOS-Phe-OH suspendiert in 75 *ml* absol. Diäthyläther werden bei 0° mit 3,9 g Phosphor(V)-chlorid versetzt, die Mischung 10 Min. bei 0° und 10 Min. bei Raumtemp. geschüttelt, letztlich 1 Stde. bei 0° stehen gelassen. Das gebildete kristalline Produkt wird abfiltriert, rasch mit wenig Diäthyläther und Eiswasser gewaschen und anschließend 2 Stdn. i. Vak.-Exsiccator getrocknet (Ölpumpe); Ausbeute: 5,07 g (88 % d. Th.); F: 128–129° (Zers.).

N-Tosyl-L-phenylalanyl-L-glutaminyl-L-asparagin [TOS-Phe-Gln-Asn-OH]: Die Mischung von 3,44 g H-Gln-Asn-OH, 0,82 g Magnesiumoxid und 6 *ml* Wasser wird maschinell für 20 Min. geschüttelt; die im Eisbad abgekühlte Mischung wird innerhalb 1 Stde. unter Rühren in mehreren Portionen mit 4,46 g TOS-Phe-Cl versetzt, wobei es nötig ist, mit etwa 5 *ml* Wasser zu verdünnen. Anschließend läßt man den Ansatz nach Zugabe von 15 *ml* Wasser innerhalb 30 Min. auf Raumtemp. kommen und säuert mit konz. Salzsäure an (Kongorot). Das gebildete gelatinöse Produkt wird nach 1 Stde. abfiltriert, sorgfältig mit Wasser gewaschen und getrocknet; zur Entfernung evtl. vorhandenen TOS-Phe-OH wird das Material mit 15 *ml* Essigsäure-äthylester verrieben, aufs Filter gebracht und erneut getrocknet; Ausbeute: 5,78 g (78 % d. Th.).

Zur Reinigung wird in überschüssiger Natriumhydrogencarbonat-Lösung (100 *ml*) aufgenommen, die Lösung mit Kohle behandelt, das Filtrat auf 200–300 *ml* per Gramm Substanz verdünnt und letztlich angesäuert. Nach 1–2 maliger Wiederholung dieser Prozedur wird das Produkt kristallin; Ausbeute: ~ 60 % d. Th.; F: 193–195°; $[\alpha]_D^{21}$ = –26,0° (c = 1,95 in 0,5 n Kaliumhydrogencarbonat-Lösung).

N-tert.-Butyloxycarbonyl-L-leucyl-L-glutamin [BOC-Leu-Gln-OH][6]: 51,1 g Glutamin, suspendiert in 800 *ml* Wasser/1,4-Dioxan (2:1), werden unter Rühren und Eiswasserkühlung mit 175 *ml* 2 n Natronlauge (wobei Lösung erfolgt) und anschließend mit 49,2 g BOC-Leu-OSU in 14 *ml* 1,4-Dioxan versetzt. Man rührt 3 Stdn. bei 0° und weitere 3 Tage bei Raumtemp. Nach Ansäuern mit 60 *ml* 2 n Salzsäure auf $p_H = 6$ entfernt man das 1,4-Dioxan i. Vak. und säuert mit weiteren 115 *ml* 2 n Salzsäure auf $p_H = 2{,}5$ an. Alsdann extrahiert man die restliche Lösung erschöpfend mit Essigsäure-äthylester, wäscht die abgetrennte organische Phase eiskalt mit sehr verd. Schwefelsäure, anschließend sorgfältig mit Wasser, trocknet über Natriumsulfat und dampft letztlich i. Vak. ein. Nach 2–3maligem Umfällen des Rückstandes aus Essigsäure-äthylester/Diisopropyläther erhält man nach Trocknen i. Vak. über Phosphor(V)-oxid bei 35° ein farbloses Pulver; Ausbeute: 48 g (89% d. Th.); F: 187–188° (Zers.); $[\alpha]_D^{20} = -21{,}6 \pm 0{,}5°$ bzw. $[\alpha]_{546}^{20} = -25{,}5°$ (c = 1 in Äthanol).

Allgemeiner verwendbar als Amino-Komponenten sind Glutamin(Asparagin)-ester, für deren Herstellung „säurekatalysierte Veresterungen" entweder von Glutamin (Asparagin) – das Roeske-Verfahren (s. S. 390 f.) ist wegen Unlöslichkeit der beiden Aminosäuren im Reak-

---

[1] J. M. Swan u. V. du Vigneaud, Am. Soc. **76**, 3110 (1954).
[2] E. A. Popenoe u. V. du Vigneaud, Am. Soc. **76**, 6202 (1954).
[3] J. Rudinger, J. Honzl u. M. Zaoral, Collect. czech. chem. Commun. **21**, 202 (1956).
[4] K. Hofmann, T. A. Thompson u. E. T. Schwartz, Am. Soc. **79**, 6080 (1957).
[5] R. Zabel u. H. Zahn, Z. Naturf. **20b**, 650 (1965).
[6] E. Wünsch, G. Wendlberger u. A. Högel, B. **104**, 2430 (1971).

tions-Medium leider undurchführbar[1] – oder von N-Acyl-Derivaten der beiden Aminosäuren (mit anschließender Abspaltung der Amino-Schutzgruppen) wegen gleichzeitig auftretender Alkoholyse der ω-Amid-Gruppierung meist unvorteilhaft sind[2]. Gesicherter erwies sich die Erstellung der N-Acyl-glutamin(asparagin)-ester aus den freien Säuren durch säurekatalysierte Umesterung unter äußerst milden Bedingungen[3], durch Einwirkung von Diazoalkanen[2,4–7] (s. S. 321, 350), sowie durch „Alkylierung" mit Alkylhalogeniden[1,7–10] (s. S. 368 und S. 359) bzw. Dialkylsulfaten[9].

Nach Entfernung der N-Acyl-Reste sind insbesondere auf letzterem Wege u. a. *H-Asn-OBZL*, *H-Asn-ONB* (s.u.)und *H-Asn-OTMB* (s. S. 368), wie die analogen Glutamin-Derivate, leicht zugänglich; diese Verbindungen stellen gute „C-terminale" Startmaterialien für Glutamin(Asparagin)-peptid-Synthesen dar, speziell demonstriert bei Synthesen der Insulin-A-Kette[8,10,11]. Methylester oder Äthylester der beiden Aminodicarbonsäure-ω-amide sind hierfür ungeeignet, da sie bei ihrer alkalischen Verseifung zu „Imid-Bildung" und $\alpha \rightarrow \beta(\gamma)$-Transamidierung Anlaß geben[10,12,13].

N-tert.-Butyloxycarbonyl-S-benzyl-L-cysteinyl-L-asparagin-benzylester [BOC-Cys(BZL)-Asn-OBZL][10]:

N-tert.-Butyloxycarbonyl-L-asparagin-benzylester [BOC-Asn-OBZL]: 23,2 g BOC-Asn-OH in 50 *ml* Dimethylformamid werden bei 0° mit 15 *ml* Triäthylamin und 17,4 g Benzylbromid versetzt; die Reaktionslösung wird über Nacht bei Raumtemp. stehen gelassen und alsdann in 1 *l* Wasser eingerührt. Die entstandene kristalline Fällung wird abfiltriert, sorgfältig mit Wasser gewaschen und nach Trocknen aus Essigsäure-äthylester umkristallisiert; Ausbeute 12,7 g (40% d.Th.); F: 124–126°; $[\alpha]_D^{22} = -17{,}6°$ (c = 1 in Dimethylformamid).

N-tert.-Butyloxycarbonyl-S-benzyl-L-cysteinyl-L-asparagin-benzylester [BOC-Cys(BZL)-Asn-OBZL]: 9 g BOC-Asn-OBZL werden 1 Stde. mit Trifluoressigsäure behandelt und wie üblich aufgearbeitet. Das erhaltene rohe H-Asn-OBZL · TFA-OH in 20 *ml* Dimethylformamid wird bei 0° mit 4 *ml* Triäthylamin und anschließend mit 11,4 g BOC-Cys(BZL)-OSU in 30 *ml* Dimethylformamid versetzt. Nach zweitägigem Stehen der Reaktionslösung bei 5° wird nach Verdünnen mit 250 *ml* Wasser mit 200 *ml* Essigsäure-äthylester extrahiert; die abgetrennte organische Phase wird mit Wasser gewaschen, über Natriumsulfat getrocknet und letztlich i. Vak. eingedampft. Das verbleibende feste Produkt wird aus Äthanol umkristallisiert; Ausbeute 10,5 g (73% d.Th.); F: 139–140°; $[\alpha]_D^{22} = -28{,}0°$ (c = 1 in Dimethylformamid).

N-Benzyloxycarbonyl-S-(4-nitro-benzyl)-L-cysteinyl-L-asparagin-4-nitro-benzylester [Z-Cys(NB)-Asn-ONB][8]: 7 g Z-Asn-ONB (s. S. 659) suspendiert in 20 *ml* Essigsäure werden mit 20 *ml* 4 n Bromwasserstoff/Essigsäure behandelt; nach 2 stdgm. Stehen der Reaktionsmischung bei Raumtemp. werden 250 *ml* absol. Diäthyläther zugefügt. Das ausgefallene Produkt wird abfiltriert, sorgfältig mit Diäthyläther gewaschen und letztlich i. Vak. über Kaliumhydroxid getrocknet. Die Lösung des erhaltenen Materials in 90 *ml* Dimethylformamid wird mit 5,9 *ml* Triäthylamin versetzt; nach Abfiltrieren des ausgefallenen Triäthylamin-Hydrobromids fügt man zur erhaltenen Lösung 8,4 g Z-Cys(NB)-ONP hinzu. Der Reaktionsansatz wird 24 Stdn. bei Raumtemp. aufbewahrt und anschließend in 200 *ml* 5%-ige Kaliumhydrogencarbonat-Lösung eingegossen. Das abgeschiedene Produkt wird abfiltriert, sorgfältig mit Wasser, n Salzsäure und wieder Wasser gewaschen und letztlich aus Dimethylformamid/Wasser umkristallisiert; Ausbeute: 8,8 g (80% d.Th.); F: 220–223°. Nach weiterem 2maligen Umkristallisieren aus Dimethylformamid/Wasser: F: 225–227°; $[\alpha]_D^{28} = -37{,}9°$ (c = 1,13 in Dimethylformamid).

Zur Herstellung von BOC-Cys(TRT)-Asn-OTMB s. S. 368.

---

[1] F.H.C. STEWART, Austral. J. Chem. **20**, 365 (1967).
[2] M. ZAORAL u. J. RUDINGER, Collect. czech. chem. Commun. **24**, 1993 (1959).
[3] E. TASCHNER u. C. WASIELEWSKI, A. **640**, 142 (1961).
[4] M. BERGMANN u. L. ZERVAS, B. **65**, 1192 (1932).
[5] H. SCHÜSSLER, Dissertation, Techn. Hochschule Aachen 1960.
[6] K. HOFMANN et al., Am. Soc. **82**, 3715 (1960).
[7] E. SONDHEIMER u. R.J. SEMERARO, J. Org. Chem. **26**, 1847 (1961).
[8] P.G. KATSOYANNIS u. K. SUZUKI, Am. Soc. **83**, 4057 (1961).
[9] G.H.L. NEFKENS u. R.J.F. NIVARD, R. **84**, 1315 (1965).
[10] H. ZAHN, W. DANHO u. B. GUTTE, Z. Naturf. **21 b**, 763 (1966).
[11] R.G. HISKEY et al., J. Org. Chem. **37**, 2478 (1972).
[12] E. SONDHEIMER u. R.W. HOLLEY, Am. Soc. **76**, 2467 (1954); **79**, 3767 (1957).
[13] J. RUDINGER, Ang. Ch. **71**, 742 (1959).

Die Erstellung von *Z-Gln-OtBu*[1] und *Z-Asn-OtBu*[1,2] aus den beiden N-Acyl-aminosäuren nach der Isobuten/Schwefelsäure-[3] oder Essigsäure-tert.-butylester/Perchlorsäure-Methode[4] war hinsichtlich Reinheit bzw. Ausbeute zunächst nicht befriedigend; Schnabel und Schüssler[5] konnten aber – nach sorgfältigen Studien der Vorgänge – durch Ausarbeitung von „Kurzzeit-Reaktionen" diese Resultate korrigieren: vor allem eine auf 3–5 Stdn. beschränkte Umsetzung von Z-Gln-OH bzw. Z-Asn-OH mit Essigsäure-tert.-butylester/konz. Schwefelsäure + 10%-igem Oleum ließ unter Fortfall der lästigen, ansonst mitlaufenden Amid-tert.-Butylierung eine Reindarstellung der beiden Ester-Derivate mit 90 bzw. 78% zu. Nach katalytischer Entfernung der N-Benzyloxycarbonyl-Schutzgruppen konnten *H-Gln-OtBu* und *H-Asn-OtBu* als 4-Toluolsulfonsäure-Salze kristallisiert erhalten werden.

N-Benzyloxycarbonyl-O-tert.-butyl-L-threonyl-L-glutamin-tert.-butylester [Z-Thr(tBu)-Gln-OtBu]:

N-Benzyloxycarbonyl-L-glutamin-tert.-butylester [Z-Gln-OtBu][5]: 2,8 g Z-Gln-OH, suspendiert in 60 *ml* Essigsäure-tert.-butylester und 2,5 g konz. Schwefelsäure + 0,5 g Oleum (10% SO_3) werden 3 Stdn. bei Raumtemp. gerührt, wobei bereits nach 1,5 Stdn. klare Lösung eintritt. Dann wird mit 100 *ml* Essigsäure-äthylester versetzt, mit Natriumhydrogencarbonat-Lösung entsäuert und die abgetrennte Essigsäure-äthylester-Phase i. Vak. eingeengt. Aus der Lösung des sirupösen Rückstands in 30 *ml* absol. Diäthyläther scheiden sich nach Animpfen Kristalle ab; Ausbeute: 3,05 g (90% d. Th.); F: 91–93°; $[\alpha]_D^{25} = -19{,}7°$ (c = 0,9 in Äthanol).

L-Glutamin-tert.-butylester-Dibenzolsulfimid-Salz [H-Gln-OtBu·DBSI][6,7]: 11 g Z-Gln-OtBu in 200 *ml* Methanol werden wie üblich katalytisch entacyliert, wobei durch Zutropfen einer Lösung von 10 g Dibenzolsulfimid in 60 *ml* Methanol der p_H-Wert der Lösung auf 3,5 gehalten wird. Das Filtrat vom Katalysator wird i. Vak. eingeengt, das verbleibende Öl in Essigsäure-äthylester aufgenommen. Aus dieser Lösung tritt nach Zugabe von Diäthyläther und Anreiben alsbald Kristallisation ein; das erhaltene Material wird aus wenig Methanol/Diäthyläther umkristallisiert; Ausbeute: 16 g (97% d. Th.); F: 135–136°; $[\alpha]_D^{20} = +10{,}38 \pm 1°$ bzw. $[\alpha]_{546}^{20} = +11{,}41°$ (c = 1 in Methanol).

N-Benzyloxycarbonyl-O-tert.-butyl-L-threonyl-L-glutamin-tert.-butylester [Z-Thr(tBu)-Gln-OtBu][8]: 21 g H-Gln-OtBu · DBSI in 150 *ml* Dimethylformamid werden bei 0° mit 7 *ml* Triäthylamin und dann mit 20,3 g Z-Thr(tBu)-OSU versetzt. Das Reaktionsgemisch wird 12 Stdn. gerührt und anschließend i. Vak. eingedampft. Die Essigsäure-äthylester-Lösung des festen Rückstands wird mit Wasser und n Salzsäure wie üblich gewaschen, über Natriumsulfat getrocknet und i. Vak. eingedampft. Das erhaltene Material wird mit Petroläther digeriert und letztlich aus Essigsäure-äthylester/Petroläther umkristallisiert; Ausbeute: 15,5 g (75% d. Th.).; F: 93–95° (farblose Kristalle); $[\alpha]_D^{20} = -5{,}2 \pm 1°$ bzw. $[\alpha]_{546}^{20} = -6{,}27°$ (c = 0,5 in Methanol).

Für den peptid-synthetischen Einsatz als Kopfkomponente stehen in ausreichender Zahl N-geschützte Glutamine und Asparagine zur Verfügung; der Verknüpfungsschritt bzw. die Aktivierungsstufe bergen aber einige Komplikationen in sich – für die Derivate der beiden Aminosäuren in teilweise recht unterschiedlicher Weise und Größenordnung. Während sich z. B. Z-Asn-OH nach verschiedenen „Misch-Anhydrid-Verfahren" nur in schlechter Ausbeute (meist unter 50%) verknüpfen läßt[9–16] – eine Ausnahme macht lediglich die

---

1 F.M. Callahan et al., Am. Soc. **85**, 201 (1963).
2 E. Taschner et al., Ang. Ch. **71**, 743 (1959).
3 G.W. Anderson u. F.M. Callahan, Am. Soc. **82**, 3359 (1960).
4 E. Taschner et al., A. **646**, 119, 134 (1961).
5 E. Schnabel u. H. Schüssler, A. **686**, 229 (1965).
6 E. Wünsch, G. Wendlberger u. H. Stocker, unveröffentlichte Ergebnisse.
7 Zur Isolierung als Hydrochlorid s. R. Geiger et al., B. **106**, 188 (1973).
8 K. Kovacs et al., H. **354**, 890 (1973).
9 V. du Vigneaud et al., Am. Soc. **76**, 3115 (1954).
10 R.A. Boissonnas et al., Helv. **38**, 1491 (1955).
11 R.F. Fischer u. R.R. Whetstone, Am. Soc. **77**, 750 (1955).
12 A. Miller, A. Neidle u. H. Waelsch, Arch. Biochem. **56**, 11 (1955).
13 J. Rudinger, J. Honzl u. M. Zaoral, Collect. czech. chem. Commun. **21**, 202 (1956).
14 W. Rittel et al., Helv. **40**, 614 (1957).
15 P.G. Katsoyannis et al., Am. Soc. **80**, 2558 (1958).
16 B. Riniker u. R. Schwyzer, Helv. **44**, 677 (1961).

Pivalinsäure-Anhydrid-Methode[1,2] (s. S. II/215) – gelingt dies im Falle von Z-Gln-OH mit durchaus guten bis sehr guten Ergebnissen[3–10]. Ähnliche Befunde liegen bei Anwendung von Carbodiimid[4,11–13], Carbonyldiimidazol[11,14] und Phosphorazo-Verfahren[15] vor.

Entscheidend für den unterschiedlichen Verlauf dieser Umsetzung ist die erheblich größere Bereitschaft der carboxy-aktivierten Asparagin-Derivate zu einer intramolekularen Reaktion, wobei nach Paul und Kende[16] primär durch Acylierung des Carbonamid-Sauerstoffs ein substituiertes Succin-isoimid IIa entsteht, das sich letztlich irreversibel zur β-Cyano-alanin-Verbindung IIIa stabilisiert. Diese Dehydratation wurde erstmals bei Oxytocin-Synthesen festgestellt[17,18]. (Über die Verwendung von β-Cyano-Derivaten zur Synthese von Peptiden des Asparagins s. S. 723f.)

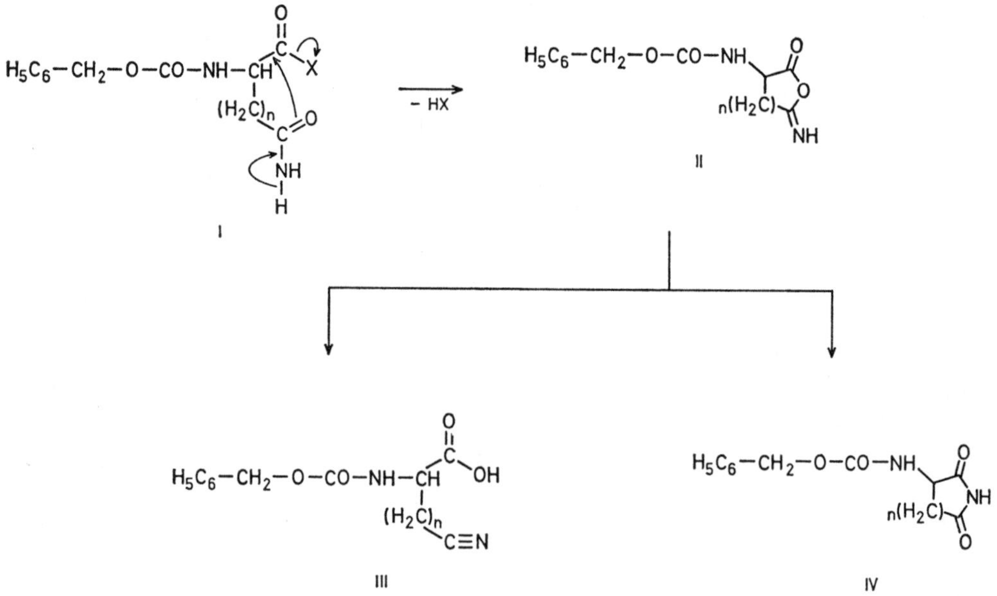

$H_5C_6-CH_2-O-CO-NH-CH(COX)-(H_2C)_n-CO-NH_2$ (I) $\xrightarrow{-HX}$ $H_5C_6-CH_2-O-CO-NH$-Succin-isoimid (II)

I

II

$H_5C_6-CH_2-O-CO-NH-CH(COOH)-(H_2C)_n-C{\equiv}N$ (III)

$H_5C_6-CH_2-O-CO-NH$-Succinimid (IV)

III

IV

a: n = 1 ; b: n = 2

---

[1] M. Zaoral, Collect. czech. chem. Commun. **27**, 1273 (1962).
[2] I. Photaki, Am. Soc. **88**, 2292 (1966).
[3] R. A. Boissonnas et al., Helv. **38**, 1491 (1955).
[4] P. G. Katsoyannis et al., Am. Soc. **80**, 2558 (1958).
[5] R. A. Boissonnas et al., Helv. **39**, 1421 (1956).
[6] J. Rudinger u. Z. Pravda, Collect. czech. chem. Commun. **23**, 1947 (1958).
[7] E. Schröder u. H. Gibian, A. **656**, 190 (1962).
[8] E. Wünsch u. A. Zwick, B. **97**, 2497 (1964).
[9] E. Wünsch u. G. Wendlberger, B. **100**, 160 (1967).
[10] E. Wünsch, A. Zwick u. E. Jaeger, B. **101**, 336 (1968).
[11] H. Kappeler, Helv. **44**, 476 (1961).
[12] B. Iselin u. R. Schwyzer, Helv. **45**, 1499 (1962).
[13] E. Wünsch, B. **98**, 797 (1965).
[14] R. Paul u. G.W. Anderson, J. Org. Chem. **27**, 2094 (1962).
[15] J. Rudinger, J. Honzl u. M. Zaoral, Collect. czech. chem. Commun. **21**, 202 (1956).
[16] R. Paul u. A.S. Kende, Am. Soc. **86**, 4162 (1964).
[17] D.T. Gish et al., Am. Soc. **78**, 5954 (1956).
[18] C. Ressler, Am. Soc. **78**, 5956 (1956).

Die Dehydratisierungs-Reaktion ist auch bei Pyrophosphit- und Carbodiimid-Aktivierungen an Z-Gln-OH festgestellt worden[1,2]; bei verminderter Bildung eines substituierten Glutar-isoimids IIb scheint die mögliche Konkurrenzreaktion zur „γ-Cyano-aminobuttersäure-Umlagerung“ eine Stabilisierung zur Glutarimid-Verbindung IVb zu sein (vgl. hierzu die Feststellungen von E. Schnabel et al.[3] u. Schema S. 704).

N-Benzyloxycarbonyl-L-glutaminyl-glycin-methylester [Z-Gln-Gly-OMe][1]: Zu 84 g Z-Gln-OH und 41,7 *ml* Triäthylamin in 400 *ml* Tetrahydrofuran/Acetonitril (1:1) werden bei $-15°$ langsam unter Rühren 28,6 *ml* Chlorameisensäure-äthylester getropft. Dann fügt man 37,8 g H-Gly-OMe · HCl und 41,7 *ml* Triäthylamin in 200 *ml* Dimethylformamid zu, rührt 1 Stde. bei $-10°$ und weitere 4 Stdn. bei Raumtemperatur. Danach destilliert man die Lösungsmittel i. Vak. ab. Der Rückstand wird mit 1000 *ml* 0,5 n Salzsäure behandelt, das gebildete feste Material abfiltriert, anschließend mit 0,5 n Kaliumhydrogencarbonat-Lösung digeriert, erneut auf das Filter gebracht und mit Wasser gut gewaschen. Das i. Vak. über Phosphor(V)-oxid getrocknete Produkt kristallisiert aus Methanol; Ausbeute: 80,3 g (76% d.Th.); F: 174,5–175,5°; $[\alpha]_D^{20} = -16,2 \pm 1°$ bzw. $[\alpha]_{546}^{20} = -18,8°$ (c = 0,8 in Äthanol) oder $[\alpha]_D^{20} = -6,6 \pm 1°$ bzw. $[\alpha]_{546}^{20} = -7,7°$ (c = 1 in Essigsäure).

Weitere experimentelle Beispiele s. S. 566.

Die Verknüpfung von N-Acyl-glutamin und N-Acyl-asparagin mit Aminosäuren (Peptiden), deren Estern oder Amiden ist seit geraumer Zeit vor allem mit Hilfe der 4-Nitro-phenylester-[3,5–10] (s. S. II/14) und 2,4,5-Trichlor-phenylester-Methode[11–15] (s. S. II/42) erfolgreich vorgenommen worden. (S. dazu auch die experimentellen Beispiele von S. 583, 616f., 706, II/20, II/43).

Fast bei allen Synthesen von Naturstoff-Peptiden mit Glutamin oder Asparagin in der Sequenz, z. B. Oxytocin[5,15], Vasopressin[16], ACTH[17,18], Glucagon[8], Sekretin[19], Calcitonine[20–22], Insulin-Ketten[10,23,24] und Ribonuclease T_1-Fragmente[14,25] etc., wurde dieser Anbau-Technik gehuldigt.

---

[1] P. G. Katsoyannis et al., Am. Soc. **80**, 2558 (1958).
[2] C. Ressler u. H. Ratzkin, J. Org. Chem. **26**, 3355 (1961).
[3] E. Schnabel et al., A. **743**, 57 (1971).
[4] E. Wünsch, A. Zwick u. E. Jaeger, B. **101**, 336 (1968).
[5] M. Bodanszky u. V. du Vigneaud, Am. Soc. **81**, 5688 (1959).
[6] E. Sandrin u. R. A. Boissonnas, Helv. **46**, 1637 (1963).
[7] E. Schröder u. E. Klieger, A. **673**, 208 (1964).
[8] E. Wünsch, F. Drees u. J. Jentsch, B. **98**, 803 (1965).
[9] G. R. Marshall u. R. B. Merrifield, Biochemistry **4**, 2394 (1965).
[10] H. Zahn, W. Danho u. B. Gutte, Z. Naturf. **21b**, 763 (1966).
[11] J. Pless u. R. A. Boissonnas, Helv. **46**, 1609 (1963).
[12] R. L. Huguenin, Helv. **47**, 1934 (1964).
[13] W. Broadbent, J. S. Morley u. B. E. Stone, Soc. [C] **1967**, 2632.
[14] J. Beacham et al., Am. Soc. **93**, 5526 (1971).
[15] S. Guttmann, Helv. **49**, 83 (1966).
[16] M. Bodanszky, J. Meienhofer u. V. du Vigneaud, Am. Soc. **82**, 3195 (1960).
[17] C. H. Li et al., Am. Soc. **83**, 4449 (1961).
[18] R. Schwyzer u. P. Sieber, Helv. **49**, 134 (1966).
[19] M. Bodanszky u. N. J. Williams, Am. Soc. **89**, 685 (1967).
[20] S. Guttmann et al., Helv. **51**, 1155 (1968).
[21] B. Riniker et al., Helv. **52**, 1058 (1969).
[22] P. Sieber et al., Helv. **53**, 2135 (1970).
[23] R. Zabel u. H. Zahn, Z. Naturf. **20b**, 650 (1965).
[24] H. Zahn et al., Z. Naturf. **24b**, 1128 (1969).
[25] H. T. Storey et al., Am. Soc. **94**, 6170 (1972).

N-tert.-Butyloxycarbonyl-L-glutaminyl-N$_{im}$-trityl-L-histidyl-L-leucyl-S-diphenylmethyl-L-cysteinyl-glycin-methylester [BOC-Gln-His(TRT)-Leu-Cys(DPM)-Gly-OMe]:

N-tert.-Butyloxycarbonyl-L-glutamin-4-nitro-phenylester [BOC-Gln-ONP][1]: 19,8 g BOC-Gln-OH und 9,7 g 4-Nitro-phenol in 50 *ml* Dimethylformamid werden bei 0° mit 16,4 g Dicyclohexylcarbodiimid versetzt, die Reaktionsmischung je 24 Stdn. bei 0° und bei Zimmertemp. stehen gelassen. Der abgeschiedene N,N'-Dicyclohexyl-harnstoff wird abfiltriert und sorgfältig mit Dimethylformamid gewaschen; nach Entfernen des Lösungsmittels i. Vak. verbleibt ein fester Rückstand, der aus Äthanol umkristallisiert wird; Ausbeute: 9,0 g (31% d.Th.); F: 145–146°; $[\alpha]_D^{22} = -31°$ (c = 1 in Essigsäure-äthylester).

N-tert.-Butyloxycarbonyl-L-glutaminyl-N$_{im}$-trityl-L-histidyl-L-leucyl-S-diphenylmethyl-L-cysteinyl-glycin-methylester [BOC-Gln-His(TRT)-Leu-Cys(DPM)-Gly-OMe][2]: 3,25 g H-His(TRT)-Leu-Cys(DPM)-Gly-OMe · HCl und 1,47 g BOC-Gln-ONP in 15 *ml* Dimethylformamid werden nach Zusatz von 1 *ml* N-Äthyl-morpholin 3 Tage bei Raumtemp. stehen gelassen. Das Lösungsmittel wird bei 0,1 Torr abgezogen, der Rückstand wie üblich unter zusätzlicher Behandlung mit Aktivkohle und Umfällen aus Essigsäure-äthylester/Diisopropyläther aufgearbeitet; Ausbeute: 2,78 g (~ 65% d.Th.); farbloses amorphes Pulver von F: 145–150° (unter Sintern).

Vgl. dazu auch die Herstellung auf S. 708.

Dem anscheinend glatten Verlauf der Erstellung von N-Acyl-glutamin-4-nitro-phenylester stehen wenige, fast entmutigende Ergebnisse bei der Synthese der Asparagin-Analoga gegenüber. So konnten Schnabel et al.[3] beweisen, daß bei der üblichen Umsetzung von BOC-Asn-OH und 4-Nitro-phenol mit Dicyclohexylcarbodiimid in Abhängigkeit vom Reaktionsmedium teilweise erhebliche Mengen (bis 15%) an BOC-Ala(CN)-ONP entstehen; eine restlose Abtrennung dieses Dehydratisierungsprodukts (vgl. S. 704) war nur durch eine relativ langwierige Gegenstrom-Verteilung möglich. Beim Vergleich der spezifischen Drehwerte von den in der Literatur[4–6] beschriebenen *BOC-Asn-ONP* mit dem „Reinprodukt" von Schnabel et. al.[3] folgt zwangsläufig der Schluß, daß vielfach mit β-Cyano-alanin-haltigem BOC-Asn-ONP gearbeitet worden ist.

Des weiteren scheint BOC-Asn-ONP in Dimethylformamid-Lösung und bei tert. Basen-Gegenwart nicht absolut stabil zu sein; selbst bei einigen Umsetzungen mit Peptidestern konnte Bosshard[2] als (im vorliegenden Fall sicher leicht zu entfernendes) Nebenprodukt BOC-Ala(CN)-OH isolieren. Auch die Festkörpersynthese nach Merrifield (s. S. 377f.) war, bedingt durch die „Dehydratisierung-Nebenprodukte" bei der Carbodiimid-Verknüpfung (s. S. II/106), lange Zeit auf einen Anbau der beiden Aminodicarbonsäure-ω-amide mit BOC-Asn-ONP und BOC-Gln-ONP angewiesen[7]. Neuerdings scheinen diese beiden 4-Nitro-phenylester-Derivate durch die entsprechenden 2-Pyridyl-ester[8] oder 2-Nitro-phenylester[9,10] hauptsächlich wegen ihrer günstigen Reaktivität in nicht-polaren Lösungsmitteln (spez. Dichlormethan) verdrängt zu werden. Von einiger Bedeutung könnte auch *BOC-Asn-OPFP* sein; die Herstellung des analogen N-Benzyloxycarbonyl-Derivats soll nach Kisfaludy et al.[11] unter üblichem Verfahren (s. S. II/56) in gut kristallisierter Form und mit über 93%-iger

---

[1] H. Zahn, W. Danho u. B. Gutte, Z. Naturf. **21 b**, 763 (1966).

[2] H. R. Bosshard, Helv. **54**, 951 (1971).

[3] E. Schnabel et al., A. **743**, 57 (1971).

[4] E. Sandrin u. R. A. Boissonnas, Helv. **46**, 1637 (1963).

[5] E. Schröder u. E. Klieger A. **673**, 208 (1964).

[6] D. R. Marshall u. R. B. Merrifield, Biochemistry **4**, 2394 (1965).

[7] J. M. Stewart u. J. D. Young, *Solid-Phase Peptide Synthesis*, W. H. Freeman u. Co., San Francisco 1969.

[8] A. S. Dutta u. J. S. Morley, Soc. [C] **1971**, 2896.

[9] M. Bodanszky et al., *Chemistry and Biology of Peptides*, Proc. 3rd Amer. Peptide-Symposium, Boston, Ann-Arbor Science Publ., Ann-Arbor Michigan **1972**, S. 203.

[10] M. Bodanszky, K. W. Funk u. M. L. Fink, J. Org. Chem. **38**, 3565 (1973).

[11] L. Kisfaludy et al., *Chemistry and Biology of Peptides*, Proc. 3rd Amer. Peptide-Symposium, Boston, Ann-Arbor, Science Publ., Ann-Arbor Michigan **1972**, S. 299.

Ausbeute (!) gelingen. In Dimethylformamid-Lösung bei Raumtemp. tritt allerdings Zersetzung von Z-Asn-OPFP unter Bildung von Benzyloxycarbonylamino-succinimid (IVa) auf (vgl. S. 704).

Unterschiedliche Ergebnisse werden bei der Erstellung von einigen N-Acyl-aminodicarbonsäure-ω-amid-α-(N-hydroxy-succinimid)-estern vorgefunden. Während *Z-Asn-OSU*[1] und *NPS-Asn-OSU*[2,3] anscheinend ohne Schwierigkeiten nach üblicher „Carbodiimid-Technik" in teilweise recht guter Ausbeute erhalten und als durchaus wärme- und hydrolyse-beständig beschrieben werden (vgl. dagegen die früher gemachten Feststellungen von Schnabel et al.[4], sowie Zahn und Fölsche[5]), muß dies im Falle von *Z-Gln-OSU*[6], *BOC-Gln-OSU*[7,8] und *NPS-Gln-OSU*[2,3] zumindest offen gelassen werden. „Positiven" Aussagen (vor allem hinsichtlich Herstellung)[2–4,6] stehen „negative" in Herstellung[5] sowie Stabilität[2] gegenüber: so konnten Zahn und Fölsche[5] nur ein Glutarimid-Derivat isolieren, für dessen Bildung von Meyers et al.[2] die Anwesenheit von Wasser bei Aufarbeitungs- oder Lösungs-Prozeduren, zu hohe Erwärmung (z. B. 70°) oder Einwirkung von tert. Basen (in Lösung) verantwortlich gemacht werden. Diese Interpretation wird von anderer Seite[8] aber bestritten. (Anmerkung des Autors: die absolut gesicherte Vergleichbarkeit ist bei Benzyloxycarbonyl-[5], 2-Nitrophenylsulfenyl-[2] und tert.-Butyloxycarbonyl-Derivaten[8] sicher fraglich).

N-Benzyloxycarbonyl-L-asparagin-(N-hydroxy-succinimid)-ester [Z-Asn-OSU][1]: Zu 26,6 g Z-Asn-OH und 12,6 g N-Hydroxy-succinimid in 100 *ml* Dimethylformamid wird bei 0° eine Lösung von 21,7 g Dicyclohexylcarbodiimid in 100 *ml* Essigsäure-äthylester eingerührt; nach 3 Stdn. wird zur Reaktionsmischung eine kleine Menge Essigsäure hinzugegeben. Nach 30 Min. wird vom N,N′-Dicyclohexyl-harnstoff abfiltriert, das Filtrat i. Vak. vom Essigsäure-äthyläther befreit. Die verbleibende Dimethylformamid-Lösung wird mit einem großen Vol. Hexan behandelt; das ölig abgeschiedene Produkt wird durch Dekantieren abgetrennt, mit Hexan und Diäthyläther gewaschen. Das Öl kristallisiert aus Isopropanol; das abfiltrierte und mit Diäthyläther gewaschene Rohmaterial wird rasch bei Raumtemp. aus Dimethylformamid durch Zugabe von Isopropanol umkristallisiert; Ausbeute: 16,4 g (45,2% d. Th.); F: 129–130°; $[\alpha]_D^{24} = -27{,}5°$ (c = 2,0 in Dimethylformamid; nach vorhergehendem Trocknen des Materials bei 60° über 10 Stdn.).

N-(2-Nitro-phenylsulfenyl)-L-glutamin-(N-hydroxy-succinimid)-ester [NPS-Gln-OSU][3]: 2,99 g NPS-Gln-OH in 20 *ml* Dimethylacetamid werden bei 0° mit 1,15 g N-Hydroxy-succinimid und anschließend mit 2,06 g Dicyclohexylcarbodiimid versetzt; die Reaktionsmischung wird nach 3 Stdn. Rühren bei 0° über Nacht bei der gleichen Temp. stehen gelassen, dann filtriert und mit 200 *ml* Propanol-(2) verdünnt. Das ausgefallene Material wird aus Propanol-(2) umkristallisiert; Ausbeute: 3,2 g (79% d. Th.); F: 146–148°; $[\alpha]_D^{25} = -55{,}6°$ (c = 2 in Dimethylformamid).

Zur Herstellung von *NPS-Gln-OSU* mit F: 146–147° und $[\alpha]_D^{23} = -59{,}8°$ (c = 2 in Dimethylformamid) nach dem „Mukaiyama-Verfahren" s. Lit.[9] (vgl. S. II/151).

In den letzten Jahren sind außer der Pivalinsäureanhydrid-Synthese (s. S. II/215) einige „Mischanhydrid-Verfahren mit Säuren des Phosphors" bekannt geworden, die sich auch für Verknüpfungen von N-Acyl-glutamin (-asparagin) als Kopfkomponenten eignen sollen, d. h. keinerlei Dehydratisierungs-Reaktionen etc. nebenher auslösen.

① Die „Kenner-Sheppard-Methode" vor allem unter Verwendung von „Bates-Reagens" (s. S. II/243).

② Die „Mitin-Verknüpfung" mittels Triarylphosphit und Imidazol (s. S. II/248).

③ Das „Mukaiyama-Verfahren" unter Einsatz von Triphenylphosphin und Dipyridyl-(2)-disulfid (s. S. II/252).

---

1 S. Hase et al., Am. Soc. **94**, 3590 (1972).
2 C. Meyers et al., Chem. & Ind. **1969**, 136.
3 R. G. Hiskey et al., J. Org. Chem. **37**, 2478 (1972).
4 E. Schnabel et al., A. **707**, 227 (1967).
5 H. Zahn u. E. T. J. Fölsche, B. **102**, 2158 (1969).
6 J. Beacham et al., Am. Soc. **93**, 5526 (1971).
7 T. Lefrancier u. E. Bricas, Bl. Soc. Chim. biol. **49**, 1257 (1967).
8 R. S. Dewey, H. Barkemeyer u. R. Hirschmann, Chem. & Ind. **1969**, **1632**.
9 T. Mukaiyama et al., Tetrahedron Letters **1970**, 5293.

Große Bedeutung für die Umsetzung von N-Acyl-glutamin (-asparagin) kommt letztlich dem „Dicyclohexylcarbodiimid/1-Hydroxy-benzotriazol-Kombinations-Verfahren" zu (s. S. II/114); die Ergebnisse von König und Geiger[1] wurden sowohl von Bosshard[2](„keine Spur des β-Cyano-alanin-Derivats bei der Aktivierung von BOC-Asn-OH") als auch von Wünsch et al. mit wichtigen Fragmentkondensationen (Aktivierung am Glutamin!) bei ihren Totalsynthesen des *Sekretins*[3] (s. S. II/114) und *Norleucin-13-Motilins*[4] bestätigt. Anstelle von 1-Hydroxy-benzotriazol soll gleich gut auch 3-Hydroxy-4-oxo-3,4-dihydro-⟨benzo-[d]-1,2,3-triazin⟩ sein[5] (s. S. II/115).

N-tert.-Butyloxycarbonyl-L-glutaminyl-N_{im}-trityl-L-histidyl-L-leucyl-S-diphenylmethyl-L-cysteinyl-glycin-methylester [BOC-Gln-His(TRT)-Leu-Cys(DPM)-Gly-OMe][1]: 1,554 g H-His(TRT)-Leu-Cys(DPM)-Gly-OMe · HCl, 0,476 g BOC-Gln-OH und 0,514 g 1-Hydroxy-benzotriazol in 10 *ml* Dimethylformamid und 0,48 *ml* N-Äthyl-morpholin werden bei −10° mit 0,412 g Dicyclohexylcarbodiimid versetzt; man läßt über Nacht bei 4° und anschließend 24 Stdn. bei Raumtemp. stehen, filtriert und dampft das Filtrat i. Vak. ein. Die Lösung des öligen Rückstandes in 10 *ml* Essigsäure-äthylester wird nach 5 Stdn. Stehen bei 4° von nochmals ausgefallenem N,N'-Dicyclohexyl-harnstoff abfiltriert und dann wie üblich aufgearbeitet, wobei letztlich das erhaltene Öl mit Diäthyläther verrieben und aus Essigsäure-äthylester/Diisopropyl-äther umgefällt wird; Ausbeute: 1,55 g (~ 85% d.Th.); F: 146–150° (unter Sintern).

Vgl. dazu die Herstellung des gleichen Peptid-Derivats unter Verwendung von BOC-Gln-ONP, S. 706.

N-tert.-Butyloxycarbonyl-L-asparaginyl-S-benzyl-L-cystein-benzylester [BOC-Asn-Cys(BZL)-OBZL][6]: 5,8 g BOC-Asn-OH und 11,8 g H-Cys(BZL)-OBZL · TOS-OH in 70 *ml* Dimethylformamid werden mit 2,52 g N-Methyl-morpholin, 6,75 g 1-Hydroxy-benzotriazol und 5,66 g Dicyclohexylcarbodiimid bei 0° versetzt; die Reaktionsmischung wird 1 Stde. bei 0° und anschließend bei Raumtemp. 3–16 Stdn. gerührt. Das Filtrat vom N,N'-Dicyclohexyl-harnstoff wird i. Vak. auf die Hälfte seines Vol. eingeengt, über Nacht bei 0° stehen gelassen, erneut filtriert und anschließend mit 25 *ml* Wasser verdünnt. Das abgeschiedene Produkt wird mit Essigsäure-äthylester extrahiert, der erhaltene Auszug wie üblich mit 5%-iger Natriumhydrogencarbonat-Lösung, 0,05 m Schwefelsäure und Wasser gewaschen, über Magnesiumsulfat getrocknet und letztlich i. Vak. zur Trockne eingedampft. Der erhaltene Rückstand wird aus 60 *ml* Essigsäure-äthylester umkristallisiert; Ausbeute: 9,06 g (70% d.Th.); F: 146–149°; $[\alpha]_D^{25} = -37{,}2°$ (c = 1 in Dimethylformamid).

Die Umsetzung von N-Acyl-glutamin ist letztlich auch nach der Azid-Methode möglich, da vor allem die Hydrazinolyse von N-Acyl(Peptidyl)-glutamin-methylester[7,8] und natürlich auch von N-geschützten Peptidestern mit mittelständigem Glutamin[8–11] einwandfrei gelingt – trotz der Beobachtungen, daß in Proteinen die ω-Amid-Gruppen von Glutamin(Asparagin)-Resten in Mitleidenschaft gezogen werden[12].

Die Übertragung der Hydrazid-Bildung z.B. auf Z-Asn-OMe soll nach Schüssler[13] möglich sein; dies konnte jedoch von zahlreichen Autoren[14] nicht reproduziert werden. Günstiger

---

1 W. König u. R. Geiger, B. **103**, 788 (1970).
2 H.R. Bosshard, Helv. **54**, 951 (1971).
3 E. Wünsch, Naturwiss. **59**, 239 (1972).
E. Wünsch, G. Wendlberger u. A. Högel, B. **104**, 2430 (1971).
4 E. Wünsch et al., Z. Naturf. **28c**, 235 (1973).
5 G. Jäger, R. Geiger, W. König u. H. Wissmann, Privatmitteilungen.
6 M. Mühlemann et al., Helv. **55**, 2854 (1972).
7 E. Sondheimer u. R.W. Holley, Am. Soc. **76**, 2816 (1954).
8 E. Schnabel et al., A. **707**, 227 (1967).
9 E. Schröder, A. **681**, 231 (1965).
10 H. Zahn, W. Danho u. B. Gutte, Z. Naturf. **21b**, 763 (1966).
11 R.A. Boissonnas, Helv. **38**, 1491 (1955).
12 O.O. Blumenfeld u. P.M. Gallop, Biochemistry **1**, 947 (1962).
R. de la Burde, L. Peckhal u. A. Veis, J. Biol. Chem. **238**, 189 (1963).
M. Zaoral, Collect. czech. chem. Commun. **30**, 1853 (1965).
13 H. Schüssler, Dissertation Rhein.-Westfäl. Techn. Hochschule Aachen 1960.
14 Privatmitteilungen an den Verfasser.

scheint die Hydrazinolyse von N-Acyl-peptidestern mit nicht C-terminalem Asparagin zu verlaufen[1–7], obgleich in einigen Arbeiten wenig „schöne" analytische Charakteristika für die Reinheit der Hydrazid-Derivate erbracht werden[1,2].

Das von Hofmann eingeführte N'-Acyl-hydrazid-Verfahren (s. S. 431ff.) vermag die Schwierigkeiten eindeutig auszuschließen; man hat sich dieser Methode der Herstellung von N-Acyl-peptid-hydraziden inzwischen – teilweise mit mehreren Asparagin- und (oder) Glutamin-Resten in der Sequenz – mit Erfolg bedient[1,8–11].

N-Benzyloxycarbonyl-L-glutamin-hydrazid [Z-Gln-NHNH$_2$][12]: 5,6 g Z-Gln-OMe in 60 *ml* Methanol (warm gelöst und dann rasch auf 0° abgekühlt) werden mit 6 *ml* Hydrazin-Hydrat (99–100%-ig) versetzt. Die Reaktionsmischung wird 4 Stdn. bei 0° stehen gelassen; die abgeschiedenen Kristalle werden abfiltriert. Nach Einengen der Mutterlauge auf 45 *ml* und Zufügen von 160 *ml* Wasser wird eine zweite Kristall-Fraktion erhalten. Das vereinigte Material wird 2 mal mit 10 *ml* Methanol und anschließend Wasser gewaschen, letztlich i. Vak. über Phosphor(V)-oxid getrocknet. Zur Rekristallisation wird das erhaltene Produkt in 27 *ml* Dimethylformamid gelöst, das Filtrat mit 30 *ml* Wasser versetzt; Ausbeute: 5,24 g (~ 93% d. Th., ber. für ein Monohydrat); F: 174–176°.

N-Benzyloxycarbonyl-L-phenylalanyl-L-valyl-L-asparaginyl-L-glutamin-hydrazid [Z-Phe-Val-Asn-Gln-NHNH$_2$][1]:

Methode ⓐ: 1,2 g Z-Phe-Val-Asn-Gln-OMe werden unter Erhitzen in 10 *ml* Dimethylformamid gelöst und in die noch heiße Lösung 0,5 *ml* Hydrazin-Hydrat eingetragen. Alsbald scheidet sich ein gelatinöses Produkt ab; es wird mehrmals aus Dimethylformamid/Wasser umgefällt (die Hydrazinolyse gelingt auch in 5 *ml* Phosphorsäure-tris-[dimethylamid]; das Hydrazid bleibt dann in Lösung und wird mit Essigsäure-äthylester/Diäthyläther ausgefällt); Ausbeute: 0,96 g (75% d.Th.); F: 268–270°; $[\alpha]_D^{22}$ = −12,7° (c = 0,4 in Essigsäure).

Methode ⓑ: 1 g Z-Phe-Val-Asn-Gln-NHNH(BOC) wird bei 0° unter Stickstoff-Atmosphäre mit 10 *ml* Trifluoressigsäure übergossen; es tritt alsbald Lösung ein. Nach 60 Min. bei 20° wird überschüssige Trifluoressigsäure i. Vak. abgezogen, der Rückstand mit Diäthyläther behandelt. Das verbleibende Material wird abfiltriert, durch Waschen mit Natriumhydrogencarbonat-Lösung von anhaftender Säure befreit und letztlich mehrfach aus 95%-igem Dimethylformamid umgelöst; Ausbeute: 0,75 g (83% d.Th.); F: 242–246°; $[\alpha]_D^{22}$ = −11,5° (c = 0,6 in Essigsäure).

N-Benzyloxycarbonyl-L-tyrosyl-L-glutamin-hydrazid [Z-Tyr-Gln-NHNH$_2$][10]:

N-Benzyloxycarbonyl-L-tyrosyl-L-glutamin-N'-tert.-butyloxycarbonyl-hydrazid [Z-Tyr-Gln-NHNH(BOC)]: 14,5 g Z-Tyr-OTCP werden zu einer Lösung von 7,67 g H-Gln-NHNH (BOC) in 120 *ml* Tetrahydrofuran gegeben; die Reaktionsmischung wird 18 Stdn. lang bei Raumtemp. gehalten, anschließend i.Vak. vom Lösungsmittel befreit. Die Lösung des erhaltenen Rückstandes in 80 *ml* Methanol wird mit 400 *ml* Wasser und 400 *ml* Diäthyläther versetzt; das abgeschiedene Material wird mit Diäthyläther und Wasser gewaschen und letztlich getrocknet; Ausbeute: 14,18 g (86% d. Th.); F: 145–149°; $[\alpha]_D^{27}$ = −23,1° (c = 2,03 in Dimethylformamid).

N-Benzyloxycarbonyl-L-tyrosyl-L-glutamin-hydrazid: 20,75 g des erhaltenen Z-Tyr-Gln-NHNH(BOC) werden in 100 *ml* Trifluoressigsäure gelöst, die Reaktionsmischung 1 Stde. lang bei Raumtemp. gehalten und anschließend mit überschüssigem Diäthyläther versetzt; der gebildete Niederschlag

---

[1] E. Schnabel et al., A. **707**, 227 (1967).
[2] E. Schröder, A. **681**, 231 (1965).
[3] H. Zahn, W. Danho u. B. Gutte, Z. Naturf. **21 b**, 763 (1966).
[4] R. A. Boissonnas, Helv. **38**, 1491 (1955).
[5] P. Sieber et al., Helv. **53**, 2153 (1970).
[6] S. Guttmann et al., Helv. **51**, 1155 (1968).
[7] R. Zabel u. H. Zahn, Z. Naturf. **20 b**, 650 (1965).
[8] E. Wünsch u. F. Drees, B. **99**, 101 (1966).
[9] B. Riniker et al., Helv. **52**, 1815 (1969).
[10] J. Beacham et al., Am. Soc. **93**, 5526 (1971).
[11] H.T. Storey et al., Am. Soc. **94**, 6170 (1972).
[12] E. Sondheimer u. R.W. Holley, Am. Soc. **76**, 2816 (1954).

wird abfiltriert, mit Diäthyläther gewaschen und letztlich getrocknet. Das erhaltene Material wird in 400 *ml* heißem Methanol gelöst, die Lösung nach Abkühlen mit Triäthylamin neutralisiert, mit 600 *ml* Wasser versetzt und anschließend 18 Stdn. lang im Kühlschrank aufbewahrt. Das abgeschiedene Material (granuliertes Gel) wird abfiltriert, mit Wasser gewaschen und getrocknet; Ausbeute: 14,08 g (83% d.Th.); F: 202–206° (Zers., nach Erweichen bei 195–198°); $[\alpha]_D^{26} = -15{,}5°$ (c = 1,96 in Dimethylformamid).

Wie neuerdings Hiskey et al.[1] im Verlauf ihrer neuen Insulin-A-Ketten-Synthese aufzeigten, scheint TRT-Asn-OSU – zugänglich aus TRT-Asn-OH und N-Hydroxy-succinimid nach üblichem Dicyclohexylcarbodiimid-Verfahren – eine brauchbare Kopfkomponente zur Aufknüpfung eines Asparagin-Restes zu sein, vor allem dann, wenn verschiedene, zusätzliche und leicht abspaltbare Schutzgruppen für Hydroxy-, Carboxy-, Thiol-Funktionen mit im Synthesespiel sind.

L-Asparaginyl-O-tert.-butyl-L-tyrosyl-S-trityl-L-cysteinyl-L-asparagin-2,4,6-trimethyl-benzylester [H-Asn-Tyr(tBu)-Cys(TRT)-Asn-OTMB]:

N-Trityl-L-asparagin-(N-hydroxy-succinimid)-ester [TRT-Asn-OSU]:[1] 2,6 g TRT-Asn-OH (s. S. 269) in 30 *ml* 1,4-Dioxan werden bei 10° mit 0,88 g N-Hydroxy-succinimid und anschließend 1,6 g Dicyclohexylcarbodiimid versetzt. Die Reaktionslösung wird 4 Stdn. bei 10° gerührt und anschließend über Nacht bei 4° stehen gelassen. Das Filtrat vom N,N′-Dicyclohexyl-harnstoff wird i.Vak. eingedampft, der erhaltene feste Rückstand aus Essigsäure-äthylester/Hexan umkristallisiert; Ausbeute: 1,7 g (52% d.Th.); F: 152–153°; $[\alpha]_D^{26} = -73{,}1°$ (c = 1 in 1,4-Dioxan).

N-Trityl-L-asparaginyl-O-tert.-butyl-L-tyrosyl-S-trityl-L-cysteinyl-L-asparagin-2,4,6-trimethyl-benzylester [TRT-Asn-Tyr(tBu)-Cys(TRT)-Asn-OTMB][1]: 2,59 g H-Tyr(tBu)-Cys(TRT)-Asn-OTMB (s. S. 623) in 25 *ml* 1,4-Dioxan werden bei Raumtemp. mit 1,9 g TRT-Asn-OSU versetzt; die über Nacht gerührte Reaktionsmischung wird abschließend i.Vak. vom 1,4-Dioxan befreit, die Lösung des erhaltenen Rückstandes in Chloroform wie üblich mit n Natriumhydrogencarbonat-Lösung und Wasser gewaschen, über Natriumsulfat getrocknet und letztlich erneut i.Vak. eingedampft. Der erhaltene Rückstand wird mit Diäthyläther verrieben und anschließend aus Essigsäure-äthylester/Hexan umkristallisiert; Ausbeute: 2,7 g (76% d.Th.). F: 202–205°; $[\alpha]_D^{26} = -13{,}3°$ (c = 2 in 1,4-Dioxan).

L-Asparaginyl-O-tert.-butyl-L-tyrosyl-S-trityl-L-cysteinyl-L-asparagin-2,4,6-trimethyl-benzylester [H-Asn-Tyr(tBu)-Cys(TRT)-Asn-OTMB][1]: 1 g TRT-Asn-Tyr(tBu)-Cys(TRT)-Asn-OTMB wird mit 12 *ml* Essigsäure/Wasser (5:1) übergossen, die Suspension bei Raumtemp. 6 Stdn. bis zur Lösung gerührt. Die Reaktionsmischung wird anschließend mit Kochsalz-Lösung verdünnt, das resultierende gummiartige Material nach Behandeln mit weiteren 3 10-*ml*-Portionen Kochsalz-Lösung zwischen Essigsäure-äthylester und n Natriumhydrogencarbonat-Lösung verteilt. Die abgetrennte Essigsäure-äthylester-Phase wird mit Wasser gewaschen, über Natriumsulfat getrocknet und letztlich i.Vak. eingedampft. Der erhaltene Rückstand ist nach Verreiben mit Diäthyläther für die nächstfolgende Umsetzung geeignet; Ausbeute: 0,62 g (Rohprodukt).

Während Schwierigkeiten der Herstellung von Asparagin-peptiden eindeutig nur in der Verknüpfungsstufe liegen (die Abspaltung der Schutzgruppe, die Isolierung der aminofreien Verbindungen und des freien Peptids gehorcht den üblichen Regeln; siehe dazu vorstehende experimentelle Beispiele), halten sie bei Peptiden mit amino-endständigem Glutamin auch bei den meist folgenden Schritten der Freisetzung der α-Amino-Funktion und einer erneuten „Aminoacylierung“ noch an. Die Neigung von Glutaminyl-aminosäuren und -peptiden zur „innermolekularen Transamidierung“ (= Pyrrolidon-Ringbildung)[2,3] ist der Grund für eine relativ geringe Stabilität[4–6] dieser Peptide. Die Entstehung von Pyrrolidonoyl-Verbindungen im Zuge der Demaskierung von N-Acyl-glutaminyl-peptiden konnte u. a. bei der

---

[1] R.G. Hiskey et al., J. Org. Chem. **37**, 2478 (1972).
[2] J.B. Gilbert, V.G. Price u. J.P. Greenstein, J. Biol. Chem. **180**, 209 (1949).
[3] J. Rudinger, Ang. Ch. **71**, 742 (1959).
[4] J. Rudinger u. Z. Pravda, Collect. czech. chem. Commun. **23**, 1947 (1958).
[5] F. Chillemi, G. **93**, 1079 (1963).
[6] K. Narita, Biochem. biophys. Acta **30**, 352 (1958).

hydrazinolytischen Dephthalylierung[1], bei der Ent-Trifluoracetylierung unter alkalischen oder Transaminierungs-Bedingungen[2], bei der Abspaltung von Benzyloxycarbonyl-Schutzgruppen auf hydrogenolytischem Weg[2] (s. S. 52; dort auch Methoden der Cyclisierungsunterdrückung) oder von tert.-Butyloxycarbonyl-Resten mittels acidolytischer Methoden[3–8] beobachtet werden. Essigsäure scheint diese Cyclisierung zu katalysieren[2,7]; möglicherweise tun dies auch benachbarte Imidazol-[8] und Guanido-Funktionen[9].

Abschließend darf die zusammenfassende Feststellung getroffen werden: Im Zuge des Aufbaus höherer Peptide durch Fragment-Kondensationen sollte man vermeiden

① als Kopfkomponente vorgesehene Fragmente mit C-terminalem Asparagin zu bauen

② als Amino-Komponente gedachte Fragmente mit amino-endständigem Glutamin zu erstellen.

36.720. Synthesen mit geschützter Carbonamid-Funktion

Die Amid-Gruppen von Asparagin und Glutamin geben im Zuge der Peptid-Synthese immer wieder zu Sorgen Anlaß: Dehydratisierung zur Nitril-Funktion (s. S. 704 u. II/106), Diacylamin-Bildung evtl. mit folgender $\alpha \rightarrow \omega$-Transpeptidierung (s. S. 677f.), saure und basische Hydrolyse und Pyrrolidon-Ringschluß (nur bei Glutamin, s. o. u. S. 376) seien genannt. Aber auch die Wasserstoffbrücken-bedingte Schwerlöslichkeit von Glutamin- und Asparagin-Verbindungen bzw. von Peptid-Derivaten mit den beiden Aminodicarbonsäure-ω-amiden in der Sequenz in manchen organischen Lösungsmitteln bringt vielfach Komplikationen mit sich (vgl. auch die Festkörper-Synthesen S. 377).

Nebenreaktionen und möglichst auch Schwerlöslichkeit sollten sich vermeiden bzw. beheben oder verringern lassen, wenn die Wasserstoff-Atome der primären Amid-Gruppe „reversibel" substituiert werden könnten. Als Amid-Schutzgruppen kommen solche Reste in Frage, deren Acidolyse erleichtert wird durch Ausbildung stabilisierter Kationen. Abspaltungen von Benzyl-, tert.-Butyl- und Tetrahydropyranyl-Gruppen sind jedoch nur unter „zu drastischen" Bedingungen erzielbar – diese sollten aber bei subst. Benzyl-Resten mit Elektronen-liefernden Substituenten in α-, 2- und 4-Stellung (allein oder kombiniert) auf ein brauchbares Niveau gesenkt werden können.

36.721. Der N_{am}-Xanthenyl-(9)-[XANT]-Rest

Die bekannte Umsetzung von Carbonsäure-amiden und 9-Xanthydrol in Essigsäure zu den entsprechenden N-Xanthenyl-(9)-amiden[10–12] nutzten Akabori et al.[13,14] für eine rever-

---

[1] E. Schröder u. E. Klieger, A. **673**, 208 (1964).
[2] E. Wünsch u. F. Drees, B. **99**, 110 (1966).
[3] H. Takashima, V. du Vigneaud u. R.B. Merrifield, Am. Soc. **90**, 1323 (1968).
[4] R.B. Merrifield, Adv. Enzymol. **32**, 221 u. 249 (1969).
[5] M. Manning, Am. Soc. **90**, 1348 (1968); Fußnote 16.
[6] E. Wünsch, G. Wendlberger u. A. Högel, B. **104**, 2430 (1971).
[7] H.C. Beyerman, T.S. Lie u. C.J. van Veldhuizen, *Peptides* 1971, Proc. 11th Europe Peptide Symposium Vienna 1971, North-Holland Publ. Co., Amsterdam **1973**, S. 162.
[8] F. Schneider, H. **320**, 82 (1960).
[9] E. Wünsch, unveröffentlicht.
[10] M.R. Fosse u. M.A. Haller, G.R. **145**, 813 (1907).
[11] R.F. Phillips u. B.M. Pitt, Am. Soc. **65**, 1355 (1943).
[12] S.R. Dickmann u. W.L. Westcott, J. Biol. Chem. **210**, 481 (1950).
[13] S. Akabori, S. Sakakibara u. Y. Shimonishi, Bl. chem. Soc. Japan **34**, 739 (1961).
[14] Y. Shimonishi, S. Sakakibara u. S. Akabori, Bl. chem. Soc. Japan **35**, 1966 (1962).

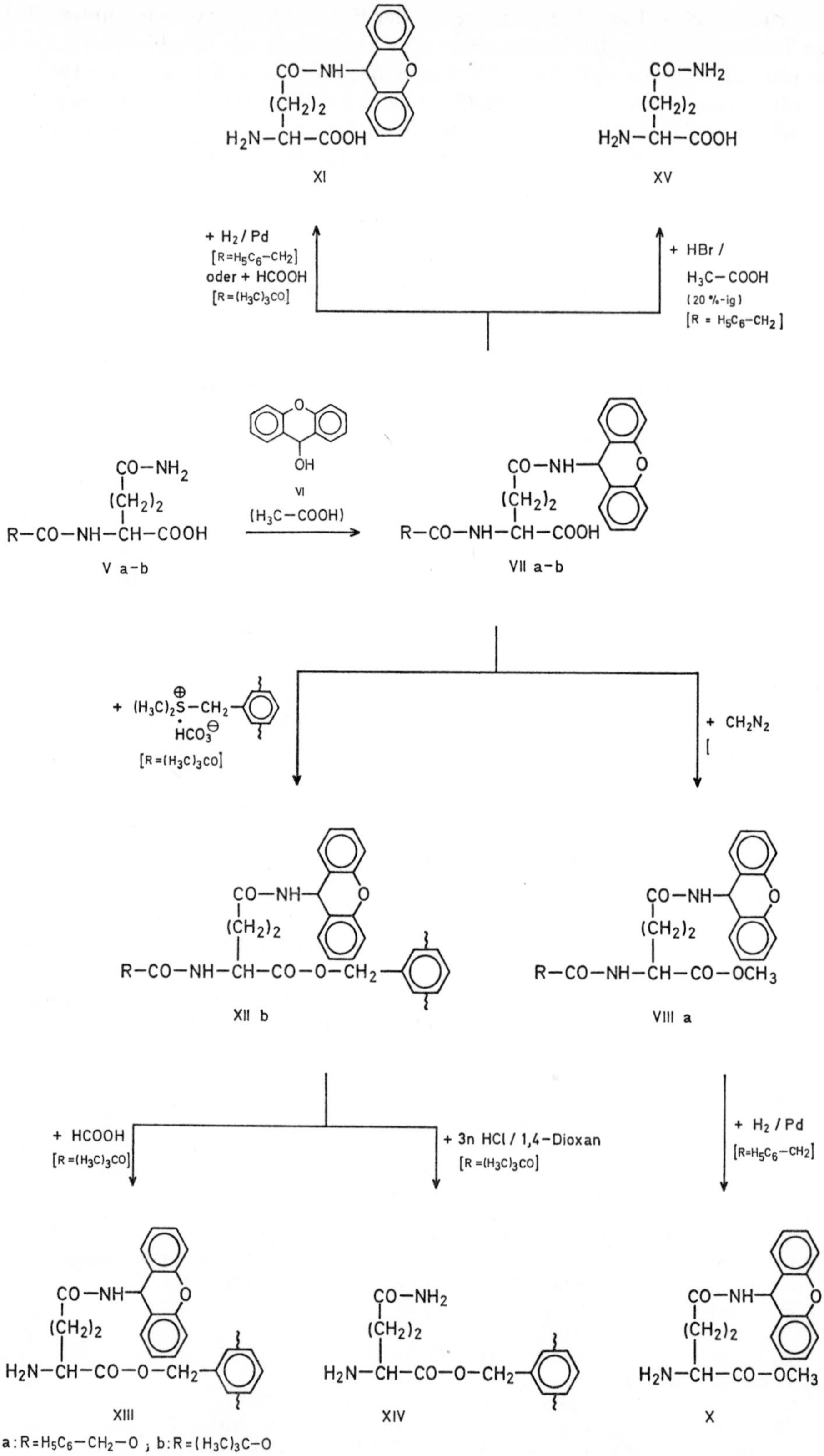

$H_2N-CH(COOH)-(CH_2)_2-CO-NH-$Xanthyl

XI

$H_2N-CH(COOH)-(CH_2)_2-CO-NH_2$

XV

$+ H_2/Pd$ $[R=H_5C_6-CH_2]$ oder $+ HCOOH$ $[R=(H_3C)_3CO]$

$+ HBr/H_3C-COOH$ (20 %-ig) $[R = H_5C_6-CH_2]$

$R-CO-NH-CH(COOH)-(CH_2)_2-CO-NH_2$

V a–b

$+$ Xanthydrol (VI) $(H_3C-COOH)$ →

$R-CO-NH-CH(COOH)-(CH_2)_2-CO-NH-$Xanthyl

VII a–b

$+ (H_3C)_2\overset{\oplus}{S}-CH_2-C_6H_4$(Polymer) $\cdot HCO_3^{\ominus}$ $[R=(H_3C)_3CO]$

$+ CH_2N_2$ [

$R-CO-NH-CH(CO-O-CH_2-C_6H_4$(Polymer)$)-(CH_2)_2-CO-NH-$Xanthyl

XII b

$R-CO-NH-CH(CO-OCH_3)-(CH_2)_2-CO-NH-$Xanthyl

VIII a

$+ HCOOH$ $[R=(H_3C)_3CO]$

$+ 3n\ HCl/1,4$-Dioxan $[R=(H_3C)_3CO]$

$+ H_2/Pd$ $[R=H_5C_6-CH_2]$

$H_2N-CH(CO-O-CH_2-C_6H_4$(Polymer)$)-(CH_2)_2-CO-NH-$Xanthyl

XIII

$H_2N-CH(CO-O-CH_2-C_6H_4$(Polymer)$)-(CH_2)_2-CO-NH_2$

XIV

$H_2N-CH(CO-OCH_3)-(CH_2)_2-CO-NH-$Xanthyl

X

a: $R=H_5C_6-CH_2-O$; b: $R=(H_3C)_3C-O$

sible Maskierung der Amid-Funktion von Glutamin; N-Acyl-glutamine Va u. b reagieren in essigsaurer Lösung mit 9-Xanthydrol (VI) innerhalb von 2 Tagen bei Raumtemp.[1] oder schon unter 1 stdgm. Erhitzen auf 80–85°[2] zu N-Acyl-glutaminsäure-Cγ-xanthenyl-(9)-amiden VIIa u. b, die unter Anwendung von Carbodiimid-[2] und Aktivester-Verfahren[3] mit Aminosäureestern verknüpft werden können.

Z-Gln(XANT)-OH (VIIa) läßt sich mit Diazomethan zu *Z-Gln(XANT)-OMe* verestern; nach selektiver Entfernung der Benzyloxycarbonyl-Schutzgruppen aus VIIa und VIIIa durch katalytische Hydrogenolyse stehen mit den beiden „amid-maskierten" Verbindungen, *H-Gln(XANT)-OH* (XI) und *H-Gln(XANT)-OMe* (X), zwei Amino-Komponenten zum peptid-synthetischen Einsatz bereit.

Dorman et al.[2] gelang ferner die Aufhängung von BOC-Gln(XANT)-OH auf das „Merrifield-Harz" zu *BOC-Gln(XANT)-OBØ* (XIIb) in 87–95%-iger Ausbeute – allerdings nur unter Veresterung mit Dimethyl-(polymer-benzyl)-sulfonium-Hydrogencarbonat als Polymer-benzyl-Donator.

Die Aufhebung der Amid-Maskierung gelingt mittels Bromwasserstoff/Essigsäure (20%-ig)[1] – so erhält man bei gleichzeitiger Abspaltung der Amin-Schutzgruppe aus Z-Gln(XANT)-OH (VIIa) *Glutamin* (XV) – oder mittels Chlorwasserstoff/1,4-Dioxan (3n Lösung)[2]; z. B. isoliert man unter gleichzeitiger Entacylierung *H-Gln-OBØ* (XIV) aus dem entsprechenden N-tert.-Butyloxycarbonyl-Derivat XIIb, wobei keinerlei Pyrrolidon-Bildung beobachtet wird. Eine selektive Acidolyse des N_α-tert.-Butyloxycarbonyl-Restes sowohl bei VIIb als auch XIIb gelang jedoch nicht[2]: nach Einwirkung von Trifluoressigsäure auf BOC-Gln(XANT)-OH (VIIb) konnte nur 8% *H-Gln(XANT)-OH* (XI) neben 61% freiem *Glutamin* (XV) gewonnen werden. Bessere Ergebnisse erbrachte mit 87% an XI und 8% an XV die Acidolyse mit 98–100%-iger Ameisensäure; die gleiche Reaktion mit BOC-Gln(XANT)-OBØ (VIIb) über 3 Stdn. verlief weniger erfolgreich; nur zu 11% wurde die α-Amino-Funktion unter Bildung von *H-Gln(XANT)-OBØ* (XIIIb) freigesetzt. Damit war aufgezeigt, daß ein „permanenter" Xanthenyl-Schutz der Amid-Funktion des Glutamins in Verbindung mit einer N-tert.-Butyloxycarbonyl-Maskierung bei der Festkörper-Synthese nach Merrifield nicht erreichbar ist.

N-Benzyloxycarbonyl-L-glutaminsäure-Cγ-xanthenyl-(9)-amid [Z-Gln(XANT)-OH][1]: 13,9 g Z-Gln-OH und 9,8 g 9-Xanthydrol in 200 *ml* Essigsäure (100%-ig) werden bei Raumtemp. 2 Tage lang stehen gelassen; das ausgefallene gelatinöse Produkt wird aufs Filter gebracht und anschließend im Vakuumexsiccator über Kaliumhydroxid getrocknet. Das resultierende farblose Pulver wird letztlich aus Tetrahydrofuran umkristallisiert; Ausbeute: 18,5 g (80% d. Th.); F: 182–183° (farbloses Pulver); $[\alpha]_D^{17} = -5,7°$ (c = 5,7 in Dimethylformamid).

Glycyl-L-glutamin [H-Gly-Gln-OH][1]: 1,5 g Z-Gly-Gln(XANT)-OH wird wie üblich mit 4,2 g Bromwasserstoff/Essigsäure (28,1%) behandelt. Nach 1 stdgm. Stehen bei Raumtemp. wird die Reaktionslösung mit absol. Diäthyläther versetzt; das ausgefallene farblose Material wird sorgfältig mit Diäthyläther gewaschen und dann in Wasser aufgenommen. Die erhaltene Lösung wird von geringen Mengen unlöslichem Material filtriert; das Filtrat läßt man daraufhin eine Austauscher-Säule (gefüllt mit dem schwach basischen Amberlite IR-4B) passieren (Waschmittel = Wasser). Der erhaltene wäßrige Durchlauf wird gefriergetrocknet; aus der Lösung des erhaltenen Materials in wenig Wasser fallen nach Zugabe von Äthanol feine farblose Kristalle an; Ausbeute: 0,44 g (70% d. Th., ber. für ein Monohydrat); F: 206° (Zers.); $[\alpha]_D^{15} = -1,8° \pm 0,5°$ (c = 3,8 in Wasser).

---

[1] Y. Shimonishi, S. Sakakibara u. S. Akabori, Bl. chem. Soc. Japan **35**, 1966 (1962).

[2] L.C. Dorman, D.A. Nelson u. R.C.L. Chow, *Progress in Peptide Research*, Vol. II, S. 65, Gordon and Breach, New York 1972.

[3] F. Marchiori et al., Soc. [C] **1967**, 81.

Akabori et al.[1] weisen jedoch auch darauf hin, daß die Verwendung der N_{am}-Xanthenyl-amid-Derivate eine „schwache" Stelle besitzt: Schwerlöslichkeit in organischen Solventien, die bereits eine Ermittlung der spezifischen Drehwerte der Verbindungen erschwerte und an der letztlich auch das Bemühen scheiterte, Z-Asn(XANT)-OMe durch katalytische Entacylierung in H-Asn(XANT)-OMe überzuführen.

36.722. N_{am}-(2,4-Dimethoxy-benzyl)-[24DB]- und N_{am}-(2,4,6-Trimethoxy-benzyl)-[TMOB]-Schutzgruppen

Wie Weygand et al.[2,3] in „vergleichenden" Studien zeigen konnten, ist eine meßbare Abspaltung eines Benzyl-Restes vom Amid-Stickstoff nur dann vorhanden, wenn mindestens zwei Elektronen-liefernde Substituenten in 2- und 4-Stellung des Phenyl-Ringes eingebaut sind. Praktische Nutzbarkeit war letztlich auf eine N_{am}-2,4-Dimethoxy-benzyl-[4] oder eine N_{am}-2,4,6-Trimethoxy-benzyl-Maskierung einzuschränken, wobei für den Schutz der Amid-Funktion von Glutamin und Asparagin letztere Schutzgruppe und der 2,4-Dimethoxy-benzyl-Rest in „Doppel-Ausführungen" am geeignetsten sein sollen[5]. Vor allem die N_{am}-Bis-[2,4-dimethoxy-benzyl]-Maskierung von Glutamin und Asparagin – beide Wasserstoffe der Amid-Funktion sind also ersetzt – schafft für Derivate und Peptid-Zwischenprodukte eine sehr gute Erhöhung der Löslichkeit in organischen Solventien und außerdem Sicherheit (diese wird für das Asparagin-Derivat von Pietta et al.[4] verneint) gegenüber alkalisch-bedingten Diacylamin-Ringschlüssen.

Zur Herstellung[4,5] genannter Glutamin(Asparagin)-Verbindungen dient vor allem die Umsetzung von N-Acyl-aminodicarbonsäure-α-benzylestern XVI (leicht zugänglich nach der Methode von Nefkens und Nivard[6] s. S. 669) mit 2,4-Dimethoxy-benzylamin (XVII), Bis-[2,4-dimethoxy-benzyl]-amin (XVIII) oder 2,4,6-Trimethoxy-benzylamin (XIX) nach der Dicyclohexylcarbodiimid/N-Hydroxy-succinimid-[7] oder der Inamin-Methode[8]; die erhaltenen N-Acyl-aminodicarbonsäure-C_ω-subst.-amide-α-benzylester XX werden – meist ohne nähere Charakterisierung – entweder alkalisch zu N-Acyl-aminodicarbonsäure-C_ω-subst.-amiden XXI verseift oder bei N-4-Methoxy-benzyloxycarbonyl-Verbindungen acidolytisch mit Chlorwasserstoff/Methanol (1n Lösung) zu Aminodicarbonsäure-C_ω-subst.-amid-α-benzylestern entacyliert.

Mit den Glutamin(Asparagin)-Derivaten XXI und XXII stehen für die Peptidsynthese nunmehr geeignete Startmaterialien zur Verfügung;

---

[1] Y. Shimonishi, S. Sakakibara u. S. Akabori, Bl. chem. Soc. Japan **35**, 1966 (1962).
[2] F. Weygand et al., Tetrahedron Letters **1966**, 3483.
[3] F. Weygand et al. B. **101**, 3623 (1968).
[4] P.G. Pietta, P. Cavallo u. G.R. Marshall, J. Org. Chem. **36**, 3966 (1971).
[5] F. Weygand, W. Steglich u. J. Bjarnason, B. **101**, 3642 (1968).
[6] G.H.L. Nefkens u. R.J.F. Nivard, R. **83**, 199 (1964).
[7] E. Wünsch u. F. Drees, B. **99**, 110 (1960).
F. Weygand, D. Hoffmann u. E. Wünsch, Z. Naturf. **21b**, 426 (1966).
[8] R. Buyle u. H.E. Viehe, Ang. Ch. **76**, 572 (1964).
F. Weygand et al., B. **98**, 3632 (1965).

XVI

$$R{-}CO{-}NH{-}CH(COOH{-}(CH_2)_n){-}CO{-}O{-}CH_2{-}C_6H_5$$

\+

H_3CO, $H_2N{-}CH_2{-}C_6H_3{-}OCH_3$ (XVII) oder $HN(CH_2{-}C_6H_3(OCH_3)_2)_2$ (XVIII) oder $H_2N{-}CH_2{-}C_6H_2(OCH_3)_3$ (XIX)

XVII

XVIII

XIX

$+\ H_3C{-}C{\equiv}C{-}N(C_2H_5)_2$ usw.

$$R{-}CO{-}NH{-}CH((CH_2)_n{-}CO{-}NR^1R^2){-}CO{-}O{-}CH_2{-}C_6H_5$$

XX

$+\ HCl / CH_3OH$ [bei $R = H_3CO{-}C_6H_4{-}CH_2{-}O$]

$+\ OH^{\ominus}$

$$H_2N{-}CH((CH_2)_n{-}CO{-}NR^1R^2){-}CO{-}O{-}CH_2{-}C_6H_5$$

XXII

$$R{-}CO{-}NH{-}CH((CH_2)_n{-}CO{-}NR^1R^2){-}COOH$$

XXI

$+\ H_2 / Pd$ [bei $R = H_5C_6{-}CH_2{-}O$]

$$H_2N{-}CH((CH_2)_n{-}CO{-}NR^1R^2){-}COOH$$

XXIII

$n = 1, 2$

$R = H_5C_6{-}CH_2{-}O$, C_4H_9O, $H_3CO{-}C_6H_4{-}CH_2{-}O$

$R^1 = 2,4{-}(H_3CO)_2{-}C_6H_3{-}CH_2{-}O$; $R^2 = H$

$R^1 = R^2 = 2,4{-}(H_3CO)_2{-}C_6H_3{-}O$

$R^1 = 2,4,6{-}(H_3CO)_3{-}C_6H_2{-}CH_2{-}O$; $R^2 = H$

die Liste dieser wird letztlich mit Erstellung der freien, nur noch amid-subst. Aminodicarbonsäure-ω-amide XXIII fortgesetzt, z. B. wird aus *Z-Asn(24DB)-OH* durch katalytische Hydrogenolyse H-Asn(24DB)-OH[1] gewonnen.

N-(4-Methoxy-benzyloxycarbonyl)-L-asparaginsäure(Cβ-bis-[2,4-dimethoxy-benzyl]-amid)-α-benzylester [MOZ-Asn(24DB$_2$)-OBZL][2]: Zu 6,25 g MOZ-Asp-OBZL und 4,9 g Bis-[2,4-dimethoxy-benzyl]-amin – zugänglich durch Kondensation von 2,4-Dimethoxy-benzaldehyd und 2,4-Dimethoxy-benzylamin und anschließende Natriumborhydrid-Reduktion der gebildeten Schiffschen Base[3] – gelöst in 51 *ml* Tetrahydrofuran werden innert 1 Stde. unter Rühren 1,89 g 1-Diäthylamino-propin-(1) in 15 *ml* Tetrahydrofuran getropft. Nach Verdampfen des Lösungsmittels i. Vak. wird in Essigsäure-äthylester aufgenommen und je 2mal mit verd. Citronensäure- und Natriumhydrogencarbonat-Lösung sowie Wasser üblich ausgeschüttelt. Der nach Eindampfen der mit Natriumsulfat getrockneten Essigsäure-äthylester-Lösung verbleibende Rückstand wird zur Entfernung des gebildeten Propionsäure-diäthylamids gut mit Petroläther gewaschen, wonach das Asparagin-Derivat als ein beim Trocknen erstarrendes Öl erhalten wird; Ausbeute: 9,1 g (85% d.Th.).

Auf gleichem oder nur wenig abgeändertem Wegen sind *Z-Asn(24DB$_2$)-OBZL* und die analogen Glutamin-Derivate[2], unter Verwendung von 2,4-Dimethoxy-benzylamin (XVII; gewonnen aus 2,4-Dimethoxy-benzylaldehyd bzw. -benzonitril durch Hydrierung in ammoniakalischem Medium[3] oder aus 2,4-Dimethoxy-benzaldoxim durch Natrium-bis-[2-methoxy-äthoxy]-aluminiumhydrid-Reduktion[1]) sowohl Z-Asn(24DB)-OBZL als auch *BOC-Asn(24DB)-OBZL* und die analogen Glutamin-Verbindungen[1] und letzten Endes unter Heranziehung von 2,4,6-Trimethoxy-benzylamin (XIX)[3] *MOZ-Asn(TMOB)-OBZL* synthetisiert worden[3] (s. auch Schema S. 715).

L-Asparaginsäure(Cβ-bis-[2,4-dimethoxy-benzyl]-amid)-α-benzylester [H-Asn(24DB$_2$)-OBZL][2]: 2,0 g MOZ-Asn(24DB$_2$)-OBZL werden mit 15 *ml* Chlorwasserstoff/Methanol (n Lösung) und 4 *ml* Benzol 4 Stdn. bei Raumtemp. stehen gelassen. Eindampfen der Lösung i. Vak. auf ein Drittel des Vol., Zugabe von etwas 1,4-Dioxan und erneutes Einengen lieferte auf Zusatz von Diäthyläther ein öliges Produkt; es wird in Wasser aufgenommen, die Lösung mit Natriumhydrogencarbonat alkalisch gemacht und mit Essigsäure-äthylester extrahiert. Eindampfen des Extrakts i. Vak. hinterläßt ein Öl (es wird ohne Reinigung weiter verwendet s. S. 717); Ausbeute: 1,45 g (95% d.Th.).

N-(4-Methoxy-benzyloxycarbonyl)-L-glutaminsäure(Cγ-bis-[2,4-dimethoxy-benzyl]-amid) [MOZ-Gln(24DB$_2$)-OH][2]: 3,95 g MOZ-Gln(24DB$_2$)-OBZL werden durch Auflösen in 300 *ml* n Natronlauge/1,4-Dioxan (1:1) und 5 stdgs. Stehenlassen wie üblich verseift. Einengen der Lösung i. Vak., Verdünnen mit Wasser, 2maliges Ausschütteln mit Diäthyläther und Ansäuren der restlichen Lösung liefert ein amorphes Produkt, das nach Waschen mit Wasser aus Methanol/Wasser umgefällt wird; Ausbeute: 3,4 g (98% d.Th.); F: 65–70° (amorphes Pulver); $[\alpha]_{516}^{25} = -8{,}2°$ (c = 5 in Methanol).

Die Abspaltung der hydrogenolyse-stabilen Amid-Schutzgruppen von den nach Carbodiimid-[2], Inamin-[2] oder Aktivester-Verfahren[1,4,5] synthetisierten geschützten Peptiden muß mit Trifluoressigsäure, zweckmäßig unter Zusatz von Anisol etc., über mehrere Stunden bei Raumtemperatur (oft 30 und mehr!) oder unter Rückflußkochen bzw. letztlich mit flüssigem Fluorwasserstoff über mindestens 3 Stdn.[1] erfolgen, d. h. also unter verhältnismäßig drastischen Bedingungen. Weygand et al.[3] postulieren – unter Annahme einer Protonen-Solvolyse nach S_N1-Mechanismus – einen vollständigen Ablauf der Reaktion entweder unter Beteiligung von Trifluoressigsäure-subst.-benzylestern mit „Benzylpolymer-Bildung" (s. Schema) oder insbesondere bei N_{am}-2,4,6-Trimethoxy-benzyl-Maskierung unter Zusatz von Anisol bzw. Resorcin-dimethyläther als „Fänger" der subst. Benzyl-Kationen.

---

[1] P.G. Pietta, P. Cavallo u. G.R. Marshall, J. Org. Chem. **36**, 3966 (1971).
[2] F. Weygand, W. Steglich u. J. Bjarnason, B. **101**, 3642 (1968).
[3] F. Weygand et al., B. **101**, 3623 (1968).
[4] P.G. Pietta, F. Chillemi u. A. Corbellini, B. **101**, 3649 (1968).
[5] F. Chillemi, P.G. Pietta u. A.C. Corbellini, *Peptides* 1968, Proc. 9th Europ. Peptide Symposium Orsay, North-Holland Publ. Co., Amsterdam **1968**, S. 107.

R_n-C$_6$H$_4$-CH$_2$-NH-C(=O)-R^1 ⇌ ($H^\oplus$) R_n-C$_6$H$_4$-CH$_2$-N(H)$\stackrel{\oplus}{=}$C(OH)-R^1

⇅

R_n-C$_6$H$_4$-CH$_2$-O-C(=O)-CF$_3$ ⇌ ($F_3C-COOH$) R_n-C$_6$H$_4$-CH$_2^{\oplus}$ + H_2N-C(=O)-R^1

↓

„subst. Benzyl–Polymere"

R=OCH$_3$ (n=2 oder 3)
2,4- oder 2,4,6-Subst.

L-Glutaminyl-L-asparagin [H-Gln-Asn-OH]:

N-(4-Methoxy-benzyloxycarbonyl)-L-glutamyl (Cγ-bis-[2,4-dimethoxy-benzyl]-amid)-L-asparaginsäure(Cβ-bis-[2,4-dimethoxy-benzyl]-amid)-α-benzylester [MOZ-Gln(24DB$_2$)-Asn(24DB$_2$)-OBZL][1]: 1,72 g MOZ-Gln(24DB$_2$)-OH und 1,40 g H-Asn(24DB$_2$)-OBZL in 30 *ml* Tetrahydrofuran werden innerhalb 1 Stde. unter Rühren mit 0,35 g 1-Diäthylamino-propin-(1) in wenig Tetrahydrofuran tropfenweise versetzt. Nach Verdampfen des Lösungsmittels i. Vak. wird der Rückstand in Essigsäure-äthylester aufgenommen und je 2 mal mit verd. Citronensäure- und Natriumhydrogencarbonat-Lösung sowie Wasser ausgeschüttelt. Der nach Eindampfen der mit Natriumsulfat getrockneten Essigsäure-äthylester-Lösung verbleibende Rückstand wird zur Entfernung des gebildeten Propionsäure-diäthylamids gut mit Petroläther gewaschen; das anfallende Öl erstarrt beim Trocknen schaumartig; Ausbeute: 2,95 g (96% d.Th.); $[\alpha]_{546}^{22} = 15{,}2°$ (c = 5 in Essigsäure-äthylester).

N-(4-Methoxy-benzyloxycarbonyl)-L-glutamyl(Cγ-bis-[2,4-dimethoxy-benzyl]-amid)-L-asparaginsäure-Cβ-bis-[2,4-dimethoxy-benzyl]-amid[MOZ-Gln(24DB$_2$)-Asn(24DB$_2$)-OH][1]: 1,95 g MOZ-Gln(24DB$_2$)-Asn(24DB$_2$)-OBZL werden bei Raumtemp. innerhalb von 2 Stdn. mit 100 *ml* n Natronlauge/1,4-Dioxan (1:1) wie üblich verseift. Wegen der schlechten Löslichkeit des Natriumsalzes wird bei der Aufarbeitung nicht eingeengt, sondern direkt mit Diäthyläther ausgeschüttelt. Aus der verbleibenden restlichen Phase fällt das N-Acyl-peptid beim Ansäuern mit Citronensäure amorph aus; es wird beim Rühren in Methanol kristallin und anschließend aus warmem Methanol/Wasser umgefällt; Ausbeute: 1,7 g (95% d.Th.); F: 92–95°; $[\alpha]_{546}^{22} = +32{,}0°$ (c = 3 in 1,4-Dioxan).

L-Glutaminyl-L-asparagin [H-Gln-Asn-OH][1]: 0,33 g MOZ-Gln(24DB$_2$)-Asn(24DB$_2$)-OH werden mit 5 *ml* Trifluoressigsäure übergossen, das Reaktionsgemisch 30 Stdn. bei Raumtemp. stehen gelassen und anschließend i. Vak. eingedampft. Die Lösung des erhaltenen Rückstandes in Wasser wird mit Chloroform extrahiert, mit Amberlite-IR 45 neutralisiert und anschließend i. Vak. eingedampft, der erhaltene Rückstand schließlich aus Wasser/Äthanol umkristallisiert; Ausbeute: 0,061 g (74% d. Th.); F: 196–197° (Zers.); $[\alpha]_{546}^{22} = +17{,}5°$ (c = 1 in Wasser).

36.723. Der N_{am}-4,4'-Dimethoxy-dityl-[DOD]-Rest

Den zunächst wenig glücklichen Versuch einer Amid-Maskierung mit dem Diphenylmethyl-Rest – die reversible Gestaltung ist nur noch mit flüssigem Fluorwasserstoff möglich[2] – konnten König und Geiger[3] erfolgreich erweitern mit der 4,4'-Dimethoxy-dityl-

[1] F. Weygand, W. Steglich u. J. Bjarnason, B. **101**, 3642 (1968).
[2] S. Sakakibara et al., Bl. chem. Soc. Japan **40**, 2164 (1967).
Man vgl. dazu F. Weygand et al., B. **101**, 3623 (1968).
[3] W. König u. R. Geiger, B. **103**, 2041 (1970).

Schutzgruppe; als ebenfalls zu schwer spaltbar erwies sich die 4,4'-Dimethyl-dityl-amid-Bindung[1].

Fast ebenso leicht wie die Einführung des Xanthenyl-(9)-Restes gelingt die N-Monosubstitution der Amid-Gruppe von N-Acyl-aminodicarbonsäure-C_ω-amiden XXIVa–b mittels 4,4'-Dimethoxy-benzhydrol (XXV) in Essigsäure unter Schwefelsäure-, arom. Sulfonsäure- oder Bortrifluorid-Diäthylätherat-Katalyse zu *N-Acyl-glutaminsäure-*C*γ*- bzw. *-asparaginsäure-*C*β-4,4'-dimethoxy-dityl-amiden* (XXVIa bzw. b). Die Erstellung dieses 4,4'-Dimethoxy-dityl-Schutzes der Amid-Funktion ist auch im Peptid-Verband und am unsubstituierten Asparagin (XXVIIa) und Glutamin (XXVIIb) möglich; im letzteren Falle gelingt die Umsetzung zu H-Asn(DOD)-OH (XXVIIIa) und H-Gln(DOD)-OH (XXVIIIb) zwar nur mit 59- bzw. 30%-iger Ausbeute, doch im Vergleich zu dem Wege über die N-Acyl-Derivate XXIV und XXVI (Acyl = C_7H_7OCO-) mit „stark verkürztem" Aufwand (zwei Stufen weniger s. Schema S. 719).

4,4'-Dimethoxy-benzhydrol[1]: Zu einer Lösung von 26 g 4,4'-Dimethoxy-benzophenon in 1500 *ml* 96%-igem Äthanol gibt man in der Siedehitze portionsweise 8 g Natriumborhydrid, läßt anschließend 2–3 Stdn. unter Rückfluß kochen, filtriert vom Unlöslichen ab und gießt das Filtrat in 4 *l* Wasser ein. Nach Kühlen im Eisbad wird der gebildete Niederschlag abfiltriert, die noch feuchte Substanz in Essigsäure-äthylester gelöst, die Lösung über Natriumsulfat getrocknet und eingeengt. Der erhaltene Rückstand wird mit Petroläther verrieben; Ausbeute: 76,8 g (75% d.Th.); F: 72–73°.

N-Benzyloxycarbonyl-L-glutaminsäure-Cγ-4,4'-dimethoxy-dityl-amid [Z-Gln(DOD)-OH][1]: Zu einer Lösung von 28 g Z-Gln-OH und 24 g 4,4'-Dimethoxy-benzhydrol in 250 *ml* Essigsäure gibt man bei Raumtemp. 0,5 *ml* konz. Schwefelsäure, läßt über Nacht bei Raumtemp. stehen und gießt dann in 750 *ml* Wasser. Dabei scheidet sich ein Öl aus, das bald kristallisiert. Der Kristallbrei wird abgesaugt, dessen Essigsäure-äthylester-Lösung mit Wasser ausgeschüttelt, mit Natriumsulfat getrocknet und i. Vak. eingedampft. Der Rückstand wird mit Diäthyläther verrieben und abfiltriert; er kann aus Tetrahydrofuran/Petroläther umgefällt werden; Ausbeute: 45,8 g (90% d.Th.); F: 117–120°; $[\alpha]_D^{22} = -6{,}75°$ (c = 2 in Dimethylformamid).

L-Glutaminsäure-Cγ-4,4'-dimethoxy-dityl-amid [H-Gln(DOD)-OH][1]: Zu 1,45 g Glutamin und 2,4 g 4,4'-Dimethoxy-benzhydrol in 50 *ml* Essigsäure gibt man bei Raumtemp. 0,54 *ml* konz. Schwefelsäure und rührt ~ 2 Stdn. Danach gibt man 2 g wasserfreies Natriumacetat zu und engt i. Vak. ein. Der Rückstand wird zwischen Natriumacetat-Lösung und Essigsäure-äthylester verteilt. Über Nacht fällt im Eisschrank aus den beiden Phasen ein Niederschlag aus, der abfiltriert und mit Wasser gewaschen wird; Ausbeute: 1,15 g (31% d.Th.); F: 205–206°.

Die N-Acyl-aminodicarbonsäure-Cω-4,4'-dimethoxy-dityl-amide XXVI lassen sich mit Aminokomponenten mittels Carbodiimid-(incl. Kombinationsverfahren), Inamin- und Aktivester-Methoden „nebenproduktfrei" verknüpfen[1–5] (s. dazu auch S. 538).

L-Glutamyl(Cγ-4,4'-dimethoxy-dityl-amid)-L-valyl-glycin-tert.-butylester-Hydroacetat [H-Gln(DOD)-Val-Gly-OtBu · Ac-OH]:

N-Benzyloxycarbonyl-L-glutaminsäure(Cγ-4,4'-dimethoxy-dityl-amid)-(N-hydroxy-succinimid)-ester [Z-Gln(DOD)-OSU][5]: 15,2 g Z-Gln(DOD)-OH und 3,45 g N-Hydroxy-succinimid werden in 60 *ml* Dimethylformamid bei 0° mit 6,6 g Dicyclohexylcarbodiimid versetzt. Man rührt 2 Stdn. bei 0° und 1 Stde. bei Raumtemp., filtriert nach Abkühlen vom ausgefallenen N,N'-Dicyclohexylharnstoff ab, dampft das Filtrat i. Vak. ein und kocht den Rückstand 3mal mit Propanol-(2) aus; Ausbeute: 14,6 g (81% d.Th.); F: 197–199°; $[\alpha]_D^{22} = -16{,}3°$ (c = 1 in Dimethylacetamid).

N-Benzyloxycarbonyl-L-glutamyl(Cγ-4,4'-dimethoxy-dityl-amid)-L-valyl-glycin-tert.-butylester [Z-Gln(DOD)-Val-Gly-OtBu][5]: Eine Lösung von H-Val-OtBu (Hemihydrat) – erhalten durch katalytische Hydrogenolyse (Palladium-Bariumsulfat) von 11,2 g Z-Val-Gly-OtBu in

---

1 W. König u. R. Geiger, B. **103**, 2041 (1970).
2 R. Geiger et al., Biochem. Biophys. Research Commun. **45**, 767 (1971).
3 W. König, B. **106**, 193 (1973).
4 R. Geiger u. A. Volk, B. **106**, 199 (1973).
5 G. Jäger, B. **106**, 206 (1973).

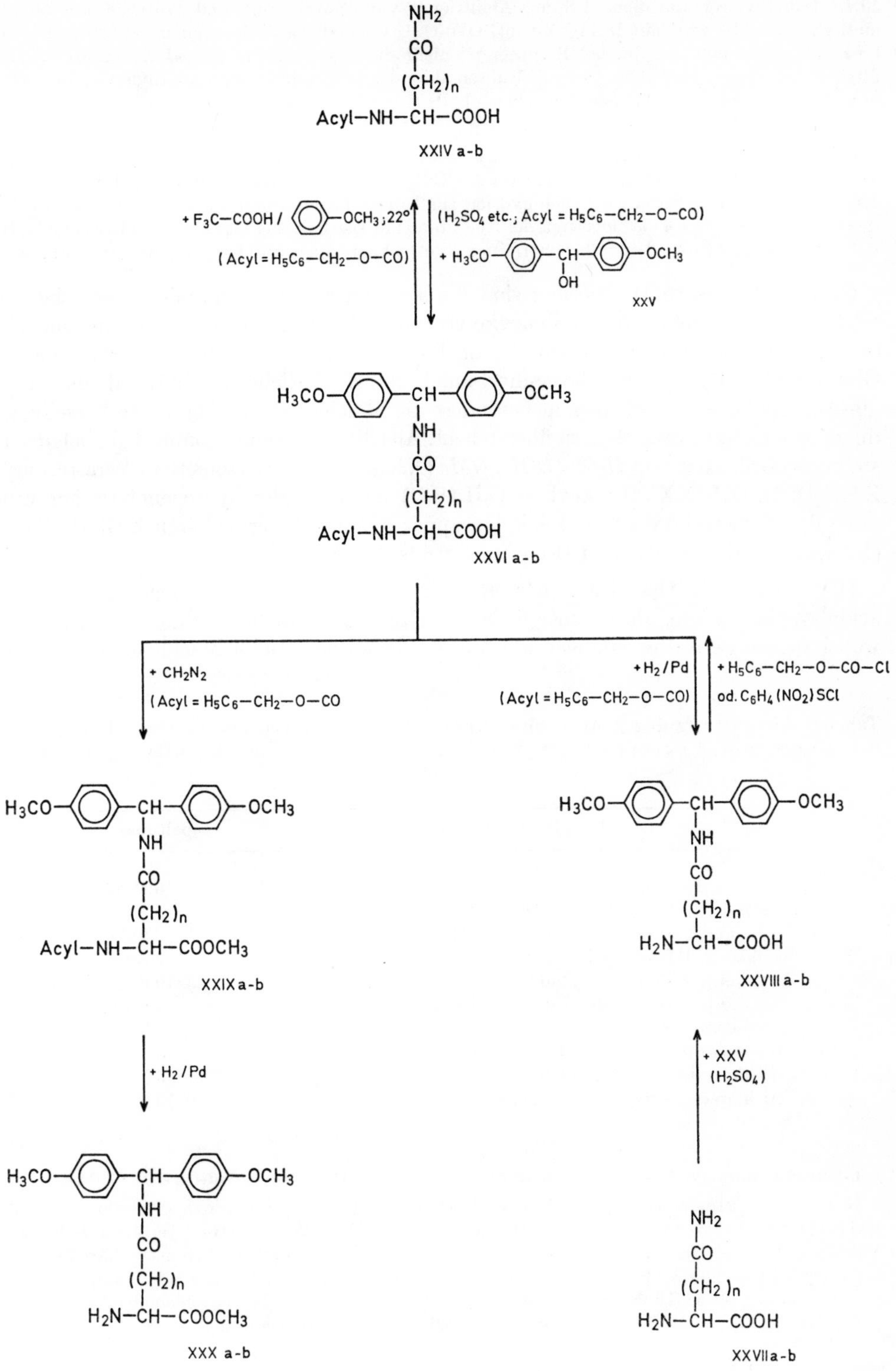

NH_2–CO–$(CH_2)_n$–CH(COOH)–NH–Acyl

XXIV a-b

↑ $+ F_3C–COOH$ / C_6H_5–OCH_3; 22° ($Acyl = H_5C_6–CH_2–O–CO$)

↓ (H_2SO_4 etc.; $Acyl = H_5C_6–CH_2–O–CO$) + $H_3CO–C_6H_4–CH(OH)–C_6H_4–OCH_3$ XXV

$H_3CO–C_6H_4–CH(–C_6H_4–OCH_3)$–NH–CO–$(CH_2)_n$–CH(COOH)–NH–Acyl

XXVI a-b

↓ $+ CH_2N_2$ ($Acyl = H_5C_6–CH_2–O–CO$

↓ $+ H_2/Pd$ ($Acyl = H_5C_6–CH_2–O–CO$)

↑ $+ H_5C_6–CH_2–O–CO–Cl$ od. $C_6H_4(NO_2)SCl$

$H_3CO–C_6H_4–CH(–C_6H_4–OCH_3)$–NH–CO–$(CH_2)_n$–CH($COOCH_3$)–NH–Acyl

XXIX a-b

$H_3CO–C_6H_4–CH(–C_6H_4–OCH_3)$–NH–CO–$(CH_2)_n$–CH(COOH)–$NH_2$

XXVIII a-b

↓ $+ H_2/Pd$

↑ + XXV (H_2SO_4)

$H_3CO–C_6H_4–CH(–C_6H_4–OCH_3)$–NH–CO–$(CH_2)_n$–CH($COOCH_3$)–$NH_2$

XXX a-b

NH_2–CO–$(CH_2)_n$–CH(COOH)–NH_2

XXVII a-b

a : n = 1

b : n = 2

50 *ml* Dimethylacetamid über 1 Stde., Abfiltrieren vom Katalysator und Waschen mit 30 *ml* Dimethylformamid – wird mit 18,11 g Z-Gln(DOD)-OSU versetzt. Nach Verdünnen mit 220 *ml* Dimethylformamid rührt man 4 Stdn. bei Raumtemp., gießt die Suspension in 350 *ml* Essigsäure-äthylester, filtriert den Niederschlag nach 2stdgm. Rühren ab und wäscht mit Essigsäure-äthylester. Das getrocknete Produkt wird dann in Wasser verrieben, abfiltriert und mit Wasser sorgfältig gewaschen; Ausbeute: 16,8 g (78% d.Th.); F: 228–230° (Zers.); $[\alpha]_D^{22} = -19{,}4°$ (c = 0,5 in Essigsäure).

L-Glutamyl(Cγ-4,4'-dimethoxy-dityl-amid)-L-valyl-glycin-tert.-butylester-Hydroacetat [H-Gln(DOD)-Val-Gly-OtBu · Ac-OH][1]: 16,17 g Z-Gln(DOD)-Val-Gly-OtBu in 750 *ml* Essigsäure werden 2,5 Stdn. wie üblich hydriert (Palladium-Bariumsulfat-Katalysator). Nach Entfernen des Katalysators wird i. Vak. eingeengt, der Rückstand mit Diäthyläther verrieben, abfiltriert und i. Hochvak. über Kaliumhydroxid und Phosphor(V)-oxid getrocknet; Ausbeute: 14,5g (quantitativ); F: 154–155°.

Gegen katalytische Hydrierung sind die 4,4'-Dimethoxy-dityl-amide beständig – eine selektive Entfernung von N-Benzyloxycarbonyl-Schutzgruppen ist somit möglich[1–3] (s. o.). Gegenüber Einwirkung von Alkali, Hydrazin etc. weisen nur die Verbindungen des Glutaminsäure-Cγ-4,4'-dimethoxy-dityl-amids die erforderliche Stabilität auf; die „Asparagin-Analoga“ dagegen scheinen insbesondere die üblichen alkalischen Ester-Verseifungsbedingungen nicht unverändert zu überstehen[2]. Aus diesem Grunde kommt lediglich der Herstellungsmöglichkeit von *H-Gln(DOD)-OMe* (XXXb) durch Diazomethan-Veresterung von Z-Gln(DOD)-OH (XXVIb; Acyl = C_7H_7OCO) mit folgender hydrogenolytischer Entfernung der N-Benzyloxycarbonyl-Schutzgruppen aus dem intermediären Z-Gln(DOD)-OMe (XXIXb; Acyl = C_7H_7OCO) Bedeutung zu[2] (s. Schema).

Die reversible Gestaltung der 4,4'-Dimethoxy-dityl-amid-Maskierung gelingt auf acidolytischem Wege, aber immer noch unter recht „kräftigen“ Bedingungen (s. Tab. 68), wobei zugesetzte Kationenfänger wie Anisol, Phenol oder Indol beschleunigend wirken[2,3].

Tab. 68[2]. Abspaltung der Amid-Schutzgruppe von L-Glutaminsäure-Cγ-4,4'-dimethoxy-dityl-amid unter verschiedenen Bedingungen (Spaltungsdauer-Ermittlung papierchromatographisch)

Abspaltungsmedium	Abspaltungszeit
Siedende Trifluoressigsäure	15 Min
Siedende Trifluoressigsäure/Anisol (10:1)	<5 Min
Trifluoressigsäure/Anisol (10:1) bei 22°	2–3 Stdn.
Halbkonz. HBr-Eisessig bei 22°	1–2 Stdn.
Halbkonz. HBr-Eisessig/Indol (10:1) bei 22°	5–10 Stdn.
Eisessig/BF_3-Diäthylätherat (10:1) bei 22°	2 Stdn.
Ameisensäure/Anisol (10:1) bei 80°	1 Stde.
Ameisensäure/4-Toluolsulfonsäure/Anisol (8:2:1) bei 80°	<5 Min.
Trichloressigsäure/Anisol (10:1) bei 100°	<5 Min.
Trichloressigsäure/Anisol (10:1) bei 70°	10–15 Min.

L-Leucyl-L-glutaminyl-L-valyl-glycin-Hydro-trifluoracetat [H-Leu-Gln-Val-Gly-OH · TFA-OH][1]:

N-tert.-Butyloxycarbonyl-L-leucyl-L-glutamyl(Cγ-4,4'-dimethoxy-dityl-amid)-L-valyl-glycin-tert.-butylester [BOC-Leu-Gln(DOD)-Val-Gly-OtBu]: 14,5 g H-Gln(DOD)-Val-Gly-OtBu · Ac-OH (s. o.) und 7,39 g BOC-Leu-OSU werden in 250 *ml* Dimethylformamid gelöst. Nach der Zugabe von 2,88 *ml* N-Äthyl-morpholin bei 0° und 4stdgm. Rühren bei Raumtemp. versetzt man die Lösung unter Kühlen mit Wasser und filtriert den gebildeten Niederschlag ab; Ausbeute: 16,6 g (92% d.Th.); F: 222–222,5° (Zers.); $[\alpha]_D^{22} = -34{,}6°$ (c = 1 in Essigsäure).

---

[1] G. Jäger, B. **106**, 206 (1973).
[2] W. König u. R. Geiger, B. **103**, 2041 (1970).
[3] W. König, B. **106**, 193 (1973).

L-Leucyl-L-glutaminyl-L-valyl-glycin-Hydro-trifluoracetat: 7,98 g BOC-Leu-Gln(DOD)-Val-Gly-OtBu in 20 *ml* Trifluoressigsäure-Anisol (10:1) werden 5 Min. unter schwachem Rückfluß gekocht; nach dem Einengen i. Vak. wird der erhaltene ölige Rückstand mit absol. Diäthyläther verrieben, dekantiert, mit Essigsäure-äthylester ausgekocht, die farblosen Kristalle aufs Filter gebracht und über Kaliumhydroxid und Phosphor(V)-oxid i. Hochvak. getrocknet; Ausbeute: 4,85 g (92% d.Th.); F: 175–178° (Zers.).

36.730. Die nachträgliche Erstellung der ω-Carbonsäure-amid-Funktionen

Der Überführung von N-Acyl-glutamyl-Derivaten via Säurechlorid-Methode in die entsprechenden Glutaminyl-Verbindungen[1–3] war aus mehreren Gründen kein Erfolg beschieden; günstigere Ausblicke für die Synthese von Glutaminyl-peptiden schienen der Ammonolyse von N-Acyl-glutamyl(γ-ester)-aminosäuren(-peptiden) oder einer „Ammoniak-Ringöffnung" von N-Acyl-pyrrolidonoyl-aminosäuren(-peptiden) zuzukommen. Letztlich ist noch eine Erstellung der ω-Carbonsäure-amid- aus einer ω-Carbonsäure-nitril-Funktion durch Hydrolyse ins Auge zu fassen.

36.731. Ammonolyse von ω-Estern

Die von der Bergmann-Schule[4] studierte Umwandlung von Aminosäure(Peptid)-estern in -amide mit Ammoniak wurde von Miller und Waelsch[5] zur Synthese von Glutaminyl-peptiden benutzt; diese Autoren ließen Z-Glu(OEt)-Gly-OH mit konz. wäßrigem Ammoniak 18 Stdn. bei Raumtemp. reagieren – für einen generell verwertbaren Peptid-Aufbau ein sehr drastisches Unterfangen.

Diese Feststellung gilt auch für die Erstellung von Glutamin-peptiden durch Ammonolyse von Aminoacyl-glutaminsäure-γ-methylestern[6], die durch Verknüpfung von Benzyloxycarbonyl-aminosäuren und H-Glu(OMe)-ONB und katalytische Hydrogenolyse der intermediären Verbindungen des Typs Z-X-Glu(OMe)-ONB gewonnen wurden.

36.732. Ammonolyse von N-Acyl-pyrrolidonoyl-Derivaten

Sowohl Rudinger[7] als auch du Vigneaud[8,9] konnten 1954 aufzeigen, daß TOS-Pyr-OH (XXXIII) beim Behandeln mit konz. wäßrigem Ammoniak schon bei Raumtemp. Ringöffnung zu *TOS-Gln-OH* (XXXIV) erleidet. Diese Reaktion war mit gleich gutem Erfolg auf N-Tosyl-pyrrolidonoyl-aminosäuren und -peptide ausdehnbar[8–12]; sie bildete eines der Kernstücke der ersten Oxytocin-Synthese[8].

---

1 J. Melville, Biochem. J. **29**, 179 (1935).
2 C.R. Harington u. T.H. Mead, Biochem. J. **30**, 1958 (1936).
3 J.S. Fruton, M. Bergmann u. W.T. Anslow, J. Biol. Chem. **127**, 627 (1939).
4 M. Bergmann u. J.S. Fruton, J. Biol. Chem. **118**, 405 (1937).
M. Bergmann, J.S. Fruton u. H. Pollok, J. Biol. Chem. **127**, 643 (1939).
K. Hofmann u. M. Bergmann, J. Biol. Chem. **130**, 81 (1939).
J.S. Fruton u. M. Bergmann, J. Biol. Chem. **145**, 253 (1942).
5 H.K. Miller u. H. Waelsch, Arch. Biochem. **35**, 176 (1952).
6 Y. Shimonishi, Bl. chem. Soc. Japan **37**, 200 (1964).
7 J. Rudinger, Collect. czech. chem. Commun. **19**, 365 (1954).
8 V. du Vigneaud et al., Am. Soc. **75**, 4879 (1953).
9 J.M. Swan u. V. du Vigneaud, Am. Soc. **76**, 3110 (1954).
10 J. Rudinger, Collect. czech. chem. Commun. **19**, 375 (1954).
11 J. Rudinger u. H. Czurbova, Collect. czech. chem. Commun. **19**, 386 (1954).
12 J. Rudinger, J. Honzl u. M. Zaoral, Collect. czech. chem. Commun. **21**, 202 (1955).

TOS-Pyr-OH (XXXIII) ist leicht zugänglich z. B. durch Behandlung von TOS-Glu-OH (XXXI) mit Essigsäureanhydrid oder Acetylchlorid und anschließende vorsichtige Hydrolyse des primär erhaltenen Misch-Anhydrids XXXII[1] oder besser mit Thionylchlorid bei Raumtemp.[2] (s. S. II/347). Die ersten peptidsynthetischen Umsetzungen wurden mit Hilfe von TOS-Pyr-Cl (XXXV) – hergestellt im „Eintopfverfahren" aus TOS-Glu-OH durch Einwirkung von Phosphor(V)-chlorid[3] oder von siedendem Thionylchlorid – vollzogen*, die erhaltenen N-Tosyl-pyrrolidonoyl-aminosäuren (-peptide) XXXVI dann durch Ammonolyse zu den N-Tosyl-glutaminyl-aminosäuren (-peptiden) XXXVII gewandelt[3,4]:

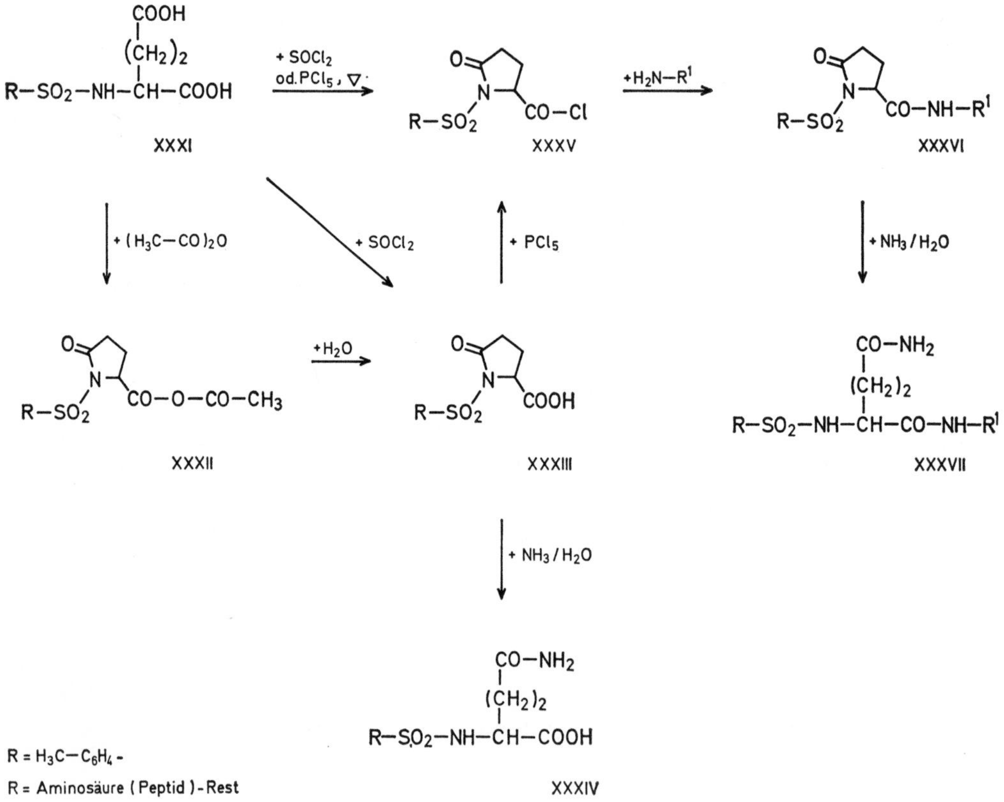

R–SO_2–NH–CH(COOH)–$(CH_2)_2$–COOH (XXXI) → + $SOCl_2$ od. PCl_5, ∇ → XXXV (R–SO_2-pyrrolidon–CO–Cl) → + H_2N–R[1] → XXXVI (R–SO_2-pyrrolidon–CO–NH–R[1]) → + NH_3/H_2O → R–SO_2–NH–CH(CO–NH–R[1])–$(CH_2)_2$–CO–NH_2 (XXXVII)

XXXI → + $(H_3C–CO)_2O$ → XXXII (R–SO_2-pyrrolidon–CO–O–CO–CH_3) → + H_2O → XXXIII (R–SO_2-pyrrolidon–COOH)

XXXI → + $SOCl_2$ → XXXIII; XXXIII → + PCl_5 → XXXV

XXXIII → + NH_3/H_2O → R–SO_2–NH–CH(COOH)–$(CH_2)_2$–CO–NH_2 (XXXIV)

R = $H_3C–C_6H_4$-

R = Aminosäure (Peptid)-Rest

N-Tosyl-L-glutaminyl-L-asparagin [TOS-Gln-Asn-OH]:

N-Tosyl-L-pyrrolidon-carbonsäure-chlorid [TOS-Pyr-Cl][2]: 30,1 g TOS-Glu-OH werden mit 50 *ml* Thionylchlorid unter Rückfluß gekocht bis eine klare Lösung entsteht und dann weitere 15 Min. erhitzt. Überschüssiges Thionylchlorid wird abdestilliert (zum Schluß i. Vak.), der erhaltene Rückstand in Benzol aufgenommen und das Lösungsmittel erneut abdestilliert. Das verbleibende ölige Material wird in 100 *ml* siedendem Diäthyläther aufgenommen; beim Abkühlen der Lösung auf 0°, oder rascher nach Animpfen, tritt Kristallisation ein, die durch Zugabe von 100 *ml* Petroläther und Stehen bei 0° über 1 Stde. vervollständigt wird. Die gebildete Fällung wird abfiltriert und mit Petroläther gewaschen; Ausbeute: 28,1 g (93% d.Th.); F: 82–85°.

---

* Umsetzung mittels anderer Methoden s. S. 264.

[1] C.R. Harington u. R.C.G. Moggridge, Soc. **1945**, 706.

[2] J. Rudinger, Collect. czech. chem. Commun. **19**, 365 (1954).

[3] J.M. Swan u. V. du Vigneaud, Am. Soc. **76**, 3110 (1954).

[4] J. Rudinger, J. Honzl u. M. Zaoral, Collect. czech. chem. Commun. **21**, 202 (1955).

N-Tosyl-L-pyrrolidonoyl-L-asparagin [TOS-Pyr-Asn-OH][1]: 60 g Asparagin (Monohydrat) in 300 *ml* Wasser, gelöst durch Erwärmen auf 50°, werden mit 27 g Magnesiumoxid versetzt, die Mischung rasch im Eis/Kochsalzbad abgekühlt. Danach werden 90 g TOS-Pyr-Cl (s. o.) in mehreren Portionen unter kräftigem Rühren des Reaktionsansatzes über eine Periode von 15–20 Min. zugefügt. (Wenn der p_H-Wert unter 8 abfällt während dieser Zeit, werden weitere Mengen Magnesiumoxid zugesetzt). Kurz nach der letzten Zugabe des Säurechlorids wird die Reaktionsmischung durch ausfallendes Material halb fest, man läßt unter zwischenzeitlichem Durchrühren bei Hand für 1,5 Stdn. bei Raumtemp. stehen. Nach Zugabe von 90 *ml* konz. Salzsäure wird der Ansatz 30 Min. lang gerührt, das kristalline Produkt abfiltriert. Das erhaltene Material wird sorgfältig mit Wasser gewaschen und dann luftgetrocknet.

Zur Erzielung höchster Umsatzraten wird das erhaltene Rohprodukt sofort der Ammonolyse unterworfen.

Zur Charakterisierung wird das Rohprodukt mehrfach aus Äthanol umkristallisiert; F: 150–151°; $[\alpha]_D^{21} = -42{,}7°$ (c = 5,5 in 0,5 n Kaliumhydrogencarbonat-Lösung).

N-Tosyl-L-glutaminyl-L-asparagin[1]: Das erhaltene rohe TOS-Pyr-Asn-OH (s. o.) wird in 400 *ml* konz. wäßrigem Ammoniak gelöst, das Reaktionsgemisch 30–60 Min. stehen gelassen. Nach partiellem Eindampfen i. Vak., wobei der größte Teil des Ammoniaks entweicht, wird mit konz. Salzsäure angesäuert, die Mischung 30 Min. lang gekühlt. Das ausgefallene Produkt wird abfiltriert, mit Wasser gewaschen und getrocknet; Ausbeute: 103 g (83% d. Th. ber. auf eingesetztes TOS-Pyr-Cl); F: 195–198°.

Durch mehrfaches Umfällen aus Natriumhydrogencarbonat-Lösung mit Salzsäure gewinnt man das Dipeptid-Derivat mit F: 197–198°; $[\alpha]_D^{23} = -11{,}4°$ (c = 2,1 in 0,5 n Kaliumhydrogencarbonat-Lösung).

Das Auffinden der Umlagerung von N-Acyl-glutaminsäure-anhydriden zu N-Acyl-pyrrolid-5-on-2-carbonsäuren mit Hilfe von Dicyclohexylamin in wasserfreiem Medium[2,3], z. B. Tetrahydrofuran/Diäthyläther (s. S. 264 u. II/219), schien einer Ausdehnung dieser Erstellungstechnik von Glutaminyl-peptiden durch Ammonolyse von N-Acyl-pyrrolidonoyl-Derivaten zunächst das Wort zu reden[4,5]; sie hat sich jedoch nicht durchgesetzt.

N-Benzyloxycarbonyl-L-glutaminyl-D-valin-tert.-butylester [Z-Gln-D-Val-OtBu]:

N-Benzyloxycarbonyl-L-pyrrolidonoyl-D-valin-tert.-butylester [Z-Pyr-Val-OtBu][4]: 17,8 g Z-Pyr-OH · DCHA (s. S. 264) in 50 *ml* Chloroform werden unter Eiskühlung mit einer Lösung von 10,2 g H-D-Val-OtBu · HCl in 70 *ml* Tetrahydrofuran/Dimethylformamid (5:2) versetzt. Das ausgefallene Dicyclohexylamin-Hydrochlorid wird abfiltriert, das Filtrat mit 9,1 g Dicyclohexylcarbodiimid in 15 *ml* Chloroform vermischt. Nach mehrstündigem Stehenlassen im Eisbad und anschließendem Aufbewahren bei Raumtemp. über Nacht wird abfiltriert, i. Vak. eingeengt, der Rückstand in Chloroform aufgenommen und die organische Phase mit verd. Natriumhydrogencarbonat Lösung, 10%-iger Citronensäure und Wasser gewaschen. Nach Trocknen über Natriumsulfat, Einengen i. Vak. und Umkristallisieren des Rückstands aus Äthanol werden verfilzte Nadeln erhalten; Ausbeute: 7,2 g (43% d. Th.); F: 129–130°; $[\alpha]_D^{25} = +11{,}9°$ (c = 1,01 in 25%-iger Essigsäure).

N-Benzyloxycarbonyl-L-glutaminyl-D-valin-tert.-butylester [Z-Gln-D-Val-OtBu][4]: 2,1 g Z-Pyr-D-Val-OtBu werden in Methanol/wäßrigem Ammoniak aufgenommen, die Reaktionsmischung über Nacht stehen gelassen. Man engt i. Vak. auf ein kleines Volumen ein, filtriert das abgeschiedene Rohprodukt ab und trocknet es i. Vak.; Ausbeute 2,0 g (92% d. Th.); F: 115–122°.

Nach Umfällen aus Essigsäure-äthylester/Diäthyläther wird eine Gallerte erhalten, die nach intensivem Trocknen i. Vak. analysenrein ist; F: 120–122°; $[\alpha]_D^{23} = +4{,}6°$ (c = 1,11 in 95%-iger Essigsäure).

36.733. Hydrolyse von ω-Carbonsäure-nitrilen

N-Acyl-asparagin-Derivate lassen sich leicht – teilweise schon unter gewissen Bedingungen der Peptidverknüpfung – zu N-Acyl-β-cyano-alanin-Verbindungen dehydratisieren[6,7]

[1] J. M. Swan u. V. du Vigneaud, Am. Soc. **76**, 3110 (1954).
[2] H. Gibian u. E. Klieger, Ang. Ch. **72**, 708 (1960).
[3] H. Gibian u. E. Klieger, A. **640**, 145 (1961).
[4] E. Klieger u. H. Gibian, A. **649**, 183 (1961).
[5] E. Schröder u. E. Klieger, A. **673**, 196 (1964).
[6] M. Zaoral u. J. Rudinger, Collect. czech. chem. Commun. **24**, 1933 (1959).
[7] C. Ressler u. H. Ratzkin, J. Org. Chem. **26**, 3356 (1961).

(s. ferner S. 704). So z. B. geht Z-Asn-OMe in Pyridin-Lösung zwischen $-10°$ und $0°$ durch Behandeln mit Phosphoroxidchlorid in Dichlormethan in *Z-Ala(CN)-OMe* über (75–83% Ausbeute), welcher in wäßrigem Aceton quantitativ zu *Z-Ala(CN)-OH* verseifbar ist[1].

Die ω-Carbonsäure-nitril-Gruppe ist einerseits sehr stabil unter den üblichen Peptidsynthese-Operationen; Umsetzungen von β-Cyano-alanin-Derivaten sowohl als Kopf- als auch als Amino-Komponente verlaufen deshalb relativ ungestört[1]. (Der β-Substituent erhöht jedoch die Tendenz zur Proton-Abstraktion und damit zur Racemisierung bei optisch aktivem Material[2]). Andererseits aber ist eine Hydrolyse des Nitrils zum Carbonsäure-amid auch unter milden Bedingungen z.B. mit Bromwasserstoff/Essigsäure möglich. Nach Rudinger[3] eröffnet sich damit eine Maskierungsmöglichkeit für die letztere Funktion; sie wurde letztlich von Zaoral und Rudinger[4] verwirklicht.

Behandlung der β-Cyano-alanin-Verbindungen mit Aceton/30%-igem Wasserstoffperoxid (~ 2:1) und 0,4–1 n Natriumcarbonat-Lösung über 24 Stdn. bei 25° („Radziszewski-Reaktion")[5] soll nach Liberek[1] ebenfalls zur Säurenitril-Hydrolyse geeignet sein – bei Ausführung im Peptidverband zweckmäßig an N-Acyl-peptid-tert.-butylestern.

---

[1] B. Liberek, Chem. & Ind. **1961**, 987.

[2] B. Liberek, Tetrahedron Letters **1963**, 1925.

[3] J. Rudinger, Collect. czech. chem. Commun. **24**, 95 (1959; Spec. Issue); Ang. Ch. **71**, 742 (1959).

[4] M. Zaoral u. J. Rudinger, Collect. czech. chem. Commun. **24**, 1933 (1959).

[5] B. Radziszewski, B. **18**, 355 (1885).
Vgl. K. Brenneisen, C. Tamm u. T. Reichstein, Helv. **39**, 1233 (1956).

Tab. 69. Derivate des Asparagins

1. N_{am}-Derivate [H-Asn(R)-OH] und N_{am},C_{α}-Bis-Derivate [H-Asn(R)-R²]

R	R²	F [°C]	$[\alpha]_D$	t	c	Lösungsmittel	Literatur
DOD		226–230	+ 9,75	22	2	Essigsäure	1
DOD	OMe [a]	186–188	+23,1	22	2	Methanol	1
24DB		230–231					2
$(24DB_2)$	OBZL	Öl					3
tBu	OtBu	($Kp_{0,4}$: 123°)	+ 1,5	25	2,8	Äthanol	4
DPM		259	+15,2	20	1,2	50%-ige Essigsäure	5

[a] Monohydrochlorid

2. N_{α},N_{am}-Bis-Derivate [R¹-Asn(R)-OH]

R¹	R	F [°C]	$[\alpha]_D$	t	c	Lösungsmittel	Literatur
Z	DOD	176–180	+ 2,43	22	2	Dimethylformamid	1
Z	24DB	152–154	+ 3,2	27	1	Methanol	2
	[a]	161–162					2
Z	$(24DB_2)$	70–73	+10,4[c]	25	2	Methanol	3
MOZ	$(24DB_2)$	62–65	+31,3[c]	22	5	Methanol	3
MOZ	TMOB	174 (Zers.)	+ 3,7[c]	20	3	Dimethylformamid	3
BOC	24DB [a]	124–125					2
MBV	XANT	181–183	−79,8	25	2	Äthanol	6
NPS	DOD [b]	182–184	−29,8	22	1	Dimethylformamid	1
BPOC	DOD [b]	113–118					7

[a] DCHA-Salz [b] CHA-Salz [c] $[\alpha]_{546}$

---

1 W. König u. R. Geiger, B. **103**, 2041 (1970).
2 P.G. Pietta et al., J. Org. Chem. **36**, 3966 (1971).
3 F. Weygand et al., B. **101**, 3642 (1968).
4 F.M. Callahan et al., Am. Soc. **85**, 210 (1963).
5 S. Ariely, M. Fridkin u. A. Patchornik, Biopolymers **7**, 417 (1969).
6 G.L. Southard et al., Tetrahedron **27**, 1359 (1971).
7 R.S. Feinberg u. R.B. Merrifield, Tetrahedron **28**, 5865 (1972).

Tab. 70. Derivate des Glutamins

1. N_{am}-Derivate [H-Gln(R)-OH] und N_{am},C_{α}-Bis-Derivate [H-Gln(R)-R²]

R	R²	F [°C]	$[\alpha]_D$	t	c	Lösungsmittel	Literatur
DOD		205–206	+ 7,5	22	2	Essigsäure	1
DOD	OMe [b]	182–183	+21,4	22	2	Methanol	1
24DB		240–241					2
XANT		218–220					3,4
XANT	OMe [a]	148–148,5					3,4
DPM		240	+20,1	20	1	50%-ige Essigsäure	5
tBu		216–218	+27,0	20	1	2n Salzsäure	6

[a] Hydroacetat [b] Monohydrochlorid

[1] W. König u. R. Geiger, B. **103**, 2041 (1970).
[2] P.G. Pietta et al., J. Org. Chem. **36**, 3966 (1971).
[3] Y. Shimonishi et al., Bl. chem. Soc. Japan **35**, 1966 (1962).
[4] S. Akabori et al., Bl. chem. Soc. Japan **34**, 739 (1961).
[5] S. Ariely, M. Fridkin u. A. Patchornik, Biopolymers **7**, 417 (1969).
[6] J.H. Jones u. J. Walker, Soc. [Perkin I] **1972**, 2923.

Tab. 70. (Fortsetzung)

2. N_{α},N_{am}-Bis-Derivate [R[1]-Gln(R)-OH]

R[1]	R	F [°C]	$[\alpha]_D$	t	c	Lösungsmittel	Literatur
Z	BZL	130–132	+ 1,8	25	1,02	95%-ige Essigsäure	1
	[a]	141–142					1
Z	tBu [a]	138–139	+13,0		1	Äthanol	2
Z	DOD	117–120	− 6,8	22	2	Dimethylformamid	3
Z	DMD	173–175					3
Z	DPM	162–164	− 5,5	17	2	Dimethylformamid	4
Z	24DB	110	+ 5,5	25	1	Dimethylformamid	5
Z	($24DB_2$)	amorph	− 7,2[b]	22	5	Methanol	6
Z	XANT	182–188	− 5,7	17	5,7	Dimethylformamid	7,8
BOC	tBu	155–156	− 9,0[c]	18–25	1	Essigsäure	9
BOC	MOB	96–97					10
BOC	24DB	110–111					5
BOC	XANT	151–152	—	—	—	—	11
MBV	XANT [a]	198–200	+ 8,17	25	1	Äthanol	12
MOZ	($24DB_2$)	65–70	− 8,2[b]	25	5	Methanol	6
NPS	DOD [a]	212–216	−15,1	22	1	Dimethylformamid	3
BPOC	DOD [d]	amorph					13

[a] DCHA-Salz [b] $[\alpha]_{546}$ [c] $[\alpha]_{578}$ [d] CHA-Salz

[1] H. Gibian u. E. Klieger, A. **640**, 145 (1961).
[2] E. Schnabel u. H. Schüssler, A. **686**, 229 (1965).
[3] W. König u. R. Geiger, B. **103**, 2041 (1970).
[4] S. Sakakibara et al., Bl. chem. Soc. Japan **40**, 2164 (1967).
[5] P.G. Pietta et al., J. Org. Chem. **36**, 3966 (1971).
[6] F. Weygand, W. Steglich u. J. Bjarnason, B. **101**, 3642 (1969).
[7] Y. Shimonihsi et al., Bl. chem. Soc. Japan **35**, 1966 (1962).
[8] S. Akabori et al., Bl. chem. Soc. Japan **34**, 739 (1961).
[9] E. Schnabel, A. **702**, 188 (1967).
[10] P.G. Pietta u. G.R. Marshall, Chem. Commun. **1970**, 650.
[11] L.C. Dorman, D.A. Nelson u. R.C.L. Chow, *Progress in Peptide Research*, Vol. II, S. 65, Gordon and Breach, New York 1972.
[12] G.L. Southard et al., Tetrahedron **27**, 1359 (1971).
[13] R.S. Feinberg u. R.B. Merrifield, Tetrahedron **28**, 5865 (1972).

36.800. Die Thioäther-Gruppierung

Methionin, die Diaminodicarbonsäuren Lanthionin, Cystathionin und Tryptathionin (s. S. 851) und synthetische „Thia-Analoga" von Aminosäuren bereiten im großen und ganzen keine „Thioäther-bedingten" Schwierigkeiten bei peptidchemischen Verknüpfungen. Probleme ergeben sich lediglich bei Einführung und Abspaltung gewisser Schutzgruppen und unter dem Einfluß bestimmter Umweltsbedingungen.

36.810. Synthesen mit unmaskierter Thioäther-Funktion

Die Maskierungen der Amino- und Carboxy-Funktionen des Methionins – als Vertreter dieser Klasse – sind ohne Komplikationen vollziehbar bis auf Alkylierungsreaktionen mit Diazoalkanen, Alkylhalogeniden etc. (Ausnahme: Tritylchlorid); diese letzteren Umsetzungen geben zu Sulfoniumsalz-Bildung Anlaß. Aus diesem Grunde muß die Herstellung von *BOC-Met-OBØ* als Startmaterial für Merrifield-Synthesen aus BOC-Met-OH und dem polymeren Benzylalkohol nach dem Imidazolid-Verfahren – also abweichend von der üblichen Technik – erfolgen[1].

Schwierigere Probleme rollt die Demaskierung von geschützten Peptiden mit Methionin in der Sequenz auf:

① Die hydrogenolytische Abspaltung von „Benzyl-Schutzgruppen", insbesondere des Benzyloxycarbonyl-Restes, ist infolge der Vergiftung des Katalysators bei üblichem Ausführungsmodus nicht erzielbar (Ausnahmen[2] bestätigen nur die Regel, s. dazu S. 53); nur die „Medzihradszky-"[3] und die „Yajima-Technik"[4] der Hydrierung unter Zusatz von Basen[3] bzw. Bortrifluorid-Diäthylätherat[4] lassen eine Entbenzyloxycarbonylierung mit gewissen Einschränkungen zu (s. S. 53).

Glycyl-L-methionin [H-Gly-Met-OH][3]: Eine Lösung von 3,4 g Z-Gly-Met-OH in 100 *ml* Methanol wird unter Zusatz von 1 g 10%-iger Palladium-Kohle und 5 *ml* Cyclohexylamin der üblichen Hydrierung unterworfen; nach Aufnahme der theoretisch berechneten Wasserstoff-Menge (~ 1 Std.), rührt man noch 30 Min. weiter, filtriert vom Katalysator ab und dampft die erhaltene Lösung weiter i. Vak. ein. Der verbleibende Rückstand wird mit Essigsäure angesäuert, wobei Kohlendioxid-Entwicklung eintritt. Aus der mit 4 *ml* Wasser verd. Lösung fallen auf Zusatz von 30 *ml* absol. Äthanol glitzernde Plättchen aus. Nach einigem Stehen im Eisbad wird das kristalline Material abfiltriert, mit wäßrigem Äthanol gewaschen und getrocknet; Ausbeute: 1,55 g (75% d. Th.); F: 209–212° (Zers.); $[\alpha]_D^{25} = -10,2°$ (c = 2 in Wasser).

L-Leucyl-L-methionin-amid-Hydroacetat [H-Leu-Met-NH_2 · Ac-OH][4]: 0,2 g Z-Leu-Met-NH_2 in 20 *ml* Methanol werden nach Zusatz von 0,19 *ml* Bortrifluorid-Diäthylätherat mit katalytisch erregtem Wasserstoff (Palladium-Katalysator) unter Ausschluß von Luftfeuchtigkeit und unter Rühren bei 40° über 8 Stdn. behandelt. Das Filtrat vom Katalysator wird mit ~ 10 g trockenem Amberlite IRA-400 (Acetat-Form) bei 40° über 2 Stdn. geschüttelt, filtriert und i. Vak. weitgehend eingedampft, der Rückstand zu einem flaumigen Pulver lyophilisiert; Ausbeute: 0,14 g (84% d. Th., ber. für ein Monohydrat); $[\alpha]_D^{18} = +2,8°$ (c = 0,5 in Wasser) bzw. $[\alpha]_D^{20} = +9,0°$ (c = 0,6 in 0,1 n Salzsäure).

② Natrium-Ammoniak-Reduktion z.B. von Tosyl-, Benzyloxycarbonyl-, S-Benzyl-Schutzgruppen etc. kann zur teilweisen S-Entmethylierung führen[2,5] (s. S. 55 u. 234), so daß eine nachträgliche Methylierung von entstehendem Homocystein-Derivat zu erfolgen hat.

---

[1] A. Marglin u. T. Tanimura, in J. M. Stewart u. J. D. Young, *Solid Phase Peptide Synthesis*, S. 9, W. H. Freeman u. Co., San Francisco 1969.

[2] C. A. Dekker, S. P. Taylor u. J. S. Fruton, J. Biol. Chem. **180**, 155 (1949).

[3] K. Medzihradszky u. H. Medzihradszky-Schweiger, Acta chim. Acad. Sci. hung. **44**, 14 (1965).

[4] H. Yajima et al., Chem. Pharm. Bull. (Tokyo) **16**, 1342 (1968).

[5] J. A. Stekol, J. Biol. Chem. **140**, 827 (1941).
M. Brenner u. R. W. Pfister, Helv. **34**, 2085 (1951).
Vgl. jedoch K. Hofmann et al., Am. Soc. **79**, 1636 (1957).

③ Die acidolytische Demaskierung geschützter Methionin(Methionyl)-peptide kann Sulfoniumsalz-Bildung incl. Folge-Reaktion (S-Umätherung) mit sich bringen. Diese Nebenreaktion wird in ihrer Größe von der Art des intermediär auftretenden Kations, dem Spaltreagens und -medium abhängig sein; sie ist bei Benzyl-Kationen liefernden Resten bedeutend, doch auch unter in tert.-Alkyl-Kationen zerfallenden Schutzgruppen – wenn auch schwach – vorhanden. Gawron und Draus[1] gelang bei der Entacylierung von Z-Met-Gly-OEt (Ia) mittels Chlorwasserstoff/Äthanol die Isolierung des (in diesem Falle etwas stabileren) Sulfoniumsalzes II in Form des Chloroplatinats wie auch des Zerfallproduktes III, d.i. H-*h*Cys(BZL)-Gly-OEt · HBr, und Sieber et al.[2] der eindeutige Nachweis eines tert.-Butylsulfonium-Derivats IV nach Salzsäure-Acidolyse des maskierten synthetischen Calcitonins M Ib (Schutzgruppen auf tert.-Butylbasis). Dieses tert.-Butyl-sulfonium-Derivat IV soll sich nach dem von Hughes und Ingold[3] beschriebenen Verfahren größtenteils wieder in das Methionyl-peptid zurückverwandeln lassen.

Ia-b: R^1–NH–CH($(CH_2)_2$–S–CH_3)–CO–R^2

$\xrightarrow{+HCl/C_2H_5OH \text{ (bei Ia)}}$ II: $[R^1$–NH–CH($(CH_2)_2$–$S^{\oplus}(CH_3)$–CH_2–C_6H_5)–CO–$R^2]\ Cl^{\ominus}$

II $\xrightarrow{-CH_3Cl}$ III: R^1–NH–CH($(CH_2)_2$–S–CH_2–C_6H_5)–CO–R^2

Ia-b $\xrightarrow{+HCl/H_2O \text{ (bei Ib)}}$ IV: $[R^1$–NH–CH($(CH_2)_2$–$S^{\oplus}(CH_3)$–$C(CH_3)_3$)–CO–$R^2]\ Cl^{\ominus}$

Ia: $R^1 = H_5C_6$-CH_2-O-CO; R^2 = NH-CH_2-$COOC_2H_5$
Ib: R^1 = geschützte Calcitonin M-Sequenz 1–7
R^2 = geschützte Calcitonin M-Sequenz 9–32

Eine Unterbindung der unerwünschten S-Benzyl-sulfoniumsalz-Bildung kann durch Zusatz von Kationen-Fängern (Anisol, Methyl-äthyl-sulfid etc.) zum Spaltungsansatz nicht immer und vollständig erreicht werden[4]. Bei Peptiden des Thialysins verlaufen Natrium/Ammoniak-Reduktion und vor allem auch Bromwasserstoff/Essigsäure-Acidolyse von Benzylurethan-Gruppierungen dagegen anscheinend ohne Komplikationen[5].

Letztlich bedeutet die Oxidationsempfindlichkeit der Thioäther-Gruppierung einen stets einzukalkulierenden Faktor: Peroxide und andere Oxidationsmittel (incl. Dimethylsulfoxid, ein für peptidsynthetische Umsetzungen sehr günstiges Lösungsmittel!) führen Methionin in sein S-Oxid (s. u.) über. Diese Reaktion läuft im Peptidverband mit

---

[1] O. Gawron u. F. Draus, J. Org. Chem. **23**, 1040 (1958).
[2] P. Sieber et al., Helv. **59**, 2135 (1970).
[3] E.D. Hughes u. C.H. Ingold, Soc. **1933**, 1571.
[4] B. Iselin, Helv. **44**, 61 (1961).
[5] P. Hermann u. M. Zaoral, Collect. czech. chem. Commun. **30**, 2817 (1965).

etwa gleicher Größenordnung ab; sie wird bei Peptidnaturstoffen zum „Synthese-Mißerfolg", da die S-Oxid-Analoga in den meisten Fällen biologisch inaktiv sind.

Auch Luftsauerstoff vermag zur Sulfoxid-Bildung beizutragen, in Abhängigkeit vom Lösungmedium und dem räumlichen Bau des Peptid-Moleküls trotz üblicher Sorgfalt bei der Durchführung der peptid-synthetischen Umsetzungen in durchaus zu berücksichtigenden Prozentsätzen[1]. „Arbeiten" in Stickstoff- oder Argon-Atmosphäre, Verwendung von Luftsauerstoff-freien Lösungsmitteln (wichtig bei multiplikativen Verteilungen, „langatmigen" Elutionen etc.) und Reagentien, Zusatz von Methyl-äthyl-sulfid oder Methionin zu Demaskierungs-Ansätzen und Reindarstellungs-Operationen vermögen diese unerwünschte Oxidations-Reaktion auszuschalten oder sehr gering zu halten[2].

Kleine Mengen Sulfoxid-haltiges Material, z. B. in niedermolekularen Methionin(Methionyl)-peptiden, können erfolgreich beim Umkristallisieren oder Umfällen durch Zusatz von frisch destilliertem Thioglykol während des Lösungsvorgangs reduziert werden; der Ausschluß von Cystin in der Sequenz ist selbstverständlich dann Voraussetzung.

36.820. Synthesen mit maskierter Thioäther-Funktion

Eine Ausschaltung der „Sulfoniumsalz-Nebenreaktion" durch Maskierung der Thioäther-Funktion des Methionins unter Überführung in eine Sulfoxid-Gruppierung hat Iselin[3] vorgeschlagen. In n Salzsäure oder Essigsäure ist *Methionin* (V) mittels eines geringen Überschusses an Hydrogenperoxid rasch in sein *S-Oxid* VI überführbar[3–7]; ein Sulfon, d. h. *Methionin-S-dioxid*, entsteht hierbei noch nicht. Es ist zu bedenken, daß mit der Sulfoxid-Bildung ein zweites Chiralitäts-Zentrum am S-Atom geschaffen wird, d. h. bei der Oxidation von L-Methionin entsteht das Diastereomeren-Gemisch VI von *H-Met(L-O)-OH* und *H-Met(D-O)-OH*; dieses kann über die Pikrinsäure-Salze leicht aufgetrennt werden[7] (s. Formelschema S. 731).

L-Methionin-DL-S-oxid [H-Met(DL-O)-OH][3]: Eine Suspension von 1,49 g Methionin in 30 *ml* Essigsäure wird bei ~ 10° mit 1,33 *ml* 30%-igem Hydrogenperoxid (12 mMol) versetzt und bei Raumtemp. geschüttelt; nach 20 Min. ist das Ausgangsmaterial gelöst und nach 40 Min. die Reaktion beendet (jodometrische Bestimmung des Peroxids s. u.). Die Lösung wird bei max. 40° i. Vak. eingedampft und der Rückstand aus Wasser/Aceton umkristallisiert; Ausbeute: 1,59 g (96% d.Th.); $[\alpha]_D^{27} = +11,0 \pm 2°$ (c = 1,1 in Essigsäure) bzw. $[\alpha]_D^{27} = +37,2 \pm 2°$ (c = 2,1 in n Salzsäure).

Jodometrische Bestimmung des Peroxids: je 0,1 *ml* der Reaktionslösung werden in geeigneten Intervallen mit 0,25 *ml* einer frisch hergestellten n Lösung von Kaliumjodid in n Schwefelsäure versetzt und das ausgeschiedene Jod nach 2 Min. titrimetrisch mit 0,02 n Natriumthiosulfat-Lösung bestimmt. Wenn der Peroxid-Gehalt der Reaktionslösung konstant bleibt, wird der Ansatz aufgearbeitet.

---

1 R. Schwyzer et al., Helv. **46**, 1975 (1963).
P. Sieber et al., Helv. **53**, 2135 (1970).
Vgl. dagegen R. Schwyzer u. P. Sieber, Helv. **49**, 134 (1966).
G.I. Tesser u. R. Schwyzer, Helv. **49**, 1013 (1966).

2 E. Wünsch u. G. Wendlberger, B. **101**, 3659 (1968).
B. Riniker u. W. Rittel, Helv. **53**, 513 (1970).
B. Riniker et al., Helv. **52**, 1058 (1969).

3 B. Iselin, Helv. **44**, 61 (1961).

4 G. Toennies u. J.J. Kolb, J. Biol. Chem. **128**, 399 (1939).

5 G. Toennies u. T.P. Callan, J. Biol. Chem. **129**, 481 (1939).

6 F. Micheel u. H. Schmitz, B. **72**, 518 (1939).

7 T.F. Lavine, J. Biol. Chem. **169**, 477 (1947).

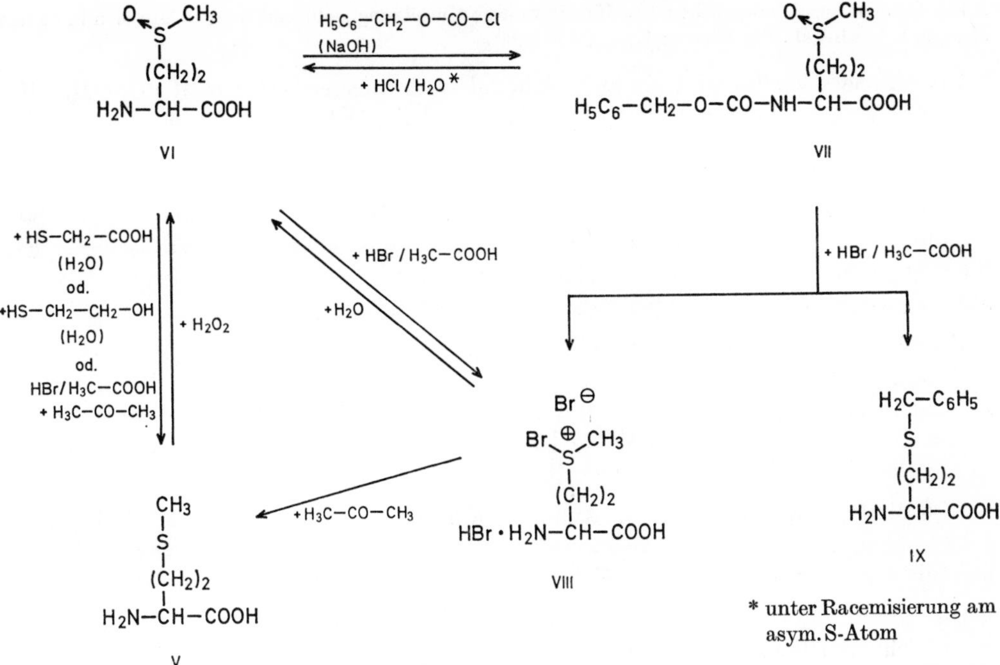

* unter Racemisierung am asym. S-Atom

Das durch Isomeren-Trennung (s. o.) leichter gewinnbare H-Met(D-O)-OH wird durch verdünnte Säuren und Alkalien nicht verändert* von konz. Salzsäure aber am asymmetrischen S-Atom vollständig racemisiert zu *H-Met(DL-O)-OH*[1]. Auch die Veresterung mit Chlorwasserstoff/Methanol (2,5 n Lösung) führt zu einer schwachen Racemisierung; neben H-Met(D-O)-OMe · HCl werden ~ 5% H-Met(L-O)-OMe · HCl isoliert[1].

L-Methionin(D-S-oxid)methylester [H-Met(D-O)-OMe][1]:

L-Methionin(D-S-oxid)methylester-Hydrochlorid ([H-Met(D-O)-OMe · HCl]: 8,25 g H-Met(D-O)-OH in 150 *ml* 2,5 n Chlorwasserstoff/Methanol werden 24 Stdn. bei 25° stehen gelassen. Nach Entfernen des Lösungsmittels i. Vak. wird der ölige Rückstand 2mal mit Diäthyläther verrieben und anschließend bei 0,1 Torr über Kaliumhydroxid von überschüssigem Chlorwasserstoff befreit (1 Stde. bei Raumtemp.); aus einer konz. Lösung des erhaltenen Öls in absol. Methanol tritt nach Zugabe von Essigsäure-äthylester bis zur Trübung und Animpfen (Impfkristalle sind nach längerem Verreiben mit Essigsäure-äthylester zu erhalten) Kristallisation ein; es wird aus Methanol/Essigsäure-äthylester umkristallisiert; Ausbeute: 8,52 g (78% d.Th.); F: 176–178°; $[\alpha]_D^{25} = +85,5 \pm 1°$ (c = 4,1 in Wasser).

Dieses Produkt enthält ~ 5% L-S-Oxid-Derivat.

L-Methionin(D-S-oxid)methylester: Eine Suspension von 2,16 g H-Met(D-O)-OMe · HCl in 10 *ml* Essigsäure-äthylester wird mit 2,5 *ml* einer 5 n Lösung von Ammoniak in Methanol versetzt, 10 Min. geschüttelt und nach Zugabe von weiteren 15 *ml* Essigsäure-äthylester 10 Min. bei 0° stehen gelassen. Das in quantitativer Menge abgeschiedene Ammoniumchlorid wird abfiltriert, das Filtrat i. Vak. bei Raumtemp. vorsichtig eingedampft und der als Öl erhaltene Ester mehrmals mit Petroläther gewaschen und bei 0,1 Torr getrocknet; Ausbeute: 1,65 g (91% d.Th.).

Zur weiteren Reinigung wird der Ester in 30 *ml* eines Gemisches Essigsäure-äthylester/Diäthyläther (4:1) aufgenommen, die Lösung von wenig ungelöstem Material abdekantiert, i. Vak. eingeengt und der Rückstand nach Waschen mit wenig Diäthyläther bei 0,1 Torr getrocknet; Ausbeute: 1,53 g (85% d. Th.).

---

* vgl. dagegen die Unbeständigkeit von S-Methyl-cystein-S-oxid[2].

[1] B. Iselin, Helv. **44**, 61 (1961).

[2] C.J. Morris u. J.F. Thomson, Am. Soc. **78**, 1605 (1956).
F. Ostermayer u. D.S. Tarbell, Am. Soc. **82**, 3752 (1960).

Das farblose leicht bewegliche Öl ist für die weitere Umsetzung genügend rein; es läßt sich in kleinen Mengen i. Hoch-Vak. destillieren; $Kp_{0,05}$: 136–138°.

Überraschenderweise wird ein an D-Sulfoxid stark angereicherter *H-Met(O)-OMe · HCl* bei einer Veresterung von H-Met(DL-O)-OH mit Thionylchlorid/Methanol erhalten, d. h. daß eine spontane stereospezifische Umlagerung der L- in die D-Form durch diese Veresterungsbedingung eintritt[1]. Die Begünstigung der „D-Sulfoxid-Form" spiegelt auch das Ergebnis der Hydrogenperoxid-Oxidation von H-Met-OMe · HCl in Methanol wieder: 80% D-Sulfoxid- neben ~ 20% L-Sulfoxid-Verbindung demonstrieren eine stereospezifische Einführung des Sauerstoffs durch anscheinend negativ-asymmetrische Induktion des C_α-Chiralitäts-Zentrums[1] (vgl. auch experimentelles Beispiel d. S.).

Erwähnte relativ hohe Alkali-Stabilität langt aus, um die Methionin-S-Oxide erfolgreich und gegebenenfalls ohne Veränderung am S-Asymmetriezentrum zu acylieren, z. B. zu *Z-Met(O)-OH* (VII)[1] und *BOC-Met(O)-OH*[2]. Wiederum ist auch der umgekehrte Weg gangbar: z. B. die Oxidation von Z-Met-OH zu *Z-Met(DL-O)-OH*[1] (L- und D-Sulfoxid-Derivate werden hier in gleicher Menge gebildet!).

BOC-Met(O)-OH läßt sich auf Amino-Komponenten vermittels seiner (isolierbaren) 4-Nitro-phenyl- und (N-Hydroxy-succinimid)-ester aufknüpfen[2] sowie ohne Komplikationen mit dem Merrifield-Harz in üblicher Manier zu *BOC-Met(O)-OBØ* umsetzen[3].

Die Abspaltung von tert.-Butyloxycarbonyl-Schutzgruppen kann mit Trifluoressigsäure wie üblich[2], von Benzyloxycarbonyl-Resten mit konz. Salzsäure (1 Stde. bei 40°)[1] erfolgen (s. S. 733), wobei optisch-aktive Sulfoxide allerdings racemisieren. Die Debenzyloxycarbonylierung mit Bromwasserstoff/Essigsäure verläuft unbefriedigend[1]. Zwar entsteht bei der Demaskierung z. B. von Z-Met(O)-OH (VII) in der Hauptsache ein Methionin-S-dibrom-Derivat VIII, das durch Einwirkung von Wasser *H-Met(O)-OH* (VI; stets S-racemisch) erbringt; als Nebenprodukt wird jedoch S-Benzyl-homocystein (IX) mit ~ 10–15% Ausbeute isoliert.

L-Prolyl-L-tyrosyl-N_ε-tosyl-L-lysyl-L-methionin-DL-S-oxid [H-Pro-Tyr-Lys(TOS)-Met(DL-O)-OH][1]:

N-Benzyloxycarbonyl-L-prolyl-L-tyrosyl-N_ε-tosyl-L-lysyl-L-methionin(S-oxid)-methylester [Z-Pro-Tyr-Lys(TOS)-Met(O)-OMe][1]:

Methode ①: Eine Lösung von 1,68 g Z-Pro-Tyr-Lys(TOS)-Met-OMe in 5 *ml* Äthanol wird mit 0,28 *ml* 30%-igem Hydrogenperoxid versetzt und bei 25° stehen gelassen. Die Oxidation verläuft anfänglich sehr rasch (jodometrische Bestimmung s. S. 730) und ist nach 4 Stdn. beendet. Das Reaktionsprodukt scheidet sich während dieser Zeit langsam in kristalliner Form aus und wird nach 8 Stdn. abfiltriert; Ausbeute: 1,21 g; aus der Mutterlauge lassen sich weitere 0,1 g reines Material isolieren; Gesamtausbeute: 1,31 g (77% d.Th.); F: 179–181°.

Zur Analyse wird aus wenig Methanol umkristallisiert; F: 181–183°; $[\alpha]_D^{25} = -18{,}4 \pm 1°$ (c = 2 in Essigsäure) bzw. $[\alpha]_D^{25} = -28{,}5° \pm 1°$ (c = 2,2 in Dimethylformamid). Das D-S-Oxid-Derivat liegt angereichert vor.

Methode ②: 3,5 g Z-Pro-Tyr-Lys(TOS)-OH und 1,07 g H-Met(D-O)-OMe (s. o.) werden in 10 *ml* Dimethylformamid/Acetontril (1:1) gelöst und bei −10° mit einer Lösung von 1,15 g Dicyclohexylcarbodiimid in 10 *ml* Acetonitril versetzt. Nach 18 Stdn. bei 0° wird das ausgeschiedene Gemisch von Reaktionsprodukt und N,N'-Dicyclohexyl-harnstoff abfiltriert, mit 10 *ml* Dimethylformamid verrührt, vom unlöslichen Harnstoff-Derivat abfiltriert und das Filtrat bei 0,1 Torr und max. 35° eingedampft. Der feste Rückstand liefert nach Verreiben mit Wasser und Äthanol 3,06 g (71% d.Th.) kristallines Material von F: 183–185°, das letztlich aus Methanol umkristallisiert wird; Ausbeute: 2,8 g (65% d.Th.); F: 187–189°; $[\alpha]_D^{25} = -12{,}4 \pm 1°$ (c = 2 in Essigsäure) bzw. $[\alpha]_D^{25} = -21{,}5 \pm 1°$ (c = 2,1 in Dimethylformamid). Hauptsächlich liegt ein D-S-Oxid-Derivat vor.

---

[1] B. ISELIN, Helv. **44**, 61 (1961).

[2] K. HOFMANN et al., Am. Soc. **87**, 631 (1965).

[3] K. NORRIS, J. HALSTRØM u. K. BRUNFELDT, Acta chem. scand. **25**, 945 (1971).

L-Prolyl-L-tyrosyl-N_ε-tosyl-L-lysyl-L-methionin-DL-S-oxid[H-Pro-Tyr-Lys(TOS)-Met(DL-O)-OH][1]:

Methode ①: 1,03 g Z-Pro-Tyr-Lys(TOS)-Met(O)-OMe, mit $[\alpha]_D^{25} = -18{,}4$ in Essigsäure (s. o.), werden in 10 *ml* konz. Salzsäure suspendiert und 1 Stde. auf 40° erwärmt. Das Ausgangsmaterial geht innerhalb 15 Min. in Lösung und gleichzeitig scheidet sich Benzylchlorid als Öl aus. Nach Eindampfen bei 0,1 Torr und max. 30° wird das als öliger Rückstand erhaltene Tetrapeptid-Hydrochlorid über Kaliumhydroxid getrocknet (1 Stde. bei 0,1 Torr) und mehrmals mit Diäthyläther verrieben. Zur Überführung in das freie Peptid-Derivat wird in 3 *ml* Methanol gelöst, die Lösung durch Zugabe von Ammoniak/Methanol (2,5 n Lösung) schwach basisch gestellt, das ausgeschiedene kristalline Material nach 1 Stde. abfiltriert und mit Methanol und Diäthyläther gewaschen; Ausbeute: 0,6 g (70% d.Th.); F: 232–234°; nach Umkristallisieren aus 80%-igem Äthanol erhält man ein Tetrapeptid-Derivat mit einem Mol Wasser, das sich durch Trocknen bei 100° nicht entfernen läßt; F: 236–238°; $[\alpha]_D^{23} = -5{,}5 \pm 1°$ (c = 2 in Essigsäure), bzw. $[\alpha]_D^{23} = -35{,}9 \pm 1°$ (c = 2,1 in 0,5 n Kaliumhydrogencarbonat-Lösung).

Methode ②: Unter den gleichen Spaltungsbedingungen ergibt Z-Pro-Tyr-Lys(TOS)-Met(O)-OMe von $[\alpha]_D^{25} = -12{,}4$ in Essigsäure die gleiche DL-Sulfoxid-Verbindung mit $[\alpha]_D^{27} = -35{,}5 \pm 1°$ (c = 2,1 in 0,5 n Kaliumhydrogencarbonat-Lösung).

Die Aufhebung der Thioäther-Blockierung, d. h. die Eliminierung des S-Oxid-Sauerstoffs, gelingt relativ rasch und quantitativ durch Reduktion mit 2,5–5 Äquivalenten wäßriger Thioglykolsäure (s. o.) oder langsamer mit 5 Äquivalenten Thioglykol[1]. Andere Reduktionsmittel wie Natriumpyrosulfit, Natriumdithionit und Schwefelwasserstoff erbringen aus unterschiedlichen Gründen unbefriedigende Ergebnisse; auch katalytische Hydrierung mit Palladium- oder Raney-Nickel-Katalysatoren führt nicht zum Erfolg[1]. Das gegenüber Natrium/Ammoniak stabile H-Met(O)-OH (VI) geht unter Bromwasserstoff/Essigsäure-Einwirkung in ein S-Dibrom-methionin-Hydrobromid (VIII) über, das beim Behandeln mit Aceton zu *H-Met-OH* (V) „entbromiert" wird[1] (s. Schema, S. 731). Diese Reaktion kann in einem „Eintopf-Verfahren" bei Abwesenheit von Schutzgruppen auf Benzylbasis der reversiblen Gestaltung der S-Oxid-Maskierung dienen[1].

L-Prolyl-L-tyrosyl-N_ε-tosyl-L-lysyl-L-methionin [H-Pro-Tyr-Lys(TOS)-Met-OH][1]: Eine Suspension von 354 mg H-Pro-Tyr-Lys(TOS)-Met(DL-O)-OH in 2,5 *ml* Wasser wird mit 0,35 *ml* frisch destillierter Thioglykolsäure versetzt und unter Stickstoffatmosphäre und öfterem Umschütteln 20 Stdn. bei 50° stehen gelassen (anfänglich klare Lösung, dann allmählicher Austritt des Reaktionsproduktes als Öl). Nach Entfernen des Lösungsmittels i. Vak. wird der ölige Rückstand mehrmals mit Diäthyläther verrieben, das pulvrige Material mit wenig Methanol aufgenommen und die Lösung durch Zugabe von Ammoniak/Methanol (2,5 n Lösung) schwach basisch gestellt. Die erhaltene kristalline Substanz wird nach 30 Min. (bei 0°) abfiltriert, mit heißem Methanol verrieben und isoliert; Ausbeute: 299 mg (86% d.Th.); F: 223–226°; $[\alpha]_D^{25} = -14{,}0 \pm 1°$ (c = 4 in Essigsäure) bzw. $[\alpha]_D^{26} = -42{,}8 \pm 1°$ (c = in 0,5 n Kaliumhydrogencarbonat-Lösung).

36.830. Nachträgliche Erstellung der Thioäther-Funktion

Zur Synthese von *Thialysin* [*S-(β-Amino-äthyl)-cystein*] hatte Lindley[2] Cystein in wäßrig-alkoholischer Lösung oder in flüssigem Ammoniak erfolgreich mit 2-Benzyloxycarbonylamino-äthylbromid zu *H-Tly(Z)-OH* umgesetzt; von Hermann und Gründig[3] wurde dieses Verfahren auf die N_ε-Tosyl-Verbindung ausgedehnt. Hermann und Zaoral[4] gelang es, diese Reaktion zur nachträglichen Erstellung eines Thialysin-Restes (und damit einer Thioäther-Funktion) im Peptidverband heranzuziehen: Z-Pro-Cys(BZL)-Gly-NH_2 (X) wurde mittels Natrium/Ammoniak der beiden Schutzgruppen entkleidet und das gebildete

---

1 B. Iselin, Helv. **44**, 61 (1961).
2 H. Lindley, Austral. J. Chem. **12**, 296 (1959).
3 P. Hermann u. C.A. Gründig, *Peptides*, Proc. 5th Europ. Peptide Symposium Oxford 1962, Pergamon Press, Oxford **1963**, S. 171.
4 P. Hermann u. M. Zaoral, Collect. czech. chem. Commun. **30**, 2817 (1965).

H-Pro-Cys(Na)-Gly-NH$_2$ (XI) „in situ“ mit 2-Tosylamino-äthylbromid umgesetzt zu *H-Pro-Tly(TOS)-Gly-NH*$_2$ (XII), das nach Säulenchromatographie an dem mittelstarkbasischen Ionenaustauscher Wofatit L 150 (OH-Form) rein erhalten werden konnte (Ausbeute: 56%):

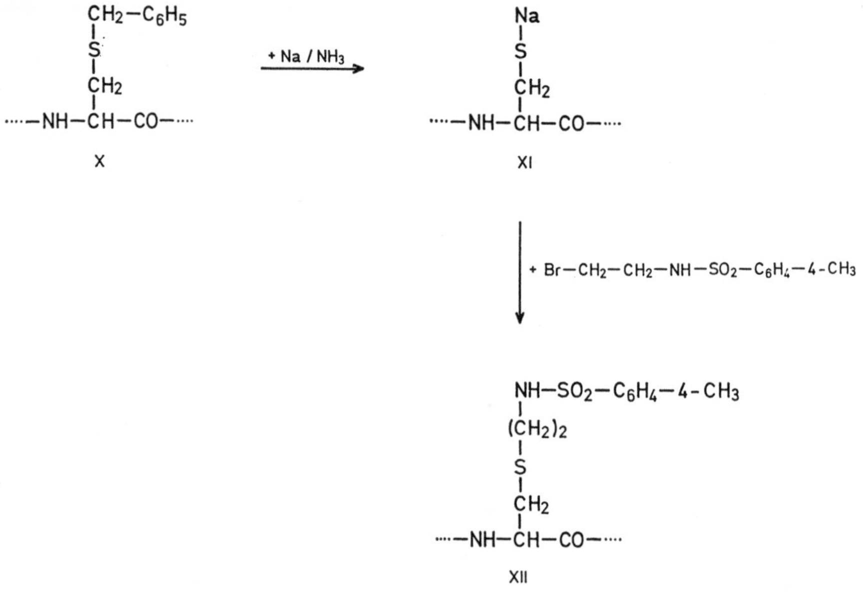

$CH_2-C_6H_5$
S
CH_2
····—NH—CH—CO—····
X

$\xrightarrow{+ Na/NH_3}$

Na
S
CH_2
····—NH—CH—CO—····
XI

$\downarrow + Br-CH_2-CH_2-NH-SO_2-C_6H_4-4-CH_3$

$NH-SO_2-C_6H_4-4-CH_3$
$(CH_2)_2$
S
CH_2
····—NH—CH—CO—····
XII

Ein weiteres neues Herstellungsverfahren für Aminosäuren mit einer Thioäther-Funktion beruht z. B. auf der Überführung von BOC-DL-Thr-OMe (XIII) in das O-Mesyl-Derivat XIV, das mit Methanthiol in flüssigem Ammoniak (oder Natriumäthanolat/Äthanol) zum tert.-Butyloxycarbonyl-thiaisoleucin-Derivat XV reagiert[1]. Ob diese nachträgliche Einführung einer Thioäther-Gruppierung auch im Peptidverband ablaufen kann, bleibt abzuwarten.

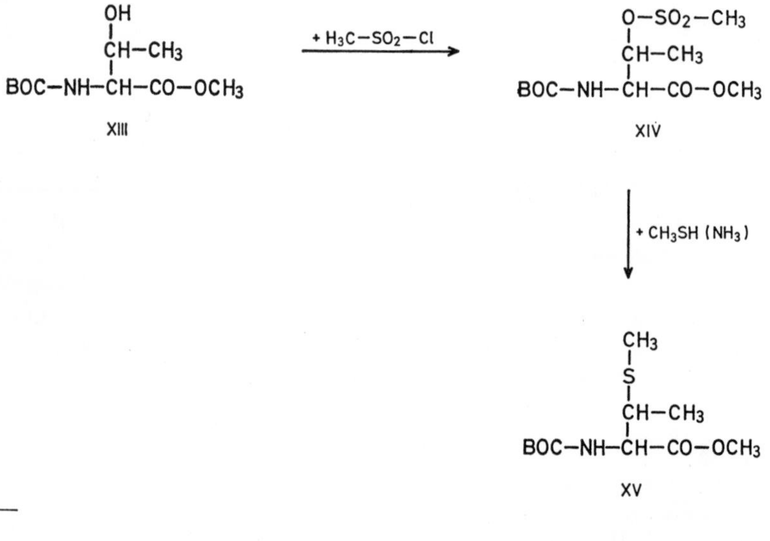

OH
$CH-CH_3$
$BOC-NH-CH-CO-OCH_3$
XIII

$\xrightarrow{+ H_3C-SO_2-Cl}$

$O-SO_2-CH_3$
$CH-CH_3$
$BOC-NH-CH-CO-OCH_3$
XIV

$\downarrow + CH_3SH\ (NH_3)$

CH_3
S
$CH-CH_3$
$BOC-NH-CH-CO-OCH_3$
XV

---

[1] P. Hermann et al., *Peptides*, Proc. 12th Europ. Peptide Symposium Reinhardsbrunn Castle 1972, North-Holland Publ. Co., Amsterdam-London **1973**, S. 214.

36.900. Thiol- und Disulfid-Funktionen

Die große physiologische Rolle, die Cystein/Cystin als Bausteinen von Naturstoffpeptiden und Proteinen zukommt, führte schon frühzeitig, vor allem seit der Entdeckung des Glutathions[1], zu synthetischen Versuchen mit dieser Aminosäure bzw. Diamino-dicarbonsäure[2]. Nach Sequenzaufklärung biologisch wichtiger Hormone, Enzyme etc., die asymmetrisch substituierte Cystin-Reste in der Sequenz aufweisen („monocyclischer Struktur" bei Oxytocin, Vasopressin, Malformin, Thioredoxin, Ribonuclease T_1 etc., „polycyclischer Struktur" bei Ribonuclease A, Proinsulin usf. und letztlich „cyclischer und vernetzter Struktur" bei Insulin) haben sich diese Versuche zur großflächigen „Synthese-Offensive" ausgeweitet.

Zwei Hauptwege wurden hierzu geschaffen:

ⓐ Das „Cystein-Verfahren" mit thiol-ungeschützten oder S-maskierten Cystein-Startmaterialien, wobei die nachträgliche Erstellung S-substituierter Thiol-Funktionen mit eingeschlossen sein soll.

ⓑ Das „Cystin-Verfahren" unter Verwendung „symmetrisch-substituierter" oder „asymmetrisch-substituierter" Cystin-Derivate.

Je nachdem wie man Herstellung

① von einkettigen Cystin (Cystinyl)-peptiden oder von zweikettigen, „disulfid-quervernetzten" symmetrischen Cystin(Cystinyl)-peptiden

② von asymmetrischen Peptiden mit e i n e m Cystin(Cystinyl)-Rest oder

③ von asymmetrischen Peptiden mit m e h r e r e n Cystinyl-Resten

betreiben will, werden „einheitlich-" oder „selektiv-spaltbare" S-Schutzgruppen hierbei Verwendung finden.

36.910. Die Synthese von Peptiden des Cysteins

36.911. Das „Cystein-Verfahren"

36.911.100. *Synthesen mit ungeschützter Thiol-Funktion*

Die Möglichkeit, Cystein als Amino-Komponente der Umsetzung zuzuführen, ist zwar nach Harington und Mead[3] gegeben, jedoch nur unter sorgfältigem Ausschluß von Luftsauerstoff frei von Cystin-peptid-Bildung zu verwirklichen (ansonsten ist eine komplizierte Aufarbeitung mit Zinkstaub-Reduktion, Isolierung der Peptid-Derivate als Kupfer-Mercaptide und Zersetzung dieser mit Schwefelwasserstoff erforderlich[3]).

Hinzuweisen ist ferner auf eine Cystein-peptid-Erstellung aus S-(N-Acyl-aminoacyl)-cystein[4]: unter bestimmten Reaktionsbedingungen gehen diese Thioester-Derivate I eine S $\rightarrow$ N-Acyl-Wanderung zu N-Acyl-aminoacyl-cystein (II) ein (s. dazu auch S. 776):

---

[1] F. G. HOPKINS, J. Biol. Chem. **84**, 269 (1929).

[2] E. FISCHER u. U. SUZUKI, B. **37**, 4575 (1904).
E. FISCHER u. O. GERNGROSS, B. **42**, 1485 (1909).
E. ABDERHALDEN u. W. KÖPPEL, Ferment Forsch. **9**, 516 (1928).
E. ABDERHALDEN u. E. WYBERT, B. **49**, 2449 (1916).
M. BERGMANN u. L. ZERVAS, B. **65**, 1192 (1932).

[3] C. R. HARINGTON u. T. H. MEAD, Biochem. J. **29**, 1602 (1935); **30**, 1598 (1936).

[4] T. WIELAND et al., A. **583**, 129 (1953).

```
            R¹
            |
R–CO–NH–CH–CO–S                                              SH
               |                                              |
               CH₂                              R¹            CH₂
               |                                |             |
         H₂N–CH–COOH      ——————>     R–CO–NH–CH–CO–NH–CH–COOH

               I                                       II
```

N-Acyl-cysteinyl-aminosäuren(-peptide) sind direkt mit Hilfe von N-Acyl-cystein-thiolacton synthetisiert worden[1,2] (s. dazu S. II/273), die z.B. aus N-Acyl-cystein in 1,4-Dioxan-Lösung durch Einwirkung von Dicyclohexylcarbodiimid zugänglich sind.

Die Erfahrungen der modernen Peptid-Synthese haben aufgezeigt, daß der Einsatz von S-unmaskierten Cystein-Derivaten nicht mehr zu vertreten ist; ihm wird maximal ein kümmerliches Dasein für Spezialfälle zukommen.

36.911.200. *Synthesen mit geschützter Thiol-Funktion*

Es hatte sich frühzeitig offenbart, daß eine störungsfreie Synthese von Peptiden des Cysteins nur unter eindeutiger S-Maskierung zu erreichen war: S-Alkylierung, Thioacetal-Bildung, S-Acylierung und Erstellung „asymmetrischer" Disulfid-Gruppierungen (S-Alkylthio- u. S-Sulfo-Derivate) wurden bislang zum Schutz der „Cystein-Drittfunktion" aufgeboten.

36.911.210. *S-Alkyl-Derivate*

36.911.211. S-Benzyl-Schutzgruppe

Den ersten bahnbrechenden Hinweis für synthetische Arbeiten auf dem Cystein/Cystin-Gebiet haben du Vigneaud und seine Schule mit der Erstellung der S-Benzyl-Maskierung und deren reversibler Gestaltung mittels Natrium in flüssigem Ammoniak gegeben[3-5]. Zur Gewinnung von *S-Benzyl-cystein* reduziert man Cystin mit Natrium in flüssigem Ammoniak und setzt das intermediäre Mercaptid mit Benzylchlorid um[3,6] (dieses Verfahren ist auch auf Peptide des Cystins übertragbar[4,7]) oder (einfacher) benzyliert man Cystein in alkalischer Lösung mit Benzylbromid[8,9].

S-Benzyl-L-cystein [H-Cys(BZL)-OH][6,8,9]**:**

Methode ⓐ: zu 5 g Natrium in 100 *ml* flüssigem Ammoniak fügt man Cystin in kleinen Portionen unter Rühren zu, bis die Blaufärbung der Lösung verschwindet. Unter weiterer Zugabe von je 5 g Natrium wird diese Prozedur wiederholt, bis insgesamt ~ 20 g Natrium und 50 g Cystin zur Umsetzung gelangt sind. Evt. überschüssiges Natrium (Blaufärbung) wird durch Zugabe von Ammoniumchlorid zersetzt und anschließend unter Rühren 47,5 *ml* Benzylchlorid langsam zugegeben. Man läßt das Am-

---

1 D. Fleš, A. Markovac-Prpić u. V. Tomašić, Am. Soc. **80**, 4654 (1958).
D. Fleš et al., Croat. Chem. Acta **30**, 167 (1958).

2 M. Dadić, D. Fleš u. A. Markovac-Prpić, Croat. Chem. Acta **33**, 73 (1961).

3 V. du Vigneaud, L. F. Audrieth u. H. S. Loring, Am. Soc. **52**, 4500 (1930).

4 H. S. Loring u. V. du Vigneaud, J. Biol. Chem. **111**, 385 (1935).

5 R. H. Sifferd u. V. du Vigneaud, J. Biol. Chem. **108**, 753 (1935).

6 J. L. Wood u. V. du Vigneaud, J. Biol. Chem. **130**, 109 (1939).

7 V. du Vigneaud u. G. L. Miller, J. Biol. Chem. **116**, 469 (1936).

8 C. R. Harington u. T. H. Mead, Biochem. J. **30**, 1598 (1936).

9 J. P. Greenstein u. M. Winitz, *Chemistry of the Amino Acids*, Vol. 3 S. 1920, John Wiley & Sons Inc., New York-London 1961.

moniak verdunsten und entfernt seine letzten Spuren i. Vak. Der Rückstand wird in mindestens 400 *ml* Eis-Wasser-Gemisch aufgenommen, die Lösung filtriert; nach Zugabe von konz. Salzsäure zum Filtrat tritt Fällung ein, die durch Zugabe von weiteren Mengen verd. Salzsäure (bis zur Lackmus-Reaktion) vervollständigt wird. Der dick ausgefallene Niederschlag wird abfiltriert, mit Wasser und Äthanol gewaschen und letztlich i. Vak. bei 100° 2 Stdn. getrocknet; Ausbeute: 75 g (85% d.Th.).

Zur Reinigung wird das erhaltene Material in verd. heißer Salzsäure gelöst, die Lösung mit Aktivkohle entfärbt, mit Ammoniak auf Kongorot neutralisiert. Das ausgefallene kristalline Material wird abfiltriert, mit Wasser und Äthanol gewaschen und i. Vak. getrocknet; F: 216–218°; $[\alpha]_D^{26,5} = +23,5°$ (c = 1 in n Natronlauge).

Methode ⓑ: 157,5 g Cystein-Hydrochlorid in 2000 *ml* kalter 2n Natronlauge werden mit 256,5 g Benzylbromid versetzt; die Mischung wird bei 5° für mehrere Stdn. geschüttelt, bis eine homogene Lösung entsteht, dann mit Essigsäure auf $p_H = 5$ angesäuert, der gebildete Niederschlag abfiltriert, sorgfältig mit Wasser gewaschen und letztlich i. Vak. über Phosphor(V)-oxid getrocknet; Ausbeute: 169 g (80% d.Th.).

Die „Fast-Unverwundbarkeit" der Benzylthioäther-Gruppierung (s. dazu unten) erlaubt die meist problemlose Erstellung einer Vielfalt von N-geschützten bzw. Carboxy-maskierten Derivaten des S-Benzyl-cysteins (s. Tab. 72, S. 838ff.).

Man sollte daher erwarten, daß Synthesen von Cystein(Cysteinyl)-peptiden unter Verwendung dieser S-Benzyl-cystein-Verbindungen ebenfalls ohne große Komplikationen vorgenommen werden können, so wie dies mit Hilfe von Säurechlorid-[1–4], Mischanhydrid-[5–7] (s. S. II/65) und N-Carbonsäure-Anhydrid-[8], Aktivester- [Cyanmethylester[9,10] (s. S. 626), 4-Nitro-phenylester[5,11–14], (N-Hydroxy-succinimid)-ester[15,16] 2,4,5-Trichlor-phenylester[17], Pentafluor-phenylester[18]], Azid-[19–24], Carbodiimid-[4,5,25,26] (s. S. 226), Phosphit-[27,28], Phosphorazo-[29,30] und Pyrazolid-Methoden[31] auch geschehen ist.

---

[1] C. R. Harington u. T. H. Mead, Biochem. J. **30**, 1598 (1936).
[2] J. Honzl u. J. Rudinger, Collect. czech. chem. Commun. **20**, 1190 (1955).
[3] R. Consden u. A. H. Gordon, Biochem. J. **46**, 8 (1950).
[4] V. du Vigneaud, D. T. Gish u. P. G. Katsoyannis, Am. Soc. **76**, 4751 (1954).
[5] J. Meienhofer u. V. du Vigneaud, Am. Soc. **82**, 2279 (1960).
[6] T. Wieland u. B. Heinke, A. **599**, 70 (1956).
[7] M. Mühlemann et al., Helv. **55**, 2854 (1972) [EEDQ-Verfahren].
[8] J. Rudinger u. F. Šorm, Collect. czech. chem. Commun. **16**, 214 (1951).
[9] B. Iselin, M. Feurer u. R. Schwyzer, Helv. **38**, 1508 (1955).
[10] H. Arold u. M. Hartmann, J. pr. **21**, 59 (1963).
[11] B. Iselin et al., Helv. **40**, 373 (1957).
[12] M. Bodanszky u. V. du Vigneaud, Am. Soc. **81**, 2504, 5688 (1959).
[13] A. Schöberl, M. Rimpler u. E. Clauss, B. **103**, 2252 (1970).
[14] H. Yajima, N. Shirai u. Y. Kiso, Chem. Pharm. Bull. (Tokyo) **19**, 1903, 1900 (1971).
[15] H. Zahn, W. Danho u. B. Gutte, Z. Naturf. **21b**, 763 (1966).
[16] D. Stevenson u. G. T. Young, Soc. [C] **1969**, 2389.
[17] P.-A. Jaquenoud, Helv. **48**, 1899 (1965).
[18] J. Kovacs et al., J. Org. Chem. **35**, 1810 (1970).
[19] R. A. Boissonnas et al., Helv. **39**, 1421 (1956).
[20] C. R. Harington u. R. V. Pitt-Rivers, Biochem. J. **38**, 417 (1944).
[21] R. Hegedüs, Helv. **31**, 737 (1948).
[22] R. B. Merrifield u. D. W. Woolley, Am. Soc. **80**, 6635 (1958).
[23] J. Honzl u. J. Rudinger, Collect. czech. chem. Commun. **26**, 2333 (1961).
[24] H. Arold u. D. Stevens, J. pr. **311**, 271 (1969).
[25] V. du Vigneaud, M. F. Bartlett u. A. Jöhl, Am. Soc. **79**, 5572 (1957).
[26] H. C. Beyerman, J. S. Bontekoe u. A. C. Koch, R. **78**, 935 (1959).
[27] R. A. Boissonnas et al., Helv. **38**, 1491 (1955).
[28] P. C. Crofts, J. H. H. Markes u. H. N. Rydon, Soc. **1959**, 3610.
[29] S. Goldschmidt u. C. Jutz, B. **86**, 1116 (1953).
[30] S. Goldschmidt et al., B. **97**, 2434 (1964).
[31] W. Ried u. G. Franz, A. **644**, 141 (1961).

S-Benzyl-L-cysteinyl-glycin-äthylester [H-Cys(BZL)-Gly-OEt]:

N-Benzyloxycarbonyl-S-benzyl-L-cystein [Z-Cys(BZL)-OH][1,2]: Zu einer Lösung von 75 g H-Cys(BZL)-OH in 380 *ml* n Natronlauge läßt man unter kräftigem Turbinieren und Eiskühlung allmählich 65 *ml* Chlorameisensäure-benzylester und gleichzeitig 200 *ml* 2n Natronlauge zutropfen, wobei ein $p_H = 9–10$ während der ganzen Umsetzung möglichst genau eingehalten werden soll. Das Rühren wird noch eine weitere Stunde ohne Außenkühlung fortgesetzt und dann durch Zugabe von Wasser das ölig ausgeschiedene Natriumsalz wieder in Lösung gebracht. Nach Filtrieren und 4–5maligem Ausziehen mit Diäthyläther wird die Reaktionslösung mit ~ 18%-iger Salzsäure kongosauer gestellt. Das abgeschiedene Öl erstarrt rasch kristallinisch. Man läßt das Gemisch einige Zeit im Eisschrank stehen und filtriert die Kristalle ab; Ausbeute: 115 g (90% d.Th.); F: 95°; Umkristallisieren aus Essigsäure-äthylester/Petroläther liefert feine farblose Nadeln von F: 99°.

N-Benzyloxycarbonyl-S-benzyl-L-cysteinyl-glycin-äthylester [Z-Cys(BZL)-Gly-OEt][2]: 2,8 g H-Gly-OEt · HCl werden durch kurzes Erwärmen in 50 *ml* wasserfreiem Pyridin gelöst; zur abgekühlten vollständig erstarrten Masse tropft man unter Schütteln bei 0° 0,875 *ml* Phosphor(III)-chlorid in 10 *ml* wasserfreiem Pyridin und fügt dann 7 g Z-Cys(BZL)-OH auf einmal zu. Nachdem alles in Lösung gegangen ist, erhitzt man das Reaktionsgemisch noch 4 Stdn. auf einem 80° heißen Wasserbad. Nach Abdestillieren des Pyridins i. Vak. wird der verbleibende Rückstand zwischen Essigsäure-äthylester und Wasser verteilt, die abgetrennte organische Phase mit 2n Salzsäure, 10%-iger Natriumcarbonat-Lösung und Wasser wie üblich gewaschen, über Natriumsulfat getrocknet und letztlich erneut i. Vak. eingedampft. Nach Umkristallisieren aus Essigsäure-äthylester/Petroläther fallen feine farblose Nadeln an; Ausbeute: 7,6 g (88% d.Th.); F: 88–89°; $[\alpha]_D^{20} = -26{,}8°$ (c = 6 in Essigsäure).

S-Benzyl-L-cysteinyl-glycin-äthylester [H-Cys(BZL)-Gly-OEt][2]: 20 g Z-Cys(BZL)-Gly-OEt in 200 *ml* absol. Äthanol werden ohne Kühlung mit Chlorwasserstoff gesättigt. Letztlich wird das Reaktionsgemisch 2 Stdn. auf dem Wasserbad zum Sieden erhitzt. Dann destilliert man Äthanol, Chlorwasserstoff und gebildetes Benzylchlorid i. Vak. ab, löst den gelblichen, harzartigen Rückstand in 200 *ml* absol. Äthanol, leitet erneut Chlorwasserstoff ein und verarbeitet wie oben. Zum Schluß wird der erhaltene Rückstand in 60 *ml* Eiswasser gelöst. Dabei scheiden sich meist kleine Mengen unveränderter Benzyloxycarbonyl-Verbindung in farblosen Flocken ab; sie werden abfiltriert. Das Filtrat wird nach Ausschütteln mit Diäthyläther mit 50 *ml* Chloroform unterschichtet und dann mit ges. Kaliumcarbonat-Lösung alkalisch gestellt. Durch Schütteln des Ansatzes wird der gebildete freie Ester in die Chloroformschicht übergeführt; sie wird abgetrennt, die verbleibende wäßrige Phase ein zweites Mal mit Chloroform extrahiert. Die vereinigten und getrockneten Chloroform-Auszüge hinterlassen nach dem Abdestillieren des Lösungsmittels i. Vak. ~ 12 g freien Ester als schwach gelbliches Öl, das nicht zur Kristallisation zu bringen ist; Ausbeute: 85–90% der Theorie.

N-Benzyloxycarbonyl-S-benzyl-L-cysteinyl-L-tyrosyl-L-phenylalanyl-L-glutaminyl-L-asparaginyl-S-benzyl-L-cysteinyl-L-prolyl-Nε-tosyl-L-lysyl-glycin-amid [Z-Cys(BZL)-Tyr-Phe-Gln-Asn-Cys(BZL)-Pro-Lys(TOS)-Gly-NH_2]:

N-Benzyloxycarbonyl-S-benzyl-L-cystein-4-nitro-phenylester [Z-Cys(BZL)-ONP][3]: 7 g Z-Cys(BZL)-OH (s. o.) in 22 *ml* frisch über Natrium destilliertem Tetrahydrofuran werden mit 4 g 4-Nitro-phenol versetzt und anschließend nach Eiskühlung mit 4,2 g Dicyclohexylcarbodiimid. Die Reaktionsmischung läßt man 30 Min. bei Raumtemp. stehen, filtriert den abgeschiedenen N,N'-Dicyclohexyl-harnstoff ab und wäscht ihn mit 22 *ml* Tetrahydrofuran. Die i. Vak. eingedampfte Lösung hinterläßt einen Rückstand, der nach Behandeln mit 50 *ml* 0,2n Kaliumhydrogencarbonat-Lösung aufs Filter gebracht und sorgfältig mit 50 *ml* Kaliumhydrogencarbonat-Lösung (w. o.), 400 *ml* Wasser und 100 *ml* 90%-igem Äthanol gewaschen und letztlich i. Vak. bei Raumtemp. über Phosphor(V)-oxid getrocknet wird; Ausbeute: 8,2 g (88% d.Th.); F: 85–88°; nach 2maligem Umkristallisieren aus absol. Äthanol F: 93–94° und $[\alpha]_D^{22} = -42°$ (c = 1 in Dimethylformamid).

N-Benzyloxycarbonyl-S-benzyl-L-cysteinyl-L-tyrosyl-L-phenylalanyl-L-glutaminyl-L-asparaginyl-S-benzyl-L-cysteinyl-L-prolyl-N_ε-tosyl-L-lysyl-glycin-amid [Z-Cys(BZL)-Tyr-Phe-Gln-Asn-Cys(BZL)-Pro-Lys(TOS)-Gly-NH_2][4]: 5,0 g Z-Tyr(BZL)-Phe-Gln-Asn-Cys(BZL)-Pro-Lys(TOS)-Gly-NH_2 werden mit 30 *ml* Bromwasserstoff in Essigsäure (4n Lösung) übergossen; nach 1stdgm. Stehen der Reaktionsmischung bei Raumtemp. wird das abgeschiedene Peptidamid-Hydrobromid wie üblich isoliert, getrocknet und letztlich in 28 *ml* Dimethylformamid aufge-

---

1 C. R. Harington u. T. H. Mead, Biochem. J. **30**, 1598 (1936).
2 S. Goldschmidt u. C. Jutz, B. **86**, 1116 (1953).
3 M. Bodanszky u. V. du Vigneaud, Am. Soc. **81**, 2504 (1959).
4 M. Bodanszky, J. Meienhofer u. V. du Vigneaud, Am. Soc. **82**, 3195 (1960).

nommen. Die erhaltene Lösung wird bei 0° mit 3,5 *ml* Triäthylamin und anschließend mit 1,95 g Z-Cys (BZL)-ONP versetzt, der Reaktionsansatz 3 Tge. lang bei Raumtemp. aufbewahrt, anschließend 3 *ml* Essigsäure und 500 *ml* Wasser zugefügt. Der gebildete Niederschlag wird aufs Filter gebracht und dann sorgfältig mit 250 *ml* Wasser, 50 *ml* Aceton/Essigsäure-äthylester (1 : 1), 200 *ml* warmem Essigsäure-äthylester und letztlich 50 *ml* Äthanol gewaschen; Ausbeute: 5,3 g (99% d.Th.); F: 217–221° (unverändert nach Umkristallisation aus Essigsäure/Äthanol); $[\alpha]_D^{20} = -43°$ (c = 1 in Dimethylformamid).

Da des weiteren fast alle acidolytischen Demaskierungs-Operationen für Amino-, Hydroxy- und Carboxy-Schutzgruppen an S-Benzyl-cystein-haltigen Peptid-Derivaten mit Erfolg vorgenommen werden konnten – selbst die Abspaltung von N-Benzyloxycarbonyl-Gruppen mittels Bromwasserstoff/Essigsäure[1–4], Bromwasserstoff/Trifluoressigsäure[5] oder mittels Chlorwasserstoff/Äthanol (gesättigte Lösung) bei Siedetemp.[6] (vgl. vorstehende Beispiele) sowie eine Ablösung vom „Merrifield-Harz" mit Bromwasserstoff/Trifluoressigsäure[7,8], d.h. Spaltung der Polymer-benzylester-Bindung (s. S. 381f.), übersteht die Thioäther-Gruppierung ohne Schädigung –, setzte man viele Jahre hindurch große Hoffnungen in die peptidsynthetische Verwendung von S-Benzyl-cystein (s.u.).

Doch ganz problemlos sind die peptid-synthetischen Operationen mit S-Benzyl-cystein-Derivaten nicht; N-Acyl-S-benzyl-cystein-aktivester neigen unter dem Einfluß von Basen (z.B. Triäthylamin etc.) zur Racemisierung[9,10], die nach Kovacs[11] nicht nach einem „β-Eliminierung-Readditions-Mechanismus" verlaufen sollen (vgl. dazu S. 39). Auch bei der Hydrazinolyse[12] – vor allem bei höheren Temperaturen vorgenommen – und bei der alkalischen Hydrolyse[12–14] von S-Benzyl-cystein-haltigen Peptid-estern wurde Racemisierung und auch Benzylmercaptan-Abspaltung beobachtet. Ein „vorsichtiges" Arbeiten im alkalischen (basischen) Milieu scheint daher stets geboten.

Letztlich ist auch die reversible Gestaltung der „S-Benzyl-Maskierung" keine glückliche Lösung: die Spaltung der Thioäther-Gruppierung mittels Natrium in flüssigem Ammoniak[15–19] ist relativ beschwerlich (bei Gluthation-Synthesen nur mit 14–40% Ausbeute[20]) und nicht immer ohne Komplikationen verlaufend (s. dazu S. 55, 233f. u. 741), die acidolytische Spaltung mit flüssigem Fluorwasserstoff[21,22] (über 60 Min. bei 0° oder ~ 30 Min. bei 20°[22]) –

---

1 N. Izumiya u. J. P. Greenstein, Arch. Biochem. **52**, 203 (1954).
2 M. Zaoral u. J. Rudinger, Collect. czech. chem. Commun. **20**, 1183 (1955).
J. Rudinger, J. Honzl u. M. Zaoral, Collect. czech. chem. Commun. **21**, 202 (1956).
3 R. A. Boissonnas et al., Helv. **38**, 1491 (1955).
4 M. Bodanszky u. V. du Vigneaud, Am. Soc. **81**, 5688 (1959).
5 J. Meienhofer u. A. Trzeciak, Pr. Nation. Acad. USA **68**, 1006 (1971).
6 S. Goldschmidt u. C. Jutz, B. **86**, 1116 (1953).
7 R. B. Merrifield u. A. Marglin, *Peptides*, Proc. 8th Europ. Peptide Symposium, Noordwijk 1966, North-Holland Publ. Co., Amsterdam **1967**, S. 85.
8 T. Okuda u. H. Zahn, Makromol. Ch. **121**, 87 (1969).
9 G. W. Anderson, F. M. Callahan u. J. E. Zimmerman, Acta chim. Acad. Sci. hung. **44**, 51 (1965).
10 B. Liberek, Tetrahedron Letters **1963**, 925.
11 J. Kovacs et al., J. Org. Chem. **35**, 1810 (1970).
12 J. A. Maclaren, W. E. Savige u. J. M. Swan, Austral. J. Chem. **11**, 345 (1958).
13 J. A. Maclaren, Austral. J. Chem. **11**, 360 (1958).
14 V. du Vigneaud, M. F. Bartlett u. A. Jöhl, Am. Soc. **79**, 5572 (1957).
15 R. H. Sifferd u. V. du Vigneaud, J. Biol. Chem. **108**, 753 (1935).
16 C. R. Harington u. T. H. Mead, Biochem. J. **30**, 1598 (1936).
17 J. L. Wood u. V. du Vigneaud, J. Biol. Chem. **130**, 109 (1939).
18 C. R. Harington u. R. V. Pitt-Rivers, Biochem. J. **38**, 417 (1944).
19 R. Consden u. A. H. Gordon, Biochem. J. **46**, 8 (1950).
20 s. dazu F. E. King, J. W. Clark-Lewis u. R. Wade, Soc. **1957**, 880.
21 S. Sakakibara u. Y. Shimonishi, Bl. chem. Soc. Japan **38**, 1412 (1965).
22 S. Sakakibara et al., *Peptides*, Proc. 8th Europ. Peptide Symposium Noordwijk 1966, North-Holland Publ. Co., Amsterdam **1967**, S. 44.

selbstverständlich unter Zusatz von Kationenfängern wie Anisol[1] – nicht nebenreaktionsfrei (N → S-und N → O-Acyl-Wanderungen etc., s. ferner S. 61).

L-Cysteinyl-L-tyrosin [H-Cys-Tyr-OH][2]: 5,4 g Z-Cys(BZL)-Tyr-OH in 75 *ml* flüssigem Ammoniak werden wie üblich unter Rühren mit kleinen Stückchen metallischen Natriums behandelt, bis eine längere Zeit bleibende Blaufärbung des Reaktionsansatzes auftritt (~ 1,2 g Natrium). Danach fügt man 3,75 g Ammoniumsulfat zu, um die Blaufärbung zu zerstören und das eingesetzte Natrium als Natriumsulfat abzufangen. Man läßt das Ammoniak verdunsten und entfernt die letzten Spuren des Lösungsmittels i. Vak. unter Erwärmen auf 40° und anschließendem Trocknen i. Vak. über Schwefelsäure (~ 200 Min.). Das erhaltene feste Material wird in 80 *ml* 0,5n Schwefelsäure aufgenommen, von Unlöslichem (Dibenzyl) abfiltriert, die Lösung dann mit Quecksilber(II)-sulfat (modifiziertes Hopkins's-Reagenz[3]) behandelt, bis keine Fällung mehr erfolgt (16,5 *ml* Reagenz-Lösung werden benötigt). Am folgenden Tag wird der gebildete Niederschlag abfiltriert, 5mal mit Wasser digeriert und anschließend in 80 *ml* Wasser suspendiert. Die Suspension wird mit Schwefelwasserstoff gesättigt, die Reaktionsmischung filtriert und der Rückstand nochmals der gleichen Prozedur unterzogen. Die vereinigten Filtrate werden i. Vak. (bei Badtemp. nicht über 50°) konzentriert und anschließend durch vorsichtige Zugabe von konz. Ammoniak auf $p_H = \sim 4,8$ gestellt. Nach Animpfen (Kristalle erhält man durch vorsichtige Zugabe von Äthanol zu einem kleinen Teil der Lösung) tritt alsbald Kristallisation ein; nach Aufbewahren über Nacht im Kühlschrank wird die kristalline Fällung abfiltriert und getrocknet (1,6 g). Eine weitere Kristall-Fraktion (0,41 g) wird nach Konzentrieren der Mutterlauge und erneutem Einstellen des genannten p_H-Wertes mit Natriumacetat isoliert; Gesamtausbeute: 2,01 g (70% d,Th.). Nach Umkristallisieren aus Wasser werden Prismen erhalten; F: über 300° (Zers.); $[\alpha]_D^{25} = +15,2$ (c = 5 in n Salzsäure).

L-Seryl-L-cysteinyl-L-valyl-L-seryl-L-cystein [H-Ser-Cys-Val-Ser-Cys-OH][4]: 30,5 mg H-Ser-Cys(BZL)-Val-Ser-Cys(BZL)-OH werden mit ~ 3 *ml* flüssigem Fluorwasserstoff in Gegenwart von 0,3 *ml* Anisol bei 22° über 60 Min. behandelt (Sakakibara-Apparatur, s. S. 62). Nach üblicher Entfernung des überschüssigen Fluorwasserstoffs, zum Schluß i. Vak. über Kaliumhydroxid, wird der erhaltene Rückstand in 10 *ml* Wasser aufgenommen, die Lösung mit ~ 5 g Amberlite CG-4B (Acetat-Form) 30 Min. lang behandelt. Das Filtrat vom Austauscher wird nach Extrahieren mit Diäthyläther gefriergetrocknet; Ausbeute: 12,2 mg (64% d.Th.).

Eine Art Höhenflug hat die Verwendung von S-Benzyl-cystein bei Synthesen des *Oxytocins*[5], der *Vasopressine*[6] und ihrer Analoga incl. *Vasotoxin*[7] mitgemacht, wobei allerdings nicht die Erstellung der offenkettigen Cystein-peptide, sondern die der genannten „Cyclopeptide" mit einem asymmetrisch substituierten Cystin-Rest Endziel waren; Abspaltung der S-Benzyl-Schutzgruppe (meistens zugleich mit N-Benzyloxycarbonyl- und N-Tosyl-Resten) und „oxidativer Disulfid-Ringschluß" erfolgten in Eintopf-Verfahren (s. dazu S. 811 u. 812).

---

[1] S. SAKAKIBARA u. Y. SHIMONISHI, Bl. chem. Soc. Japan **38**, 1412 (1965).
[2] C. R. HARINGTON u. R. V. PITT-RIVERS, Biochem. J. **38**, 417 (1944).
[3] E. C. KENDALL, B. F. MCKENZIE u. H. L. MASON, J. Biol. Chem. **84**, 657 (1929).
[4] H. YAJIMA, N. SHIRAI u. Y. KISO, Chem. Pharm. Bull. (Tokyo) **19**, 1900 (1971).
[5] V. DU VIGNEAUD et al., Am. Soc. **76**, 3115 (1954).
R. A. BOISSONNAS et al., Helv. **38**, 1421 (1955).
J. RUDINGER, J. HONZL u. M. ZAORAL, Collect czech. chem. Commun. **21**, 202 (1956).
M. BODANSZKY u. V. DU VIGNEAUD, Am. Soc. **81**, 2504, 5688 (1959).
H. C. BEYERMAN, J. S. BONTEKOE u. A. C. KOCH, R. **78**, 935 (1959).
M. MÜHLEMANN et al., Helv. **55**, 2854 (1972).
[6] M. F. BARTLETT et al., Am. Soc. **78**, 2905 (1956).
V. DU VIGNEAUD, M. F. BARTLETT u. A. JÖHL, Am. Soc. **79**, 5572 (1957).
P. G. KATSOYANNIS, D. T. GISH u. V. DU VIGNEAUD, Am. Soc. **79**, 4516 (1957).
R. A. BOISSONNAS u. R. L. HUGUENIN, Helv. **43**, 182 (1960).
R. O. STUDER u. V. DU VIGNEAUD, Am. Soc. **82**, 1599 (1960).
J. MEIENHOFER u. V. DU VIGNEAUD, Am. Soc. **82**, 2279 (1960).
M. BODANSZKY, J. MEIENHOFER u. V. DU VIGNEAUD, Am. Soc. **82**, 3195 (1960).
R. L. HUGUENIN u. R. A. BOISSONNAS, Helv. **45**, 1629 (1962).
R. O. STUDER, Helv. **46**, 421 (1963).
J. MEIENHOFER u. A. TRZECIAK, Pr. Nation. Acad. USA **68**, 1006 (1971).
[7] S. dazu Lit. in: E. SCHRÖDER u. K. LÜBKE, *The Peptides*, Vol. II, S. 294, 350, Academic Press, New York-London 1966.

Dieser Höhenflug nahm aber sein Ende in den Versuchen zu der Totalsynthese des *Insulins*. Z.B. konnte Katsoyannis[1] als Folge der aggressiven Natrium/Ammoniak-Demaskierung der Schutzgruppen (vor allem natürlich der S-Benzyl-Reste) eine „Entschwefelung" von Cystein-Resten, Zahn et al.[2] noch zusätzlich Spaltung von Peptid-Bindungen und teilweisen Verlust des eingebauten Threonin-Restes nachweisen (s. dazu S. 234). Mit dem Ausspruch „the S-benzyl-protection method can no longer be applied in the case of insulin synthesis" hat Zervas[3] das ausgesprochen, was sich im Zuge des Fortschritts der Peptid-Synthese bereits angedeutet hatte: die zur reversiblen Gestaltung der S-Benzyl-Maskierung benötigten „Gewalt-Methoden" fordern grundsätzlich eine neue Ära des Schutzes der Cystein-Thiol-Funktion.

36.911.212. Subst. Benzyl-Schutzgruppen

36.911.212.1. Der S-4-Nitro-benzyl-[NB]-Rest

Nach Berse et al.[4] sollte die S-4-Nitro-benzyl-Schutzgruppe durch katalytische Hydrogenolyse (Palladium-Kohle als Katalysator) glatt abspaltbar sein – ein unbestreitbarer Vorteil gegenüber der S-Benzyl-Maskierung.

Die Erstellung von *S-(4-Nitro-benzyl)-cystein* (IV) gelingt durch einfache Reaktion von Cystein (III) mit 4-Nitro-benzylchlorid und n Natronlauge bei $\sim 0°$ in einem Wasser/1,4-Dioxan-Milieu zweckmäßig unter Stickstoff-Atmosphäre[4,5]. Mit Hilfe des auf üblichem Acylierungs-Wege aufgebauten Z-Cys(NB)-OH wurden nach der Alkylkohlensäure-Mischanhydrid- und der 4-Nitro-phenylester-Methode (s. S. 702) die Schaf-Insulin-A-Ketten-Fragmente *Z-Cys(Z)-Cys(NB)-Ala-Gly-OH*[6] und *Z-Glu(BZL)-Asn-Tyr-Cys(NB)-Asn-ONB*[7] synthetisiert; im Zuge dieser Synthese wurde die Stabilität der 4-Nitro-benzylthioäther-Gruppierungen gegenüber Bromwasserstoff/Essigsäure (4n Lösung) bei gleichzeitiger Debenzyloxycarbonylierung erfolgreich demonstriert.

1962 berichteten Ondetti und Bodanszky[8] von der Bildung der S-4-Amino-benzyl-Derivate bei katalytischer Hydrierung von Z-Cys(NB)-Gly-OH und H-Cys(NB)-OH in hoher Ausbeute. Hierzu gesellt sich die Aussage von Hiskey und Tucker[9], daß nach Behandeln von Z-Cys(NB)-OEt mit katalytisch erregtem Wasserstoff keine freie Thiol-Gruppe nachzuweisen war. Bachi und Ross-Petersen[5] konnten neuerdings die widersprüchlichen Ergebnisse aufklären: die katalytische Hydrogenolyse z.B. von H-Cys(NB)-OH (IV) führt eindeutig zu *H-Cys(AB)-OH* (V), dessen Thioäther-Bindung sich jedoch mit Quecksilber(II)-Salzen (u.a. Hopkins-Reagenz[10]) aufspalten läßt; das erhaltene Mercaptid VI kann wie

---

[1] P. G. Katsoyannis et al., Am. Soc. **88**, 5625 (1966).

[2] H. Zahn, T. Okuda u. Y. Shimonishi, *Peptides*, Proc. 8th Europ. Peptide Symposium Noordwijk 1966, North-Holland Publ. Co., Amsterdam **1967**, S. 108.
vgl. C.-L. Tsou, Y.-C. Du u. G.-Y. Xü, Scientia Sinica **10**, 332 (1961);
vgl. K. Lübke u. H. Klostermeyer, Adv. Enzymol. **33**, 445–525 (1970).

[3] L. Zervas in *Peptides*, Proc. 8th Europ. Peptide Symposium Noordwijk 1966, North-Holland Publ. Co., Amsterdam **1967**, S. 112.

[4] C. Berse, R. Boucher u. L. Piché, J. Org. Chem. **22**, 805 (1957).

[5] M. D. Bachi u. K. J. Ross-Petersen, J. Org. Chem. **37**, 3550 (1972).

[6] P. G. Katsoyannis, Am. Soc. **83**, 4053 (1961).

[7] P. G. Katsoyannis u. K. Suzuki, Am. Soc. **83**, 4057 (1961).

[8] M. A. Ondetti u. M. Bodanszky, Chem. & Ind. (London) **1962**, 697.

[9] R. G. Hiskey u. W. P. Tucker, Am. Soc. **84**, 4780 (1962).

[10] F. G. Hopkins u. S. W. Cole, J. Physiol. (London) **27**, 418 (1901).

üblich mit Schwefelwasserstoff zerlegt, das intermediäre Cystein (III) mittels Luft-Oxidation in Cystin übergeführt werden (s. u.). Da Berse et al.[1] bei ihren Versuchen den

CH_2–C$_6$H$_4$–NO_2 | S | CH_2 | H_2N–CH–COOH (IV) —H_2 / Pd–C→ CH_2–C$_6$H$_4$–NH_2 | S | CH_2 | H_2N–CH–COOH (V)

IV ↑ + $ClCH_2$–C$_6$H$_4$–NO_2 (n NaOH)

V ↓ + $HgSO_4$ (verdünnte H_2SO_4)

SH | CH_2 | H_2N–CH–COOH (III) ←+ H_2S— $Hg_{/2}$ | S | CH_2 | H_2N–CH–COOH (VI)

Hydrierungsansatz mit Hilfe von Hopkins-Reagenz aufgearbeitet hatten, wird nachträglich ihr experimentelles Ergebnis, nicht aber ihre damalige Schlußfolgerung bestätigt.

L-Cystin:

S-(4-Amino-benzyl)-L-cystein-Hydrochlorid [H-Cys(AB)-OH · HCl][2]: 1,37 g H-Cys(NB)-OH in 100 *ml* Äthanol und 50 *ml* n Salzsäure werden bei Raumtemp. unter Normaldruck unter Zusatz von 345 mg 10%-iger Palladium-Kohle wie üblich hydriert. Nach Aufnahme der ber. Menge Wasserstoff (nach 7–8 Stdn.) wird das Filtrat vom Katalysator (Nitroprussid-negativer Test auf Thiol-Gruppen) i. Vak. eingedampft, der ölige Rückstand in 25 *ml* Äthanol/Wasser (19: 1) aufgenommen und die Lösung durch Zugabe von ~ 0,8 *ml* Pyridin auf p_H = 4–5 gestellt. Die sofort einsetzende Kristallisation wird durch Stehenlassen bei 5° über 24 Stdn. vervollständigt; der gelb gefärbte Niederschlag wird abfiltriert, mit 10 *ml* Äthanol und anschließend 10 *ml* Diäthyläther gewaschen und letztlich aus 50 *ml* Äthanol/Wasser (9: 1) umkristallisiert; Ausbeute: 0,95 g (68% d.Th.); F: 215–216° (Zers.); $[\alpha]_D^{20} = -5{,}5°$ (c = 1 in n Salzsäure).

L-Cystin[2]: 1,13 g vorstehend erhaltenes H-Cys(AB)-OH in 100 *ml* Äthanol und 50 *ml* n Salzsäure werden mit 75 *ml* Hopkins-Reagenz [10% Quecksilber(II)-sulfat in 5%-iger wäßriger Schwefelsäure] versetzt; die Ausfällung des Mercaptids startet innerhalb einiger Minuten. Die Reaktionsmischung wird 20 Stdn. lang gerührt, anschließend filtriert und sorgfältig mit 20 *ml* Wasser, 20 *ml* Äthanol und schließlich 20 *ml* Diäthyläther gewaschen. Das feste Produkt (1,86 g; F: über 250°) wird in 50 *ml* Wasser suspendiert, die Suspension mit Schwefelwasserstoff gesättigt. Nach 15 Min. wird der gebildete Quecksilber(II)-sulfid-Niederschlag abfiltriert, überschüssiger Schwefelwasserstoff i. Vak. entfernt. Durch die mit ~ 4 *ml* 3n Natronlauge alkalisch gestellte Reaktionslösung wird ein Luftstrom durchgeleitet (150 Min.). Kristallisation tritt ein, wenn diese Lösung nunmehr durch Zugabe von 3n Salzsäure auf p_H = ~ 4 gestellt wird; sie wird durch Stehenlassen über Nacht bei 5° vervollständigt und anschließend aufs Filter gebracht. Der Filterrückstand wird sorgfältig mit 10 *ml* Wasser und 10 *ml* Aceton gewaschen, in 3,4 *ml* n Natronlauge gelöst und mit 3,4 *ml* n Salzsäure wieder ausgefällt. Der abfiltrierte Niederschlag wird letztlich sorgfältig mit 10 *ml* Wasser, 10 *ml* Äthanol und 10 *ml* Diäthyläther gewaschen und getrocknet; Ausbeute: 0,39 g (76% d.Th.); F: 248–250° (Zers.); $[\alpha]_D^{25} = -212°$ (c = 1,04 in n Salzsäure).

---

[1] C. Berse, R. Boucher u. L. Piché, J. Org. Chem. **22**, 805 (1957).

[2] M. D. Bachi und K. J. Ross-Petersen, J. Org. Chem. **37**, 3550 (1972).

36.911.212.2. Der S-4-Methoxy-benzyl-[MOB]-Rest

Günstigere Demaskierungs-Bedingungen als diejenigen für den S-Benzyl-Rest erhofften sich Akabori et al.[1] von der S-4-Methoxy-benzyl-Schutzgruppe.

Die Herstellung von *H-Cys(MOB)-OH* wird in Analogie zum du Vigneaudschen S-Benzylierungsverfahren (s. S. 736) aus Cystin und 4-Methoxy-benzylchlorid vorgenommen[1,2]. Mit den N-Benzyloxycarbonyl-, N-tert.-Butyloxycarbonyl- und N-tert.-Amyloxycarbonyl-Derivaten des S-4-Methoxy-benzyl-maskierten Cysteins wurden vorwiegend nach Carbodiimid- (incl. bei Merrifield-Verfahren) und 4-Nitro-phenylester-Methoden geschützte Sequenzen von *Oxytocin*[2] und *Arg*[8]*-Vasopressin*[3], von der *Insulin-A-Kette*[4] und *-B-Kette (1–8)*[5] erfolgreich aufgebaut.

Zur reversiblen Gestaltung der Bromwasserstoff/Essigsäure-stabilen S-4-Methoxy-benzyl-Schutzgruppe wurde zunächst siedende Trifluoressigsäure vorgeschlagen[1,2]. Bei der Demaskierung eines S-4-Methoxy-benzyl-geschützten Oxytocin-Derivats tritt unter diesen harten Reaktionsbedingungen aber anscheinend auch Transamidierung zwischen den Aminodicarbonsäure-ω-amid-Resten und der Trifluoressigsäure ein; die erhaltene geringe oxytocische Aktivität (3300 Einheiten/100 mg) des isolierten Materials wird damit begründet[2]. Besser gelingt die übliche Entfernung der Schutzgruppen mit Natrium/flüssigem Ammoniak (oxytocische Aktivität des isolierten Produkts: 24500/100 mg)[2]. Die später demonstrierte Freisetzung der Thiol-Funktion durch Einwirkung von flüssigem Fluorwasserstoff bei 0° über ~30 Min. erbrachte auch nicht den gewünschten Erfolg. So sprechen Sakakibara et al.[3] von 70% „Wiedergewinnung" an Thiol-Funktion bei der Fluorwasserstoff-Demaskierung von Z-Gly-Cys(MOB)-OH, die allerdings unter sofortiger alkalischer Behandlung des isolierten Reaktionsprodukts (unter Stickstoff-Atmosphäre) auf 80% steigerbar sein soll. Interpretiert wird dieses Ergebnis mit teilweiser Rückführung einer 10–20%-igen Fluorwasserstoff-induzierten N → S-Acyl-Wanderung[3]. Lübke und Schröder[4] können unter Anwendung der Sakakibara-Technik an Modellpeptiden die Thiol-Gruppen zu 50–65%, an einer Insulin-A-Kette mit vier 4-Methoxy-benzylthioäther-Gruppierungen maximal zu 70% freisetzen; bessere Ergebnisse bringt die Fluorwasserstoff-Deblockierung unter Zusatz von Anisol, Tyrosin und Cystein – doch auch hier nur mit einem durchschnittlichen Abspaltungs-Grad der S-4-Methoxy-benzyl-Reste mit ~ 80% (je Cystein-Rest). Letztlich stellten Zahn et al.[5] bei ihren Versuchen einer Synthese des N-terminalen Oktapeptids der Insulin-B-Kette (nach Merrifield-Technik aufgebaut) die Brauchbarkeit dieser Thiol-Maskierung überhaupt in Frage, da sie mit flüssigem Fluorwasserstoff nach bekannter Manier nur etwa die Hälfte der S-4-Methoxy-benzyl-Schutzgruppen ablösen konnten.

S-(4-Methoxy-benzyl)-L-cysteinyl-L-prolyl-L-leucyl-glycin-amid [H-Cys(MOB)-Pro-Leu-Gly-NH_2]:

N-Benzyloxycarbonyl-S-(4-methoxy-benzyl)-L-cysteinyl-L-prolyl-L-leucyl-glycin-amid [Z-Cys(MOB)-Pro-Leu-Gly-NH_2][2]: Zu 211,4 g H-Pro-Leu-Gly-NH_2 in 20 *ml* Dimethylformamid werden 19,8 g Z-Cys(MOB)-ONP gegeben; die Reaktionsmischung wird über Nacht bei Raumtemp. stehen gelassen und dann mit 6 *ml* Essigsäure-äthylester verdünnt. Das abgeschiedene kristalline Produkt wird abfiltriert und anschließend aus 300 *ml* heißem Methanol und 300 *ml* Wasser umkristallisiert; Ausbeute: 19,8 g (77% d.Th.); F: 165–167°; $[\alpha]_D^{21} = -55{,}4°$ (c = 2 in Dimethylformamid).

---

[1] S. Akabori et al., Bl. chem. Soc. Japan **37**, 433 (1964).

[2] S. Sakakibara et al., Bl. chem. Soc. Japan **38**, 120 (1965).

[3] S. Sakakibara et al., *Peptides*, Proc. 8th Europ. Peptide Symposium Noordwijk 1966, North-Holland Publ. Co., Amsterdam **1967**, S. 44.

[4] K. Lübke u. E. Schröder, *Peptides* 1971, Proc. 11th Europ. Peptide Symposium Vienna 1971, North-Holland Publ. Co., Amsterdam **1973**, S. 89.

[5] K. Hammerström, W. Lunkenheimer u. H. Zahn, Makromol. Ch. **133**, 41 (1970).

S-(4-Methoxy-benzyl)-L-cysteinyl-L-prolyl-L-leucyl-glycin-amid[H-Cys(MOB)-Pro-Leu-Gly-NH_2][1]: 15,09 g Z-Cys(MOB)-Pro-Leu-Gly-NH_2 in 25 *ml* Essigsäure werden mit 120 g Bromwasserstoff in Essigsäure (29%-ig) versetzt; nach 1 Stde. bei Raumtemp. werden zur Reaktionsmischung 1000 *ml* absol. Diäthyläther zugefügt. Das ausgeschiedene Material wird abfiltriert, sorgfältig 3mal mit Diäthyläther gewaschen und letztlich über Natriumhydroxid getrocknet. Die Lösung des erhaltenen Materials in 150 *ml* Methanol wird zur Entfernung der Bromid-Ionen mit dem Ionenaustauscher IRA-400 (OH-Form) wie üblich behandelt; das Filtrat vom Austauscher, incl. der Waschflüssigkeit, wird anschließend i. Vak. zur Trockne eingedampft.

Das erhaltene Rohprodukt ist für die weitere Umsetzung genügend rein.

36.911.212.3. Andere S-subst.-Benzyl-Schutzgruppen

In ihren umfangreichen Studien über S-Aralkyl-Schutzgruppen mußten König et al.[2] aufzeigen, daß verschiedenartig-substituierte Benzyl-Reste (*3,4-Methylendioxy-[MDB]-*, *α,α-Diäthyl-4-methoxy-[DEOB]-*, *α,α-Dimethyl-4-methoxy-[DMOB]-* und *α,α-Dimethyl-4-methyl-[DMMB]-* sowie die „verdeckten" subst. Benzyl-Reste: *1-Phenyl-cyclohexyl-[PcHe]-*, *1-Phenyl-cycloheptyl-[PcHp]-*, *1-Phenyl-cyclopentyl-[PcPe]-* und *1-[4-Methoxy-phenyl]-cyclohexyl-[McHe]-*) kaum eine praktische Anwendung für die Synthese höherer Peptide, insbesondere von Peptid-Naturstoffen erreichen werden. Zwar gelingt die Erstellung der Cystein-thioäther leicht durch Umsetzung von Cystein-Hydrochlorid mit den entsprechenden Carbinolen oder Olefinen in Essigsäure unter Bortrifluorid- oder Bromwasserstoff-Katalyse, doch die reversible Gestaltung der S-Maskierung auf acidolytischem Wege erfordert zu drastische Bedingungen[2,3]; selbst die „günstigste" Schutzgruppe dieser Reihe, der 1-(4-Methoxy-phenyl)-cyclohexyl-[McHe]-Rest ist nur noch mit siedender Trifluoressigsäure innert 5 Min., mit Ameisensäure/4-Toluolsulfonsäure (4:1) innert 5 Min. bei 100° bzw. innert 15 Min. bei 70° abspaltbar[2]. Das aber sind Demaskierungs-Prozeduren, die meistens zu weittragender Schädigung aufgebauter „komplexer" Peptid-Sequenzen Anlaß geben[4,5]. Die Aufhebung der Thiol-Maskierung durch Jodolyse – die allerdings stets zu Cystin-peptiden führt (s. S. 804) – ist in angemessener Zeit nur unvollständig zu erreichen (bislang allerdings nur an *α,α*-Dimethyl-4-methoxy-benzyl- und *α,α*-Dimethyl-benzyl-Resten studiert)[3].

36.911.213. S-Diphenyl-methyl-[DPM]-Schutzgruppe

Für den Schutz der Thiol-Funktion durch Diphenyl-methyl-thioäther-Bildung haben erstmals Zervas und Photaki[6] plädiert. Die Herstellung von *H-Cys(DPM)-OH* (VII) gelingt aus Cystein-Hydrochlorid (-4-Toluolsulfonsäure-Salz) und Diphenyl-methylchlorid in Dimethylformamid unter Erhitzen[7] oder unter Einfluß von Bromwasserstoff/Essigsäure bei Raumtemp. (2,5 Tage!)[4] sowie – und dies mit besserer Ausbeute – aus Cystein-Hydrochlorid und Diphenyl-methanol in Essigsäure unter Bortrifluorid-Diäthylätherat-Katalyse[8] oder aus Cystein (III) und Diphenyl-methanol in Bromwasserstoff/Essigsäure (n Lösung) bei 50°[9] bzw. in Trifluoressigsäure[9]. Nach letzterem Verfahren kann die S-Schutzgruppe auch im Peptid-Verband eingeführt werden – dies selbst bei Hydroxy-unmaskierten Serin-Resten in der Sequenz[9].

---

[1] S. Sakakibara et al., Bl. chem. Soc. Japan **38**, 120 (1965).
[2] W. König, R. Geiger u. W. Siedel, B. **101**, 681 (1968).
[3] G. Losse u. T. Stölzel, Tetrahedron **28**, 3049 (1972).
[4] R. W. Hanson u. H. D. Law, Soc. **1965**, 7285.
[5] A. Previero, M.-A. Coletti-Previero u. L.-G. Barry, Biochem. biophys. Acta **181**, 361 (1969).
[6] L. Zervas u. I. Photaki, Chimia **14**, 375 (1960).
[7] L. Zervas u. I. Photaki, Am. Soc. **84**, 3887 (1962).
[8] R. G. Hiskey u. J. B. Adams, J. Org. Chem. **30**, 1340 (1965).
[9] I. Photaki et al., Soc. [C] **1970**, 2683.

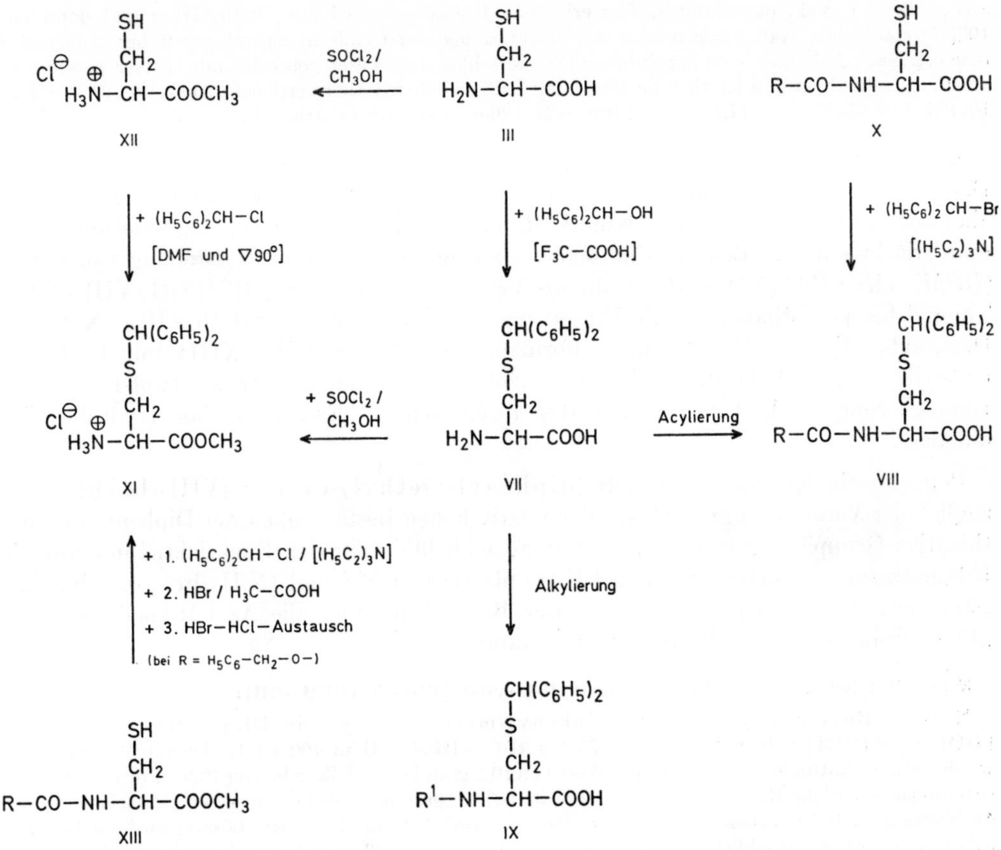

SH | CH$_2$ | $Cl^{\ominus}$ $\oplus$ $H_3N-CH-COOCH_3$ (XII) ← $SOCl_2/CH_3OH$ ← SH | CH$_2$ | $H_2N-CH-COOH$ (III)   SH | CH$_2$ | $R-CO-NH-CH-COOH$ (X)

XII ↓ + $(H_5C_6)_2CH-Cl$ [DMF und ▽90°]   III ↓ + $(H_5C_6)_2CH-OH$ [$F_3C-COOH$]   X ↓ + $(H_5C_6)_2CH-Br$ [$(H_5C_2)_3N$]

$CH(C_6H_5)_2$ | S | CH$_2$ | $Cl^{\ominus}$ $\oplus$ $H_3N-CH-COOCH_3$ (XI) ← + $SOCl_2/CH_3OH$ ← $CH(C_6H_5)_2$ | S | CH$_2$ | $H_2N-CH-COOH$ (VII) → Acylierung → $CH(C_6H_5)_2$ | S | CH$_2$ | $R-CO-NH-CH-COOH$ (VIII)

XIII → XI: + 1. $(H_5C_6)_2CH-Cl$ / [$(H_5C_2)_3N$]; + 2. HBr / $H_3C-COOH$; + 3. HBr–HCl–Austausch (bei R = $H_5C_6-CH_2-O-$)

VII ↓ Alkylierung

SH | CH$_2$ | $R-CO-NH-CH-COOCH_3$ (XIII) $CH(C_6H_5)_2$ | S | CH$_2$ | $R^1-NH-CH-COOH$ (IX)

S-Diphenyl-methyl-L-cystein [H-Cys(DPM)-OH]:

Methode ⓐ[1]: 157,6 g Cystein-Hydrochlorid in 1000 *ml* Essigsäure werden bei 60° unter Rühren mit 184,2 g Diphenyl-methanol versetzt; die Reaktionsmischung wird – nach erneuter Einstellung der Temp. auf 60° – in einer Portion mit 140 *ml* (10% Überschuß) Bortrifluorid-Diäthylätherat versetzt und unter Rühren über 15 Min. auf 80° erhitzt. Das dicke Gemisch wird mit 1500 *ml* Äthanol verdünnt (gegebenenfalls in ein größeres Gefäß überführt), 500 *ml* Wasser hinzugefügt und bis zur Homogenität gerührt. Die erhaltene Lösung behandelt man unter kräftigem Rühren mit 300 g wasserfreiem, feingepulvertem Natriumacetat; die Mischung wird nach Abkühlen auf 10° filtriert, der Filterrückstand sorgfältig mit Wasser, absol. Äthanol und Diäthyläther gewaschen und letztlich i. Vak. über Phosphor(V)-oxid und Natriumhydroxid getrocknet; Ausbeute: 259 g (90% d. Th.); F: 206–207° (Zers.); $[\alpha]_D^{22} = +15{,}2 \pm 0{,}3°$ (c = 1,7 in 0,1 n Chlorwasserstoff in Äthanol).

Methode ⓑ[2]: 0,005 Mol Cystein und 0,005 Mol Diphenyl-methanol in Bromwasserstoff/Essigsäure (n Lösung) werden unter Rühren auf dem Wasserbad auf 50° über 2 Stdn. erhitzt. Die Reaktionslösung wird i. Vak. eingedampft, zum Rückstand Diäthyläther und anschließend 10%-ige wäßrige Natriumacetat-Lösung zugefügt, bis die Reaktionsmischung neutral gegen Kongo-Rot reagiert. Nach Abkühlen wird der gebildete Niederschlag abfiltriert, mit Wasser gewaschen, am Filter trocken gesaugt und letztlich mehrmals mit heißem Diäthyläther behandelt; Ausbeute: 80–95% d. Th.; F: 190–193°; $[\alpha]_D^{25} = +16{,}5°$ (c = 2,9 in 0,2n Chlorwasserstoff in Äthanol).

Methode ⓒ[2]: 0,005 Mol Cystein und 0,005 Mol Diphenyl-methanol werden unter Schütteln in 9 *ml* Trifluoressigsäure gelöst; die erhaltene klare Lösung wird für 15 Min. bei Raumtemp. stehen gelassen und

---

1 R. G. Hiskey u. J. B. Adams, J. Org. Chem. **30**, 1340 (1965).

2 I. Photaki et al., Soc. [C] **1970**, 2683.

anschließend i. Vak. eingedampft. Der erhaltene Rückstand wird mit Diäthyläther und dann mit 10%-iger wäßriger Natriumacetat-Lösung versetzt, bis das Gemisch neutral gegenüber Kongo-Rot reagiert. Nach Abkühlen wird der gebildete Niederschlag aufs Filter gebracht, mit Wasser gewaschen, am Filter getrocknet und letztlich mehrfach mit heißem Diäthyläther verrieben; Ausbeute: 91% d.Th.; F: 194–195°; $[\alpha]_D^{25} = +17{,}1°$ (c = 2,9 in 0,1n Chlorwasserstoff in Äthanol).

Auf jeweils bekannte Weise lassen sich aus H-Cys(DPM)-OH verschiedene N-geschützte Derivate VIII u. IX gewinnen (s. Tab. 72, S. 838ff.); die N-Acyl-Verbindungen VIII sind aber auch direkt aus N-Acyl-cystein (X) durch S-Alkylierung mit Diphenyl-methylbromid und Triäthylamin in Benzol erhältlich[1] (s. Schema S. 745). Eine Herstellung von *H-Cys(DPM)-OMe · HCl* (XI) ist durch direkte Veresterung von H-Cys(DPM)-OH (VII) mittels Thionylchlorid/Methanol, durch Umsetzung entweder von H-Cys-OMe · HCl (XII) mit Diphenyl-methylchlorid in Dimethylformamid oder Z-Cys-OMe (XIII) mit Diphenyl-methylbromid und Triäthylamin in Benzol und folgende Bromwasserstoff-Essigsäure-Entacylierung (incl. Umwandlung des resultierenden Esters in das Hydrobromid) möglich[1].

Peptidsynthesen mit N-Acyl-S-(diphenyl-methyl)-cystein (VIII) bedürfen bezüglich der Verknüpfungs-Methode, der relativ hohen Beständigkeit der Diphenyl-methyl-thioäther-Gruppierung (s.u.) wegen, fast ausschließlich nur der Rücksichtnahme auf die N-Schutzgruppe. Carbodiimid-[1–5], 4-Nitro-phenylester-[3,6,7] und (N-Hydroxy-succinimid)-ester-Verfahren[8–12] erfreuen sich erhöhter Beliebtheit; auch die Azid-Methode und das „Patchornik-Verfahren" kamen zur Anwendung[13].

N-tert.-Butyloxycarbonyl-S-(diphenyl-methyl)-L-cystein [BOC-Cys(DPM)-OH]:

N-tert.-Butyloxycarbonyl-S-(diphenyl-methyl)-L-cystein-Dicyclohexylamin-Salz [BOC-Cys(DPM)-OH · DCHA][10]: 57,4 g H-Cys(DPM)-OH in 400 *ml* 1,4-Dioxan/Wasser (1 : 1) werden mit 4n Natronlauge auf einen p_H-Wert von 10,2 gestellt; nach Zugabe von 42,9 *ml* tert.-Butyloxycarbonylazid wird die Reaktionsmischung 9 Stdn. bei 25° gerührt, wobei der p_H-Wert durch Zugabe von 4n Natronlauge beim vorbezeichneten Wert gehalten wird. Die erhaltene klare Lösung wird mit Diäthyläther extrahiert und anschließend mit n Schwefelsäure auf $p_H = 3$ angesäuert, das abgeschiedene Öl mit 500 *ml* Diäthyläther extrahiert, der abgetrennte Auszug mit Wasser und Natriumchlorid-Lösung gewaschen, über Magnesiumsulfat getrocknet und letztlich mit 40 g Dicyclohexylamin versetzt. Das abgeschiedene Produkt wird abfiltriert und über Phosphor(V)-oxid i. Vak. getrocknet; Ausbeute: 101,3 g (90% d.Th.); F: 158–159°; $[\alpha]_D^{22} = +6{,}38°$ (c = 0,925 in Chloroform).

N-tert.-Butyloxycarbonyl-S-(diphenyl-methyl)-L-cystein [BOC-Cys(DPM)-OH][14]: 97 g BOC-Cys(DPM)-OH · DCHA werden in Essigsäure-äthylester/Wasser suspendiert, wie üblich mit überschüssiger fester Citronensäure versetzt, anschließend die Essigsäure-äthylester-Phase abgetrennt, diese gewaschen, getrocknet und letztlich i. Vak. eingedampft. Das verbleibende Öl kristallisiert aus Essigsäure-äthylester/Petroläther; Ausbeute: 56 g (72% d.Th.); F: 101°; $[\alpha]_D^{24} = -6{,}6°$ (c = 1 in Äthanol).

---

1 L. Zervas u. I. Photaki, Am. Soc. **84**, 3887 (1962).
2 R. G. Hiskey u. J. B. Adams, J. Org. Chem. **31**, 2178 (1966).
3 R. G. Hiskey, T. Mizoguchi u. H. Igeta, J. Org. Chem. **31**, 1188 (1966).
4 R. G. Hiskey, J. T. Staples u. R. L. Smith, J. Org. Chem. **32**, 2772 (1967).
5 R. G. Hiskey u. J. T. Sparrow, J. Org. Chem. **35**, 215 (1970).
6 R. G. Hiskey u. G. L. Southard, J. Org. Chem. **31**, 3582 (1966).
7 I. Photaki et al., Soc. [C] **1968**, 1860.
8 R. Schwyzer et al., Helv. **53**, 15 (1970).
9 R. G. Hiskey et al., J. Org. Chem. **35**, 513 (1970).
10 R. G. Hiskey et al., J. Org. Chem. **36**, 488 (1971).
11 H. R. Bosshard, Helv. **54**, 951 (1971).
12 R. G. Hiskey, L. M. Beacham u. V. G. Matl, J. Org. Chem. **37**, 2472 (1972).
13 L. Zervas et al., Am. Soc. **87**, 4922 (1965).
14 H. Zahn u. K. Hammerström, B. **102**, 1048 (1969).

N-tert.-Butyloxycarbonyl-S-(diphenyl-methyl)-L-cysteinyl-L-alanyl-glycin [BOC-Cys(DPM)-Ala-Gly-OH]:

N-tert.-Butyloxycarbonyl-S-(diphenyl-methyl)-L-cystein-(N-hydroxy-succinimid)-ester [BOC-Cys(DPM)-OSU][1,2]: 187 g BOC-Cys(DPM)-OH · DCHA (s. o.) werden wie üblich mit 2n Schwefelsäure zersetzt und aufgearbeitet. Das erhaltene Öl in 300 *ml* 1,2-Dimethoxy-äthan wird mit 37,5 g N-Hydroxy-succinimid und nach Abkühlen auf −10° mit 68,1 g Dicyclohexylcarbodiimid versetzt; die Reaktionsmischung rührt man 3 Stdn. bei −10° und 48 Stdn. bei 27°, verdünnt dann mit 200 *ml* Essigsäure-äthylester und filtriert vom ausgeschiedenen N,N'-Dicyclohexyl-harnstoff ab. Das erhaltene Filtrat wird i. Vak. zum Schaum eingedampft, dessen Lösung in Diäthyläther mit ges. Natriumhydrogencarbonat-Lösung, Wasser und Natriumchlorid-Lösung gewaschen, über Magnesiumsulfat getrocknet und letztlich erneut i. Vak. zum Schaum eingedampft. Aus der Lösung des Schaums in Essigsäureäthyläther fällt auf Zugabe von Hexan ein Öl aus, das beim Verreiben mit Hexan fest wird; dieses Rohprodukt ist für die folgende Umsetzung genügend rein; Ausbeute: 112,3 g.

N-tert.-Butyloxycarbonyl-S-(diphenyl-methyl)-L-cysteinyl-L-alanyl-glycin [BOC-Cys(DPM)-Ala-Gly-OH][2]: 0,653 g BOC-Cys(DPM)-OSU in 5 *ml* 1,2-Dimethoxy-äthan werden zu einer gerührten Lösung von 0,22 g H-Ala-Gly-OH und 0,3 g Kaliumhydrogencarbonat in 5 *ml* Wasser gefügt. Nach 2,5 Stdn. wird das Reaktionsgemisch auf 50 *ml* Eis/2n Schwefelsäure gegossen, die abgeschiedene Masse in 20 *ml* Essigsäure-äthylester aufgenommen, diese Lösung mit Wasser und ges. Natriumchlorid-Lösung gewaschen, über Calciumsulfat getrocknet und letztlich i. Vak. auf 5 *ml* konzentriert. Aus der mit 80 *ml* Diäthyläther verdünnten Lösung tritt nach Abkühlen auf 0° Kristallisation ein; Ausbeute: 0,59 g (85% d.Th.); F: 124–125°; $[\alpha]_D^{24} = +71,06°$ (c = 1,13 in Dimethylformamid).

Außer der alkalischen und hydrazinolytischen[3–6] Beständigkeit weist die S-Diphenyl-methyl-Maskierung praktisch absolute Stabilität gegenüber Trifluoressigsäure[7,8] (1%-ige Spaltung erst bei 70°!), Bortrifluorid-Diäthylätherat/Essigsäure[1,2], Chlorwasserstoff/Essigsäure-äthylester[9] sowie eine hohe Widerstandsfähigkeit gegenüber Bromwasserstoff/Essigsäure (50%-ige Spaltung erst unter Einwirkung einer 2n Lösung bei 55° über 90 Min.[10]) und Bromwasserstoff/Trifluoressigsäure auf, so daß auch Debenzyloxycarbonylierungen[4,10–13] und „Ablösung vom Merrifield-Harz“[14] „störungsfrei“ vorgenommen werden können.

S-(Diphenyl-methyl)-L-cysteinyl-L-alanyl-glycin [H-Cys(DPM)-Ala-Gly-OH][2]: 3,17 g BOC-Cys(DPM)-Ala-Gly-OH in 25 *ml* Essigsäure werden mit 2,6 *ml* Bortrifluorid-Diäthylätherat versetzt; nach 30 Min. wird die erhaltene Lösung in 150 *ml* 6%-ige wäßrige Natriumacetat-Lösung eingegossen, der gebildete feine Niederschlag nach Stehenlassen bei 0° über Nacht aufs Filter gebracht, mit Wasser gewaschen und letztlich aus Dimethylacetamid/Essigsäure-äthylester umkristallisiert; Ausbeute: 1,7 g (66% d.Th.); F: 178–180° (Zers.); $[\alpha]_D^{24} = -5,18°$ (c = 0,56 in Dimethylformamid).

L-Threonyl-L-alanyl-S-(diphenyl-methyl)-L-cysteinyl-L-histidyl-L-asparaginsäure [H-Thr-Ala-Cys(DPM)-His-Asp-OH][4]: In die Lösung von 0,17 g Z-Thr-Ala-Cys(DPM)-His-Asp-OH in 4 *ml* Trifluoressigsäure wird über 30 Min. ein Strom Bromwasserstoff eingeleitet. Nach Entfernen des Lösungsmittels bei 25–28° i. Vak. wird der erhaltene Rückstand mit Diäthyläther behandelt, er wird hierbei fest. Nach mehrmaligem Verreiben mit frischem Diäthyläther werden letztlich 0,14 g festes Material erhalten; dessen Lösung in 4 *ml* Wasser läßt man eine Kolonne von Dowex 3 (Hydroxyl-Form) passieren. Das freie Peptid wird

---

1 R. G. Hiskey et al., J. Org. Chem. **36**, 488 (1971).
2 R. G. Hiskey, L. M. Beacham u. V. G. Matl, J. Org. Chem. **37**, 2472 (1972).
3 L. Zervas et al., Am. Soc. **87**, 4922 (1965).
4 I. Photaki et al., Soc. [C] **1968**, 1860.
5 R. G. Hiskey, J. T. Staples u. R. L. Smith, J. Org. Chem. **32**, 2772 (1967).
6 R. G. Hiskey u. J. B. Adams, J. Org. Chem. **31**, 2178 (1966).
7 I. Photaki et al., Soc. [C] **1970**, 2683.
8 W. König, R. Geiger u. W. Siedel, B. **101**, 681 (1968).
9 H. R. Bosshard, Helv. **54**, 951 (1971).
10 L. Zervas u. I. Photaki, Am. Soc. 3887 (1962).
11 R. G. Hiskey, T. Mizoguchi u. H. Igeta, J. Org. Chem. **31**, 1188 (1966).
12 R. G. Hiskey et al., J. Org. Chem. **35**, 4148 (1970).
13 R. G. Hiskey u. G. L. Southard, J. Org. Chem. **31**, 3582 (1966).
14 K. Hammerström, W. Lunkenheimer u. H. Zahn, Makromol. Ch. **133**, 41 (1970).

mit Wasser bei 30–40° eluiert, die Eluate und Waschwasser i. Vak. konzentriert und zum Schluß lyophilisiert; Ausbeute: 0,11 g (75% d. Th. ber. für ein Monohydrat); F: 185–192°; $[\alpha]_D^{30} = -21°$ (c = 1 in n Salzsäure).

Unverändert übersteht die Diphenyl-methyl-thioäther-Gruppierung ferner die Spaltungs-Prozeduren für den S-Trityl-Rest mittels Quecksilber(II)-chlorid oder -acetat (s. S. 758), mittels Silbernitrat/Pyridin (s. S. 758) oder mittels Chlorwasserstoff in Chloroform[1] bzw. in Essigsäure[2], für die S-Benzoyl-Schutzgruppe mittels Alkanolaten (s. S. 779) sowie unter bestimmten Reaktionsbedingungen – wegen der bedeutend höheren Reaktivität – die von S-Trityl-cystein(yl)- zu Hemicystin(yl)-peptiden führende Jodolyse (s. S. 805) und Rhodanolyse (s. S. 813). Ob die Jodolyse absolut selektiv gestaltet werden kann, scheint nach den Ergebnissen von Losse[3] fraglich zu sein. Die Spaltung der S-Diphenyl-methyl-thioäther-Bindung durch Jodolyse ist stets nur teilweise, eine vollständige Rhodanolyse von S-Diphenyl-methyl-cystein(yl)- zu Hemicystin(yl)-peptiden aber durch Trifluoressigsäure/Essigsäure-Katalyse[4] zu erreichen (s. S. 824).

Die Aufhebung der S-Diphenyl-methyl-Maskierung läßt sich mittels Natrium/Ammoniak-Reduktion bewerkstelligen[1] – eine Methode, die im Hinblick auf die ansonst größere Stabilität des S-Benzyl-Restes keine Lanze für die Verwendung dieser Schutzgruppen bricht – aber auch durch Trifluoressigsäure unter Phenol-[1,5] bzw. Anisol-Zusatz[6] innert ~ 15 Min. bei Siedetemp. oder innert 16 Stdn. bei 30°[5]. Da man diese Verfahren keineswegs unter die milden S-Entalkylierungs-Methoden einreihen sollte, dürfte der S-Diphenyl-methyl-Rest eher in die Kategorie der „unechten“ Schutzgruppen einzureihen sein und sein Gebrauch nicht der Wiederherstellung der freien Thiol-Funktion, sondern vorwiegend der Synthese von Peptiden des Cystins dienen (s. S. 805 u. 834f.).

L-Threonyl-L-alanyl-L-cysteinyl-L-histidyl-L-asparaginsäure [H-Thr-Ala-Cys-His-Asp-OH][7]: Eine Lösung von 0,3 g H-Thr-Ala-Cys(DPM)-His-Asp-OH in 9 *ml* Trifluoressigsäure wird nach Zusatz von 0,9 g Phenol 30 Min. unter Rückfluß erhitzt; nach Entfernen der Trifluoressigsäure i. Vak. wird der verbleibende Rückstand mehrfach mit Diäthyläther behandelt, anschließend mit 2 *ml* Methanol gelöst, die Lösung vorsichtig mit Diäthyläther versetzt. Nach Abkühlen wird der ausgefallene kristalline Niederschlag durch Zentrifugieren abgetrennt; Ausbeute: 0,18 g (81% d.Th.); $[\alpha]_D^{20} = -12°$ (c = 0,5 in Dimethylformamid).

36.911.214. S-subst.-Diphenyl-methyl-Schutzgruppen

Für eine Thiol-Maskierung durch den *4,4'-Dimethoxy-dityl-[DOD]*-Rest plädierten Hanson und Law[8] wegen (im Gegensatz zur S-Diphenyl-methyl-Schutzgruppe)

① fast quantitativer Einführung durch Reaktion von 4,4'-Dimethoxy-diphenyl-methyl-chlorid mit H-Cys-OH · TOS-OH in Dimethylformamid (Erstellung aus Cystein bzw. Cystein-Hydrochlorid und 4,4'-Dimethoxy-diphenyl-methanol unter Trifluoressigsäure-[5] bzw. Bortrifluorid-Diäthylätherat-Einwirkung[6])

② leichterer acidolytischer Abspaltung und

③ günstiger Chromophor-bedingter Bestimmungsmöglichkeit (bei Chromatographie etc.).

---

[1] L. Zervas u. I. Photaki, Am. Soc. **84**, 3887 (1962).
[2] H. R. Bosshard, Helv. **54**, 951 (1971).
[3] G. Losse u. T. Stölzel, Tetrahedron **28**, 3049 (1972).
[4] R. G. Hiskey u. M. A. Harpold, Tetrahedron **23**, 3923 (1967).
[5] I. Photaki et al., Soc. [C] **1970**, 2683.
[6] W. König, R. Geiger u. W. Siedel, B. **101**, 681 (1968).
[7] I. Photaki et al., Soc. [C] **1968**, 1860.
[8] R. W. Hanson u. H. D. Law, Soc. **1965**, 7285.

Die diesen Punkten gleichfalls voll entsprechende *S-3,3',4,4'-Tetramethoxy-dityl-[TOD]*-Schutzgruppe verliert an Wert, da so maskierte Cystein-Derivate extrem leicht zu Gel-Bildung neigen[1].

S-(4,4'-Dimethoxy-dityl)-L-cystein [H-Cys(DOD)-OH][1]: Eine Suspension von 2,93 g Cystein-4-Toluolsulfonsäure-Salz und 3,93 g 4,4'-Dimethoxy-diphenyl-methylchlorid in 6 *ml* absol. Dimethylformamid wird 2,5 Tage bei Raumtemp. geschüttelt; anschließend läßt man die Reaktionsmischung in 50 *ml* 10%-ige wäßrige Natriumacetat-Lösung einfließen. Das unlösliche Material wird abfiltriert, mit Wasser und Aceton gewaschen und letztlich 5 Min. mit siedendem Aceton behandelt; Ausbeute: 3,34 g (96% d. Th.). Nach Umkristallisieren aus wäßrigem Dimethylformamid; F: 211° (Zers.); $[\alpha]_D^{20} = +10{,}2°$ (c = 2 in 0,1n Natronlauge).

Mit Hilfe von *Z-Cys(DOD)-ONP* und *BOC-Cys(DOD)-ONP* haben Hanson und Law[1] eine *Oxytocin*-Synthese in weitgehender Anlehnung an die Bodanszky-du Vigneaud-Strategie[2] (S-Benzyl-Schutz!) ausgeführt; die mit dem isolierten Material letztlich erzielte oxytocische Aktivität von 75 Einheiten/mg bei Natrium/Ammoniak-Demaskierung, von 30 Einheiten/mg bei kombinierter Bromwasserstoff/Essigsäure- und Trifluoressigsäure/Phenol-Abspaltung der Schutzgruppen bzw. 20 Einheiten/mg bei alleiniger Trifluoressigsäure/Phenol-Demaskierung (und natürlich jeweils cyclisierender Luftoxidation) dämpft jeden in die S-4,4'-Dimethoxy-dityl-Schutzgruppe gesetzten Optimismus, auch wenn die reversible Gestaltung dieser Thiol-Maskierung mit siedender Trifluoressigsäure unter Phenol-[3] oder Anisol-Zusatz[4] günstiger als die der S-Diphenyl-methyl-Blockierung verlaufen soll. (Vgl. auch Losse und Stölzel[5]). Lediglich die direkt zu Hemicystin(yl)-peptiden führende Demaskierung der S-(4,4'-Dimethoxy-dityl)-cystein(yl)-Verbindungen durch Jodolyse entbietet einen „Verwendungslichtblick".

Die ferner untersuchten *S-α-Methyl-dityl-[MD]*- und *S-α-4,4'-Trimethyl-dityl-[TMD]*-Maskierungen dürften kaum Einsatzchancen haben[4], auch wenn die Jodolyse-Spaltung der letzteren gerade noch in vertretbaren Grenzen liegt[5].

36.911.215. S-Trityl-[TRT]-Schutzgruppe

Velluz et al.[6] konnten als erste zeigen, daß die „Tritylierung" von Cystein (III) in einer Wasser/Diäthyläther-Mischung mit Triphenyl-methylchlorid in Überschuß unter Zusatz von Diäthylamin zum N,S-Di-trityl-Derivat XIV führt (daneben entstand auch etwas S-Trityl-Verbindung XVII, isoliert aus der Mutterlauge des Ansatzes). Unabhängig hiervon berichteten Zervas und Theodoropoulos[7] über die Herstellung von *TRT-Cys(TRT)-OMe* (XVI) aus H-Cys-OMe (XV).

N,S-Di-trityl-L-cystein [TRT-Cys(TRT)-OH]:

N,S-Di-trityl-L-cystein-Diäthylamin-Salz [TRT-Cys(TRT)-OH · DEA][6]: Zu einer Lösung von 25 g Cystein-Hydrochlorid in 480 *ml* Wasser wird eine Lösung von 80 *ml* Diäthylamin in 480 *ml* Diäthyläther gegeben, das Gemisch unter ständigem kräftigem Rühren auf 0° und anschließend auf −5° abgekühlt, danach 120 g Triphenyl-methylchlorid zugefügt und der Ansatz 3 Stdn. lang gerührt (Alle diese Operationen werden unter Stickstoff-Atmosphäre ausgeführt). Danach wird die Reaktionsmischung mit Chloroform extrahiert, die Auszüge mit Wasser gewaschen, über Natriumsulfat getrocknet und letztlich i. Vak. zur Trockene gebracht. Das verbleibende Material wird in Äthanol aufge-

---

1 R. W. HANSON u. H. D. LAW, Soc. **1965**, 7285.
2 M. BODANSZKY u. V. DU VIGNEAUD, Am. Soc. **81**, 2504 (1959).
3 I. PHOTAKI et al., Soc. [C] **1970**, 2683.
4 W. KÖNIG, R. GEIGER u. W. SIEDEL, B. **101**, 681 (1968).
5 G. LOSSE u. T. STÖLZEL, Tetrahedron **28**, 3049 (1972).
6 G. AMIARD, R. HEYMÈS u. L. VELLUZ, Bl. **1956**, 698.
7 L. ZERVAS u. D. M. THEODOROPOULOS, Am. Soc. **78**, 1359 (1956).

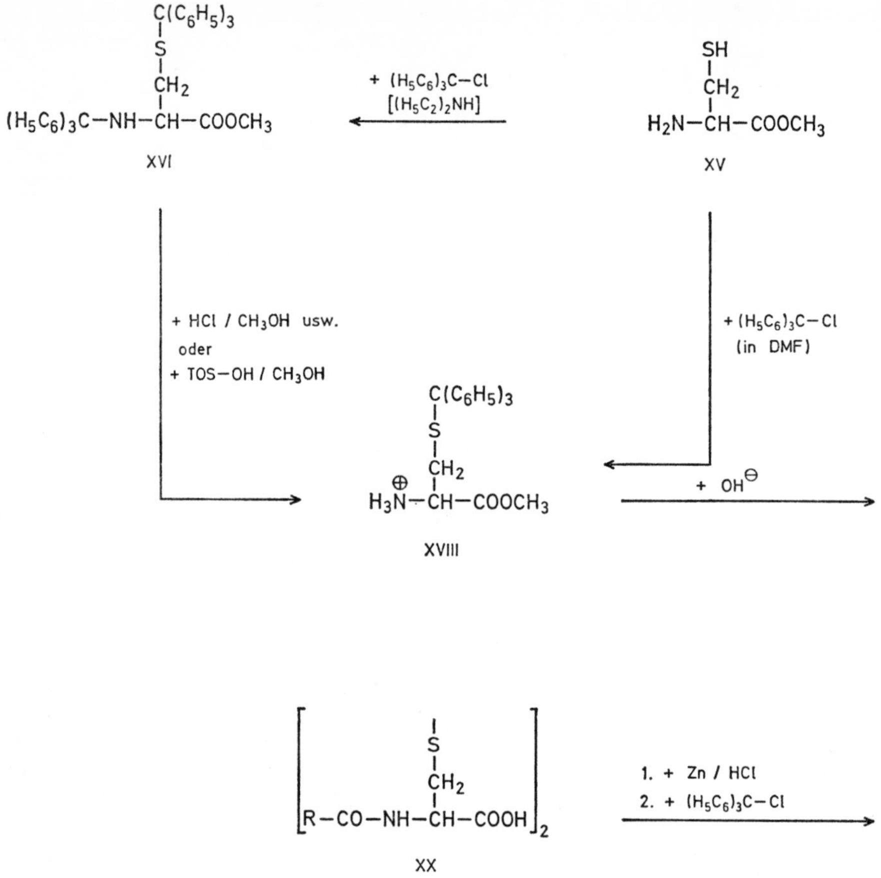

$(H_5C_6)_3C-NH-CH(CH_2-S-C(C_6H_5)_3)-COOCH_3$

XVI

$+ (H_5C_6)_3C-Cl$ $[(H_5C_2)_2NH]$

$H_2N-CH(CH_2-SH)-COOCH_3$

XV

$+ HCl / CH_3OH$ usw.
oder
$+ TOS-OH / CH_3OH$

$+ (H_5C_6)_3C-Cl$ (in DMF)

$\overset{\oplus}{H_3N}-CH(CH_2-S-C(C_6H_5)_3)-COOCH_3$

XVIII

$+ OH^{\ominus}$

$[R-CO-NH-CH(CH_2-S-)-COOH]_2$

XX

1. + Zn / HCl
2. $+ (H_5C_6)_3C-Cl$

a: $R^2 = -CH_2-CO-C_6H_5$; $R^1 = H_4C_6(NO_2)_2-$

b: $R^2 = -CH(C_6H_5)_2$

nommen, die erhaltene Lösung mit 1 *ml* Diäthylamin und dann mit Diäthyläther im Überschuß versetzt. Die Fällung wird abfiltriert und getrocknet; Ausbeute: 76 g (70% d.Th.); $[\alpha]_D^{20} = +71°$ (c = 2 in Chloroform).

N,S-Di-trityl-L-cystein[1]: 54 g TRT-Cys(TRT)-OH · DEA werden wie üblich zwischen Essigsäure-äthylester und 10%-iger Citronensäure-Lösung verteilt, die organische Phase abgetrennt, mit Wasser neutral gewaschen, getrocknet und letztlich i. Vak. eingedampft. Der verbleibende Rückstand kristallisiert aus Benzol/Petroläther; Ausbeute: 45 g; F: 125–128° (Zers.); $[\alpha]_D^{20} = +70°$ (c = 1 in Methanol).

Da unter den Abspaltungsbedingungen für den N-Trityl-Rest, z.B. durch Einwirkung von Chlorwasserstoff/Aceton[2], 4-Toluolsulfonsäure/Methanol[3] etc. die S-Trityl-thioäther-Bindung unangegriffen bleibt, war ein Weg für die Erstellung von *H-Cys(TRT)-OH* (XVII)

---

[1] B. Kamber et al., Helv. **53**, 556 (1970).
[2] G. Amiard, R. Heymès u. L. Velluz, Bl. **1956**, 698.
[3] L. Zervas u. I. Photaki, Chimia **14**, 375 (1960).

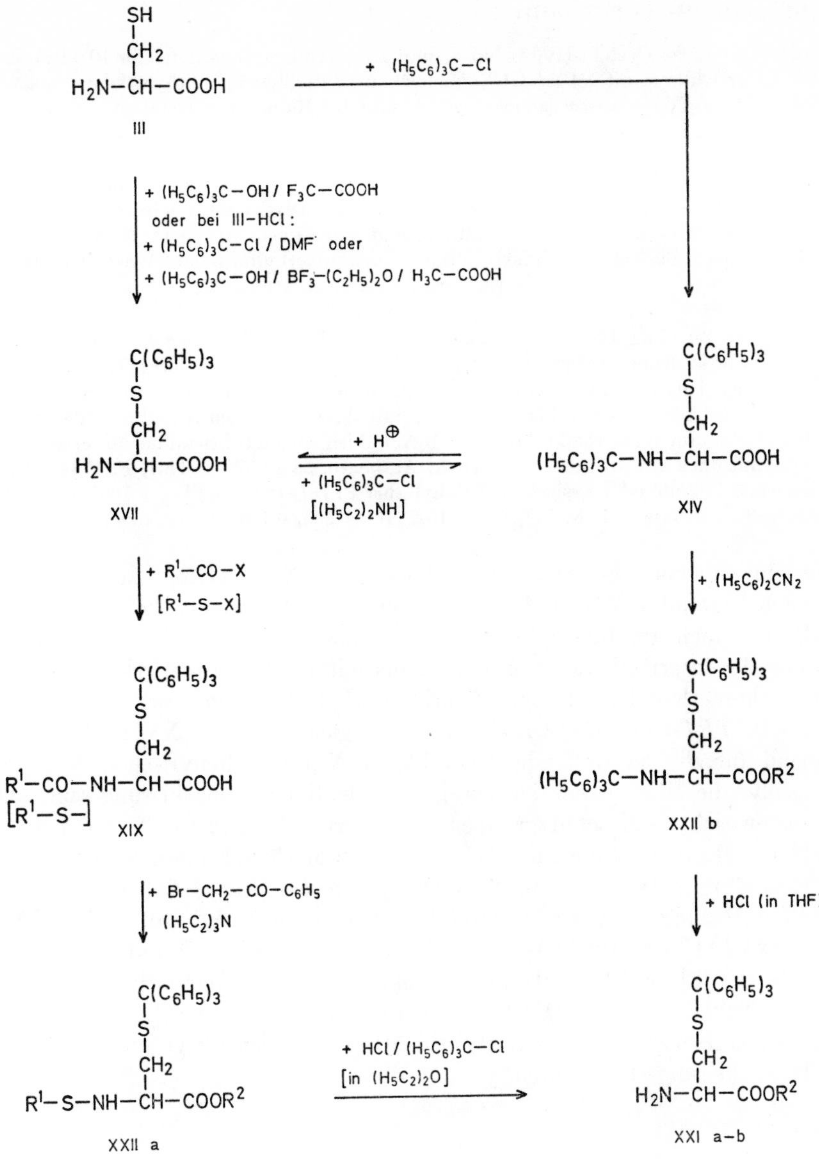

$HS-CH_2-CH(NH_2)-COOH$ (III)

$\xrightarrow{+\ (H_5C_6)_3C-Cl}$ XIV

III $\downarrow$ + $(H_5C_6)_3C-OH$ / $F_3C-COOH$ oder bei III-HCl: + $(H_5C_6)_3C-Cl$ / DMF oder + $(H_5C_6)_3C-OH$ / $BF_3-(C_2H_5)_2O$ / $H_3C-COOH$

$(C_6H_5)_3C-S-CH_2-CH(NH_2)-COOH$ (XVII)

XVII $\xleftarrow{+\ H^{\oplus}}$ / $\xrightarrow[{[(H_5C_2)_2NH]}]{+\ (H_5C_6)_3C-Cl}$ XIV

$(C_6H_5)_3C-S-CH_2-CH(NH-C(C_6H_5)_3)-COOH$ (XIV)

XVII $\downarrow$ + R^1-CO-X [R^1-S-X]

$(C_6H_5)_3C-S-CH_2-CH(NH-CO-R^1)-COOH$ [R^1-S-] (XIX)

XIX $\downarrow$ + $Br-CH_2-CO-C_6H_5$ / $(H_5C_2)_3N$

$(C_6H_5)_3C-S-CH_2-CH(NH-S-R^1)-COOR^2$ (XXII a)

XIV $\downarrow$ + $(H_5C_6)_2CN_2$

$(C_6H_5)_3C-S-CH_2-CH(NH-C(C_6H_5)_3)-COOR^2$ (XXII b)

XXII b $\downarrow$ + HCl (in THF)

XXII a $\xrightarrow[{[in\ (H_5C_2)_2O]}]{+\ HCl\ /\ (H_5C_6)_3C-Cl}$ XXI a–b

$(C_6H_5)_3C-S-CH_2-CH(NH_2)-COOR^2$ (XXI a–b)

und *H-Cys(TRT)-OMe* (XVIII) aus XIV und XVI gegeben. Doch einfacher ist die selektive S-Alkylierung von Cystein-Hydrochlorid(-4-Toluolsulfonsäure-Salz) bzw. von H-Cys-OMe · HCl mit Tritylchlorid in Dimethylformamid (48 Stdn. bei Raumtemp.) zu den S-Trityl-Verbindungen (XVII bzw. XVIII)[1,2]. Als ausbeutemäßig erfolgreichste Thioäther-Synthesen zeigten sich letztlich die Umsetzung von Cystein (III) mit Triphenyl-methanol in Trifluoressigsäure[3] oder von Cystein-Hydrochlorid mit Bortrifluorid-Diäthylätherat in Essigsäure[4].

---

1 L. Zervas u. I. Photaki, Chimia **14**, 375 (1960).
2 L. Zervas u. I. Photaki, Am. Soc. **84**, 3887 (1962).
3 I. Photaki et al., Soc. [C] **1970**, 2683.
4 R. G. Hiskey u. J. B. Adams, J. Org. Chem. **30**, 1340 (1965).

S-Trityl-L-cystein [H-Cys(TRT)-OH]:

Methode ⓐ[1]: 1,58 g Cystein-Hydrochlorid und 2,6 g Triphenyl-methanol in 10 *ml* Essigsäure werden bei 60° unter Rühren mit 1,4 *ml* (10% Überschuß) Bortrifluorid-Diäthylätherat versetzt; das Gemisch wird 30 Min. auf dem Wasserbad erwärmt, 45 Min. bei Raumtemp. gehalten und anschließend mit 15 *ml* Äthanol verdünnt (evtl. in ein größeres Gefäß überführt). Die erhaltene Lösung wird zunächst mit 5 *ml* Wasser, dann mit 3 g gepulvertem, wasserfreiem Natriumacetat versetzt; auf Zugabe von weiteren 40 *ml* Wasser scheidet sich eine gummiartige Masse ab, die beim Verreiben mit kaltem Wasser fest wird. Nach sorgfältigem Waschen mit Wasser, Aceton und Diäthyläther wird das erhaltene Produkt i. Vak. über Phosphor(V)-oxid und Natriumhydroxid getrocknet; Ausbeute: 3,08 g (85% d.Th.); F: 181–182° (Zers.), nach einmaligem Umkristallisieren aus Dimethylformamid/Wasser; F: 183,5° (Zers.); $[\alpha]_D^{24} = +114 \pm 2°$ (c = 0,832 in 0,04 n Chlorwasserstoff in Äthanol).

Methode ⓑ[2]: Zu einer Lösung von 29,3 g Cystein-4-Toluolsulfonsäure-Salz oder 15,7 g Cystein-Hydrochlorid in 60 *ml* Dimethylformamid werden 42 g Triphenylmethylchlorid (Tritylchlorid) zugefügt, das Gemisch 2 Tage lang bei Raumtemp. geschüttelt. Nach Zugabe von 500 *ml* 10%-iger Natriumacetat-Lösung wird der gebildete Niederschlag abfiltriert, mit Wasser gewaschen und anschließend mit 400 *ml* Aceton über 15 Min. am Wasserbad erhitzt. Nach Abkühlen wird das kristalline Material abfiltriert, mit Aceton und schließlich Diäthyläther gewaschen; Ausbeute: 28 g (75% d.Th.); F: 178–179°, nach Umkristallisieren aus Äthanol oder Essigsäure/Diäthyläther F: 181–182°; $[\alpha]_D^{24} = +108°$ (c = 1,45 in 0,04 n Chlorwasserstoff in Äthanol), bzw. $[\alpha]_D^{25} = +16,2°$ (c = 2 in 0,1 n Natronlauge).

Die Gewinnung von N-Acyl-S-trityl-cystein (XIX) gelingt aus H-Cys(TRT)-OH (XVII) nach bekannter Manier, bei gegenüber Zink/Chlorwasserstoff-Reduktion stabilen N-Acyl-Resten auch aus Bis-acyl-cystin XX unter reduktiver Disulfid-Aufspaltung und Tritylierung des intermediären N-Acyl-cysteins mit Triphenyl-methylchlorid[2,3] oder auch mit Triphenyl-methanol und Bortrifluorid-Diäthyläther-Komplex[4]. N-Alkyl-S-trityl-cysteine, z.B. *TRT-Cys(TRT)-OH* (XIV), sind gleichfalls aus XVII gut zugänglich[2,5]. Bestimmend für die zu treffende Auswahl der N-Acyl(Sulfenyl)- und N-Alkyl-Schutzgruppen sollte die Möglichkeit der jeweiligen selektiven Demaskierung sein; aus diesem Grunde bieten sich als N-Schutzgruppen an (s. ferner Tab. 72, S. 838ff.): tert.-Butyloxycarbonyl (Entacylierung mit Chlorwasserstoff/Methanol[6] oder Bortrifluorid-Diäthylätherat/Essigsäure[7,8] [s. S. 128]), 2-Nitro-phenylsulfenyl (Abspaltung mit Chlorwasserstoff/Methanol[6,9], Chlorwasserstoff/Tetrahydrofuran[9] und mit Thiolen[7,8] etc.), 2-[Biphenylyl-(4)]-propyl-(2)-oxycarbonyl (Deblockierung mit verdünnter Essigsäure[7,8,10] [s. S. 623]) und Trityl (Entfernung mit Salzsäure/Aceton[11–13], Chlorwasserstoff/Methanol[9], 4-Toluolsulfonsäure/Methanol[3], verd. Essigsäure[7,10,13–15] [s. S. 754f.] etc.) wegen weitestgehender Stabilität der S-Trityl-thioäther-Gruppierung gegenüber den anzuwendenden Demaskierungs-Prozeduren.

---

[1] R. G. Hiskey u. J. B. Adams, J. Org. Chem. **30**, 1340 (1965).
[2] L. Zervas u. I. Photaki, Am. Soc. **84**, 3887 (1962).
[3] L. Zervas u. I. Photaki, Chimia **14**, 375 (1960).
[4] R. G. Hiskey u. W. P. Tucker, Am. Soc. **84**, 4795 (1962).
[5] R. G. Hiskey u. G. L. Southard, J. Org. Chem. **31**, 3582 (1966).
[6] H. Zahn et al., Z. Naturf. **24b**, 1127 (1969).
[7] R. G. Hiskey et al., J. Org. Chem. **36**, 488 (1971); **37**, 2478 (1972).
[8] E. T. M. Wolters, Dissertation, Universität Nijmegen 1973.
[9] L. Zervas et al., Am. Soc. **87**, 4922 (1965).
[10] B. Kamber u. W. Rittel, Helv. **52**, 1074 (1969).
[11] G. Amiard, R. Heymès u. L. Velluz, Bl. **1956**, 698.
[12] R. G. Hiskey u. R. L. Smith, Am. Soc. **90**, 2577 (1968).
[13] R. G. Hiskey, J. T. Staples u. R. L. Smith, J. Org. Chem. **32**, 2772 (1967).
[14] B. Kamber et al., Helv. **53**, 556 (1970).
[15] B. Kamber, Helv. **54**, 398 (1971).

N-tert.-Butyloxycarbonyl-S-trityl-L-cystein-Dicyclohexylamin-Salz [BOC-Cys(TRT)-OH · DCHA][1]: Zu einer Suspension von 18,2 g H-Cys(TRT)-OH in 200 *ml* 1,4-Dioxan/Wasser (1 : 1) werden 10,7 *ml* tert.-Butyloxycarbonylazid zugefügt, der p_H-Wert der Reaktionsmischung mit 4n Natronlauge auf 9,6 gestellt und dieser Wert unter kräftigem Rühren über 14 Stdn. lang durch Zufügen weiterer Mengen 4 n Natronlauge gehalten. Nach Extraktion mit 300 *ml* Diäthyläther wird die verbleibende wäßrige Lösung mit Citronensäure auf $p_H = 4,5$ angesäuert und anschließend 2 mal mit je 250 *ml* Diäthyläther und 2mal mit je 200 *ml* Essigsäure-äthylester extrahiert. Die vereinigten organischen Extrakte werden mit zehn 200 *ml*-Portionen Wasser (neutral gegen Kongo-Rot) und 200 *ml* ges. Natriumchlorid-Lösung gewaschen, getrocknet und letztlich i. Vak. zu einem Schaum eingedampft. Dessen Lösung in Chloroform wird an einer Kieselgel-Säule (250 g) adsorbiert und mit Chloroform und 1–6% Methanol in Chloroform eluiert. Das nach Eindampfen i. Vak. erhaltene Produkt wird in 150 *ml* Diäthyläther gelöst und mit 9,8 *ml* Dicyclohexylamin versetzt; der gebildete feine Niederschlag wird abfiltriert, mit Diäthyläther gewaschen und letztlich 2mal aus Methanol/Diäthyläther umkristallisiert; Ausbeute: 19,5 g (60,6% d. Th.); F: 210–211° (Zers.); $[\alpha]_D^{20} = +23,8°$ (c = 1 in Methanol).

N-Acyl(Sulfenyl)-S-trityl-cystein (XIX) wird bevorzugt nach Carbodiimid-[2–12] und (N-Hydroxy-succinimid)-ester-Methoden[13,1] umgesetzt; vereinzelt kommen auch Mischanhydrid-[14] und 4-Nitro-phenylester-Verfahren[15,16] zur Anwendung. Ebenso erfreuen sich Carbodiimid- und (N-Hydroxy-succinimid)-ester-Verknüpfungen beim Einsatz von N-Alkyl-Derivaten des S-Trityl-cysteins, insbesondere von TRT-Cys(TRT)-OH (XIV), größter Beliebtheit[6,9–11,14,17–20].

S-Trityl-L-cysteinyl-S-(diphenyl-methyl)-L-cysteinyl-L-alanyl-glycin [H-Cys(TRT)-Cys(DPM)-Ala-Gly-OH]:

N-tert.-Butyloxycarbonyl-S-trityl-L-cysteinyl-S-(diphenyl-methyl)-L-cysteinyl-L-alanyl-glycin [BOC-Cys(TRT)-Cys(DPM)-Ala-Gly-OH][1]: Eine Lösung von 0,92 g BOC-Cys(TRT)-OH und 0,25 g N-Hydroxy-succinimid in 2 *ml* 1,2-Dimethoxy-äthan wird bei 0° mit 0,45 g Dicyclohexylcarbodiimid versetzt; nach 2 Stdn. Stehenlassen bei 0° und über Nacht bei Raumtemp. wird der Reaktionsansatz filtriert, der Filterrückstand 3mal mit je 2 *ml* 1,2-Dimethoxy-äthan gewaschen. Filtrat und Waschflüssigkeit werden unter Rühren zu einer Lösung von 0,79 g H-Cys(DPM)-Ala-Gly-OH und 0,26 g Kaliumcarbonat in 5 *ml* Wasser hinzugefügt, die Mischung 6 Stdn. gerührt und anschließend in 60 *ml* Eis/2n Schwefelsäure eingegossen. Der gebildete Niederschlag wird abfiltriert und sorgfältig 3mal mit je 25 *ml* Wasser und 4mal mit je 25 *ml* Diäthyläther gewaschen; Ausbeute; 1,62 g (94% d. Th.); F: 170–175° (Zers.); $[\alpha]_D^{28} = -6,42°$ (c = 1,03 in Dimethylformamid).

---

[1] R. G. Hiskey, L. M. Beacham u. V. G. Matl, J. Org. Chem. **37**, 2472 (1972).
[2] L. Zervas u. I. Photaki, Am. Soc. **84**, 3887 (1962).
[3] H. Arold u. M. Hartmann, J. pr. **21**, 59 (1963).
[4] L. Zervas et al., Am. Soc. **87**, 4922 (1965).
[5] R. Hiskey u. J. B. Adams, J. Org. Chem. **31**, 2178 (1966).
[6] R. Hiskey, J. T. Staples u. R. L. Smith, J. Org. Chem. **32**, 2772 (1967).
[7] R. G. Hiskey u. E. L. Smithwick, Am. Soc. **89**, 437 (1967).
[8] R. G. Hiskey u. M. A. Harpold, J. Org. Chem. **33**, 159 (1968).
[9] H. Zahn et al., Z. Naturf. **24b**, 1127 (1969).
[10] B. Kamber u. W. Rittel, Helv. **52**, 1074 (1969).
[11] B. Kamber et al., Helv. **53**, 556 (1970).
[12] R. G. Hiskey et al., J. Org. Chem. **35**, 4148 (1970).
[13] R. G. Hiskey et al., J. Org. Chem. **36**, 488 (1971).
[14] B. Kamber, Helv. **54**, 398 (1971).
[15] H. Berndt, H. Klostermeyer u. H. Zahn, A. **759**, 114 (1972).
[16] H. Zahn u. W. Lunkenheimer, A. **740**, 1 (1970).
[17] H. Amiard, R. Heymès u. L. Velluz, Bl. **1956**, 698.
[18] L. Velluz et al., Bl. **1956**, 1564.
[19] R. G. Hiskey u. G. L. Southard, J. Org. Chem. **31**, 3582 (1966).
[20] R. G. Hiskey u. R. L. Smith, Am. Soc. **90**, 2677 (1968).

S-Trityl-L-cysteinyl-S-(diphenyl-methyl)-L-cysteinyl-L-alanyl-glycin [H-Cys(TRT)-Cys(DPM)-Ala-Gly-OH][1]: Eine Suspension von 5,52 g BOC-Cys(TRT)-Cys(DPM)-Ala-Gly-OH in 65 *ml* Essigsäure wird bei 60° gerührt, bis eine klare Lösung entsteht; nach Abkühlen auf 20° werden 2,6 *ml* Bortrifluorid-Diäthylätherat zugefügt, die Reaktionsmischung 45 Min. stehen gelassen, filtriert und anschließend in 100 *ml* 25%-ige Natriumacetat-Lösung eingegossen. Nach Zugabe von Eis wird der gebildete Niederschlag abfiltriert und mit Wasser und Diäthyläther gewaschen; Ausbeute: 4,87 g (99% d. Th. ber. für ein Hemihydrat); $[\alpha]_D^{23} = +2{,}02°$ (c = 1,09 in Dimethylformamid).

N-tert.-Butyloxycarbonyl-S-trityl-L-cysteinyl-L-asparagin-tert.-butylester[BOC-Cys(TRT)-Asn-OtBu][2]: 18,52 g BOC-Cys(TRT)-OH – erhalten aus dem Dicyclohexylamin- bzw. Diäthylamin-Salz durch übl. Verteilen zwischen Diäthyläther und 5%-iger Citronensäure-Lösung – in 200 *ml* absol. Tetrahydrofuran werden bei −10° mit 5,6 *ml* Triäthylamin und anschließend 5,4 *ml* Chlorameisensäure-isobutylester versetzt. Nach 20 Min. Stehenlassen der Reaktionsmischung bei −10° wird eine Lösung von 7,52 g H-Asn-OtBu in 150 *ml* Tetrahydrofuran zugetropft, die Mischung 1 Stde. bei −10° und 15 Stdn. bei 20° aufbewahrt. Nach Abfiltrieren des Triäthylamin-Hydrochlorids und Eindampfen des Filtrats wird der erhaltene Rückstand in Essigsäure-äthylester aufgenommen, die Lösung wie bekannt aufgearbeitet. Das dabei resultierende Öl kristallisiert aus Essigsäure-äthylester/Petroläther; Ausbeute: 14,2 g (55% d. Th.); F: 155–157°; $[\alpha]_D^{20} = +34°$ (c = 2,1 in Chloroform).

S-Trityl-L-cysteinyl-L-methionyl-L-leucyl-glycin-methylester-Hydroacetat [H-Cys(TRT)-Met-Leu-Gly-OMe · Ac-OH]:

N,S-Di-trityl-L-cystein-(N-hydroxy-succinimid)-ester [TRT-Cys(TRT)-OSU]:

Methode ⓐ[3]: 30,3 g kristallines TRT-Cys(TRT)-OH in 150 *ml* Essigsäure-äthylester werden mit 6,33 g N-Hydroxy-succinimid in 15 *ml* Dimethylformamid versetzt, die Mischung auf 0° abgekühlt, 11,3 g Dicyclohexylcarbodiimid zugefügt und anschließend 1 Stde. bei 0° und 5 Stdn. bei 22° gerührt. Das Filtrat vom ausgefallenen N,N'-Dicyclohexyl-harnstoff wird mit Wasser gewaschen, über Natriumsulfat getrocknet und i. Vak. eingedampft, der Rückstand aus Benzol/Petroläther umkristallisiert; Ausbeute: 35,8 g (89% d. Th. ber. für ein Produkt mit 1 Mol Kristall-Benzol); F: 130° (Zers.); $[\alpha]_D^{20} = +64°$ (c = 2 in Chloroform).

Methode ⓑ[4]: 48 g TRT-Cys(TRT)-OH · DEA werden wie üblich zwischen 400 *ml* Essigsäure-äthylester und 400 *ml* 0,5n Schwefelsäure verteilt, die abgetrennte organische Phase 2mal mit je 400 *ml* Wasser gewaschen, über Natriumsulfat getrocknet und i. Vak. eingedampft. Der erhaltene schaumartige Rückstand in 70 *ml* 1,2-Dimethoxy-äthan wird mit 9,2 g N-Hydroxy-succinimid und nach Abkühlen der Lösung auf 0° mit 16,5 g Dicyclohexylcarbodiimid umgesetzt. Die Reaktionsmischung wird 2 Stdn. bei 0° und 11 Min. bei Raumtemp. gerührt, das Filtrat vom N,N'-Dicyclohexyl-harnstoff i. Vak. zum Öl eingedampft und dieses aus Propanol-(2) kristallisiert; Ausbeute: 48,3 g (97% d. Th.); F: 109–113°; $[\alpha]_D^{28} = +70{,}0°$ (c = 1,37 in Chloroform).

N,S-Di-trityl-L-cysteinyl-L-methionyl-L-leucyl-glycin-methylester [TRT-Cys(TRT)-Met-Leu-Gly-OMe][3]: 14,6 g H-Met-Leu-Gly-OMe · HCl und 5,78 *ml* Diäthylamin in 100 *ml* Dimethylformamid werden bei 0° mit 32,4 g TRT-Cys(TRT)-OSU · C_6H_6 (s. o) versetzt; die Reaktions-Lösung läßt man 18 Stdn. bei 23° unter Stickstoffatmosphäre stehen, filtriert dann das abgeschiedene Diäthylamin-Hydrochlorid ab und setzt 200 *ml* Wasser zu. Das ausgefallene Material wird abfiltriert, aus Dimethylformamid/Wasser und aus Essigsäure-äthylester/Methanol/Petroläther umgefällt und letztlich aus Chloroform/Petroläther umkristallisiert; Ausbeute: 30,7 g (84% d. Th.); Nädelchen von F: 218–220°; $[\alpha]_D^{20} = +47°$ (c = 2 in Chloroform).

S-Trityl-L-cysteinyl-L-methionyl-L-leucyl-glycin-methylester-Hydroacetat [H-Cys(TRT)-Met-Leu-Gly-OMe · Ac-OH][3]: Die Lösung von 5,59 g TRT-Cys(TRT)-Met-Leu-Gly-OMe in 40 *ml* Essigsäure versetzt man tropfenweise mit insgesamt 10 *ml* Wasser, wobei man darauf achtet, daß die Substanz gelöst bleibt. Nach 1 Stde. bei 20° gibt man weitere 30 *ml* Wasser zu, filtriert das abgeschiedene Triphenyl-methanol (1,48 g) ab, dampft das Filtrat i. Vak. ein, versetzt den Rückstand mit wenig Wasser und lyophilisiert zum farblosen Pulver; Ausbeute: 4,47 g.

---

[1] E. T. M. Wolters, Dissertation, Universität Nijmegen 1973.

[2] B. Kamber, Helv. **54**, 398 (1971).

[3] B. Kamber et al., Helv. **53**, 556 (1970).

[4] R. G. Hiskey, L. M. Beacham u. V. G. Matl, J. Org. Chem. **37**, 2472 (1972).

S-Trityl-L-cysteinyl-L-asparagin-tert.-butylester-Hydrochlorid [H-Cys(TRT)-Asn-OtBu · HCl]:

N,S-Di-trityl-L-cysteinyl-L-asparagin-tert.-butylester [TRT-Cys(TRT)-Asn-OtBu][1]: Zu einer auf 0° gekühlten Lösung von 27,26 g TRT-Cys(TRT)-OH und 8,37 g H-Asn-OtBu in 400 *ml* Essigsäure-äthylester gibt man 10,32 g Dicyclohexylcarbodiimid und beläßt die Reaktionsmischung 15 Stdn. bei 0°. Das Filtrat vom N,N'-Dicyclohexyl-harnstoff wird wie üblich aufgearbeitet; beim Einengen der Essigsäure-äthylester-Lösung i. Vak. und anschließender Zugabe von Hexan tritt Kristallisation ein; Ausbeute: 26,6 g (76% d.Th.); F: 209–210°; $[\alpha]_D^{20} = +39°$ (c = 2,2 in Chloroform).

S-Trityl-L-cysteinyl-L-asparagin-tert.-butylester-Hydrochlorid [H-Cys(TRT)-Asn-OtBu · HCl][2]: Zu 15,52 g TRT-Cys(TRT)Asn-OtBu in 120 *ml* Essigsäure werden tropfenweise 30 *ml* Wasser gegeben; nach 1 Stde. bei 20° fügt man zur Reaktionsmischung weitere 90 *ml* Wasser zu, filtriert und dampft das Filtrat bei 40° und 0,01 Torr ein. Der erhaltene Rückstand wird in Essigsäure-äthylester aufgenommen, die erhaltene Lösung mit 0,5 n Natriumhydrogencarbonat-Lösung und Wasser wie üblich gewaschen, über Natriumsulfat getrocknet und letztlich auf ~ 20 *ml* i. Vak. eingeengt. Die auf 0° abgekühlte Lösung wird mit 10 *ml* 2 n Chlorwasserstoff in Essigsäure-äthylester und anschließend mit 100 *ml* Petroläther versetzt; das ausgefallene Produkt wird abfiltriert und sorgfältig mit Petroläther gewaschen; Ausbeute: 11,2 g (97% d.Th.).

S-Trityl-L-cysteinyl-L-alanyl-glycyl-L-valyl-S-benzoyl-L-cysteinyl-L-serin-methylester-Hydrochlorid [H-Cys(TRT)-Ala-Gly-Val-Cys(Bz)-Ser-OMe · HCl]:

N-(2-Nitro-phenylsulfenyl)-S-trityl-L-cysteinyl-L-alanyl-glycyl-L-valyl-S-benzoyl-L-cysteinyl-L-serin-methylester [NPS-Cys(TRT)-Ala-Gly-Val-Cys(Bz)-Ser-OMe][3]: 1,04 g NPS-Cys(TRT)-OH und 1,18 g H-Ala-Gly-Val-Cys(Bz)-Ser-OMe · HCl in 7 *ml* Dimethylformamid werden bei 0° mit 0,28 *ml* Triäthylamin und anschließend 0,44 g Dicyclohexylcarbodiimid versetzt; die Reaktionsmischung wird nach Stehenlassen bei Raumtemp. über Nacht vom ausgeschiedenen N,N'-Dicyclohexyl-harnstoff befreit und dann mit 60 *ml* Wasser verdünnt. Das dabei ausfallende sirupöse Material wird beim Verreiben fest. Dieses Produkt wird aufs Filter gebracht, mit Wasser gewaschen, getrocknet und dann bei 0° mit 7 *ml* Essigsäure-äthylester behandelt, der 2–3 Tropfen Diäthylamin enthält. Das erneut abfiltrierte Material wird mit Essigsäure-äthylester gewaschen und anschließend durch Auflösen in heißem Methanol und Konzentrieren der Lösung i. Vak. auf ~ 15 *ml* umkristallisiert; Ausbeute: 1 g (50% d.Th.); F: 208–209°; $[\alpha]_D^{20} = -48,7°$ (c = 2,5 in Dimethylformamid).

S-Trityl-L-cysteinyl-L-alanyl-glycyl-L-valyl-S-benzoyl-L-cysteinyl-L-serin-methylester-Hydrochlorid [H-Cys(TRT)-Ala-Gly-Val-Cys(Bz)-Ser-OMe · HCl][3]: 1,05 g NPS-Cys(TRT)-Ala-Gly-Val-Cys(Bz)-Ser-OMe – feingepulvert – werden in 20 *ml* Essigsäure/Äthanol (1:1) unter Rühren mit 2,6 *ml* Chlorwasserstoff in Methanol (0,8 n Lösung) versetzt; innerhalb 5 Min. löst sich das gelbe Produkt zunächst auf, anschließend fällt das Peptidester-Hydrochlorid aus. Nach Verdünnen mit Diäthyläther wird das abgeschiedene Material abfiltriert, mit Diäthyläther gewaschen, seine Lösung in Methanol erneut mit Diäthyläther gefällt; Ausbeute: 0,64 g (68% d.Th.); F: 181–183°; $[\alpha]_D^{20} = -36,0°$ (c = 2,5 in Dimethylformamid).

Einige der genannten „vorteilhaften" N-Acyl(Sulfenyl)- bzw. N-Alkyl-Derivate des S-Trityl-cysteins XIX bzw. XIV bieten sich auch als treffliche Startmaterialien zur Erstellung von S-Trityl-cystein-estern XXI – außer dem bereits zitierten H-Cys(TRT)-OMe (s. S. 750) – an; so sind aus NPS-Cys(TRT)-OH nach üblicher Veresterung mit Phenacylbromid/Triäthylamin und Entsulfenylierung des intermediären NPS-Cys(TRT)-OPE (XXIIa) mit Chlorwasserstoff/Diäthyläther/Triphenyl-methylchlorid, aus TRT-Cys(TRT)-ODPM (XXIIb) – erhalten durch Diphenyldiazomethan-Einwirkung auf TRT-Cys(TRT)-OH (XIV) – durch N-Detritylierung mit Chlorwasserstoff/Tetrahydrofuran die beiden Ester *H-Cys(TRT)-OPE* (XXIa)[4] bzw. *H-Cys(TRT)-ODPM* (XXIb)[5] zugänglich.

---

1 B. KAMBER, Helv. **54**, 398 (1971).
2 B. KAMBER, Helv. **56**, 1370 (1973).
3 L. ZERVAS et al., Am. Soc. **87**, 4922 (1965).
4 J. TAYLOR-PAPADIMITRIOU et al., Soc. [C] **1967**, 1830.
5 R. G. HISKEY u. J. B. ADAMS, Am. Soc. **87**, 3969 (1965).

Die Wiederherstellung der Thiol-Funktion wurde von Velluz et al. durch Spaltung der S-Trityl-thioäther-Gruppierung mit Chlorwasserstoff/Chloroform[1] oder 10n Salzsäure/Dichlormethan[2] bei ihren Synthesen des *Glutathions*[1] bzw. *Oxytocins*[2] erreicht; doch scheint diese Demaskierung unvollständig zu sein (vgl. auch die schwachen oder fehlenden Ausbeute-Angaben[1,2]), wie Zervas und Photaki[3] bei ihren Versuchen feststellten.

Aber auch die daraufhin empfohlene Abspaltung der S-Trityl-Schutzgruppe mit Bromwasserstoff/Essigsäure, Trifluoressigsäure (mit oder ohne Zusatz von Phenol) oder Bromwasserstoff/Trifluoressigsäure unter zusätzlicher Variierung der Bedingungen[3] erbringt kein quantitatives Demaskierungsergebnis[4–9]; selbst wenn die „Spaltungsansätze" nicht durch Eindampfen (s. Retritylierung), sondern durch einen „Ausfäll-Vorgang" aufgearbeitet werden, ist stets nur mit teilweiser Freisetzung der Thiol-Funktion als Folge einer noch dazu „sequenz-abhängigen" Gleichgewichtsreaktion zu rechnen[4].

Unter gewissen acidolytischen Spaltungsbedingungen, z.B. Chlorwasserstoff/Chloroform etc. und möglicherweise auch mit Trifluoressigsäure, besteht bei mittel- oder carboxyendständigen Cystein(yl)-peptiden XXIII die Gefahr einer Bildung von Thiazolin-Derivaten XXIV[10]; diese können durch Wasser oder Trifluoressigsäure zu „S-Peptiden" (XXV) geöffnet werden[4].

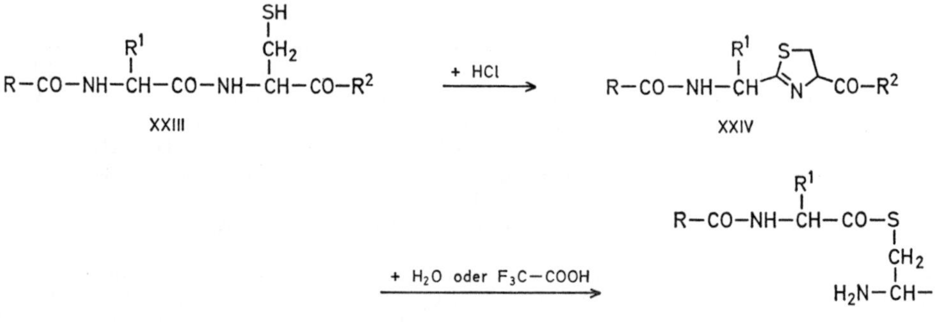

$$R-CO-NH-CH(R^1)-CO-NH-CH(CH_2-SH)-CO-R^2 \xrightarrow{+\ HCl} R-CO-NH-CH(R^1)-\text{(Thiazolin: S, N)}-CO-R^2$$

XXIII → XXIV

$$\xrightarrow{+\ H_2O \text{ oder } F_3C-COOH} R-CO-NH-CH(R^1)-CO-S-CH_2-CH(NH_2)-CO-R^2$$

XXV

Als „ausbeutemäßig" am günstigsten ablaufende acidolytische S-Detritylierungen werden Bromwasserstoff/Essigsäure-[4], Bromwasserstoff/Trifluoressigsäure-[8] (mit folgender zusätzlicher Fluorwasserstoff-Behandlung[8]) oder wiederholte Bromwasserstoff/Trifluoressigsäure-Einwirkung (unter Zusatz von 2-Äthyl-phenol)[8] angesehen.

Erfolgreicher aber verläuft die reversible Gestaltung der S-Trityl-Maskierung an S-Trityl-cystein(yl)-peptiden XXVI mittels Schwermetall-Ionen, z.B. mit

---

1 G. Amiard, R. Heymès u. L. Velluz, Bl. **1956**, 698.
2 L. Velluz et al., Bl. **1956**, 1464.
3 L. Zervas u. I. Photaki, Am. Soc. **84**, 3887 (1962).
4 I. Photaki et al., Soc. [C] **1970**, 2683.
5 F. Caroll, H. Dickson u. M. Wall, J. Org. Chem. **30**, 33 (1965).
6 W. König, R. Geiger u. W. Siedel, B. **101**, 681 (1968).
7 L. Zervas, I. Photaki u. I. Phocas, B. **101**, 3332 (1968).
8 H. Zahn et al., Z. Naturf. **24b**, 1127 (1969).
9 G. Losse u. T. Stölzel, Tetrahedron **28**, 3049 (1972).
10 Y. Hirotsu, T. Shiba u. T. Kaneko, Bl. chem. Soc. Japan **40**, 2945, 2950 (1967).
W. Stoffel u. L. C. Craig, Am. Soc. **83**, 145 (1961).

① Silbernitrat/Pyridin in Methanol[1,2], Dimethylformamid[3], Essigsäure-äthylester/Alkoholen[4], Dimethylformamid/Alkoholen[3,5] usf., sowie

② anscheinend ausbeutemäßig am günstigsten[4] – Quecksilber(II)-chlorid in Methanol[1,6], Essigsäure[3,7], Dimethylformamid/Methanol[3] oder 1,2-Dimethoxy-äthan[8] bzw. Quecksilber(II)-acetat in Äthanol[9] oder Essigsäure-äthylester/Methanol (Äthanol)[4,10] und anschließender Zersetzung der isolierten/nicht isolierten

ⓐ Silber-Mercaptide XXVIIa mittels Schwefelwasserstoff[2,4–6], Chlorwasserstoff (1 Äquivalent in indifferenten Lösungsmitteln)[6] oder konz. Salzsäure (in Dimethylformamid[6] oder Tetrahydrofuran/Methanol[3]) und

ⓑ Quecksilber-Mercaptide XXVII b–c mittels Schwefelwasserstoff[1,3,4,6–10], elektrolytischer Reduktion an einer Quecksilber-Kathode in Dimethylformamid und Tris-(hydoxymethyl)-aminomethan-Puffer[11], Gelfiltration an SH-Sephadex[11] oder Umsetzung mit 2-Mercapto-äthanol[11] zu den S-ungeschützten Cystein(yl)-peptiden XXVIII.

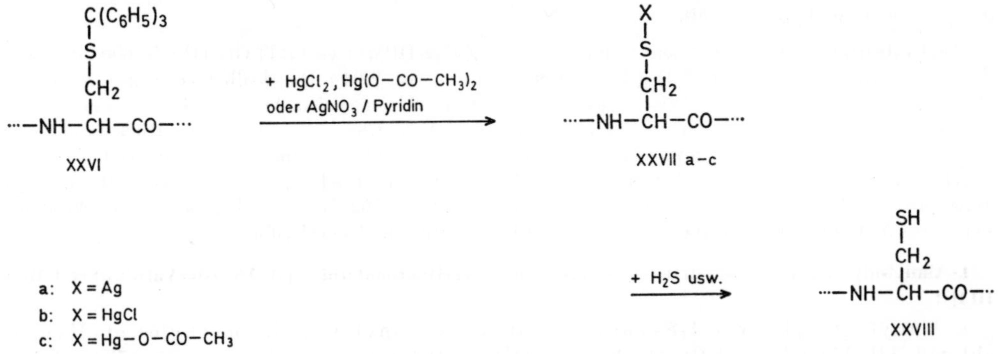

$$\underset{\text{XXVI}}{\cdots\text{-NH-CH}(\text{CH}_2\text{-S-C}(\text{C}_6\text{H}_5)_3)\text{-CO-}\cdots} \xrightarrow[\text{oder } \text{AgNO}_3\text{ / Pyridin}]{+\ \text{HgCl}_2,\ \text{Hg(O-CO-CH}_3)_2} \underset{\text{XXVII a–c}}{\cdots\text{-NH-CH}(\text{CH}_2\text{-S-X})\text{-CO-}\cdots} \xrightarrow{+\ \text{H}_2\text{S usw.}} \underset{\text{XXVIII}}{\cdots\text{-NH-CH}(\text{CH}_2\text{-SH})\text{-CO-}\cdots}$$

a: X = Ag
b: X = HgCl
c: X = Hg–O–CO–CH_3

Die „Schwermetall-Aufspaltung" der Trityl-thioäther-Bindung gelingt selektiv neben S-Diphenyl-methyl-[2,3,5] und S-Benzoyl-Maskierungen[3,7]; ob auch „Disulfid-Brücken" diese Prozeduren 100%-ig unverändert überstehen, sollte trotz der Feststellungen von Zervas und Photaki[1] dem Prüfungsergebnis des jeweiligen Falles vorbehalten bleiben.

N-Benzyloxycarbonyl-L-cysteinyl-glycin-äthylester [Z-Cys-Gly-OEt][1]:

N-Benzyloxycarbonyl-L-cysteinyl-glycin-äthylester-Silbersalz [Z-Cys(Ag)-Gly-OEt]: Nach Zugabe einer Lösung von 0,51 g Silbernitrat und 0,24 *ml* Pyridin in 15 *ml* Methanol zu einer gesättigten warmen Lösung von 1,74 g Z-Cys(TRT)-Gly-OEt in Methanol beginnt alsbald die Ausfällung des Silber-Mercaptids; nach mehrstündigem Stehen bei Raumtemp. unter Stickstoffatmosphäre wird die Fällung abfiltriert und sorgfältig mit Methanol gewaschen; Ausbeute: 1,25 g (94% d.Th.).

N-Benzyloxycarbonyl-L-cysteinyl-glycin-äthylester [Z-Cys-Gly-OEt]: Zu der Suspension von 0,9 g Z-Cys(Ag)-Gly-OEt in 10 *ml* Dimethylformamid werden 0,25 *ml* konz. Salzsäure hinzugegeben. Die Reaktionsmischung wird 2 Stdn. bei Raumtemp. geschüttelt und dann 1 Min. auf dem

---

1 L. Zervas u. I. Photaki, Am. Soc. **84**, 3887 (1962).
2 R. G. Hiskey u. R. L. Smith, Am. Soc. **90**, 2677 (1968).
3 L. Zervas et al., Am. Soc. **87**, 4922 (1965).
4 R. G. Hiskey, T. Mizoguchi u. H. Igeta, J. Org. Chem. **31**, 1188 (1966).
5 R. G. Hiskey u. J. B. Adams, J. Org. Chem. **31**, 2178 (1966).
6 I. Photaki et al., Soc. [C] **1970**, 2783.
7 R. G. Hiskey et al., J. Org. Chem. **35**, 4148 (1970).
8 E. Galanty et al., J. Org. Chem. **29**, 3560 (1964).
9 F. I. Caroll, H. M. Dickson u. M. E. Wall, J. Org. Chem. **30**, 33 (1965).
10 B. Kamber, Helv. **44**, 398 (1971).
11 H. Zahn et al., Z. Naturf. **24 b**, 1127 (1969).

Wasserbad erhitzt. Das ausgefallene Silberchlorid wird abfiltriert und mit wenig Dimethylformamid gewaschen; Filtrat und Waschwasser werden mit Chloroform verdünnt, mehrfach mit Wasser gewaschen, Spuren von Silberchlorid durch Filtration entfernt und das Filtrat letztlich i. Vak. eingedampft. Nach Zugabe von Wasser zum Rückstand tritt Kristallisation ein; Ausbeute: 0,46 g (70% d.Th.); F: 120–122°, nach Umkristallisieren (mit 80% Ausbeute) aus Essigsäure-äthylester/Petroläther: F: 123–124°; $[\alpha]_D^{28} = -16{,}8°$ (c = 3 in Äthanol).

N-Benzyloxycarbonyl-S-diphenyl-methyl-L-cysteinyl-L-cysteinyl-glycin-äthylester [Z-Cys(DPM)-Cys-Gly-OEt][1]:

Methode ⓐ: Eine warme Lösung von 1,7 g Z-Cys(DPM)-Cys(TRT)-Gly-OEt in 75 *ml* Essigsäure-äthylester/Äthanol (2:1) wird mit 0,34 g Silbernitrat und 0,16 *ml* Pyridin in 15 *ml* absol. Äthanol vermischt. Der Reaktionsansatz wird anschließend 90 Min. am Wasserbad erhitzt, der gebildete Niederschlag abfiltriert, mit 25 *ml* kaltem absol. Äthanol und 25 *ml* absol. Diäthyläther gewaschen. Das erhaltene Silber-Mercaptid (1,31 g = 91,5% d.Th.), suspendiert in 50 *ml* Essigsäure-äthylester, wird mit überschüssigem Schwefelwasserstoff wie üblich behandelt. Nach Zugabe von Aktivkohle wird das Reaktionsgemisch filtriert, das Filtrat i.Vak. eingedampft und der Rückstand aus Methanol umkristallisiert; Ausbeute: 0,85 g (70% d.Th.); farblose Nadeln von F: 154–156°.

Dieses Rohmaterial läßt man eine Kieselgel-Kolonne passieren (Elutionsmittel Chloroform/Essigsäure-äthylester 95:5) und erhält nach üblicher Aufarbeitung ein Reinprodukt mit F: 165–166°; $[\alpha]_D^{23} = -19{,}8°$ (c = 1,01 in Dimethylformamid).

Methode ⓑ: Zu einer warmen Lösung von 6 g Z-Cys(DPM)-Cys(TRT)-Gly-OEt in 600 *ml* absol. Äthanol/Essigsäure-äthylester (1:1) gibt man eine Lösung von 2,94 g Quecksilber(II)-acetat in 100 *ml* absol. Äthanol. Das Reaktionsgemisch wird 3 Stdn. zum kräftigen Sieden erhitzt und anschließend über Nacht kühl gestellt; nach Entfernen der Lösungsmittel i.Vak. wird der verbleibende Rückstand 2mal mit je 25 *ml* kaltem Methanol gewaschen. Das erhaltene gelbe Pulver, suspendiert in 100 *ml* Essigsäure-äthylester, wird wie üblich mit überschüssigem Schwefelwasserstoff behandelt und wie unter Methode ⓐ aufgearbeitet; Ausbeute: 2,45 g (61,6% d.Th.); Nadeln von F: 162–163°; nach 2maligem Umkristallisieren aus Methanol; F: 165–166°; $[\alpha]_D^{23} = -19{,}1°$ (c = 1,04 in Dimethylformamid).

L-Alanyl-glycyl-L-valyl-L-cysteinyl-L-serin-methylester-Hydrochlorid [H-Ala-Gly-Val-Cys-Ser-OMe · HCl][2]:

L-Alanyl-glycyl-L-valyl-S-chlormercuri-L-cysteinyl-L-serin-methylester-Hydrochlorid [H-Ala-Gly-Val-Cys(HgCl)-Ser-OMe · HCl]: Zu einer Lösung von 0,73 g H-Ala-Gly-Val-Cys(TRT)-Ser-OMe · HCl in 5 *ml* absol. Methanol werden 0,54 g Quecksilber(II)-chlorid zugefügt; die Mischung wird bis zur völligen Auflösung allen Materials geschüttelt und anschließend 20 Min. am Wasserbad gekocht, wobei ein farbloser Niederschlag gebildet wird. Nach Zufügen von Diäthyläther wird die Fällung abfiltriert, mit Diäthyläther gewaschen und anschließend mit warmem Methanol/Diäthyläther verrieben; Ausbeute: 0,83 g (88% d.Th.); F: 190° (nach Sintern bei 145°).

L-Alanyl-glycyl-L-valyl-L-cysteinyl-L-serin-methylester-Hydrochlorid [H-Ala-Gly-Val-Cys-Ser-OMe · HCl]: 1,1 g des oben erhaltenen Quecksilber-Mercaptids, suspendiert in 30 *ml* absol. Methanol, werden 1 Stde. mit Schwefelwasserstoff behandelt; das gebildete Quecksilber(II)-sulfid wird durch Zentrifugieren entfernt und 2mal mit Methanol extrahiert. Die vereinigten methanolischen Lösungen werden anschließend i.Vak. konzentriert und sorfältig mit Diäthyläther versetzt, bis keine Fällung mehr eintritt; Ausbeute: 65% d.Th.; F: 175–178°; Gehalt an freien Thiol-Gruppen 96% d.Th. (Ellman's-Methode).

Schwerwiegende Bedenken gegenüber der Schwermetall-Spaltung der S-Trityl-Maskierung erheben Zahn et al.[3]: im Zuge der zweiten Stufe, d. i. die Überführung der S-Chlormercuri-Gruppen in die freien Thiol-Funktionen, mußten sie eine erhebliche „Entschwefelung“ der aufgebauten Insulin-A-Kette in Kauf nehmen; die erste Stufe dagegen, d. i. die Aufhebung der S-Trityl-thioäther-Bindung mit Quecksilber(II)-chlorid in Methanol, war vollständig verlaufen.

Zur Überführung der S-Trityl-cystein(yl)- in Hemicystin(yl)-Reste einer Peptidkette – ohne vorherige Freisetzung der Thiol-Funktionen – durch Jodolyse, Rhodanolyse oder Sulfenylthiocarbonat-Thiolyse siehe S. 804f., 823ff. u. 827ff.

---

[1] R. G. Hiskey, T. Mizoguchi u. H. Igeta, J. Org. Chem. **31**, 1188 (1966).
[2] I. Photaki et al., Soc. [C] **1970**, 2583.
[3] H. Zahn et al., Z. Naturf. **24b**, 1127 (1969).

36.911.216. Andere S-Aralkyl-Schutzgruppen

36.911.216.1. Der S-Pyridyl-(4)-methyl-[PyM]-Rest

Zu den durch elektrolytische Reduktion an einer Quecksilber-Kathode spaltbaren Gruppierungen gehört u.a. die Pyridyl-(4)-methylester-Bindung; da diese Operation auch in Gegenwart von Cystein ungestört ausführbar ist, haben Young et al.[1] den Pyridyl-(4)-methyl-Rest zum Schutz der Thiol-Funktion herangeholt.

S-[Pyridyl-(4)-methyl]-cystein, zugänglich aus Pyridyl-(4)-methylchlorid (4-Picolylchlorid) und Cystin nach dem du Vigneaudschen S-Benzyl-cystein-Verfahren in flüssigem Ammoniak (s. S. 736), läßt sich in bekannter Manier zum tert.-Butyloxycarbonyl-Derivat acylieren, dieses nach dem Carbodiimid-Verfahren peptidsynthetisch umsetzen. Bei höchster Stabilität der S-Pyridyl-(4)-methyl-Maskierung gegenüber Trifluoressigsäure und 32%-igem Bromwasserstoff/Essigsäure (7 Tage bei Raumtemp.!) gelingt die Wiederherstellung der freien Thiol-Funktion durch elektrolytische Reduktion in 0,5 n Schwefelsäure am H-Cys(PyM)-OH mit 88%-iger Ausbeute.

36.911.216.2. Der 1-α-Thienyl-cyclohexyl-[TcHe]-Rest

Bei ihren Versuchen, neue acidolytisch leicht spaltbare tert.-Aralkyl-Schutzgruppen für die Thiol-Funktion aufzufinden, stießen König et al.[2] auf den 1-α-Thienyl-cyclohexyl-Rest; die Erstellung von *H-Cys(TcHe)-OH* gelingt aus Cystein-Hydrochlorid und 1-α-Thienyl-cyclohexanol durch Bortrifluorid-Diäthylätherat-Katalyse in Essigsäure.

Aufgrund der festgestellten großen Unbeständigkeit dieses Cystein-Derivats gegenüber Chlorwasserstoff/Essigsäure und Bromwasserstoff/Essigsäure einerseits sowie Alkalien andererseits wird eine peptid-synthetische Verwendung dieser S-Schutzgruppe selbst von den Autoren nicht empfohlen[2].

36.911.216.3. S-Fluorenyl-Schutzgruppen

Die dem S-Diphenyl-methyl-Rest bzw. seinem α-Methyl-Homologon verwandten *S-Fluorenyl-(9)-[Fl]*- und *S-9-Methyl-fluorenyl-(9)-[MFl]*-Schutzgruppen haben nach den Erfahrungen von König et al.[2] keine peptidsynthetische Chance, da eine acidolytische Demaskierung überhaupt nicht bzw. nur in sehr mäßiger Größenordnung (bei siedender Trifluoressigsäure über 30 Min.: ~ 10%-ige Spaltung!) möglich ist.

36.911.217. Die S-(2,2-Di-äthoxycarbonyl-äthyl)-[DOCE]-Schutzgruppe

Methylenmalonsäure-diäthylester (XXIX) reagiert leicht mit Cystein (III) zu *S-(2,2-Di-äthoxycarbonyl-äthyl)-cystein* (XXX); ebenso gut verläuft diese Umsetzung mit Cystein(yl)-peptiden, wie Wieland und Sieber[3] am Beispiel des Glutathions darlegen konnten.

$$\underset{\text{III}}{H_2N-\underset{\underset{SH}{|}}{\overset{}{CH}}(CH_2SH)-COOH} \quad \underset{+\ KOH\ /\ C_2H_5OH}{\overset{+\ H_2C=C(COOC_2H_5)_2\ \ XXIX}{\rightleftharpoons}} \quad \underset{\text{XXX}}{H_2N-CH(CH_2-S-H_2C-CH(COOC_2H_5)_2)-COOH}$$

[1] A. Gosden, D. Stevenson u. G. T. Young, Chem. Commun. **1972**, 1123.
[2] W. König, R. Geiger u. W. Siedel, B. **101**, 681 (1968).
[3] T. Wieland u. A. Sieber, A. **722**, 222 (1969).

S-(2,2-Di-äthoxycarbonyl-äthyl)-L-cystein [H-Cys(DOCE)-OH][1]: 11,75 g Cystein in 50 *ml* Äthanol/Wasser (1:1) werden unter Rühren tropfenweise mit 19 g frisch destilliertem Methylenmalonsäure-diäthylester versetzt und bis zum Ausbleiben der Nitroprussid-Reaktion ~ 1 Stde. weitergerührt. Nach Eindampfen i.Vak. wird in 50 *ml* Methanol aufgenommen, filtriert und durch vorsichtigen Zusatz von Diäthyläther eine farblose Fällung erhalten. Diese wird abfiltriert und aus Methanol/Diäthyläther umkristallisiert; Ausbeute: 21 g (74% d.Th.); F: 170–171°.

Wegen der relativen Alkali-Instabilität (s. u.) ist die Herstellung von N-Acyl-Derivaten etwas problematisch: so gelingt zwar die Herstellung von *BOC-Cys(DOCE)-OH* nach dem Schnabelschen tert.-Butyloxycarbonyl-fluorid-Verfahren (s. S. 122) bei $p_H = 8{,}3$–$8{,}5$ und niedrigen Temperaturen (2–5°), nicht aber die übliche Einführung z. B. einer N-Benzyloxycarbonyl-Schutzgruppe. Zugänglich ist *Z-Cys(DOCE)-OH* nur durch „Alkylierung" von Z-Cys-OH, das z. B. aus Z-Cys(Z)-OH durch Ammonolyse gewonnen wird[2].

Die peptid-synthetische Verknüpfung von BOC-Cys(DOCE)-OH mit Aminosäureestern läßt sich nach der Mischanhydrid-Methode verwirklichen; bei der hohen Stabilität der S-(2,2-Di-äthoxycarbonyl-äthyl)-thioäther-Gruppierung gegenüber Trifluoressigsäure, ja selbst Bromwasserstoff/Essigsäure ist eine acidolytische Entfernung des tert.-Butyloxycarbonyl-Restes leicht gegeben und damit die Erstellung des freien Peptid-esters bzw. dessen Umsetzung zu höheren Peptid-Derivaten. Dies haben Wieland und Sieber[2] mit einer neuen Synthese des *Glutathions* demonstriert, wobei im letzten Verknüpfungsschritt TFA-Glu-OEt als Kopfkomponente zum Einsatz gelangte.

Die Aufhebung der S-(2,2-Di-äthoxycarbonyl-äthyl)-Maskierung gelingt durch β-Eliminierung am besten mit n äthanolischer Kalilauge bei 20°; sie soll besser im „Peptid-Bereich" als bei H-Cys(DOCE)-OH verlaufen[1]. TFA-Glu(Cys[DOCE]-Gly-OEt)-OEt konnte so durch alkalische Entfernung aller Schutzgruppen zuerst mit n äthanolischer Kalilauge und dann wäßriger Natronlauge mit hoher Ausbeute in *Glutathion* übergeführt werden, isoliert in Form eines Quecksilber-Mercaptids[2].

Der Hinweis der Autoren[2], daß bei allen Stufen der aufgeführten Glutathion-Synthese eine Säulenchromatographie an Sephadex LH-20 zwecks Reindarstellung des jeweiligen Zwischenprodukts erforderlich war, sollte Beachtung finden.

36.911.218. Die S-tert.-Butyl-[tBu]-Schutzgruppe

S-tert.-Butyl-cystein wurde erstmals von Callahan et al.[3], mit Isobuten durch Einwirkung auf PHT=Cys-OH, hydrazinolytische Entfernung des Phthalyl-Restes vom primär erhaltenen PHT=Cys(tBu)-OtBu und letztlich Bromwasserstoff/Essigsäure-Spaltung der Ester-Bindung am H-Cys(tBu)-OtBu, sowie unabhängig davon von Chimiak[4,5] durch Umsetzen von Cystein mit Essigsäure-tert.-butylester unter Perchlorsäure-Katalyse (4 Tage bei 20°) zu H-Cys(tBu)-OtBu und folgende Spaltung der tert.-Butylester-Bindung mit Trifluoressigsäure oder Bromwasserstoff/Essigsäure erhalten.

Bei der hohen Stabilität gab es kein Problem in der Erstellung von Derivaten des S-tert.-Butyl-cysteins[5] noch in deren peptid-synthetischen Umsetzung[3,4], jedoch in der Wiederherstellung der freien Thiol-Funktion: die S-tert.-Butyl-Maskierung erwies sich als zu stabil (Entfernung erst mit flüssigem Fluorwasserstoff über 60 Min. bei 20°[6]), so daß eine Verwendung des S-tert.-Butyl-cysteins für Peptid-Synthesen zunächst uninteressant bleibt.

---

1 T. Wieland u. A. Sieber, A. **722**, 222 (1969).
2 T. Wieland u. A. Sieber, A. **727**, 121 (1969).
3 F. M. Callahan et al., Am. Soc. **85**, 201 (1963).
4 A. Chimiak, *Peptides*, Proc. 5th Europ. Peptide Symposium, Oxford 1962, Pergamon Press, Oxford **1963**, S. 37.
5 A. Chimiak, Roczniki Chem. **38**, 883 (1964).
6 S. Sakakibara et al., *Peptides*, Proc. 8th Europ. Peptide Symposium, Noordwijk 1966, North-Holland Publ. Co., Amsterdam **1967**, S. 44.

36.911.219. Der S-Trimethylsilyl-[TSi]-Rest

Birkofer et al.[1] war es möglich, aus Cystein (III) durch Erhitzen mit überschüssigem Hexamethyldisilazan als „allseits" silyliertes Derivat *TSi-Cys(TSi)-OTSi* (XXXI) zu gewinnen, das sich als Amino-Komponente mit N-Acyl-aminosäuren nach dem Carbonyl-di-imidazol- oder Phosphoroxidchlorid-Verfahren umsetzen läßt. Die übliche Aufarbeitung des Verknüpfungsansatzes beschert infolge hydrolytischer Abspaltung der Trimethylsilyl-Reste aus dem Intermediär-Produkt XXXII (s. Schema) sofort N-Acylaminoacyl-cystein (XXXIII):

$$\underset{\text{III}}{H_2N-CH(CH_2-SH)-COOH} \xrightarrow{+\ HN[Si(CH_3)_3]_2} \underset{\text{XXXI}}{(H_3C)_3Si-NH-CH(CH_2-S-Si(CH_3)_3)-CO-OSi(CH_3)_3} \xrightarrow{+\ R-CO-NH-CH(R^1)-COX}$$

$$\underset{\text{XXXII}}{R-CO-NH-CH(R^1)-CO-N(Si(CH_3)_3)-CH(CH_2-S-Si(CH_3)_3)-CO-OSi(CH_3)_3} \xrightarrow{+\ H_2O} \underset{\text{XXXIII}}{R-CO-NH-CH(R^1)-CO-NH-CH(CH_2-SH)-COOH}$$

N,S-(Bis-trimethylsilyl)-L-cystein-trimethylsilylester [TSi-Cys(TSi)-OTSi][1]**:** 15,8 g freies Cystein-Hydrochlorid werden mit überschüssigem Hexamethyldisilazan 3 Stdn. unter Rückfluß erhitzt, wobei das entstehende Ammoniumchlorid völlig in den Rückflußkühler sublimiert. Der Rückstand wird anschließend i.Vak. fraktioniert destilliert; Ausbeute: 24,6 g (73% d.Th.); $Kp_{0,2}$: 84°; $[\alpha]_D^{20} = -4,6°$ (in Essigsäure-äthylester).

36.911.220. *S-Acetal-Derivate*

Die Reihe der S-Acetal-Schutzgruppen für die Thiol-Funktion des Cysteins wurde mit Herstellung und peptidsynthetischer Umsetzung von 2,2-Dimethyl-1,3-thiazolidin-4-carbonsäure, d. h. eines Amino-hemithioacetals, eröffnet; bald darauf sind mit S-(Tetrahydropyranyl-2)- und S-Benzylthiomethyl-cystein auch andere „Acetal-Kombinationen" bekannt geworden.

36.911.221. Die S-Benzylthiomethyl-[BTM]-Schutzgruppe

Unter Rückgriff auf die bekannte Umsetzung von Thiolen mit Benzylthiomethylchlorid (XXXIV)[2] zu Thioacetalen[3] haben Pimlott und Young[4] erstmals über die Erstellung von *H-Cys(BTM)-OH* (XXXV) durch Erhitzen von Cystein-Hydrochlorid (III-HCl) mit XXXIV in absol. Methanol und alkalische Behandlung des Reaktions-Rohproduktes [= Mischung aus XXXV-HCl und H-Cys(BTM)-OMe · HCl (XXXVI a-HCl)] oder durch Umsatz von XXXIV mit „Natrium/Ammoniak-reduziertem" Cystin (XXXVII) in flüssigem Ammoniak berichtet (ohne detaillierte experimentelle Angaben).

---

1 L. Birkofer, W. Konkol u. A. Ritter, B. **94**, 1263 (1961).
2 J. L. Wood u. V. du Vigneaud, J. Biol. Chem. **131**, 267 (1939).
3 H. Böhme, H. Fischer u. R. Frank, A. **54**, 563 (1949).
4 P. J. E. Pimlott u. G. T. Young, Pr. chem. Soc. **1958**, 257.
Vgl. G. T. Young, Collect. czech. chem. Commun. **24**, 114 (1959); Spec. Issue.

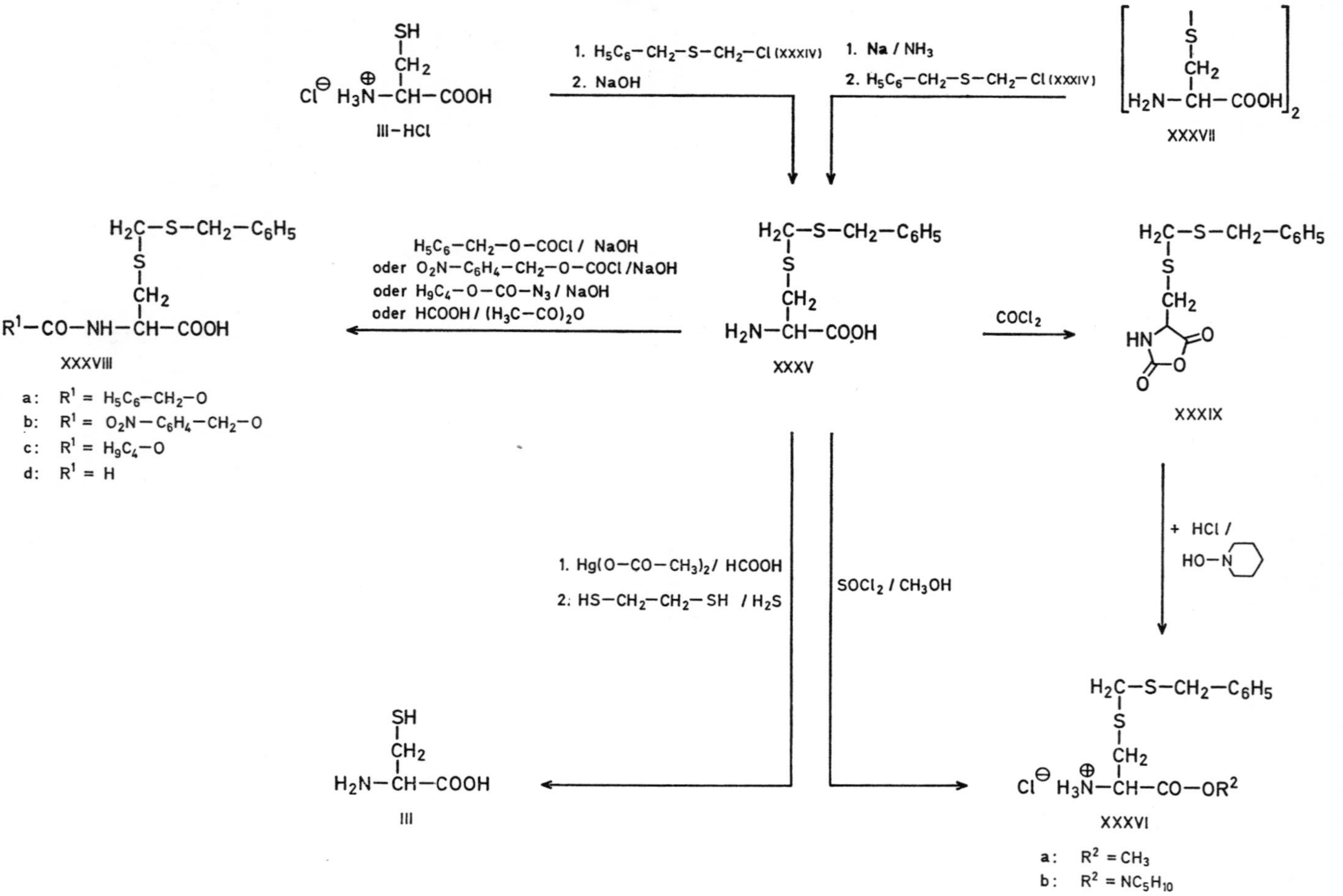

III–HCl
1. $H_5C_6-CH_2-S-CH_2-Cl$ (XXXIV)
2. NaOH
1. Na / NH_3
2. $H_5C_6-CH_2-S-CH_2-Cl$ (XXXIV)
XXXVII
$H_5C_6-CH_2-O-COCl$ / NaOH
oder $O_2N-C_6H_4-CH_2-O-COCl$/NaOH
oder $H_9C_4-O-CO-N_3$ / NaOH
oder HCOOH / $(H_3C-CO)_2O$
XXXVIII
a: $R^1 = H_5C_6-CH_2-O$
b: $R^1 = O_2N-C_6H_4-CH_2-O$
c: $R^1 = H_9C_4-O$
d: $R^1 = H$
XXXV
$COCl_2$
XXXIX
+ HCl /
1. $Hg(O-CO-CH_3)_2$/ HCOOH
2. $HS-CH_2-CH_2-SH$ / H_2S
$SOCl_2$ / CH_3OH
III
XXXVI
a: $R^2 = CH_3$
b: $R^2 = NC_5H_{10}$

Obgleich die erstgenannte Herstellungs-Variante von Katsoyannis[1] sowie Hiskey und Tucker[2] zur Herstellung von H-Cys(BTM)-OH benutzt wurde, weisen Young et al.[3] später darauf hin, daß nur die „du Vigneaud-S-Alkylierungs-Methode" ein reines Cystein-Derivat XXXV liefert und daher unbedingt dem erstgenannten Verfahren vorzuziehen ist.

S-Benzylthiomethyl-L-cystein [H-Cys(BTM)-OH][3]: 4,8 g Cystin in 100 *ml* flüssigem Ammoniak werden bei dessen Siedetemp. unter Rühren mit kleinen Stückchen Natrium versetzt, bis eine konstante Blaufärbung der Lösung erreicht ist. Diese Färbung wird mit wenigen Kristallen trockenen Ammonchlorids zerstört und daraufhin 6,9 g Benzylthiomethylchlorid in einer Portion zugesetzt. Man läßt das Ammoniak verdampfen, entfernt die letzten Reste i. Vak., wäscht den Rückstand 2mal mit Diäthyläther durch Dekantieren und fügt letztlich vorsichtig eiskalte n Salzsäure bis zum Erreichen eines $p_H = 6$ zu. Der gebildete Niederschlag wird aufs Filter gebracht, mit Wasser, Äthanol und Diäthyläther gewaschen; Ausbeute: 9,36 g (91% d. Th.); F: 193–194° (Zers.).

Zum Umkristallisieren wird die Suspension des erhaltenen Produkts in heißem Methanol/Wasser (1 : 1) vorsichtig mit konz. Salzsäure versetzt, bis eine klare heiße Lösung entsteht; daraus kristallisieren feine Plättchen, die abfiltriert und mit Wasser, Äthanol und Diäthyläther gewaschen werden; F: 193° (Zers.); $[\alpha]_D^{22} = -24{,}5°$ (c = 1 in 3n Salzsäure).

Die N-Acylierung von H-Cys(BTM)-OH (XXXV) unter üblichen Schotten-Baumann-Bedingungen zu N-Benzyloxycarbonyl-[2,3], N-4-Nitro-benzyloxycarbonyl-[4] und N-tert.-Butyloxycarbonyl-Derivaten[5] (XXXVIIIa-c) sowie mittels Ameisensäure/Essigsäureanhydrid zur N-Formyl-Verbindung[1] bildet keine Schwierigkeiten; ferner gelingt eine Veresterung von XXXV, sei es direkt, z. B. mittels Chlorwasserstoff/Methanol zu *H-Cys(BTM)-OMe · HCl* (XXXVI-HCl)[2,3], sei es auf dem Umweg über das N-Carbonsäure-Anhydrid (XXXIX), wie es die Erstellung von *H-Cys(BTM)-OPi · HCl* (XXXVIb-HCl) demonstriert[4] (s. S. 428).

Nach vollzogener peptidsynthetischer Umsetzung der S-Benzylthiomethyl-cystein-Derivate (als Kopf- oder Aminokomponente, s. S. 429) können die gewonnenen N-Acyl-peptidester ohne Schädigung der Thioacetal-Gruppierung

ⓐ durch alkalische Hydrolyse oder Hydrazinolyse in die N-Acyl-peptide[2,3] bzw. in N-Acyl-peptidhydrazide[3] übergeführt werden

ⓑ zu Peptidestern entacyliert werden – bei N-Formyl-Resten mittels methanolischer Salzsäure[2], bei N-4-Nitro-benzyloxycarbonyl-Schutzgruppen mittels katalytischer Hydrogenolyse (s. u.)[4] und bei N-Benzyloxycarbonyl-Maskierungen mittels Bromwasserstoff/Essigsäure[3,4].

Zu letzterer Entacylierung liegen jedoch recht unterschiedliche Ergebnisse vor. So weist Katsoyannis[1] nach, daß *Z-Val-Cys(BTM)-OMe* nur weitgehend, aber nicht völlig „sauber" (Ninhydrin-positive Nebenprodukte sind chromatographisch nachweisbar) mittels 2n Bromwasserstoff/Essigsäure selbst unter Zusatz von Diäthylphosphit und Äthyl-methyl-sulfid der N-Schutzgruppe entledigt werden kann [zu *H-Val-Cys(BTM)-OMe · HBr*] und selbst H-Cys(BTM)-OH unter den gleichen Bedingungen geringfügig verändert wird (zusätzlich zwei schwache Ninhydrin-positive Verbindungen). Demgegenüber unterstrei-

---

[1] P. G. KATSOYANNIS, Am. Soc. **83**, 4053 (1961).
[2] R. G. HISKEY u. W. P. TUCKER, Am. Soc. **84**, 4789 (1962).
[3] P. J. E. BROWNLEE et al., Soc. **1964**, 3832.
[4] R. CAMBLE, R. PURKAYASTHA u. G. T. YOUNG, Soc. [C] **1968**, 1219.
[5] H. ZAHN u. K. HAMMERSTRÖM, B. **102**, 1048 (1969).

chen Young et al.[1] nachdrücklich die Richtigkeit ihrer Ergebnisse, welche die S-Benzylthiomethyl-Gruppierung als Bromwasserstoff/Essigsäure-resistent vorweisen[2], und meinen, daß das aus Cystein-Hydrochlorid und Benzylthiomethylchlorid in siedendem Methanol (s. S. 763) von Katsoyannis bereitete Startmaterial vorher einer sorgfältigen Reinigung bedurft hätte; die Autoren[1] müssen allerdings zugeben, daß eine sehr schwache Ninhydrin-positive Verunreinigung auch bei einstündigem Behandeln von hochreinem H-Cys(BTM)-OH mit 2n Bromwasserstoff/Essigsäure bei Raumtemp. auftritt; diese kann allerdings im Zuge der Rückgewinnungs-Prozedur gut abgetrennt werden.

Zur Unterdrückung einer S-Benzyl-sulfonium-Kation-Bildung an der Thioacetal-Gruppierung als sekundäre Folge der acidolytischen Spaltung von Schutzgruppen auf Benzylbasis läßt man die Debenzyloxycarbonylierung nach dem Guttmann-Boissonnas-Verfahren (Bromwasserstoff/Essigsäure und Zusatz von Äthyl-methyl-sulfid) ablaufen[1,3,4] (s. dazu S. 59).

S-Benzylthiomethyl-L-cysteinyl-glycin-tert.-butylester [H-Cys(BTM)-Gly-OtBu]:

N-(4-Nitro-benzyloxycarbonyl)-S-benzylthiomethyl-L-cystein[NZ-Cys(BTM)-OH][3]: 12,87 g H-Cys(BTM)-OH in 125 *ml* n Natronlauge werden unter Eiskühlung mit 10,78 g Chlorameisensäure-4-nitro-benzylester in 250 *ml* Diäthyläther und 125 *ml* n Natronlauge unter üblichen Bedingungen unter kräftigem Rühren innerhalb 90 Min. umgesetzt. Nach weiterem Rühren des Reaktionsansatzes über 45 Min. unter Kühlung und 1 Stde. bei Raumtemp. werden 400 *ml* Wasser hinzugefügt und daraufhin die Phasen getrennt; die wäßrige Phase wird mit 250 *ml* Diäthyläther gewaschen, und anschließend unter Eiskühlung mit 6n Salzsäure angesäuert (Kongo-Rot). Das abgeschiedene Öl wird 4mal mit je 300 *ml* Essigsäure-äthylester extrahiert, die Auszüge 2mal mit je 50 *ml* 10%-iger Natriumacetat-Lösung und 2mal mit je 100 *ml* Natriumchlorid-Lösung gewaschen und getrocknet. Nach Eindampfen i. Vak. hinterbleibt ein schwach gelbliches Öl, das beim Behandeln mit Petroläther fest wird; das Rohprodukt (20 g) wird aus warmem Essigsäure-äthylester auf vorsichtigen Zusatz von Petroläther kristallisiert erhalten; Ausbeute: 12,6 g (58% d. Th.); F: 87–89°; $[\alpha]_D^{20} = -43{,}6°$ (c = 0,945 in Essigsäure-äthylester).

N-(4-Nitro-benzyloxycarbonyl)-S-benzylthiomethyl-L-cysteinyl-glycin-tert.-butylester [NZ-Cys(BTM)-Gly-OtBu][3]: Die vereinigten Lösungen von 15,2 g NZ-Cys(BTM)-OH in 110 *ml* Essigsäure-äthylester/Dimethylformamid (10:1) und 4,6 g H-Gly-OtBu in 20 *ml* Essigsäure-äthylester werden bei 0° mit 8,6 g Dicyclohexylcarbodiimid in 20 *ml* Essigsäure-äthylester versetzt. Nach 3 Stdn. entfernt man die Kühlung, läßt auf Raumtemp. kommen und setzt am nächsten Tag 5 *ml* Essigsäure hinzu. 30 Min. später wird das Filtrat vom N,N'-Dicyclohexyl-harnstoff i. Vak. eingedampft, der verbleibende gelbliche Sirup in Essigsäure-äthylester aufgenommen, die filtrierte Lösung 2mal mit je 25 *ml* n Salzsäure, 4mal mit je 40 *ml* n Natriumhydrogencarbonat-Lösung, 2mal mit je 40 *ml* Wasser und letztlich 3mal mit je 40 *ml* Kochsalz-Lösung gewaschen. Die getrocknete, i. Vak. eingedampfte Lösung hinterläßt einen schwarzgelb gefärbten gummiartigen Rückstand, der aus 80 *ml* Diäthyläther kristallisiert; die aufs Filter gebrachten Kristalle werden mit Petroläther gewaschen und anschließend aus Diäthyläther umkristallisiert; Ausbeute: 12,8 g (76% d. Th.); F: 100–101°; nach erneutem Umkristallisieren aus Diäthyläther F: 98–99°; $[\alpha]_D^{20} = -61{,}5°$ (c = 1,1 in Essigsäure-äthylester) bzw. $[\alpha]_D^{20} = -51{,}8°$ (c = 0,99 in Dimethylformamid).

S-Benzylthiomethyl-L-cysteinyl-glycin-tert.-butylester [H-Cys(BTM)-Gly-OtBu][3]: 7,6 g NZ-Cys(BTM)-Gly-OtBu in 220 *ml* Methanol/Essigsäure (10:1) werden über Nacht unter Normaldruck und Zusatz von 4 g 5%-iger Palladium-Kohle der Hydrogenolyse unterworfen: die dunkel gefärbte Mischung wird anschließend über Celit und dann durch eine Kohle-Celit-Schicht (2:1; 30 g) filtriert (Waschflüssigkeit Methanol), die vereinigten Filtrate und Waschwasser i. Vak. eingedampft. Die

---

[1] P. J. E. Brownlee et al., Soc. **1964**, 3832.

[2] P. J. E. Pimlott u. G. T. Young, Pr. chem. Soc. **1958**, 257.
G. T. Young, Collect. czech. chem. Commun. **24**, 114 (1959), Spec. Issue.

[3] R. Camble, R. Purkayastha u. G. T. Young, Soc. [C] **1968**, 1219.

[4] G. T. Young, *Peptides*, Proc. 5th Europ. Peptide Symposium Oxford 1962, Pergamon Press, Oxford **1963**, S. 53.

Lösung des Rückstands in 150 *ml* Essigsäure-äthylester wäscht man 6mal mit je 30 *ml* n Natriumhydrogencarbonat- und 3mal mit je 30 *ml* Natriumchlorid-Lösung, trocknet und dampft erneut i. Vak. ein. Der verbleibende Rückstand wird in 20 *ml* Diäthyläther aufgenommen, die Lösung filtriert und mit 3,865 g Di-(4-toluolyl)-D-weinsäure in 20 *ml* Diäthyläther versetzt. Der farblose gelartige Niederschlag wird abfiltriert und 2mal aus Methanol/Diäthyläther/Petroläther umgefällt: feines farbloses Pulver (5,28 g).

1,133 g des weinsauren Salzes in 200 *ml* Äthanol/Wasser (4:1) werden mit 10 *ml* Ionenaustauscher Amberlite IRA-400 (OH-Form) geschüttelt; nach 45 Min. wird vom Austauscher abfiltriert, das Filtrat i. Vak. eingedampft, der Rückstand in 10 *ml* Diäthyläther aufgenommen, die Lösung filtriert und erneut i. Vak. zum Sirup eingedampft; Ausbeute: 0,55 g (50% d. Th. unter Berücksichtigung der Teil-Freisetzung des Salzes); $[\alpha]_D^{20} = -20,7°$ (c = 2,63 in Essigsäure-äthylester).

Zur Abspaltung des S-Benzylthiomethyl-Restes war zunächst Erwärmen einer Mischung des Cystein-Derivats in n Salzsäure mit Quecksilber(II)-chlorid in Wasser genannt worden[1] – eine Prozedur, die Hiskey und Tucker[2] bei ihren Versuchen keinen Erfolg (allerdings unter weiterem Zusatz von Aceton als Lösungsvermittler) bescherte (freie Thiol-Gruppen ließen sich nicht nachweisen!) und auch von Young[3,4] später korrigiert werden mußte mit dem Hinweis: schon am H-Cys(BTM)-OH unvollständige Spaltung und Entstehen von Thiazolidin-4-carbonsäure als Nebenprodukt. Ein brauchbares Demaskierungs-Verfahren soll dagegen die Anwendung von Quecksilber(II)-acetat in hochprozentiger Ameisensäure über 5–20 Min. bei Raumtemp. sein; unmittelbar darauf folgender Zusatz von Äthandithiol und – 15 Min. später – Einleiten von Schwefelwasserstoff ins Reaktionsgemisch erlauben einen „Thiazolidin-nebenproduktarmen" Verlauf der Zersetzung des Quecksilber-Mercaptids[3,4].

Eine sehr eindeutige Demonstration zur Güte des S-Benzylthiomethyl-Schutzes geben Young et al.[5] anhand einer neuen ausbeutemäßig beachtlichen Glutathion-Synthese.

L-Glutamyl-Cγ-L-cysteinyl-glycin (Glutathion) [H-Glu(Cys-Gly-OH)-OH][5]: 44 mg H-Glu(Cys[BTM]-Gly-OH)-OH (s. S. 671) in 1 *ml* Ameisensäure (98–100%-ig) werden unter Rühren zu einer teilweisen Suspension von 0,128 g feingepulvertem Quecksilber(II)-acetat in 0,5 *ml* Wasser hinzugegeben (Reste der ersten Lösung werden 2mal mit je 0,5 *ml* Ameisensäure nachgespült). Nach 30 Min. bei Raumtemp. fügt man zur Reaktionsmischung 0,086 *ml* Äthandithiol, wonach ein cremefarbener gelatiner Niederschlag entsteht, der nach 2–3 Min. in grau übergeht. Nach weiteren 15 Min. leitet man für 2 Stdn. unter Rühren Schwefelwasserstoff in das Reaktionsgemisch; der gebildete Quecksilbersulfid-Niederschlag wird abzentrifugiert und mit 80%-iger Ameisensäure (4mal 3 *ml*) sorgfältig gewaschen. Die erhaltene Lösung wird i. Vak. bei Raumtemp. eingedampft, der Rückstand in 2 *ml* Wasser gelöst, die Lösung nochmals 15 Min. mit Schwefelwasserstoff behandelt, die Mischung durch eine 1 cm hohe Schicht Celit (auf 2 Whatman Nr. 42-Filterpapieren, die auf einer Glasfilternutsche Gr. 4 liegen) filtriert (Nachwaschen mit 5–10 *ml* Wasser). Der nach Eindampfen der erhaltenen Lösung resultierende dicke Sirup wird 3mal mit Äthanol verrieben (das Lösungsmittel jedesmal i. Vak. entfernt), wobei ein farbloses amorphes Pulver resultiert. Dieses wird 2mal mit Äthanol gewaschen (unter Zuhilfenahme einer Zentrifuge) und anschließend 15 Stdn. bei 0,5 Torr über Kieselgel bei Raumtemp. getrocknet; Ausbeute: 0,03 g (89,5% d. Th., ber. für ein Dihydrat); $[\alpha]_D^{20} = -24,3°$ (c = 0,9 in Wasser; ber. für ein wasserfreies Produkt).

Ein Ersatz des S-Benzylthiomethyl-Restes durch die S-Phenylthiomethyl-[PTM]-Schutzgruppe war nicht von Erfolg gekrönt.

---

[1] P. J. E. Pimlott u. G. T. Young, Pr. chem. Soc. **1958**, 257.
G. T. Young, Collect. czech. chem. Commun. **24**, 114 (1959); Spec. Issue.

[2] R. G. Hiskey u. W. P. Tucker, Am. Soc. **84**, 4789 (1962).
Vgl. auch K. Hammerström, W. Lunkenheimer u. H. Zahn, Makromol. Ch. **133**, 41 (1970).

[3] G. T. Young, *Peptides*, Proc. 5th Europ. Peptide Symposium Oxford 1962, Pergamon Press, Oxford **1963**, S. 53.

[4] P. J. E. Brownlee et al., Soc. **1964**, 3832.

[5] R. Camble, R. Purkayastha u. G. T. Young, Soc. [C] **1968**, 1219.

36.911.222. S-Isobutyloxymethyl-[iBOM]-Schutzgruppe

Nach dem „du Vigneaud'schen S-Alkylierungs-Verfahren" haben Young et al.[1] unter Verwendung von Isobutoxymethyl-chlorid *H-Cys(iBOM)-OH* hergestellt, ein Hemithioacetal-Derivat des Cysteins, das sich trotz leichter Instabilität gegenüber 2n Natronlauge[1] noch gut auf üblichem Wege zu *Z-Cys(iBOM)-OH* oder nach der Nefkens-Methode zu *PHT=Cys(iBOM)-OH* acylieren läßt[2]. Bei Beständigkeit der S-Isobutoxymethyl-hemithioacetal-Gruppierung gegenüber Einwirkung von Hydrazin-Hydrat in siedendem Äthanol, gegenüber warmer verd. Essigsäure (50% und mehr) sowie konz. Salzsäure in Aceton, d. s. Bedingungen, unter denen N-Phthalyl- bzw. N-Trityl-Reste entfernt werden können, ist die Möglichkeit zum Peptid-Aufbau bei Verwendung der beiden Schutzgruppen für die α-Amino-Funktion eröffnet; sie wurde von Hiskey und Sparrow[2] bei der Synthese von *Z-Cys(DPM)-Cys(TRT)-Gly-Phe-Gly-Cys(iBOM)-Phe-Gly-OtBu* wahrgenommen.

Demgegenüber zerstören Trifluoressigsäure- und Bortrifluorid-Diäthylätherat/Essigsäure-Behandlungen, so wie sie zur Spaltung von tert.-Butylurethan- und tert.-Butylester-Gruppierungen Anwendung finden, die Isobutoxymethyl-hemithioacetal-Bindung[2]; das gleiche bewirken Silbernitrat in Äthanol[2] und – sehr rasch – 2n Bromwasserstoff/Essigsäure[1]. Ob unter letzterer Prozedur eine einwandfreie reversible Gestaltung der S-Isobutyloxymethyl-Maskierung gelingt, ist experimentell nicht belegt.

Zur Spaltung der S-Isobutoxymethyl-hemithioacetal-Bindung durch Behandeln mit Dirhodan (zu Sulfenylthiocyanaten) oder mit Sulfenylthiocyanat-Derivaten des Cysteins (zu asymmetrischen Cystin-Verbindungen) s. S. 824. In diesem Zusammenhang wird von Arold[3] die Verwendung von S-Propyl-(2)-oxymethyl-hemithioacetalen angedeutet.

36.911.223. S-Tetrahydropyranyl-(2)-[TPa]-Schutzgruppe*

Während Cystein mit 2,3-Dihydro-4H-pyran (XL) nicht zu einem Hemithioacetal reagiert, läßt sich die Addition des Vinyläthers XL an die Thiolfunktion von H-Cys-OMe·HCl (XII) in Chlorwasserstoff/Methanol[4] oder in Dimethylformamid unter Chlorwasserstoff/Diäthyläther- bzw. Bortrifluorid-Diäthylätherat-Zusatz[3] zu *H-Cys(TPa)-OMe·HCl* (XLI-HCl) praktisch quantitativ erzielen. Durch alkalische Verseifung von XLI ist dann *H-Cys(TPa)-OH* XLII als Diastereomeren-Gemisch von wechselnder Zusammensetzung[5]** zugänglich[4].

N-Acyl-Derivate XLIII sind durch direkte Acylierung von H-Cys(TPa)-OH XLII[5] – vgl. auch dessen Aminoacylierung mit NPS-Cys(EAC)-OSU[6] –, auf dem Umweg über N-Acyl-S-tetrahydropyranyl-(2)-cysteinester XLIV[3,4] oder durch Umsatz von N-Acyl-cystein X mit 2,3-Dihydro-4H-pyran (XL) in Diäthyläther unter Bortrifluorid-Katalyse[7] erstellbar. Eine N-Tritylierung zu *TRT-Cys(TPa)-OH* XLV[6] gelingt nach dem Zervas-Stelakatos-Theodoropoulos-Verfahren (s. S. 269).

---

*) Homologe TPa-Schutzgruppen in Gestalt der 6-Phenyl-[PTPa]- und 6,6-Dimethyl-tetrahydropyranyl-(2)-[DTPa]-Derivate wurden neuerdings von Arold und Eule[3] genannt.

**) In der kristallinen Form mit F: 187° liegt möglicherweise nur eines der beiden Diastereomeren vor.

1 P. J. E. Brownlee et al., Soc. **1964**, 3832.

2 R. G. Hiskey u. J. T. Sparrow, J. Org. Chem. **35**, 215 (1970).

3 H. Arold u. M. Eule, *Peptides* 1972, Proc. 12th Europ. Peptide Symposium Reinhardsbrunn Castle 1972, North-Holland Publ. Co., Amsterdam **1973**, S. 78.

4 G. F. Holland u. L. A. Cohen, Am. Soc. **80**, 3765 (1958).

5 H. Zahn u. K. Hammerström, B. **102**, 1048 (1969).

6 A. Wittinghofer, A. **1974**, 290.

7 R. G. Hiskey u. W. P. Tucker, Am. Soc. **84**, 4798 (1962).

S-Tetrahydropyranyl-(2)-L-cystein [H-Cys(TPa)-OH][1]: 43 g H-Cys-OMe · HCl und 21 g frisch destilliertes 2,3-Dihydro-4H-pyran in 150 *ml* Dichlormethan werden mehrere Stdn. unter Rückfluß gekocht; nach anschließendem Entfernen des Lösungsmittels i. Vak. wird der verbleibende zähe schmierige Rückstand in 250 *ml* 1,4-Dioxan aufgenommen, die Lösung nach Verdünnen mit 250 *ml* Wasser mit 80 *ml* 4n Natronlauge und nach 1 Stde. mit weiteren 45 *ml* 4 n Natronlauge behandelt. Nach Rühren über Nacht wird das Reaktionsgemisch i. Vak. restlos eingedampft, die Lösung des Rückstandes in 250 *ml* Wasser bei 0° mit fester Citronensäure auf $p_H = 8$ gestellt. Nach etwa 4 stdgm. Stehenlassen im Kühlschrank wird die mikrokristalline Fällung abfiltriert und 2mal aus Methanol/Wasser (1 : 1) umkristallisiert; Ausbeute: 19 g (37% d. Th.); F: 184°; $[\alpha]_D^{23} = +67{,}0°$ (c = 1,1 in Wasser).

N-Benzyloxycarbonyl-S-tetrahydropyranyl-(2)-L-cystein-Benzylamin-Salz [Z-Cys(TPa)-OH · BZL-NH$_2$][2]: Zu einer Lösung von 5,12 g Z-Cys-OH und 1,68 g frisch destilliertem 2,3-Dihydro-4H-pyran in 60 *ml* kaltem Diäthyläther werden 2,84 g Bortrifluorid-Diäthyläther-Komplex zugefügt; die Reaktions-

[1] H. Zahn u. K. Hammerström, B. **102**, 1048 (1969).

[2] R. G. Hiskey u. W. P. Tucker, Am. Soc. **84**, 4789 (1962).

lösung wird 30 Min. bei 0° und 1 Stde. bei Raumtemp. stehen gelassen, danach 3mal mit Wasser gewaschen, getrocknet und letztlich i.Vak. eingedampft. Die Lösung des erhaltenen Sirups in 250 *ml* Diäthyläther wird mit 2,14 g Benzylamin in 50 *ml* Diäthyläther versetzt; es tritt umgehende Fällung ein; Ausbeute: 8,02 g (90% d.Th.); F: 105–107°.

N-(2-Nitro-phenylsulfenyl)-S-äthylaminocarbonyl-L-cysteinyl-S-tetrahydropyranyl-(2)-L-cystein [NPS-Cys(EAC)-Cys(TPa)-OH][1]: Eine Lösung von 44,3 g NPS-Cys(EAC)-OSU in 400 *ml* 1,4-Dioxan wird in eine Suspension von 26 g H-Cys(TPa)-OH in 200 *ml* Wasser eingetragen. Durch Zugabe von 0,5n Natriumhydrogencarbonat-Lösung wird mittels eines Autotitrators ein $p_H = 7{,}2$ eingehalten. Nach 36 Stdn. wird der Reaktionsansatz in 2000 *ml* 0,1 m Citronensäure-Lösung eingerührt, das abgeschiedene Produkt abfiltriert, mit wenig Wasser gewaschen und nach Trocknen im Exsiccator über Phosphor(V)-oxid aus Aceton/Petroläther umkristallisiert; Ausbeute: 32,6 g (61,2% d.Th.); F: 168–169°; $[\alpha]_D^{24} = +61{,}2°$ (c = 1 in Dimethylformamid).

Der peptidsynthetische Einsatz von N-geschütztem S-Tetrahydropyranyl-(2)-cystein (z. B. XLIII, XLV etc.) kann ohne weiteres nach der Mischanhydrid- oder Carbodiimid-Methode[1], auch im „Festkörper-Verfahren nach Merrifield"[2], erfolgen; N-tert.-Butyloxycarbonyl- und N-Trityl-Schutzgruppen dürften wegen ihrer selektiven Abspaltbarkeit mit wasserfreier Trifluoressigsäure[3] oder Chlorwasserstoff/Essigsäure[4] bzw. verd. Essigsäure[1] hierbei (neben N-2-Nitro-phenylsulfenyl-Resten, s. u.) bevorzugt sein.

N-(2-Nitro-phenylsulfenyl)-S-äthylaminocarbonyl-L-cysteinyl-S-tetrahydropyranyl-(2)-L-cysteinyl-L-alanyl-glycin-4-nitro-phenylester [NPS-Cys(EAC)-Cys(TPa)-Ala-Gly-ONP][1]: Zu einer auf −15° gekühlten Lösung von 5,32 g NPS-Cys(EAC)-Cys(TPa)-OH (s. o.) und 2,47 *ml* N-Methyl-morpholin in Tetrahydrofuran werden unter intensivem Rühren 0,96 *ml* Chlorameisensäure-äthylester zugegeben. Nach 3 Min. wird die Lösung auf −30° gekühlt und unter kräftigem Rühren 4,17 g festes H-Ala-Gly-ONP · HBr zugefügt. Die Reaktionsmischung läßt man über Nacht bei ansteigender Kühlbadtemp. reagieren und rührt sie anschließend in 400 *ml* 0,1 m Citronensäure-Lösung ein. Das ausgefallene Material wird abfiltriert, gründlich mit Wasser gewaschen und aus absol. Äthanol umkristallisiert; Ausbeute: 6,9 g (88,4% d.Th.); F: 163–165°; $[\alpha]_D^{26} = +31{,}1°$ (c = 1 in Dimethylformamid).

Die Heranziehung von H-Cys(TPa)-OMe (als Amino-Komponente) zu Synthesen wird weniger gefragt sein, da alkalische Verseifungen von N-Acyl-peptidestern mit C-endständigem S-Tetrahydropyranyl-(2)-cystein – unter üblichen Bedingungen – mißlingen[5]. Die Hydrazinolyse zu den entsprechenden N-Acyl-peptid-hydraziden ist dagegen einwandfrei möglich[5]; deren weitere Verknüpfung nach der Azid-Methode ist aber bislang nicht bearbeitet worden.

Die Spaltung der interessanterweise gegenüber Natrium/Ammoniak-Einwirkung stabilen Tetrahydropyranyl-hemithioacetal-Gruppierung unter Wiederherstellung der Thiol-Funktion des Cysteins soll durch Einwirkung verd. Säuren (experimentelle Angaben fehlen!) und Bromwasserstoff/Trifluoressigsäure, zugleich mit der Peptid-Ablösung vom Merrifield-Harz[4], sowie mittels Silbernitrat in wäßriger Lösung[5] vollzogen werden können; letzteres Demaskierungs-Verfahren wurde bislang nur an H-Cys(TPa)-OH ausgeführt unter Isolierung des Silber-Mercaptids XLVI und des Beiprodukts δ-Hydroxy-valeraldehyd XLVII.

Zur Rhodanolyse von S-Tetrahydropyranyl-(2)-cystein-Derivaten s. S. 824.

---

[1] A. Wittinghofer, A. **1974**, 290.

[2] K. Hammerström, W. Lunkenheimer u. H. Zahn, Makromol. Ch. **133**, 41 (1970).

[3] H. Arold u. M. Eule, *Peptides* 1972, Proc. 12th Europ. Peptide Symposium Reinhardsbrunn Castle 1972, North-Holland Publ. Co., Amsterdam **1973**, S. 78.

[4] K. Hammerström, W. Lunkenheimer u. H. Zahn, Makromol. Ch. **133**, 41 (1970); s. aber Fußnote dieser Arbeit S. 47.

[5] G. F. Holland u. L. A. Cohen, Am. Soc. **80**, 3765 (1958).

36.911.224. S-Acylamino-alkyl-Schutzgruppen

36.911.224.1. S-(1-Acylamino-2,2,2-trifluor-äthyl)-[XTE]-Schutzgruppen

Eine Maskierung der Thiol-Funktion des Cysteins durch Acylamino-alkyl-hemithioacetal-Bildung haben 1964 erstmals Weygand et al.[1] vorgetragen: 2,2,2-Trifluor-1-äthansulfonyl-N-acyl-äthylamine XLVIII, wobei als Acyl-Reste Benzoyl (a), Trifluoracetyl (b) und Benzyloxycarbonyl (c) fungieren, reagieren mit Cystein-Derivaten IL a/b – z. B. mit N-Acyl-cystein X und mit N-Acyl-cysteinester XIII – unter Zusatz von Triäthylamin (Mechanismus s. S. 291) zu *S-(1-Benzoylamino-2,2,2-trifluor-äthyl)*-[BzTE]-(L a/b), *S-(1-Trifluoracetylamino-2,2,2-trifluor-äthyl)*-[TFTE]-(LI a/b) und *S-(1-Benzyloxycarbonyl-amino-2,2,2-trifluor-äthyl)*-[ZTE]-cystein(yl)-Verbindungen (LII a/b)[2]:

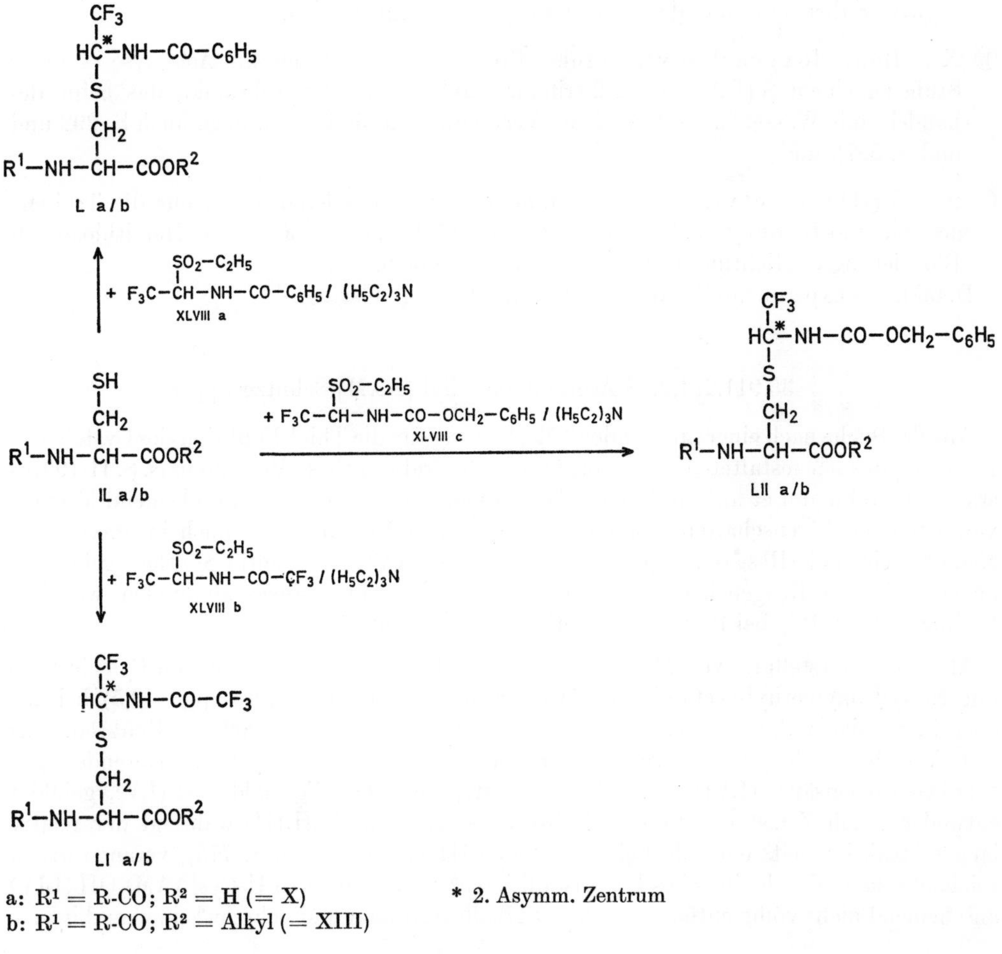

CF_3–$\overset{*}{C}H$(–NH–CO–C_6H_5)–S–CH_2–CH(–COOR^2)–NH–R^1

L a/b

↑ + F_3C–CH(SO_2–C_2H_5)–NH–CO–C_6H_5 / $(H_5C_2)_3N$ (XLVIII a)

HS–CH_2–CH(–COOR^2)–NH–R^1

IL a/b

→ + F_3C–CH(SO_2–C_2H_5)–NH–CO–OCH_2–C_6H_5 / $(H_5C_2)_3N$ (XLVIII c)

CF_3–$\overset{*}{C}H$(–NH–CO–OCH_2–C_6H_5)–S–CH_2–CH(–COOR^2)–NH–R^1

LII a/b

↓ + F_3C–CH(SO_2–C_2H_5)–NH–CO–CF_3 / $(H_5C_2)_3N$ (XLVIII b)

CF_3–$\overset{*}{C}H$(–NH–CO–CF_3)–S–CH_2–CH(–COOR^2)–NH–R^1

LI a/b

a: R^1 = R-CO; R^2 = H (= X)
b: R^1 = R-CO; R^2 = Alkyl (= XIII)

* 2. Asymm. Zentrum

N-Benzyloxycarbonyl-S-(1-benzoylamino-2,2,2-trifluor-äthyl)-L-cystein [Z-Cys(BzTE)-OH][2]**:** 0,9 g Z-Cys-OH, 0,98 g 1-Äthansulfonyl-2,2,2-trifluor-N-benzoyl-äthylamin und 1 *ml* Triäthylamin in 20 *ml* Dichlormethan werden bei 20° über Nacht stehen gelassen; das Reaktionsgemisch wird i. Vak. eingedampft, der Rückstand in Essigsäure-äthylester aufgenommen, die erhaltene Lösung mit 0,5 n Schwefelsäure

---

[1] F. Weygand, W. Steglich u. I. Lengyel, Acta chim. Acad. Sci. hung. **44**, 19 (1965); Proc. 7th Europ. Peptide Symposium Budapest 1964.
[2] F. Weygand et al., B. **99**, 1932 (1966).

und Wasser gewaschen, über Magnesiumsulfat getrocknet und letztlich i.Vak. eingedampft. Die verbleibende Masse wird beim Verreiben mit Diäthyläther fest; sie wird aus Toluol umkristallisiert; Ausbeute: 1,15 g (76% d.Th.); F: 140–143°.

Die Einführung der S-[XTE]-Schutzgruppen gelingt auch im „Peptid-Verband“ mit gleich guten Ergebnissen[1]. Mit Hilfe von 2,2,2-Trifluor-1-(2-ureido-äthansulfonyl)-N-benzoyl-äthylamin kann auch Cystein direkt, u. a. in Phosphat-Puffer von $p_H = 7$, in ein S-(1-Benzoylamino-2,2,2-trifluor-äthyl)-Derivat übergeführt werden[2].

Peptidchemische Umsetzungen sollen z. B. mit *Z-Cys(XTE)-OH* nach der Mischanhydrid-Methode möglich sein[3]. Die Abspaltung der S-(1-Acylamino-2,2,2-trifluor-äthyl)-Schutzgruppen wird vom jeweiligen Acylamino-Rest[3] diktiert. Ist

ⓐ X = Benzoyl, so kann die gesamte Schutzgruppe mit alkalischem Methanol unter sofortiger Regenerierung der Thiol-Funktion entfernt werden,

ⓑ X = Benzyloxycarbonyl, so führt Bromwasserstoff/Essigsäure-Acidolyse in erster Stufe zu einem S-(1-Amino-2,2,2-trifluor-äthyl)-Derivat-Hydrobromid, das beim Behandeln mit Wasser in die freie Thiol-Verbindung zerfällt[1] (vgl. dazu auch S. 292 und und S. 587), und

ⓒ X = Trifluoracetyl, so soll Natriumborhydrid in Äthanol nicht nur die Trifluor acetylamino-Bindung spalten (vgl. dazu S. 178), sondern auch die Hemithioacetal-Blockierung in Richtung freie Thiol-Funktion öffnen.

Detaillierte experimentelle Angaben fehlen allerdings bislang.

36.911.224.2. S-Acetaminomethyl-[AAM]-Schutzgruppen

Auf der Suche nach einer „passenden“ Maskierung für die Thiol-Funktion des Cysteins im Rahmen ihres neugestalteten N-Carbonsäure-Anhydrid-Synthese-Verfahrens (s. S. II/196ff.) stießen Hirschmann et al.[4,5] auf den S-Acetaminomethyl-Rest; seine anscheinend lösungsvermittelnden Eigenschaften, vor allem in wäßrigem Medium (aber auch in organischen Medien), seine hohe Resistenz gegenüber selbst „härtesten“ in der Peptid-Synthese gebräuchlichen Acidolyse-Reagenzien und seine Stabilität in saurer sowie alkalischer wäßriger Lösung (p_H=0–13!) bei Raumtemp. verhießen einen guten Start.

Allein die Herstellung von *H-Cys(AAM)-OH* (LIV) durch Behandeln von Cystein (III) mit N-Hydroxymethyl-acetamid (LIII) entweder in verd. Salzsäure ($p_H = 0{,}5$) bei 25° oder in flüssigem Fluorwasserstoff bei 0° gehörten zu den „schwachen“ Punkten. Das erste Verfahren arbeitet nicht völlig nebenproduktfrei; die neben Cystin auftretende Thiazolidin-4-carbonsäure (LVI) – für deren Entstehung freier Formaldehyd (LV), gebildet entweder durch Zersetzung von N-Hydroxymethyl-acetamid (LIII) während der relativ langen Reaktionszeit[5] oder als Beiprodukt in LIII vorhanden (s. S. 773), verantwortlich zeichnet – kann durch einfaches Umkristallisieren[5] des anfallenden H-Cys(AAM)-OH (LIV) anscheinend nicht völlig entfernt werden, weshalb Hermann und Schreier[6] eine kombinierte

---

[1] F. Weygand et al., B. **99**, 1932 (1966).

[2] F. Weygand et al., Z. Naturf. **21b**, 467 (1966).

[3] F. Weygand, W. Steglich u. I. Lengyel, Acta chim. Acad. Sci. hung. **44**, 19 (1965) (Proc. 7th Europ. Peptide Symposium Budapest 1964).

[4] D. F. Veber et al., Tetrahedron Letters **1968**, 3057.

[5] D. F. Veber et al., Am. Soc. **94**, 5456 (1972).

[6] P. Hermann u. E. Schreier, *Peptides* 1972, Proc. 12th Europ. Peptide Symposium Reinhardsbrunn Castle 1972, North-Holland Publ. Co., Amsterdam **1973**, S. 126.

Reindarstellungs-Methode zur Abtrennung von Cystin und 1,3-Thiazolidin-4-carbonsäure empfehlen. Ionenaustausch-Chromatographie an einem stark sauren Kationen-Austauschharz (Elutionsmittel m wäßriges Pyridin), selektive und quantitative „titrimetrische" Oxidation der 1,3-Thiazolidin-4-carbonsäure zu Cystin mit 0,1n Jod/Kaliumjodid-Lösung und erneute Ionenaustausch-Prozedur zwecks Abtrennung dieses Cystins garantiert bei guter Ausbeute die Gewinnung eines hochreinen H-Cys(AAM)-OH (LIV) auch in größerer Menge.

Das zweite Verfahren (mit flüssigem Fluorwasserstoff) ist für die Erstellung größerer Mengen an Cystein-Derivat (LIV) wohl kaum geeignet. Möglicherweise haben jedoch Marbach und Rudinger[1] eine Lösung des Problems gefunden: die Vornahme der Kondensation in wasserfreier Trifluoressigsäure.

S-Acetaminomethyl-L-cystein-Hydrochlorid [H-Cys(AAM)-OH · HCl][1]: 1,576 g Cystein-Hydrochlorid und 0,89 g N-Hydroxymethyl-acetamid in 10 *ml* wasserfreier Trifluoressigsäure werden bei Raumtemp. 30 Min. gerührt. Das Reaktionsgemisch wird daraufhin zur Trockene gedampft, der erhaltene Rückstand in 1 n Salzsäure gelöst, die Lösung wieder i. Vak. zur Trockene gebracht und diese Prozedur nochmals wiederholt. Das so erhaltene Material wird aus Propanol-(2) umkristallisiert, das aufs Filter gebrachte Produkt mit Diäthyläther gewaschen und getrocknet; Ausbeute: 1,62 g (71% d. Th.); F: 155–157° (Zers.). Nach nochmaligem Umkristallisieren aus wäßrigem Propanol-(2) F: 166–168° (Zers.); $[\alpha]_D^{25}$ = −33,2° (c = 1 in Wasser).

LVIII + LVII

LIII: $H_3C-CO-NH-CH_2-OH$ ⇌ ($+ H_3C-CO-NH_2$ / $- H_3C-CO-NH_2$) LV: $H_2C=O$ → (III) LVI

$+ H^{\oplus}(-H_2O)$ / $+ H_2O\ (-H^{\oplus})$: $[H_3C-CO-NH^{\oplus}=CH_2]$ → (III) LIV: $H_3N^{\oplus}-CH(COOH)-CH_2-S-CH_2-NH-CO-CH_3$

1 P. Marbach u. J. Rudinger, Helv. **57**, 403 (1974).

Die „S-Acetaminomethylierung“ soll auch im Peptid-Verband erfolgreich ablaufen können (studiert am Oktahydro-S-Protein der Ribonuclease A in flüssigem Fluorwasserstoff[1]). Rudinger et al.[2] erheben dagegen erhebliche Bedenken; sofern Tyrosin-Reste in der Sequenz eingebaut sind (S-Protein!), sind C-Alkylierungen am Phenol-Ring zu 3-Acetaminomethyl-LVII und 3,5-Di-(acetamino-methyl)-tyrosin(yl)-Derivate LVIII als parallel zur Hemithioacetal-Bildung verlaufende Nebenreaktionen nicht auszuschließen.

Bei der eingangs erläuterten Stabilität vorliegender Hemiacetal-Gruppierung (zusätzlich festgestellter Resistenz gegenüber 15%-igem Ammoniak und Hydrazin/Methanol) werden Erstellungen von *N-Acyl-S-acetaminomethyl-cystein*[1,3] oder *S-Acetaminomethyl-cystein-ester*[4] und *-amide*, peptidsynthetische Umsetzungen dieser Verbindungen[1,4–7], alkalische Verseifungen und Hydrazinolysen aufgebauter N-Acyl-peptid-ester[5,8] sowie selektive Abspaltung zahlreicher – insbesondere acidolytisch entfernbarer – Schutzgruppen[1,5,6,8] zu einem gut lösbaren Problem; diese Feststellung betrifft allerdings nur den einwandfreien Erhalt der S-Acetaminomethyl-Maskierung der Thiol-Funktion während dieser Prozedur.

N-tert.-Butyloxycarbonyl-S-acetaminomethyl-L-cystein [BOC-Cys(AAM)-OH][1]: 68,4 g H-Cys(AAM)-OH · HCl in 600 *ml* Dimethylformamid werden unter Stickstoff-Atmosphäre und Einhalten einer Reaktionstemp. von 25° innerhalb von 10 Min. tropfenweise mit 69 g Tetramethyl-guanidin, anschließend mit 47,1 g tert.-Butyloxycarbonylazid und weiteren 34,5 g Tetramethyl-guanidin, stets tropfenweise, über 10 Min. bei 25° versetzt. Der Reaktionsansatz wird über Nacht bei Raumtemp. gerührt, i. Vak. bei 30–35° konzentriert und zum Rückstand 200 *ml* Wasser zugegeben. Die wäßrige Lösung wird 2mal mit 20 *ml*-Portionen Essigsäure-äthylester gewaschen, nach Abkühlen (Eisbad) mit 50%-iger wäßriger Citronensäure auf $p_H = 3$ eingestellt, mit Natriumchlorid gesättigt und letztlich mit drei 250 *ml*-Portionen Essigsäure-äthylester extrahiert. Die vereinigten Auszüge werden 2mal mit 250 *ml* ges. Natriumchlorid-Lösung gewaschen, über Natriumsulfat getrocknet und dann i. Vak. eingedampft. Das verbleibende Öl wird in 40 *ml* Diäthyläther aufgenommen; nach leichtem Erwärmen und Animpfen der Lösung tritt Kristallisation ein; Ausbeute: 45,6 g (52% d. Th.); F: 110–112° (Zers.); $[\alpha]_D^{25} = -35{,}8°$ (c = 1 in Wasser).

S-Acetaminomethyl-L-cystein-methylester-Hydrochlorid [H-Cys(AAM)-OMe · HCl][4]: Zu 100 *ml* absol. Methanol werden unter Rühren bei −10° tropfenweise 7,9 *ml* Thionylchlorid derart zugegeben, daß die Temp. nie über −5° steigt. Man gibt dann 22,8 g H-Cys(AAM)-OH · HCl (s. S. 771) hinzu und rührt den Reaktionsansatz 30 Min. bei −5° und 4 Stdn. bei 45°. Die erhaltene klare Lösung wird i. Vak. bei 40° eingedampft, der Rückstand bis zur Gewichtskonstanz getrocknet, wobei ein weißer Schaum resultiert; Ausbeute: quantitativ.

N-tert.-Butyloxycarbonyl-S-acetaminomethyl-L-cysteinyl-S-acetaminomethyl-L-cystein-methylester [BOC-Cys(AAM)-Cys(AAM)-OMe][4]: Die Lösung von 29,65 g H-Cys(AAM)-OMe · HCl und 17,1 *ml* Triäthylamin in 400 *ml* Dimethylformamid fügt man zu einer auf 0° gekühlten Suspension von 35,84 g BOC-Cys(AAM)-OH hinzu; anschließend wird 27,8 g Dicyclohexylcarbodiimid zugeführt. Nach 2 Stdn. bei 0° und 15 Stdn. bei 20° wird der Reaktionsansatz filtriert, das Filtrat i. Vak. bei 40° eingedampft, die Lösung des Rückstands in 200 *ml* Chloroform mit 0,1 n Salzsäure, 0,5 n Natriumhydrogencarbonat-Lösung und Wasser gewaschen, über Natriumsulfat getrocknet und letztlich erneut i. Vak. eingedampft. Der verbleibende Rückstand wird aus Essigsäure-äthylester/Petroläther umkristallisiert; Ausbeute: 46,2 g (78% d. Th.); F: 96–98°; $[\alpha]_D^{20} = -52°$ (c = 1,86 in Methanol).

---

[1] D. F. Veber et al., Am. Soc. **94**, 5456 (1972).

[2] J. H. Seely, U. Ruegg u. J. Rudinger, *Peptides* 1972, Proc. 12th Europ. Peptide Symposium Reinhardsbrunn Castle 1972, North-Holland Publ. Co., Amsterdam **1973**, S. 86.

[3] P. Hermann u. E. Schreier, *Peptides* 1972, Proc. 12th Europ. Peptide Symposium Reinhardsbrunn Castle 1972, North-Holland Publ. Co., Amsterdam **1973**, S. 126.

[4] B. Kamber, Helv. **54**, 927 (1971).

[5] U. Ludescher, Dissertation Nr. 4697, ETH Zürich 1971.

[6] P. Marbach u. J. Rudinger, Helv. **57**, 403 (1974).

[7] B. Kamber, Helv. **56**, 1370 (1973).

[8] R. Hirschmann et al., Am. Soc. **91**, 507 (1969).

S-Acetaminomethyl-L-cysteinyl-L-leucyl-D-phenylalanyl-L-prolyl-[2-toluol-(4)-sulfonyl]-äthylester-Hydrochlorid [H-Cys(AAM)-Leu-D-Phe-Pro-OTSE · HCl][1]: 4,51 g H-Leu-D-Phe-Pro-OTSE · HCl und 0,76 g N-Methyl-morpholin in 20 *ml* Dimethylformamid werden nach Zugabe von 2,19 g BOC-Cys(AAM)-OH und 1,62 g 1-Hydroxy-benzotriazol auf —10° abgekühlt und mit einer Lösung von 1,7 g Dicyclohexylcarbodiimid in 15 *ml* Dimethylformamid versetzt. Das Reaktionsgemisch wird 4 Stdn. bei —10° und 48 Stdn. bei Raumtemp. gerührt, vom ausgefallenen N,N'-Dicyclohexyl-harnstoff durch Filtration befreit und i.Vak. eingedampft. Die Lösung des Rückstandes in Essigsäure-äthylester wird bei 0° je 3mal mit 0,1n Schwefelsäure, ges. Natriumhydrogencarbonat- und ges. Natriumchlorid-Lösung gewaschen, über Natriumsulfat getrocknet und erneut i.Vak. eingedampft. Das verbleibende ölige Material wird in 20 *ml* ~ 2,5n Chlorwasserstoff/Essigsäure-äthylester aufgenommen; nach 20 Min. wird die Lösung mit 20 *ml* absol. Diäthyläther versetzt; das ausgefallene Material wird abfiltriert, mit Diäthyläther sorgfältig gewaschen, über Natriumhydroxid i.Vak. getrocknet und letztlich aus Chloroform/Diisopropyläther umgefällt; Ausbeute: 5,21 g (89% d.Th.); F: 116–117°.

Die Abspaltung des S-Acetaminomethyl-Restes kann in sehr verd. Essigsäure bei $p_H = 4$ mit Quecksilber(II)-acetat und anschließender (nach ~ 1 Stde.) Behandlung des Reaktionsansatzes mit Schwefelwasserstoff erfolgen[2]. Bei schwerlöslichen höheren Peptid-Derivaten kann Demaskierung auch in 50%-iger Essigsäure oder Harnstoff-Lösungen (bis 8 molar) bei ~ verdoppelter Reaktionszeit vorgenommen werden[2]; es empfiehlt sich dann auch, anstelle der Quecksilbersulfid-Fällung die Bindung der Quecksilber-Ionen durch überschüssiges 2-Mercapto-äthanol herbeizuführen und das dann vorliegende Mercurimercapto-äthanol durch Gelfiltration zu entfernen[2]. Die erhaltenen Cystein(yl)-peptide werden allerdings nicht isoliert, sondern sofort zu den Hemicystin(yl)-peptiden oxidiert[2].

Di-glycyl-L-cystin [$(H\text{-}Gly)_2{=}(Cys)_2{=}(OH)_2$][2]: 310 mg H-Gly-Cys(AAM)-OH in 10 *ml* Wasser werden mit Essigsäure auf $p_H = 4$ gestellt; nach Zugabe von 398 mg Quecksilber(II)-acetat wird die Reaktionsmischung 1 Stde. bei Raumtemp. gerührt, anschließend mit Schwefelwasserstoff behandelt. Das Filtrat vom Quecksilber-sulfid wird auf $p_H = 7$ gestellt und Luft durch diese Lösung über Nacht in Gegenwart eines Kupferdrahts durchgeleitet. Der nach Eindampfen der Lösung i.Vak. erhaltene Rückstand wird in Wasser gelöst, die Lösung sorgfältig mit Äthanol versetzt, wobei Kristallisation eintritt; Ausbeute: 106 mg (48% d.Th.).

Zur Überführung der S-Acetaminomethyl-cystein(yl)-in Hemicystin(yl)-Reste im Peptid-Verband ohne Durchlaufen der „Cystein-Stufe" durch Jodolyse s. S. 805 u. 814 und durch Rhodanolyse s. S. 824 bzw. über S-Methoxycarbonylthio-cystein(yl)-Verbindungen (als isolierbare Zwischenstufen) s. S. 827 f.

36.911.224.3. Andere S-Acylaminomethyl-Schutzgruppen

Unter dem Eindruck der lange Zeit nicht nebenproduktfrei verlaufenden Erstellung von S-Acetaminomethyl-cystein haben Arold und Eule[3] Zuflucht zu „abgewandelten" Resten gesucht und gefunden, daß die Bildung von Thiazolidin-4-carbonsäure unterbleibt, wenn

ⓐ gut kristallisierende und damit leicht Formaldehyd-frei erhältliche Acylaminomethanole eingesetzt,

ⓑ deren Umsetzung mit Cystein in wasserfreien Medien, z. B. Dimethylformamid oder Essigsäure, unter Katalyse mit Chlorwasserstoff/Essigsäure oder Bortrifluorid und bei niedrigen Temperaturen ausgeführt werden.

---

[1] U. Ludescher, Dissertation Nr. 4697 ETH Zürich, 1971.

[2] D. F. Veber et al., Am. Soc. **94**, 5456 (1972).

[3] H. Arold u. M. Eule, *Peptides* 1972, Proc. 12th Europ. Peptide Symposium Reinhardsbrunn Castle 1972, North-Holland Publ. Co., Amsterdam **1973**, S. 78.

Von den studierten Dimethylacetaminomethyl-[DAAM]-*, Phenyl-acetaminomethyl-[PAAM]-, Chloracetaminomethyl-[CAAM]- und Phenoxyacetaminomethyl-[POAM]-Resten haben sich die beiden erstgenannten u. a. auch wegen der damit eingebrachten guten Kristallisationstendenz als S-Schutzgruppen bewährt[1].

Nähere experimentelle Angaben fehlen bislang.

36.911.225. 1,3-Thiazolidin-4-carbonsäuren

Erhitzen von Cystein-Hydrochlorid (III-HCl) in Aceton führt zur Bildung eines cyclischen Alkylamino-hemithioacetal LIX, d. i. 2,2-Dimethyl-1,3-thiazolidin-4-carbonsäure[2], die sich als S-geschütztes Cystein-Derivat als Amino- oder – nach N-Acylierung z. B. zu *FOR-Dtc-OH* (LX) – als Kopfkomponente für peptidsynthetische Umsetzungen eignet[3,4]**.

3-Formyl-2,2-dimethyl-L-1,3-thiazolidin-4-carbonsäure [FOR-Dtc-OH]:

2,2-Dimethyl-L-1,3-thiazolidin-4-carbonsäure-Hydrochlorid [H-Dtc-OH · HCl][4]: Eine Suspension von 20 g feingepulvertem Cystein-Hydrochlorid-Monohydrat in 4,5 *l* absol. Aceton wird 6 Stdn. lang unter Rückfluß gekocht; hierbei löst sich zunächst das Cystein-Hydrochlorid auf. Die Reaktionsmischung wird i. Vak. auf 200–250 *ml* konzentriert, der verbleibende Brei über Nacht bei 0–5° kalt gestellt und das kristalline Material anschließend aufs Filter gebracht; Ausbeute: 20,5 g (82% d. Th.); F: 163–165°.

3-Formyl-2,2-dimethyl-L-1,3-thiazolidin-4-carbonsäure [FOR-Dtc-OH][4]: 56 *ml* Essigsäureanhydrid werden über eine Periode von 1 Stde. tropfenweise zu einer Lösung von 20 g L-2,2-Dimethyl-1,3-thiazolidin-4-carbonsäure-Hydrochlorid und 7,8 g Natrium-formiat in 168 *ml* Ameisensäure (98%-ig) unter Rühren und bei einer Reaktionstemp. zwischen 0–5° zugegeben. Die Reaktionsmischung wird bei Raumtemp. 6 Stdn. lang gerührt und dann mit 56 *ml* Eiswasser verdünnt. Der gebildete kristalline Niederschlag wird abfiltriert (17,1 g), das Filtrat i. Vak. weitestgehend eingedampft und mit Wasser versetzt. Eine zweite Kristallfraktion kann abfiltriert werden (1,02 g). Das vereinigte Material liefert nach Umkristallisieren aus Methanol/Wasser (3 : 1) farblose Prismen; Ausbeute: 17,4 g (92% d. Th.); F: 221–222,5°; $[\alpha]_D^{28} = -166{,}6°$ (c = 2,16 in 98%-iger Ameisensäure).

Die Stabilität des Thiazolidin-Systems gegenüber Einwirkungen von n Natronlauge und Hydrazin-Hydrat erlaubt, aufgebaute N-Formyl-peptidester LXI zu verseifen[4] bzw. N-Phthalyl-peptide LXV zu entacylieren. Eine selektive acidolytische Entfernung des N-Formyl-Restes an LXI zu Peptidestern LXIV ist bei Verwendung von konz. Salzsäure in Methanol/Aceton gerade noch möglich[4]. Erfahrungen mit anderen, unter „milden“ Bedingungen spaltbaren N-Schutzgruppen fehlen bislang.

Zur Aufhebung der „inneren“ S-Amino-hemithioacetal-Maskierung kann saure Hydrolyse dienen – speziell geeignet für die gleichzeitige Öffnung des Thiazolidin-Ringes und Entformylierung bei N-(N-Formyl-2,2-dimethyl-1,3-thiazolidin-4-carbonyl)-peptiden LXII[4] – ferner Einwirkung von Quecksilber(II)-chlorid auf die durch Dephthalylierung erhaltenen Peptide der Formel H-X-Dtc-OH LXVI (s. o.) mit folgender Schwefelwasserstoff-Zersetzung des Quecksilber-Mercaptids[4], womit Peptide der Sequenzen H-Cys-X-OH LXIII bzw. H-X-Cys-OH LXVII resultieren:

---

* Von den Autoren als Isobutyramidomethyl-[iBAM]-Rest bezeichnet.

** Synthetisiert wurden ferner 1,3-Thiazolidin-4-carbonsäure und 2-Phenyl-1,3-thiazolidin-4-carbonsäure und deren N-Formyl- bzw. N-Benzyloxycarbonyl-Verbindungen:
L. Zervas u. I. Photaki, Chimia **14**, 375 (1960).
L. Zervas, Collect. czech. chem. Commun. **27**, 2231 (1962).

[1] H. Arold u. M. Eule, *Peptides* 1972, Proc. 12th Europ. Peptide Symposium Reinhardsbrunn Castle 1972, North-Holland Publ. Co., Amsterdam **1973**, S. 78.

[2] G. E. Woodward u. E. F. Schroeder, Am. Soc. **59**, 1690 (1937).

[3] F. E. King, J. W. Clark-Lewis u. R. Wade, Soc. **1957**, 880.

[4] J. C. Sheehan u. D.-D. H. Yang, Am. Soc. **80**, 1158 (1958).

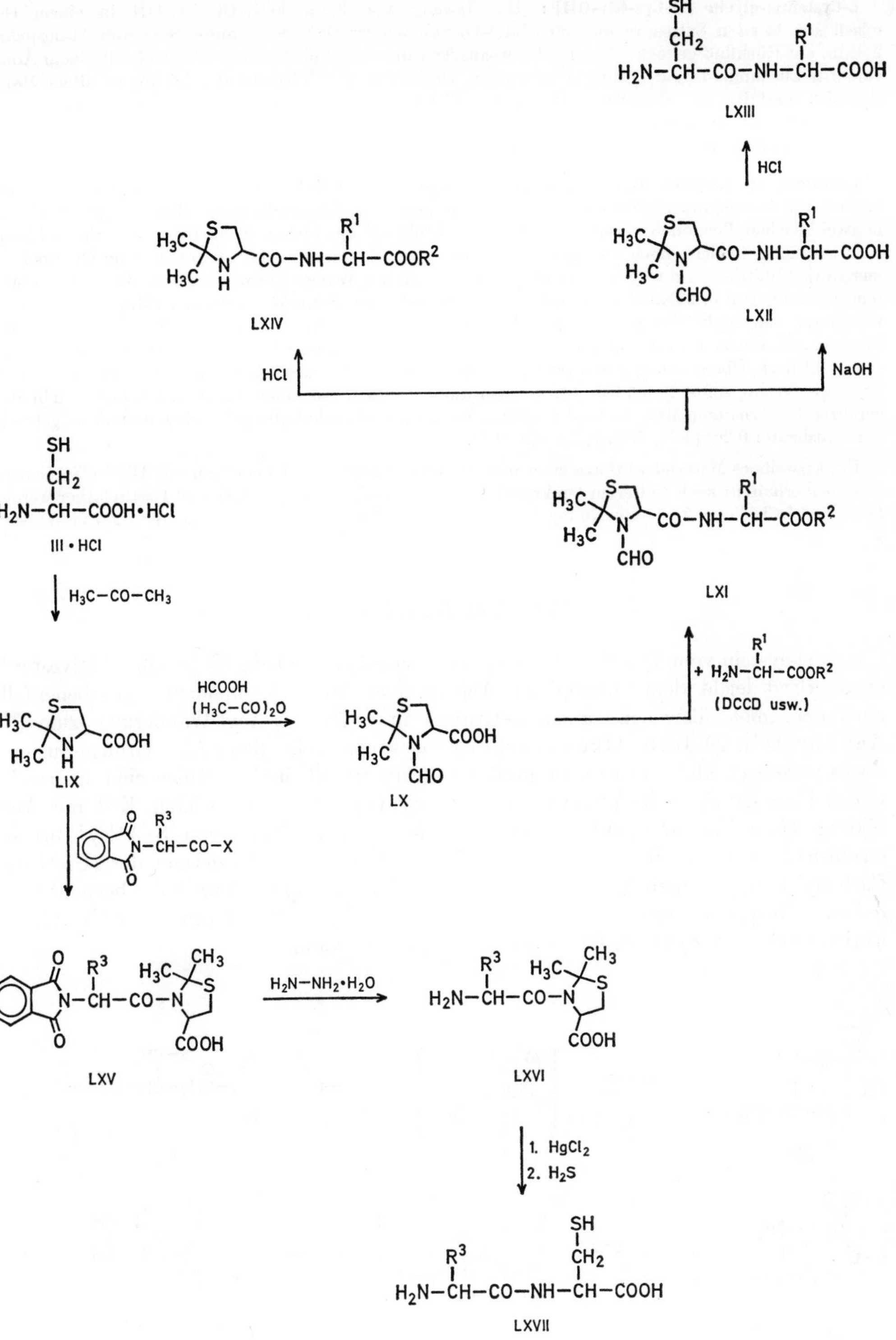
LXIII
HCl
LXIV
LXII
HCl
NaOH
III • HCl
H3C–CO–CH3
LXI
+ H2N–CH–COOR2
(DCCD usw.)
HCOOH
(H3C–CO)2O
LIX
LX
LXV
H2N–NH2•H2O
LXVI
1. HgCl2
2. H2S
LXVII

L-Cysteinyl-glycin [H-Cys-Gly-OH][1]**:** Die Lösung von 3,2 g FOR-Dtc-Gly-OH in einem Gemisch aus 14 *ml* n Salzsäure und 50 *ml* 1,4-Dioxan-Wasser (1:1) wird unter Stickstoff-Atmosphäre 2 Stdn. am Rückfluß gekocht. Der Reaktionsansatz wird abgekühlt und anschließend mit einem Äquivalent n Lithiumhydroxid-Lösung neutralisiert. Das durch Lyophilisieren der Lösung erhaltene Material wird sorgfältig mit Essigsäure-äthylester und Äthanol gewaschen, i. Vak. getrocknet und letztlich unter Stickstoff-Atmosphäre aus sauerstofffreiem Methanol/Wasser (1:1) umkristallisiert; Ausbeute: 1,4 g (55% d. Th., ber. für ein Monohydrat); F: 184–185° (Zers.); $[\alpha]_D^{28} = +46{,}1°$ (c = ~ 3 in Wasser).

L-Glutamyl-C$_\gamma$-L-cystein-Hydrochlorid [H-Glu(Cys-OH)-OH · HCl][1]**:** 0,8 g H-Glu(Dtc-OH)-OH, vorliegend als Monohydrat, in 30 *ml* Wasser werden mit 1,4 g Quecksilber(II)-chlorid in 20 *ml* Wasser in zwei gleichen Portionen versetzt. Es bildet sich alsbald ein farbloser Niederschlag; die Mischung wird sorgfältig filtriert, nach 2 stdgm. Stehenlassen bei Raumtemp. das ausgeschiedene Quecksilbermercaptid abfiltriert und sorgfältig in kleinen Portionen mit Wasser gewaschen (Zentrifuge). Das erhaltene Produkt wird in 20 *ml* Wasser suspendiert und unter konstantem Schütteln 20 Min. mit Schwefelwasserstoff behandelt. Das gebildete Quecksilber-sulfid wird abfiltriert, 4mal mit Wasser durch Zentrifugieren gewaschen, Filtrat und Waschwasser vereinigt, mit 0,5 *ml* n Salzsäure angesäuert, die Lösung erneut filtriert. Überschüssiger Schwefelwasserstoff wird durch Durchleiten eines Stickstoffstroms entfernt, die Lösung sofort lyophilisiert (Alle Operationen werden mit sauerstofffreien Lösungsmitteln ausgeführt). Das erhaltene Material wird sorgfältig mit Essigsäure-äthylester gewaschen und i. Vak. getrocknet; Ausbeute: 0,2 g (30% d. Th.); F: 163–165°.

Ein kristallines Material wird aus einer methanolischen Lösung auf Versetzen mit Diäthyläther nach Anreiben erhalten; nach weiterem Umkristallisieren aus Essigsäure und Methanol/Diäthyläther werden feine Nadeln isoliert; Ausbeute: 70 mg (11% d. Th.); F: 173–174°; $[\alpha]_D^{28} = -2{,}5°$ (c = 2,5 in Wasser).

36.911.230. *S-Acyl-Derivate*

S-Acyl-cystein vom Typ S-Alkyl(Aryl)-carbonyl-cystein ⓐ ist ein „Aktivester"; er unterliegt leicht dem nucleophilen Angriff einer Amino-Komponente, gegebenenfalls auch der „moleküleigenen" α-Amino-Gruppe unter S → N-Acyl-Wanderung zum N-Acyl-cystein ⓑ. Im S-Alkoxycarbonyl-cystein ⓒ ist dieser Aktivierungs-Zustand etwas gemildert, aber immer noch groß genug, um im alkalischen Milieu eine innermolekulare Umlagerung zu N-Alkoxycarbonyl-cystein ⓓ zu provozieren. Erst mit Ausbildung einer Thio-urethan-Gruppierung, d. h. der Erstellung von S-Alkylaminocarbonyl-cystein ⓔ wird eine weitgehende Resonanz-Stabilisierung der (Urethan)-Carbonyl-Funktion herbeigeführt; dadurch wird der nucleophile Angriff der benachbarten α-Amino-Gruppe so erschwert, daß jedwede S → N-Acyl-Wanderung zum N-Alkylaminocarbonyl-cystein (f) ausgeschlossen werden kann:

[1] J. C. Sheehan u. D.-D. H. Yang, Am. Soc. **80**, 1158 (1958).

$$\text{R-NH-C(=O)-S-CH}_2\text{-CH(NH}_2\text{)-CO-}\cdots \longleftrightarrow \left[\overset{\oplus}{\text{R-NH}}\text{=C(O}^{\ominus}\text{)-S-CH}_2\text{-CH(NH}_2\text{)-CO-}\right]\cdots$$

ⓔ

$$\not\longrightarrow \text{R-NH-C(=O)-}\overset{\oplus}{\text{N}}\text{H}_2\text{-CH(CH}_2\text{-S}^{\ominus}\text{)-CO-}\cdots$$

ⓕ

Unter ausgesuchten sorgfältigen Arbeits-Bedingungen sollte es möglich sein, S-Acylcysteine der Typen ⓐ und ⓒ und deren Carboxy-Derivate der peptidsynthetischen Umsetzung zuzuführen. Ob jedwede S→N—Acyl-Wanderung allerdings absolut ausgeschlossen oder reine Knüpfungs-Produkte nur wegen günstiger Abtrennung der Umlagerungs-Nebenprodukte isoliert werden können, muß der Überprüfung des Einzelfalles vorbehalten bleiben[1–10].

36.911.231. S-Acetyl-[Ac]- und S-Benzoyl-[Bz]-Schutzgruppen

Bei einem p_H-Wert von 7–7,5 ist eine direkte S-Benzoylierung von Cystein zu *H-Cys(Bz)-OH* LXVIII möglich[3]; da die spätere Einführung einer N-Maskierung meist im ungünstigsten, der S-Acyl-Bindung nicht zuträglichen, alkalischen Medium erfolgen müßte (Ausnahme: N-Formylierung[3] etc.), wird ein N-geschütztes S-Benzoyl(Acetyl)-cystein LXIXa zweckmäßig – soweit dies möglich ist – durch S-Benzoylierung(Acetylierung) von N-Acyl-cystein X (z. B. *Z-Cys-OH*, *BOC-Cys-OH*) gewonnen[3,7,11]. Im anderen Falle, wie bei der Erstellung von *NPS-Cys(Bz)-OH* LXIXb, ist es unumgänglich, die N-Acylierung (Sulfenylierung) von H-Cys(Bz)-OH LXVIII unter üblichen Bedingungen vorzunehmen und damit eine mindere Ausbeute wegen der gleichzeitigen Bildung von Bz-Cys-OH LXX als S→N-Umlagerungs-Produkt und wohl auch Abspaltung der S-Benzoyl-Gruppe in Kauf zu nehmen[3].

S-Benzoyl-L-cystein [H-Cys(Bz)-OH][3]: Zu einer auf 0° gekühlten Mischung von 50 *ml* n Natronlauge und 20 *ml* Diäthyläther werden 6,2 *ml* Benzoylchlorid und 8,75 g Cystein-Hydrochlorid-Monohydrat sowie, wobei die Reaktionstemp. zwischen 0–5° gehalten wird, unter Rühren 6 g Kaliumhydrogencarbonat in vier Portionen über einen Zeitraum von 10 Min. zugegeben. Der Reaktionsansatz wird weitere 20 Min. bei Raumtemp. gerührt, der ausgefallene Niederschlag mit 15 *ml* 5n Salzsäure in Lösung gebracht und die Lösung dann sorgfältig mit Essigsäure-äthylester/Diäthyläther (1:1) und Diäthyläther

---

1 A. Berger, J. Noguchi u. E. Katchalski, Am. Soc. **78**, 4483 (1956).
2 L. Zervas u. I. Photaki, Am. Soc. **84**, 3887 (1962).
3 L. Zervas, I. Photaki u. N. Ghelis, Am. Soc. **85**, 1337 (1963).
4 M. Sokolowsky, M. Wilchek u. A. Patchornik, Am. Soc. **86**, 1202 (1964).
5 L. Zervas et al., Am. Soc. **87**, 4922 (1965).
6 S. Guttmann, Helv. **49**, 83 (1966).
7 I. Photaki, Am. Soc. **88**, 2292 (1966).
8 I. Photaki, Soc. [C] **1970**, 2687.
9 R. G. Hiskey, T. Mizoguchi u. T. Inui, J. Org. Chem. **31**, 1192 (1966).
10 R. G. Hiskey et al., J. Org. Chem. **35**, 513 (1970).
11 H. Zahn u. K. Hammerström, B. **102**, 1048 (1969).

extrahiert. Die wäßrige Phase wird daraufhin durch Zugabe von Natriumacetat auf Kongorot neutralisiert, wonach Fällung eintritt. Nach Stehenlassen in der Kälte wird der gebildete Niederschlag abfiltriert, mit kaltem Wasser gewaschen und i. Vak.-Exsiccator getrocknet; Ausbeute: 5,7 g (50% d. Th.); F: 142°; nach nochmaligem Umfällen, d. h. Lösen in verd. Salzsäure und Wiederausfällen mit Natriumacetat: $[\alpha]_D^{25} = -27{,}8°$ (c = 5 in n Salzsäure).

N-Benzyloxycarbonyl-S-benzoyl-L-cystein [Z-Cys(Bz)-OH][1]: 20,4 g $(Z)_2 = (Cys)_2 = (OH)_2$ werden wie üblich mit Zink/Salzsäure reduziert[2] und das ölige Z-Cys-OH in Diäthyläther extrahiert. Diese Lösung wird mit Wasser gewaschen und dann rasch mit kalter Kaliumhydrogencarbonat-Lösung extrahiert, wobei die Temp. der wäßrigen Phase zwischen 0–5° gehalten wird. Zu diesem wäßrigen Extrakt werden 12 *ml* Benzoylchlorid zugegeben, die Reaktionsmischung 15 Min. bei 0–5° und anschließend 15 Min. bei Raumtemp. gerührt und letztlich mit Salzsäure angesäuert. Die ölige Fällung kristallisiert nach Animpfen; nach mehrstündigem Stehen im Eisschrank wird das feste Produkt abfiltriert und i. Vak.-Exsiccator getrocknet. Durch Behandeln mit warmem Diäthyläther/Petroläther (1:1) und anschließender Extraktion mit siedendem Petroläther wird begleitende Benzoesäure abgetrennt. Die Lösung des erhaltenen Produkts in 55 *ml* Methanol wird bis zur beginnenden Opaleszenz mit Wasser (~ 20 *ml*) versetzt; bei Stehen im Eisschrank tritt Kristallisation ein; Ausbeute: 12,5 g (53% d. Th.); F: 135°; nach Umkristallisieren aus Methanol/Wasser F: 137°; $[\alpha]_D^{25} = -36{,}6°$ (c = 5 in Äthanol).

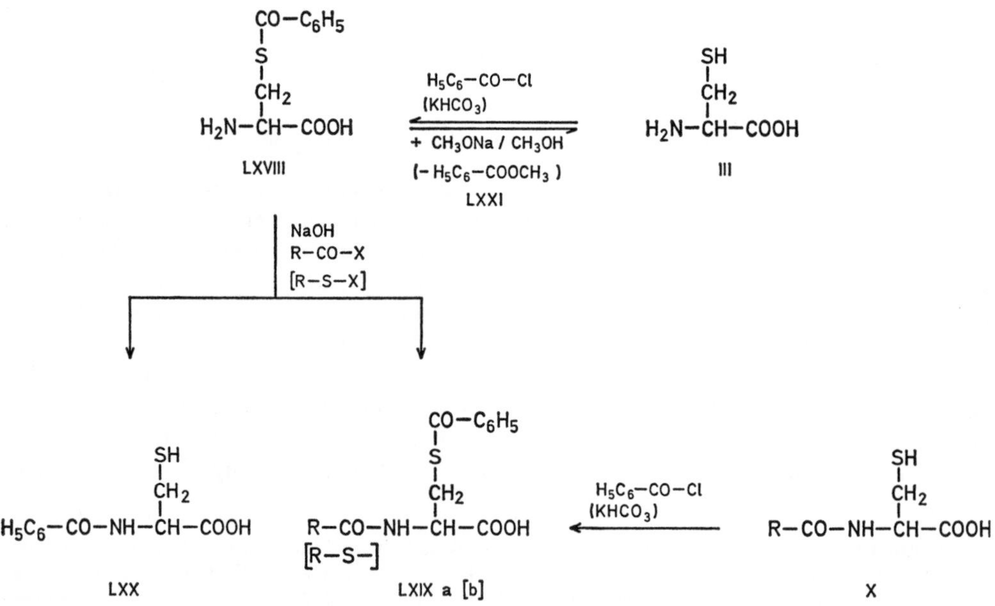

Der Anbau der N-Acyl-Derivate LXIXa/b an Aminosäure(Peptid)-ester oder -amide läßt sich ohne Schwierigkeiten nach Mischanhydrid-[3,4], Carbodiimid-[1,5,6] und Aktivester-Verfahren[7] bewerkstelligen. Peptidsynthetische Verknüpfungen von H-Cys(Bz)-OMe – als

[1] L. Zervas, I. Photaki u. N. Ghelis, Am. Soc. **85**, 1337 (1963).

[2] L. Zervas u. I. Photaki, Am. Soc. **84**, 3887 (1962).

[3] L. Zervas u. C. Hamalidis, Am. Soc. **87**, 99 (1965).

[4] R. G. Hiskey et al., J. Org. Chem. **35**, 513 (1970).

[5] L. Zervas et al., Am. Soc. **87**, 4922 (1965).

[6] R. G. Hiskey, T. Mizoguchi u. H. Igeta, J. Org. Chem. **31**, 1188 (1966).

[7] I. Photaki, Am. Soc. **88**, 2292 (1966).

Hydrochlorid gut zugänglich durch übliche Veresterung mit Chlorwasserstoff/Methanol – und von Peptid-estern bzw. -amiden mit amino-endständigen S-Benzoyl-cystein-Resten, die als Hydrobromide bzw. Hydrochloride aus ihren N-Benzyloxycarbonyl-, N-tert.-Butyloxycarbonyl-, N-Formyl- und N-2-Nitro-phenylsulfenyl-Derivaten durch Acidolyse mit Trifluoressigsäure, Bromwasserstoff/Essigsäure, Bromwasserstoff/Methanol, Chlorwasserstoff/Methanol oder Chlorwasserstoff/Diäthyläther resultieren[*,1–5], bedürfen jedoch einiger Sorgfalt, um die S→N-Benzoyl-Wanderung weitestgehend zu unterdrücken: unerläßlich ist sehr rasche Umsetzung der aus ihren Salzen freigesetzten Ester oder Amide oder – noch besser – das „Freimachen" der Ester oder Amide erst in situ, d. h. in Gegenwart der Aktiv-Kopfkomponente, vorzunehmen.

N-Benzyloxycarbonyl-L-asparaginyl-S-benzoyl-L-cysteinyl-L-prolyl-L-leucyl-glycin-amid [Z-Asn-Cys(Bz)-Pro-Leu-Gly-NH_2]:

N-Benzyloxycarbonyl-S-benzoyl-L-cysteinyl-L-prolyl-L-leucyl-glycin-amid [Z-Cys(Bz)-Pro-Leu-Gly-NH_2][5]: 3,2 g H-Pro-Leu-Gly-NH_2 in 8 *ml* Dimethylformamid werden mit 5,5 g Z-Cys(Bz)-ONP wie üblich umgesetzt. Nach viertägigem Stehen bei Raumtemp. wird die Reaktionsmischung mit Essigsäure-äthylester versetzt, die erhaltene Lösung mit kalter n Salzsäure und Wasser gewaschen, über Natriumsulfat getrocknet und letztlich i. Vak. eingedampft. Aus der Lösung des erhaltenen Rückstandes in 6 *ml* Dimethylformamid tritt nach Zugabe von 400 *ml* Diäthyläther Kristallisation ein; Ausbeute: 5,8 g (82% d. Th.); F: 160–161°, unverändert nach Umkristallisation aus 70%-igem Methanol $[\alpha]_D^{22} = -72,2°$ (c = 2,5 in Dimethylformamid).

N-Benzyloxycarbonyl-L-asparaginyl-S-benzoyl-L-cysteinyl-L-prolyl-L-leucyl-glycin-amid [Z-Asn-Cys(Bz)-Pro-Leu-Gly-NH_2][5]: 6,25 g (0,01 Mol) Z-Cys(Bz)-Pro-Leu-Gly-NH_2 in absol. Essigsäure werden mit Bromwasserstoff/Essigsäure versetzt, so daß ein Gesamtvol. von 35 *ml* und eine Konzentration von 2,5 n Bromwasserstoff in Essigsäure erreicht wird. Nach 30–35 Min. Stehen bei Raumtemp. wird die Reaktionsmischung in das 5fache Vol. kalten Diäthyläthers eingerührt; das abgeschiedene Produkt wird sorgfältig unter Dekantieren mit Diäthyläther gewaschen, aufs Filter gebracht, erneut mit Diäthyläther gewaschen und letztlich über Kaliumhydroxid und Phosphor(V)-oxid i. Vak. getrocknet. (Dem Tetrapeptid-amid-Hydrobromid haftet zusätzlicher Bromwasserstoff an; zum Zweck der Neutralisation in folgender Umsetzung ist dieser durch Gewichtsbestimmung oder auf einem anderen analytischen Wege zu ermitteln).

Aus 2,65 g (0,01 Mol) Z-Asn-OH, 0,01 Mol Pivaloyl-chlorid und 0,01 Mol Triäthylamin in 30 *ml* Chloroform, wird wie üblich das Mischanhydrid gebildet[6]. Nach 3 min. Stehen der Anhydrid-Lösung bei 5–10° setzt man unter Rühren bei −10° die Suspension des oben erhaltenen H-Cys(Bz)-Pro-Leu-Gly-NH_2 · HBr in 30 *ml* Chloroform hinzu; danach tropft man die ermittelte Menge Triäthylamin (s. o.) hinzu, setzt das Rühren bei Raumtemp. fort, bis die Lösung zu einer gelatinösen Masse wird. Nach Stehen der Reaktionsmischung über Nacht entfernt man das Lösungsmittel i. Vak.; der verbleibende Rückstand wird 2mal mit kalter n Salzsäure, kaltem Wasser, 2mal mit kalter 5%-iger Kaliumhydrogencarbonat-Lösung und wieder Wasser verrieben, abfiltriert, über Phosphor(V)-oxid i. Vak.-Exsiccator getrocknet und letztlich umkristallisiert durch Lösen in 200–250 *ml* heißem Methanol und Zugabe der gleichen Volumenmenge Wasser; nach Abkühlen auf Raumtemp. und Animpfen kristallisieren Prismen aus; Ausbeute: 4,5 g (61% d. Th.); F: 214–215°; $[\alpha]_D^{19} = -71,5°$ (c = 2,5 in Dimethylformamid).

Die Aufhebung des S-Benzoyl-Schutzes der Thiol-Funktion gelingt am sichersten durch Methanolyse in Gegenwart von Natriummethanolat unter Wasserstoff-Atmosphäre bei Raumtemp. innerhalb einiger Minuten; als Beiprodukt entsteht Benzoesäure-methylester LXXI[3]. Die praktisch quantitativ ohne β-Eliminierung und Racemisierung verlaufende N-Demaskierung ist selbst in Gegenwart von N-2-Nitro-phenylsulfenyl-, S-Diphenyl-

---

* H-Cys(Ac)-OH ist mit Sicherheit nur resistent gegenüber Trifluoressigsäure-Einwirkung.

1 L. Zervas u. C. Hamalidis, Am. Soc. **87**, 99 (1965).

2 R. G. Hiskey et al., J. Org. Chem. **35**, 513 (1970).

3 L. Zervas, I. Photaki u. N. Ghelis, Am. Soc. **85**, 1337 (1963).

4 R. G. Hiskey, T. Mizoguchi u. H. Igeta, J. Org. Chem. **31**, 1188 (1966).

5 I. Photaki, Am. Soc. **88**, 2292 (1966).

6 M. Zaoral, Collect. czech. chem. Commun. **27**, 1273 (1962).

methyl- und S-Trityl-Schutzgruppen zu verwirklichen[1–5]. Lediglich bei einer aus Löslichkeitsgründen erzwungenen Ausführung der Methanolyse in Dimethylacetamid oder Mischungen aus Dimethylacetamid/Methanol soll nach Hiskey et al.[5] eine erhebliche Gefahr der β-Eliminierung (bis über 20%) bei den gleichzeitig in der Sequenz vorkommenden S-Alkyl-thioäther-Gruppierungen bestehen.

N-Benzyloxycarbonyl-L-cysteinyl-L-tyrosyl-L-isoleucyl-L-glutaminyl-L-asparaginyl-L-cysteinyl-L-prolyl L-leucyl-glycin-amid (N-Benzyloxycarbonyl-oxytocein) [Z-Cys-Tyr-Ile-Gln-Asn-Cys-Pro-Leu-Gly-NH_2][2]: Zu einer Suspension von 0,4 g Z-Cys(Bz)-Tyr-Ile-Gln-Asn-Cys(Bz)-Pro-Leu-Gly-NH_2 in 4 *ml* Dimethylformamid werden unter Wasserstoff-Atmosphäre und Rühren bei 20° 1,8 *ml* 0,5 n Natriummethanolat/Methanol und 2 *ml* absol. Methanol hinzugegeben; innerhalb weniger Min. tritt vollständige Lösung ein. Nach 15 Min. wird der Ansatz mit 0,75 *ml* Essigsäure angesäuert, mit 0,5 *ml* Methanol verdünnt und anschließend mit 100 *ml* kaltem, sauerstofffreiem Wasser versetzt. Nach Abkühlen wird der ausgefallene Niederschlag abzentrifugiert, das erhaltene Produkt 2 mal mit Wasser gewaschen. Zur Entfernung des anhaftenden Wassers wird mit Methanol angerührt und anschließend i. Vak. eingedampft. Zum Schluß wird das erhaltene Produkt mit 10 *ml* heißem Methanol behandelt, nach Abkühlen zentrifugiert und mit Methanol gewaschen; Ausbeute: 0,3 g (88% d. Th.); F: 234–235°; $[\alpha]_D^{25} = -46{,}4°$ (c = 1 in Dimethylformamid).

N-(2-Nitro-phenylsulfenyl)-L-cysteinyl-S-trityl-L-cysteinyl-L-alanyl-glycyl-L-valyl-L-cysteinyl-L-serinmethylester [NPS-Cys-Cys(TRT)-Ala-Gly-Val-Cys-Ser-OMe][1]: Zu einer Suspension von 1,25 g NPS-Cys(Bz)-Cys(TRT)-Ala-Gly-Val-Cys(Bz)-Ser-OMe in 16 *ml* absol. Methanol und 8 *ml* Dimethylformamid werden unter Rühren und Wasserstoff-Atmosphäre 4 *ml* 0,55 n Natriummethanolat/Methanol hinzugegeben; innerhalb 30 Min. tritt hiernach weitestgehende Lösung ein. Geringe Mengen von ungelöstem Material werden abfiltriert, das Filtrat mit Essigsäure angesäuert; nach Zugabe von kaltem sauerstofffreiem Wasser tritt Fällung ein. Der gebildete Niederschlag wird abzentrifugiert, mit Wasser sorgfältig gewaschen, getrocknet und aus Dimethylformamid/Methanol umkristallisiert, das erhaltene Produkt sorgfältig mit Methanol und Diäthyläther gewaschen; Ausbeute: 1,1 g (70% d. Th.); F: 195–198° (Zers.); $[\alpha]_D^{25} = -41{,}6°$ (c = 2,5 in Dimethylformamid).

36.911.232. S-Benzyloxycarbonyl-[Z]-Schutzgruppe

In 2n Natronlauge gelingt nach Berger et al.[6] die N,S-Diacylierung von Cystein III mit Chlorameisensäure-benzylester zu *Z-Cys(Z)-OH* LXXII, in Hydrogencarbonat-alkalischer Lösung eine S-Monoacylierung zu *H-Cys(Z)-OH* LXXIII. Für eine Erstellung von N-geschützten Derivaten – außer LXXII – z. B. durch Acylierung von H-Cys(Z)-OH LXXIII gelten die gleichen Vorbehalte wie sie für die S-Benzoyl-cystein-Verbindungen erhoben wurden (s. S. 776ff.):

ⓐ Ungestörte N-Acylierung nur im sauren Medium[7],

ⓑ N-Acylierungen (Sulfenylierungen) im alkalischen Milieu verbunden stets mit Substanz-Verlust als Folge der auftretenden S → N-Acyl-Wanderung und

ⓒ S-Benzyloxycarbonylierung von N-geschütztem Cystein (X) als Alternativweg[8].

Der Gewinnung von „Carboxy-Derivaten" des H-Cys(Z)-OH kommt die relativ hohe acidolytische Stabilität der Carbonat-thiolester-Bindung zugute; Thionylchlorid/Methanol-

---

[1] L. Zervas et al., Am. Soc. **87**, 4922 (1965).
[2] I. Photaki, Am. Soc. **88**, 2292 (1966).
[3] I. Phocas et al., Soc. [C] **1967**, 1506.
[4] R. G. Hiskey, T. Mizoguchi u. H. Igeta, J. Org. Chem. **31**, 1188 (1966) (Natrium-äthanolat-katalysierte Äthanolyse!).
[5] R. G. Hiskey et al., J. Org. Chem. **35**, 513 (1970).
[6] A. Berger, J. Noguchi u. E. Katchalski, Am. Soc. **78**, 4483 (1956).
[7] P. G. Katsoyannis, Am. Soc. **83**, 4053 (1961).
[8] H. Zahn u. K. Hammerström, B. **102**, 1048 (1969).

veresterung von LXXIII[1], Alkoholyse von H-[Cys(Z)-NCA] LXXIV mittels Chlorwasserstoff/Alkohol[2] oder Veresterung von Z-Cys(Z)-OH LXXII und nachfolgende acidolytische N-Debenzyloxycarbonylierung des intermediären Z-Cys(Z)-OR LXXV[1] führen zu den gewünschten S-Benzyloxycarbonyl-cystein-estern LXXVI:

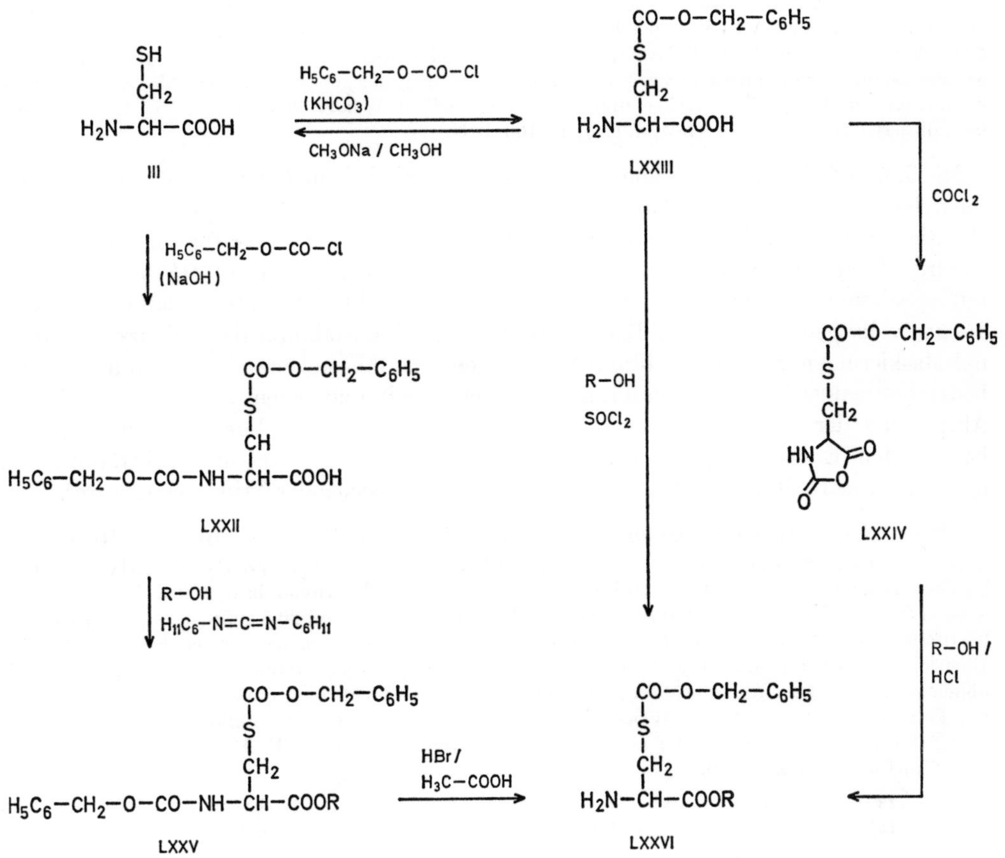

SH–CH₂–CH(NH₂)–COOH
III

$H_5C_6-CH_2-O-CO-Cl$ ($KHCO_3$) →
← CH_3ONa / CH_3OH

$H_5C_6-CH_2-O-CO-S-CH_2-CH(NH_2)-COOH$
LXXIII

III → $H_5C_6-CH_2-O-CO-Cl$ (NaOH) →

$H_5C_6-CH_2-O-CO-NH-CH(CH_2-S-CO-O-CH_2-C_6H_5)-COOH$
LXXII

LXXIII → $COCl_2$ →

$C_6H_5-CH_2-O-CO-S-CH_2$-substituiertes Oxazolidin-2,5-dion (HN, O, O)
LXXIV

LXXIII → R–OH, $SOCl_2$ → LXXVI

LXXII → R–OH, $H_{11}C_6-N=C=N-C_6H_{11}$ →

$H_5C_6-CH_2-O-CO-NH-CH(CH_2-S-CO-O-CH_2-C_6H_5)-COOR$
LXXV

LXXV → HBr / $H_3C-COOH$ →

$H_2N-CH(CH_2-S-CO-O-CH_2-C_6H_5)-COOR$
LXXVI

LXXIV → R–OH / HCl → LXXVI

N,S-Di-benzyloxycarbonyl-L-cystein [Z-Cys(Z)-OH][3]: Zu 12 g Cystein-Hydrochlorid in 115 *ml* 2n Natronlauge werden innerhalb 30 Min. 27 *ml* Chlorameisensäure-benzylester und 43 *ml* 2n Natronlauge in äquivalenten Portionen zugefügt, wobei unter Rühren und Eiskühlung der Reaktionsansatz bei p_H = 9–10 gehalten wird. Das abgeschiedene schwere Öl wird abgetrennt, mit Diäthyläther gewaschen, mit verd. Salzsäure angesäuert, das Gemisch mit 200 *ml* Essigsäure-äthylester extrahiert, die abgetrennte organische Phase mit Wasser gewaschen, über Natriumsulfat getrocknet und letztlich i. Vak. eingedampft. Der durch Behandeln mit Petroläther fest gewordene Rückstand wird aus Tetrachlormethan umkristallisiert; Ausbeute 21 g (71% d.Th.); F: 97–98°; $[\alpha]_D^{20} = -32{,}4°$ (c = 8,5 in Essigsäure).

S-Benzyloxycarbonyl-L-cystein-benzylester-Hydrochlorid [H-Cys(Z)-OBZL · HCl]:

S-Benzyloxycarbonyl-L-cystein [H-Cys(Z)-OH][3]: Eine eiskalte Lösung von 8,8 g Cystein-Hydrochlorid in 100 *ml* n Natriumhydrogencarbonat-Lösung, überschichtet mit 50 *ml* Diäthyläther, wird unter kräftigem Rühren mit 8,6 g Chlorameisensäure-benzylester umgesetzt. Nach 1 Stde. Rühren bei 0° und 1 Stde. bei 10° wird die kristalline Masse aufs Filter gebracht, mit Wasser und nach weitge-

[1] L. ZERVAS, I. PHOTAKI u. N. GHELIS, Am. Soc. **85**, 1337 (1963).
[2] M. SOKOLOVSKY, M. WILCHEK u. A. PATCHORNIK, Am. Soc. **86**, 1202 (1964).
[3] A. BERGER, J. NOGUCHI u. E. KATCHALSKI, Am. Soc. **78**, 4483 (1956).

hendem Trockensaugen mit Aceton und Diäthyläther gewaschen und letztlich i. Vak. getrocknet; Ausbeute: 9,5 g (67% d. Th.); F: 177°, unverändert nach Umkristallisieren aus 50%-iger Essigsäure; $[\alpha]_D^{20} = -50,0°$ (c = 1 in Essigsäure).

S-Benzyloxycarbonyl-L-cystein-benzylester-Hydrochlorid [H-Cys(Z)-OBZL · HCl][1]: In eine Suspension von 25,4 g H-Cys(Z)-OH in 300 *ml* absol. 1,4-Dioxan leitet man bei Raumtemp. einen Strom von Phosgen ein, bis eine klare Lösung erhalten wird (~ nach 1 Stde.). Überschüssiges Phosgen wird durch Einleiten eines Stroms trockenen Stickstoffs weitgehend beseitigt, das Lösungsmittel des Ansatzes anschließend i. Vak. bei 45° entfernt. Zum erhaltenen Rückstand fügt man 60 *ml* Benzylalkohol und 300 *ml* absol. Diäthyläther, der vorher mit Chlorwasserstoff (~ 10 g) bei 0° gesättigt worden ist; die Lösung wird über Nacht bei Raumtemp. aufbewahrt, der gebildete Niederschlag aufs Filter gebracht, mit Diäthyläther gewaschen und letztlich aus heißem Wasser oder Methanol/Diäthyläther umkristallisiert; Ausbeute: 30 g (78% d. Th.); F: 106–107°.

Mit Z-Cys(Z)-OH als Kopfkomponente konnten nach dem Carbodiimid- und 4-Nitrophenylester-Verfahren eine Anzahl Peptid-Derivate mit ansprechenden Ausbeuten synthetisiert werden[1-4]. Ist anschließend eine Hydrolyse einer Ester-Bindung erwünscht, so wird sie – wie von Katsoyannis[2] am Beispiel *Z-Cys(Z)-Cys(NB)-Ala-Gly-OEt* demonstriert – mit n Salzsäure/1,4-Dioxan (1 : 8) unter Erwärmen, nicht aber unter alkalischen Bedingungen vollzogen, obwohl nach Berger et al.[5] eine gewisse Stabilität der S-Benzyloxycarbonyl-Maskierung gegenüber verdünntem, wäßrigem Alkali bestehen soll. In allen übrigen Arbeiten hat man sich jedoch bemüht, am Aminoende weiter zu bauen, wofür eine selektive Abspaltung der N_α-Benzyloxycarbonyl-Schutzgruppe zunächst Voraussetzung war; sie kann durch Einwirkung von Bromwasserstoff/Essigsäure (3 Aequiv.) bei Raumtemp. innerhalb von 15 Min. erzielt werden[1,3], nicht aber mit siedender Trifluoressigsäure[3].

S-Benzyloxycarbonyl-L-cysteinyl-glycin-benzylester-Hydrobromid [H-Cys(Z)-Gly-OBZL · HBr]:

N,S-Di-benzyloxycarbonyl-L-cysteinyl-glycin-benzylester [Z-Cys(Z)-Gly-OBZL][1]: Zu einer Lösung von 35 g H-Gly-OBZL · TOS-OH und 14,4 *ml* Triäthylamin in 150 *ml* Dichlormethan werden 38,8 g Z-Cys(Z)-OH in 150 *ml* Dichlormethan und anschließend 20,5 g Dicyclohexylcarbodiimid bei 0° zugegeben. Der Reaktionsansatz wird über Nacht bei Raumtemp. gerührt, das Filtrat vom N,N'-Dicyclohexyl-harnstoff in 0,5n Salzsäure, 5%-iger Natriumhydrogencarbonat-Lösung und Wasser wie üblich gewaschen, über Natriumsulfat getrocknet und letztlich i. Vak. eingedampft. Der beim Behandeln mit Petroläther fest gewordene Rückstand wird aus Essigsäure-äthylester umkristallisiert; Ausbeute: 48,2 g (90% d. Th.); F: 118–119°; nach Umkristallisieren aus Äthanol F: 108–109°; $[\alpha]_D^{25} = -44,5°$ (c = 2 in Dimethylformamid).

S-Benzyloxycarbonyl-L-cysteinyl-glycin-benzylester-Hydrobromid [H-Cys(Z)-Gly-OBZL · HBr][1]: 10,7 g Z-Cys(Z)-Gly-OBZL in 15 *ml* Essigsäure werden mit 16 *ml* Bromwasserstoff/Essigsäure (45%-ig) versetzt; nach 15 Min. wird der Reaktionsansatz mit absol. Diäthyläther versetzt; die abgetrennte ölige Fällung wird in 10 *ml* Methanol aufgenommen, die Lösung vorsichtig mit Diäthyläther versetzt. Die gebildeten Kristalle werden abfiltriert und aus Methanol/Diäthyläther oder Wasser umkristallisiert; Ausbeute: 7 g (45% d. Th.); F: 126–128°; $[\alpha]_D^{25} = +12°$ (c = 2 in Methanol).

Die weitere Umsetzung der S-Benzyloxycarbonyl-cysteinyl-peptidester, wie auch von S-Benzyloxycarbonyl-cystein-ester LXXVI, scheint unter den üblichen Bedingungen der Freisetzung aus ihren Salzen mit tert. Basen von der Gefahr einer S $\rightarrow$ N-Acyl-Wanderung nur noch wenig bedroht zu sein[1,6]; hierfür soll schon Behandeln mit Natriummethanolat im Überschuß erforderlich sein[1,6].

Die Aufhebung der S-Benzyloxycarbonyl-Maskierung ist durch Alkoholyse mit Natriumalkanolat (5 Äquiv./Mol) in Alkohol zu erreichen[1,4]; die Reaktionsdauer ist bis zur

---

1 M. Sokolovsky, M. Wilchek u. A. Patchornik, Am. Soc. **86**, 1202 (1964).
2 P. G. Katsoyannis, Am. Soc. **83**, 4053 (1961).
3 L. Zervas, I. Photaki u. N. Ghelis, Am. Soc. **85**, 1337 (1963).
4 I. Photaki, Am. Soc. **88**, 2292 (1966).
5 A. Berger, J. Noguchi u. E. Katchalski, Am. Soc. **78**, 4483 (1956).
R. G. Hiskey, T. Mizoguchi u. T. Inui, J. Org. Chem. **31**, 1192 (1966).

kompletten Abspaltung der Schutzgruppe (~ 30 Min.) aber erheblich länger als die von S-Benzoyl-Resten[1]. Die Auswahl des Alkohols wird von der im Peptid-Derivat gegebenenfalls vorliegenden Ester-Gruppe diktiert (Umesterung!)[2]; sofern man jedoch Abspaltung der S-Benzyloxycarbonyl-Reste und Verseifung von Ester-Bindungen in einer „Eintopf-Operation" zu verbinden gedenkt, ist Behandlung mit Natriummethanolat/Methanol und anschließende Zugabe von Wasser die geeignete Prozedur. Um S → N-Acyl-Wanderungen auf alle Fälle auszuschließen, wird die S-Demaskierung – speziell in der Endphase – an den N-geschützten Peptid-Verbindungen vollzogen[2]. Eine geglückte Demonstration der Verwendung von S-Benzyloxycarbonyl-cystein ist die von Sokolovsky et al.[2] ausgeführte Glutathion-Synthese, womit gleichzeitig aufgezeigt werden konnte, daß β-Eliminierung und Racemisierung am Cystein-Rest unter den bestehenden Operations-Bedingungen während des Syntheseverlaufs nur in geringer Größe bzw. anscheinend nicht auftreten.

N-Benzyloxycarbonyl-L-glutamyl-C_γ-L-cysteinyl-glycin (N-Benzyloxycarbonyl-glutathion) [Z-Glu(Cys-Gly-OH)-OH]:

N-Benzyloxycarbonyl-L-glutamyl-(α-benzylester)-C_γ-S-benzyloxycarbonyl-L-cysteinyl-glycin-benzylester [Z-Glu(Cys⟨Z⟩-Gly-OBZL)-OBZL][2]: Zu einer aus 4,83 g H-Cys(Z)-Gly-OBZL · HBr und 1,44 *ml* Triäthylamin in 15 *ml* Dichlormethan frisch bereiteten Lösung werden bei 0° 3,88 g Z-Glu(OH)-OBZL und anschließend 2,05 g Dicyclohexylcarbodiimid hinzugefügt. Die Reaktionsmischung wird über Nacht bei Raumtemp. gerührt, vom N,N'-Dicyclohexyl-harnstoff abfiltriert, das Filtrat wie üblich mit 0,5 n Salzsäure, 5%-iger Natriumhydrogencarbonat-Lösung und Wasser gewaschen, über Natriumsulfat getrocknet und letztlich i. Vak. eingedampft. Der nach Behandeln mit Petroläther fest gewordene Rückstand wird aus Benzol oder Essigsäure-äthylester umkristallisiert; Ausbeute: 6,8 g (90% d.Th.); F: 158–159°; $[\alpha]_D^{25} = -35{,}5°$ (c = 1 in Methanol).

N-Benzyloxycarbonyl-L-glutamyl-C_γ-L-cysteinyl-glycin (N-Benzyloxycarbonyl-glutathion) [Z-Glu(Cys-Gly-OH)-OH][2]: Zu einer Suspension von 1,5 g Z-Glu(Cys⟨Z⟩-Gly-OBZL)-OBZL in 20 *ml* absol. Methanol werden 5 *ml* 2n Natriummethanolat/Methanol unter Stickstoff-Atmosphäre zugefügt. Nach 2–3 Min. ist völlige Lösung erfolgt; nach weiterem 7 Min. langen Rühren zeigt eine jodometrische Titration eine 98%-ige Methanolyse an. Nach Zugabe von 6 *ml* Wasser wird der Reaktionsansatz 30 Min. lang stehen gelassen, sodann mit 120 *ml* Wasser verdünnt, 2mal mit je 100 *ml* Diäthyläther extrahiert, die wäßrige Phase angesäuert und 3mal mit je 100 *ml* Essigsäure-äthylester ausgezogen. Die vereinigten Essigsäure-äthylester-Extrakte werden mit Wasser gewaschen, über Natriumsulfat getrocknet und i. Vak. eingedampft. Der ölige Rückstand kristallisiert nach Zugabe von 10 *ml* Essigsäure-äthylester und Aufbewahren bei 0°; es wird aus Essigsäure-äthylester umkristallisiert; Ausbeute: 0,7 g (79% d.Th.); F: 143–145°; $[\alpha]_D^{25} = -26{,}5°$ (c = 1 in Methanol).

Ammoniak als Spaltreagenz (auch in konz. Lösung) scheint nur am H-Cys(Z)-OH und „im niedermolekularen Peptidbereich" wirkungsvoll zu sein. Poly-S-benzyloxycarbonyl-cystein wird jedenfalls nicht mehr in Benzylurethan und Poly-cystein gespalten; um dies zu erreichen, ist schon Einwirkung von Natrium/Ammoniak erforderlich[3]. Ein Ausweichen vom S-Benzyl- auf den S-Benzyloxycarbonyl-Rest scheint jedoch dann kaum mehr vertretbar.

36.911.233. S-4-Methoxy-benzyloxycarbonyl-[MOZ]-Schutzgruppe

Die im Hinblick auf vorhandene Estergruppen unvorteilhafte, zur Abspaltung von S-Benzoyl- und S-Benzyloxycarbonyl-Schutzgruppen angewandte Alkoholyse veranlaßte Photaki[4,5], die Verwendbarkeit des als säurelabil bekannten 4-Methoxy-benzyloxycarbonyl-Restes als Schutzgruppe für die Thiol-Funktion zu untersuchen.

---

[1] L. Zervas, I. Photaki u. N. Ghelis, Am. Soc. **85**, 1337 (1963).
[2] M. Sokolovsky, M. Wilchek u. A. Patchornik, Am. Soc. **86**, 1202 (1964).
[3] A. Berger, J. Noguchi u. E. Katchalski, Am. Soc. **78**, 4483 (1956).
[4] I. Photaki et al., *Peptides* 1968, Proc. 9th Europ. Peptide Symposium Orsay 1968, North-Holland Publ. Co., Amsterdam **1968**, S. 201.
[5] I. Photaki, Soc. [C] **1970**, 2687.

H-Cys(MOZ)-OH war auf einfachem Wege durch Umsatz von Cystein mit Chlorameisensäure-4-methoxy-benzylester[1] in wäßriger Lösung bei $p_H = 14,5$ zugänglich, wenn auch mit bescheidener Ausbeute.

S-(4-Methoxy-benzyloxycarbonyl)-L-cystein [H-Cys(MOZ)-OH][2]: Zu einer Lösung von 15,7 g wasserfreiem Cystein-Hydrochlorid in 180 *ml* eiskalter wäßriger m Natriumhydrogencarbonat-Lösung werden 18 g Chlorameisensäure-4-methoxy-benzylester in 80 *ml* Diäthyläther zugefügt; die Reaktionsmischung wird 1 Stde. bei 0° und dann 1 Stde. bei 10–15° kräftig geschüttelt. Das ausgefallene Produkt wird abfiltriert, mit Aceton und Diäthyläther gewaschen; Ausbeute: 7,8 g (30% d.Th.); F: 180–182° (Zers., nach Sintern bei 165–166°).

Nach Umfällen aus Dimethylformamid/2n Salzsäure (1:1) auf Zugabe von Natriumacetat zur filtrierten Lösung; F: 180–182°; $[\alpha]_D^{22} = -46,5°$ (c = 1 in Essigsäure).

Die S-4-Methoxy-benzyloxycarbonyl-Maskierung ist reversibel gestaltbar – außer durch eine fast quantitativ verlaufende Methanolyse – auf acidolytischem Wege mit 1,5n Chlorwasserstoff/Essigsäure und 0,2n Bromwasserstoff/Essigsäure; mittels Trifluoressigsäure bei Raumtemp. (30 Min.) scheint nur eine teilweise Spaltung zu gelingen[3].

Diese einerseits willkommene „Säure-Labilität" zwingt aber andererseits zu erheblichen Einschränkungen im selektiven Gebrauch von N-Schutzgruppen; Photaki[3] sah nur noch die Möglichkeit eines Peptid-Aufbaus in der „vorübergehenden" 2-Nitro-phenylsulfenyl-Blockierung (bzw. Trityl-) der α-Amino-Funktion, so wie dies die folgende Synthese von *Z-Phe-Cys-Gly-OEt* wiedergibt.

N_α,N_α'-Bis-(benzyloxycarbonyl-L-phenylalanyl)-L-cystinyl-di-(glycin-äthylester) [(Z-Phe)$_2$ = (Cys)$_2$ = (Gly-OEt)$_2$]:

N-(2-Nitro-phenylsulfenyl)-S-(4-methoxy-benzyloxycarbonyl)-L-cysteinyl-glycin-äthylester [NPS-Cys(MOZ)-Gly-OEt][2]: Zu einer auf 0° gekühlten Lösung von 6,2 g NPS-Cys(MOZ)-OH · DCHA und 1,39 g H-Gly-OEt · HCl in 50 *ml* Chloroform werden 2,2 g Dicyclohexylcarbodiimid zugegeben, die Reaktionsmischung wird über Nacht bei Raumtemp. gehalten. Das Filtrat (vom N,N'-Dicyclohexyl-harnstoff und Dicyclohexylamin-Hydrochlorid) wird sorgfältig mit Wasser, kalter verd. Schwefelsäure, Wasser, Kaliumhydrogencarbonat-Lösung und wieder Wasser gewaschen, getrocknet und letztlich i.Vak. zur Trockene gedampft; Ausbeute: 4,2 g (80% d.Th.); F: 135–137° (aus Methanol); nach nochmaliger Kristallisation aus Äthanol $[\alpha]_D^{22} = -18,3°$ (c = 2 in Tetrahydrofuran).

N-Benzyloxycarbonyl-L-phenylalanyl-S-(4-methoxy-benzyloxycarbonyl)-L-cysteinyl-glycin-äthylester [Z-Phe-Cys(MOZ)-Gly-OEt][2]: 2,35 g NPS-Cys(MOZ)-Gly-OEt in 14 *ml* Tetrahydrofuran werden nach Zugabe von 70 *ml* Diäthyläther mit einer Lösung von Chlorwasserstoff in Diäthyläther (0,01 Mol) versetzt. Nach 30 Sek. Reaktionszeit werden 240 *ml* Petroläther zugefügt, die überstehende Lösung vom Niederschlag abdekantiert, letzterer einmal mit Petroläther und mehrfach mit Diäthyläther behandelt und schließlich i.Vak. über Kaliumhydroxid und Phosphor(V)-oxid getrocknet. Die Lösung dieses erhaltenen Produkts in 10 *ml* Chloroform wird nach Zusatz von 0,15 *ml* Triäthylamin mit einer Lösung des Mischanhydrids aus 1,35 g Z-Phe-OH, 0,63 *ml* Triäthylamin und 0,59 *ml* Chlorameisensäure-isobutylester in 5 *ml* Chloroform versetzt und anschließend noch 0,7 *ml* Triäthylamin tropfenweise zugefügt. Nach Stehen über Nacht bei Raumtemp. wird die Reaktionsmischung – wie oben beschrieben – sorgfältig mit Wasser, kalter verd. Schwefelsäure und Kaliumhydrogencarbonat-Lösung gewaschen, getrocknet und i.Vak. eingedampft. Der erhaltene Rückstand kristallisiert aus Äthanol und wird aus Essigsäure-äthylester umkristallisiert; Ausbeute: 1,8 g (61% d.Th.); F: 164–165°; $[\alpha]_D^{20} = -46,6°$ (c = 1 in Dimethylformamid).

N_α,N_α'-Bis-(benzyloxycarbonyl-L-phenylalanyl)-L-cystinyl-di-(glycin-äthylester) [(Z-Phe)$_2$=(Cys)$_2$=(Gly-OEt)$_2$][2]: 0,65 g Z-Phe-Cys(MOZ)-Gly-OEt werden in 20 *ml* 0,2n Bromwasserstoff/Essigsäure aufgelöst; die Reaktionsmischung wird nach 5 Min. Stehen bei Raumtemp. mit 5 *ml* Wasser verdünnt, mit Jod-Lösung titriert (85% Spaltung) und anschließend mit Chloroform extrahiert. Der Chloroform-Auszug wird sorgfältig mit Wasser, verd. Natriumsulfat-Lösung, Wasser, Kaliumhydrogencarbonat-Lösung und wieder Wasser gewaschen und dann i.Vak. zur Trockene gedampft. Der Rückstand wird mit Petroläther verrieben und letztlich aus Äthanol umkristallisiert; Ausbeute: 0,29 g (60% d.Th.); F: 215–216°; $[\alpha]_D^{20} = -81,3°$ (c = 1 in Dimethylformamid).

---

[1] J. H. Jones u. G. T. Young, Chem. & Ind. **1966,** 1722.

[2] I. Photaki, Soc. [C] **1970,** 2687.

[3] I. Photaki et al., *Peptides* 1968, Proc. 9th Europ. Peptide Symposium Orsay 1968, North-Holland Publ. Co., Amsterdam **1968,** S. 201.

36.911.234. S-tert.-Butyloxycarbonyl-[BOC]-Schutzgruppe

Mittels Fluorameisensäure-tert.-butylester läßt sich Cystein in fast quantitativer Ausbeute zu *BOC-Cys(BOC)-OH* N,S-diacylieren[1]; mit dem auf üblichem Wege produzierbaren *BOC-Cys(BOC)-OSU* sind peptidsynthetische Umsetzungen z.B. mit „silyliertem" Glycin ohne Schwierigkeiten ausführbar[1].

N,S-Bis-tert.-butyloxycarbonyl-L-cysteinyl-glycin [BOC-Cys(BOC)-Gly-OH]:

N,S-Bis-tert.-butyloxycarbonyl-L-cystein [BOC-Cys(BOC)-OH][1]: 31 g Cystein-Hydrochlorid in 100 *ml* 50%-igem wäßrigem, Peroxid-freiem 1,4-Dioxan werden unter kräftigem Rühren und Durchleiten eines langsamen Stickstoffstromes bei −5° mit 2,2 Äquiv. Fluorameisensäure-tert.-butylester umgesetzt, wobei man den p_H-Wert durch automatische Zugabe von 4n Natronlauge zwischen 7,0 und 7,5 hält. Man läßt ~ 30 Min. unter weiterem Rühren auf Raumtemp. kommen und extrahiert die Reaktionsmischung mehrfach mit je 50 *ml* Diäthyläther. Nun wird mit Citronensäure angesäuert und das Acylierungs-Produkt mit 250 *ml* Diäthyläther in mehreren Anteilen extrahiert. Nach Neutralwaschen der Äther-Auszüge dampft man i.Vak. ein; der sirupöse Rückstand kristallisiert unter Petroläther. Nach Umkristallisieren aus Petroläther (mit aufgearbeiteten Mutterlaugen) erhält man farblose Kristalle; Ausbeute: 61 g (95% d.Th.); F: 128–130°; $[\alpha]_{578}^{22} = -67°$ (c = 1 in Dimethylformamid).

N,S-Bis-tert.-butyloxycarbonyl-L-cystein-(N-hydroxy-succinimid)-ester [BOC-Cys(BOC)-OSU][1]: 32 g BOC-Cys(BOC)-OH und 11,5 g N-Hydroxy-succinimid in 50 *ml* absol. Tetrahydrofuran werden bei −5° mit 20,6 g Dicyclohexylcarbodiimid wie üblich umgesetzt. Nach 10stdgm. Stehen der Reaktionsmischung bei 4° filtriert man den N,N'-Dicyclohexyl-harnstoff ab und wäscht ihn mit Essigsäure-äthylester; die vereinigten Essigsäure-äthylester-Lösungen werden i.Vak. eingedampft, der verbleibende kristalline Rückstand 2mal aus Äthanol/Diisopropyläther umkristallisiert; Ausbeute: 24,4 g (75% d.Th.); F: 122–124°; $[\alpha]_{578}^{23} = -70{,}0°$ (c = 1 in Dimethylformamid).

N,S-Bis-tert.-butyloxycarbonyl-L-cysteinyl-glycin [BOC-Cys(BOC)-Gly-OH][1]: 41,8 g BOC-Cys(BOC)-OSU gelöst unter gelindem Erwärmen in 100 *ml* absol. Tetrahydrofuran werden nach dem Abkühlen mit 33 g TSi-Gly-OTSi versetzt, wobei sich unter gelindem Erwärmen eine geringe Menge Glycin abscheidet. Man rührt den Reaktionsansatz 4 Tage bei Raumtemp., bis chromatographisch kein aktivierter Ester mehr nachgewiesen werden kann. Danach versetzt man den Ansatz mit ges. Natrium-hydrogencarbonat-Lösung und anschließend mit Essigsäure-äthylester; die abgetrennte wäßrige Phase (die Essigsäure-äthylester-Phase enthält nach dem Einengen nur geringe Mengen eines öligen Materials) wird sofort mit 10%-iger Citronensäure-Lösung angesäuert. Der gebildete Niederschlag wird in Diäthyläther aufgenommen, die erhaltene Lösung mit Wasser gewaschen, über Natriumsulfat getrocknet und letztlich i.Vak. eingedampft. Die Lösung des erhaltenen sirupösen Materials (37,8 g) in Diäthyläther wird mit 18,1 g Dicyclohexylamin versetzt; nach längerem Rühren wird das abgeschiedene Dicyclohexylamin -Salz abfiltriert; Ausbeute: 49 g (88% d.Th.); F: 140–142°, nach Umkristallisieren aus Essigsäure-äthylester/Petroläther F: 147–149°; $[\alpha]_{578}^{20} = -21{,}2°$ (c = 1 in Äthanol).

Eine Entfernung der N-tert.-Butyloxycarbonyl-Schutzgruppe soll durch kurzfristige Einwirkung von Chlorwasserstoff/Essigsäure-äthylester (2,8 n) – allerdings bei nicht absoluter Schonung der S-Maskierung – gelingen[2]; demgegenüber scheint der S-tert.-Butyloxycarbonyl-Rest durch Alkalimetall- und Schwermetall-Ionen (sicherlich auch durch Hydrazin) selektiv zur freien Thiol-Funktion abspaltbar zu sein[1]. Auch die Überführung in asymmetrische Cystin-Derivate durch Jodolyse bzw. Rhodanolyse soll möglich sein[1]. Experimentelle Befunde zu letzterem stehen bislang jedoch aus.

36.911.235. S-Aminocarbonyl-Schutzgruppen

36.911.235.1. Der S-Äthylaminocarbonyl- [EAC]-Rest

Unter dem Eindruck der unbefriedigenden Ergebnisse mit verschiedenen S-Alkoxycarbonyl-Schutzgruppen ist Guttmann[3] zur Maskierung der Thiol-Funktion durch Thiourethan-Bildung geschritten: *H-Cys(EAC)-OH*, leicht zugänglich durch Behandeln von

---

[1] E. Schnabel et al., A. **743**, 57 (1971).

[2] M. Muraki u. T. Mizoguchi, Chem. Pharm. Bull. (Tokyo) **19**, 1708 (1971).

[3] S. Guttmann, *Peptides*, Proc. 6th Europ. Peptide Symposium Athens 1963, Pergamon Press, Oxford **1966**, S. 11.

Cystein-Hydrochlorid mit Äthylisocyanat[1,2], zeigt sich stabil genug unter üblichen alkalischen Acylierungs-Prozeduren[2,3]. Die gefürchteten S → N-Acyl-Wanderungen werden nicht mehr festgestellt. Es ist anzuführen, daß auch eine „nachträgliche" Einführung der Schutzgruppe z.B. in BOC-Cys-OH möglich ist[4].

N-Benzyloxycarbonyl-S-äthylaminocarbonyl-L-cystein [Z-Cys(EAC)-OH]:

S-Äthylaminocarbonyl-L-cystein [H-Cys(EAC)-OH][2]: 158 g wasserfreies Cystein-Hydrochlorid (erhalten aus dem Monohydrat durch 16 Stdn. langes Trocknen bei 70°) in 1,5 *l* Dimethylformamid werden bei 0° mit 78,3 g frisch destilliertem Äthylisocyanat versetzt; die Reaktionsmischung wird nach 70 Stdn. langem Stehen bei 20° zur Trockene eingedampft, der verbleibende Rückstand mit Diäthyläther behandelt, dann in 2 *l* Wasser aufgenommen, die Lösung nach Entfernung von Diäthyläther auf $p_H = 6{,}5$ gestellt und anschließend i.Vak. bis zur beginnenden Kristallisation konzentriert (1300 *ml*). Nach 12stdgm. Aufbewahren bei 0° wird der gebildete Niederschlag abfiltriert, mit eiskaltem Wasser und Äthanol/Diäthyläther gewaschen und letztlich getrocknet. (Aus der Mutterlauge wird nach weiterem Konzentrieren und Aufbewahren bei 0° eine zweite Fraktion gewonnen); Gesamtausbeute: 131 g (76% d.Th.); F: 219°; $[\alpha]_D^{22} = -91{,}1°$ (c = 0,8 in 95%-iger Essigsäure) bzw. $[\alpha]_D^{22} = -36{,}6°$ (c = 1,1 in 6n Salzsäure).

N-Benzyloxycarbonyl-S-äthylaminocarbonyl-L-cystein [Z-Cys(EAC)-OH][2]: Zu einer auf 0° gekühlten Mischung von 20,4 g Chlorameisensäure-benzylester und 200 *ml* n Kaliumhydrogencarbonat-Lösung fügt man in kleinen Portionen unter kräftigem Rühren 15,3 g H-Cys(EAC)-OH hinzu; die Reaktionsmischung wird weitere 2 Stdn. bei 0° gerührt. Nach Verdünnen mit 100 *ml* Wasser extrahiert man mit Diäthyläther, säuert die verbleibende wäßrige Phase mit n Schwefelsäure an und nimmt das abgeschiedene ölige Material in Diäthyläther auf. Die Äther-Phasen werden mit Natriumsulfat getrocknet und eingedampft. Aus der Lösung des erhaltenen Rückstands in 100 *ml* Essigsäureäthylester tritt nach sorgfältiger Zugabe von 500 *ml* Petroläther Kristallisation ein; das abfiltrierte Material wird mit Petroläther gewaschen und i.Vak. getrocknet; Ausbeute: 26 g (99% d.Th.); F: 121°; $[\alpha]_D^{21} = -25{,}2°$ (c = 1,5 in 95%-iger Essigsäure) bzw. $[\alpha]_D^{21} = -63{,}9°$ (c = 1,4 in Dimethylformamid).

N-tert.-Butyloxycarbonyl-S-äthylaminocarbonyl-L-cystein [BOC-Cys(EAC)-OH][3]: 22,1 g BOC-Cys-OH – erhalten durch Natrium/Ammoniak-Reduktion von $(BOC)_2{=}(Cys)_2{=}(OH)_2$ (s. S. 806) – in 200 *ml* absol. Dimethylformamid versetzt man bei −20° mit 8 *ml* Äthylisocyanat; das Reaktionsgemisch wird 1 Stde. im Kühlschrank aufbewahrt, dann 12 Stdn. bei Raumtemp. und anschließend i.Vak. eingedampft. Die Lösung des verbleibenden Öls in Diäthyläther wird mit 18 g Dicyclohexylamin versetzt; nach Stehenlassen über Nacht im Kühlschrank wird die gebildete Fällung abfiltriert, mit Petroläther gewaschen und i.Vak. getrocknet. Das erhaltene Material wird in Wasser/Essigsäure-äthylester suspendiert, durch Zugabe fester Citronensäure in der Kälte wie üblich zerlegt, die abgetrennte Essigsäure-äthylester-Phase mit Wasser gewaschen, über Natriumsulfat getrocknet und letztlich i.Vak. eingedampft. Das zurückbleibende Öl kann aus Essigsäure-äthylester/Petroläther kristallin erhalten werden; Ausbeute: 21,5 g (74% d.Th.); F: 139°; $[\alpha]_D^{24} = -22{,}2°$ (c = 1 in Äthanol).

Die peptidsynthetische Umsetzung der N-Acyl-Derivate von H-Cys(EAC)-OH erfolgt mittels Mischanhydrid-, Carbodiimid- und (mit den besten Ausbeuten) Aktivester-Verfahren. Bei acidolytischer Beständigkeit der S-Äthylaminocarbonyl-Maskierung auch gegenüber Bromwasserstoff/Essigsäure oder Trifluoressigsäure ist die selektive Abspaltung z.B. von Benzyloxycarbonyl- und tert.-Butyloxycarbonyl-Schutzgruppen und eine anschließende Aufstockung auf intermediäre Peptid-Derivate der Sequenz *H-Cys(EAC)-X-OR* (NH_2) etc. gegeben; Guttmann sowie Hofmann et al. haben diese Synthese-Route anhand von Glutathion-[2], Oxytocin-[2] und Ribonuclease T_1-(Fragment A)-Synthesen[3] (s. dazu S. 434f.) erfolgreich demonstriert.

N-Benzyloxycarbonyl-L-glutamyl(α-äthylester)-γ-S-äthylaminocarbonyl-L-cysteinyl-glycin-äthylester [Z-Glu(Cys⟨EAC⟩-Gly-OEt)-OEt]:

N-Benzyloxycarbonyl-S-äthylaminocarbonyl-L-cysteinyl-glycin-äthylester [Z-Cys(EAC)-Gly-OEt][2]: 3,26 g Z-Cys(EAC)-OH in 50 *ml* Acetonitril werden bei −10° mit 1,51 g

---

[1] D. L. Ross, C. G. Skinner u. W. Shive, J. Med. pharm. Chemistry **3**, 519 (1961).
[2] S. Guttmann, Helv. **49**, 83 (1966).
[3] H. T. Storey et al., Am. Soc. **94**, 6170 (1972).
[4] H. Zahn u. K. Hammerström, B. **102**, 1048 (1969).

H-Gly-OEt · HCl und 1,4 *ml* Triäthylamin in 15 *ml* Dichlormethan und anschließend mit 2,06 g Dicyclohexylcarbodiimid versetzt. Die Reaktionsmischung wird nach 16stdgm. Stehen bei 25° vom abgeschiedenen N,N'-Dicyclohexyl-harnstoff abfiltriert und i. Vak. eingedampft. Die Essigsäure-äthylester-Lösung des Rückstands wird wie üblich mit n Kaliumhydrogencarbonat-Lösung, n Schwefelsäure und Wasser gewaschen, über Natriumsulfat getrocknet und danach i. Vak. eingedampft; der verbleibende ölige Rückstand kristallisiert aus Essigsäure-äthylester/Petroläther; Ausbeute: 2,87 g (70% d. Th.); F: 115–116°; $[\alpha]_D^{23} = -42,5°$ (c = 0,9 in Dimethylformamid).

S-Äthylaminocarbonyl-L-cysteinyl-glycin-äthylester-Hydrobromid [H-Cys(EAC)-Gly-OEt·HBr][1]: Die Lösung von 10g Z-Cys(EAC)-Gly-OEt in 50 *ml* Essigsäure wird mit 100 *ml* 4 n Bromwasserstoff/Essigsäure versetzt, die Reaktionsmischung 1 Stde. bei 20° stehen gelassen und anschließend i. Vak. eingedampft. Der verbleibende Rückstand wird mit Diäthyläther behandelt, abfiltriert, in 50 *ml* Methanol gelöst, die Lösung vorsichtig mit Diäthyläther bis zur beginnenden Trübung versetzt und bei 0° der Kristallisation überlassen. Die gebildete Fällung wird abfiltriert, mit Diäthyläther gewaschen und getrocknet; Ausbeute: 7,41 g (82% d. Th.); F: 198°; $[\alpha]_D^{22} = +12,6°$ (c= 0,9 in Dimethylformamid) bzw. $[\alpha]_D^{22} = +3,5°$ (c = 0,9 in 95%-iger Essigsäure) bzw. $[\alpha]_D^{22} = +11,6°$ (c = 1 in Methanol).

N-Benzyloxycarbonyl-L-glutamyl(α-äthylester)-Cγ-S-äthylaminocarbonyl-L-cysteinyl-glycin-äthylester [Z-Glu(Cys⟨EAC⟩-Gly-OEt)-OEt][1]: Zu einer Lösung von 7,16 g H-Cys(EAC)-Gly-OEt · HBr und 9,76 g Z-Glu(OTCP)-OEt in 20 *ml* Dimethylformamid werden 4,2 *ml* Triäthylamin zugefügt; die Reaktionsmischung wird 16 Stdn. bei 25° gehalten, dann mit 200 *ml* Essigsäure-äthylester verdünnt, die erhaltene Lösung wie üblich mit n Kaliumhydrogencarbonat-Lösung, n Schwefelsäure und Wasser gewaschen, über Natriumsulfat getrocknet und anschließend auf 100 *ml* i. Vak. konzentriert. Die beginnende Kristallisation wird durch Zugabe von 150 *ml* Diäthyläther vervollständigt; die abfiltrierte kristalline Masse wird mit 100 *ml* Essigsäure-äthylester unter Aufkochen behandelt und getrocknet. (Erste Fraktion 7,2 g). Aus der Mutterlauge wird nach Aufbewahren bei 0° eine zweite Fraktion erhalten (1,72 g); Gesamtausbeute: 8,92 g (78% d. Th.); F: 152°; $[\alpha]_D^{22} = -38,8°$ (c = 0,9 in Dimethylformamid) bzw. $[\alpha]_D^{22} = -29,1°$ (c = 0,9 in 95%-iger Essigsäure) bzw. $[\alpha]_D^{22} = -34,4°$ (c = 0,9 in Methanol).

Die Aufhebung der S-Äthylaminocarbonyl-Maskierung der Thiol-Funktion läßt sich durch Einwirken von n Natronlauge oder n Natriummethanolat/Methanol über 20 Min.[1], von n Hydrazin/Methanol und flüssigem Ammoniak/Methanol (1:1) über 120 Min.[1]. sowie von Silbernitrat/Triäthylamin in wäßrigem Methanol[2] oder Quecksilber(II)-acetat in 80%-iger Essigsäure[2] – bei beiden letzten genannten Verfahren jeweils gefolgt von Zersetzung der intermediären Mercaptide mit Salzsäure bzw. Schwefelwasserstoff – bei Raumtemp. vollziehen; auch mit Natrium in flüssigem Ammoniak ist die Demaskierung möglich[1].

N-Benzyloxycarbonyl-L-glutamyl-Cγ-L-cysteinyl-glycin [Z-Glu(Cys-Gly-OH)-OH][1]: 5,68 g Z-Glu(Cys ⟨EAC⟩-Gly-OEt)-OEt in 25 *ml* sauerstofffreiem Methanol werden unter Stickstoffatmosphäre mit 9 *ml* 4 n Natronlauge versetzt; der Reaktionsansatz wird nach 1stdgm. Stehen bei 20° mit 10 *ml* 4 n Schwefelsäure angesäuert, mit 30 *ml* Wasser verdünnt und anschließend i. Vak. auf insgesamt 30 *ml* konzentriert. Die eintretende Kristallisation wird durch 16stdgs. Stehen bei 0° vervollständigt, der Niederschlag abfiltriert, mit Wasser gewaschen und getrocknet; Ausbeute: 3,26 g (74% d. Th.); F: 176°; $[\alpha]_D^{23} = -18,8°$ (c = 1,1 in Dimethylformamid) bzw. $[\alpha]_D^{23} = -13,2°$ (c = 1 in 95%-iger Essigsäure).

N-Benzyloxycarbonyl-L-cysteinyl-glycin-äthylester [Z-Cys-Gly-OEt][2]:

Methode ⓐ: Zu 412 mg Z-Cys(EAC)-Gly-OEt in 10 *ml* Methanol werden eine Lösung von 186 mg Silbernitrat in 15 *ml* Methanol/Wasser (2:1) und anschließend 0,14 *ml* Triäthylamin tropfenweise hinzugegeben, die Reaktionslösung kurz zum Sieden erhitzt, dann abgekühlt, der gebildete Niederschlag (425 mg) mit 5 *ml* Dimethylformamid und 0,3 *ml* konz. Salzsäure verrieben und die gebildete Suspension 3 Stdn. lang geschüttelt. Der dann erhaltene Rückstand wird in Chloroform aufgenommen, die Lösung mit Wasser gewaschen, getrocknet, i. Vak. eingedampft und das verbleibende Material letztlich aus Essigsäure-äthylester/Petroläther umkristallisiert; Ausbeute: 212 mg (62% d. Th.); F: 122–123°; $[\alpha]_D^{29} = -16,1°$ (c = 1,2 in Äthanol).

Methode ⓑ: Zu 1 g Z-Cys(EAC)-Gly-OEt in 50 *ml* 80%-iger Essigsäure werden bei Raumtemp. und unter Rühren 1,55 g Quecksilber(II)-acetat hinzugefügt; nach 1stgr. Reaktionszeit wird mit 75 *ml* 80%-iger Essigsäure verdünnt und Schwefelwasserstoff in die Lösung – unter kräftigem Rühren 4 Stdn.

---

[1] S. Guttmann, Helv. **49**, 83 (1966).
[2] H. T. Storey et al., Am. Soc. **94**, 6170 (1972).

lang – eingeleitet. Der gebildete Sulfid-Niederschlag wird unter Behandlung mit Celite abfiltriert, das Filtrat i. Vak. eingedampft; der verbleibende Rückstand kristallisiert aus Essigsäure-äthylester/Petroläther; Ausbeute: 650 mg (79% d.Th.); F: 121–122°; $[\alpha]_D^{28} = -17{,}5°$ (c = 1,02 in Äthanol).

S-Methyl-[MAC]- und S-Propyl-(2)-aminocarbonyl-[PrAC]-Derivate des Cysteins werden von Arold[1] erwähnt, experimentelle Ausführungen stehen dazu aus.

36.911.235.2. S-2-(N-Acyl-N-methyl-amino)-äthylaminocarbonyl-[XMAC]-Schutzgruppen

Nach dem Vorbild der Weygand'schen „verlängerten" XTE-Schutzgruppen (s. S. 769) haben Jäger und Geiger[2] eine subst. Äthylaminocarbonyl-Gruppierung der Thiol-Funktion entwickelt, die in ihrem Molekülaufbau eine sek. Amino-Funktion zwecks späterer nucleophiler Abspaltung trägt; diese sek. Amino-Gruppe ist zunächst – d.h. während ihrer Blockierungsaufgabe – durch N-Acylierung maskiert.

Entfernt man diesen N-Acyl-Rest aus der S-2-(N-Acyl-N-methyl-amino)-äthylaminocarbonyl-[XMAC]-Schutzgruppe, z.B. einen N-Benzyloxycarbonyl-, N-tert.-Butyloxycarbonyl- oder N-Adamantyloxycarbonyl-Rest auf acidolytischem Wege und setzt diese sek. Amino-Funktion aus ihrem Salz mittels tert. Basen in Freiheit, so tritt beim Erwärmen der Lösungen dieser S-(2-Methylamino-äthylaminocarbonyl)-cystein-Derivate auf 40–50° über 2–3 Stdn. Demaskierung zu den Cystein-Verbindungen unter Bildung eines cyclischen N,N'-disubstituierten Harnstoffs als Beiprodukt ein[2].

Die zur Erstellung der subst. Thiourethan-Derivate des Cysteins (LXXXII a–c) benötigten N-Benzyloxycarbonyl-, N-tert.-Butyloxycarbonyl- und N-Adamantyloxycarbonyl-N-methyl-aminoäthyl-isocyanate (LXXXI a–c) sind aus Acrylnitril (LXXVII), Methylamin (LXXVIII) und Chlorameisensäure-benzylester (LXXIX a) bzw. tert.-Butyloxycarbonylazid (LXXIXb) bzw. Chlorameisensäure-1-adamantyl-ester (LXXIXc) über die letztlich resultierenden N-Acyl-N-methyl-β-alanin-azide LXXX a–c via Curtius-Abbau gemäß folgendem Schema (S. 789) zugänglich[2]; in Analogie zur Synthese von H-Cys (EAC)-OH erbringt die Umsetzung von Cystein-Hydrochlorid (III-HCl) mit diesen Isocyanaten LXXXI a–c die S-substituierten Cystein-Verbindungen: ***H-Cys(ZMAC)-OH*** (LXXXIIa) ***H-Cys(BMAC)-OH*** (LXXXIIb) und ***H-Cys(AMAC)-OH*** (LXXXIIc)[2]. Bei einer, der S-Äthylaminocarbonyl-Gruppe analogen, geringen Neigung zu einer S → N-Acyl-Wanderung sind N-Acylierungen (Aminoacylierungen) von S-[2-(N-Acyl-N-methyl-amino)-äthylaminocarbonyl]-cystein(yl)-Derivaten ohne große Schwierigkeiten ausführbar; so gelingt aus H-Cys(ZMAC)-OH und Adamantyl-(1)-succinimidyl-(1)-carbonat die Herstellung von *ADOC-Cys(ZMAC)-OH* in quantitativer Ausbeute, eine Kopfkomponente, die von Jäger und Geiger[1] erfolgreich zur Synthese von *Desamino-Oxytocin* herangezogen werden konnte.

Die Spaltung der neuen Thiourethan-Gruppierung in Richtung freier Thiol-Verbindung III und 1-Methyl-imidazolidin-2-on (LXXXIV) erfolgt in einer Zweistufen-Reaktion[2]:

ⓐ acidolytische Entfernung von Benzyloxycarbonyl-, tert.-Butyloxycarbonyl- oder Adamantyloxycarbonyl-Resten der „verlängerten" [XMAC]-Schutzgruppen mit Bromwasserstoff/Essigsäure oder Trifluoressigsäure und

ⓑ Zerfall der freien Aminoverbindung (sek. Amino-Funktion der Schutzgruppe) nach Freisetzen mittels tert. Basen aus den intermediären S-(2-Methylamino-äthylaminocarbonyl)-cystein-Salzen (LXXXIII) (s. Schema S. 789). Experimentelle Angaben stehen noch aus.

---

[1] H. Arold u. M. Eule, *Peptides* 1972, Proc. 12th Europ. Peptide Symposium Reinhardsbrunn Castle 1972, North-Holland, Publ. Co., Amsterdam **1973**, S. 78.

[2] G. Jäger u. R. Geiger, *Peptides* 1972, Proc. 12th Europ. Peptide Symposium Reinhardsbrunn Castle 1972, North-Holland, Publ. Co., Amsterdam **1973**, S. 90.

$$H_2C{=}CH{-}CN \;(\text{LXXVII}) + H_3C{-}NH_2 \;(\text{LXXVIII}) \longrightarrow H_3C{-}NH{-}CH_2{-}CH_2{-}CN \xrightarrow{Ba(OH)_2}$$

$$\longrightarrow H_3C{-}NH{-}CH_2{-}CH_2{-}COOH \xrightarrow[\text{(LXXIX a-c)}]{RO{-}CO{-}X} (RO{-}CO)(H_3C)N{-}CH_2{-}CH_2{-}COOH$$

$$\longrightarrow (RO{-}CO)(H_3C)N{-}CH_2{-}CH_2{-}CON_3 \;(\text{LXXX a–c}) \xrightarrow{\nabla} (RO{-}CO)(H_3C)N{-}CH_2{-}CH_2{-}N{=}C{=}O \;(\text{LXXXI a–c})$$

$$Cl^{\ominus}\,H_3\overset{\oplus}{N}{-}CH(CH_2{-}SH){-}COOH \;(\text{III–HCl}) \xrightarrow[\text{(LXXXI a–c)}]{(OH^{\ominus})} H_2N{-}CH(COOH){-}CH_2{-}S{-}CO{-}NH{-}CH_2{-}CH_2{-}N(CH_3){-}CO{-}OR \;(\text{LXXXII a–c}) \xrightarrow{H^{\oplus}}$$

$$H_3\overset{\oplus}{N}{-}CH(COOH){-}CH_2{-}S{-}CO{-}NH{-}CH_2{-}CH_2{-}\overset{\oplus}{N}H_2{-}CH_3 \;(\text{LXXXIII}) \xrightarrow[-\overset{\oplus}{H}N(R^1)_3]{N(R^1)_3} \text{1-Methyl-imidazolidin-2-on} \;(\text{LXXXIV}) + H_2N{-}CH(CH_2{-}SH){-}COOH \;(\text{III})$$

36.911.240. S-Alkyl(Aryl)-thio- und S-Sulfo-Derivate („Asymmetrische" Disulfid-Verbindungen)

Die Erstellung von Cystein- aus Cystin-Derivaten durch reduktive Aufspaltung der Disulfid-Bindung war wohl das Vorbild für die Versuche, die Cystein-Thiol-Funktion unter „asymmetrischer" Disulfidbildung – oder anders ausgedrückt: unter Überführung in einen Sulfensäure-thio-ester – zu maskieren. Eine „langfristige", mehrere Stufen der Peptid-synthese überdauernde Eignung von Alkyl(Aryl)-thio-Resten als S-Schutzgruppe wird diktiert von der Widerstandsfähigkeit der Disulfid-Bindung gegenüber der bekannten Disproportionierungs-Reaktion[1] asymmetrischer Disulfide in basischem oder saurem Milieu:

$$H{-}\underset{\textstyle |}{\overset{S-R}{Cys}}{-}OH + H{-}\overset{S-R}{Cys}{-}OH \rightleftharpoons H{-}Cys{-}OH\,/\,H{-}Cys{-}OH + R{-}S{-}S{-}R$$

[1] Zum Mechanismus vgl. C. J. Cavallito, J. S. Buck u. C. M. Suter, Am. Soc. **66**, 1952 (1944).
A. P. Ryle u. F. Sanger, Biochem. J. **60**, 535 (1957).
R. E. Benesch u. R. Benesch, Am. Soc. **80**, 1666 (1958).
A. Schöberl u. H. Gräfje, A. **617**, 71 (1958).
H. Lindley u. T. Haylett, Biochem. J. **108**, 701 (1968).
L. Lumper u. H. Zahn, Adv. in Enzymol. **27**, 199 (1965).

Weber und Hartter[1] postulierten zunächst eine Begünstigung der Disproportionierung (= Disulfid-Austausch) durch elektronenanziehende Substituenten (− I-Effekt) bzw. eine Erschwerung durch „elektronenschiebende" Reste (+ I-Effekt), wobei eine sterische Hinderung als zusätzlicher Effekt Einfluß haben sollte; die Verhältnisse scheinen jedoch etwas komplizierter zu sein[2].

Auch S-Sulfo-cystein-Derivate, zugänglich durch (oxydative) Sulfitolyse von Cystein- oder S-Alkyl(Aryl)-thio-cystein-Verbindungen, scheinen stabil genug, um gewisse peptidsynthetische Umsetzungen zu überstehen (s. S. 796 f.).

36.911.241. S-Phenylthio-[SPh]-Schutzgruppe

Sakakibara und Tani[3] gelang 1956 zwar eine einwandfreie Herstellung von H-Cys (SPh)-OH aus der Aminosäure und Phenylsulfenylchlorid in hydrogencarbonat-alkalischer Lösung, sie gaben zugleich aber den Hinweis, daß die große Unbeständigkeit dieser asymmetrischen Disulfid-Bindung[4] gegenüber Einwirkungen von Säuren und Laugen (schon kalte n Natronlauge bewirkt Disproportionierung zu Cystein und Diphenyldisulfid) eine Verwendung der S-Phenylthio-Maskierung in der „gelenkten" Peptidsynthese unmöglich machen dürfte. Lediglich eine Phosgenierung zu *H-[Cys(SPh)-NCA]* und dessen Polymerisation ließ sich noch bewerkstelligen; die Abspaltung der S-Phenylthio-Schutzgruppe vom S-substituierten Polypeptid gelang durch Erhitzen in Thioglycolsäure-äthylester-Lösung[3].

36.911.242. S-Äthylthio-[SEt]-Schutzgruppe

Das nach dem Cavallito-Verfahren[5] – d.i. Perbenzoesäure-Oxidation eines symmetrischen Disulfides zum Sulfinsäure-thioester[6] und dessen Umsetzung mit Thiolen – aus Cystein (III) und Äthansulfinsäure-äthylthioester (LXXXV) gut zugängliche H-Cys(SEt)-OH (LXXXVI)[1,7] wurde erstmals von Inukai et al.[8] zur Synthese von Peptiden des Cysteins (Cystins) herangezogen. Die Autoren[8] demonstrieren die hohe Stabilität des asymmetrischen Disulfids (LXXXVI) – u.a. Ausbleiben der Disproportionierungs-Reaktion[2,9] – mit N-Acylierung zu *AOC-Cys(SEt)-OH*, Chlorwasserstoff/Methanol-Veresterung zu *H-Cys(SEt)-OMe · HCl* und dessen Ammonolyse zu *H-Cys(SEt)-NH₂ · HCl* sowie anhand der Synthesen von *S-Äthylthio-glutathion* und *Bis-S-äthylthio-oxytocin*; die Aufhebung der S-Maskierung gelingt in beiden Fällen mit Thiophenol oder Thioglycolsäure in wäßrigem Medium bei ~ 45°. Zur Abspaltung der S-Äthylthio-Schutzgruppe soll sich ferner Thioglycol und die zunächst zu „Bunte-Salzen" führende Sulfitolyse mittels Natriumsulfit und Natriumtetrathionat bei $p_H = 9$ eignen[1].

---

1 U. Weber u. P. Hartter, H. **351**, 1384 (1970).

2 P. Hartter u. U. Weber, H. **354**, 365 (1973).

3 S. Sakakibara u. H. Tani, Bl. chem. Soc. Japan **29**, 85 (1956).

4 vgl. A. Schöberl u. H. Gräfje, A. **617**, 71 (1958).

5 C. J. Cavallito, J. S. Buck u. C. M. Suter, Am. Soc. **66**, 1952 (1944).
L. D. Small, J. H. Bailey u. C. J. Cavallito, Am. Soc. **69**, 1710 (1947).
vgl. A. Schöberl u. H. Gräfje, A. **617**, 71 (1958).

6 L. D. Small, J. H. Bailey u. C. J. Cavallito, Am. Soc. **71**, 3565 (1949).

7 S. Yurugi, J. Pharm. Soc. Japan **74**, 513 (1954).

8 N. Inukai, K. Nakano u. M. Murakami, Bl. chem. Soc. Japan **40**, 2913 (1967).

9 vgl. dazu E. Wünsch u. R. Spangenberg, *Peptides* 1969, Proc. 10th Europ. Peptide Symposium Abano Terme 1969, North-Holland Publ. Co., Amsterdam **1971**, S. 30.

$$\underset{\text{III}}{H_2N{-}\overset{\overset{\displaystyle SH}{|}}{\underset{}{\overset{|}{C}H_2}}\!\!\!\!{-}CH{-}COOH} \xrightarrow[\text{LXXXV}]{H_5C_2{-}SO{-}SC_2H_5} \underset{\text{LXXXVI}}{H_2N{-}CH(CH_2{-}S{-}S{-}C_2H_5){-}COOH}$$

S-Äthylthio-L-cystein [H-Cys(SEt)-OH][1]: 100 mMol Cystein in 100 *ml* n Salzsäure werden mit ~ 60 mMol öligem Äthansulfinsäure-äthylthioester in 100 *ml* Äthanol versetzt; die Reaktionsmischung wird intensiv 1 Stde. bei Raumtemp. gerührt. Unter weiterem Rühren wird dann mit 2 n Natronlauge oder mit Pyridin auf $p_H = 6{,}5$ eingestellt; dabei tritt Fällung ein. Nach kurzem Kühlen wird abfiltriert, gut mit Wasser, Äthanol und peroxidfreiem Diäthyläther gewaschen, getrocknet und letztlich entweder durch Lösen in verd. Salzsäure und Neutralisation mit Pyridin 2mal umgefällt oder aus Wasser unter Zusatz von N-Äthyl-maleinimid umkristallisiert; Ausbeute: 77 mMol; F: 199–200°; $[\alpha]_D^{22} = -138°$ (c = 1 in 0,3 n-Salzsäure).

L-Glutamyl-Cγ-L-cysteinyl-glycin [H-Glu(Cys-Gly-OH)-OH][2]:

N-tert.-Amyloxycarbonyl-S-äthylthio-L-cysteinyl-glycin-äthylester [AOC-Cys(SEt)-Gly-OEt]: 2,1 g AOC-Cys(SEt)-ONP, 0,7 g H-Gly-OEt · HCl und 0,7 *ml* Triäthylamin in 15 *ml* Dimethylformamid werden bei Raumtemp. über Nacht stehen gelassen. Anschließend wird die Reaktionsmischung durch Zugabe von 100 *ml* Essigsäure-äthylester verdünnt, die erhaltene Lösung wie üblich mit Wasser, n Ammoniak-Lösung und 0,2 n Salzsäure gewaschen, über Natriumsulfat getrocknet und letztlich i. Vak. eingedampft (Öl); Ausbeute: 1,4 g (74% d. Th.); $[\alpha]_D^{23} = -70{,}5°$ (c = 0,44 in Methanol).

L-Glutamyl-Cγ-S-äthylthio-L-cysteinyl-glycin [H-Glu(Cys⟨SEt⟩-Gly-OH)-OH]: Die Lösung von 3,8 g AOC-Cys(SEt)-Gly-OEt in 7%-igem Chlorwasserstoff/Methanol wird 1 Stde. bei Raumtemp. stehen gelassen, anschließend i. Vak. eingedampft. Die Lösung des verbleibenden Rückstandes in 10 *ml* Dimethylformamid wird mit 1,4 *ml* Triäthylamin neutralisiert und dann mit 4,1 g AOC-Glu(ONP)-OEt versetzt; die Reaktionsmischung wird 20 Stdn. bei Raumtemp. belassen, dann mit Essigsäure-äthylester verdünnt, die Lösung wie üblich mit Wasser, n Ammoniak-Lösung und 0,2 n Salzsäure gewaschen, über Natriumsulfat getrocknet und i. Vak. eingedampft. Das erhaltene ölige Produkt wird anschließend mit 18,5 *ml* n Natronlauge in 100 *ml* Methanol über 2 Stdn. bei Temp. unter 10° verseift. Der anschließend i. Vak. auf 30 *ml* konzentrierte Reaktionsansatz wird mit 20 *ml* 10%-iger Salzsäure versetzt, die Mischung 30 Min. lang gerührt. Danach wird der p_H-Wert der Lösung mit Natriumhydrogencarbonat auf 6 gestellt; es tritt alsbald Kristallisation ein. Das abfiltrierte Material wird letztlich aus heißem Wasser umkristallisiert; Ausbeute: 2,5 g; F: 200–201°; $[\alpha]_D^{22} = -91{,}5°$; (c = 1 in Dimethylformamid).

L-Glutamyl-Cγ-L-cysteinyl-glycin [H-Glu(Cys-Gly-OH)-OH]: 0,5 *ml* Thiophenol oder Thioglycolsäure werden zu einer Lösung von 0,5 g H-Glu(Cys⟨SEt⟩-Gly-OH)-OH in 10 *ml* Wasser gegeben, nach 15stdgm. Stehen bei 45° wird die Reaktionsmischung mit Essigsäure-äthylester sorgfältig extrahiert, die verbleibende wäßrige Phase auf 1 *ml* i. Vak. konzentriert, wonach Kristallisation eintritt. Das abfiltrierte Produkt wird letztlich aus Wasser/Äthanol umkristallisiert; Ausbeute: fast quantitativ; F: 187–190°; $[\alpha]_D^{23} = -19{,}1°$ (c = 1 in Wasser).

Die gute acidolytische und ammonolytische Stabilität der S-Äthylthio-Maskierung erlaubt ihre Verwendung im Rahmen der üblichen Festkörper-Synthese nach Merrifield[3,4]; die Ablösung vom Träger wird unter Erhalt der asymmetrischen Disulfid-Bindung mit Bromwasserstoff/Trifluoressigsäure[4] oder 25%-igem Ammoniak/Methanol[3] vorgenommen*.

---

* Ob unter diesen Bedingungen auch die einwandfreie Überführung von ω-Äthyl- bzw. ω-Methylester-Gruppen in der aufgebauten Peptidkette (Oxytocin-Sequenz!) zu den ω-Amiden gelingt, scheint sehr fragwürdig zu sein.

[1] U. Weber u. P. Hartter, H. **351**, 1384 (1970).

[2] N. Inukai, K. Nakano u. M. Murakami, Bl. chem. Soc. Japan **40**, 2913 (1967).

[3] N. Inukai, K. Nakano u. M. Murakami, Bl. chem. Soc. Japan **41**, 182 (1968).

[4] U. Weber, H. **350**, 1421 (1969).
U. Weber et al., H. **350**, 1425 (1969).

36.911.243. S-tert.-Butylthio-[StBu]-Schutzgruppe

Die „Nicht-Oxidierbarkeit“ von tert.-Butylmercaptan (LXXXVII) mittels Luftsauerstoff erlaubte Wünsch und Spangenberg[1] eine äußerst elegante und bequeme Herstellung von *H-Cys(StBu)-OH* (LXXXVIII) aus Cystin (XXXVII) und dem Thiol (LXXXVII): in wäßrig-alkalischem Medium stellt sich alsbald ein Gleichgewicht der Thiol-Disulfid-Austausch-Reaktion ein, das durch Luftoxidation nur einer Thiol-Komponente, d.h. von Cystein (III), im Enderfolg laufend zugunsten der Bildung des asymmetrischen Disulfids (LXXXVIII) verschoben wird:

```
H–Cys–OH      HS–C(CH3)3                          S–C(CH3)3
  |            LXXXVII                            |
H–Cys–OH     ──────────►   H–Cys–OH   +   H–Cys–OH

↑ XXXVII                     |  III            LXXXVIII
|                            |
└────────── + O2 ────────────┘
```

Vorstehendes Thiol-Disulfid-Austausch-Verfahren läßt sich auch auf N,N-Bis-acyl-cystin (XX) übertragen (s. experimentelles Beispiel S. 794[1]); ferner sind solche N-Acyl-Derivate (LXXXIX), z.B. *BOC-Cys(StBu)-OH*, durch Acylierung von H-Cys(StBu)-OH (LXXXVIII), durch Umsetzen von Acyl-cystein (X) mit tert.-Butylsulfenyl-rhodanid[1] (XC) und auf „umgekehrtem“ Wege durch Erstellung eines vom Acyl-cystein sich ableitenden Sulfenyl-thiocyanats (XCI) – aus N-Acyl-cystein (X) mittels Dirhodan (XCII) erhältlich; Methode s. S. 823 – und dessen Reaktion mit tert.-Butylmercaptan (LXXXVII)[2] zugänglich.

Die Einführung der S-tert.-Butyl-Schutzgruppe soll nach Weber und Hartter[3] auch mittels tert.-Butylsulfinsäure-tert.-butylthioester (XCIII), allerdings nur mit mäßiger Ausbeute, vollzogen werden können; die äußerst schlecht verlaufende tert.-Butyloxy-carbonylierung des erhaltenen Materials (~ 20% Ausbeute, vgl. dagegen experiment. Beispiel S. 794) läßt zusätzlich Zweifel an der Reinheit dieses Produktes aufkommen.

S-tert.-Butylthio-L-cystein [H-Cys(StBu)-OH][4]: 48 g Cystin in 200 *ml* 2 n Natronlauge, verdünnt mit ~ 300 *ml* 1,4-Dioxan, werden mit 36 g tert.-Butylmercaptan versetzt; die Reaktionsmischung wird kräftig gerührt, nach der 12. Reaktionsstunde wird zur Oxidation des gebildeten Cysteins ein langsamer Luftstrom eingeleitet, bis dünnschichtchromatographisch kein Cystein mehr nachzuweisen ist. Dies ist nach ~ 5–7 Tagen der Fall. (Ggf. wird nochmals etwas tert.-Butylmercaptan zugesetzt). Nach Beendigung der Reaktion säuert man mit 50 *ml* Essigsäure an und dampft die Lösung i. Vak. bei einer Badtemp. von ~ 30° zur Trockene ein. Der Rückstand wird sorgfältig mit Wasser digeriert und anschließend zweimal mit je 300 *ml* heißer 50%-iger Essigsäure extrahiert, wobei weitgehend Lösung erfolgt. Die vereinigten Auszüge werden i. Vak. auf ~ 100 *ml* eingeengt und in 500 *ml* Wasser eingegossen. Beim Stehenlassen über Nacht bei ~ 0° kristallisieren glänzende Blättchen aus (65 g); aus der Mutterlauge können durch Einengen noch weitere 5 g isoliert werden; Ausbeute: 70 g (85% d.Th.); $[\alpha]_D^{20} = -84 \pm 1°$ bzw. $[\alpha]_{546}^{20} = -100°$ (c = 1 in n Salzsäure).

Der peptidsynthetische Einsatz von H-Cys(StBu)-OH kann sowohl als Amino-Komponente z.B. in Form des N-Methyl-morpholin-Salzes durch Aminoacylierung mit N-Acyl-aminosäure-(N-hydroxy-succinimid)-estern[4] als auch als Kopfkomponente z.B. in Gestalt

---

[1] E. Wünsch u. R. Spangenberg, *Peptides* 1969, Proc. 10th Europ. Peptide Symposium Abano Terme 1969, North-Holland, Publ. Co., Amsterdam **1971**, S. 30.

[2] H. G. Gielen, Diplomarbeit TH Aachen 1971.

[3] U. Weber u. P. Hartter, H. **351**, 1384 (1970).

[4] Belg. P. 750168 (1970); DOS. 1959603 (1971), Farbwerke Hoechst, Erf.: E. Wünsch u. R. Spangenberg; C. A. **74**, 88309 (1971).

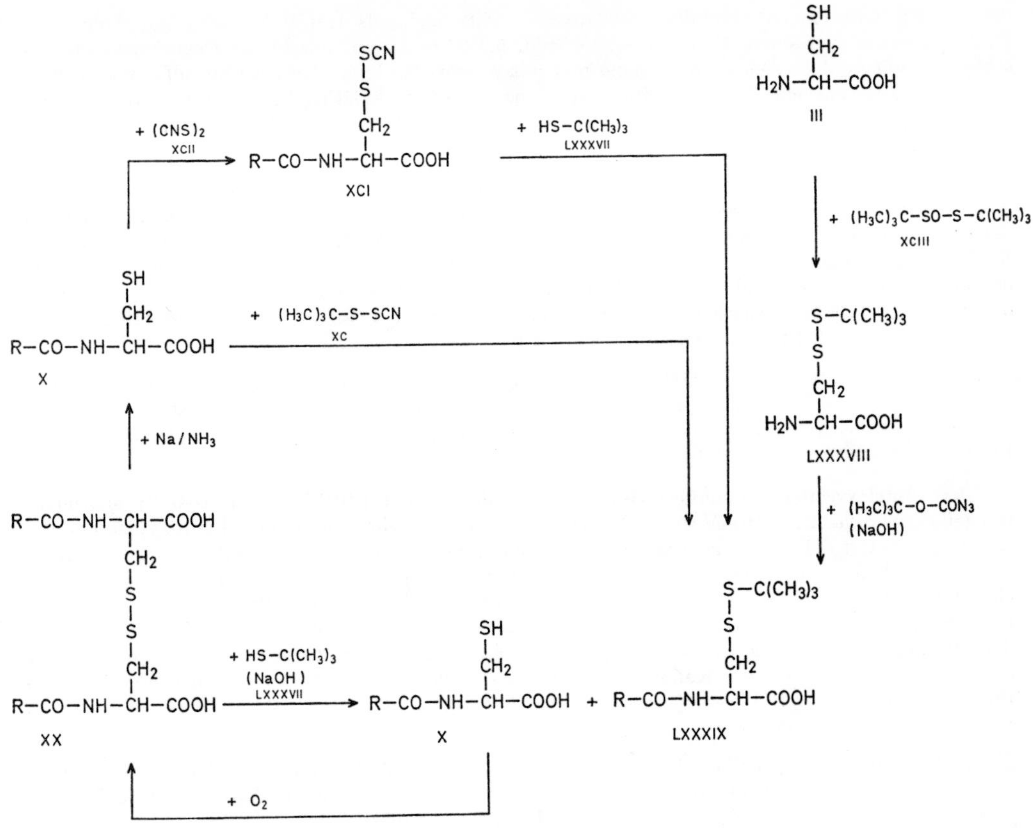

von BOC-*Cys*(*StBu*)-OH nach dem (N-Hydroxy-succinimid)-ester-[1] und Misch-anhydrid-Verfahren[1] oder als *TRT-Val-Cys*(*StBu*)-N_3[2] erfolgreich vollführt werden; auch eine weitere „Aufstockung" ist ohne Komplikationen bei Verwendung säurelabiler Amino- und Carboxy-Schutzgruppen möglich, da acidolytische Demaskierungen von Benzyloxycarbonyl-Resten mittels Bromwasserstoff/Essigsäure sowie von tert.-Butyloxycarbonyl-Resten und tert.-Butylestern mit Trifluoressigsäure ohne Veränderung an der asymmetrischen Disulfid-Bindung ablaufen[2,3].

N-tert.-Butyloxycarbonyl-S-tert.-butylthio-L-cystein [BOC-Cys(StBu)-OH][3,1, vgl. 2]**:**

Methode ⓐ: 4,4 g $(BOC)_2$=$(Cys)_2$=$(OH)_2$ werden nach I. Photaki[4] mit Natrium in flüssigem Ammoniak reduziert; die letztlich erhaltene ätherische Lösung von BOC-Cys-OH wird über Natriumsulfat getrocknet, mit 1,01 g N-Methyl-morpholin neutralisiert und anschließend mit einer Lösung von 12 mMol tert.-Butyl-sulfenylrhodanid in Diäthyläther versetzt. Anschließend werden zur Neutralisation

---

[1] E. Wünsch u. R. Spangenberg, unveröffentlicht.

[2] H. G. Gielen, Diplomarbeit TH Aachen 1971.

[3] Belg. P. 750168 (1970); DOS. 1959603 (1971), Farbwerke Hoechst, Erf.: E. Wünsch u. R. Spangenberg; C. A. **74**, 88309 (1971).

[4] I. Photaki, Am. Soc. **88**, 2292 (1966).

des bei der Reaktion entstehenden Rhodanwasserstoffs nochmals 1,01 g N-Methyl-morpholin zum Reaktionsansatz zugegeben. Man läßt ~ 48 Stdn. bei 0° reagieren, wäscht die Reaktionslösung anschließend mit verd. Citronensäure-Lösung und mit Wasser, trocknet über Natriumsulfat und dampft i. Vak. zur Trockene ein. Der Rückstand wird aus wenig Diäthyläther/Petroläther umkristallisiert; Ausbeute: 5,1 g (82% d. Th.); F: 118–119°; $[\alpha]_D^{20} = -155{,}5 \pm 1°$ bzw. $[\alpha]_{546}^{20} = -186 \pm 1°$ (c = 1 in Methanol).

Methode ⓑ: 4,4 g $(BOC)_2{=}(Cys)_2{=}(OH)_2$ in 60 *ml* 2 n Natronlauge/Methanol (1:5) werden mit 5 *ml* tert.-Butylmercaptan versetzt; die Reaktionsmischung wird 20 Stdn. bei Raumtemp. unter Luftzutritt kräftig gerührt. Dann wird mit 2 n Schwefelsäure neutralisiert, i. Vak. eingedampft und der Rückstand zwischen Essigsäure-äthylester und verd. Citronensäure-Lösung verteilt. Die abgetrennte organische Phase wird wie üblich gewaschen, getrocknet und i. Vak. eingedampft, der Rückstand letztlich aus Diäthyläther/Petroläther umkristallisiert; Ausbeute: 4,9 g (75% d. Th.); F: 118–119°; $[\alpha]_D^{20} = -155{,}00 \pm 1°$ bzw. $[\alpha]_{546}^{20} = -185{,}5°$ (c = 1 in Methanol).

Methode ⓒ: 36 g H-Cys(StBu)-OH werden mit 27 g tert.-Butyloxycarbonylazid nach der „Schnabel-Methode" (s. S. 125) bei $p_H = 10{,}5$–11 acyliert. Nach üblicher Aufarbeitung und Umkristallisieren aus wenig Essigsäure-äthylester/Petroläther werden farblose Kristalle erhalten; Ausbeute: 39 g (75% d. Th.); F: 117–118°; $[\alpha]_D^{20} = -155{,}8 \pm 0{,}5°$ bzw. $[\alpha]_{546}^{20} = -186{,}4°$ (c = 2 in Methanol).

N-tert.-Butyloxycarbonyl-L-aminoacyl-S-tert.-butylthio-L-cystein [BOC-X-Cys(StBu)-OH]; allgemeine Herstellungsvorschrift[1]: Je 10 mMol eines N-tert.-Butyloxycarbonyl-aminosäure-(N-hydroxy-succinimid)-esters und H-Cys(StBu)-OH in 150 *ml* Dimethylformamid werden unter Zusatz von 20 mMol N-Methyl-morpholin gerührt, bis völlige Lösung eingetreten ist (~ 10–20 Stdn.; man prüft dünnschichtchromatographisch auf vollständigen Umsatz). Zur Entfernung nicht umgesetzten Aktiv-Esters versetzt man die Reaktionsmischung mit einigen Tropfen N-(2-Amino-äthyl)-piperazin, rührt noch 30 Min., dampft i. Vak. bei max. 25° ein und verteilt letztlich den Rückstand zwischen Essigsäure-äthylester und verd. Citronensäure- oder Kaliumhydrogensulfat-Lösung. Die abgetrennte Essigsäure-äthylester-Phase wird sorgfältig mit Wasser gewaschen, über Natriumsulfat getrocknet und i. Vak. eingedampft. Das erhaltene Rohprodukt wird

ⓐ aus Essigsäure-äthylester/Petroläther oder Diäthyläther/Petroläther umkristallisiert, das abfiltrierte Material i. Vak. über Kaliumhydroxid und Phosphor(V)-oxid getrocknet; Ausbeute: 95–98% [festgestellt an BOC-Gly-Cys(StBu)-OH und BOC-Phe-Cys(StBu)-OH],

ⓑ in Diäthyläther aufgenommen, die Lösung mit 1 Äquivalent Dicyclohexylamin (ber. für 100% Umsatz) versetzt. Das ev. nach Petroläther-Zusatz ausgefallene Dicyclohexylamin-Salz wird abfiltriert und i. Vak. über Kaliumhydroxid und Phosphor(V)-oxid getrocknet; Ausbeute: 89%–98% [festgestellt an BOC-Ala-Cys(StBu)-OH · DCHA und BOC-Val-Cys(StBu)-OH · DCHA].

L-Aminoacyl-S-tert.-butylthio-L-cystein [H-X-Cys(StBu)-OH]; allgemeine Herstellungsvorschrift[1]: Je 9 mMol BOC-Gly-Cys(StBu)-OH oder BOC-Phe-Cys(StBu)-OH oder die aus ihren Dicyclohexylamin-Salzen freigesetzten BOC-Ala-Cys(StBu)-OH bzw. BOC-Val-Cys(StBu)-OH werden mit 10 *ml* wasserfreier Trifluoressigsäure oder mit 20 *ml* einer einmolaren Lösung von Bromwasserstoff/Essigsäure übergossen, wobei unter Aufschäumen in Kürze Lösung erfolgt. Man beläßt ~ 30 Min. bei Raumtemp., dampft dann i. Vak. bei 25° die Hauptmenge der überschüssigen Säure ab und nimmt den Rückstand in Wasser auf. Die restliche Säure wird mittels eines schwach basischen Anionenaustauschers (z. B. Dowex-44) oder bei in Wasser schwerlöslichen Peptiden durch Neutralisation mit Ammoniak entfernt, der letztlich erhaltene Rückstand aus Wasser bzw. Methanol/Wasser umkristallisiert; Ausbeute: 70–87% d. Th.

N-tert.-Butyloxycarbonyl-S-tert.-butylthio-L-cysteinyl-L-alanin-methylester [BOC-Cys(StBu)-Ala-OMe][2]: 6,18 g BOC-Cys(StBu)-OH in 40 *ml* absol. Tetrahydrofuran werden bei —25° mit 2 *ml* N-Methyl-morpholin und 2,6 *ml* Chlorameisensäure-isobutylester versetzt; nach 2 Min. Rühren werden zur Mischanhydrid-Lösung 5,6 g H-Ala-OMe · HCl und 4 *ml* N-Methyl-morpholin in 50 *ml* Tetrahydrofuran zugefügt. Nach 3 Stdn. Reaktionszeit wird vom abgeschiedenen N-Methyl-morpholin-Hydrochlorid abfiltriert, i. Vak. eingedampft, der verbleibende Rückstand in Essigsäure-äthylester aufgenommen, die erhaltene Lösung mit 5%-iger Natriumcarbonat- und 5%-iger Citronensäure-Lösung sowie Wasser wie üblich gewaschen, getrocknet und nach sorgfältiger Zugabe von Petroläther der Kristallisation überlassen (Kühlschrank); Ausbeute: 5,5 g (71% d. Th.); F: 98,5°; $[\alpha]_D^{25} = -114{,}4°$ (c = 1 in Methanol).

---

[1] Belg. P. 750168 (1970); DOS. 1959603 (1971), Farbwerke Hoechst, Erf.: E. Wünsch u. R. Spangenberg; C. A. **74**, 88309 (1971).

[2] H. G. Gielen, Diplomarbeit TH Aachen 1971.

N-tert.-Butyloxycarbonyl-S-tert.-butylthio-L-cysteinyl-glycyl-O-tert.-butyl-L-threonyl-L-phenylalanin [BOC-Cys(StBu)-Gly-Thr(tBu)-Phe-OH]:

N-tert.-Butyloxycarbonyl-S-tert.-butylthio-L-cystein-(N-hydroxy-succinimid)-ester [BOC-Cys(StBu)-OSU][1]: 3,1 g BOC-Cys(StBu)-OH in 50 *ml* Essigsäure-äthylester werden bei 0° mit 2,1 g Dicyclohexylcarbodiimid und 1,2 g N-Hydroxy-succinimid wie üblich umgesetzt, aufgearbeitet und letztlich aus Diäthyläther/Petroläther umkristallisiert; Ausbeute: 4 g (98% d.Th.); F: 82–85°; $[\alpha]_D^{20} = -170 \pm 1°$ bzw. $[\alpha]_{546}^{20} = -204°$ (c = 1 in Äthanol).

N-tert.-Butyloxycarbonyl-S-tert.-butylthio-L-cysteinyl-glycyl-O-tert.-butyl-L-threonyl-L-phenylalanin [BOC-Cys(StBu)-Gly-Thr(tBu)-Phe-OH][1]: 410 mg BOC-Cys (StBu)-OSU, 400 mg H-Gly-Thr (tBu)-Phe-OH (Monohydrat) und 200 mg N-Methyl-morpholin in 50 *ml* Dimethylformamid werden 24 Stdn. bei Raumtemp. gerührt; hierbei erfolgt völlige Lösung. Das Reaktionsgemisch wird nach Neutralisation mit fester Citronensäure i.Vak. eingedampft, der Rückstand zwischen Essigsäure-äthylester und Wasser verteilt. Aus der abgetrennten Essigsäure-äthylester-Phase wird nach Waschen mit Wasser und Trocknen über Natriumsulfat das N-Acyl-tetrapeptid mit Petroläther als amorphes Pulver ausgefällt; Ausbeute: 600 mg (89% d.Th.).

Zur Überführung in das freie Peptid s. u.

Die Aufhebung der völlig „disproportionierungs-beständigen" S-tert.-Butylthio-Maskierung unter Regenerierung der freien Thiol-Funktion des Cysteins gelingt mittels Natrium-thiophenolat/Thiophenol[1], besser durch Sulfitolyse in Essigsäure-Lösung[1,2] oder am elegantesten mittels 1,4-Dithio-threitol (= „Cleland-Reagenz") in schwacher alkalischer Lösung (~ $p_H = 9$)[1,2].

N-tert.-Butyloxycarbonyl-glycyl-L-cystein [BOC-Gly-Cys-OH][1]: 3,67 g BOC-Gly-Cys(StBu)-OH in 50 *ml* Methanol werden nacheinander mit 1,6 g Cleland-Reagenz[1,2] und 5,5 *ml* 2 n Natronlauge versetzt. Nach 4 Stdn. Reaktionszeit wird die Mischung mit 5,5 *ml* 2 n Salzsäure neutralisiert, i.Vak. eingedampft, der Rückstand zwischen Essigsäure-äthylester und Wasser verteilt. Die abgetrennte Essigsäure-äthylester-Phase wird i.Vak. eingedampft, der Rückstand in Diäthyläther aufgenommen und die erhaltene Lösung vorsichtig mit 1,8 g Dicyclohexylamin versetzt; es tritt Fällung des Salzes ein; Ausbeute: 4,1 g (89% d.Th.).

Sämtliche Operationen werden unter sorgfältigem Ausschluß von Luftsauerstoff, zweckmäßig unter Reinststickstoff- oder Argon-Atmosphäre vorgenommen.

Di-(N-tert.-Butyloxycarbonyl-glycyl)-L-cystin-Bis-dicyclohexylamin-Salz [(BOC-Gly)$_2$=(Cys)$_2$=(OH)$_2$ · 2DCHA][1]: 2,3 g BOC-Gly-Cys-OH · DCHA werden wie üblich[3] zwischen Diäthyläther und Kaliumhydrogensulfat-Lösung verteilt; die abgetrennte ätherische Phase (~ 50 *ml*) wird mit 0,85 *ml* 20%-iger Wasserstoffperoxid-Lösung (= 1 Äquiv.) vorsichtig versetzt, 3 Stdn. stehen gelassen und danach 0,91 g Dicyclohexylamin zugefügt. Die gebildeten Kristalle werden abfiltriert und getrocknet; Ausbeute: 2,21 g (96% d.Th.); F: 112–115° (Zers.); $[\alpha]_D^{20} = -33 \pm 1°$ bzw. $[\alpha]_{546}^{20} = -38{,}5°$ (c = 1 in Äthanol).

Für die weitere Charakterisierung wird eine Probe (BOC-Gly)$_2$=(Cys)$_2$=(OH)$_2$ wie üblich mit Trifluoressigsäure entacyliert, aufgearbeitet und aus Wasser/Methanol umkristallisiert: Das isolierte Peptid *(H-Gly)*$_2$=*(Cys)*$_2$=*(OH)*$_2$ zeigte $[\alpha]_D^{20} = -107 \pm 2°$ (c = 0,5 in n Salzsäure) in Übereinstimmung mit den Literaturangaben.

L-Cystinyl-di-(glycyl-L-threonyl-L-phenylalanin) [(H-Cys)$_2$=(Gly-Thr-Phe-OH)$_2$][1]: 500 mg BOC-Cys (StBu)-Gly-Thr (tBu)-Phe-OH (s. o.) werden in 10 *ml* Methanol mit 151 mg Cleland-Reagenz und 0,5 *ml* 2 n Natronlauge – nach der im vorangehenden Beispiel beschriebenen Arbeitsweise – umgesetzt und aufgearbeitet; das nach Eindampfen der Essigsäure-äthylester-Phase i.Vak. erhaltene ölige Produkt wird in 30 *ml* Diäthyläther aufgenommen, die erhaltene Lösung mit 0,17 *ml* 20%-iger Wasserstoffperoxid-Lösung über 3 Stdn. behandelt und anschließend i.Vak. zur Trockene gebracht. Der Rückstand wird mit 5 *ml* kalter Trifluoressigsäure übergossen, die Reaktionsmischung nach 3stdgm. Stehenlassen von überschüssiger Trifluoressigsäure i.Vak. befreit. Die Lösung des erhaltenen Rückstandes in 50 *ml* Wasser läßt man eine Austauscher-Säule (gefüllt mit Dowex-44 in der OH-Form) passieren; beim Eindampfen der wäßrigen Eluate tritt Kristallisation ein. Das erhaltene Material wird letztlich aus wenig Wasser umkristallisiert; Ausbeute: 290 mg (84% d.Th.); $[\alpha]_D^{20} = -51{,}8 \pm 1°$ bzw. $[\alpha]_{546}^{20} = 61{,}6°$ (c = 0,6 in n Salzsäure).

---

[1] E. Wünsch u. R. Spangenberg, unveröffentlicht.

[2] H. G. Gielen, Diplomarbeit TH Aachen 1971.

[3] R. Spangenberg, P. Thamm u. E. Wünsch, H. **352**, 655 (1971).

Eine Entfernung der S-tert.-Butylthio-Schutzgruppe gelingt ferner am H-Cys(StBu)-OH durch elektrochemische[1] oder Natriumboranat-Reduktion[2]; bei Derivaten oder im Peptidverband versagen jedoch beide Demaskierungs-Verfahren.

36.911.244. Andere S-Alkyl(Aryl)-thio-Schutzgruppen

Neben den genannten S-Phenylthio-, S-Äthylthio- und S-tert.-Butylthio-cystein-Derivaten sind noch eine ganze Reihe weiterer S-Alkyl(Aryl)thio-geschützter Cysteine bzw. deren N-Verbindungen hergestellt worden mit Hilfe der Einführungsmethoden: Sulfinsäure-thioester + Cystein (A), Cystin-S-dioxid + Mercaptan (B), S-Alkylthio-sulfat + Cystein (C) und Phthalimido-cystein + Mercaptan (D).

S-subst. Cystein	Methode	Literatur
S-Methylthio-	A	3,4
S-Propyl-(1)-thio-	A	3,4
S-Propyl-(2)-thio-	A	3,4
S-Allyl-(1)-thio-	A	3
S-Butyl-(1)-thio-	A	3,5,6
S-Butyl-(2)-thio-	A	6
S-Pentyl-(2)-thio-	A	3
S-2,2-Dimethyl-propyl-(1)-thio- [= Neopentylthio-]	A	6
S-1,1-Dimethyl-propyl-(1)-thio- [= tert.-Pentylthio-]	A	6
S-Hexyl-(1)-thio-	A	5
S-Octyl-(1)-thio-	A	6
S-Cyclohexylthio-	A	6
S-Benzylthio-	A, B, C, D	4,7–9
S-4-Tolylthio-	A, B	6,10

Aufgrund aufgefundener Thiol-Disulfid-Austauschraten kommen Weber et al.,[6,11] zur Auffassung, daß von o.a. und geprüften S-Alkyl(Aryl)thio-Resten nur die S-Propyl-(2)-thio-Schutzgruppe einerseits genügend Stabilität und andererseits eine noch ansprechende Demaskierung durch Thiolyse erlaubt.

36.911.245. S-Sulfo-[SO_3H]-Schutzgruppe

Mit ihren Arbeiten zur „Verlängerung" der Insulin-A-Kette am Amino-Ende hat die Zahn-Schule[12,13] aufgezeigt, daß auch eine S-Sulfo-Maskierung zum Schutze der Thiol-Funktion eingesetzt werden kann; so ließ sich H-Gly-Ile-Val-Glu-Gln-Cys(SO_3H)-Cys

---

1 H. G. Gielen, Diplomarbeit TH Aachen 1971.
2 E. Wünsch u. R. Spangenberg, unveröffentlicht.
3 S. Yurugi, J. Pharm. Soc. Japan **74**, 502 (1954).
4 U. Weber u. P. Hartter, H. **351**, 1384 (1970).
5 A. Schöberl, Ang. Ch. **69**, 478 (1957).
6 P. Hartter u. U. Weber, H. **354**, 365 (1973).
7 H. Bretschneider u. W. Klötzer, M. **81**, 589 (1950).
8 J. M. Swan u. I. W. Stapleton, Austral. J. Chem. **15**, 570 (1962).
9 D. N. Harpp et al., Tetrahedron Letters **1970**, 3551.
D. N. Harpp u. T. G. Back, J. Org. Chem. **36**, 3828 (1971).
10 T. F. Lavine, J. Biol. Chem. **169**, 477 (1947).
11 U. Weber, P. Hartter u. L. Flohé, H. **351**, 1389 (1970).
12 M. Weinert, D. Brandenburg u. H. Zahn, H. **350**, 1556 (1969).
13 M. Weinert et al., H. **352**, 719 (1971).

(SO_3H)-Ala-Ser-Val-Cys(SO_3H)-Ser-Leu-Tyr-Gln-Leu-Asn-Tyr-Cys(SO_3H)-Asn-OH mit N-Acyl-aminosäure(peptid)-aktivestern in wäßrig-alkalischer Lösung (als „Bunte-Salz“) oder in Dimethylformamid unter Zusatz tert. Basen sowie mit Aminosäure-N-Carbonsäure-Anhydriden nach dem „Hirschmann-Verfahren“ (s. S. II/196) zu höheren Peptiden aufstocken. Auch die zur Reindarstellung erforderlichen Operationen, wie z.B. Ionenaustauschchromatographie an DEAE-Sephadex-A-25, übersteht die S-Sulfo-Maskierung; ihre Aufhebung gelingt durch Reduktion z.B. mit Thioglycolsäure bei $p_H = 5$[1-4]. Grenzen und Möglichkeiten für den Gebrauch der Sulfo-Schutzgruppe erfordern jedoch noch umfangreiche Studien. (Zur Überführung von S-Sulfo-cystein in asymmetrische Cystin-Derivate s. S. 819).

36.912. Das „Cystin-Verfahren“*

Schon frühzeitig wurde die reduktive Öffnung der Disulfidbrücke von Cystin unter Bildung von 2 Mol Cystein benutzt, um Cysteinyl-peptide (-peptidester etc.) über symmetrische Cystin-Derivate aufzubauen. So haben Harington und Mead[5] bei ihrer klassischen Glutathion-Synthese $(Z)_2$=$(Cys)_2$=$(Gly\text{-}OEt)_2$ – erstellt aus $(Z)_2$=$(Cys)_2$=$(OH)_2$ und H-Gly-OEt via Säurechlorid-Methode[6] – mittels Phosphoniumjodid in Essigsäure unter gleichzeitiger Debenzyloxycarbonylierung zu *H-Cys-Gly-OEt·HJ* (2 Mol) aufgespalten und den erhaltenen Dipeptidester letztlich mit Z-Glu-anhydrid zum amino- und mono-carboxy-geschützten Glutathion [*Z-Glu(Cys-Gly-OEt)-OH*] umgesetzt[7].

L-Cysteinyl-glycin-äthylester-Hydrojodid [H-Cys-Gly-OEt · HJ]:

N,N'-Bis-benzyloxycarbonyl-L-cystin-dichlorid [$(Z)_2$=$(Cys)_2$=$(Cl)_2$][5]: 11 g $(Z)_2$=$(Cys)_2$=$(OH)_2$, feingepulvert und getrocknet, suspendiert in 60 *ml* absol. Chloroform werden unter Kühlung mit einer Eis/Kochsalz-Mischung mit 11 g gepulvertem Phosphor(V)-chlorid behandelt; unter fortdauerndem Schütteln tritt zunächst Lösung und dann Bildung einer kristallinen Fällung ein, die durch Zugabe eines gleichen Volumens absol. Diäthyläther vervollständigt wird. Nach kurzem Stehen im Kühlschrank werden die gebildeten Kristalle abfiltriert und sofort für die nächste Umsetzung herangezogen.

N,N'-Bis-benzyloxycarbonyl-L-cystinyl-di-(glycin-äthylester) [$(Z)_2$=$(Cys)_2$=$(Gly\text{-}OEt)_2$][5]: Zu 13,5 g H-Gly-OEt in 200 *ml* Essigsäure-äthylester wird bei 0° das aus 11 g $(Z)_2$=$(Cys)_2$=$(OH)_2$ erhaltene Säurechlorid in mehreren Portionen unter Schütteln zugefügt; nach Stehenlassen des Reaktionssatzes über Nacht bei 0° wird der gebildete Niederschlag abfiltriert, luftgetrocknet, mit Wasser behandelt, aufs Filter gebracht und letztlich aus Propanol umkristallisiert; Ausbeute: 11,5 g (75% d. Th.).

L-Cysteinyl-glycin-äthylester-Hydrojodid [H-Cys-Gly-OEt · HJ][5]: 11,5 g $(Z)_2$=$(Cys)_2$=$(Gly\text{-}OEt)_2$ in 115 *ml* Essigsäure (unter Erwärmen gelöst) werden bei 50° mit 11,5 g Phosphoniumjodid versetzt; der Reaktionssansatz wird bei 45–50° stehen gelassen, bis die Kohlendioxid-Entwicklung beendet ist (~ $2^1/_2$ Stdn.), dann i. Vak. eingedampft, der Rückstand in wenig Essigsäure aufgenommen; nach Animpfen der Lösung tritt rasch Kristallisation ein, die durch Zufügen von absol. Diäthyläther und Aufbewahren bei 0° für 2 Stdn. vervollständigt wird. Das abfiltrierte Material wird mit Diäthyläther gewaschen und getrocknet; Ausbeute: 11,8 g (95% d. Th.); F: 115° (farblose Nadeln nach Umkristallisieren aus Essigsäure).

---

* s. dazu auch S. 805.

1 M. Weinert et al., H. **352**, 719 (1971).

2 Y.-C. Du, R.-Q. Yang u. C. L. Tsou, Scientia sinica **14**, 229 (1965).

3 H. Zahn et al., A. **691**, 225 (1966).

4 H. Zahn u. G. Schmidt, A. **731**, 101 (1970).

5 C. R. Harington u. T. H. Mead, Biochem. J. **29**, 1602 (1935).

6 M. Bergmann u. L. Zervas, B. **65**, 1192 (1932).

7 Vgl. dazu F. Weygand u. R. Geiger, B. **90**, 634 (1957).

Die reduktive Spaltung der Disulfid-Bindung kann ferner mittels Zink/Säure[1] und Natrium in flüssigem Ammoniak[2] sowie durch Thiolyse[3,4] vorgenommen werden. Besonders günstig erweisen sich 1,4-Dithio-threitol[5] und Butandithiol-(1,4)[6] in wäßrig-alkalischem Medium[7], in flüssigem Ammoniak[8] oder Dichlormethan (bei Festkörpersynthesen)[4] wegen der hohen Bildungstendenz des „spannungsfreien" 1,2-Dithian-Ringes; auch Thiophenol und 4-Nitro-thiophenol scheinen vorteilhaft[4,9].

L-Cysteinyl-L-tyrosyl-L-isoleucyl-L-glutaminyl-L-asparaginyl-L-cysteinyl-L-prolyl-L-leucyl-glycin-amid (Oxytocein) [H-Cys-Tyr-Ile-Gln-Asn-Cys-Pro-Leu-Gly-NH_2][7]: Eine Lösung von 400 mg (BOC-Tyr-Ile-Gln-Asn)$_2$=(Cys)$_2$=(Pro-Leu-Gly-NH_2)$_2$ in 5 *ml* Trifluoressigsäure wird für 90 Min. bei Raumtemp. aufbewahrt, anschließend i. Vak. eingedampft und der erhaltene ölige Rückstand mit Diäthyläther/Hexan (1:1) behandelt. Das festgewordene Material wird abfiltriert, mit Diäthyläther gewaschen und letztlich über Natriumhydroxid getrocknet. Die Lösung dieses Produktes in 10 *ml* Dimethylformamid wird mit 0,1 *ml* Triäthylamin und anschließend 273 mg (BOC)$_2$ = (Cys)$_2$ = (ONP)$_2$ versetzt, der Ansatz 2 Tage bei Raumtemp. stehen gelassen, mit 120 *ml* Essigsäure-äthylester verdünnt; der gebildete Niederschlag aufs Filter gebracht, mit Essigsäure-äthylester gewaschen und getrocknet (410 mg). Das so gewonnene Pulver wird erneut mit 4 *ml* Trifluoressigsäure über 90 Min. bei Raumtemp. behandelt und, wie oben beschrieben, aufgearbeitet.

Die Hälfte des erhaltenen Materials wird in 20 *ml* Wasser gelöst, der p_H-Wert der Lösung mit n Ammoniumhydroxid-Lösung auf 8 gestellt, die Mischung durch Evakuieren von Luft befreit, anschließend mit 460 mg 1,4-Dithio-threitol versetzt und der Reaktionsansatz i. Vak. 30 Min. bei Raumtemp. gerührt. Nach Zugabe von 10 *ml* Essigsäure dampft man i. Vak. zum öligen Rückstand ein, löst diesen in 5 *ml* Essigsäure/Wasser (1:1) und unterwirft die Lösung der Gelfiltration an einer Sephadex G-15-Kolonne (3×76 cm) in 50%-iger Essigsäure (Durchflußrate 36 *ml*/Stde. mit 6 *ml* Fraktionen). Die Fraktionen 40–46 (Gehaltsbestimmung nach den Methoden von Lowry et al.[10] und Ellman[11]) werden i. Vak. zu einem kleinen Vol. konzentriert und anschließend nach Verdünnen mit 10 *ml* Essigsäure lyophilisiert; Ausbeute: 143 mg.

36.913. Nachträgliche Einführung der Thiol-Funktion

36.913.10. *Cystein(yl)- aus Serin(yl)-Derivaten*

Schon 1960 hatte die Zervas-Schule die Möglichkeit der Überführung von Serin- in Cystein-Reste im Peptidverband erörtert[12]. Am Modellbeispiel Z-Ser(TOS)-OMe (XCIV) konnte diese Umwandlung eindeutig demonstriert werden: Unter Einwirkung des Natrium-Salzes von Triphenylmethan-thiol (XCV) entstand ein S-Trityl-Derivat des Cysteins (XCVIII); bei optisch aktivem „Serin-Startmaterrial" (XCIV) trat allerdings vollständige Racemisierung ein, so daß ein zweistufiger Reaktionsverlauf mit

ⓐ Mercaptid-induzierter β-Eliminierung gefolgt von
ⓑ Addition des freien Thiols (XCVII) an dem intermediären Z-ΔAla-OMe (XCVI) zum

Z-DL-Cys(TRT)-OMe (XCVIII) postuliert wurde[13,14]:

---

[1] N. W. Pirie, Biochem. J. **25**, 614 (1931).
[2] V. du Vigneaud, L. S. Audrieth u. H. S. Loring, Am. Soc. **52**, 4500 (1930).
[3] J. A. Maclaren, Austral. J. Chem. **15**, 824 (1962).
[4] W. Lunkenheimer u. H. Zahn, A. **740**, 1 (1970).
[5] W. W. Cleland, Biochemistry **3**, 480 (1964).
[6] A. Schöberl u. H. Gräfje, A. **614**, 66 (1958).
[7] S. Hase u. R. Walter, Int. J. Pept. Prot. Res. **5**, 283 (1973).
[8] J. Meienhofer, J. Czombos u. H. Maeda, Am. Soc. **93**, 3080 (1971).
[9] A. Fontana, E. Scoffone u. C. A. Benassi, Biochemistry **7**, 980 (1968).
[10] O. H. Lowry et al., J. Biol. Chem. **193**, 265 (1951).
[11] G. Ellman, Arch. Biochem. **82**, 70 (1959).
[12] L. Zervas u. I. Photaki, Chimia **14**, 375 (1960).
[13] L. Zervas et al., *Peptides*, Proc. 5th Europ. Peptide Symposium Oxford 1962, Pergamon Press, Oxford **1963**, S. 27.
[14] I. Photaki, Am. Soc. **85**, 1123 (1963).

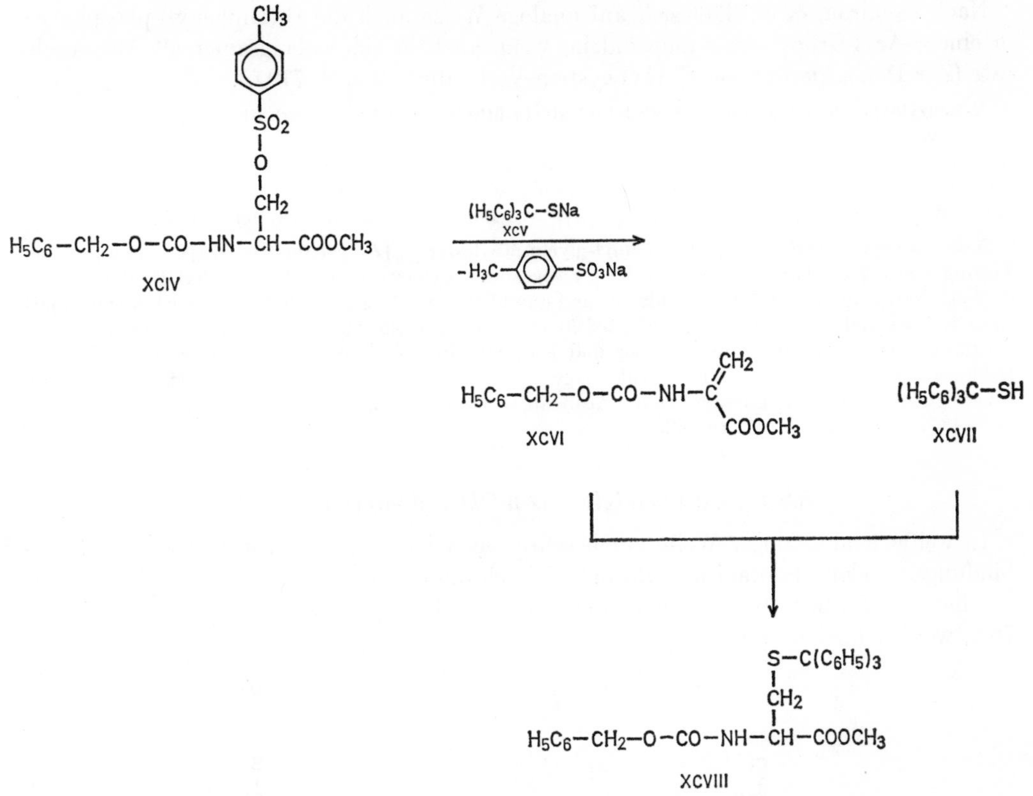

CH_3–C_6H_4–SO_2–O–CH_2
$H_5C_6-CH_2-O-CO-HN-CH-COOCH_3$
XCIV

$\xrightarrow[-H_3C-C_6H_4-SO_3Na]{(H_5C_6)_3C-SNa\ \text{XCV}}$

$H_5C_6-CH_2-O-CO-NH-C(=CH_2)-COOCH_3$ XCVI + $(H_5C_6)_3C-SH$ XCVII

↓

$S-C(C_6H_5)_3$ / CH_2
$H_5C_6-CH_2-O-CO-NH-CH-COOCH_3$
XCVIII

Später konnten Zioudrou et al.[1], sowie Photaki und Bardakos[2,3] aufzeigen, daß Überführungen von O-Tosyl-seryl- in S-Acyl-cysteinyl-peptid-Derivate z.B. mittels Thiobenzoesäure (CIa) bzw. Thioessigsäure (CIb) entweder in Form deren Kaliumsalze in Äthanol, Dimethylformamid bzw. Dimethylformamid/Phosphatpuffer von $p_H = 6{,}8$ (1:1) oder unter Zusatz äquivalenter Mengen von sek. bzw. tert. Basen in Essigsäure-äthylester ohne Racemisierungs-Eintritt ablaufen: Aus R-CO-Ser(TOS)-X-OR′ (IC) wurden die optisch aktiven *R-CO-Cys(Bz)-X-OR′* (Ca) bzw. *R-CO-Cys(Ac)-X-OR′* (Cb) gewonnen:

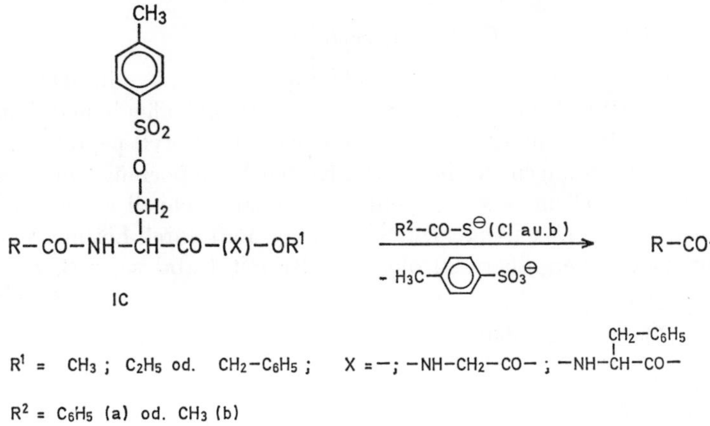

CH_3–C_6H_4–SO_2–O–CH_2
$R-CO-NH-CH-CO-(X)-OR^1$
IC

$\xrightarrow[-H_3C-C_6H_4-SO_3^{\ominus}]{R^2-CO-S^{\ominus}\ (\text{CI a u. b})}$

R^2–CO–S–CH_2
$R-CO-NH-CH-CO-(X)-OR^1$
C a u. b

$R^1 = CH_3$; C_2H_5 od. $CH_2-C_6H_5$; X = –; –NH–CH_2–CO–; –NH–CH($CH_2-C_6H_5$)–CO–

$R^2 = C_6H_5$ (a) od. CH_3 (b)

[1] T. Zioudrou et al., Israel. J. Chem. **2**, 326 (1964).
[2] I. Photaki u. V. Bardakos, Experientia **21**, 371 (1965).
[3] I. Photaki u. V. Bardakos, Am. Soc. **87**, 3489 (1965).

Nach Zioudrou et al.[1] läßt sich auf analoge Weise auch die O-(Diphenyl)-phosphoryl- in eine S-Acyl-Gruppierung umwandeln, wenn auch in einer „langsameren" Austauschrate (Zur Demaskierung der S-Acyl-cystein-Verbindungen s. S. 779 f.).

N-Benzyloxycarbonyl-S-benzoyl-L-cysteinyl-glycin-äthylester [Z-Cys(Bz)-Gly-OEt][2]: Zu einer Lösung von 0,24 g Z-Ser(TOS)-Gly-OEt in 2,5 *ml* Äthanol fügt man 0,45 g Thiobenzoesäure-Kaliumsalz; nach 10stdgm. Stehen bei 20° oder 3 Stdn. bei 50° wird die Reaktionsmischung gekühlt, der gebildete Niederschlag abfiltriert, mit wenig kaltem Äthanol gewaschen und letztlich aus Äthanol umkristallisiert; Ausbeute: 0,22 g (~ 85% d.Th.); F: 153,5° $[\alpha]_D^{18} = -58{,}8°$ (c = 1 in Dimethylformamid).

N-Benzyloxycarbonyl-S-acetyl-L-cysteinyl-glycin-äthylester [Z-Cys(Ac)-Gly-OEt][2]: Zu einer Lösung von 0,2 *ml* Thioessigsäure in 2 *ml* Essigsäure-äthylester werden 0,35 *ml* Triäthylamin (oder 0,25 *ml* Diäthylamin oder 0,16 g Imidazol) und anschließend 0,24 g Z-Ser(TOS)-Gly-OEt hinzugefügt; nach 24 Stdn. Stehen bei 20° (oder 3 Stdn. bei 50°) wird die Reaktionsmischung mit Essigsäure-äthylester verdünnt, wie üblich mit kaltem Wasser und Kaliumhydrogencarbonat-Lösung gewaschen, über Natriumsulfat getrocknet und letztlich i. Vak. eingedampft. Der verbleibende Rückstand wird mit Diäthyläther behandelt und aufs Filter gebracht; Ausbeute: 0,14–0,15 g (75–80% d.Th.); F: 134–135°; $[\alpha]_D^{18} = -48{,}4°$ (c = 1 in Dimethylformamid).

36.913.20. *Cystein(yl)- aus β-Chlor-alanin(yl)-Derivaten*

In weitgehend analoger Weise zur beschriebenen Umwandlung von O-Tosyl-seryl-Verbindungen gelang Photaki und Bardakos[3] auch die racemfreie Überführung von β-Choralanin(yl)- (CII) in S-Acyl-cystein(yl)-Derivate (CIII a–b); Ausbeuten zwischen 65 und 78% werden hierbei erzielt:

$$\underset{\text{CII}}{R{-}CO{-}NH{-}\underset{\substack{|\\ CH_2\\ |\\ Cl}}{CH}{-}CO{-}R^1} \xrightarrow[-Cl^{\ominus}]{R^2{-}CO{-}S^{\ominus}\ (CI\ a\ u.\ b)} \underset{\text{CIII a u. b}}{R{-}CO{-}NH{-}\underset{\substack{|\\ CH_2\\ |\\ S\\ |\\ CO\\ |\\ R^2}}{CH}{-}CO{-}R^1}$$

$R^2 = C_6H_5$ (a) od. CH_3 (b)

36.920. Synthese von Peptiden des Cystins

36.921. Symmetrische Cystin(yl)-peptide

36.921.10. *aus Cystein(yl)-peptiden*

Die „leichte" Oxidierbarkeit zweier „Cystein"-Thiol-Gruppen zur „Cystin"-Disulfid-Bindung durch Sauerstoff ist eine altbekannte, langsam aber stetig ablaufende und damit teilweise gefürchtete, für die Herstellung von symmetrischen Cystin(yl)-peptiden aus entsprechenden Cystein(yl)-Verbindungen in einer Art „Ketten-Verdoppelung" nunmehr aber gewünschte Reaktion – vor allem, wenn es gelingt, sie relativ schnell anstatt über mehrere Tage[4] – ablaufen zu lassen. Dies ist mit Durchleiten von Luft durch Lösungen von Cystein(yl)-peptiden (Oberflächen-Vergrößerung) ohne[5–8] oder mit Katalyse, z.B. durch

---

[1] T. ZIOUDROU et al., Israel. J. Chem. **2**, 326 (1964).

[2] I. PHOTAKI u. V. BARDAKOS, Am. Soc. **87**, 3489 (1965).

[3] I. PHOTAKI u. V. BARDAKOS, Chem. Commun. **1966**, 818.

[4] H. ZAHN u. E. T. J. FÖLSCHE, A. **716**, 164 (1968).

[5] C. R. HARINGTON u. R. V. PITT-RIVERS, Biochem. J. **38**, 417 (1944).

[6] R. B. MERRIFIELD u. D. W. WOOLLEY, Am. Soc. **80**, 6635 (1958).

[7] H. R. V. ARNSTEIN u. D. MORRIS, Biochem. J. **76**, 318 (1960).

[8] D. F. VEBER, R. HIRSCHMANN u. R. G. DENKEWALTER, J. Org. Chem. **34**, 753 (1969).

Schwermetall-Salze wie Eisen(III)-chlorid[1,2] und -sulfat[3–5] bzw. Kupfer(II)-sulfat[6] oder gewissen symmetrischen Disulfiden wie Bis-[4-nitro-phenyl]-disulfid[5] zu erreichen.

Bis-(L-glutamyl-L-asparaginyl-L-tyrosyl-L-hemicystinyl ⟨$S_4 \rightarrow S'_4$⟩-L-asparagin) [$(H\text{-}Glu\text{-}Asn\text{-}Tyr)_2 = (Cys)_2 = (Asn\text{-}OH)_2$][7]: 1 g Z-Glu(OtBu)-Asn-Tyr-Cys(BZL)-Asn-OH wird zur Spaltung des tert.-Butylesters 1 Stde. mit 30 *ml* Trifluoressigsäure behandelt; dann wird in 500 *ml* absol. Diäthyläther eingerührt, der gebildete Niederschlag über Kaliumhydroxid/Phosphor(V)-oxid und anschließend über Phosphor(V)-oxid bei 76° i. Vak. getrocknet. Zur weiteren Deblockierung wird das erhaltene Material in 400 *ml* frisch über Natrium destilliertem Ammoniak gelöst, der Ansatz mit Natrium in bekannter Weise bis zur bleibenden Blaufärbung versetzt. Nach 30 Sekn. wird durch Zugabe von Ammoniumchlorid entfärbt, die Hauptmenge des Ammoniaks verdampfen gelassen, restliches Ammoniak über konz. Schwefelsäure i. Vak. entfernt. Der erhaltene Rückstand wird in wenig 0,1 n Salzsäure aufgenommen, die Lösung mit verd. Ammoniak auf $p_H = 8{,}3$ eingestellt und so lange stehen gelassen (4–5 Tage), bis keine Thiol-Gruppen mehr nachzuweisen sind (Rotfärbung bei Zugabe einer carbonat-alkalischen Lösung von Nitroprussidnatrium). Nach Gel-Filtration an Sephadex G 25 in 0,1 m Ammoniumhydrogencarbonat-Lösung wird das Peptid durch Gefriertrocknung isoliert; Ausbeute: 356 mg (45% d. Th.); F: ab 215° (nach Sintern bei 180°); $[\alpha]_D^{23} = -82{,}1°$ (c = 0,5 in 0,1 n Ammoniumhydrogencarbonat-Lösung).

N_α,N_{α}'-Bis-L-tyrosyl-L-cystin [$(H\text{-}Tyr)_2 = (Cys)_2 = (OH)_2$][3]: 2 g H-Tyr-Cys-OH suspendiert in 50 *ml* Wasser werden durch Zugabe von 27,5 *ml* 0,35 n Bariumhydroxid-Lösung in Lösung gebracht. Durch den Reaktionsansatz wird Luft geleitet, bis die Nitroprussid-Reaktion negativ ausfällt (mehrere Stdn.). Anschließend fällt man alle Barium-Ionen mit der ber. Menge Schwefelsäure als Bariumsulfat aus und konzentriert das Filtrat i. Vak. Beim Stehen dieser Restlösung i. Vak.-Exsiccator über Schwefelsäure beginnen sich Kristalle abzuscheiden; sie werden abfiltriert (1 g). Eine zweite Fraktion (allerdings nicht kristallines Material) wird durch weiteres Konzentrieren der Mutterlauge und Fällen mit Äthanol erhalten (0,48 g); Gesamtausbeute: 1,48 g (~ 75% d.Th.). Nach Umkristallisieren aus Wasser werden Prismen erhalten; F: 292° (Zers.); $[\alpha]_D^{22} = -70{,}8°$ (c = 5 in n Salzsäure).

Als weitere Oxidations-Operationen (vgl. dazu auch S. 810) zwecks Überführung von Cystein(yl)- in symmetrische Cystin-Derivate CVII sind beschrieben worden die Einwirkungen – in verschiedenen Variationen und Reaktionsmedien – von

① Wasserstoffperoxid[6,8,9] (vgl. dazu S. 795), ev. mit Kupfer(II)-sulfat-Katalyse
② Jod bzw. Jod/Kaliumjodid[6,10–13]
③ Kalium-hexacyanoferrat(III)[5,14,15]
④ Dimethylsulfoxid bei 100°[5,16–18]
⑤ 1,2-Dijod-äthan (über intermediäre Sulfenyljodide CIV)[5,15,19]
⑥ 2,2'-Dipyridyl-disulfid [über intermediäre S-Pyridyl-(2)-thiocystein-Verbindungen CV][5,15,20]
⑦ Azo-dicarbonsäure-diester (über intermediäre Sulfenylhydrazide CVI)[21,22].

---

1 H. R. V. Arnstein u. D. Morris, Biochem. J. **76**, 318 (1960).
2 J. L. Wood u. V. du Vigneaud, J. Biol. Chem. **130**, 109 (1939).
3 C. R. Harington u. R. V. Pitt-Rivers, Biochem. J. **38**, 417 (1944).
4 C. G. Overberger, K. H. Burg u. W. H. Daly, Am. Soc. **87**, 4125 (1965).
5 W. Lunkenheimer u. H. Zahn, A. **740**, 1 (1970).
6 C. R. Harington u. T. H. Mead, Biochem. J. **30**, 1598 (1936).
7 H. Zahn u. E. T. J. Fölsche, A. **716**, 164 (1968).
8 J. P. Greenstein, J. Biol. Chem. **118**, 321 (1937).
9 E. Wünsch u. R. Spangenberg, unveröffentlicht (s. S. 795).
10 L. Zervas u. I. Photaki, Am. Soc. **84**, 3887 (1962).
11 R. G. Hiskey u. J. B. Adams, J. Org. Chem. **31**, 2178 (1966).
12 R. G. Hiskey, T. Mizoguchi u. T. Inui, J. Org. Chem. **31**, 1192 (1966).
13 R. G. Hiskey et al., J. Org. Chem. **35**, 4148 (1970).
14 D. B. Hope, V. V. S. Murti u. V. du Vigneaud, J. Biol. Chem. **237**, 1563 (1962).
15 W. Lunkenheimer u. H. Zahn, Ang. Makromol. Chem. **10**, 69 (1970).
16 C. N. Yiannios u. J. V. Karabinos, J. Org. Chem. **28**, 3246 (1963).
17 T. J. Wallace, Am. Soc. **86**, 2018 (1964).
18 T. J. Wallace u. J. J. Mahon, Am. Soc. **86**, 4099 (1964).
19 F. Weygand u. G. Zumach, Z. Naturf. **17b**, 807 (1962).
20 D. R. Grassetti u. F. F. Murray, Arch. Biochem. **119**, 41 (1967).
21 M. Takahashi et al., Tetrahedron Letters **1968**, 5907.
22 H. Arold u. M. Eule, *Peptides* 1972, Proc. 12th Europ. Peptide Symposium Reinhardsbrunn Castle 1972, North-Holland Publ. Co., Amsterdam **1973**, S. 78.

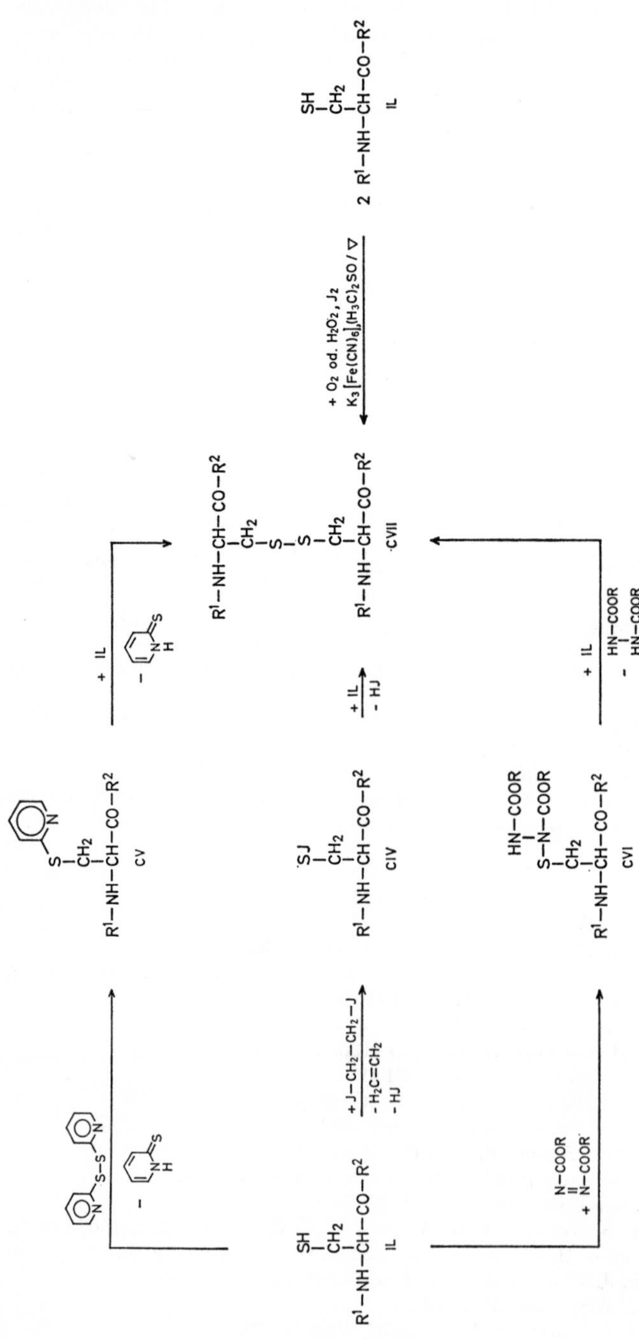
IL
CV
CIV
CVI
CVII
+ IL
+ J–CH2–CH2–J
- H2C=CH2
- HJ
+ O2 od. H2O2, J2
K3[Fe(CN)6], (H3C)2SO / ∇
2 R1–NH–CH–CO–R2

Eine „Überoxidation" ist bei Anwendung der drei letztgenannten Methoden nicht mehr zu befürchten.

Bis-(N-benzyloxycarbonyl-S-diphenylmethyl-L-cysteinyl-glycyl-N_ε-tert.-butyloxycarbonyl-L-lysyl-glycyl-L-hemicystinyl⟨$S_5 \rightarrow S_{5'}$⟩-glycin-tert.-butylester) [(Z-Cys⟨DPM⟩-Gly-Lys⟨BOC⟩-Gly)$_2$=(Cys)$_2$=(Gly-OtBu)$_2$][1]: Eine Lösung von 0,196 g Z-Cys(DPM)-Gly-Lys(BOC)-Gly-Cys-Gly-OtBu in 100 *ml* absol. Methanol wird so lange mit einer Lösung von Jod in Methanol behandelt, bis eine gelbliche Färbung bestehen bleibt. Danach wird zum Ansatz soviel Natriumthiosulfat-Lösung zugegeben, um diese Färbung zu zerstören, die Reaktionsmischung dann in 600 *ml* Wasser eingegossen. Die wäßrige Lösung wird mit Natriumchlorid gesättigt, das abgeschiedene Material abfiltriert, mit Wasser gewaschen und letztlich i.Vak. über Phosphor(V)-oxid bei 100° getrocknet; Ausbeute: 154,7 mg (79% d.Th.); F: 183–185°; $[\alpha]_D^{25} = -52{,}6°$ (c = 0,35 in Dimethylacetamid).

N_α,N_{α}'-Bis-glycyl-L-cystin [(H-Gly)$_2$=(Cys)$_2$=(OH)$_2$][2]: 134 mg H-Gly-Cys(BZL)-OH in 30 *ml* flüssigem Ammoniak werden bei Siedetemp. mit so viel Natrium versetzt, daß die Blaufärbung 2 Min. bestehen bleibt. Anschließend läßt man das Lösgungsmittel verdampfen und bewahrt den Rückstand über Nacht i.Vak.-Exsiccator über konz. Schwefelsäure auf. Dessen Lösung in 10 *ml* aufgekochtem, Stickstoff-ges. Wasser wird nach Filtration mit einer Lösung von 141 mg 1,2-Dijod-äthan in 5 *ml* Aceton vereinigt. Nach 5 Min. Schütteln wird der Reaktionsansatz mit 10 *ml* Diäthyläther extrahiert, die abgetrennte wäßrige Phase mit Trifluoressigsäure neutralisiert und gefriergetrocknet. Aus der Lösung des erhaltenen Materials in 5 *ml* Wasser läßt sich das Dipeptid mit Aceton zunächst als Öl fällen, das mehrmals aus Wasser/Aceton umgefällt nach mehrtägigem Stehen kristallisiert; es wird mit Hilfe von Aceton aufs Filter gebracht und trockengesaugt; Ausbeute: 72 mg (81% d.Th.); $[\alpha]_D^{19} = -111{,}5°$ (c = 1,65 in n Salzsäure).

Azodicarbonsäurediester-Oxidation von Cystein(yl)-peptiden; allgemeine Arbeitsvorschrift[3]: Zu einer Lösung des Cystein(yl)-peptid-Derivats in Wasser oder einer Mischung aus Wasser und einem mit Wasser mischbaren Lösungsmittel (Alkohole, 1,4-Dioxan etc.) wird eine Lösung des Azodicarbonsäurediesters in einem Alkohol zugetropft, bis eine schwach-gelbe Farbe bestehen bleibt. Danach wird der Reaktionsansatz i.Vak. eingedampft, der als Beiprodukt gebildete Hydrazin-N,N'-dicarbonsäurediester durch Extraktion mit Diäthyläther entfernt und der verbleibende Rückstand entsprechend den Eigenschaften des erstellten Cystin(yl)-peptid-Derivats aufgearbeitet; Ausbeute: über 80% d.Th.

Die Erstellung von symmetrischen, doppelstrangigen Peptiden mit zwei bzw. mehreren Cystin(yl)-Resten (A) aus entsprechenden Cystein(yl)-Verbindungen ist mittels genannter Oxidations-Verfahren äußerst schwer zu erreichen; cyclische, asymmetrische Peptide mit intrachenarer Disulfid-Brücke (C) einerseits und mit zwei interchenaren Disulfid-Brücken in „antiparalleler Kettenordnung" (B) andererseits (zu deren Vermeidung s. S. 822ff.) sowie verschiedene Peptid-Polymere (D) sind die Begleiter der gewünschten, symmetrischen Produkte (A) – vielfach sogar die Hauptprodukte der Umsetzung[1,4–6]:

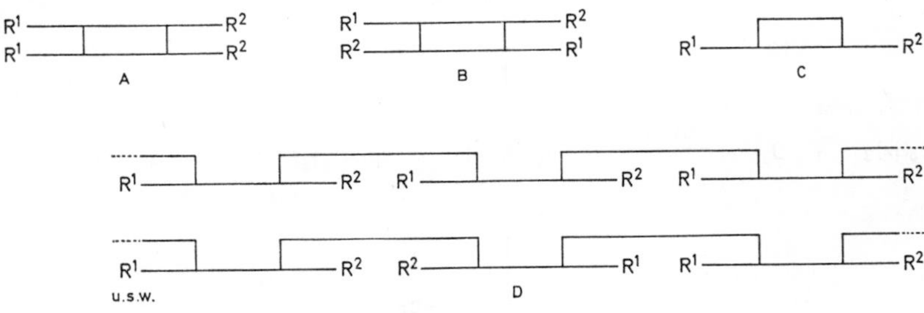

1 R. G. Hiskey et al., J. Org. Chem. **35**, 4148 (1970).
2 F. Weygand u. G. Zumach, Z. Naturf. **17b**, 807 (1962).
3 H. Arold u. M. Eule, *Peptides* 1972, Proc. 12th Europ. Peptide Symposium Reinhardsbrunn Castle 1972, North-Holland Publ. Co., Amsterdam **1973**, S. 78.
4 M. Bodanszky u. V. du Vigneaud, Am. Soc. **81**, 2504 (1959).
5 D. Yamashiro, D. B. Hope u. V. du Vigneaud, Am. Soc. **90**, 3857 (1968).
6 P. M. Hardy et al., *Peptides* 1971, Proc. 11th Europ. Peptide Symposium, Wien 1971, North-Holland Publ. Co., Amsterdam **1973**, S. 384 (dort auch weitere Literatur).

Man wird deshalb eine Synthese von symmetrischen Peptiden der Struktur A nur durch eine „stufenweise“ Bildung der beiden interchenaren Disulfid-Brücken erreichen können; z.B.:

① durch Oxidation zweier Cystein(yl)-Reste und anschließend

② durch Umwandlung zweier S-subst. Cystein(yl)-Reste einer synthetischen Peptidkette der Formel (R^1-Cys- … -Cys[X]-R^2)$_2$; s. dazu S. 805).

36.921.20. *aus S-subst. Cystein(yl)-peptiden*

Die ertsmals von Tarbell und Harnish[1] beobachtete Herstellung von Dibenzyl-disulfid aus Trityl-benzyl-thioäther durch Einwirkung von Jod in äthanolischer Lösung konnte von Kamber und Rittel[2] auf Cystein(yl)-peptid-Derivate übertragen werden: So ließ sich durch diese „Jodolyse“ BOC-Cys(TRT)-Gly-Glu(OtBu)-OtBu fast quantitativ in das symmetrische *(BOC)$_2$=(Cys)$_2$=(Gly-Glu[OtBu]-OtBu)$_2$* überführen. Als Reaktionsmechanismus (s. u.) werden entweder eine Disproportionerung von 2 Mol des intermediär aus dem Trityl-thioäther CVIII neben den Beiprodukten Trityl-methyl-äther (CIX) und Jodwasserstoff bereitetem unbeständigen Sulfenyljodid CIV zum symmetrischen Disulfid CVII und Jod (Weg ⓐ) oder die Umsetzung von 1 Mol Sulfenyljodid CIV mit noch unverändertem S-Trityl-Derivat CVIII (unter Mitbeteiligung des Methanols) zum symmetrischen Disulfid CVII, Trityl-methyl-äther (CIX) und Jodwasserstoff[2] (Weg ⓑ s. u.) postuliert; das beobachtete Auftreten von Polymeren beim Arbeiten mit Jod im Unterschuß plädiert aber nicht für einen Weg ⓑ. Zu den hypothetischen Reaktionswegen ⓐ und ⓑ mit einem jeweils massiven Auftreten von Jodwasserstoff (in Methanol) ist zu bemerken, daß einerseits gewisse säurelabile Schutzgruppen, wie tert.-Butyloxycarbonyl- und O-tert.-Butyl-Reste (nicht aber N-Trityl-Maskierungen[3]; s. S. 828) unverändert überstehen (s.u.), andererseits bei Vorhandensein freier Carboxyl-Gruppen eine relativ hochprozentige Veresterung Platz greift (s. Beispiel S. 814)[2].

N_α,$N_{\alpha'}$-Bis-tert.-butyloxycarbonyl-L-cystinyl-bis-glycyl-L-glutaminsäure-di-tert.-butylester [(BOC)$_2$=(Cys)$_2$=(Gly-Glu⟨OtBu⟩-OtBu)$_2$][2]: 1,524 g BOC-Cys(TRT)-Gly-Glu(OtBu)-OtBu und 508 mg Jod läßt man in 25 *ml* Methanol 1 Stde. bei Raumtemp. reagieren; durch tropfenweise Zugabe von wäßriger n Natriumthiosulfat-Lösung wird der Reaktionsansatz bei 0° entfärbt und anschließend mit 50 *ml* Wasser versetzt. Das ausgefallene, abfiltrierte und getrocknete Rohprodukt wird 3 mal mit 10 *ml* Petroläther sorgfältig verrieben; die vereinigten Petroläther-Auszüge ergeben nach Eindampfen i. Vak. 522 mg Trityl-methyl-äther. Der Rückstand wird aus Essigsäure-äthylester/Petroläther umkristallisiert; Ausbeute: 945 mg (91% d.Th.); F: 150–152°.

$$\underset{\text{CVIII}}{R{-}S{-}C(C_6H_5)_3} + J_2 \xrightarrow{CH_3OH} \underset{\text{CIV}}{R{-}S{-}J} + \underset{\text{CIX}}{(H_5C_6)_3C{-}O{-}CH_3} + HJ$$

Weg ⓐ:

$$\xrightarrow{+\ \underset{\text{CIV}}{R-S-J}} \underset{\text{CVII}}{R{-}S{-}S{-}R} + J_2$$

Weg ⓑ:

$$\xrightarrow[CH_3OH]{+\ \underset{\text{CVIII}}{R-S-C(C_6H_5)_3}} \underset{\text{CVII}}{R{-}S{-}S{-}R} + \underset{\text{CIX}}{(H_5C_6)_3C{-}O{-}CH_3} + HJ$$

---

[1] D. S. Tarbell u. D. T. Harnish, Am. Soc. **74**, 1862 (1952).

[2] B. Kamber u. W. Rittel, Helv. **51**, 2061 (1968).

[3] P. Fehrenbach u. H. Zahn, A. **1974**, 283.

Da die Jodolyse auch auf S-Acetaminomethyl-cystein(yl)-Verbindungen anwendbar ist[1]* (s. u.), sollten diese ebenfalls geeignete Startmaterialien für symmetrische Cystin(yl)-peptide sein; Ludescher[2] demonstriert dieses Verfahren mit der geglückten Synthese von *Cys*[2], *Cys*[7]*-Gramicidin S*, einem bicyclischen symmetrischen „Cystin-peptid". Des weiteren läßt sich das Verfahren der Rhodanolyse (s. S. 823ff.) zu deren Erstellung heranziehen: S-Cyanthio-cystein-peptid-Derivate – aus Cystein-[3] bzw. S-subst. Cystein-Verbindungen [S-Trityl-[3,4], S-Diphenylmethyl-[3], S-Tetrahydropyranyl-(2)-[3], S-Alkoxymethyl-[4,5] und S-Acyl-aminomethyl-[5]] mittels Dirhodan zugänglich – reagieren mit S-subst. Cystein(yl)-peptiden (beide mit analogem Sequenzaufbau) in der gewünschten Weise. Da bereits bestehende interchenare (auch intrachenare) Disulfid-Brücken von diesen Operationen unberührt bleiben, sind gezielte Synthesen symmetrischer Peptide mit zwei oder mehreren Cystein(yl)-Resten nunmehr gegeben[6].

Cyclo-**(-L-valyl-L-hemicystinyl⟨$S_2 \rightarrow S_7$⟩-L-leucyl-D-phenylalanyl-L-prolyl-L-valyl-L-hemicystinyl⟨$S_7 \rightarrow S_2$⟩-L-leucyl-D-phenylalanyl-L-prolyl-) [Cys[2],Cys[7]-Gramicidin S][2]:** 60 mg *cyclo*-(Val-Cys⟨AAM⟩-L-Leu-D-Phe-Pro)$_2$ in 8 *ml* Methanol werden unter Rühren innerhalb von 2 Stdn. in eine Lösung von 120 mg Jod in 20 *ml* Methanol eingetropft; nach 5 Stdn. bei Raumtemp. wird der Reaktionsansatz auf 0° abgekühlt und durch vorsichtiges Zutropfen von n Natriumthiosulfat-Lösung entfärbt. Das Methanol wird i. Vak. bei möglichst tiefer Temp. bis zur beginnenden Trübung der Lösung entfernt und das gebildete Peptid-Derivat durch Zugabe eines Überschusses von Wasser ausgefällt. Der gebildete Niederschlag wird abfiltriert, mit Wasser gewaschen und mehrmals aus Methanol/Diäthyläther umkristallisiert (feine Nadeln); Ausbeute: 34 mg (65% d. Th.); F: 325° (Zers.); $[\alpha]_D^{22} = -227°$ (c = 0,81 in Methanol).

Bis-(N-benzyloxycarbonyl-L-hemicystinyl⟨$S_1 \rightarrow S'_1$⟩-glycyl-N_ε-tert.-butyloxycarbonyl-L-lysyl-glycyl-L-hemicystinyl⟨$S_5 \rightarrow S'_5$⟩-glycin-tert.-butylester) [(Z)$_2$=(Cys)$_2$=(Gly-Lys⟨BOC⟩-Gly)$_2$=(Cys)$_2$=(Gly-OtBu)$_2$][6]: Zu einer kräftig gerührten Suspension von 0,4 g Blei(II)-rhodanid in 20 *ml* absol. Essigsäure-äthylester werden 0,16 g Brom in 20 *ml* absol. Essigsäure-äthylester zugefügt; nach 10 Min. langem Rühren unter Lichtausschluß wird eine farblose Lösung erhalten. Zu 142 mg (Z-Cys⟨DPM⟩-Gly-Lys⟨BOC⟩-Gly)$_2$=(Cys)$_2$=(Gly-OtBu)$_2$ (s. S. 803) in 30 *ml* Essigsäure werden bei –10° 3,1 *ml* der erhaltenen Dirhodan-Lösung (s. o.) und 15 *ml* absol. Trifluoressigsäure, beide auf –10° vorgekühlt, zugefügt; die Reaktionsmischung wird unter Lichtausschluß 9 Stdn. bei –10° gerührt und anschließend lyophilisiert. Das erhaltene amorphe Material wird in 2 *ml* Dimethylacetamid gelöst und auf eine Säule (2 × 13 cm) von 4 g Silica-Gel in Chloroform aufgetragen; durch Eluieren mit Chloroform wird zunächst Dimethylacetamid und das als Beiprodukt gebildete Diphenylmethylthiocyanat entfernt. Eluieren mit größerem Volumen (~ 2 *l*) Chloroform/Methanol erbringt unter üblicher Aufarbeitung ein chromatographisch reines Produkt; Ausbeute: 55 mg (46,5% d. Th.); F: 202–204° (Zers.); $[\alpha]_D^{25} = -77°$ (c = 0,25 in Dimethylacetamid).

36.921.30. *Aufbau mit Cystin-Derivaten***

Die Synthese symmetrischer, „doppelstrangiger" Cystin(yl)-peptide wurde bereits unter „Cystin-Verfahren" (s. S. 797f.) zwecks Erstellung von Cystein(yl)-peptiden kurz diskutiert. (Letzteres Vorhaben dürfte, von wenigen Ausnahmen abgesehen[7], meist Ziel der Arbeiten sein).

---

* Das gleiche sollte nach G. Losse u. T. Stölzel (Tetrahedron **28**, 3049 [1972]) für S-4,4'-Dimethoxy-dityl- und S-α,4,4'-Trimethyl-dityl-cystein-Derivate zutreffen, nicht aber für S-Diphenylmethyl-cystein-Verbindungen: diese werden unter vorliegenden Bedingungen nur (!) zu ~ 20% „angegriffen"[1].

** s. dazu auch S. 797.

1 B. Kamber, Helv. **54**, 927 (1971).

2 U. Ludescher, Dissertation Nr. 4697, ETH Zürich 1971.

3 R. G. Hiskey u. W. G. Tucker, Am. Soc. **84**, 4794 (1962).

4 R. G. Hiskey u. J. T. Sparrow, J. Org. Chem. **35**, 215 (1970).

5 H. Arold u. M. Eule, *Peptides* 1972, Proc. 12th Europ. Peptide Symposium Reinhardsbrunn Castle 1972, North-Holland Publ. Co., Amsterdam **1973**, S. 78.

6 R. G. Hiskey et al., J. Org. Chem. **35**, 4148 (1970).

7 M. Marzona, R. Valentini u. V. Giobbio, Farmaco [Pavia], Ediz. sci. **21**, 704 (1966); C. A. **68**, 13379 (1968).
P. Fehrenbach u. H. Zahn, B. **105**, 1749 (1972).

Da es gelingt, einerseits die wichtigsten Di-Ester des Cystins durch jeweils übliche Veresterungsmethode (s. aber u.) herzustellen, andererseits eine N_α,N_α'-Bis-Acylierung bei vorsichtigem Arbeiten (p_H-Stat, Stickstoff- oder Argon-Atmosphäre) ohne Schwierigkeiten vorzunehmen (s. Tab. 72, S. 838ff.), ist beim Aufbau von Cystin(yl)-peptiden vorzugsweise auf die „Doppel-Umsetzung" zu achten. Der Einsatz von N_α, N_α'-Bis-acyl-cystin erfolgt daher als Aktiv-Kopfkomponente am besten in Form des Bis-Säurechlorids[1–3] (s. S. 797) oder des Bis-Aktivesters[4–7]; eine Anwendung von Mischanhydriden ist wegen möglicher Disproportionierung und Folgereaktion ev. gebildeter symmetrischer Anhydride ausbeutemäßig ungünstiger zu beurteilen.

N_α,N_α'-Bis-tert.-butyloxycarbonyl-L-cystinyl-bis-L-asparagin-benzylester [$(BOC)_2{=}(Cys)_2{=}(Asn\text{-}OBZL)_2$]:

N_α,N_α'-Bis-tert.-butyloxycarbonyl-L-cystin [$(BOC)_2{=}(Cys)_2{=}(OH)_2$][8]: Zu einer gekühlten Lösung von 10,5 g Cystin in 435 *ml* 1,4-Dioxan und 175 *ml* 0,5 n Natronlauge werden unter Rühren 25 *ml* tert.-Butyloxycarbonylazid zugefügt; die Reaktionsmischung wird insgesamt 48 Stdn. bei Raumtemp. gerührt, wobei nach den ersten 9 Stdn. insgesamt 90 *ml* n Natronlauge in neun gleichen Portionen zugegeben werden. Das Filtrat von nicht umgesetztem Cystin wird anschließend i. Vak. weitestgehend von 1,4-Dioxan befreit, die verbleibende wäßrige Lösung mit Essigsäure-äthylester extrahiert und anschließend mit kalter n Schwefelsäure angesäuert. Nach mehrstündigem Stehen im Kühlschrank werden die gebildeten feinen Prismen abfiltriert; Ausbeute: 13 g (67% d. Th.); F: 141–142°; nach Umkristallisieren aus Essigsäure-äthylester/Petroläther: F: 145–146°; $[\alpha]_D^{19} = -138°$ (c = 2,5 in Methanol).

N_α,N_α'-Bis-tert.-butyloxycarbonyl-L-cystin-bis-4-nitro-phenylester [$(BOC)_2{=}(Cys)_2{=}(ONP)_2$][7]: Zu einer Lösung von 4,41 g $(BOC)_2{=}(Cys)_2{=}(OH)_2$ und 3,34 g 4-Nitro-phenol in 60 *ml* Tetrahydrofuran werden bei 4° 4,54 g Dicyclohexylcarbodiimid zugefügt; die Reaktionsmischung wird 15 Stdn. bei Raumtemp. gerührt, anschließend einige Tropfen Essigsäure zugefügt, nach 1 Stde. vom ausgefallenen N,N'-Dicyclohexyl-harnstoff abfiltriert und letztlich i. Vak. eingedampft. Der verbleibende feste Rückstand wird aus Äthanol umkristallisiert; Ausbeute: 4,53 g (66% d. Th.); F: 183–184° (Zers.); $[\alpha]_D^{20} = -87{,}7°$ (c = 2,1 in Dimethylformamid).

N_α,N_α'-Bis-tert.-butyloxycarbonyl-L-cystinyl-bis-L-asparagin-benzylester [$(BOC)_2{=}(Cys)_2{=}(Asn\text{-}OBZL)_2$][9]: 6,45 g BOC-Asn-OBZL werden wie üblich mit Trifluoressigsäure entacyliert und aufgearbeitet. Das erhaltene rohe H-Asn-OBZL · TFA-OH wird in möglichst wenig Dimethylformamid bei 0° gelöst, mit der äquival. Menge Triäthylamin und letzlich mit 6,83 g $(BOC)_2{=}(Cys)_2{=}(ONP)_2$ ebenfalls in wenig Dimethylformamid versetzt. Das Reaktionsgemisch wird 3 Tage bei –5° und 12 Stdn. bei 20° stehengelassen und dann in Citronensäure-Lösung ($p_H = 4$) eingerührt. Die gebildete Fällung wird abfiltriert, mit Wasser gewaschen und nach Trocknen aus Äthanol umkristallisiert; Ausbeute: 3,95 g (46,5% d.Th.); F: 199–201°; $[\alpha]_D^{20} = -106°$ (c = 1 in Dimethylformamid).

Die Übertragung vorstehenden Aufbau-Prinzips auf eine Festkörper-Synthese nach Merrifield hat einer Forderung dieser Strategie Rechnung zu tragen: Um die möglichst vollständige Acylierung der „trägergebundenen" Amino-Komponente herbeizuführen, muß die Kopfkomponente – hier z.B. $(BOC)_2{=}(Cys)_2{=}(ONP)_2$ oder $(BOC)_2{=}(Cys)_2{=}(OTCP)_2$ – in großem Überschuß eingesetzt werden; dies hat zwangsläufig zur Folge, daß neben dem gewünschten symmetrischen Cystinyl-Derivat durch halbseitige (monofunktionelle) Verknüpfung des „Bis-Aktivesters" CX auch asymmetrisch-substituierte Cystinyl-Verbindungen (Polymer-Produkte der Struktur CXI) entstehen[10,11]. Durch reduktive Aufspaltung aller

---

1 J. White, J. Biol. **106**, 141 (1934).
2 C. R. Harington u. T. H. Mead, Biochem. J. **29**, 1602 (1935).
3 F. Weygand u. R. Geiger, B. **90**, 634 (1954).
4 E. Schnabel, A. **659**, 168 (1962).
5 A. Previero u. E. Scoffone, G. **93**, 859 (1963).
6 H. Zahn u. G. Schmidt, A. **731**, 91 (1970).
7 S. Hase u. R. Walter, Int. J. Pept. Prot. Res. **5**, 283 (1973).
8 I. Photaki, Am. Soc. **88**, 2292 (1966).
9 E. Engels, Diplomarbeit TH, Aachen 1967.
10 W. Lunkenheimer u. H. Zahn, Ang. Makromol. Chem. **10**, 69 (1970).
11 W. Lunkenheimer u. H. Zahn, A. **740**, 1 (1970).

Disulfid-Brückenbindungen und Auswaschen der nicht „harzfixierten" Cystein-Derivate CXII soll ein tert.-Butyloxycarbonyl-cysteinyl-aminosäure(peptid)-polymer-benzylester CXIII und durch anschließende Reoxidation eine einheitliche Cystinyl-peptid-Verbindung CXIV gewonnen werden können.

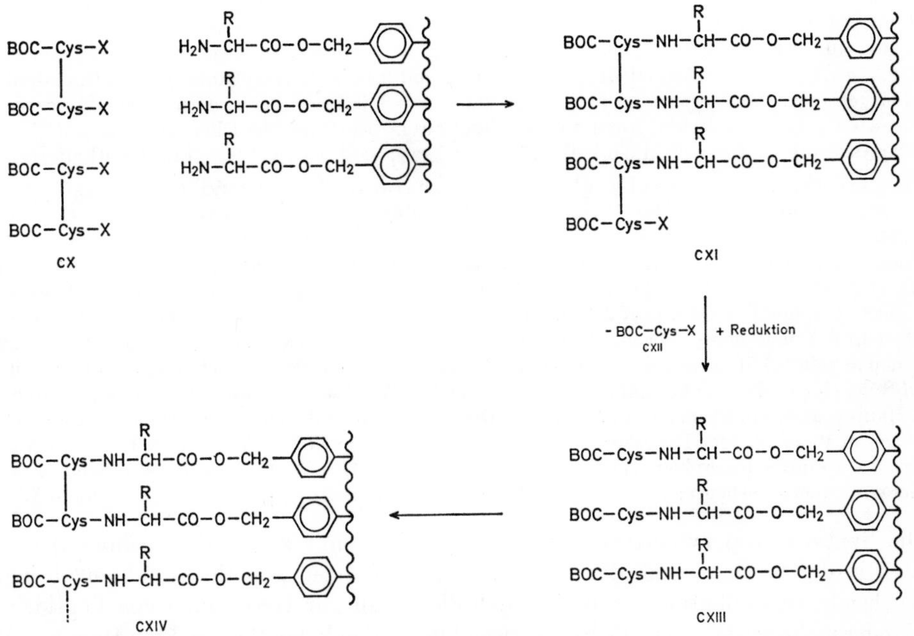

Als Reduktionsmittel bewährten sich am besten Thiophenol und 4-Nitro-thiophenol, als Oxidations-Operationen die Einwirkungen von Luftsauerstoff in Dimethylsulfoxid/Dichlormethan (1 : 1) unter Eisen(III)-sulfat-Zusatz oder von 2,2'-Dipyridyl-disulfid in Dichlormethan, wobei die „Harz-Beladung" und die vorhandene (aufgebaute) Peptid-Sequenz die Chancen des Zusammenfindens zweier Cystein-Reste bzw. des Auftretens von Nebenreaktionen entscheidend mitbestimmen werden[1,2].

Da die Disulfid-Brücke der aufgebauten Cystin(yl)-peptid-Derivate sowohl schärfsten acidolytischen Spaltungsbedingungen (Trifluoressigsäure, Bromwassserstoff/Essigsäure etc.)[3-8], katalytischer Entfernung von N-4-Nitro-benzyloxycarbonyl-Schutzgruppen[9] (vgl. aber S. 78), alkalischer Ester-Hydrolyse[10-12] als auch einer Ester-Hydrazinolyse[5,6,13] — incl. folgender Überführung der Hydrazide in die Azide – unverändert widersteht, ist der Aufbau höherer, doppelstrangiger Peptide an beiden Amino- bzw. beiden Carboxy-Enden der intermediär erhaltenen N_{α},N_{α}'- bzw. C_{α},C_{α}'-„freien" Cystein(yl)-Verbindungen gegeben[5-9].

---

1 W. Lunkenheimer u. H. Zahn, Ang. Makromol. Chem. **10**, 69 (1970).
2 W. Lunkenheimer u. H. Zahn, A. **740**, 1 (1970).
3 J. White, J. Biol. Chem. **106**, 141 (1934).
4 I. W. Stapleton u. J. M. Swan, Austral. J. Chem. **15**, 106 (1962).
5 H. Zahn u. G. Schmidt, A. **731**, 91 (1970).
6 H. Zahn u. G. Schmidt, A. **731**, 101 (1970).
7 P. Fehrenbach u. H. Zahn, B. **105**, 1749 (1972).
8 S. Hase u. R. Walter, Int. J .Pept. Prot. Res. **5**, 283 (1973).
9 C. Berse, R. Boucher u. L. Piché, Canad. J. Chem. **37**, 1733 (1959).
10 J. L. Bailey, Soc. **1950**, 3461.
11 H. R. V. Arnstein u. D. Morris, Biochem. J. **76**, 318 (1960).
12 F. Micheel u. H. Haneke, B. **95**, 1009 (1962).
13 L. Zervas u. D. M. Theodoropoulos, Am. Soc. **78**, 1359 (1956).

Bis-L-glutaminyl-L-leucyl-L-glutamyl-L-asparaginyl-L-tyrosyl-L-hemicystinyl⟨$S_6 \rightarrow S'_6$⟩-L-asparagin [(H-Gln-Leu-Glu-Asn-Tyr)$_2$=(Cys)$_2$=(Asn-OH)$_2$][1]*:

Bis-N-benzyloxycarbonyl-L-glutaminyl-L-leucyl-L-glutamyl(γ-tert.-butylester)-L-asparaginyl-O-tert.-butyl-L-tyrosyl-L-hemicystinyl⟨$S_6 \rightarrow S'_6$⟩-L-asparagin-benzylester [(Z-Gln-Leu-Glu⟨OtBu⟩-Asn-Tyr⟨tBu⟩)$_2$=(Cys)$_2$=(Asn-OBZL)$_2$]: Eine auf –20° gekühlte Lösung von 0,86 g Z-Gln-Leu-Glu(OtBu)-Asn-Tyr(tBu)-$NHNH_2$ in 17 *ml* Dimethylformamid wird mit 1,5 *ml* 3,06 n Chlorwasserstoff/Tetrahydrofuran und 0,13 *ml* Isoamylnitrit versetzt, nach 30 Min. auf –40° gekühlt und mit 0,65 *ml* Triäthylamin neutralisiert. In diese Azid-Lösung werden bei –40° 0,35 g (H)$_2$=(Cys)$_2$=(Asn-OBZL)$_2$ · (TFA-OH)$_2$ und 0,11 *ml* Triäthylamin in 5 *ml* Dimethylformamid eingetragen. Die Temp. steigt in 14 Stdn. auf 0°. Nach 3 Tagen bei 0° wird das Reaktionsprodukt in Eiswasser gefällt, abfiltriert, 2 mal mit Methanol ausgekocht und aus Dimethylformamid/Methanol gefällt; Ausbeute: 0,58 g (57% d.Th.); F: 245–250° (Zers.); $[\alpha]_D^{24} = -79{,}5°$ (c = 1 in Dimethylformamid).

Bis-L-glutaminyl-L-leucyl-L-glutamyl-L-asparaginyl-L-tyrosyl-L-hemicystinyl ⟨$S_6 \rightarrow S'_6$⟩-L-asparagin [(H-Gln-Leu-Glu-Asn-Tyr)$_2$=(Cys)$_2$=(Asn-OH)$_2$]: In eine Lösung von 200 mg (Z-Gln-Leu-Glu⟨OtBu⟩-Asn-Tyr⟨tBu⟩)$_2$=(Cys)$_2$=(Asn-OBZL)$_2$ und 0,2 *ml* Anisol in 15 *ml* Trifluoressigsäure wird getrockneter Bromwassersoff eingeleitet; nach 2 Stdn. wird der Reaktionsansatz i. Vak. eingeengt, der Rückstand mit Diäthyläther verrieben, abfiltriert, mit Diäthyläther gut gewaschen und über Phosphor(V)-oxid und Kaliumhydroxid getrocknet. Das erhaltene Rohprodukt (138 mg) wird in 10 *ml* 0,1 n Ammoniumhydrogencarbonat-Lösung auf eine Sephadex-G-25-Säule (138 × 1,8 cm) aufgetragen und mit 0,1 n Ammoniumhydrogencarbonat-Lösung bei einer Durchflußgeschwindigkeit von 37 *ml*/Stde. eluiert. Bei der kontinuierlichen Messung der UV-Absorption des Eluats werden vor und nach dem Hauptpeak je ein kleiner Peak registriert. Die zum Hauptpeak gehörende Fraktion wird gefriergetrocknet, in 10 *ml* 1%-iger Essigsäure über eine zweite Sephadex-G-25-Säule (145 × 1,8 cm) in 1%-iger Essigsäure rechromatographiert (Durchflußgeschwindigkeit: 37 *ml*/Stde.), die entsprechende Fraktion gefriergetrocknet; Ausbeute: 79 mg (59% d.Th.); F: 235° (Zers.); $[\alpha]_D^{22} = -40{,}4°$ (c = 0,5 in Wasser).

Die Synthese von symmetrischen Cystin-peptiden mit zwei (oder mehreren) Cystin-Resten in der Sequenz nach den vorstehend ausgeführten „Cystin-Verfahren“ bringt so weitgehende Komplikationen mit sich, daß dieses nur zur Herstellung von Peptiden mit zwei (oder mehreren) Cystein-Resten Verwendung finden kann. So berichten Hase und Walter[2] über die Umsetzung von (BOC)$_2$=(Cys)$_2$=(ONP)$_2$ mit (H-Tyr-Ile-Gln-Asn)$_2$=(Cys)$_2$=(Pro-Leu-Gly-NH_2)$_2$ zu einem Peptid-Gemisch der Strukturen A, B und C.

Aus diesen Strukturen A, B und C kann nach Entacylierung mit Trifluoressigsäure durch Reduktion mit Dithiothreitol ein einheitliches „einstrangiges“ Nonapeptidamid mit 2 Cystein-Resten, d.i. Oxytocein (s. S. 798), und aus diesem durch Oxidation der Thiol-Gruppen beider Cystein-Reste in Position 1 und 6 der Peptidkette das teilcyclische, heterodethomöomere Peptid „Oxytocin“ gebildet werden:

```
BOC—Cys----------Cys—Pro—Leu—Gly—NH2
     |
BOC—Cys----------Cys—Pro—Leu—Gly—NH2

                 A
```

```
 BOC—Cys—ONP
      |
[BOC—Cys-----------Cys—Pro—Leu—Gly—NH2]
                    |
[BOC—Cys-----------Cys—Pro—Leu—Gly—NH2]n
      |
 BOC—Cys-----------Cys—Pro—Leu—Gly—NH2
                    |
 BOC—Cys-----------Cys—Pro—Leu—Gly—NH2
      |
 BOC—Cys—ONP

                 C
```

```
BOC—Cys—ONP
     |
BOC—Cys-----------Cys—Pro—Leu—Gly—NH2
                   |
BOC—Cys-----------Cys—Pro—Leu—Gly—NH2
     |
BOC—Cys—ONP

                 B
```

* Auch zu bezeichnen als: *N_α,$N_{\alpha'}$-Bis-(L-glutaminyl-L-leucyl-L-glutamyl-L-asparaginyl-L-tyrosyl)-L-cystinyl-bis asparagin.*

[1] P. Fehrenbach u. H. Zahn, B. **105**, 1749 (1972).

[2] S. Hase u. R. Walter, Int. J. Pept. Prot. Res. **5**, 283 (1973).

Zahn und Schmidt[1] erhielten bei ihren Versuchen zur Erstellung einer synthetischen Insulin-B-Kette durch Verknüpfung eines Bis-benzyloxycarbonyl-(hemicystinyl)-peptid-bis-azids (Sequenz 1—16) mit einem Bis-(hemicystinyl)-peptid-tert.-butylester (Sequenz 17–30) – beide Peptid-Derivate mit Drittfunktions-Schutz auf tert.-Butyl-Basis bzw. guanido-protonierter Form — hauptsächlich Polymer-Produkte mit Molekulargewichten über 100000.

Geschützte polymere Insulin-B-Kette[1]: Eine auf –20° gekühlte Lösung von 180 mg (Z-Phe-Val-Asn-Gln-His-Leu)$_2$=(Cys)$_2$=(Gly-Ser⟨tBu⟩-His-Leu-Val-Glu⟨OtBu⟩-Ala-Leu-Tyr⟨tBu⟩-NHNH$_2$)$_2$ in 10 *ml* Dimethylformamid und 2,5 *ml* Dimethylsulfoxid werden mit 0,16 *ml* 2,64 n Chlorwasserstoff/Tetrahydrofuran und 0,02 *ml* Isoamylnitrit versetzt, die Reaktionsmischung 30 Min. bei –20° gehalten und bei –40° mit 0,06 *ml* Triäthylamin neutralisiert. Diese Azid-Lösung wird bei –40° mit einer Lösung von 220 mg (H-Leu-Val)$_2$=(Cys)$_2$=(Gly-Glu⟨OtBu⟩-Arg⟨TOS-OH⟩-Gly-Phe-Phe-Tyr⟨tBu⟩-Thr⟨tBu⟩-Pro-Lys⟨BOC⟩-Ala-OtBu)$_2$ in wenig Dimethylformamid vereinigt. Nach 12 Stdn. läßt man die Temp. des Ansatzes auf 0° ansteigen und hält 3 Tage konstant bei 0 bis 5°. Danach wird die Lösung i. Vak. bei 45° eingedampft, der Rückstand mit Eiswasser versetzt, der gebildete flockige Niederschlag abzentrifugiert, mit Wasser gewaschen und über Phosphor(V)-oxid und Kaliumhydroxid i. Vak. getrocknet. Letztlich wird das Produkt aus Dimethylformamid/Diäthyläther umgefällt; Ausbeute: 280 mg; Sintern ab 260° (Zers.); $[\alpha]_D^{23} = -31°$ (c = 1 in Dimethylformamid).

36.922. Asymmetrische Cystin(yl)-peptide

Die Bemühungen um die Synthese asymmetrischer Cystin(yl)-peptide wurden – bedingt von der historischen Entwicklung der Strukturaufklärung – von den Primärstrukturen der Peptid-Naturstoffe Oxytocin/Vasopressin einerseits und Insulin andererseits entscheidend dirigiert:

ⓐ in eine Erstellung einstrangiger „Cystin-peptide" mit einer oder mehreren intrachenaren Disulfid-Brücken, wodurch cyclische bzw. teilcyclische, bi- und poly-cyclische Strukturen mit „heterodet-homöomerem" Charakter bedingt sein können oder

ⓑ in einen Aufbau doppelstrangiger „Cystin-peptide" mit einer oder mehreren interchenaren Disulfid-Brücken mit offenkettiger bzw. cyclischer Struktur. (Das zusätzliche Auftreten einer intrachenaren Disulfid-Brücke in der A-Kette des Insulins ändert nichts an dieser Grundregel).

36.922.10. *Einstrangige Peptide mit intrachenarer Disulfid-Brücke*

Die Synthese von einstrangigen asymmetrischen „Cystin-peptiden" mit „1,2-Dithia-Ringstruktur" hat von Anfang an – mit der gesicherten Erkenntnis einer Stabilisierung der Tertiärstruktur von Peptiden bzw. Proteinen durch Cystin-Disulfid-Brücken – unter einem guten Stern gestanden; denn ein solcher Stabilisierungseffekt ist gleichzusetzen energetisch günstigen Bedingungen für eine „Einnahme" dieser Struktur.

36.922.11. Aus einstrangigen „Bis-cystein(yl)-peptiden"

Die Hoffnung, durch Oxidation von Peptiden (Peptid-Derivaten) mit zwei Cystein-Resten in der Sequenz vorwiegend zu asymmetrischen Peptiden mit intrachenarer Disulfid-Brücke („Monomere") zu gelangen, hat sich vor allem im Zeitraum der „Syntheseflut" um Oxytocin/Vasopressin voll erfüllt. Die Bildung von „Dimeren", d. s. doppelstrangige Peptide mit zwei interchenaren Disulfid-Brücken (vorzugsweise von „antiparalleler" Struktur), und höheren Polymeren soll nur in einigen Fällen, z. B. bei 1–3, 8

---

[1] H. Zahn u. G. Schmidt, A. **731**, 101 (1970).

bzw. 15 Aminosäure-Resten zwischen den beiden Cystein-Resten, Gleichberechtigung[1-3] haben (dies scheint aber nur für Glycin-Reste als Zwischenglieder gesichert zu sein).

Die Oxidation von „Bis-cystein-Derivaten" in verdünnter Lösung und bei neutralen p_H-Werten wird der Bildungstendenz der cyclischen Monomeren zusätzlich dienlich sein[4]. Man sollte jedoch stets einkalkulieren, daß neben den Monomeren auch Dimere und Polymere gebildet werden (können), womit umfangreiche Reinigungsoperationen „fester" Bestandteil der Synthese werden (s. dazu die Beispiele u.).

Folgende Ausführungen der Oxidation sind – wie dies auch die nachstehenden Synthesebeispiele vorweisen – mit Erfolg zur Anwendung gelangt (vgl. hierzu S. 800f.):

ⓐ mit Luftsauerstoff, z.B. Synthesen von *Oxytocin*[5-10], der *Vasopressine*[11-16] (s. auch S. 811) und deren Analoga (*Oxypressin*, *Vasotocine* usf.)[17],

ⓑ mit Jod[18,19],

ⓒ mit 1,2-Dijod-äthan, z.B. bei Erstellung von *Oxytocin*[20], N-subst. Oxytocin[21], *Insulin-A-Ketten-Fragmenten*[22,23] und eines *Thyrocalcitonin-Teilstücks*[24],

ⓓ mit Kalium-hexacyanoferrat(III), z.B. bei Synthesen von *Oxytocin-* und *Vasopressin-Analoga*[25-27] sowie mit Erfolg auch bei der Herstellung von *Desamino-oxytocin*, wo übliche Luftsauerstoff-Behandlung nicht bzw. unvollständig zum Ziele führt[28] und mit Azodicarbonsäure-diestern, bei Gewinnung eines *Insulin-A-Ketten-Fragments* (ohne experiment. Angaben)[29].

---

1 G. S. Heaton, H. N. Rydon u. J. A. Schofield, Soc. **1956**, 3157.

2 D. Jarvis, H. N. Rydon u. J. A. Schofield, Soc. **1961**, 1752.

3 P. M. Hardy et al., Soc. [C] **1971**, 1722; *Peptides* 1972, Proc. 11th. Europ. Peptide Symposium Reinhardsbrunn Castle 1972, North-Holland Publ. Co., Amsterdam **1973**, S. 384.

4 Vgl. hierzu N. Izumiya u. J. P. Greenstein, Arch. Biochem. **52**, 203 (1954).
M. Bodanszky u. V. du Vigneaud, Am. Soc. **81**, 2504 (1959); Fußn. S. 2505.

5 V. du Vigneaud et al., Am. Soc. **76**, 3115 (1954).

6 R. A. Boissonnas et al., Helv. **38**, 1491 (1955).

7 J. Rudinger, J. Honzl u. M. Zaoral, Collect. czech. chem. Commun. **21**, 202 (1956).

8 M. Bodanszky u. V. du Vigneaud, Am. Soc. **81**, 2504, 5688 (1959).

9 S. Guttmann, Helv. **49**, 83 (1966).

10 S. Hase u. R. Walter, Int. J. Pept. Prot. Res. **5**, 283 (1973).

11 M. Bodanszky, J. Meienhofer u. V. du Vigneaud, Am. Soc. **82**, 3195 (1960).

12 R. A. Boissonnas u. R. L. Huguenin, Helv. **43**, 182 (1960).

13 R. L. Huguenin u. R. A. Boissonnas, Helv. **45**, 1629 (1962).

14 R. O. Studer, Helv. **46**, 421 (1963).

15 R. O. Studer u. V. du Vigneaud, Am. Soc. **82**, 1499 (1960).

16 V. du Vigneaud et al., Am. Soc. **80**, 3355 (1958).

17 Lit. hierzu siehe E. Schröder u. K. Lübke, *The Peptides*, Vol. II, S. 294–314 u. 350–360, Academic Press, New York · London 1966.

18 R. G. Hiskey et al., J. Org. Chem. **35**, 4148 (1970).

19 E. Bondi, M. Fridkin u. A. Patchornik, Israel J. Chem. **6**, 22 (1968).

20 F. Weygand u. G. Zumach, Z. Naturf. **17b**, 807 (1962).

21 I. Photaki, Am. Soc. **88**, 2292 (1966).

22 A. Wittinghofer, A. **1974**, 290.

23 L. Zervas et al., Am. Soc. **87**, 4922 (1965).

24 B. Kamber u. W. Rittel, Helv. **52**, 1074 (1969).

25 D. Jarvis, M. Bodanszky u. V. du Vigneaud, Am. Soc. **83**, 4780 (1961).

26 D. B. Hope, V. S. Murti u. V. du Vigneaud, Am. Soc. **85**, 3686 (1963).

27 R. L. Huguenin u. R. A. Boissonnas, Helv. **46**, 1669 (1963).

28 D. B. Hope, V. S. Murti u. V. du Vigneaud, J. Biol. Chem. **237**, 1563 (1962).

29 H. Arold u. M. Eule, *Peptides* 1972, Proc. 12th Europ. Peptide Symposium, Reinhardsbrunn Castle 1972, North-Holland Publ. Co., Amsterdam **1973**, S. 78.

L-Hemicystinyl⟨$S_1 \rightarrow S_6$⟩-L-tyrosyl-L-isoleucyl-L-glutaminyl-L-asparaginyl-L-hemicystinyl⟨$S_6 \rightarrow S_1$⟩-L-prolyl-L-leucyl-glycin-amid [Oxytocin][1]: 500 mg H-Cys(EAC)-Tyr-Ile-Gln-Asn-Cys(EAC)-Pro-Leu-Gly-NH_2 · 3 HBr in 50 *ml* flüssigem Ammoniak, der 5 *ml* absol. Methanol enthält, werden in einem verschlossenen Druckgefäß 16 Stdn. bei 25° aufbewahrt; danach kühlt man auf –30° ab, läßt den größten Teil des Ammoniaks verdampfen und bringt letztlich i. Vak. zur Trockene. Die Lösung des Rückstandes in 5 *ml* Methanol + 0,6 *ml* Essigsäure verdünnt man mit 400 *ml* dest. Wasser (p_H-Wert 4,5), stellt die Lösung auf p_H = 7,5 und leitet einen Luftstrom bis zur negativen Nitroprussid-Reaktion ein. Nach Zurückstellen des p_H des Reaktionssanatzes auf 4,5 wird filtriert – oxytocische Wirksamkeit der Lösung 102000 IE, gemessen am Blutdruck des Hahns –, das Filtrat i. Vak. auf 200 *ml* konzentriert, anschließend einer Ionenaustauschchromatographie an einer Säule von IRC-50/XE-64 zwecks Entsalzung unterworfen. Der durch Lyophilisieren des Eluats erhaltene Rückstand wird vermittels Gegenstromverteilung im System 2-Butanol/Wasser/Essigsäure (120 : 160 : 1) über 480 Schritte gereinigt; die Fraktionen des Hauptpeaks (K = 0,38) werden bei 20° i. Vak. konzentriert, die verbleibende, wäßrige Lösung lyophilisiert und das erhaltene Material bei 10^{-2} Torr über Kaliumhydroxid und Phosphor(V)-oxid getrocknet; Ausbeute: 109 mg (31% d. Th.); F: 241° nach Erweichen bei 170°; $[\alpha]_D^{22}$ = 17° (c = 0,5 in n Essigsäure); oxytocische Aktivität 510 ± 23 IE/mg, gemessen am Blutdruck des Hahns. (Zur Reindarstellung von Oxytocin s. S. II/574).

L-Hemicystinyl⟨$S_1 \rightarrow S_6$⟩-L-tyrosyl-L-phenylalanyl-L-glutaminyl-L-asparaginyl-L-hemicystinyl⟨$S_6 \rightarrow S_1$⟩-L-prolyl-L-arginyl-glycin-amid [Arg^8-vasopressin][2]: 500 mg Z-Cys(BZL)-Tyr-Phe-Gln-Asn-Cys (BZL)-Pro-Arg(TOS)-Gly-NH_2 werden in 500 *ml* über Natrium destilliertem Ammoniak gelöst und mit Natrium wie üblich reduziert, bis die Blaufärbung 20 Min. bestehen bleibt. Nach Zugabe von 0,35 *ml* Essigsäure wird das Ammoniak verdampft und der Rückstand zur vollständigen Entfernung des Ammoniaks 2 Stdn. im Wasserstrahl-Vakuum unter Zwischenschaltung eines Calciumchlorid-Rohres belassen. Das zurückbleibende Pulver wird in 1 *l* eiskaltem, bidestilliertem Wasser aufgenommen, die Lösung auf p_H = 6,7 eingestellt und 3 Stdn. unter Rühren mit einem leichten Luftstrom oxidiert. Die auf p_H = 4 mit Essigsäure gestellte Reaktionslösung läßt man nunmehr eine Austauschersäule (1 × 25 cm) von Amberlite IRC-50/XE-64 ($H^{\oplus}$-Form) passieren, wobei mit 0,25%-iger Essigsäure bis zur vollständigen Entfernung der Ammonium-Ionen nachgewaschen wird. Anschließend wird alles Peptid-Material mit Pyridin-Acetat-Puffer (30 *ml* Pyridin und 4 *ml* Essigsäure mit Wasser auf 100 *ml* verdünnt) eluiert, die Eluate lyophilisiert. Das erhaltene Produkt (355 mg) wird durch Gegenstromverteilung im System 2-Butanol/1%-ige Essigsäure über 500 Stufen weitergereinigt. Der Inhalt der Röhrchen mit den „Spitzen-Fraktionen" wird vereinigt, i. Vak. konzentriert und anschließend lyophilisiert; Ausbeute 190 mg; $[\alpha]_D^{25}$ = –20,6 ± 2° (c = 1 in n Essigsäure); Wasser-Gehalt nach Fischer: 7,5%; biologische Aktivität (Blutdruck der Ratte) 400 Einheiten/mg.

N-Benzyloxycarbonyl-L-hemicystinyl⟨$S_1 \rightarrow S_6$⟩-glycyl-N_ε-benzyloxycarbonyl-L-lysyl-glycyl-glycyl-L-hemicystin⟨$S_6 \rightarrow S_1$⟩-methylester [Z-Cys⟨$S_1 \rightarrow S_6$⟩-Gly-Lys(Z)-Gly-Gly-Cys⟨$S_6 \rightarrow S_1$⟩-OMe][3]: Eine Suspension von 1,238 g Z-Cys-Lys(Z)-Gly-Gly-Cys(Bz)-OMe in 27,5 *ml* Methanol/Dimethylformamid (4 : 1) wird unter Stickstoffatmosphäre über 30 Min. bei Raumtemp. mit 3 *ml* 0,5 n Kaliumhydroxid/Methanol behandelt; nach Ansäuren des Reaktionsansatzes mit 2,5 *ml* Essigsäure wird in 250 *ml* Wasser gegossen, die gebildete Fällung abfiltriert und mit Wasser und Diäthyläther gewaschen.

Die erhaltene rohe Dithiol-Verbindung (1,03 g) in 400 *ml* Methanol/Dimethylformamid (4 : 1) wird nunmehr im Verlauf von 150 Min. bei Raumtemp. zu einer Lösung von 344 mg Jod in 400 *ml* Methanol zugetropft. Danach wird das Methanol i. Vak. entfernt, die verbleibende Lösung in 500 *ml* Wasser eingegossen, das 1 g Natriumthiosulfat enthält, und das Gemisch 30 Min. später mit 350 *ml* ges. Natriumchlorid-Lösung verdünnt. Das ausgefallene Produkt wird abfiltriert, mit Wasser und Diäthyläther gewaschen, nach Trocknen in 8,5 *ml* Essigsäure aufgelöst und die Lösung mit 17 *ml* Diäthyläther versetzt. Das ausgefallene Material (~ 190 mg) wird abfiltriert, das Filtrat mit einem größeren Vol. Diäthyläther verdünnt, wobei letztlich ein weißes Pulver erhalten wird; Ausbeute: 510 mg (46,6% d. Th.). Nach Waschen des erhaltenen Materials mit heißem Aceton: F: 205–208°; $[\alpha]_D^{23,5}$ = –44,7° (c = 1,1 in Dimethylformamid).

N-Benzyloxycarbonyl-oxytocin [Z-Cys⟨$S_1 \rightarrow S_6$⟩-Tyr-Ile-Gln-Asn-Cys⟨$S_6 \rightarrow S_1$⟩-Pro-Leu-Gly-NH_2][4]: Eine Lösung von 0,527 g frisch hergestelltem N-Benzyloxycarbonyl-oxytocein (s. S. 780) in 40 *ml* Dimethylformamid einerseits und eine Lösung von 0,162 g frisch rekristallisiertem 1,2-Dijod-äthan in 40 *ml* absol. Methanol werden unter Wasserstoff-Atmosphäre innerhalb 1 Stde. unter Rühren gleichmäßig in 120 *ml* absol. Methanol/Dimethylformamid (5 : 1) eingetropft. Anschließend wird das Methanol

---

[1] S. Guttmann, Helv. **49**, 83 (1966).
[2] R. O. Studer, Helv. **46**, 421 (1963).
[3] R. G. Hiskey et al., J. Org. Chem. **35**, 4148 (1970).
[4] I. Photaki, Am. Soc. **88**, 2292 (1966).

bei Raumtemp. i. Vak. entfernt, das Oxidationsprodukt durch Zugabe von Essigsäure-äthylester ausgefällt; das durch Zentrifugieren abgetrennte Material wird mit Essigsäure-äthylester gewaschen; Ausbeute: 0,34 g (60% d. Th.).

Zur Reinigung wird das erhaltene Rohprodukt in 1 *ml* Dimethylformamid gelöst und mit 10 *ml* Essigsäure-äthylester wieder ausgefällt; Ausbeute: 90% d. Th.; F: 220–227° (Zers.) nach Sintern bei 165°; $[\alpha]_D^{20} = -76,8°$ (c = 0,5 in Dimethylformamid).

N-tert.-Butyloxycarbonyl-L-hemicystinyl⟨$S_1 \rightarrow S_7$⟩-O-tert.-butyl-L-seryl-L-asparaginyl-L-leucyl-O-tert.-butyl-L-seryl-O-tert.-butyl-L-threonyl-L-hemicystinyl⟨$S_7 \rightarrow S_1$⟩-L-valyl-L-leucin [BOC-Cys⟨$S_1 \rightarrow S_7$⟩-Ser(tBu)-Asn-Leu-Ser(tBu)-Thr(tBu)-Cys⟨$S_7 \rightarrow S_1$⟩-Val-Leu-OH][1]: 846 mg BOC-Cys(TRT)-Ser(tBu)-Asn-Leu-Ser(tBu)-Thr(tBu)-Cys(TRT)-Val-Leu-OH in 8 *ml* Dimethylformamid werden mit 350 mg Quecksilber(II)-acetat in 4 *ml* Methanol versetzt; aus der klaren Lösung beginnt sich nach ~ 5 Min. ein gallertiger Niederschlag auszuscheiden. Das Gemisch wird nach 1stdgm. Rühren bei 20° mit 50 *ml* Dimethylformamid verdünnt, in dieses 20 Min. lang Schwefelwasserstoff und anschließend 15 Min. Stickstoff durchgeleitet. Nach Abfiltrieren und Waschen des Sulfid-Niederschlags mit Dimethylformamid engt man das Filtrat i. Vak. bei 35° auf 40 *ml* ein und leitet noch einmal während 15 Min. Stickstoff hindurch. Die erhaltene Lösung tropft man unter starkem Rühren innerhalb 1 Stde. bei 20° zu einem Gemisch von 40 *ml* Methanol/Dimethylformamid (1 : 1); gleichzeitig dazu tropft man eine Lösung von 170 mg 1,2-Dijod-äthan in 40 *ml* Methanol ein. Nach 10 Stdn. werden die Lösungsmittel i. Vak. entfernt, der Rückstand mit Petroläther, dann mit Wasser gewaschen und letztlich lyophilisiert. Das erhaltene Material (600 mg) wird durch Gegenstromverteilung im System Methanol/Ammoniumacetat-Essigsäure-Puffer*/Chloroform/Tetrachlormethan (10 : 3 : 5 : 4) über 135 Verteilungsschritte gereinigt (Phasenvol. je 10 *ml*). Die Fraktionen 41–63 ($r_{max} = 53$; K = 0,65) werden vereinigt, i. Vak. eingedampft und der Rückstand zur Entfernung der Hauptmenge von Ammoniumacetat bei 40° und 0,01 Torr getrocknet. Zum Abtrennen der letzten Reste dieses Salzes löst man in 5 *ml* tert.-Butanol/Wasser (4 : 1), schickt über eine mit diesem Lösungsmittelgemisch äquilibrierte Säule (1 × 6 cm) von Amberlyst 15 und lyophilisiert das Eluat; Ausbeute: 254 mg (42% d. Th.); $[\alpha]_D^{20} = -16°$ (c = 2 in Chloroform). Gehaltsbestimmung freier Carboxy-Gruppen durch Titration mit Natronlauge: 97% d. Th. (Vgl. dazu die Herstellung S. 814).

L-Hemicystinyl⟨$S_1 \rightarrow S_6$⟩-L-tyrosyl-L-phenylalanyl-L-glutaminyl-L-asparaginyl-L-hemicystinyl⟨$S_6 \rightarrow S_1$⟩-L-prolyl-L-ornithyl-glycin-amid [Orn[8]-Vasopressin][2]: 623 mg Z-Cys(BZL)-Tyr-Phe-Gln-Asn-Cys(BZL)-Pro-Orn(TOS)-Gly-NH_2 in 100 *ml* flüssigem, über Natrium destilliertem Ammoniak werden unter Rühren wie üblich mit Natrium bis zur beständigen Blaufärbung versetzt; nach Hinzufügen von 0,45 g Ammoniumchlorid läßt man das Ammoniak verdampfen, zum Schluß i. Vak., nimmt den verbleibenden Rückstand in 400 *ml* 0,01 n Essigsäure auf, stellt die Lösung auf $p_H = 7$ und fügt dann 0,05 n wäßrige Kalium-hexacyanoferrat(III)-Lösung bis zum Bestehenbleiben einer blaßgelben Färbung hinzu (~15,0 *ml*, entsprechen 91% d. Th.). Anschließend wird der Reaktionsansatz mit Essigsäure auf $p_H = 4,2$ gestellt und i. Vak. bei 30° eingedampft, der erhaltene Rückstand der Gegenstromverteilung über 364 Schritte im System 2-Butanol/Wasser/Trifluoressigsäure (120 : 160 : 1) unterworfen. Die Fraktion des Hauptpeaks (K = 0,36; Gehaltsbestimmung nach Lowry et al.[3]) wird i. Vak. zur Entfernung des 2-Butanols konzentriert, die verbleibende wäßrige Lösung mittels 250 *ml* Amberlite IRA 410 (Acetat-Form) von den Trifluoracetat-Ionen befreit (Waschflüssigkeit 250 *ml* 0,01 n Essigsäure). Das Eluat wird i. Vak. bei 30° weitgehend konzentriert, die Restlösung lyophilisiert. Anschließend reinigt man das erhaltene Material durch Ionenaustausch-Chromatographie an einer Amberlite IRC-50/XE-64-Säule unter Gradienten-Elution mit 0,1—5 n Essigsäure. Die das Orn[8]-Vasopressin enthaltenden Fraktionen werden i. Vak. bei 30° eingedampft, der Rückstand in wenig Wasser aufgenommen und die Lösung lyophilisiert; Ausbeute: 160 mg entsprechend (nach Säureäquivalent-Bestimmung) 125 mg „freie Base".

36.922.12. Aus „einstrangigen" Bis-S-subst. Cystein(yl)-peptiden

Die langjährigen Arbeiten der Hiskey-Schule über die Bildung von Sulfenyl-thiocyanaten(-rhodaniden) durch Einwirkung von Dirhodan auf Trityl-, Diphenylmethyl- und Tetrahydropyranyl-(2)-thioäther und die Umsetzung dieser Sulfenyl-thiocyanate mit einem zweiten Mol dieser Thioäther zu Disulfiden (= Rhodanolyse-Verfahren s. S. 823ff.) führte zwangsläufig dazu, diese Methode auch für eine Erstellung von einstrangigen Peptiden

---

* 28,6 *ml* Essigsäure und 19,25 g Ammoniumacetat mit Wasser auf 1 *l* aufgefüllt.

1 B. Kamber u. W. Rittel, Helv. **52**, 1074 (1968).

2 R. L. Huguenin u. R. A. Boissonnas, Helv. **46**, 1669 (1963).

3 O. H. Lowry et al., J. Biol. Chem. **193**, 265 (1951).

des Cystins mit intrachenarer Disulfid-Brücke zu nutzen. So gelang Hiskey und Smith[1] die „Cyclisierung“ von Z-Cys(TRT)-Cys(DPM)-Gly-Phe-Gly-Cys(TRT)-Phe-Gly-OtBu mittels Dirhodan in essigsaurer Lösung, wobei allerdings durch den entstehenden Rhodanwasserstoff (in Essigsäure) ein Teil der tert.-Butylester-Bindung Spaltung erlitt; zweckmäßig wird daher durch „nachfolgende“ Zugabe von Bortrifluorid-Diäthylätherat zum „Rhodanolyse-Ansatz“ die tert.-Butylester-Spaltung vervollständigt und letztlich *Z-Cys* $\langle S_1 \rightarrow S_6 \rangle$*-Cys(DPM)-Gly-Phe-Gly-Cys*$\langle S_6 \rightarrow S_1 \rangle$*-Phe-Gly-OH* in 76%-iger Ausbeute isoliert. Zum Vergleich: Abspaltung der S-Trityl-Reste mit Silbernitrat/Pyridin incl. Schwefelwasserstoff-Zersetzung der intermediären Mercaptide, Jod-Oxidation der gewonnenen Dithiol-Verbindungen und folgende tert.-Butylester-Spaltung mit Bortrifluorid-Diäthylätherat/Essigsäure führte nur in 27%-iger Ausbeute zum „teilcyclischen“ Octapeptid-Derivat. Der Versuch einer Rhodanolyse im Essigsäure/Natriumacetat-Medium zwecks Unterdrückung der „Sekundär-Reaktion“ (= tert.-Butylester-Spaltung) verlief zwar positiv, allerdings auf Kosten der Ausbeute an isoliertem *Z-Cys*$\langle S_1 \rightarrow S_6 \rangle$*-Cys(DPM)-Gly-Phe-Gly-Cys*$\langle S_6 \rightarrow S_1 \rangle$*-Phe-Gly-OtBu.*

Eine erfolgreichere Variation scheint in Chloroform/Essigsäure (5:1) oder Essigsäure-äthylester/Essigsäure (1:2) als Reaktions-Medien bei allerdings verlängerten Reaktionszeiten vorzuliegen; nach Hiskey et al.[2,3] sind unter diesen Bedingungen die Synthesen sowohl eines teilcyclischen N-tert.-Butyloxycarbonyl- und O-tert.-Butyl-geschützten Insulin-A-Ketten-Fragments (Sequenz 6–13) als auch des teilcyclischen Modellpeptids Z-Cys(DPM)-Cys$\langle S_2 \rightarrow S_6 \rangle$-Gly-Phe-Gly-Cys$\langle S_6 \rightarrow S_2 \rangle$-Phe-Gly-OtBu aus Z-Cys(DPM)-Cys (TRT)-Gly-Phe-Gly-Cys(iBOM)-Phe-Gly-OtBu – man beachte die unterschiedlichen S-Schutzgruppen in Sequenz-Position 2 und 6 – mit ausgezeichneten Ergebnissen möglich.

N-tert.-Butyloxycarbonyl-L-hemicystinyl$\langle S_1 \rightarrow S_6 \rangle$-S-diphenylmethyl-L-cysteinyl-L-alanyl-glycyl-L-valyl-L-hemicystinyl$\langle S_6 \rightarrow S_1 \rangle$-O-tert.-butyl-L-seryl-L-leucin [BOC-Cys$\langle S_1 \rightarrow S_6 \rangle$-Cys(DPM)-Ala-Gly-Val-Cys$\langle S_6 \rightarrow S_1 \rangle$-Ser(tBu)-Leu-OH][2]: Zu einer kräftig gerührten Suspension von 243 mg Blei(II)-rhodanid in 15 *ml* Essigsäure-äthylester werden unter Lichtausschluß 100 mg Brom in 15 *ml* Essigsäure-äthylester vorsichtig zugegeben; nach 5 Min. wird die Reaktionsmischung farblos.

10,6 *ml* der erhaltenen Dirhodan-Lösung werden nunmehr zu einer auf 0° abgekühlten, lichtgeschützten und kräftig gerührten Lösung von 312,4 mg BOC-Cys(TRT)-Cys(DPM-Ala-Gly-Val-Cys(TRT)-Ser(tBu)-Leu-OH in 120 *ml* Chloroform/Essigsäure (5:1) gefügt. Die chromatographische Überprüfung nach 24 Stdn. Reaktionszeit weist noch etwas nicht umgesetztes Ausgangsmaterial auf, so daß nochmals ~5 *ml* Dirhodan-Lösung dem Ansatz zugegeben werden. Nach weiteren 48 Stdn. wird der Ansatz in 400 *ml* Eiswasser einfiltriert, die Mischung unter kräftigem Rühren mit 21 *ml* Ammoniak versetzt, wobei eine schwere Emulsion entsteht. Nach Stehen bei 0° über Nacht wird filtriert, der Filterrückstand mit Wasser und Chloroform gewaschen und letztlich aus Methanol/Wasser umkristallisiert; Ausbeute: 186 mg (87% d.Th.); F: 219–221°; $[\alpha]_D^{21} = -5{,}16°$ (c = 0,62 in Dimethylformamid).

Eine Erstellung der intrachenaren Disulfid-Brücke ist ferner durch Jodolyse (s. dazu S. 804f.) von S-Trityl-thioäthern[4] bzw. S-Acetaminomethyl-thiohemiacetalen[5] gegeben; tert.-Butyloxycarbonyl-amin-, tert.-Butyläther- und tert.-Butylester-Gruppierungen bleiben hierbei unangegriffen[4,6], eine Oxidation von Methionin zum Methionin-S-oxid erfolgt nur geringfügig[7] oder gar nicht[4]. Lediglich eine Jodwasserstoff-induzierte Veresterung freier Carboxy-Gruppen ist einzukalkulieren[4,7], des weiteren die Aufhebung von N-Trityl-Maskierungen[8] (s. aber S. 828).

---

[1] R.G. Hiskey u. R.L. Smith, Am. Soc. **90**, 2677 (1968).

[2] R.G. Hiskey, L.M. Beacham u. V.G. Matl, J. Org. Chem. **37**, 2472 (1972).

[3] R.G. Hiskey u. J.T. Sparrow, J. Org. Chem. **35**, 215 (1970).

[4] B. Kamber u. W. Rittel, Helv. **51**, 2061 (1968).

[5] B. Kamber, Helv. **54**, 927 (1971).

[6] H. Berndt, H. Klostermeyer u. H. Zahn, A. **755**, 114 (1972).

[7] B. Kamber et al., Helv. **53**, 556 (1970).

[8] P. Fehrenbach u. H. Zahn, A. **1974**, 283.

Während Kamber und Rittel[1] ein Arbeiten in verdünnter Lösung und Zugabe des „Bis-S-trityl-cystein-peptid-Derivats“ zur Jod-Lösung empfehlen (da bei umgekehrter Prozedur beträchtliche Mengen Polymere gebildet werden!), lassen Rudinger und Marbach[2] „zwecks Reduzierung der Gefahr einer Überreaktion“ die methanolische Jod-Lösung zur „Bis-S-acetaminomethyl-cystein-peptid-Verbindung“ in wäßrigem Methanol zutropfen.

N-tert.-Butyloxycarbonyl-L-hemicystinyl⟨$S_1 \rightarrow S_7$⟩-O-tert.-butyl-L-seryl-L-asparaginyl-L-leucyl-O-tert.-butyl-L-seryl-O-tert.-butyl-L-threonyl-L-hemicystinyl⟨$S_7 \rightarrow S_1$⟩-L-valyl-L-leucin [BOC-Cys⟨$S_1 \rightarrow S_7$⟩-Ser(tBu)-Asn-Leu-Ser(tBu)-Thr(tBu)-Cys⟨$S_7 \rightarrow S_1$⟩-Val-Leu-OH][1]: Zu einer Lösung von 3,73 g Jod in 500 *ml* Methanol werden bei Raumtemp. und unter Rühren 2,5 g BOC-Cys(TRT)-Ser(tBu)-Asn-Leu-Ser(tBu)-Thr(tBu)-Cys(TRT)-Val-Leu-OH in 500 *ml* Methanol innerhalb 45 Min. zugetropft. Nach beendetem Eintragen rührt man 1 Stde. weiter und entfärbt anschließend die Lösung bei 0° mit n Natriumthiosulfat-Lösung (26,05 *ml*). Man engt den Reaktionsansatz bei 30° auf 100 *ml* ein und versetzt dann mit 1,5 *l* Wasser; die gebildete Fällung wird abfiltriert und mit Wasser gewaschen. Nach 2maligem Extrahieren mit Petroläther wird das erhaltene Produkt einer Gegenstromverteilung im System Äthanol/Ammoniumacetat-Puffer*/Chloroform/Tetrachlormethan (10:3:5:4) über 135 Stufen unterworfen. Die Fraktionen 39–68 ($r_{max} = 53$; $K = 0{,}65$) werden wie üblich aufgearbeitet (s. dazu S. 813); Ausbeute: 1,49 g (~84% d.Th.); $[\alpha]_D^{20} = -16°$ (c = 2 in Chloroform).

In den Fraktionen 12–29 ($r_{max} = 19$; $K = 0{,}17$) befinden sich 172 mg *BOC-Cys⟨$S_1 \rightarrow S_7$⟩-Ser(tBu)-Asn-Leu-Ser(tBu)-Thr(tBu)-Cys⟨$S_7 \rightarrow S_1$⟩-Val-Leu-OMe* (~10% d.Th.), dessen Bildung auf einer protonenkatalysierten Veresterung durch den reaktionsbedingt freiwerdenden Jodwasserstoff im methanolischen Medium (vgl. Schema S. 804) beruhen muß.

L-Valyl-L-hemicystinyl⟨$S_2 \rightarrow S_{11}$⟩-O-tert.-butyl-L-seryl-L-leucyl-O-tert.-butyl-L-tyrosyl-L-glutaminyl-L-leucyl-L-glutamyl(γ-tert.-butylester)-L-asparaginyl-O-tert.-butyl-L-tyrosyl-L-hemicystinyl⟨$S_{11} \rightarrow S_2$⟩-L-asparagin-tert.-butylester [H-Val-Cys⟨$S_2 \rightarrow S_{11}$⟩-Ser(tBu)-Leu-Tyr(tBu)-Gln-Leu-Glu(OtBu)-Asn-Tyr(tBu)-Cys⟨$S_{11} \rightarrow S_2$⟩-Asn-OtBu][3]: 245 mg TRT-Val-Cys(TRT)-Ser(tBu)-Leu-Tyr(tBu)-Gln-Leu-Glu(OtBu)-Asn-Tyr(tBu)-Cys(TRT)-Asn-OtBu in 50 *ml* Methanol werden innerhalb 1 Stde. in 508 mg Jod in 50 *ml* Methanol unter Rühren eingetropft. Nach insgesamt 2 Stdn. Stehen bei 0° wird mit n Natriumthiosulfat-Lösung entfärbt, der Reaktionsansatz anschließend i.Vak. auf 20 *ml* eingeengt. Die auf Zusatz von 200 *ml* Wasser aufgetretene Fällung wird abfiltriert und mit Wasser gut gewaschen. Nach 3maligem Extrahieren mit Cyclohexan wird das erhaltene Produkt einer Gegenstromverteilung über 30 Stufen im System Toluol/Chloroform/Methanol/Wasser (5:5:8:2) unterworfen. Das reine Dodekapeptid-Derivat befand sich in den Röhrchen 12–20; Ausbeute: 77 mg (45,4% d.Th.); F: 220° (Zers.); $[\alpha]_D^{24} = -21{,}7°$ (c = 0,5 in Dimethylsulfoxid).

N-tert.-Butyloxycarbonyl-L-hemicystinyl⟨$S_1 \rightarrow S_2$⟩-L-hemicystinyl⟨$S_2 \rightarrow S_1$⟩-methylester [BOC-Cys⟨$S_1 \rightarrow S_2$⟩-Cys⟨$S_2 \rightarrow S_1$⟩-OMe][4]: Zu 6,35 g Jod in 250 *ml* Methanol werden unter starkem Rühren bei 20° 4,8 g BOC-Cys(AAM)-Cys(AAM)-OMe (s. S. 772) in 150 *ml* Methanol innerhalb 45 Min. getropft. Nach weiteren 45 Min. wird auf 0° abgekühlt und n Natriumthiosulfat-Lösung zugegeben bis die Mischung nur noch schwach gelb ist. Man engt bei 35° im Rotationsverdampfer auf ~50 *ml* ein, nimmt in 500 *ml* Chloroform auf, wäscht den Extrakt mit 0,1 n Natriumthiosulfat-Lösung und Wasser, trocknet über Natriumsulfat und dampft i.Vak. ein. Der Rückstand kristallisiert aus Chloroform/Petroläther; Ausbeute: 2,82 g (84% d.Th.); F: 185–187° (Zers.; unter Sintern bei 165°); $[\alpha]_D^{20} = -65°$ (c = 1,87 in Methanol); Molekulargewichts-Bestimmung vaporometrisch in Dichlormethan: 336.

L-Hemicystinyl⟨$S_1 \rightarrow S_6$⟩-L-4-fluor-phenylalanyl-L-isoleucyl-L-glutaminyl-L-asparagyl-L-hemicystinyl⟨$S_6 \rightarrow S_1$⟩-L-prolyl-L-leucyl-glycin-amid [Phe(F)-Oxytocin][2]: 50 mg BOC-Cys(AAM)-Phe(F)-Ile-Gln-Asn-Cys(AAM)-Pro-Leu-Gly-NH_2 in 250 *ml* Methanol/Wasser (3:1) werden mit 30 mg Jod in 40 *ml* Methanol über 5 Stdn. behandelt, die Reaktionslösung auf 20 *ml* i.Vak. konzentriert und mit 20 *ml* der Ober-Phase des Lösungsmittel-Systems Butanol/Benzol/Wasser mit 3,5% Essigsäure und 1,5% Pyridin (1:3:4)[5] äquilibriert. Nach 60 Schritten mit Ober- und 5 Schritten mit der Unter-Phase kann das gewünschte

---

* 28,6 *ml* Essigsäure und 19,25 g Ammoniumacetat mit Wasser auf 1 *l* aufgefüllt.

[1] B. Kamber u. W. Rittel, Helv. **51**, 2061 (1968).

[2] P. Marbach u. J. Rudinger, Helv. **57**, 403 (1974).

[3] P. Fehrenbach u. H. Zahn, A. **1974**, 283.

[4] B. Kamber, Helv. **54**, 927 (1971).

[5] G. Flouret u. V. du Vigneaud, J. Med. Chem. **12**, 1035 (1969).

„Oxidations-Produkt“ (K 6) aus den Fraktionen 43–60 isoliert werden; das so gewonnene N-tert.-Butyloxy-carbonyl-Derivat (31 mg) wird in 80%-iger Trifluoressigsäure aufgenommen, die Lösung nach 30 Min. mit Wasser verdünnt, auf ein kleines Volumen i. Vak. eingedampft, erneut mit Wasser verdünnt und letztlich lyophilisiert. Das erhaltene Material wird der Gelfiltration an Sephadex G-15 (Kolonne 1,5 × 110 cm) in 0,2 n Essigsäure unterworfen, das erhaltene Eluat i. Vak. konzentriert, dann lyophilisiert, der Rückstand 10 Stdn. bei 40° und 0,1 Torr getrocknet; Ausbeute: 20 mg (46% d. Th.); $[\alpha]_D^{25} = -23,4 \pm 1°$ (c = 0,58 in n Essigsäure).

36.922.13. Aus doppelstrangigen, asymmetrischen Cystin(yl)-peptiden

In einer Diskussion der Alternativ-Wege zur Synthese von Oxytocin verwies Photaki[1] auf die Möglichkeit der Erstellung dieses Moleküls mit intrachenarer Disulfid-Brücke aus einem asymmetrischen „offen-kettigen“ Cystin-peptid durch „ringschließende Peptid-Verknüpfung“; sie räumte dieser Route im Hinblick auf die bekannte, leicht eintretende Disproportionierung der asymmetrischen Disulfide allerdings keine Chance ein.

Hiskey und Smithwick[2] konnten jedoch einen Präzedenzfall schaffen und damit die „Machbarkeit“ dieser Synthese-Route erfolgreich demonstrieren: unter Einhaltung der günstigsten Voraussetzungen für eine solche Synthese, wie Verknüpfung unter hoher Verdünnung und Ringschluß zum zwanziggliedrigen Cyclo-peptid (= vier Aminosäure-Reste zwischen den „Cystin-Hälften“)[3], ließ sich die Erstellung des asymmetrischen, einkettigen Cystin-peptids aus dem asymmetrischen, doppelkettigen verwirklichen!

L-Valyl-(N_α'-benzyloxycarbonyl)-L-cystinyl-(C_α'-L-valyl-L-alanyl-glycin)-C_α-glycin-benzylester* [(H-Val,Z)=$(Cys)_2$=(Val-Ala-Gly-OH,Gly-OBZL)][2]: Zu einer Suspension von 0,614 g (DOC-Val,Z)=$(Cys)_2$=(Val-Ala-Gly-ODPM,Gly-OBZL) in 10 *ml* Essigsäure werden 0,7 *ml* Bortrifluorid-Diäthylätherat gegeben; die Reaktionsmischung wird 150 Min. bei 40° stehengelassen, 1,26 g Natriumacetat in 50 *ml* destilliertem Wasser zugefügt und dann i. Vak. bei 50° zur Trockene gedampft. Der verbleibende feste Rückstand wird mit Wasser behandelt, aufs Filter gebracht und letzlich über Phosphor(V)-oxid getrocknet. Das erhaltene Material (0,465 g) in 5 *ml* warmer Essigsäure wird mit 0,01 Mol Chlorwasserstoff in Diäthyläther versetzt; nach Entfernen des Lösungsmittels i. Vak. wird der erhaltene Rückstand vakuumgetrocknet (0,47 g).

Zu einer Lösung von 0,3 g (0,00034 Mol) des erhaltenen Produkts (Peptid-Derivat-Hydrochlorid) in Dimethylformamid werden 0,00034 Mol Triäthylamin hinzugefügt; die Lösung wird filtriert, das Filtrat tropfenweise mit wäßriger ges. Natriumchlorid-Lösung versetzt. Der gebildete feine Niederschlag wird aufs Filter gebracht, sorgfältig mit Wasser und Methanol gewaschen und letztlich über Phosphor(V)-oxid getrocknet; Ausbeute: 0,22 g (76% d. Th.); F: 207–208°; $[\alpha]_D^{27} = -60,7°$ (c = 0,46 in Dimethylformamid).

N-Benzyloxycarbonyl-L-hemicystinyl ⟨$S_1 \rightarrow S_6$⟩-L-valyl-L-alanyl-glycyl-L-valyl-L-hemicystinyl ⟨$S_6 \rightarrow S_1$⟩-glycin-benzylester [Z-Cys⟨$S_1 \rightarrow S_6$⟩-Val-Ala-Gly-Val-Cys⟨$S_6 \rightarrow S_1$⟩-Gly-OBZL][2]: Zu einer Suspension von 0,085 (H-Val,Z)=$(Cys)_2$=(Val-Ala-Gly-OH,Gly-OBZL) in 100 *ml* frischdestilliertem Dimethylformamid und 25 *ml* Dichlormethan werden unter Rühren 0,02 g 1-Äthyl-3-(3-dimethylamino-propyl)-carbodiimid-Hydrochlorid zugefügt; die Reaktionsmischung wird 24 Stdn. gerührt, wobei nach ~7 Stdn. vollständige Lösung erfolgt, anschließend in wäßrige ges. Natriumchlorid-Lösung eingegossen. Nach mehrstündigem Stehen bei 10° wird der gebildete Niederschlag aufs Filter gebracht, mit Wasser gewaschen und i. Vak. getrocknet. Das so gewonnene Rohprodukt wird in 10 *ml* warmem Dimethylformamid aufgenommen, die Lösung mit 0,1 g Aktivkohle behandelt, filtriert und anschließend mit Diäthyläther gefällt. Das abfiltrierte Material wird über Phosphor(V)-oxid getrocknet; Ausbeute: 0,046 g (55% d. Th.); F: 261–263°; $[\alpha]_D^{27} = -26,0°$ (c = 0,5 in Dimethylformamid).

---

* Alternativ-Bezeichnung: N-Benzyloxycarbonyl-L-hemicystinyl ⟨$S_1' \rightarrow S_2$⟩-L-valyl-L-alanyl-glycin: L-Valyl-L-hemicystinyl ⟨$S_2 \leftarrow S_1'$⟩-glycin-benzylester.

[1] I. Photaki, Am. Soc. **88**, 2292 (1966).

[2] R.G. Hiskey u. E.L. Smithwick, Am. Soc. **89**, 437 (1967).

[3] H.N. Rydon u. J. Šavrda, Soc. **1965**, 4246; s. dort weitere Lit.

36.922.15. Aus symmetrischen „Bis-cystin(yl)-peptiden“

1970 fanden Hiskey et al.[1], daß das symmetrische, cyclische „Bis-cystin-peptid“ $(Z)_2$=$(Cys)_2$=(Gly-Lys⟨Z⟩-Gly)$_2$=$(Cys)_2$=(Gly-OH)$_2$ beim Erwärmen in Dimethylformamid auf 100° sich zum „cyclischen Monomeren“ *Z-Cys⟨S_1→S_5⟩-Gly-Lys(Z)-Gly-Cys⟨S_5→S_1⟩-Gly-OH* in hohen Ausbeuten umlagert. Nach den vorgenommenen Untersuchungen der Autoren ist für diese „Disproportionierung“ weitgehend eine Basenkatalyse, z.B. durch Spuren von Dimethylamin im Dimethylformamid, und erst in zweiter Linie der Erhitzungsvorgang verantwortlich zu machen. So verändert sich das „Dimere“ $(Z)_2$=$(Cys)_2$=(Gly-Lys⟨BOC⟩-Gly)$_2$=$(Cys)_2$=(Gly-OtBu)$_2$ in Chloroform/Methanol auf Zusatz von Triäthylamin über 3 Stdn. bei Raumtemperatur nicht; es wird aber komplett in zwei Moleküle „Monomeres“ *Z-Cys⟨S_1→S_5⟩-Gly-Lys(BOC)-Gly-Cys⟨S_5→S_1⟩-Gly-OtBu* beim Stehen dieser Lösung über 16,5 Stdn. bei 50° „umgeformt“. In Dimethylformamid als Lösungsmittel scheint diese Umlagerung schon bei tieferen Temperaturen abzulaufen. Eine „Rückführung“ des Monomeren in das Dimere war unter den genannten Bedingungen nicht zu erreichen.

N-Benzyloxycarbonyl-L-hemicystinyl⟨S_1→S_5⟩-glycyl-N_ε-benzyloxycarbonyl-L-lysyl-glycyl-L-hemicystinyl⟨S_5→S_1⟩-glycin [Z-Cys⟨S_1→S_5⟩-Gly-Lys(Z)-Gly-Cys⟨S_5→S_1⟩-Gly-OH][1]: Eine Lösung von 0,065 g $(Z)_2$=$(Cys)_2$=(Gly-Lys⟨Z⟩-Gly)$_2$=$(Cys)_2$=(Gly-OH)$_2$ in 10 *ml* Dimethylformamid wird 2 Stdn. lang auf 100° erhitzt; nach Zugabe von Diäthyläther zum abgekühlten Reaktionsansatz bildet sich ein farbloser Niederschlag, der aufs Filter gebracht, mit Diäthyläther gewaschen und getrocknet wird; Ausbeute: 0,042 g (75% d.Th.); F: 215–217°; $[\alpha]_D^{25}$ = −50,7° (c = 0,65 in Dimethylformamid).

Im Gegensatz zu diesen Ergebnissen stehen Befunde der du Vigneaud-Schule[2], nach denen das teilcyclische Nonapeptidamid mit intrachenarer Disulfid-Brücke Oxytocin in wäßriger Lösung durch Einwirkung von Triäthylamin (6-fache Menge!) bei 25° über 6,3 Stdn. in erheblichem Umfange „dimerisiert“; mit Hilfe einer Verteilungs-Chromatographie konnte eine Auftrennung und Isolierung von Oxytocin und den gebildeten Dimeren* (Gewichtverhältnis 3:2) herbeigeführt werden.

36.922.20. *Doppelstrangige Peptide mit interchenarer Disulfid-Brücke*

Zur Synthese von doppelstrangigen** asymmetrischen Cystin(yl)-peptiden, d.s. Peptide mit interchenarer Disulfid-Brücke, sind prinzipiell vier Haupt-Wege – zwei von „spezifischer“ und zwei von „unspezifischer“ Art – gangbar:

ⓐ Die unspezifische S—S-Verknüpfung zweier thiol-freier oder thiol-substituierter Cystein(yl)-peptide (-peptid-Derivate) und Isolierung der in jeweils statistischer Ausbeute gebildeten asymmetrischen Cystin(yl)-peptide von den beiden symmetrischen.

ⓑ Die Disproportionierung zweier symmetrischer Cystin(yl)-peptide (-peptid-Derivate) und Auftrennung des Peptid-Gemisches wie unter ⓐ.

ⓒ Spezifische S—S-Verknüpfung zweier thiol-freier oder thiol-substituierter Cystein(yl)-peptid-Derivate zur asymmetrischen Cystin(yl)-peptid-Verbindung, Abspaltung der Schutzgruppen und Reindarstellung des freien Peptids.

ⓓ Erstellung von asymmetrisch-maskierten Cystin-Derivaten, sei es durch partielle Umsetzungen von Cystin(-estern), sei es aus Cystein-Verbindungen unter Anwendung der für oben genannten Wege ⓐ und ⓒ benutzten Verfahren der Disulfid-Knüpfung,

---

* Mischung aus „Parallel-Dimer“ und „Antiparallel-Dimer“ (als α- und β-Dimere bezeichnet, Auftreten im Verhältnis 2:1).

** Vielfach unglücklich als „offenkettig“ bezeichnet.

[1] R.G. Hiskey et al., J. Org. Chem. **35**, 4148 (1970).

[2] D. Yamashiro, D.B. Hope u. V. du Vigneaud, Am. Soc. **90**, 3857 (1968).
Vgl. dazu A.V. Schally u. J.F. Barrett, Am. Soc. **87**, 2497 (1965).

und peptidsynthetische Umsetzung an einer freien oder selektiv-freigesetzten Amino-(N_a oder N_a')- bzw. Carboxy-(C_a oder C_a')-Gruppe. Dieser Verfahrensweg ist auf die Synthese „höherer" Peptide aus teil-geschützten asymmetrischen Cystin(yl)-peptid-Derivaten, z. B. erhalten nach Weg ⓐ oder ⓒ übertragbar (s. S. 830 ff.).

Alle vier Haupt-Wege sind einem strengen Reglement unterworfen, das bedingt ist durch die große Bereitschaft dieser „asymmetrischen Disulfide" zur Disproportionierung[1–3]. An dieser – vor allem im alkalischen Milieu bevorzugt ablaufenden – Umlagerung waren Fischer u. Gerngroß[4] mit ihren Versuchen gescheitert, z. B. aus Monochloracetyl-cystin durch Ammonolyse ein reines *(H-Gly,H)=(Cys)$_2$=(OH)$_2$* zu gewinnen. Zervas et al.[5] konnten aufzeigen, daß *(Z,H)=(Cys)$_2$=(OH)$_2$* in wäßriger Lösung unter Diäthylamin-Zusatz innerhalb 2 Stdn. einen ~40%-igen „Disulfid-Austausch" zu Cystin und *(Z)$_2$=(Cys)$_2$=(OH)$_2$* erleidet. Selbst unter äußerst schwachen basischen Bedingungen ($p_H = 7{,}5$) war nach einigen Tagen etwa 25% Disproportionierung zu verzeichnen, während bei $p_H = 6{,}5$ die asymmetrische Disulfid-Verbindung auch über 5 Tage lang unverändert blieb.

Doch auch stark saure Bedingungen scheinen, mit der Protonierung der Disulfid-Bindung als primäre Reaktion, Wegbereiter für eine Disproportionierung zu sein; jedenfalls ließ sich in einem Entacylierungs-Ansatz von (Z-Gly,H)=(Cys)$_2$=(OH)$_2$ mittels Bromwasserstoff/Essigsäure u. a. auch Cystin nachweisen[5] (vgl. dazu auch Rydon u. Serrão[6]).

Detaillierte Angaben zur Stabilität geschützter und freier asymmetrischer Peptide von Cystin macht neuerdings Kamber[7]. Beachtung sollten vor allem die Versuche des Autors zur Disproportionierungs-Tendenz am „sauren" freien Peptid* *(H-Val,H)=(Cys)$_2$=(Asn-OH,Gly-Glu-OH)* – siehe dazu folgende Tab. 71 – und am Peptid-Derivat *(TRT-Leu-Val, BOC)=(Cys)$_2$=(Asn-OtBu,Gly-Glu⟨OtBu⟩-OtBu)* – s. dazu S. 822 – verdienen.

Tab. 71. Disproportionierungs-Tendenz von (H-Val,H)=(Cys)$_2$=(Asn-OH,Gly-Glu-OH)[7]

Lösungsmittel	Temperatur [°C]	Zeit	Disproportionierung
Wasser	20	10 Tge.	0
Wasser	60	3 Stdn.	0
0,1 n Salzsäure	20	24 Stdn.	0
2 n Salzsäure	20	30 Min.	+
konz. Salzsäure	0	5 Min.	0
konz. Salzsäure	0	30 Min.	+
90%-ige Trifluoressigsäure	20	48 Stdn.	0
Borat-Salzsäure-Puffer ($p_H = 8$)	20	20 Stdn.	0
Borsäure-Kaliumchlorid-Natronlauge-Puffer ($p_H = 9$)	20	4 Stdn.	+
dgl. Puffer ($p_H = 10$)	20	1 Stdn.	+

Versuchsanordnung: 10%-ige Lösung des Peptids unter genannten Bedingungen gehalten, anschließend verdünnen mit Wasser auf das Zehnfache (1%) und dünnschicht-chromatographische Überprüfung (Cellulose; System: n Butanol/Pyridin/Essigsäure/Wasser 34 : 24 : 12 : 30) auf Anwesenheit der beiden möglichen symmetr. Cystinyl-peptide.

* Eine 5%-ige wäßrige Lösung hat $p_H = 4{,}3$.

1 A. P. Ryle u. F. Sanger, Biochem. J. **60**, 535 (1955).
2 R. E. Benesch u. R. Benesch, Am. Soc. **80**, 1666 (1958).
3 A. Schöberl u. H. Gräfje, A. **617**, 71 (1958).
4 E. Fischer u. O. Gerngross, B. **42**, 1485 (1909).
5 L. Zervas et al., Am. Soc. **81**, 1729 (1959).
6 H. N. Rydon u. F. O. dos S. P. Serrão, Soc. **1964**, 3638.
7 B. Kamber, Helv. **54**, 398 (1971).

Unter Berücksichtigung der vorgefundenen Verhältnisse sollten folgende Richtlinien bei der Synthese asymmetrischer doppelstrangiger Cystin(yl)-peptide beherzigt werden:

ⓐ Vermeidung von Peptid-Verknüpfung im basischen Milieu oder unter jedwedem Überschuß von tert. Basen im Reaktions-Ansatz. (In Methanol genügt 1% freies Triäthylamin, um weitgehende Disproportionierung herbeizuführen; vgl. auch S. 822).

ⓑ Absolute Ausklammerung von Synthese-Wegen, die alkalische Hydrolyse oder Hydrazinolyse von Esterbindungen verlangen.

ⓒ Verwendung von Schutzgruppen, die auf relativ mildem acidolytischem Wege – im Zuge des Aufbaues ev. noch dazu selektiv voneinander – spaltbar sind, verbunden mit einem „gefahrlosen" Aufarbeitungs-Vorgang (s. S. 830 ff.).

ⓓ Möglichst „späte" Erstellung der interchenaren Disulfid-Brücke (bevorzugt unter Anwendung spezifischer S—S-Verknüpfungs-Methoden) und der „Chancen-Kalkulation" eines ev. notwendigen Auftrennens der symmetrischen bzw. asymmetrischen Cystin(yl)-peptide.

ⓔ Benutzung von Reindarstellungs-Verfahren, die eine nachträgliche Disproportionierung der doppelstrangigen asymmetrischen Cystin(yl)-peptide mit Sicherheit ausschließen.

Es ist selbstverständlich, daß die Struktur der doppelstrangigen asymmetrischen Cystin(yl)-peptide (-peptid-Derivate) einen entscheidenden und dem Peptidchemiker z.Zt. noch weitgehend unbekannten Einfluß auf die Disproportionierungs-Tendenz ausübt, wodurch ein gewisser Spielraum (nach oben und unten) für genannte Richtlinien vorliegt.

36.922.21. Die „unspezifische" S—S-Verknüpfung

Für die Erstellung doppelstrangiger asymmetrischer, freier oder geschützter Cystin(yl)-peptide aus entsprechenden thiol-freien bzw. thiol-substituierten Cystein(yl)-peptiden können die gleichen Methoden zur Anwendung kommen, die für symmetrische Cystin(yl)-peptide mit Erfolg erprobt worden sind (s. dazu S. 800 ff., 804 f.) – mit dem einzigen Vorbe-

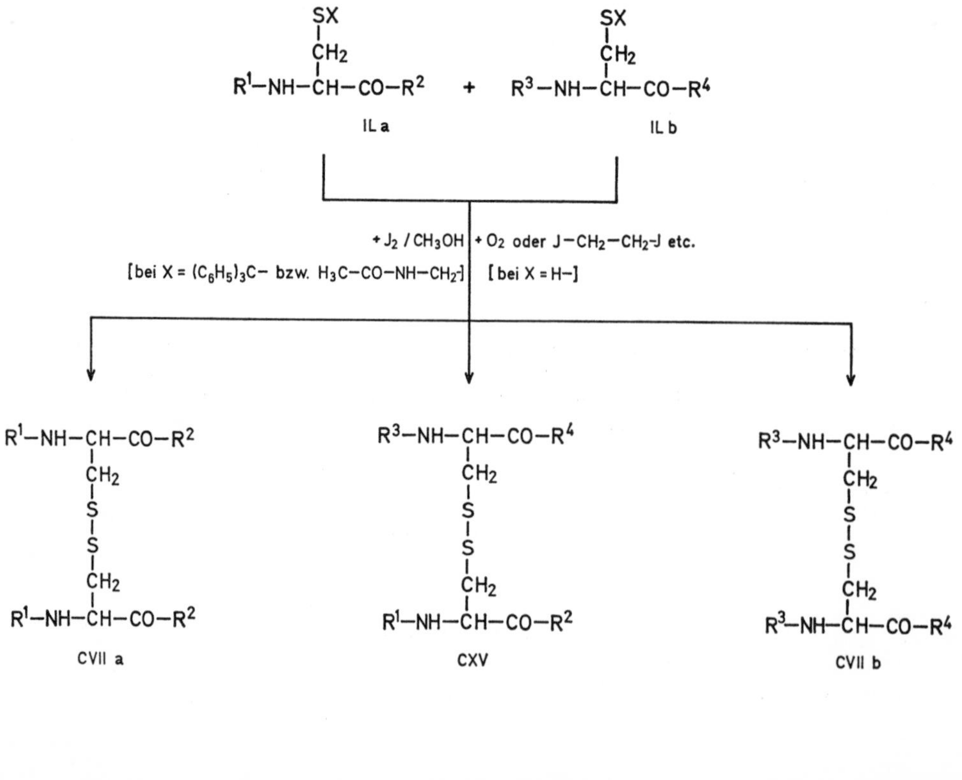

$R^1{-}NH{-}CH(CH_2{-}SX){-}CO{-}R^2$ (IL a) + $R^3{-}NH{-}CH(CH_2{-}SX){-}CO{-}R^4$ (IL b)

+ J_2 / CH_3OH [bei X = $(C_6H_5)_3C{-}$ bzw. $H_3C{-}CO{-}NH{-}CH_2{-}$] | + O_2 oder $J{-}CH_2{-}CH_2{-}J$ etc. [bei X = H–]

$R^1{-}NH{-}CH(CO{-}R^2){-}CH_2{-}S{-}S{-}CH_2{-}CH(CO{-}R^2){-}NH{-}R^1$ (CVII a)

$R^3{-}NH{-}CH(CO{-}R^4){-}CH_2{-}S{-}S{-}CH_2{-}CH(CO{-}R^2){-}NH{-}R^1$ (CXV)

$R^3{-}NH{-}CH(CO{-}R^4){-}CH_2{-}S{-}S{-}CH_2{-}CH(CO{-}R^4){-}NH{-}R^3$ (CVII b)

halt, daß jeweils gleichzeitig zwei unterschiedlich gebaute „Cystein-Sequenzen“ IL a und b ins Spiel gebracht werden und damit zwangsläufig Mischungen (in statistischem Gleichgewicht) von einem asymmetrischen Peptid CXV und zwei symmetrischen Peptiden CVII a und b, alle mit interchenarer Disulfid-Brücke, resultieren[1]. Hierbei wird vorausgesetzt, daß die angewandten Reaktionsbedingungen keine Disproportionierung der gebildeten asymmetrischen Peptide herbeiführen.

Die Oxidation der thiol-freien Cystein(yl)-peptide IL a und b (X = H) wurde in bislang bekanntgewordenen Arbeiten mit Luftsauerstoff und 1,2-Dijod-äthan vorgenommen[2,3], „S—S-Aufknüpfungen“ von Cystein an thiol-freie Cystein(yl)-peptide (-peptid-Derivate) IL (X = H) mittels Jod in essigsaurer Lösung herbeigeführt[4], z.B. Glutathion zu (*H-Glu* $\langle C_\gamma \rangle$*-OH,H*)=(*Cys*)$_2$=(*OH,Gly-OH*), oder mittels Dibrom-dihydrozimtsäure-methylester in wäßrigem Aceton erzielt[5].

Dergleichen „Cystein-Aufknüpfungen“ wurden von Zahn und Otten[4] durch Umsatz der thiol-freien Cystein-peptide mit S-Sulfo-cystein nach dem Footner-Smiles-Verfahren[6] oder mit Cystin-S-dioxid* beschrieben; auf Grund der Reaktionsbedingungen und des hierbei entstehenden Reaktions-Gleichgewichts resultieren ebenfalls Gemische von symmetrischen und asymmetrischen Peptiden.

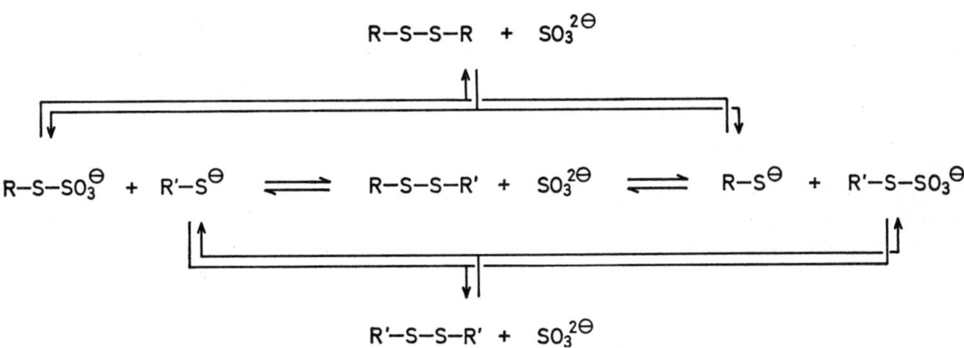

Die „Oxidation“ von zwei sequenzunterschiedlichen S-Trityl-subst. Cystein(yl)-peptiden IL a und b [X = $(C_6H_5)_3C$] durch das „Jodolyse-Verfahren“[9] (zum Mechanismus s. S. 804) wurde von Kamber[3] mit der Synthese mehrerer Insulin-Fragmente mit „intakter“ interchenarer Disulfid-Brücke A[20]–B[19] (d.h. mit $S_{20} \rightarrow S'_{19}$*-Disulfid-Brücke zwischen Insulin-A- und Insulin-B-Kette*) erfolgreich demonstriert, wobei die „normale“ Ausbeute

* Von Cavallito et al.,[7] wird das Oxidationsprodukt von Cystin z.B. mit Phthalmonopersäure als Sulfinsäurethioester (= Cystin-S-oxid), von Maclaren[8] dagegen als Gemisch von unverändertem Disulfid (= Cystin) und einem Sulfonsäurethioester (= Cystin-S-dioxid) angesprochen.

1 A.H. Livermore u. E.C. Muecke, Nature **173**, 265 (1954).

2 D.F. Veber, R. Hirschmann u. R.G. Denkewalter, J. Org. Chem. **34**, 753 (1969).

3 B. Kamber, Helv. **54**, 398 (1971).

4 H. Zahn u. H.G. Otten, A. **653**, 139 (1962).

5 F. Weygand u. G. Zumach, Z. Naturf. **17b**, 807 (1972).

6 H.B. Footner u. S. Smiles, Soc. **127**, 2887 (1925).

7 C.J. Cavallito, J. S. Buck u. C.M. Suter, Am. Soc. **66**, 1952 (1944).

8 J.A. Maclaren, Experientia **17**, 346 (1961).

9 D. Kamber u. W. Rittel, Helv. **51**, 2061 (1968).

um 50% an asymmetrischen Peptid-Derivaten steigerungsfähig ist, sofern eine der ev. billig und gut zugänglichen Komponenten IL a oder b [X = $(C_6H_5)_3C$] im großen Überschuß eingesetzt werden kann. Diese S—S-Verknüpfung gab auch dann die in statistischer Ausbeute zu erwartenden asymmetrischen Peptide, wenn eine, an thiol-freien Komponenten analoger Sequenz, vorgenommene Luftoxidation nur bescheidene Ergebnisse* zeigte[1].

Diese jodolytische S—S-Verknüpfung ist auf N-Trityl-geschützte S-Trityl-cystein(yl)-peptid-Derivate anwendbar[2], insbesondere wenn der bei der Reaktion gebildete Jodwasserstoff egalisiert wird. Dies läßt sich durch Zusatz von Pyridin beim Umsatz von „Neutralkomponenten" in Methanol[1] oder mit dem Einsatz einer der Komponenten in Form eines N-geschützten Peptid-Diäthylaminsalzes in Dimethylformamid/Methanol (1:1) erreichen[2]. Es ist dann aber zu beachten, daß bei Tyrosin-haltigen Peptiden teilweise Jodierung im Phenyl-Ring stattfinden kann; ein Schutz der Tyrosin-Phenol-Funktion durch tert.-Butyläther-Maskierung ist dann angebracht[2].

Zur Trennung der symmetrischen Peptide (Peptid-Derivate) CVII a u. b vom asymmetrischen Produkt CXV – und damit zur erwünschten Isolierung des letzteren – werden mit Erfolg herangezogen (vgl. Schema S. 818):

① bei „freien" Peptiden eine Gelfiltration an Sephadex G 25[3] oder Elektrophorese nach dem Pheroplan-Verfahren[4].

② bei „geschützten" Peptiden vorwiegend multiplikative Verteilung in den Systemen Tetrachlormethan/Methanol/0,1 n Ammoniumacetat-Lösung oder Chloroform/Tetrachlormethan/Methanol/0,1 n Ammoniumacetat-Lösung (bzw. essigsaurer Ammoniumacetat-Puffer) verschiedenster Zusammensetzung[1,5] (s. S. 821 u. 831) sowie Gelfiltration an Sephadex LH 20[1].

N_α-(L-Leucyl-L-valyl-L-cystinyl)-($C_{\alpha'}$-L-asparagin)-C_α-glycyl-L-glutaminsäure[(H-Leu-Val,H)=(Cys)$_2$=(Asn-OH, Gly-Glu-OH])[3]: Die Lösungen von 0,42 mMol H-Leu-Val-Cys-Gly-Glu-OH (Tetrahydrat) in 10 *ml* Wasser und 2,64 mMol H-Cys-Asn-OH in 30 *ml* Wasser werden vereinigt, einer Oxidation unter Durchleiten von Luftsauerstoff unterzogen, bis die Nitroprussid-Reaktion negativ ausfällt (eine Dünnschichtchromatografie zeigt das Auftreten von drei erwarteten Flecken, den asymmetrischen und beiden symmetrischen „Cystin-peptiden"). Die Reaktionslösung wird i. Vak. auf 6 *ml* konzentriert und dann der Gelfiltration unterworfen (100 × 2,5 cm-Sephadex-G-25-Säule; Elutionsmittel Wasser; 8-*ml*-Fraktionen). Die vereinigten Fraktionen 42–47 enthalten 268 mg Rohprodukt, das aus Wasser/Äthanol umkristallisiert wird; Ausbeute: 105 mg (32% d. Th.); F: 203–206° (Zers.); $[\alpha]_D^{25} = -80{,}0 \pm 8°$ (c = 0,49 in 1%-iger Essigsäure). (Korrigierter Wert nach privater Mitteilung der Autoren).

N_α,$N_{\alpha'}$-Bis-tert.-butyloxycarbonyl-L-cystinyl-($C_{\alpha'}$-L-asparagin-tert.-butylester)-C_α-glycyl-L-glutaminsäure-di-tert.-butylester[(BOC)$_2$=(Cys)$_2$=(Asn-OtBu,Gly-Glu⟨OtBu⟩-OtBu)]:

N-tert.-Butyloxycarbonyl-L-cysteinyl-L-asparagin-tert.-butylester [BOC-Cys-Asn-OtBu][1]: 2,54 g (4 mMol) BOC-Cys(TRT)-Asn-OtBu (s. S. 754) und 1,4 g Quecksilber(II)-acetat werden in 40 *ml* Essigsäure-äthylester/Methanol (1:1) unter Stickstoff-Atmosphäre während 4 Stdn. bei 20° stehengelassen. Durch die klare Lösung leitet man Schwefelwasserstoff (30 Min.) und Stickstoff (15 Min.), filtriert vom schwarzen Niederschlag ab und dampft das gelbe Filtrat bei 40° zu einem Öl ein; dieses wird 2 mal mit je 10 *ml* Petroläther extrahiert. Der ölige, in Petroläther unlösliche Rückstand ist gem. Dünnschichtchromatogramm (Toluol/Aceton 1:1) lediglich mit ~10% (BOC)$_2$=(Cys)$_2$=(Asn-OtBu)$_2$ verunreinigt; dies ist aber für die weitere Verarbeitung (s. u.) ohne Bedeutung; Ausbeute: 1,42 g.

---

* Dies scheint vor allem für N-geschützte Peptid-Derivate mit amino-endständigem Cystein zuzutreffen [vgl. dazu I. Photaki, Am. Soc. **88**, 2292 (1966); Oxidation mit 1,2-Dijod-äthan ist in diesen Fällen erfolgreicher].

[1] B. Kamber, Helv. **54**, 398 (1971).

[2] B. Kamber, Helv. **56**, 1370 (1973).

[3] D.F. Veber, R. Hirschmann u. R. G. Denkewalter, J. Org. Chem. **34**, 753 (1969).

[4] H. Zahn u. H.G. Otten, A. **653**, 139 (1962).

[5] B. Kamber u. W. Rittel, Helv. **51**, 2061 (1968).

N-tert.-Butyloxycarbonyl-L-cysteinyl-glycyl-L-glutaminsäure-di-tert.-butylester [BOC-Cys-Gly-Glu(OtBu)-OtBu][1]: 3,05 g (4 mMol) BOC-Cys(TRT)-Gly-Glu(OtBu)-OtBu werden wie vorstehend beschrieben mit Quecksilber(II)-acetat detrityliert und aufgearbeitet. Das erhaltene ölige Rohprodukt ist gemäß Dünnschichtchromatogramm (Chloroform/Methanol 95 : 5) gleichfalls etwa zu 10% mit dem symmetrischen $(BOC)_2$=$(Cys)_2$=$(Gly\text{-}Glu\langle OtBu\rangle\text{-}OtBu)_2$ verunreinigt; Ausbeute: 1,94 g.

N_α,N_α'-Bis-tert.-butyloxycarbonyl-L-cystinyl-(C_α'-L-asparagin-tert.-butylester)-C_α-glycyl-L-glutaminsäure-di-tert.-butylester [$(BOC)_2$=$(Cys)_2$=(Asn-OtBu,Gly-Glu ⟨OtBu⟩-OtBu)]:

Methode ⓐ[1]: Die beiden als Rohprodukte erhaltenen BOC-Cys-Asn-OtBu und BOC-Cys-Gly-Glu (OtBu)-OtBu (s. o.) werden in 30 *ml* Essigsäure-äthylester/Methanol (1:1) gelöst und mit 1,12 *ml* Triäthylamin und 1,69 g frisch umkristallisiertem 1,2-Dijod-äthan versetzt. Nach 15 Stdn. bei 20° dampft man i. Vak. ein und verreibt den verbleibenden Rückstand mit Petroläther und letztlich mit Wasser. Das erhaltene Rohprodukt wird einer Gegenstromverteilung im System Methanol/0,1 m Ammoniumacetat-Lösung/Chloroform/Tetrachlormethan (4:2:1:3) unterworfen. (s. u.); Ausbeute: 1,34 g (36% d.Th.); $[\alpha]_D^{20}$ = –103° (c = 1,9 in Dimethylformamid). (Vgl. dazu die Synthese nach dem „Rhodanolyse-Verfahren" S. 825).

Methode ⓑ[2]: 762 mg (1 mMol) BOC-Cys(TRT)-Gly-Glu(OtBu)-OtBu, 634 mg (1 mMol) BOC-Cys (TRT)-Asn-OtBu (s. S. 754) und 508 mg (2 mMol) Jod in 25 *ml* Methanol läßt man 1 Stde. bei Raumtemp. reagieren (zweckmäßig wird die Lösung der Peptid-Derivate zur Jod-Lösung getropft); anschließend wird durch tropfenweise Zugabe von wäßriger n Natriumthiosulfat-Lösung die Reaktionsmischung bei 0° entfärbt und 50 *ml* Wasser zugeben. Das ausgefallene Material wird abfiltriert, getrocknet und 3mal mit je 10 *ml* Petroläther verrieben; der Petroläther-Auszug enthält 509 mg (93% d.Th.) Trityl-methyl-äther. Das Petroläther-unlösliche Rohprodukt, das im Dünnschichtchromatogramm (Chloroform/Methanol 9 :1) drei Flecke aufzeigt (das asymmetrische und die beiden symmetrischen Cystin-peptide), wird anschließend der Gegenstromverteilung im System Methanol/0,1 m Ammoniumacetat-Lösung/Chloroform/Tetrachlormethan (4 :2 :1 :3) über 100 Schritte unterworfen. Danach befindet sich das symmetrische Peptid $(BOC)_2$=$(Cys)_2$=$(Asn\text{-}OtBu)_2$ in den Elementen 56–76 (r_{max} = 65; K = 1,85). Diese werden geleert, frische Unter-Phase eingefüllt und weitere 100 Schritte ausgeführt. Danach befinden sich das symmetrische Peptid $(BOC)_2$=$(Cys)_2$=$(Gly\text{-}Glu\langle OtBu\rangle\text{-}OtBu)_2$ in den Elementen 0–5, das gesuchte asymmetrische Peptid in den Elementen 8–25 (r_{max} = 16; K = 0,09). Nach Eindampfen der genannten Fraktionen i. Vak. und Absublimieren von Ammoniumacetat: amorphes Material; Ausbeute: 463 mg (59% d.Th.)

Ausbeute an $(BOC)_2$=$(Cys)_2$=$(Asn\text{-}OtBu)_2$ 162 mg; F: 194–196°. Ausbeute an $(BOC)_2$=$(Cys)_2$=$(Gly\text{-}Glu\langle OtBu\rangle\text{-}OtBu)_2$ 225 mg; F: 150–152°.

Wird die Reaktion mit 2 mMol BOC-Cys(TRT)-Asn-OtBu und 3 mMol Jod ausgeführt, so kann die Ausbeute an asymmetrischem Peptid-Derivat auf 580 mg gesteigert werden.

N_α-(L-Valyl-L-cystinyl)-(C_α'-L-asparagin)-C_α-glycyl-L-glutaminsäure [(H-Val,H)=$(Cys)_2$=(Asn-OH, Gly-Glu-OH)]:

N-tert.-Butyloxycarbonyl-L-valyl-(N_α'-tert.-butyloxycarbonyl)-L-cystinyl-(C_α'-L-asparagin-tert.-butylester)-C_α-glycyl-L-glutaminsäure-di-tert.-butylester [(BOC-Val,BOC)=$(Cys)_2$=(Asn-OtBu,Gly-Glu⟨OtBu⟩-OtBu)][1]: Zu 1 g (4 mMol) Jod in 5 *ml* Methanol wird eine Lösung von 1,27 g (2 mMol) BOC-Cys(TRT)-Asn-OtBu und 1,72 Mol (2 mMol) BOC-Val-Cys(TRT)-Gly-Glu(OtBu)-OtBu in 15 *ml* Essigsäure-äthylester/Methanol (2 : 1) gegeben. Nach 1 Stde. bei 20° werden 100 *ml* Essigsäure-äthylester zugegeben, die Reaktionsmischung durch Schütteln mit 0,5 n Natriumthiosulfat-Lösung entfärbt, mit Wasser gewaschen, über Natriumsulfat getrocknet und letztlich i. Vak. eingedampft. Der erhaltene Rückstand wird 2 mal mit Petroläther verrieben und dann einer Gegenstromverteilung im System Chloroform/Tetrachlormethan/Methanol/0,1 n Ammoniumacetat-Lösung (1 : 3 : 4 : 2) über 400 Schritte unterworfen. Der Inhalt der Röhrchen 14–41 (r_{max} = 26; K = 0,07) wird i. Vak. eingedampft, das erhaltene Material von Ammoniumacetat durch Absublimieren bei 40° und 0,01 Torr befreit; Ausbeute: 960 mg (48% d.Th.); $[\alpha]_D^{20}$ = –64° (c = 1,9 in Methanol).
Vgl. dazu die Synthese nach dem Sulfensäure-Alkylkohlensäure-Thioanhydrid-Thiolyse-Verfahren S. 828.

N_α-(L-Valyl-L-cystinyl)-(C_α'-L-asparagin)-C_α-glycyl-L-glutaminsäure [(H-Val,H)=$(Cys)_2$=(Asn-OH, Gly-Glu-OH)]:[1]

Methode ⓐ: 300 mg (BOC-Val,BOC)=$(Cys)_2$=(Asn-OtBu,Gly-Glu⟨OtBu⟩-OtBu) werden bei 0° mit 5 *ml* 90%-iger Trifluoressigsäure versetzt; nach vollständiger Lösung der Substanz (~ 1 Min.) läßt man die Temp. auf 20° ansteigen. Nach 150 Min. kühlt man wieder auf 0° ab und fällt mit 30 *ml* kaltem Diäthyläther.

---

[1] B. KAMBER, Helv. **54**, 398 (1971).
[2] B. KAMBER u. W. RITTEL, Helv. **51**, 2061 (1968).

Methode ⓑ: 300 mg (BOC-Val,BOC)=$(Cys)_2$=(Asn-OtBu,Gly-Glu⟨OtBu⟩-OtBu) werden mit 3 *ml* eiskalter, konz. Salzssäure übergossen und 5 Min. bei 0° gerührt. Zur Entfernung eines Teiles des gelösten Chlorwasserstoffes evakuiert man bei 0° während 5 Min. auf 0,01 Torr, verdünnt dann mit 25 *ml* tert.-Butanol und lyophilisiert zum farblosen Pulver.

Aufarbeitung: Das abfiltrierte Hydro-trifluoracetat bzw. erhaltene Dihydrochlorid wird in 0,5 n Essigsäure gelöst und auf eine Säule (1 × 7 cm), beschickt mit Merck-Ionenaustauscher Nr. III (Acetat-Form), gegeben. Das erhaltene Rohprodukt wird in wäßriger Lösung an einer Säule (2 × 100 cm) Sephadex G 25 (äquilibriert mit Wasser) unter Elution mit Wasser chromatographiert (Fraktionen zu 6 *ml*). Die das reine Cystin-peptid enthaltenden Fraktionen werden lyophilisiert, das erhaltene Material bis zur Gewichtskonstanz an der Luft stehengelassen; Ausbeute: 105 mg (nach Methode ⓐ) bzw. 186 mg (nach Methode ⓑ); $[\alpha]_D^{20} = -62°$ (c = 0,5 in Essigsäure).

36.922.22. Disproportionierung doppelstrangiger symmetrischer Cystin(yl)-peptide

Der im Zuge der Synthese asymmetr. Cystin(yl)-peptide (-peptid-Derivate) oder bei deren weiteren Umsetzungen gefürchtete „Disulfid-Austausch", der bereits unter sehr milden basischen Bedingungen (z.B. 1% Triäthylamin in Methanol oder n Ammoniak/Methanol) zu einem Disproportionierungs-Gleichgewicht führt, kann in „Absichts-Umkehr" dazu dienen, dieses aus zwei leichtzugänglichen, doppelstrangigen symmetrischen Cystin-(yl)-peptiden – worunter auch die bei der unspezifischen S—S-Verknüpfung anfallenden symmetrischen „Beiprodukte" zu zählen sind – herbeizuführen und dann durch Auftrennen des erhaltenen Gemischs (z.B. durch Gelfiltration) das asymmetrische Cystin(yl)-peptid zu isolieren[1]. Ob unter diesen Bedingungen der Disproportionierungs-Reaktion (s. folgendes Beispiel) mit Racemisierung am Cystin zu rechnen ist, bleibt noch zu klären[1].

N_α-(N-Trityl-L-leucyl-L-valyl)-(N_α'-tert.-butyloxycarbonyl)-L-cystinyl-(C_α'-L-asparagin-tert.-butylester)-C_α-glycyl-L-glutaminsäure-di-tert.-butylester[(TRT-Leu-Val,BOC)=$(Cys)_2$=(Asn-OtBu,Gly-Glu⟨OtBu⟩-OtBu)][1]: 39 mg $(BOC)_2$=$(Cys)_2$=$(Asn\text{-}OtBu)_2$ und 87 mg $(TRT\text{-}Leu\text{-}Val)_2$=$(Cys)_2$=(Gly-Glu⟨OtBu⟩-$OtBu)_2$ – d.h. je 0,05 mMol – werden in 5 *ml* n Ammoniak/Methanol 2 Stdn. bei 40° in Lösung gehalten. Nach Neutralisation mit 5 *ml* n Essigsäure dampft man i.Vak. ein, trocknet den Rückstand bei 40° und 0,01 Torr und bringt dessen Lösung in 3 *ml* Methanol auf eine Sephadex LH 20-Säule (2 × 100 cm; Elutionsmittel Methanol). Nach 10 *ml* Vorlauf werden Fraktionen zu 2 *ml* erfaßt; nach üblicher Aufarbeitung liefern die Fraktionen 22–28 reines asymmetrisches Peptid; Ausbeute: 54 mg (43% d.Th.); $[\alpha]_D^{20} = +3 \pm 1°$ (c = 1,3 in Chloroform).

Aus den Fraktionen 16–19 werden 14 mg symmetrisches N-tert.-Butyloxycarbonyl-, aus der Fraktion 29–35 noch 32 mg symmetrisches N-Trityl-„Ausgangspeptid" zurückgewonnen.

36.922.23. Die spezifische S—S-Verknüpfung

Die spezifische S—S-Verknüpfung zweier Cystein(yl)-peptid-Derivate – beide thiol-frei oder thiol-substituiert bzw. eine Mischung beider – hat zur Voraussetzung, daß in erster Stufe eine einwandfreie „S-Aktivierung" einer der beiden Komponenten gelingen muß und in zweiter Stufe eine eindeutige Umsetzung (nur in einer Richtung ablaufend) der „aktiven" Sulfensäure-Verbindung mit der anderen Komponente erfolgen kann.

$$R^1{-}S{-}X \;+\; R{-}Y \xrightarrow[-R-X]{} R^1{-}S{-}Y \xrightarrow{+R^2-S-X'} R^1{-}S{-}S{-}R^2 \;+\; X'{-}Y$$

3 Verfahren sind bislang bekannt geworden, für die jedoch gewisse Anwendungs-Einschränkungen bzw. Vorbehalte geltend gemacht werden müssen:

---

[1] B. Kamber, Helv. 54, 398 (1971).

ⓐ Die Rhodanolyse, d.h. die Umsetzung von Thiolen, Trityl- und Diphenylmethylthioäthern, sowie Tetrahydropyranyl-(2)-, Isobutyloxymethyl- und Acylaminomethylhemithioacetalen mit Dirhodan [$RY = (SCN)_2$] zu Sulfenyl-rhodaniden, die im „Eintopf-Verfahren" sofort mit einem zweiten Molekül Thiol, Thioäther oder Hemithioacetal zum asymmetrischen Disulfid reagieren sollen. Unbekümmert der großen Wahrscheinlichkeit von Dirhodan-induzierten Nebenreaktionen erhebt sich die Frage, ob die Reaktionsgeschwindigkeit der Sulfenylrhodanid-Synthese in ihrer Größenordnung so hoch über der einer Umsetzung des Sulfenylrhodanids mit der eigenen Ausgangskomponente liegt, daß eine Bildung symmetrischer Disulfide absolut ausgeschlossen werden kann (s. S. 826).

ⓑ Die „Sulfensäure-Alkylkohlensäure-Thioanhydrid-Thiolyse", d.h. die Erstellung isolier- und charakterisierbarer Thioanhydride aus Trityl-thioäthern oder Acetaminomethyl-hemithioacetalen und Alkoxycarbonyl-sulfenylchloriden (RY=Cl-S-CO-OAlk) und deren Umsetzung mit Thiolen zu asymmetrischen Disulfiden. Der Zwang zur Öffnung der Thioanhydrid-Bindung durch Thiolyse dürfte sicher als nachteilig zu werten sein, da ein selektiver Aufbau mehrerer interchenarer Disulfid-Brücken mit dieser Methode fraglich wird.

ⓒ Die „Sulfensäure-(diacyl)-amid-Thiolyse", d.h. eine zweistufige Synthese von Sulfenyl-phthalimiden aus symmetrischen Disulfiden via Sulfenylbromiden und deren Umsetzung mit Thiolen zu asymmetrischen Disulfiden. Relativ umständliche Erstellung – außerdem unter nicht ganz problemlosem Arbeiten mit freiem Brom – und die Einschränkung der asymmetrischen S—S-Verknüpfung auf ein Thiolyse-Verfahren (s. o.) setzt dem Anwendungsbereich eindeutige Grenzen.

36.922.23.1. Sulfenylrhodanide als „Aktiv-Zwischenstufe"

Die schon 1922 von Lecher und Wittwer[1] beschriebene Methode zur Erstellung asymmetrischer Disulfide durch „Rhodanolyse", d.i. Überführung eines Thiol (CXVI) mit Dirhodan (CXVII) in ein Sulfenylrhodanid (CXVIII) und dessen Umsetzung mit einem zweiten Thiol (anderer Struktur) CXIX zum Disulfid CXX unter jeweiligem Freiwerden von Rhodanwasserstoff (CXXI), wurde vor allem von der Hiskey-Schule[2] näher studiert, erweitert und auf die Synthese von asymmetrischen Cystin-Derivaten übertragen:

$$\underset{\text{CXVI}}{R^1{-}SH} + \underset{\text{CXVII}}{(SCN)_2} \xrightarrow[\text{- HSCN, CXXI}]{} \underset{\text{CXVIII}}{R^1{-}S{-}S{-}CN} \xrightarrow{+R^2{-}SH,\ \text{CXIX}} \underset{\text{CXX}}{R^1{-}S{-}S{-}R^2} + \underset{\text{CXXI}}{HSCN}$$

Dirhodan (CXVII) sowie Sulfenylrhodanide CXVIII als „Aktiv-Zwischenstufe" reagieren außer mit Thiolen gem. Schema:

ⓐ mit Thioäthern CXXIIa[3–9], wobei die Reaktionsgeschwindigkeiten anscheinend parallel gehen zur Dissoziationsbereitschaft der Thioäther bzw. der Stabilität der

[1] H. Lecher u. M. Wittwer, B. **55**, 1474 (1922).
[2] R.G. Hiskey et al., J. Org. Chem. **26**, 1152 (1961) und folgende Arbeiten.
[3] R.G. Hiskey u. W.P. Tucker, Am. Soc. **84**, 4789, 4794 (1962).
[4] R.G. Hiskey u. J.A. Kepler, J. Org. Chem. **29**, 3678 (1964).
[5] R.G. Hiskey u. D.N. Harpp, Am. Soc. **87**, 3965 (1965).
[6] R.G. Hiskey u. E.L. Smithwick, Am. Soc. **89**, 437 (1967).
[7] R.G. Hiskey u. M.A. Harpold, J. Org. Chem. **33**, 159 (1968).
[8] R.G. Hiskey u. R.L. Smith, Am. Soc. **90**, 2677 (1968).
[9] R.G. Hiskey, T. Mizoguchi u. E.L. Smithwick, J. Org. Chem. **32**, 97 (1967).

S-Substituenten-Kationen (vgl. pK_{R^+}-Werte!)[1]. S-Trityl-[2] und S-4,4'-Dimethoxydityl-Derivate[1] sind den freien Thiolen im Reaktionsvermögen etwa gleichgestellt, S-Diphenylmethyl-Verbindungen erwartungsgemäß stark gehindert[1], so weitgehend, daß selektive Umsetzungen (vor allem unter Zusatz von Natriumacetat[3]) von S-Trityl- neben S-Dityl-Derivaten möglich werden[2] (s. S. 813 u. 834). Die „Rhodanolyse" der Diphenylmethyl-thioäther läßt sich jedoch in brauchbare Regionen anheben durch Arbeiten in stärker saurem Milieu, z.B. in Trifluoressigsäure/Essigsäure (1:1) bei −10°, d.h. Bedingungen, die einerseits die Dissoziierung dieser Thioäther-Gruppierung kräftig erhöhen und andererseits eine Protonen-katalysierte Disulfid-Disproportionierung gerade noch nicht auslösen[4] (s. S. 817).

Als Beiprodukte der Thioäther-Rhodanolyse treten Alkyl-rhodanide CXXIII (zweimal) auf:

$$\underset{\text{CXXII a-c}}{R^1{-}S{-}X} + \underset{\text{CXVII}}{(SCN)_2} \xrightarrow[\text{- X-SCN (CXXIII)}]{} \underset{\text{CXVIII}}{R^1{-}S{-}S{-}CN} \xrightarrow{+R^2{-}S{-}X \text{ (CXXII a-c)}} \underset{\text{CXX}}{R^1{-}S{-}S{-}R^2} + \underset{\text{CXXIII}}{X{-}SCN}$$

a: X = $C(C_6H_5)_3$, $CH(C_6H_5)_2$ etc. c: X = $CH_2{-}O{-}CH_2{-}CH(CH_3)_2$, $CH_2{-}NH{-}Acyl$

b: X = Tetrahydropyranyl-(2) etc.

ⓑ mit Hemithioacetalen CXIIb[5–7], wobei die Reaktions-Geschwindigkeiten der Rhodanolyse in Abhängigkeit von der anderen Acetal-Hälfte stark variieren; während der S-Isobutyloxymethyl- fast ähnlich gut wie der S-Trityl-Rest „bewegt" wird[7] (s. o.), scheinen Tetrahydropyranyl-(2)-hemithioacetale (incl. ring-subst. Analoga) in ihrer Reaktivität eher den S-Diphenylmethyl-thioäthern zu entsprechen[8]. Die zunächst als erfolgversprechend genannte Rhodanolyse der S-[Tetrahydropyranyl-(2)]-Verbindungen mittels Dirhodan-Zinkchlorid-Reagens (~ 1:1)[6] mußte später wieder abgeschrieben werden, da anscheinend eine zersetzende Wirkung des Katalysators auf die geknüpfte Disulfid-Brücke besteht[2]. Als Beiprodukt der Reaktion wurde beim Einsatz der Tetrahydropyranyl-(2)-hemithioacetale das erwartete Rhodanid CXXIII eindeutig nachgewiesen.

ⓒ mit Acylaminomethyl-hemithioacetalen CXXIIc[8] in anscheinand guter, den Trityl-thioäthern vergleichbarer Weise. Detaillierte Angaben fehlen bislang hierzu.

---

[1] R.G. Hiskey, V.R. Rao u. W.G. Rhodes, Protection of Thiols, in *Protecting Groups in Organic Chemistry*, S. 235–308, Plenum Press, London · New York 1973.
[2] R.G. Hiskey, T. Mizoguchi u. E.L. Smithwick, J. Org. Chem. **32**, 97 (1967).
[3] R. G. Hiskey u. D. N. Harpp, Am. Soc. **87**, 3965 (1965).
[4] R.G. Hiskey u. M.A. Harpold, Tetrahedron **23**, 3923 (1967).
[5] R.G. Hiskey u. W.P. Tucker, Am. Soc. **84**, 4789 (1962).
[6] R.G. Hiskey u. W.P. Tucker, Am. Soc. **84**, 4794 (1962).
[7] R.G. Hiskey u. J.T. Sparrow, J. Org. Chem. **35**, 215 (1970).
[8] Vgl. dazu H. Arold u. M. Eule, *Peptides* 1972, Proc. 12th Europ. Peptide Symposium Reinhardsbrunn Castle 1972, North-Holland Publ. Co., Amsterdam **1973**, S. 78.

N_α-(N-Diphenylmethoxycarbonyl-L-valyl)-(N_α'-benzyloxycarbonyl)-L-cystinyl-C_α-glycin-benzylester [(DOC-Val,Z)=(Cys)$_2$=(OH,Gly-OBZL)][1]: Zur Herstellung der Dirhodan-Lösung werden 2,25 g (0,007 Mol) Blei(II)-rhodanid, suspendiert in 15 *ml* Dichlormethan, mit 0,815 g Brom in 10 *ml* Dichlormethan bei 0° unter Rühren wie üblich umgesetzt (s. auch S. 813). 1,27 g Z-Cys-OH in 100 *ml* Dichlormethan werden innerhalb 150 Min. zu einer kalten, gerührten Lösung von 0,0053 Mol Dirhodan in 250 *ml* Dichlormethan (obige Reagenslösung wird entsprechend verdünnt) getropft. Nach beendeter Umsetzung (15 Min.) werden 4,1 g DOC-Val-Cys(TRT)-Gly-OBZL hinzugegeben. Die Reaktionsmischung wird 8 Stdn. unter Erwärmen auf Raumtemp. gerührt, anschließend filtriert und das Filtrat mit Wasser gewaschen, bis die wäßrigen Auszüge einen negativen Eisen(III)-chlorid-Test aufzeigen. Die Dichlormethan-Phase wird auf 200 *ml* konzentriert, getrocknet und letztlich zur Trockene eingedampft. Der verbleibende Rückstand wird mit siedendem Diäthyläther behandelt, nach Stehen über Nacht bei 0° wird das unlösliche Material abfiltriert, mit kaltem Diäthyläther gewaschen und letztlich i. Vak. getrocknet. Das erhaltene Material (3,75 g), das dünnschichtchromatographisch aus drei Komponenten besteht, wird durch Adsorption an Kieselsäure und Gradienten-Elution mit Dichlormethan/1,4-Dioxan (5–15% 1,4-Dioxan in Dichlormethan) gereinigt; Ausbeute: 2,0 g (48% d. Th.); F: 131–133°; $[\alpha]_D^{27} = -118{,}2°$ (c = 1,1 in Dimethylformamid).

N_α,N_α'-Bis-tert.-butyloxycarbonyl-L-cystinyl-(C_α'-L-asparagin-tert.-butylester)-C_α-glycyl-L-glutaminsäure-di-tert.-butylester [(BOC)$_2$=(Cys)$_2$=(Asn-OtBu,Gly-Glu⟨OtBu⟩-OtBu)][2]: Zu einer gerührten Suspension von 905 mg Blei(II)-rhodanid in 6 *ml* Essigsäure-äthylester wird bei 0° unter Rühren eine Lösung von 336 mg Brom in 6 *ml* Essigsäure derart getropft, daß die anfängliche Braunfärbung jeweils verschwindet. Nach beendetem Eintragen (15 Min.) rührt man noch weitere 15 Min. und filtriert dann. Zu dem schwach rötlichen Filtrat wird eine Lösung von BOC-Cys-Asn-OtBu (erhalten aus 1,27 g BOC-Cys⟨TRT⟩-Asn-OtBu, s. S. 754) in 15 *ml* Essigsäure-äthylester innerhalb 15 Min. bei 0° getropft. Nach weiteren 15 Min. bei 0° versetzt man mit 1,64 mg wasserfreiem Natriumacetat und tropft dann 1,52 g BOC-Cys(TRT)-Gly-Glu(OtBu)-OtBu oder das aus diesem durch Detritylierung gewonnene rohe BOC-Cys-Gly-Glu(OtBu)-OtBu (s. S. 821) in 15 *ml* Essigsäure-äthylester innert 30 Min. zu und rührt noch 10 Min. bei 0° und 2 Stdn. bei 20°. Die braune Lösung wird mit 50 *ml* Essigsäure-äthylester verdünnt, mit n Natriumhydrogencarbonat-Lösung und Wasser gewaschen, über Natriumsulfat getrocknet und letztlich i. Vak. zum gelben Schaum eingedampft. Dieses erhaltene Rohprodukt wird wiederum der Gegenstromverteilung (s. S. 821) unterworfen; Ausbeute: 0,76 g (42% d. Th.) bzw. 1,0 g (55% d. Th.).

Vgl. dazu die Synthese unter 1,2-Dijod-äthan-Oxidation S. 821.

Grenzen und Möglichkeiten des Rhodanolyse-Verfahrens bei der Synthese doppelstrangiger asymmetrischer Cystin(yl)-peptide haben Hiskey und Ward[3] anhand der Erstellung von Verbindungen der Struktur *(Z)*$_2$=*(Cys)*$_2$=*(OMe,AS-OR)* aus Z-Cys-OMe und Z-Cys(TRT)-AS-OR (vorwiegend) unter Beschreiten beider möglichen Wege ⓐ und ⓑ zu klären versucht:

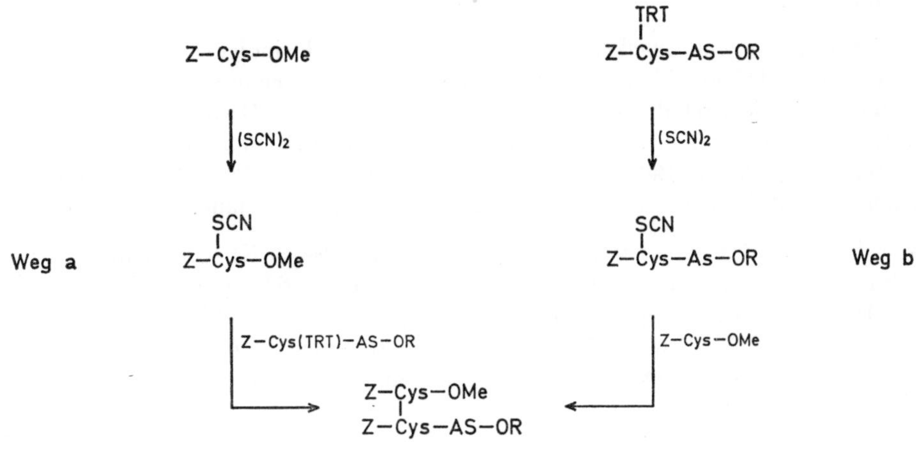

[1] R. G. Hiskey, T. Mizoguchi u. E. L. Smithwick, J. Org. Chem. **32**, 97 (1967).
[2] B. Kamber, Helv. **54**, 398 (1971).
[3] R. G. Hiskey u. B. F. Ward, J. Org. Chem. **35**, 1118 (1970).

Von den Autoren[1] konnten unter Ausführung der Rhodanolyse in Essigsäure-äthylester (als Lösungsmittel der Wahl) keine „drittfunktionsbedingten" Nebenreaktionen erkannt werden, wenn die Sequenzposition „AS" (s. Schema) mit Serin-, Threonin-, Tyrosin-, Asparagin-, Methionin-, N_ω-Nitro-arginin- und Tryptophan-Resten besetzt war. Bei Histidin versagte die angewandte Technik nach Weg ⓐ jedoch völlig und Z-Cys(TRT)-His-OMe wurde unverändert zurückerhalten. Die Ausführung der Reaktion in einem Essigsäure-äthylester/Essigsäure(1:1)-Milieu ermöglichte aber die gewünschte S—S-Verknüpfung in 24%-iger Ausbeute, in einem Essigsäure-äthylester/Trifluoressigsäure(1:1)-Medium sogar zu 82%. Auch Arginin mit unsubst. Guanido-Funktion scheint Schwierigkeiten zu bereiten – allerdings bei der Umsetzung einer S-Diphenylmethyl-Verbindung.

Als eine die Rhodanolyse begleitende Nebenreaktion mußte aber die Bildung symmetrischer Cystin(yl)-Derivate[1,2] bestätigt werden; sie wird der thermischen Labilität der „Aktiv-Zwischenstufe", dem Sulfenyl-rhodanid CXVIII (s. Schema S. 824) zugeschrieben[1].

Besondere Beachtung verdienen ferner die für die Reaktionsmedien benützten Lösungsmittel[1]:

① Die Herstellung von Dirhodan muß grundsätzlich in indifferenten Solventien, z. B. Essigsäure-äthylester oder Dichlormethan vorzugsweise, erfolgen.

② Die Zugabe der ersten Cystein-Komponente zur Dirhodan-Lösung geschieht zweckmäßig gelöst in Essigsäure-äthylester, Essigsäure oder Trifluoressigsäure; aber auch 2,2,2-Trifluor-äthanol und Methanol sind erlaubt, nicht aber wäßriges Methanol, tert. Basen wie Pyridin, Triäthylamin etc. und verschiedene Säureamide, wie Dimethylformamid, Dimethylacetamid, Phosphorsäure-tris-[dimethylamid] und N-Methylpyrrolidon (ob geringer Anteile tert. Basen als Verunreinigung wegen, ist ungeklärt)*.

③ Die Umsetzung der Sulfenyl-rhodanide kann mit Lösungen der zweiten Cystein-Komponente in Essigsäure-äthylester, Dichlormethan, Essigsäure, Trifluoressigsäure und selbst wäßrigen Alkoholen, nicht aber in tert. Basen (darunter fällt auch Pyridin/Essigsäure) oder in den üblich verwendeten Säureamiden (s. o.)* vorgenommen werden.

Trotz vorstehend zitierter Ergebnisse können die Arbeiten der Hiskey-Schule nicht voll befriedigen:

ⓐ Es ist nach wie vor ungeklärt, ob die Reaktionsgeschwindigkeits-Unterschiede zwischen Sulfenyl-rhodanid-Bildung und -Umsetzung groß genug sind, um schon bei der ersten Stufe die Erstellung von symmetrischen Cystin(yl)-Derivaten (R^1—S—S—R^1) aus der ersten Komponente (R^1—SH oder R^1—SX) auszuschließen. Der Hinweis nach vollzogener Dirhodan-Behandlung S-freier Cystein-Körper (R^1—SH) „kein Thiol mehr nachweisbar"[1] ist kein Charakteristikum gegen diese Vorstellung.

ⓑ Reagiert aber das gebildete Sulfenyl-rhodanid (R^1—S—SCN) – auch nur teilweise – mit dem geeigneten Ausgangsmaterial (R^1—SH oder R^1—SX), so verbleibt überschüssiges Dirhodan im „Eintopf-Reaktions-Ansatz", das sich nach Einbringen der zweiten Komponente (R^2—SH oder R^2—SX) mit dieser zum neuen Sulfenylrhodanid (R^2—S—SCN) umsetzen kann; letzteres hat seinerseits nun die Chance, mit Teilen der zweiten

---

* Die Ausbeuten an asymmetrischem Cystin(yl)-Derivat sind dann äußerst gering oder gleich Null.

[1] R. G. Hiskey u. B. F. Ward, J. Org. Chem. **35**, 1118 (1970).

[2] Vgl. auch R. G. Hiskey u. D. N. Harpp, Am. Soc. **87**, 3965 (1965).
R. G. Hiskey u. J. T. Sparrow, J. Org. Chem. **35**, 215 (1970).

Komponente (R^2—SH oder R^2—SX) eine S—S-Verknüpfung zum symmetrischen Cystin(yl)-Derivat (R^2—S—S—R^2) einzugehen.

Auf andere Weise als auf o. g. dürfte das selbst von Hiskey et al.[1] festgestellte Auftreten aller drei möglichen Disulfid-Körper – bei stöchiometrischem Einsatz aller Reaktionsteilnehmer – kaum erklärbar sein.

Die Anwendung eines Überschusses von Dirhodan, so wie dies in einigen Arbeiten beschrieben wird[1,2], sollte daher geradezu bedenklich stimmen.

ⓒ Eine „Sequenz- oder S-Maskierungs-bedingte" Rhodanolyse im sauren Milieu (Histidin bzw. Diphenylmethyl-thioäther) schränkt den Gebrauch verschiedener acidolytisch leicht spaltbarer Schutzgruppen ein (vgl. S. 824 u. 826), vor allem solcher Schutzgruppen, die ohne Gefährdung der aufgebauten asymmetrischen Disulfid-Bindung später wieder abspaltbar sind. Die Verwendung „reaktions-stabiler" Schutzgruppen degradiert die Arbeiten[1–4] von der erstrebten Synthese „freier" doppelstrangiger Cystin(yl)-peptide mit interchenarer Disulfid-Brücke weg zur reinen Verfahrens-Demonstration.

Zusammenfassend sollte betont werden, daß die „Rhodanolyse" beim gegenwärtigen Verfahrensstand die Bezeichnung „spezifische S—S-Verknüpfungsmethode" noch nicht verdient.

36.922.23.2. Sulfensäure-Alkylkohlensäure-Thioanhydride als „Aktiv-Zwischenstufe"

Mit Hilfe des leicht zugänglichen Methoxycarbonyl-sulfenylchlorids (CXXIV)[5] schafften Brois et al.[6] eine spezifische S—S-Verknüpfung zweier Thiol-Derivate (CXVI bzw. CXIX), im „Zweistufen-Verfahren" mit isolierbarer „Aktiv-Zwischenstufe" CXV, zum asymmetrischen Disulfid CXX. Kamber[7] erreichte die prophezeite[6] Übertragung der Methode auf Cystein(yl)-Derivate bzw. -peptid-Derivate mit einer sehr willkommenen und wichtigen Erweiterung: Die Erstellung der Sulfensäure-Alkylkohlensäure-Thioanhydride CXXV (= S-Methoxycarbonylsulfenyl-Verbindungen) gelingt auch aus S-Trityl- oder S-Acetaminomethyl-Körpern CXXIIa oder c und Methoxycarbonyl-sulfenylchlorid (CXXIV) normalerweise bei 0° in Methanol (oder in Mischungen aus Methanol und Chloroform bzw. Essigsäure-äthylester); als Beiprodukte entstehen Triphenylmethyläther und Chlorwasserstoff*.

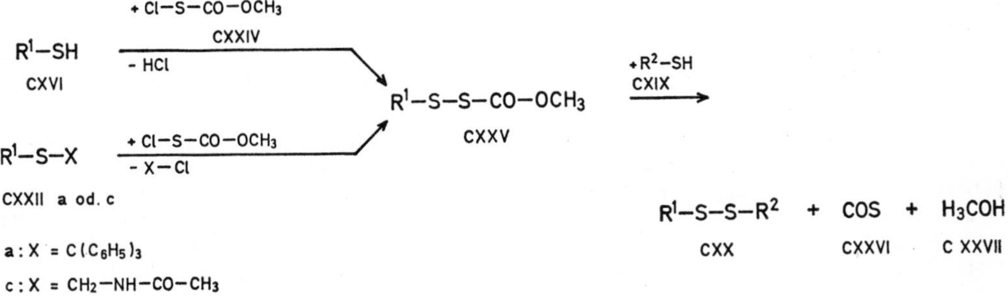

* Die Beiprodukte von S-Acetaminomethyl-Verbindungen wurden bislang noch nicht untersucht.

[1] R.G. Hiskey, T. Mizoguchi u. E.L. Smithwick, J. Org. Chem. **32**, 97 (1967).

[2] R.G. Hiskey u. B.F. Ward, J. Org. Chem. **35**, 1118 (1970).

[3] R.G. Hiskey u. E.L. Smithwick, Am. Soc. **89**, 437 (1967).

[4] R.G. Hiskey et al., Am. Soc. **91**, 7525 (1969).

[5] G. Zumach u. E. Kühle, Ang. Ch. **82**, 63 (1970).

[6] S.J. Brois, J.F. Pilot u. H.E. Barnum, Am. Soc. **92**, 7629 (1970).

[7] B. Kamber, Helv. **56**, 1370 (1973).

Freie Carboxy-Gruppen stören in „deprotonierter Form" (als Diäthylamin-Salze) die Reaktion nicht. Schutzgruppen auf „tert.-Butyl-Basis" – so wie sie bei der „Schwyzer-Wünsch-Strategie" zur Geltung kommen – nehmen keinen Schaden; unter geringfügiger Wandlung der Reaktionsbedingungen, d.i. eine Herabsetzung der Umsetzungstemperatur auf $-10°$, ist sogar eine selektive Thioanhydrid-Bildung bei N-Trityl-Derivaten ausführbar. Die von Kamber[1] bislang in ~ 80%-iger Ausbeute und in kristallisierter Form hergestellten S-Methoxycarbonylsulfenyl-cystein(yl)-peptid-Derivate erwiesen sich als relativ stabile* Verbindungen, die selbst in methanolischer Lösung über Wochen keine Zersetzung zeigten.

Als S—S-Verknüpfungsschritt zum asymmetrischen Disulfid CXX fungiert eine Thiolyse des Sulfonsäure-Alkylkohlensäure-Thioanhydrids; d.h. die Umsetzung des S-Methoxycarbonylsulfenyl-cystein(yl)-peptid-Derivats (ev. auch mit ungeschützter Carboxy-Funktion) geschieht mit thiol-freien Cystein(yl)-peptid-Verbindungen [ev. auch in Form von Peptidester(-amid)-Hydrochloriden etc.]. Sie gelingt mit teilweise hervorragenden Ausbeuten[1]. Als Beiprodukt der Reaktion fallen Kohlenstoffoxidsulfid (CXXVI) und Methanol (CXXVII) an.

Als Nachteile des „Kamber-Verfahrens" müssen der Zwang zur Thiolyse mit S-freien Cystein(yl)-Derivaten (vgl. deren Herstellung in folgenden Beispielen; ferner S. 757 f.) und die Inkaufnahme von freiwerdendem Chlorwasserstoff – eine Neutralisation ist wegen der großen Basenempfindlichkeit der Thioanhydride nicht möglich – angeführt werden.

N_α-(N-tert.-Butyloxycarbonyl-L-valyl)-($N_{\alpha'}$-tert.-butyloxycarbonyl)-L-cystinyl-($C_{\alpha'}$-L-asparagin-tert.-butylester)-C_α-glycyl-L-glutaminsäure-di-tert.-butylester [(BOC-Val,BOC)=(Cys)$_2$=(Asn-OtBu,Gly-Glu⟨OtBu⟩-OtBu)][1]:

N-tert.-Butyloxycarbonyl-S-methoxycarbonylthio-L-cysteinyl-L-asparagin-tert.-butylester [BOC-Cys(SMOC)-Asn-OtBu]: 1,585 g BOC-Cys(TRT)-Asn-OtBu (s. S. 754) in 15 *ml* Chloroform/Methanol (2 : 1) werden bei 0° mit 0,44 *ml* Methoxycarbonylsulfenylchlorid versetzt; nach 50 Min. bei 0° wird die Reaktionsmischung mit 5,5 *ml* n Diäthylamin-Lösung versetzt, mit 100 *ml* Chloroform verdünnt und dann mit n Citronensäure-Lösung und Wasser gewaschen, über Natriumsulfat getrocknet, i.Vak. eingedampft und der Rückstand aus Chloroform/Petroläther umkristallisiert; Ausbeute: 950 mg (79% d.Th.); F: = 102–104°; $[\alpha]_D^{20} = -29°$ (c = 1,1; in Chloroform).

Aus 1,16 g BOC-Cys(AAM)-Asn-OtBu werden in analoger Durchführung der Reaktion erhalten: Ausbeute: 975 mg (81% d.Th.).

N-tert.-Butyloxycarbonyl-L-valyl-L-cysteinyl-glycyl-L-glutaminsäure-di-tert.-butylester [BOC-Val-Cys-Gly-Glu(OtBu)-OtBu]: 8,61 g BOC-Val-Cys(TRT)-Gly-Glu(OtBu)-OtBu und 3,5 g Quecksilber(II)-acetat werden in 60 *ml* Essigsäure-äthylester und 30 *ml* Methanol 4 Stdn. bei 20° stehengelassen; danach leitet man durch die klare Lösung einen Schwefelwasserstoffstrom (10 Min.), filtriert und dampft das Filtrat i.Vak. ein. Der Rückstand wird dreimal mit je 15 *ml* Petroläther extrahiert; öliger Rückstand; Ausbeute: 4,42 g (Cystein-peptid-Gehalt auf Grund der jodometrischen Titration 93%).

N_α-(N-tert.-Butyloxycarbonyl)-L-valyl-($N_{\alpha'}$-tert.-butyloxycarbonyl)-L-cystinyl-($C_{\alpha'}$-L-asparagin-tert.-butylester)-C_α-glycyl-L-glutaminsäure-di-tert.-butylester [(BOC-Val,BOC)=(Cys)$_2$=(Asn-OtBu,Gly-Glu⟨OtBu⟩-OtBu)]: 936 mg BOC-Cys(SMOC)-Asn-OtBu und 1,33 g BOC-Val-Cys-Gly-Glu(OtBu)-OtBu – s.o. – werden in 20 *ml* Dichlormethan gelöst; nach 90 Min. Stehenlassen bei 20° dampft man das klare Reaktionsgemisch ein und verreibt den Rückstand 2mal mit Petroläther; weißer Schaum; Ausbeute: 1,95 g (97% d.Th.); $[\alpha]_D^{20} = -64°$ (c = 1,9; in Methanol).

Vgl. dazu S. 821.

N_α-(N-Trityl-L-leucyl-L-valyl)-L-cystinyl-($C_{\alpha'}$-L-asparagin-tert.-butylester)-C_α-glycin [(TRT-Leu-Val, H)=(Cys)$_2$=(Asn-OtBu,Gly-OH)][1]:

L-Cysteinyl-L-asparagin-tert.-butylester-Hydrochlorid [H-Cys-Asn-OtBu-HCl]: 10,7 g H-Cys(TRT)-Asn-OtBu · HCl und 7,3 g Quecksilber(II)-acetat in 140 *ml* Essigsäure-äthylester/

---

* Die Labilität gegenüber basischen Reagenzien ist selbstverständlich groß.

[1] B. Kamber, Helv. 56, 1370 (1973).

Methanol (1 : 1) werden 4 Stdn. bei 20° stehengelassen. Durch die klare Lösung leitet man während 10 Min. einen Strom von Schwefelwasserstoff, filtriert und dampft letztlich das Filtrat ein. Nach 3maliger Extraktion mit je 15 *ml* Petroläther verbleibt der Rückstand als gelblicher Schaum, dessen Gehalt an Dipeptid-ester-Hydrochlorid aufgrund jodometrischer Titration 93% beträgt. Dieses Rohprodukt ist für die weitere Umsetzung (s. u.) genügend rein.

N-Trityl-L-leucyl-L-valyl-S-methoxycarbonylthio-L-cysteinyl-glycin [TRT-Leu-Val-Cys(SMOC)-Gly-OH]: Zu 8,6 g TRT-Leu-Val-Cys(TRT)-Gly-OH und 1,03 *ml* Diäthylamin in 70 *ml* Chloroform und 25 *ml* Methanol gibt man bei –10° 1,76 *ml* Methoxycarbonylsulfenylchlorid; nach 15 Min. bei tiefer Temp. wird die Reaktionsmischung mit 1,2 *ml* Diäthylamin versetzt, nach Entfernung der Kühlung 5 Min. später mit 300 *ml* Chloroform verdünnt, dann mit n Citronensäure-Lösung und Wasser gewaschen, über Natriumsulfat getrocknet und letztlich auf ~ 30 *ml* eingeengt. Auf Zugabe von 250 *ml* Petroläther tritt Fällung ein; das abfiltrierte Material wird letztlich aus Chloroform/Petroläther umkristallisiert; Ausbeute: 5,43 g (75% d.Th.); F: 195–200° (Zers.); $[\alpha]_D^{20} = -105°$ (c = 1; in Chloroform).

N_α-(N-Trityl-L-leucyl-L-valyl)-L-cystinyl-($C_{\alpha'}$-L-asparagin-tert.-butylester)-C_α-glycin[(TRT-Leu-Val,H)=$(Cys)_2$=(Asn-OtBu,Gly-OH)]: 2,63 g H-Cys-Asn-OtBu · HCl und 5,38 g TRT-Leu-Val-Cys(SMOC)-Gly-OH in 75 *ml* Chloroform/Methanol (1 : 1) werden 2 Stdn. bei 20° stehengelassen, die klare Lösung anschließend eingedampft. Zum Rückstand werden 50 *ml* Wasser gegeben und die Suspension unter starkem Rühren mit n Ammoniak-Lösung auf $p_H = 5,5$ gestellt. Man filtriert ab, wäscht mit Wasser, trocknet das Produkt über Kaliumhydroxid und löst es aus Methanol/Diäthyläther um; Ausbeute: 5,32 g (77,5% d.Th.); $[\alpha]_D^{20} = -107°$ (c = 1,0; in Methanol).

Zur weiteren Umsetzung s. S. 831.

36.922.23.3. Sulfensäure-(diacyl)-amide als „Aktiv-Zwischenstufe"

Die Thiolyse von N-Sulfenyl-phthalimiden ist die dritte Route, die eine spezifische S—S-Verknüpfung zu asymmetrischen Disulfiden erlauben sollte[1,2]. Harpp u. Back[3] gelang es erstmals, die Methode auf den Cystein/Cystin-Bereich zu übertragen: Einwirkung von Brom auf $(TFA)_2$=$(Cys)_2$=$(OMe)_2$ [CXXVIII] führte zum Sulfenylbromid CXXIX, das sofort mit Phthalimidkalium (CXXX) zum TFA-Cys(PI)-OMe (CXXXI) umgesetzt wird. Die in

$[F_3C-CO-NH-CH(CH_2-S-)-CO-OCH_3]_2$ (CXXVIII) $\xrightarrow{Br_2\ (0°)}$ $F_3C-CO-NH-CH(CH_2-S-Br)-CO-OCH_3$ (CXXIX) $\xrightarrow{CXXX\ (Phthalimidkalium)}$ $F_3C-CO-NH-CH(CH_2-S-N(Phthalimid))-CO-OCH_3$ (CXXXI)

CXXXI $\xrightarrow{R^1-NH-CH(CH_2-SH)-CO-R^2\ (IL\ a\ u.\ b)}$ $R^1-NH-CH(CO-R^2)-CH_2-S-S-CH_2-CH(NH-CO-CF_3)-CO-OCH_3$ (CXXXII a u. b)

a: R^1 = H-HCl; R^2 = OH

b: R^1 = $H_2N-CH(CH_2-CH_2-CO-)-COOH$; R^2 = $NH-CH_2-COOH$

---

[1] K.S. Boustany u. A.B. Sullivan, Tetrahedron Letters **1970**, 3547.

[2] D.N. Harpp et al., Tetrahedron Letters **1970**, 3551.

[3] D.N. Harpp u. T.G. Back, J. Org. Chem. **36**, 3828 (1971).

kristallisierter Form isolierbare S-Phthalimido-Verbindung reagiert mit einem Cystein-Derivat zum asymmetrisch substituierten Cystin CXXXII, z.B. mit Cystein-Hydrochlorid (ILa) – als Monohydrat – in siedendem Äthanol fast quantitativ zu $(TFA,H){=}(Cys)_2{=}(OH,OMe)\cdot HCl$ (CXXXIIa) oder mit „unmaskiertem" (!) Glutathion (ILb) in Methanol/Wasser (1:1), ebenfalls in der Siedehitze, mit 92%-iger Ausbeute zu *(TFA,H-Glu⟨C_γ-⟩-OH)=(Cys)$_2$=(Gly-OH,OMe)* (CXXXIIb).

So erfreulich einerseits die auch in Gegenwart von freien Amino- und Carboxy-Gruppen und in wäßrigen Reaktions-Medien ausführbare selektive S—S-Verknüpfung sich darbietet – die Herkunft des bei einem Versuch der Autoren[1] in Spuren auftretenden symmetrischen Disulfids d.h. von oxidiertem Glutathion ist offen –, so unerfreulich ist andererseits die Erstellung der „Aktiv-Zwischenstufe", d.i. die S-Phthalimido-Verbindung, noch dazu auf der Basis eines N-Trifluoracetyl-cystein-methylester-Derivats. Nur wenn es gelingt, Amino- und Carboxy-Schutzgruppen einzusetzen, die sowohl die Synthese eines S-Phthalimido-cystein-Derivats als auch dessen Thiolyse und eine letztlich erforderliche milde, vom Disulfid-Austausch freie, Demaskierung der gewonnenen Produkte zu freien asymmetrischen Cystin-peptiden erlauben, wird das „Harpp'sche-Verfahren" Bedeutung erlangen können.

36.922.24. Aufbau aus asymmetrisch-subst. Cystin-Derivaten(-peptiden)

Die ersten Versuche, die Synthese doppelstrangiger asymmetrischer Cystin(yl)-peptide „von Grund auf", d.h. mit Herstellung asymmetrisch-substituierter Cystine, zu beschreiten (4. Hauptweg), sind über das Versuchsstadium nie hinausgekommen. Zwar gelingt einerseits eine partielle Acylierung (Aminoacylierung) von Cystin[2,3] und Cystin-diestern[3], die partielle oder beidseitige Veresterung von N_α-Acyl-cystin[2,3] und letztlich die Umsetzung der freien Amino-Funktion dieser N_α-Acyl-cystin-diester[2,3] (wobei als Acyl-Rest auch ein N-geschützter Aminoacyl-Rest gelten soll) und andererseits auch die Erstellung monosubstituierter Cystine durch „unspezifische Oxidation" z.B. von Cystein und N-Acyl-cystein[4] oder von Cystein-Derivaten mit S-Sulfo-cystein etc.[5] sowie durch „spezifische Oxidation" nach dem Rhodanolyse-Verfahren[6], doch wurde sofort klar, daß man diesem Aufbauprinzip nur unter Verwendung von Schutzgruppen mit mildesten, die asymmetrische Disulfidbindung voll erhaltenden Demaskierungs-Möglichkeiten huldigen würde können[2,3] (vgl. dazu S. 818).

Die Hiskey-Schule[7–9] hat dann auch damit begonnen, solche leicht spaltbaren Schutzgruppen – zum mindesten teilweise – vorzusehen. Bei diesen Versuchen wurden nach dem Rhodanolyse-Verfahren aus einer folgerichtigen Überlegung heraus asymmetrische Cystin-Derivate mit „halbseitigem Peptid-Teil" erstellt, die Startmaterialien für die Synthese höherer, doppelstrangiger asymmetrischer Cystin(yl)-peptide bildeten. So wurde z.B. Z-Cys(SCN)-OH mit DOC-Val-Cys(TRT)-Gly-OBZL zu *(DOC-Val,Z)=(Cys)$_2$=(OH,Gly-OBZL)* S—S-verknüpft[7] (s. Beisp. S. 825), an dessen freies C_α'-Carboxyl-Ende das Tripeptid-Derivat H-Val-Ala-Gly-ODPM mittels 1-Äthyl-3-(3-dimethylamino-propyl)-carbo-

---

1 D.N. Harpp u. T.G. Back, J. Org. Chem. **36**, 3828 (1971).
2 L. Zervas et al., Am. Soc. **81**, 1729 (1959).
3 H.N. Rydon u. F.O. dos S.P. Serrão, Soc. **1964**, 3638.
4 F. Weygand u. P. Zumach, Z. Naturf. **17b**, 807 (1962).
5 H. Zahn u. H.G. Otten, A. **653**, 139 (1962).
6 R.G. Hiskey u. W.P. Tucker, Am. Soc. **84**, 4789, 4794 (1962).
7 R.G. Hiskey, T. Mizoguchi u. E.L. Smithwick, J. Org. Chem. **32**, 97 (1967).
8 R.G. Hiskey u. E.L. Smithwick, Am. Soc. **89**, 437 (1967).
9 R.G. Hiskey u. J. P. Sparrow, J. Org. Chem. **35**, 215 (1950).

diimid-Hydrochlorid – als Reagens der Wahl – angebaut und der erhaltene (*DOC-Val,Z*)=(*Cys*)$_2$=(*Val-Ala-Gly-ODPM,Gly-OBZL*) durch Einwirkung von Essigsäure/Bortrifluorid-Diäthylätherat der beiden N$_\alpha$- und C$_\alpha$-Schutzgruppen auf „Diphenylmethyl-Basis" selektiv entledigt[1] (s. S. 815).

N$_\alpha$-(N-Diphenylmethoxycarbonyl-L-valyl)-(N$_\alpha$'-benzyloxycarbonyl)-L-cystiny-(C$_\alpha$'-L-valyl-L-alanyl-glycin-diphenylmethylester)-C$_\alpha$-glycin-benzylester [(DOC-Val,Z)=(Cys)$_2$=(Val-Ala-Gly-ODPM,Gly-OBZL)][1]: Zu einer Lösung von 1,66 g (DOC-Val,Z)=(Cys)$_2$=(OH,Gly-OBZL) (s. S. 825) und 0,94 g H-Val-Ala-Gly-ODPM · HCl und 0,829 *ml* Triäthylamin in 25 *ml* Dichlormethan und 5 *ml* Dimethylformamid werden bei –10° 0,42 g 1-Äthyl-3-(3-dimethylamino-propyl)-carbodiimid-Hydrochlorid unter Rühren zugefügt. Nach 12 Stdn. wird die Reaktionsmischung in Essigsäure-äthylester eingegossen, die Suspension mit Wasser und 2 n Schwefelsäure extrahiert, anschließend filtriert und der Filterrückstand sorgfältig mit Methanol gewaschen. Der methanol-unlösliche Rückstand wird in warmer Essigsäure aufgelöst, die Lösung mit Diäthyläther gefällt; Ausbeute: 1,85 g (74% d.Th.); F: 239–240°; $[\alpha]_D^{27} = -68{,}2°$ (c = 0,47; in Dimethylformamid).

Kamber[2,3] hat diese Synthese-Route fortgesetzt und verschiedene „Insulin-Fragmente mit intakter interchenarer Disulfid-Brücke A^{20}-B^{19}" aufgebaut, wobei die asymmetrischen Cystin(yl)-peptid-Startmaterialien sowohl durch unspezifische Jodolyse von zwei S-Trityl-cystein(yl)-peptid-Derivaten mit folgender Auftrennung des Peptid-Gemisches[2] als auch nach dem Sulfensäure-Alkylkohlensäure-Thioanhydrid-Thiolyse-Verfahren in spezifischer S—S-Verknüpfung[3] gewonnen wurden. Beidseitiger tert.-Butylester-Schutz und Benutzung der N,N'-tert.-Butyloxycarbonyl-/Trityl-Schutzgruppen-Kombination ermöglichte die weitere „Peptid-Aufstockung" an einem Aminoende[2]; da das Thioanhydrid-Thiolyse-Verfahren die Erstellung von asymmetrischen Cystin(yl)-peptiden mit freier C$_\alpha$-Carboxy- und N$_\alpha$'-Amino-Funktion erlaubt, wird letztlich bei Verwendung genannter N,N'-Schutzgruppen-Kombination der „Aufstockung" in drei Richtungen, d.h. an N$_\alpha$-, N$_\alpha$'- und C$_\alpha$-Ende, Tür und Tor geöffnet. Kamber[3] hat von dieser Synthese-Möglichkeit bei der erfolgreichen Herstellung von (*H-Tyr-Leu-Val,H-Tyr*)=(*Cys*)$_2$=(*Asn-OH,Gly-Glu-OH*) wie folgt Gebrauch gemacht:

N$_\alpha$-(L-Tyrosyl-L-leucyl-L-valyl)-(N$_\alpha$'-L-tyrosyl)-L-cystinyl-(C$_\alpha$'-L-asparagin)-C$_\alpha$-glycyl-L-glutaminsäure-Dihydrochlorid [(H-Tyr-Leu-Val,H-Tyr)=(Cys)$_2$=(Asn-OH,Gly-Glu-OH) · 2 HCl][3]:

N$_\alpha$-(N-Trityl-L-leucyl-L-valyl)-(N$_\alpha$'-tert.-butyloxycarbonyl-L-tyrosyl)-L-cystinyl-(C$_\alpha$'-L-asparagin-tert.-butylester)-C$_\alpha$-glycin [(TRT-Leu-Val,BOC-Tyr)=(Cys)$_2$=(Asn-OtBu,Gly-OH)]: 1,06 g BOC-Tyr-OPCP, 1,84 g (TRT-Leu-Val, H)=(Cys)$_2$=(Asn-OtBu,Gly-OH) (s. S. 829) und 0,28 *ml* Triäthylamin in 17 *ml* Dimethylformamid werden 15 Stdn. bei 20° stehengelassen; die Reaktionsmischung wird dann in 120 *ml* 1%-ige Essigsäure eingegossen, der gebildete Niederschlag abfiltriert und über Kaliumhydroxid getrocknet. Das erhaltene Rohprodukt (2,81 g) wird der Gegenstromverteilung im System Methanol/0,1 m Ammoniumacetat-Lösung von $p_H = 7$/Chloroform/Tetrachlormethan (2 : 1 : 3 : 1) über 520 Schritte unterworfen. Das reine Material wurde durch übliche Aufarbeitung der Elemente 107–135 (K = 0,29) erhalten; Ausbeute: 1,52 g (64% d.Th.).

N$_\alpha$-(N-Trityl-L-leucyl-L-valyl)-(N$_\alpha$'-tert.-butyloxycarbonyl-L-tyrosyl)-L-cystinyl-(C$_\alpha$'-L-asparagin-tert.-butylester)-C$_\alpha$-glycyl-L-glutaminsäure-di-tert.-butylester-[(TRT-Leu-Val,BOC-Tyr)=(Cys)$_2$=(Asn-OtBu,Gly-Glu⟨OtBu⟩-OtBu)]: Zu 890 mg (TRT-Leu-Val,BOC-Tyr)=(Cys)$_2$=(Asn-OtBu,Gly-OH) und 222 mg H-Glu(OtBu)-OtBu · HCl in 10 *ml* Dimethylformamid gibt man bei 0° nacheinander 0,105 *ml* Triäthylamin und 170 mg Dicyclohexylcarbodiimid hinzu; nach 1 Stde. bei 0° und 20 Stdn. bei 20° filtriert man ab und dampft das Filtrat bei 40° und 0,01 Torr ein. Der Rückstand wird einer Gegenstromverteilung im System Methanol/0,1 m Ammoniumacetat-Lösung $p_H = 7$/Chloroform (5 : 1 : 4) über 125 Schritte unterworfen. Das reine Produkt wird durch die übliche Aufarbeitung der Elemente 61–87 (K = 1,27) erhalten; Ausbeute: 700 mg (65% d.Th.).

N$_\alpha$-(L-Leucyl-L-valyl)-(N$_\alpha$'-tert.-butyloxycarbonyl-L-tyrosyl)-L-cystinyl-(C$_\alpha$'-L-asparagin-tert.-butylester)-C$_\alpha$-glycyl-L-glutaminsäure-di-tert.-butylester [(H-Leu-Val,BOC-Tyr)=(Cys)$_2$=(Asn-OtBu,Gly-Glu⟨OtBu⟩-OtBu)]: Zu 720 mg (TRT-Leu-Val,BOC-Tyr)=(Cys)$_2$=(Asn-OtBu,Gly-Glu⟨OtBu⟩-OtBu) in 8 *ml* Essigsäure gibt man tropfenweise 2 *ml* Wasser

---

1 R. G. Hiskey u. E. L. Smithwick, Am. Soc. **89**, 437 (1967).

2 B. Kamber, Helv. **54**, 398 (1971).

3 B. Kamber, Helv. **56**, 1370 (1973).

und läßt 1 Stde. bei 20° stehen. Die Reaktionslösung wird dann mit 10 *ml* Essigsäure verdünnt und anschließend lyophilisiert. Den Rückstand (620 mg) verreibt man 2mal mit Diäthyläther und verwendet ihn direkt für die folgende Kondensation.

N_α-(N-tert.-Butyloxycarbonyl-L-tyrosyl-L-leucyl-L-valyl)-(N_α'-tert.-butyloxycarbonyl-L-tyrosyl)-L-cystinyl-(C_α'-L-asparagin-tert.-butylester)-C_α-glycyl-L-glutaminsäure-di-tert.-butylester [(BOC-Tyr-Leu-Val,BOC-Tyr)=$(Cys)_2$=(Asn-OtBu,Gly-Glu ⟨OtBu⟩-OtBu)]: 615 mg des vorstehend erhaltenen rohen (H-Leu-Val,BOC-Tyr)=$(Cys)_2$=(Asn-OtBu, Gly-Glu⟨OtBu⟩-OtBu) und 290 mg BOC-Tyr-OPCP läßt man in 5 *ml* Dimethylformamid während 15 Stdn. bei 20° reagieren; die Reaktionsmischung wird dann in 30 *ml* Wasser eingegossen, der Niederschlag abfiltriert, über Kaliumhydroxid getrocknet und letztlich aus Dichlormethan/Diäthyläther umgefällt; Ausbeute: 615 mg (85% d.Th.).

N_α-(L-Tyrosyl-L-leucyl-L-valyl)-(N_α'-L-tyrosyl)-L-cystinyl-(C_α'-L-asparagin)-C_α-glycyl-L-glutaminsäure-Dihydrochlorid [(H-Tyr-Leu-Val,H-Tyr)=$(Cys)_2$=(Asn-OH,Gly-Glu-OH)·2HCl]: 126 mg (BOC-Tyr-Leu-Val,BOC-Tyr)=$(Cys)_2$=(Asn-OtBu,Gly-Glu⟨OtBu⟩-OtBu) werden bei 0° mit 1,5 *ml* kalter konz. Salzssäure übergossen; das Produkt geht innerhalb 2 Min. in Lösung. Die Reaktionsmischung läßt man noch 7 Min. bei 0° stehen, evakuiert dann unter kräftigem Rühren während 5 Min. auf 0,01 Torr, versetzt anschließend mit 20 *ml* tert.-Butanol und lyophilisiert. Der erhaltene Rückstand wird bis zur Gewichtskonstanz an der Luft stehengelassen; chromatographisch und elektrophoretisch rein, farbloses, nicht hygroskopisches Pulver; Ausbeute: 96 mg (96% d.Th.).

Eine zweite Synthese-Route gleichen Prinzips hatte die Zervas-Schule[1] ins Auge gefaßt: Unter Verwendung „bivalenter" Amino-Schutzgruppen werden S-geschützte Cystein(yl)-bis-Derivate bzw. -bis-peptid-Derivate asymmetrischer Struktur aufgebaut, die nach S—S-Verknüpfung als Startmaterialien, unter einem stabilisierenden Effekt dieser Schutzgruppen auf die interchenare Disulfidbrücke*, für den wechselseitigen Aufbau an beiden C_α- und C_α'-Carboxy-Enden zu höheren Cystinyl-peptiden dienen sollten. Nach wenig glücklichen Versuchen mit N-Benzyloxycarbonyl-glutamyl- und Monoalkyl-phosphoryl-Resten (s. S. 249) könnte neuerdings der N,N-bivalenten Benzol-1,2-bis-methoxycarbonyl-Schutzgruppe** Aussicht auf einen „methodischen" Erfolg eingeräumt werden[1]. Der allerdings „äußerst aufwendige" Aufbau eines N_α,N_α'-Bis-acyl-cystin-C_α'-diphenylmethylesters dürfte dann wie auf S. 833 dargestellt ablaufen.

Das Problem einer späteren Entfernung der „bivalenten" Schutzgruppe – voraussichtlich mittels Bromwasserstoff/Essigsäure – ohne jedwede Schädigung des aufgebauten asymmetrischen Cystinyl-peptides ist zusätzlich zu klären.

Eine N_α-,C_α'-bivalente Schutzgruppe, geeignet für den Aufbau doppelstrangiger asymmetrischer Cystin(yl)-peptide mit „Antiparallel-Kettenstruktur" wird in Gestalt eines 4-Methoxy-2-hydroxymethyl-benzyloxycarbonyl-Restes in Vorschlag gebracht[1].

Experimentelle Unterlagen über die Anwendung der beiden letztgenannten bi-valenten Schutzgruppen stehen noch aus.

36.922.30. *Doppelstrangige Peptide mit zwei interchenaren Disulfid-Brücken*

Der einzige, mit Sicherheit bekannte natürliche Peptid-Wirkstoff von durch zwei interchenare Disulfid-Brücken getätigter „Doppelstrang-Struktur", das *Insulin*, reizte seiner großen biologischen Bedeutung wegen zum Versuch der synthetischen Herstellung. Beeindruckt von den „Rekombinations-Arbeiten" an natürlichen Insulin-A- und -B-Ketten – durch oxidative Sulfitolyse gelingt die Aufspaltung des Insulin-Moleküls in die beiden S-Sulfonat-Ketten zwar, die gemeinsam entweder unter Sauerstoffausschluß mit einem Überschuß an Thiolen[2] oder (besser) zunächst zu den „Thiol-Ketten" durch überschüssige

* Durch die „Schutzgruppe" wird aus dem doppelstrangigen ein einstrangiges System, aus der interchenaren eine intrachenare Disulfid-Brücke.

** Die Bezeichnung „Phthalyloxycarbonyl-Schutzgruppe"[1] kann leicht zu Verwechslung Anlaß geben.

[1] I. Photaki in P. G. Katsoyannis, *The Chemistry of Polypeptides*, S. 59–85, Plenum Press, New York· London 1973. siehe dort auch Quellenverzeichnis bzw. weitere Literatur-Angaben.

[2] G. H. Dixon u. A. C. Wardlaw, Nature **188**, 721 (1960).

TRT: $C(C_6H_5)_3$

DPM: $CH(C_6H_5)_2$

Thiolessigsäure reduziert und anschließend „luftoxidiert" werden[1] – sind die bisherigen Versuche einer Insulin-Synthese darauf abgestellt, die beiden Ketten in der S-Sulfonat- oder Thiol-Form aufzubauen und dann durch genannte unspezifische S—S-Verknüpfung in das synthetische Insulinmolekül überzuführen. Ohne auf die meistens unter Einsatz von S-Benzyl-Derivaten ausgeführten Synthesen der beiden Insulin-Ketten (s. dazu S. 741) einzugehen, muß der Versuch einer unspezifischen S—S-Verknüpfung zwischen synthetischer A- und B-Kette als reines „Glücksspiel" bezeichnet werden: Bedingt durch die zusätzlich dritte auszubildende „intrachenare" Disulfid-Brücke (in der A-Kette des Hormons) sind 12 Kombinationen aus den beiden Ketten, vier „oxidierte" Einzelketten mit nur intrachenaren Disulfid-Brücken und ferner eine fast unbegrenzte Zahl an Dimeren und Polymeren der A- bzw. B-Kette sowie Polymere aus A- und B-Ketten möglich.

Die wohl richtige Schlußfolgerung zu diesen Synthese-Versuchen auf dem Insulin-Sektor ziehen Lübke und Klostermeyer[2]:

„Diese Synthesen entsprechen jedoch nicht einer echten Totalsynthese, die dadurch definiert ist, daß alle Bindungen in eindeutiger und übersichtlicher Weise geknüpft werden. Bisher erfüllen nur die Synthesen der beiden Peptidketten des Insulins diese Forderungen, nicht aber ihre Verknüpfung unter Bildung der Disulfidbrücken. Daher steht auch der Beweis der von Sanger vorgeschlagenen Lage der Disulfid-Brücken noch aus.

Leider ist durch oft sehr unsachgemäße Berichterstattung vielfach der Eindruck entstanden, daß die Probleme der Insulin-Synthese im wesentlichen gelöst seien und daß in allernächster Zukunft ausreichende Mengen an synthetischen Insulinen und Insulin-Analoga für medizinische Untersuchungen zur Verfügung stehen werden. Daß dies keineswegs der Fall ist, geht schon daraus hervor, daß in den 6 Jahren seit der ersten Publikation einer Insulin-Synthese noch keine Arbeiten über klinische Ergebnisse mit synthetischem Insulin bekannt geworden sind."

Modellversuche zu einer daraus ev. abzuleitenden bzw. zu entwickelnden „echten" Totalsynthese des Insulins vermittels einer selektiven und kontrollierten Knüpfung der beiden interchenaren Disulfid-Brücken (plus einer intrachenaren) sind von Hiskey et al.[3] ausgeführt vorden; die Autoren machen sich das unterschiedliche Verhalten von S-Trityl- und S-Diphenylmethyl-thioäthern im „Rhodanolyse-Verfahren" zunutze (s. S. 824), um ein Modell-Peptid mit „Antiparallel-Struktur", aber mit relativ ungünstig abspaltbaren N-Benzyloxycarbonyl-Schutzgruppen aufbauen zu können (s. Schema S. 835).

Auf diesen Modellversuch hin einen Vorschlag für eine Insulin-Totalsynthese zu tätigen[3], scheint verfrüht. Es ist fraglich, ob eine rhodanolytische S—S-Verknüpfung der S-Diphenylmethyl-geschützten Cysteinyl-Reste an N-tert.-Butyloxycarbonyl-maskierten Verbindungen ohne weitgehende Nebenreaktionen ausführbar ist. (Anm.: Die N-tert.-Butyloxycarbonyl-Reste würden unter den herrschenden Reaktions-Bedingungen abgespalten werden; dann vorliegende Amino-Gruppen könnten mit Dirhodan reagieren).

Die Alternative zu oben Gesagtem wäre die Totalsynthese eines einstrangigen Peptids mit „drei intrachenaren Disulfid-Brücken und verlängerter Sequenz" mit anschließender (enzymatischer!) Herausspaltung eines Sequenz-Mittelbereichs unter Entstehung des durch zwei interchenare S—S-Brücken verknüpften Doppelstrang-Moleküls, so wie uns dies die biologische Synthese des *Insulins* aus Proinsulin vorzeigt.

---

[1] Y.-C. Du et al., Scientia Sinica **10**, 84 (1961).

[2] K. Lübke u. H. Klostermeyer, Adv. Enzymol. **33**, 445—525 (1970); s. dort die einzelnen zuständigen Literaturstellen.

[3] R. G. Hiskey et al., Am. Soc. **91**, 7525 (1969).

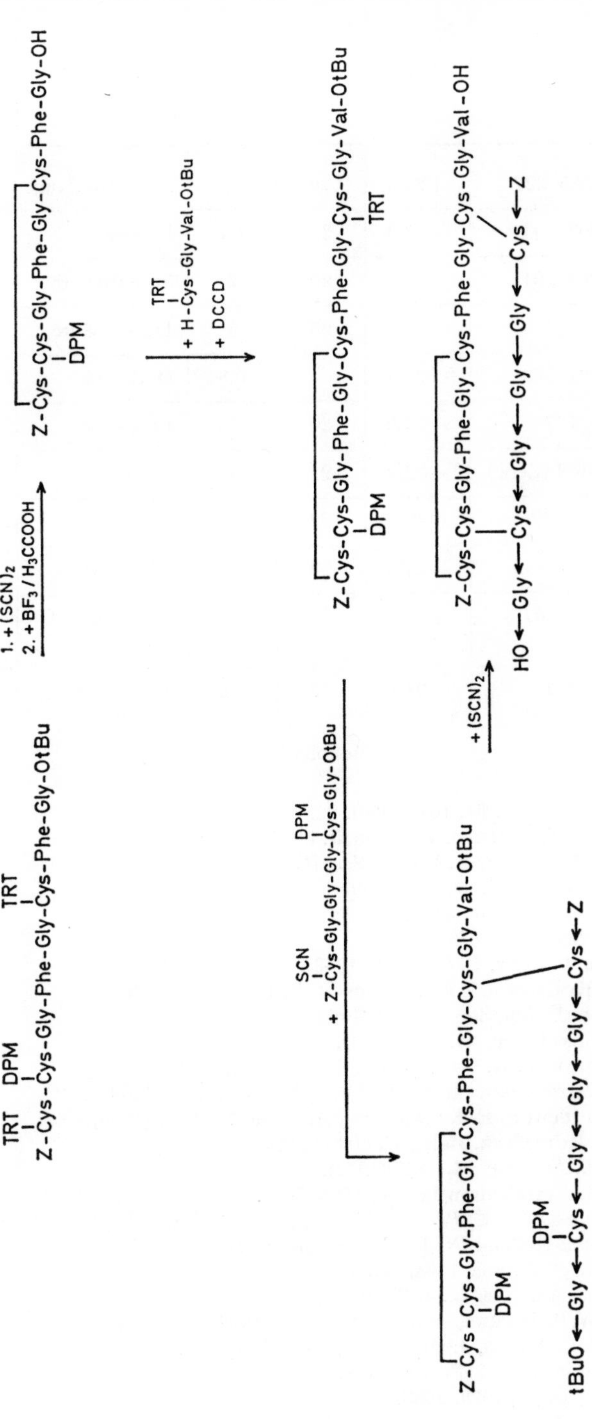
TRT DPM TRT
Z-Cys-Cys-Gly-Phe-Gly-Cys-Phe-Gly-OtBu
1. + (SCN)$_2$
2. + BF$_3$ / H$_3$CCOOH
Z-Cys-Cys-Gly-Phe-Gly-Cys-Phe-Gly-OH
DPM
TRT
+ H-Cys-Gly-Val-OtBu
+ DCCD
Z-Cys-Cys-Gly-Phe-Gly-Cys-Phe-Gly-Cys-Gly-Val-OtBu
DPM TRT
SCN DPM
+ Z-Cys-Gly-Gly-Gly-Cys-Gly-OtBu
Z-Cys-Cys-Gly-Phe-Gly-Cys-Phe-Gly-Cys-Gly-Val-OtBu
DPM
DPM
tBuO ← Gly ← Cys ← Gly ← Gly ← Gly ← Cys ← Z
+ (SCN)$_2$
Z-Cys-Cys-Gly-Phe-Gly-Cys-Phe-Gly-Cys-Gly-Val-OH
HO ← Gly ← Cys ← Gly ← Gly ← Gly ← Cys ← Z

Tab. 72. Derivate des L-Cysteins

S-Derivate [H-Cys(R)-OH]

R	F[°C]	$[\alpha]_D$	t	c	Lösungsmittel	Literatur	Literatur entsprechender D-Verbindung
BZL	222,5–227	+24,5	26	1	1n Natronlauge	1–8	4,5,8
tBu	203–204	—27,2	25	1,7	Wasser	9,10	
[a]	203–204	+5,04	20	2	5n Salzsäure	10	
Bz	142	—27,8	25	5	1n Salzsäure	11	
BOC [a]	191–192	—28,5		0,8	Methanol	12	
Z	177	—50,0	20	1	Essigsäure	13	
AAM [a]	166–168 (Zers.)	—33,2	25	1	Wasser	14–16	
[c]	193–195 (Zers.)	—43,0	22	1	Wasser	17,15,16	
BTM	193 (Zers.)	—24,5	22	1	3n Salzsäure	18–20	
DPM	206–207	+15,4	22	1,7	0,1n äthanol. Salzsäure	21–24	
EAC	219	—91,1	22	0,8	95%-ige Essigsäure	25–27	

[a] Monohydrochlorid [c] Monohydrat

1 W. B. Lutz et al., Am. Soc. **81**, 167 (1959).
2 C.R. Harington u. T.H. Mead, Biochem. J. **30**, 1598 (1936).
3 D.B. Hope, C.D. Morgan u. M. Wälti, Soc. [C] **1970**, 270.
4 G. Losse u. G. Moschall, J. pr. **7**, 38 (1958).
5 K.C. Hooper et al., Soc. **1956**, 3148.
6 F.E. King et al., Soc. **1957**, 886.
7 S. Goldschmidt u. C. Jutz, B. **86**, 1116 (1953).
8 A. Schöberl, M. Rimpler u. K.-H. Magosch, B. **102**, 1767 (1969).
9 F.M. Callahan et al., Am. Soc. **85**, 201 (1963).
10 A. Chimiak, Roczniki Chem. **38**, 883 (1964).
11 L. Zervas, I. Photaki u. N. Ghelis, Am. Soc. **85**, 1337 (1963).
12 M. Muraki u. T. Mizoguchi, Chem. Pharm. Bull. (Tokyo) **19**, 1708 (1971).
13 A. Berger, J. Noguchi u. E. Katchalski, Am. Soc. **78**, 4483 (1956).
14 P. Marbach u. J. Rudinger, Helv. **57**, 403 (1974).
15 D. F. Veber et al., Am. Soc. **94**, 5456 (1972).
16 D. F. Veber et al., Tetrahedron Letters **1968**, 3057.
17 P. Hermann u. E. Schreier, *Peptides* 1972, Proc. 12th Europ. Peptide Sympos., Reinhardsbrunn Castle 1972, North-Holland Publ. Co., Amsterdam **1973**, S. 126.
18 P. J. E. Brownlee et al., Soc. **1964**, 3832.
19 P.G. Katsoyannis, Am. Soc. **83**, 4053 (1961).
20 R.G. Hiskey u. W.P. Tucker, Am. Soc. **84**, 4789 (1962).
21 R.G. Hiskey u. J.B. Adams, J. Org. Chem. **30**, 1340 (1965).
22 L. Zervas u. I. Photaki, Am. Soc. **84**, 3887 (1962).
23 I. Photaki et al., Soc. [C] **1970**, 2683.
24 R.W. Hanson u. H.D. Law, Soc. **1965**, 7285.
25 S. Guttmann, Helv. **49**, 83 (1966).
26 H.T. Storey, K. Hofmann et al., Am. Soc. **94**, 6170 (1972).
27 D.L. Ross et al., J. Med. Pharm. Chem. **3**, 519 (1961).

Tab. 72. (1. Fortsetzung)

R		F[°C]	$[\alpha]_D$	t	c	Lösungsmittel	Literatur	Literatur entsprechender D-Verbindung
MOB		198–199 (Zers.)	+22,6	25	1,02	1n Natronlauge	1,2	
NB		197 (Zers.)	—4,0	20	1	1n Salzsäure	3,4	
	c	262–263					5	
NPS		168 (Zers.)	—72,0	25	1	Methanol	6	
PTM		187–188 (Zers.)	—48,0	18	1	Methanol/ 6n HCl 9:1	7	
TPa		186–187	+11,6	20	1,1	Wasser	8,9	
TRT		183,5	+114,0	24	0,83	0,04n äthanol. Salzsäure	10–15	
	b	172–173	—11,5	20	2	0,1n Natronlauge	16	
DOD		211	+10,2	20	2	0,1n Natronlauge	17,15	
TOD		208–210 (Zers.)	+10,7	20	2	Dimethylformamid	17	
iBOM		210–214	+12,0	24	1	0,1n Salzsäure	7	
PyM		210–211	—10,0	20	1	1n Salzsäure	18	
MOZ		181	—44,5			Essigsäure	19	
StBu			—84,0	20	1	1n Salzsäure	20	
SEt		208	—148,3	15	0,3	1n Salzsäure	21	

[b] Hemihydrat [c] Monohydrat

[1] S. Akabori et al., Bl. chem. Soc. Japan **37, 433** (1964).
[2] S. Sakakibara et al., Bl. chem. Soc. Japan **38**, 120 (1965).
[3] M.D. Bachi u. K.J. Ross-Petersen, J. Org. Chem. **37**, 3550 (1972).
[4] R. G. Hiskey u. W. P. Tucker, Am. Soc. **84**, 4789 (1962).
[5] C. Berse, R. Boucher u. L. Piche, J. Org. Chem. **22**, 805 (1957).
[6] I. Phocas et al., Soc. [C] **1967**, 1506.
[7] P. J. E. Brownlee et al., Soc. **1964**, 3832.
[8] G.F. Holland u. L.A. Cohen, Am. Soc. **80**, 3765 (1958).
[9] H. Zahn u. K. Hammerström, B. **102**, 1048 (1969).
[10] R. G. Hiskey u. J. B. Adams, J. Org. Chem. **30**, **1340** (1965).
[11] L. Zervas u. I. Photaki, Am. Soc. **84**, 3887 (1962).
[12] G. Amiard, R. Heymès u. G. Velluz, Bl. **1956**, 698.
[13] R.G. Hiskey u. G.L. Southard, J. Org. Chem. **31**, 3582 (1966).
[14] D.M. Theodoropoulus, Acta chem. scand. **13**, 383 (1959).
[15] I. Photaki et al., Soc. [C] **1970**, 2683.
[16] H. Arold u. M. Hartmann, J. pr. **21**, 59 (1963).
[17] R. W. Hanson u. H. D. Law, Soc. **1965**, 7285.
[18] A. Gosden, D. Stevenson u. G.T. Young, Chem. Commun. **1972**, 1123.
[19] I. Photaki et al., *Peptides* 1968, Proc. 9th Europ. Peptide Sympos., Orsay 1968, North-Holland Publ. Co., Amsterdam **1968**, S. 201.
[20] E. Wünsch u. R. Spangenberg, *Peptides* 1969, Proc. 10th Europ. Peptide Sympos., Abano Terme 1969, North-Holland Publ. Co., Amsterdam **1971**, S. 30.
[21] N. Inukai et al., Bl. chem. Soc. Japan **40**, 2913 (1967).

Tab. 72. (2. Fortsetzung)

N_α,S-Bis-Derivate [R[1]-Cys(R)-OH]

R[1]	R	F[°C]	$[\alpha]_D$	t	c	Lösungsmittel	Literatur	Literatur entsprechender D-Verbindung
Z	Ac	116–117	—52,4	25	3	Äthanol	1,2	
Z	Bz	137	—36,6	25	5	Äthanol	1	
Z	BZL	93–95					3–7	8,9
	a	138–139	— 3,9	20–26	2	Äthanol	10	
Z	tBu	Öl					11	
	a	161–162					11	
Z	AAM	Öl					12	
Z	BTM	67,5–68	—42,0	22	3,8	Äthanol	13,14	
	a	121–122	+ 8,0	23	1	Chloroform	13	
Z	DPM	102–103	—30,4	29	2	Äthanol	15	
	a	142–143	— 3,8	30	2	Methanol	15	
Z	EAC	121	—25,3	21	1,5	95%-ige Essigsäure	16	
Z	MOB	66–67	—42,1	24	2	Aceton	17,18	
	a	148–149	— 8,4	27	2,2	Äthanol	17	
Z	NB	Öl					19	
	b	129–130	— 2,2	28	1	Äthanol	19	
Z	TPa	Öl					20	
	c	105–107					14	

[a] DCHA-Salz [b] CHA-Salz [c] Benzylamin-Salz

[1] L. Zervas, I. Photaki u. N. Ghelis, Am. Soc. **85**, 1337 (1963).
[2] D.G. Clark u. E.H. Cordes, J. Org. Chem. **38**, 270 (1973).
[3] C.R. Harington u. T.H. Mead, Biochem. J. **30**, 1598 (1936).
[4] D. Ben-Ishai u. A. Berger, J. Org. Chem. **17**, 1564 (1952).
[5] V. du Vigneaud u. J.L. Wood, J. Biol. Chem. **130**, 110 (1939).
[6] K.C. Hooper et al., Soc. **1956**, 3148.
[7] S. Goldschmidt u. C. Jutz, B. **86**, 1116 (1953).
[8] D.B. Hope et al., Am. Soc. **85**, 3686 (1963).
[9] N. Izumiya et al., Arch. Biochem. **52**, 203 (1954).
[10] E. Klieger, E. Schröder u. H. Gibian, A. **640**, 157 (1961).
[11] A. Chimiak, Roczniki Chem. **38**, 883 (1964).
[12] D. F. Veber et al., Am. Soc. **94**, 5456 (1972).
[13] P.J.E. Brownlee et al., Soc. **1964**, 3832.
[14] R.G. Hiskey u. W.P. Tucker, Am. Soc. **84**, 4789 (1962).
[15] L. Zervas u. I. Photaki, Am. Soc. **84**, 3887 (1962).
[16] S. Guttmann, Helv. **49**, 83 (1966).
[17] S. Akabori et al., Bl. chem. Soc. Japan **37**, 433 (1964).
[18] S. Sakakibara et al., Bl. chem. Soc. Japan **38**, 120 (1965).
[19] P.G. Katsoyannis, Am. Soc. **83**, 4053 (1961).
[20] G.F. Holland u. L.A. Cohen, Am. Soc. **80**, 3765 (1958).

Tab. 72. (3. Fortsetzung)

R^1	R	F[°C]	$[\alpha]_D$	t	c	Lösungsmittel	Literatur	Literatur entsprechender D-Verbindung
Z	TRT	114–115	+17,8	25	1,4	Methanol	[1]	
	[a]	140–142	+ 1,0	20	2	Methanol	[2]	
	[d]	169	+21,4	29	5	Methanol	[3,4]	
Z	iBOM[a]	125,5–128,5	— 2,98	25,5	1,04	Essigsäure-äthylester	[5]	
Z	DOD [b]	141–145	— 6,47	17	0,6	Methanol	[6]	
Z	Z	97–98	—32,4	20	8,5	Essigsäure	[7]	
Z	SEt	77–81	—121,3	24	1	Methanol	[8]	
CZ	BZL	105–106	—41,2	25	2	Äthanol	[9]	
NZ	BZL	132,5–133	—47,0	22	1	95%-iges Äthanol	[10,11]	
NZ	BTM	87–89	—43,6	20	0,95	Essigsäure-äthylester	[12]	
	[b]	117,5–118,5					[12]	
BOC	Ac	67–68	—34,6	24	1	Äthanol	[13]	
BOC	Bz	110–112 (Zers.)	—52,5	30	2	Dimethyl-formamid	[14]	
	[a]	151–153	+18,0	23	1	Dimethyl-formamid	[14]	
BOC	BZL	63–65	—41,0	25	1	Essigsäure	[15–19]	

[a] DCHA-Salz [b] CHA-Salz [d] Diäthylamin-Salz

[1] R. G. HISKEY et al., J. Org. Chem. **35**, 4148 (1970).
[2] H. AROLD u. M. HARTMANN, J. pr. **21**, 59 (1963).
[3] L. ZERVAS u. I. PHOTAKI, Am. Soc. **84**, 3887 (1962).
[4] R.G. HISKEY u. W.P. TUCKER, Am. Soc. **84**, 4794 (1962).
[5] R.G. HISKEY u. J.T. SPARROW, J. Org. Chem. **35**, 215 (1970).
[6] R.W. HANSON u. H.D. LAW, Soc. **1965**, 7285.
[7] A. BERGER, J. NOGUCHI u. E. KATCHALSKI, Am. Soc. **78**, 4483 (1956).
[8] N. INUKAI et al., Bl. chem. Soc. Japan **40**, 2913 (1967).
[9] L. KISFALUDY u. S. DUALSKY, Acta chim. Acad. Sci. hung. **24**, 301 (1960).
[10] V. DU VIGNEAUD, D. T. GISH u. P.G. KATSOYANNIS, Am. Soc. **76**, 4751 (1954).
[11] D.T. GISH u. V. DU VIGNEAUD, Am. Soc. **79**, 3579 (1957).
[12] R. CAMBLE, R. PURKAYASTHA u. G.T. YOUNG, Soc. [C] **1968**, 1219.
[13] H. ZAHN u. K. HAMMERSTRÖM, B. **102**, 1048 (1969).
[14] I. PHOTAKI, Am. Soc. **88**, 2292 (1966).
[15] G.W. ANDERSON u. A.C. MCGREGOR, Am. Soc. **79**, 6180 (1957).
[16] T. WIELAND u. R. SARGES, A. **658**, 181 (1962).
[17] E. SCHNABEL, A. **702**, 188 (1967).
[18] W. BROADBENT, J.S. MORLEY u. B.E. STONE, Soc. [C] **1967**, 2632.
[19] H.C. BEYERMAN, C.A.M. BOERS-BOONEKAMP u. H. MAASEN VAN DEN BRINK-ZIMMERMANNOVÀ, R. **87**, 257 (1968).

Tab. 72. (4. Fortsetzung)

R^1	R	F[°C]	$[\alpha]_D$	t	c	Lösungsmittel	Literatur	Literatur entsprechender D-Verbindung
BOC	BOC	128–130	—67,0[e]	22	1	Dimethylformamid	1,2	
BOC	AAM	110–112 (Zers.)	—35,5	25	1	Wasser	3–5	
BOC	BTM	86–87	—28,2	20	1	Äthanol	6	
BOC	DPM	96–97	—14,83	25	1,96	Methanol	7,6	
	a	158–150	+ 6,38	22	0,93	Chloroform	8,9	
BOC	DOD b	157–159	+16,3	19	1,8	Dimethylformamid	10	
BOC	EAC	139	—22,2	24	1	Äthanol	6,11	
BOC	MOB	78–80	—40,0	23	2	Dimethylformamid	12,6,13	
	a	132	—14,6	25	1	Chloroform	13	
BOC	TPa	88	—17,7	24	1	Äthanol	6,5	
BOC	TRT	146	+29,2		1	Äthanol	6	
	a	210–211 (Zers.)	+23,8	20	1	Methanol	8,9	
	d	165–168	+27,0	20	1,2	Chloroform	14	
BOC	PyM	138–139	—42,0	20			15	
BOC	Z	127–129	—33,9	24	1	Äthanol	6	

[a] DCHA-Salz [b] CHA-Salz [d] Diäthylamin-Salz [e] $[\alpha]_{578}$

---

[1] E. Schnabel et al., A. **743,** 57 (1971).
[2] M. Muraki u. T. Mizoguchi, Chem. Pharm. Bull. (Tokyo) **19,** 1708 (1971).
[3] D. F. Veber et al., Tetrahedron Letters **1968,** 3057.
[4] D. F. Veber et al., Am. Soc. **94,** 5456 (1972).
[5] H. Arold u. M. Eule, *Peptides* 1972, Proc. 12th Europ. Peptides Sympos. Reinhardsbrunn Castle 1972, North-Holland Publ. Co., Amsterdam **1973,** S. 78.
[6] H. Zahn u. K. Hammerström, B. **102,** 1048 (1969).
[7] R. Schwyzer et al., Helv. **53,** 15 (1970).
[8] R.G. Hiskey et al., J. Org. Chem. **36,** 488 (1971).
[9] R.G. Hiskey et al., J. Org. Chem. **37,** 2472 (1972).
[10] R. W. Hanson u. H. D. Law, Soc. **1965,** 7285.
[11] H.T. Storey, K. Hofmann et al., Am. Soc. **94,** 6170 (1972).
[12] H. Klostermeyer, *Peptides,* Proc. 8th Europ. Peptide Sympos. Noordwijk 1966, North-Holland Publ. Co., Amsterdam **1967,** S. 113.
[13] A. Ali u. B. Weinstein, J. Org. Chem. **36,** 3022 (1971).
[14] B. Kamber u. W. Rittel, Helv. **52,** 1074 (1969).
[15] A. Gosden, D. Stevenson u. G.T. Young, Chem. Commun. **1972,** 1123.

Tab. 72. (5. Fortsetzung)

R^1	R	F[°C]	$[\alpha]_D$	t	c	Lösungsmittel	Literatur	Literatur entsprechender D-Verbindung
BOC	StBu	118–119	—148	20	1	Äthanol	1	
AOC	SEt	124–128	— 45,8	24	0,5	Methanol	2	
BPOC	MOB	154–156					3	
	[a]	168–169	— 9,1	20	1	Methanol	4	
DOC	TRT [d]	167,5–169	+19,4	26	1	Chloroform	5	
FOC	BZL	114–115	— 9,7	24	1,65	Chloroform	6	
FOR	Bz	165	—40,0	25	1	Äthanol	7	
FOR	BZL	126	— 8,6	18	5	Äthanol	8	
FOR	BTM	138	—38,4	27	1,24	90%-iges wäßr. Dimethylformamid	9	
FOR	DPM	145–147	+18,1	27	2	Äthanol	10	
	[b]	170–172	+29,9	27	1	Äthanol	10	
FOR	TRT	168	+77,4	27	2,5	Äthanol	10	
	[d]	165	+68,6	28	2,5	Äthanol	10	
FOR	Z	141	—43,1	25	1	Dimethylformamid	7,9	
FOR	SEt	134–135	—45,9	24	0,44	Methanol	2	
MBV	DPM [a]	135–137	—138,7	25	1	Äthanol	11	
MBV	TRT [a]	186–188	—151	25	1	Äthanol	11	
MOZ	BZL	86–88	—46,8	25	0,5	Methanol	12	

[a] DCHA-Salz [b] CHA-Salz [d] Diäthylamin-Salz

---

[1] E. Wünsch u. R. Spangenberg, *Peptides* 1969, Proc. 10th Europ. Peptide Sympos. Abano Terme 1969, North-Holland Publ. Co., Amsterdam **1971**, S. 30.
[2] N. Inukai et al., Bl. chem. Soc. Japan **40**, 2913 (1967).
[3] R.S. Feinberg u. R.B. Merrifield, Tetrahedron **28**, 5865 (1972).
[4] S.S. Wang u. R.B. Merrifield, Int. J. Pept. Prot. Res. **1**, 235 (1969).
[5] R.G. Hiskey et al., J. Org. Chem. **32**, 2772 (1967).
[6] H. Jeschkeit, G. Losse u. K. Neubert, B. **99**, 2803 (1966).
[7] L. Zervas, I. Photaki u. N. Ghelis, Am. Soc. **85**, 1337 (1963).
[8] J.A. Maclaren, W.E. Savige u. J.M. Swan, Austral. J. Chem. **11**, 345 (1958).
[9] P. G. Katsoyannis, Am. Soc. **83**, 4053 (1961).
[10] L. Zervas u. I. Photaki, Am. Soc. **84**, 3887 (1962).
[11] G.L. Southard et al., Tetrahedron **27**, 1359 (1971).
[12] E. Klieger, A. **724**, 204 (1969).

Tab. 72. (6. Fortsetzung)

R^1	R	F[°C]	$[\alpha]_D$	t	c	Lösungsmittel	Literatur	Literatur entsprechender D-Verbindung
MOZ	MOB	84–86	—47,6	25	2,24	Methanol	1	
MOZ	Z	78–79	—71,2	20	2	Dimethylformamid	2	
NPS	Bz [a]	168–169	+30,2		4	Chloroform	3	
NPS	BZL [a]	168–169	—43,5	15–20	0,7	Dimethylformamid	4	
NPS	MOB [a]	158–160	—36,6	20	1,2	Dimethylformamid	5	
NPS	MOZ	155	—30,6			Dimethylformamid	6	
NPS	TRT	146	—42,0	15–20	2	Dimethylformamid	4	
NPS	Z [a]	171	—21,7		4	Chloroform	3	
NPS	StBu [a]	153–154 (Zers.)	—66	20	1	68%-iges Methanol	7	
PHT	BZL	128–129,5	—82,3	21,5	2,4	Methanol	8,9	
PHT	DPM	205–206	—149	24	0,675	Essigsäureäthylester	10	
PHT	TRT [d]	161–164	—22,7	21	1,15	Chloroform	11	
PHT	iBOM[d]	123–125	— 1,02	31	0,7	Äthanol	12	
PiOC	BZL [a]	109–110	— 6,1 [f]	20	1	Äthanol	13	
SAL	TRT	141 (Zers.)	— 5,5	20	0,6	Tetrahydrofuran	14	
	[a]	150–151 (Zers.)	—41,3	20	1	Tetrahydrofuran	14	

[a] DCHA-Salz [d] Diäthylamin-Salz [f] $[\alpha]_{365}$

1 S. Sakakibara et al., Experientia **25,** 576 (1969).
2 F. Vandesande, Bull. Soc. chim. belges **78,** 395 (1969).
3 L. Zervas u. C. Hamalidis, Am. Soc. **87,** 99 (1965).
4 L. Zervas, D. Borovas u. E. Gazis, Am. Soc. **85,** 3660 (1963).
5 M. Guarneri et al., G. **101,** 363 (1971).
6 I. Photaki et al., *Peptides* 1968, Proc. 9th Europ. Peptide Sympos. Orsay 1968, North-Holland Publ. Co., Amsterdam **1968,** S. 201.
7 E. Wünsch u. R. Spangenberg, *Peptides* 1969, Proc. 10th Europ. Peptide Sympos. Abano Terme 1969, North Holland Publ. Co., Amsterdam **1971,** S. 30.
8 K. Balenovic u. D. Fles, J. Org. Chem. **17,** 347 (1952).
9 F.E. King, J.W. Clark-Lewis u. R. Wade, Soc. **1957,** 886.
10 R.G. Hiskey u. J.B. Adams, J. Org. Chem. **31,** 2178 (1966).
11 R. G. Hiskey et al., J. Org. Chem. **32,** 2772 (1967).
12 R. G. Hiskey u. J. T. Sparrow, J. Org. Chem. **35,** 215 (1970).
13 D. Stevenson u. G.T. Young, Soc. [C] **1969,** 2389.
14 R. G. Hiskey u. G. L. Southard, J. Org. Chem. **31,** 3582 (1966).

Tab. 72. (7. Fortsetzung)

R¹	R	F[°C]	$[\alpha]_D$	t	c	Lösungsmittel	Literatur	Literatur entsprechender D-Verbindung
HNAL	TRT	154,5–155	—23	20	0,11	Äthanol	[1]	
TFA	BZL	84–85	—84,5	12	1,5	99%-iges Äthanol	[2]	
TFA	MOB	94–95 (Zers.)	—76,01	20	1,82	Methanol	[3]	
TOS	BZL	125–126	+11,3	21	2	95%-iges Äthanol	[4,5]	
	[a]	171–172	— 8,7	20–26	1	Chloroform	[6]	
TRT	BZL	155–159	+14,0	25	2,5	Dimethylformamid	[7]	
TRT	DPM	167–168	+42,2	27	2	Chloroform	[8]	
TRT	TRT	192–193	+68,6	29	2	Chloroform	[8,9]	

[a] DCHA-Salz

[1] R. G. Hiskey u. G. L. Southard, J. Org. Chem. **31**, 3582 (1966).
[2] F. Weygand u. R. Geiger, B. **89**, 647 (1956).
[3] A. M. Felix u. R. B. Merrifield, Am. Soc. **92**, 1385 (1970).
[4] V. du Vigneaud et al., Am. Soc. **79**, 5572 (1957).
[5] J. Honzl u. J. Rudinger, Collect. czech. chem. Commun. **20**, 1190 (1955).
[6] E. Klieger, E. Schröder u. H. Gibian, A. **640**, 157 (1961).
[7] D. Chillemi, L. Scarso u. E. Scoffone, G. **87**, 1356 (1957).
[8] L. Zervas u. I. Photaki, Am. Soc. **84**, 3887 (1962).
[9] G. Amiard, R. Heymès u. L. Velluz, Bl. **1956**, 698.

Tab. 72. (8. Fortsetzung)

Carboxy-substituierte S-Derivate [H-Cys(R)-R²]

R	R²		F [°C]	[α]D	t	c	Lösungsmittel	Literatur	Literatur entsprechender D-Verbindung
BZL	OBZL	a	128–129	—19,5	27	2	95%-iges Äthanol	1–4	4,5
		b	162–163	—20,9	25	1	Methanol	6,2,4	
		c	127	—21,7	23	1,7	96%-iges Äthanol	7	
		d	137,5–138,5	—19,0	22	1,95	Äthanol	8,2,3	
BZL	OtBu	a	195–196	—37,3	20	2	Äthanol	9	
BZL	OEt	a	155	—25,4		2,3	Wasser	4,10	10
BZL	OMe	a	150	—13,9	21	2,9	Wasser	11,2	
BZL	OCyM	c	146–148					12	
BZL	ONB	a	170–171	—21,4	20	2	Methanol	13	
		b	167–169	—16,6	22	1	Dimethylformamid	14,15	
		d	170–171	—20,5	25	1	Dimethylformamid	16	
BZL	OMOB	a	120,5–121,5	—20,3	20	1	Dimethylformamid	17,18	
BZL	OTMB	a	170–172	—24,7	20	1	Dimethylformamid	19	
BZL	NH_2							20	

[a] Monohydrochlorid [b] 4-Toluolsulfonsäure-Salz
[c] Monohydrobromid [d] Benzolsulfonsäure-Salz

[1] M.A. Ruttenberg, Am. Soc. **90**, 5598 (1968).
[2] J.A. MacLaren, W.E. Savige u. J.M. Swan, Austral. J. Chem. **11**, 345 (1958).
[3] P.G. Katsoyannis et al., Am. Soc. **80**, 2558 (1958).
[4] K.C. Hooper et al., Soc. **1956**, 3148.
[5] A. Schöberl, M. Rimpler u. K.-H. Magosch, B. **102**, 1767 (1969).
[6] L. Zervas, M. Winitz u. J.P. Greenstein, J. Org. Chem. **22**, 1515 (1957).
[7] D. Ben-Ishai u. A. Berger, J. Org. Chem. **17**, 1564 (1952).
[8] W.B. Lutz et al., Am. Soc. **81**, 167 (1959).
[9] E. Taschner et al., A. **646**, 134 (1961).
[10] G. Losse u. G. Moschall, J. pr. **7**, 38 (1958).
[11] R.A. Boissonnas et al., Helv. **38**, 1491 (1955).
[12] H. Jeschkeit, G. Losse u. K. Neubert, B. **99**, 2803 (1966).
[13] G. Losse u. W. Gödicke, B. **100**, 3314 (1967).
[14] V.J. Hruby et al., Am. Soc. **93**, 5539 (1971).
[15] G. Weitzel, S. Hörnle u. F. Schneider, A. **677**, 190 (1964).
[16] E. Schröder u. E. Klieger, A. **673**, 208 (1964).
[17] J.A. MacLaren, Austral. J. Chem. **24**, 1695 (1971).
[18] J.A. MacLaren, Austral. J. Chem. **25**, 1293 (1972).
[19] R. Ledger u. F.H.C. Stewart, Austral. J. Chem. **21**, 1101 (1968).
[20] C. Ressler, Pr. Soc. exp. Biol. Med. **92**, 725 (1956).

Tab. 72. (9. Fortsetzung)

R	R²	F[°C]	$[\alpha]_D$	t	c	Lösungsmittel	Literatur	Literatur entsprechender D-Verbindung
tBu	OtBu	($Kp_{0,4}$: 95–97°)	+10,3	25	1	Äthanol	1	
	[a]	202–203	+13,7	20	2	Äthanol	2,1,3	
	[e]	62–63					3	
AAM	OMe [a]						4	
BTM	OMe	150–151 (Zers.)	—50,0	22	1	Methanol	5,6	
BTM	OPi [a]		—33,4	20	1	Methanol	7	
Bz	OMe [a]	165–166	— 4,2	25	5	Methanol	8	
DPM	OMe [a]	162	+ 5,5	29	3	Methanol	9	
NB	OEt [a]	172–173	+27,3	25	1,06	95%-iges Äthanol	10,6,11	
TPa	OMe [a]	142–143					12	
TRT	OPE [a]	68					13	
TRT	ODPM [f]	80	+60,7	20	1,6	Äthanol	14	
Z	OBZL [a]	106–107					15	
Z	OMe [a]	146–147	—14,9	20	5	Methanol	8	
SEt	OMe [a]	135–137	—67,7	24	0,5	Methanol	16	
SEt	NH_2 [a]	170–175					16	
SEt	OMOB [a]	109–109,5	+78,3	20	4	Dimethylformamid	17	

[a] Monohydrochlorid
[e] Hydroacetat
[f] Oxalsäuresalz

[1] F.M. CALLAHAN et al., Am. Soc. **85**, 201 (1963).
[2] A. CHIMIAK, Roczniki Chem. **38**, 883 (1964).
[3] A. CHIMIAK et al., Z. **12**, 264 (1972).
[4] B. KAMBER, Helv. **54**, 927 (1971).
[5] P.J.E. BROWNLEE et al., Soc. **1964**, 3832.
[6] R.G. HISKEY u. W.P. TUCKER, Am. Soc. **84**, 4789 (1962).
[7] R. CAMBLE, R. PURKAYASTHA u. G.T. YOUNG, Soc. [C] **1968**, 1219.
[8] L. ZERVAS, I. PHOTAKI u. N. GHELIS, Am. Soc. **85**, 1337 (1963).
[9] L. ZERVAS u. I. PHOTAKI, Am. Soc. **84**, 3887 (1962).
[10] C. BERSE, R. BOUCHER u. L. PICHE, J. Org. Chem. **22**, 805 (1957).
[11] M.D. BACHI u. K.J. ROSS-PETERSEN, J. Org. Chem. **37**, 3550 (1972).
[12] G.F. HOLLAND u. L.A. COHEN, Am. Soc. **80**, 3765 (1958).
[13] J. TAYLOR-PAPADIMITRIOU et al., Soc. [C] **1967**, 1830.
[14] R.G. HISKEY u. J.M. ADAMS, Am. Soc. **87**, 3969 (1965).
[15] M. SOKOLOVSKY, M. WILCHEK u. A. PATCHORNIK, Am. Soc. **86**, 1202 (1964).
[16] N. INUKAI et al., Bl. chem. Soc. Japan **40**, 2913 (1967).
[17] J. A. MACLAREN, Austral. J. Chem. **25**, 1293 (1972).

37. Diamino-dicarbonsäuren (ohne Cystin) und ihre Einbeziehung in die Peptidsynthese

bearbeitet von

Dr. Paul Thamm

Max-Planck-Institut für Biochemie, München

Die bisher in die Peptidsynthese einbezogenen Diamino-dicarbonsäuren können strukturell als zwei über ihre Seitenketten miteinander verknüpfte α-Amino-säuren aufgefaßt werden (vgl. S. 4):

$$\begin{array}{c} H_2N-CH-COOH \\ | \\ R^1 \\ | \\ \cdots X \cdots \\ | \\ R^2 \\ | \\ H_2N-CH-COOH \end{array} \qquad \begin{array}{c} H-AS^1-OH \\ | \\ \cdots X \cdots \\ | \\ H-AS^2-OH \end{array}$$

$X = S, S{-}S, S{-}CH_2{-}S$, etc.

Diese Aminosäure-Untereinheiten AS^1 bzw. AS^2 stellen in den meisten Fällen „natürliche" Aminosäuren dar, wie Alanin, α-Amino-buttersäure, Cystein oder Tryptophan. Sie können identisch, aber auch voneinander verschieden sein, wobei die Verschiedenheit sich unter Umständen (z.B. bei den Mesoformen) lediglich auf die Konfigurationen an den α-C-Atomen bezieht. Die analogen Umgebungen der Amino-Gruppen bzw. der Carboxy-Gruppen beider Aminosäure-Untereinheiten (die ihrerseits räumlich soweit getrennt sind, daß gegenseitige Beeinflussung kaum noch möglich ist) bedingen jeweils gleichartige Reaktivität, so daß z.B. eine gezielte Mono-N-Substitution oder Mono-carboxy-Substitution nur auf Umwegen durchzuführen ist.

Die beiden Struktur-Untereinheiten können über eine einfache Atombindung, über eine Thioäther-Gruppe, eine Disulfid-Brücke oder eine Mercaptal-Gruppe miteinander verknüpft sein. Nach diesen Strukturmerkmalen werden die Diamino-dicarbonsäuren in solche mit durchgehender Kohlenwasserstoffkette, solche vom Thioäther-Typ, Disulfid-Typ und Mercaptal-Typ eingeteilt.

Der häufigste Peptid-Baustein vom Typ einer Diamino-dicarbonsäure ist das Cystin („Disulfid-Typ"), das jedoch aus Gründen seiner engen chemischen Verwandtschaft zusammen mit Cystein abgehandelt wird (s. S. 800ff.).

37.1. Diamino-dicarbonsäuren mit durchgehender Kohlenstoff-Kette

Die bisher einzigen in natürlichen Peptiden nachgewiesenen Vertreter der Diamino-dicarbonsäuren mit durchgehender Kohlenstoff-Kette sind die *meso-* bzw. die (seltenere)

D/D-Form der *α,α'-Diamino-pimelinsäure*[1–4]. Dementsprechend wurden Peptide bisher nur mit der *meso-α,α'-Diamino-pimelinsäure* aufgebaut. Von *α,α'-Diamino-bernsteinsäure, α,α'-Diamino-adipinsäure* und *α,α'-Diamino-suberinsäure* (d.i. *α,α'-Diamino-korksäure*) sind lediglich geschützte Derivate bekannt, nicht aber Peptide[5–7].

37.11. Diamino-dicarbonsäure-peptide

Nach Blockade beider Amino-Gruppen lassen sich Diamino-dicarbonsäuren als Kopfkomponente in der Peptidsynthese einsetzen. Entsprechende $N_{\alpha},N_{\alpha'}$-geschützte Derivate werden in analoger Weise wie N-geschützte Aminosäuren (s. S. 46ff.) hergestellt.

Diamino-dicarbonsäuren, die durch Totalsynthese aus optisch inaktivem Ausgangsmaterial gewonnen wurden, stellen naturgemäß Epimeren-Gemische dar. Nach der $N_{\alpha},N_{\alpha'}$-Diacylierung lassen sich diese Gemische in einigen Fällen durch fraktionierte Kristallisation auftrennen. Beispiele hierfür wurden im Falle der *α,α'*-Diamino-adipinsäure[6], *α,α'*-Diamino-pimelinsäure[8] und *α,α'*-Diamino-suberinsäure[5] beschrieben. Im allgemeinen ist die $N_{\alpha},N_{\alpha'}$-diacylierte Mesoform schwerer löslich als die anderen Epimeren und läßt sich daher am leichtesten isolieren.

$N_{\alpha},N_{\alpha'}$-Bis-benzyloxycarbonyl-*meso*-α,α'-diamino-pimelinsäure [(Z)$_2$=*m*Dapm=(OH)$_2$][9]: 9,5 g (49,4 mMol) (H)$_2$=*m*Dapm =(OH)$_2$ in 125 *ml* 2n Natronlauge werden bei 0° portionsweise mit insgesamt 19,5 *ml* (133 mMol) Chlorameisensäure-benzylester[10] innerhalb 30 Min. unter starkem Rühren versetzt. Danach wird das Reaktionsgemisch während 2 Stdn. bei 20° geschüttelt, der nicht umgesetzte Chlorameisensäure-benzylester mit Essigsäure-äthylester extrahiert und die wäßr. Phase unter Essigsäure-äthylester mit 4n Salzsäure angesäuert. Nach Waschen und Trocknen der organischen Phase wird zur Trockne eingedampft und der Rückstand in heißem Chloroform gelöst. Nach dem Abkühlen tritt langsame Kristallisation ein; F: 125–126°.

Zur Verknüpfung der $N_{\alpha},N_{\alpha'}$-maskierten Diamino-dicarbonsäuren mit Aminosäuren oder Peptiden als Amin-Komponente kommen die Anhydrid- oder Carbodiimid-Methode zur Anwendung; die Azid-Methode liefert gelegentlich unbefriedigende Resultate[2].

Selektive Peptid-Knüpfungen an nur einer Carboxy-Gruppe carboxy-ungeschützter $N_{\alpha},N_{\alpha'}$-maskierter Diamino-dicarbonsäuren wurden bisher nicht beschrieben. Ein bekanntgewordenes Beispiel für selektive Monoamid-Bildung beschränkt sich auf die Herstellung eines Monoanilids[5]; die hierfür beschriebene Methode ist jedoch auf die Mesoformen der Diamino-dicarbonsäuren beschränkt, da die Selektivität der Monoamid-Bildung auf einer selektiven Enzym-Reaktion an der Aminosäure-Untereinheit mit L-Konfiguration beruht.

Dagegen ist mit monocarboxy-geschützten Diamino-dicarbonsäure-Derivaten der systematische Aufbau von Monopeptiden ohne Schwierigkeiten möglich. Geeignete Ausgangsverbindungen hierfür sind z. B. Monoester oder Monohydrazide.

---

1 E. Bricas, J. M. Ghuysen u. P. Dezélée, Biochemistry **6**, 2598 (1967).
2 C. Nicot, J. v. Heijenoort, P. Lefrancier u. E. Bricas, J. Org. Chem. **30**, 3746 (1965).
3 E. Bricas, P. Dezélée, C. Gansser, P. Lefrancier, C. Nicot u. J. v. Heijenoort, Bl. **1965**, 1813.
4 A. D. Warth u. J. L. Strominger, Biochemistry **10**, 4349 (1971).
5 K. Mori u. H. Kumagae, J. chem. Soc. Japan **82**, 1372 (1961); C. A. **57**, 14 930[i] (1962).
6 J. C. Sheehan u. W. A. Bolhofer, Am. Soc. **72**, 2786 (1950).
7 J. F. Biernat, Roczniki Chem. **47**, 2263 (1973).
8 R. Wade, S. M. Birnbaum, M. Winitz, R. J. Koegel u. J. P. Greenstein, Am. Soc. **79**, 648 (1957).
9 Diese Verbindung wurde von Bricas et al.[3] in Anlehnung an eine Vorschrift von Wade et al.[8] zur Benzyloxycarbonylierung eines durch Totalsynthese gewonnenen Gemisches epimerer *α,α'*-Diamino-pimelinsäuren hergestellt.
10 M. Bergmann u. L. Zervas, B. **65**, 1192 (1932).

Ein möglicher Weg zur Gewinnung von Monoestern wird am Beispiel der Djenkolsäure dargelegt (Methode der Mono-N-Carbonsäure-Anhydride, s. S. 854f.). Monohydrazide sind durch selektive Spaltung von Di-hydraziden der *meso*-Diamino-dicarbonsäuren erhältlich[1,2]. Diese Reaktion wird mit Hilfe einer Peptidase durchgeführt und resultiert in der Abspaltung derjenigen Hydrazid-Gruppe, die mit der L-Aminosäure-Untereinheit der *meso*-Säure verbunden war.

N_α,$N_{\alpha'}$-Bis-benzyloxycarbonyl-*meso*-α,α'-diamino-pimelinsäure-$C_{\alpha'}$-(N'-tert.-butyloxycarbonyl-hydrazid) [$(Z)_2$=*m*Dapm=(NHNH{BOC}, OH)][2]: 4,44 g $(H)_2$=*m*Dapm=$(NH\text{-}NH\{BOC\})_2$ werden in 80 *ml* bidestilliertem Wasser von 37° gelöst. Man gibt 4 *ml* einer Lösung von Leucin-aminopeptidase in einer Puffermischung (p_H = 8,5)[2] zu und hält den p_H-Wert während der enzymatischen Hydrolyse durch Zugabe von n Kaliumhydroxid-Lösung konstant bei 8,5 („p_H-Stat-Bedingungen"). Durch Kontrolle des Lauge-Verbrauchs wird der Fortgang der Hydrolyse überwacht. Nach Beendigung wird auf 0° gekühlt und unter Rühren mit 6 *ml* (4 Äquivalente) Chlorameisensäure-benzylester versetzt. Durch portionsweise Zugabe von 40 *ml* n Natriumhydroxid-Lösung wird der p_H-Wert bei 10 gehalten. Nach 3 Stdn. wird unter Diäthyläther auf p_H = 3,0 angesäuert, die organische Phase abgetrennt und mit n Ammoniumhydroxid-Lösung extrahiert. Der wäßr. Extrakt wird erneut unter Diäthyläther auf p_H = 3,0 angesäuert, die organische Phase mit Wasser gewaschen, über Magnesiumsulfat getrocknet und eingedampft. Der Rückstand wird aus Diäthyläther/Hexan umkristallisiert; Ausbeute: 4,86 g(80% d.Th.); F: gegen 90°; $[\alpha]_D^{25} = +21{,}8°$ (c = 1; Methanol).

Ebenfalls auf enzymatischem Wege möglich ist die Gewinnung von Monopeptiden aus den Dipeptiden der *meso*-Diamino-dicarbonsäuren[3–7].

37.12. N-Aminoacyl-(Peptidyl)-diamino-dicarbonsäuren

Wenn Peptide mit einer carboxy-endständigen Diamino-dicarbonsäure aufgebaut werden sollen, kann bei bestimmten Verknüpfungsverfahren die Herstellung ihrer carboxy-disubstituierten Derivate erforderlich werden. Geeignet sind in solchen Fällen Diester oder (N'-geschützte) Di-hydrazide der Diamino-dicarbonsäuren, deren Herstellung nach den für Aminosäuren üblichen Verfahren erfolgen kann.

***meso*-α,α'-Diamino-pimelinsäure-dimethylester-Dihydrochlorid [$(H)_2$=*m*Dapm=$(OMe)_2$ · 2 HCl][8]:** Durch die Suspension von 12 g (45,5 mMol) $(H)_2$=*m*Dapm=$(OH)_2$ · 2 HCl in 25 *ml* absol. Methanol wird ohne Kühlung 1,5 Stdn. trockener Chlorwasserstoff geleitet. Danach dampft man zur Trockne ein und wiederholt die Veresterungs-Prozedur. Nach mehrstündigem Abkühlen auf 0° kristallisiert eine erste Fraktion. Aus der Mutterlauge erhält man nach Versetzen mit Diäthyläther eine zweite Fraktion, die zusammen mit der ersten aus Methanol/Diäthyläther umkristallisiert wird; Ausbeute: 12,9 g (97% d.Th.); F: 197,5–198,5°.

***meso*-α,α'-Diamino-pimelinsäure-di-tert.-butylester-Dihydrochlorid [$(H)_2$=*m*Dapm=$(OtBu)_2$ · 2 HCl][8]:**

N_α,$N_{\alpha'}$-Bis-benzyloxycarbonyl-*meso*-α,α'-diamino-pimelinsäure-di-tert.-butylester [$(Z)_2$=*m*Dapm=$(OtBu)_2$][8]: Die in einem Druckgefäß befindliche Suspension von 4,6 g (10 mMol) $(Z)_2$=*m*Dapm=$(OH)_2$ (Herstellung s. S. 847) in 50 *ml* Dichlormethan wird bei −80° mit 15 Tropfen konz. Schwefelsäure und 45 *ml* verflüssigtem Isobuten versetzt und dann 3 Stdn. bei 35° gerührt. Man kühlt auf −10°, fügt 40 *ml* 30%-ige Natriumcarbonat-Lösung hinzu und rührt eine Weile. Die abgetrennte organische Phase wird mit Wasser bis zur neutralen Reaktion gewaschen und über Magnesiumsulfat getrocknet. Danach dampft man das Lösungsmittel ab (zuletzt im Hochvak. bei 40°). Der ölige Rückstand wird ohne weitere Reinigung der hydrogenolytischen Entacylierung unterworfen.

meso-α,α'-Diamino-pimelinsäure-di-tert.-butylester-Dihydrochlorid [$(H)_2$=*m*Dapm=$(OtBu)_2$ · 2 HCl][8]: Das rohe $(Z)_2$=*m*Dapm=$(OtBu)_2$ (s. oben) löst man in 50 *ml* Methanol und spaltet die Benzloxycarbonyl-Gruppen durch Hydrogenolyse an 1 g Palladium (5%-ig, an Kohle) ab. Das Fil-

---

1 E. Bricas, J. M. Ghuysen u. P. Dezélée, Biochemistry **6**, 2598 (1967).
2 P. Dezélée u. E. Bricas, Bull. Soc. Chim. biol. **49**, 1579 (1967).
3 C. Nicot u. E. Bricas, C. r. **256**, 1391 (1963).
4 E. Bricas, C. Nicot u. E. Lederer, Bull. Soc. Chim. biol. **44**, 1115 (1962).
5 E. Bricas u. C. Nicot in L. Zervas, *Peptides*, Proc. 6th Europ. Symp. Athens 1963, Pergamon Press, Oxford **1966**, S. 329.
6 P. Dezélée u. E. Bricas in E. Bricas, *Peptides*, Proc. 9th Europ. Pept. Sympos. Orsay 1968, North-Holland Publ. Co., Amsterdam **1968**, S. 299.
7 E. Bricas, C. Nicot u. J. v. Heijenoort, Collect. czech. chem. Commun. **27**, 2240 (1962).
8 E. Bricas, P. Dezélée, C. Gansser, P. Lefrancier, C. Nicot u. J. v. Heijenoort, Bl. **1965**, 1813.

trat vom Katalysator wird mit methanolischer Chlorwasserstoff-Lösung auf $p_H = 3{,}2$ gebracht und abgedampft. Man kristallisiert aus Methanol/Diäthyläther um; Ausbeute: 2,45 g (70% d. Th.); F: 165–166° (Zers.).

Bedingt durch die gleichartige Reaktivität beider Amino-Gruppen ist ein gezielter systematischer Aufbau z. B. von N_α-Mono-aminoacyl-(peptidyl)-Derivaten nur über $N_{\alpha'}$-mono-maskierte Diamino-dicarbonsäuren möglich. Zur Gewinnung geeigneter Ausgangs-Verbindungen stehen die folgenden vier Wege zur Auswahl:

37.12.1. Mono-N-Maskierung freier Diamino-dicarbonsäuren

Mono-N-acylierte Diamino-dicarbonsäuren werden erhalten, wenn die Menge des Acylierungsmittels so gewählt wird, daß sie nur etwa der Hälfte der Amino-Gruppen äquivalent ist[1]. Aber auch unter diesen Bedingungen ist das Auftreten erheblicher Mengen des Diacylierungsproduktes (neben unveränderter Diamino-dicarbonsäure) in der Regel nicht zu vermeiden (vgl. Herstellung der Mono-benzyloxycarbonyl-djenkolsäure[2], s. S. 856). Zusätzliche Probleme ergeben sich bei der Übertragung des geschilderten Verfahrens auf *meso*-Diamino-dicarbonsäuren, da sich aus ihnen Gemische stereo-isomerer Mono-N-acyl-Derivate bilden[1].

37.12.2. Mono-N-Maskierung carboxy-monosubstituierter Diamino-dicarbonsäuren

Nach Bricas et al.[3] führt die Umsetzung von α,α'-Diamino-pimelinsäure-mono-N'-tert.-butyloxycarbonyl-hydrazid mit Chlorameisensäure-benzylester bei $p_H = 9$ zur überwiegenden Bildung eines Mono-N-acylierungs-Produktes, wogegen bei $p_H = 10$ überwiegend $N_\alpha,N_{\alpha'}$-diacylierte Produkte entstehen[4]:

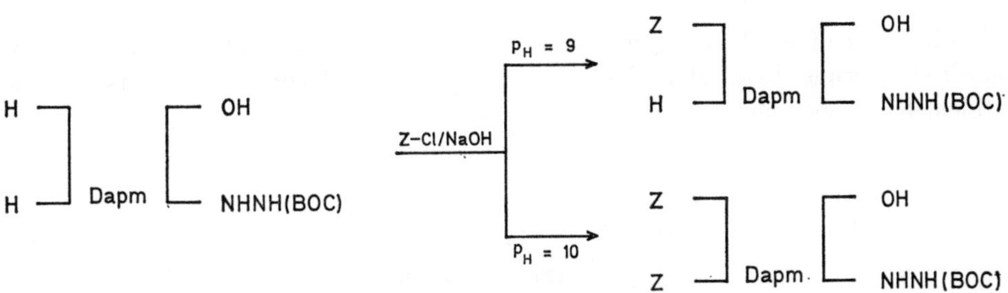

Die Selektivität der Reaktion beruht auf der durch die benachbarte Hydrazid-Gruppe erhöhten Basizität der einen Amino-Gruppe, die damit bei $p_H = 9$ in protonierter Form vorliegt und dadurch gegenüber dem Angriff des Acylierungsmittels weitgehend geschützt bleibt. Nach erfolgter Mono-acylierung der Diamino-dicarbonsäure kann die tert.-Butyloxycarbonyl-hydrazid-Gruppe durch oxidative Spaltung mit Mangandioxid (vgl. Kelly[5]) entfernt werden[1,3,6].

---

[1] P. DEZÉLÉE u. E. BRICAS in E. SCOFFONE, *Peptides* 1969, Proc. 10th Europ. Peptide Sympos., Abano Terme 1969, North-Holland Publ. Co., Amsterdam **1971**, S. 347.
[2] B. MARINIER u. P. PENEV, Canad. J. Chem. **45**, 1253 (1967).
[3] E. BRICAS, J. M. GHUYSEN u. P. DEZÉLÉE, Biochemistry **6**, 2598 (1967).
[4] P. DEZÉLÉE u. E. BRICAS, Bull. Soc. Chim. biol. **49**, 1579 (1967).
[5] R. B. KELLY, J. Org. Chem. **28**, 453 (1963).
[6] P. DEZÉLÉE u. E. BRICAS in E. BRICAS, *Peptides* 1968, Proc. 9th Europ. Peptide Sympos. Orsay 1968; North-Holland Publ. Co., Amsterdam **1968**, S. 299.

37.12.3. Selektive Mono-N-Maskierung von Diamino-dicarbonsäure-mono-peptiden in Gegenwart von Kupfer(II)-Ionen

Mit der Überführung von Aminosäuren in ihre Kupfer(II)-Komplexe kann eine weitestgehende Maskierung der Amin-Gruppe erreicht werden. Das Gleiche gilt – wenigstens qualitativ – für die terminale Amin-Gruppe von Peptiden, wenn auch die Stabilität ihrer Kupfer(II)-Komplexe geringer als die der Aminosäure-Komplexe ist[1,2].

Damit sollten Acylierungsversuche am äquimolar zusammengesetzten Gemisch aus Aminosäure und Peptid in Gegenwart von Kupfer(II)-Ionen bevorzugt zum N-Acyl-Derivat der Peptid-Komponente führen. Versuche von Nicot und Bricas[3] führten jedoch zu einem anderen Ergebnis: Isoliert wird überwiegend N-Acyl-aminosäure. Dieses Ergebnis mag durch die besonderen Bindungsverhältnisse in solchen gemischten Komplexen zu erklären sein[4].

Ähnlich wie gemischte Komplexe sollten sich die Kupfer(II)-Komplexe der Diamino-dicarbonsäure-monopeptide verhalten, da sich Diamino-dicarbonsäure-monopeptide formal durch je eine Aminosäure- und eine Dipeptid-Untereinheit beschreiben lassen (s. S. 846). Tatsächlich konnte diese Annahme im Falle des *meso-α,α'*-Diamino-pimeloyl-mono-alanins experimentell bestätigt werden. Bei der Umsetzung dieses asymmetrischen Monopeptids mit Chlorameisensäure-benzylester und Natronlauge in Gegenwart von 0,75 Äquivalenten Kupfer(II)-Ionen tritt selektive N-Acylierung an der Aminosäure-Untereinheit ein[3]:

$$\begin{array}{l} H-AS^1-OH \\ \quad | \\ H-AS^2-AS^3-OH \end{array} \xrightarrow{Z-Cl\ /NaOH\ /Cu^{2\oplus}} \begin{array}{l} Z-AS^1-OH \\ \quad | \\ H-AS^2-AS^3-OH \end{array}$$

Eingehende Untersuchungen zur Verallgemeinerung dieser Methode zur selektiven Mono-N-Maskierung bzw. Mono-N-Aminoacylierung von Diamino-dicarbonsäure-mono-peptiden stehen noch aus.

37.12.4. Selektive N_α-Demaskierung $N_\alpha,N_{\alpha'}$-disubstituierter Diamino-dicarbonsäuren

$N_{\alpha'}$-Mono-aminoacyl-(peptidyl)-Derivate der *meso*-Diamino-dicarbonsäuren lassen sich auch durch enzymatische Spaltung der entsprechenden $N_\alpha,N_{\alpha'}$-Diacyl-Verbindungen gewinnen. Die Selektivität dieser Demaskierung beruht auf der ausschließlichen Reaktion einer Peptidase mit derjenigen Aminosäure-Untereinheit (vgl. S. 846) der *meso*-Diamino-dicarbonsäure, die konfigurativ der L-Reihe angehört. Beispielsweise konnten Bricas et al.[5,6] durch Inkubation von $N_\alpha,N_{\alpha'}$-Bis-L-alanyl-*meso-α,α'*-diamino-pimelinsäure mit Leucin-Aminopeptidase die *$N_{\alpha'}$-L-Alanyl-meso-α,α'-diamino-pimelinsäure* herstellen.

---

1 H. Dobbie et al., Biochem. J. **59**, 240, 246, 257 (1955).

2 J. P. Greenstein u. M. Winitz, *Chemistry of the Amino Acids*, Bd. 1, S. 569ff., John Wiley & Sons Inc., New York · London 1961.

3 C. Nicot u. E. Bricas, Acta chim. Acad. Sci. hung. **44**, 229 (1965).

4 R. P. Martin, L. Mosoni u. B. Sarkar, J. Biol. Chem. **246**, 5944 (1971).

5 C. Nicot u. E. Bricas, C. r. **256**, 1391 (1963).

6 E. Bricas, C. Nicot u. J. v. Heijenoort, Collect. czech. chem. Commun. **27**, 2240 (1962).

37.2. Diamino-dicarbonsäuren vom Thioäther-Typ

Zur Gruppe der Diamino-dicarbonsäuren vom Thioäther-Typ gehört das *Lanthionin*, das im Haarkeratin (Wolle)[1] und (zusammen mit *β-Methyl-lanthionin*) im Nisin[2,3], Subtilin[4–6] und Cinnamycin[7] vorkommt. *Tryptathionin* wurde in der Phalloidin-Gruppe und seine (ind-6)-hydroxylierte Form in der Amanita-Gruppe der toxischen Peptide des grünen Knollenblätterpilzes (Amanita phalloides) aufgefunden[8]. *N_a,$N_{a'}$-Dimethyl-2,5-diamino-1,4-dithian-2,5-dicarbonsäure* tritt als Bestandteil des Echinomycins auf[9]. *Cystathionin* wurde zum Aufbau von Modell-Peptiden herangezogen[10–12].

37.21. Diamino-dicarbonsäure-peptide

Für den peptidsynthetischen Einsatz der Diamino-dicarbonsäuren vom Thioäther-Typ als Kopfkomponente gelten die gleichen Voraussetzungen wie für den Typ mit durchgehender Kohlenstoff-Kette (s. S. 847; vgl. auch S. 728). Als Beispiel für N_a,$N_{a'}$-dimaskierte Verbindungen sei das *N_a,$N_{a'}$-Bis-benzyloxycarbonyl-lanthionin* herausgegriffen, das durch Umsetzung der freien (oder carboxy-geschützten) Diamino-dicarbonsäure mit überschüssigem Acylierungs-Reagenz erhalten wird[1,13–16]:

N_a,$N_{a'}$-Bis-benzyloxycarbonyl-*meso*-lanthionin-dimethylester [$(Z)_2$=*m*Lant=$(OMe)_2$][1]: Die Lösung von 30,9 g $(H)_2$=*m*Lant=$(OMe)_2$ in 75 *ml* Wasser wird mit 250 *ml* Chloroform unterschichtet und auf −10° abgekühlt. Hierauf fügt man 10,4 g Magnesiumoxid in 3 Teilen zu und läßt 37,6 *ml* Chlorameisensäure-benzylester unter guter Durchmischung (Vibro-Mischer) zutropfen. Nach 30 Min. werden 5 *ml* Pyridin zugesetzt und nach weiteren 5 Min. mit 5n Salzsäure auf p_H = 2–3 eingestellt. Die abgetrennte Chloroform-Schicht wird mit 0,5 n Salzsäure, Wasser, 5%-iger Hydrogencarbonat-Lösung und Wasser gewaschen, über Natriumsulfat getrocknet und i. Vak. eingedampft. Der Rückstand wird aus Äthanol umkristallisiert; Ausbeute: 47 g (93,5% d.Th.); F: 109–111°.

In gleicher Weise, wie oben beschrieben, können die entsprechenden Derivate des Cystathionins erhalten werden (vgl. Lit.[17,18]). Allerdings zieht man die Herstellung N_a,$N_{a'}$-maskierter Derivate des Cystathionins und des Tryptathionins durch Total-Synthese (Seitenketten-Verknüpfung von N-geschütztem Cystein mit N-geschützter α-Amino-buttersäure bzw. N-geschütztem Tryptophan; vgl. hierzu auch S. 852f.) in den meisten Fällen vor, da dieser Syntheseweg über die Aminosäure-Untereinheiten (s. S. 846) bei der Herstellung gemischt N_a,$N_{a'}$-disubstituierter Derivate besondere Vorteile bietet.

---

1 H. Zahn u. H. Kessler, Makromol. Ch. **27**, 218 (1958).
2 E. Gross u. J. L. Morell, Am. Soc. **93**, 4634 (1971).
3 J. L. Morell u. E. Gross, Am. Soc. **95**, 6480 (1973).
4 G. Alderton, Am. Soc. **75**, 2391 (1953).
5 A. Stracher u. L. C. Craig, Am. Soc. **81**, 696 (1959).
6 E. Gross, H. H. Kiltz u. E. Nebelin, H. **354**, 810 (1973).
7 W. Dvonch, O. L. Shotwell, R. G. Benedict, T. G. Pridham u. L. A. Lindenfelser, Antibiotics and Chemotherapy **4**, 1135 (1954); C. A. **49**, 4075[i] (1955).
8 T. Wieland, Fortschr. Ch. org. Naturst. **25**, 214 (1967).
9 W. Keller-Schierlein, M. L. Mihailovic u. V. Prelog, Helv. **42**, 305 (1959).
10 K. Jost u. J. Rudinger, Collect. czech. chem. Commun. **33**, 109 (1968).
11 K. Jost u. J. Rudinger, Collect. czech. chem. Commun. **32**, 2485 (1967).
12 K. Jost, J. Rudinger, H. Klostermeyer u. H. Zahn, Z. Naturf. **23b**, 1059 (1968).
13 G. B. Brown u. V. du Vigneaud, J. Biol. Chem. **140**, 767 (1941).
14 H. Zahn u. H. Pfannmüller, Ang. Ch. **68**, 41 (1956).
15 H. Zahn u. F. Osterloh, A. **595**, 237 (1955).
16 A. Schöberl, M. Rimpler u. E. Graf, A. **1973**, 1379.
17 G. B. Brown u. V. du Vigneaud, J. Biol. Chem. **137**, 611 (1941).
18 W. P. Anslow, S. Simmonds u. V. du Vigneaud, J. Biol. Chem. **166**, 35 (1946).

$N_{\alpha'}$-Benzyloxycarbonyl-L-cystathionin-α'-methylester [(H,Z)=Cyta=(OMe,OH)][1,2]: 2,4 g (10 mMol) L-Cystin werden mit 1,2 g Natrium in 300 *ml* frisch destilliertem flüssigem Ammoniak reduziert. Nach Entfärben der blauen Lösung durch Zugabe von Ammoniumchlorid werden 10 g (30 mMol) Z-Abu(Br)-OMe[2] zugegeben, 5 Min. gerührt und die Lösung unter vermindertem Druck eingedampft (gelegentliches Anwärmen auf 0°). Nach 10–20 Min. läßt man die Reaktionsmischung einfrieren und pumpt das restliche Ammoniak weiterhin ab. Der Rückstand wird bei 0° zwischen Diäthyläther und n Salzsäure verteilt und die wäßr. Phase 2mal ausgeäthert. Die wäßr. Lösung wird abgetrennt, durch Evakuieren vom gelösten Diäthyläther befreit und bei 2° auf 150 *ml* Ionenaustauscher Dowex 50W-2 ($H^{\oplus}$-Form) gegeben. Der Ionenaustauscher wird mit Wasser von 2° nachgewaschen und mit 5%-iger wäßr. Pyridin-Lösung eluiert. Nach Ansäuern des Eluates mit Essigsäure auf p_H = 6,0–6,5 wird zur Trockne eingedampft und der Rückstand aus Wasser umkristallisiert; Ausbeute: 6,15 g (83% d.Th.); F: 177–178°; $[\alpha]_D$ = −25,0° (c = 0,4; n Salzsäure).

Durch zusätzliche N_α-Acylierung des vorstehend beschriebenen $N_{\alpha'}$-Benzyloxycarbonyl-cystathionin-α'-methylesters mit 4-Methoxy-benzyloxycarbonyl-azid/Natronlauge[3], 2-Nitrophenylsulfenylchlorid/Triäthylamin[2] oder 4-Toluolsulfonylchlorid/Natriumhydrogencarbonat[2] werden N_α,$N_{\alpha'}$-gemischt-disubstituierte Derivate erhalten.

Tryptathionin-Derivate werden nach Wieland et al.[1,4,5] aus den Bausteinen S-Chlor-cystein und Tryptophan zusammengesetzt. Problematisch ist die Knüpfung der Thioäther-Brücke, die selektiv an der 2-Stellung des Indol-Systems erfolgen muß. Diese Bedingung wird bei der Umsetzung von Sulfenylchloriden mit Indol-Körpern in saurer Lösung jedoch gewöhnlich erfüllt [freie (ind-2)-Stellung vorausgesetzt; vgl. Lit.[5–7]]. Die Überführung von Cystein-Derivaten in die entsprechenden S-Chloride gelingt am besten durch Umsetzung mit N-Chlor-succinimid[4,8] in Essigsäure[4]. Durch Verfolgung der UV-Absorption[9] des Chlorierungsansatzes wird zunächst der Zeitpunkt maximaler S-Chlorid-Konzentration bestimmt und dann erst die Tryptophan-Komponente zugegeben (durch diese Arbeitsweise wird eine zusätzliche Chlorierung des empfindlichen Indol-Systems vermieden). Zur Abstumpfung des bei der Verknüpfung freiwerdenden Chlorwasserstoffes empfiehlt sich der Zusatz von Natriumacetat[10]; man verhindert so eine mögliche Spaltung säurelabiler Schutz-Gruppen.

N_α-Trifluoracetyl,$N_{\alpha'}$-benzyloxycarbonyl-L-tryptathionyl-$C_{\alpha'}$-D-γ-hydroxyleucyl-L-alanyl-D-threonin-methylester [(TFA,Z)=Trta=(D-Hleu-Ala-D-Thr-OMe,OH)][4]: 170 mg TFA-Cys(H)-OH in 2 *ml* Essigsäure werden bei 15° unter Rühren mit einer Lösung von 65 mg N-Chlor-succinimid in 2 *ml* Essigsäure vereinigt. Nach 10 Min. wird die Lösung von 125 mg Z-Trp-D-Hleu-Ala-D-Thr-OMe in 2 *ml* Essigsäure zugefügt. Nach 5 Min. wird mit 100 mg wasserfreiem Natriumacetat versetzt, i. Vak. eingedampft und der Rückstand über festem Kaliumhydroxid getrocknet. Die Reingewinnung erfolgt durch Chromatografie in Methanol an Sephadex (LH-20, Säulen-Abmessungen: 1,9 × 250 cm). Man isoliert 100 mg (58% d.Th.) amorphes Tryptathionin-monopeptid.

---

[1] Nomenklatur vgl. S. 3, 15, Lit. [2] sowie
T. Wieland, K. Freter u. E. Gross, A. **626**, 154 (1959).

[2] K. Jost u. J. Rudinger, Collect. czech. chem. Commun. **32**, 2485 (1967).

[3] K. Jost, T. Barth, J. Krejci, L. Fruhaufova, Z. Prochazka u. F. Sorm, Collect. czech. chem. Commun. **38**, 1073 (1973).

[4] T. Wieland, C. Jochum u. H. Faulstich, A. **727**, 138 (1969).

[5] T. Wieland u. R. Sarges, A. **658**, 181 (1962).

[6] T. Wieland, O. Weiberg, W. Dilger u. E. Fischer, A. **592**, 69 (1954).

[7] E. Wünsch, A. Fontana u. F. Drees, Z. Naturf. **22b**, 607 (1967).

[8] DBP. 804572 (1951), Erf.: H. Emde; C. A. **46**, 529[i] (1952).

[9] Messung bei 380 mμ, in der Nähe der bei 360 mμ liegenden Absorptions-Schulter.

[10] F. Fahrenholz, H. Faulstich u. T. Wieland, A. **743**, 83 (1971).

37.22. N-Aminoacyl-(Peptidyl)-diamino-dicarbonsäuren

N_{α}-Monopeptide der Diamino-dicarbonsäuren vom Thioäther-Typ werden entweder durch Peptid-Knüpfung an $N_{\alpha'}$-monomaskierten Diamino-dicarbonsäure-Derivaten (Beispiel A) oder durch Verknüpfung entsprechender Aminosäure-Untereinheiten über eine Thioäther-Bindung (Beispiel B) erhalten. Die gleichen methodischen Voraussetzungen gelten sinngemäß für den Aufbau von N_{α},$N_{\alpha'}$-Dipeptiden.

Beispiel A: N_{α}-(N-2-Nitro-phenylsulfenyl-S-benzyl-L-cysteinyl-L-alanyl-glycyl-L-valyl), $N_{\alpha'}$-benzyloxycarbonyl-L-cystathionin-α'-methylester[(NPS-Cys⟨BZL⟩-Ala-Gly-Val,Z) = Cyta = (OMe,OH)][1]: Zur Lösung von 300 mg (H,Z) = Cyta = (OMe,OH) (Herstellung s. S. 852) in 10 *ml* Dimethylformamid werden 580 mg NPS-Cys(BZL)-Ala-Gly-Val-ONP[1] und 44 mg N-Äthyl-piperidin gegeben. Nach 4 Tagen bei 20° wird auf —20° gekühlt, mit 0,5 m Schwefelsäure auf $p_H = 3$ angesäuert, mit Eiswasser verdünnt und das ausgefallene Produkt abfiltriert. Man wäscht mit Wasser und kristallisiert aus Isopropanol um; Ausbeute: 700 mg (91% d.Th.); F: 140–145°.

Beispiel B: N_{α}-(tert.-Butyloxycarbonyl-L-alanyl-D-threonyl), $N_{\alpha'}$-(L-*allo*-hydroxyprolyl-L-alanyl)-L-tryptathionyl-$C_{\alpha'}$-L-norvalin-methylester[(BOC-Ala-D-Thr, H-αHyp-Ala) = Trta = Nva-OMe,OH)][2]: 300 mg (2,25 mMol) N-Chlor-succinimid in 10 *ml* Essigsäure werden unter magnetischem Rühren auf 18° (Thermostat) temperiert. Hierzu gibt man auf einmal die Lösung von 1,8 g (3 mMol) BOC-Cys(H)-D-Thr-Ala-OH[3] in 6 *ml* Essigsäure, die ebenfalls auf 18° temperiert ist. Nach 2,5 Min. werden der gelben Lösung 615 mg (1 mMol) H-αHyp-Ala-Trp-Nva-OMe · TFA-OH[3] in 6 *ml* Essigsäure zugesetzt und nach weiteren 3 Min. 200 mg (2,5 mMol) wasserfreies Natriumacetat (zum inzwischen rot gewordenen Ansatz). 20 Min. später wird der Thermostat entfernt und der größte Teil des Essigsäure i. Vak. abgezogen. Nach dem Trocknen über festem Kaliumhydroxid erhält man ein rotes amorphes Substanzgemisch, dem noch geringe Mengen Essigsäure anhaften. Es wird in wäßr. Lösung an Sephadex in Fraktionen zerlegt; Ausbeute: 615 mg (69% d. Th.); $[\alpha]_D^{22} = -33{,}3°$ (c = 0,6; Essigsäure).

Der intramolekulare Ringschluß des unter B beschriebenen Heptapeptidthioäthers zwischen Alanin und *allo*-Hydroxyprolin nach der Anhydrid-Methode verläuft mit nur 5,5%-iger Ausbeute; die nachfolgende zweite Cyclisierung zwischen Norvalin und Cystein-Teil des Tryptathionin-Bausteins nach der Anhydrid-Methode ergibt 27% d. Th. *Norphalloin*[2].

37.3. Diamino-dicarbonsäuren vom Mercaptal-Typ

In die Peptidsynthese wurde als bisher einzige Diamino-dicarbonsäure vom Mercaptal-Typ die Djenkolsäure einbezogen[4,5]; sie stellt das Dithia-acetal des Cysteins mit Formaldehyd dar. Unter den in der Peptidchemie üblichen Reaktionsbedingungen (Peptid-Knüpfung, Einführung und Abspaltung von Schutzgruppen) ist die Mercaptal-Gruppe der Djenkolsäure beständig[6].

Da sich die symmetrischen Peptide der Djenkolsäure durch Behandlung mit Brom in die analogen Peptide des Cystins überführen lassen[5,7], können sie auch als S-maskierte Cysteinpeptide aufgefaßt werden[6].

N_{α},$N_{\alpha'}$-Bis-benzyloxycarbonyl-L-cystin-diäthylester [(Z)$_2$=(Cys)$_2$=(OEt)$_2$] (aus N_{α},$N_{\alpha'}$-Bis-benzyloxycarbonyl-L-djenkolsäure-diäthylester)[5]: Zur Lösung von 289 mg (0,5 mMol) (Z)$_2$ = Djen = (OEt)$_2$ (Herstellung s. S. 854) in 3 *ml* Chloroform gibt man 1 *ml* einer 0,5 m Lösung von Brom in Chloroform und rührt 10 Min. Nach Zugabe von 2 *ml* 10%-iger wäßr. Natrium-hydrogencarbonat-Lösung und einigen *ml* Chloroform wird kräftig geschüttelt, bis vollständige Entfärbung eingetreten ist. Die abgetrennte Chloroform-

---

[1] K. JOST u. J. RUDINGER, Collect. czech. chem. Commun. **33**, 109 (1968).
[2] F. FAHRENHOLZ, H. FAULSTICH u. T. WIELAND, A. **743**, 83 (1971).
[3] T. WIELAND, H. FAULSTICH u. F. FAHRENHOLZ, A. **743**, 77 (1971).
[4] J. L. SCHWARTZ, Z. RASMUSSEN u. J. RUDINGER, Pr. Nation. Acad. USA **52**, 1044 (1964).
[5] B. MARINIER u. M. BÈRUBÈ, Canad. J. Chem. **50**, 1633 (1972).
[6] B. MARINIER u. P. PENEV, Canad. J. Chem. **45**, 1253 (1967).
[7] B. MARINIER u. M. BÈRUBÈ, Canad. J. Chem. **47**, 4507 (1969).

Lösung wird mit Wasser gewaschen und zur Trockne eingedampft. Nach Zugabe einer kleinen Menge 95%-igen Äthanols wird erneut unter leichtem Erwärmen zur Trockne gedampft und der Rückstand aus absol. Äthanol umkristallisiert; Ausbeute: 216 mg (76% d.Th.); F: 85°; $[\alpha]_D^{22} = -139°$ (c = 1; Dimethylformamid).

37.31. Diamino-dicarbonsäure-peptide

Der Einsatz der Djenkolsäure als Kopfkomponente bei der Peptidsynthese bereitet keine Schwierigkeiten, da N_α,$N_{\alpha'}$-maskierte Derivate nach der für Aminosäuren üblichen Methodik zu gewinnen sind.

N_α,$N_{\alpha'}$-Bis-benzyloxycarbonyl-L-djenkolsäure [(Z)$_2$=Djen=(OH)$_2$][1]: Man löst 2,54 g (10 mMol) L-Djenkolsäure in 25 *ml* n Natronlauge, kühlt auf 0° und tropft innerhalb 30 Min. unter guter Durchmischung 3,4 g (20 mMol) Chlorameisensäure-benzylester hinzu. Während dieser Zeit wird die alkalische Reaktion des Gemisches durch gelegentliche Zugabe kleiner Mengen n Natronlauge aufrecht erhalten. Man rührt noch 1,5 Stdn. bei 0° und 1,5 Stdn. bei 20°, säuert mit Salzsäure an, extrahiert mit 20 *ml* Essigsäure-äthylester, trocknet die abgetrennte organische Phase über Natriumsulfat und dampft das Lösungsmittel ab. Der Rückstand kristallisiert aus Tetrahydrofuran/Petroläther. Das zunächst enthaltene Kristall-Lösungsmittel wird durch längeres Trocknen i. Hochvak. bei 55–60° entfernt; Ausbeute; 4,9 g (94 % d.Th.); F: 80–82,5°; $[\alpha]_D^{25} = -73°$ (c = 1; Dimethylformamid).

N_α,$N_{\alpha'}$-Bis-benzyloxycarbonyl-L-djenkolsäure-diäthylester [(Z)$_2$=Djen=(OEt)$_2$][1]: Man löst 5,35 g (14 mMol) (H)$_2$=Djen=(OEt)$_2$ · 2 HCl (Herstellung s. S. 856) in 70 *ml* Chloroform, fügt 15 *ml* n Natronlauge hinzu, kühlt auf 0° und tropft unter guter Durchmischung während 30 Min. 5 g (29 mMol) Chlorameisensäure-benzylester und 10 *ml* 20%-ige Natriumcarbonat-Lösung zu. Man rührt noch 2 Stdn. bei 20°, trennt die Chloroform-Lösung ab, trocknet sie über Natriumsulfat und dampft das Lösungsmittel ab. Der Rückstand wird aus absol. Äthanol umkristallisiert; Ausbeute: 5,1 g (63% d.Th.); F: 87–88°; $[\alpha]_D^{25} = -63°$ (c = 1; Dimethylformamid).

Durch Aktivierung beider Carboxy-Gruppen (z.B. nach der Anhydrid-Methode[2]) und nachfolgende Umsetzung mit 2 Äquivalenten Aminosäureester werden Djenkolsäure-dipeptide erhalten.

Dagegen benötigt man zum Aufbau von C_α-Monopeptiden der Djenkolsäure $C_{\alpha'}$-maskierte Derivate, zu deren Gewinnung Marinier et al.[1] die nachstehend beschriebenen zwei verschiedenen Wege beschritten haben:

37.31.1. Selektive Carboxy-Maskierung über Mono-N-Carbonsäure-Anhydride

Aus Mono-benzyloxycarbonyl-djenkolsäure I (vgl. S. 856) kann mit Phosgen ein N_α-Carbonsäure-Anhydrid II erhalten werden, aus dem

Z, H] Djen [OH, OH (I) —$COCl_2$→ Z, H] Djen [OH, O; N–OC–O (II) —R–OH/H$^\oplus$→ Z, H] Djen [OH, OR (III)

durch protonen-katalysierte Umsetzung mit einem nicht zu großen Überschuß (1–4 Äquivalente) eines Alkohols der entsprechende Mono-ester III entsteht.

---

[1] B. Marinier u. P. Penev, Canad. J. Chem. **45**, 1253 (1967).

[2] B. Marinier u. M. Bèrubè, Canad. J. Chem. **50**, 1633 (1972).

N_{α}-Benzyloxycarbonyl-L-djenkolsäure-α′-äthylester-Hydrochlorid [(Z,H)=Djen=(OEt,OH)·HCl][1]: In die Suspension von 250mg (Z,H)=Djen=$(OH)_2$·HCl (Herstellung s. S. 856) in 10*ml* 1,4-Dioxan wird während 2 Stdn. bei 40° Phosgen eingeleitet. Danach wird 1 Stde. Stickstoff durch die Mischung geleitet, um den Phosgen-Überschuß zu vertreiben. Nach Verdampfen des Lösungsmittels wird das zurückbleibende ölige $N_{\alpha'}$-Carbonsäure-Anhydrid sofort in 2,5 *ml* Diäthyläther gelöst, 0,035 *ml* Äthanol zugegeben und bei 0° während 3 Min. trockener Chlorwasserstoff eingeleitet. Nach 18 stdg. Stehen wird das Lösungsmittel abdestilliert und der halbfeste Rückstand mehrfach mit Essigsäure-äthylester durchgearbeitet. – Das Ester-Hydrochlorid ist sehr hygroskopisch; es konnte nicht in kristalliner Form erhalten werden.

37.31.2. Steuerung der Carboxy-Substitution durch Amin-Substituenten

Die Geschwindigkeit der Ester-Hydrolyse oder Ester-Hydrazinolyse an Aminosäureestern ist nach Tritylierung der Amino-Gruppe stark vermindert; in vielen Fällen bleibt eine Reaktion sogar aus[2–4]. Dieser Effekt wird durch die starke räumliche Abschirmung der Carboxy-Gruppe durch den voluminösen Substituenten der benachbarten Amino-Gruppe verursacht.

Von der tritylierten Amino-Gruppe weiter entfernte Carboxy-Gruppen werden von dieser Abschirmung nicht mehr erfaßt und zeigen normales Reaktionsverhalten. In Übereinstimmung mit dieser Feststellung gelang beispielsweise Amiard et al.[5] die selektive Verseifung des TRT-Glu(OEt)-OEt zum TRT-Glu(OH)-OEt. Dies Prinzip der selektiven Ester-Verseifung kann auf die Herstellung gemischt-carboxy-disubstituierter Diamino-dicarbonsäuren übertragen werden. So erhielten Marinier et al.[1] durch Einwirkung von überschüssigem Hydrazin auf (TRT,Z)=Djen=$(OMe)_2$ das entsprechende α-Ester-$C_{\alpha'}$-Hydrazid-Derivat:

Z ┐ ┌ OMe / TRT ┘ Djen └ OMe $\xrightarrow{N_2H_4}$ Z ┐ ┌ N_2H_3 / TRT ┘ Djen └ OMe

N_{α}-Trityl, $N_{\alpha'}$-benzyloxycarbonyl-L-djenkolsäure-$C_{\alpha'}$-hydrazid, α-methylester [(TRT,Z)=Djen=$(NHNH_2,OMe)$][1]:

N_{α}-Trityl, $N_{\alpha'}$-benzyloxycarbonyl-L-djenkolsäure-dimethylester [(TRT,Z)=Djen=$(OMe)_2$][1]: Zur Suspension von 4,5 g (10 mMol) (H,Z)=Djen=$(OMe)_2$ (Herstellung s. S. 856) in 30 *ml* Chloroform werden 3,3 *ml* (2,3 Äquivalente) Triäthylamin gegeben. Unter Kühlung auf 0° und gutem Rühren werden innerhalb 30 Min. 3,34 g (1,2 Äquivalente) Tritylchlorid in kleinen Portionen zugegeben. Nach 4 Stdn. bei 20° wird mit 100 *ml* Chloroform verdünnt, 3mal mit je 60 *ml* Wasser extrahiert, die Chloroform-Lösung über Natriumsulfat getrocknet und eingedampft. Man erhält 7,2 g hellgelbes Öl.

N_{α}-Trityl, $N_{\alpha'}$-benzyloxycarbonyl-L-djenkolsäure-$C_{\alpha'}$-hydrazid, α-methylester [(TRT,Z)=Djen=$(NHNH_2,OMe)$][1]: Das nach obenstehender Vorschrift erhaltene rohe (Z,TRT)=Djen=$(OMe)_2$ wird unter mäßigem Erwärmen in 60 *ml* Methanol gelöst und mit 1,66 *ml* (5 Äquivalenten) 95%-igem Hydrazin versetzt. Nach 18 Stdn. bei 20° dampft man zur Trockne ein. Der ölige Rückstand muß zur Entfernung noch anhaftenden Hydrazins 3–4mal mit Benzol zur Trockne abgedampft werden. Das Rohprodukt wird 2 Stdn. i. Hochvak. über konz. Schwefelsäure aufbewahrt; Ausbeute: 7,2 g; F: 65–75°.

---

1 B. Marinier u. P. Penev, Canad. J. Chem. **45**, 1253 (1967).
2 A. Hillmann-Elies, G. Hillmann u. H. Jatzkewitz, Z. Naturf. **8b**, 445 (1953).
3 B. M. Iselin, Arch. Biochem. **78**, 532 (1958).
4 L. Zervas u. D. M. Theodoropoulos, Am. Soc. **78**, 1359 (1956).
5 G. Amiard, R. Heymes u. L. Velluz, Bl. **1956**, 97.

37.32. N-Aminoacyl-(Peptidyl)-diamino-dicarbonsäuren

Die Verknüpfung der beiden Amino-Gruppen der Djenkolsäure mit N-geschützten Aminosäuren oder Peptiden (z. B. nach der Anhydrid-Methode[1]) liefert symmetrische $N_{\alpha},N_{\alpha'}$-Diaminoacyl-(Peptidyl)-Derivate. Geeignete Ausgangsverbindungen sind (neben freier Djenkolsäure) die Diester der Djenkolsäure. Sie können durch Veresterung der freien Diamino-dicarbonsäure mit überschüssigem Alkohol erhalten werden.

L-Djenkolsäure-diäthylester-Dihydrochlorid [$(H)_2$=Djen=$(OEt)_2$ · 2 HCl)[2]: In die Suspension von 5,0 g (20 mMol) L-Djenkolsäure in 50 *ml* absol. Äthanol leitet man 30 Min. Chlorwasserstoff ein. Danach erwärmt man 2 Stdn. zum Sieden, dampft das Lösungsmittel ab und kristallisiert den Rückstand aus absol. Äthanol um; Ausbeute: 7,0 g (93% d.Th.); F: 171–173°; $[\alpha]_D^{25} = -40°$ (c = 1; Dimethylformamid).

N_{α}-Monosubstituierte Derivate der Djenkolsäure sind als Ausgangsverbindungen zum Aufbau von $N_{\alpha'}$-Mono-aminoacyl-(peptidyl)-Derivaten wichtig. Zu ihrer Herstellung wurden verschiedene Wege beschrieben (vgl. S. 849f.). Mono-benzyloxycarbonyl-djenkolsäure entsteht durch Umsetzung der freien Diamino-dicarbonsäure mit einem Unterschuß an Chlorameisensäure-benzylester (neben $N_{\alpha},N_{\alpha'}$-Diacylierungs-Produkt[2]).

Mono-benzyloxycarbonyl-L-djenkolsäure-dimethylester-Hydrochlorid [(Z,H)=Djen=$(OMe)_2$ · HCl]:

Mono-benzyloxycarbonyl-L-djenkolsäure [(Z,H)=Djen=$(OH)_2$][2]: Zur Lösung von 10,2 g (40 mMol) L-Djenkolsäure in 104 *ml* n Natronlauge tropft man innerhalb 30 Min. bei 0° unter Rühren 4,08 g (24 mMol) Chlorameisensäure-benzylester. Man rührt noch weitere 2 Stdn. bei 0° und 2 Stdn. bei 20° und extrahiert 2mal mit je 50 *ml* Diäthyläther. Nach Ansäuern mit 6n Salzsäure auf $p_H = 5,8$ läßt man 1 Stde. bei 0° stehen und filtriert von 4,7 g (46%) unveränderter Djenkolsäure ab. Das Filtrat wird mit 6n Salzsäure auf $p_H = 2,5$ gebracht und 16 Stdn. in der Kälte stehen gelassen. Man saugt den gebildeten Niederschlag ab, trocknet ihn und behandelt ihn 2mal mit je 50 *ml* siedendem Essigsäure-äthylester. Aus dem Extrakt können 2,15 g (10%) $N_{\alpha},N_{\alpha'}$-Bis-benzyloxycarbonyl-L-djenkolsäure [$(Z)_2$=Djen=$(OH)_2$] gewonnen werden. Im Essigsäure-äthylester ungelöst bleibt (Z,H)=Djen=$(OH)_2$ · HCl, das aus Wasser umkristallisiert wird; Ausbeute: 4,21 g (25% d.Th.); F: 164–166°; $[\alpha]_D^{25} = -31°$ (c = 1; Dimethylformamid).

Mono-benzyloxycarbonyl-L-djenkolsäure-dimethylester-Hydrochlorid [(Z,H)=Djen=$(OMe)_2$ · HCl][2]: Man suspendiert 6,37 g (15 mMol) (Z,H)=Djen=$(OH)_2$ (s. vorstehende Vorschrift) in 150 *ml* 2,2-Dimethoxy-propan und fügt 15 *ml* konz. Salzsäure zu. Man rührt 16 Stdn. bei 20°; währenddessen tritt vollständige Auflösung ein. Man dampft das Lösungsmittel vollständig ab, gibt wenig Methanol hinzu und dampft erneut zur Trockne ab. Der Rückstand wird aus Methanol/Diäthyläther umkristallisiert; Ausbeute: 5,71 g (85% d.Th.); F: 140–141°; $[\alpha]_D^{25} = -61°$ (c = 1; Dimethylformamid).

37.4. Diamino-dicarbonsäuren vom Typ des Actinocins

Actinocin [*2-Amino-4,5-dimethyl-phenoxazon-(3)-1,8-dicarbonsäure*; I, R = CH_3; zur Bezifferung des Phenoxazon-Systems vgl. Lit.[3]] ist der chromophore Diamino-dicarbonsäure-Baustein der Actinomycine[4]. Weitere Diamino-dicarbonsäuren dieses Typs wurden synthetisch hergestellt. Sie leiten sich vom Actinocin ab durch Austausch der Methyl-Gruppen durch Wasserstoff-Atome[5,6] [I, R = H; 2-Amino-phenoxazon-(3)-1,8-dicarbonsäure,

---

[1] B. Marinier u. M. Bèrubè, Canad. J. Chem. **50**, 1633 (1972).
[2] B. Marinier u. P. Penev, Canad. J. Chem. **45**, 1253 (1967).
[3] H. Brockmann u. H. Muxfeldt, B. **91**, 1242 (1958).
[4] H. Brockmann, Fortschr. Ch. org. Naturst. **18**, 1 (1960).
[5] S. J. Angyal, E. Bullock, W. G. Hanger, W. C. Howell u. A. W. Johnson, Soc. **1957**, 1592.
[6] H. Brockmann u. F. Seela, Tetrahedron Letters **1965**, 4803.

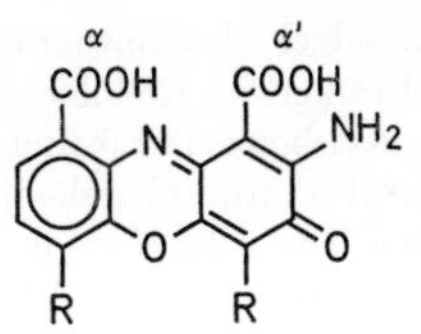

I 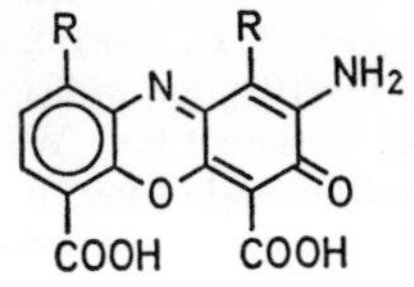 II

Cinnabarinsäure[1]] oder andere Gruppen[2], oder durch Vertauschung von Methyl- und Carboxy-Gruppen [II, R = CH_3; 2-Amino-1,8-dimethyl-phenoxazon-(3)-4,5-dicarbonsäure, Pseudo-actinocin[3]].

Gemeinsame Merkmale des Actinocins und seiner Abkömmlinge sind u. a. die geringe Basizität und Nucleophilie der Amin-Gruppen[4,5] (N-Aminoacyl- oder N-Peptidyl-Derivate wurden bisher nicht hergestellt) sowie die Empfindlichkeit des Phenoxazon-Systems gegenüber Alkali[4,6,7], Säuren[4,8] oder Oxidationsmitteln[9].

37.41. Diamino-dicarbonsäure-Peptide

Actinocin und verwandte Diamino-dicarbonsäuren können carboxy-aktiviert und als Kopfkomponenten mit Aminosäuren oder Peptiden verknüpft werden, ohne daß eine Maskierung der Amin-Gruppen erforderlich wäre[4,5] (s. unten). Der Durchführung solcher Peptid-Synthesen steht allerdings die extrem geringe Löslichkeit der freien Diamino-dicarbonsäuren in den gebräuchlichen Lösungsmitteln entgegen[10]. Nach Brockmann[10] kann Actinocin in das verhältnismäßig gut lösliche Dichlorid überführt und dieses in guter Ausbeute mit Aminosäuren verknüpft werden. Die gleiche Reaktion ist mit Peptiden durchführbar, doch gehen die Ausbeuten mit zunehmender Kettenlänge der Amin-Komponente zurück[10]. Das erwähnte Dichlorid wird durch kurzzeitiges Erwärmen von Actinocin mit Thionylchlorid hergestellt. Bei längerer Einwirkung des Thionylchlorids tritt Decarboxylierung der α'-ständigen Carboxy-Gruppe sowie Chlorierung des Phenoxazon-Systems ein[10].

Actinocinyl-C_α,$C_{\alpha'}$-bis-(L-threonin-methylester) [Adpd = (Thr-OMe)$_2$][10]:

Actinocinyl-dichlorid-Hydrochlorid [Adpd = $(Cl)_2$ · HCl][10]: 260 mg (0,79 mMol) fein zerriebenes Actinocin (Herstellung s. S. 861) werden 6 Min. mit 15 *ml* Thionylchlorid und nach Zugabe von 15 *ml* absol. Benzol weitere 1–2 Min. zum Sieden erhitzt. Das Filtrat (Glasfritte G 3) von nicht umgesetztem Actinocin (20 mg) wird 1 Min. erneut zum Sieden erhitzt, das Lösungsmittel i. Vak. (Badtemp. 30–40°) abdestilliert und restliches Thionylchlorid durch erneutes Abdampfen des Rückstands mit wenig Benzol entfernt. Das kurze Zeit i. Vak. über Kaliumhydroxid aufbewahrte Dichlorid wird wegen seiner geringen Beständigkeit sofort umgesetzt. Das Produkt enthält ein Äquivalent Chlorwasserstoff.

Actinocinyl-C_α,$C_{\alpha'}$-bis-(-L-threonin-methylester) [Adpd = (Thr-OMe)$_2$][10]: Das nach obenstehender Vorschrift aus 120 mg (0,37 mMol) Actinocin erhaltene Adpd = $(Cl)_2$ · HCl wird in wenig absol. Chloroform gelöst, mit 180 mg (1,3 mMol) H-Thr-OMe und 100 mg Triäthylamin in absol. Chloroform versetzt und 15 Stdn. bei 20° gehalten. Nach Extraktion des Reaktionsgemisches mit n Salzsäure

[1] H. Brockmann u. F. Seela, Tetrahedron Letters **1965**, 4803.
[2] H. Brockmann u. F. Seela, Tetrahedron Letters **1968**, 161.
[3] H. Brockmann u. E. Schulze, B. **102**, 3205 (1969).
[4] H. Brockmann, Fortschr. Ch. org. Naturst. **18**, 1 (1960).
[5] H. Brockmann u. B. Franck, B. **87**, 1767 (1954).
[6] H. Brockmann, H. Lackner, R. Mecke, G. Troemel u. H. S. Petras, B. **99**, 717 (1966).
[7] H. Brockmann, H. Lackner, R. Mecke, S. v. Grunelius, H. S. Petras u. H. D. Berndt, B. **99**, 3672 (1966).
[8] H. Brockmann u. H. Muxfeldt, B. **91**, 1242 (1958).
[9] J. Meienhofer, Am. Soc. **92**, 3771 (1970).
[10] H. Brockmann u. H. Lackner, B. **100**, 353 (1967).

und Wasser wird eingedampft und der Rückstand an saurem Kieselgel chromatografiert (Chloroform und Chloroform/Aceton 3:1). Der Inhaltsstoff der Hauptzone wird erneut an Cellulose chromatografiert (Butanol/Dibutyläther/10%-ige wäßrige Natrium-2-hydroxy-4-methyl-benzoat-Lösung 1:1:2). Das aus der Hauptzone mit Methanol und Wasser eluierte Peptid wird in Chloroform gelöst, die Lösung mit Natriumhydrogencarbonat-Lösung, n Salzsäure und Wasser gewaschen und eingedampft. Der Rückstand wird aus Chloroform/Cyclohexan umkristallisiert; Ausbeute: 165 mg (80% d. Th.); F: 256–259° (Zers.). – Die alkalische Verseifung der Ester-Gruppen führt zur teilweisen Zerstörung des Actinocin-Bausteins[1–3].

37.41.1. Selektive Mono-carboxy-Maskierung

Actinocin kann unter geeigneten Bedingungen in ein Gemisch aus *α-Monomethylester* und *α,α'-Dimethylester* umgewandelt werden[4]. Der Monoester ist – bedingt durch seine geringe Löslichkeit in Chloroform – leicht vom Diester abzutrennen. Nach Überführung in das α'-Säurechlorid läßt sich Actinocin-α-methylester glatt mit Aminosäuren verknüpfen[4]:

Actinocin-α-methylester-$C_{\alpha'}$-(L-threonin-methylester) [Adpd=(Thr-OMe,OMe)]:

Actinocin-α-methylester [Adpd=(OH,OMe)][4]: 1,0 g (3,0 mMol) fein zerriebenes, in 5 *ml* Methanol suspendiertes Actinocin (Herstellung s. S. 861) versetzt man bei 20° mit 1,6 g Diazomethan in 20 *ml* Diäthyläther und dampft nach 48 Stdn. i. Vak. ein. Beim Digerieren des Rohproduktes mit Chloroform löst sich *Actinocin-dimethylester* [*Adpd=(OMe)₂*] (0,54 g; 50% d. Th.). Der ungelöste Rückstand (α-Monomethylester) wird 3 mal aus Dimethylformamid umkristallisiert; Ausbeute: 365 mg (35% d. Th.); F: 295–300° (Zers.).

Actinocin-α-methylester-$C_{\alpha'}$-(L-threonin-methylester)[Adpd=(Thr-OMe,OMe)][4]: 88 mg (0,26 mMol) Adpd=(OH,OMe) werden 6 Min. mit 5 *ml* Thionylchlorid und nach Zugabe von 10 *ml* absol. Benzol weitere 2 Min. zum Sieden erhitzt. Man dampft rasch i. Vak. (Badtemp. 30–40°) ein und entfernt restliches Thionylchlorid durch erneutes Abdampfen des Rohproduktes mit wenig Benzol. Das 15 Min. i. Vak. über Kaliumhydroxid getrocknete und in wenig absol. Chloroform gelöste Säurechlorid wird zusammen mit 150 mg (1,1 mMol) in 5 *ml* Chloroform gelöstem H-Thr-OMe 15 Stdn. bei 20° gehalten. Danach verdünnt man mit Chloroform, extrahiert mit n Salzsäure und Wasser und dampft ein. Der Rückstand wird in Chloroform/Aceton 2:1 gelöst und an saurem Kieselgel (vgl. Lit. [4])

---

[1] H. Brockmann, H. Lackner, R. Mecke, G. Troemel u. H. S. Petras, B. **99**, 717 (1966).

[2] H. Brockmann, H. Lackner, R. Mecke, S. v. Grunelius, H. S. Petras u. H. D. Berndt, B. **99**, 3672 (1966).

[3] H. Brockmann, Fortschr. Ch. org. Naturst. **18**, 1 (1960).

[4] H. Lackner, B. **103**, 2476 (1970).

chromatografiert. Das Eluat der Hauptzone wird mit Wasser extrahiert, filtriert und eingedampft. Der Rückstand kristallisiert aus Essigsäure-äthylester/Petroläther; Ausbeute: 96 mg (82% d.Th.); F: 265–267° (Zers.).

37.41.2. Nachträglicher Aufbau des Diamino-dicarbonsäure-Bausteines

Zur Synthese von Actinocinyl-peptiden dürfen nur solche Reaktionen herangezogen werden, unter deren Bedingungen eine Veränderung des empfindlichen Phenoxazon-Systems ausgeschlossen ist. Zu vermeiden sind daher alkalische Ester-Verseifungen, acidolytische und hydrogenolytische Schutzgruppen-Abspaltungen usw.[1–3]. Damit empfiehlt es sich grundsätzlich, die Einführung des Actinocin-Bausteines an den Schluß einer Peptid-Synthese zu verlegen.

Die Erfüllung dieser Forderung stößt in der Praxis jedoch auf Schwierigkeiten, da sich Actinocin mit Peptiden größerer Kettenlänge nur noch in unbefriedigender Ausbeute verknüpfen läßt[4]. Hinzu kommt die geringe Löslichkeit des Actinocins in den gebräuchlichen organischen Lösungsmitteln[4].

Eine erfolgreiche Problemlösung wurde durch Aufbau geeigneter N-(2-Amino-3-hydroxy-4-methyl-benzoyl)-peptide (II; vgl. Formelschema unten) als Zwischenprodukte und deren Umwandlung in symmetrische Actinocinyl-bis-peptide (III) nach Art einer Phenol-Oxidation[5,6] gefunden.

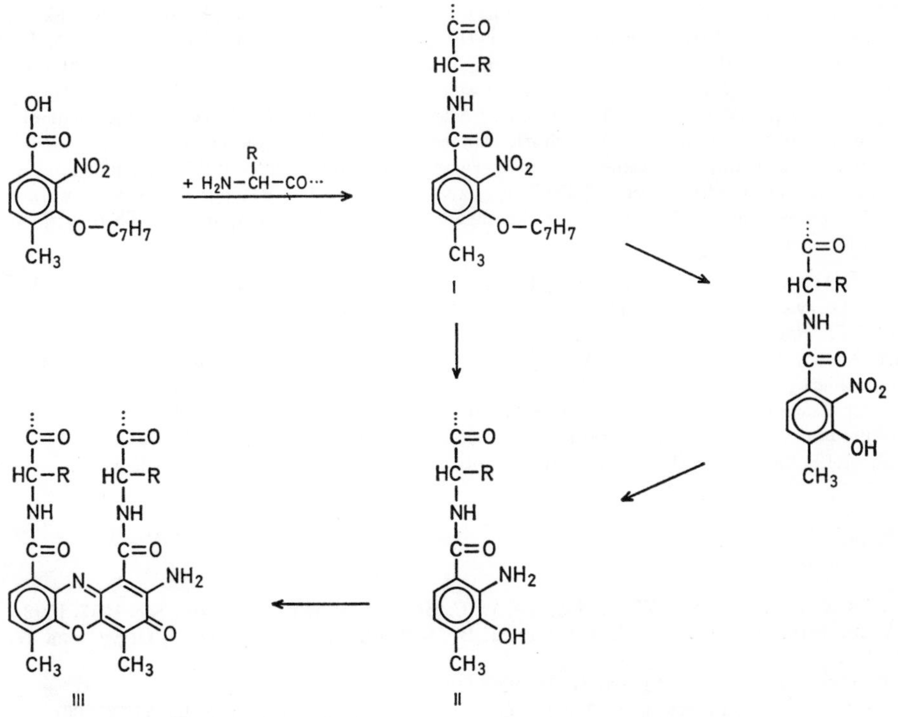

OH | C=O, NO_2, $O-C_7H_7$, CH_3 + $H_2N-CH(R)-CO\cdots$ → I (NO_2, $O-C_7H_7$, CH_3; C=O–NH–HC–R–C=O) → (NO_2, OH, CH_3) → II (NH_2, OH, CH_3) → III (Phenoxazon, NH_2, O, CH_3, CH_3)

[1] H. Brockmann, H. Lackner, R. Mecke, G. Troemel u. H. S. Petras, B. **99**, 717 (1966).

[2] H. Brockmann, H. Lackner, R. Mecke, S. v. Grunelius, H. S. Petras u. H. D. Berndt, B. **99**, 3672 (1966).

[3] H. Brockmann, Fortschr. Ch. org. Naturst. **18**, 1 (1960).

[4] H. Brockmann u. H. Lackner, B. **100**, 353 (1967).

[5] H. Musso, Ang. Ch. **75**, 965 (1963).

[6] D. H. R. Barton u. T. Cohen in *Festschrift A. Stoll*, Birkhäuser, Basel **1957**, S. 117.

Aus Gründen der höheren Stabilität unter den üblichen Bedingungen der Peptid-Verknüpfung und Schutzgruppen-Abspaltung kommt als Vorstufe der 2-Amino-3-hydroxy-4-methyl-benzoyl-Gruppe die 2-Nitro-3-benzyloxy-4-methyl-benzoyl-Gruppe zum Einsatz. Entsprechende Derivate (I) der Aminosäuren werden durch Umsetzung der letzteren mit 2-Nitro-3-benzyloxy-4-methyl-benzoesäure (zur Herstellung dieser Säure vgl. Lit. [1–3]) nach der Säurechlorid-[2–10], Anhydrid-[7], Carbodiimid-[2] oder Aktivester-Methode[2] erhalten. In gleicher Weise lassen sich entsprechende Peptid-Derivate (I) herstellen, doch muß – besonders bei Anwendung der Säurechlorid-Methode – mit der Bildung oligomerer Nebenprodukte gerechnet werden[7]. Peptid-Derivate werden daher besser aus geeigneten Aminosäure-Derivaten aufgebaut, z.B. durch schrittweise Kettenverlängerung.

N-(2-Nitro-3-benzyloxy-4-methyl-benzoyl)-L-threonyl-D-valyl-L-prolyl-sarkosyl-N-methyl-L-valin [NBBz-Thr(H)-D-Val-Pro-Sar-(Me)Val-OH]:

N-(2-Nitro-3-benzyloxy-4-methyl-benzoyl)-L-threonin [NBBz-Thr(H)-OH][4]: 12 g (41,8 mMol) NBBz-OH werden in 30 *ml* Thionylchlorid 10 Min. zum Sieden erhitzt. Man destilliert das überschüssige Thionylchlorid ab, zuletzt i. Vak. nach Zugabe von Benzol. Der Rückstand wird in 60 *ml* Benzol aufgenommen, die Lösung mit 60 *ml* Diäthyläther verdünnt und bei 0° mit 4,8 g (40,3 mMol) L-Threonin in 81 *ml* 0,5 n Natronlauge versetzt. Unter Rühren (Vibromischer) tropft man innerhalb 30 Min. weitere 40 *ml* n Natronlauge ein und rührt noch 3 Stdn. bei 0°. Die wäßrige Phase wird abgetrennt und mit Essigsäure-äthylester extrahiert. Man säuert nach Überschichten mit Essigsäure-äthylester an, wäscht die abgetrennte organische Phase mit Wasser und dampft sie i. Vak. ein. Der Rückstand wird aus Aceton/Benzol/Cyclohexan umkristallisiert; Ausbeute: 14,1 g (87% d.Th.); F: 173–175°; $[\alpha]_D^{20} = -58°$ (c = 1,6; Äthanol). – Die Verbindung ist lichtempfindlich.

N-(2-Nitro-3-benzyloxy-4-methyl-benzoyl)-L-threonyl-D-valyl-L-prolyl-sarkosyl-N-methyl-L-valin-methylester [NBBz-Thr(H)-D-Val-Pro-Sar-(Me)Val-OMe][11]: 5,59 g (14,4 mMol) NBBz-Thr(H)-OH und 1,99 *ml* Triäthylamin in 40 *ml* Nitromethan werden 8 Min. bei 20° mit 3,65 g zerriebenem N-Äthyl-5-phenyl-1,2-oxazolium-3′-sulfonat[12] gerührt, sodann mit 6,46 g (14,4 mMol) H-D-Val-Pro-Sar-(Me)Val-OMe · HCl [11] – in 40 *ml* Nitromethan mit 2,05 *ml* Triäthylamin neutralisiert – versetzt und weitere 12 Stdn. bei 20° gerührt. Danach wird bei 40° i. Vak. eingedampft, der Rückstand in Chloroform gelöst, mit n Salzsäure und Wasser gewaschen und eingedampft. Der Rückstand wird an Aluminiumoxid chromatografiert (Chloroform bzw. Essigsäure-äthylester). Die Eluate werden mit verd. Salzsäure extrahiert, filtriert und i. Vak. eingedampft; Ausbeute: 7,3 g (65% d.Th.); $[\alpha]_D^{20} = -54°$ (c = 0,9; Methanol).

N-(2-Nitro-3-benzyloxy-4-methyl-benzoyl)-L-threonyl-D-valyl-L-prolyl-sarkosyl-N-methyl-L-valin [NBBz-Thr(H)-D-Val-Pro-Sar-(Me)Val-OH][11]: 1,54 g (2,0 mMol) NBBz-Thr(H)-D-Val-Pro-Sar-(Me)Val-OMe[11] in 8,5 *ml* Aceton werden 75 Min. mit 2,2 *ml* n Natronlauge bei 40° gerührt. Nach Verdünnen mit 60 *ml* Wasser wird unverseifter Methylester 2mal mit Essigsäure-äthylester extrahiert (der Extrakt wird eingedampft und der Rückstand erneut verseift). Die wäßrige Phase wird unter Essigsäure-äthylester mit 2n Salzsäure angesäuert, die abgetrennte organische Phase mit verd. Säure und Wasser extrahiert und i. Vak. eingedampft; Ausbeute: 1,2 g (78% d.Th.); $[\alpha]_D^{20} = -47°$ c = 1,0; Methanol). – Die Cyclisierung zum Peptidlacton wird auf S. II/386 beschrieben.

---

[1] S. J. Angyal, E. Bullock, W. G. Hanger, W. C. Howell u. A. W. Johnson, Soc. **1957**, 1592.
[2] B. Weinstein, O. P. Crews, M. A. Leaffer, B. R. Baker u. L. Goodman, J. Org. Chem. **27**, 1389 (1962).
[3] H. Brockmann u. H. Muxfeldt, B. **91**, 1242 (1958).
[4] H. Brockmann, H. Lackner, R. Mecke, G. Troemel u. H. S. Petras, B. **99**, 717 (1966).
[5] H. Brockmann, H. Lackner, R. Mecke, S. v. Grunelius, H. S. Petras u. H. D. Berndt, B. **99**, 3672 (1966).
[6] J. Meienhofer, Am. Soc. **92**, 3771 (1970).
[7] J. Meienhofer, R. Cotton u. E. Atherton, J. Org. Chem. **36**, 3746 (1971).
[8] J. Meienhofer, Experientia **24**, 776 (1968).
[9] H. Brockmann u. H. Lackner, B. **101**, 1312 (1968).
[10] J. P. Marsh u. L. Goodman, Canad. J. Chem. **44**, 799 (1966).
[11] H. Brockmann u. H. Lackner, B. **101**, 2231 (1968).
[12] R. B. Woodward, R. A. Olofson u. H. Mayer, Am. Soc. **83**, 1010 (1961).

Die Überführung der N-(2-Nitro-3-benzyloxy-4-methyl-benzoyl)-peptide in N-(2-Amino-3-hydroxy-4-methyl-benzoyl)-peptide gelingt durch Hydrogenolyse an Palladium/Kohle[1,2] oder an Raney-Nickel[3,4]. In einigen Fällen wird die Nitro-Gruppe erst nach acidolytischer Spaltung der Benzyläther-Gruppe reduziert[5] (vgl. Formelschema S. 859).

Bedingt durch die Empfindlichkeit der 2-Amino-3-hydroxy-4-methyl-benzoyl-Gruppe müssen ihre Aminosäure- oder Peptid-Derivate ohne Verzug zu den Actinocinyl-C_α,$C_{\alpha'}$-bis-peptiden oxidiert werden. In wenigen Fällen, wie Ahb-Gly-OMe, genügt Luft-Sauerstoff als Oxidationsmittel[3]. In den meisten Fällen eignet sich Kalium-hexacyanoferrat(III)[1,2,4–8]. Die Oxidationsmittel 1,4-Benzochinon[9] und Quecksilber(II)-oxid[3] sind in diesem Zusammenhang von geringer Bedeutung. Zum Mechanismus der Oxidation vgl. Lit.[10–12]. Mehr als dreifacher Überschuß an Oxidationsmittel ist zu vermeiden, da eine „Überoxidation" des empfindlichen Phenoxazon-Systems zu sinkender Ausbeute an Actinocinyl-peptid führt[5]. Günstig ist eine neutrale bis schwach alkalische Reaktion des Reaktionsgemisches (p_H = 7,1–9,0); sie wird mit Hilfe eines Phosphat-Puffers oder durch Zugabe von Ammoniumcarbonat[3] eingestellt.

In analoger Reaktionsfolge konnten *Actinocin*[3,4,8,9], *Di-desmethyl-actinocin*[4,13] (*Cinnabarinsäure*) oder *Pseudo-actinocin*[14] synthetisiert werden.

Actinocin [Adpd=(OH)$_2$][8]: 4,3 g (21,8 mMol) NHBz-OH[3] werden in 100 *ml* Methanol gelöst und an Palladium/Aktivkohle hydriert. Zum Filtrat vom Katalysator werden 150 *ml* n Natriumhydrogencarbonat-Lösung gegeben. Man versetzt unter Rühren portionsweise mit der Lösung von 22 g Kalium-hexacyanoferrat(III) in wenig Wasser; gleichzeitig hält man den p_H-Wert des Reaktionsgemisches mit n Natriumhydrogencarbonat stets oberhalb 7. Nach 30 Min. wird mit 2n Salzsäure angesäuert. Der abzentrifugierte, mit Wasser und Aceton gewaschene Niederschlag wird aus 500 *ml* siedendem Dimethylformamid umkristallisiert; Ausbeute: 3,2 g (90% d.Th.); Zers. oberhalb 270°.

Actinocinyl-C_α,$C_{\alpha'}$-bis-glycin-methylester [Adpd = (Gly-OMe)$_2$][3]: Eine Lösung von 2 g (5,6 mMol) NBBz-Gly-OMe[3] in der Mischung aus 50 *ml* Benzol und 10 *ml* Methanol wird mit Raney-Nickel versetzt und unter Wasserstoff bis zur Sättigung geschüttelt. Das Filtrat vom Katalysator wird bei 40° i.Vak. eingedampft und der Rückstand in 100 *ml* Methanol und 100 *ml* wäßriger Ammoniumcarbonat-Lösung gelöst (p_H = 9,0). Man leitet 12 Stdn. Luft durch die Lösung, wobei sich das Actinocinyl-peptid nach wenigen Min. abzuscheiden beginnt. Der Niederschlag wird mit Wasser und Methanol gewaschen und aus Chloroform umkristallisiert; Ausbeute: 1,2 g (93% d.Th.); F: 293–296° (Zers.). – Die Oxidation kann auch mit Kalium-hexacyanoferrat(III) ausgeführt werden (vgl. Lit. [7]).

Actinomycin C_1[1]: Die Lösung von 100 mg (0,13 mMol) NBBz-Thr-D-Val-Pro-Sar-(Me)Val— (Herstellung s. S. II/386) in 25 *ml* Methanol wird an Palladium/Kohle hydriert. Das Filtat vom Katalysator wird auf 10 *ml* eingeengt, mit 20 *ml* 0,07 m Phosphat-Puffer (p_H = 7,2) versetzt und bei p_H = 7,2 (mit 0,1 n Natronlauge stets nachreguliert) durch portionsweise Zugabe der Lösung von 140 mg Kalium-hexacyanoferrat (III) in 3 *ml* Phosphat-Puffer unter Rühren oxidiert. Nach 12 Stdn. wird mit 150 *ml* Wasser verdünnt, mit Chloroform extrahiert und die organische Phase mit verd. Salzsäure extrahiert. Das durch Abdampfen des Lösungsmittels erhaltene rohe Actinomycin wird an Cellulose chromatografiert[1] und aus Essigsäure-äthylester/Cyclohexan umkristallisiert; Ausbeute: 71,1 mg (85% d.Th.); F: 244–245°.

---

[1] H. Brockmann u. H. Lackner, B. **101**, 2231 (1968).
[2] H. Brockmann, H. Lackner, R. Mecke, G. Troemel u. H. S. Petras, B. **99**, 717 (1966).
[3] H. Brockmann u. H. Muxfeldt, B. **91**, 1242 (1958).
[4] S. J. Angyal, E. Bullock, W. G. Hanger, W. C. Howell u. A. W. Johnson, Soc. **1957**, 1592.
[5] J. Meienhofer, Am. Soc. **92**, 3771 (1970).
[6] J. Meienhofer, Experientia **24**, 776 (1968).
[7] W. G. Hanger, W. C. Howell u. A. W. Johnson, Soc. **1958**, 496.
[8] H. Brockmann u. H. Lackner, B. **100**, 353 (1967).
[9] B. Weinstein, O. P. Crews, M. A. Leaffer, B. R. Baker u. L. Goodman, J. Org. Chem. **27**, 1389 (1962).
[10] H. Brockmann u. F. Seela, B. **104**, 2751 (1971).
[11] H. Musso, Ang. Ch. **75**, 965 (1963).
[12] D. H. R. Barton u. T. Cohen in *Festschrift A. Stoll*, Birkhäuser, Basel **1957**, S. 117.
[13] H. Brockmann u. F. Seela, Tetrahedron Letters **1965**, 4803.
[14] H. Brockmann u. E. Schulze, B. **102**, 3205 (1969).

Tab. 75. Derivate der Diamino-dicarbonsäuren

R^1-R^3
R^2-R^4

		F [°C]	$[\alpha]_D$	t	c	Lösungsmittel	Literatur
***m*-α,α'-Diamino-adipinsäure**							
D-PHT L-PHT	D-OMe L-OMe	211					1
***m*-α,α'-Diamino-pimelinsäure**							
D-Z L-Z	D-OH L-OH	123–125					2
D-Z L-Z	D-OH L-OH	175–176 [a]					3
D-BOC L-BOC	D-OH L-OH	Harz					3
D-BOC L-BOC	D-OH L-OH	193–194 [a]					3
D-TOS L-TOS	D-OH L-OH	203–204,5					3
D-TFA L-TFA	D-OH L-OH	200–201					3
D-FOR L-FOR	D-OH L-OH	177–180					3
D-Z L-H	D-OH L-OH	f	−18	25	1	n Salzsäure	4
D-Z L-Z	D-NHNH(BOC) L-OH	~ 90	+21,8	25	1	Methanol	5
D-H L-H	D-OMe L-OMe	198–199 [c]					3
D-H L-H	D-OEt L-OEt	193 [e]					3
D-H L-H	D-OtBu L-OtBu	165–166 [c]					3
D-H L-H	D-OBZL L-OtBu	164–165 [d]					3
D-H L-H	D-NHNH(BOC) L-NHNH(BOC)	186–188					5

[a] Dicyclohexylamin-Salz
[c] Dihydrochlorid
[f] als Mangan(II)-Komplex
[d] Di-benzolsulfonsäure-Salz
[e] Di-4-toluolsulfonsäure-Salz

[1] J. C. SHEEHAN u. W. A. BOLHOFER, Am. Soc. **72,** 2786 (1950).
[2] R. WADE, S. M. BIRNBAUM, M. WINITZ, R. J. KOEGEL u. J. P. GREENSTEIN, Am. Soc. **79,** 684 (1957).
[3] E. BRICAS, P. DEZÉLÉE, C. GANSSER, P. LEFRANCIER, C. NICOT u. J. v. HEIJENOORT, Bl. **1965,** 1813.
[4] E. BRICAS, J. M. GHUYSEN u. P. DEZÉLÉE, Biochemistry **6,** 2598 (1967).
[5] P. DEZÉLÉE u. E. BRICAS, Bull. Soc. Chim. biol. **49,** 1579 (1967).

Tab. 75. (1. Fortsetzung)

		F [°C]	[α]D	t	c	Lösungsmittel	Literatur
D-Z L-Z	D-OMe L-OMe	(Öl)					1
D-Z L-Z	D-OtBu L-OtBu	(Öl)					1
D-Z L-Z	D-ONP L-ONP	143–144					1
D-Z L-Z	D-$NHNH_2$ L-$NHNH_2$	193–195					1
D-Z L-Z	D-NHNH(BOC) L-NHNH(BOC)	178–180					2
D-BOC L-BOC	D-NHNH(Z) L-NHNH(Z)	~ 120					2
***m*-α,α′-Diamino-suberinsäure**							
D-Z L-Z	D-OH L-OH	201–203					3
***m*-Lanthionin**							
D-DNP L-DNP	D-OH L-OH	214,5					4
D-H L-H	D-OMe L-OMe	160–165 [c]					5
D-H L-H	D-OEt L-OEt	142–144 [c]					6
D-Z L-Z	D-OMe L-OMe	109–111					5
D-Z L-Z	D-OEt L-OEt	72					7
D-Z L-Z	D-OBZL L-OBZL	90					7
D-Z L-Z	D-$NHNH_2$ L-$NHNH_2$	186–188					5
L/L-Lanthionin							
L-Z L-Z	L-OH L-OH	133	–16,3	20	2	Essigsäure-äthylester	8
L-Z L-Z	L-ONP L-ONP	158	–11,5	20	2	Essigsäure-äthylester	8

[c] Dihydrochlorid

[1] E. Bricas, P. Dezélée, C. Gansser, P. Lefrancier, C. Nicot u. J. v. Heijenoort, Bl. **1965**, 1813.
[2] P. Dezélée u. E, Bricas, Bull. Soc. Chim. biol. **49**, 1579 (1967).
[3] K. Mori u. H. Kumagae, J. Chem. Soc. Japan **82**, 1372 (1961); C. A. **57**, 14 930 (1962).
[4] H. Zahn u. H. Pfannmüller, Ang. Ch. **68**, 41 (1956).
[5] H. Zahn u. H. Kessler, Makromol. Ch. **27**, 218 (1958).
[6] R. Zahn u. F. Osterloh, A. **595**, 237 (1955).
[7] M. Frankel u. D. Gertner, Soc. **1961**, 459.
[8] A. Schöberl, M. Rimpler u. E. Graf, A. **1973**, 1379.

Tab. 75. (2. Fortsetzung)

		F [°C]	$[\alpha]_D$	t	c	Lösungsmittel	Literatur
L/L-Djenkolsäure							
L-Z L-H	L-OH L-OH	164–166 [b]	−31	25	1	Dimethylformamid	[1]
L-Z L-Z	L-OH L-OH	80–82,5	−73	25	1	Dimethylformamid	[1]
L-H L-H	L-OEt L-OEt	171–173 [c]	−40	25	1	Dimethylformamid	[1]
L-Z L-H	L-OMe L-OMe	140–141 [b]	−61	25	1	Dimethylformamid	[1]
L-Z L-H	L-OEt L-OEt	134,5 [b]					[1]
L-Z L-Z	L-OEt L-OEt	87–88	−63	25	1	Dimethylformamid	[1]
L-Z L-Z	L-$NHNH_2$ L-$NHNH_2$	159–161	−44	25	1	Dimethylformamid	[1]
L-Z L-TRT	L-$NHNH_2$ L-OMe	67–75					[1]
L-Z L-H	L-$NHNH_2$ L-OMe	164–165 [c]	−46	25	1	Dimethylformamid	[1]
L/L-Cystathionin							
L-Z L-H	L-OMe L-OH	177–178	−25,0	—	0,4	n Salzsäure	[2]
L-Z L-H	L-OH L-OH	207–108	−23,8	—	0,2	n Salzsäure	[2]
L-Z L-MOZ	L-OMe L-OH	130–132 [a]	−7,3	—	0,5	Dimethylformamid	[3]
L-Z L-NPS	L-OMe L-OH	160–162 [a]	−42,0		0,5	Dimethylformamid	[2]
L-Z L-TOS	L-OMe L-OH	160–162 [a]	+24,3		0,5	Dimethylformamid	[2]

[a] Dicyclohexylamin-Salz
[b] Monohydrochlorid
[c] Dihydrochlorid

[1] B. Marinier u. P. Penev, Canad. J. Chem. **45**, 1253 (1967).
[2] K. Jost u. J. Rudinger, Collect. czech. chem. Commun. **32**, 2485 (1967).
[3] K. Jost, T. Barth, J. Krejci, L. Fruhaufova u. F. Sorm, Collect. czech. chem. Commun. **38**, 1073 (1973).

38. Pseudoaminosäuren und ihre Einbeziehung in die Peptidsynthese

bearbeitet von

Dr. Paul Thamm

Max-Planck-Institut für Biochemie, München

Der Austausch beliebiger Atomgruppen in der Gerüstkette eines Peptides durch analoge Atomgruppen oder Atome führt zu den „heteromeren" Peptiden (vgl. S. II/369). Dieser Austauschvorgang ist gleichbedeutend mit der Umwandlung der betroffenen Aminosäure-Bausteine in analoge Bausteine, die „Pseudoaminosäuren". Aus der Reihe der denkbaren Pseudoaminosäuren werden im vorliegenden Kapitel diejenigen abgehandelt, die bisher Eingang in Peptidsynthesen fanden. Es handelt sich um Hydroxy- und Thiolsäuren, Aza-aminosäuren, Amino-sulfonsäuren und Amino-phosphonsäuren.

$H_2N-\overset{\overset{R}{\vert}}{C}H-COOH$	α-Aminosäuren
$HO-\overset{\overset{R}{\vert}}{C}H-COOH$	α-(Oxa^{N})-aminosäuren (α-Hydroxysäuren)
$HS-\overset{\overset{R}{\vert}}{C}H-COOH$	α-(Thia^{N})-aminosäuren (α-Thiolsäuren)
$H_2N-\overset{\overset{R}{\vert}}{N}-COOH$	α-(Aza-1)-aminosäuren
$H_2N-\overset{\overset{R}{\vert}}{C}H-SO_3H$	α-(Thia^{C})-aminosäuren (α-Amino-sulfonsäuren)
$H_2N-\overset{\overset{R}{\vert}}{C}H-PO_3H_2$	α-(Phospha^{C})-aminosäuren (α-Amino-phosphonsäuren)
$H_2N-CH_2-\overset{\overset{R}{\vert}}{C}H-COOH$	β-Aminosäuren
$HS-CH_2-\overset{\overset{R}{\vert}}{C}H-COOH$	β-(Thia^{N})-aminosäuren (β-Thiolsäuren)
$H_2N-NH-\overset{\overset{R}{\vert}}{C}H-COOH$	β-(Aza-2)-aminosäuren
$H_2N-CH_2-\overset{\overset{R}{\vert}}{C}H-SO_3H$	β-(Thia^{C})-aminosäuren (β-Amino-sulfonsäuren)
$H_2N-CH_2-\overset{\overset{R}{\vert}}{C}H-PO_3H_2$	β-(Phospha^{C})-aminosäuren (β-Amino-phosphonsäuren)
$H_2N-\overset{\overset{R}{\vert}}{C}H-CH_2COOH$	Homoaminosäuren
$HO-\overset{\overset{R}{\vert}}{C}H-CH_2-COOH$	(Oxa^{N})-homo-aminosäuren (β-Hydroxysäuren)
$HS-\overset{\overset{R}{\vert}}{C}H-CH_2-COOH$	(Thia^{N})-homo-aminosäuren (β-Thiolsäuren)
$H_2N-\overset{\overset{R}{\vert}}{C}H-NH-COOH$	(Aza-1)-homo-aminosäuren

38.1. Hydroxysäuren

Hydroxysäuren verhalten sich bei ihrer synthetischen Eingliederung als Pseudoaminosäuren in Peptidverbände in mancher Hinsicht anders als Aminosäuren. So entfällt bedingt durch die im Vergleich mit einer Amin-Gruppe geringere Basizität der Hydroxy-Gruppe die Möglichkeit zur Ausbildung einer zwitterionischen Struktur. Ebenso ist die Nucleophilie einer Hydroxy-Gruppe erheblich geringer als die einer Amin-Gruppe. Dadurch wird einerseits die N-Hydroxyacylierung einer Amin-Komponente bei entsprechend abgestufter Aktivierung der Carboxy-Gruppe auch mit O-ungeschützten Hydroxysäuren möglich; andererseits ist zur O-Acylierung einer Hydroxysäure eine stärkere Aktivierung der O-acylierenden Reaktionskomponente erforderlich als zur N-Acylierung einer vergleichbar aufgebauten Aminosäure.

38.11. α-Hydroxysäuren

38.111. α-Hydroxysäuren ohne Drittfunktion

Die *Hydroxy-essigsäure* (*Glykolsäure*) (*Hyac*) als einfachste α-Hydroxysäure ohne Drittfunktion kommt in natürlichen Peptoliden nicht vor; jedoch wurden mit ihr zahlreiche Modellpeptolide zum Studium von Verknüpfungstechniken aufgebaut.

L-α-Hydroxy-propionsäure (*L-Milchsäure*) (*Hypr*) ist in Valinomycin[1] enthalten, *L-α-Hydroxy-isovaleriansäure* (*Hyiv*) in Sporidesmolid[2], Sporidesmolsäure[2], Angolid und Pithomycolid[3], *D-α-Hydroxy-isovaleriansäure* in Enniatin[4,5], Amidomycin[6], Beauvericin[7] und Valinomycin[1], *L-α-Hydroxy-isocapronsäure* (*Hyic*) in Sporidesmolid[8] und *D-α-Hydroxy-isocapronsäure* in Destruxin[9].

38.111.1. *Verwendung als Kopfkomponente*

38.111.11. Mit freier Hydroxy-Funktion

Hydroxy-Gruppen können bei Acylierungsreaktionen als „Pseudoamin-Gruppen" in Konkurrenz zu echten Amin-Gruppen treten, wenn beispielsweise Aminosäureester mit O-ungeschützten Hydroxysäuren als Kopfkomponente umgesetzt werden sollen. Hydroxy-Gruppen reagieren mit aktivierten Carboxy-Komponenten jedoch deutlich langsamer als Amin-Gruppen. So kann mit Aktivestern O-ungeschützter Hydroxysäuren, wie (N-Hydroxy-succinimid)-estern[10] oder 4-Nitro-phenylestern[11], eine selektive Amino-Acylierung durchgeführt werden. Weniger geeignet sind Cyan-methylester, die zwar freie Hydroxy-Gruppen nicht angreifen, aber auch mit Amin-Komponenten sehr langsam reagieren[12]. Nach Sheehan[13] lassen sich mit Dicyclohexylcarbodiimid Amidbindungen in Gegenwart

---

[1] H. Brockmann u. H. Geeren, A. **603**, 216 (1957).
[2] D. W. Russel u. M. E. Brown, Biochem. biophys. Acta **38**, 382 (1960).
[3] L. H. Briggs, L. D. Colebrook, B. R. Davis u. P. W. LeQuesne, Soc. **1964**, 5626.
[4] P. A. Plattner u. U. Nager, Helv. **31**, 665 (1948).
[5] P. A. Plattner u. U. Nager, Helv. **31**, 2192 (1948).
[6] L. C. Vining u. W. A. Taber, Canad. J. Chem. **35**, 1109 (1957).
[7] Y. A. Ovchinnikov, V. T. Ivanov u. I. I. Mikhaleva, Tetrahedron Letters **1971**, 159.
[8] A. A. Kiryushkin, Y. A. Ovchinnikov u. M. M. Shemyakin, Tetrahedron Letters **1965**, 143.
[9] S. Kuyama u. S. Tamura, Agr. Biol. Chem. (Tokio) **29**, 168 (1965); C. A. **62**, 14817[f] (1965).
[10] M. Hiramoto, K. Okada, S. Nagai u. H. Kawamoto, Biochem. Biophys. Research Commun. **35**, 702 (1969).
[11] M. Bodanszky u. M. A. Ondetti, Chem. & Ind. **1966**, 26.
[12] E. Schröder u. K. Lübke, A. **655**, 211 (1962).
[13] J. C. Sheehan, M. Goodman u. G. P. Hess, Am. Soc. **78**, 1367 (1956).

freier Hydroxy-Gruppen herstellen, nach Schröder und Lübke[1] sogar in Methanol als Lösungsmittel. Weiterhin können selektive Amin-Acylierungen mit den Aziden O-ungeschützter Hydroxysäuren durchgeführt werden[1]. Hierbei ist zu beachten, daß sich Carbonsäure-azide schon bei 30° in Isocyanate umlagern, die ihrerseits mit Hydroxy-Verbindungen zu Urethanen abreagieren[2]. Durch Einhalten einer Temperatur von höchstens 0° lassen sich Nebenreaktionen der geschilderten Art unterdrücken.

Bei anderen zum Aufbau von Amidbindungen üblichen Methoden darf die Reaktivität einer ungeschützten Hydroxy-Gruppe nicht mehr vernachlässigt werden. Das gilt beispielsweise dann, wenn zur Aktivierung der Hydroxysäure ein Carbonsäure-chlorid oder -anhydrid hergestellt wird, bzw. wenn die Phosphorazo-Methode herangezogen wird[3,4].

38.111.12. Mit maskierter Hydroxy-Funktion

Die Einbeziehung der O-geschützten Hydroxysäuren in die Peptidsynthese erweitert den Spielraum in der Auswahl der Verknüpfungsmethoden. Es stehen Hydroxy-Schutzgruppen vom Alkyl- sowie vom Acyl-Typ zur Verfügung:

38.111.12.1. O-Alkyl-Schutzgruppen

Tert.-Butyläther und Benzyläther fanden zur O-Maskierung der Hydroxy-aminosäuren, wie z.B. *Serin, Threonin* oder *Tyrosin,* in der modernen Peptidsynthese weitestgehende Verbreitung; ihre Anwendung an Hydroxysäuren blieb jedoch auf wenige Beispiele beschränkt. Die schonenden Bedingungen, unter denen z.B. die tert.-Butyläther-Gruppe eingeführt[5] und gespalten[5] werden kann, lassen gerade diese Gruppe zur O-Maskierung der Hydroxysäuren geeignet erscheinen.

Die bislang einzige in der Literatur beschriebene Methode[6] zur Gewinnung von O-tert.-Butyl-α-hydroxysäuren ist die Umsetzung von Natrium-tert.-butanolat mit einer α-Halogensäure. Bedingt durch die Teilnahme des α-Kohlenstoffatoms an der Substitutionsreaktion entstehen jedoch auch aus optisch reinen Ausgangsstoffen racemische Produkte, so daß dies Verfahren nur im Falle der *Hydroxy-essigsäure* anwendbar ist.

Dagegen sollte die Umsetzung optisch reiner Hydroxysäuren mit Isobuten[5] optisch reine tert.-Butyläther liefern, wenn durch geeignete, neben der tert.-Butyläther-Gruppe selektiv abspaltbare Carboxy-Schutzgruppen eine Veresterung der Carboxy-Gruppe durch das Isobuten verhindert wird.

Die O-Benzyl-Gruppe als Hydroxy-Schutz wurde bisher lediglich am Beispiel der *O-Benzyl-hydroxy-essigsäure* beschrieben[7]. Die Verbindung wurde durch Umsetzung von Natrium-benzylalkanolat mit Chloressigsäure-äthylester (und anschließende Verseifung der Ester-

---

[1] K. Lübke u. E. Schröder, A. **665**, 205 (1963).

[2] J. S. Fruton, J. Biol. Chem. **146**, 463 (1942).

[3] E. Schröder u. K. Lübke in G. T. Young, *Peptides*, Proc. 5th Europ. Peptide Sympos., Oxford 1962, Pergamon Press, Oxford **1963**, S. 195.

[4] M. Brenner u. A. Hartmann in: Collect. czech. chem. Commun. **24** (Sonderband Proc. 1st Sympos. Methods Peptide Synthesis, Prag 1958), 120 (1959).

[5] H. C. Beyerman u. J. S. Bontekoe, Pr. chem. Soc. **1961**, 249.

[6] C. Wasielewski, Roczniki Chem. **40**, 1443 (1966); C. A. **67**, 44 074g (1967).

[7] F. Benington u. R. D. Morin, J. Org. Chem. **26**, 194 (1961).

Gruppe) gewonnen, so daß entsprechend den obigen Ausführungen auch Benzyläther optisch reiner Hydroxysäuren über dieses Verfahren nicht erhältlich sind.

O-Benzyl-hydroxy-essigsäure [BZL-Hyac-OH][1]: 23 g Natrium werden in kleine Stücke geschnitten und zu 475 g frisch destilliertem Benzylalkohol gegeben. Man rührt 20 Stdn. bei 75°, bis vollständige Lösung eingetreten ist. Danach werden unter Kühlung portionsweise 123 g frisch destillierter Chloressigsäure-äthylester zugegeben, anschließend 2 Stdn. auf 80° erwärmt, nach Abkühlen mit Wasser behandelt und das ausgeschiedene Öl in Diäthyläther aufgenommen. Nach Trocknen der organischen Phase mit wasserfreiem Magnesiumsulfat werden das Lösungsmittel und überschüssiger Benzylalkohol abdestilliert. Das erhaltene Gemisch aus *O-Benzyl-hydroxy-essigsäure-äthylester* und *-benzylester* wird 1,5 Stdn. mit 150 *ml* Methanol und 60 *ml* 45%-iger Kaliumhydroxid-Lösung zum Sieden erhitzt, das organische Lösungsmittel abdestilliert, der Rückstand mit Wasser verdünnt und der ausgeschiedene Benzylalkohol mit Diäthyläther extrahiert. Die abgetrennte wäßrige Phase wird unter Diäthyläther angesäuert, die Diäthyläther-Lösung abgetrennt und der fraktionierten Destillation i. Vak. unterworfen; Ausbeute: 63 g (38% d. Th.); $Kp_{0,2}$: 135–140°.

Zur Hydroxy-Maskierung eignet sich weiterhin die Tetrahydropyranyl-(2)-Gruppe[2]:

O-Tetrahydropyranyl-(2)-D-α-hydroxy-isovaleroyl-D-valin-benzylester [TPa-D-Hyiv-D-Val-OBZL][2]: 5,2 g H-D-Hyiv-D-Val-OBZL[2] werden in 10 *ml* trockenem Essigsäure-äthylester mit 3 *ml* 5,6-Dihydro-4H-pyran sowie 0,3 *ml* 2n Chlorwasserstoff in Essigsäure-äthylester vereinigt. Nach 12 Stdn. bei 20° fügt man 40 *ml* Essigsäure-äthylester zu und extrahiert nacheinander mit Hydrogencarbonat-Lösung und Wasser. Die getrocknete organische Phase wird eingedampft und i. Hochvak. von höhersiedenden Verunreinigungen befreit; Ausbeute: 5,9 g (90% d. Th.); $[\alpha]_D = +66,8°$ (c = 1, Äthanol).

38.111.12.2. O-Acyl-Schutzgruppen

O-Acetyl-hydroxysäuren sind nach Plattner[3] aus Hydroxysäuren durch Umsetzung mit Acetanhydrid und Triäthylamin unter Wahrung der optischen Reinheit leicht zugänglich. Ein zweiter Weg geht von Aminosäuren aus und führt über Diazotierung der Amino-Gruppe und Austausch der Diazo-Gruppe durch die Acetat-Gruppe zur O-Acetyl-Verbindung der strukturell zur ursprünglichen Aminosäure analogen Hydroxysäure[3–5]. Der Ersatz der Amino-Gruppe durch die Acetoxy-Gruppe gelingt sterisch annähernd einheitlich; dies gilt jedoch nur für die freien Aminosäuren (außer Alanin), nicht für deren Ester[4].

O-Acetyl-D-α-hydroxy-isovaleriansäure [Ac-D-Hyiv-OH]:

Methode A: aus D-α-Hydroxy-isovaleriansäure[3]: Die Lösung von 38,5 g (0,324 Mol) D-α-Hydroxy-isovaleriansäure in 375 *ml* absol. Diäthyläther wird unter Eiskühlung zuerst mit 101 *ml* (0,72 Mol) Triäthylamin und dann mit 37 *ml* (0,35 Mol) Acetanhydrid versetzt. Man schüttelt kräftig durch, entfernt nach 30 Min. das Eisbad und beläßt die Lösung 24 Stdn. bei 20°. Nach Ansäuern mit konz. Salzsäure trennt man die organische Phase ab, wäscht sie mit Wasser und extrahiert erschöpfend mit Kaliumhydrogencarbonat-Lösung, wobei man mit Vorteil noch festes Kaliumhydrogencarbonat zufügt. Die abgetrennte wäßrige Phase wird unter Diäthyläther angesäuert, die Diäthyläther-Lösung abgetrennt, gewaschen, getrocknet und eingedampft. Der Rückstand wird i. Hochvak. destilliert; Ausbeute: 38,4 g (74% d. Th.); $[\alpha]_D^{26} = +25,3°$ (c = 5,9; Äthanol); $Kp_{0,04}$: 85–87°.

Methode B: aus D-Valin[3]: 129,4 g (1,1 Mol) D-Valin werden in einer Lösung von 90 g (1,1 Mol) frisch geschmolzenem Natriumacetat in 1,5 *l* Essigsäure suspendiert und unter langsamen Rühren bei 15° innerhalb 3 Stdn. portionsweise mit 146 g (1,25 Mol) Isoamylnitrit versetzt. Dann läßt man 48 Stdn. bei 15° weiterrühren. Nach dem Eindampfen i. Vak. verteilt man zwischen Diäthyläther und Wasser, setzt 100 *ml* konz. Salzsäure zu und wäscht die abgetrennte Diäthyläther-Lösung mit Wasser. Nach Extraktion mit Kaliumhydrogencarbonat-Lösung arbeitet man wie unter Methode A beschrieben auf; Ausbeute: 104 g (59% d. Th.); $[\alpha]_D^{26} = +24,4°$ (c = 6,1; Äthanol); $Kp_{0,04}$: 86–88°.

---

[1] F. Benington u. R. D. Morin, J. Org. Chem. **26**, 194 (1961).
[2] H. Schulz, B. **99**, 3425 (1966).
[3] P. A. Plattner, K. Vogler, R. O. Studer, P. Quitt u. W. Keller-Schierlein, Helv. **46**, 927 (1963).
[4] G. Losse u. G. Bachmann, B. **97**, 2671 (1964).
[5] B. Ridge, H. N. Rydon u. C. R. Snell, Soc. [Perkin I] **1972**, 2041.

Bedingt durch die zur Demaskierung erforderlichen alkalischen Reaktionsbedingungen (Hydrolyse[1], Ammonolyse[2,3]) ist der synthetische Wert der O-Acetyl-hydroxysäuren nur gering (zum Einsatz in der Erstellung von Hydroxysäure-tert.-butylestern s.S. 877f.).

Von Shemyakin[4] wurde die Benzyloxycarbonyl-Gruppe auf ihre Eignung als Hydroxy-Schutz untersucht. Ihr Vorteil liegt in der schonenden Abspaltbarkeit durch Hydrogenolyse, ein gewisser Nachteil in der Hydrolyseempfindlichkeit ihrer Hydroxysäure-Derivate, die sich aus der Struktur eines Diesters der Kohlensäure erklärt[5].

O-Benzyloxycarbonyl-D-α-hydroxy-isovaleriansäure [Z-D-Hyiv-OH][4]: Zur Lösung von 118 g (1,0 Mol) D-α-Hydroxy-isovaleriansäure in 800 *ml* trockenem Pyridin werden bei −20° und unter Rühren im Verlaufe 1 Stde. 188 g (1,1 Mol) Chlorameisensäure-benzylester gegeben. Nach 1 Stde bei 0° läßt man über Nacht bei 20° stehen, verdünnt mit 300 *ml* Wasser und destilliert die Lösungsmittel i. Vak. ab. Der Rückstand wird zwischen Diäthyläther und 2n Salzsäure verteilt, die organische Phase abgetrennt und mit Natriumhydrogencarbonat-Lösung erschöpfend extrahiert. Die abgetrennte wäßrige Phase wird unter Diäthyläther angesäuert; nach dem Waschen und Trocknen (über Natriumsulfat) der ätherischen Phase wird das Lösungsmittel abgedampft; Ausbeute: 207 g (82% d. Th.); $[\alpha]_D^{20} = +9{,}7°$ (c = 0,6; Benzol); F: 57–58° (aus Petroläther).

N-Hydroxyacyl-aminosäuren, durch Entacylierung von O-Benzyloxycarbonyl-hydroxyacyl-aminosäuren; allgemeine Arbeitsvorschrift[4]: 5 mMol entsprechender Benzyloxycarbonyl-Verbindung in 40 *ml* Äthanol werden 5 Stdn. bei 20° in Gegenwart von Palladium (aus 50 mg Palladiumoxid) hydrogenolytisch entacyliert. Man filtriert vom Katalysator und destilliert das Lösungsmittel ab. Die Produkte können aus Hexan umkristallisiert werden; Ausbeuten: 90–95% d. Th.

Eine bifunktionelle Schutzgruppe ist von Losse[6] mit der 2-(Benzyloxycarbonyl)-benzoyl-Gruppe vorgeschlagen worden. Hydrogenolytische Spaltung der Benzylester-Gruppe nach Beendigung der Synthese liefert die 2-Carboxy-benzoyl-Gruppe, die eine Reinigung der oft ölig anfallenden N-Hydroxyacyl-peptid-Derivate über die kristallinen Dicyclohexylamin-Salze gestattet. Die O-(2-Carboxy)-benzoyl-Gruppe wird durch Hydrazin leicht abgespalten.

---

[1] P. A. PLATTNER, K. VOGLER, R. O. STUDER, P. QUITT u. W. KELLER-SCHIERLEIN, Helv. **46**, 927 (1963).

[2] F. M. CALLAHAN, G. W. ANDERSON, R. PAUL u. J. E. ZIMMERMAN, Am. Soc. **85**, 201 (1963).

[3] J. KURTZ, G. D. FASMAN, A. BERGER u. E. KATCHALSKI, Am. Soc. **80**, 393 (1958).

[4] M. M. SHEMYAKIN, Y. A. OVCHINNIKOV, V. T. IVANOV u. A. A. KIRYUSHKIN, Tetrahedron **19**, 581 (1963).

[5] G. LOSSE u. G. BACHMANN, B. **97**, 2671 (1964).

[6] G. LOSSE u. H. RAUE, B. **98**, 1522 (1965).

Tab. 76. O-geschützte α-Hydroxysäuren [R_s-HS-OH]

R_s	F [°C]	$[\alpha]_D$	t	c	Lösungsmittel	Literatur
Hydroxy-essigsäure (Glykolsäure)						
Z	79					[1]
BZL	($Kp_{0,2}$: 135–140°)					[2]
tBu	130–131[a]					[3]
Ac	66–68					[4,5]
Bz	112					[1]
L-α-Hydroxy-propionsäure (L-Milchsäure)						
Ac	($Kp_{1,5}$: 101°)	−44,0	20	2	Benzol	[6,7]
L-α-Hydroxy-isovaleriansäure						
Z	57–58	−9,8	20	0,6	Benzol	[8,9]
Ac	($Kp_{0,05}$: 90°)	−25,4	23	6	Äthanol	[7]
D-α-Hydroxy-isovaleriansäure						
Z	57–58	+9,7	20	0,6	Benzol	[10–13]
Ac	($Kp_{0,5}$: 90°)	+25,3	26	6	Äthanol	[7,14]
L-α-Hydroxy-isocapronsäure						
Ac	($Kp_{0,5}$: 150–152°)	−40,5	18	3,6	Benzol	[15–17]
D-α-Hydroxy-isocapronsäure						
Ac	(Kp_2: 184–187°)	+41	20	3	Benzol	[18]

[a] Dicyclohexylamin-Salz

---

[1] G. Zwilichowski u. C. Gilon, J. Org. Chem. **34**, 3663 (1969).
[2] F. Benington u. R. D. Morin, J. Org. Chem. **26**, 194 (1961).
[3] C. Wasielewski, Roczniki Chem. **40**, 1443 (1966); C. A. **67**, 44 074q (1967).
[4] W. Walter, M. Steffen u. C. Heyns, B. **99**, 3204 (1966).
[5] R. Anschütz u. W. Bertram, B. **36**, 466 (1903).
[6] A. A. Colon, K. H. Vogel, R. B. Carlin u. J. C. Warner, Am. Soc. **75**, 6075 (1953).
[7] G. Losse u. H. Raue, B. **101**, 1532 (1968).
[8] M. M. Shemyakin, Y. A. Ovchinnikov, V. T. Ivanov, A. A. Kiryushkin u. K. K. Khalilulina, Ž. obšč. Chim. **35**, 1399 (1965); C. A. **63**, 14 977[e] (1965).
[9] M. M. Shemyakin, Y. A. Ovchinnikov, V. T. Ivanov u. A. A. Kiryushkin, Tetrahedron **19**, 995 (1963).
[10] Y. A. Ovchinnikov, V. T. Ivanov, A. A. Kiryushkin u. M. M. Shemyakin in G. T. Young, *Peptides*, Proc. 5th Europ. Peptide Sympos. Oxford 1962, Pergamon Press, Oxford **1963**, S. 207.
[11] M. M. Shemyakin, Y. A. Ovchinnikov, A. A. Kiryushkin u. V. T. Ivanov, Tetrahedron Letters **1962**, 301.
[12] M. M. Shemyakin, Y. A. Ovchinnikov, A. A. Kiryushkin u. V. T. Ivanov, Izv. Akad. SSSR **1962**, 2154; C. A. **58**, 14 087[a] (1963).
[13] M. M. Shemyakin, Y. A. Ovchinnikov, V. T. Ivanov u. A. A. Kiryushkin, Tetrahedron **19**, 581 (1963).
[14] P. A. Plattner, K. Vogler, R. O. Studer, P. Quitt u. W. Keller-Schierlein, Helv. **46**, 927 (1963).
[15] Y. A. Ovchinnikov u. M. M. Shemyakin, Ž obšč. Chim. **36**, 620 (1966); C. A. **65**, 9 013[d] (1966).
[16] A. A. Kiryushkin, Y. A. Ovchinnikov u. M. M. Shemyakin, Tetrahedron Letters **1965, 143.**
[17] B. Ridge, H. N. Rydon u. C. R. Snell, Soc. [Perkin I] **1972**, 2041.
[18] I. I. Mikhaleva, I. D. Ryabova, Y. A. Ovchinnikov u. M. M. Shemyakin, Ž. obšč. Chim. **38**, 1228 (1968); C. A. **69**, 97 135[h] (1968).

Tab. 77. Hydroxy-Schutzgruppen für α-Hydroxysäuren und ihre Abspaltung

Schutzgruppe	Abspaltungsreaktion	Literatur
BZL	Hydrogenolyse; Acidolyse (HBr)	1,2
tBu	Acidolyse (TFA-OH, HCl)	3–5
TPa	Acidolyse (50%-ige Essigsäure)	6
Ac	Hydrolyse (NaOH); Ammonolyse	5,7,8
2 ZBz	① Hydrogenolyse, ② Hydrazinolyse	9
Z	Hydrogenolyse	10

38.111.12.3. O-Aminoacyl-α-hydroxysäuren

Die Verknüpfung N-geschützter Aminosäuren mit α-Hydroxysäuren nach den Methoden der Peptolid-Synthese (s. S. II/369ff.) liefert N-maskierte O-Aminoacyl-hydroxysäuren, die zum Einsatz als Kopfkomponente in der Synthese höherer Peptolide (s. S. II/378) geeignet sind. Die Amin-Schutzgruppe muß mit Rücksicht auf die Knüpfung des Dipeptolid-Bausteins (s. S. II/369) ausgewählt werden; ihre Auswahl wird begrenzt auf solche Gruppen, deren Abspaltungsbedingungen eine zusätzliche Spaltung der empfindlichen Peptolid-Bindung ausschließen.

Bewährt hat sich der Aminschutz vom Urethantyp, wie Benzyloxycarbonyl- und tert.-Butyloxycarbonyl-Gruppe. Ungeeignet ist die 4-Nitro-benzyloxycarbonyl-Gruppe, da diese bei hydrogenolytischer Abspaltung 4-Toluidin liefert, das von Peptoliden erfahrungsgemäß schlecht abzutrennen ist[7].

Schwierigkeiten in der Auswahl einer geeigneten Amin-Schutzgruppe können sich mit der Anwendung der Säurechlorid-Methode (s. S. II/375) ergeben, da die Carbonsäure-chloride von N-tert.-Butyloxycarbonyl-aminosäuren bisher nicht hergestellt wurden (s. S. II/355, II/375), und die Carbonsäure-chloride von N-Benzyloxycarbonyl-aminosäuren zur Bildung von N-Carbonsäure-Anhydriden neigen (außer bei N-Benzyloxycarbonyl-N-methyl-aminosäuren; vgl. S. II/375, II/384). In solchen Fällen setzten Losse und Bachmann[11] N-phthalyl-geschützte Aminosäuren ein. Die hydrazinolytische Abspaltung der Phthalyl-Gruppe vom N-Phthalyl-peptolid muß jedoch unter sehr milden Bedingungen vorgenommen werden, damit die Peptolid-Bindung nicht auch gespalten wird. Durch ¾-stündiges Erwärmen mit äquivalenten Mengen Hydrazin oder Hydrazin-Hydrat in absolut-alkoholischer Lösung erzielten die Autoren zwar eine selektive Abspaltung der N-Phthalyl-Gruppe, jedoch betrug die Spaltungsrate nur 40%. – Die Schwyzer'sche Hydrazin-Hydroacetat-Technik[12] liefert keine besseren Resultate.

---

[1] W. Grassmann, E. Wünsch, P. Deufel u. A. Zwick, B. **91**, 538 (1958).
[2] M. Löw u. L. Kisfaludy, in L. Zervas, *Peptides*, Proc. 6th Europ. Peptide Sympos. Athen **1963**, Pergamon Press, Oxford **1966**, S. 35.
[3] C. Wasielewski, Roczniki Chem. **41**, 209 (1967); C. A. **67**, 73862a (1967).
[4] H. C. Beyerman u. J. S. Bontekoe, Pr. Chem. Soc. **1961**, 249.
[5] F. M. Callahan, G. W. Anderson, R. Paul u. J. E. Zimmerman, Am. Soc. **85**, 201 (1963).
[6] H. Schulz, B. **99**, 3425 (1966).
[7] P. A. Plattner, K. Vogler, R. O. Studer, P. Quitt u. W. Keller-Schierlein, Helv. **46**, 927 (1963).
[8] J. Kurtz, G. D. Fasman, A. Berger u. E. Katchalski, Am. Soc. **80**, 393 (1958).
[9] G. Losse u. H. Raue, B. **98**, 1522 (1965).
[10] M. M. Shemyakin, Y. A. Ovchinnikov, V. T. Ivanov u. A. A. Kiryushkin, Tetrahedron **19**, 581 (1963).
[11] G. Losse u. G. Bachmann, B. **97**, 2671 (1964).
[12] R. Schwyzer, A. Costopanagiotis u. P. Sieber, Helv. **46**, 870 (1963).

N-Methyl-aminosäuren werden mit Vorteil als N-Nitroso-Derivate mit Hydroxysäuren verknüpft[1]. Die Abspaltung der N-Schutzgruppe erfolgt am besten im Chlorwasserstoff-Strom in Benzol oder Essigsäure bei ~ 10°. Gegen Hydrogenolyse ist die N-Nitroso-Gruppe hinreichend stabil, so daß sie mit der Benzylester-Gruppe als Carboxy-Schutz kombiniert werden kann[1].

Ebenfalls hydrogenolytisch nicht abspaltbar ist die N-Trityl-Gruppe. N-Trityl-aminosäuren sind jedoch sterisch stark gehindert, sodaß sie mit Hydroxysäuren in nur geringer Ausbeute zu Peptoliden verknüpft werden können[2].

Tab. 78. Amin-Schutzgruppen für Peptolide und ihre Abspaltung

Schutzgruppe	Abspaltungsreaktion	Literatur
Z	Hydrogenolyse; Acidolyse (HBr)	3,4
NZ	Hydrogenolyse; Acidolyse	5
BOC	Acidolyse (HCl, HBr, TFA-OH)	6,7
PHT	Hydrazinolyse	8
TRT	Acidolyse (HCl)	9
NO	Acidolyse (HCl)	1

N-Methyl-L-isoleucyl-D-α-hydroxy-isovaleriansäure-tert.-butylester [H-(Me)Ile-D-Hyiv-OtBu][10]: 7,2 g (16,5 mMol) Z-(Me)Ile-D-Hyiv-OtBu[10] werden in 50 *ml* 98%-iger Essigsäure gelöst und an 1,2 g 5%-iger Palladiumkohle hydrogenolysiert. Das Filtrat vom Katalysator wird eingedampft, der Rückstand zwischen Diäthyläther und eiskalter 1 m Weinsäure-Lösung verteilt. Die abgetrennte wäßrige Phase wird unter Diäthyläther mit festem Natriumhydrogencarbonat neutralisiert. Nach Eindampfen der Diäthyläther-Lösung erhält man 3,9 g (79% d.Th.); $[\alpha]_D^{26} = +23{,}3°$ (c = 1,1; Benzol); $Kp_{0,01}$: 80°.

D-Valyl-D-α-hydroxy-isovaleriansäure-benzylester [H-D-Val-D-Hyiv-OBZL][11]: 27,0 g BOC-D-Val-D-Hyiv-OBZL[11] werden in 65 *ml* 4n Chlorwasserstoff in Essigsäure-äthylester gelöst und je 30 Min. bei 20° bzw. 40° belassen. Der nach Abziehen des Lösungsmittels verbleibende Rückstand wird in Wasser gelöst, 2 mal mit Diäthyläther extrahiert und bis zur beendeten Kohlendioxid-Entwicklung mit Hydrogencarbonat versetzt. Der ausgefallene Peptolidester wird in Essigsäure-äthylester aufgenommen und mit der äquivalenten Menge Chlorwasserstoff in Essigsäure-äthylester in das Hydrochlorid überführt; Ausbeute: 14,3 g (64% d.Th.); $[\alpha]_D = +21{,}4°$ (c = 1; Äthanol); F: 115° (aus Essigsäure-äthylester/Petroläther).

N-Methyl-L-isoleucyl-D-α-hydroxy-isovaleriansäure-4-nitro-benzylester [H-(Me)Ile-D-Hyiv-ONB][1]: Durch eine Lösung von 9,5 g (23 mMol) NO-(Me)Ile-D-Hyiv-ONB[1] in 100 *ml* absol. Benzol wird unter Rühren während 10 Min. ein starker Chlorwasserstoff-Strom eingeleitet, wobei die Temp. höchstens 12° erreichen soll. Die Lösung färbt sich vorerst dunkelbraun und hellt dann unter Abklingen der Wärmetönung wieder auf. Man leitet noch 10 Min. ohne Kühlung Stickstoff durch die Mischung und verdampft das Lösungsmittel i. Vak.; Ausbeute: 7,7 g (79% d.Th.); $[\alpha]_D^{26} = +31{,}4°$ (c = 1,15; Äthanol); F: 156–158° (Subl.) (aus Essigsäure-äthylester).

---

1 P. Quitt, R. O. Studer u. K. Vogler, Helv. **47**, 166 (1964).
2 H. Gibian u. K. Lübke, A. **644**, 130 (1961).
3 D. Ben-Ishai, J. Org. Chem. **19**, 62 (1954).
4 M. Bergmann u. L. Zervas, B. **65**, 1192 (1932).
5 M. M. Shemyakin, Y. A. Ovchinnikov, A. A. Kiryushkin u. V. T. Ivanov, Tetrahedron Letters **1962**, 301.
6 R. Schwyzer, H. Kappeler, B. Iselin, W. Rittel u. H. Zuber, Helv. **42**, 1702 (1959).
7 G. Losse u. H. Klengel, Tetrahedron **27**, 1423 (1971).
8 G. Losse u. G. Bachmann, B. **97**, 2671 (1964).
9 L. Velluz, G. Amiard u. R. Heymes, Bl. **1955**, 201.
10 P. Quitt, R. O. Studer u. K. Vogler, Helv. **46**, 1715 (1963).
11 H. Schulz, B. **99**, 3425 (1966).

Peptolid-benzylester aus N-Phthalyl-peptolid-benzylestern; allgemeine Arbeitsvorschrift[1]**:** Die Mischung von 10 mMol eines Phthalyl-peptolid-benzylesters, 0,32 g wasserfreiem Hydrazin und 55 *ml* absol. Äthanol erwärmt man 50 Min. zum kräftigen Sieden. Danach wird das Lösungsmittel sofort i. Vak. abdestilliert, der Rückstand mit 40 *ml* Diäthyläther und 30 *ml* 2n Salzsäure durchgeschüttelt und das Phthalylhydrazin-Hydrochlorid abgesaugt. Die salzsaure Lösung wird mehrfach mit Diäthyläther extrahiert, Natriumhydrogencarbonat im Überschuß zugegeben und der ausgeschiedene Peptolid-benzylester in Diäthyläther aufgenommen. Die organische Phase wird abgetrennt, getrocknet, eingedampft und der Rückstand einige Tage i. Vak. über Schwefelsäure zur Beseitigung von Hydrazinspuren stehengelassen.

38.111.2. *Verwendung als „Pseudoamin-Komponente“*

38.111.21. Mit freier Carboxy-Gruppe

Zur Erstellung der Peptolidbindung ist eine Carboxy-Maskierung der Hydroxysäure-Komponente nicht in allen Fällen erforderlich. So zeigte Botvinik[2,3], daß eine Carboxy-Maskierung der Hydroxysäure durch Salzbildung mit Triäthylamin zur Umsetzung mit Carbonsäure-chloriden oder gemischten Anhydriden der Aminosäure-Komponente oder deren 1,3-Oxazolinonen ausreicht.

38.111.22. Mit maskierter Carboxy-Funktion

38.111.22.1. Echte Carboxy-Schutzgruppen

38.111.22.11. Methyl- und Äthylester

Zu den Methyl- und Äthylestern der α-Hydroxysäuren gelangt man durch protonenkatalysierte Veresterung O-ungeschützter α-Hydroxysäuren nach den üblichen Verfahren[4–6]. Durch große Überschüsse an Alkohol-Komponente kann die mögliche Kondensation zum 2,5-Dioxo-1,4-dioxan-Derivat oder Hydroxysäure-Oligomeren unterdrückt werden. Der Alkohol-Überschuß kann vom Hydroxysäure-ester in allen Fällen durch Destillation abgetrennt werden.

Für sterisch gehinderte α-Hydroxysäuren, wie α-Hydroxy-isovaleriansäure, dürfte indessen die Umsetzung mit Alkyljodid und Triäthylamin nach Lübke und Schröder[7] geeigneter sein (Beispiel A). Weiterhin kann das von Brenner[8] zur Veresterung von Aminosäuren entwickelte Thionylchlorid-Verfahren (s. S. 317) auch auf Hydroxysäuren übertragen werden (Beispiel B). Schließlich sei auf die protonenkatalysierte Alkoholyse von 2,5-Dioxo-1,4-dioxan-Derivaten hingewiesen, die nach Sporzynski[9] ebenfalls zu Hydroxysäureestern führt (Beispiel C).

L-α-Hydroxy-isovaleriansäure-äthylester [H-Hyiv-OEt][7] **(Beispiel A):** 11,8 g (0,1 Mol) L-α-Hydroxy-isovaleriansäure werden in 50 *ml* Essigsäure-äthylester gelöst, mit 13,9 *ml* (0,1 Mol) Triäthylamin und 12,1 *ml* (0,15 Mol) Äthyljodid versetzt und 8 Stdn. auf 70° erwärmt. Nach dem Erkalten saugt man vom ausgefallenen Triäthylammoniumjodid ab. Das Lösungsmittel wird bei ~ 100 Torr über eine kleine Kolonne abdestilliert und der Rückstand anschließend bei 12 Torr fraktioniert destilliert; Ausbeute: 11,9 g (81% d.Th.); $[\alpha]_D^{22} = +8,1°$ (c = 1; Essigsäure); Kp_{15}: 70–72°.

---

1 G. Losse u. G. Bachmann, B. **97**, 2671 (1964).
2 M. M. Botvinik, V. I. Ostoslavskaya u. I. L. Ivanov, Ž. obšč. Chim. **31**, 42 (1961); C. A. **55**, 27101[h] (1961).
3 M. M. Botvinik u. V. I. Ostoslavskaya, Doklady Akad. SSSR **123**, 285 (1958); C. A. **53**, 7039[a] (1959).
4 Y. Iwakura, K. Iwata, S. Matsuo u. T. Tokara, Makromol. Ch. **122**, 275 (1969).
5 E. Fischer u. A. Speier, B. **28**, 3252 (1895).
6 H. Scheibler u. A. S. Wheeler, B. **44**, 2684 (1911).
7 K. Lübke u. E. Schröder, A. **665**, 205 (1963).
8 M. Brenner u. W. Huber, Helv. **36**, 1109 (1953).
9 A. Sporzynski, W. Kocay u. H. V. A. Briscoe, R. **68**, 613 (1949).

L-α-Hydroxy-γ-methylthio-buttersäure-methylester [H-Hymb-OMe][1] (Beispiel B): 28 g (230 mMol) Thionylchlorid werden bei 0 ± 2° unter Rühren zu 150 *ml* Methanol gegeben. Nach Zugabe von 33 g (220 mMol) L-α-Hydroxy-γ-methylthio-buttersäure[1] wird 1 Stde. bei 0° und weitere 3 Stdn. bei 20° gerührt. Nach Abdampfen des Lösungsmittels i. Vak. wird der ölige Rückstand destilliert; Ausbeute: 22 g (62% d.Th.); $[\alpha]_D^{25} = -16{,}4°$ (c = 1; Methanol); Kp_3: 91–93°.

Hydroxy-essigsäure-methylester [H-Hyac-OMe] (aus 2,5-Dioxo-1,4-dioxan)[2] (Beispiel C): 50 g 2,5-Dioxo-1,4-dioxan werden in 140 *ml* Methanol (das 6,5 g Chlorwasserstoff enthält) 6 Stdn. zum Sieden erhitzt. Nach Neutralisation mit Natriumhydrogencarbonat wird das Lösungsmittel abdestilliert; Ausbeute: 62 g (80% d.Th.); Kp_{60}: 76–80°.

Zum Aufbau von Peptolidestern werden Hydroxysäure-methylester und -äthylester nicht herangezogen. Obwohl die Peptolid-Bindung unter den Bedingungen der alkalischen Hydrolyse gegenüber einer Methylester- oder Äthylester-Gruppe deutlich beständiger ist[3], ist die streng selektive Abspaltung einer solchen Carboxy-Schutzgruppe nicht möglich.

Die genannten Ester finden jedoch als Startmaterial zur Erstellung der Hydrazide von Hydroxysäuren Verwendung (s. S. 881f.).

38.111.22.12. Cyan-methylester

Die Substitution der Methylester-Gruppe mit der Nitril-Gruppe erhöht ihre Alkalilabilität soweit, daß eine Hydrolyse ohne gleichzeitige Spaltung der Peptolid-Bindung möglich ist. So genügt nach Losse und Bachmann[4] zur selektiven Hydrolyse der Cyan-methylester von Peptoliden die Umsetzung mit 5%-iger Natronlauge während 15 Min. bei 0°.

L-α-Hydroxy-isovaleriansäure-cyan-methylester [H-Hyiv-OCyM][5]: 11,8 g (0,1 Mol) L-α-Hydroxy-isovaleriansäure werden in 100 *ml* Essigsäure-äthylester mit 14 *ml* (0,1 Mol) Triäthylamin und 9,5 *ml* (0,15 Mol) Chloracetonitril 5 Stdn. bei 70° gehalten. Das Filtrat vom Triäthylammoniumchlorid wird mit 10%-iger Citronensäure-Lösung, Wasser, ges. Natriumhydrogencarbonat-Lösung und Wasser extrahiert, über Natriumsulfat getrocknet und i. Vak. eingedampft. Der zurückgebliebene Hydroxysäure-ester wird destilliert; Ausbeute: 9,6 g (61% d.Th.); $[\alpha]_D = -7{,}3°$ (ohne Lösungsmittel); $[\alpha]_D = -10{,}6°$ (c = 2; Essigsäure-äthylester); $Kp_{0,2}$: 94–96°.

Über die Verwendung von Cyan-methylestern zur Carboxy-Aktivierung von α-Hydroxysäuren s. S. 882.

38.111.22.13. 2-(4-Brom-phenyl)-2-oxo-äthylester [4-Brom-phenacylester]

Die 4-Brom-phenacylester der α-Hydroxysäuren[6,7] leisten bei der Strukturaufklärung an natürlichen Peptoliden gute Dienste, da sie aufgrund ihrer vorzüglichen Kristallisationseigenschaften eine Reinigung und Charakterisierung der nach der Totalhydrolyse der Peptolide zumeist in unreiner Form anfallenden Hydroxysäuren gestatten. Nach Stewart[8] kann die 4-Brom-phenacyl-Gruppe auch zur Carboxy-Maskierung der Hydroxysäure-Komponente in Peptolid-Synthesen Anwendung finden; die entsprechenden Ester sind in Anlehnung an eine Vorschrift zum Aufbau der 4-Brom-phenacylester von N-Benzyloxycarbonyl-aminosäuren[9] durch Umsetzung der Hydroxysäuren mit 4-Brom-phenacylbromid in Gegenwart von Triäthylamin bequem zugänglich. Nach vollzogener Peptolid-Synthese wird die Schutzgruppe hydrogenolytisch abgespalten; andererseits ermöglicht ihre Beständigkeit gegenüber starken Säuren die selektive Entfernung acidolytisch abspaltbarer Amino-Schutzgruppen.

---

[1] H. Sugano, Bl. chem. Soc. Japan **46**, 2168 (1973).
[2] A. Sporzynski, W. Kocay u. H. V. A. Briscoe, R. **68**, 613 (1949).
[3] A. A. Colon, K. H. Vogel, R. B. Carlin u. J. C. Warner, Am. Soc. **75**, 6075 (1953).
[4] G. Losse u. G. Bachmann, B. **97**, 2671 (1964).
[5] E. Schröder u. K. Lübke, A. **655**, 211 (1962).
[6] W. L. Judefind u. E. E. Reid, Am. Soc. **42**, 1043 (1920).
[7] S.A. Fusari, T. H. Haskell, R. P. Frohardt u. Q. R. Bartz, Am. Soc. **76**, 2881 (1954).
[8] F. H. C. Stewart, Austral. J. Chem. **21**, 1639 (1968).
R. Ledger u. F. H. C. Stewart, Austral. J. Chem. **20**, 787 (1967).

38.111.22.14. Benzylester

Zu Benzylestern führt die protonenkatalysierte Umsetzung von Hydroxysäuren mit Benzylalkohol, der in größerem Überschuß angewendet werden muß, um eine Kondensation der Hydroxysäure zum 2,5-Dioxo-1,4-dioxan-Derivat oder Oligomeren zurückzudrängen (Methoden A, B). Ganz verhindern lassen sich diese Nebenreaktionen nicht in allen Fällen. So konnte Merrifield[1] aus α-Hydroxy-isovaleriansäure und Benzylalkohol neben dem Benzylester ein Nebenprodukt nachweisen (vermutlich das 2,5-Dioxo-1,4-dioxan-Derivat der Hydroxysäure). Aus der sterisch weniger gehinderten α-Hydroxy-propionsäure (Milchsäure) erhielt Merrifield[1] unter gleichen Reaktionsbedingungen den reinen Benzylester. Reine Ester auch sterisch gehinderter α-Hydroxysäuren erhielten Schulz[2] durch Umsetzung der Hydroxysäure mit Benzylchlorid und Triäthylamin (Methode C) und Quitt, Studer und Vogler[3] durch Einwirkung von Phenyldiazomethan (Methode D).

L-α-Hydroxy-propionsäure-benzylester [H-Hypr-OBZL]:

Methode A[1]: 100 *ml* einer 40%-igen (g/v) wäßrigen Lösung von L-α-Hydroxy-propionsäure werden i. Vak. bei 30° auf 45 *ml* eingeengt. Nach Zugabe von 250 *ml* Benzylalkohol wird 2 Stdn. über wasserfreiem Natriumsulfat stehen gelassen, um das restliche Wasser zu binden. Das Filtrat vom Natriumsulfat wird unter Kühlung mit trockenem Chlorwasserstoff gesättigt und 2 Stdn. bei 20° stehen gelassen. Man verteilt anschließend zwischen 130 *ml* Dichlormethan und Wasser, wäscht die organische Phase mit Hydrogencarbonat-Lösung, trocknet über Natriumsulfat und fraktioniert; Kp_{14}: 139–141°; $[\alpha]_D^{25} = -14,7°$ (c = 2,8; Äthanol).

Methode B[4]: In eine Suspension von 10,8 g über Phosphor(V)-oxid getrocknetem Lithiumsalz der L-α-Hydroxy-propionsäure in 60 *ml* absol. Benzylalkohol wird trockener Chlorwasserstoff zur Sättigung eingeleitet. Nach Waschen mit Wasser und Natriumhydrogencarbonat-Lösung wird getrocknet und fraktioniert destilliert; Ausbeute: 9,5 g (47% d. Th.); Kp_{12}: 138–139°; $[\alpha]_D^{20} = -15,0°$ (c = 2,8; Äthanol).

D-α-Hydroxy-isovaleriansäure-benzylester [H-D-Hyiv-OBZL]:

Methode C[2]: 23,6 g D-α-Hydroxy-isovaleriansäure in 100 *ml* absol. Essigsäure-äthylester werden mit 28 *ml* Triäthylamin neutralisiert und nach Zugabe von 25 *ml* Benzylchlorid 12 Stdn. bei 20° und weitere 15 Stdn. bei 70° gehalten. Das Filtrat vom Triäthylammoniumchlorid wird mit 10%-iger Citronensäure-Lösung, Wasser, ges. Hydrogencarbonat-Lösung und Wasser gewaschen und über Natriumsulfat getrocknet. Nach Abdampfen des Lösungsmittels wird der ölige Rückstand i. Vak. über eine kleine Einstichkolonne destilliert; Ausbeute: 29 g (70% d. Th.); $Kp_{0,5}$: 81–83°; $[\alpha]_D = +15,3°$ (c = 1; Äthanol).

Methode D[3]: 22 g (0,186 Mol) D-α-Hydroxy-isovaleriansäure werden portionsweise zu einer gerührten Lösung von Phenyldiazomethan in Diäthyläther gegeben. Nach Beendigung der Stickstoff-Entwicklung wird die hellgelbe Lösung eingeengt und mit 10%-iger Kaliumhydrogencarbonat-Lösung und Wasser gewaschen. Nach Trocknen und Verdampfen des Lösungsmittels hinterbleibt ein Öl, das i. Hochvak. fraktioniert wird; Ausbeute: 33,5 g (86% d. Th.); $Kp_{0,03}$: 85–90°; $[\alpha]_D^{26} = +21,0°$ (ohne Lösungsmittel); $[\alpha]_D^{26} = +14,1°$ (c = 1,2; Äthanol).

Die Abspaltung der Benzylester-Gruppe nach vollzogener Peptolid-Synthese geschieht durch Hydrogenolyse:

N-tert.-Butyloxycarbonyl-D-valyl-D-α-hydroxy-isovaleriansäure [BOC-D-Val-D-Hyiv-OH][2]: 47 g BOC-D-Val-D-Hyiv-OBZL werden in 400 *ml* Methanol an 3 g Palladium hydrogenolysiert. Das Filtrat vom Katalysator wird eingedampft, der Rückstand zwischen wäßriger Hydrogencarbonat-Lösung und Diäthyläther verteilt, die wäßrige Phase bei 0° mit 20%-iger Schwefelsäure angesäuert und das ausgeschiedene Peptolid in Diäthyläther aufgenommen. Nach Verdampfen des Lösungsmittels Ausbeute: 29,3 g (80% d. Th.); F: 127–129° (aus Diäthyläther/Petroläther); $[\alpha]_D = +34°$ (c = 1; Äthanol).

38.111.22.15. 4-Nitro-benzylester

Die 4-Nitro-benzylester-Gruppe verleiht den mit ihr geschützten Peptoliden oft günstige Kristallisationseigenschaften, so daß α-Hydroxysäure-4-nitro-benzylester häufig zu Peptolid-Synthesen herangezogen werden. Die genannten Verbindungen werden erhalten durch

---

1 B. F. Gisin, R. B. Merrifield u. D. C. Tosteson, Am. Soc. **91**, 2691 (1969).

2 H. Schulz, B. **99**, 3425 (1966).

3 P. Quitt, R. O. Studer u. K. Vogler, Helv. **47**, 166 (1964).

4 G. Losse u. G. Bachmann, B. **97**, 2671 (1964).

Umsetzung von O-ungeschützten Hydroxysäuren mit 4-Nitro-benzylchlorid und Triäthylamin[1]:

D-α-Hydroxy-isovaleriansäure-4-nitro-benzylester [H-D-Hyiv-ONB][1]: 5,9 g (0,05 Mol) D-α-Hydroxy-isovaleriansäure und 7,0 *ml* (0,05 Mol) Triäthylamin in 100 *ml* absol. Essigsäure-äthylester werden mit 8,6 g (0,05 Mol) 4-Nitro-benzylchlorid 16 Stdn. zum Sieden erhitzt. Nach Abkühlen wird mit n Salzsäure, 10%-iger Hydrogencarbonat-Lösung und Wasser gewaschen, getrocknet und i. Vak. eingedampft. Das verbleibende Öl kristallisiert auf Anreiben. Aus Diäthyläther/Petroläther erhält man bei –20° 7,5 g (60% d.Th.); F: 28–34°; $[\alpha]_D^{26} = +10°$ (c = 1; Äthanol).

Die Spaltung der Benzylester-Bindung ist nur durch Hydrogenolyse[1] genügend selektiv neben einer Peptolidbindung durchführbar, nicht aber durch alkalische Hydrolyse:

N-Nitroso-N-methyl-L-isoleucyl-D-α-hydroxy-isovaleriansäure [NO-(Me)Ile-D-Hyiv-OH][1]: 11,6 g (28 mMol) NO-(Me)Ile-D-Hyiv-ONB werden in 95%-iger Essigsäure an 3 g 5%-iger Palladiumkohle bei 20° hydrogenolysiert. Die vom Katalysator abfiltrierte Lösung wird i. Vak. eingedampft und der Rückstand zwischen 10%-iger Kaliumhydrogencarbonat-Lösung und Diäthyläther verteilt. Die wäßrige Phase wird abgetrennt und unter Diäthyläther angesäuert, die organische Phase gewaschen, getrocknet und i. Vak. eingedampft. Der Rückstand wird aus Diäthyläther/Petroläther 2mal umkristallisiert; Ausbeute: 5,9 g (77% d.Th.); F: 60–61°; $[\alpha]_D^{25} = -26,7°$ (c = 1,09; Äthanol).

38.111.22.16. Pentamethyl-benzylester

Carboxy-Schutzgruppen, die sich unter milden acidolytischen Bedingungen abspalten lassen, sind für die Peptolid-Synthese von großer Bedeutung; jedoch blieb die tert.-Butylester-Gruppe lange Zeit das einzige Beispiel für diesen Maskierungstyp. Ein schwerwiegender Nachteil der tert.-Butylester-Gruppe ist die geringe Kristallisationstendenz der mit ihr geschützten Peptolide, wodurch deren Reinigung gelegentlich problematisch werden kann. Stewart[2,3] fand jedoch in der Pentamethyl-benzylester-Gruppe einen Carboxy-Schutz, dessen Abspaltung unter (nahezu) gleichen acidolytischen Bedingungen wie im Falle der tert.-Butylester-Gruppe möglich ist, der aber den Peptoliden erheblich verbesserte Kristallisationseigenschaften verleihen soll.

Die genannten Hydroxysäureester werden durch Umsetzung der Hydroxysäuren mit Pentamethyl-benzylchlorid in Gegenwart von Triäthylamin erhalten[3]. Ihre acidolytische Spaltung kann durch kurzzeitige Einwirkung von Trifluoressigsäure oder Bromwasserstoff in Essigsäure vorgenommen werden. Überraschend ist die Resistenz gegenüber Chlorwasserstoff in Methanol, wodurch sich eine Differenzierungsmöglichkeit gegenüber der tert.-Butylester-Gruppe ergibt. Pentamethyl-benzylester lassen sich zwar auch durch alkalische Hydrolyse spalten, doch kommt diese Reaktion wegen der Alkaliempfindlichkeit der Peptolid-Bindung nicht in Frage[2].

Hydroxysäure-pentamethyl-benzylester; allgemeine Herstellungsvorschrift[3]: Zur Lösung oder Suspension der Hydroxysäure in 2 *ml* Dimethylformamid werden 0,56 *ml* Triäthylamin und 0,788 g (4 mMol) Pentamethyl-benzylchlorid gegeben. Man erwärmt vorsichtig bis zur vollständigen Auflösung und läßt über Nacht bei 20° stehen. Auf Zugabe von überschüssiger n Natriumhydrogencarbonat-Lösung fallen die Ester in kristalliner Form an. Der Niederschlag wird gründlich mit Wasser gewaschen und i. Vak. getrocknet. Die Verbindungen können aus Benzol/Petroläther umkristallisiert werden.

38.111.22.17. Ester mit Poly-[hydroxymethyl-styrol]

In Anlehnung an die Festphasen-Methode zur Peptid-Synthese wurde ein analoges Verfahren auch zur Synthese heteromerer Peptide entwickelt[4]. Während bei einer Peptid-Synthese am polymeren Träger die Verknüpfung der ersten (C-terminalen) Aminosäure

---

[1] P. Quitt, R. O. Studer u. K. Vogler, Helv. **47**, 166 (1964).
[2] F. H. C. Stewart, Austral. J. Chem. **21**, 1639 (1968).
[3] F. H. C. Stewart, Austral. J. Chem. **21**, 1327 (1968).
[4] B. F. Gisin, R. B. Merrifield u. D. C. Tosteson, Am. Soc. **91**, 2691 (1969).

üblicherweise durch Umsetzung mit Poly-[chlormethyl-styrol] in Gegenwart eines tertiären Amins vollzogen wird, ist diese Arbeitsweise für Hydroxysäuren nicht empfehlenswert. Günstiger ist dagegen die Verknüpfung von Peptolid-Bausteinen, z.B. N-geschützten O-Aminoacyl-hydroxysäuren mit Poly-[chlormethyl-styrol] in Gegenwart von Triäthylamin (Verfahren A), oder mit Poly-[hydroxymethyl-styrol] unter dem Einfluß von N,N'-Carbonyl-di-imidazol[1] (Kohlensäure-di-imidazolid) (Verfahren B).

Peptolid-polymer; Verknüpfung eines Peptolid-Bausteines mit polymerem Träger:

Verfahren A[2]: 2,1 g (7,75 mMol) BOC-D-Val-Hypr-OH[2], 1,09 *ml* (7,75 mMol) Triäthylamin, 6,0 g chlormethyliertes Styrol-2%-Divinylbenzol-Copolymerisat[2] (s. S. 371ff.) und 45 *ml* Essigsäure-äthylester werden 51 Stdn. zum Sieden erhitzt. Das beladene Harz wird abfiltriert, nacheinander mit Essigsäure-äthylester, Äthanol, Wasser, Äthanol, Essigsäure, Äthanol und Dichlormethan gewaschen und bei 40° 20 Stdn. i. Vak. getrocknet; Ausbeute: 7,4 g.

Verfahren B[1]: Ein Copolymerisat aus Styrol und 2% Divinylbenzol (Korngröße 30–80 μ) wird mit Methyl-chlormethyl-äther und Zinn(IV)-chlorid chlormethyliert[3] und durch Verseifung der Chlormethyl-Gruppen in Poly-[hydroxymethyl-styrol] überführt[4,5]. Das so vorbereitete Harz enthielt 0,72 Milli-äquivalente OH-Gruppen pro g Harz.

1,78 g (5,6 mMol) BOC-Val-D-Hyiv-OH[1] und 0,91 g (5,6 mMol) N,N'-Carbonyl-di-imidazol werden in 50 *ml* Dichlormethan 1 Stde. bei 0° umgesetzt, 10,0 g Poly-[hydroxymethyl-styrol] zugegeben, 72 Stdn. bei 20° gerührt und nacheinander je 3mal mit Dichlormethan, Dichlormethan/Methanol, Methanol, Essigsäure und Methanol gewaschen.

38.111.22.18. tert.-Butylester

Dank ihrer unter besonders milden Bedingungen verlaufenden acidolytischen Spaltung sind die tert.-Butylester der Hydroxysäuren in modernen Peptolid-Synthesen sehr gebräuchlich. Zur Gewinnung aus Hydroxysäuren durch Umsetzung mit Isobuten muß die Hydroxy-Gruppe zunächst geschützt werden, um deren Verätherung zu verhindern. Shemyakin[6] setzte zu diesem Zweck die O-Benzyloxycarbonyl-Gruppe ein, die nach der Veresterung hydrogenolytisch wieder abgespalten wurde (Verfahren A). Der heute übliche Syntheseweg geht jedoch von O-Acetyl-hydroxysäuren aus, die aus Aminosäuren durch Ersatz der Amino-Gruppe durch die Acetoxy-Gruppe besonders bequem zugänglich sind (s. S. 868). Nach der Veresterung der O-Acetyl-hydroxysäure mit Isobuten wird die Hydroxy-Gruppe durch alkalische Hydrolyse freigesetzt (Verfahren B).

D-α-Hydroxy-isovaleriansäure-tert.-butylester [H-D-Hyiv-OtBu]:

Verfahren A[6]:

O-Benzyloxycarbonyl-D-α-hydroxy-isovaleriansäure-tert.-butylester [*Z-D-Hyiv-OtBu*]: Eine Mischung aus 126 g (0,5 Mol) Z-D-Hyiv-OH (s. S. 869), 1 *l* Dichlormethan und 25 g 4-Toluolsulfonsäure wird bei 5–10° mit Isobuten gesättigt (das Gesamtvol. nimmt dadurch um 500 *ml* zu). Nach 70 Stdn. bei 20° wird in Diäthyläther aufgenommen, mit 10%-iger Natriumcarbonat-Lösung und Wasser gewaschen, über Magnesiumsulfat getrocknet und das Lösungsmittel i. Vak. abdestilliert; Ausbeute: 142 g (92% d.Th.).

D-α-Hydroxy-isovaleriansäure-tert.-butylester: Obiger O-geschützter Ester wird in 800 *ml* Methanol gelöst und 40 Stdn. bei 20° an Palladium (aus 3 g Palladiumoxid) hydrogenolytisch entacyliert. Danach wird das Filtrat vom Katalysator i. Vak. eingedampft, der Rückstand in 500 *ml* Diäthyläther gelöst, die Lösung mit ges. Natriumhydrogencarbonat-Lösung gewaschen und über Magnesiumsulfat getrocknet. Nach Verdampfen des Lösungsmittels wird der Rückstand fraktioniert destilliert; Ausbeute: 56 g (64% d.Th.); $Kp_{0,5}$: 42–43°; F: 30–31°; $[\alpha]_D^{20} = +2,9°$ (c = 0,8; Benzol).

---

1 G. Losse u. H. Klengel, Tetrahedron **27**, 1423 (1971).
2 B. F. Gisin, R. B. Merrifield u. D. C. Tosteson, Am. Soc. **91**, 2691 (1969).
3 G. Losse, W. Grenzer u. K. Neubert, Z. **8**, 21 (1968).
4 M. Bodanszky u. J. T. Sheehan, Chem. & Ind. **1966**, 1597.
5 H. C. Beyerman u. R. A. in't Veld, R. **88**, 1019 (1969).
6 M. M. Shemyakin, Y. A. Ovchinnikov, V. T. Ivanov u. A. A. Kiryushkin, Tetrahedron **19**, 581 (1963).

Verfahren B[1]:

O-Acetyl-D-α-hydroxy-isovaleriansäure-tert.-butylester [*Ac-D-Hyiv-OtBu*]: 111 g (0,69 Mol) Ac-D-Hyiv-OH (s. S. 868) werden in 1 *l* Dichlormethan gelöst und nach Zugabe von 6 *ml* konz. Schwefelsäure bei −10° mit 1 *l* über Natrium getrocknetem flüssigem Isobuten versetzt. Nach 40 Stdn. bei 20° wird das Druckgefäß auf 0° gekühlt, das Reaktionsgemisch mit 500 *ml* 10%-iger Kaliumhydrogencarbonat-Lösung bis zur Neutralisation gerührt. Dabei verdampft ein großer Teil des überschüssigen Isobutens. Man wäscht mit 10%-iger Kaliumhydrogencarbonat-Lösung, trocknet über Natriumsulfat und verdampft das Lösungsmittel bei 30° i. Vak. Der Rückstand wird mit etwas festem Natriumhydrogencarbonat versetzt und i. Hochvak. in eine tiefgekühlte Vorlage destilliert; Ausbeute: 133 g (78% d.Th.); $Kp_{0,5}$: 45–48°; $[\alpha]_D^{25} = +42{,}4°$ (c = 5,6; Äthanol).

D-α-Hydroxy-isovaleriansäure-tert.-butylester: 111 g (0,52 Mol) des obigen Esters werden in 100 *ml* Methanol und 50 *ml* Wasser aufgenommen und bei 10° unter Rühren langsam mit 275 *ml* 2n Natronlauge versetzt. Nach erfolgter Zugabe (~ 1 Stde.) entfernt man das Kältebad und läßt weitere 4 Stdn. bei 20° rühren. Danach wird 2 mal mit je 200 *ml* Diäthyläther extrahiert und die abgetrennte organische Phase nach Waschen und Trocknen i. Vak. bei 25° eingedampft. Aus tiefsiedendem Petroläther erhält man bei −20° den kristallinen Ester; Ausbeute: 71 g (69% d.Th.); F: 28–30°; $[\alpha]_D^{25} = +3{,}6°$ (c = 1,1; Benzol).

Die Abspaltung der tert.-Butylester-Gruppe von den mit ihr geschützten Peptoliden gelingt selektiv durch milde Acidolyse. Bewährte saure Reagenzien sind 4-Toluolsulfonsäure in Benzol[1–3], Bromwasserstoff in Essigsäure[3] oder in Kombination mit Trifluoressigsäure[4], oder Chlorwasserstoff in Nitromethan[5].

N-Benzyloxycarbonyl-N-methyl-L-valyl-D-α-hydroxy-isovaleriansäure[1] [Z-(Me)Val-D-Hyiv-OH]: 2,2 g (5,2 mMol) Z-(Me)Val-D-Hyiv-OtBu[1] werden in 50 *ml* Benzol gelöst und mit 220 mg 4-Toluolsulfonsäure 1,5 Stdn. zum Sieden erhitzt. Danach wird zur Trockne eingedampft, der ölige Rückstand in Diäthyläther aufgenommen und die Lösung mit eiskalter 5%-iger Natriumhydrogencarbonat-Lösung extrahiert. Die abgetrennte wäßrige Phase wird unter Diäthyläther angesäuert, die organische Phase mit Wasser gewaschen, über Natriumsulfat getrocknet und eingedampft; Ausbeute: 1,6 g (84% d.Th.) Öl; $[\alpha]_D^{25} = -89°$ (c = 1,2; Benzol).

---

[1] P. A. Plattner, K. Vogler, R. O. Studer, P. Quitt u. W. Keller-Schierlein, Helv. **46**, 927 (1963).

[2] M. M. Shemyakin, Y. A. Ovchinnikov, V. T. Ivanov u. A. A. Kiryushkin, Tetrahedron **19**, 581 (1963).

[3] Y. A. Ovchinnikov, V. T. Ivanov, A. A. Kiryushkin u. M. M. Shemyakin in G. T. Young, *Peptides*, Proc. 5th Europ. Peptide Sympos. Oxford 1962, Pergamon Press, Oxford **1963**, S. 207.

[4] G. Losse u. H. Raue, B. **101**, 1532 (1968).

[5] G. Kupryszewski u. M. Formela, Roczniki Chem. **37**, 161 (1963); C. A. **59**, 10231 (1963).

Tab. 79. Ester der α-Hydroxysäuren [H-HS-OR]

R	F [°C]	$[\alpha]_D$	t	c	Lösungsmittel	Literatur
Hydroxy-essigsäure (Glykolsäure)						
Me	(Kp: 149–151°)					1,2
Et	(Kp: 158–160°)					2–4
NB	114–115					5–7
tBu	(Kp: 63–65°)					6
NP	88–90					7
BPE	142–142,5					8–10
PMB	124,5–125,5					11
L-α-Hydroxy-propionsäure (L-Milchsäure)						
BZL	(Kp_{12}: 138–139°)	−15,0	20	2,8	Äthanol	12–15
tBu	42					16
PMB	97,5–98,5	−2,8	24	2	Äthanol	11
SU	133–135	+3,0	20	2	1,4-Dioxan	15
L-α-Hydroxy-isovaleriansäure						
Et	(Kp_{15}: 70–72°)	+8,1	22	1	Essigsäure	17
BZL	(Kp_{10}: 134–136°)	−16,3	20	2	Äthanol	13,18
tBu	30–31	−2,9	20	0,8	Benzol	19
CyM	($Kp_{0,2}$: 94–96°)	−10,6		22	Essigsäure-äthylester	20,21

1 A. Sporzynski, W. Kocay u. H. V. A. Briscoe, R. **68**, 613 (1949).
2 L. Schreiner, A. **197**, 1 (1879).
3 E. Fischer u. A. Speier, B. **28**, 3252 (1895).
4 H. R. Henze u. W. B. Leslie, J. Org. Chem. **15**, 901 (1950).
5 L. A. Shchukina u. A. L. Jouse in G. T. Young, *Peptides*, Proc. 5th Europ. Peptide Sympos. Oxford 1962, Pergamon Press, Oxford **1963**, S. 189.
6 C. Wasielewski, Roczniki Chem. **43**, 1419 (1969); C. A. **71**, 124 895f (1969).
7 C. Wasielewski, Roczniki Chem. **40**, 1443 (1966); C. A. **67**, 44 074q (1967).
8 F. H. C. Stewart, Austral. J. Chem. **21**, 1639 (1968).
9 W. L. Judefind u. E. E. Reid, Am. Soc. **42**, 1043 (1920).
10 S. A. Fusari, T. H. Haskell, R. P. Frohardt u. Q. R. Bartz, Am. Soc. **76**, 2881 (1954).
11 F. H. C. Stewart, Austral. J. Chem. **21**, 1327 (1968).
12 M. M. Shemyakin, E. I. Vinogradova, M. Y. Feigina, N. A. Aldanova, V. A. Oladkina u. L. A. Shchukina, Doklady Akad. SSSR **140**, 387 (1961); C. A. **56**, 536 (1962).
13 G. Losse u. G. Bachmann, B. **97**, 2671 (1964).
14 B. F. Gisin, R. B. Merrifield u. D. C. Tosteson, Am. Soc. **91**, 2691 (1969).
15 G. Losse u. H. Klengel, Tetrahedron **27**, 1423 (1971).
16 M. M. Shemyakin, N. A. Aldanova, E. J. Vinogradova u. M. Y. Feigina, Izv. Akad. SSSR **1966**, 2143; C. A. **66**, 95 381 (1967).
17 K. Lübke u. E. Schröder, A. **665**, 205 (1963).
18 L. A. Shchukina, R. G. Vdovina, Y. B. Shvetsov u. A. V. Karpova, Izv. Akad. SSSR **1962**, 310; C. A. **57**, 11 007 (1962).
19 M. M. Shemyakin, Y. A. Ovchinnikov, V. T. Ivanov u. A. A Kiryushkin, Tetrahedron **19**, 995 (1963).
20 E. Schröder u. K. Lübke, A. **655**, 211 (1962).
21 K. Lübke u. E. Schröder, Z. Naturf. **16b**, 847 (1961).

Tab. 79. (Fortsetzung)

R	F [°C]	$[\alpha]_D$	t	c	Lösungsmittel	Literatur
D-α-Hydroxy-isovaleriansäure						
Et	(Kp_{15}: 72–73°)	−7,9	22	1	Essigsäure	1
BZL	($Kp_{0,5}$: 81–83°)	+15,3		1	Äthanol	2–7
tBu	30–31	+2,9	20	0,8	Benzol	8–12
NB	28–34	+10	26	1	Äthanol	4
CyM	($Kp_{0,2}$: 93–101°)	+7,0			ohne Lösungsmittel	13,14
SU	109–110	−12,0	23	2	1,4-Dioxan	7
L-α-Hydroxy-isocapronsäure						
Et	(Kp_{12}: 79–80°)					15
tBu	(Kp_{12}: 92–93°)	−7	18	4	Benzol	16,17
D-α-Hydroxy-isocapronsäure						
tBu	(Kp_{15}: 95–98°)	+9,6	20	3	Benzol	18

[1] K. Lübke u. E. Schröder, A. **665**, 205 (1963).

[2] L. A. Shchukina, R. G. Vdovina, Y. B. Shvetsov u. A. V. Karpova, Izv. Akad. SSSR **1962**, 310; C. A. **57**, 11 007 (1962).

[3] M. M. Shemyakin, E. I. Vinogradova, M. Y. Feigina, N. A. Aldanova, V. A. Oladkina u. L. A. Shchukina, Doklady Akad. SSSR **140**, 387 (1961); C. A. **56**, 536 (1962).

[4] P. Quitt, R. O. Studer u. K. Vogler, Helv. **47**, 166 (1964).

[5] H. Schulz, B. **99**, 3425 (1966).

[6] B. F. Gisin, R. B. Merrifield u. D. C. Tosteson, Am. Soc. **91**, 2691 (1969).

[7] G. Losse u. H. Klengel, Tetrahedron **27**, 1423 (1971).

[8] Y. A. Ovchinnikov, V. T. Ivanov, A. A. Kiryushkin u. M. M. Shemyakin in G. T. Young, *Peptides*, Proc. 5th Europ. Peptide Sympos. Oxford 1962, Pergamon Press, Oxford **1963**, S. 207.

[9] M. M. Shemyakin, Y. A. Ovchinnikov, A. A. Kiryushkin u. V. T. Ivanov, Tetrahedron Letters **1962**, 301.

[10] M. M. Shemyakin, Y. A. Ovchinnikov, A. A. Kiryushkin u. V. T. Ivanov, Izv. Akad. SSSR **1962**, 2154; C. A. **58**, 14087 (1963).

[11] M. M. Shemyakin, Y. A. Ovchinnikov, V. T. Ivanov u. A. A. Kiryushkin, Tetrahedron **19**, 581 (1963).

[12] P. A. Plattner, K. Vogler, R. O. Studer, P. Quitt u. W. Keller-Schierlein, Helv. **46**, 927 (1963).

[13] E. Schröder u. K. Lübke. A. **655**, 211 (1962).

[14] K. Lübke u. E. Schröder, Z. Naturf. **16 b**, 847 (1961).

[15] H. Scheibler u. A. S. Wheeler, B. **44**, 2684 (1911).

[16] Y. A. Ovchinnikov u. M. M. Shemyakin, Ž. obšč. Chim. **36**, 620 (1966); C. A. **65**, 9 013 (1966).

[17] A. A. Kiryushkin, Y. A. Ovchinnikov u. M. M. Shemyakin, Tetrahedron Letters **1965**, 143.

[18] I. I. Mikhaleva, I. D. Ryabova, Y. A. Ovchinnikov u. M. M. Shemyakin; Ž. obšč. Chim. **38**, 1228 (1968); C. A. **69**, 97 135 (1968).

Tab. 80. Carboxy-Schutzgruppen für α-Hydroxysäuren und ihre Abspaltung

Schutzgruppe	Abspaltungsreaktion (Reagenz)	Literatur
Me	Hydrolyse (NaOH)	1
Et	Hydrolyse (NaOH)	1
CyM	Hydrolyse (NaOH)	2,3
BPE	Hydrogenolyse	4,5
BZL	Hydrogenolyse	3,6–9
NB	Hydrogenolyse	8,10
PMB	Acidolyse	11
tBu	Acidolyse (HBr, HCl, TOS-OH, TFA-OH)	12–16

38.111.22.2. Unechte Carboxy-Schutzgruppen

38.111.22.21. N′-maskierte Hydrazide der α-Hydroxysäuren

Die Blockade ihrer Carboxy-Gruppe durch Überführung einer Hydroxysäure in ein N′-maskiertes Hydrazid wird durch Umsetzung mit Alkylcarbazaten nach der Carbodiimid- oder Azid-Methode durchgeführt[17]. Eine zweite Möglichkeit liegt in der nachträglichen Einführung einer N′-Maskierung in Hydroxysäure-hydrazide, die ihrerseits durch Hydrazinolyse von Hydroxysäure-methylestern oder -äthylestern (s. S. 873ff.) zugänglich sind[6,18].

L-α-Hydroxy-isovaleriansäure-hydrazid [H-Hyiv-NHNH$_2$][18]: 36,7 g (0,25 Mol) H-Hyiv-OEt (s. S. 873) werden in wenig Methanol gelöst und mit 19,4 *ml* (0,4 Mol) Hydrazin-Hydrat versetzt. Nach 2–3 Tagen wird das gebildete Hydrazid abgesaugt und über konz. Schwefelsäure getrocknet. Es kann aus Äthanol/Diäthyläther umkristallisiert werden; Ausbeute: 29,1 g (88% d. Th.); F: 138–139°; $[\alpha]_D^{22} = -71{,}3°$ (c = 1; Äthanol).

---

[1] A. A. Colon, K. H. Vogel, R. B. Carlin u. J. C. Warner, Am. Soc. **75**, 6075 (1953).
[2] M. M. Shemyakin, Ang. Ch. **72**, 342 (1960).
[3] G. Losse u. G. Bachmann, B. **97**, 2671 (1964).
[4] F. H. C. Stewart, Austral. J. Chem. **21**, 1639 (1968).
[5] G. C. Stelakatos, A. Paganou u. L. Zervas, Soc. [C] **1966**, 1191.
[6] H. Schulz, B. **99**, 3425 (1966).
[7] C. H. Hassall, D. G. Sanger u. J. O. Thomas in E. Bricas *Peptides* 1968, Proc. 9th Europ. Peptide Sympos. Orsay 1968, North-Holland Publ. Co., Amsterdam **1968**, S. 70.
[8] P. Quitt, R. O. Studer u. K. Vogler, Helv. **47**, 166 (1964).
[9] G. Losse u. H. Klengel, Tetrahedron **27**, 1423 (1971).
[10] C. Wasielewski, Roczniki Chem. **43**, 1419 (1969); C. A. **71**, 124 895 (1969).
[11] F. H. C. Stewart, Austral. J. Chem. **21**, 1327 (1968).
[12] P. A. Plattner, K. Vogler, R. O. Studer, P. Quitt u. W. Keller-Schierlein, Helv. **46**, 927 (1963).
[13] M. M. Shemyakin, Y. A. Ovchinnikov, V. T. Ivanov u. A. A. Kiryushkin, Tetrahedron **19**, 581 (1963).
[14] Y. A. Ovchinnikov, V. T. Ivanov, A. A. Kiryushkin u. M. M. Shemyakin in G. T. Young, *Peptides*, Proc. 5th Europ. Peptide Sympos. Oxford 1962, Pergamon Press, Oxford **1963**, S. 207.
[15] G. Losse u. H. Raue, B. **101**, 1532 (1968).
[16] G. Kupryszewski u. M. Formela, Roczniki Chem. **37**, 161 (1963), C. A. **59**, 10 231 (1963).
[17] E. Schröder u. K. Lübke in G. T. Young, *Peptides*, Proc. 5th Europ. Peptide Sympos. Oxford 1962, Pergamon Press, Oxford **1963**, S. 195.
[18] K. Lübke u. E. Schröder, A. **665**, 205 (1963).

D-α-Hydroxy-isovaleriansäure-N'-tert.-butyloxycarbonyl-hydrazid [H-D-Hyiv-NHNH(BOC)][1]: 0,6 g H-D-Hyiv-$NHNH_2$[1] in 100 *ml* absol. Pyridin werden mit 8,6 g frisch destilliertem tert.-Butyloxycarbonyl-azid versetzt. Nach 20 Tagen bei 20° wird das Lösungsmittel i. Vak. abdestilliert, der Rückstand in Essigsäure-äthylester aufgenommen, nacheinander mit 10%-iger Citronensäure-Lösung, Wasser, ges. Natriumhydrogencarbonat-Lösung und Wasser gewaschen und über Natriumsulfat getrocknet. Nach Verdampfen des Lösungsmittels wird der Rückstand aus Essigsäure-äthylester/Petroläther umkristallisiert; Ausbeute: 8,5 g (73% d. Th.); F: 99–101°; $[\alpha]_D = +48°$ (c = 1; Essigsäure).

N'-geschützte Hydroxysäure-hydrazide können als Schlüsselverbindungen zur Übertragung des ursprünglich für die Peptidsynthese entwickelten „Prinzips der geschützten Hydrazide"[2,3] (s. S. 431 ff.) auf die Peptolid-Synthese dienen, wodurch eine Kettenverlängerung von Peptoliden über die terminale Carboxy-Gruppe nach der Azid-Methode ermöglicht wird.

38.111.22.3. Amide der α-Hydroxysäuren

Amide der α-Hydroxysäuren können durch Ammonolyse der entsprechenden Methylester erhalten werden[4].

L-α-Hydroxy-γ-methylthio-buttersäure-amid [H-Hymb-NH_2][4]: Die Lösung von 18 g (110 mMol) H-Hymb-OMe (s. S. 874) in 300 *ml* Methanol wird mit trockenem Ammoniak bei 0° gesättigt. Nach 48 Stdn. bei 20° werden Lösungsmittel und überschüssiges Ammoniak abgedampft; Ausbeute: 16 g (100% d. Th.); Öl; $[\alpha]_D^{25} = -55{,}0°$ (c = 0,65; Wasser).

38.111.22.4. N-(α-Hydroxy-acyl)-aminosäuren

Die Verknüpfung carboxy-maskierter Aminosäuren oder Peptide als Amin-Komponente mit O-ungeschützten α-Hydroxysäuren als Kopfkomponente nach Carbodiimid[5,6]-, Aktivester (Cyan-methylester[7])- oder Azid-Methode[5] führt zu O-ungeschützten α-Hydroxy-acyl-aminosäure-Derivaten, deren nachfolgende Umsetzung als „Pseudoaminkomponente" mit N-geschützten Aminosäuren oder Peptiden nach den zum Aufbau der Peptolid-Bindung üblichen Methoden vorgenommen wird (vgl. S. II/370 ff.). Die gleiche Verbindungsklasse ist auch durch Diazotierung der terminalen Amino-Gruppe carboxy-maskierter Peptide und nachfolgenden Austausch der Diazo-Gruppe durch eine Hydroxy-Gruppe zugänglich[8], wobei jedoch die Bildung racemischer Produkte nicht ausgeschlossen werden kann.

Weiterhin sei auf die Möglichkeit hingewiesen, durch Hydrolyse von N-(α-Halogen-acyl)-aminosäuren zu N-(α-Hydroxy-acyl)-aminosäuren zu kommen[9,10].

Schließlich lassen sich N-(α-Hydroxy-acyl)-aminosäuren selbstverständlich auch durch Verknüpfung O-geschützter α-Hydroxy-säuren als Kopfkomponente mit Aminosäuren (gegebenenfalls in carboxy-maskierter Form) als Amin-Komponente und nachfolgende Demaskierung gewinnen.

D-α-Hydroxy-isovaleroyl-L-valin-benzylester [H-D-Hyiv-Val-OBZL]; Carbodiimid-Methode[5]: Zu 2,4 g (20 mMol) D-α-Hydroxy-isovaleriansäure in 10 *ml* Methanol werden bei 0° 9,5 g (25 mMol) H-Val-OBZL · TOS-OH und 3,5 *ml* Triäthylamin in 20 *ml* Methanol sowie 5,2 g (20 mMol) Dicyclohexylcarbodiimid in

---

[1] H. Schulz, B. **99**, 3425 (1966).
[2] K. Hofmann, M. Z. Magee u. A. Lindenmann, Am. Soc. **72**, 2814 (1950).
[3] K. Hofmann, A. Lindenmann, M. Z. Magee u. N. Haq Khan, Am. Soc. **74**, 470 (1952).
[4] H. Sugano, Bl. chem. Soc. Japan **46**, 2168 (1973).
[5] K. Lübke u. E. Schröder, A. **665**, 205 (1963).
[6] G. Losse u. G. Bachmann, B. **97**, 2671 (1964).
[7] K. Lübke u. E. Schröder, Z. Naturf. **16 b**, 847 (1961).
[8] T. Curtius u. A. Darapsky, B. **39**, 1373 (1906).
[9] E. Fischer u. G. Reif, A. **363**, 118 (1908).
[10] E. Fischer u. W. Gluud, A. **369**, 247 (1909).

10 *ml* Methanol gegeben. Man läßt über Nacht bei 0° und weitere 24 Stdn. bei 20° stehen, saugt vom abgeschiedenen N,N'-Dicyclohexyl-harnstoff ab und engt das Filtrat i. Vak. ein. Zur Entfernung des überschüssigen Carbodiimids gibt man einige Tropfen Essigsäure hinzu, läßt 1 Stde. bei 0° stehen, nimmt in Essigsäure-äthylester auf, wäscht mit Citronensäure- und Natriumhydrogencarbonat-Lösung, trocknet, dampft das Lösungsmittel ab und kristallisiert aus Essigsäure-äthylester/Petroläther um; Ausbeute: 4,5 g (73% d. Th.); F: 78–80°; $[\alpha]_D^{22} = -6{,}1°$ (c = 1; Essigsäure).

D-α-Hydroxy-isovaleroyl-L-valyl-L-leucin-methylester [H-D-Hyiv-Val-Leu-OMe]; Azid-Methode[1]: 2,64 g (20 mMol) H-D-Hyiv-$NHNH_2$[1] werden in 30 *ml* 1,5 n Chlorwasserstoff in Tetrahydrofuran suspendiert und mit einer auf −20° gekühlten Lösung von 2,27 g (22 mMol) tert.-Butylnitrit in 16 *ml* Tetrahydrofuran versetzt (zu dieser Arbeitsweise vgl.[2]). Man rührt bis zur vollständigen Auflösung, gibt 200 *ml* Essigsäure-äthylester von −20° zu, schüttelt mit möglichst kalter Hydrogencarbonat-Lösung aus und trocknet über Natriumsulfat. Die so erhaltene Azid-Lösung wird zu einem gekühlten Gemisch von 7,0 g (25 mMol) H-Val-Leu-OMe · HCl[1] und 3,48 *ml* (25 mMol) Triäthylamin in wenig Dimethylformamid gegeben. Man läßt über Nacht bei 0° stehen, schüttelt mit 10%-iger Citronensäure-Lösung, Wasser, gesätt. Hydrogencarbonat-Lösung und Wasser aus, trocknet über Natriumsulfat und dampft i. Vak. ein. Der Rückstand wird aus Essigsäure-äthylester/Petroläther umkristallisiert; Ausbeute: 5,1 g (74% d. Th.); F: 153–155°; $[\alpha]_D^{22} = -65{,}1°$ (c = 1; Essigsäure).

Hydroxyacetyl-glycin-äthylester [H-Hyac-Gly-OEt]; Curtius-Methode[3]:

N-Diazoacetyl-glycin-äthylester [AZA-Gly-OEt]: 9,8 g (50 mMol) H-Gly-Gly-OEt · HCl werden in 40 *ml* wäßriger 2 m Natriumacetat-Lösung gelöst und unter Kühlung zunächst mit der Lösung von 5 g Natriumnitrit in 10 *ml* Wasser vermischt und darauf 2 *ml* Essigsäure zugefügt. Man läßt die sich sofort gelb färbende Mischung ruhig, ohne umzuschütteln, 5 Stdn. bei 0° stehen. Der Niederschlag wird abgesaugt, mit kleinen Mengen Eiswasser, verd. Natriumcarbonat-Lösung und Eiswasser gewaschen und i. Vak. getrocknet; Ausbeute: 4,5–4,9 g (52–57% d. Th.); F: 107° (aus Äthanol).

N-Hydroxyacetyl-glycin-äthylester [H-Hyac-Gly-OEt]: 1,7 g obigen Esters werden mit 10 *ml* Wasser 30 Min. auf dem siedenden Wasserbade erwärmt, bis die Stickstoff-Entwicklung beendet ist. Man destilliert das Lösungsmittel i. Vak. ab. Der Rückstand erstarrt bei mehrtägigem Stehen und kann aus Benzol umkristallisiert werden; F: 68,5°.

38.112. α-Hydroxysäuren mit drittfunktioneller Amin-Gruppe

α-Hydroxysäuren mit einer zusätzlichen α-Amin-Gruppe als Drittfunktion kommen im Peptidteil einiger Mutterkornalkaloide vor, so *α-Hydroxy-alanin* in den Alkaloiden des Ergotamin-Typs, *α-Hydroxy-α-amino-buttersäure* in den Alkaloiden der Ergoxin-Gruppe und *α-Hydroxy-valin* in den Alkaloiden des Ergotoxin-Typs[4–6]. Zur Reihe der α-Hydroxy-β-aminosäuren gehört das *Isoserin*, dessen Vorkommen im Antibiotikum Edein nachgewiesen wurde[7].

Synthetische Arbeiten wurden bisher lediglich mit den α-Hydroxy-α-aminosäuren durchgeführt. Zu berücksichtigen ist die Instabilität der O,N-ungeschützten Säuren, die sich aus ihrer Struktur (Halbaminale von α-Ketosäuren) erklärt und der durch Maskierung wenigstens entweder der Hydroxy-Gruppe oder der Amin-Gruppe begegnet werden muß. So reicht z. B. die Beständigkeit N-acyl-geschützter α-Hydroxy-α-aminosäuren für Synthesezwecke aus[8,9]; zu vermeiden sind jedoch höhere Konzentrationen an Säure oder Alkali, unter deren Einfluß der Zerfall in α-Ketosäuren eintritt.

---

[1] K. Lübke u. E. Schröder, A. **665**, 205 (1963).
[2] J. Honzl u. J. Rudinger, Collect. czech. chem. Commun. **26**, 2333 (1961); vgl. S. II/310.
[3] T. Curtius u. A. Darapsky, B. **39**, 1373 (1906).
[4] H. Ott, A. J. Frey u. A. Hofmann, Tetrahedron **19**, 1675 (1963).
[5] A. Stoll, A. Hofmann u. T. Petrzilka, Helv. **34**, 1544 (1951).
[6] P. Stütz, P. A. Stadler u. A. Hofmann, Helv. **53**, 1278 (1970).
[7] G. Roncari, Z. Kurylo-Borowska u. L. C. Craig, Biochemistry **5**, 2153 (1966).
[8] M. M. Shemyakin, Collect. czech. chem. Commun. **24**, 143 (1959).
[9] M. M. Shemyakin, E. S. Tchaman, L. I. Denisova, G. A. Ravdel u. W. J. Rodionov, Bl. **1959**, 530.

Die sicherste Arbeitsweise ist, die Amin-Gruppe als solche erst am Schluß der Synthese einzuführen, wie am Beispiel des Peptid-Teils von Mutterkornalkaloiden gezeigt wurde[1–3].

38.112.1. *Verwendung als Kopfkomponente*

N-Maskierte Amino-α-hydroxysäuren sollten als Kopfkomponente unter den gleichen Voraussetzungen wie α-Hydroxysäuren in der Synthese eingesetzt werden können. Ein Beispiel dafür ist in der Umsetzung einer α-tert.-Butyloxy-α-benzoylamino-säure mit einem Aminosäureester bekannt geworden[4].

O-Alkyl,N-benzoyl-geschützte α-Hydroxy-α-aminosäure-Derivate II sind in mehrstufiger Reaktionsfolge aus N-Benzoyl-aminosäuren zugänglich: Überführung der N-Benzoyl-aminosäure in ein 1,3-Oxazolinon-(5) (I) [4,5-Dihydro-1,3-oxazolon-(5)], Bromierung am α-C-Atom, Austausch des Brom-Atoms durch eine Alkoxy-Gruppe unter gleichzeitiger alkoholytischer Aufspaltung des 1,3-Oxazolinon-Systems, Verseifung der Ester-Gruppe[4]:

$$\text{I} \xrightarrow[-\,HBr]{+\,Br_2} \text{(Brom-oxazolinon)} \xrightarrow[-\,HBr]{+\,2\,R^1-OH} H_5C_6-CO-NH-C(R)(OR^1)-CO-OR^1 \longrightarrow H_5C_6-CO-NH-C(R)(OR^1)-COOH \;\; \text{II}$$

Beim Versuch, das Brom-Atom durch eine Acyloxy-Gruppe zu ersetzen, entstanden hochmolekulare Produkte unbekannter Struktur[5]. Die Nachteile der betrachteten „1,3-Oxazolinon-Methode" sind das Auftreten racemischer Endprodukte (bedingt durch die Racemisierung der 1,3-Oxazolinon-Zwischenstufen) sowie die Verwendung der N-Benzoyl-Gruppe, die sich von der Amino-Gruppe kaum wieder abspalten läßt.

38.112.2. *Verwendung als „Pseudoamin-Komponente"*

38.112.21. Carboxy-Schutzgruppen

Über die Verwendung N-geschützter α-Amino-α-hydroxysäuren als Pseudoamin-Komponente in der Peptidsynthese ist nichts bekannt geworden; sie sollte jedoch nach den gleichen Methoden möglich sein, die für Hydroxysäuren zur Anwendung kommen.

Echter Carboxy-Schutz in Form von Ester-Gruppen ist nur für N-maskierte α-Amino-α-hydroxysäuren beschrieben worden[4,5]. So werden Methylester durch Umsetzung der N-maskierten Amino-hydroxysäuren mit Diazomethan erhalten[4]. Analoge Ester können

---

[1] P. Stütz, P. A. Stadler u. A. Hofmann, Helv. **53**, 1278 (1970).
[2] A. Hofmann, H. Ott, R. Griot, P. A. Stadler u. A. J. Frey, Helv. **46**, 2306 (1963).
[3] A. Hofmann, A. J. Frey u. H. Ott, Experientia **17**, 206 (1961).
[4] M. M. Shemyakin, E. S. Tchaman, L. I. Denisova, G. A. Ravdel u. W. J. Rodionov, Bl. **1959**, 530.
[5] M. M. Shemyakin, Collect. czech. chem. Commun. **24**, 143 (1959).

auch durch Aufspaltung entsprechender 4-Brom-1,3-oxazolin-one-(5) (s. S. 884) mit einem Äquivalent Alkohol und nachfolgenden Austausch des Brom-Atoms durch eine Hydroxy-Gruppe erhalten werden[1,2]:

$$\text{(4-R-4-Br-2-}C_6H_5\text{-1,3-oxazolin-5-on)} \xrightarrow{+\ R^1-OH} H_5C_6-CO-NH-C(R)(Br)-COOR^1 \xrightarrow[-\ HBr]{+\ H_2O} H_5C_6-CO-NH-C(R)(OH)-COOR^1$$

38.112.22. N-(α-Hydroxy-α-aminoacyl)-aminosäuren

Das Gebiet der N-(α-Hydroxy-α-aminoacyl)-aminosäuren oder -peptide ist bisher wenig bearbeitet worden.

Entsprechende Verbindungen der O,N-geschützten α-Hydroxy-α-aminosäuren können nach der 1,3-Oxazolinon-Methode erhalten werden[1]. Weitere Vertreter findet man in bestimmten Mutterkornalkaloiden, deren Peptidteil durch die tautomere Cyclolform von N-(α-Hydroxy-α-amino-acyl)-2,5-dioxo-piperazinen gebildet wird[3].

38.12. β-Hydroxysäuren

38.121. β-Hydroxysäuren ohne Drittfunktion

Zu den bisher in Naturstoffen nachgewiesenen β-Hydroxysäuren ohne Drittfunktion gehören die *D-β-Hydroxy-decansäure* (in Serratamolid[4], Viscosin[5]), *L-β-Hydroxy-decansäure* (*βHyde*) (in Isariin[6]), *β-Hydroxy-undecansäure* (*βHyud*) (in Isaroliden[7]), *β-Hydroxy-tridecansäure* (*βHytd*) (in Esperin[8]) und *L-β-Hydroxy-β-phenyl-propionsäure* (*βHypp*) (in Pithomycolid[9]). Strukturell gehören die aufgezählten β-Hydroxysäuren zur Reihe der Pseudo-homo-aminosäuren.

38.121.1. *Verwendung als Kopfkomponente*

38.121.11. Mit freier Hydroxy-Funktion

Für den Einsatz O-ungeschützter β-Hydroxysäuren als Kopfkomponente in der Peptolidsynthese gelten die gleichen methodischen Voraussetzungen, die am Beispiel der α-Hydroxysäuren dargelegt wurden (s. S. 866, 882f.). Soweit bekannt, sind β-Hydroxy-acylierungen von Aminosäuren oder Peptiden unter Verzicht auf eine O-Maskierung bisher nur nach dem Aktivester-Verfahren[5] vorgenommen worden.

---

[1] M. M. SHEMYAKIN, E. S. TCHAMAN, L. I. DENISOVA, G. A. RAVDEL u. W. J. RODIONOV, Bl. **1959**, 530.
[2] M. M. SHEMYAKIN, Collect. czech. chem. Commun. **24**, 143 (1959).
[3] A. STOLL, A. HOFMANN u. T. PETRZILKA, Helv. **34**, 1544 (1951).
[4] H. H. WASSERMANN, J. J. KEGGI u. J. E. MCKEON, Am. Soc. **84**, 2978 (1962).
[5] M. HIRAMOTO, K. OKADA, S. NAGAI u. H. KAWAMOTO, Biochem. Biophys. Research Commun. **35**, 702 (1969).
[6] L. C. VINING u. W. A. TABER, Canad. J. Chem. **40**, 1579 (1962).
[7] L. H. BRIGGS, B. J. FERGUS u. J. S. SHANNON, Tetrahedron **22**, 269 (1966).
[8] T. ITO u. H. OGAWA, Bl. agric. chem. Soc. Japan **23**, 536 (1959); C. A. **54**, 7577 (1960).
[9] L. H. BRIGGS, L. D. COLEBROOK, B. R. DAVIS u. P. W. LE QUESNE, Soc. **1964**, 5626.

38.121.12. Mit maskierter Hydroxy-Funktion

Zur Hydroxy-Maskierung der β-Hydroxysäuren sollten die gleichen Schutzgruppen brauchbar sein, die bei den α-Hydroxysäuren eingesetzt worden sind (s. S. 867 ff.), doch fanden in der Synthesepraxis bisher lediglich die O-Benzyl- sowie die O-Acetyl-Gruppe Verwendung.

38.121.12.1. O-Benzyl-Gruppe

Die *O-Benzyl-β-hydroxy-decansäure* entsteht durch Umsetzung der freien β-Hydroxy-decansäure mit Benzylbromid und Silberoxid[1]. Unter den angewandten Bedingungen wird zusätzlich die Carboxy-Gruppe verestert, anschließend jedoch durch alkalische Hydrolyse wieder in Freiheit gesetzt.

β-Propiolacton wird mit Benzylalkohol zur *O-Benzyl-β-hydroxy-propionsäure* aufgespalten[2]; daneben bildet sich in geringer Menge der Benzylester, der destillativ abgetrennt werden kann.

O-Benzyl-β-hydroxy-propionsäure [BZL-βHypr-OH][2]: 72 g (1 Mol) β-Propiolacton und 680 g (6,3 Mol) Benzylalkohol werden 9 Stdn. bei 75° und weitere 9 Stdn. bei 65° gerührt. Der überschüssige Benzylalkohol wird bei 30 Torr abdestilliert und der Rückstand i. Hochvak. fraktioniert destilliert. Die im Siedepunktsbereich von 124–130° (0,01 Torr) übergehende Säure wird aus Diäthyläther umkristallisiert; Ausbeute: 106,9 g (59,3% d. Th.); F: 31,5-33,5°.

Im Siedepunktsbereich 146–152° (0,01 Torr) gehen 56 g (21% d. Th.) *O-Benzyl-β-hydroxy-propionsäure-benzylester* über.

Die Abspaltung der O-Benzyl-Gruppe gelingt durch Acidolyse[3] oder Hydrogenolyse[1,3].

38.121.12.2. O-Acetyl-Gruppe

Die O-Acetyl-Verbindungen entstehen durch Umsetzung der freien β-Hydroxysäuren mit Acetylchlorid und Pyridin[4]. Speziell zur Herstellung der *O-Acetyl-β-hydroxy-propionsäure* eignet sich die Aufspaltung des β-Propiolactons mit Essigsäure oder Natriumacetat[5,6].

O-Acetyl-β-hydroxy-propionsäure [Ac-βHypr-OH][5]: Zur Lösung von 328 g (4 Mol) Natriumacetat in Wasser werden bei 20° unter Rühren innerhalb 15 Min. 72 g (1 Mol) β-Propiolacton zugetropft. Nach 1 Stde. wird bei 0° mit konz. Salzsäure angesäuert und mit Diäthyläther extrahiert. Die abgetrennte organische Phase wird über Natriumsulfat getrocknet, das Lösungsmittel i. Vak. abgedampft und der Rückstand fraktioniert destilliert; Ausbeute: 97 g (73% d. Th.); $Kp_{0,4}$: 83–84°.

Zur Entfernung der O-Acetyl-Gruppe werden alkalische Hydrolyse[1] oder Ammonolyse[7,8] vorgeschlagen.

---

[1] A. A. Kiryushkin, V. I. Shchelokov, V. K. Antonov, Y. A. Ovchinnikov u. M. M. Shemyakin, Khim. Prir. Soedin. **3**, 267 (1967); C. A. **69**, 77 709 (1968).

[2] J. J. Bloomfield, J. Org. Chem. **27**, 2742 (1962).

[3] M. Löw u. L. Kisfaludy in L. Zervas, *Peptides*, Proc. 6th Europ. Peptide Sympos. Athens 1963, Pergamon Press, Oxford **1966**, S. 35.

[4] N. J. Cartwright, Biochem. J. **67**, 663 (1957).

[5] T. L. Gresham, J. E. Jansen u. F. W. Shaver, Am. Soc. **70**, 1003 (1948).

[6] T. L. Gresham, J. E. Jansen u. F. W. Shaver, Am. Soc. **72**, 72 (1950).

[7] F. M. Callahan, G. W. Anderson, R. Paul u. J. E. Zimmerman, Am. Soc. **85**, 201 (1963).

[8] J. Kurtz, G. D. Fasman, A. Berger u. E. Katchalski, Am. Soc. **80**, 393 (1958).

Tab. 81. O-Geschützte β-Hydroxysäuren [R-βHS-OH]

R	F [°C]	$[\alpha]_D$	t	c	Lösungsmittel	Literatur
L-β-Hydroxy-propionsäure						
BZL	31,5–33,5					1
Ac	($Kp_{0,4}$: 83–84°)					2
D-β-Hydroxy-decansäure						
BZL		−5,6	20	1,2	Chloroform	3

38.121.12.3. O-(Aminoacyl)-β-hydroxysäuren

Zum Aufbau der O-(Aminoacyl)-β-hydroxysäuren (d.h. β-Peptolide) geht man grundsätzlich wie bei der Erstellung der entsprechenden α-Hydroxysäure-Derivate vor (s. S. 871f.), wobei sich die Analogie sowohl auf die Schutzgruppentechnik als auch auf die Verknüpfungsmethoden bezieht. N-geschützte β-Peptolide können nach dem Carbodiimid-Verfahren mit Amin-Komponenten (z.B. carboxy-geschützten β-Peptoliden) umgesetzt werden[4].

38.121.2. *Verwendung als „Pseudoamin-Komponente"*

38.121.21. Mit freier Carboxy-Funktion

Verknüpfungen N-geschützter Aminosäuren oder Peptide als Kopfkomponenten mit carboxy-ungeschützten β-Hydroxysäuren sind bisher nicht bekannt geworden.

38.121.22. Mit maskierter Carboxy-Funktion

38.121.22.1. Carboxy-Schutzgruppen

Im Gegensatz zur Vielfalt der Carboxy-Schutzgruppen, die zur Maskierung der α-Hydroxysäuren verwendet werden (s. S. 873ff.), kamen im Bereich der β-Hydroxysäuren bisher nur Methylester, Äthylester und Benzylester zur Anwendung. Die zur Spaltung der genannten Ester-Gruppen geeigneten Reaktionen werden bei den analogen Verbindungen der α-Hydroxysäuren besprochen (s. S. 873ff.).

β-Hydroxysäuren können in Analogie zu den entsprechenden α-Hydroxysäuren mit überschüssigem Alkohol verestert werden[5] (s. S. 873). Speziell Ester der β-Hydroxy-propionsäure werden auch durch basisch katalysierte Alkoholyse des β-Propiolactons erhalten[6,7].

---

1 J. J. Bloomfield, J. Org. Chem. **27**, 2742 (1962).

2 T. L. Gresham, J. E. Jansen u. F. W. Shaver, Am. Soc. **70**, 1003 (1948).

3 A. A. Kiryushkin, V. I. Shchelokov, V. K. Antonov, Y. A. Ovchinnikov u. M. M. Shemyakin, Khim. Prir. Soedin. **3**, 267 (1967); C. A. **69**, 77 709 (1968).

4 C. H. Hassall u. J. O. Thomas, Soc. [C] **1968**, 1495.

5 N. J. Cartwright, Biochem. J. **67**, 663 (1957).

6 T. L. Gresham, J. E. Jansen, F. W. Shaver, J. T. Gregory u. W. L. Beears, Am. Soc. **70**, 1004 (1948).

7 C. H. Hassall, T. G. Martin, J. A. Schofield u. J. O. Thomas, Soc. [C] **1967**, 997.

Da es sich bei dieser Reaktion um die Spaltung der Acyl-Sauerstoff-Bindung des Lactons handelt, sollte das Verfahren auch auf optisch aktive β-Hydroxysäuren ohne Aktivitätsverlust der gebildeten Ester übertragbar sein, sofern ihre β-Lactone erhältlich sind. Entsprechende Untersuchungen stehen bisher jedoch aus.

β-Hydroxy-propionsäure-benzylester [H-βHypr-OBZL][1]: 60,0 g (0,833 Mol) β-Propiolacton werden langsam bei 0° unter Rühren zur Lösung von 2,25 g (42 mMol) Natriummethanolat in 540 g (5 Mol) Benzylalkohol zugetropft. Danach wird 2 Stdn. bei 0° nachgerührt. Nach 7 Stdn. bei 20° wird das Reaktionsgemisch mit Wasser extrahiert und getrocknet. Der überschüssige Benzylalkohol wird i. Vak. abdestilliert ($Kp_{1,2}$: 58–80°) und der Rückstand i. Hochvak. fraktioniert destilliert; Ausbeute: 103,4 g (69% d. Th.); $Kp_{0,15}$: 100–106° (O-Dinitrobenzoyl-Derivat: F: 113–115°).

Tab. 82. Ester der β-Hydroxysäuren [H-βHS-OR]

R	F [°C]	$[\alpha]_D$	t	c	Lösungsmittel	Literatur
L-β-Hydroxy-propionsäure						
Me	(Kp_{13}: 71°)					2
BZL	($Kp_{0,2}$: 102°)					1
D-β-Hydroxy-decansäure						
Me	13	−18,3	20	2,8	Chloroform	3
SU	93–94	+ 3,0		1	Essigsäure-äthylester	4
L-β-Hydroxy-tridecansäure						
tBu	Öl	+ 14,5	20	7	Chloroform	5
D-β-Hydroxy-tridecansäure						
tBu	Öl	−14,5	20	7	Chloroform	5

38.121.22.2. N-(β-Hydroxy-acyl)-aminosäuren

Zum Aufbau von N-(β-Hydroxy-acyl)-aminosäuren eignen sich die gleichen Methodne, die sich in der Synthese der analogen α-Hydroxysäure-Derivate bewährt haben (s. S. 882f.). So können hydroxy-ungeschützte β-Hydroxysäuren als Aktivester[4], in hydroxy-geschützter Form als Carbonsäure-chloride[3,6,7] oder symmetrische Anhydride[7] mit Aminosäureestern verknüpft werden. Auch die Carbodiimid-Methode[6] findet in diesem Zusammenhang Verwendung. Die Aufspaltung von β-Lactonen durch Aminosäureester untersuchten Taubman und Atassi[8] sowie Sheehan[9]; allgemeine synthetische Anwendung fand diese Reaktion bisher nicht.

---

[1] C. H. Hassall, T. G. Martin, J. A. Schofield u. J. O. Thomas, Soc. [C] **1967**, 997.
[2] T. L. Gresham, J. E. Jansen, F. W. Shaver, J. T. Gregory u. W. L. Beears, Am. Soc. **70**, 1004 (1948).
[3] N. J. Cartwright, Biochem. J. **67**, 663 (1957).
[4] M. Hiramato, K. Okada, S. Nagai u. H. Kawamoto, Biochem. Biophys. Research Commun. **35**, 702 (1969).
[5] Y. A. Ovchinnikov, V. T. Ivanov, P. V. Kostetskii u. M. M. Shemyakin, Khim. Prir. Soedin. **4**, 236 (1968); C. A. **70**, 58261 (1969).
[6] A. A. Kiryushkin, V. I. Shchelokov, V. K. Antonov, Y. A. Ovchinnikov u. M. M. Shemyakin, Khim. Prir. Soedin. **3**, 267 (1967); C. A. **69**, 77 709 (1968).
[7] T. L. Gresham, J. E. Jansen u. F. W. Shaver, Am. Soc. **72**, 72 (1950).
[8] M. A. Taubman u. M. Z. Atassi, Biochem. J. **106**, 829 (1968).
[9] J. C. Sheehan, K. Hasspacher u. Y. L. Yeh, Am. Soc. **81**, 6086 (1959).

Salicylsäure (*2-Hydroxy-benzoesäure*), als aromatische β-Hydroxysäure, kann als Kopfkomponente nach der Azid-Methode auch in O-ungeschützter Form mit Aminosäuren als Amin-Komponente verknüpft werden[1]. Eine zweite Möglichkeit zur Herstellung von N-Salicoyl-aminosäure-Derivaten wurde von Brenner[1–4] in der Umlagerung von O-(Aminoacyl)-salicylsäure-Derivaten aufgefunden:

$O{-}CO{-}CH(R^2){-}NH_2$, $CO{-}R^1$ (Aromat) ⟶ OH, $CO{-}NH{-}CH(R^2){-}CO{-}R^1$ (Aromat)

$R^1 = OH, NH_2$

Die Umlagerung verläuft besonders glatt, z.B. in neutralem bzw. schwach saurem wäßrigem oder organischem Medium.

N-Salicoyl-glycin [2HyBz-Gly-OH][1]: 0,5 g (1,52 mMol) Z-Gly-2HyBz-OH (Herstellung s. S. II/375) werden in 20 *ml* Methylcellosolve an 0,5 g 10%-iger Palladiumkohle hydrogenolytisch entacyliert. Das Filtrat vom Katalysator wird bei 40–50° eingedampft. Die Lösung des Rückstands in Essigsäureäthylester wird erschöpfend mit wäßr. Kaliumhydrogencarbonat-Lösung extrahiert und die abgetrennte wäßr. Phase unter Essigsäure-äthylester angesäuert. Diese Essigsäure-äthylester-Lösung wird über Natriumsulfat getrocknet und eingedampft. Umkristallisieren aus möglichst wenig Wasser; Ausbeute: 0,27 g (90% d.Th.); F: 171–172°.

Die Übertragung der o.a. Umlagerungsreaktion auf analoge Verbindungen der aliphatischen β-Hydroxysäuren ist zwar unter bestimmten strukturellen Voraussetzungen möglich, doch ist die Anwendung starker Base (Kalium-tert.-butanolat) in wasserfreiem organischem Medium erforderlich[2].

N-(DL-β-Hydroxy-butyroyl)-glycin-amid [H-DL-βHyba-Gly-NH$_2$][2]: Man suspendiert bei 20° 98 mg (0,5 mMol) H-Gly-DL-βHyba-NH$_2$ · HCl mit einem Vibromischer in 23 *ml* absol. tert.-Butanol, versetzt mit 1,88 *ml* (4 Äquiv.) einer n Lösung von Kalium-tert.-butanolat in tert.-Butanol und nach 30 Min. mit mindestens 4 Äquivalenten feuchtem Ionenaustauscher Amberlite IR-120 (H-Form), mindestens 1 Äquivalent feuchtem Ionenaustauscher Amberlite IRA-400 (OH-Form) und 25 *ml* Wasser. Sobald der p_H-Wert auf 6–7 gesunken ist und sich Chlorid nicht mehr nachweisen läßt, wird das Filtrat i.Vak. bei 35° zur Trockne abgedampft. Der Rückstand wird aus Äthanol/Diäthyläther umkristallisiert; Ausbeute: 80–90% d.Th.; F: 107–108°.

Eine spezielle Gruppe der N-(β-Hydroxy-acyl)-peptide stellen die 1,4-Bis-[β-hydroxy-acyl]-2,5-dioxo-1,4-piperazine dar. Sie sind erhältlich durch Umsetzung O-geschützter β-Hydroxysäure-chloride mit 2,5-Dioxo-1,4-piperazinen von Aminosäuren. Eine Abspaltung der Hydroxy-Maskierung löst eine Umlagerung zum isomeren cyclischen β-Peptolid aus. Näheres über diese „β-Hydroxy-acyl-Einlagerungsreaktion" s. S. II/381.

1,4-Bis-[D-β-benzyloxy-decanoyl]-L,L-3,6-bis-[acetoxy-methyl]-2,5-dioxo-1,4-piperazin [*cyclo*-{-(BZL-D-βHyde)Ser(Ac)-(BZL-D-βHyde)Ser(Ac)-}][5]: Die Mischung aus 25,8 g (0,1 Mol) feingepulvertem *cyclo*-[-Ser(Ac)-Ser(Ac)-] und 65,3 g (0,22 Mol) BZL-D-βHyde-Cl in Toluol wird 10–15 Stdn. zum Sieden erhitzt. Nach Eindampfen des Filtrats hinterbleibt das rohe 1,4-Diacyl-2,5-dioxo-1,4-piperazin als Öl. Es wird 3 mal mit Petroläther durchgearbeitet.

Umlagerung zu O,O'-Diacetyl-serratamolid s. S. II/381.

---

1 M. Brenner u. J. P. Zimmermann, Helv. **40**, 1933 (1957).
2 M. Brenner, J. P. Zimmermann, J. Wehrmüller, P. Quitt, A. Hartmann, W. Schneider u. U. Beglinger, Helv. **40**, 1497 (1957).
3 M. Brenner et al., Experientia **11**, 397 (1955).
4 M. Brenner u. J. Wehrmüller, Helv. **40**, 2374 (1957).
5 M. M. Shemyakin, V. K. Antonov, A. M. Shkrob, V. J. Shchelokov u. Z. E. Agadzhanyan, Tetrahedron **21**, 3537 (1965).

38.122. β-Hydroxysäuren mit drittfunktioneller Amin-Gruppe

β-Hydroxysäuren mit drittfunktioneller Amin-Gruppe kommen zur Hauptsache in homöomeren Peptiden vor und werden daher auf S. 568ff. ausführlich besprochen. Sie stellen jedoch auch einen charakteristischen Bestandteil der „O-Peptide“ (s. S. II/382f.) bzw. der „Peptid-lactone“ dar (s. S. II/385f.). So sind *D-Serin* im *Echinomycin*[1] und *L-Threonin* im *Staphylomycin*[2], *Telomycin*[3], *Ostreogrycin*[4] sowie in den *Actinomycinen*[5] enthalten.

Die Erwähnung der β-Hydroxy-aminosäuren an dieser Stelle geschieht im Hinblick auf ihre Einbeziehung in die Synthese der O-Peptide, da sie sich nach Blockade der Amino-Gruppe wie β-Hydroxysäuren verhalten. Somit ist die Herstellung der O-Peptidbindung methodisch mit der Herstellung der Peptolid-Bindung verwandt, vgl. S. II/382f.

38.2. Thiolsäuren

Thiolsäuren können, soweit sie strukturell als Thia^{N}-Analoga der Aminosäuren anzusprechen sind, als Pseudoaminosäuren in Peptidketten eingefügt werden, wobei die methodischen Voraussetzungen in bezug auf Schutzgruppen- und Verknüpfungstechnik denen der Hydroxysäuren ähnlich sind. So bilden Thiolsäuren in Analogie zu den Hydroxysäuren keine zwitterionische Struktur aus: eine Folge der geringen Basizität der Thiol-Gruppe. Unterschiede der Thiolsäuren zum Reaktionsverhalten analog gebauter Hydroxysäuren erklären sich aus der im Vergleich zum Sauerstoff-Atom höheren Nucleophilie des Schwefel-Atoms[6].

Peptide mit Thiolsäuren als heteromeren Bausteinen wurden bisher wenig untersucht. Synthetische Arbeiten erstreckten sich überwiegend auf *Thiol-essigsäure* und *β-Thiol-propionsäure*. β-Thiol-propionsäure und einige ihrer Homologen fanden Verwendung zum Aufbau von *Desamino*^{6}*-oxytocinen*[7–11] und *Desamino*^{6}*-vasopressinen*[12].

38.21. Verwendung als Kopfkomponente

Thiolsäuren werden grundsätzlich in S-geschützter Form als Kopfkomponente in die Peptidsynthese einbezogen. Die Acidität der unmaskierten Thiol-Gruppe würde zur teilweisen Protonierung der Amin-Komponente ausreichen, womit eine Verringerung der Verknüpfungsausbeute verbunden wäre. Die gebildeten stark nucleophilen Thiolat-Ionen können in Konkurrenz zur Amin-Komponente treten, so daß neben Amid-Bindungen auch unerwünschte Thioester-Bindungen geknüpft werden können. Eine weitere Besonderheit der S-ungeschützten Thiolsäuren ist ihr leichter Übergang in dimere Disulfide, der schon unter der Einwirkung des Luftsauerstoffes in erheblichem Ausmaße eintreten[13,14] und zur Ausbildung heterodeter Peptid-Doppelketten führen kann.

---

1 W. Keller-Schierlein, M. L. Mihailovic u. V. Prelog, Helv. **42**, 305 (1959).
2 H. Vanderhaeghe u. G. Parmentier, Am. Soc. **82**, 4414 (1960).
3 J. C. Sheehan, P. E. Drummond, J. N. Gardner, K. Maeda, D. Mania, S. Nakamura, A. K. Sen u. J. A. Stock, Am. Soc. **85**, 2867 (1963).
4 F. W. Eastwood, B. K. Snell u. A. Todd, Soc. **1960**, 2286.
5 H. Brockmann, Fortschr. Ch. org. Naturst. **18**, 1 (1960).
6 E. S. Gould in *Mechanismus und Struktur in der organischen Chemie*, 2. Aufl., S. 308, Verlag Chemie, Weinheim 1964.
7 H. Schulz u. V. du Vigneaud, J. Med. Chem. **9**, 647 (1966).
8 B. M. Ferrier, D. Jarvis u. V. du Vigneaud, J. Biol. Chem. **240**, 4264 (1965).
9 D. Jarvis, B. M. Ferrier u. V. du Vigneaud, J. Biol. Chem. **240**, 3553 (1965).
10 W. Fraefel u. V. du Vigneaud, Am. Soc. **92**, 1030 (1970).
11 W. Fraefel u. V. du Vigneaud, Am. Soc. **92**, 4426 (1970).
12 R. L. Huguenin u. R. A. Boissonnas, Helv. **49**, 695 (1966).
13 P. Claesson, B. **14**, 409 (1881).
14 T. S. Price u. D. F. Twiss, Soc. **1908**, 1645.

Die genannten Nebenreaktionen werden durch S-Maskierung ausgeschaltet. Von den denkbaren und aus der Cysteinchemie (s. S. 736 ff.) bekannten S-Schutzgruppen fand die S-Benzyl-Gruppe besonders breite Anwendung; ihre Abspaltung vom synthetisierten Thiolacyl-peptid gelingt reduktiv mit Natrium in flüssigem Ammoniak (vgl. S. 739).

S-Benzyl-β-thiol-propionsäure [BZL-βThpr-OH]:

Methode A[1]: Man vereinigt die Lösung von 2,1 g *β*-Thiol-propionsäure und 4 g Natriumhydrogencarbonat in 20 *ml* Wasser mit der Lösung von 2,53 g Benzylchlorid in 50 *ml* Äthanol und erwärmt 1 Stde. auf 100°. Nach Abkühlen wird mit Wasser verdünnt, mit Diäthyläther extrahiert und die wäßrige Phase angesäuert. Das ausgeschiedene Öl erstarrt bei 0°; es wird aus Petroläther (Kp: 60–70°) umkristallisiert; Ausbeute: 3,5 g; F: 82–83°.

Methode B[2]: Man tropft unter Rühren 5 *ml* *β*-Thiol-propionsäure zu 250 *ml* flüssigem Ammoniak und gibt soviel Natrium (2,9 g) zu, bis die Blaufärbung 15 Min. anhält. Die Lösung wird mit Ammoniumchlorid gerade wieder entfärbt und mit 8 *ml* Benzylchlorid versetzt. Man rührt noch 1 Stde., läßt das Ammoniak abdampfen, nimmt den Rückstand in 100 *ml* Wasser auf, extrahiert 2mal mit je 50 *ml* Diäthyläther und säuert die wäßrige Lösung mit konz. Salzsäure auf $p_H = 4$ an. Nach Abkühlen kristallisiert das ausgeschiedene Öl. Das kristalline Produkt wird getrocknet; Ausbeute: 5,5 g; F: 81–82°.

38.22. Verwendung als „Pseudoamin-Komponente"

38.22.1. Carboxy-Schutzgruppen

Thiolsäuren als „Pseudoamin-Komponente" können auch ohne Carboxy-Schutz mit N-maskierten Aminosäuren zu Thiopeptoliden (s. S. II/387) verknüpft werden. Erfahrungen liegen über die Säurechlorid-Methode und das Verfahren der gemischten Anhydride vor. Einige andere Verknüpfungenverfahren, wie z.B. die Carbodiimid-Methode, lassen sich jedoch nur mit carboxy-geschützten Thiolsäuren durchführen. Beschrieben wurden entsprechende Synthesen mit Thiolsäure-methylestern, die durch protonenkatalysierte Veresterung der Thiolsäuren leicht zugänglich sind.

Thiol-essigsäure-äthylester [H-Thac-OEt][3]: Die Mischung aus 150 g Thiol-essigsäure, 20 *ml* konz. Schwefelsäure, 200 *ml* absol. Äthanol und 300 *ml* Benzol wird 16 Stdn. in einer Soxhlet-Apparatur (die in der Extraktionshülse 90 g wasserfreies Magnesiumsulfat enthält) zum Sieden erhitzt. Nach Abkühlen schüttelt man die Reaktionsmischung 2mal mit Wasser aus, trocknet und destilliert das Lösungsmittel über eine Vigreux-Kolonne ab. Der Rückstand wird i.Vak. (20 Torr) destilliert; Ausbeute: 174 g (89% d.Th.); Kp_{20}: 63°.

Thiol-essigsäure-methylester wird auf analoge Weise unter Verwendung von Methanol und Chloroform als Lösungsmittel hergestellt[3]; Ausbeute: 77–82% d.Th.

Den Vorteil der acidolytischen Abspaltbarkeit bietet ein Carboxy-Schutz durch die tert.-Butylester-Gruppe. Die Einführung dieser Schutzgruppe in Thiolsäuren setzt die reversible Maskierung der Thiol-Gruppe voraus, z.B. durch die ammonolytisch abspaltbare Äthoxy-thiocarbonyl-Gruppe:

Thiolessigsäure-tert.-butylester [H-Thac-OtBu][4]: Die Lösung von 90 g S-(Äthoxy-thiocarbonyl)-thiolessigsäure-tert.-butylester[4] in 300 *ml* Diäthyläther sättigt man bei 0° mit trockenem Ammoniak. Nach 24 Stdn. bei 0° wird das Filtrat vom O-Äthyl-thiocarbamat eingedampft und der Rückstand i.Vak. destilliert. Als Destillationsrückstand bleibt unverändertes Ausgangsmaterial zurück; es wird erneut wie oben beschrieben mit Ammoniak umgesetzt; Ausbeute: 64 g (96% d.Th.); Kp_6: 44°.

---

1 A. Schönberg u. Y. Iskander, Soc. **1942**, 90.
2 D. B. Hope, V. V. S. Murti u. V. du Vigneaud, J. Biol. Chem. **237**, 1563 (1962).
3 B. R. Baker, M. V. Querry, S. R. Safir u. S. Bernstein, J. Org. Chem. **12**, 138 (1947).
4 E. Honkanen, Acta chem. scand. **24**, 1120 (1970).

38.22.2. N-(Thiol-acyl)-aminosäuren

Zur Verknüpfung von Thiolsäuren als Kopfkomponente mit Aminosäuren oder Peptiden eignen sich die Aktivester-Methode[1–3], die Säurechlorid-[4], die Carbodiimid-Methode[5] sowie die „EEDQ-Methode“[6].

S-Benzyl-β-thiol-propionyl-L-tyrosyl-L-phenylalanin-methylester [BZL-βThpr-Tyr-Phe-OMe]:

S-Benzyl-β-thiol-propionsäure-2,4,5-trichlor-phenylester[1] [BZL-βThpr-OTCP]: 5,88 g (30 mMol) BZL-βThpr-OH und 6,52 g (33 mMol) 2,4,5-Trichlor-phenol werden in 50 *ml* Essigsäure-äthylester und 6 *ml* Acetonitril gelöst, bei −5° mit 6,20 g (30 mMol) Dicyclohexylcarbodiimid versetzt und über Nacht bei 20° gerührt. Bei −5° wird vom N,N′-Dicyclohexyl-harnstoff abgesaugt, das Filtrat bei 30° eingedampft und der Rückstand in 100 *ml* Essigsäure-äthylester aufgenommen. Die Lösung wird mit n Natriumhydrogencarbonat-Lösung, Wasser und 0,2 n Schwefelsäure gewaschen, über Natriumsulfat getrocknet und bei 30° eingedampft; Rohausbeute: 11,7 g Öl (enthält noch etwas 2,4,5-Trichlorphenol).

Das Rohprodukt kann durch Chromatografie an einer Kieselgel-Säule (Lösungsmittel: Benzol/Aceton 2:1) gereinigt werden.

S-Benzyl-β-thiol-propionyl-L-tyrosyl-L-phenylalanin-methylester: Die Lösung von 6,3 g (14,9 mMol) H-Tyr-Phe-OMe · HBr[1] in 20 *ml* Wasser wird bei 0° mit 2,1 g Kaliumcarbonat in 15 *ml* Wasser versetzt. Der ausgeschiedene Peptidester wird 3mal mit je 30 *ml* Essigsäure-äthylester extrahiert und der Extrakt über Magnesiumsulfat getrocknet. Nach Zugabe von 5,6 g (14,9 mMol) BZL-βThpr-OTCP (s. o.) rührt man über Nacht bei 0°, filtriert von etwas *cyclo*-(-tyrosyl-phenylalanyl-) ab, wäscht das Filtrat mit n Salzsäure und n Natriumhydrogencarbonat-Lösung, trocknet über Magnesiumsulfat und verdampft das Lösungsmittel bei 25°. Der Rückstand wird mit Diäthyläther/Petroläther (1:2) verrieben, getrocknet und aus 8 *ml* Methanol umkristallisiert; Ausbeute: 5,29 g (68% d. Th.); F: 147–149°; $[\alpha]_D^{23} = -17,5°$ (c = 1,4; Dimethylformamid).

S-Benzyl-β-thio-propionyl-L-tyrosin-methylester [BZL-βThpr-Tyr-OMe][4]: 9,2 g (47 mMol) BZL-βThpr-OH (s. S. 891) werden 20 Min. mit überschüssigem Thionylchlorid zum Sieden erhitzt. Nach Abkühlen wird das Thionylchlorid i. Vak. abgedampft und der Rückstand in 20 *ml* Essigsäure-äthylester gelöst. Diese Lösung gibt man portionsweise und unter Rühren bei 0° zur Mischung aus 10,86 g (47 mMol) H-Tyr-OMe · HCl, 50 *ml* Wasser und 50 *ml* Essigsäure-äthylester. Durch Zugabe von Natriumhydrogencarbonat wird der p_H-Wert bei 7–8 gehalten. Nach Abtrennen und Trocknen dampft man die organische Phase i. Vak. ein. Der Rückstand kann aus Essigsäure-äthylester/Petroläther umkristallisiert werden; Ausbeute: 12,4 g (69% d. Th.); $[\alpha]_D^{25} = -3,4°$ (c = 0,5; Dimethylformamid); F: 89–90°.

Aus der Mutterlauge können weitere 4,3 g isoliert werden.

---

[1] R. L. Huguenin u. R. A. Boissonnas, Helv. **49**, 695 (1966).
[2] D. B. Hope, V. V. S. Murti u. V. du Vigneaud, J. Biol. Chem. **237**, 1563 (1962).
[3] M. Zaoral u. M. Flegel, Collect. czech. chem. Commun. **37**, 2639 (1972).
[4] M. Zaoral, J. Kolc u. F. Sorm, Collect. czech. chem. Commun. **32**, 1250 (1966).
[5] R. G. Hiskey u. D. N. Harpp, Am. Soc. **87**, 3965 (1965).
[6] M. Mühlemann, M. J. Titov, R. Schwyzer u. J. Rudinger, Helv. **55**, 2854 (1972).

Tab. 83. Derivate der Thiol-essigsäure [$R^1-S-CH_2-CO-R^2$]

R^1	R^2	F [°C]	Literatur
H	OH	(Kp_{16}: 107–108°)	1,2
H	OMe	(Kp_{16}: 49–51°)	3,4
H	OEt	(Kp_{20}: 63°)	3
H	OtBu	(Kp_6: 44°)	5
BZL	OH	64	6
PE	OH	100–101	4
tBu	OH	(Kp_2: 107–109°)	7
TRT	OH	162–163	6,8
Ac	OH	($Kp_{1,2}$: 106–108°)	9,10
Bz	OH	105–106	9,11
NPS	OH	115–116	12,13

Tab. 84. Derivate der β-Thiol-propionsäure [$R^1-S-CH_2-CH_2-CO-R^2$]

R^1	R^2	F [°C]	Literatur
H	OH	17	2
H	OMe	(Kp_{10}: 52–55°)	14,19
BZL	OH	81–82	15,16
tBU	OH	(Kp_2: 109°)	18
BZL	ONP	35–36	15
BZL	OTCP	17	17

[1] P. Klason u. T. Carlson, B. **39**, 732 (1906).
[2] E. Biilmann, A. **348**, 120 (1906).
[3] B. R. Baker, M. V. Querry, S. R. Safir u. S. Bernstein, J. Org. Chem. **12**, 138 (1947).
[4] H. Sokol u. J. J. Ritter, Am. Soc. **70**, 3517 (1948).
[5] E. Honkanen, Acta chem. scand. **24**, 1120 (1970).
[6] E. Larsson, B. **63**, 1347 (1930).
[7] N. Hellström u. T. Lauritzson, B. **69**, 2003 (1936).
[8] E. Biilmann u. N. V. Due, Bl. **35**, 384 (1924).
[9] M. Rimpler, B. **99**, 1528 (1966).
[10] E. Benary, B. **46**, 2103 (1913).
[11] N. M. Ryabova u. M. S. Rabinovich, Khim. Farm. Zh. **3**, 17 (1969); C. A. **71**, 21 817 (1969).
[12] D. Brandenburg, Tetrahedron Letters **1966**, 6201.
[13] US. P. 2849479 (1958), Erf.: M. Carmack u. J. F. Harris; C. A. **53**, 3 148 (1959).
[14] I. L. Knunyants, N. D. Kuleskova u. M. G. Linkova, Izv. Akad. SSSR **1965**, 1081; C. A. **63**, 8 192 (1965).
[15] D. B. Hope, V. V. S. Murti u. V. du Vigneaud, J. Biol. Chem. **237**, 1563 (1962).
[16] A. Schönberg u. Y. Iskander, Soc. **1942**, 90.
[17] R. L. Huguenin u. R. A. Boissonnas, Helv. **49**, 695 (1966).
[18] S. Allenmark, Acta chem. scand. **17**, 2711 (1963).
[19] A. M. Drummond u. D. T. Gibson, Soc. **1926**, 3073.

38.3. Aza-analoga der Aminosäuren

38.31. α-(Aza-1)-aminosäuren

Zu den bisher untersuchten α-(Aza-1)-aminosäuren gehören

Azaglycin[1] (*Agly*) (d.i. *Hydrazincarbonsäure, Carbazinsäure*)
Azaalanin[1] (*Aala*)
Azaphenylalanin[1,4,5] (*Aphe*)
Azaasparagin[6,7] (*Aasn*)
Azasarkosin[1,2] (*Asar*)
Azavalin[3] (*Aval*)
Azaasparaginsäure[6] (*Aasp*)

Der Austausch der asymmetrisch substituierten α-CH-Gruppe der Aminosäuren durch ein Stickstoff-Atom hat den Verlust der optischen Aktivität zur Folge, wodurch bei einer totalsynthetischen Erstellung der α-(Aza-1)-aminosäuren und ihrer Derivate alle Probleme einer Racematauftrennung entfallen. Aus dem gleichen Grunde können zum Aufbau ihrer Peptide Reaktionen herangezogen werden, in deren Verlauf sich die Azaaminosäure-Gruppierung erst bildet. Da sich diese Synthesestrategie überaus bewährte, wurde die Herstellung systematisch geschützter und aktivierter α-(Aza-1)-aminosäuren bisher nur wenig untersucht. Bedingt durch die Nachbarschaft der Carboxy-Gruppe verhält sich das α-ständige Stickstoff-Atom der Hydrazincarbonsäure-Gruppierung gegen Acylierungsagenzien weitgehend passiv und bedarf daher keiner Maskierung.

38.31.1. Verwendung als Kopf-Komponente

Voraussetzung für den synthetischen Einsatz der α-(Aza-1)-aminosäuren als Kopf-Komponente ist die Maskierung der acylierbaren β-ständigen Amino-Gruppe der Hydrazincarbonsäure-Gruppierung (eventuell in der Seitenkette vorhandene Drittfunktionen sind zusätzlich zu maskieren).

38.31.11. *Aminschutzgruppen*

Als Amin-Schutzgruppe für α-(Aza-1)-aminosäuren bewährte sich bisher lediglich die Benzyloxycarbonyl-Gruppe. Geprüft wurde weiterhin die 4-Toluolsulfonyl-Gruppe, deren Abspaltung nach der üblichen Arbeitsweise mit Natrium in flüssigem Ammoniak jedoch nicht glatt verläuft[8,9].

α-(Aza-1)-aminosäuren, deren β-ständige Amin-Gruppe eine Maskierung vom Urethan-Typ trägt, stellen Halbester der Hydrazin-N,N'-dicarbonsäure dar, die offenbar unbeständig sind und bisher unbekannt blieben. Dagegen kennt man eine Reihe entsprechender Carboxy-Derivate, wie z.B. das *N-Benzyloxycarbonyl-(aza-1)-glycin-chlorid*, das aus Benzyloxycarbonyl-hydrazin und Phosgen zugänglich ist[1,10]. Diese Bildungsreaktion stellt

[1] J. Gante, Fortschr. chem. Forsch. **6**, 358 (1966).
[2] J. Gante, B. **98**, 540 (1965).
[3] H. J. Hess, W. T. Moreland u. G. D. Laubach, Am. Soc. **85**, 4040 (1963).
[4] J. Gante, B. **98**, 3340 (1965).
[5] A. N. Kurtz u. C. Niemann, J. Org. Chem. **26**, 1843 (1961).
[6] H. Niedrich, B. **102**, 1557 (1969).
[7] H. Niedrich u. C. Oehme, J. pr. **314**, 759 (1972).
[8] J. Gante u. W. Lautsch, B. **97**, 983 (1964).
[9] J. Gante u. W. Lautsch, B. **97**, 994 (1964).
[10] J. Gante, B. **97**, 2551 (1964).

insofern eine Ausnahme dar, als andere Acylverbindungen des Hydrazins, wie Acetyl-, Benzoyl- oder Aminoacyl-hydrazin, mit Phosgen zu Derivaten des 1,3,4-Oxdiazolinon-(5) abzureagieren pflegen[1].

Das genannte Chlorid bildet mit Amin-Komponenten die erwarteten Amide. Schwierig ist jedoch seine Handhabung, da es wenig beständig und empfindlich gegen Wasser ist. Besser eignet sich der entsprechende *4-Nitro-phenylester*, der auf analoge Weise aus Benzyloxycarbonyl-hydrazin und Kohlensäure-di-[4-nitro-phenylester] oder Chlorameisensäure-4-nitro-phenylester erhalten wird[1,2] und der als Aktivester mit Amin-Komponenten ebenfalls in der erwarteten Weise zu Amiden reagiert (s. S. II/389).

N-Benzyloxycarbonyl-(aza-1)-glycin-4-nitro-phenylester [Z-Agly-ONP][1]: Zu einer siedenden Lösung von 4,18 g (13,7 mMol) Kohlensäure-di-[4-nitro-phenylester][3] in 20 *ml* Essigsäure-äthylester wird unter Rühren die Lösung von 2,28 g (13,7 mMol) Benzyloxycarbonyl-hydrazin[4] in 16 *ml* Essigsäure-äthylester innerhalb 20 Min. getropft. Nach 15 Min. bei Siedehitze und 2,5 Stdn. bei 20° wird mit 60 *ml* Petroläther gefällt; Ausbeute: 3,0 g (66% d.Th.); F: 138–139°.

38.31.12. *N-Aminoacyl-(aza-1)-aminosäuren*

Die bei der Verknüpfung N-geschützter Aminosäuren mit α-(Aza-1)-aminosäuren (vgl. S. II/389) entstehenden Azapeptide sind nur im carboxy-geschützten Zustand bekannt. Wird die Ester-Gruppe der Azaaminosäure-Komponente gespalten, so zerfallen die freien Azapeptidsäuren in Aminoacyl-hydrazin und Kohlendioxid:

$$\underset{\text{I}}{R_s^1{-}NH{-}\overset{R^1}{\overset{|}{C}H}{-}CO{-}NH{-}\overset{R^2}{\overset{|}{N}}{-}CO{-}OR_s^2} \longrightarrow \left[R_s^1{-}NH{-}\overset{R^1}{\overset{|}{C}H}{-}CO{-}NH{-}\overset{R^2}{\overset{|}{N}}{-}CO{-}OH\right]$$

$$\longrightarrow R_s^1{-}NH{-}\overset{R^1}{\overset{|}{C}H}{-}CO{-}NH{-}\overset{R^2}{\overset{|}{N}}{-}H \quad + \quad CO_2$$

Von dieser Reaktion wird beispielsweise in der Peptidsynthese bei der Abspaltung der N′-Maskierung N-geschützter Aminosäure- oder Peptidhydrazide (I; $R^2 = H$; $R_s^2 = BZL$, tBu)[5] Gebrauch gemacht (s. S. 430ff.).

Der synthetische Einsatz N-geschützter Azadipeptide als Kopfkomponente ist demnach nur über ihre Carboxy-Derivate (z.B. Säurechloride, Aktivester) möglich (Näheres s. S. II/388ff.).

38.31.2. Verwendung als Amin-Komponente

Peptidverknüpfungen an carboxy-ungeschützten α-(Aza-1)-aminosäuren als Amin-Komponente konnten bisher nicht durchgeführt werden, da Versuche mit den üblichen N-Acylierungsmethoden bei fehlender Carboxy-Maskierung zur Decarboxylierung der Azaaminosäure führen[6]. Somit ist zum Einsatz als Amin-Komponente ein Carboxy-Schutz unumgänglich, wie er beispielsweise in den Estern gegeben ist.

---

[1] J. Gante, Fortschr. chem. Forsch. **6**, 358 (1966).
[2] J. Gante, B. **98**, 3340 (1965).
[3] R. Glatthard u. M. Matter, Helv. **46**, 795 (1963).
[4] H. Böshagen u. J. Ullrich, B. **92**, 1478 (1959).
[5] K. Hofmann, A. Lindenmann, M. Z. Magee u. N. Haq Khan, Am. Soc. **74**, 470 (1952).
[6] S. ds. Handb., Bd. X/2, Kap. Aliphatische Hydrazine und Hydrazoverbindungen, S. 59.

Den Zugang zu den Estern der Hydrazincarbonsäuren über protonen-katalysierte Veresterung verwehrt die Säurelabilität dieser Carbonsäuren[1]. Da auch andere brauchbare Verfahren zur Ester-Bildung an der vorgegebenen Azaaminosäure-Einheit noch ausstehen, müssen die Ester durch Carboxylierung von Hydrazin oder dessen Derivaten aufgebaut werden.

38.31.21. Methylester und Äthylester

Nach Diels[2] setzen sich Kohlensäure-dimethylester und -diäthylester mit Hydrazin zum *Azaglycin-methylester* bzw. *-äthylester* um. Zum gleichen Ziel führt die Reaktion zwischen Hydrazin und Chlorameisensäure-alkylester[3,4] oder Stickstoff-tricarbonsäure-triäthylester[5,6]. Weitere Angaben zur Herstellung von Azaglycin-methylestern vgl. Lit.[7], von Azaglycin-äthylester vgl. Lit.[6].

Alkylester anderer Azaaminosäuren als Azaglycin sind unbekannt. Beschrieben wurde jedoch *N-Acetyl-azaphenylalanin-äthylester* (*Ac-Aphe-OEt*), der aus N-Acetyl-N'-benzyl-hydrazin und Chlorameisensäure-äthylester entsteht[8].

38.31.22. Benzylester

Azaglycin-benzylester (d.i. *Benzyloxycarbonyl-hydrazin*) in Azapeptid-Bindung mit N-geschützten Aminosäuren oder Peptiden fand im Rahmen einer von Hofmann[9] entwickelten Synthesestrategie Verwendung zur Erstellung N'-geschützter Aminosäure- oder Peptid-hydrazide. Der Ester entsteht durch Reaktion zwischen Hydrazin und Kohlensäure-dibenzylester[9] oder besser Chlorameisensäure-benzylester[10,11]. Auf analoge Weise erhält man aus Chlorameisensäure-4-methoxy-benzylester und Hydrazin den *Azaglycin-4-methoxy-benzylester*[12].

38.31.23. tert.-Butylester

Hydrazin setzt sich mit Kohlensäure-tert.-butylester-phenylester[13,14], -4-nitro-phenylester[15], -methylthioester[15] oder -imidazolid[15] zum *Azaglycin-tert.-butylester* (d.i. *tert.-Butylcarbazat, tert.-Butyloxycarbonyl-hydrazin*) um.

38.31.24. (*Aza-1*)-*aminosäure-amide*

Das einfachste Amid einer α-(Aza-1)-aminosäure ist das *Semicarbazid*, das nach mehreren Methoden[16], am besten jedoch durch elektrolytische Reduktion von N-Nitro-harnstoff (Vorschrift vgl.[16]) erhältlich ist. Während Azapeptide mit carboxy-ständigem Semicarbazid in größerer Zahl aufgebaut werden konnten[17,18], wurden die Amide anderer α-(Aza-1)-aminosäuren oder deren Einsatz als Amin-Komponente bisher nicht beschrieben.

Zum Aufbau von (Aza-1)-aminoacyl-aminosäuren s. S. II/388ff.

---

1 S. ds. Handb., Bd. X/2, Kap. Aliphatische Hydrazine und Hydrazoverbindungen, S. 59.
2 O. Diels, B. **47**, 2183 (1914).
3 R. Stollé u. A. Benrath, J. pr. **70**, 263 (1904).
4 K. v. Auwers u. W. Daniel, J. pr. **110**, 235 (1925).
5 O. Diels, B. **36**, 736 (1903).
6 Org. Synth., Coll. Vol. III, 404.
7 S. ds. Handb., Bd. X/2, Kap. Di-, Tri-, und Tetraacyl-hydrazine, S. 138.
8 A. N. Kurtz u. C. Niemann, J. Org. Chem. **26**, 1843 (1961).
9 K. Hofmann, A. Lindenmann, M. Z. Magee u. N. Haq Khan, Am. Soc. **74**, 470 (1952).
10 E. Wünsch, B. **98**, 797 (1965).
11 H. Böshagen u. J. Ullrich, B. **92**, 1478 (1959).
12 S. Sakakibara, I. Honda, M. Naruse u. M. Kanaoka, Experientia **25**, 576 (1969).
13 L. A. Carpino, Am. Soc. **79**, 98 (1957).
14 L. A. Carpino, Am. Soc. **79**, 4427 (1957).
15 Org. Synth. **44**, 20 (1964).
16 Org. Synth., Coll. Vol. I, 485.
17 J. Gante, Fortschr. chem. Forsch. **6**, 358 (1966).
18 H. Niedrich, B. **97**, 2527 (1964).

Tab. 85. Derivate des Azaglycins [R^1—NH—NH—CO—R^2]

R^1	R^2	F [°C]	Literatur
H	OH	(Zers. P. 90°)	[1]
H	OMe	73	[2]
H	OEt	51–52	[3]
H	OEt[a]	129	[4]
H	OBZL	67–69	[5]
H	OBZL[a]	170–171	[5,6]
H	OMOB	76–77	[7]
H	OtBu	40–42	[8]
H	NH_2	96	[9]
H	NH_2[b]	144–145	[10]
Z	OEt	88–89	[11]
Z	ONP	138–139	[12]
Z	$NHNH_2$	140–141	[12,13]
Z	Cl	79	[11]

[a] Hydrochlorid
[b] Schwefelsäure-Monosalz

38.32. β-(Aza-2)-aminosäuren

α-Hydrazino-fettsäuren enthalten zwei benachbarte Amin-Gruppen ausgeprägter Nucleophilität, deren Reaktionsverhalten jedoch deutliche Unterschiede zeigt. So kann unter geeigneten Acylierungsbedingungen die Bildung diacylierter Produkte zugunsten der monoacylierten zurücktreten; dabei spielen sterische Effekte, die sich aus der Struktur der jeweiligen α-Hydrazino-fettsäure ergeben, eine große Rolle (s. S. 899). In den meisten Fällen wird die β-ständige Amin-Gruppe durch Acylierungsagenzien bevorzugt angegriffen. Bevorzugt werden auch β-Aminoacyl-Derivate gebildet, so daß α-Hydrazino-fettsäuren gemäß ihrem Reaktionsverhalten als (Aza-2)-Derivate der β-Aminosäuren aufgefaßt werden können. Damit spielt die α-ständige Amin-Gruppe die Rolle einer drittfunktionellen Amin-Gruppe, deren Reaktionsfähigkeit nicht [wie z.B. bei den α-(Aza-1)-aminosäuren] außer Betracht gelassen werden darf.

Die Hydrazin-Gruppierung ist die Ursache einiger spezieller Eigenschaften der β-(Aza-2)-aminosäuren und ihrer Peptide, von denen die reduzierende Wirkung und die

[1] R. Stollè u. K. Hofmann, B. **37**, 4523 (1904).
[2] O. Diels, B. **47**, 2183 (1914).
[3] Org. Synth., Coll. Vol. III, 404.
[4] R. Stollè u. A. Benrath, J. pr. **70**, 263 (1904).
[5] K. Hofmann, A. Lindenmann, M. Z. Magee u. N. Haq Khan, Am. Soc. **74**, 470 (1952).
[6] E. Wünsch, B. **98**, 767 (1965).
[7] S. Sakakibara, I. Honda, M. Naruse u. M. Kanaoka, Experientia **25**, 576 (1969).
[8] Org. Synth. **44**, 20 (1964).
[9] T. Curtius u. K. Heidenreich, B. **27**, 55 (1894).
[10] Org. Synth., Coll. Vol. I, 485.
[11] J. Gante, B. **97**, 2551 (1964).
[12] J. Gante, B. **98**, 3340 (1965).
[13] J. Gante, Fortschr. chem. Forsch. **6**, 358 (1966).

hydrogenolytische Spaltbarkeit zwischen α- und β-ständigem Stickstoff-Atom[1,2] erwähnt seien.

Bisher wurden die folgenden β-(Aza-2)-aminosäuren in der Literatur beschrieben[3]:

N-Amino-glycin (Hydrazino-essigsäure)[4]
N-Amino-alanin[1]
N-Amino-valin[1]
N-Amino-leucin[1]
N-Amino-phenylglycin[1]
N-Amino-phenylalanin[5,6]

38.32.1. Verwendung als Kopfkomponente

β-(Aza-2)-aminosäuren können als Kopfkomponente nur unter der Voraussetzung zu synthetischem Einsatz kommen, daß wenigstens die stark nucleophile β-Amin-Gruppe maskiert ist. Ohne Blockade der α-Amin-Gruppe lassen sich Verknüpfungen mit Amin-Komponenten zwar nach der Aktivester-Methode durchführen, nicht aber nach Carbodiimid-, Säurechlorid- oder Anhydrid-Verfahren[2,5–8].

38.32.11. *N-Acetyl-Gruppe*

Die Acetyl-Gruppe eignet sich nur zur irreversiblen Maskierung der α-ständigen Amin-Gruppe. N_α-Maskierte N_β-Acyl-hydrazino-fettsäure-ester oder N_β-Acyl-hydrazino-fettsäure-peptide entstehen durch Umsetzung der genannten Verbindungen mit Acetylchlorid in Pyridin[9].

N_α-Acetyl,N_β-benzyloxycarbonyl-hydrazino-essigsäure-Dicyclohexylamin-Salz [Z-NH-(Ac)Gly-OH · DCHA][9]: Man tropft bei 0° zu 0,45 g (2mMol) Z-NH-Gly-OH in 2 *ml* Pyridin 0,25 g (3 mMol) Acetylchlorid. Nach 3 stdg. Rühren bei 0° säuert man mit verd. Salzsäure an ($p_H = 2$), extrahiert mit Essigsäure-äthylester, wäscht die abgetrennte organische Phase nacheinander mit 5%-iger Citronensäure-Lösung und n Kaliumhydrogencarbonat-Lösung, trocknet über Magnesiumsulfat und dampft das Lösungsmittel ab. Der Rückstand wird in 4 *ml* Diäthyläther gelöst und unter Rühren mit 0,4 g Dicyclohexylamin in Diäthyläther versetzt. Der entstandene Niederschlag wird nach einigen Stdn. abgesaugt und getrocknet; Ausbeute: 0,61 g (68% d.Th.); F: 185–188°.

N_α-Acetyl,N_β-(N-benzyloxycarbonyl-glycyl)-hydrazino-essigsäure-äthylester [Z-Gly-NH-(Ac)Gly-OEt][9]: Zu 1,5 g (5 mMol) Z-Gly-NH-Gly-OEt (Herstellung s. S. II/393) in 3 *ml* Pyridin tropft man bei 0° langsam unter Rühren 1,2 g (15 mMol) Acetylchlorid. Nach 2 Stdn. bei 0° dampft man das Lösungsmittel i. Vak. ab, löst den Rückstand in Essigsäure-äthylester, extrahiert nacheinander mit 5%-iger Citronensäure-Lösung, n Kaliumhydrogencarbonat-Lösung und Wasser, trocknet über Magnesiumsulfat und dampft ein. Der Rückstand wird in Essigsäure-äthylester/Diäthyläther (1 : 1) gelöst und durch Zugabe von Hexan gefällt; Ausbeute: 1,3 g (75% d.Th.); F: 76–78°.

---

[1] A. Darapsky, J. pr. **99**, 179 (1919).
[2] W. Knobloch u. H. Niedrich, J. pr. **17**, 273 (1962).
[3] H. Niedrich u. R. Grupe, J. pr. **27**, 108 (1965).
[4] P. H. Bentley u. J. S. Morley, Soc. [C] **1966**, 60.
[5] R. Grupe u. H. Niedrich, B. **100**, 3283 (1967).
[6] R. Grupe u. H. Niedrich, B. **99**, 3914 (1966).
[7] H. Niedrich in G. T. Young, *Peptides*, Proc. 5th Europ. Sympos. Oxford 1962, Pergamon Press, Oxford **1963**, S. 181.
[8] H. Niedrich u. W. Knobloch, J. pr. **17**, 263 (1962).
[9] H. Niedrich u. J. Pirrwitz, J. pr. **314**, 735 (1972).

38.32.12. *N-Alkoxycarbonyl-Gruppen*

Die Benzyloxycarbonylierung von β-(Aza-2)-aminosäuren nach der für Aminosäuren üblichen Verfahrensweise mit Chlorameisensäure-benzylester (s. S. 47 ff.) ergibt besonders im Falle der Hydrazino-essigsäure unbefriedigende Ergebnisse[1]. Fügt man jedoch Hydrazino-essigsäure zu einem vorgelegten Gemisch aus Chlorameisensäure-benzylester und Natronlauge, so gelingt bei schnellster Aufarbeitung die Isolierung des empfindlichen *H_2N-(Z)Gly-OH*[1]. Aus Hydrazino-essigsäureestern erhält man bei $p_H = 8$ dagegen das stabile *Z-NH-(Z)Gly-OH*. Unter den letztgenannten Bedingungen entsteht im Falle des N-Amino-phenylalanins das *Z-NH-Phe-OH*, wohl eine Folge der räumlichen Abschirmung der α-ständigen Amino-Gruppe durch die benachbarte Benzyl-Gruppe in der Seitenkette, die im Falle der Hydrazino-essigsäure entfällt. Die Umsetzung von Hydrazino-essigsäure-äthylester mit Kohlensäure-benzylester-(4-nitro-phenylester)[2] führt überraschend in überwiegendem Maße zum *H_2N-(Z)Gly-OEt*[3], im Falle des N-Amino-phenyl-alanins jedoch ausschließlich zum *Z-NH-Phe-OH*[2].

Die auf hydrogenolytischem Wege nicht durchführbare (Spaltung der N-N-Bindung, s. S. 898) Abspaltung der N-Benzyloxycarbonyl-Gruppe wird am besten mit Bromwasserstoff in Essigsäure (vgl.[4]) vorgenommen. Bei Versagen der Methode in einigen Fällen[1] kann die unter milderen acidolytischen Bedingungen abspaltbare tert.-Butyloxycarbonyl-Gruppe zur N-Maskierung herangezogen werden[5]. Entsprechende Derivate der Hydrazino-essigsäure werden durch Umsetzung mit Kohlensäure-tert.-butylester-(4-nitro-phenylester)[6] oder Kohlensäure-tert.-butylester-azid[2] erhalten, wobei jedoch die Bildung sowohl des *H_2N-(BOC)Gly-OH* als auch des *BOC-NH-Gly-OH* zu beobachten ist[3,7]. N-Amino-phenyl-alanin liefert überwiegend *BOC-NH-Phe-OH*[2,5] neben *BOC-NH-(BOC)Phe-OH*.

N_α-Benzyloxycarbonyl-hydrazino-essigsäure [H_2N-(Z)Gly-OH][1]: Unter Kühlung und stärkster Durchmischung mit einem Elektromixer gibt man zu einer Mischung von 120 *ml* 2 n Natronlauge und 12 *ml* Chlorameisensäure-benzylester zügig eine konz. Lösung von 7,8 g H_2N-Gly-OEt · HCl (s. S. 900 f.) in Wasser, durchmischt noch 3–5 Min, schüttelt schnell mit 80 *ml* Diäthyläther aus und säuert die wäßrige Phase sofort an. Man extrahiert mit Essigsäure-äthylester, wäscht den Extrakt mit Wasser, trocknet über Natriumsulfat und dampft i. Vak. ab. Der Rückstand wird aus wenig siedendem Benzol umkristallisiert (evtl. ist Animpfen erforderlich); Ausbeute: 4,6 g (41% d. Th.) (meist niedrigere Ausbeute; das Umkristallisieren aus Benzol ist verlustreich); BPE-Derivat: F: 106–107°.

N_α,N_β-Di-[benzyloxycarbonyl]-hydrazino-essigsäure-methylester [Z-NH-(Z)Gly-OMe][1]: Unter starker Durchmischung und Wasserkühlung tropft man zu einem Gemisch von 35 *ml* Chlorameisensäure-benzylester (20% Überschuß) und 50 g Kaliumhydrogencarbonat in 200 *ml* Wasser eine wäßrige Lösung von 14 g (0,1 Mol) H_2N-Gly-OMe · HCl[8]. Dann werden 100 *ml* Diäthyläther hinzugegeben und die Mischung weitere 2 Stdn. emulgiert (Vibromischer). Nach dem Absaugen und Einengen der Diäthyläther-Phase erhält man 40 g Rohprodukt, das aus 200 *ml* Äthanol umkristallisiert wird; Ausbeute: 33 g (88,5% d. Th.).

N_β-Benzyloxycarbonyl-DL-α-hydrazino-β-phenyl-propionsäure [Z-NH-DL-Phe-OH][2,5]: 4,5 g (25 mMol) N-Amino-DL-phenylalanin in 12,5 *ml* 2 n Natronlauge werden unter Eiskühlung und Vibromischung portionsweise mit 4,46 *ml* (30 mMol) Chlorameisensäure-benzylester und 12,5 *ml* 2 n Niatronlaug innerhalb 45 Min. versetzt, wobei der p_H-Wert zwischen 8 und 9 zu halten ist. Anschließend werd weitere 30 Min. gerührt, der Niederschlag abgesaugt, das Filtrat auf $p_H = 2$ angesäuert und auch dieser Niederschlag abgesaugt. Beide Niederschläge werden vereinigt, mit Wasser gewaschen und getrocknet.

---

1 H. Niedrich u. W. Knobloch, J. pr. **17**, 263 (1962).
2 R. Grupe u. H. Niedrich, B. **99**, 3914 (1966).
3 H. Niedrich, B. **98**, 3451 (1965).
4 D. Ben-Ishai u. A. Berger, J. Org. Chem. **17**, 1564 (1952).
5 R. Grupe u. H. Niedrich, B. **100**, 3283 (1967).
6 G. W. Anderson u. A. C. McGregor, Am. Soc. **79**, 6180 (1957).
7 H. Niedrich, Acta chim. Acad. Sci. hung. **44**, 235 (1965).
8 W. Knobloch u. H. Niedrich, J. pr. **17**, 273 (1962).

Das Rohprodukt enthält noch Natriumsalz (Analogie zu N-Benzyloxycarbonyl-phenylalanin, vgl.[1]). Zu dessen Entfernung wird in 0,1 n Natronlauge gelöst und unter kräftigem Rühren durch schnellen Zusatz von konz. Salzsäure ausgefällt. Nach Waschen mit Wasser wird aus reichlich Methanol/Äthanol (1:2) umkristallisiert; Ausbeute: 57% d.Th.; F: 155–156°.

Aus der Mutterlauge kristallisieren bei $-15°$ 3,1 g *N_α,N_β-Di-benzyloxycarbonyl-DL-α-hydrazino-β-phenyl-propionsäure* [*Z-NH-DL-(Z)Phe-OH*] aus; F: 105–107° (aus Methanol).

38.32.13. *N-4-Toluolsulfonyl-Gruppe*

Die 4-Toluolsulfonyl-Gruppe wird gewöhnlich erst nach vollzogener Knüpfung einer N_β-Aminoacyl-Bindung zum Schutz der α-ständigen Amin-Funktion während nachfolgender Umsetzungen eingesetzt[2-4]. Die Abspaltung der Schutzgruppe durch Natrium/flüssigen Ammoniak muß unter vollständigem Ausschluß von Wasser durchgeführt werden, um unerwünschte Spaltung der Hydrazin-Gruppierung zu verhüten[3]. Gegen Hydrogenolyse oder Einwirkung von Bromwasserstoff in Eisessig ist der 4-Toluolsulfonyl-Rest weitgehend beständig, so daß die selektive Abspaltung evtl. zusätzlich vorhandener N-Benzyloxycarbonyl- oder N-tert.-Butyloxycarbonyl-Gruppen möglich ist[4].

N_α-4-Toluolsulfonyl,N_β-(benzyloxycarbonyl-glycyl)-hydrazino-essigsäure-äthylester [Z-Gly-NH-(TOS)Gly-OEt][4]: 6,20 g (20 mMol) Z-Gly-NH-Gly-OEt[5] werden in 40 *ml* absol. Pyridin gelöst. Unter Eiskühlung und Rühren gibt man 3,32 *ml* Triäthylamin und 4,48 g (24 mMol) 4-Toluolsulfonsäure-chlorid portionsweise hinzu. Man läßt die rötliche Mischung 1–2 Stdn. bei 20° stehen, engt das Filtrat vom Triäthylammoniumchlorid i.Vak. zum Sirup ein, nimmt in 100 *ml* Essigsäure-äthylester auf, extrahiert mit 2 n Salzsäure, 2 n Kaliumhydrogencarbonat-Lösung und Wasser, trocknet über Natriumsulfat und befreit i.Vak. vom Lösungsmittel. Nach Verreiben mit 20 *ml* absol. Äthanol Kristallisation; Ausbeute: 6,92 g (75% d.Th.); F: 107–109°.

38.32.14. *N_β-Aminoacyl-β-(aza-2)-aminosäuren*

N-geschützte N_β-Aminoacyl-Derivate der β-(Aza-2)-aminosäuren können als Kopfkomponente synthetische Verwendung finden, wenn die N_α-Funktion der Hydrazin-Gruppierung maskiert ist (s. S. 898 f.). Zur Verknüpfung mit Amin-Komponenten ist das Carbodiimid Verfahren geeignet[5,6].

38.32.2. Verwendung als Amin-Komponente

38.32.21. *Carboxy-Schutzgruppen*

Als Carboxy-Schutz für β-(Aza-2)-aminosäuren gelangten bisher Methylester und Äthylester[5,7] sowie tert.-Butylester[8] zur Anwendung.

Hydrazino-essigsäure-äthylester-Hydrochlorid [H_2N-Gly-OEt · HCl]:

Methode A[5]: Zu 450 *ml* siedender 25%-iger Hydrazin-Hydrat-Lösung (4facher Überschuß) werden unter Rühren gleichzeitig die Lösung von 47 g Chloressigsäure (mit 27 g Natriumcarbonat neutralisiert) in möglichst wenig Wasser sowie die Lösung von 27 g Natriumcarbonat (ebenfalls in möglichst wenig Wasser) innerhalb 1 Stde. zugetropft. Nach einer weiteren Stde. wird abgekühlt, mit konz. Salzsäure angesäuert und i. Vak. eingedampft, wobei von den sich ausscheidenden Kristallen mehrfach abgesaugt wird. Die zurückbleibende Hydrazino-essigsäure wird mit 200 *ml* absol. Äthanol und 80 *ml* mit Chlor-

---

[1] W. Grassmann u. E. Wünsch, B. **91**, 462 (1958).
[2] H. Niedrich, B. **98**, 3451 (1965).
[3] H. Niedrich in G. T. Young, *Peptides*, Proc. 5th Europ. Sympos. Oxford 1962, Pergamon Press, Oxford **1963**, S. 181.
[4] H. Niedrich, B. **96**, 2774 (1963).
[5] W. Knobloch u. H. Niedrich, J. pr. **17**, 273 (1962).
[6] H. Niedrich u. W. Knobloch, J. pr. **17**, 263 (1962).
[7] R. Grupe u. H. Niedrich, B. **100**, 3283 (1967).
[8] H. Niedrich, B. **102**, 1557 (1969).

wasserstoff ges. Äthanol 2 Stdn. zum Sieden erhitzt. Nach dem Filtrieren wird abgekühlt. Der Niederschlag wird aus Äthanol umkristallisiert; Ausbeute: 45,5 g (59% d. Th.); F: 153°.

Das so gewonnene Hydrochlorid wird mit Ammoniak in Chloroform behandelt, vom Ammoniumchlorid abgesaugt und das Filtrat i. Vak. destilliert; Ausbeute: 60–70% d. Th. *Hydrazino-essigsäure-äthylester* [H_2N-Gly-OEt]; $Kp_{1,5}$: 67°.

Methode B[1]: Man schüttelt 22,8 g (0,2 Mol) Diazoessigsäure-äthylester mit 12 g (0,3 Mol) Natriumhydroxid in 120 *ml* Wasser während 18 Stdn., versetzt die gelbe Lösung bei 0–10° innerhalb 4 Stdn. unter Rühren mit 1 kg 2,3%-igem Natriumamalgam, säuert die jetzt farblose Lösung mit Salzsäure schwach an, dampft sie ab, erhitzt den Rückstand 30 Min. mit 75 *ml* absol. Äthanol (ges. mit Chlorwasserstoff) zum Sieden und filtriert vom Natriumchlorid ab. Beim Abkühlen erhält man einen Niederschlag, der aus absol. Äthanol umkristallisiert wird; Ausbeute: 17 g (55% d. Th.); F: 150–151°.

Die einwandfreie Abspaltung der Methylester- oder Äthylester-Gruppen von Peptiden mit β-(Aza-2)-aminosäuren durch alkalische Verseifung gelingt nur bei geschützter N_α-Funktion der Hydrazin-Gruppierung[2,3].

38.32.22. β-(*Aza-2*)-*aminosäure-amide*

Hydrazino-essigsäure-amid kann durch Ammonolyse des entsprechenden Äthylesters gewonnen werden[4]; während dieser Reaktion muß die β-ständige Amin-Gruppe maskiert sein (z. B. durch die protonensolvolytisch abspaltbare N-Isopropyliden-Gruppe[4]).

Tab. 86. Derivate der Hydrazino-essigsäure [R^1—NH—N(R^2)—CH_2—CO—R^3]

R^1	R^2	R^3	F [°C]	Literatur
H	H	OMe	($Kp_{1,2}$: 60–61°)	3
H	H	OEt	($Kp_{1,5}$: 67°)	3
H	H	OEt [a]	153	1,3
H	H	OtBu	24–25	5
H	H	NH_2 [a]	183–185	4
Z	H	OEt	94–95	4
BOC	H	OEt	22–26	4,6
TOS	H	OEt	114–116	4
H	Z	OH	Harz	7
H	Z	OEt	($Kp_{0,2}$: 150–156°)	4
H	BOC	OEt	($Kp_{0,1}$: 75°)	4,6
H	BOC	NH_2	164–166	5
BAL	Z	OH	118–120	7
Z	Z	OH [b]	55–56	7
Z	Z	ONP	71–74	7
Z	Ac	OH [c]	185–188	8
Z	Ac	OEt	59–61	8
Z	Ac	OTCP	119–121	8
TOS	BOC	OEt	138–139	4

[a] Hydrochlorid [b] Kristall-Methanol [c] Dicyclohexylamin-Salz

1 B. Gisin u. M. Brenner, Helv. **53**, 1030 (1970).
2 P. H. Bentley u. J. S. Morley, Soc. [C] **1966**, 60.
3 W. Knobloch u. H. Niedrich, J. pr. **17**, 273 (1962).
4 H. Niedrich, B. **98**, 3451 (1965).
5 H. Niedrich, B. **102**, 1557 (1969).
6 H. Niedrich, Acta chim. Acad. Sci. hung. **44**, 235 (1965).
7 H. Niedrich u. W. Knobloch, J. pr. **17**, 263 (1962).
8 H. Niedrich u. J. Pirrwitz, J. pr. **314**, 735 (1972).

38.4. Amino-sulfonsäuren

Bearbeitet wurden bisher die Sulfonsäure-analoga des Glycins (Glys), Alanins (Alas), Valins (Vals), Leucins (Leus), Phenylglycins (Phgs), Phenylalanins (Phes) und des β-Alanins (βAlas)[1–3]. Zum Aufbau heteromerer Peptide wurden bisher lediglich *Aminomethansulfonsäure* (als Glycinanalogon) und *Taurin* (als Analogon des β-Alanins) herangezogen. *Cysteinsäure* kann als Taurin-Derivat mit drittfunktioneller Carboxy-Gruppe aufgefaßt werden, bzw. als Thia$^{C\beta}$-asparaginsäure.

38.41. α-Amino-sulfonsäuren

Die N-Acylierung (Benzoyl[1,4]-, 4-Toluolsulfonyl[4]- oder Benzyloxycarbonyl-Gruppe[1], Aminoacyl-Derivate[1]) der im freien Zustand wenig beständigen α-Amino-sulfonsäuren führt zu stabilen Derivaten. Die Umsetzung N-maskierter α-Amino-sulfonsäuren mit Amin-Komponenten gelang jedoch bisher nicht (s. S. II/394); offenbar ist die Reaktivität der Sulfonsäure-Gruppe (bedingt durch die Nachbarschaft der Amino-Gruppe) gegenüber nucleophilen Agenzien zu gering[1].

Dagegen ist die Umsetzung N-maskierter Aminosäuren mit α-Amino-sulfonsäuren als Amin-Komponente mehrfach beschrieben worden[1].

N-Benzyloxycarbonyl-amino-methansulfonsäure-Kaliumsalz [Z-Glys-OK][1]: 111 g (1 Mol) Aminomethansulfonsäure werden in der Lösung von 69 g (0,5 Mol) Kaliumcarbonat in 250 *ml* Wasser suspendiert. Unter Eiskühlung und Rühren werden gleichzeitig innerhalb 40 Min. die Lösung von 69 g (0,5 Mol) Kaliumcarbonat in 250 *ml* Wasser und 150 *ml* einer nach[5] hergestellten Lösung von Chlorameisensäure-benzylester in Toluol zugegeben. Man rührt eine weitere Stde. bei 0° und 4 Stdn. bei 20°. Der Niederschlag wird abgesaugt, mit Wasser, Äthanol und Diäthyläther gewaschen und getrocknet; Ausbeute: 74 g (26% d. Th.); F: 240–245°.

38.42. β-Amino-sulfonsäuren

Eine β-ständige Amino-Gruppe beeinträchtigt die Reaktivität der Sulfonsäure-Gruppe gegenüber Amin-Komponenten in geringerem Maße als eine α-ständige, so daß N-geschützte β-Amino-sulfonsäuren als Kopfkomponenten mit Aminosäureestern verknüpft werden können[1]. Als Amin-Schutzgruppe wurde die N-Phthalyl-Gruppe vorgeschlagen, doch führten Versuche zur hydrazinolytischen Abspaltung dieser Gruppe zur Zerstörung der Sulfonamid-Bindung[1,3]. Zur N-Maskierung geeigneter erscheint die Benzyloxycarbonyl-Gruppe[1,2].

Ester der β-Amino-sulfonsäuren blieben bisher unbekannt.

N-Benzyloxycarbonyl-taurin-Natriumsalz[2] [Z-βAlas-ONa]: Man löst 8 g Taurin in 40 *ml* warmem Wasser, kühlt auf 0°, versetzt mit 11,2 g Natriumhydrogencarbonat und tropft innerhalb 10 Min. Chlorameisensäure-benzylester (hergestellt aus 12 *ml* Benzylalkohol)[5] hinzu. Man rührt noch 4 Stdn. bei 20°, extrahiert 3 mal mit Diäthyläther, säuert die wäßrige Phase mit Salzsäure an und engt i. Vak. auf 60 *ml* ein. Nach Erwärmen filtriert man vom abgeschiedenen Natriumchlorid ab und kühlt ab. Der auskristallisierte Niederschlag wird aus wäßrigem Äthanol umkristallisiert; Ausbeute: 16 g.

---

[1] M. Frankel u. P. Moses, Tetrahedron **9**, 289 (1960).
[2] H. McIlwain, Soc. **1941**, 75.
[3] A. W. Spears u. H. Tieckelmann, J. Org. Chem. **26**, 1498 (1961).
[4] K. Negoro u. T. Suzuki, Yukagaku **19**, 905 (1970); C. A. **73**, 132246 (1970).
[5] M. Bergmann u. L. Zervas, B. **65**, 1192 (1932).

38.5. Amino-phosphonsäuren

Auch Amino-phosphonsäuren, wie z. B. die Phosphonsäure-analoga des Glycins (Glyp)[1–6] und des DL-C-Phenyl-glycins (DL-Phgp)[6–10], können als Pseudo-aminosäuren in Peptidverbände eingefügt werden[4,10]. Weitere in der Literatur beschriebene, bisher jedoch noch nicht in die Peptidsynthese einbezogene Amino-phosphonsäuren sind die Phospha^{C}-Derivate des DL-Alanins (DL-Alap)[2,3,6], DL-Valins (DL-Valp)[2,9], DL-Leucins (DL-Leup)[2], DL-Isoleucins (Ilep)[2], DL-Phenylalanins (DL-Phep)[3,6] und des β-Alanins (βAlap)[5,11–18]. Wie Amino-carbonsäuren oder Amino-sulfonsäuren bilden auch Amino-phosphonsäuren Betaine. Für ihre Einbeziehung in die Peptidsynthese ergibt sich damit ebenfalls die Notwendigkeit der selektiven Blockade funktioneller Gruppen.

Amino-phosphonsäuren können als Pseudo-aminosäuren in beliebiger Sequenzposition in heteromere Peptide eingebaut werden (s. S. II/395 f.).

38.51. α-Amino-phosphonsäuren

38.51.1. Verwendung als Kopfkomponente

Voraussetzungen für den Einsatz von Amino-phosphonsäuren als Kopfkomponente in der Synthese von Phospha^{C}-peptiden II sind nicht nur die Maskierung der Amin-Gruppe, sondern auch die Maskierung der (zur Peptidsynthese gewöhnlich nicht vorgesehenen) zweiten sauren Funktion der Phosphonsäure-Gruppe. Diesen Voraussetzungen entsprechen im einfachsten Falle N-geschützte Amino-phosphonsäure-monoester I:

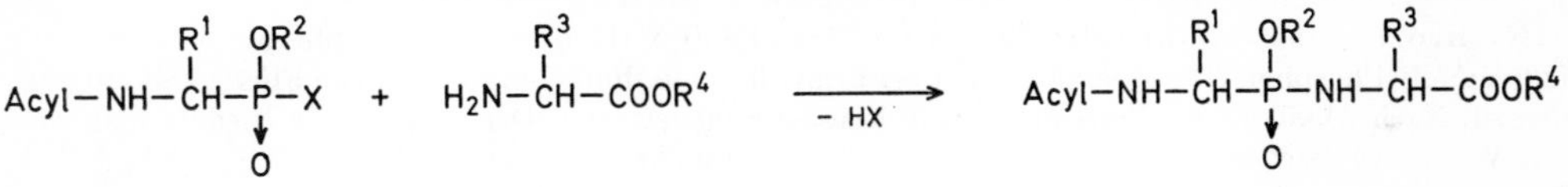

$$\underset{\text{I}}{\text{Acyl-NH-}\overset{R^1}{\text{CH}}\text{-}\overset{OR^2}{\underset{\downarrow O}{\text{P}}}\text{-X}} + H_2N\text{-}\overset{R^3}{\text{CH}}\text{-COOR}^4 \xrightarrow[-\text{HX}]{} \underset{\text{II}}{\text{Acyl-NH-}\overset{R^1}{\text{CH}}\text{-}\overset{OR^2}{\underset{\downarrow O}{\text{P}}}\text{-NH-}\overset{R^3}{\text{CH}}\text{-COOR}^4}$$

X = OH, Cl

---

1 B. E. Ivanov, S. S. Krokhina u. A. V. Chernova, Izv. Akad. Nauk. SSSR **1968**, 606; C. A. **69**, 87090 (1968).
2 K. D. Berlin, N. K. Roy, R. T. Claunch u. D. Bude, Am. Soc. **90**, 4494 (1968).
3 J. R. Chambers u. A. F. Isbell, J. Org. Chem. **29**, 832 (1964).
4 K. Yamauchi, M. Kinoshita u. M. Imoto, Bl. chem. Soc. Japan **45**, 2531 (1972).
5 V. Chavane, A. ch. **12(4)**, 372 (1949).
6 M. E. Chalmers u. G. M. Kosolapoff, Am. Soc. **75**, 5278 (1953).
7 K. D. Berlin, R. T. Claunch u. E. T. Gaudy, J. Org. Chem. **33**, 3090 (1968).
8 N. Kreutzkamp u. G. Cordes, A. **623**, 103 (1959).
9 H. Hoffmann u. H. Förster, M. **99**, 380 (1968).
10 K. Yamauchi, M. Kinoshita u. M. Imoto, Bl. chem. Soc. Japan **45**, 2528 (1972).
11 J. S. Kittredge u. E. Roberts, Science **164**, 37 (1969).
12 M. Horiguchi u. M. Kandatsu, Nature **184**, 901 (1959).
13 A. F. Rosenthal u. M. Pousada, R. **84**, 833 (1965).
14 A. F. Rosenthal u M. Pousada, Pr. chem. Soc. **1964**, 358.
15 J. S. Kittredge, E. Roberts u. C. G. Simonsen, Biochemistry **1**, 624 (1962).
16 J. Finkelstein, Am. Soc. **68**, 2397 (1946).
17 G. M. Kosolapoff, Am. Soc. **69**, 2112 (1947).
18 L. D. Quin, Biochemistry **4**, 324 (1965).

Mit Verbindungen vom Typ I können neutral reagierende heteromere Peptid-Bindungen geknüpft werden, die in ihrem Verhalten den homöomeren Peptid-Bindungen nahe kommen.

Die Auswahl der Schutzgruppen muß nach den folgenden Gesichtspunkten vorgenommen werden:

① Säurelabilität der Phospha^{C}-peptid-Bindung[1,2] (s. S. II/396). Acidolytisch abzuspaltende Schutzgruppen kommen daher für reversible Maskierung nicht in Betracht.

② Die Knüpfung einer Phospha^{C}-peptid-Bindung ist bisher nur nach dem Säurechlorid-Verfahren möglich (s. S. II/396). Die verwendeten Schutzgruppen müssen unter den zur Herstellung der Phosphonsäure-chloride erforderlichen Reaktionsbedingungen beständig sein.

Zur Maskierung der Amin-Gruppe wurde bisher hauptsächlich die Phthalyl-Gruppe herangezogen[2–4] (Abspaltung nach erfolgter Synthese mit Hydrazin in Äthanol[2]). Bekannt sind auch N-Benzyloxycarbonyl-amino-phosphonsäuren[3] (Demaskierung durch Hydrogenolyse). Als Maskierung der zur Peptid-Knüpfung nicht vorgesehenen sauren Funktion der Phosphonsäure-Gruppe kam bisher nur die Äthylester-Gruppe zur Anwendung[2,3].

Zur Herstellung der N-geschützten Amino-phosphonsäuren geht man entweder von Amino-phosphonsäureestern aus (Beispiele A und B), oder man führt die Phosphonsäure-Gruppe nachträglich in entsprechend geschützte Amine ein (vgl. Beispiel C).

N-Benzyloxycarbonyl-phospha^{C}-DL-C-phenyl-glycin-diäthylester [Z-DL-Phgp=(OEt)$_2$][3] (Beispiel A): Zu 7,0 g (28,8 mMol) H-DL-Phgp=(OEt)$_2$ (Herstellung s. S. 905) in 100 *ml* Tetrahydrofuran werden bei 20° unter starkem Rühren 2,5 g (14,7 mMol) Chlorameisensäure-benzylester gegeben. Nach 24 Stdn. wird das Filtrat vom ausgeschiedenen H-DL-Phgp=(OEt)$_2$ · HCl (3,8 g) eingedampft und der Rückstand aus Diäthyläther umkristallisiert; Ausbeute: 5,3 g (98% d.Th.); F: 108–109°.

N-Phthalyl-phospha^{C}-DL-C-phenyl-glycin-diäthylester [PHT=DL-Phgp=(OEt)$_2$][3] (Beispiel B): 6,51 g (26,6 mMol) H-DL-Phgp=(OEt)$_2$ (Herstellung s. S. 905) und 3,94 g (26,6 mMol) Phthalsäureanhydrid werden 2 Stdn. auf 170–180° erhitzt. Nach Abkühlen wird das Produkt in 7 *ml* Chloroform aufgenommen und auf eine Aluminiumoxid-Säule gegeben. Durch Elution mit Essigsäure-äthylester und Eindampfen des Eluats werden 5,0 g (51% d.Th.) erhalten. Nach Umkristallisieren aus Diäthyläther; F: 101–103°.

N-Phthalyl-phospha^{C}-glycin-diäthylester [PHT=Glyp=(OEt)$_2$] (Beispiel C):

N-(Brom-methyl)-phthalimid[2]: 50,0 g (282 mMol) N-(Hydroxy-methyl)-phthalimid und 77,0 g (285 mMol) Phosphor(III)-bromid werden erwärmt, bis eine dunkel-orangefarbene Flüssigkeit entstanden ist. Nach Abkühlen wird das Produkt in Eiswasser eingetragen. Der entstandene Niederschlag wird mit Wasser gewaschen, getrocknet und aus Chloroform umkristallisiert; Ausbeute: 53,0 g (78% d.Th.); F: 149–150°.

N-Phthalyl-phospha^{C}-glycin-diäthylester[2]: 39,5 g (165 mMol) N-(Brom-methyl)-phthalimid (Herstellung s.o.) und 27,4 g (165 mMol) Triäthylphosphit werden in einem 200-*ml*-Rundkolben vorsichtig erwärmt. Nach Einsetzen der exothermen Reaktion destilliert man das entstehende Äthylbromid über eine Kolonne ab; anschließend erwärmt man 1 weitere Stde. Nach Abkühlen verteilt man zwischen 100 *ml* Chloroform und 100 *ml* Wasser, extrahiert die abgetrennte organische Phase noch 2 mal mit je 100 *ml* Wasser, trocknet über Drierite und engt ein. Nach Zusatz von Petroläther setzt Kristallisation ein; Ausbeute: 40,0 g (82% d.Th.); F: 67°.

Durch Umsetzung der N-geschützten Diester, wie sie nach den Beispielen A, B und C erhalten werden, mit 1 Mol-äquivalent Phosphor(V)-chlorid gelangt man direkt zu verknüpfungsfähigen Kopfkomponenten (s. S. II/396). Selektive Hydrolyse der Diester zu Monoestern ist ebenfalls möglich (s. S. 906).

Beispiele zur Verknüpfung N-maskierter Amino-phosphonsäure-monoester mit Aminosäuren oder Peptiden zu Phospha^{C}-peptiden s. S. II/396.

---

[1] S. ds. Handb., Band XII/1, Kap. Phosphonsäuren und Derivate, S. 352ff.

[2] K. Yamauchi et al., Bl. chem. Soc. Japan **45**, 2531 (1972).

[3] K. Yamauchi et al., Bl. chem. Soc. Japan **45**, 2528 (1972).

[4] M. I. Kabachnik u. T. J. Medved, Izv. Akad. SSSR **1953**, 1126; C. A. **49**, 2306 (1955).

38.51.2. Verwendung als Amin-Komponente

Zum Einsatz der Amino-phosphonsäuren als Amin-Komponente in der Synthese von N-Aminoacyl-(peptidyl)-amino-phosphonsäuren ist eine Maskierung der Phosphonsäure-Gruppe zwar nicht unbedingt erforderlich, jedoch wünschenswert.

Im Gebrauch sind Amino-phosphonsäure-diäthylester[1,2], die am günstigsten durch Totalsynthese zu erhalten sind[1–5]. Man erhält hierbei jedoch – außer im Falle des Phospha^{C}-glycins – racemische Produkte.

Phospha^{C}-DL-C-phenyl-glycin-diäthylester [H-DL-Phgp=(OEt)$_2$]:

Phospha^{C}-DL-C-phenyl-glycin-diäthylester-Hydrochlorid [H-DL-Phgp=(OEt)$_2$·HCl][2,6]: 25,4 g (240 mMol) frisch dest. Benzaldehyd, 33,0 g (240 mMol) Diäthylphosphit und wasserfr. Ammoniak (Überschuß) in absol. Äthanol werden 10 Stdn. im Druckgefäß auf 100° erhitzt. Nach Abkühlen wird zur Trockne eingedampft, der Rückstand in Äthanol/Diäthyläther (1:1) gelöst und trockener Chlorwasserstoff eingeleitet. Der Niederschlag wird abgetrennt und aus 1,4-Dioxan umkristallisiert; Ausbeute: 26,4 g (40% d.Th.); F: 158–159°.

Phospha^{C}-DL-C-phenyl-glycin-diäthylester[2,6]: 10,0 g (36 mMol) H-DL-Phgp=(OEt$_2$)·HCl (Herstellung s.o.) werden in 70 *ml* Diäthyläther suspendiert und bei unterhalb 3° mit 4 n Natronlauge geschüttelt. Man gibt bis zum Verschwinden der wäßrigen Phase wasserfreies Kaliumcarbonat hinzu, trennt die organische Lösung ab und verdampft das Lösungsmittel; Ausbeute: 6,13 g (70% d.Th.) (klare Flüssigkeit).

Die genannten Diester sind nicht durch protonenkatalysierte Umsetzung der Amino-phosphonsäuren mit Alkoholen zu erhalten. Möglicherweise können jedoch N-geschützte Amino-phosphonsäuren entweder als Silber(I)- bzw. Blei(II)-Salze mit Alkylhalogeniden oder in freier Form mit Diazomethan zu den Estern umgesetzt werden. Weitere Möglichkeiten zur Veresterung N-geschützter Amino-phosphonsäuren könnten einerseits mit der Überführung in Dichloride und deren anschließender vollständiger Alkoholyse (unter gleichzeitiger Bindung des freiwerdenden Chlorwasserstoffs) oder andererseits in ihrer Umsetzung mit Dicyclohexylcarbodiimid und Alkoholen[7] gegeben sein. Entsprechende Untersuchungen wurden an Alkyl-phosphonsäuren bereits durchgeführt[8], im Falle der Amino-phosphonsäuren stehen sie jedoch noch aus.

Eine hydrolytische Abspaltung der genannten Ester-Gruppen nach vollzogener Peptidsynthese kann entweder mit Säure oder Alkalien vorgenommen werden. Man verwendet gewöhnlich siedende konzentrierte Halogenwasserstoff-Lösungen in Wasser oder Essigsäure, wobei die Reaktionsgeschwindigkeit vom Jodwasserstoff über Bromwasserstoff zum Chlorwasserstoff abnimmt[8]. Eventuell im Peptid-Molekül enthaltene Phospha^{C}-peptid-Bindungen werden unter diesen Bedingungen jedoch gespalten[1] (s. u.; Beispiel A). Bei der Spaltung der Diester mit Alkali können die Reaktionsbedingungen in vielen Fällen so gewählt werden, daß Monoester erhalten werden (s. Beispiel B, S. 906).

N-Phthalyl-phospha^{C}-glycin-monoäthylester [PHT=Glyp=(OEt,OH)]; Beispiel A (saure Hydrolyse einer Phospha^{C}-peptid-Bindung)[1]: Die Lösung von 670 mg (18,9 mMol) PHT=Glyp=(OEt, Gly-OEt) (Herstellung s. S. II/396) in 7 *ml* einer Mischung aus konz. Salzsäure und Essigsäure (1:10) wird 20 Min. zum Sieden erhitzt. Nach Abkühlen wird mit Wasser versetzt und im Vak. eingeengt. Der Niederschlag wird aus Tetrahydrofuran umkristallisiert; Ausbeute: 300 mg (59% d.Th.); F: 205°.

---

1 K. YAMAUCHI, M. KINOSHITA u. M. IMOTO, Bl. chem. Soc. Japan **45**, 2531 (1972).
2 K. YAMAUCHI, M. KINOSHITA u. M. IMOTO, Bl. chem. Soc. Japan **45**, 2528 (1972).
3 B. E. IVANOV, S. S. KROKHINA u. A. V. CHERNOVA, Izv. Akad. Nauk. SSSR **1968**, 606; C. A. **69**, 87090 (1968).
4 K. D. BERLIN, N. K. ROY, R. T. CLAUNCH u. D. BUDE, Am. Soc. **90**, 4494 (1968).
5 N. KREUTZKAMP u. G. CORDES, A. **623**, 103 (1959).
6 M. E. CHALMERS u. G. M. KOSOLAPOFF, Am. Soc. **75**, 5278 (1953).
7 A. BURGER u J. J. ANDERSON, Am. Soc. **79**, 3575 (1957).
8 S. ds. Handb., Band XII/1, Kap. Phosphonsäuren und Derivate, S. 352ff.

N-Benzyloxycarbonyl-phospha^C^-DL-C-phenyl-glycin-monoäthylester [Z-DL-Phgp=(OEt,OH)]; Beispiel B[1]: Die Lösung von 1,0 g (2,65 mMol) Z-DL-Phgp=(OEt)$_2$ (Herstellung s. S. 904) in einer Mischung aus 10 *ml* 0,4 n Natronlauge und 10 *ml* Äthanol wird 1 Stde. auf 80° erwärmt. Danach wird das Lösungsmittel i. Vak. eingedampft, der Rückstand in 20 *ml* Wasser gelöst und die Lösung mit konz. Salzsäure auf p_H = 3 angesäuert. Der Niederschlag wird aus Chloroform/Petroläther umkristallisiert; Ausbeute: 590 mg (64% d.Th.); F: 182–183°.

Benzylester-Gruppen können hydrolytisch abgespalten werden[2]. Arylester-Gruppen werden alkalisch leichter als Alkylester-Gruppen verseift[2].

Die Verknüpfung N-geschützter Aminosäuren oder Peptide mit Amino-phosphon säure-diestern gelingt nach den üblichen Methoden der Peptidsynthese:

N-Benzyloxycarbonyl-glycyl-phospha^C^-DL-C-phenyl-glycin-diäthylester [Z-Gly-DL-Phgp=(OEt)$_2$][1]: Die Lösung von 1,5 g (7,18 mMol) Z-Gly-OH, 1,75 g (7,18 mMol) H-DL-Phgp=(OEt)$_2$ (Herstellung s. S. 905) und 1,48 g (7,18 mMol) Dicyclohexylcarbodiimid in 15 *ml* Tetrahydrofuran wird 20 Stdn. bei 20° gerührt. Man rührt nach Zugabe von 1 *ml* Essigsäure und 2 *ml* Wasser noch 2 Stdn. und dampft das Filtrat vom N,N'-Dicyclohexyl-harnstoff i. Vak. ab. Der Rückstand wird zwischen 30 *ml* Chloroform und 10%-iger Natriumhydrogencarbonat-Lösung verteilt, die organische Phase abgetrennt und auf 2,5 *ml* eingeengt. Nach Zugabe von Benzol erfolgt Kristallisation; Ausbeute: 2,3 g (74% d.Th.); F: 88–89° (nach Umkristallisieren aus Diäthyläther).

38.52. β-Amino-phosphonsäuren

Für die Schutzgruppen-Technik und Peptid-Verknüpfung der β-Amino-phosphonsäuren sollten die gleichen Gesichtspunkte wie für die α-Amino-phosphonsäurem gelten (s. o.). Entsprechende Untersuchungen an dieser Verbindungsklasse stehen jedoch noch aus.

---

[1] K. Yamauchi, M. Kinoshita u. M. Imoto, Bl. chem. Soc. Japan **45**, 2528 (1972).

[2] S. ds. Handb., Band XII/1, Kap. Phosphonsäuren und Derivate, S. 352ff.

Autorenregister

Sachregister

Die Namen der hergestellten Verbindungen entsprechen den auf S. 3–30 dargelegten und erläuterten Nomenklatur- und Abkürzungsprinzipien (s. a. beigelegte Abkürzungsliste). Trivialnamen werden nur in Ausnahmefällen verwendet.

Fettgedruckte Ziffern verweisen auf Vorschriften oder ausführliche Beschreibungen.

A

B

C

O

R

S

T

Spezielles Sachregister

(Arbeitsvorschriften)
Abkürzungen s. S. 3–30

A

C

D

E

F

G

H

S

T